令和
6年度版

生活保護関係法令通知集

中央法規

凡　例

〈内容現在・構成〉

　本書は次のとおり構成し、法令については令和6年7月8日までに発行された官報を原典に内容を更新した。ただし、改正規定の施行日が令和6年9月2日以降となるものは未施行扱いとし、各法令の末尾に〔参考〕として掲載した。

　　Ⅰ　生活保護法関係法令
　　Ⅱ　生活保護法関係通知
　　Ⅲ　関連法令等
　　索引

〈法令中の一部省略〉

　法令中、必要と思われる条文等のみを抜すいして収載したものがある。この場合は題名に（抄）を付した。

〈条文見出し・項番号〉

　法令中、原文に条文見出し又は項番号が付されていない法令については、検索の便宜上、見出しは〔　〕内に、項番号は②③等と付した。

〈改正経過等〉

(1)　改正のあった法令・通知については、題名のあとにその経過を示した。

(2)　法令中に規定されている事実等が、法令の改廃により実質上変更されているものについては、その語句の下に────線を付し、当該事実又は法令が自然消滅、廃止又は失効しているものについては------線を付した。

(3)　「生活保護法による保護の実施要領について（昭和36年厚生省発社第123号）」、「生活保護法による保護の実施要領について（昭和38年社発第246号）」、「生活保護法による保護の実施要領の取扱いについて（昭和38年社保第34号）」に対する平成20年度の改正において、当該通知における項目の新設・変更及び項目番号の変更が行われた。これに伴い、他の通知で上記3通知の項目番号等を引用・参照している場合の整合性を図るため、当該項目番号を修正し、修正部分の下に────線を付した。

〈委任〉

　本書に収載した法令において、条文中で下位の法令への委任が行われている場合には、その条文のあとに〔委任〕の見出しを付して委任の関係を明らかにし、原条文の解釈や運用の便をはかった。

〈索引〉

　巻末には、法令・通知の五十音索引及び年別索引を収載した。

凡　例

◆「委任」とは？
　法律、政令等法令の条文中には、「政令で定める……」、「○○省令で定める……」あるいは「△△大臣が定める……」といった文言がある。これらは、その条文自体には詳細を定める規定を置かず、下位の法令に委ねており、これが「委任」である。

──委任の例──
```
　　　　　　　生活保護法第23条
　　（事務監査）
　第23条　厚生労働大臣は都道府県知事及び市町村長の行うこの法律の施行に関
　　する事務について、都道府県知事は市町村長の行うこの法律の施行に関する事務
　　について、その指定する職員に、その監査を行わせなければならない。
　2　略
　3　第1項の規定により指定すべき職員の資格については、政令で定める。
　　〔委任〕
　　　　　　第3項　「政令」＝令2
```

解説
(1)　「　」を付して示した語句は、その条文中にあるものである。
(2)　＝のあとに「令」「規則」とあるのは、それぞれ生活保護法施行令、生活保護法施行規則を示す。
(3)　条、項、号の区分は次による。
　　条＝アラビア数字　　5
　　項＝ローマ数字　　Ⅴ
　　号＝和数字　　五
上の例では、生活保護法施行令第2条に委任事項が明示されていることがわかる。
生活保護法施行令第2条は、次のようになっている。

```
　　　　　　生活保護法施行令第2条
　　（監査する職員の資格）
　第2条　法第23条第3項に規定する職員の資格は、左の各号の一に該当するもの
　　とする。
　　一　国又は都道府県において社会福祉に関する行政に従事している者
　　二、三　略
```

委任の活用により、難解な法令を理解する上で利便を図ることができます。
是非、ご活用下さい。

総目次

I 生活保護法関係法令

- 第1章　基本法令 …………………………………………………………… 3
- 第2章　保護の基準 ………………………………………………………… 122
- 第3章　保護施設及び日常生活支援住居施設 …………………………… 159
- 第4章　指定医療機関・指定介護機関
  - 第1節　指定医療機関／179
  - 第2節　指定介護機関／195
- 第5章　就労自立給付金及び進学・就職準備給付金 …………………… 198

II 生活保護法関係通知

- 第1章　総括的通知 ………………………………………………………… 253
- 第2章　保護の実施体制 …………………………………………………… 272
- 第3章　保護の実施要領
  - 第1節　基本通知／344
  - 第2節　一般通知等
    1. 実施責任関係／474
    2. 扶養関係／482
    3. 最低生活費関係／487
    4. 収入認定関係／539
    5. 保護の決定関係／559
    6. 費用の返還関係／582
    7. 第三者行為求償関係／596
    8. 他法との関係／632
    9. その他／762
- 第4章　医療扶助運営要領
  - 第1節　基本通知／887
  - 第2節　一般通知等
    1. 運営体制関係／983
    2. 実施手続関係／1080
    3. 診療方針及び診療報酬関係／1105
    4. 医療費の審査及び支払関係／1113
    5. 指定医療機関関係／1130
    6. 他法との関係／1147

総目次

　第5章　介護扶助運営要領
　　第1節　基本通知／1202
　　第2節　一般通知等／1260
　第6章　保護施設の運営……………………………………………………1337
　第7章　指導監査……………………………………………………………1381
　第8章　外国人保護…………………………………………………………1570
　第9章　就労・進学支援……………………………………………………1589
　第10章　自立支援プログラム………………………………………………1671
　第11章　交付要綱……………………………………………………………1743

Ⅲ　関連法令等
　第1章　行旅病人及び行旅死亡人関係……………………………………1853
　第2章　ホームレスの自立支援等関係……………………………………1865
　第3章　生活困窮者自立支援関係…………………………………………1894

五十音索引………………………………………………………………………2052
年別索引…………………………………………………………………………2069

目次

I　生活保護法関係法令

第1章　基本法令

- 生活保護法
  - （昭和25年5月4日　法律第144号） ……………………………………………… 3
- 生活保護法施行令
  - （昭和25年5月20日　政令第148号） ……………………………………………… 73
- 生活保護法施行規則
  - （昭和25年5月20日　厚生省令第21号） ………………………………………… 84
- 生活保護法別表第1に規定する厚生労働省令で定める情報を定める省令
  - （平成26年6月30日　厚生労働省令第72号） …………………………………… 111
- 厚生労働省の所管する法律又は政令の規定に基づく立入検査等の際に携帯する職員の身分を示す証明書の様式の特例に関する省令（抄）
  - （令和3年10月22日　厚生労働省令第175号） ………………………………… 120

第2章　保護の基準

- 生活保護法による保護の基準
  - （昭和38年4月1日　厚生省告示第158号） …………………………………… 122

第3章　保護施設及び日常生活支援住居施設

- 救護施設、更生施設、授産施設及び宿所提供施設の設備及び運営に関する基準
  - （昭和41年7月1日　厚生省令第18号） ………………………………………… 159
- 救護施設、更生施設、授産施設及び宿所提供施設の設備及び運営に関する基準第16条の2の規定に基づき厚生労働大臣が定める給付金
  - （平成23年9月30日　厚生労働省告示第375号） ……………………………… 170

◉日常生活支援住居施設に関する厚生労働省令で定める要件等を定める省令
　　　（令和2年3月27日　厚生労働省令第44号）……………………………171

第4章　指定医療機関・指定介護機関

第1節　指定医療機関

◉指定医療機関医療担当規程
　　　（昭和25年8月23日　厚生省告示第222号）……………………………179

◉生活保護法第52条第2項の規定による診療方針及び診療報酬
　　　（昭和34年5月6日　厚生省告示第125号）………………………………182

◉療養の給付及び公費負担医療に関する費用の請求に関する命令
　　　（昭和51年8月2日　厚生省令第36号）……………………………………184

◉介護保険法及び介護保険法施行法の施行に伴う関係政令の整備等に関する政令第12条第2項の規定に基づき厚生労働大臣が定める額
　　　（平成12年4月20日　厚生省告示第221号）………………………………194

第2節　指定介護機関

◉指定介護機関介護担当規程
　　　（平成12年3月31日　厚生省告示第191号）………………………………195

◉生活保護法第54条の2第5項において準用する同法第52条第2項の規定による介護の方針及び介護の報酬
　　　（平成12年4月19日　厚生省告示第214号）………………………………196

第5章　就労自立給付金及び進学・就職準備給付金

◉生活保護法施行規則第18条の5の規定に基づき厚生労働大臣が定める算定方法
　　　（平成26年4月18日　厚生労働省告示第224号）…………………………198

◉生活保護法施行規則第18条の10の規定に基づき厚生労働大臣が定める額
　　　（平成30年6月8日　厚生労働省告示第244号）…………………………202

II 生活保護法関係通知

第1章 総括的通知

○生活保護法の施行に関する件（依命通知）
　　（昭和25年5月20日　厚生省発社第46号）……………………253

○生活保護法の一部を改正する法律の施行について（依命通知）
　　（昭和26年9月13日　厚生省発社第80号）……………………261

○生活保護法による保護の基準の級地区分の取扱い等について
　　（昭和41年5月18日　社保第160号）……………………268

○生活困窮者等の自立を促進するための生活困窮者自立支援法等の一部を改正する法律の一部施行について（公布日施行分（進学準備給付金関係））
　　（平成30年6月8日　社援発0608第7号）　1644頁参照

○地域の自主性及び自立性を高めるための改革の推進を図るための関係法律の整備に関する法律による生活保護法の一部改正等について
　　（令和2年9月14日　社援発第0914第7号）……………………269

第2章 保護の実施体制

○生活保護法施行細則準則について
　　（平成12年3月31日　社援第871号）……………………272

○保護の実施機関における生活保護業務の実施方針の策定について
　　（平成17年3月29日　社援保発第0329001号）……………………321

目　次

○生活保護法関係文書の保存期間について
　　　（昭和36年9月29日　社発第726号） ……………………………………323

○福祉部局との連絡・連携体制の強化について
　　　（平成12年4月13日　事務連絡） ………………………………………325

○要保護者の把握のための関係部局・機関等との連絡・連携体制の強化について
　　　（平成13年3月30日　社援保発第27号） ………………………………326

○福祉部局との連携等に係る協力について
　　　（平成14年4月23日） ……………………………………………………327

○生活保護制度における福祉事務所と民生委員等の関係機関との連携の在り方について
　　　（平成15年3月31日　社援保発第0331004号） …………………………328

○要保護者の把握のための関係部局・機関等との連絡・連携体制の強化の徹底について
　　　（平成22年10月1日　社援保発1001第1号） …………………………334

○同
　　　（平成23年7月8日　社援保発0708第1号） ……………………………335

○生活に困窮された方の把握のための関係部局・機関等との連絡・連携体制の強化の徹底について
　　　（平成24年2月23日　社援発0223第3号） ……………………………336

○身元不明者の身元確認を行うための生活保護担当部局における対応について
　　　（平成26年9月26日　社援保発0926第1号） …………………………337

○保護の実施機関における訪問基準の作成について
　　　（平成27年3月31日　社援保発0331第4号） …………………………339

○生活保護事務におけるマイナンバー導入に関する留意事項について
　　　（平成27年9月16日　社援保発0916第1号） …………………………341

第3章　保護の実施要領

第1節　基本通知

○生活保護法による保護の実施要領について
　　（昭和36年4月1日　厚生省発社第123号）……………………344

○生活保護法による保護の実施要領について
　　（昭和38年4月1日　社発第246号）……………………………355

○生活保護法による保護の実施要領の取扱いについて
　　（昭和38年4月1日　社保第34号）………………………………419

第2節　一般通知等

1　実施責任関係

○老人ホームへの入所措置等に関する留意事項について
　　（昭和62年1月31日　社老第9号）………………………………474

○老人福祉法施行事務に係る質疑応答について
　　（昭和39年1月7日　社施第1号）…………………………………477

○生活保護法による保護の実施要領に関する疑義について（抄）
　　（昭和39年7月10日　社保第61号）………………………………480

2　扶養関係

○生活保護法第77条第2項に基づく家庭裁判所に対する審判を求める申立
　てについて
　　（昭和62年7月27日　社保第75号）………………………………482

○扶養義務履行が期待できない者の判断基準の留意点等について
　　（令和3年2月26日　事務連絡）……………………………………484

3　最低生活費関係

○生活保護法による保護の実施要領に関する疑義について（抄）
　　　（昭和38年11月29日　社保第85号） …………487

○生活保護法による保護における障害者加算等の認定について
　　　（昭和40年5月14日　社保第284号） …………490

○精神障害者保健福祉手帳による障害者加算の障害の程度の判定について
　　　（平成7年9月27日　社援保第218号） …………492

○在宅患者加算の認定について
　　　（昭和55年4月1日　社保第48号） …………494

○老人福祉法の施行に伴う留意事項等について
　　　（昭和38年8月1日　社発第525号） …………495

○老人ホームの移送に要する費用の取扱いについて
　　　（昭和46年9月22日　社老第111号） …………499

○公営住宅に入居している被保護世帯に対する家賃及び敷金の減免措置について
　　　（昭和44年12月8日　社保第277号） …………500

○生活保護法による住宅扶助の取扱いについて
　　　（昭和47年8月14日　社保第136号） …………501

○生活保護法による住宅扶助の認定等について
　　　（昭和60年3月30日　社保第37号） …………502

○住宅扶助の認定にかかる留意事項について
　　　（平成27年5月13日　社援保発0513第1号） …………503

○無料低額宿泊所等における住宅扶助の認定について
　　　（令和2年8月24日　社援保発0824第1号） …………506

○生活保護法第37条の2に規定する保護の方法の特例（住宅扶助の代理納付）に係る留意事項について
　　　（平成18年3月31日　社援保発第0331006号） …………509

○生活保護受給者の住まいの確保のための福祉部局と住宅部局等の連携について
　　（平成27年6月11日　社援保発0611第1号・国住賃第13号・国住心
　　第57号）……………………………………………………………………………512

○公営住宅家賃等の減免措置について
　　（昭和60年5月17日）………………………………………………………………515

○公営住宅に入居する被保護者の保証人及び家賃の取扱いについて
　　（平成14年3月29日　社援保発第0329001号）………………………………516

〔参考〕
○更生訓練費の生活保護法上の取扱いについて
　　（昭和43年10月26日　社更第253号）……………………………………………517

○老人福祉法施行事務に伴なう疑義照会について（抄）
　　（昭和39年2月11日　社施第5号）………………………………………………518

○生活保護法における特別基準の設定にかかる情報提供について
　　（平成12年7月7日　社援保第43号）……………………………………………519

○入院患者、介護施設入所者及び社会福祉施設入所者の加算等の取扱いについて
　　（昭和58年3月31日　社保第51号）………………………………………………522

○救護施設入所者に対する保護費の適正な支給について
　　（平成27年3月31日　社援保発0331第3号）……………………………………524

○介護保険料加算の認定及び代理納付の実施等について
　　（平成12年9月1日　社援保第54号）……………………………………………526

〔参考〕
○介護保険料に係る生活保護受給者の取扱いについて
　　（平成12年9月1日　老介第11号）………………………………………………529

○生活保護制度における代理納付等の適切な活用等について
　　（平成19年10月5日　社援保発第1005002号・社援指発第1005001号）………531

〔参考〕
○生活保護受給者の介護保険料徴収に係る保護の実施機関との連携等について
　　（平成19年10月5日　老介発第1005001号）……………………………………534

○生活保護基準の見直しに伴う他制度における経過措置等の円滑な実施に係る留意事項について
　　　（平成30年9月4日　社援保発0904第2号）………………………………535

4　収入認定関係

○原子爆弾被爆者に対する特別措置に関する各種給付に係る収入の認定等について
　　　（昭和43年10月1日　社保第232号）………………………………539

〔参考〕
○地方公共団体が実施する福祉的給付金制度の生活保護法上の取扱いについて
　　　（昭和44年4月26日）………………………………………………………541

○小児がん患者に対する療養援助金の生活保護法上の取扱いについて
　　　（昭和48年1月23日）………………………………………………………545

○労災特別援護措置の生活保護法上の取扱いについて
　　　（昭和48年11月21日　社保第204号）………………………………546

○自動車事故対策センターが行う生活資金の貸付けの生活保護法上の取扱いについて
　　　（昭和48年12月21日　社保第223号）………………………………547

○公害健康被害の補償等に関する法律による各種補償給付の取扱いについて
　　　（昭和49年11月27日　社保第213号）………………………………548

○各種制度による介護手当等に係る収入の認定等について
　　　（昭和57年3月10日　社保第23号）……………………………………552

○スモン訴訟の和解に伴う収入の認定等について
　　　（昭和57年3月10日　社保第24号）……………………………………553

○水俣病総合対策による各種給付の生活保護法上の取扱いについて
　　　（平成4年5月25日　社保第180号）……………………………………554

○自動車事故被害者援護財団給付事業及び貸付事業の取扱いについて
　　　（昭和59年9月19日）………………………………………………………556

○被保護者が海外に渡航した場合の取扱いについて
　　（平成20年4月1日　社援保発第0401006号）　　566頁参照

○犯罪被害者等給付金の支給等による犯罪被害者等の支援に関する法律に基づく犯罪被害者等給付金の生活保護制度上の取扱いについて
　　（令和5年6月30日　社援保発0630第1号）………………………557

5　保護の決定関係

○労働争議中の労働者等に対する生活保護法の適用について
　　（昭和43年4月26日　社保第111号）………………………559

○被保護者が海外に渡航した場合の取扱いについて
　　（平成20年4月1日　社援保発第0401006号）………………566

○無料低額宿泊所及び日常生活支援住居施設における生活保護の適用について
　　（令和2年3月27日　社援保発0327第1号）………………568

○職や住まいを失った方々への支援の徹底について
　　（平成21年3月18日　社援保発第0318001号）………………575

○「緊急雇用対策」における貧困・困窮者支援のための生活保護制度の運用改善について
　　（平成21年10月30日　社援保発1030第4号）………………579

○失業等により生活に困窮する方々への支援の留意事項について
　　（平成21年12月25日　社援保発1225第1号）………………580

6　費用の返還関係

○第三者加害行為による補償金、保険金等を受領した場合における生活保護法第63条の適用について
　　（昭和47年12月5日　社保第196号）………………582

○生活保護費の費用返還及び費用徴収決定の取扱いについて
　　（平成24年7月23日　社援保発0723第1号）………………583

7　第三者行為求償関係

○生活保護制度における第三者行為求償事務について
　　（平成26年4月18日　社援発0418第354号）……………596

○生活保護制度における第三者行為求償事務の手引について
　　（平成26年4月18日　社援保発0418第3号）……………600

○生活保護制度における第三者行為求償事務に係る疑義について
　　（平成26年6月30日　事務連絡）……………………………623

8　他法との関係

○生活保護制度における他法他施策の適正な活用について
　　（平成18年9月29日　社援保発第0929003号・社援指発第0929001号）……………632

○生活保護制度における他法他施策の適正な活用について
　　（平成22年3月24日　社援保発0324第1号）……………637

○年金制度及び不動産等の資産の活用の徹底等について
　　（平成23年3月31日　社援保発0331第3号）……………648

○里親登録に関する疑義について
　　（昭和24年6月17日　児発第465号）……………………659

○老人ホームへの入所措置等の指針について（抄）
　　（平成18年3月31日　老発第0331028号）………………660

○生活福祉資金の貸付けについて（抄）
　　（平成21年7月28日　厚生労働省発社援0728第9号）……661

○生活福祉資金（要保護世帯向け不動産担保型生活資金）貸付制度の運営
について
　　（平成21年7月28日　社援発0728第15号）………………671

目 次

○要保護世帯向け不動産担保型生活資金の生活保護制度上の取扱い及び保護の実施機関における事務手続について
　　　　（平成19年3月30日　社援発発第0330001号）　……………………680

○要保護世帯向け長期生活支援資金の運用に関する疑義照会への回答の送付について
　　　　（平成19年3月30日　事務連絡）　………………………………………693

●無料低額宿泊所の設備及び運営に関する基準
　　　　（令和元年8月19日　厚生労働省令第34号）　………………………695

○無料低額宿泊所の設備及び運営に関する基準について
　　　　（令和元年9月10日　社援発0910第3号）　…………………………707

○無料低額宿泊所の設備及び運営に関する指導指針について
　　　　（令和2年3月27日　社援発0325第14号）　…………………………722

○生活保護受給者が居住する社会福祉各法に法的位置付けのない施設及び社会福祉法第2条第3項に規定する生活困難者のために無料又は低額な料金で宿泊所を利用させる事業を行う施設に関する留意事項について
　　　　（平成21年10月20日　社援保発1020第1号）　………………………732

○無料低額宿泊所の設備及び運営に関する基準のサテライト型住居への適用に係る留意事項について
　　　　（令和3年8月27日　社援発0827第1号）　…………………………734

○「配偶者からの暴力の防止及び被害者の保護に関する法律の一部を改正する法律」の施行等に伴う生活保護制度における留意事項について
　　　　（平成20年4月1日　社援保発第0401007号）　……………………739

○障害者の日常生活及び社会生活を総合的に支援するための法律施行規則第27条等の規定が適用される要保護者（境界層該当者）に対する保護の実施機関における取扱いについて
　　　　（平成18年3月31日　社援保発第0331007号）　……………………741

○石綿による健康被害の救済に関する法律による各種手当等に係る生活保護法上の取扱いについて
　　　　（平成18年3月31日　社援保発第0331009号）　……………………753

○中国帰国者等に対する生活保護制度上の取扱いについて
　　　　（平成19年3月30日　社援保発第0330002号）　……………………754

(15)

目　次

○中国帰国者等に対する生活保護制度上の取扱いに関する疑義照会への回答の送付について
　　　　（平成19年3月30日　事務連絡）……………………………………756

9　その他

○生活保護に係る保護金品の定例支給日が地方公共団体等の休日に当たる場合の取扱いについて
　　　　（平成4年10月12日　社援保第55号）……………………………762

○特定者に対する旅客鉄道株式会社の通勤定期乗車券の特別割引制度について
　　　　（昭和62年4月1日　社保第37号）……………………………………763

○生活保護の適正実施の推進について
　　　　（昭和56年11月17日　社保第123号）…………………………………765

○生活保護制度の適正な運営の推進について
　　　　（昭和58年12月1日　社監第111号）……………………………………768

○生活保護法に基づく保護の決定、実施に係る事務に関する訴訟の取扱いについて
　　　　（平成7年3月29日　社援保第78号）……………………………………770

○不正受給事案や現業員等による不正等が発生した際における速やかな報告等について
　　　　（平成24年10月23日　社援自発1023第1号）………………………771

○暴力団員に対する生活保護の適用について
　　　　（平成18年3月30日　社援保発第0330002号）…………………………773

○生活保護行政を適正に運営するための手引について
　　　　（平成18年3月30日　社援保発第0330001号）…………………………781

○生活保護に関する不正事案への対応について
　　　　（平成26年4月1日　社援保発0401第1号）……………………………815

○社会保障各制度における利用者等への必要な情報の伝達の徹底について
　　　　（平成30年7月30日　健発0730第1号・子発0730第1号・社援発0730第2号・障発0730第1号・老発0730第1号・保発0730第1号・年管発0730第1号）………………………………………………………818

○就労可能な被保護者の就労・自立支援の基本方針について
　　　（平成25年5月16日　社援発0516第18号）……………………821

○就労可能な被保護者の就労及び求職状況の把握について
　　　（平成14年3月29日　社援発第0329024号）……………………831

○「就労可能な被保護者の就労及び求職状況の把握について」の一部改正
　に伴う留意事項等について
　　　（平成17年3月31日　事務連絡）……………………………………838

○生活保護法第29条に基づく公共職業安定所長に対する調査の嘱託につい
　て
　　　（昭和58年9月12日　社保第95号）…………………………………840

○生活保護法第29条に基づく年金の支給状況等に関する調査嘱託に関する
　協力依頼について
　　　（平成18年3月31日　社援保発第0331011号）……………………841

○金融機関本店等に対する一括照会の実施について
　　　（平成24年9月14日　社援発0914第1号）…………………………843

○生活保護法の一部改正による生活保護法第29条第2項の創設に伴う同条
　第1項に規定する関係先への調査実施に関する留意事項について
　　　（平成26年6月30日　社援発0630第1号）…………………………848

○生活保護法第29条に基づく税務署長に対する資料の提供等の求めについ
　て
　　　（平成26年6月30日　社援発0630第2号）…………………………866

○生命保険会社に対する調査の実施について
　　　（平成27年2月13日　社援発0213第2号）…………………………868

○生活保護法第29条に基づく労災給付に係る調査について
　　　（平成31年3月29日　社援発0329第6号）…………………………874

○課税調査の徹底及び早期実施について
　　　（平成20年10月6日　社援保発第1006001号）……………………877

○東北地方太平洋沖地震による被災者の生活保護の取扱いについて
　　　（平成23年3月17日　社援発0317第1号）…………………………878

(17)

○東北地方太平洋沖地震による被災者の生活保護の取扱いについて（その2）
　　　（平成23年3月29日　社援保発0329第1号）……………………880

○東日本大震災による被災者の生活保護の取扱いについて（その3）
　　　（平成23年5月2日　社援保発0502第2号）………………………881

○東日本大震災により生活に困窮された方への支援の徹底について
　　　（平成24年1月6日　社援保発0106第2号）………………………885

第4章　医療扶助運営要領

第1節　基本通知

○生活保護法による医療扶助運営要領について
　　　（昭和36年9月30日　社発第727号）……………………………887

○生活保護法による医療扶助運営要領に関する疑義について
　　　（昭和48年5月1日　社保第87号）………………………………972

第2節　一般通知等

1　運営体制関係

○医療扶助運営体制の強化について
　　　（昭和42年6月1日　社保第117号）………………………………983

○医療扶助における長期入院患者の実態把握について
　　　（昭和45年4月1日　社保第72号）…………………………………985

○「医療扶助における長期入院患者の実態把握について」の一部改正について
　　　（平成19年3月29日　社援保発第0329002号）……………………991

○医療扶助における長期外来患者の実態把握について
　　　（昭和46年4月1日　社保第59号）…………………………………992

○医療扶助における長期入院患者への対応について
　　　（令和4年2月16日　社援保発0216第1号）………………………997

○医療扶助における業務委託医の活用について
　　（平成2年3月31日　社保第59号）………………………………1000
○精神科病院に対する指導監督等の徹底について（抄）
　　（平成10年3月3日　障第113号・健政発第232号・医薬発第176号・
　　社援第491号）………………………………………………………1001
○生活保護指定医療機関たる精神病院に対する指導の徹底等について
　　（平成12年3月29日　社援第765号）………………………………1002
○生活保護法による委託入院患者の適切な処遇の確保について
　　（平成13年3月7日　社援保発第9号）……………………………1003
○生活保護法による医療扶助の適正な運営について
　　（昭和60年9月30日　社保第99号）…………………………………1004
○生活保護法による医療扶助の適正な運営について
　　（平成12年12月14日　社援第2700号）………………………………1006
○頻回受診者に対する適正受診指導について
　　（平成14年3月22日　社援保発第0322001号）……………………1010
○180日を超えて入院している患者の取扱いについて
　　（平成14年3月27日　社援発第0327028号）………………………1034
○指定医療機関に対する指導等について
　　（平成23年3月8日　社援保発0308第1号）………………………1044
○生活保護法の医療扶助の適正な運営について
　　（平成23年3月31日　社援保発0331第5号）………………………1045
○柔道整復師の施術に係る医療扶助の適正な支給について
　　（平成23年3月31日　社援保発0331第7号）………………………1046
○医療扶助の適正実施に関する指導監査等について
　　（令和6年3月29日　社援保発0329第2号）　1568頁参照
○医療扶助における転院を行う場合の対応及び頻回転院患者の実態把握について
　　（平成26年8月20日　社援保発0820第1号）………………………1048
○レセプト点検の適切な実施等について
　　（平成27年3月31日　社援保発0331第16号）………………………1057

(19)

○生活保護法の医療扶助における向精神薬の重複処方の適正化等について
　　　（平成28年3月31日　社援保発0331第12号）……………………1060
○生活保護の医療扶助における後発医薬品の使用促進について
　　　（平成30年9月28日　社援保発0928第6号）………………………1062
○医療扶助における向精神薬の重複処方の適正化に係る取組の徹底について（依頼）
　　　（令和4年12月9日　社援保発1209第1号）…………………………1067
○生活保護の医療扶助における医薬品の適正使用の推進について
　　　（令和5年3月14日　社援保発0314第1号）…………………………1069
○生活保護法による委託入院患者の適切な処遇の確保について
　　　（令和5年5月8日　社援保発0508第1号）…………………………1077
○医療扶助における治療材料（眼鏡）の給付に係る取組の徹底について（依頼）
　　　（令和5年5月31日　社援保発0531第1号）…………………………1078

2　実施手続関係

○災害のため診療報酬請求明細書関係書類等を喪失した場合の取扱について
　　　（昭和34年10月16日　社発第554号）…………………………………1080
○保護変更申請書（傷病届）による医療扶助の取扱いについて
　　　（昭和47年12月1日　社保第194号）……………………………………1081
○併給入院外患者に係る医療要否意見書の徴取期間の延長の取扱いについて
　　　（昭和49年4月1日　社保第60号）………………………………………1083
○生活保護法による医療券等の記載要領について
　　　（平成11年8月27日　社援保第41号）……………………………………1084
○生活保護法による医療扶助における医療券等様式（診療報酬等請求様式）の変更に伴う留意事項等について
　　　（平成11年8月27日　社援保第42号）……………………………………1086

○保険者番号等の設定について(抄)
　　　(昭和51年8月7日　保発第45号・庁保発第34号) ……………………1087
○診療報酬請求事務の簡素化に伴う留意事項について
　　　(昭和51年8月7日　社保第135号) ……………………………………1088
○生活保護法による医療扶助における診療報酬請求方式の一部改正について
　　　(平成13年3月22日　社援保発第14号) ………………………………1091
○生活保護法の医療扶助におけるＣＳＶ情報によるレセプトの保存について
　　　(平成22年3月31日　社援保発0331第2号) …………………………1092
○医療扶助における移送の給付決定に関する審査等について
　　　(平成20年4月4日　社援保発第0404001号) ………………………1094
○生活保護法による医療扶助の特別基準の取扱いについて
　　　(平成22年3月30日　社援保発0330第1号) …………………………1101
○未承認薬・適応外薬に関する医療扶助特別基準の取扱いについて
　　　(平成23年3月31日　社援保発0331第13号) …………………………1102

3　診療方針及び診療報酬関係

○国立病院等の文書料の取扱い等について(抄)
　　　(昭和47年4月18日　社保第71号) ……………………………………1105
○国立療養所における診療費の取扱いについて
　　　(昭和47年5月22日　社保第92号) ……………………………………1106
○生活保護法による医療扶助のはり・きゅうの給付について
　　　(昭和48年4月1日　社保第63号) ……………………………………1107
○柔道整復師の施術に係る医療扶助の適正な支給について
　　　(平成23年3月31日　社援保発0331第7号)　　1046頁参照
○生活保護法による医療扶助における施術の給付について
　　　(平成13年12月13日　社援保発第58号) ………………………………1110

(21)

目次

○生活保護法による医療扶助の診療報酬のうち血漿交換療法に関する取り扱いについて
　　　（昭和61年1月25日　社保第13号）……………………………………1111

○外来慢性維持透析患者に係る食事加算の廃止について
　　　（平成14年3月29日　事務連絡）…………………………………………1112

4　医療費の審査及び支払関係

○生活保護法の一部を改正する法律等の施行について
　　　（昭和28年3月31日　社乙発第49号）……………………………………1113

○診療報酬の知事決定に伴う審査について
　　　（昭和44年7月9日　社保第166号）………………………………………1122

○生活保護法による医療扶助の診療報酬明細書の点検について
　　　（平成12年12月14日　社援保第72号）……………………………………1126

5　指定医療機関関係

○生活保護法の一部改正に伴う指定医療機関の指定事務に係る留意事項等について
　　　（平成26年4月25日　社援保発0425第11号）……………………………1130

○生活保護法の一部改正に伴う指定助産機関及び指定施術機関の指定事務に係る留意事項等について
　　　（平成26年4月25日　社援保発0425第9号）……………………………1140

6　他法との関係

○精神衛生法等の一部を改正する法律等の施行に伴う生活保護運営上の留意事項について
　　　（昭和63年8月3日　社保第77号）…………………………………………1147

目 次

○生活保護制度における他法他施策の適正な活用について
　　（平成18年9月29日　社援保発第0929003号・社援指発第0929001号）　632頁参照

○児童福祉法の一部を改正する法律〔第16次改正〕等の施行について（抄）
　　（昭和33年7月9日　厚生省発児第84号）…………………………………1149

○児童福祉法第21条の16に基づく療育の給付と生活保護法の医療扶助との
　調整について
　　（昭和35年8月13日　厚生省発児第869号）………………………………1150

○小児慢性特定疾病医療費と生活保護の医療扶助の取扱いについて
　　（平成28年3月31日　事務連絡）……………………………………………1152

○酒に酔って公衆に迷惑をかける行為の防止等に関する法律と生活保護法
　による医療扶助との関係について
　　（昭和36年7月1日　社発第515号）…………………………………………1154

○警察官署等において拘束後釈放された者に対する生活保護法による医療
　扶助の適用について
　　（昭和38年10月7日　社保第73号）…………………………………………1155

○ハンセン病療養所入所者関係世帯に対する生活保護法の適用について
　　（平成8年11月11日　社援保発第218号・健医発第1279号）……………1157

○ハンセン病問題の解決の促進に関する法律等の施行について（抄）
　　（平成21年4月1日　厚生労働省発健第0401032号）………………………1158

○ハンセン病問題の解決の促進に関する法律等の施行について（抄）
　　（平成21年4月1日　健発第0401007号）……………………………………1160

○健康保険法等の一部を改正する法律等の施行に伴う医療扶助運営上の留
　意事項について
　　（昭和59年9月28日　社保第106号）…………………………………………1162

○麻薬取締法による措置入院者にかかる措置費の取扱いについて
　　（昭和39年7月30日　薬発第534号）…………………………………………1164

○特定疾患治療研究事業と生活保護法との適用の調整について
　　（昭和48年6月19日　社保第111号）…………………………………………1165

(23)

目　次

○難病の患者に対する医療等に関する法律施行令第1条等の規定が適用される要保護者（境界層該当者）に対する保護の実施機関における取扱いについて
　　　　（平成26年12月12日　社援保発1212第2号）　………………………………1166

○公害健康被害の補償等に関する法律による各種補償給付の取扱いについて
　　　　（昭和49年11月27日　社保第213号）　　　548頁参照

○生活保護法による医療扶助と母体保護法との関係について
　　　　（平成8年9月25日　社援保第186号・児発第830号）　………………1170

○特定老人保健施設に入所し施設療養に相当するサービスを受ける者に対する生活保護法による医療扶助の実施について
　　　　（平成12年5月15日　社援第1084号）　……………………………………1171

○特定老人保健施設に入所し施設療養に相当するサービスを受ける者に対する生活保護法による医療扶助の実施について
　　　　（平成12年5月15日　社援保第30号）　……………………………………1173

●厚生労働大臣の定める評価療養、患者申出療養及び選定療養
　　　　（平成18年9月12日　厚生労働省告示第495号）　………………………1178

●保険外併用療養費に係る厚生労働大臣が定める医薬品等
　　　　（平成18年9月12日　厚生労働省告示第498号）　………………………1183

○石綿による健康被害の救済に関する法律による各種手当等に係る生活保護法上の取扱いについて
　　　　（平成18年3月31日　社援保発第0331009号）　　　753頁参照

○高額療養費等の生活保護法における取扱いについて
　　　　（平成29年10月5日　社援保発1005第1号）　……………………………1193

(24)

第5章　介護扶助運営要領

第1節　基本通知

○介護保険法施行法による生活保護法の一部改正等について
　　　（平成11年11月16日　社援第2702号）……………………………………1202
○生活保護法による介護扶助の運営要領について
　　　（平成12年3月31日　社援第825号）………………………………………1212
○生活保護法による介護扶助の運営要領に関する疑義について
　　　（平成13年3月29日　社援保発第22号）……………………………………1253

第2節　一般通知等

○指定居宅介護支援事業者等への情報提供及び居宅介護支援計画等の写しの交付を求める際の手続きについて
　　　（平成12年3月13日　社援保第10号）………………………………………1260
○介護保険の被保険者以外の者に係る要介護状態等の審査判定の委託について
　　　（平成12年3月31日　社援保第20号）………………………………………1265
○生活保護法による介護券の記載要領及び留意点について
　　　（平成12年3月13日　社援保第11号）………………………………………1269
○生活保護法第54条の2第4項において準用する同法第52条第2項の規定による介護の方針及び介護の報酬を定める件の施行について
　　　（平成12年5月30日　社援第1299号）………………………………………1273
○公費負担医療等に関する費用に関して国民健康保険団体連合会が行う審査支払に係る委託契約について
　　　（平成12年4月20日　老介第3号）……………………………………………1274

○生活保護法の規定により国保連に対し介護報酬の支払等について委託する場合における被保護者異動連絡票及び被保護者異動訂正連絡票に係る記載要領について
　　　（平成12年4月28日　社援保第27号）……………………………1295

〔参考〕
○介護保険の適用除外者に係る情報提供について
　　　（平成12年3月28日　障障第10号・社援保第12号）………………1301

○境界層該当者の取扱いについて
　　　（平成17年9月21日　社援保発第0921001号）……………………1308

○生活保護制度における介護保険施設の個室等の利用等に係る取扱いについて
　　　（平成17年9月30日　社援保発第0930002号）……………………1320

○介護扶助と障害者の日常生活及び社会生活を総合的に支援するための法律に基づく自立支援給付との適用関係等について
　　　（平成19年3月29日　社援保発第0329004号）……………………1325

○介護扶助の適正化について
　　　（平成23年3月31日　社援保発0331第14号）………………………1328

○生活保護法の一部改正に伴う指定介護機関の指定事務に係る留意事項等について
　　　（平成26年4月25日　社援保0425第15号）…………………………1329

○生活保護法に基づく介護扶助に係る審査請求の取扱いについて
　　　（平成14年8月29日　社援保発第0829002号）……………………1335

第6章　保護施設の運営

○救護施設、更生施設、授産施設及び宿所提供施設の設備及び運営に関する最低基準の施行について
　　　（昭和41年8月29日　社第190号）……………………………………1337

○救護施設、更生施設、授産施設及び宿所提供施設の設備及び運営に関する最低基準の施行について
　　　（昭和41年12月15日　社施第335号）…………………………………1338

○救護施設におけるサテライト型施設の設置運営について
　　　（平成16年12月14日　社援発第1214002号）……………………1351
○生活保護法による保護施設の管理規程について
　　　（昭和32年3月30日　社発第254号）………………………………1353
○保護施設通所事業の実施について
　　　（平成14年3月29日　社援発第0329030号）………………………1356
○授産事業の振興対策について
　　　（昭和36年4月4日　厚生省発社第124号）………………………1361
○保護施設以外の授産施設に係る施設事務費の取扱いについて
　　　（昭和38年4月23日　社発第361号）………………………………1363
○生活保護法による保護施設の許可等に関する報告について
　　　（昭和44年5月6日　社施第73号）…………………………………1364
○日常生活支援住居施設に関する厚生労働省令で定める要件等について
　　　（令和2年3月27日　社援発0324第14号）…………………………1366
○児童福祉法施行規則等の一部を改正する省令等の施行について
　　　（平成23年9月30日　雇児発0930第7号・社援発0930第4号）………1375
○児童福祉法施行規則第1条の23の2の規定に基づき厚生労働大臣が定める給付金の一部を改正する件等の公布について
　　　（平成24年3月31日　雇児発0331第8号・社援発0331第2号）………1379

第7章　指導監査

○生活保護指導職員制度の運営について
　　　（平成10年9月3日　厚生省発社援第233号）………………………1381
○生活保護法施行事務監査の実施について
　　　（平成12年10月25日　社援第2393号）………………………………1385
○生活保護法施行事務監査の実施結果報告について
　　　（平成12年10月25日　社援監第19号）………………………………1417

(27)

目　次

○厚生労働省による都道府県・指定都市に対する生活保護法施行事務監査にかかる資料の提出について
　　　（平成12年10月25日　社援監第18号）……………………………1432

○指定医療機関に対する指導及び検査について
　　　（平成12年10月25日　社援第2394号）……………………………1528

○指定医療機関等に対する指導及び検査の実施結果報告について
　　　（平成26年3月31日　社援保発0331第4号）………………………1530

○指定介護機関に対する指導及び検査について
　　　（平成13年3月30日　社援発第588号）……………………………1537

○保護の実施機関における生活保護業務の自主的内部点検の実施について
　　　（昭和47年3月25日　社監第23号）…………………………………1539

○現業員等による生活保護費の詐取等の不正防止等について
　　　（平成21年3月9日　社援保発第0309001号）………………………1541

○不正受給事案や現業員等による不正等が発生した際における速やかな報告等について
　　　（平成24年10月23日　社援自発1023第1号）　　771頁参照

○生活保護法による保護施設に対する指導監査について
　　　（平成12年10月25日　社援第2395号）……………………………1547

○生活保護法による保護施設に対する指導監査事項について
　　　（平成24年3月26日　社援発0326第4号）…………………………1550

○生活保護法による保護施設指導監査の実施について
　　　（平成13年3月30日　社援監発第8号）……………………………1557

○日常生活支援住居施設の認定要件に関する指導検査要綱及び指導検査事項について
　　　（令和2年11月5日　社援発1105第8号）…………………………1558

○生活困窮者自立相談支援事業等の実施について（抄）
　　　（平成27年7月27日　社援発0727第2号）
　　　　＊別添25　生活保護適正実施推進事業実施要領　　2019頁参照

○生活保護特別指導監査事業について
　　　（平成17年3月31日　事務連絡）………………………………………1566

○医療扶助の適正実施に関する指導監査等について
　　　（令和6年3月29日　社援保発0329第2号）…………………………1568

(28)

第8章　外国人保護

○生活に困窮する外国人に対する生活保護の措置について
　　　（昭和29年5月8日　社発第382号）……………………1570

○「生活に困窮する外国人に対する生活保護の措置について」の一部改正
　等について
　　　（平成24年7月4日　社援発0704第4号）………………1573

○老人福祉法の施行に伴う留意事項等について
　　　（昭和38年8月1日　社発第525号）　　495頁参照

○外国人保護の取扱いについて
　　　（昭和41年1月6日　社保第3号）……………………1574

○中国からの一時帰国者に対する生活保護法上の取扱いについて
　　　（昭和49年4月16日　社保第75号）…………………1576

○難民等に対する生活保護の措置について
　　　（昭和57年1月4日　社保第2号）……………………1580

○生活保護に係る外国人からの不服申立ての取扱いについて
　　　（平成13年10月15日　社援保発第51号）……………1581

○生活保護に係る外国籍の方からの不服申立ての取扱いについて
　　　（平成22年10月22日　社援保発1022第1号）…………1583

○外国人からの生活保護の申請に関する取扱いについて
　　　（平成23年8月17日　社援保発0817第1号）…………1586

○生活保護事務におけるマイナンバー導入に関する留意事項について
　　　（平成27年9月16日　社援保発0916第1号）　　341頁参照

○生活に困窮する外国人に対する生活保護の措置における地方公共団体か
　ら領事館等への確認の手続について
　　　（平成31年3月29日　事務連絡）………………………1587

第9章　就労・進学支援

○生活保護法による就労自立給付金の支給について
　　　（平成26年4月25日　　社援発0425第3号）……………………………1589

○生活保護法による就労自立給付金の取扱いについて
　　　（平成26年4月25日　　社援保発0425第7号）…………………………1596

○生活困窮者自立相談支援事業等の実施について（抄）
　　　（平成27年7月27日　　社援発0727第2号）
　　　＊別添2　被保護者就労支援事業実施要領　　1944頁参照
　　　＊別添5　被保護者就労準備支援等事業実施要領　　1951頁参照

○被保護者就労支援事業の実施について
　　　（平成27年3月31日　　社援保発0331第20号）……………………………1601

○被保護者就労準備支援事業（一般事業分）の実施について
　　　（平成27年4月9日　　社援保発0409第1号）………………………………1608

○被保護者就労準備支援事業及び就労準備支援事業における生活困窮者等
　の就農訓練事業の実施について
　　　（平成28年3月31日　　社援保発0331第18号・社援地発0331第1号）………1619

○被保護者就労準備支援事業及び就労準備支援事業における福祉専門職と
　の連携支援事業の実施について
　　　（平成29年3月27日　　社援保発0327第1号・社援地発0327第2号）………1623

○地域におけるアウトリーチ支援等推進事業の実施について
　　　（平成30年3月29日　　社援保発0329第3号・社援地発0329第1号）………1626

○就労支援促進計画の策定について
　　　（平成27年3月31日　　社援保発0331第22号）……………………………1629

○生活保護法による進学・就職準備給付金の支給について
　　　（平成30年6月8日　　社援発0608第6号）…………………………………1634

○生活困窮者等の自立を促進するための生活困窮者自立支援法等の一部を
　改正する法律の一部施行について（公布日施行分（進学準備給付金関
　係））
　　　（平成30年6月8日　　社援発0608第7号）…………………………………1644

○生活保護法による進学・就職準備給付金の取扱いについて
　　（平成30年6月8日　社援保発0608第2号）……………………………1648

○被保護者家計改善支援事業の実施について
　　（平成30年3月30日　社援保発0330第12号）……………………………1658

○居住不安定者等居宅生活移行支援事業の実施について
　　（令和3年3月30日　社援保発0330第4号）………………………………1665

○学習支援費の実費支給に関する留意事項について
　　（令和4年12月27日　事務連絡）……………………………………………1668

第10章　自立支援プログラム

○平成17年度における自立支援プログラムの基本方針について
　　（平成17年3月31日　社援発第0331003号）………………………………1671

○生活困窮者自立相談支援事業等の実施について（抄）
　　（平成27年7月27日　社援発0727第2号）
　　＊別添26　自立支援プログラム策定実施推進事業実施要領　2025頁参照

○社会的な居場所づくり支援事業の実施について
　　（平成23年3月31日　社援保発0331第1号）………………………………1674

○生活保護受給者等就労自立促進事業の実施について
　　（平成25年3月29日　雇児発0329第30号・社援発0329第77号）………1676

○生活保護受給者等就労自立促進事業協議会の設置について
　　（平成22年2月19日　職発0219第3号・能発0219第2号・雇児発0219
　　第3号・社援発0219第4号）…………………………………………………1736

○中国帰国者等に対する生活保護制度上の取扱いについて
　　（平成19年3月30日　社援保発第0330002号）　754頁参照

○中国帰国者等に対する生活保護制度上の取扱いに関する疑義照会への回
　答の送付について
　　（平成19年3月30日　事務連絡）　756頁参照

(31)

第11章　交付要綱

○生活保護法による保護施設事務費及び委託事務費の支弁基準について
　　　（平成20年3月31日　厚生労働省発社援第0331011号）……………………1743

○生活保護法による保護施設事務費及び委託事務費の取扱いについて
　　　（昭和63年5月27日　社施第85号）………………………………………………1790

○社会福祉施設における施設機能強化推進費の取扱いについて
　　　（昭和62年7月16日　社施第90号）………………………………………………1826

Ⅲ　関連法令等

第1章　行旅病人及び行旅死亡人関係

◉行旅病人及行旅死亡人取扱法
　　（明治32年3月28日　法律第93号）……………………………………1853
○行旅病人の救護等の事務の団体事務化について
　　（昭和62年2月12日　社保第14号）……………………………………1856
◉行旅病人死亡人等ノ引取及費用弁償ニ関スル件
　　（明治32年6月17日　勅令第277号）……………………………………1860
○行旅病人行旅死亡人等救護及取扱費用弁償ノ件
　　（明治36年9月　内務省地方局長通知）………………………………1861
◉墓地、埋葬等に関する法律（抄）
　　（昭和23年5月31日　法律第48号）……………………………………1862
○墓地、埋葬等に関する法律の疑義について
　　（昭和27年6月30日　衛環第66号）……………………………………1863

第2章　ホームレスの自立支援等関係

◉ホームレスの自立の支援等に関する特別措置法
　　（平成14年8月7日　法律第105号）……………………………………1865
〔参考〕
○ホームレスの自立の支援等に関する特別措置法の運用に関する件
　　（平成14年7月17日　衆議院厚生労働委員会）………………………1869

目　次

◉ホームレスの自立の支援等に関する基本方針
　　　（令和5年7月31日　厚生労働・国土交通省告示第1号）……………1870

○ホームレスに対する生活保護の適用について
　　　（平成15年7月31日　社援保発第0731001号）………………………1890

○ホームレスの自立の支援等に関する特別措置法の一部を改正する法律の施行について
　　　（平成29年6月21日　職発0621第1号・能発0621第8号・社援発0621
　　　第1号）………………………………………………………………………1893

第3章　生活困窮者自立支援関係

◉生活困窮者自立支援法
　　　（平成25年12月13日　法律第105号）……………………………………1894

◉生活困窮者自立支援法施行令
　　　（平成27年2月4日　政令第40号）………………………………………1908

◉生活困窮者自立支援法施行規則
　　　（平成27年2月4日　厚生労働省令第16号）……………………………1910

◉厚生労働省の所管する法律又は政令の規定に基づく立入検査等の際に携帯する職員の身分を示す証明書の様式の特例に関する省令（抄）
　　　（令和3年10月22日　厚生労働省令第175号）　　120頁参照

◉生活困窮者自立支援法施行令第1条第1項第1号の規定に基づき厚生労働大臣が定める基準
　　　（平成27年3月2日　厚生労働省告示第43号）…………………………1924

◉生活困窮者就労準備支援事業及び生活困窮者家計改善支援事業の適切な実施等に関する指針
　　　（平成30年9月28日　厚生労働省告示第343号）………………………1925

目　次

○生活困窮者自立相談支援事業等の実施について（抄）
　（平成27年7月27日　社援発0727第2号）……………………1930
　＊別添1　自立相談支援事業実施要領…………………………1938
　＊別添2　被保護者就労支援事業実施要領……………………1944
　＊別添3　被保護者健康管理支援事業実施要領………………1946
　＊別添4　就労準備支援事業実施要領…………………………1948
　＊別添5　被保護者就労準備支援等事業実施要領……………1951
　＊別添6　一時生活支援事業実施要領…………………………1958
　＊別添7　地域居住支援事業実施要領…………………………1962
　＊別添8　家計改善支援事業実施要領…………………………1965
　＊別添9　生活困窮世帯の子どもに対する学習・生活支援事業実施
　　　　　　要領……………………………………………………1967
　＊別添10　都道府県による市町村支援事業実施要領…………1969
　＊別添11　福祉事務所未設置町村による相談事業実施要領…1971
　＊別添12　アウトリーチ等の充実による自立相談支援機能強化事業
　　　　　　実施要領………………………………………………1973
　＊別添13　就労準備支援事業等実施体制整備モデル事業……1974
　＊別添14　就労体験・就労訓練先の開拓・マッチング事業…1975
　＊別添15　一時生活支援事業の共同実施支援事業実施要領…1977
　＊別添16　生活困窮者自立支援法第7条第2項第3号に基づく事業
　　　　　　実施要領………………………………………………1978
　＊別添17　ひきこもり支援推進事業実施要領…………………1982
　＊別添18　日常生活自立支援事業実施要領……………………1989
　＊別添19　生活困窮者支援等のための地域づくり事業実施要領…1994
　＊別添20　民生委員・児童委員研修事業実施要領……………1996
　＊別添21　被災者見守り・相談支援等事業実施要領…………1997
　＊別添22—1　居住生活支援加速化事業実施要領……………1999
　＊別添22—2　生活困窮者自立支援の機能強化事業実施要領…2001
　＊別添22—3　生活困窮者自立支援都道府県研修実施体制等整備加
　　　　　　　速化事業実施要領…………………………………2004
　＊別添22—4　住まい支援システム構築に関するモデル事業実施要
　　　　　　　領………………………………………………………2007
　＊別添23　重層的支援体制整備事業への移行準備事業実施要領…2009
　＊別添24　重層的支援体制構築に向けた都道府県後方支援事業実施
　　　　　　要領……………………………………………………2018

目 次

　　＊別添25　生活保護適正実施推進事業実施要領……………………………2019
　　＊別添26　自立支援プログラム策定実施推進事業実施要領………………2025
　　＊別添41　中国残留邦人等への地域生活支援プログラム事業実施要
　　　　　　　領………………………………………………………………………2025

○生活困窮者自立支援法第9条第1項に規定する支援会議の設置及び運営
　に関するガイドラインについて
　　　（平成30年10月1日　社援地発1001第15号）…………………………………2028

○生活困窮者自立支援制度と生活保護制度の連携について
　　　（平成27年3月27日　社援保発0327第1号・社援地発0327第1号）…………2047

五十音索引 ……………………………………………………………………………2052
年別索引 ………………………………………………………………………………2069

◆目次及び本文の各標題の前に〔参考〕とあるのは、現段階において実効性のな
　いものや資料的な通知であることを表す。

(36)

I 生活保護法関係法令

法語別冊付録

関西分会

第1章 基本法令

●生活保護法

〔昭和25年5月4日〕
〔法律第144号〕

〔一部改正経過〕

第1次 昭和25年5月15日法律第182号「社会福祉主事の設置に関する法律」（社会福祉事業法附則第3項により廃止）附則第2項による改正
第2次 昭和26年4月1日法律第116号「あん摩、はり、きゅう、柔道整復等営業法の一部を改正する法律」附則第3項による改正
第3次 昭和26年5月31日法律第168号「生活保護法の一部を改正する法律」による改正
第4次 昭和27年6月30日法律第219号「国有財産特別措置法」附則第7項による改正
第5次 昭和27年8月14日法律第305号「日本赤十字社法」附則第17項による改正
第6次 昭和28年3月23日法律第21号「生活保護法の一部を改正する法律」による改正
第7次 昭和28年8月1日法律第115号「民生委員法の一部を改正する法律」附則第4項による改正
第8次 昭和28年8月15日法律第213号「地方自治法の一部を改正する法律の施行に伴う関係法令の整理に関する法律」第37条による改正
第9次 昭和29年3月31日法律第28号「身体障害者福祉法の一部を改正する法律」附則第11項による改正
第10次 昭和31年6月12日法律第148号「地方自治法の一部を改正する法律の施行に伴う関係法律の整理に関する法律」第24条による改正
第11次 昭和31年12月20日法律第179号「身体障害者福祉法等の一部を改正する法律」第2条による改正
第12次 昭和33年12月27日法律第193号「国民健康保険法施行法」第57条による改正
第13次 昭和37年9月15日法律第161号「行政不服審査法の施行に伴う関係法律の整理等に関する法律」第98条による改正
第14次 昭和37年5月16日法律第140号「行政事件訴訟法の施行に伴う関係法律の整理等に関する法律」第47条による改正
第15次 昭和38年7月11日法律第133号「老人福祉法」附則第13条による改正
第16次 昭和39年6月30日法律第120号「あん摩師、はり師、きゅう師及び柔道整復師法等の一部を改正する法律」附則第11項による改正
第17次 昭和45年4月14日法律第19号「柔道整復師法」附則第21項による改正
第18次 昭和48年7月27日法律第67号「国有財産法及び国有財産特別措置法の一部を改正する法律」附則第7条による改正
第19次 昭和60年5月18日法律第37号「国の補助金等の整理及び合理化並びに臨時特例等に関する法律」第22条による改正
第20次 昭和60年7月12日法律第90号「地方公共団体の事務に係る国の関与等の整理、合理化等に関する法律」第26条による改正
第21次 昭和61年5月8日法律第46号「国の補助金等の臨時特例等に関する法律」第19条による改正
第22次 平成元年4月10日法律第22号「国の補助金等の整理及び合理化並びに臨時特例等に関する法律」第19条による改正
第23次 平成5年11月12日法律第89号「行政手続法の施行に伴う関係法律の整備に関する法律」第103条による改正
第24次 平成6年6月29日法律第56号「健康保険法等の一部を改正する法律」附則第35条による改正
第25次 平成6年6月29日法律第49号「地方自治法の一部を改正する法律の施行に伴う関係法律の整備に関する法律」第12・47条による改正
第26次 平成9年6月11日法律第74号「児童福祉法等の一部を改正する法律」附則第13条による改正
第27次 平成9年12月17日法律第124号「介護保険法施行法」第54条による改正
第28次 平成11年7月16日法律第87号「地方分権の推進を図るための関係法律の整備等に関する法律」第171条による改正
第29次 平成11年12月8日法律第151号「民法の一部を改正する法律の施行に伴う関係法律の整備等に関する法律」第46条による改正

I 生活保護法関係法令　第1章　基本法令

第30次	平成12年6月7日法律第111号「社会福祉の増進のための社会福祉事業法等の一部を改正する等の法律」第13条・附則第36・52条による改正
第31次	平成11年12月22日法律第160号「中央省庁等改革関係法施行法」第618条による改正
第32次	平成14年2月8日法律第1号「日本電信電話株式会社の株式の売払収入の活用による社会資本の整備の促進に関する特別措置法の一部を改正する法律」第37条による改正
第33次	平成13年12月12日法律第153号「保健婦助産婦看護婦法の一部を改正する法律」附則第38条による改正
第34次	平成15年7月16日法律第119号「地方独立行政法人法の施行に伴う関係法律の整備等に関する法律」第39条による改正
第35次	平成16年12月1日法律第150号「民間事業者等が行う書面の保存等における情報通信の技術の利用に関する法律の施行に伴う関係法律の整備等に関する法律」第15条による改正
第36次	平成17年6月29日法律第77号「介護保険法等の一部を改正する法律」第13・14条による改正
第37次	平成17年11月7日法律第123号「障害者自立支援法」附則第78・79条による改正
第38次	平成18年3月31日法律第20号「国の補助金等の整理及び合理化等に伴う児童手当法等の一部を改正する法律」第4条による改正
第39次	平成18年6月7日法律第53号「地方自治法の一部を改正する法律」附則第31条による改正
第40次	平成20年5月28日法律第42号「介護保険法及び老人福祉法の一部を改正する法律」附則第12条による改正
第41次	平成22年12月10日法律第71号「障がい者制度改革推進本部等における検討を踏まえて障害保健福祉施策を見直すまでの間において障害者等の地域生活を支援するための関係法律の整備に関する法律」第2・3条・附則第46・47条（平成23年5月法律第37・40号により一部改正）による改正
第42次	平成18年6月21日法律第83号「健康保険法等の一部を改正する法律」附則第91条（平成18年12月法律第116号・平成23年6月法律第72号により一部改正）による改正
第43次	平成23年6月22日法律第72号「介護サービスの基盤強化のための介護保険法等の一部を改正する法律」附則第21条による改正
第44次	平成23年8月30日法律第105号「地域の自主性及び自立性を高めるための改革の推進を図るための関係法律の整備に関する法律」第31条（平成23年6月法律第70号・平成23年12月法律第122号により一部改正）による改正
第45次	平成23年5月25日法律第53号「非訟事件手続法及び家事事件手続法の施行に伴う関係法律の整備等に関する法律」第49条による改正
第46次	平成24年9月5日法律第72号「地方自治法の一部を改正する法律」附則第8条による改正
第47次	平成24年6月27日法律第51号「地域社会における共生の実現に向けて新たな障害保健福祉施策を講ずるための関係法律の整備に関する法律」第1・2条・附則第11・12条による改正
第48次	平成25年12月13日法律第104号「生活保護法の一部を改正する法律」による改正
第49次	平成26年4月23日法律第28号「次代の社会を担う子どもの健全な育成を図るための次世代育成支援対策推進法等の一部を改正する法律」附則第8条による改正
第50次	平成25年11月27日法律第84号「薬事法等の一部を改正する法律」附則第70条（平成25年12月法律第103号により一部改正）による改正
第51次	平成25年12月13日法律第105号「生活困窮者自立支援法」附則第7条による改正
第52次	平成26年6月25日法律第83号「地域における医療及び介護の総合的な確保を推進するための関係法律の整備等に関する法律」第10・11条（平成27年5月法律第31号により一部改正）による改正
第53次	平成26年6月13日法律第69号「行政不服審査法の施行に伴う関係法律の整備等に関する法律」第130条による改正
第54次	平成27年5月29日法律第31号「持続可能な医療保険制度を構築するための国民健康保険法等の一部を改正する法律」附則第48条による改正
第55次	平成29年6月2日法律第52号「地域包括ケアシステムの強化のための介護保険法等の一部を改正する法律」第3条・附則第35条による改正
第56次	平成28年6月3日法律第65号「障害者の日常生活及び社会生活を総合的に支援するための法律及び児童福祉法の一部を改正する法律」第1条による改正
第57次	平成30年6月8日法律第44号「生活困窮者等の自立を促進するための生活困窮者自立支援法等の一部を改正する法律」第1・3・4条による改正
第58次	平成30年7月6日法律第71号「働き方改革を推進するための関係法律の整備に関する法律」附則第15条（令和2年3月法律第14号により一部改正）による改正

第59次　平成24年11月26日法律第102号「年金生活者支援給付金の支給に関する法律」附則第16条の2（平成25年12月法律第104号により追加）による改正
第60次　平成29年6月2日法律第45号「民法の一部を改正する法律の施行に伴う関係法律の整備等に関する法律」第170条による改正
第61次　令和2年6月12日法律第52号「地域共生社会の実現のための社会福祉法等の一部を改正する法律」附則第6条による改正
第62次　令和2年6月10日法律第41号「地域の自主性及び自立性を高めるための改革の推進を図るための関係法律の整備に関する法律」第6条による改正
第63次　令和3年6月11日法律第66号「全世代対応型の社会保障制度を構築するための健康保険法等の一部を改正する法律」第8条による改正
第64次　令和4年6月22日法律第76号「こども家庭庁設置法の施行に伴う関係法律の整備に関する法律」第7条（令和4年6月法律第77号により一部改正）による改正
第65次　令和5年5月8日法律第19号「地方自治法の一部を改正する法律」附則第6条による改正
第66次　令和5年5月19日法律第31号「全世代対応型の持続可能な社会保障制度を構築するための健康保険法等の一部を改正する法律」附則第26条による改正
　　　　注　未施行分については〔参考4〕として72頁に収載（公布の日から起算して4年を超えない範囲内において政令で定める日施行分）
第67次　令和6年4月24日法律第21号「生活困窮者自立支援法等の一部を改正する法律」第2・3条による改正
　　　　注　未施行分については〔参考1〕として66頁以降に収載（令和6年10月1日・令和7年4月1日施行分）
注1　令和4年6月17日法律第68号「刑法等の一部を改正する法律の施行に伴う関係法律の整備等に関する法律」第237条（令和5年5月法律第28号により一部改正）による改正は未施行につき〔参考2〕として70頁以降に収載（令和7年6月1日施行）
注2　令和4年12月16日法律第104号「障害者の日常生活及び社会生活を総合的に支援するための法律等の一部を改正する法律」第3条による改正は未施行につき〔参考3〕として71頁以降に収載（公布の日から起算して3年を超えない範囲内において政令で定める日施行）

生活保護法

目次　　　　　　　　　　　　　　　　　　　　　　　　　　　　　　　　頁

- 第1章　総則（第1条—第6条）……………………………………………… 6
- 第2章　保護の原則（第7条—第10条）…………………………………… 6
- 第3章　保護の種類及び範囲（第11条—第18条）………………………… 7
- 第4章　保護の機関及び実施（第19条—第29条の2）……………………10
- 第5章　保護の方法（第30条—第37条の2）………………………………15
- 第6章　保護施設（第38条—第48条）………………………………………19
- 第7章　医療機関、介護機関及び助産機関（第49条—第55条の3）……23
- 第8章　就労自立給付金及び進学・就職準備給付金（第55条の4—第55条の6）……30
- 第9章　被保護者就労支援事業及び被保護者健康管理支援事業（第55条の7—第55条の9）……31
- 第10章　被保護者の権利及び義務（第56条—第63条）…………………32
- 第11章　不服申立て（第64条—第69条）…………………………………33
- 第12章　費用（第70条—第80条）…………………………………………34
- 第13章　雑則（第80条の2—第87条）……………………………………39
- 附則

第1章　総則

（この法律の目的）

第1条　この法律は、日本国憲法第25条に規定する理念に基き、国が生活に困窮するすべての国民に対し、その困窮の程度に応じ、必要な保護を行い、その最低限度の生活を保障するとともに、その自立を助長することを目的とする。

（無差別平等）

第2条　すべて国民は、この法律の定める要件を満たす限り、この法律による保護（以下「保護」という。）を、無差別平等に受けることができる。

（最低生活）

第3条　この法律により保障される最低限度の生活は、健康で文化的な生活水準を維持することができるものでなければならない。

（保護の補足性）

第4条　保護は、生活に困窮する者が、その利用し得る資産、能力その他あらゆるものを、その最低限度の生活の維持のために活用することを要件として行われる。

2　民法（明治29年法律第89号）に定める扶養義務者の扶養及び他の法律に定める扶助は、すべてこの法律による保護に優先して行われるものとする。

3　前2項の規定は、急迫した事由がある場合に、必要な保護を行うことを妨げるものではない。

（この法律の解釈及び運用）

第5条　前4条に規定するところは、この法律の基本原理であつて、この法律の解釈及び運用は、すべてこの原理に基いてされなければならない。

（用語の定義）

第6条　この法律において「被保護者」とは、現に保護を受けている者をいう。

2　この法律において「要保護者」とは、現に保護を受けているといないとにかかわらず、保護を必要とする状態にある者をいう。

3　この法律において「保護金品」とは、保護として給与し、又は貸与される金銭及び物品をいう。

4　この法律において「金銭給付」とは、金銭の給与又は貸与によつて、保護を行うことをいう。

5　この法律において「現物給付」とは、物品の給与又は貸与、医療の給付、役務の提供その他金銭給付以外の方法で保護を行うことをいう。

第2章　保護の原則

（申請保護の原則）

第7条　保護は、要保護者、その扶養義務者又はその他の同居の親族の申請に基いて開始するものとする。但し、要保護者が急迫した状況にあるときは、保護の申請がなくても、必要な保護を行うことができる。

（基準及び程度の原則）

第8条　保護は、厚生労働大臣の定める基準により測定した要保護者の需要を基とし、そのうち、その者の金銭又は物品で満たすことのできない不足分を補う程度において行うものとする。

2　前項の基準は、要保護者の年齢別、性別、世帯構成別、所在地域別その他保護の種類

に応じて必要な事情を考慮した最低限度の生活の需要を満たすに十分なものであつて、且つ、これをこえないものでなければならない。
〔委任〕
　　第1項　「基準」＝昭和38年4月厚告第158号「生活保護法による保護の基準」
（必要即応の原則）
第9条　保護は、要保護者の年齢別、性別、健康状態等その個人又は世帯の実際の必要の相違を考慮して、有効且つ適切に行うものとする。
（世帯単位の原則）
第10条　保護は、世帯を単位としてその要否及び程度を定めるものとする。但し、これによりがたいときは、個人を単位として定めることができる。
　　　第3章　保護の種類及び範囲
（種類）
第11条　保護の種類は、次のとおりとする。
　一　生活扶助
　二　教育扶助
　三　住宅扶助
　四　医療扶助
　五　介護扶助
　六　出産扶助
　七　生業扶助
　八　葬祭扶助
2　前項各号の扶助は、要保護者の必要に応じ、単給又は併給として行われる。
（生活扶助）
第12条　生活扶助は、困窮のため最低限度の生活を維持することのできない者に対して、左に掲げる事項の範囲内において行われる。
　一　衣食その他日常生活の需要を満たすために必要なもの
　二　移送
（教育扶助）
第13条　教育扶助は、困窮のため最低限度の生活を維持することのできない者に対して、左に掲げる事項の範囲内において行われる。
　一　義務教育に伴つて必要な教科書その他の学用品
　二　義務教育に伴つて必要な通学用品
　三　学校給食その他義務教育に伴つて必要なもの
（住宅扶助）
第14条　住宅扶助は、困窮のため最低限度の生活を維持することのできない者に対して、左に掲げる事項の範囲内において行われる。
　一　住居
　二　補修その他住宅の維持のために必要なもの
（医療扶助）
第15条　医療扶助は、困窮のため最低限度の生活を維持することのできない者に対して、

左に掲げる事項の範囲内において行われる。
一　診察
二　薬剤又は治療材料
三　医学的処置、手術及びその他の治療並びに施術
四　居宅における療養上の管理及びその療養に伴う世話その他の看護
五　病院又は診療所への入院及びその療養に伴う世話その他の看護
六　移送
（介護扶助）
第15条の2　介護扶助は、困窮のため最低限度の生活を維持することのできない要介護者（介護保険法（平成9年法律第123号）第7条第3項に規定する要介護者をいう。第3項において同じ。）に対して、第1号から第4号まで及び第9号に掲げる事項の範囲内において行われ、困窮のため最低限度の生活を維持することのできない要支援者（同条第4項に規定する要支援者をいう。以下この項及び第6項において同じ。）に対して、第5号から第9号までに掲げる事項の範囲内において行われ、困窮のため最低限度の生活を維持することのできない居宅要支援被保険者等（同法第115条の45第1項第1号に規定する居宅要支援被保険者等をいう。）に相当する者（要支援者を除く。）に対して、第8号及び第9号に掲げる事項の範囲内において行われる。
一　居宅介護（居宅介護支援計画に基づき行うものに限る。）
二　福祉用具
三　住宅改修
四　施設介護
五　介護予防（介護予防支援計画に基づき行うものに限る。）
六　介護予防福祉用具
七　介護予防住宅改修
八　介護予防・日常生活支援（介護予防支援計画又は介護保険法第115条の45第1項第1号ニに規定する第1号介護予防支援事業による援助に相当する援助に基づき行うものに限る。）
九　移送
2　前項第1号に規定する居宅介護とは、介護保険法第8条第2項に規定する訪問介護、同条第3項に規定する訪問入浴介護、同条第4項に規定する訪問看護、同条第5項に規定する訪問リハビリテーション、同条第6項に規定する居宅療養管理指導、同条第7項に規定する通所介護、同条第8項に規定する通所リハビリテーション、同条第9項に規定する短期入所生活介護、同条第10項に規定する短期入所療養介護、同条第11項に規定する特定施設入居者生活介護、同条第12項に規定する福祉用具貸与、同条第15項に規定する定期巡回・随時対応型訪問介護看護、同条第16項に規定する夜間対応型訪問介護、同条第17項に規定する地域密着型通所介護、同条第18項に規定する認知症対応型通所介護、同条第19項に規定する小規模多機能型居宅介護、同条第20項に規定する認知症対応型共同生活介護、同条第21項に規定する地域密着型特定施設入居者生活介護及び同条第23項に規定する複合型サービス並びにこれらに相当するサービスをいう。

3　第1項第1号に規定する居宅介護支援計画とは、居宅において生活を営む要介護者が居宅介護その他居宅において日常生活を営むために必要な保健医療サービス及び福祉サービス（以下この項において「居宅介護等」という。）の適切な利用等をすることができるようにするための当該要介護者が利用する居宅介護等の種類、内容等を定める計画をいう。
4　第1項第4号に規定する施設介護とは、介護保険法第8条第22項に規定する地域密着型介護老人福祉施設入所者生活介護、同条第27項に規定する介護福祉施設サービス、同条第28項に規定する介護保健施設サービス及び同条第29項に規定する介護医療院サービスをいう。
5　第1項第5号に規定する介護予防とは、介護保険法第8条の2第2項に規定する介護予防訪問入浴介護、同条第3項に規定する介護予防訪問看護、同条第4項に規定する介護予防訪問リハビリテーション、同条第5項に規定する介護予防居宅療養管理指導、同条第6項に規定する介護予防通所リハビリテーション、同条第7項に規定する介護予防短期入所生活介護、同条第8項に規定する介護予防短期入所療養介護、同条第9項に規定する介護予防特定施設入居者生活介護、同条第10項に規定する介護予防福祉用具貸与、同条第13項に規定する介護予防認知症対応型通所介護、同条第14項に規定する介護予防小規模多機能型居宅介護及び同条第15項に規定する介護予防認知症対応型共同生活介護並びにこれらに相当するサービスをいう。
6　第1項第5号及び第8号に規定する介護予防支援計画とは、居宅において生活を営む要支援者が介護予防その他身体上又は精神上の障害があるために入浴、排せつ、食事等の日常生活における基本的な動作の全部若しくは一部について常時介護を要し、又は日常生活を営むのに支障がある状態の軽減又は悪化の防止に資する保健医療サービス及び福祉サービス（以下この項において「介護予防等」という。）の適切な利用等をすることができるようにするための当該要支援者が利用する介護予防等の種類、内容等を定める計画であつて、介護保険法第115条の46第1項に規定する地域包括支援センターの職員及び同法第46条第1項に規定する指定居宅介護支援を行う事業所の従業者のうち同法第8条の2第16項の厚生労働省令で定める者が作成したものをいう。
7　第1項第8号に規定する介護予防・日常生活支援とは、介護保険法第115条の45第1項第1号イに規定する第1号訪問事業、同号ロに規定する第1号通所事業及び同号ハに規定する第1号生活支援事業による支援に相当する支援をいう。
　　（出産扶助）
第16条　出産扶助は、困窮のため最低限度の生活を維持することのできない者に対して、左に掲げる事項の範囲内において行われる。
　一　分べんの介助
　二　分べん前及び分べん後の処置
　三　脱脂綿、ガーゼその他の衛生材料
　　（生業扶助）
第17条　生業扶助は、困窮のため最低限度の生活を維持することのできない者又はそのおそれのある者に対して、左に掲げる事項の範囲内において行われる。但し、これによつて、その者の収入を増加させ、又はその自立を助長することのできる見込のある場合に

限る。
　一　生業に必要な資金、器具又は資料
　二　生業に必要な技能の修得
　三　就労のために必要なもの
　　（葬祭扶助）
第18条　葬祭扶助は、困窮のため最低限度の生活を維持することのできない者に対して、左に掲げる事項の範囲内において行われる。
　一　検案
　二　死体の運搬
　三　火葬又は埋葬
　四　納骨その他葬祭のために必要なもの
2　左に掲げる場合において、その葬祭を行う者があるときは、その者に対して、前項各号の葬祭扶助を行うことができる。
　一　被保護者が死亡した場合において、その者の葬祭を行う扶養義務者がないとき。
　二　死者に対しその葬祭を行う扶養義務者がない場合において、その遺留した金品で、葬祭を行うに必要な費用を満たすことのできないとき。
　　　第4章　保護の機関及び実施
　　（実施機関）
第19条　都道府県知事、市長及び社会福祉法（昭和26年法律第45号）に規定する福祉に関する事務所（以下「福祉事務所」という。）を管理する町村長は、次に掲げる者に対して、この法律の定めるところにより、保護を決定し、かつ、実施しなければならない。
　一　その管理に属する福祉事務所の所管区域内に居住地を有する要保護者
　二　居住地がないか、又は明らかでない要保護者であつて、その管理に属する福祉事務所の所管区域内に現在地を有するもの
2　居住地が明らかである要保護者であつても、その者が急迫した状況にあるときは、その急迫した事由が止むまでは、その者に対する保護は、前項の規定にかかわらず、その者の現在地を所管する福祉事務所を管理する都道府県知事又は市町村長が行うものとする。
3　第30条第1項ただし書の規定により被保護者を救護施設、更生施設若しくはその他の適当な施設に入所させ、若しくはこれらの施設に入所を委託し、若しくは私人の家庭に養護を委託した場合又は第34条の2第2項の規定により被保護者に対する次の各号に掲げる介護扶助を当該各号に定める者若しくは施設に委託して行う場合においては、当該入所又は委託の継続中、その者に対して保護を行うべき者は、その者に係る入所又は委託前の居住地又は現在地によつて定めるものとする。
　一　居宅介護（第15条の2第2項に規定する居宅介護をいう。以下同じ。）（特定施設入居者生活介護（同項に規定する特定施設入居者生活介護をいう。）に限る。）　居宅介護を行う者
　二　施設介護（第15条の2第4項に規定する施設介護をいう。以下同じ。）　介護老人福祉施設（介護保険法第8条第27項に規定する介護老人福祉施設をいう。以下同じ。）

三　介護予防（第15条の2第5項に規定する介護予防をいう。以下同じ。）（介護予防特定施設入居者生活介護（同項に規定する介護予防特定施設入居者生活介護をいう。）に限る。）　介護予防を行う者
4　前3項の規定により保護を行うべき者（以下「保護の実施機関」という。）は、保護の決定及び実施に関する事務の全部又は一部を、その管理に属する行政庁に限り、委任することができる。
5　保護の実施機関は、保護の決定及び実施に関する事務の一部を、政令の定めるところにより、他の保護の実施機関に委託して行うことを妨げない。
6　福祉事務所を設置しない町村の長（以下「町村長」という。）は、その町村の区域内において特に急迫した事由により放置することができない状況にある要保護者に対して、応急的措置として、必要な保護を行うものとする。
7　町村長は、保護の実施機関又は福祉事務所の長（以下「福祉事務所長」という。）が行う保護事務の執行を適切ならしめるため、次に掲げる事項を行うものとする。
　一　要保護者を発見し、又は被保護者の生計その他の状況の変動を発見した場合において、速やかに、保護の実施機関又は福祉事務所長にその旨を通報すること。
　二　第24条第10項の規定により保護の開始又は変更の申請を受け取つた場合において、これを保護の実施機関に送付すること。
　三　保護の実施機関又は福祉事務所長から求められた場合において、被保護者等に対して、保護金品を交付すること。
　四　保護の実施機関又は福祉事務所長から求められた場合において、要保護者に関する調査を行うこと。
　〔委任〕
　　　第5項　「政令」＝令1
（職権の委任）
第20条　都道府県知事は、この法律に定めるその職権の一部を、その管理に属する行政庁に委任することができる。
（補助機関）
第21条　社会福祉法に定める社会福祉主事は、この法律の施行について、都道府県知事又は市町村長の事務の執行を補助するものとする。
（民生委員の協力）
第22条　民生委員法（昭和23年法律第198号）に定める民生委員は、この法律の施行について、市町村長、福祉事務所長又は社会福祉主事の事務の執行に協力するものとする。
（事務監査）
第23条　厚生労働大臣は都道府県知事及び市町村長の行うこの法律の施行に関する事務について、都道府県知事は市町村長の行うこの法律の施行に関する事務について、その指定する職員に、その監査を行わせなければならない。
2　前項の規定により指定された職員は、都道府県知事又は市町村長に対し、必要と認め

る資料の提出若しくは説明を求め、又は必要と認める指示をすることができる。
3　第1項の規定により指定すべき職員の資格については、政令で定める。
〔委任〕
　　第3項　「政令」＝令2
（申請による保護の開始及び変更）
第24条　保護の開始を申請する者は、厚生労働省令で定めるところにより、次に掲げる事項を記載した申請書を保護の実施機関に提出しなければならない。ただし、当該申請書を作成することができない特別の事情があるときは、この限りでない。
　一　要保護者の氏名及び住所又は居所
　二　申請者が要保護者と異なるときは、申請者の氏名及び住所又は居所並びに要保護者との関係
　三　保護を受けようとする理由
　四　要保護者の資産及び収入の状況（生業若しくは就労又は求職活動の状況、扶養義務者の扶養の状況及び他の法律に定める扶助の状況を含む。以下同じ。）
　五　その他要保護者の保護の要否、種類、程度及び方法を決定するために必要な事項として厚生労働省令で定める事項
2　前項の申請書には、要保護者の保護の要否、種類、程度及び方法を決定するために必要な書類として厚生労働省令で定める書類を添付しなければならない。ただし、当該書類を添付することができない特別の事情があるときは、この限りでない。
3　保護の実施機関は、保護の開始の申請があつたときは、保護の要否、種類、程度及び方法を決定し、申請者に対して書面をもつて、これを通知しなければならない。
4　前項の書面には、決定の理由を付さなければならない。
5　第3項の通知は、申請のあつた日から14日以内にしなければならない。ただし、扶養義務者の資産及び収入の状況の調査に日時を要する場合その他特別な理由がある場合には、これを30日まで延ばすことができる。
6　保護の実施機関は、前項ただし書の規定により同項本文に規定する期間内に第3項の通知をしなかつたときは、同項の書面にその理由を明示しなければならない。
7　保護の申請をしてから30日以内に第3項の通知がないときは、申請者は、保護の実施機関が申請を却下したものとみなすことができる。
8　保護の実施機関は、知れたる扶養義務者が民法の規定による扶養義務を履行していないと認められる場合において、保護の開始の決定をしようとするときは、厚生労働省令で定めるところにより、あらかじめ、当該扶養義務者に対して書面をもつて厚生労働省令で定める事項を通知しなければならない。ただし、あらかじめ通知することが適当でない場合として厚生労働省令で定める場合は、この限りでない。
9　第1項から第7項までの規定は、第7条に規定する者からの保護の変更の申請について準用する。
10　保護の開始又は変更の申請は、町村長を経由してすることもできる。町村長は、申請を受け取つたときは、5日以内に、その申請に、要保護者に対する扶養義務者の有無、

資産及び収入の状況その他保護に関する決定をするについて参考となるべき事項を記載した書面を添えて、これを保護の実施機関に送付しなければならない。
〔委任〕
　　第１項　本文の「厚生労働省令で定めるところ」＝規則１ⅠⅡ　第５号の「厚生労働省令で定める事項」＝規則１Ⅲ
　　第８項　「厚生労働省令で定めるところ」＝規則２Ⅰ　「厚生労働省令で定める事項」＝規則２Ⅱ
（職権による保護の開始及び変更）
第25条　保護の実施機関は、要保護者が急迫した状況にあるときは、すみやかに、職権をもつて保護の種類、程度及び方法を決定し、保護を開始しなければならない。
2　保護の実施機関は、常に、被保護者の生活状態を調査し、保護の変更を必要とすると認めるときは、速やかに、職権をもつてその決定を行い、書面をもつて、これを被保護者に通知しなければならない。前条第４項の規定は、この場合に準用する。
3　町村長は、要保護者が特に急迫した事由により放置することができない状況にあるときは、すみやかに、職権をもつて第19条第６項に規定する保護を行わなければならない。
（保護の停止及び廃止）
第26条　保護の実施機関は、被保護者が保護を必要としなくなつたときは、速やかに、保護の停止又は廃止を決定し、書面をもつて、これを被保護者に通知しなければならない。第28条第５項又は第62条第３項の規定により保護の停止又は廃止をするときも、同様とする。
（指導及び指示）
第27条　保護の実施機関は、被保護者に対して、生活の維持、向上その他保護の目的達成に必要な指導又は指示をすることができる。
2　前項の指導又は指示は、被保護者の自由を尊重し、必要の最少限度に止めなければならない。
3　第１項の規定は、被保護者の意に反して、指導又は指示を強制し得るものと解釈してはならない。
（相談及び助言）
第27条の２　保護の実施機関は、第55条の７第１項に規定する被保護者就労支援事業及び第55条の８第１項に規定する被保護者健康管理支援事業を行うほか、要保護者から求めがあつたときは、要保護者の自立を助長するために、要保護者からの相談に応じ、必要な助言をすることができる。
（報告、調査及び検診）
第28条　保護の実施機関は、保護の決定若しくは実施又は第77条若しくは第78条（第３項を除く。次項及び次条第１項において同じ。）の規定の施行のため必要があると認めるときは、要保護者の資産及び収入の状況、健康状態その他の事項を調査するために、厚生労働省令で定めるところにより、当該要保護者に対して、報告を求め、若しくは当該職員に、当該要保護者の居住の場所に立ち入り、これらの事項を調査させ、又は当該要

保護者に対して、保護の実施機関の指定する医師若しくは歯科医師の検診を受けるべき旨を命ずることができる。
2　保護の実施機関は、保護の決定若しくは実施又は第77条若しくは第78条の規定の施行のため必要があると認めるときは、保護の開始又は変更の申請書及びその添付書類の内容を調査するために、厚生労働省令で定めるところにより、要保護者の扶養義務者若しくはその他の同居の親族又は保護の開始若しくは変更の申請の当時要保護者若しくはこれらの者であつた者に対して、報告を求めることができる。
3　第1項の規定によつて立入調査を行う当該職員は、厚生労働省令の定めるところにより、その身分を示す証票を携帯し、かつ、関係人の請求があるときは、これを提示しなければならない。
4　第1項の規定による立入調査の権限は、犯罪捜査のために認められたものと解してはならない。
5　保護の実施機関は、要保護者が第1項の規定による報告をせず、若しくは虚偽の報告をし、若しくは立入調査を拒み、妨げ、若しくは忌避し、又は医師若しくは歯科医師の検診を受けるべき旨の命令に従わないときは、保護の開始若しくは変更の申請を却下し、又は保護の変更、停止若しくは廃止をすることができる。
〔委任〕
　　第2項　「厚生労働省令」＝規則3
　　第3項　「厚生労働省令」＝規則4
（資料の提供等）
第29条　保護の実施機関及び福祉事務所長は、保護の決定若しくは実施又は第77条若しくは第78条の規定の施行のために必要があると認めるときは、次の各号に掲げる者の当該各号に定める事項につき、官公署、日本年金機構若しくは国民年金法（昭和34年法律第141号）第3条第2項に規定する共済組合等（次項において「共済組合等」という。）に対し、必要な書類の閲覧若しくは資料の提供を求め、又は銀行、信託会社、次の各号に掲げる者の雇主その他の関係人に、報告を求めることができる。
一　要保護者又は被保護者であつた者　氏名及び住所又は居所、資産及び収入の状況、健康状態、他の保護の実施機関における保護の決定及び実施の状況その他政令で定める事項（被保護者であつた者にあつては、氏名及び住所又は居所、健康状態並びに他の保護の実施機関における保護の決定及び実施の状況を除き、保護を受けていた期間における事項に限る。）
二　前号に掲げる者の扶養義務者　氏名及び住所又は居所、資産及び収入の状況その他政令で定める事項（被保護者であつた者の扶養義務者にあつては、氏名及び住所又は居所を除き、当該被保護者であつた者が保護を受けていた期間における事項に限る。）
2　別表第1の上欄に掲げる官公署の長、日本年金機構又は共済組合等は、それぞれ同表の下欄に掲げる情報につき、保護の実施機関又は福祉事務所長から前項の規定による求めがあつたときは、速やかに、当該情報を記載し、若しくは記録した書類を閲覧させ、

又は資料の提供を行うものとする。
　〔委任〕
　　　第1項　第1号の「政令」＝令2の2
（行政手続法の適用除外）
第29条の2　この章の規定による処分については、行政手続法（平成5年法律第88号）第3章（第12条及び第14条を除く。）の規定は、適用しない。
　　　第5章　保護の方法
（生活扶助の方法）
第30条　生活扶助は、被保護者の居宅において行うものとする。ただし、これによることができないとき、これによつては保護の目的を達しがたいとき、又は被保護者が希望したときは、被保護者を救護施設、更生施設、日常生活支援住居施設（社会福祉法第2条第3項第8号に規定する事業の用に供する施設その他の施設であつて、被保護者に対する日常生活上の支援の実施に必要なものとして厚生労働省令で定める要件に該当すると都道府県知事が認めたものをいう。第62条第1項及び第70条第1号ハにおいて同じ。）若しくはその他の適当な施設に入所させ、若しくはこれらの施設に入所を委託し、又は私人の家庭に養護を委託して行うことができる。
2　前項ただし書の規定は、被保護者の意に反して、入所又は養護を強制することができるものと解釈してはならない。
3　保護の実施機関は、被保護者の親権者又は後見人がその権利を適切に行わない場合において、その異議があつても、家庭裁判所の許可を得て、第1項但書の措置をとることができる。
　〔委任〕
　　　第1項　「厚生労働省令」＝令和2年3月厚労令第44号「日常生活支援住居施設に関する厚生労働省令で定める要件等を定める省令」
第31条　生活扶助は、金銭給付によつて行うものとする。但し、これによることができないとき、これによることが適当でないとき、その他保護の目的を達するために必要があるときは、現物給付によつて行うことができる。
2　生活扶助のための保護金品は、1月分以内を限度として前渡するものとする。但し、これによりがたいときは、1月分をこえて前渡することができる。
3　居宅において生活扶助を行う場合の保護金品は、世帯単位に計算し、世帯主又はこれに準ずる者に対して交付するものとする。但し、これによりがたいときは、被保護者に対して個々に交付することができる。
4　地域密着型介護老人福祉施設（介護保険法第8条第22項に規定する地域密着型介護老人福祉施設をいう。以下同じ。）、介護老人福祉施設、介護老人保健施設（同条第28項に規定する介護老人保健施設をいう。以下同じ。）又は介護医療院（同条第29項に規定する介護医療院をいう。以下同じ。）であつて第54条の2第1項の規定により指定を受けたもの（同条第2項本文の規定により同条第1項の指定を受けたものとみなされたものを含む。）において施設介護を受ける被保護者に対して生活扶助を行う場合の保護金品

を前項に規定する者に交付することが適当でないときその他保護の目的を達するために必要があるときは、同項の規定にかかわらず、当該地域密着型介護老人福祉施設若しくは介護老人福祉施設の長又は当該介護老人保健施設若しくは介護医療院の管理者に対して交付することができる。
5　前条第1項ただし書の規定により生活扶助を行う場合の保護金品は、被保護者又は施設の長若しくは養護の委託を受けた者に対して交付するものとする。
　（教育扶助の方法）
第32条　教育扶助は、金銭給付によつて行うものとする。但し、これによることができないとき、これによることが適当でないとき、その他保護の目的を達するために必要があるときは、現物給付によつて行うことができる。
2　教育扶助のための保護金品は、被保護者、その親権者若しくは未成年後見人又は被保護者の通学する学校の長に対して交付するものとする。
　（住宅扶助の方法）
第33条　住宅扶助は、金銭給付によつて行うものとする。但し、これによることができないとき、これによることが適当でないとき、その他保護の目的を達するために必要があるときは、現物給付によつて行うことができる。
2　住宅扶助のうち、住居の現物給付は、宿所提供施設を利用させ、又は宿所提供施設にこれを委託して行うものとする。
3　第30条第2項の規定は、前項の場合に準用する。
4　住宅扶助のための保護金品は、世帯主又はこれに準ずる者に対して交付するものとする。
　（医療扶助の方法）
第34条　医療扶助は、現物給付によつて行うものとする。ただし、これによることができないとき、これによることが適当でないとき、その他保護の目的を達するために必要があるときは、金銭給付によつて行うことができる。
2　前項に規定する現物給付のうち、医療の給付は、医療保護施設を利用させ、又は医療保護施設若しくは第49条の規定により指定を受けた医療機関（以下「指定医療機関」という。）にこれを委託して行うものとする。
3　前項に規定する医療の給付のうち、医療を担当する医師又は歯科医師が医学的知見に基づき後発医薬品（医薬品、医療機器等の品質、有効性及び安全性の確保等に関する法律（昭和35年法律第145号）第14条又は第19条の2の規定による製造販売の承認を受けた医薬品のうち、同法第14条の4第1項各号に掲げる医薬品と有効成分、分量、用法、用量、効能及び効果が同一性を有すると認められたものであつて厚生労働省令で定めるものをいう。以下この項において同じ。）を使用することができると認めたものについては、原則として、後発医薬品によりその給付を行うものとする。
4　第2項に規定する医療の給付のうち、あん摩マツサージ指圧師、はり師、きゆう師等に関する法律（昭和22年法律第217号）又は柔道整復師法（昭和45年法律第19号）の規定によりあん摩マツサージ指圧師、はり師、きゆう師又は柔道整復師（以下「施術者」

という。）が行うことのできる範囲の施術については、第55条第１項の規定により指定を受けた施術者に委託してその給付を行うことを妨げない。

5　被保護者は、第２項に規定する医療の給付のうち、指定医療機関に委託して行うものを受けるときは、厚生労働省令で定めるところにより、当該指定医療機関から、電子資格確認その他厚生労働省令で定める方法により、医療扶助を受給する被保護者であることの確認を受けるものとする。

6　前項の「電子資格確認」とは、被保護者が、保護の実施機関に対し、個人番号カード（行政手続における特定の個人を識別するための番号の利用等に関する法律（平成25年法律第27号）第２条第７項に規定する個人番号カードをいう。）に記録された利用者証明用電子証明書（電子署名等に係る地方公共団体情報システム機構の認証業務に関する法律（平成14年法律第153号）第22条第１項に規定する利用者証明用電子証明書をいう。）を送信する方法その他の厚生労働省令で定める方法により、被保護者の医療扶助の受給資格に係る情報（医療の給付に係る費用の請求に必要な情報を含む。）の照会を行い、電子情報処理組織を使用する方法その他の情報通信の技術を利用する方法により、保護の実施機関から回答を受けて当該情報を医療の給付を受ける医療機関に提供し、当該医療機関から医療扶助を受給する被保護者であることの確認を受けることをいう。

7　急迫した事情その他やむを得ない事情がある場合においては、被保護者は、第２項及び第４項の規定にかかわらず、指定を受けない医療機関について医療の給付を受け、又は指定を受けない施術者について施術の給付を受けることができる。

8　医療扶助のための保護金品は、被保護者に対して交付するものとする。

〔委任〕
　　　第３項　「厚生労働省令」＝規則４の２
　　　第５項　「厚生労働省令で定める方法」＝規則４の３
　　　第６項　「厚生労働省令」＝規則４の４

（介護扶助の方法）

第34条の２　介護扶助は、現物給付によつて行うものとする。ただし、これによることができないとき、これによることが適当でないとき、その他保護の目的を達するために必要があるときは、金銭給付によつて行うことができる。

2　前項に規定する現物給付のうち、居宅介護、福祉用具の給付、施設介護、介護予防、介護予防福祉用具及び介護予防・日常生活支援（第15条の２第７項に規定する介護予防・日常生活支援をいう。第54条の２第１項において同じ。）の給付は、介護機関（その事業として居宅介護を行う者及びその事業として居宅介護支援計画（第15条の２第３項に規定する居宅介護支援計画をいう。第54条の２第１項及び別表第２において同じ。）を作成する者、その事業として介護保険法第８条第13項に規定する特定福祉用具販売を行う者（第54条の２第１項及び別表第２において「特定福祉用具販売事業者」という。）、地域密着型介護老人福祉施設、介護老人福祉施設、介護老人保健施設及び介護医療院、その事業として介護予防を行う者及びその事業として介護予防支援計画（第15条の２第６項に規定する介護予防支援計画をいう。第54条の２第１項及び別表第２において同じ。）を作成する者、その事業として同法第８条の２第11項に規定する特定介護

予防福祉用具販売を行う者（第54条の2第1項及び別表第2において「特定介護予防福祉用具販売事業者」という。）並びに介護予防・日常生活支援事業者（その事業として同法第115条の45第1項第1号に規定する第1号事業を行う者をいう。以下同じ。）をいう。以下同じ。）であつて、第54条の2第1項の規定により指定を受けたもの（同条第2項本文の規定により同条第1項の指定を受けたものとみなされたものを含む。）にこれを委託して行うものとする。
3　前条第7項及び第8項の規定は、介護扶助について準用する。
　（出産扶助の方法）
第35条　出産扶助は、金銭給付によつて行うものとする。ただし、これによることができないとき、これによることが適当でないとき、その他保護の目的を達するために必要があるときは、現物給付によつて行うことができる。
2　前項ただし書に規定する現物給付のうち、助産の給付は、第55条第1項の規定により指定を受けた助産師に委託して行うものとする。
3　第34条第7項及び第8項の規定は、出産扶助について準用する。
　（生業扶助の方法）
第36条　生業扶助は、金銭給付によつて行うものとする。但し、これによることができないとき、これによることが適当でないとき、その他保護の目的を達するために必要があるときは、現物給付によつて行うことができる。
2　前項但書に規定する現物給付のうち、就労のために必要な施設の供用及び生業に必要な技能の授与は、授産施設若しくは訓練を目的とするその他の施設を利用させ、又はこれらの施設にこれを委託して行うものとする。
3　生業扶助のための保護金品は、被保護者に対して交付するものとする。但し、施設の供用又は技能の授与のために必要な金品は、授産施設の長に対して交付することができる。
　（葬祭扶助の方法）
第37条　葬祭扶助は、金銭給付によつて行うものとする。但し、これによることができないとき、これによることが適当でないとき、その他保護の目的を達するために必要があるときは、現物給付によつて行うことができる。
2　葬祭扶助のための保護金品は、葬祭を行う者に対して交付するものとする。
　（保護の方法の特例）
第37条の2　保護の実施機関は、保護の目的を達するために必要があるときは、第31条第3項本文若しくは第33条第4項の規定により世帯主若しくはこれに準ずる者に対して交付する保護金品、第31条第3項ただし書若しくは第5項、第34条第8項（第34条の2第3項及び第35条第3項において準用する場合を含む。）若しくは第36条第3項の規定により被保護者に対して交付する保護金品、第32条第2項の規定により被保護者若しくはその親権者若しくは未成年後見人に対して交付する保護金品（以下この条において「教育扶助のための保護金品」という。）又は前条第2項の規定により葬祭を行う者に対して交付する保護金品のうち、介護保険料（介護保険法第129条第1項に規定する保険料

をいう。)その他の被保護者(教育扶助のための保護金品にあつては、その親権者又は未成年後見人を含む。以下この条において同じ。)が支払うべき費用であつて政令で定めるものの額に相当する金銭について、被保護者に代わり、政令で定める者に支払うことができる。この場合において、当該支払があつたときは、これらの規定により交付すべき者に対し当該保護金品の交付があつたものとみなす。

〔委任〕

「政令」=令3

第6章　保護施設

(種類)

第38条　保護施設の種類は、左の通りとする。

一　救護施設

二　更生施設

三　医療保護施設

四　授産施設

五　宿所提供施設

2　救護施設は、身体上又は精神上著しい障害があるために日常生活を営むことが困難な要保護者を入所させて、生活扶助を行うことを目的とする施設とする。

3　更生施設は、身体上又は精神上の理由により養護及び生活指導を必要とする要保護者を入所させて、生活扶助を行うことを目的とする施設とする。

4　医療保護施設は、医療を必要とする要保護者に対して、医療の給付を行うことを目的とする施設とする。

5　授産施設は、身体上若しくは精神上の理由又は世帯の事情により就業能力の限られている要保護者に対して、就労又は技能の修得のために必要な機会及び便宜を与えて、その自立を助長することを目的とする施設とする。

6　宿所提供施設は、住居のない要保護者の世帯に対して、住宅扶助を行うことを目的とする施設とする。

(保護施設の基準)

第39条　都道府県は、保護施設の設備及び運営について、条例で基準を定めなければならない。

2　都道府県が前項の条例を定めるに当たつては、第1号から第3号までに掲げる事項については厚生労働省令で定める基準に従い定めるものとし、第4号に掲げる事項については厚生労働省令で定める基準を標準として定めるものとし、その他の事項については厚生労働省令で定める基準を参酌するものとする。

一　保護施設に配置する職員及びその員数

二　保護施設に係る居室の床面積

三　保護施設の運営に関する事項であつて、利用者の適切な処遇及び安全の確保並びに秘密の保持に密接に関連するものとして厚生労働省令で定めるもの

四　保護施設の利用定員

3 保護施設の設置者は、第1項の基準を遵守しなければならない。
〔委任〕
第2項 本文の「厚生労働省令で定める基準」＝昭和41年7月厚令第18号「救護施設、更生施設、授産施設及び宿所提供施設の設備及び運営に関する基準」

（都道府県、市町村及び地方独立行政法人の保護施設）
第40条 都道府県は、保護施設を設置することができる。
2 市町村及び地方独立行政法人（地方独立行政法人法（平成15年法律第118号）第2条第1項に規定する地方独立行政法人をいう。以下同じ。）は、保護施設を設置しようとするときは、あらかじめ、厚生労働省令で定める事項を都道府県知事に届け出なければならない。
3 保護施設を設置した都道府県、市町村及び地方独立行政法人は、現に入所中の被保護者の保護に支障のない限り、その保護施設を廃止し、又はその事業を縮小し、若しくは休止することができる。
4 都道府県及び市町村の行う保護施設の設置及び廃止は、条例で定めなければならない。
〔委任〕
第2項 「厚生労働省令」＝規則5

（社会福祉法人及び日本赤十字社の保護施設の設置）
第41条 都道府県、市町村及び地方独立行政法人のほか、保護施設は、社会福祉法人及び日本赤十字社でなければ設置することができない。
2 社会福祉法人又は日本赤十字社は、保護施設を設置しようとするときは、あらかじめ、左に掲げる事項を記載した申請書を都道府県知事に提出して、その認可を受けなければならない。
一 保護施設の名称及び種類
二 設置者たる法人の名称並びに代表者の氏名、住所及び資産状況
三 寄附行為、定款その他の基本約款
四 建物その他の設備の規模及び構造
五 取扱定員
六 事業開始の予定年月日
七 経営の責任者及び保護の実務に当る幹部職員の氏名及び経歴
八 経理の方針
3 都道府県知事は、前項の認可の申請があつた場合に、その施設が第39条第1項の基準のほか、次の各号の基準に適合するものであるときは、これを認可しなければならない。
一 設置しようとする者の経済的基礎が確実であること。
二 その保護施設の主として利用される地域における要保護者の分布状況からみて、当該保護施設の設置が必要であること。
三 保護の実務に当たる幹部職員が厚生労働大臣の定める資格を有するものであるこ

と。
4　第1項の認可をするに当つて、都道府県知事は、その保護施設の存続期間を限り、又は保護の目的を達するために必要と認める条件を附することができる。
5　第2項の認可を受けた社会福祉法人又は日本赤十字社は、同項第1号又は第3号から第8号までに掲げる事項を変更しようとするときは、あらかじめ、都道府県知事の認可を受けなければならない。この認可の申請があつた場合には、第3項の規定を準用する。

（社会福祉法人及び日本赤十字社の保護施設の休止又は廃止）
第42条　社会福祉法人又は日本赤十字社は、保護施設を休止し、又は廃止しようとするときは、あらかじめ、その理由、現に入所中の被保護者に対する措置及び財産の処分方法を明らかにし、かつ、第70条、第72条又は第74条の規定により交付を受けた交付金又は補助金に残余額があるときは、これを返還して、休止又は廃止の時期について都道府県知事の認可を受けなければならない。

（指導）
第43条　都道府県知事は、保護施設の運営について、必要な指導をしなければならない。
2　社会福祉法人又は日本赤十字社の設置した保護施設に対する前項の指導については、市町村長が、これを補助するものとする。

（報告の徴収及び立入検査）
第44条　都道府県知事は、保護施設の管理者に対して、その業務若しくは会計の状況その他必要と認める事項の報告を命じ、又は当該職員に、その施設に立ち入り、その管理者からその設備及び会計書類、診療録その他の帳簿書類（その作成又は保存に代えて電磁的記録（電子的方式、磁気的方式その他人の知覚によつては認識することができない方式で作られる記録であつて、電子計算機による情報処理の用に供されるものをいう。）の作成又は保存がされている場合における当該電磁的記録を含む。以下同じ。）の閲覧及び説明を求めさせ、若しくはこれを検査させることができる。
2　第28条第3項及び第4項の規定は、前項の規定による立入検査について準用する。

（改善命令等）
第45条　厚生労働大臣は都道府県に対して、都道府県知事は市町村及び地方独立行政法人に対して、次に掲げる事由があるときは、その保護施設の設備若しくは運営の改善、その事業の停止又はその保護施設の廃止を命ずることができる。
一　その保護施設が第39条第1項の基準に適合しなくなつたとき。
二　その保護施設が存立の目的を失うに至つたとき。
三　その保護施設がこの法律若しくはこれに基づく命令又はこれらに基づいてする処分に違反したとき。
2　都道府県知事は、社会福祉法人又は日本赤十字社に対して、左に掲げる事由があるときは、その保護施設の設備若しくは運営の改善若しくはその事業の停止を命じ、又は第41条第2項の認可を取り消すことができる。
一　その保護施設が前項各号の一に該当するとき。

二　その保護施設が第41条第3項各号に規定する基準に適合しなくなつたとき。
三　その保護施設の経営につき営利を図る行為があつたとき。
四　正当な理由がないのに、第41条第2項第6号の予定年月日（同条第5項の規定により変更の認可を受けたときは、その認可を受けた予定年月日）までに事業を開始しないとき。
五　第41条第5項の規定に違反したとき。
3　前項の規定による処分に係る行政手続法第15条第1項又は第30条の通知は、聴聞の期日又は弁明を記載した書面の提出期限（口頭による弁明の機会の付与を行う場合には、その日時）の14日前までにしなければならない。
4　都道府県知事は、第2項の規定による認可の取消しに係る行政手続法第15条第1項の通知をしたときは、聴聞の期日及び場所を公示しなければならない。
5　第2項の規定による認可の取消しに係る聴聞の期日における審理は、公開により行わなければならない。
（管理規程）
第46条　保護施設の設置者は、その事業を開始する前に、左に掲げる事項を明示した管理規程を定めなければならない。
一　事業の目的及び方針
二　職員の定数、区分及び職務内容
三　その施設を利用する者に対する処遇方法
四　その施設を利用する者が守るべき規律
五　入所者に作業を課する場合には、その作業の種類、方法、時間及び収益の処分方法
六　その他施設の管理についての重要事項
2　都道府県以外の者は、前項の管理規程を定めたときは、すみやかに、これを都道府県知事に届け出なければならない。届け出た管理規程を変更しようとするときも、同様とする。
3　都道府県知事は、前項の規定により届け出られた管理規程の内容が、その施設を利用する者に対する保護の目的を達するために適当でないと認めるときは、その管理規程の変更を命ずることができる。
（保護施設の義務）
第47条　保護施設は、保護の実施機関から保護のための委託を受けたときは、正当の理由なくして、これを拒んではならない。
2　保護施設は、要保護者の入所又は処遇に当たり、人種、信条、社会的身分又は門地により、差別的又は優先的な取扱いをしてはならない。
3　保護施設は、これを利用する者に対して、宗教上の行為、祝典、儀式又は行事に参加することを強制してはならない。
4　保護施設は、当該職員が第44条の規定によつて行う立入検査を拒んではならない。
（保護施設の長）

第48条　保護施設の長は、常に、その施設を利用する者の生活の向上及び更生を図ることに努めなければならない。
2　保護施設の長は、その施設を利用する者に対して、管理規程に従つて必要な指導をすることができる。
3　都道府県知事は、必要と認めるときは、前項の指導を制限し、又は禁止することができる。
4　保護施設の長は、その施設を利用する被保護者について、保護の変更、停止又は廃止を必要とする事由が生じたと認めるときは、すみやかに、保護の実施機関に、これを届け出なければならない。

第7章　医療機関、介護機関及び助産機関

（医療機関の指定）
第49条　厚生労働大臣は、国の開設した病院若しくは診療所又は薬局について、都道府県知事は、その他の病院若しくは診療所（これらに準ずるものとして政令で定めるものを含む。）又は薬局について、この法律による医療扶助のための医療を担当させる機関を指定する。

〔委任〕

「政令」＝令4

（指定の申請及び基準）
第49条の2　厚生労働大臣による前条の指定は、厚生労働省令で定めるところにより、病院若しくは診療所又は薬局の開設者の申請により行う。
2　厚生労働大臣は、前項の申請があつた場合において、次の各号のいずれかに該当するときは、前条の指定をしてはならない。
一　当該申請に係る病院若しくは診療所又は薬局が、健康保険法（大正11年法律第70号）第63条第3項第1号に規定する保険医療機関又は保険薬局でないとき。
二　申請者が、禁錮以上の刑に処せられ、その執行を終わり、又は執行を受けることがなくなるまでの者であるとき。
三　申請者が、この法律その他国民の保健医療若しくは福祉に関する法律で政令で定めるものの規定により罰金の刑に処せられ、その執行を終わり、又は執行を受けることがなくなるまでの者であるとき。
四　申請者が、第51条第2項の規定により指定を取り消され、その取消しの日から起算して5年を経過しない者（当該取消しの処分に係る行政手続法第15条の規定による通知があつた日前60日以内に当該指定を取り消された病院若しくは診療所又は薬局の管理者であつた者で当該取消しの日から起算して5年を経過しないものを含む。）であるとき。ただし、当該指定の取消しの処分の理由となつた事実に関して申請者が有していた責任の程度を考慮して、この号本文に該当しないこととすることが相当であると認められるものとして厚生労働省令で定めるものに該当する場合を除く。
五　申請者が、第51条第2項の規定による指定の取消しの処分に係る行政手続法第15条の規定による通知があつた日から当該処分をする日又は処分をしないことを決定する

日までの間に第51条第1項の規定による指定の辞退の申出をした者（当該指定の辞退について相当の理由がある者を除く。）で、当該申出の日から起算して5年を経過しないものであるとき。

六　申請者が、第54条第1項の規定による検査が行われた日から聴聞決定予定日（当該検査の結果に基づき第51条第2項の規定による指定の取消しの処分に係る聴聞を行うか否かの決定をすることが見込まれる日として厚生労働省令で定めるところにより厚生労働大臣が当該申請者に当該検査が行われた日から10日以内に特定の日を通知した場合における当該特定の日をいう。）までの間に第51条第1項の規定による指定の辞退の申出をした者（当該指定の辞退について相当の理由がある者を除く。）で、当該申出の日から起算して5年を経過しないものであるとき。

七　第5号に規定する期間内に第51条第1項の規定による指定の辞退の申出があつた場合において、申請者（当該指定の辞退について相当の理由がある者を除く。）が、同号の通知の日前60日以内に当該申出に係る病院若しくは診療所又は薬局の管理者であつた者で、当該申出の日から起算して5年を経過しないものであるとき。

八　申請者が、指定の申請前5年以内に被保護者の医療に関し不正又は著しく不当な行為をした者であるとき。

九　当該申請に係る病院若しくは診療所又は薬局の管理者が第2号から前号までのいずれかに該当する者であるとき。

3　厚生労働大臣は、第1項の申請があつた場合において、当該申請に係る病院若しくは診療所又は薬局が次の各号のいずれかに該当するときは、前条の指定をしないことができる。

一　被保護者の医療について、その内容の適切さを欠くおそれがあるとして重ねて第50条第2項の規定による指導を受けたものであるとき。

二　前号のほか、医療扶助のための医療を担当させる機関として著しく不適当と認められるものであるとき。

4　前3項の規定は、都道府県知事による前条の指定について準用する。この場合において、第1項中「診療所」とあるのは「診療所（前条の政令で定めるものを含む。次項及び第3項において同じ。）」と、第2項第1号中「又は保険薬局」とあるのは「若しくは保険薬局又は厚生労働省令で定める事業所若しくは施設」と読み替えるものとする。

〔委任〕
第1項　「厚生労働省令」＝規則10
第2項　第3号の「政令」＝令4の2　第4号の「厚生労働省令」＝規則10の2　第6号の「厚生労働省令」＝規則10の3
第4項　「厚生労働省令」＝規則10の4

（指定の更新）
第49条の3　第49条の指定は、6年ごとにその更新を受けなければ、その期間の経過によつて、その効力を失う。

2　前項の更新の申請があつた場合において、同項の期間（以下この条において「指定の有効期間」という。）の満了の日までにその申請に対する処分がされないときは、従前

の指定は、指定の有効期間の満了後もその処分がされるまでの間は、なおその効力を有する。
3　前項の場合において、指定の更新がされたときは、その指定の有効期間は、従前の指定の有効期間の満了の日の翌日から起算するものとする。
4　前条及び健康保険法第68条第2項の規定は、第1項の指定の更新について準用する。この場合において、必要な技術的読替えは、政令で定める。
〔委任〕
　　　　第4項　「政令」＝令4の4
（指定医療機関の義務）
第50条　指定医療機関は、厚生労働大臣の定めるところにより、懇切丁寧に被保護者の医療を担当しなければならない。
2　指定医療機関は、被保護者の医療について、厚生労働大臣又は都道府県知事の行う指導に従わなければならない。
〔委任〕
　　　　第1項　「厚生労働大臣の定める」＝昭和25年8月厚告第222号「指定医療機関医療担当規程」
（変更の届出等）
第50条の2　指定医療機関は、当該指定医療機関の名称その他厚生労働省令で定める事項に変更があつたとき、又は当該指定医療機関の事業を廃止し、休止し、若しくは再開したときは、厚生労働省令で定めるところにより、10日以内に、その旨を第49条の指定をした厚生労働大臣又は都道府県知事に届け出なければならない。
〔委任〕
　　　　「厚生労働省令で定める事項」＝規則14Ⅰ　　「厚生労働省令で定めるところ」＝規則14Ⅱ
（指定の辞退及び取消し）
第51条　指定医療機関は、30日以上の予告期間を設けて、その指定を辞退することができる。
2　指定医療機関が、次の各号のいずれかに該当するときは、厚生労働大臣の指定した医療機関については厚生労働大臣が、都道府県知事の指定した医療機関については都道府県知事が、その指定を取り消し、又は期間を定めてその指定の全部若しくは一部の効力を停止することができる。
　一　指定医療機関が、第49条の2第2項第1号から第3号まで又は第9号のいずれかに該当するに至つたとき。
　二　指定医療機関が、第49条の2第3項各号のいずれかに該当するに至つたとき。
　三　指定医療機関が、第50条又は次条の規定に違反したとき。
　四　指定医療機関の診療報酬の請求に関し不正があつたとき。
　五　指定医療機関が、第54条第1項の規定により報告若しくは診療録、帳簿書類その他の物件の提出若しくは提示を命ぜられてこれに従わず、又は虚偽の報告をしたとき。
　六　指定医療機関の開設者又は従業者が、第54条第1項の規定により出頭を求められてこれに応ぜず、同項の規定による質問に対して答弁せず、若しくは虚偽の答弁をし、

又は同項の規定による検査を拒み、妨げ、若しくは忌避したとき。ただし、当該指定医療機関の従業者がその行為をした場合において、その行為を防止するため、当該指定医療機関の開設者が相当の注意及び監督を尽くしたときを除く。
七　指定医療機関が、不正の手段により第49条の指定を受けたとき。
八　前各号に掲げる場合のほか、指定医療機関が、この法律その他国民の保健医療若しくは福祉に関する法律で政令で定めるもの又はこれらの法律に基づく命令若しくは処分に違反したとき。
九　前各号に掲げる場合のほか、指定医療機関が、被保護者の医療に関し不正又は著しく不当な行為をしたとき。
十　指定医療機関の管理者が指定の取消し又は指定の全部若しくは一部の効力の停止をしようとするとき前5年以内に被保護者の医療に関し不正又は著しく不当な行為をした者であるとき。

〔委任〕
　　　第2項　第8号の「政令」＝令4の3

（診療方針及び診療報酬）
第52条　指定医療機関の診療方針及び診療報酬は、国民健康保険の診療方針及び診療報酬の例による。
2　前項に規定する診療方針及び診療報酬によることのできないとき、及びこれによることを適当としないときの診療方針及び診療報酬は、厚生労働大臣の定めるところによる。

〔委任〕
　　　第2項　「厚生労働大臣の定める」＝昭和34年5月厚告第125号「生活保護法第52条第2項の規定による診療方針及び診療報酬」

（医療費の審査及び支払）
第53条　都道府県知事は、指定医療機関の診療内容及び診療報酬の請求を随時審査し、且つ、指定医療機関が前条の規定によつて請求することのできる診療報酬の額を決定することができる。
2　指定医療機関は、都道府県知事の行う前項の決定に従わなければならない。
3　都道府県知事は、第1項の規定により指定医療機関の請求することのできる診療報酬の額を決定するに当つては、社会保険診療報酬支払基金法（昭和23年法律第129号）に定める審査委員会又は医療に関する審査機関で政令で定めるものの意見を聴かなければならない。
4　都道府県、市及び福祉事務所を設置する町村は、指定医療機関に対する診療報酬の支払に関する事務を、社会保険診療報酬支払基金又は厚生労働省令で定める者に委託することができる。
5　第1項の規定による診療報酬の額の決定については、審査請求をすることができない。

〔委任〕
　　　第3項　「政令」＝令5

（報告等）
第54条 都道府県知事（厚生労働大臣の指定に係る指定医療機関については、厚生労働大臣又は都道府県知事）は、医療扶助に関して必要があると認めるときは、指定医療機関若しくは指定医療機関の開設者若しくは管理者、医師、薬剤師その他の従業者であつた者（以下この項において「開設者であつた者等」という。）に対して、必要と認める事項の報告若しくは診療録、帳簿書類その他の物件の提出若しくは提示を命じ、指定医療機関の開設者若しくは管理者、医師、薬剤師その他の従業者（開設者であつた者等を含む。）に対し出頭を求め、又は当該職員に、関係者に対して質問させ、若しくは当該指定医療機関について実地に、その設備若しくは診療録、帳簿書類その他の物件を検査させることができる。

2　第28条第3項及び第4項の規定は、前項の規定による検査について準用する。

（介護機関の指定等）
第54条の2　厚生労働大臣は、国の開設した地域密着型介護老人福祉施設、介護老人福祉施設、介護老人保健施設又は介護医療院について、都道府県知事は、その他の地域密着型介護老人福祉施設、介護老人福祉施設、介護老人保健施設若しくは介護医療院、その事業として居宅介護を行う者若しくはその事業として居宅介護支援計画を作成する者、特定福祉用具販売事業者、その事業として介護予防を行う者若しくはその事業として介護予防支援計画を作成する者、特定介護予防福祉用具販売事業者又は介護予防・日常生活支援事業者について、この法律による介護扶助のための居宅介護若しくは居宅介護支援計画の作成、福祉用具の給付、施設介護、介護予防若しくは介護予防支援計画の作成、介護予防福祉用具又は介護予防・日常生活支援の給付を担当させる機関を指定する。

2　介護機関について、別表第2の第1欄に掲げる介護機関の種類に応じ、それぞれ同表の第2欄に掲げる指定又は許可があつたときは、その介護機関は、その指定又は許可の時に前項の指定を受けたものとみなす。ただし、当該介護機関（地域密着型介護老人福祉施設及び介護老人福祉施設を除く。）が、厚生労働省令で定めるところにより、あらかじめ、別段の申出をしたときは、この限りではない。

3　前項の規定により第1項の指定を受けたものとみなされた別表第2の第1欄に掲げる介護機関に係る同項の指定は、当該介護機関が同表の第3欄に掲げる場合に該当するときは、その効力を失う。

4　第2項の規定により第1項の指定を受けたものとみなされた別表第2の第1欄に掲げる介護機関に係る同項の指定は、当該介護機関が同表の第4欄に掲げる場合に該当するときは、その該当する期間、その効力（それぞれ同欄に掲げる介護保険法の規定による指定又は許可の効力が停止された部分に限る。）を停止する。

5　第49条の2（第2項第1号を除く。）の規定は、第1項の指定（介護予防・日常生活支援事業者に係るものを除く。）について、第50条から前条までの規定は、同項の規定により指定を受けた介護機関（第2項本文の規定により第1項の指定を受けたものとみなされたものを含み、同項の指定を受けた介護予防・日常生活支援事業者（第2項本文

の規定により第１項の指定を受けたものとみなされたものを含む。）を除く。）について準用する。この場合において、第50条第１項中「指定医療機関」とあるのは「第54条の２第１項の規定により指定を受けた介護機関（同条第２項本文の規定により同条第１項の指定を受けたものとみなされたものを含み、同項の指定を受けた介護予防・日常生活支援事業者（同条第２項本文の規定により同条第１項の指定を受けたものとみなされたものを含む。）を除く。以下この章において「指定介護機関」という。）」と、同条第２項及び第50条の２中「指定医療機関」とあるのは「指定介護機関」と、第51条第１項中「指定医療機関」とあるのは「指定介護機関（地域密着型介護老人福祉施設及び介護老人福祉施設に係るものを除く。）」と、同条第２項、第52条第１項及び第53条第１項から第３項までの規定中「指定医療機関」とあるのは「指定介護機関」と、同項中「社会保険診療報酬支払基金法（昭和23年法律第129号）に定める審査委員会又は医療に関する審査機関で政令で定めるもの」とあるのは「介護保険法に定める介護給付費等審査委員会」と、同条第４項中「指定医療機関」とあるのは「指定介護機関」と、「社会保険診療報酬支払基金又は厚生労働省令で定める者」とあるのは「国民健康保険団体連合会」と、前条第１項中「指定医療機関」とあるのは「指定介護機関」と読み替えるものとするほか、必要な技術的読替えは、政令で定める。

6 　第49条の２第１項及び第３項の規定は、第１項の指定（介護予防・日常生活支援事業者に係るものに限る。）について、第50条、第50条の２、第51条（第２項第１号、第８号及び第10号を除く。）、第52条から前条までの規定は、第１項の規定により指定を受けた介護機関（同項の指定を受けた介護予防・日常生活支援事業者（第２項本文の規定により第１項の指定を受けたものとみなされたものを含む。）に限る。）について準用する。この場合において、第49条の２第１項及び第３項中「厚生労働大臣」とあるのは「都道府県知事」と、第50条第１項中「指定医療機関」とあるのは「第54条の２第１項の規定により指定を受けた介護機関（同項の指定を受けた介護予防・日常生活支援事業者（同条第２項本文の規定により同条第１項の指定を受けたものとみなされたものを含む。）に限る。以下この章において「指定介護機関」という。）」と、同条第２項及び第50条の２中「指定医療機関」とあるのは「指定介護機関」と、「厚生労働大臣又は都道府県知事」とあるのは「都道府県知事」と、第51条第１項中「指定医療機関」とあるのは「指定介護機関」と、同条第２項中「指定医療機関が、次の」とあるのは「指定介護機関が、次の」と、「厚生労働大臣の指定した医療機関については厚生労働大臣が、都道府県知事の指定した医療機関については都道府県知事が」とあるのは「都道府県知事は」と、同項第２号から第７号まで及び第９号、第52条第１項並びに第53条第１項から第３項までの規定中「指定医療機関」とあるのは「指定介護機関」と、同項中「社会保険診療報酬支払基金法（昭和23年法律第129号）に定める審査委員会又は医療に関する審査機関で政令で定めるもの」とあるのは「介護保険法に定める介護給付費等審査委員会」と、同条第４項中「指定医療機関」とあるのは「指定介護機関」と、「社会保険診療報酬支払基金又は厚生労働省令で定める者」とあるのは「国民健康保険団体連合会」と、前条第１項中「都道府県知事（厚生労働大臣の指定に係る指定医療機関について

は、厚生労働大臣又は都道府県知事)」とあるのは「都道府県知事」と、「指定医療機関若しくは指定医療機関」とあるのは「指定介護機関若しくは指定介護機関」と、「命じ、指定医療機関」とあるのは「命じ、指定介護機関」と、「当該指定医療機関」とあるのは「当該指定介護機関」と読み替えるものとするほか、必要な技術的読替えは、政令で定める。

〔委任〕
　　　第2項　「厚生労働省令」＝規則10の7
　　　第5項　「政令」＝令6
　　　第6項　「政令」＝令6の2

（助産機関及び施術機関の指定等）
第55条　都道府県知事は、助産師又はあん摩マツサージ指圧師、はり師、きゆう師若しくは柔道整復師について、この法律による出産扶助のための助産又はこの法律による医療扶助のための施術を担当させる機関を指定する。

2　第49条の2第1項、第2項（第1号、第4号ただし書、第7号及び第9号を除く。）及び第3項の規定は、前項の指定について、第50条、第50条の2、第51条（第2項第4号、第6号ただし書及び第10号を除く。）及び第54条の規定は、前項の規定により指定を受けた助産師並びにあん摩マツサージ指圧師、はり師、きゆう師及び柔道整復師について準用する。この場合において、第49条の2第1項及び第2項中「厚生労働大臣」とあるのは「都道府県知事」と、同項第4号中「者（当該取消しの処分に係る行政手続法第15条の規定による通知があつた日前60日以内に当該指定を取り消された病院若しくは診療所又は薬局の管理者であつた者で当該取消しの日から起算して5年を経過しないものを含む。）」とあるのは「者」と、同条第3項中「厚生労働大臣」とあるのは「都道府県知事」と、第50条第1項中「指定医療機関」とあるのは「第55条第1項の規定により指定を受けた助産師又はあん摩マツサージ指圧師、はり師、きゆう師若しくは柔道整復師（以下この章においてそれぞれ「指定助産機関」又は「指定施術機関」という。）」と、同条第2項中「指定医療機関」とあるのは「指定助産機関又は指定施術機関」と、「厚生労働大臣又は都道府県知事」とあるのは「都道府県知事」と、第50条の2中「指定医療機関は」とあるのは「指定助産機関又は指定施術機関は」と、「指定医療機関の」とあるのは「指定助産機関若しくは指定施術機関の」と、「厚生労働大臣又は都道府県知事」とあるのは「都道府県知事」と、第51条第1項中「指定医療機関」とあるのは「指定助産機関又は指定施術機関」と、同条第2項中「指定医療機関が、次の」とあるのは「指定助産機関又は指定施術機関が、次の」と、「厚生労働大臣の指定した医療機関については厚生労働大臣が、都道府県知事の指定した医療機関については都道府県知事が」とあるのは「都道府県知事は」と、同項第1号から第3号まで及び第5号中「指定医療機関」とあるのは「指定助産機関又は指定施術機関」と、同項第6号中「指定医療機関の開設者又は従業者」とあるのは「指定助産機関又は指定施術機関」と、同項第7号から第9号までの規定中「指定医療機関」とあるのは「指定助産機関又は指定施術機関」と、第54条第1項中「都道府県知事（厚生労働大臣の指定に係る指定医療機関については、厚生労働大臣又は都道府県知事)」とあるのは「都道府県知事」と、「指

定医療機関若しくは指定医療機関の開設者若しくは管理者、医師、薬剤師その他の従業者であつた者（以下この項において「開設者であつた者等」という。）」とあり、及び「指定医療機関の開設者若しくは管理者、医師、薬剤師その他の従業者（開設者であつた者等を含む。）」とあるのは「指定助産機関若しくは指定施術機関若しくはこれらであつた者」と、「当該指定医療機関」とあるのは「当該指定助産機関若しくは指定施術機関」と読み替えるものとするほか、必要な技術的読替えは、政令で定める。

〔委任〕
　　　第2項　「政令」＝令7
（医療保護施設への準用）
第55条の2　第52条及び第53条の規定は、医療保護施設について準用する。
（告示）
第55条の3　厚生労働大臣又は都道府県知事は、次に掲げる場合には、その旨を告示しなければならない。
一　第49条、第54条の2第1項又は第55条第1項の指定をしたとき。
二　第50条の2（第54条の2第5項及び第6項並びに第55条第2項において準用する場合を含む。）の規定による届出があつたとき。
三　第51条第1項（第54条の2第5項及び第6項並びに第55条第2項において準用する場合を含む。）の規定による第49条、第54条の2第1項又は第55条第1項の指定の辞退があつたとき。
四　第51条第2項（第54条の2第5項及び第6項並びに第55条第2項において準用する場合を含む。）の規定により第49条、第54条の2第1項又は第55条第1項の指定を取り消したとき。

第8章　就労自立給付金及び進学・就職準備給付金

（就労自立給付金の支給）
第55条の4　都道府県知事、市長及び福祉事務所を管理する町村長は、被保護者の自立の助長を図るため、その管理に属する福祉事務所の所管区域内に居住地を有する（居住地がないか、又は明らかでないときは、当該所管区域内にある）被保護者であつて、厚生労働省令で定める安定した職業に就いたことその他厚生労働省令で定める事由により保護を必要としなくなつたと認めたものに対して、厚生労働省令で定めるところにより、就労自立給付金を支給する。

2　前項の規定により就労自立給付金を支給する者は、就労自立給付金の支給に関する事務の全部又は一部を、その管理に属する行政庁に限り、委任することができる。

3　第1項の規定により就労自立給付金を支給する者は、就労自立給付金の支給に関する事務の一部を、政令で定めるところにより、他の就労自立給付金を支給する者に委託して行うことを妨げない。

〔委任〕
　　　第1項　「厚生労働省令で定める安定した職業」＝規則18の2　　「厚生労働省令で定める事由」＝規則18の3
　　　　　　「厚生労働省令で定めるところ」＝規則18の4～の6
　　　第3項　「政令」＝令8

生活保護法

（進学・就職準備給付金の支給）
第55条の5　都道府県知事、市長及び福祉事務所を管理する町村長は、その管理に属する福祉事務所の所管区域内に居住地を有する（居住地がないか、又は明らかでないときは当該所管区域内にある）被保護者（18歳に達する日以後の最初の3月31日までの間にある者その他厚生労働省令で定める者に限る。）であつて、次の各号のいずれかに該当するものに対して、厚生労働省令で定めるところにより、進学・就職準備給付金を支給する。
一　教育訓練施設のうち教育訓練の内容その他の事情を勘案して厚生労働省令で定めるもの（次条において「特定教育訓練施設」という。）に確実に入学すると見込まれる者
二　厚生労働省令で定める安定した職業に確実に就くと見込まれる者その他これに準ずる者として厚生労働省令で定める者
2　前条第2項及び第3項の規定は、進学・就職準備給付金の支給について準用する。
〔委任〕
　　第1項　本文の「厚生労働省令で定める者」＝規則18の7　「厚生労働省令で定めるところ」＝規則18の9
　　　第1号の「厚生労働省令で定めるもの」＝規則18の8　第2号の「厚生労働省令で定めた職業」＝規則18の8の2　「厚生労働省令で定める者」＝規則18の8の3

（報告）
第55条の6　第55条の4第1項の規定により就労自立給付金を支給する者又は前条第1項の規定により進学・就職準備給付金を支給する者（第69条において「支給機関」という。）は、就労自立給付金若しくは進学・就職準備給付金の支給又は第78条第3項の規定の施行のために必要があると認めるときは、被保護者若しくは被保護者であつた者又はこれらの者に係る雇主（被保護者を雇用しようとする者を含む。）若しくは特定教育訓練施設の長その他の関係人に、報告を求めることができる。

　　第9章　被保護者就労支援事業及び被保護者健康管理支援事業
（被保護者就労支援事業）
第55条の7　保護の実施機関は、就労の支援に関する問題につき、被保護者からの相談に応じ、必要な情報の提供及び助言を行う事業（以下「被保護者就労支援事業」という。）を実施するものとする。
2　保護の実施機関は、被保護者就労支援事業の事務の全部又は一部を当該保護の実施機関以外の厚生労働省令で定める者に委託することができる。
3　前項の規定による委託を受けた者若しくはその役員若しくは職員又はこれらの者であつた者は、その委託を受けた事務に関して知り得た秘密を漏らしてはならない。
〔委任〕
　　第2項　「厚生労働省令」＝規則18の12

（被保護者健康管理支援事業）
第55条の8　保護の実施機関は、被保護者に対する必要な情報の提供、保健指導、医療の受診の勧奨その他の被保護者の健康の保持及び増進を図るための事業（以下「被保護者健康管理支援事業」という。）を実施するものとする。
2　保護の実施機関は、被保護者健康管理支援事業の実施に関し必要があると認めるとき

は、市町村長その他厚生労働省令で定める者に対し、被保護者に対する健康増進法（平成14年法律第103号）による健康増進事業の実施に関する情報その他厚生労働省令で定める必要な情報の提供を求めることができる。
3　前条第２項及び第３項の規定は、被保護者健康管理支援事業を行う場合について準用する。
〔委任〕
第２項　「厚生労働省令で定める者」＝規則18の13Ⅱ　「厚生労働省令で定める必要な情報」＝規則18の13Ⅲ
（被保護者健康管理支援事業の実施のための調査及び分析等）

第55条の9　厚生労働大臣は、被保護者健康管理支援事業の実施に資するため、被保護者の年齢別及び地域別の疾病の動向その他被保護者の医療に関する情報について調査及び分析を行い、保護の実施機関に対して、当該調査及び分析の結果を提供するものとする。
2　保護の実施機関は、厚生労働大臣に対して、前項の規定による調査及び分析の実施に必要な情報を、厚生労働省令で定めるところにより提供しなければならない。
3　厚生労働大臣は、第１項の規定による調査及び分析に係る事務の一部を厚生労働省令で定める者に委託することができる。この場合において、厚生労働大臣は、委託を受けた者に対して、当該調査及び分析の実施に必要な範囲内において、当該調査及び分析に必要な情報を提供することができる。
4　前項の規定による委託を受けた者若しくはその役員若しくは職員又はこれらの者であつた者は、その委託を受けた事務に関して知り得た秘密を漏らしてはならない。
〔委任〕
第２項　「厚生労働省令」＝規則18の14Ⅰ
第３項　「厚生労働省令」＝規則18の14Ⅱ

第10章　被保護者の権利及び義務

（不利益変更の禁止）
第56条　被保護者は、正当な理由がなければ、既に決定された保護を、不利益に変更されることがない。
（公課禁止）
第57条　被保護者は、保護金品及び進学・就職準備給付金を標準として租税その他の公課を課せられることがない。
（差押禁止）
第58条　被保護者は、既に給与を受けた保護金品及び進学・就職準備給付金又はこれらを受ける権利を差し押さえられることがない。
（譲渡禁止）
第59条　保護又は就労自立給付金若しくは進学・就職準備給付金の支給を受ける権利は、譲り渡すことができない。
（生活上の義務）
第60条　被保護者は、常に、能力に応じて勤労に励み、自ら、健康の保持及び増進に努め、収入、支出その他生計の状況を適切に把握するとともに支出の節約を図り、その他生活の維持及び向上に努めなければならない。
（届出の義務）

第61条　被保護者は、収入、支出その他生計の状況について変動があつたとき、又は居住地若しくは世帯の構成に異動があつたときは、すみやかに、保護の実施機関又は福祉事務所長にその旨を届け出なければならない。
　（指示等に従う義務）
第62条　被保護者は、保護の実施機関が、第30条第1項ただし書の規定により、被保護者を救護施設、更生施設、日常生活支援住居施設若しくはその他の適当な施設に入所させ、若しくはこれらの施設に入所を委託し、若しくは私人の家庭に養護を委託して保護を行うことを決定したとき、又は第27条の規定により、被保護者に対し、必要な指導又は指示をしたときは、これに従わなければならない。
2　保護施設を利用する被保護者は、第46条の規定により定められたその保護施設の管理規程に従わなければならない。
3　保護の実施機関は、被保護者が前2項の規定による義務に違反したときは、保護の変更、停止又は廃止をすることができる。
4　保護の実施機関は、前項の規定により保護の変更、停止又は廃止の処分をする場合には、当該被保護者に対して弁明の機会を与えなければならない。この場合においては、あらかじめ、当該処分をしようとする理由、弁明をすべき日時及び場所を通知しなければならない。
5　第3項の規定による処分については、行政手続法第3章（第12条及び第14条を除く。）の規定は、適用しない。
　（費用返還義務）
第63条　被保護者が、急迫の場合等において資力があるにもかかわらず、保護を受けたときは、保護に要する費用を支弁した都道府県又は市町村に対して、すみやかに、その受けた保護金品に相当する金額の範囲内において保護の実施機関の定める額を返還しなければならない。

第11章　不服申立て

（審査庁）
第64条　第19条第4項の規定により市町村長が保護の決定及び実施に関する事務の全部又は一部をその管理に属する行政庁に委任した場合における当該事務に関する処分並びに第55条の4第2項（第55条の5第2項において準用する場合を含む。第66条第1項において同じ。）の規定により市町村長が就労自立給付金又は進学・就職準備給付金の支給に関する事務の全部又は一部をその管理に属する行政庁に委任した場合における当該事務に関する処分についての審査請求は、都道府県知事に対してするものとする。
　（裁決をすべき期間）
第65条　厚生労働大臣又は都道府県知事は、保護の決定及び実施に関する処分又は就労自立給付金若しくは進学・就職準備給付金の支給に関する処分についての審査請求がされたときは、当該審査請求がされた日（行政不服審査法（平成26年法律第68号）第23条の規定により不備を補正すべきことを命じた場合にあつては、当該不備が補正された日）から次の各号に掲げる場合の区分に応じそれぞれ当該各号に定める期間内に、当該審査請求に対する裁決をしなければならない。
　一　行政不服審査法第43条第1項の規定による諮問をする場合　70日
　二　前号に掲げる場合以外の場合　50日

2 審査請求人は、審査請求をした日（行政不服審査法第23条の規定により不備を補正すべきことを命じられた場合にあつては、当該不備を補正した日。第1号において同じ。）から次の各号に掲げる場合の区分に応じそれぞれ当該各号に定める期間内に裁決がないときは、厚生労働大臣又は都道府県知事が当該審査請求を棄却したものとみなすことができる。
一 当該審査請求をした日から50日以内に行政不服審査法第43条第3項の規定により通知を受けた場合 70日
二 前号に掲げる場合以外の場合 50日
（再審査請求）
第66条 市町村長がした保護の決定及び実施に関する処分若しくは第19条第4項の規定による委任に基づいて行政庁がした処分に係る審査請求についての都道府県知事の裁決又は市町村長がした就労自立給付金若しくは進学・就職準備給付金の支給に関する処分若しくは市町村長の管理に属する行政庁が第55条の4第2項の規定による委任に基づいてした処分に係る審査請求についての都道府県知事の裁決に不服がある者は、厚生労働大臣に対して再審査請求をすることができる。
2 前条第1項（各号を除く。）の規定は、再審査請求の裁決について準用する。この場合において、同項中「当該審査請求」とあるのは「当該再審査請求」と、「第23条」とあるのは「第66条第1項において読み替えて準用する同法第23条」と、「次の各号に掲げる場合の区分に応じそれぞれ当該各号に定める期間内」とあるのは「70日以内」と読み替えるものとする。
第67条及び第68条 削除
（審査請求と訴訟との関係）
第69条 この法律の規定に基づき保護の実施機関又は支給機関がした処分の取消しの訴えは、当該処分についての審査請求に対する裁決を経た後でなければ、提起することができない。

第12章 費用

（市町村の支弁）
第70条 市町村は、次に掲げる費用を支弁しなければならない。
一 その長が第19条第1項の規定により行う保護（同条第5項の規定により委託を受けて行う保護を含む。）に関する左に掲げる費用
　イ 保護の実施に要する費用（以下「保護費」という。）
　ロ 第30条第1項ただし書、第33条第2項又は第36条第2項の規定により被保護者を保護施設に入所させ、若しくは入所を委託し、又は保護施設を利用させ、若しくは保護施設にこれを委託する場合に、これに伴い必要な保護施設の事務費（以下「保護施設事務費」という。）
　ハ 第30条第1項ただし書の規定により被保護者を日常生活支援住居施設若しくはその他の適当な施設に入所させ、若しくはその入所をこれらの施設に委託し、又は私人の家庭に養護を委託する場合に、これに伴い必要な事務費（以下「委託事務費」という。）
二 その長の管理に属する福祉事務所の所管区域内に居住地を有する者に対して、都道

府県知事又は他の市町村長が第19条第2項の規定により行う保護（同条第5項の規定により委託を受けて行う保護を含む。）に関する保護費、保護施設事務費及び委託事務費
 三 その長の管理に属する福祉事務所の所管区域内に居住地を有する者に対して、他の町村長が第19条第6項の規定により行う保護に関する保護費、保護施設事務費及び委託事務費
 四 その設置する保護施設の設備に要する費用（以下「設備費」という。）
 五 その長が第55条の4第1項の規定により行う就労自立給付金の支給（同条第3項の規定により委託を受けて行うものを含む。）及び第55条の5第1項の規定により行う進学・就職準備給付金の支給（同条第2項において準用する第55条の4第3項の規定により委託を受けて行うものを含む。）に要する費用
 六 その長が第55条の7の規定により行う被保護者就労支援事業及び第55条の8の規定により行う被保護者健康管理支援事業の実施に要する費用
 七 この法律の施行に伴い必要なその人件費
 八 この法律の施行に伴い必要なその事務費（以下「行政事務費」という。）
　（都道府県の支弁）
第71条 都道府県は、次に掲げる費用を支弁しなければならない。
 一 その長が第19条第1項の規定により行う保護（同条第5項の規定により委託を受けて行う保護を含む。）に関する保護費、保護施設事務費及び委託事務費
 二 その長の管理に属する福祉事務所の所管区域内に居住地を有する者に対して、他の都道府県知事又は市町村長が第19条第2項の規定により行う保護（同条第5項の規定により委託を受けて行う保護を含む。）に関する保護費、保護施設事務費及び委託事務費
 三 その長の管理に属する福祉事務所の所管区域内に現在地を有する者（その所管区域外に居住地を有する者を除く。）に対して、町村長が第19条第6項の規定により行う保護に関する保護費、保護施設事務費及び委託事務費
 四 その設置する保護施設の設備費
 五 その長が第55条の4第1項の規定により行う就労自立給付金の支給（同条第3項の規定により委託を受けて行うものを含む。）及び第55条の5第1項の規定により行う進学・就職準備給付金の支給（同条第2項において準用する第55条の4第3項の規定により委託を受けて行うものを含む。）に要する費用
 六 その長が第55条の7の規定により行う被保護者就労支援事業及び第55条の8の規定により行う被保護者健康管理支援事業の実施に要する費用
 七 この法律の施行に伴い必要なその人件費
 八 この法律の施行に伴い必要なその行政事務費
　（繰替支弁）
第72条 都道府県、市及び福祉事務所を設置する町村は、政令の定めるところにより、その長の管理に属する福祉事務所の所管区域内の保護施設、指定医療機関その他これらに準ずる施設で厚生労働大臣の指定するものにある被保護者につき他の都道府県又は市町

村が支弁すべき保護費及び保護施設事務費を一時繰替支弁しなければならない。
2 　都道府県、市及び福祉事務所を設置する町村は、その長が第19条第2項の規定により行う保護（同条第5項の規定により委託を受けて行う保護を含む。）に関する保護費、保護施設事務費及び委託事務費を一時繰替支弁しなければならない。
3 　町村は、その長が第19条第6項の規定により行う保護に関する保護費、保護施設事務費及び委託事務費を一時繰替支弁しなければならない。
〔委任〕
　　　第1項　「政令」＝令9

（都道府県の負担）
第73条　都道府県は、政令で定めるところにより、次に掲げる費用を負担しなければならない。
一　居住地がないか、又は明らかでない被保護者につき市町村が支弁した保護費、保護施設事務費及び委託事務費の4分の1
二　宿所提供施設又は児童福祉法（昭和22年法律第164号）第38条に規定する母子生活支援施設（第4号において「母子生活支援施設」という。）にある被保護者（これらの施設を利用するに至る前からその施設の所在する市町村の区域内に居住地を有していた被保護者を除く。同号において同じ。）につきこれらの施設の所在する市町村が支弁した保護費、保護施設事務費及び委託事務費の4分の1
三　居住地がないか、又は明らかでない被保護者につき市町村が支弁した就労自立給付金費（就労自立給付金の支給に要する費用をいう。以下同じ。）及び進学・就職準備給付金費（進学・就職準備給付金の支給に要する費用をいう。以下同じ。）の4分の1
四　宿所提供施設又は母子生活支援施設にある被保護者につきこれらの施設の所在する市町村が支弁した就労自立給付金費及び進学・就職準備給付金費の4分の1
〔委任〕
　　　本文の「政令」＝令10

（都道府県の補助）
第74条　都道府県は、左に掲げる場合においては、第41条の規定により設置した保護施設の修理、改造、拡張又は整備に要する費用の4分の3以内を補助することができる。
一　その保護施設を利用することがその地域における被保護者の保護のため極めて効果的であるとき。
二　その地域に都道府県又は市町村の設置する同種の保護施設がないか、又はあつてもこれに収容若しくは供用の余力がないとき。
2 　第43条から第45条までに規定するものの外、前項の規定により補助を受けた保護施設に対する監督については、左の各号による。
一　厚生労働大臣は、その保護施設に対して、その業務又は会計の状況について必要と認める事項の報告を命ずることができる。
二　厚生労働大臣及び都道府県知事は、その保護施設の予算が、補助の効果を上げるた

めに不適当と認めるときは、その予算について、必要な変更をすべき旨を指示することができる。
三　厚生労働大臣及び都道府県知事は、その保護施設の職員が、この法律若しくはこれに基く命令又はこれらに基いてする処分に違反したときは、当該職員を解職すべき旨を指示することができる。
（準用規定）
第74条の2　社会福祉法第58条第2項から第4項までの規定は、国有財産特別措置法（昭和27年法律第219号）第2条第2項第1号の規定又は同法第3条第1項第4号及び同条第2項の規定により普通財産の譲渡又は貸付を受けた保護施設に準用する。
（国の負担及び補助）
第75条　国は、政令で定めるところにより、次に掲げる費用を負担しなければならない。
一　市町村及び都道府県が支弁した保護費、保護施設事務費及び委託事務費の4分の3
二　市町村及び都道府県が支弁した就労自立給付金費及び進学・就職準備給付金費の4分の3
三　市町村が支弁した被保護者就労支援事業及び被保護者健康管理支援事業に係る費用のうち、当該市町村における人口、被保護者の数その他の事情を勘案して政令で定めるところにより算定した額の4分の3
四　都道府県が支弁した被保護者就労支援事業及び被保護者健康管理支援事業に係る費用のうち、当該都道府県の設置する福祉事務所の所管区域内の町村における人口、被保護者の数その他の事情を勘案して政令で定めるところにより算定した額の4分の3
2　国は、政令の定めるところにより、都道府県が第74条第1項の規定により保護施設の設置者に対して補助した金額の3分の2以内を補助することができる。
〔委任〕
　「政令」＝令10
（遺留金品の処分）
第76条　第18条第2項の規定により葬祭扶助を行う場合においては、保護の実施機関は、その死者の遺留の金銭及び有価証券を保護費に充て、なお足りないときは、遺留の物品を売却してその代金をこれに充てることができる。
2　都道府県又は市町村は、前項の費用について、その遺留の物品の上に他の債権者の先取特権に対して優先権を有する。
（損害賠償請求権）
第76条の2　都道府県又は市町村は、被保護者の医療扶助又は介護扶助を受けた事由が第三者の行為によつて生じたときは、その支弁した保護費の限度において、被保護者が当該第三者に対して有する損害賠償の請求権を取得する。
（時効）
第76条の3　就労自立給付金又は進学・就職準備給付金の支給を受ける権利は、これを行うことができる時から2年を経過したときは、時効によつて消滅する。
（費用等の徴収）
第77条　被保護者に対して民法の規定により扶養の義務を履行しなければならない者があ

るときは、その義務の範囲内において、保護費を支弁した都道府県又は市町村の長は、その費用の全部又は一部を、その者から徴収することができる。

2 前項の場合において、扶養義務者の負担すべき額について、保護の実施機関と扶養義務者の間に協議が調わないとき、又は協議をすることができないときは、保護の実施機関の申立により家庭裁判所が、これを定める。

第77条の2 急迫の場合等において資力があるにもかかわらず、保護を受けた者があるとき（徴収することが適当でないときとして厚生労働省令で定めるときを除く。）は、保護に要する費用を支弁した都道府県又は市町村の長は、第63条の保護の実施機関の定める額の全部又は一部をその者から徴収することができる。

2 前項の規定による徴収金は、この法律に別段の定めがある場合を除き、国税徴収の例により徴収することができる。

〔委任〕
　　第1項　「厚生労働省令」＝規則22の3

第78条 不実の申請その他不正な手段により保護を受け、又は他人をして受けさせた者があるときは、保護費を支弁した都道府県又は市町村の長は、その費用の額の全部又は一部を、その者から徴収するほか、その徴収する額に100分の40を乗じて得た額以下の金額を徴収することができる。

2 偽りその他不正の行為によつて医療、介護又は助産若しくは施術の給付に要する費用の支払を受けた指定医療機関、第54条の2第1項の規定により指定を受けた介護機関（同条第2項本文の規定により同条第1項の指定を受けたものとみなされたものを含む。）又は第55条第1項の規定により指定を受けた助産師若しくはあん摩マッサージ指圧師、はり師、きゆう師若しくは柔道整復師（以下この項において「指定医療機関等」という。）があるときは、当該費用を支弁した都道府県又は市町村の長は、その支弁した額のうち返還させるべき額をその指定医療機関等から徴収するほか、その返還させるべき額に100分の40を乗じて得た額以下の金額を徴収することができる。

3 偽りその他不正な手段により就労自立給付金若しくは進学・就職準備給付金の支給を受け、又は他人をして受けさせた者があるときは、就労自立給付金費又は進学・就職準備給付金費を支弁した都道府県又は市町村の長は、その費用の額の全部又は一部を、その者から徴収するほか、その徴収する額に100分の40を乗じて得た額以下の金額を徴収することができる。

4 前条第2項の規定は、前3項の規定による徴収金について準用する。

第78条の2 保護の実施機関は、被保護者が、保護金品（金銭給付によつて行うものに限る。）の交付を受ける前に、厚生労働省令で定めるところにより、当該保護金品の一部を、第77条の2第1項又は前条第1項の規定により保護費を支弁した都道府県又は市町村の長が徴収することができる徴収金の納入に充てる旨を申し出た場合において、保護の実施機関が当該被保護者の生活の維持に支障がないと認めたときは、厚生労働省令で定めるところにより、当該被保護者に対して保護金品を交付する際に当該申出に係る徴収金を徴収することができる。

2 第55条の4第1項の規定により就労自立給付金を支給する者は、被保護者が、就労自立給付金の支給を受ける前に、厚生労働省令で定めるところにより、当該就労自立給付金の額の全部又は一部を、第77条の2第1項又は前条第1項の規定により保護費を支弁した都道府県又は市町村の長が徴収することができる徴収金の納入に充てる旨を申し出たときは、厚生労働省令で定めるところにより、当該被保護者に対して就労自立給付金を支給する際に当該申出に係る徴収金を徴収することができる。
3 前2項の規定により第77条の2第1項又は前条第1項の規定による徴収金が徴収されたときは、当該被保護者に対して当該保護金品（第1項の申出に係る部分に限る。）の交付又は当該就労自立給付金（前項の申出に係る部分に限る。）の支給があつたものとみなす。
〔委任〕
　　第1・2項　「厚生労働省令」＝規則22の4
（返還命令）
第79条　国又は都道府県は、左に掲げる場合においては、補助金又は負担金の交付を受けた保護施設の設置者に対して、既に交付した補助金又は負担金の全部又は一部の返還を命ずることができる。
一　補助金又は負担金の交付条件に違反したとき。
二　詐偽その他不正な手段をもつて、補助金又は負担金の交付を受けたとき。
三　保護施設の経営について、営利を図る行為があつたとき。
四　保護施設が、この法律若しくはこれに基く命令又はこれらに基いてする処分に違反したとき。
（返還の免除）
第80条　保護の実施機関は、保護の変更、廃止又は停止に伴い、前渡した保護金品の全部又は一部を返還させるべき場合において、これを消費し、又は喪失した被保護者に、やむを得ない事由があると認めるときは、これを返還させないことができる。
　　　　第13章　雑則
（受給者番号等の利用制限等）
第80条の2　厚生労働大臣、保護の実施機関、都道府県知事、市町村長、指定医療機関その他の保護の決定若しくは実施に関する事務若しくは被保護者健康管理支援事業の実施に関する事務又はこれらに関連する事務（以下この項及び次項において「保護の決定・実施に関する事務等」という。）の遂行のため受給者番号（公費負担者番号（厚生労働大臣が保護の決定・実施に関する事務等において保護の実施機関を識別するための番号として、保護の実施機関ごとに定めるものをいう。）及び受給者番号（保護の実施機関が被保護者に係る情報を管理するための番号として、被保護者ごとに定めるものをいう。）をいう。以下この条において同じ。）を利用する者として厚生労働省令で定める者（以下この条において「厚生労働大臣等」という。）は、当該保護の決定・実施に関する事務等の遂行のため必要がある場合を除き、何人に対しても、その者又はその者以外の者に係る受給者番号等を告知することを求めてはならない。

2 厚生労働大臣等以外の者は、保護の決定・実施に関する事務等の遂行のため受給者番号等の利用が特に必要な場合として厚生労働省令で定める場合を除き、何人に対しても、その者又はその者以外の者に係る受給者番号等を告知することを求めてはならない。
3 何人も、次に掲げる場合を除き、その者が業として行う行為に関し、その者に対し売買、貸借、雇用その他の契約（以下この項において「契約」という。）の申込みをしようとする者若しくは申込みをする者又はその者と契約の締結をした者に対し、当該者又は当該者以外の者に係る受給者番号等を告知することを求めてはならない。
一 厚生労働大臣等が、第1項に規定する場合に、受給者番号等を告知することを求めるとき。
二 厚生労働大臣等以外の者が、前項に規定する厚生労働省令で定める場合に、受給者番号等を告知することを求めるとき。
4 何人も、次に掲げる場合を除き、業として、受給者番号等の記録されたデータベース（その者以外の者に係る受給者番号等を含む情報の集合物であつて、それらの情報を電子計算機を用いて検索することができるように体系的に構成したものをいう。）であつて、当該データベースに記録された情報が他に提供されることが予定されているもの（以下この項において「提供データベース」という。）を構成してはならない。
一 厚生労働大臣等が、第1項に規定する場合に、提供データベースを構成するとき。
二 厚生労働大臣等以外の者が、第2項に規定する厚生労働省令で定める場合に、提供データベースを構成するとき。
5 厚生労働大臣は、前2項の規定に違反する行為が行われた場合において、当該行為をした者が更に反復してこれらの規定に違反する行為をするおそれがあると認めるときは、当該行為をした者に対し、当該行為を中止することを勧告し、又は当該行為が中止されることを確保するために必要な措置を講ずることを勧告することができる。
6 厚生労働大臣は、前項の規定による勧告を受けた者がその勧告に従わないときは、その者に対し、期限を定めて、当該勧告に従うべきことを命ずることができる。
〔委任〕
第1項 「厚生労働省令」＝規則22の5 Ⅰ
第2項 「厚生労働省令」＝規則22の5 Ⅱ
（報告及び検査）
第80条の3 厚生労働大臣は、前条第5項及び第6項の規定による措置に関し必要があると認めるときは、その必要と認められる範囲内において、同条第3項若しくは第4項の規定に違反していると認めるに足りる相当の理由がある者に対し、必要な事項に関し報告を求め、又は当該職員に当該者の事務所若しくは事業所に立ち入つて質問させ、若しくは帳簿書類その他の物件を検査させることができる。
2 第28条第3項の規定は前項の規定による質問又は検査について、同条第4項の規定は前項の規定による権限について、それぞれ準用する。
（社会保険診療報酬支払基金等への事務の委託）
第80条の4 保護の実施機関は、医療の給付、被保護者健康管理支援事業の実施その他の厚生労働省令で定める事務に係る被保護者又は被保護者であつた者に係る情報の収集若

しくは整理又は利用若しくは提供に関する事務を、社会保険診療報酬支払基金又は国民健康保険団体連合会に委託することができる。
2　保護の実施機関は、前項の規定により事務を委託する場合は、他の保護の実施機関、社会保険診療報酬支払基金法第１条に規定する保険者及び法令の規定により医療に関する給付その他の事務を行う者であつて厚生労働省令で定めるものと共同して委託するものとする。

〔委任〕
　　第１項　「厚生労働省令」＝規則22の６
　　第２項　「厚生労働省令」＝規則22の７

（関係者の連携及び協力）
第80条の５　国、都道府県及び市町村並びに指定医療機関その他の関係者は、第34条第６項に規定する電子資格確認の仕組みの導入その他手続における情報通信の技術の利用の推進により、医療保険各法等（高齢者の医療の確保に関する法律（昭和57年法律第80号）第７条第１項に規定する医療保険各法及び高齢者の医療の確保に関する法律をいう。）その他医療に関する給付を定める法令の規定により行われる事務が円滑に実施されるよう、相互に連携を図りながら協力するものとする。

（後見人選任の請求）
第81条　被保護者が未成年者又は成年被後見人である場合において、親権者及び後見人の職務を行う者がないときは、保護の実施機関は、すみやかに、後見人の選任を家庭裁判所に請求しなければならない。

（都道府県の援助等）
第81条の２　都道府県知事は、市町村長に対し、保護並びに就労自立給付金及び進学・就職準備給付金の支給に関する事務の適正な実施のため、必要な助言その他の援助を行うことができる。
２　都道府県知事は、前項に規定するもののほか、市町村長に対し、被保護者就労支援事業及び被保護者健康管理支援事業の効果的かつ効率的な実施のため、必要な助言その他の援助を行うことができる。

（情報提供等）
第81条の３　保護の実施機関は、第26条の規定により保護の廃止を行うに際しては、当該保護を廃止される者が生活困窮者自立支援法（平成25年法律第105号）第３条第１項に規定する生活困窮者に該当する場合には、当該者に対して、同法に基づく事業又は給付金についての情報の提供、助言その他適切な措置を講ずるよう努めるものとする。

（町村の一部事務組合等）
第82条　町村が一部事務組合又は広域連合を設けて福祉事務所を設置した場合には、この法律の適用については、その一部事務組合又は広域連合を福祉事務所を設置する町村とみなし、その一部事務組合の管理者（地方自治法（昭和22年法律第67号）第287条の３第２項の規定により管理者に代えて理事会を置く同法第285条の一部事務組合にあつては、理事会）又は広域連合の長（同法第291条の13において準用する同法第287条の３第２項の規定により長に代えて理事会を置く広域連合にあつては、理事会）を福祉事務所を管理する町村長とみなす。

（保護の実施機関が変更した場合の経過規定）
第83条 町村の福祉事務所の設置又は廃止により保護の実施機関に変更があつた場合においては、変更前の保護の実施機関がした保護の開始又は変更の申請の受理及び保護に関する決定は、変更後の保護の実施機関がした申請の受理又は決定とみなす。但し、変更前に行われ、又は行われるべきであつた保護に関する費用の支弁及び負担については、変更がなかつたものとする。
（厚生労働大臣への通知）
第83条の2 都道府県知事は、指定医療機関について第51条第2項の規定によりその指定を取り消し、又は期間を定めてその指定の全部若しくは一部の効力を停止した場合において、健康保険法第80条各号のいずれかに該当すると疑うに足りる事実があるときは、厚生労働省令で定めるところにより、厚生労働大臣に対し、その事実を通知しなければならない。
〔委任〕
　　　「厚生労働省令」＝規則22の8
（実施命令）
第84条 この法律で政令に委任するものを除く外、この法律の実施のための手続その他その執行について必要な細則は、厚生労働省令で定める。
〔委任〕
　　　「厚生労働省令」＝昭和25年5月厚令第21号「生活保護法施行規則」、令和2年3月厚労令第44号「日常生活支援住居施設に関する厚生労働省令で定める要件等を定める省令」
（大都市等の特例）
第84条の2 この法律中都道府県が処理することとされている事務で政令で定めるものは、地方自治法第252条の19第1項の指定都市（以下「指定都市」という。）及び同法第252条の22第1項の中核市（以下「中核市」という。）においては、政令の定めるところにより、指定都市又は中核市（以下「指定都市等」という。）が処理するものとする。この場合においては、この法律中都道府県に関する規定は、指定都市等に関する規定として指定都市等に適用があるものとする。
2　第66条第1項の規定は、前項の規定により指定都市等の長がした処分に係る審査請求について準用する。
〔委任〕
　　　第1項　「政令」＝令11
（保護の実施機関についての特例）
第84条の3 身体障害者福祉法（昭和24年法律第283号）第18条第2項の規定により障害者の日常生活及び社会生活を総合的に支援するための法律（平成17年法律第123号）第5条第11項に規定する障害者支援施設（以下この条において「障害者支援施設」という。）に入所している者、知的障害者福祉法（昭和35年法律第37号）第16条第1項第2号の規定により障害者支援施設若しくは独立行政法人国立重度知的障害者総合施設のぞみの園法（平成14年法律第167号）第11条第1号の規定により独立行政法人国立重度知的障害者総合施設のぞみの園が設置する施設（以下この条において「のぞみの園」とい

う。）に入所している者、老人福祉法（昭和38年法律第133号）第11条第1項第1号の規定により養護老人ホームに入所し、若しくは同項第2号の規定により特別養護老人ホームに入所している者又は障害者の日常生活及び社会生活を総合的に支援するための法律第29条第1項若しくは第30条第1項の規定により同法第19条第1項に規定する介護給付費等の支給を受けて障害者支援施設、のぞみの園若しくは同法第5条第1項の主務省令で定める施設に入所している者に対する保護については、その者がこれらの施設に引き続き入所している間、その者は、第30条第1項ただし書の規定により入所しているものとみなして、第19条第3項の規定を適用する。

（緊急時における厚生労働大臣の事務執行）

第84条の4 第54条第1項（第54条の2第5項及び第6項並びに第55条第2項において準用する場合を含む。）の規定により都道府県知事の権限に属するものとされている事務は、被保護者の利益を保護する緊急の必要があると厚生労働大臣が認める場合にあつては、厚生労働大臣又は都道府県知事が行うものとする。この場合においては、この法律の規定中都道府県知事に関する規定（当該事務に係るものに限る。）は、厚生労働大臣に関する規定として厚生労働大臣に適用があるものとする。

2 前項の場合において、厚生労働大臣又は都道府県知事が当該事務を行うときは、相互に密接な連携の下に行うものとする。

（事務の区分）

第84条の5 別表第3の上欄に掲げる地方公共団体がそれぞれ同表の下欄に掲げる規定により処理することとされている事務は、地方自治法第2条第9項第1号に規定する第1号法定受託事務とする。

（権限の委任）

第84条の6 この法律に規定する厚生労働大臣の権限は、厚生労働省令で定めるところにより、地方厚生局長に委任することができる。

2 前項の規定により地方厚生局長に委任された権限は、厚生労働省令で定めるところにより、地方厚生支局長に委任することができる。

〔委任〕
第1項 「厚生労働省令」=規則23Ⅰ
第2項 「厚生労働省令」=規則23Ⅱ

（罰則）

第85条 不実の申請その他不正な手段により保護を受け、又は他人をして受けさせた者は、3年以下の懲役又は100万円以下の罰金に処する。ただし、刑法（明治40年法律第45号）に正条があるときは、刑法による。

2 偽りその他不正な手段により就労自立給付金若しくは進学・就職準備給付金の支給を受け、又は他人をして受けさせた者は、3年以下の懲役又は100万円以下の罰金に処する。ただし、刑法に正条があるときは、刑法による。

第85条の2 第55条の7第3項（第55条の8第3項において準用する場合を含む。）及び第55条の9第4項の規定に違反して秘密を漏らした者は、1年以下の懲役又は100万円

以下の罰金に処する。
第85条の3 第80条の2第6項の規定による命令に違反した場合には、当該違反行為をした者は、1年以下の懲役又は50万円以下の罰金に処する。
第86条 正当な理由がなくて第44条第1項、第54条第1項（第54条の2第5項及び第6項並びに第55条第2項において準用する場合を含む。以下この条において同じ。）、第55条の6、第74条第2項第1号若しくは第80条の3第1項の規定による報告を怠り、若しくは虚偽の報告をし、正当な理由がなくて第54条第1項の規定による物件の提出若しくは提示をせず、若しくは虚偽の物件の提出若しくは提示をし、同項若しくは第80条の3第1項の規定による当該職員の質問に対して、正当な理由がなくて答弁せず、若しくは虚偽の答弁をし、又は正当な理由がなくて第28条第1項（要保護者が違反した場合を除く。）、第44条第1項、第54条第1項若しくは第80条の3第1項の規定による当該職員の調査若しくは検査を拒み、妨げ、若しくは忌避した場合には、当該違反行為をした者は、30万円以下の罰金に処する。
第87条 法人（法人でない社団又は財団で代表者又は管理人の定めがあるもの（以下この条において「人格のない社団等」という。）を含む。以下この項において同じ。）の代表者（人格のない社団等の管理人を含む。）又は法人若しくは人の代理人、使用人その他の従業者が、その法人又は人の業務に関して、前2条の違反行為をしたときは、行為者を罰するほか、その法人又は人に対しても、各本条の罰金刑を科する。
2　人格のない社団等について前項の規定の適用がある場合においては、その代表者又は管理人がその訴訟行為につき当該人格のない社団等を代表するほか、法人を被告人又は被疑者とする場合の刑事訴訟に関する法律の規定を準用する。

　　　附　則
（施行期日）
1　この法律は、公布の日〔昭和25年5月4日〕から施行し、昭和25年5月1日以降の給付について適用する。
（生活保護法の廃止）
2　生活保護法（昭和21年法律第17号。以下「旧法」という。）は、廃止する。
（経過規定）
3　この法律の施行前においてされた保護の決定は、この法律に基いてされたものとみなす。
4　この法律の施行前において、都道府県の設置した保護施設及び旧法第7条の規定により認可された市町村又は公益法人の設置した保護施設は、この法律に基いて設置され、又は認可された保護施設とみなす。
5　市町村及び公益法人以外の者で、この法律の施行の際現に旧法第7条第2項の規定による認可を受けて保護施設を経営する者が、この法律の施行後引き続きその保護施設を経営するときは、この法律の施行後3月間は、その保護施設は、この法律に基いて認可された保護施設とみなす。
6　この法律の施行前において、生活保護法施行令（昭和21年勅令第438号）第6条又は

第7条の規定により厚生大臣の指定した医療施設並びに市町村長の指定した医師、歯科医師、薬剤師及び助産婦は、この法律に基いて厚生大臣又は都道府県知事の指定した医療機関及び助産機関とみなす。

7　この法律の施行前にした違反行為に対する罰則の適用については、なお従前の例による。

（読替規定）

8　他の法令中に旧法の規定を掲げている場合において、この法律中にこれらの規定に相当する規定があるときは、政令で特別な規定をする場合を除く外、各々この法律中のこれらの規定に相当する規定を指しているものとみなす。

（国の無利子貸付け等）

9　国は、当分の間、都道府県（第84条の2第1項の規定により、都道府県が処理することとされている第74条第1項の事務を指定都市等が処理する場合にあつては、当該指定都市等を含む。以下この項及び附則第12項から第14項までにおいて同じ。）に対し、第75条第2項の規定により国がその費用について補助することができる保護施設の修理、改造又は拡張で日本電信電話株式会社の株式の売払収入の活用による社会資本の整備の促進に関する特別措置法（昭和62年法律第86号）第2条第1項第2号に該当するものにつき、都道府県以外の保護施設の設置者に対し当該都道府県が補助する費用に充てる資金について、予算の範囲内において、第75条第2項の規定（この規定による国の補助の割合について、この規定と異なる定めをした法令の規定がある場合には、当該異なる定めをした法令の規定を含む。以下同じ。）により国が補助することができる金額に相当する金額を無利子で貸し付けることができる。

10　前項の国の貸付金の償還期間は、5年（2年以内の据置期間を含む。）以内で政令で定める期間とする。

〔委任〕

「政令」＝令附則Ⅲ

11　前項に定めるもののほか、附則第9項の規定による貸付金の償還方法、償還期限の繰上げその他償還に関し必要な事項は、政令で定める。

〔委任〕

「政令」＝令附則Ⅳ～Ⅵ

12　国は、附則第9項の規定により都道府県に対し貸付けを行つた場合には、当該貸付けの対象である事業について、第75条第2項の規定による当該貸付金に相当する金額の補助を行うものとし、当該補助については、当該貸付金の償還時において、当該貸付金の償還金に相当する金額を交付することにより行うものとする。

13　都道府県が、附則第9項の規定による貸付けを受けた無利子貸付金について、附則第10項及び第11項の規定に基づき定められる償還期限を繰り上げて償還を行つた場合（政令で定める場合を除く。）における前項の規定の適用については、当該償還は、当該償還期限の到来時に行われたものとみなす。

〔委任〕

「政令」=令附則Ⅶ

14　第79条の規定は、附則第9項の規定により国が都道府県に対し貸し付ける無利子貸付金について準用する。この場合において、同条中「補助金又は負担金の交付を受けた保護施設」とあるのは「貸付金の貸付けを受けた保護施設」と、「交付した補助金又は負担金」とあるのは「貸し付けた貸付金」と、同条第1号中「補助金又は負担金の交付条件」とあるのは「貸付金の貸付条件」と、同条第2号中「補助金又は負担金の交付」とあるのは「貸付金の貸付け」と読み替えるものとする。

（介護老人福祉施設に入所中の被保護者に対する保護の実施機関の特例）

15　第34条の2第2項の規定により被保護者に対する介護扶助（施設介護に限る。以下同じ。）を介護老人福祉施設に委託して行つている場合は、当該介護老人福祉施設が入所定員の減少により地域密着型介護老人福祉施設となつた場合においても、当該被保護者に対する介護扶助を当該地域密着型介護老人福祉施設に継続して委託して行つている間は、その者に対して保護を行うべき者については、その者に係る委託前の居住地又は現在地によつて定めるものとする。

（日常生活支援住居施設に入所中の被保護者に対する保護の実施機関の特例）

16　当分の間、第19条第3項の規定の適用については、同項中「更生施設」とあるのは、「更生施設、同項ただし書に規定する日常生活支援住居施設」とする。

　　　附　　則　（第37次改正）抄

（施行期日）

第1条　この法律は、平成18年4月1日から施行する。ただし、次の各号に掲げる規定は、当該各号に定める日から施行する。

一　〔前略〕附則第122条の規定　公布の日〔平成17年11月7日〕

二　〔前略〕附則第79条、第81条〔中略〕の規定　平成18年10月1日

（生活保護法の一部改正に伴う経過措置）

第80条　附則第78条の規定による改正後の生活保護法第84条の3の規定は、施行日以後に、同条に規定する施設又は住居に入所し、又は入居した者について、適用する。

第81条　当分の間、附則第79条の規定による改正後の生活保護法（以下この条において「新法」という。）第84条の3中「第18条第2項の規定により障害者の日常生活及び社会生活を総合的に支援するための法律（平成17年法律第123号）」とあるのは「第18条第1項の規定により障害者の日常生活及び社会生活を総合的に支援するための法律（平成17年法律第123号）第5条第17項に規定する共同生活援助（以下この条において「共同生活援助」という。）を行う住居に入居している者若しくは身体障害者福祉法第18条第2項の規定により障害者の日常生活及び社会生活を総合的に支援するための法律」と、「第16条第1項第2号」とあるのは「第15条の4の規定により共同生活援助を行う住居に入居している者若しくは同法第16条第1項第2号」と、「に対する」とあるのは「若しくは共同生活援助を行う住居に入居している者に対する」と、「施設に引き続き入所して」とあるのは「施設又は住居に引き続き入所し、又は入居して」とする。

2　前項の規定により読み替えられた新法第84条の3の規定は、附則第1条第2号に掲げ

る規定の施行の日以後に、同項の規定により読み替えられた新法第84条の3に規定する施設又は住居に入所し、又は入居した者について、適用する。
3　附則第41条第1項又は第58条第1項の規定によりなお従前の例により運営をすることができることとされた附則第41条第1項に規定する身体障害者更生援護施設又は附則第58条第1項に規定する知的障害者援護施設（附則第52条の規定による改正前の知的障害者福祉法第21条の8に規定する知的障害者通勤寮を除く。）は、障害者支援施設とみなして、新法第84条の3の規定を適用する。
　　（その他の経過措置の政令への委任）
第122条　この附則に規定するもののほか、この法律の施行に伴い必要な経過措置は、政令で定める。

　　　　附　　則（第38次改正）抄
　　（施行期日）
第1条　この法律は、平成18年4月1日から施行する。
　　（生活保護法の一部改正に伴う経過措置）
第7条　この法律の施行前に行われた第4条の規定による改正前の生活保護法（以下「旧生活保護法」という。）附則第9項の規定による国の貸付けについては、旧生活保護法附則第13項の規定は、この法律の施行後も、なおその効力を有する。この場合において、同項中「附則第9項」とあるのは「国の補助金等の整理及び合理化等に伴う児童手当法等の一部を改正する法律（平成18年法律第20号）第4条の規定による改正前の生活保護法（以下「旧生活保護法」という。）附則第9項」と、「第75条第1項」とあるのは「旧生活保護法第75条第1項」とする。
2　第4条の規定による改正後の生活保護法（以下「新生活保護法」という。）附則第10項、第11項、第13項及び第14項の規定は、国がこの法律の施行前に貸し付けた旧生活保護法附則第9項の貸付金についても、適用する。この場合において、新生活保護法附則第10項中「前項」とあるのは「国の補助金等の整理及び合理化等に伴う児童手当法等の一部を改正する法律（平成18年法律第20号。附則第13項において「一部改正法」という。）第4条の規定による改正前の生活保護法（以下「旧生活保護法」という。）附則第9項」と、新生活保護法附則第11項中「附則第9項」とあるのは「旧生活保護法附則第9項」と、新生活保護法附則第13項中「都道府県」とあるのは「市町村（指定都市等を除く。次項において同じ。）又は都道府県」と、「附則第9項」とあるのは「旧生活保護法附則第9項」と、「前項」とあるのは「一部改正法附則第7条第1項の規定によりなおその効力を有することとされた旧生活保護法附則第13項」と、新生活保護法附則第14項中「附則第9項」とあるのは「旧生活保護法附則第9項」と、「都道府県」とあるのは「市町村又は都道府県」とする。
　　（その他の経過措置の政令への委任）
第11条　この附則に規定するもののほか、この法律の施行に伴い必要な経過措置は、政令で定める。

　　　　附　　則（第48次改正）抄

（施行期日）
第1条　この法律は、平成26年7月1日から施行する。ただし、次の各号に掲げる規定は、当該各号に定める日から施行する。
一　附則第8条、第10条、第13条〔中略〕の規定　公布の日〔平成25年12月13日〕
二　第1条中生活保護法第34条の改正規定（同条第5項を同条第6項とし、同条第4項中「前2項」を「第2項及び前項」に改め、同項を同条第5項とし、同条第3項中「前項」を「第2項」に改め、同項を同条第4項とし、同条第2項の次に1項を加える部分に限る。）及び同法第60条の改正規定　平成26年1月1日
三　第2条の規定　平成27年4月1日
（検討）
第2条　政府は、この法律の施行後5年を目途として、第1条及び第2条の規定による改正後の生活保護法の規定の施行の状況を勘案し、同法の規定に基づく規制の在り方について検討を加え、必要があると認めるときは、その結果に基づいて必要な措置を講ずるものとする。
（申請による保護の開始及び変更に関する経過措置）
第3条　この法律の施行の日（以下「施行日」という。）前にされた保護の開始又は変更の申請であって、この法律の施行の際、保護の開始又は変更の決定がされていないものについてのこれらの処分については、なお従前の例による。
2　第1条の規定による改正後の生活保護法（以下「平成26年改正後生活保護法」という。）第24条第8項の規定は、施行日以後にされた保護の開始の申請について適用する。
（調査の嘱託に関する経過措置）
第4条　施行日前にされた第1条の規定による改正前の生活保護法（以下「旧法」という。）第29条の規定による調査の嘱託については、なお従前の例による。
（指定医療機関に関する経過措置）
第5条　この法律の施行の際現に旧法第49条（附則第16条の規定による改正前の道州制特別区域における広域行政の推進に関する法律（平成18年法律第116号。次条第1項において「旧道州制特区法」という。）第12条第1項の規定により読み替えて適用する場合を含む。）の指定を受けている病院若しくは診療所（旧法第49条の政令で定めるものを含む。）又は薬局は、施行日に、平成26年改正後生活保護法第49条（附則第16条の規定による改正後の道州制特別区域における広域行政の推進に関する法律（次条第1項において「新道州制特区法」という。）第12条第1項の規定により読み替えて適用する場合を含む。次項及び第3項において同じ。）の指定を受けたものとみなす。
2　前項の規定により平成26年改正後生活保護法第49条の指定を受けたものとみなされた病院若しくは診療所（同条の政令で定めるものを含む。以下この項及び次項において同じ。）又は薬局に係る当該指定は、当該病院若しくは診療所又は薬局が、施行日から1年以内であって厚生労働省令で定める期間内に平成26年改正後生活保護法第49条の2第1項の申請をしないときは、平成26年改正後生活保護法第49条の3第1項の規定にかかわらず、当該期間の経過によって、その効力を失う。

3 第1項の規定により平成26年改正後生活保護法第49条の指定を受けたものとみなされた病院若しくは診療所又は薬局の当該指定に係る施行日後の最初の更新については、平成26年改正後生活保護法第49条の3第1項中「6年ごと」とあるのは、「生活保護法の一部を改正する法律(平成25年法律第104号)附則第5条第1項の規定により第49条の指定を受けたとみなされた日から厚生労働省令で定める期間を経過する日まで」とする。
4 この法律の施行の際現に旧法第49条の指定を受けている医師又は歯科医師は、診療所を開設しているものとみなし、施行日に、平成26年改正後生活保護法第49条の指定を受けたものとみなして、平成26年改正後生活保護法及び前2項の規定を適用する。
〔委任〕
 第2項 「厚生労働省令」=第66次改正規則附則2Ⅰ
 第3項 「厚生労働省令」=第66次改正規則附則2Ⅱ
(指定介護機関に関する経過措置)
第6条 この法律の施行の際現に旧法第54条の2第1項(旧道州制特区法第12条第2項の規定により読み替えて適用する場合を含む。)の指定を受けている介護機関は、施行日に、平成26年改正後生活保護法第54条の2第1項(新道州制特区法第12条第2項の規定により読み替えて適用する場合を含む。)の指定を受けたものとみなす。
2 前項の規定により平成26年改正後生活保護法第54条の2第1項の指定を受けたものとみなされた平成26年改正後生活保護法別表第2の上欄に掲げる介護機関であって、旧法第54条の2第2項の規定の適用を受けたものについては、平成26年改正後生活保護法第54条の2第2項の規定の適用を受けたものとみなして、同条第3項の規定を適用する。
(助産機関等に関する経過措置)
第7条 この法律の施行の際現に旧法第55条において準用する旧法第49条の指定を受けている助産師、あん摩マッサージ指圧師及び柔道整復師は、施行日に、平成26年改正後生活保護法第55条第1項の指定を受けたものとみなす。
(指定医療機関等の申請に関する経過措置)
第8条 平成26年改正後生活保護法第49条、第54条の2第1項又は第55条第1項の指定を受けようとする者は、施行日前においても、平成26年改正後生活保護法第49条の2第1項(同条第4項(平成26年改正後生活保護法第54条の2第4項において準用する場合を含む。)並びに平成26年改正後生活保護法第54条の2第4項及び第55条第2項において準用する場合を含む。)の規定の例により、その申請をすることができる。
(指定又は指定の取消しの要件に関する経過措置)
第9条 平成26年改正後生活保護法第49条の2第2項各号若しくは第3項各号(これらの規定を同条第4項(平成26年改正後生活保護法第54条の2第4項において準用する場合を含む。)並びに平成26年改正後生活保護法第54条の2第4項及び第55条第2項において準用する場合を含む。)又は第51条第2項各号(平成26年改正後生活保護法第54条の2第4項及び第55条第2項において準用する場合を含む。)の規定は、施行日以後にした行為によりこれらの規定に規定する刑に処せられた者若しくは処分を受けた者又は施

行日以後にこれらの規定に規定する行為を行った者について適用する。
　　（就労自立給付金に係る施行前の準備）
第10条　都道府県知事、市長及び福祉事務所を管理する町村長は、施行日前においても、平成26年改正後生活保護法第55条の4の規定による就労自立給付金の支給に必要な準備行為をすることができる。
　　（費用等の徴収に関する経過措置）
第11条　平成26年改正後生活保護法第78条第1項及び第4項（同条第1項に係る部分に限る。）の規定は、施行日以後に都道府県又は市町村の長が支弁した保護費の費用に係る徴収金の徴収について適用し、施行日前に都道府県又は市町村の長が支弁した保護費の費用の徴収については、なお従前の例による。
2　平成26年改正後生活保護法第78条第2項及び第4項（同条第2項に係る部分に限る。次項において同じ。）の規定は、施行日以後に都道府県又は市町村の長が支弁した同条第2項に規定する指定医療機関、指定介護機関又は指定助産機関若しくは指定施術機関からの徴収金の徴収について適用する。
3　平成26年改正後生活保護法第78条第2項及び第4項並びに前項の規定は、健康保険法等の一部を改正する法律（平成18年法律第83号）附則第130条の2第1項の規定によりなおその効力を有することとされる同法附則第91条の規定による改正前の生活保護法第54条の2第1項の指定を受けた介護療養型医療施設について準用する。
　　（罰則に関する経過措置）
第12条　この法律の施行前にした行為及びこの附則の規定によりなお従前の例によることとされる場合におけるこの法律の施行後にした行為に対する罰則の適用については、なお従前の例による。
　　（政令への委任）
第13条　附則第3条から前条までに定めるもののほか、この法律の施行に関し必要な経過措置は、政令で定める。

　　　　附　則（第53次改正）抄
　　（施行期日）
第1条　この法律は、行政不服審査法（平成26年法律第68号）の施行の日〔平成28年4月1日〕から施行する。
　　（経過措置の原則）
第5条　行政庁の処分その他の行為又は不作為についての不服申立てであってこの法律の施行前にされた行政庁の処分その他の行為又はこの法律の施行前にされた申請に係る行政庁の不作為に係るものについては、この附則に特別の定めがある場合を除き、なお従前の例による。
　　（訴訟に関する経過措置）
第6条　この法律による改正前の法律の規定により不服申立てに対する行政庁の裁決、決定その他の行為を経た後でなければ訴えを提起できないこととされる事項であって、当該不服申立てを提起しないでこの法律の施行前にこれを提起すべき期間を経過したもの（当該不服申立てが他の不服申立てに対する行政庁の裁決、決定その他の行為を経た後

でなければ提起できないとされる場合にあっては、当該他の不服申立てを提起しないでこの法律の施行前にこれを提起すべき期間を経過したものを含む。）の訴えの提起については、なお従前の例による。
2　この法律の規定による改正前の法律の規定（前条の規定によりなお従前の例によることとされる場合を含む。）により異議申立てが提起された処分その他の行為であって、この法律の規定による改正後の法律の規定により審査請求に対する裁決を経た後でなければ取消しの訴えを提起することができないこととされるものの取消しの訴えの提起については、なお従前の例による。
3　不服申立てに対する行政庁の裁決、決定その他の行為の取消しの訴えであって、この法律の施行前に提起されたものについては、なお従前の例による。
（罰則に関する経過措置）
第9条　この法律の施行前にした行為並びに附則第5条及び前2条の規定によりなお従前の例によることとされる場合におけるこの法律の施行後にした行為に対する罰則の適用については、なお従前の例による。
（その他の経過措置の政令への委任）
第10条　附則第5条から前条までに定めるもののほか、この法律の施行に関し必要な経過措置（罰則に関する経過措置を含む。）は、政令で定める。

　　　附　則（第57次改正）抄
（施行期日）
第1条　この法律は、平成30年10月1日から施行する。ただし、次の各号に掲げる規定は、当該各号に定める日から施行する。
一　第3条中生活保護法の目次の改正規定、同法第27条の2の改正規定、同法第9章中第55条の6を第55条の7とする改正規定、同法第8章の章名の改正規定、同法第55条の4第2項及び第3項並びに第55条の5の改正規定、同法第8章中同条を第55条の6とし、第55条の4の次に1条を加える改正規定、同法第57条から第59条まで、第64条、第65条第1項、第66条第1項、第70条第5号及び第6号、第71条第5号及び第6号、第73条第3号及び第4号、第75条第1項第2号、第76条の3並びに第78条第3項の改正規定、同法第78条の2第2項の改正規定（「支給機関」を「第55条の4第1項の規定により就労自立給付金を支給する者」に改める部分に限る。）、同法第85条第2項、第85条の2及び第86条第1項の改正規定並びに同法別表第1の六の項第1号及び別表第3都道府県、市及び福祉事務所を設置する町村の項の改正規定並びに次条の規定、〔中略〕附則第24条の規定　公布の日〔平成30年6月8日〕
四　第4条中生活保護法第30条第1項ただし書、第62条第1項及び第70条第1号ハの改正規定並びに同法附則に1項を加える改正規定〔中略〕　平成32年4月1日
五　第4条の規定（前号に掲げる改正規定を除く。）　平成33年1月1日
（進学準備給付金の支給に関する特例）
第2条　第3条の規定による改正後の生活保護法（次条及び附則第4条において「第3条改正後生活保護法」という。）第55条の5の規定は、平成30年1月1日から適用する。
（保護の実施機関についての特例に係る経過措置）
第3条　この法律の施行の際現に居宅介護（生活保護法第15条の2第2項に規定する居宅

介護をいう。以下この条において同じ。）（特定施設入居者生活介護（同項に規定する特定施設入居者生活介護をいう。）に限る。）を居宅介護を行う者に委託し、又は介護予防（同条第5項に規定する介護予防をいう。以下この条において同じ。）（介護予防特定施設入居者生活介護（同法第15条の2第5項に規定する介護予防特定施設入居者生活介護をいう。）に限る。）を介護予防を行う者に委託して行っている場合においては、これらの介護扶助を受けている者については、第3条改正後生活保護法第19条第3項の規定は適用しない。

（費用の徴収に関する経過措置）

第4条　第3条改正後生活保護法第77条の2の規定は、この法律の施行の日以後に都道府県又は市町村の長が支弁した保護に要する費用に係る徴収金の徴収について適用する。

（罰則に関する経過措置）

第7条　この法律の施行前にした行為に対する罰則の適用については、なお従前の例による。

（検討）

第8条　政府は、この法律の施行後5年を目途として、この法律の規定による改正後の規定の施行の状況について検討を加え、必要があると認めるときは、その結果に基づいて所要の措置を講ずるものとする。

（政令への委任）

第24条　この附則に規定するもののほか、この法律の施行に伴い必要な経過措置は、政令で定める。

　　　　附　則（第67次改正）抄

（施行期日）

第1条　この法律は、令和7年4月1日から施行する。ただし、次の各号に掲げる規定は、当該各号に定める日から施行する。

一　〔前略〕第2条中生活保護法目次の改正規定（「進学準備給付金」を「進学・就職準備給付金」に改める部分に限る。）並びに同法第8章の章名、第55条の5、第55条の6、第57条から第59条まで、第64条、第65条第1項、第66条第1項、第70条第5号、第71条第5号、第73条第3号及び第4号、第75条第1項第2号、第76条の3、第78条第3項、第81条の2第1項、第85条第2項並びに別表第1の改正規定並びに附則第3条及び第5条から第9条までの規定　公布の日〔令和6年4月24日〕

三　第2条の規定（第1号に掲げる改正規定を除く。）〔中略〕　令和6年10月1日

（進学・就職準備給付金の支給に関する特例）

第3条　第2条の規定による改正後の生活保護法第55条の5（第1項第2号に係る部分に限る。）の規定は、令和6年1月1日から適用する。

（政令への委任）

第9条　この附則に規定するもののほか、この法律の施行に伴い必要な経過措置は、政令で定める。

別表第1（第29条関係）

一 総務大臣又は都道府県知事	恩給法（大正12年法律第48号。他の法律において準用する場合を含む。）による年金である給付の支給に関する情報であつて厚生労働省令で定めるもの
二 厚生労働大臣	次に掲げる情報であつて厚生労働省令で定めるもの 一 労働者災害補償保険法（昭和22年法律第50号）による給付の支給に関する情報 二 戦傷病者戦没者遺族等援護法（昭和27年法律第127号）による援護に関する情報 三 未帰還者留守家族等援護法（昭和28年法律第161号）による留守家族手当の支給に関する情報 四 戦傷病者特別援護法（昭和38年法律第168号）による療養手当の支給に関する情報 五 雇用保険法（昭和49年法律第116号）による給付の支給に関する情報 六 石綿による健康被害の救済に関する法律（平成18年法律第4号）による特別遺族給付金の支給に関する情報 七 職業訓練の実施等による特定求職者の就職の支援に関する法律（平成23年法律第47号）による職業訓練受講給付金の支給に関する情報 八 公共職業安定所が行う職業紹介又は職業指導に関する情報
三 市町村長	次に掲げる情報であつて厚生労働省令で定めるもの 一 予防接種法（昭和23年法律第68号）による障害児養育年金、障害年金又は遺族年金の支給に関する情報 二 児童手当法（昭和46年法律第73号）による児童手当又は同法附則第2条第1項に規定する特例給付の支給に関する情報 三 健康増進法による健康増進事業の実施に関する情報 四 戸籍又は除かれた戸籍に記載した事項に関する情報
四 国土交通大臣	次に掲げる情報であつて厚生労働省令で定めるもの 一 船員職業安定法（昭和23年法律第130号）による地方運輸局長（運輸監理部長を含む。）が行う船員職業紹介、職業指導又は部員職業補導に関する情報 二 道路運送車両法（昭和26年法律第185号）第4条に規定する自動車登録ファイルに登録を受けた自動車に関する情報 三 漁業経営の改善及び再建整備に関する特別措置法（昭和51

		年法律第43号）による職業転換給付金の支給に関する情報 四　国際協定の締結等に伴う漁業離職者に関する臨時措置法（昭和52年法律第94号）による給付金の支給に関する情報 五　船員の雇用の促進に関する特別措置法（昭和52年法律第96号）による就職促進給付金の支給に関する情報 六　本州四国連絡橋の建設に伴う一般旅客定期航路事業等に関する特別措置法（昭和56年法律第72号）による給付金の支給に関する情報
五	税務署長	次に掲げる情報であつて厚生労働省令で定めるもの 一　相続税法（昭和25年法律第73号）第27条から第29条までに規定する申告書、当該申告書に係る国税通則法（昭和37年法律第66号）第18条第2項に規定する期限後申告書、同法第19条第3項に規定する修正申告書又は同法第28条第1項に規定する更正通知書若しくは決定通知書に関する情報 二　所得税法（昭和40年法律第33号）第149条の規定により青色申告書に添付すべき書類（事業所得の金額の計算に関する明細書に限る。）に関する情報
六	都道府県知事、市長又は福祉事務所を管理する町村長	次に掲げる情報であつて厚生労働省令で定めるもの 一　この法律による保護の決定及び実施又は就労自立給付金若しくは進学・就職準備給付金の支給に関する情報 二　児童扶養手当法（昭和36年法律第238号）による児童扶養手当の支給に関する情報 三　母子及び父子並びに寡婦福祉法（昭和39年法律第129号）による母子家庭自立支援給付金又は父子家庭自立支援給付金の支給に関する情報 四　特別児童扶養手当等の支給に関する法律（昭和39年法律第134号）による障害児福祉手当又は特別障害者手当の支給に関する情報 五　国民年金法等の一部を改正する法律（昭和60年法律第34号）附則第97条第1項の福祉手当の支給に関する情報 六　生活困窮者自立支援法による生活困窮者住居確保給付金の支給に関する情報
七	都道府県知事又は市町村長	次に掲げる情報であつて厚生労働省令で定めるもの 一　地方税法（昭和25年法律第226号）その他の地方税に関する法律に基づく条例の規定により算定した税額又はその算定の基礎となる事項に関する情報 二　職業能力開発促進法（昭和44年法律第64号）による求職者に対する職業訓練の実施に関する情報

		三　障害者の日常生活及び社会生活を総合的に支援するための法律による自立支援医療費の支給に関する情報
八	厚生労働大臣若しくは日本年金機構又は日本私立学校振興・共済事業団、国家公務員共済組合連合会、地方公務員共済組合若しくは全国市町村職員共済組合連合会	次に掲げる情報であつて厚生労働省令で定めるもの 一　私立学校教職員共済法（昭和28年法律第245号）による年金である給付の支給に関する情報 二　厚生年金保険法（昭和29年法律第115号）による年金である保険給付の支給に関する情報 三　国家公務員共済組合法（昭和33年法律第128号）による年金である給付の支給に関する情報 四　国民年金法による年金である給付の支給に関する情報 五　地方公務員等共済組合法（昭和37年法律第152号）による年金である給付の支給に関する情報 六　特定障害者に対する特別障害給付金の支給に関する法律（平成16年法律第166号）による特別障害給付金の支給に関する情報 七　年金生活者支援給付金の支給に関する法律（平成24年法律第102号）による年金生活者支援給付金の支給に関する情報
九	日本私立学校振興・共済事業団、国家公務員共済組合又は地方公務員共済組合	次に掲げる情報であつて厚生労働省令で定めるもの 一　私立学校教職員共済法による短期給付の支給に関する情報 二　国家公務員共済組合法による短期給付の支給に関する情報 三　地方公務員等共済組合法による短期給付の支給に関する情報
十	市町村長又は高齢者の医療の確保に関する法律第48条に規定する後期高齢者医療広域連合	次に掲げる情報であつて厚生労働省令で定めるもの 一　国民健康保険法（昭和33年法律第192号）による傷病手当金の支給又は健康教育、健康相談及び健康診査並びに健康管理及び疾病の予防に係る被保険者の自助努力についての支援その他の被保険者の健康の保持増進のために必要な事業の実施に関する情報 二　高齢者の医療の確保に関する法律による特定健康診査若しくは特定保健指導の実施、傷病手当金の支給又は健康教育、健康相談、健康診査及び保健指導並びに健康管理及び疾病の予防に係る被保険者の自助努力についての支援その他の被保険者の健康の保持増進のために必要な事業の実施に関する情報
十一	厚生労働大臣又は都道府県知事	次に掲げる情報であつて厚生労働省令で定めるもの 一　特別児童扶養手当等の支給に関する法律による特別児童扶

		養手当の支給に関する情報
		二 労働施策の総合的な推進並びに労働者の雇用の安定及び職業生活の充実等に関する法律（昭和41年法律第132号）による職業転換給付金の支給に関する情報
十二	都道府県知事	公害健康被害の補償等に関する法律（昭和48年法律第111号）による補償給付（障害補償費、遺族補償費又は児童補償手当に限る。）の支給に関する情報であつて厚生労働省令で定めるもの
十三	都道府県知事又は広島市長若しくは長崎市長	原子爆弾被爆者に対する援護に関する法律（平成6年法律第117号）による手当等の支給に関する情報であつて厚生労働省令で定めるもの
十四	総務大臣	次に掲げる情報であつて厚生労働省令で定めるもの 一 国会議員互助年金法を廃止する法律（平成18年法律第1号）又は同法附則第2条第1項の規定によりなおその効力を有することとされる同法による廃止前の国会議員互助年金法（昭和33年法律第70号）による年金である給付の支給に関する情報 二 執行官法の一部を改正する法律（平成19年法律第18号）附則第3条第1項の規定によりなお従前の例により支給されることとされる同法による改正前の執行官法（昭和41年法律第111号）附則第13条の規定による年金である給付の支給に関する情報
十五	その他政令で定める者	その他政令で定める事項に関する情報

備考　厚生労働大臣は、次の各号に掲げる厚生労働省令を定めようとするときは、当該各号に定める大臣に協議しなければならない。
　一　一の項下欄、七の項下欄（第1号に係る部分に限る。）、八の項下欄（第5号に係る部分に限る。）、九の項下欄（第3号に係る部分に限る。）及び十四の項下欄の厚生労働省令　総務大臣
　二　三の項下欄（第2号に係る部分に限る。）、六の項下欄（第2号及び第3号に係る部分に限る。）及び七の項下欄（第3号に係る部分に限る。）の厚生労働省令　内閣総理大臣
　三　三の項下欄（第4号に係る部分に限る。）の厚生労働省令　法務大臣
　四　四の項下欄の厚生労働省令　国土交通大臣
　五　五の項下欄、八の項下欄（第3号に係る部分に限る。）及び九の項下欄（第2号に係る部分に限る。）の厚生労働省令　財務大臣

六　八の項下欄（第1号に係る部分に限る。）及び九の項下欄（第1号に係る部分に限る。）の厚生労働省令　文部科学大臣
七　十二の項下欄の厚生労働省令　環境大臣

〔委任〕
「厚生労働省令」＝平成26年6月厚労令第72号「生活保護法別表第1に規定する厚生労働省令で定める情報を定める省令」

別表第2（第54条の2関係）

その事業として居宅介護を行う者又は特定福祉用具販売事業者	介護保険法第41条第1項本文の指定	同法第75条第2項の規定による指定居宅サービスの事業の廃止があつたとき、同法第77条第1項若しくは第115条の35第6項の規定による同法第41条第1項本文の指定の取消しがあつたとき、又は同法第70条の2第1項の規定により同法第41条第1項本文の指定の効力が失われたとき。	同法第77条第1項又は第115条の35第6項の規定による同法第41条第1項本文の指定の全部又は一部の効力の停止があつたとき。
	介護保険法第71条第1項の規定により同法第41条第1項本文の指定があつたものとみなされた居宅サービスに係る同項本文の指定	同法第75条第2項の規定による指定居宅サービスの事業の廃止があつたとき、同法第77条第1項若しくは第115条の35第6項の規定による同法第41条第1項本文の指定の取消しがあつたとき、又は同法第70条の2第1項若しくは第71条第2項の規定により同法第41条第1項本文の指定の効力が失われたとき。	同法第77条第1項又は第115条の35第6項の規定による同法第41条第1項本文の指定の全部又は一部の効力の停止があつたとき。
	介護保険法第72条第1項の規定により同法第41条第1項本文の指定があつたものとみなされた居宅サービスに係る同項本文の指定	同法第75条第2項の規定による指定居宅サービスの事業の廃止があつたとき、同法第77条第1項若しくは第115条の35第6項の規定による同法第41条第1項本文の指定の取消しがあつたとき、又は同法第70条の2第1項若しくは第72条第2項の規定により同法第41条第1	同法第77条第1項又は第115条の35第6項の規定による同法第41条第1項本文の指定の全部又は一部の効力の停止があつたとき。

		項本文の指定の効力が失われたとき。	
	介護保険法第42条の2第1項本文の指定（同法第8条第22項に規定する地域密着型介護老人福祉施設に係る指定及び同法第78条の15第2項に規定する指定期間開始時有効指定を除く。）	同法第78条の5第2項の規定による指定地域密着型サービスの事業の廃止があつたとき、同法第78条の10の規定による同法第42条の2第1項本文の指定の取消しがあつたとき、又は同法第78条の12において読み替えて準用する同法第70条の2第1項の規定により同法第42条の2第1項本文の指定の効力が失われたとき。	同法第78条の10の規定による同法第42条の2第1項本文の指定の全部又は一部の効力の停止があつたとき。
	介護保険法第78条の12において読み替えて準用する同法第71条第1項の規定により同法第42条の2第1項本文の指定があつたものとみなされた地域密着型サービスに係る同項本文の指定（同法第8条第22項に規定する地域密着型介護老人福祉施設に係る指定及び同法第78条の15第2項に規定する指定期間開始時有効指定を除く。）	同法第78条の5第2項の規定による指定地域密着型サービスの事業の廃止があつたとき、同法第78条の10の規定による同法第42条の2第1項本文の指定の取消しがあつたとき、又は同法第78条の12において読み替えて準用する同法第70条の2第1項若しくは第71条第2項の規定により同法第42条の2第1項本文の指定の効力が失われたとき。	同法第78条の10の規定による同法第42条の2第1項本文の指定の全部又は一部の効力の停止があつたとき。
	介護保険法第78条の12において読み替えて準用する同	同法第78条の5第2項の規定による指定地域密着型サービスの事業の廃止	同法第78条の10の規定による同法第42条の2第1項本文の指

		法第72条第1項の規定により同法第42条の2第1項本文の指定があつたものとみなされた地域密着型サービスに係る同項本文の指定（同法第8条第22項に規定する地域密着型介護老人福祉施設に係る指定及び同法第78条の15第2項に規定する指定期間開始時有効指定を除く。）	があつたとき、同法第78条の10の規定による同法第42条の2第1項本文の指定の取消しがあつたとき、又は同法第78条の12において読み替えて準用する同法第70条の2第1項若しくは第72条第2項の規定により同法第42条の2第1項本文の指定の効力が失われたとき。	定の全部又は一部の効力の停止があつたとき。
	介護保険法第78条の13第1項の規定により公募により行う同項に規定する市町村長指定区域・サービス事業所に係る同法第42条の2第1項本文の指定	同法第78条の17の規定により読み替えて適用する同法第78条の5第2項の規定による指定地域密着型サービスの事業の廃止があつたとき、同法第78条の17の規定により読み替えて適用する同法第78条の10の規定による同法第42条の2第1項本文の指定の取消しがあつたとき、又は同法第78条の15第1項の規定により同法第42条の2第1項本文の指定の効力が失われたとき。	同法第78条の17の規定により読み替えて適用する同法第78条の10の規定による同法第42条の2第1項本文の指定の全部又は一部の効力の停止があつたとき。
	介護保険法第78条の15第2項に規定する指定期間開始時有効指定	同法第78条の5第2項の規定による指定地域密着型サービスの事業の廃止があつたとき、同法第78条の10の規定による同法第42条の2第1項本文の	同法第78条の10の規定による同法第42条の2第1項本文の指定の全部又は一部の効力の停止があつたとき。

		指定の取消しがあつたとき、又は同法第78条の15第3項（同条第5項において準用する場合を含む。）の規定により同法第42条の2第1項本文の指定の効力が失われたとき。	
その事業として居宅介護支援計画を作成する者	介護保険法第46条第1項の指定	同法第82条第2項の規定による指定居宅介護支援の事業の廃止があつたとき、同法第84条第1項の規定による同法第46条第1項の指定の取消しがあつたとき、又は同法第79条の2第1項の規定により同法第46条第1項の指定の効力が失われたとき。	同法第84条第1項の規定による同法第46条第1項の指定の全部又は一部の効力の停止があつたとき。
地域密着型介護老人福祉施設	介護保険法第42条の2第1項本文の指定	同法第78条の8の規定による同法第42条の2第1項本文の指定の辞退があつたとき、同法第78条の10の規定による同法第42条の2第1項本文の指定の取消しがあつたとき、又は同法第78条の12において読み替えて準用する同法第70条の2第1項の規定により同法第42条の2第1項本文の指定の効力が失われたとき。	同法第78条の10の規定による同法第42条の2第1項本文の指定の全部又は一部の効力の停止があつたとき。
介護老人福祉施設	介護保険法第48条第1項第1号の指定	同法第91条の規定による同法第48条第1項第1号の指定の辞退があつたとき、同法第92条第1項若しくは第115条の35第6	同法第92条第1項又は第115条の35第6項の規定による同法第48条第1項第1号の指定の全部又は一

		項の規定による同号の指定の取消しがあつたとき、又は同法第86条の2第1項の規定により同号の指定の効力が失われたとき。	部の効力の停止があつたとき。
介護老人保健施設	介護保険法第94条第1項の許可	同法第99条第2項の規定による介護老人保健施設の廃止があつたとき、同法第104条第1項若しくは第115条の35第6項の規定により同法第94条第1項の許可の取消しがあつたとき、又は同法第94条の2第1項の規定により同法第94条第1項の許可の効力が失われたとき。	同法第104条第1項又は第115条の35第6項の規定による同法第94条第1項の許可の全部又は一部の効力の停止があつたとき。
介護医療院	介護保険法第107条第1項の許可	同法第113条第2項の規定による介護医療院の廃止があつたとき、同法第114条の6第1項若しくは第115条の35第6項の規定により同法第107条第1項の許可の取消しがあつたとき、又は同法第108条第1項の規定により同法第107条第1項の許可の効力が失われたとき。	同法第114条の6第1項又は第115条の35第6項の規定による同法第107条第1項の許可の全部又は一部の効力の停止があつたとき。
その事業として介護予防を行う者又は特定介護予防福祉用具販売事業者	介護保険法第53条第1項本文の指定	同法第115条の5第2項の規定による指定介護予防サービスの事業の廃止があつたとき、同法第115条の9第1項若しくは第115条の35第6項の規定による同法第53条第1項	同法第115条の9第1項又は第115条の35第6項の規定による同法第53条第1項本文の指定の全部又は一部の効力の停止があつたとき。

		本文の指定の取消しがあつたとき、又は同法第115条の11において読み替えて準用する同法第70条の2第1項の規定により同法第53条第1項本文の指定の効力が失われたとき。	
	介護保険法第115条の11において読み替えて準用する同法第71条第1項の規定により同法第53条第1項本文の指定があつたものとみなされた介護予防サービスに係る同項本文の指定	同法第115条の5第2項の規定による指定介護予防サービスの事業の廃止があつたとき、同法第115条の9第1項若しくは同法第115条の35第6項の規定による同法第53条第1項本文の指定の取消しがあつたとき、又は同法第115条の11において読み替えて準用する同法第70条の2第1項若しくは第71条第2項の規定により同法第53条第1項本文の指定の効力が失われたとき。	同法第115条の9第1項又は第115条の35第6項の規定による同法第53条第1項本文の指定の全部又は一部の効力の停止があつたとき。
	介護保険法第115条の11において読み替えて準用する同法第72条第1項の規定により同法第53条第1項本文の指定があつたものとみなされた介護予防サービスに係る同項本文の指定	同法第115条の5第2項の規定による指定介護予防サービスの事業の廃止があつたとき、同法第115条の9第1項若しくは同法第115条の35第6項の規定による同法第53条第1項本文の指定の取消しがあつたとき、又は同法第115条の11において読み替えて準用する同法第70条の2第1項若しくは第72条第2項の規定により同法第53条第1項本文	同法第115条の9第1項又は第115条の35第6項の規定による同法第53条第1項本文の指定の全部又は一部の効力の停止があつたとき。

		の指定の効力が失われたとき。	
	介護保険法第54条の2第1項本文の指定	同法第115条の15第2項の規定による指定地域密着型介護予防サービスの事業の廃止があつたとき、同法第115条の19の規定による同法第54条の2第1項本文の指定の取消しがあつたとき、又は同法第115条の21において準用する同法第70条の2第1項の規定により同法第54条の2第1項本文の指定の効力が失われたとき。	同法第115条の19の規定による同法第54条の2第1項本文の指定の全部又は一部の効力の停止があつたとき。
その事業として介護予防支援計画を作成する者	介護保険法第58条第1項の指定	同法第115条の25第2項の規定による指定介護予防支援の事業の廃止があつたとき、同法第115条の29の規定による同法第58条第1項の指定の取消しがあつたとき、又は同法第115条の31において準用する同法第70条の2第1項の規定により同法第58条第1項の指定の効力が失われたとき。	同法第115条の29の規定による同法第58条第1項の指定の全部又は一部の効力の停止があつたとき。
介護予防・日常生活支援事業者	介護保険法第115条の45の3第1項の指定	同法第115条の45の9の規定による同法第115条の45の3第1項の指定の取消しがあつたとき、又は同法第115条の45の6第1項の規定により同法第115条の45の3第1項の指定の効力が失われたとき。	同法第115条の45の9の規定による同法第115条の45の3第1項の指定の全部又は一部の効力の停止があつたとき。

別表第3（第84条の5関係）

都道府県、市及び福祉事務所を設置する町村	第19条第1項から第5項まで、第24条第1項及び第3項（これらの規定を同条第9項において準用する場合を含む。）並びに第8項、第25条第1項及び第2項、第26条、第27条第1項、第28条第1項、第2項及び第5項、第29条、第30条から第37条の2まで（第30条第2項及び第33条第3項を除く。）、第47条第1項、第48条第4項、第53条第4項（第54条の2第5項及び第6項並びに第55条の2において準用する場合を含む。）、第55条の4第1項、同条第2項及び第3項（これらの規定を第55条の5第2項において準用する場合を含む。）、第55条の5第1項、第55条の6、第61条、第62条第3項及び第4項、第63条、第76条第1項、第77条第2項、第78条の2第1項及び第2項、第80条並びに第81条
都道府県	第23条第1項及び第2項、第29条第2項、第40条第2項、第41条第2項から第5項まで、第42条、第43条第1項、第44条第1項、第45条、第46条第2項及び第3項、第48条第3項、第49条、第49条の2第4項（第49条の3第4項及び第54条の2第5項において準用する場合を含む。）並びに第54条の2第6項及び第55条第2項において準用する第49条の2第1項、第49条の3第1項、第50条第2項、第50条の2及び第51条第2項（これらの規定を第54条の2第5項及び第6項並びに第55条第2項において準用する場合を含む。）、第53条第1項及び第3項（これらの規定を第54条の2第5項及び第6項並びに第55条の2において準用する場合を含む。）、第54条第1項（第54条の2第5項及び第6項並びに第55条第2項において準用する場合を含む。）、第54条の2第1項、第55条第1項、第55条の3、第65条第1項、第74条第2項第2号及び第3号、第77条第1項、第77条の2第1項、同条第2項（第78条第4項において準用する場合を含む。）、第78条第1項から第3項まで並びに第83条の2並びに第74条の2において準用する社会福祉法第58条第2項から第4項まで
市町村	第29条第2項、第43条第2項、第77条第1項、第77条の2第1項、同条第2項（第78条第4項において準用する場合を含む。）及び第78条第1項から第3項まで並びに第74条の2において準用する社会福祉法第58条第2項から第4項まで
福祉事務所を設置しない町村	第19条第6項及び第7項、第24条第10項並びに第25条第3項

〔参考1〕
　　　　●生活困窮者自立支援法等の一部を改正する法律（抄）

$\left(\begin{array}{l}\text{令和6年4月24日}\\\text{法　律　第　21　号}\end{array}\right)$

（生活保護法の一部改正）
第2条　生活保護法（昭和25年法律第144号）の一部を次のように改正する。

　目次中「被保護者就労支援事業及び被保護者健康管理支援事業」を「被保護者就労支援事業等」に、「第55条の9」を「第55条の10」に改める。

　第27条の2中「及び第55条の8第1項」を「、第55条の8第1項」に、「を行う」を「及び第55条の10第1項に規定する子どもの進路選択支援事業の」に改める。

　「第9章　被保護者就労支援事業及び被保護者健康管理支援事業」を「第9章　被保護者就労支援事業等」に改める。

　第55条の7第1項中「以下」を「第55条の10第1項に規定する子どもの進路選択支援事業に該当するものを除く。以下」に改める。

　第9章中第55条の9の次に次の1条を加える。
　（子どもの進路選択支援事業）
第55条の10　保護の実施機関は、被保護者である子どもの進路選択における教育、就労及び生活習慣に関する問題につき、訪問その他の適当な方法により当該子ども及び当該子どもの保護者からの相談に応じ、必要な情報の提供及び助言をし、並びに関係機関との連絡調整を行う事業（以下「子どもの進路選択支援事業」という。）を実施することができる。

2　第55条の7第2項及び第3項の規定は、子どもの進路選択支援事業を行う場合について準用する。

　第70条中第8号を第9号とし、第7号を第8号とし、第6号の次に次の1号を加える。
　七　その長が第55条の10の規定により行う子どもの進路選択支援事業の実施に要する費用

　第71条中第8号を第9号とし、第7号を第8号とし、第6号の次に次の1号を加える。
　七　その長が第55条の10の規定により行う子どもの進路選択支援事業の実施に要する費用

　第75条中第2項を第3項とし、第1項の次に次の1項を加える。
2　国は、政令で定めるところにより、次に掲げる費用を補助することができる。
　一　市町村が支弁した子どもの進路選択支援事業に係る費用のうち、当該市町村における人口、被保護者の数その他の事情を勘案して政令で定めるところにより算定した額の3分の2以内
　二　都道府県が支弁した子どもの進路選択支援事業に係る費用のうち、当該都道府県の設置する福祉事務所の所管区域内の町村における人口、被保護者の数その他の事

情を勘案して政令で定めるところにより算定した額の3分の2以内
　第81条の2第2項中「の効果的」を「並びに子どもの進路選択支援事業の効果的」に改める。
　第85条の2中「において」を「及び第55条の10第2項において」に改める。
　附則第9項及び第12項中「第75条第2項」を「第75条第3項」に改める。
第3条　生活保護法の一部を次のように改正する。
　目次中「第55条の10」を「第55条の11」に改める。
　第19条第3項中「若しくは私人」を「又は私人」に改め、「又は第34条の2第2項の規定により被保護者に対する次の各号に掲げる介護扶助を当該各号に定める者若しくは施設に委託して行う場合」を削り、同項各号を削る。
　第27条の2中「及び第55条の10第1項」を「、第55条の10第1項第1号」に、「のほか」を「、同項第2号に規定する被保護者就労準備支援事業、同項第3号に規定する被保護者家計改善支援事業及び同項第4号に規定する被保護者地域居住支援事業のほか」に改める。
　第27条の2の次に次の1条を加える。
　　（調整会議）
第27条の3　保護の実施機関は、地域における福祉、就労、教育、住宅その他の被保護者に対する支援に関する業務を行う関係機関、第55条の7第2項（第55条の8第3項及び第55条の10第2項において準用する場合を含む。）の規定による委託を受けた者、当該支援に関係する団体、当該支援に関係する職務に従事する者その他の被保護者に対する支援に関係する者として保護の実施機関が認めたもの（以下この条において「関係機関等」という。）により構成される会議（以下この条において「調整会議」という。）を組織することができる。
2　調整会議は、被保護者に対する自立の助長を図るために必要な情報の交換を行うとともに、被保護者が地域において日常生活及び社会生活を営むのに必要な支援体制に関する検討を行うものとする。
3　調整会議は、前項に規定する情報の交換及び検討を行うために必要があると認めるときは、関係機関等に対し、被保護者に関する資料又は情報の提供、意見の開陳その他必要な協力を求めることができる。
4　関係機関等は、前項の規定による求めがあつた場合には、これに協力するよう努めるものとする。
5　調整会議は、当該調整会議が組織されている都道府県、市又は福祉事務所を設置する町村に生活困窮者自立支援法（平成25年法律第105号）第9条第1項に規定する支援会議又は社会福祉法第106条の6第1項に規定する支援会議が組織されているときは、被保護者に対する支援の円滑な実施のため、これらの会議と相互に連携を図るよう努めるものとする。
6　調整会議の事務に従事する者又は従事していた者は、正当な理由がなく、調整会議の事務に関して知り得た秘密を漏らしてはならない。

7　前各項に定めるもののほか、調整会議の組織及び運営に関し必要な事項は、調整会議が定める。

第31条第4項中「、介護老人福祉施設」の下に「(同条第27項に規定する介護老人福祉施設をいう。以下同じ。)」を、「施設介護」の下に「(第15条の2第4項に規定する施設介護をいう。以下同じ。)」を加える。

第34条の2第2項中「、居宅介護」の下に「(第15条の2第2項に規定する居宅介護をいう。以下同じ。)」を、「施設介護、介護予防」の下に「(同条第5項に規定する介護予防をいう。以下同じ。)」を加え、「第15条の2第7項」を「同条第7項」に改める。

第55条の7第1項中「第55条の10第1項」を「第55条の10第1項第1号」に改める。

第55条の10の見出しを「(子どもの進路選択支援事業等)」に改め、同条第1項を次のように改める。

　保護の実施機関は、次に掲げる事業を実施することができる。
一　被保護者である子どもの進路選択における教育、就労及び生活習慣に関する問題につき、訪問その他の適当な方法により当該子ども及び当該子どもの保護者からの相談に応じ、必要な情報の提供及び助言をし、並びに関係機関との連絡調整を行う事業（以下「子どもの進路選択支援事業」という。)
二　雇用による就業が著しく困難な被保護者に対し、厚生労働省令で定める期間にわたり、就労に必要な知識及び能力の向上のために必要な訓練を行う事業（以下「被保護者就労準備支援事業」という。)
三　被保護者に対し、収入、支出その他家計の状況を適切に把握すること及び家計の改善の意欲を高めることを支援する事業（以下「被保護者家計改善支援事業」という。)
四　居住の安定を図るための支援が必要な被保護者に対し、厚生労働省令で定める期間にわたり、訪問による必要な情報の提供及び助言その他の現在の住居において日常生活を営むのに必要な便宜として厚生労働省令で定める便宜を供与する事業（以下「被保護者地域居住支援事業」という。)

第55条の10第2項中「子どもの進路選択支援事業」を「前項各号に掲げる事業」に改め、第9章中同条の次に次の1条を加える。

　(特定被保護者対象事業の利用)
第55条の11　保護の実施機関は、被保護者であつて、その状況に照らして将来的に保護を必要としなくなることが相当程度見込まれる者その他の厚生労働省令で定める者に該当すると認められるもの（以下この条において「特定被保護者」という。）について、その氏名その他必要な事項を特定被保護者対象事業（生活困窮者自立支援法第3条第4項に規定する生活困窮者就労準備支援事業、同条第5項に規定する生活困窮者家計改善支援事業又は同条第6項に規定する生活困窮者居住支援事業（同項第2号に係る部分に限る。）をいう。第3項において同じ。）を実施する同法第4条第3項に規定する都道府県等に通知することができる。

2　保護の実施機関は、前項の規定による通知を行つた場合は、その旨を当該通知に係

る特定被保護者に速やかに通知するものとする。
3　保護の実施機関は、特定被保護者が特定被保護者対象事業を利用する場合においては、その利用の状況を把握するとともに、自ら当該特定被保護者の自立を助長するために必要な措置を講じなければならない。

　第70条第7号及び第71条第7号中「の実施」を「、被保護者就労準備支援事業、被保護者家計改善支援事業及び被保護者地域居住支援事業の実施」に改める。

　第75条第2項各号中「に係る」を「、被保護者就労準備支援事業、被保護者家計改善支援事業及び被保護者地域居住支援事業に係る」に改める。

　第81条の3中「(平成25年法律第105号)」を削り、同条を第81条の4とする。

　第81条の2の見出しを削り、同条第1項中「都道府県知事は」の下に「、前条第1項に規定するもののほか」を加え、同条第2項中「前項」を「前条第1項及び前項」に、「の効果的」を「、被保護者就労準備支援事業、被保護者家計改善支援事業及び被保護者地域居住支援事業の効果的」に改め、同条を第81条の3とし、第81条の次に次の見出し及び1条を加える。

　　（都道府県の援助等）
第81条の2　都道府県知事は、市町村長が行う医療扶助及び被保護者健康管理支援事業について、市町村の区域を超えた広域的な見地から調査、分析及び評価（以下この条において「調査等」という。）を行い、市町村長に対し、医療扶助の適正な実施及び被保護者健康管理支援事業の効果的かつ効率的な実施に関する技術的事項について、当該調査等に基づく情報の提供その他必要な援助を行うよう努めるものとする。
2　都道府県知事は、調査等の実施に関し必要があると認めるときは、市町村長に対し、必要な情報の提供を求めることができる。
3　厚生労働大臣は、都道府県知事が調査等を円滑に行うため必要な支援を行うものとする。

　第84条の3中「特別養護老人ホームに入所している者又は」を「特別養護老人ホームに入所している者、」に、「に対する」を「又は介護保険法第8条第11項に規定する特定施設に入居している者若しくは介護老人福祉施設に入所している者（同条第27項に規定する介護福祉施設サービスを受けている者に限る。）に対する」に、「引き続き入所して」を「引き続き入所し、又は入居して」に改める。

　第85条の2中「第55条の7第3項」を「第27条の3第6項、第55条の7第3項」に改める。

　　　附　則　抄
　　（施行期日）
第1条　この法律は、令和7年4月1日から施行する。ただし、次の各号に掲げる規定は、当該各号に定める日から施行する。
　三　第2条の規定（第1号に掲げる改正規定を除く。）〔中略〕　令和6年10月1日
　　（検討）
第2条　政府は、この法律の施行後5年を目途として、この法律による改正後のそれぞれ

の法律の施行の状況を勘案し、必要があると認めるときは、生活困窮者自立支援法第3条第1項に規定する生活困窮者に対する支援等が公正で分かりやすいものであることを確保する観点も含めてこの法律による改正後のそれぞれの法律の規定について検討を加え、その結果に基づいて必要な措置を講ずるものとする。
　（保護の実施機関についての特例に関する経過措置）
第4条　この法律の施行の際現に介護保険法（平成9年法律第123号）第8条第11項に規定する特定施設に入居している者（生活保護法第15条の2第2項に規定する特定施設入居者生活介護を同項に規定する居宅介護を行う者に委託し、又は同条第5項に規定する介護予防特定施設入居者生活介護を同項に規定する介護予防を行う者に委託して行っている場合において、これらの介護扶助を受けている者を除く。）については、第3条の規定による改正後の生活保護法第84条の3の規定は、適用しない。

〔参考2〕
　　◉刑法等の一部を改正する法律の施行に伴う関係法律の整理等に関する法律（抄）

$$\begin{pmatrix}令和4年6月17日\\法　律　第　68　号\end{pmatrix}$$

注　令和5年5月17日法律第28号「刑事訴訟法等の一部を改正する法律」附則第36条により一部改正
　　第1編　関係法律の一部改正
　　　第11章　厚生労働省関係
　　（生活保護法の一部改正）
第237条　生活保護法（昭和25年法律第144号）の一部を次のように改正する。
　　第49条の2第2項第2号中「禁錮」を「拘禁刑」に改める。
　　第85条から第85条の3までの規定中「懲役」を「拘禁刑」に改める。
　　第2編　経過措置
　　　第1章　通則
　　（罰則の適用等に関する経過措置）
第441条　刑法等の一部を改正する法律（令和4年法律第67号。以下「刑法等一部改正法」という。）及びこの法律（以下「刑法等一部改正法等」という。）の施行前にした行為の処罰については、次章に別段の定めがあるもののほか、なお従前の例による。
2　刑法等一部改正法等の施行後にした行為に対して、他の法律の規定によりなお従前の例によることとされ、なお効力を有することとされ又は改正前若しくは廃止前の法律の規定の例によることとされる罰則を適用する場合において、当該罰則に定める刑（刑法施行法第19条第1項の規定又は第82条の規定による改正後の沖縄の復帰に伴う特別措置に関する法律第25条第4項の規定の適用後のものを含む。）に刑法等一部改正法第2条の規定による改正前の刑法（明治40年法律第45号。以下この項において「旧刑法」という。）第12条に規定する懲役（以下「懲役」という。）、旧刑法第13条に規定する禁錮

（以下「禁錮」という。）又は旧刑法第16条に規定する拘留（以下「旧拘留」という。）が含まれるときは、当該刑のうち無期の懲役又は禁錮はそれぞれ無期拘禁刑と、有期の懲役又は禁錮はそれぞれその刑と長期及び短期（刑法施行法第20条の規定の適用後のものを含む。）を同じくする有期拘禁刑と、旧拘留は長期及び短期（刑法施行法第20条の規定の適用後のものを含む。）を同じくする拘留とする。
　　（裁判の効力とその執行に関する経過措置）
第442条　懲役、禁錮及び旧拘留の確定裁判の効力並びにその執行については、次章に別段の定めがあるもののほか、なお従前の例による。
　　（人の資格に関する経過措置）
第443条　懲役、禁錮又は旧拘留に処せられた者に係る人の資格に関する法令の規定の適用については、無期の懲役又は禁錮に処せられた者はそれぞれ無期拘禁刑に処せられた者と、有期の懲役又は禁錮に処せられた者はそれぞれ刑期を同じくする有期拘禁刑に処せられた者と、旧拘留に処せられた者は拘留に処せられた者とみなす。
２　拘禁刑又は拘留に処せられた者に係る他の法律の規定によりなお従前の例によることとされ、なお効力を有することとされ又は改正前若しくは廃止前の法律の規定の例によることとされる人の資格に関する法令の規定の適用については、無期拘禁刑に処せられた者は無期禁錮に処せられた者と、有期拘禁刑に処せられた者は刑期を同じくする有期禁錮に処せられた者と、拘留に処せられた者は刑期を同じくする旧拘留に処せられた者とみなす。
　　　　第４章　その他
　　（経過措置の政令への委任）
第509条　この編に定めるもののほか、刑法等一部改正法等の施行に伴い必要な経過措置は、政令で定める。
　　　　附　則　抄
　　（施行期日）
１　この法律は、刑法等一部改正法施行日〔令和７年６月１日〕から施行する。ただし、次の各号に掲げる規定は、当該各号に定める日から施行する。
　一　第509条の規定　公布の日

〔参考３〕
　　　◉障害者の日常生活及び社会生活を総合的に支援するための法律等の一部を改正する法律（抄）

$\begin{pmatrix}令和４年12月16日\\法　律　第　104　号\end{pmatrix}$

　　（障害者の日常生活及び社会生活を総合的に支援するための法律の一部改正）
第３条　障害者の日常生活及び社会生活を総合的に支援するための法律〔平成17年法律第123号〕の一部を次のように改正する。

附則〔中略〕第81条第1項中「第5条第17項」を「第5条第18項」に改める。
　　　附　則　抄
　（施行期日）
第1条　この法律は、令和6年4月1日から施行する。ただし、次の各号に掲げる規定は、当該各号に定める日から施行する。
　一　〔前略〕附則〔中略〕第43条の規定　公布の日
　四　第3条の規定〔中略〕　公布の日から起算して3年を超えない範囲内において政令で定める日
　（政令への委任）
第43条　この附則に規定するもののほか、この法律の施行に伴い必要な経過措置（罰則に関する経過措置を含む。）は、政令で定める。

〔参考4〕
　　◉全世代対応型の持続可能な社会保障制度を構築するための健康保険法等の一部を改正する法律（抄）

$$\begin{pmatrix}令和5年5月19日\\法　律　第\ 31\ 号\end{pmatrix}$$

　　　附　則　抄
　（施行期日）
第1条　この法律は、令和6年4月1日から施行する。ただし、次の各号に掲げる規定は、当該各号に定める日から施行する。
　六　〔前略〕附則第26条中生活保護法（昭和25年法律第144号）第80条の4第2項の改正規定〔中略〕　公布の日から起算して4年を超えない範囲内において政令で定める日
　（生活保護法の一部改正）
第26条　生活保護法の一部を次のように改正する。
　　第80条の4第2項中「及び法令」を「、法令」に改め、「定めるもの」の下に「並びに介護保険法第3条の規定により介護保険を行う市町村及び特別区」を加える。

●生活保護法施行令

$$\begin{pmatrix}昭和25年5月20日\\政 令 第 148 号\end{pmatrix}$$

〔一部改正経過〕

- 第 1 次 昭和26年9月13日政令第296号「生活保護法施行令の一部を改正する政令」による改正
- 第 2 次 昭和31年8月21日政令第265号「地方自治法の一部を改正する法律及び地方自治法の一部を改正する法律の施行に伴う関係法律の整理に関する法律の施行に伴う関係政令等の整理に関する政令」第15条による改正
- 第 3 次 昭和37年9月29日政令第391号「行政不服審査法及び行政不服審査法の施行に伴う関係法律の整理等に関する法律の施行に伴う関係政令の整理に関する政令」第38条による改正
- 第 4 次 昭和51年8月2日政令第215号「児童福祉法施行令等の一部を改正する政令」第3条による改正
- 第 5 次 昭和59年3月17日政令第35号「国家公務員及び公共企業体職員に係る共済組合制度の統合等を図るための国家公務員共済組合法等の一部を改正する法律の施行に伴う関係政令の整備等に関する政令」第30条による改正
- 第 6 次 昭和59年9月7日政令第268号「健康保険法等の一部を改正する法律の施行に伴う関係政令の整備に関する政令」第17条による改正
- 第 7 次 昭和60年7月12日政令第225号「児童福祉法施行令等の一部を改正する等の政令」附則第2項による改正
- 第 8 次 昭和62年3月20日政令第54号「日本国有鉄道改革法等の施行に伴う関係政令の整備等に関する政令」第61条による改正
- 第 9 次 平成6年9月2日政令第282号「健康保険法等の一部を改正する法律の施行に伴う関係政令の整備等に関する政令」第23条による改正
- 第10次 平成6年12月21日政令第398号「地方自治法の一部を改正する法律及び地方自治法の一部を改正する法律の施行に伴う関係法律の整備に関する法律の施行に伴う関係政令の整備等に関する政令」第7条による改正
- 第11次 平成7年6月14日政令第238号「地方自治法の一部を改正する法律及び地方自治法の一部を改正する法律の施行に伴う関係法律の整備に関する法律の一部の施行に伴う関係政令の整備に関する政令」第3条による改正
- 第12次 平成9年3月28日政令第84号「厚生年金保険法施行令等の一部を改正する等の政令」第44条による改正
- 第13次 平成11年9月3日政令第262号「介護保険法及び介護保険法施行法の施行に伴う関係政令の整備等に関する政令」第7条による改正
- 第14次 平成11年12月8日政令第393号「地方分権の推進を図るための関係法律の整備等に関する法律の施行に伴う厚生省関係政令の整備等に関する政令」第11条による改正
- 第15次 平成12年6月7日政令第309号「中央省庁等改革のための厚生労働省関係政令等の整備に関する政令」第14・153条による改正
- 第16次 平成14年2月8日政令第27号「日本電信電話株式会社の株式の売払収入の活用による社会資本の整備の促進に関する特別措置法等の一部を改正する法律の施行に伴う関係政令の整備に関する政令」第8条による改正
- 第17次 平成14年8月30日政令第282号「健康保険法等の一部を改正する法律の施行に伴う関係政令の整備等に関する政令」第13条第2号による改正
- 第18次 平成18年3月31日政令第154号「介護保険法施行令等の一部を改正する政令」第4条による改正
- 第19次 平成18年3月31日政令第155号「児童手当法施行令等の一部を改正する政令」第4条による改正
- 第20次 平成18年11月22日政令第361号「地方自治法施行令の一部を改正する政令」附則第15条による改正
- 第21次 平成25年2月6日政令第28号「地方自治法施行令等の一部を改正する政令」第2条による改正
- 第22次 平成26年4月18日政令第164号「生活保護法の一部を改正する法律の施行に伴う関係政令の整備等に関する政令」第1条による改正
- 第23次 平成26年7月30日政令第269号「薬事法等の一部を改正する法律の施行に伴う関係政令の整備等及び経過措置に関する政令」第4条による改正

第24次	平成26年8月8日政令第278号「再生医療等の安全性の確保等に関する法律施行令」附則第4条による改正
第25次	平成26年11月12日政令第358号「難病の患者に対する医療等に関する法律施行令」附則第5条による改正
第26次	平成26年9月3日政令第300号「児童福祉法施行令等の一部を改正する政令」第3条（平成26年11月政令第358号により一部改正）による改正
第27次	平成27年2月4日政令第39号「生活保護法施行令の一部を改正する政令」による改正
第28次	平成27年3月31日政令第138号「地域における医療及び介護の総合的な確保を推進するための関係法律の整備等に関する法律の一部の施行に伴う関係政令の整備等及び経過措置に関する政令」第5条による改正
第29次	平成27年8月28日政令第303号「国家戦略特別区域法及び構造改革特別区域法の一部を改正する法律の施行に伴う関係政令の整備に関する政令」第3条による改正
第30次	平成28年3月4日政令第56号「公認心理師法の一部の施行に伴う関係政令の整備に関する政令」第2条による改正
第31次	平成29年9月21日政令第246号「国家戦略特別区域法及び構造改革特別区域法の一部を改正する法律の施行に伴う関係政令の整備に関する政令」第4条による改正
第32次	平成29年11月27日政令第290号「民間あっせん機関による養子縁組のあっせんに係る児童の保護等に関する法律施行令」附則第6条による改正
第33次	平成30年2月28日政令第41号「臨床研究法第24条第2号の国民の保健医療に関する法律等を定める政令」附則第4条による改正
第34次	平成30年6月8日政令第185号「生活保護法施行令の一部を改正する政令」による改正
第35次	平成30年9月28日政令第284号「生活困窮者の自立を促進するための生活困窮者自立支援法等の一部を改正する法律の施行に伴う関係政令の整備に関する政令」第2条による改正
第36次	令和2年9月9日政令第271号「生活保護法施行令及び地方自治法施行令の一部を改正する政令」第1条による改正
第37次	令和2年12月23日政令第368号「生活保護法施行令の一部を改正する政令」による改正
第38次	令和5年11月29日政令第340号「全世代対応型の社会保障制度を構築するための健康保険法等の一部を改正する法律の一部の施行に伴う関係政令の整備に関する政令」第2条による改正
第39次	令和6年1月19日政令第12号「地方自治法施行令等の一部を改正する政令」第4条による改正
第40次	令和6年4月24日政令第173号「生活保護法施行令及び地方公共団体情報システムの標準化に関する法律第2条第1項に規定する標準化対象事務を定める政令の一部を改正する政令」第1号による改正

生活保護法施行令

　内閣は、生活保護法（昭和25年法律第144号）第19条第4項、第23条第3項、<u>第68条</u>、第72条第1項、第73条<u>第1項</u>及び第75条の規定に基き、この政令を制定する。
　（保護に関する事務の委託）
第1条　生活保護法（以下「法」という。）第19条第4項に規定する保護の実施機関（以下この条において「保護の実施機関」という。）は、要保護者との連絡上保護に関する事務を他の保護の実施機関に委託して行うことが適当であると認めるときは、法第19条第5項の規定により、当該要保護者に係る保護に関する事務を他の保護の実施機関に委託することができる。
2　保護に関する事務の委託に当つては、関係の保護の実施機関は、協議により当該委託に関する条件を定め、議会の同意を経なければならない。
3　保護の実施機関は、法第19条第5項の規定により保護に関する事務の委託を行い、又は委託を受けたときは、その旨を告示しなければならない。

(監査する職員の資格)
第2条 法第23条第3項に規定する職員の資格は、左の各号の一に該当するものとする。
一 国又は都道府県において社会福祉に関する行政に従事している者
二 国又は都道府県において社会保険、公衆衛生又は医務に関する行政に従事している者であつて、生活保護に関係のある事務を担当しているもの
三 国又は都道府県において生活保護に関係のある会計の事務を担当している者
(政令で定める事項)
第2条の2 法第29条第1項第1号に規定する政令で定める事項は、支出の状況とする。
(保護の方法の特例)
第3条 法第37条の2に規定する被保護者(同条に規定する教育扶助のための保護金品にあつては、その親権者又は未成年後見人を含む。)が支払うべき費用であつて政令で定めるものは、次の表の上欄に掲げる費用とし、同条に規定する政令で定める者は、同表の上欄に掲げる費用の額に相当する金銭について、それぞれ同表の下欄に掲げる者とする。

支払うべき費用であつて政令で定めるもの	政令で定める者
法第31条第3項の規定により交付する保護金品により支払うべき費用であつて、住宅を賃借して居住することに伴い通常必要とされる費用のうち厚生労働省令で定めるもの	当該被保護者に対し当該費用に係る債権を有する者
法第31条第3項の規定により交付する保護金品により支払うべき費用であつて、社会福祉法(昭和26年法律第45号)第2条第2項第7号に規定する生計困難者に対して無利子又は低利で資金を融通する事業による貸付金の償還に係るもの	当該被保護者に対し当該貸付金に係る債権を有する者
法第32条第2項に規定する教育扶助のための保護金品により支払うべき費用であつて、被保護者の通学する学校を設置する者が徴収するもの	当該被保護者の通学する学校を設置する者

法第33条第4項の規定により交付する保護金品	当該被保護者に対し法第14条各号に掲げる事項の提供に係る債権を有する者
法第37条の2に規定する介護保険料	当該被保護者を被保険者とする市町村及び特別区

〔委任〕

表の「厚生労働省令」＝規則23の2

（政令で定める機関）

第4条　法第49条に規定する病院又は診療所に準ずるものとして政令で定めるものは、次に掲げるものとする。
一　健康保険法（大正11年法律第70号）第88条第1項に規定する指定訪問看護事業者
二　介護保険法（平成9年法律第123号）第41条第1項に規定する指定居宅サービス事業者（同法第8条第4項に規定する訪問看護を行う者に限る。）又は同法第53条第1項に規定する指定介護予防サービス事業者（同法第8条の2第3項に規定する介護予防訪問看護を行う者に限る。）

（法第49条の2第2項第3号に規定する政令で定める法律）

第4条の2　法第49条の2第2項第3号（同条第4項（法第49条の3第4項及び第54条の2第5項において準用する場合を含む。）、法第49条の3第4項、第54条の2第5項及び第55条第2項において準用する場合を含む。）に規定する政令で定める法律は、次のとおりとする。
一　児童福祉法（昭和22年法律第164号）
二　あん摩マツサージ指圧師、はり師、きゆう師等に関する法律（昭和22年法律第217号）
三　栄養士法（昭和22年法律第245号）
四　医師法（昭和23年法律第201号）
五　歯科医師法（昭和23年法律第202号）
六　保健師助産師看護師法（昭和23年法律第203号）
七　歯科衛生士法（昭和23年法律第204号）
八　医療法（昭和23年法律第205号）
九　身体障害者福祉法（昭和24年法律第283号）
十　精神保健及び精神障害者福祉に関する法律（昭和25年法律第123号）
十一　社会福祉法
十二　医薬品、医療機器等の品質、有効性及び安全性の確保等に関する法律（昭和35年法律第145号）
十三　薬剤師法（昭和35年法律第146号）
十四　老人福祉法（昭和38年法律第133号）
十五　理学療法士及び作業療法士法（昭和40年法律第137号）
十六　柔道整復師法（昭和45年法律第19号）

十七　社会福祉士及び介護福祉士法（昭和62年法律第30号）
十八　義肢装具士法（昭和62年法律第61号）
十九　介護保険法
二十　精神保健福祉士法（平成9年法律第131号）
二十一　言語聴覚士法（平成9年法律第132号）
二十二　障害者の日常生活及び社会生活を総合的に支援するための法律（平成17年法律第123号）
二十三　高齢者虐待の防止、高齢者の養護者に対する支援等に関する法律（平成17年法律第124号）
二十四　就学前の子どもに関する教育、保育等の総合的な提供の推進に関する法律（平成18年法律第77号）
二十五　障害者虐待の防止、障害者の養護者に対する支援等に関する法律（平成23年法律第79号）
二十六　子ども・子育て支援法（平成24年法律第65号）
二十七　再生医療等の安全性の確保等に関する法律（平成25年法律第85号）
二十八　国家戦略特別区域法（平成25年法律第107号。第12条の5第15項及び第17項から第19項までの規定に限る。）
二十九　難病の患者に対する医療等に関する法律（平成26年法律第50号）
三十　公認心理師法（平成27年法律第68号）
三十一　民間あっせん機関による養子縁組のあっせんに係る児童の保護等に関する法律（平成28年法律第110号）
三十二　臨床研究法（平成29年法律第16号）
　（法第51条第2項第8号に規定する政令で定める法律）
第4条の3　法第51条第2項第8号（法第54条の2第5項及び第55条第2項において準用する場合を含む。）に規定する政令で定める法律は、次のとおりとする。
一　健康保険法
二　児童福祉法（国家戦略特別区域法第12条の5第8項において準用する場合を含む。）
三　あん摩マツサージ指圧師、はり師、きゆう師等に関する法律
四　栄養士法
五　医師法
六　歯科医師法
七　保健師助産師看護師法
八　歯科衛生士法
九　医療法
十　身体障害者福祉法
十一　精神保健及び精神障害者福祉に関する法律
十二　社会福祉法

十三　知的障害者福祉法（昭和35年法律第37号）
十四　医薬品、医療機器等の品質、有効性及び安全性の確保等に関する法律
十五　薬剤師法
十六　老人福祉法
十七　理学療法士及び作業療法士法
十八　柔道整復師法
十九　社会福祉士及び介護福祉士法
二十　義肢装具士法
二十一　介護保険法
二十二　精神保健福祉士法
二十三　言語聴覚士法
二十四　発達障害者支援法（平成16年法律第167号）
二十五　障害者の日常生活及び社会生活を総合的に支援するための法律
二十六　高齢者虐待の防止、高齢者の養護者に対する支援等に関する法律
二十七　就学前の子どもに関する教育、保育等の総合的な提供の推進に関する法律
二十八　障害者虐待の防止、障害者の養護者に対する支援等に関する法律
二十九　子ども・子育て支援法
三十　再生医療等の安全性の確保等に関する法律
三十一　国家戦略特別区域法（第12条の5第7項の規定に限る。）
三十二　難病の患者に対する医療等に関する法律
三十三　公認心理師法
三十四　民間あっせん機関による養子縁組のあっせんに係る児童の保護等に関する法律
三十五　臨床研究法

（指定医療機関の指定の更新に関する読替え）

第4条の4　法第49条の3第4項の規定により健康保険法第68条第2項の規定を準用する場合においては、同項中「保険医療機関（第65条第2項の病院及び診療所を除く。）又は保険薬局」とあるのは「生活保護法第34条第2項に規定する指定医療機関」と、「前項」とあるのは「同法第49条の3第1項」と、「同条第1項」とあるのは「同法第49条の2第1項」と読み替えるものとする。

（医療に関する審査機関）

第5条　法第53条第3項（法第55条の2において準用する場合を含む。）に規定する医療に関する審査機関で政令で定めるものは、社会保険診療報酬支払基金法（昭和23年法律第129号）に定める特別審査委員会とする。

（介護扶助に関する読替え）

第6条　法第54条の2第5項の規定による技術的読替えは、次の表のとおりとする。

法の規定中読み替える規定	読み替えられる字句	読み替える字句
第49条の2第1項	病院若しくは診療所又	介護機関（法第34条の2第2項

	は薬局	に規定する介護予防・日常生活支援事業者を除く。以下この条において同じ。)
第49条の2第2項第4号及び第7号	病院若しくは診療所又は薬局	介護機関
第49条の2第2項第8号	医療	介護
第49条の2第2項第9号及び第3項	病院若しくは診療所又は薬局	介護機関
第49条の2第3項第1号	医療	介護
第49条の2第3項第2号	医療扶助	介護扶助
	医療を	介護を
第50条	の医療	の介護
第51条第2項第1号	第49条の2第2項第1号から第3号まで	第49条の2第2項第2号又は第3号
第51条第2項第4号	診療報酬	介護の報酬
第51条第2項第5号	診療録、帳簿書類	帳簿書類
第51条第2項第9号及び第10号	医療に	介護に
第52条第1項	診療方針及び診療報酬	介護の方針及び介護の報酬
	国民健康保険	介護保険
第52条第2項	診療方針及び診療報酬	介護の方針及び介護の報酬
第53条第1項	診療内容及び診療報酬	介護サービスの内容及び介護の報酬
	診療報酬の額	介護の報酬の額
第53条第3項から第5項まで	診療報酬の	介護の報酬の
第54条第1項	医療扶助	介護扶助
	開設者若しくは管理者、医師、薬剤師	開設者
	診療録、帳簿書類	帳簿書類

第6条の2　法第54条の2第6項の規定による技術的読替えは、次の表のとおりとする。

法の規定中読み替える規定	読み替えられる字句	読み替える字句
第49条の2第1項及び第3項	病院若しくは診療所又は薬局	介護機関（法第34条の2第2項に規定する介護予防・日常生活支援事業者に限る。）
第49条の2第3項第1号	医療	支援
第49条の2第3項第2号	医療扶助	介護扶助
	医療を	支援を
第50条	の医療	の支援
第51条第2項第4号	診療報酬	介護の報酬
第51条第2項第5号	診療録、帳簿書類	帳簿書類
第51条第2項第9号	医療に	支援に
第52条第1項	診療方針及び診療報酬	介護の方針及び介護の報酬
	国民健康保険	介護保険
第52条第2項	診療方針及び診療報酬	介護の方針及び介護の報酬
第53条第1項	診療内容	介護サービスの内容
	診療報酬	介護の報酬
第53条第3項から第5項まで	診療報酬の	介護の報酬の
第54条第1項	医療扶助	介護扶助
	開設者若しくは管理者、医師、薬剤師	開設者
	診療録、帳簿書類	帳簿書類

（出産扶助等に関する読替え）

第7条 法第55条第2項の規定による技術的読替えは、次の表のとおりとする。

法の規定中読み替える規定	読み替えられる字句	読み替える字句
第49条の2第1項	病院若しくは診療所又は薬局の開設者	助産師又はあん摩マッサージ指圧師、はり師、きゅう師若しくは柔道整復師
第49条の2第2項第8号	医療	助産又は施術
第49条の2第3項	病院若しくは診療所又は薬局	助産師又はあん摩マッサージ指圧師、はり師、きゅう師若しく

		は柔道整復師
第49条の2第3項第1号	医療	助産又は施術
第49条の2第3項第2号	医療扶助	出産扶助又は医療扶助
	医療を	助産又は施術を
第50条	の医療	の助産又は施術
第51条第2項第1号	第49条の2第2項第1号から第3号まで又は第9号	第49条の2第2項第2号又は第3号
第51条第2項第5号	診療録	助産録
第51条第2項第9号	医療に	助産又は施術に
第54条第1項	医療扶助	出産扶助又は医療扶助
	診療録	助産録

（就労自立給付金の支給に関する事務の委託）
第8条　法第55条の4第1項の規定により就労自立給付金を支給する者は、被保護者との連絡上就労自立給付金の支給に関する事務を他の就労自立給付金を支給する者に委託して行うことが適当であると認めるときは、同条第3項の規定により、当該被保護者に係る就労自立給付金の支給に関する事務を他の就労自立給付金を支給する者に委託することができる。
2　就労自立給付金の支給に関する事務の委託に当たつては、関係の就労自立給付金を支給する者は、協議により当該委託に関する条件を定め、議会の同意を経なければならない。
3　就労自立給付金を支給する者は、法第55条の4第3項の規定により就労自立給付金の支給に関する事務の委託を行い、又は委託を受けたときは、その旨を告示しなければならない。
（進学・就職準備給付金の支給に関する事務の委託）
第8条の2　前条の規定は、進学・就職準備給付金の支給について準用する。
（繰替支弁）
第9条　都道府県、市及び福祉事務所を設置する町村が、法第72条第1項の規定によりその長の管理に属する福祉事務所の所管区域内に所在する保護施設、指定医療機関その他これらに準ずる施設で厚生労働大臣の指定するものに対し一時繰替支弁する保護費及び保護施設事務費の額は、当該施設の所在する市町村における保護費及び保護施設事務費の基準によつて算出するものとする。
（負担金及び補助金算出の基礎）
第10条　法第73条又は第75条（第1項第3号及び第4号を除く。）に規定する都道府県又は国の負担及び補助は、各年度において、厚生労働大臣の定める基準に従つて市町村又

は都道府県が法第70条（第4号及び第6号から第8号までを除く。）、第71条（第4号及び第6号から第8号までを除く。）又は第74条第1項の規定により支弁し、又は補助した費用の額から、法第63条の規定により被保護者が返還した額、法第76条の2の規定に基づき支払を受ける損害賠償金、法第77条、第77条の2第1項又は第78条第1項から第3項までの規定により徴収した額（同条第1項から第3項までの規定によりその徴収する額又は返還させるべき額に100分の40を乗じて得た額以下の金額を徴収した場合にあつては、当該徴収した額を除く。）及び生活保護のためのその他の収入の額（法第55条の7第1項に規定する被保護者就労支援事業（第3項第1号において「被保護者就労支援事業」という。）及び法第55条の8第1項に規定する被保護者健康管理支援事業（同号において「被保護者健康管理支援事業」という。）に係るものを除く。）を控除した精算額について行う。

2　前項の規定により控除しなければならない額が、その年度において市町村又は都道府県が支弁し、又は補助した費用の額を超過するときは、その超過する額を後年度における支弁額又は補助額から控除する。

3　法第75条第1項（第3号及び第4号に限る。）に規定する国の負担は、各年度において、次に掲げる額のうちいずれか低い額について行う。

一　被保護者就労支援事業及び被保護者健康管理支援事業の実施に要する費用について市町村又は都道府県の設置する福祉事務所の所管区域内の町村における人口、被保護者の数その他の事情を勘案して厚生労働大臣が定める基準に基づき算定した額

二　市町村又は都道府県が法第70条（第6号に限る。）又は第71条（第6号に限る。）の規定により支弁した費用の額（その費用のための収入があるときは、当該収入の額を控除した額）

4　前項第2号の規定により控除しなければならない額が、その年度において市町村又は都道府県が支弁した費用の額を超過するときは、その超過する額を後年度における支弁額から控除する。

（大都市等の特例）

第11条　地方自治法（昭和22年法律第67号）第252条の19第1項の指定都市（以下「指定都市」という。）において、法第84条の2第1項の規定により、指定都市が処理する事務については、地方自治法施行令（昭和22年政令第16号）第174条の29第1項から第5項までに定めるところによる。

2　地方自治法第252条の22第1項の中核市（以下「中核市」という。）において、法第84条の2第1項の規定により、中核市が処理する事務については、地方自治法施行令第174条の49の5に定めるところによる。

（町村の一部事務組合等）

第12条　町村が一部事務組合又は広域連合を設けて福祉事務所を設置した場合には、この政令の適用については、その一部事務組合又は広域連合を福祉事務所を設置する町村とみなし、その一部事務組合の管理者（地方自治法第287条の3第2項の規定により管理者に代えて理事会を置く同法第285条の一部事務組合にあつては、理事会）又は広域連

合の長(同法第291条の13において準用する同法第287条の3第2項の規定により長に代えて理事会を置く広域連合にあつては、理事会)を福祉事務所を管理する町村長とみなす。
　(事務の区分)
第13条　第1条第2項及び第3項の規定並びに第8条第2項及び第3項(これらの規定を第8条の2において準用する場合を含む。)の規定により都道府県、市及び福祉事務所を設置する町村が処理することとされている事務は、地方自治法第2条第9項第1号に規定する第1号法定受託事務とする。
　　　附　則
　(施行期日)
1　この政令は、公布の日〔昭和25年5月20日〕から施行する。但し、第10条の規定は、昭和25年5月1日以降の給付について適用する。
　(生活保護法施行令の廃止)
2　生活保護法施行令(昭和21年勅令第438号)は、廃止する。
　(国の貸付金の償還期間等)
3　法附則第10項に規定する政令で定める期間は、5年(2年の据置期間を含む。)とする。
4　前項に規定する期間は、日本電信電話株式会社の株式の売払収入の活用による社会資本の整備の促進に関する特別措置法(昭和62年法律第86号)第5条第1項の規定により読み替えて準用される補助金等に係る予算の執行の適正化に関する法律(昭和30年法律第179号)第6条第1項の規定による貸付けの決定(以下「貸付決定」という。)ごとに、当該貸付決定に係る法附則第9項の規定による国の貸付金(以下「国の貸付金」という。)の交付を完了した日(その日が当該貸付決定があつた日の属する年度の末日の前日以後の日である場合には、当該年度の末日の前々日)の翌日から起算する。
5　国の貸付金の償還は、均等年賦償還の方法によるものとする。
6　国は、国の財政状況を勘案し、相当と認めるときは、国の貸付金の全部又は一部について、前3項の規定により定められた償還期限を繰り上げて償還させることができる。
7　法附則第13項に規定する政令で定める場合は、前項の規定により償還期限を繰り上げて償還を行つた場合とする。
　　　附　則(第40次改正)
この政令は、公布の日〔令和6年4月24日〕から施行する。

I　生活保護法関係法令　第1章　基本法令

●生活保護法施行規則

（昭和25年5月20日　厚生省令第21号）

〔一部改正経過〕

- 第1次　昭和26年5月1日厚生省令第18号「あん摩、はり、きゅう、柔道整復等営業法施行規則の一部を改正する省令」附則第2項による改正
- 第2次　昭和26年9月13日厚生省令第38号「生活保護法施行規則の一部を改正する省令」による改正
- 第3次　昭和27年6月9日厚生省令第21号「生活保護法施行規則の一部を改正する省令」による改正
- 第4次　昭和28年4月20日厚生省令第17号「生活保護法施行規則の一部を改正する省令」による改正
- 第5次　昭和28年11月12日厚生省令第65号「生活保護法施行規則の一部を改正する省令」による改正
- 第6次　昭和29年6月21日厚生省令第24号「身体障害者福祉法施行規則の一部を改正する省令」附則第3項による改正
- 第7次　昭和31年9月22日厚生省令第37号「生活保護法施行規則の一部を改正する省令」による改正
- 第8次　昭和31年12月20日厚生省令第52号「生活保護法施行規則の一部を改正する省令」による改正
- 第9次　昭和32年4月1日厚生省令第6号「生活保護法施行規則の一部を改正する省令」による改正
- 第10次　昭和33年10月31日厚生省令第35号「生活保護法施行規則の一部を改正する省令」による改正
- 第11次　昭和36年2月1日厚生省令第1号「薬事法施行規則」附則第9項による改正
- 第12次　昭和36年8月1日厚生省令第35号「保険医療機関及び保険薬局の療養の給付に関する費用の請求に関する省令等の一部を改正する省令」第4条による改正
- 第13次　昭和37年10月1日厚生省令第47号「優生保護法施行規則等の一部を改正する省令」第3条による改正
- 第14次　昭和38年9月27日厚生省令第44号「保険医療機関及び保険薬局の療養の給付に関する費用の請求に関する省令等の一部を改正する省令」第4条による改正
- 第15次　昭和39年5月12日厚生省令第22号「生活保護法施行規則等の一部を改正する省令」第1条による改正
- 第16次　昭和39年9月28日厚生省令第40号「あん摩師、はり師、きゅう師及び柔道整復師法施行規則の一部を改正する省令」附則第2項による改正
- 第17次　昭和40年1月30日厚生省令第7号「保険医療機関及び保険薬局の療養の給付に関する費用の請求に関する省令等の一部を改正する省令」第4条による改正
- 第18次　昭和40年10月28日厚生省令第49号「保険医療機関及び保険薬局の療養の給付に関する費用の請求に関する省令等の一部を改正する省令」第4条による改正
- 第19次　昭和41年12月1日厚生省令第41号「保険医療機関及び保険薬局の療養の給付に関する費用の請求に関する省令等の一部を改正する省令」第4条による改正
- 第20次　昭和42年11月30日厚生省令第52号「保険医療機関及び保険薬局の療養の給付に関する費用の請求に関する省令等の一部を改正する省令」第4条による改正
- 第21次　昭和43年4月1日厚生省令第8号「生活保護法施行規則の一部を改正する省令」による改正
- 第22次　昭和44年7月1日厚生省令第17号「児童福祉法施行規則等の一部を改正する省令」第5条による改正
- 第23次　昭和45年1月31日厚生省令第4号「保険医療機関及び保険薬局の療養の給付に関する費用の請求に関する省令等の一部を改正する省令」第4条による改正
- 第24次　昭和45年4月1日厚生省令第10号「生活保護法施行規則の一部を改正する省令」による改正
- 第25次　昭和45年7月10日厚生省令第42号「あん摩マッサージ指圧師、はり師、きゅう師、柔道整復師等に関する法律施行規則等の一部を改正する省令」第2条による改正
- 第26次　昭和47年2月23日厚生省令第4号「保険医療機関及び保険薬局の療養の給付に関する費用の請求に関する省令等の一部を改正する省令」第4条による改正
- 第27次　昭和48年3月22日厚生省令第8号「生活保護法施行規則の一部を改正する省令」による改正

第28次	昭和49年1月31日厚生省令第2号「保険医療機関及び保険薬局の療養の給付に関する費用の請求に関する省令等の一部を改正する省令」第4条による改正
第29次	昭和49年10月12日厚生省令第39号「保険医療機関及び保険薬局の療養の給付に関する費用の請求に関する省令等の一部を改正する省令」第4条による改正
第30次	昭和51年4月27日厚生省令第14号「保険医療機関及び保険薬局の療養の給付に関する費用の請求に関する省令等の一部を改正する省令」第4条による改正
第31次	昭和51年8月7日厚生省令第37号「児童福祉法施行規則等の一部を改正する省令」第3条による改正
第32次	昭和51年8月2日厚生省令第36号「療養の給付及び公費負担医療に関する費用の請求に関する省令」附則第17条（昭和51年8月厚生省令第37号により一部改正）による改正
第33次	昭和57年3月31日厚生省令第13号「生活保護法施行規則の一部を改正する省令」による改正
第34次	昭和58年1月31日厚生省第3号「療養の給付及び公費負担医療に関する費用の請求に関する省令並びに療養取扱機関の療養の給付に関する費用の請求及び療養取扱機関の公費負担医療に関する費用の請求に関する省令の一部を改正する省令」附則第5項による改正
第35次	昭和59年3月31日厚生省令第18号「国家公務員及び公共企業体職員に係る共済組合制度の統合等を図るための国家公務員共済組合法等の一部を改正する法律の施行に伴う厚生省関係省令の整備等に関する省令」第2条による改正
第36次	昭和59年9月22日厚生省令第49号「健康保険法施行規則等の一部を改正する省令」第10条による改正
第37次	昭和60年7月12日厚生省令第31号「伝染病予防法施行規則等の一部を改正する省令」第5条による改正
第38次	昭和62年3月23日厚生省令第15号「医療法施行規則等の一部を改正する省令」第7条による改正
第39次	昭和63年3月30日厚生省令第22号「老人保健法施行規則等の一部を改正する省令」第8条による改正
第40次	昭和63年3月30日厚生省令第23号「老人保健施設療養費等の請求に関する省令」附則第2条による改正
第41次	平成2年12月28日厚生省令第59号「老人福祉法施行規則等の一部を改正する省令」第7条による改正
第42次	平成6年6月14日厚生省令第39号「生活保護法施行規則の一部を改正する省令」による改正
第43次	平成6年9月9日厚生省令第56号「健康保険法施行規則等の一部を改正する等の省令」第18条による改正
第44次	平成6年10月14日厚生省令第67号「療養の給付、老人医療及び公費負担医療に関する費用の請求に関する省令等の一部を改正する等の省令」第8条による改正
第45次	平成7年2月27日厚生省令第5号「国民生活基礎調査規則等の一部を改正する省令」第7条による改正
第46次	平成7年6月14日厚生省令第36号「身体障害者福祉法施行規則等の一部を改正する省令」第2条による改正
第47次	平成9年3月28日厚生省令第31号「厚生年金保険法施行規則等の一部を改正する等の省令」第6条による改正
第48次	平成11年11月1日厚生省令第91号「介護保険法等の施行に伴う厚生省関係省令の整備等に関する省令」第10条による改正
第49次	平成12年3月7日厚生省令第20号「介護給付費及び公費負担医療等に関する費用の請求に関する省令」附則第4条による改正
第50次	平成12年3月31日厚生省令第78号「生活保護法施行規則の一部を改正する省令」による改正
第51次	平成12年10月20日厚生省令第127号「中央省庁等改革のための健康保険法施行規則等の一部を改正する等の省令」第18・191条による改正
第52次	平成13年7月16日厚生労働省令第173号「生活保護法施行規則の一部を改正する省令」による改正
第53次	平成14年2月22日厚生労働省令第14号「保健婦助産婦看護婦法施行規則等の一部を改正する省令」第7条による改正
第54次	平成14年9月5日厚生労働省令第117号「健康保険法施行規則等の一部を改正する等の省令」第8条による改正
第55次	平成16年4月1日厚生労働省令第88号「生活保護法施行規則等の一部を改正する省令」第1条による改正
第56次	平成16年7月9日厚生労働省令第112号「薬事法施行規則等の一部を改正する省令」第3条による改正
第57次	平成17年6月29日厚生労働省令第104号「介護保険法施行規則等の一部を改正する省令」第10条による改正
第58次	平成17年9月30日厚生労働省令第151号「生活保護法施行規則の一部を改正する省令」による改正

第59次	平成18年3月31日厚生労働省令第83号「生活保護法施行規則の一部を改正する省令」による改正
第60次	平成19年3月30日厚生労働省令第46号「生活保護法施行規則の一部を改正する省令」による改正
第61次	平成20年3月31日厚生労働省令第77号「健康保険法施行規則等の一部を改正する省令」附則第18条による改正
第62次	平成21年3月30日厚生労働省令第54号「介護保険法施行規則等の一部を改正する省令」第3条による改正
第63次	平成24年1月30日厚生労働省令第10号「健康保険法等の一部を改正する法律の一部の施行に伴う厚生労働省関係省令の整備に関する省令」第11条による改正
第64次	平成24年3月13日厚生労働省令第30号「介護保険法施行規則等の一部を改正する省令」附則第7条による改正
第65次	平成25年12月25日厚生労働省令第134号「生活保護法施行規則の一部を改正する省令」による改正
第66次	平成26年4月18日厚生労働省令第57号「生活保護法施行規則の一部を改正する省令」による改正
第67次	平成26年7月30日厚生労働省令第87号「薬事法等の一部を改正する法律及び薬事法等の一部を改正する法律の施行に伴う関係政令の整備等及び経過措置に関する政令の施行に伴う関係省令の整備等に関する省令」第18条による改正
第68次	平成27年2月4日厚生労働省令第15号「生活保護法施行規則の一部を改正する省令」による改正
第69次	平成27年3月31日厚生労働省令第57号「地域における医療及び介護の総合的な確保を推進するための関係法律の整備等に関する法律の一部の施行に伴う厚生労働省関係省令の整備等に関する省令」第11条による改正
第70次	平成30年3月22日厚生労働省令第30号「介護保険法施行規則等の一部を改正する等の省令」第14条による改正
第71次	平成30年6月8日厚生労働省令第72号「生活保護法施行規則及び生活保護法別表第1に規定する厚生労働省令で定める情報を定める省令の一部を改正する省令」第1条による改正
第72次	平成30年9月28日厚生労働省令第117号「生活困窮者の自立を促進するための生活困窮者自立支援法等の一部を改正する法律の施行に伴う厚生労働省関係省令の整備等に関する省令」第2条による改正
第73次	令和元年6月28日厚生労働省令第20号「不正競争防止法等の一部を改正する法律の施行に伴う厚生労働省関係省令の整備に関する省令」第8条による改正
第74次	令和元年9月13日厚生労働省令第46号「成年被後見人等の権利の制限に係る措置の適正化等を図るための関係法律の整備に関する法律の施行に伴う厚生労働省関係省令の整備等に関する省令」第6条による改正
第75次	令和2年9月11日厚生労働省令第158号「生活保護法施行規則及び厚生労働省組織規則の一部を改正する省令」第1条による改正
第76次	令和2年12月9日厚生労働省令第198号「生活保護法施行規則の一部を改正する省令」による改正
第77次	令和2年10月16日厚生労働省令第174号「生活保護法施行規則の一部を改正する省令」による改正
第78次	令和3年6月11日厚生労働省令第103号「生活保護法施行規則及び生活保護法別表第1に規定する厚生労働省令で定める情報を定める省令の一部を改正する省令」第1条による改正
第79次	令和5年3月31日厚生労働省令第48号「こども家庭庁設置法の施行に伴う厚生労働省関係省令の整備等に関する省令」第4条による改正
第80次	令和5年3月31日厚生労働省令第55号「生活保護法施行規則及び保険医療機関及び保険薬局の指定並びに保険医及び保険薬剤師の登録に関する省令等の一部を改正する省令」第1条による改正
第81次	令和5年9月29日厚生労働省令第127号「身体障害者福祉法施行規則等の一部を改正する省令」第2条による改正
第82次	令和6年2月2日厚生労働省令第24号「全世代対応型の社会保障制度を構築するための健康保険法等の一部を改正する法律の一部の施行に伴う関係省令の整備に関する省令」第5条による改正
第83次	令和6年3月26日厚生労働省令第55号「生活保護法施行規則の一部を改正する省令」による改正
第84次	令和6年3月27日厚生労働省令第56号「健康保険法施行規則等の一部を改正する省令」第3条による改正
第85次	令和6年4月24日厚生労働省令第78号「生活保護法施行規則及び生活保護法別表第1に規定する厚生労働省令で定める情報を定める省令の一部を改正する省令」第1条による改正

生活保護法（昭和25年法律第144号）第28条第2項、第44条第2項及び第54条第2項の規定により準用される第28条第2項、第53条第3項、第73条第2項並びに第82条の規定に基き、生活保護法施行規則を次のように定める。

生活保護法施行規則

（申請）
第1条　生活保護法（昭和25年法律第144号。以下「法」という。）第24条第1項（同条第9項において準用する場合を含む。次項において同じ。）の規定による保護の開始の申請は、保護の開始を申請する者（以下「申請者」という。）の居住地又は現在地の保護の実施機関に対して行うものとする。

2　保護の実施機関は、法第24条第1項の規定による保護の開始の申請について、申請者が申請する意思を表明しているときは、当該申請が速やかに行われるよう必要な援助を行わなければならない。

3　法第24条第1項第5号（同条第9項において準用する場合を含む。）の厚生労働省令で定める事項は、次の各号に掲げる事項とする。
　一　要保護者の性別、生年月日及び個人番号（行政手続における特定の個人を識別するための番号の利用等に関する法律（平成25年法律第27号）第2条第5項に規定する個人番号をいう。以下同じ。）
　二　その他必要な事項

4　法第15条の2第1項に規定するところの介護扶助（同条第2項に規定する居宅介護又は同条第5項に規定する介護予防に限る。）を申請する者は、法第15条の2第3項に規定する居宅介護支援計画又は同条第6項に規定する介護予防支援計画の写しを添付しなければならない。ただし、介護保険法（平成9年法律第123号）第9条各号のいずれにも該当しない者であつて保護を要するものが介護扶助の申請を行う場合は、この限りでない。

5　法第18条第2項に規定する葬祭扶助を申請する者は、次に掲げる事項を記載した申請書を保護の実施機関（法第18条第2項第2号に掲げる場合にあつては、当該死者の生前の居住地又は現在地の保護の実施機関）に提出しなければならない。ただし、当該申請書を作成することができない特別の事情があるときは、この限りではない。
　一　申請者の氏名及び住所又は居所
　二　死者の氏名、生年月日、死亡の年月日、死亡時の住所又は居所及び葬祭を行う者との関係
　三　葬祭を行うために必要とする金額
　四　法第18条第2項第2号の場合においては、遺留の金品の状況

6　保護の実施機関は、第4項又は前項に規定する書類又は申請書のほか、保護の決定に必要な書類の提出を求めることができる。

（扶養義務者に対する通知）
第2条　法第24条第8項による通知は、次の各号のいずれにも該当する場合に限り、行うものとする。

一 保護の実施機関が、当該扶養義務者に対して法第77条第１項の規定による費用の徴収を行う蓋然性が高いと認めた場合
二 保護の実施機関が、申請者が配偶者からの暴力の防止及び被害者の保護等に関する法律（平成13年法律第31号）第１条第１項に規定する配偶者からの暴力を受けているものでないと認めた場合
三 前各号に掲げる場合のほか、保護の実施機関が、当該通知を行うことにより申請者の自立に重大な支障を及ぼすおそれがないと認めた場合
2 法第24条第８項に規定する厚生労働省令で定める事項は、次に掲げるものとする。
一 申請者の氏名
二 前号に規定する者から保護の開始の申請があつた日
（報告の求め）
第３条 保護の実施機関は、法第28条第２項の規定により要保護者の扶養義務者に報告を求める場合には、当該扶養義務者が民法（明治29年法律第89号）の規定による扶養義務を履行しておらず、かつ、当該求めが次の各号のいずれにも該当する場合に限り、行うものとする。
一 保護の実施機関が、当該扶養義務者に対して法第77条第１項の規定による費用の徴収を行う蓋然性が高いと認めた場合
二 保護の実施機関が、要保護者が配偶者からの暴力の防止及び被害者の保護等に関する法律第１条第１項に規定する配偶者からの暴力を受けているものでないと認めた場合
三 前各号に掲げる場合のほか、保護の実施機関が、当該求めを行うことにより要保護者の自立に重大な支障を及ぼすおそれがないと認めた場合
（立入調査票）
第４条 法第28条第３項の規定によつて当該職員の携帯すべき証票は、様式第１号による。
（後発医薬品）
第４条の２ 法第34条第３項に規定する厚生労働省令で定めるものは、次の各号に掲げるもの以外の医薬品とする。
一 医薬品、医療機器等の品質、有効性及び安全性の確保等に関する法律（昭和35年法律第145号）第14条の４第１項第２号に掲げる医薬品
二 医薬品、医療機器等の品質、有効性及び安全性の確保等に関する法律第14条の４第１項各号に掲げる医薬品に係る承認を受けている者が、当該承認に係る医薬品と有効成分、分量、用法、用量、効能及び効果が同一であつてその形状、有効成分の含量又は有効成分以外の成分若しくはその含量が異なる医薬品に係る承認を受けている場合における当該医薬品
（法第34条第５項の厚生労働省令で定める方法）
第４条の３ 法第34条第５項の厚生労働省令で定める方法は、次の各号に掲げる場合（急迫した事由その他やむを得ない事由によつて、被保護者が指定医療機関から、電子資格

確認により医療扶助を受給する被保護者であることの確認を受けることができない場合に限る。）の区分に応じ、当該各号に定めるものを提出する方法とする。
一　指定医療機関（指定医療機関である薬局（次号及び第3項において「指定薬局」という。）を除く。次号及び第2項において同じ。）から法第34条第2項に規定する医療の給付（以下単に「医療の給付」という。）を受けようとする場合　医療券（初診券を含む。以下同じ。）
二　指定薬局から医療の給付を受けようとする場合　調剤券（指定医療機関が被保護者に処方箋を交付する場合においては、調剤券及び処方箋）
2　前項第1号の医療券とは、保護の実施機関が医療の給付を指定医療機関に委託して行うに当たり発給する書面をいう。
3　第1項第2号の調剤券とは、保護の実施機関が医療の給付を指定薬局に委託して行うに当たり発給する書面をいう。
（法第34条第6項の厚生労働省令で定める方法）
第4条の4　法第34条第6項の厚生労働省令で定める方法は、利用者証明用電子証明書（電子署名等に係る地方公共団体情報システム機構の認証業務に関する法律（平成14年法律第153号）第22条第1項に規定する利用者証明用電子証明書をいう。）を送信する方法とする。
（設置の届出）
第5条　法第40条第2項に規定する厚生労働省令で定める事項は、法第41条第2項各号に掲げる事項（市町村が設置する場合にあつては、第2号及び第3号に掲げる事項を除く。）とする。
2　市町村は、その区域外に保護施設を設置しようとするときは、法第40条第2項の規定による届出の際、その施設を設置しようとする区域の市町村の同意書を提出しなければならない。
3　地方独立行政法人は、法第40条第2項の規定による届出の際、その施設を設置しようとする区域の市町村の意見書を提出しなければならない。
（認可の申請）
第6条　法第41条第2項の規定による認可の申請は、その施設を設置しようとする区域の市町村の意見書を添付して、その施設の主として利用される地域の都道府県知事に提出しなければならない。
（廃止等の報告）
第7条　市町村又は地方独立行政法人が、その設置した保護施設を法第40条第3項の規定により廃止し、又はその事業を縮小し、若しくは休止したときは、その旨を、速やかに、設置の届出を受理した都道府県知事に報告しなければならない。
（廃止等の通知）
第8条　都道府県が、その区域外に設置した保護施設を法第40条第3項の規定により廃止し、又はその事業を休止したときは、その保護施設の所在地の都道府県知事及び市町村長にその旨を、速やかに、通知しなければならない。

2　都道府県が、その区域内に設置した保護施設を法第40条第3項の規定により廃止し、又はその事業を休止したときは、その保護施設の所在地の市町村長にその旨を、速やかに、通知しなければならない。

3　市町村が、その区域外に設置した保護施設を法第40条第3項の規定により廃止し、又はその事業を休止したときは、その保護施設の所在地の市町村長にその旨を、速やかに、通知しなければならない。

4　地方独立行政法人が、その設置した保護施設を法第40条第3項の規定により廃止し、又はその事業を休止したときは、その保護施設の所在地の都道府県知事及び市町村長にその旨を、速やかに、通知しなければならない。

（立入検査票）

第9条　法第44条第2項又は第54条第2項（法第54条の2第5項及び第6項並びに第55条第2項において準用する場合を含む。）の規定によつて当該職員の携帯すべき証票は、様式第2号による。

（指定医療機関の指定の申請）

第10条　法第49条の2第1項の規定に基づき指定医療機関の指定を受けようとする病院若しくは診療所又は薬局の開設者は、次に掲げる事項（第6項の規定により申請を行う場合にあつては、第3号に掲げる事項を除く。）を記載した申請書又は書類を、当該病院若しくは診療所又は薬局の所在地を管轄する地方厚生局長に提出しなければならない。

一　病院若しくは診療所又は薬局の名称及び所在地

二　病院若しくは診療所又は薬局の管理者の氏名

三　病院又は診療所にあつては保険医療機関（健康保険法（大正11年法律第70号）第63条第3項第1号に規定する保険医療機関をいう。以下同じ。）である旨、薬局にあつては保険薬局（同号に規定する保険薬局をいう。以下同じ。）である旨

四　法第49条の2第2項第2号から第9号まで（同条第4項（法第49条の3第4項及び第54条の2第5項において準用する場合を含む。）、第49条の3第4項、第54条の2第5項及び第55条第2項において準用する場合を含む。）に該当しないことを誓約する旨（以下「誓約事項」という。）

五　その他必要な事項

2　法第49条の2第4項において準用する同条第1項の規定に基づき指定医療機関の指定を受けようとする病院若しくは診療所（生活保護法施行令（昭和25年政令第148号）第4条各号に掲げるもの（以下「指定訪問看護事業者等」という。）を含む。）又は薬局の開設者は、次に掲げる事項（第6項の規定により申請を行う場合にあつては、第7号に掲げる事項を除く。）を記載した申請書又は書類を当該病院若しくは診療所又は薬局の所在地（指定訪問看護事業者等にあつては、当該指定に係る訪問看護ステーション等（指定訪問看護事業者等が当該指定に係る訪問看護事業（以下「指定訪問看護事業」という。）又は当該指定に係る居宅サービス事業（以下「指定居宅サービス事業」という。）若しくは当該指定に係る介護予防サービス事業（以下「指定介護予防サービス事業」という。）を行う事業所をいう。以下同じ。）の所在地）を管轄する都道府県知事に

提出しなければならない。
一　病院若しくは診療所又は薬局にあつては、その名称及び所在地
二　指定訪問看護事業者等にあつては、その名称及び主たる事務所の所在地並びに訪問看護ステーション等の名称及び所在地
三　病院若しくは診療所又は薬局にあつては、その開設者の氏名
四　指定訪問看護事業者等にあつては、その開設者の氏名、生年月日、住所及び職名又は名称
五　病院若しくは診療所又は薬局にあつては、その管理者の氏名
六　指定訪問看護事業者等にあつては、その管理者の氏名、生年月日及び住所
七　病院又は診療所にあつては保険医療機関である旨、薬局にあつては保険薬局である旨、指定訪問看護事業者等にあつては指定訪問看護事業者等である旨
八　誓約事項
九　その他必要な事項

3　法第49条の3第1項の規定に基づき厚生労働大臣による指定の更新を受けようとする国の開設した病院若しくは診療所又は薬局の開設者は、第1項各号に掲げる事項を記載した申請書又は書類を、当該指定に係る病院若しくは診療所又は薬局の所在地を管轄する地方厚生局長に提出しなければならない。

4　法第49条の3第1項の規定に基づき都道府県知事による指定の更新を受けようとする病院若しくは診療所又は薬局の開設者（指定訪問看護事業者等を除く。）は、第2項各号に掲げる事項を記載した申請書又は書類を、当該指定に係る病院若しくは診療所又は薬局の所在地を管轄する都道府県知事に提出しなければならない。

5　法第49条の3第1項の規定に基づき都道府県知事による指定の更新を受けようとする指定訪問看護事業者等は、第2項各号に掲げる事項及び現に受けている指定の有効期間満了日を記載した申請書又は書類を、当該指定に係る訪問看護ステーション等の所在地を管轄する都道府県知事に提出しなければならない。

6　第1項から第4項までの規定による申請（第2項の規定による申請のうち指定訪問看護事業者等に係るものを除く。）は、同時に健康保険法第65条第1項の規定により保険医療機関又は保険薬局の指定を受けようとする場合には、当該指定の申請に係る病院若しくは診療所又は薬局の所在地を管轄する地方厚生局又は地方厚生支局（地方厚生局又は地方厚生支局に分室がある場合においては当該分室。以下「地方厚生局等」という。）を経由して行うことができる。この場合においては、保険医療機関及び保険薬局の指定並びに保険医及び保険薬剤師の登録に関する省令（昭和32年厚生省令第13号）第3条第2項に規定する申請書により行うものとする。

（法第49条の2第2項第4号の厚生労働省令で定める同号本文に規定する指定の取消しに該当しないこととすることが相当であると認められるもの）

第10条の2　法第49条の2第2項第4号（同条第4項（法第49条の3第4項及び第54条の2第5項において準用する場合を含む。）、第49条の3第4項及び第54条の2第5項において準用する場合を含む。）に規定する厚生労働省令で定める同号本文に規定する指定

の取消しに該当しないこととすることが相当であると認められるものは、厚生労働大臣又は都道府県知事が法第54条第1項（法第54条の2第5項において準用する場合を含む。）その他の規定による報告等の権限を適切に行使し、当該指定の取消しの処分の理由となった事実その他の当該事実に関して当該病院若しくは診療所又は薬局の開設者が有していた責任の程度を確認した結果、当該開設者が当該指定の取消しの理由となった事実について組織的に関与していると認められない場合に係るものとする。
　（聴聞決定予定日の通知）
第10条の3　法第49条の2第2項第6号（同条第4項（法第49条の3第4項及び第54条の2第5項において準用する場合を含む。）、第49条の3第4項、第54条の2第5項及び第55条第2項において準用する場合を含む。）の規定による通知をするときは、法第54条第1項（法第54条の2第5項及び第55条第2項において準用する場合を含む。）の規定による検査が行われた日（以下この条において「検査日」という。）から10日以内に、検査日から起算して60日以内の特定の日を通知するものとする。
　（法第49条の2第4項において読み替えて準用する同条第2項第1号に規定する厚生労働省令で定める事業所又は施設）
第10条の4　法第49条の2第4項において読み替えて準用する同条第2項第1号に規定する厚生労働省令で定める事業所又は施設は、訪問看護ステーション等とする。
　（厚生労働省令で定める指定医療機関）
第10条の5　法第49条の3第4項で準用する健康保険法第68条第2項の厚生労働省令で定める指定医療機関は、保険医（同法第64条に規定する保険医をいう。）である医師若しくは歯科医師の開設する診療所である保険医療機関又は保険薬剤師（同法第64条に規定する保険薬剤師をいう。）である薬剤師の開設する保険薬局であつて、その指定を受けた日からおおむね引き続き当該開設者である保険医若しくは保険薬剤師のみが診療若しくは調剤に従事しているもの又はその指定を受けた日からおおむね引き続き当該開設者である保険医若しくは保険薬剤師及びその者と同一の世帯に属する配偶者、直系血族若しくは兄弟姉妹である保険医若しくは保険薬剤師のみが診療若しくは調剤に従事しているものとする。
　（指定介護機関の指定の申請等）
第10条の6　法第54条の2第5項において準用する第49条の2第1項の規定により指定介護機関の指定を受けようとする地域密着型介護老人福祉施設、介護老人福祉施設、介護老人保健施設又は介護医療院の開設者は、次に掲げる事項を記載した申請書又は書類を、当該施設の所在地を管轄する地方厚生局長に提出しなければならない。
　一　地域密着型介護老人福祉施設、介護老人福祉施設、介護老人保健施設又は介護医療院の施設の種類並びに名称及び所在地
　二　地域密着型介護老人福祉施設、介護老人福祉施設、介護老人保健施設又は介護医療院の管理者の氏名、生年月日及び住所
　三　当該申請に係る地域密着型介護老人福祉施設、介護老人福祉施設、介護老人保健施設又は介護医療院が、介護保険法第42条の2第1項若しくは第48条第1項第1号の指

定又は同法第94条第1項若しくは第107条第1項の許可を受けている場合は、その旨
　四　誓約事項
　五　その他必要な事項
2　法第54条の2第5項において準用する第49条の2第4項において準用する同条第1項又は法第54条の2第6項において準用する同条第1項の規定により指定介護機関の指定を受けようとする介護機関の開設者は、次に掲げる事項を記載した申請書又は書類を当該介護機関の所在地（その事業として居宅介護を行う者（以下「居宅介護事業者」という。）にあつては当該申請に係る居宅介護事業（居宅介護を行う事業をいう。以下同じ。）を行う事業所（以下「居宅介護事業所」という。）の所在地、その事業として居宅介護支援計画を作成する者（以下「居宅介護支援事業者」という。）にあつては当該申請に係る居宅介護支援事業（居宅介護支援計画を作成する事業をいう。以下同じ。）を行う事業所（以下「居宅介護支援事業所」という。）の所在地、特定福祉用具販売事業者（法第34条の2第2項に規定する特定福祉用具販売事業者をいう。以下同じ。）にあつては、当該申請に係る特定福祉用具販売事業（介護保険法第8条第13項に規定する特定福祉用具販売を行う事業をいう。以下同じ。）を行う事業所（以下「特定福祉用具販売事業所」という。）の所在地、その事業として介護予防を行う者（以下「介護予防事業者」という。）にあつては当該申請に係る介護予防事業（介護予防を行う事業をいう。以下同じ。）を行う事業所（以下「介護予防事業所」という。）の所在地、その事業として法第15条の2第6項に規定する介護予防支援計画を作成する者（以下「介護予防支援事業者」という。以下同じ。）にあつては当該申請に係る介護予防支援事業（介護予防支援計画を作成する事業をいう。以下同じ。）を行う事業所（以下「介護予防支援事業所」という。）の所在地、特定介護予防福祉用具販売事業者（法第34条の2第2項に規定する特定介護予防福祉用具販売事業者をいう。以下同じ。）にあつては当該申請に係る特定介護予防福祉用具販売事業（介護保険法第8条の2第11項に規定する特定介護予防福祉用具販売を行う事業をいう。以下同じ。）を行う事業所（以下「特定介護予防福祉用具販売事業所」という。）の所在地、介護予防・日常生活支援事業者（法第34条の2第2項に規定する介護予防・日常生活支援事業者をいう。以下同じ。）にあつては当該申請に係る介護予防・日常生活支援事業（介護保険法第115条の45第1項第1号に規定する第1号事業を行う事業をいう。以下同じ。）を行う事業所（以下「介護予防・日常生活支援事業所」という。）の所在地（次条において同じ。））を管轄する都道府県知事に提出しなければならない。
　一　地域密着型介護老人福祉施設、介護老人福祉施設、介護老人保健施設又は介護医療院にあつては、当該施設の種類並びに名称及び所在地
　二　介護機関の開設者の氏名、生年月日、住所及び職名又は名称
　三　介護機関の管理者の氏名、生年月日及び住所
　四　居宅介護事業者、居宅介護支援事業者、特定福祉用具販売事業者、介護予防事業者、介護予防支援事業者、特定介護予防福祉用具販売事業者又は介護予防・日常生活支援事業者にあつては、その名称及び主たる事務所の所在地、当該申請に係る事業を

行う事業所の名称及び所在地並びに当該申請に係る事業所において行う事業の種類
　五　当該申請に係る介護機関が、介護保険法第41条第1項、第42条の2第1項、第46条第1項、第48条第1項第1号、第53条第1項、第54条の2第1項、第58条第1項若しくは第115条の45の3第1項の指定又は同法94条第1項若しくは第107条第1項の許可を受けている場合は、その旨
　六　誓約事項
　七　その他必要な事項
　（指定介護機関の指定に係る介護機関の別段の申出）
第10条の7　法第54条の2第2項ただし書の規定による別段の申出は、次に掲げる事項を記載した申出書を当該介護機関の所在地を管轄する都道府県知事（国の開設した介護老人保健施設又は介護医療院にあつては、当該施設の所在地を管轄する地方厚生局長）に提出することにより行うものとする。
　一　介護機関の名称及び所在地
　二　介護機関の開設者及び管理者の氏名及び住所
　三　当該申出に係る施設又は事業所において行う事業の種類
　四　法第54条の2第2項本文に係る指定を不要とする旨
　（指定助産機関及び指定施術機関の指定の申請等）
第10条の8　法第55条第2項において準用する第49条の2第1項の規定により指定助産機関又は指定施術機関の指定を受けようとする助産師又はあん摩マッサージ指圧師、はり師、きゆう師若しくは柔道整復師（以下「施術者」という。）は、次に掲げる事項を記載した申請書又は書類を当該助産師又は施術者の住所地（助産所又は施術所を開設している助産師又は施術者にあつては、当該助産所又は施術所の所在地）を管轄する都道府県知事に提出しなければならない。
　一　助産師又は施術者の氏名、生年月日及び住所（助産所又は施術所を開設している助産師又は施術者にあつては、その氏名及び生年月日並びに助産所又は施術所の名称及び所在地）
　二　誓約事項
　三　その他必要な事項
２　前項の申請書には、免許証の写しを添付しなければならない。
　（保護の実施機関の意見聴取）
第11条　法第49条、第54条の2第1項若しくは第55条第1項又は第49条の3第1項の規定により都道府県知事が、指定医療機関、指定介護機関又は指定助産機関若しくは指定施術機関の指定又は指定医療機関の指定の更新をするに当たつては、当該指定に係る病院若しくは診療所又は薬局、介護機関又は助産師若しくは施術者の所在地又は住所地（指定訪問看護事業者等にあつては第10条第2項の申請に係る訪問看護ステーション等の所在地又は居宅介護事業者、居宅介護支援事業者、特定福祉用具販売事業者、介護予防事業者、介護予防支援事業者、特定介護予防福祉用具販売事業者若しくは介護予防・日常生活支援事業者にあつては第10条の6第2項の申請に係る居宅介護事業所、居宅介護支

援事業所、特定福祉用具販売事業所、介護予防事業所、介護予防支援事業所、特定介護予防福祉用具販売事業所若しくは介護予防・日常生活支援事業所の所在地)の保護の実施機関の意見を聴くことができる。
(指定の告示)
第12条 厚生労働大臣又は都道府県知事が法第55条の3 (同条第1号の場合に限る。)の規定により告示する事項は、次に掲げる事項とする。
一 指定年月日
二 病院、診療所若しくは薬局又は地域密着型介護老人福祉施設、介護老人福祉施設、介護老人保健施設若しくは介護医療院にあつてはその名称及び所在地
三 指定訪問看護事業者等又は居宅介護事業者、居宅介護支援事業者、特定福祉用具販売事業者、介護予防事業者、介護予防支援事業者、特定介護予防福祉用具販売事業者若しくは介護予防・日常生活支援事業者にあつてはその名称及び主たる事務所の所在地並びに当該指定に係る訪問看護ステーション等又は居宅介護事業所、居宅介護支援事業所、特定福祉用具販売事業所、介護予防事業所、介護予防支援事業所、特定介護予防福祉用具販売事業所若しくは介護予防・日常生活支援事業所の名称及び所在地
四 助産師又は施術者にあつてはその氏名及び住所(助産所又は施術所を開設している助産師又は施術者にあつてはその氏名並びに助産所又は施術所の名称及び所在地)
(標示)
第13条 指定医療機関、指定介護機関又は指定助産機関若しくは指定施術機関は、様式第3号の標示を、その業務を行う場合の見やすい箇所に掲示しなければならない。
(変更等の届出)
第14条 法第50条の2(法第54条の2第5項及び第6項並びに第55条第2項において準用する場合を含む。次項において同じ。)に規定する厚生労働省令で定める事項は、法第49条の指定医療機関の指定を受けた医療機関であつて、国の開設した病院若しくは診療所又は薬局にあつては第10条第1項各号(第4号を除く。)に掲げる事項とし、それ以外の病院若しくは診療所(指定訪問看護事業者等を含む。)又は薬局にあつては第10条第2項各号(第8号を除く。)に掲げる事項とし、法第54条の2第1項の指定介護機関の指定を受けた介護機関であつて、国の開設した地域密着型介護老人福祉施設、介護老人福祉施設、介護老人保健施設又は介護医療院にあつては第10条の6第1項各号(第4号を除く。)に掲げる事項とし、それ以外の介護機関にあつては同条第2項各号(第6号を除く。)に掲げる事項とし、法第55条第1項の指定助産機関又は指定施術機関の指定を受けた助産師又は施術者にあつては第10条の8第1項第1号及び第3号に掲げる事項(次項第1号において「届出事項」という。)とする。
2 法第50条の2の規定による届出は、次に掲げる事項を記載した届書を提出することにより行うものとする。
一 届出事項に変更があつたときは、変更があつた事項及びその年月日
二 事業を廃止し、休止し、又は再開するときは、その旨及びその年月日
3 前項の規定による厚生労働大臣又は都道府県知事への届出(指定介護機関並びに指定

助産機関及び指定施術機関に係るものを除く。）は、同時に保険医療機関及び保険薬局の指定並びに保険医及び保険薬剤師の登録に関する省令第8条第1項又は第2項の規定による届出を行おうとする場合には、当該届出に係る病院若しくは診療所又は薬局の所在地を管轄する地方厚生局等を経由して行うことができる。この場合においては、保険医療機関及び保険薬局の指定並びに保険医及び保険薬剤師の登録に関する省令第8条第1項又は第2項の規定による届出に係る書面に併記して行うものとする。

4　指定医療機関、指定介護機関、指定助産機関又は指定施術機関（以下「指定医療機関等」という。）は、医療法（昭和23年法律第205号）第24条、第28条若しくは第29条、健康保険法第95条、医薬品、医療機器等の品質、有効性及び安全性の確保等に関する法律第72条第4項、第75条第1項若しくは第75条の2第1項、医師法（昭和23年法律第201号）第7条第1項、歯科医師法（昭和23年法律第202号）第7条第1項、介護保険法第77条第1項、第78条の10第1項、第84条第1項、第92条第1項、第101条、第102条、第103条第3項、第104条第1項、第114条第1項、第114条の6第1項、第115条の9第1項、第115条の19第1項、第115条の29第1項若しくは第115条の35第6項、保健師助産師看護師法（昭和23年法律第203号）第14条第1項、あん摩マツサージ指圧師、はり師、きゆう師等に関する法律（昭和22年法律第217号）第9条第1項若しくは第11条第2項又は柔道整復師法（昭和45年法律第19号）第8条第1項若しくは第22条に規定する処分を受けたときは、その旨を記載した届書により、10日以内に、法第49条、第54条の2第1項又は第55条第1項の指定をした地方厚生局長又は都道府県知事に届け出なければならない。

　（変更等の告示）

第14条の2　厚生労働大臣又は都道府県知事が法第55条の3（第2号の場合に限る。）の規定により告示する事項は、第12条第2号から第4号までに掲げる事項とする。

　（指定の辞退）

第15条　法第51条第1項（法第54条の2第5項及び第6項並びに第55条第2項において準用する場合を含む。）の規定による指定の辞退は、その旨を記載した届書を、法第49条、第54条の2第1項又は第55条第1項の指定をした地方厚生局長又は都道府県知事に提出することにより行うものとする。

2　前項の規定による地方厚生局長又は都道府県知事への届出（指定介護機関並びに指定助産機関及び指定施術機関に係るものを除く。）は、同時に健康保険法第79条第1項の規定により保険医療機関又は保険薬局の指定を辞退しようとする場合には、当該辞退の申出に係る病院若しくは診療所又は薬局の所在地を管轄する地方厚生局等を経由して行うことができる。この場合においては、保険医療機関及び保険薬局の指定並びに保険医及び保険薬剤師の登録に関する省令第10条第1項の規定による申出に係る書面に併記して行うものとする。

　（辞退等に関する告示）

第16条　厚生労働大臣又は都道府県知事が法第55条の3（第3号及び第4号の場合に限る。）の規定により告示する事項は、第12条第2号から第4号までに掲げる事項とす

る。
　（情報の提供の求め）
第16条の2　都道府県知事は、地方厚生局長又は地方厚生支局長に対し、法第49条の指定、法第49条の3第1項の指定の更新又は法第51条第2項の指定の取消し若しくは効力の停止を行うために必要な情報の提供を求めることができる。
　（診療報酬の請求及び支払）
第17条　都道府県知事が法第53条第1項（法第55条の2において準用する場合を含む。）の規定により医療費の審査を行うこととしている場合においては、指定医療機関（医療保護施設を含む。この条において以下同じ。）は、療養の給付及び公費負担医療に関する費用の請求に関する命令（昭和51年厚生省令第36号）又は訪問看護療養費及び公費負担医療に関する費用の請求に関する命令（平成4年厚生省令第5号）の定めるところにより、当該指定医療機関が行つた医療に係る診療報酬を請求するものとする。
2　前項の場合において、都道府県、市及び福祉事務所を設置する町村は、当該指定医療機関に対し、都道府県知事が当該指定医療機関の所在する都道府県の社会保険診療報酬支払基金事務所に設けられた審査委員会又は社会保険診療報酬支払基金法（昭和23年法律第129号）に定める特別審査委員会の意見を聴いて決定した額に基づいて、その診療報酬を支払うものとする。
　（介護の報酬の請求及び支払）
第18条　都道府県知事が法第54条の2第5項及び第6項において準用する法第53条第1項の規定により介護の報酬の審査を行うこととしている場合においては、指定介護機関は、介護給付費及び公費負担医療等に関する費用等の請求に関する命令（平成12年厚生省令第20号）の定めるところにより、当該指定介護機関が行つた介護に係る介護の報酬を請求するものとする。
2　前項の場合において、都道府県、市及び福祉事務所を設置する町村は、当該指定介護機関に対し、都道府県知事が介護保険法第179条に規定する介護給付費等審査委員会の意見を聴いて決定した額に基づいて、その介護の報酬を支払うものとする。
　（厚生労働省令で定める安定した職業）
第18条の2　法第55条の4第1項の厚生労働省令で定める安定した職業は、おおむね6月以上雇用されることが見込まれ、かつ、最低限度の生活を維持するために必要な収入を得ることができると認められるものとする。
　（厚生労働省令で定める事由）
第18条の3　法第55条の4第1項の厚生労働省令で定める事由は、次に掲げるものとする。
　一　被保護者が事業を開始し、おおむね6月以上最低限度の生活を維持するために必要な収入を得ることができると認められること。
　二　就労による収入がある被保護世帯において、当該就労による収入の増加により、おおむね6月以上最低限度の生活を維持するために必要な収入を得ることができると認められること。
　三　就労による収入以外の収入を得ている被保護世帯において、当該世帯に属する被保

護者が職業(前条に規定する安定した職業を除く。)に就いたことにより、おおむね6月以上最低限度の生活を維持するために必要な収入を得ることができると認められること。
(就労自立給付金の支給の申請)
第18条の4　就労自立給付金の支給を受けようとする被保護者は、次に掲げる事項を記載した申請書を法第55条の4第1項の規定により就労自立給付金を支給する者に提出しなければならない。ただし、当該申請書を作成することができない特別の事情があるときは、この限りでない。
一　被保護者の氏名、住所又は居所及び個人番号
二　保護を必要としなくなった事由
三　その他必要な事項
2　法第55条の4第1項の規定により就労自立給付金を支給する者は、前項に規定する申請書のほか、就労自立給付金の支給の決定に必要な書類の提出を求めることができる。
(就労自立給付金の支給)
第18条の5　就労自立給付金は、厚生労働大臣が定める算定方法により算定した金額を、世帯を単位として保護の廃止の決定の際に支給するものとする。
〔委任〕
<small>「厚生労働大臣が定める」=平成26年4月厚労告第224号「生活保護法施行規則第18条の5の規定に基づき厚生労働大臣が定める算定方法」</small>
(3年以内に就労自立給付金の支給を受けた被保護者への不支給)
第18条の6　就労自立給付金は、就労自立給付金の支給を受けた日から起算して3年を経過しない被保護者には支給しないものとする。ただし、法第55条の4第1項の規定により就労自立給付金を支給する者が当該被保護者が就労自立給付金の支給を受けることにつきやむを得ない事由があると認めたときは、この限りでない。
(進学・就職準備給付金の支給の対象者)
第18条の7　法第55条の5第1項各号列記以外の部分に規定する厚生労働省令で定める者は、18歳に達する日以後の最初の3月31日を経過した者であつて、法第55条の5第1項第1号に該当する者にあつては第1号及び第2号に掲げるもの(同項第2号に該当する者にあつては第3号から第6号までに掲げるもの)とする。
一　保護の実施機関が、高等学校等(学校教育法(昭和22年法律第26号)第1条に規定する高等学校(以下「高等学校」という。)、中等教育学校(同法第66条に規定する後期課程に限る。)若しくは特別支援学校(同法第76条第2項に規定する高等部に限る。)(いずれも同法第58条第1項(同法第70条第1項及び第82条において準用する場合を含む。)に規定する専攻科及び別科を除く。)又は同法第124条に規定する専修学校若しくは同法第134条第1項に規定する各種学校(高等学校に準ずると認められるものに限る。)をいう。以下同じ。)に就学することが被保護者の自立を助長することに効果的であるとして、就学しながら保護を受けることができると認めた者(以下「高等学校等就学者」という。)であつて、当該高等学校等を卒業し又は修了した後直ちに特定教育訓練施設に入学しようとするもの

二 高等学校等就学者であつた者(災害その他やむを得ない事由により、高等学校等を卒業し又は修了した後直ちに特定教育訓練施設に入学することができなかつた者に限る。)であつて、当該高等学校等を卒業し又は修了した後1年を経過するまでの間に特定教育訓練施設に入学しようとするもの
三 高等学校等就学者であつて、当該高等学校等を卒業し又は修了した後引き続いて第18条の8の2に規定する安定した職業に就こうとするもの(これに準ずる者として第18条の8の3各号に掲げるものを含む。以下この条において同じ。)
四 高等学校等就学者であつて、当該高等学校等を卒業し又は修了した後引き続いて就職に必要な知識及び技能の習得(支給機関が被保護者の自立を助長することに効果的であると認めるものに限る。第6号において同じ。)を行い、その後引き続いて第18条の8の2に規定する安定した職業に就こうとするもの
五 高等学校等就学者であつた者(災害その他やむを得ない事由により、当該高等学校等を卒業し又は修了した後引き続いて第18条の8の2に規定する安定した職業に就くことができなかつた者(これに準ずる者として第18条の8の3各号に掲げるものとなることができなかつた者を含む。次号において同じ。)に限る。)であつて、当該高等学校等を卒業し又は修了した後1年を経過するまでの間に同条に規定する安定した職業に就こうとするもの
六 高等学校等就学者であつた者(災害その他やむを得ない事由により、当該高等学校等を卒業し又は修了した後引き続いて就職に必要な知識及び技能の習得を行い、その後引き続いて第18条の8の2に規定する安定した職業に就くことができなかつた者に限る。)であつて、当該知識及び技能の習得後1年を経過するまでの間に同条に規定する安定した職業に就こうとするもの

(特定教育訓練施設)

第18条の8 法第55条の5第1項第1号に規定する厚生労働省令で定めるものは、次に掲げる教育訓練施設とする。
一 学校教育法第1条に規定する大学
二 学校教育法第124条に規定する専修学校(同法第125条第1項に規定する専門課程に限る。)
三 職業能力開発促進法(昭和44年法律第64号)第15条の7第1項第2号に規定する職業能力開発短期大学校、同項第3号に規定する職業能力開発大学校及び同法第27条第1項に規定する職業能力開発総合大学校
四 国立研究開発法人水産研究・教育機構法(平成11年法律第199号)第12条第1項第5号に規定する業務に係る国立研究開発法人水産研究・教育機構の施設
五 独立行政法人海技教育機構法(平成11年法律第214号)第11条第1項第1号に規定する業務に係る独立行政法人海技教育機構の施設(16歳に達する日以後の最初の3月31日までの間にあるときに入学するものを除く。)
六 高度専門医療に関する研究等を行う国立研究開発法人に関する法律(平成20年法律第93号)第16条第6号に規定する国立高度専門医療研究センターの職員の養成及び研

修を目的として看護に関する学理及び技術の教授及び研究並びに研修を行う施設
七　高等学校及び学校教育法第1条に規定する中等教育学校（同法第66条に規定する後期課程に限る。）（いずれも同法第58条第1項（同法第70条第1項において準用する場合を含む。）に規定する専攻科に限る。）、同法第124条に規定する専修学校（同法第125条第1項に規定する一般課程に限る。）並びに同法第134条第1項に規定する各種学校のうち、被保護者がこれらを卒業し若しくは修了し、又はこれらにおいて教育を受けることによりその者の収入を増加させ、若しくはその自立を助長することができる見込みがあると認められるもの
八　前各号に掲げるもののほか、被保護者が卒業し若しくは修了し、又は教育を受けることによりその者の収入を増加させ、若しくはその自立を助長することができる見込みがあると認められる教育訓練施設
（法第55条の5第1項第2号の厚生労働省令で定める安定した職業）
第18条の8の2　法第55条の5第1項第2号の厚生労働省令で定める安定した職業は、おおむね6月以上雇用されることが見込まれ、かつ、最低限度の生活を維持するために必要な収入を得ることができると認められるものとする。
（法第55条の5第1項第2号の厚生労働省令で定める者）
第18条の8の3　法第55条の5第1項第2号の厚生労働省令で定める者は、次に掲げるものとする。
一　事業を確実に開始すると見込まれる者であつて、おおむね6月以上最低限度の生活を維持するために必要な収入を得ることができると見込まれるもの
二　職業（前条に規定する安定した職業を除く。）に確実に就くと見込まれる者であつて、その者が属する被保護世帯において、その者の就労による収入の増加により、おおむね6月以上最低限度の生活を維持するために必要な収入を得ることができると見込まれるもの
（進学・就職準備給付金の支給の申請）
第18条の9　進学・就職準備給付金の支給を受けようとする被保護者は、次に掲げる事項を記載した申請書を法第55条の5第1項の規定により進学・就職準備給付金を支給する者に提出しなければならない。ただし、当該申請書を作成することができない特別の事情があるときは、この限りでない。
一　被保護者の氏名、住所又は居所及び個人番号
二　法第55条の5第1項第1号に該当する者にあつては、特定教育訓練施設の名称
三　法第55条の5第1項第2号に該当する者にあつては、その者又はその者が属する世帯が、おおむね6月以上最低限度の生活を維持するために必要な収入を得ることができると見込まれる理由
四　その他必要な事項
2　法第55条の5第1項の規定により進学・就職準備給付金を支給する者は、前項に規定する申請書のほか、進学・就職準備給付金の支給の決定に必要な書類の提出を求めることができる。
（進学・就職準備給付金の支給）

第18条の10　進学・就職準備給付金は、厚生労働大臣が定める額を、被保護者が法第55条の5第1項各号のいずれかに該当する者となることに伴う保護の変更若しくは廃止の決定前又は当該決定後速やかに、支給するものとする。
〔委任〕
　「厚生労働大臣が定める」＝平成30年6月厚労告第244号「生活保護法施行規則第18条の10の規定に基づき厚生労働大臣が定める額」

（再支給の制限）
第18条の11　進学・就職準備給付金の支給を受けた者には、その支給が終了した後に、進学・就職準備給付金を支給しない。
（法第55条の7第2項に規定する厚生労働省令で定める者）
第18条の12　法第55条の7第2項に規定する厚生労働省令で定める者は、法第55条の7第1項の被保護者就労支援事業を適切、公正、中立かつ効率的に実施することができる者であつて、社会福祉法人又は一般社団法人、一般財団法人、特定非営利活動促進法（平成10年法律第7号）第2条第2項に規定する特定非営利活動法人その他保護の実施機関が適当と認めるものとする。
（被保護者健康管理支援事業の実施に必要な情報等）
第18条の13　法第55条の8第2項の健康増進事業の実施に関する情報は、健康増進法（平成14年法律第103号）第19条の2の規定により市町村が行う健康増進事業の実施の有無並びに実施していたときはその実施日及び内容に関するものとする。
2　法第55条の8第2項の厚生労働省令で定める者は、後期高齢者医療広域連合（高齢者の医療の確保に関する法律（昭和57年法律第80号）第48条に規定する後期高齢者医療広域連合をいう。第22条の5第2項第1号において同じ。）とする。
3　法第55条の8第2項の厚生労働省令で定める必要な情報は、次に掲げる情報とする。
　一　国民健康保険法（昭和33年法律第192号）第82条第1項の規定により市町村が行う健康教育、健康相談及び健康診査並びに健康管理及び疾病の予防に係る被保険者の自助努力についての支援その他の被保険者の健康の保持増進のために必要な事業の実施の有無並びに実施していたときはその実施日及び内容
　二　高齢者の医療の確保に関する法律第20条の規定により保険者が行う特定健康診査の実施の有無並びに実施していたときはその実施日及び内容
　三　高齢者の医療の確保に関する法律第24条の規定により保険者が行う特定保健指導の実施の有無並びに実施していたときはその実施日及び内容
　四　高齢者の医療の確保に関する法律第125条第1項の規定により後期高齢者医療広域連合が行う健康教育、健康相談、健康診査及び保健指導並びに健康管理及び疾病の予防に係る被保険者の自助努力についての支援その他の被保険者の健康の保持増進のために必要な事業の実施の有無並びに実施していたときはその実施日及び内容
（被保護者健康管理支援事業の実施のための調査及び分析）
第18条の14　法第55条の9第2項の規定により、厚生労働大臣から同条第1項に規定する情報の提供を求められた場合には、保護の実施機関は、当該情報を、電子情報処理組織（保護の実施機関が使用する電子計算機（入出力装置を含む。以下同じ。）と社会保険

Ⅰ　生活保護法関係法令　第1章　基本法令

診療報酬支払基金法による社会保険診療報酬支払基金（次項及び第22条の5第1項第10号において「支払基金」という。）が使用する電子計算機とを電気通信回線で接続した電子情報処理組織をいう。）を使用する方法又は当該情報を記録した光ディスクその他の電磁的記録（電子的方式、磁気的方式その他人の知覚によつては認識することができない方式で作られる記録であつて、電子計算機による情報処理の用に供されるものをいう。）を提出する方法により提出しなければならない。

2　法第55条の9第3項に規定する厚生労働省令で定める者は、支払基金とする。

（保護の変更等の権限）

第19条　法第62条第3項に規定する保護の実施機関の権限は、法第27条第1項の規定により保護の実施機関が書面によつて行つた指導又は指示に、被保護者が従わなかつた場合でなければ行使してはならない。

第20条及び第21条　削除

（遺留金品の処分）

第22条　保護の実施機関が法第76条第1項の規定により、遺留の物品を売却する場合においては、地方自治法（昭和22年法律第67号）第234条第1項に規定する一般競争入札、指名競争入札、随意契約又はせり売りの方法により契約を締結しなければならない。

2　保護の実施機関が法第76条の規定による措置をとつた場合において、遺留の金品を保護費に充当して、なお残余を生じたときは、保護の実施機関は、これを保管し、速やかに、相続財産の清算人の選任を家庭裁判所に請求し、選任された相続財産の清算人にこれを引き渡さなければならない。ただし、これによりがたいときは、民法第494条の規定に基づき当該残余の遺留の金品を供託することができる。

3　前項の場合において保管すべき物品が滅失若しくはき損のおそれがあるとき、又はその保管に不相当の費用若しくは手数を要するときは、これを売却し、又は棄却することができる。その売却して得た金銭の取扱については、前項と同様とする。

（第三者の行為による損害についての届出）

第22条の2　被保護者の医療扶助又は介護扶助を受けた事由が第三者の行為によつて生じたときは、当該被保護者は、その事実、第三者の氏名及び住所（第三者の氏名及び住所が分からないときは、その旨）並びに被害の状況を、遅滞なく、保護の実施機関に届け出なければならない。

（厚生労働省令で定める徴収することが適当でないとき）

第22条の3　法第77条の2第1項の徴収することが適当でないときとして厚生労働省令で定めるときは、保護の実施機関の責めに帰すべき事由によつて、保護金品を交付すべきでないにもかかわらず、保護金品の交付が行われたために、被保護者が資力を有することとなつたときとする。

（費用等の徴収）

第22条の4　法第78条の2第1項及び第2項の規定による申出は、次に掲げる事項を記載した申出書を保護の実施機関に提出することによつて行うものとする。

一　被保護者の氏名及び住所又は居所

二 保護金品（金銭給付によつて行うものに限る。）又は就労自立給付金の一部を、法第77条の2第1項又は第78条第1項の規定により保護費を支弁した都道府県又は市町村の長が徴収することができる徴収金の納入に充てる旨
2 保護の実施機関は、前項の規定による申出書の提出があつた場合であつて当該申出に係る徴収金の額を決定するに当たつては、当該徴収金の徴収後においても被保護者が最低限度の生活を維持することができる範囲で行うものとする。
（法第80条の2第1項の厚生労働省令で定める者等）
第22条の5　法第80条の2第1項の厚生労働省令で定める者は、次に掲げる者とする。
一 厚生労働大臣
二 地方厚生局長又は地方厚生支局長
三 保護の実施機関
四 法第80条の2第1項に規定する保護の決定及び実施に関する事務等について保護の実施機関から委託を受けた者
五 都道府県知事
六 市町村長
七 指定医療機関等
八 法第49条の規定による指定を受けない医療機関
九 指定介護機関
十 支払基金
十一 国民健康保険法第45条第5項に規定する国民健康保険団体連合会
十二 国民健康保険法第45条第6項に規定する厚生労働大臣が指定する法人
2 法第80条の2第2項の厚生労働省令で定める場合は、次の各号のいずれかに該当する場合とする。
一 高齢者の医療の確保に関する法律第7条第2項に規定する保険者又は後期高齢者医療広域連合が、同法第7条第1項に規定する医療保険各法若しくは高齢者の医療の確保に関する法律に基づく事業又は当該事業に関連する事務を行う場合
二 独立行政法人医薬品医療機器総合機構が、独立行政法人医薬品医療機器総合機構法（平成14年法律第192号）第15条第1項第5号ハに掲げる業務又は同号へに掲げる業務（同号ハに掲げる業務に附帯する業務に限る。）を行う場合
三 医療分野の研究開発に資するための匿名加工医療情報及び仮名加工医療情報に関する法律（平成29年法律第28号）第10条第1項に規定する認定匿名加工医療情報作成事業者又は同法第34条第1項に規定する認定仮名加工医療情報作成事業者が、それぞれ同法第2条第6項に規定する匿名加工医療情報作成事業又は同条第7項に規定する仮名加工医療情報作成事業を行う場合
四 医療分野の研究開発に資するための匿名加工医療情報及び仮名加工医療情報に関する法律第2条第5項に規定する医療情報取扱事業者が、同法第52条第1項各号又は第57条第1項各号に掲げる事項について通知を受けた本人に係る同法第2条第1項に規定する医療情報を取得する場合

五 前3号に掲げる場合のほか、法第80条の2第1項に規定する受給者番号等を利用しようとする者が、次のイからハまでに掲げる者の区分に応じ、当該イからハまでに定めるものを行う場合
　イ 国の行政機関（前項第1号及び第2号に掲げる者を除く。）　適正な保護の決定及び実施に関する事務等の遂行に資する施策の企画及び立案に関する調査
　ロ 大学、研究機関その他の学術研究を目的とする機関又は団体　疾病の原因並びに疾病の予防、診断及び治療の方法に関する研究その他の公衆衛生の向上及び増進に関する研究
　ハ 民間事業者　医療分野の研究開発に資する分析（特定の商品又は役務の広告又は宣伝に利用するために行うものを除く。）
六 労働安全衛生法（昭和47年法律第57号）第66条第1項に規定する健康診断、健康増進法第19条の2の規定に基づく健康増進事業その他の健康診断を実施する機関が、当該健康診断を実施する場合
　（法第80条の4第1項の厚生労働省令で定める事務）
第22条の6　法第80条の4第1項の厚生労働省令で定める事務は、次に掲げる事務とする。
一 医療の給付に関する事務
二 法第55条の8第1項に規定する被保護者健康管理支援事業の実施に関する事務
　（法第80条の4第2項の厚生労働省令で定めるもの）
第22条の7　法第80条の4第2項の厚生労働省令で定めるものは、防衛省の職員の給与等に関する法律（昭和27年法律第266号）第22条第1項の規定による給付又は支給を行う国とする。
　（厚生労働大臣への通知）
第22条の8　法第83条の2の規定による通知は、次に掲げる事項を記載した通知書を、当該処分を行つた指定医療機関の所在地を管轄する地方厚生局長又は地方厚生支局長に送付して行うものとする。
一 処分を行つた指定医療機関の名称及び所在地
二 処分の内容及び処分を行つた年月日
三 処分の理由
四 健康保険法第80条各号のいずれかに該当すると疑うに足りる事実の内容
五 その他必要な事項
　（権限の委任）
第23条　法第84条の6第1項の規定により、次に掲げる厚生労働大臣の権限は、地方厚生局長に委任する。ただし、厚生労働大臣が第1号、第2号、第4号、第7号及び第10号に掲げる権限を自ら行うことを妨げない。
一 法第23条第1項に規定する権限
二 法第45条第1項に規定する権限
三 法第49条に規定する指定に関する権限

四　法第50条第2項に規定する権限
五　法第50条の2（法第54条の2第5項において準用する場合を含む。）に規定する権限
六　法第51条第2項（法第54条の2第5項において準用する場合を含む。）に規定する権限
七　法第54条第1項（法第54条の2第5項において準用する場合を含む。）に規定する権限
八　法第54条の2第1項に規定する指定に関する権限
九　法第55条の3に規定する権限
十　法第84条の4第1項に規定する権限
2　第84条の6第2項の規定により、前項各号に規定する権限は、地方厚生支局長に委任する。ただし、地方厚生局長が当該権限を自ら行うことを妨げない。

（厚生労働省令で定める通常必要とされる費用）
第23条の2　生活保護法施行令第3条の表の法第31条第3項の規定により交付する保護金品により支払うべき費用であつて、住宅を賃借して居住することに伴い通常必要とされる費用のうち厚生労働省令で定めるものの項に規定する厚生労働省令で定めるものは、被保護者が賃借して居住する住宅に係る共益費とする。

（大都市の特例）
第24条　生活保護法施行令第11条第1項の規定により、地方自治法第252条の19第1項の指定都市（以下「指定都市」という。）が生活保護に関する事務を処理する場合においては、第6条中「都道府県知事」とあるのは「指定都市の市長」と、第7条中「市町村」とあるのは「指定都市以外の市町村」と、「都道府県知事」とあるのは「指定都市の市長」と、第10条（第2項、第4項及び第5項に限る。）、第10条の6（第2項に限る。）から第12条まで、第14条（第3項及び第4項に限る。）及び第15条から第18条までの規定中「都道府県知事」とあるのは「指定都市の市長」と読み替えるものとする。

（中核市の特例）
第25条　生活保護法施行令第11条第2項の規定により、地方自治法第252条の22第1項の中核市（以下「中核市」という。）が生活保護に関する事務を処理する場合においては、第6条中「都道府県知事」とあるのは「中核市の市長」と、第7条中「市町村」とあるのは「中核市以外の市町村」と、「都道府県知事」とあるのは「中核市の市長」と、第10条（第2項、第4項及び第5項に限る。）、第10条の6（第2項に限る。）から第12条まで、第14条（第3項及び第4項に限る。）及び第15条から第18条までの規定中「都道府県知事」とあるのは「中核市の市長」と読み替えるものとする。

（町村の一部事務組合等）
第26条　町村が一部事務組合又は広域連合を設けて福祉事務所を設置した場合には、この省令の適用については、その一部事務組合又は広域連合を福祉事務所を設置する町村とみなし、その一部事務組合の管理者又は広域連合の長を福祉事務所を管理する町村長とみなす。

（保護の実施機関が変更した場合の経過規定）

第27条　町村の福祉事務所の設置又は廃止により保護の実施機関に変更があつた場合においては、この省令の適用については、変更前の保護の実施機関がした保護に関する処分は、変更後の保護の実施機関がした保護に関する処分とみなす。但し、変更前に行われ、又は行われるべきであつた保護に関する費用の支弁及び負担については、変更がなかつたものとする。

　　　附　則
　（施行期日）
1　この省令は、公布の日〔昭和25年5月20日〕から施行する。但し、第21条の規定は、昭和25年5月1日以降の給付について適用する。
　（生活保護法施行規則の廃止）
2　生活保護法施行規則（昭和21年厚生省令第38号）は、廃止する。
　　　附　則（第66次改正）抄
　（施行期日）
第1条　この省令は、生活保護法の一部を改正する法律（以下「改正法」という。）の施行の日（平成26年7月1日）から施行する。
　（改正法附則第5条第2項に規定する厚生労働省令で定める期間等）
第2条　改正法附則第5条第2項の厚生労働省令で定める期間は、1年間とする。
2　改正法附則第5条第3項において読み替えて準用する生活保護法（以下この条において「法」という。）第49条の3第1項の厚生労働省令で定める期間は、次の各号に掲げる機関の区分に応じ、それぞれ当該各号に掲げる期間とする。
　一　病院若しくは診療所又は薬局　改正法附則第5条第1項の規定により法第49条の指定を受けたものとみなされた日から健康保険法（大正11年法律第70号）第68条第1項の規定により同法第63条第3項第1号の指定の効力が失われる日の前日までの期間（当該前日がこの省令の施行の日（第3号において「施行日」という。）から1年以内に到来する場合にあっては、当該前日から6年を経過する日までの期間）
　二　生活保護法施行令第4条第1号に掲げる機関（健康保険法第89条第2項の規定により同条第1項の指定があったものとみなされたものを除く。）　6年
　三　生活保護法施行令第4条第1号に掲げる機関（健康保険法第89条第2項の規定により同条第1項の指定があったものとみなされたものに限る。）及び同条第2号に掲げる機関　改正法附則第5条第1項の規定により法第49条の指定を受けたものとみなされた日から介護保険法（平成9年法律第123号）第70条の2第1項（第78条の12及び第115条の11において準用する場合を含む。）に規定する指定の有効期間の満了の日までの期間（当該日が施行日から1年以内に到来する場合にあっては、当該日から6年を経過する日までの期間）
　　　附　則（第85次改正）
　（施行期日等）
1　この省令は、公布の日〔令和6年4月24日〕から施行し、第1条による改正後の生活

保護法施行規則第18条の7から第18条の11までの規定は、令和6年1月1日から適用する。

（経過措置）
2　この省令の施行の日前に第1条による改正前の生活保護法施行規則第18条の9第1項の規定によりされた申請及び同条第2項の規定によりされた書類の提出の求めは、第1条の規定による改正後の生活保護法施行規則第18条の9第1項の規定によりされた申請及び同条第2項の規定によりされた書類の提出の求めとみなす。

様式第1号（第4条関係）

（表）

第　　号

立入調査票

何所属庁

　　職名

氏　名

生年月日

年　月　日

市町村長（都道府県知事）氏名印

年　月　日交付

写真ちょう附

市町村長（都道府県知事）印

（裏）

この証票を携帯する者は、生活保護法により立入検査をする職権を行うもので、その関係条文は次のとおりである。
（報告、調査及び検診）
第二十八条　保護の実施機関は、保護の決定若しくは実施又は第七十七条若しくは第七十八条（第三項を除く。次項及び次条第一項において同じ。）の規定の施行のため必要があると認めるときは、要保護者の資産及び収入の状況、健康状態その他の事項を調査するために、厚生労働省令で定めるところにより、当該職員に、当該要保護者に対して、報告を求め、若しくは当該要保護者の居住の場所に立ち入り、これらの事項を調査させ、又は当該要保護者に対して、保護の実施機関の指定する医師若しくは歯科医師の検診を受けるべき旨を命ずることができる。

2〜4　（略）

5　保護の実施機関は、要保護者が第一項の規定による報告をせず、若しくは虚偽の報告をし、又は立入調査を拒み、妨げ、若しくは忌避し、又は医師若しくは歯科医師の検診を受けるべき旨の命令に従わないときは、保護の開始若しくは変更の申請を却下し、又は保護の変更、停止若しくは廃止をすることができる。

注意
一　この証票は、他人に貸与し、又は譲渡してはならない。
二　この証票は、職名の異動を生じ、又は不明になったときは、速やかに、返還しなければならない。

備考　この証票の規格は、B7とし、中央の点線の所から二つ折とする。

生活保護法施行規則

様式第2号（第9条関係）

（表）

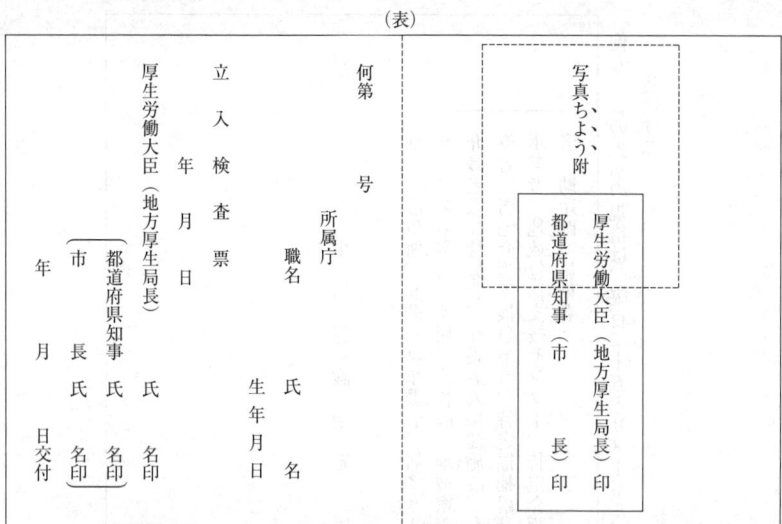

写真ちょう附

厚生労働大臣（地方厚生局長）印
都道府県知事（市　長）印

何第　　号

所属庁

職名

氏名

生年月日

立入検査票

年　月　日

厚生労働大臣（地方厚生局長）
都道府県知事
市　　長　氏名印

年　月　日交付

（裏）

備考　この証票の規格は、B7とし、中央の点線の所から二つ折とする。

様式第3号（第13条関係）

```
　　　　　　　　　○

　　　生　活　保　護　指　定　（医）　　○

（病院、診療所、訪問看護事業者、居宅サービス事業者、介護予防
サービス事業者、薬局、歯科医、地域密着型介護老人福祉施設、
介護老人福祉施設、介護老人保健施設、介護医療院、居宅介護事
業者、居宅介護支援事業者、特定福祉用具販売事業者、介護予防
事業者、地域包括支援センター、特定介護予防福祉用具販売事業
者、助産師、施術者）
```

備考　この表示の規格は、縦百二十五ミリメートル、横五十五ミリメートル程度とする。

●生活保護法別表第1に規定する厚生労働省令で定める情報を定める省令

(平成26年6月30日)
(厚生労働省令第72号)

〔一部改正経過〕

第1次	平成26年9月30日厚生労働省令第115号「次代の社会を担う子どもの健全な育成を図るための次世代育成支援対策推進法等の一部を改正する法律の一部の施行に伴う厚生労働省関係省令の整備等に関する省令」第11条による改正
第2次	平成27年3月31日厚生労働省令第69号「生活保護法別表第1に規定する厚生労働省令で定める情報を定める省令の一部を改正する省令」による改正
第3次	平成27年9月30日厚生労働省令第156号「勤労青少年福祉法等の一部を改正する法律の施行に伴う厚生労働省関係省令の整備に関する省令」第3条による改正
第4次	平成28年3月31日厚生労働省令第55号「持続可能な医療保険制度を構築するための国民健康保険法等の一部を改正する法律の一部の施行に伴う厚生労働省関係省令の整備に関する省令」第11条による改正
第5次	平成30年3月16日厚生労働省令第24号「持続可能な医療保険制度を構築するための国民健康保険法等の一部を改正する法律の施行に伴う厚生労働省関係省令の整備等に関する省令」第9条による改正
第6次	平成30年6月8日厚生労働省令第72号「生活保護法施行規則及び生活保護法別表第1に規定する厚生労働省令で定める情報を定める省令の一部を改正する省令」第2条による改正
第7次	平成30年7月6日厚生労働省令第83号「働き方改革を推進するための関係法律の整備に関する法律の一部の施行に伴う厚生労働省関係省令の整備等に関する省令」第3条による改正
第8次	平成30年9月28日厚生労働省令第117号「生活困窮者等の自立を促進するための生活困窮者自立支援法等の一部を改正する法律の施行に伴う厚生労働省関係省令の整備等に関する省令」第3条による改正
第9次	平成30年12月28日厚生労働省令第151号「年金生活者支援給付金の支給に関する法律施行規則」附則第5条による改正
第10次	令和2年3月31日厚生労働省令第78号「雇用保険法等の一部を改正する法律の施行に伴う厚生労働省関係省令の整備等に関する省令」第5条による改正
第11次	令和2年7月17日厚生労働省令第141号「雇用保険法等の一部を改正する法律の一部の施行に伴う厚生労働省関係省令の整備に関する省令」第11条による改正
第12次	令和3年6月11日厚生労働省令第103号「生活保護法施行規則及び生活保護法別表第1に規定する厚生労働省令で定める情報を定める省令の一部を改正する省令」第2条による改正
第13次	令和3年9月29日厚生労働省令第166号「育児休業、介護休業等育児又は家族介護を行う労働者の福祉に関する法律施行規則等の一部を改正する省令」第4条による改正
第14次	令和5年3月31日厚生労働省令第48号「こども家庭庁設置法等の施行に伴う厚生労働省関係省令の整備等に関する省令」第57条による改正
第15次	令和6年1月19日厚生労働省令第12号「医療法施行規則及び生活保護法別表第1に規定する厚生労働省令で定める情報を定める省令の一部を改正する省令」第2条による改正
第16次	令和6年4月24日厚生労働省令第78号「生活保護法施行規則及び生活保護法別表第1に規定する厚生労働省令で定める情報を定める省令の一部を改正する省令」第2条による改正

　生活保護法の一部を改正する法律(平成25年法律第104号)の施行に伴い、及び生活保護法(昭和25年法律第144号)別表第1の規定に基づき、生活保護法別表第1に規定する厚生労働省令で定める情報を定める省令を次のように定める。

生活保護法別表第1に規定する厚生労働省令で定める情報を定める省令

第1条　生活保護法（以下「法」という。）別表第1の一の項の厚生労働省令で定める情報は、要保護者又は被保護者であった者に係る恩給法（大正12年法律第48号。他の法律において準用する場合を含む。）の規定により支給される年金である給付の額及び支給期間に関するものとする。

第2条　法別表第1の二の項第1号の厚生労働省令で定める情報は、要保護者又は被保護者であった者に係る次に掲げる給付の額及び支給期間に関するものとする。

一　労働者災害補償保険法（昭和22年法律第50号）第11条第1項の規定により請求することができる未支給の保険給付（次号から第11号までに掲げる保険給付に係るものに限る。）

二　労働者災害補償保険法第12条の8第2項の規定により支給される保険給付（同条第1項第2号に掲げる休業補償給付、同項第3号に掲げる障害補償給付（同法第15条第1項の障害補償年金に限る。）又は同法第12条の8第1項第4号に掲げる遺族補償給付（同法第16条の遺族補償年金に限る。）に限る。

三　労働者災害補償保険法第12条の8第3項の規定により支給される傷病補償年金

四　労働者災害補償保険法第20条の4第1項の規定により支給される複数事業労働者休業給付

五　労働者災害補償保険法第20条の5第1項の規定により支給される複数事業労働者障害給付（同条第2項の複数事業労働者障害年金に限る。）

六　労働者災害補償保険法第20条の6第1項の規定により支給される複数事業労働者遺族給付（同条第2項の複数事業労働者遺族年金に限る。）

七　労働者災害補償保険法第20条の8第1項の規定により支給される複数事業労働者傷病年金

八　労働者災害補償保険法第22条の2第1項の規定により支給される休業給付

九　労働者災害補償保険法第22条の3第1項の規定により支給される障害給付（同条第2項の障害年金に限る。）

十　労働者災害補償保険法第22条の4第1項の規定により支給される遺族給付（同条第2項の遺族年金に限る。）

十一　労働者災害補償保険法第23条第1項の規定により支給される傷病年金

十二　労働者災害補償保険法附則第59条第1項の規定により支給される障害補償年金前払一時金

十三　労働者災害補償保険法附則第60条第1項の規定により支給される遺族補償年金前払一時金

十四　労働者災害補償保険法第60条の3第1項の規定により支給される複数事業労働者障害年金前払一時金

十五　労働者災害補償保険法第60条の4第1項の規定により支給される複数事業労働者遺族年金前払一時金

十六　労働者災害補償保険法附則第62条第1項の規定により支給される障害年金前払一時金

生活保護法別表第1に規定する厚生労働省令で定める情報を定める省令

　十七　労働者災害補償保険法附則第63条第1項の規定により支給される遺族年金前払一時金
2　法別表第1の二の項第2号の厚生労働省令で定める情報は、要保護者又は被保護者であった者に係る次に掲げる給付の額及び支給期間に関するものとする。
　一　戦傷病者戦没者遺族等援護法（昭和27年法律第127号）第7条の規定により支給される障害年金
　二　戦傷病者戦没者遺族等援護法第23条第1項の規定により支給される遺族年金
　三　戦傷病者戦没者遺族等援護法第23条第2項の規定により支給される遺族給与金
3　法別表第1の二の項第3号の厚生労働省令で定める情報は、要保護者又は被保護者であった者に係る未帰還者留守家族等援護法（昭和28年法律第161号）第5条第1項の規定により支給される留守家族手当の額及び支給期間に関するものとする。
4　法別表第1の二の項第4号の厚生労働省令で定める情報は、要保護者又は被保護者であった者に係る戦傷病者特別援護法（昭和38年法律第168号）第18条第1項の規定により支給される療養手当の額及び支給期間に関するものとする。
5　法別表第1の二の項第5号の厚生労働省令で定める情報は、要保護者又は被保護者であった者に係る次に掲げる給付の額及び支給期間に関するものとする。
　一　雇用保険法（昭和49年法律第116号）第10条の3第1項（同法第61条の6第2項において準用する場合を含む。）の規定により請求することができる未支給の失業等給付（同法第61条の6第2項の規定により同法第10条の3第1項の規定を準用する場合にあっては育児休業給付とする。以下この号において同じ。）（次号から第13号までに掲げる失業等給付に係るものに限る。）
　二　雇用保険法第13条第1項の規定により支給される基本手当（同法附則第5条第1項の規定により支給されるものを含む。）
　三　雇用保険法第36条第1項の規定により支給される技能習得手当
　四　雇用保険法第36条第2項の規定により支給される寄宿手当
　五　雇用保険法第37条第1項の規定により支給される傷病手当
　六　雇用保険法第45条の規定により支給される日雇労働求職者給付金
　七　雇用保険法第60条の2第1項の規定により支給される教育訓練給付金（雇用保険法施行規則（昭和50年労働省令第3号）第101条の2の7第2号に規定する専門実践教育訓練に係るものに限る。）
　八　雇用保険法第61条第1項の規定により支給される高年齢雇用継続基本給付金
　九　雇用保険法第61条の2第1項の規定により支給される高年齢再就職給付金
　十　雇用保険法第61条の4第1項の規定により支給される介護休業給付金
　十一　雇用保険法第61条の7第1項の規定により支給される育児休業給付金
　十二　雇用保険法第61条の8第1項の規定により支給される出生時育児休業給付金
　十三　雇用保険法附則第11条の2第1項の規定により支給される教育訓練支援給付金
6　法別表第1の二の項第6号の厚生労働省令で定める情報は、要保護者又は被保護者であった者に係る石綿による健康被害の救済に関する法律（平成18年法律第4号）第59条

第１項の規定により支給される特別遺族給付金（同条第２項の特別遺族年金に限る。）の額及び支給期間に関するものとする。
7　法別表第１の二の項第７号の厚生労働省令で定める情報は、要保護者又は被保護者であった者に係る職業訓練の実施等による特定求職者の就職の支援に関する法律（平成23年法律第47号）第７条第１項の規定により支給される職業訓練受講給付金の額及び支給期間に関するものとする。
8　法別表第１の二の項第８号の厚生労働省令で定める情報は、要保護者又は被保護者であった者に係る次に掲げる事項の実施の有無及び実施していたときはその実施日に関するものとする。
一　職業安定法（昭和22年法律第141号）第８条第１項の規定により公共職業安定所が行う職業紹介又は職業指導
二　職業訓練の実施等による特定求職者の就職の支援に関する法律第12条第１項の規定により公共職業安定所長が行う就職支援措置を受けることの指示

第３条　法別表第１の三の項第１号の厚生労働省令で定める情報は、要保護者又は被保護者であった者に係る予防接種法（昭和23年法律第68号）第15条第１項の規定により支給される給付（同法第16条第１項第２号若しくは同条第２項第２号に掲げる障害児養育年金、同条第１項第３号若しくは同条第２項第３号に掲げる障害年金又は同項第４号に掲げる遺族年金に限る。）の額及び支給期間に関するものとする。
2　法別表第１の三の項第２号の厚生労働省令で定める情報は、要保護者又は被保護者であった者に係る次に掲げる給付の額及び支給期間に関するものとする。
一　児童手当法（昭和46年法律第73号）第８条第１項の規定により支給される児童手当
二　児童手当法附則第２条第３項において準用する同法第８条第１項の規定により支給される特例給付
3　法別表第１の三の項第３号の厚生労働省令で定める情報は、要保護者又は被保護者であった者に係る健康増進法（平成14年法律第103号）第19条の２の規定により市町村が行う健康増進事業の実施の有無並びに実施していたときはその実施日及び内容に関するものとする。
4　法別表第１の三の項第４号の厚生労働省令で定める情報は、要保護者又は被保護者であった者に係る次に掲げるものに記載した事項に関するものとする。
一　戸籍法（昭和22年法律第224号）第６条の規定に基づき編製された戸籍
二　戸籍法第12条第１項の規定に基づき除かれた戸籍
第４条　法別表第１の四の項第１号の厚生労働省令で定める情報は、要保護者又は被保護者であった者に係る次に掲げる事項の実施の有無及び実施していたときはその実施日に関するものとする。
一　船員職業安定法（昭和23年法律第130号）第５条第３号の規定により地方運輸局長（運輸監理部長を含む。次号において同じ。）が行う船員の職業に就くことのあっせん
二　船員職業安定法第５条第４号の規定により地方運輸局長が行う職業指導又は部員職

生活保護法別表第1に規定する厚生労働省令で定める情報を定める省令

業補導
2 法別表第1の四の項第2号の厚生労働省令で定める情報は、要保護者又は被保護者であった者に係る道路運送車両法（昭和26年法律第185号）第4条の自動車登録ファイルに登録を受けた自動車の所有者又は使用者として記録された事項に関するものとする。
3 法別表第1の四の項第3号の厚生労働省令で定める情報は、要保護者又は被保護者であった者に係る漁業経営の改善及び再建整備に関する特別措置法（昭和51年法律第43号）第13条第1項の規定により支給される職業転換給付金（同項第1号又は第2号に掲げる給付金に限る。）の額及び支給期間に関するものとする。
4 法別表第1の四の項第4号の厚生労働省令で定める情報は、要保護者又は被保護者であった者に係る国際協定の締結等に伴う漁業離職者に関する臨時措置法（昭和52年法律第94号）第7条第1項の規定により支給される給付金（同項第1号に掲げる訓練待期手当若しくは就職促進手当又は同項第2号に掲げる技能習得手当に限る。）の額及び支給期間に関するものとする。
5 法別表第1の四の項第5号の厚生労働省令で定める情報は、要保護者又は被保護者であった者に係る船員の雇用の促進に関する特別措置法（昭和52年法律第96号）第3条第1項の規定により支給される就職促進給付金（同項第1号又は第2号に掲げる給付金に限る。）の額及び支給期間に関するものとする。
6 法別表第1の四の項第6号の厚生労働省令で定める情報は、要保護者又は被保護者であった者に係る本州四国連絡橋の建設に伴う一般旅客定期航路事業等に関する特別措置法（昭和56年法律第72号）第20条第1項の規定により支給される就職促進給付金（同項第1号又は第2号に掲げる給付金に限る。）の額及び支給期間に関するものとする。

第5条 法別表第1の五の項第1号の厚生労働省令で定める情報は、要保護者に係る次に掲げるものに記載された事項に関するものとする。
一 相続税法（昭和25年法律第73号）第27条から第29条までに規定する申告書
二 前号に掲げる申告書に係る国税通則法（昭和37年法律第66号）第18条第2項に規定する期限後申告書、同法第19条第3項に規定する修正申告書又は同法第28条第1項に規定する更正通知書若しくは決定通知書
2 法別表第1の五の項第2号の厚生労働省令で定める情報は、要保護者に係る所得税法（昭和40年法律第33号）第149条の規定により青色申告書に添付すべき書類（事業所得の金額の計算に関する明細書に限る。）に記載された事項に関するものとする。

第6条 法別表第1の六の項第1号の厚生労働省令で定める情報は、要保護者又は被保護者であった者に係る次に掲げる事項に関するものとする。
一 法第19条第1項の規定による保護の決定及び実施
二 法第55条の4第1項の規定により支給される就労自立給付金の額及び支給期間
三 法第55条の5第1項の規定により支給される進学・就職準備給付金の額及び支給期間
2 法別表第1の六の項第2号の厚生労働省令で定める情報は、要保護者又は被保護者であった者に係る児童扶養手当法（昭和36年法律第238号）第4条第1項の規定により支給される児童扶養手当の額及び支給期間に関するものとする。

I 生活保護法関係法令 第1章 基本法令

3 法別表第1の六の項第3号の厚生労働省令で定める情報は、要保護者又は被保護者であった者に係る次に掲げる給付の額及び支給期間に関するものとする。
　一 母子及び父子並びに寡婦福祉法（昭和39年法律第129号）第31条の規定により支給される母子家庭自立支援給付金
　二 母子及び父子並びに寡婦福祉法第31条の10において準用する同法第31条の規定により支給される父子家庭自立支援給付金
4 法別表第1の六の項第4号の厚生労働省令で定める情報は、要保護者又は被保護者であった者に係る次に掲げる手当の額及び支給期間に関するものとする。
　一 特別児童扶養手当等の支給に関する法律（昭和39年法律第134号）第17条の規定により支給される障害児福祉手当
　二 特別児童扶養手当等の支給に関する法律第26条の2の規定により支給される特別障害者手当
5 法別表第1の六の項第5号の厚生労働省令で定める情報は、要保護者又は被保護者であった者に係る国民年金法等の一部を改正する法律（昭和60年法律第34号）附則第97条第1項の規定により支給される福祉手当の額及び支給期間に関するものとする。
6 法別表第1の六の項第6号の厚生労働省令で定める情報は、要保護者又は被保護者であった者に係る生活困窮者自立支援法（平成25年法律第105号）第6条第1項の規定により支給される生活困窮者住居確保給付金の額及び支給期間に関するものとする。
第7条 法別表第1の七の項第1号の厚生労働省令で定める情報は、要保護者に係る次に掲げる税の税額又はその算定の基礎となる事項に関するものとする。
　一 地方税法（昭和25年法律第226号）第4条第2項第1号の道府県民税
　二 地方税法第4条第2項第7号の自動車取得税
　三 地方税法第4条第2項第9号の自動車税
　四 地方税法第5条第2項第1号の市町村民税
　五 地方税法第5条第2項第2号の固定資産税
　六 地方税法第5条第2項第3号の軽自動車税
2 法別表第1の七の項第2号の厚生労働省令で定める情報は、要保護者又は被保護者であった者に係る職業能力開発促進法（昭和44年法律第64号）第15条の7第3項の規定により行う求職者に対する職業訓練の実施の有無及び実施していたときはその期間に関するものとする。
3 法別表第1の七の項第3号の厚生労働省令で定める情報は、要保護者又は被保護者であった者に係る障害者の日常生活及び社会生活を総合的に支援するための法律（平成17年法律第123号）第58条第1項の規定により支給される自立支援医療費の診療報酬請求書及び診療報酬明細書並びに調剤報酬請求書及び調剤報酬明細書（療養の給付及び公費負担医療に関する費用の請求に関する命令（昭和51年厚生省令第36号）附則第3条の4に規定する診療報酬請求書及び診療報酬明細書並びに調剤報酬請求書及び調剤報酬明細書をいう。）に記載された事項に関するものとする。
第8条 法別表第1の八の項第1号の厚生労働省令で定める情報は、要保護者又は被保護

生活保護法別表第1に規定する厚生労働省令で定める情報を定める省令

者であった者に係る私立学校教職員共済法（昭和28年法律第245号）の規定により支給される年金である給付の額及び支給期間に関するものとする。

2　法別表第1の八の項第2号の厚生労働省令で定める情報は、要保護者又は被保護者であった者に係る厚生年金保険法（昭和29年法律第115号）の規定により支給される年金である保険給付の額及び支給期間に関するものとする。

3　法別表第1の八の項第3号の厚生労働省令で定める情報は、要保護者又は被保護者であった者に係る国家公務員共済組合法（昭和33年法律第128号）の規定により支給される年金である給付の額及び支給期間に関するものとする。

4　法別表第1の八の項第4号の厚生労働省令で定める情報は、要保護者又は被保護者であった者に係る国民年金法（昭和34年法律第141号）の規定により支給される年金である給付の額及び支給期間に関するものとする。

5　法別表第1の八の項第5号の厚生労働省令で定める情報は、要保護者又は被保護者であった者に係る地方公務員等共済組合法（昭和37年法律第152号）の規定により支給される年金である給付の額及び支給期間に関するものとする。

6　法別表第1の八の項第6号の厚生労働省令で定める情報は、要保護者又は被保護者であった者に係る特定障害者に対する特別障害給付金の支給に関する法律（平成16年法律第166号）第3条第1項の規定により支給される特別障害給付金の額及び支給期間に関するものとする。

7　法別表第1の八の項第7号の厚生労働省令で定める情報は、要保護者又は被保護者であった者に係る年金生活者支援給付金の支給に関する法律（平成24年法律第102号）の規定により支給される年金生活者支援給付金の額及び支給期間に関するものとする。

第9条　法別表第1の九の項第1号の厚生労働省令で定める情報は、要保護者又は被保護者であった者に係る次に掲げる給付の額及び支給期間に関するものとする。
　一　私立学校教職員共済法第25条において準用する国家公務員共済組合法第66条第1項の規定により支給される傷病手当金
　二　私立学校教職員共済法第25条において準用する国家公務員共済組合法第67条第1項の規定により支給される出産手当金
　三　私立学校教職員共済法第25条において準用する国家公務員共済組合法第68条の規定により支給される休業手当金

2　法別表第1の九の項第2号の厚生労働省令で定める情報は、要保護者又は被保護者であった者に係る次に掲げる給付の額及び支給期間に関するものとする。
　一　国家公務員共済組合法第66条第1項の規定により支給される傷病手当金
　二　国家公務員共済組合法第67条第1項の規定により支給される出産手当金
　三　国家公務員共済組合法第68条の規定により支給される休業手当金
　四　国家公務員共済組合法第68条の2第1項の規定により支給される育児休業手当金
　五　国家公務員共済組合法第68条の3第1項の規定により支給される介護休業手当金

3　法別表第1の九の項第3号の厚生労働省令で定める情報は、要保護者又は被保護者であった者に係る次に掲げる給付の額及び支給期間に関するものとする。

I 生活保護法関係法令 第1章 基本法令

一 地方公務員等共済組合法第68条第1項の規定により支給される傷病手当金
二 地方公務員等共済組合法第69条第1項の規定により支給される出産手当金
三 地方公務員等共済組合法第70条の規定により支給される休業手当金
四 地方公務員等共済組合法第70条の2第1項の規定により支給される育児休業手当金
五 地方公務員等共済組合法第70条の3第1項の規定により支給される介護休業手当金

第10条 法別表第1の十の項第1号の厚生労働省令で定める情報は、要保護者又は被保護者であった者に係る次に掲げる事項に関するものとする。

一 国民健康保険法（昭和33年法律第192号）第58条第2項の規定により支給される傷病手当金の額及び支給期間
二 国民健康保険法第82条第1項の規定により市町村が行う健康教育、健康相談及び健康診査並びに健康管理及び疾病の予防に係る被保険者の自助努力についての支援その他の被保険者の健康の保持増進のために必要な事業の実施の有無並びに実施していたときはその実施日及び内容

2 法別表第1の十の項第2号の厚生労働省令で定める情報は、要保護者又は被保護者であった者に係る次に掲げる事項に関するものとする。

一 高齢者の医療の確保に関する法律（昭和57年法律第80号）第20条の規定により保険者が行う特定健康診査の実施の有無並びに実施していたときはその実施日及び内容
二 高齢者の医療の確保に関する法律第24条の規定により保険者が行う特定保健指導の実施の有無並びに実施していたときはその実施日及び内容
三 高齢者の医療の確保に関する法律第86条第2項の規定により支給される傷病手当金の額及び支給期間
四 高齢者の医療の確保に関する法律第125条第1項の規定により後期高齢者医療広域連合が行う健康教育、健康相談、健康診査及び保健指導並びに健康管理及び疾病の予防に係る被保険者の自助努力についての支援その他の被保険者の健康の保持増進のために必要な事業の実施の有無並びに実施していたときはその実施日及び内容

第11条 法別表第1の十一の項第1号の厚生労働省令で定める情報は、要保護者又は被保護者であった者に係る特別児童扶養手当等の支給に関する法律第3条第1項の規定により支給される特別児童扶養手当の額及び支給期間に関するものとする。

2 法別表第1の十一の項第2号の厚生労働省令で定める情報は、要保護者又は被保護者であった者に係る労働施策の総合的な推進並びに労働者の雇用の安定及び職業生活の充実等に関する法律（昭和41年法律第132号）第18条の規定により支給される職業転換給付金（同条第1号又は第2号に掲げる給付金に限る。）の額及び支給期間に関するものとする。

第12条 法別表第1の十二の項の厚生労働省令で定める情報は、要保護者又は被保護者であった者に係る公害健康被害の補償等に関する法律（昭和48年法律第111号）第3条第2項の規定により支給される補償給付（同条第1項第2号に掲げる障害補償費、同項第3号に掲げる遺族補償費又は同項第5号に掲げる児童補償手当に限る。）の額及び支給期間に関するものとする。

第13条 法別表第1の十三の項の厚生労働省令で定める情報は、要保護者又は被保護者であった者に係る次に掲げる手当等の額及び支給期間に関するものとする。
一 原子爆弾被爆者に対する援護に関する法律（平成6年法律第117号）第24条の規定により支給される医療特別手当
二 原子爆弾被爆者に対する援護に関する法律第25条の規定により支給される特別手当
三 原子爆弾被爆者に対する援護に関する法律第31条の規定により支給される介護手当（原子爆弾被爆者に対する援護に関する法律施行令（平成7年政令第26号）第18条第2項第2号に掲げる区分に該当する場合に支給されるものに限る。）

第14条 法別表第1の十四の項第1号の厚生労働省令で定める情報は、要保護者又は被保護者であった者に係る国会議員互助年金法を廃止する法律（平成18年法律第1号）又は同法附則第2条第1項の規定によりなおその効力を有することとされる同法による廃止前の国会議員互助年金法（昭和33年法律第70号）の規定により支給される年金である給付の額及び支給期間に関するものとする。

2 法別表第1の十四の項第2号の厚生労働省令で定める情報は、要保護者又は被保護者であった者に係る執行官法の一部を改正する法律（平成19年法律第18号）附則第3条第1項の規定によりなお従前の例により支給されることとされる同法による改正前の執行官法（昭和41年法律第111号）附則第13条の規定により支給される年金である給付の額及び支給期間に関するものとする。

　　　附　則
　この省令は、生活保護法の一部を改正する法律の施行の日（平成26年7月1日）から施行する。

　　　附　則（第16次改正）抄
（施行期日等）
1 この省令は、公布の日〔令和6年4月24日〕から施行〔中略〕する。

●厚生労働省の所管する法律又は政令の規定に基づく立入検査等の際に携帯する職員の身分を示す証明書の様式の特例に関する省令（抄）

〔令和 3 年10月22日〕
〔厚生労働省令第175号〕

注　令和 6 年 3 月29日厚生労働省令第65号「生活衛生等関係行政の機能強化のための関係法律の整備に関する法律の施行に伴う厚生労働省関係省令の整理等に関する省令」第16条による改正現在

児童福祉法（昭和22年法律第164号）及び関係法令の規定を実施するため、厚生労働省の所管する法律又は政令の規定に基づく立入検査等の際に携帯する職員の身分を示す証明書の様式の特例に関する省令を次のように定める。
　　厚生労働省の所管する法律又は政令の規定に基づく立入検査等の際に携帯する職員の身分を示す証明書の様式の特例に関する省令
　次の各号に掲げる法律又は政令の規定に基づく立入検査等（都道府県知事又は市町村長（特別区の区長を含む。）が行うことができることとされているものに限る。）の際に職員が携帯するその身分を示す証明書及び狂犬病予防法（昭和25年法律第247号）第 3 条第 2 項（同法第 6 条第 6 項において準用する場合を含む。）に基づき同法第 3 条第 1 項の狂犬病予防員（同法第 6 条第 6 項において準用する場合にあっては、同条第 2 項の捕獲人）が携帯する証票は、他の法令の規定にかかわらず、別記様式によることができる。
　十四　生活保護法（昭和25年法律第144号）第28条第 1 項、第44条第 1 項及び第54条第 1 項（同法第54条の 2 第 5 項及び第 6 項並びに第55条第 2 項において準用する場合を含む。）
　四十一　生活困窮者自立支援法（平成25年法律第105号）第21条第 1 項
　　　附　則　抄
　（施行期日）
第 1 条　この省令は、公布の日〔令和 3 年10月22日〕から施行する。

立入検査等の際に携帯する職員の身分を示す証明書の様式の特例に関する省令(抄)

別記様式(本則関係)

(第1面)

第　　号	
立入検査等をする職員の携帯する身分を示す証明書	
職　名	写真
氏　名	
生年月日　　年　　月　　日生	
年　　月　　日交付 　　年　　月　　日限り有効	
都道府県知事(市町村長・区長)　　㊞	

(第2面)

　この証明書を携帯する者は、下表に掲げる法令の条項のうち、該当の有無の欄に丸印のある法令の条項により立入検査等をする職権を有するものです。

法　令　の　条　項	該当の有無

(備考) 1　この証明書は、用紙1枚で作成することとする。
　　　 2　法令の条項の欄に、この証明書を使用して行う立入検査等に係る法令の条項を記載すること。
　　　 3　該当の有無の欄に、立入検査等をする職権を有する場合は「○」を、有しない場合は「－」を記載すること。
　　　 4　記載する法令の条項の数に応じて、行を適宜追加すること。第2面については、その全部又は一部を裏面に記載することができる。
　　　 5　裏面には、参照条文を記載することができる。

第2章　保護の基準

●生活保護法による保護の基準

（昭和38年4月1日　厚生省告示第158号）

〔一部改正経過〕

第 1 次	昭和38年 7 月24日厚 告 第 332 号		第 2 次	昭和38年12月20日厚 告 第 560 号
第 3 次	昭和38年12月20日厚 告 第 559 号		第 4 次	昭和39年 4 月 1 日厚 告 第 119 号
第 5 次	昭和39年12月18日厚 告 第 568 号		第 6 次	昭和39年12月12日厚 告 第 553 号
第 7 次	昭和40年 1 月13日厚 告 第 16 号		第 8 次	昭和40年 4 月 5 日厚 告 第 175 号
第 9 次	昭和40年 7 月26日厚 告 第 381 号		第 10 次	昭和40年11月 1 日厚 告 第 495 号
第 11 次	昭和40年12月17日厚 告 第 547 号		第 12 次	昭和40年12月17日厚 告 第 548 号
第 13 次	昭和41年 1 月18日厚 告 第 16 号		第 14 次	昭和41年 1 月22日厚 告 第 26 号
第 15 次	昭和41年 4 月 7 日厚 告 第 181 号		第 16 次	昭和41年 4 月13日厚 告 第 201 号
第 17 次	昭和41年 8 月11日厚 告 第 373 号		第 18 次	昭和41年12月17日厚 告 第 545 号
第 19 次	昭和42年 4 月 1 日厚 告 第 133 号		第 20 次	昭和42年 4 月25日厚 告 第 195 号
第 21 次	昭和42年 8 月24日厚 告 第 350 号		第 22 次	昭和42年10月 5 日厚 告 第 409 号
第 23 次	昭和42年11月25日厚 告 第 451 号		第 24 次	昭和43年 4 月 1 日厚 告 第 120 号
第 25 次	昭和43年 5 月 8 日厚 告 第 208 号		第 26 次	昭和43年 9 月 7 日厚 告 第 374 号
第 27 次	昭和43年10月 5 日厚 告 第 406 号		第 28 次	昭和43年11月22日厚 告 第 455 号
第 29 次	昭和43年12月26日厚 告 第 505 号		第 30 次	昭和44年 4 月 1 日厚 告 第 81 号
第 31 次	昭和44年10月 1 日厚 告 第 327 号		第 32 次	昭和44年10月 4 日厚 告 第 329 号
第 33 次	昭和44年11月28日厚 告 第 379 号		第 34 次	昭和45年 1 月 5 日厚 告 第 1 号
第 35 次	昭和45年 4 月 1 日厚 告 第 71 号		第 36 次	昭和45年11月30日厚 告 第 400 号
第 37 次	昭和45年12月12日厚 告 第 422 号		第 38 次	昭和46年 4 月 1 日厚 告 第 75 号
第 39 次	昭和46年10月 7 日厚 告 第 333 号		第 40 次	昭和46年12月 1 日厚 告 第 368 号
第 41 次	昭和46年12月 9 日厚 告 第 390 号		第 42 次	昭和47年 2 月29日厚 告 第 53 号
第 43 次	昭和47年 4 月 7 日厚 告 第 86 号		第 44 次	昭和47年 9 月27日厚 告 第 310 号
第 45 次	昭和47年10月 6 日厚 告 第 323 号		第 46 次	昭和47年12月15日厚 告 第 381 号
第 47 次	昭和48年 4 月 5 日厚 告 第 59 号		第 48 次	昭和48年 9 月26日厚 告 第 265 号
第 49 次	昭和48年10月 1 日厚 告 第 272 号		第 50 次	昭和48年12月20日厚 告 第 331 号
第 51 次	昭和49年 4 月 1 日厚 告 第 71 号		第 52 次	昭和49年 5 月 1 日厚 告 第 103 号
第 53 次	昭和49年 6 月13日厚 告 第 171 号		第 54 次	昭和49年 9 月12日厚 告 第 239 号
第 55 次	昭和49年 9 月30日厚 告 第 272 号		第 56 次	昭和49年10月12日厚 告 第 295 号
第 57 次	昭和49年11月16日厚 告 第 327 号		第 58 次	昭和50年 2 月 8 日厚 告 第 40 号
第 59 次	昭和50年 4 月 5 日厚 告 第 85 号		第 60 次	昭和50年 8 月26日厚 告 第 263 号
第 61 次	昭和50年10月18日厚 告 第 293 号		第 62 次	昭和50年11月19日厚 告 第 326 号
第 63 次	昭和50年12月13日厚 告 第 366 号		第 64 次	昭和51年 1 月14日厚 告 第 4 号
第 65 次	昭和51年 2 月17日厚 告 第 27 号		第 66 次	昭和51年 3 月31日厚 告 第 43 号
第 67 次	昭和51年 8 月16日厚 告 第 232 号		第 68 次	昭和51年 9 月27日厚 告 第 276 号
第 69 次	昭和51年10月13日厚 告 第 285 号		第 70 次	昭和51年10月21日厚 告 第 288 号
第 71 次	昭和51年12月22日厚 告 第 334 号		第 72 次	昭和52年 3 月31日厚 告 第 64 号
第 73 次	昭和52年 7 月25日厚 告 第 193 号		第 74 次	昭和52年 8 月18日厚 告 第 211 号
第 75 次	昭和52年 9 月30日厚 告 第 246 号		第 76 次	昭和52年11月18日厚 告 第 278 号
第 77 次	昭和53年 3 月31日厚 告 第 60 号		第 78 次	昭和53年 7 月10日厚 告 第 162 号
第 79 次	昭和53年11月 9 日厚 告 第 233 号		第 80 次	昭和54年 1 月 9 日厚 告 第 1 号
第 81 次	昭和54年 1 月17日厚 告 第 5 号		第 82 次	昭和54年 3 月31日厚 告 第 45 号
第 83 次	昭和54年 7 月10日厚 告 第 122 号		第 84 次	昭和54年11月17日厚 告 第 189 号
第 85 次	昭和55年 1 月25日厚 告 第 12 号		第 86 次	昭和55年 3 月31日厚 告 第 55 号

第 87 次	昭和55年 7 月17日厚 告 第 135 号		第 88 次	昭和55年11月25日厚 告 第 198 号
第 89 次	昭和55年11月29日厚 告 第 201 号		第 90 次	昭和56年 3 月31日厚 告 第 41 号
第 91 次	昭和56年 7 月22日厚 告 第 135 号		第 92 次	昭和56年11月17日厚 告 第 188 号
第 93 次	昭和57年 3 月31日厚 告 第 51 号		第 94 次	昭和57年 8 月31日厚 告 第 159 号
第 95 次	昭和57年 8 月31日厚 告 第 160 号		第 96 次	昭和57年12月 4 日厚 告 第 202 号
第 97 次	昭和58年 3 月31日厚 告 第 71 号		第 98 次	昭和59年 3 月31日厚 告 第 61 号
第 99 次	昭和59年 8 月13日厚 告 第 138 号		第100 次	昭和59年12月26日厚 告 第 226 号
第101 次	昭和60年 3 月30日厚 告 第 54 号		第102 次	昭和60年 6 月26日厚 告 第 101 号
第103 次	昭和60年 9 月18日厚 告 第 148 号		第104 次	昭和61年 3 月31日厚 告 第 71 号
第105 次	昭和61年 4 月23日厚 告 第 95 号		第106 次	昭和61年 5 月23日厚 告 第 106 号
第107 次	昭和61年 7 月29日厚 告 第 155 号		第108 次	昭和61年 9 月25日厚 告 第 176 号
第109 次	昭和62年 3 月28日厚 告 第 62 号		第110 次	昭和62年 6 月 3 日厚 告 第 121 号
第111 次	昭和62年 7 月20日厚 告 第 148 号		第112 次	昭和62年11月 5 日厚 告 第 185 号
第113 次	昭和62年12月12日厚 告 第 199 号		第114 次	昭和63年 3 月18日厚 告 第 50 号
第115 次	昭和63年 3 月31日厚 告 第 122 号		第116 次	昭和63年 4 月30日厚 告 第 149 号
第117 次	昭和63年 5 月30日厚 告 第 164 号		第118 次	昭和63年 7 月20日厚 告 第 213 号
第119 次	平成元年 3 月31日厚 告 第 85 号		第120 次	平成元年 6 月30日厚 告 第 129 号
第121 次	平成元年 9 月30日厚 告 第 178 号		第122 次	平成元年12月26日厚 告 第 215 号
第123 次	平成 2 年 3 月31日厚 告 第 86 号		第124 次	平成 2 年 6 月30日厚 告 第 143 号
第125 次	平成 3 年 3 月30日厚 告 第 69 号		第126 次	平成 3 年 6 月27日厚 告 第 145 号
第127 次	平成 4 年 3 月31日厚 告 第 124 号		第128 次	平成 5 年 3 月29日厚 告 第 94 号
第129 次	平成 6 年 3 月29日厚 告 第 132 号		第130 次	平成 6 年 9 月 9 日厚 告 第 309 号
第131 次	平成 6 年 9 月29日厚 告 第 325 号		第132 次	平成 6 年12月22日厚 告 第 392 号
第133 次	平成 7 年 2 月27日厚 告 第 26 号		第134 次	平成 7 年 3 月28日厚 告 第 64 号
第135 次	平成 8 年 3 月25日厚 告 第 93 号		第136 次	平成 8 年 8 月29日厚 告 第 217 号
第137 次	平成 9 年 3 月31日厚 告 第 73 号		第138 次	平成 9 年 9 月30日厚 告 第 209 号
第139 次	平成10年 3 月31日厚 告 第 121 号		第140 次	平成11年 3 月31日厚 告 第 104 号
第141 次	平成12年 3 月31日厚 告 第 158 号		第142 次	平成12年 6 月 7 日厚 告 第 253 号
第143 次	平成12年 9 月29日厚 告 第 328 号		第144 次	平成13年 1 月19日厚労告 第 6 号
第145 次	平成12年12月28日厚 告 第 464 号		第146 次	平成13年 3 月30日厚労告第145号
第147 次	平成15年 2 月19日厚労告第 23 号		第148 次	平成13年10月 1 日厚労告第327号
第149 次	平成14年 2 月 1 日厚労告第 16 号		第150 次	平成14年 3 月29日厚労告第148号
第151 次	平成15年 2 月19日厚労告第 24 号		第152 次	平成15年 2 月19日厚労告第 25 号
第153 次	平成15年 3 月31日厚労告第138号		第154 次	平成15年 4 月18日厚労告第172号
第155 次	平成15年 4 月30日厚労告第177号		第156 次	平成15年 8 月19日厚労告第294号
第157 次	平成15年 8 月27日厚労告第298号		第158 次	平成15年 9 月25日厚労告第313号
第159 次	平成16年 2 月27日厚労告第 45 号		第160 次	平成16年 3 月 3 日厚労告第 75 号
第161 次	平成16年 3 月25日厚労告第130号		第162 次	平成16年 9 月 1 日厚労告第328号
第163 次	平成16年 9 月28日厚労告第355号		第164 次	平成16年 9 月29日厚労告第356号
第165 次	平成16年10月12日厚労告第374号		第166 次	平成16年10月29日厚労告第384号
第167 次	平成16年10月29日厚労告第383号		第168 次	平成16年12月24日厚労告第433号
第169 次	平成16年12月24日厚労告第434号		第170 次	平成16年12月24日厚労告第435号
第171 次	平成16年12月24日厚労告第436号		第172 次	平成16年12月24日厚労告第437号
第173 次	平成16年12月24日厚労告第438号		第174 次	平成17年 2 月15日厚労告第 28 号
第175 次	平成17年 2 月15日厚労告第 29 号		第176 次	平成17年 2 月15日厚労告第 30 号
第177 次	平成17年 2 月15日厚労告第 31 号		第178 次	平成17年 2 月15日厚労告第 32 号
第179 次	平成17年 2 月15日厚労告第 33 号		第180 次	平成17年 2 月15日厚労告第 34 号
第181 次	平成17年 2 月15日厚労告第 35 号		第182 次	平成17年 2 月15日厚労告第 36 号
第183 次	平成17年 3 月31日厚労告第193号		第184 次	平成17年 4 月25日厚労告第228号
第185 次	平成17年 6 月24日厚労告第262号		第186 次	平成17年 6 月24日厚労告第263号
第187 次	平成17年 8 月 1 日厚労告第361号		第188 次	平成17年 9 月 2 日厚労告第392号
第189 次	平成17年 9 月30日厚労告第448号		第190 次	平成17年10月31日厚労告第476号
第191 次	平成17年12月28日厚労告第523号		第192 次	平成17年12月28日厚労告第524号
第193 次	平成17年12月28日厚労告第525号		第194 次	平成18年 2 月 1 日厚労告第 14 号
第195 次	平成18年 2 月 1 日厚労告第 15 号		第196 次	平成18年 2 月 1 日厚労告第 16 号
第197 次	平成18年 3 月 1 日厚労告第 74 号		第198 次	平成18年 3 月 1 日厚労告第 75 号
第199 次	平成18年 3 月 1 日厚労告第 76 号		第200 次	平成18年 3 月 1 日厚労告第 77 号

I 生活保護法関係法令　第2章　保護の基準

第201次	平成18年3月1日厚労告第78号	第202次	平成18年3月1日厚労告第79号
第203次	平成18年3月1日厚労告第80号	第204次	平成18年3月31日厚労告第297号
第205次	平成18年3月31日厚労告第315号	第206次	平成18年9月29日厚労告第588号
第207次	平成19年1月19日厚労告第5号	第208次	平成19年1月19日厚労告第6号
第209次	平成19年1月19日厚労告第7号	第210次	平成19年3月31日厚労告第127号
第211次	平成20年3月31日厚労告第169号	第212次	平成20年10月31日厚労告第504号
第213次	平成21年3月31日厚労告第222号	第214次	平成21年6月30日厚労告第340号
第215次	平成21年9月30日厚労告第428号	第216次	平成21年10月29日厚労告第459号
第217次	平成22年1月29日厚労告第38号	第218次	平成22年3月19日厚労告第90号
第219次	平成22年3月19日厚労告第91号	第220次	平成22年3月19日厚労告第92号
第221次	平成22年3月31日厚労告第141号	第222次	平成22年3月31日厚労告第142号
第223次	平成22年3月31日厚労告第143号	第224次	平成23年3月31日厚労告第107号
第225次	平成23年7月14日厚労告第236号	第226次	平成23年8月30日厚労告第301号
第227次	平成23年9月30日厚労告第383号	第228次	平成23年10月3日厚労告第394号
第229次	平成24年3月31日厚労告第295号	第230次	平成24年9月28日厚労告第529号
第231次	平成25年1月18日厚労告第6号	第232次	平成25年5月16日厚労告第174号
第233次	平成25年9月30日厚労告第324号	第234次	平成26年3月31日厚労告第136号
第235次	平成26年12月22日厚労告第481号	第236次	平成27年3月31日厚労告第227号
第237次	平成27年5月14日厚労告第268号	第238次	平成28年3月31日厚労告第176号
第239次	平成29年3月31日厚労告第162号	第240次	平成30年3月30日厚労告第167号
第241次	平成30年9月4日厚労告第317号	第242次	平成31年3月29日厚労告第145号
第243次	令和元年7月17日厚労告第66号	第244次	令和2年3月30日厚労告第124号
第245次	令和2年8月27日厚労告第302号	第246次	令和3年3月31日厚労告第151号
第247次	令和4年3月25日厚労告第83号	第248次	令和5年3月30日厚労告第122号
第249次	令和5年6月23日厚労告第214号	第250次	令和6年3月28日厚労告第130号

　生活保護法（昭和25年法律第144号）第8条第1項の規定により、生活保護法による保護の基準を次のように定め、生活保護法による保護の基準（昭和32年4月厚生省告示第95号）は、廃止する。
　　生活保護法による保護の基準
一　生活扶助、教育扶助、住宅扶助、医療扶助、介護扶助、出産扶助、生業扶助及び葬祭扶助の基準はそれぞれ別表第1から別表第8までに定めるところによる。
二　要保護者に特別の事由があつて、前項の基準によりがたいときは、厚生労働大臣が特別の基準を定める。
三　別表第1、別表第3、別表第6及び別表第8の基準額に係る地域の級地区分は、別表第9に定めるところによる。
　　市町村の廃置分合、境界変更又は市町村相互間の変更により、当該市町村の地域の級地区分に変更を生ずるときは、厚生労働大臣が別に定める。
　　　前　文（第250次改正）抄
　〔前略〕令和6年4月1日から適用する。ただし、別表第1の第2章の2(3)及び(4)に係る改正規定は、同年7月1日から適用する。

別表第1　生活扶助基準
　第1章　基準生活費
　　1　居宅
　　(1)　基準生活費の額（月額）
　　　ア　1級地
　　　　(ア)　1級地―1
　　　　　第1類

年齢別	基準額
0歳　～　2歳	44,580円
3歳　～　5歳	44,580
6歳　～　11歳	46,460
12歳　～　17歳	49,270
18歳　・　19歳	46,930
20歳　～　40歳	46,930
41歳　～　59歳	46,930
60歳　～　64歳	46,930
65歳　～　69歳	46,460
70歳　～　74歳	46,460
75歳以上	39,890

第2類

基準額及び加算額		世帯人員別				
		1人	2人	3人	4人	5人
基 準 額		円 27,790	円 38,060	円 44,730	円 48,900	円 49,180
地区別冬季加算額	Ⅰ区（10月から4月まで）	12,780	18,140	20,620	22,270	22,890
	Ⅱ区（10月から4月まで）	9,030	12,820	14,570	15,740	16,170
	Ⅲ区（11月から4月まで）	7,460	10,590	12,030	13,000	13,350
	Ⅳ区（11月から4月まで）	6,790	9,630	10,950	11,820	12,150
	Ⅴ区（11月から3月まで）	4,630	6,580	7,470	8,070	8,300
	Ⅵ区（11月から3月まで）	2,630	3,730	4,240	4,580	4,710

基準額及び加算額		世帯人員別				
		6人	7人	8人	9人	10人以上1人を増すごとに加算する額
基 準 額		円 55,650	円 58,920	円 61,910	円 64,670	円 2,760
地区別冬季加算額	Ⅰ区（10月から4月まで）	24,330	25,360	26,180	27,010	830
	Ⅱ区（10月から4月まで）	17,180	17,920	18,500	19,080	580
	Ⅲ区（11月から4月まで）	14,200	14,800	15,280	15,760	480
	Ⅳ区（11月から4月まで）	12,920	13,460	13,900	14,340	440
	Ⅴ区（11月から3月まで）	8,820	9,200	9,490	9,790	310
	Ⅵ区（11月から3月まで）	5,010	5,220	5,380	5,560	180

生活保護法による保護の基準

(イ) 1級地―2
第1類

年　齢　別	基　準　額
0歳　～　2歳	43,240円
3歳　～　5歳	43,240
6歳　～　11歳	45,060
12歳　～　17歳	47,790
18歳　・　19歳	45,520
20歳　～　40歳	45,520
41歳　～　59歳	45,520
60歳　～　64歳	45,520
65歳　～　69歳	45,060
70歳　～　74歳	45,060
75歳以上	38,690

第2類

基準額及び加算額		世　帯　人　員　別				
		1人	2人	3人	4人	5人
基　準　額		円 27,790	円 38,060	円 44,730	円 48,900	円 49,180
地区別 冬季加 算額	Ⅰ区（10月から4月まで）	12,780	18,140	20,620	22,270	22,890
	Ⅱ区（10月から4月まで）	9,030	12,820	14,570	15,740	16,170
	Ⅲ区（11月から4月まで）	7,460	10,590	12,030	13,000	13,350
	Ⅳ区（11月から4月まで）	6,790	9,630	10,950	11,820	12,150
	Ⅴ区（11月から3月まで）	4,630	6,580	7,470	8,070	8,300
	Ⅵ区（11月から3月まで）	2,630	3,730	4,240	4,580	4,710

基準額及び加算額		世　帯　人　員　別				
		6人	7人	8人	9人	10人以上 1人を増 すごとに 加算する 額
基　準　額		円 55,650	円 58,920	円 61,910	円 64,670	円 2,760
地区別 冬季加 算額	Ⅰ区（10月から4月まで）	24,330	25,360	26,180	27,010	830
	Ⅱ区（10月から4月まで）	17,180	17,920	18,500	19,080	580

I 生活保護法関係法令 第2章 保護の基準

Ⅲ区(11月から4月まで)	14,200	14,800	15,280	15,760	480
Ⅳ区(11月から4月まで)	12,920	13,460	13,900	14,340	440
Ⅴ区(11月から3月まで)	8,820	9,200	9,490	9,790	310
Ⅵ区(11月から3月まで)	5,010	5,220	5,380	5,560	180

イ 2級地

(ア) 2級地—1

第1類

年齢別	基準額
0歳 ～ 2歳	41,460円
3歳 ～ 5歳	41,460
6歳 ～ 11歳	43,200
12歳 ～ 17歳	45,820
18歳 ・ 19歳	43,640
20歳 ～ 40歳	43,640
41歳 ～ 59歳	43,640
60歳 ～ 64歳	43,640
65歳 ～ 69歳	43,200
70歳 ～ 74歳	43,200
75歳以上	37,100

第2類

基準額及び加算額		世帯人員別				
		1人	2人	3人	4人	5人
基準額		円 27,790	円 38,060	円 44,730	円 48,900	円 49,180
地区別冬季加算額	Ⅰ区(10月から4月まで)	12,780	18,140	20,620	22,270	22,890
	Ⅱ区(10月から4月まで)	9,030	12,820	14,570	15,740	16,170
	Ⅲ区(11月から4月まで)	7,460	10,590	12,030	13,000	13,350
	Ⅳ区(11月から4月まで)	6,790	9,630	10,950	11,820	12,150
	Ⅴ区(11月から3月まで)	4,630	6,580	7,470	8,070	8,300
	Ⅵ区(11月から3月まで)	2,630	3,730	4,240	4,580	4,710

生活保護法による保護の基準

基準額及び加算額		世帯人員別				
		6人	7人	8人	9人	10人以上1人を増すごとに加算する額
基　準　額		円 55,650	円 58,920	円 61,910	円 64,670	円 2,760
地区別冬季加算額	Ⅰ区（10月から4月まで）	24,330	25,360	26,180	27,010	830
	Ⅱ区（10月から4月まで）	17,180	17,920	18,500	19,080	580
	Ⅲ区（11月から4月まで）	14,200	14,800	15,280	15,760	480
	Ⅳ区（11月から4月まで）	12,920	13,460	13,900	14,340	440
	Ⅴ区（11月から3月まで）	8,820	9,200	9,490	9,790	310
	Ⅵ区（11月から3月まで）	5,010	5,220	5,380	5,560	180

(イ)　2級地—2
第1類

年齢別	基準額
0歳　～　2歳	39,680円
3歳　～　5歳	39,680
6歳　～　11歳	41,350
12歳　～　17歳	43,850
18歳　・　19歳	41,760
20歳　～　40歳	41,760
41歳　～　59歳	41,760
60歳　～　64歳	41,760
65歳　～　69歳	41,350
70歳　～　74歳	41,350
75歳以上	35,500

第2類

基準額及び加算額		世帯人員別				
		1人	2人	3人	4人	5人
基　準　額		円 27,790	円 38,060	円 44,730	円 48,900	円 49,180
地区別冬季加算額	Ⅰ区（10月から4月まで）	12,780	18,140	20,620	22,270	22,890
	Ⅱ区（10月から4月まで）	9,030	12,820	14,570	15,740	16,170

	Ⅲ区(11月から4月まで)	7,460	10,590	12,030	13,000	13,350
	Ⅳ区(11月から4月まで)	6,790	9,630	10,950	11,820	12,150
	Ⅴ区(11月から3月まで)	4,630	6,580	7,470	8,070	8,300
	Ⅵ区(11月から3月まで)	2,630	3,730	4,240	4,580	4,710

基準額及び加算額		世帯人員別				
		6人	7人	8人	9人	10人以上1人を増すごとに加算する額
基 準 額		円 55,650	円 58,920	円 61,910	円 64,670	円 2,760
地区別冬季加算額	Ⅰ区(10月から4月まで)	24,330	25,360	26,180	27,010	830
	Ⅱ区(10月から4月まで)	17,180	17,920	18,500	19,080	580
	Ⅲ区(11月から4月まで)	14,200	14,800	15,280	15,760	480
	Ⅳ区(11月から4月まで)	12,920	13,460	13,900	14,340	440
	Ⅴ区(11月から3月まで)	8,820	9,200	9,490	9,790	310
	Ⅵ区(11月から3月まで)	5,010	5,220	5,380	5,560	180

ウ　3級地

(ア)　3級地―1

第1類

年　齢　別	基　準　額
0歳　～　2歳	39,230円
3歳　～　5歳	39,230
6歳　～　11歳	40,880
12歳　～　17歳	43,360
18歳　・　19歳	41,290
20歳　～　40歳	41,290
41歳　～　59歳	41,290
60歳　～　64歳	41,290
65歳　～　69歳	40,880
70歳　～　74歳	40,880
75歳以上	35,100

生活保護法による保護の基準

第2類

基準額及び加算額		世帯人員別				
		1人	2人	3人	4人	5人
基　準　額		円 27,790	円 38,060	円 44,730	円 48,900	円 49,180
地区別 冬季加 算額	Ⅰ区（10月から4月まで）	12,780	18,140	20,620	22,270	22,890
	Ⅱ区（10月から4月まで）	9,030	12,820	14,570	15,740	16,170
	Ⅲ区（11月から4月まで）	7,460	10,590	12,030	13,000	13,350
	Ⅳ区（11月から4月まで）	6,790	9,630	10,950	11,820	12,150
	Ⅴ区（11月から3月まで）	4,630	6,580	7,470	8,070	8,300
	Ⅵ区（11月から3月まで）	2,630	3,730	4,240	4,580	4,710

基準額及び加算額		世帯人員別				
		6人	7人	8人	9人	10人以上1人を増すごとに加算する額
基　準　額		円 55,650	円 58,920	円 61,910	円 64,670	円 2,760
地区別 冬季加 算額	Ⅰ区（10月から4月まで）	24,330	25,360	26,180	27,010	830
	Ⅱ区（10月から4月まで）	17,180	17,920	18,500	19,080	580
	Ⅲ区（11月から4月まで）	14,200	14,800	15,280	15,760	480
	Ⅳ区（11月から4月まで）	12,920	13,460	13,900	14,340	440
	Ⅴ区（11月から3月まで）	8,820	9,200	9,490	9,790	310
	Ⅵ区（11月から3月まで）	5,010	5,220	5,380	5,560	180

(イ) 3級地—2

第1類

年　齢　別	基　準　額
0歳　～　2歳	37,000円
3歳　～　5歳	37,000
6歳　～　11歳	38,560
12歳　～　17歳	40,900
18歳　・　19歳	38,950
20歳　～　40歳	38,950
41歳　～　59歳	38,950
60歳　～　64歳	38,950
65歳　～　69歳	38,560
70歳　～　74歳	38,560
75歳以上	33,110

第2類

基準額及び加算額		世帯人員別				
		1人	2人	3人	4人	5人
基 準 額		円 27,790	円 38,060	円 44,730	円 48,900	円 49,180
地区別 冬季加 算額	Ⅰ区(10月から4月まで)	12,780	18,140	20,620	22,270	22,890
	Ⅱ区(10月から4月まで)	9,030	12,820	14,570	15,740	16,170
	Ⅲ区(11月から4月まで)	7,460	10,590	12,030	13,000	13,350
	Ⅳ区(11月から4月まで)	6,790	9,630	10,950	11,820	12,150
	Ⅴ区(11月から3月まで)	4,630	6,580	7,470	8,070	8,300
	Ⅵ区(11月から3月まで)	2,630	3,730	4,240	4,580	4,710

基準額及び加算額		世帯人員別				
		6人	7人	8人	9人	10人以上 1人を増 すごとに 加算する 額
基 準 額		円 55,650	円 58,920	円 61,910	円 64,670	円 2,760
地区別 冬季加 算額	Ⅰ区(10月から4月まで)	24,330	25,360	26,180	27,010	830
	Ⅱ区(10月から4月まで)	17,180	17,920	18,500	19,080	580
	Ⅲ区(11月から4月まで)	14,200	14,800	15,280	15,760	480
	Ⅳ区(11月から4月まで)	12,920	13,460	13,900	14,340	440
	Ⅴ区(11月から3月まで)	8,820	9,200	9,490	9,790	310
	Ⅵ区(11月から3月まで)	5,010	5,220	5,380	5,560	180

(2) 基準生活費の算定
　ア　基準生活費は、世帯を単位として算定するものとし、その額は、次の算式により算定した額とし、その額に10円未満の端数が生じたときは、当該端数を10円に切り上げるものとする。
　　また、12月の基準生活費の額は、次の算式により算定した額に以下の期末一時扶助費の表に定める額を加えた額とする。
　算式
　　A＋B＋C
　算式の符号
　　A　第1類の表に定める世帯員の年齢別の基準額を世帯員ごとに合算した額に次の逓減率の表中率の項に掲げる世帯人員の数に応じた率を乗じて得た額及び第2類の表に定める基準額の合計額
　　B　次の経過的加算額（月額）の表に定める世帯人員の数に応じた世帯員の年齢別の加算額を世帯員ごとに合算した額
　　C　第2類の表に定める地区別冬季加算額

生活保護法による保護の基準

逓減率

第1類の表に定める世帯員の年齢別の基準額を世帯員ごとに合算した額に乗じる率	世帯人員別				
	1人	2人	3人	4人	5人
率	1.00	0.87	0.75	0.66	0.59

第1類の表に定める世帯員の年齢別の基準額を世帯員ごとに合算した額に乗じる率	世帯人員別				
	6人	7人	8人	9人	10人以上
率	0.58	0.55	0.52	0.50	0.50

期末一時扶助費

級地別	世帯人員別				
	1人	2人	3人	4人	5人
1級地―1	14,160円	23,080円	23,790円	26,760円	27,890円
1級地―2	13,520	22,030	22,720	25,550	26,630
2級地―1	12,880	21,000	21,640	24,340	25,370
2級地―2	12,250	19,970	20,580	23,160	24,130
3級地―1	11,610	18,920	19,510	21,940	22,870
3級地―2	10,970	17,880	18,430	20,730	21,620

級地別	世帯人員別				10人以上1人を増すごとに加算する額
	6人	7人	8人	9人	
1級地―1	31,720円	33,690円	35,680円	37,370円	1,710円
1級地―2	30,280	32,170	34,060	35,690	1,620
2級地―1	28,850	30,660	32,460	34,000	1,540
2級地―2	27,440	29,160	30,860	32,340	1,480
3級地―1	26,010	27,630	29,260	30,650	1,390
3級地―2	24,570	26,100	27,640	28,950	1,320

経過的加算額（月額）
(ア) 1級地
1級地―1

年齢別	世帯人員別				
	1人	2人	3人	4人	5人
0歳～2歳	150円	550円	0円	980円	2,340円
3歳～5歳	150	550	0	0	250
6歳～11歳	0	0	0	0	0
12歳～17歳	0	0	530	2,230	3,810
18歳・19歳	1,330	890	2,290	3,770	5,190
20歳～40歳	700	890	670	2,240	3,730
41歳～59歳	1,520	890	0	470	2,060
60歳～64歳	1,160	890	0	0	960
65歳～69歳	1,630	0	0	0	1,230
70歳～74歳	0	0	0	0	0
75歳以上	3,220	1,460	390	320	1,630

年齢別	世帯人員別				
	6人	7人	8人	9人	10人以上
0歳～2歳	1,270円	70円	0円	0円	0円
3歳～5歳	0	0	0	0	0
6歳～11歳	0	0	810	1,630	1,540
12歳～17歳	3,280	4,480	5,780	6,660	6,570
18歳・19歳	4,630	5,760	7,000	7,830	7,740
20歳～40歳	3,180	4,310	5,540	6,370	6,290
41歳～59歳	1,500	2,630	3,870	4,700	4,610
60歳～64歳	0	960	2,200	3,030	2,940
65歳～69歳	260	1,220	2,440	3,260	3,180
70歳～74歳	0	0	0	250	160
75歳以上	900	1,820	2,840	3,530	3,440

1級地—2

年齢別	世帯人員別				
	1人	2人	3人	4人	5人
0歳〜2歳	0円	0円	0円	0円	1,840円
3歳〜5歳	0	0	0	0	0
6歳〜11歳	0	0	0	0	0
12歳〜17歳	0	0	0	1,050	2,720
18歳・19歳	0	50	950	2,550	4,060
20歳〜40歳	0	50	0	1,090	2,680
41歳〜59歳	0	50	0	0	1,070
60歳〜64歳	0	50	0	0	110
65歳〜69歳	0	0	0	0	380
70歳〜74歳	0	0	0	0	0
75歳以上	1,340	610	0	0	810

年齢別	世帯人員別				
	6人	7人	8人	9人	10人以上
0歳〜2歳	860円	0円	0円	0円	0円
3歳〜5歳	0	0	0	0	0
6歳〜11歳	0	0	30	850	790
12歳〜17歳	2,250	3,460	4,760	5,640	5,570
18歳・19歳	3,570	4,710	5,940	6,770	6,710
20歳〜40歳	2,180	3,320	4,550	5,390	5,320
41歳〜59歳	570	1,710	2,950	3,780	3,720
60歳〜64歳	0	120	1,350	2,190	2,120
65歳〜69歳	0	370	1,590	2,420	2,350
70歳〜74歳	0	0	0	0	0
75歳以上	240	1,180	2,210	2,900	2,840

(イ) 2級地
　　2級地―1

年齢別	世帯人員別				
	1人	2人	3人	4人	5人
0歳～2歳	0円	0円	0円	0円	1,220円
3歳～5歳	0	0	0	0	0
6歳～11歳	0	0	0	0	0
12歳～17歳	0	0	0	190	1,910
18歳・19歳	0	0	0	1,630	3,200
20歳～40歳	0	0	0	240	1,880
41歳～59歳	0	0	0	0	340
60歳～64歳	0	0	0	0	0
65歳～69歳	0	0	0	0	0
70歳～74歳	0	0	0	0	0
75歳以上	0	320	0	0	0

年齢別	世帯人員別				
	6人	7人	8人	9人	10人以上
0歳～2歳	0円	0円	0円	0円	0円
3歳～5歳	0	0	0	0	0
6歳～11歳	0	0	0	290	250
12歳～17歳	1,490	2,690	3,960	4,830	4,790
18歳・19歳	2,750	3,880	5,100	5,920	5,880
20歳～40歳	1,430	2,560	3,780	4,600	4,560
41歳～59歳	0	1,030	2,240	3,070	3,030
60歳～64歳	0	0	730	1,550	1,510
65歳～69歳	0	0	960	1,770	1,730
70歳～74歳	0	0	0	0	0
75歳以上	0	360	1,380	2,080	2,040

2級地—2

年齢別	世帯人員別				
	1人	2人	3人	4人	5人
0歳～2歳	410円	990円	0円	0円	0円
3歳～5歳	410	990	0	0	0
6歳～11歳	0	350	0	0	0
12歳～17歳	0	0	0	0	1,120
18歳・19歳	910	1,380	0	720	2,350
20歳～40歳	910	1,380	0	0	1,090
41歳～59歳	910	1,380	0	0	0
60歳～64歳	910	1,380	0	0	10
65歳～69歳	0	90	0	0	0
70歳～74歳	0	90	0	0	0
75歳以上	1,180	1,710	0	0	0

年齢別	世帯人員別				
	6人	7人	8人	9人	10人以上
0歳～2歳	0円	1,370円	580円	0円	0円
3歳～5歳	0	0	0	0	0
6歳～11歳	0	0	0	0	0
12歳～17歳	740	1,940	3,200	4,050	4,040
18歳・19歳	1,960	3,090	4,280	5,100	5,090
20歳～40歳	690	1,830	3,020	3,840	3,820
41歳～59歳	0	380	1,570	2,390	2,380
60歳～64歳	0	0	130	950	930
65歳～69歳	0	0	340	1,150	1,140
70歳～74歳	0	0	0	0	0
75歳以上	0	20	1,030	1,720	1,710

(ウ) 3級地
　3級地—1

年　齢　別	世　帯　人　員　別				
	1 人	2 人	3 人	4 人	5 人
0歳～2歳	0円	0円	0円	0円	0円
3歳～5歳	0	0	0	0	0
6歳～11歳	0	0	0	0	0
12歳～17歳	0	0	0	0	0
18歳・19歳	0	0	0	0	650
20歳～40歳	0	0	0	0	0
41歳～59歳	0	0	0	0	0
60歳～64歳	0	0	0	0	0
65歳～69歳	0	0	0	0	0
70歳～74歳	0	0	0	0	0
75歳以上	0	0	0	0	0

年　齢　別	世　帯　人　員　別				
	6 人	7 人	8 人	9 人	10人以上
0歳～2歳	0円	170円	110円	0円	0円
3歳～5歳	0	0	0	0	0
6歳～11歳	0	0	0	0	0
12歳～17歳	0	350	1,630	2,510	2,520
18歳・19歳	320	1,490	2,710	3,550	3,550
20歳～40歳	0	300	1,520	2,350	2,360
41歳～59歳	0	0	150	980	990
60歳～64歳	0	0	0	0	0
65歳～69歳	0	0	0	0	0
70歳～74歳	0	0	0	0	0
75歳以上	0	0	0	230	240

3級地—2

年齢別	世帯人員別				
	1人	2人	3人	4人	5人
0歳～2歳	0円	0円	0円	0円	0円
3歳～5歳	0	0	0	0	0
6歳～11歳	0	0	0	0	0
12歳～17歳	0	0	0	0	0
18歳・19歳	0	0	0	0	70
20歳～40歳	0	0	0	0	0
41歳～59歳	0	0	0	0	0
60歳～64歳	0	0	0	0	0
65歳～69歳	0	0	0	0	0
70歳～74歳	0	0	0	0	0
75歳以上	0	450	0	0	0

年齢別	世帯人員別				
	6人	7人	8人	9人	10人以上
0歳～2歳	0円	0円	660円	430円	350円
3歳～5歳	0	0	0	0	0
6歳～11歳	0	0	0	0	0
12歳～17歳	0	0	1,110	1,970	2,010
18歳・19歳	0	940	2,130	2,950	2,980
20歳～40歳	0	0	1,000	1,820	1,860
41歳～59歳	0	0	0	520	560
60歳～64歳	0	0	0	0	0
65歳～69歳	0	0	0	0	0
70歳～74歳	0	0	0	0	0
75歳以上	0	0	0	160	200

イ　第2類の表におけるⅠ区からⅥ区までの区分は次の表に定めるところによる。

I 生活保護法関係法令 第2章 保護の基準

地区別	Ⅰ区	Ⅱ区	Ⅲ区	Ⅳ区	Ⅴ区	Ⅵ区
都道府県名	北海道 青森県 秋田県	岩手県 山形県 新潟県	宮城県 福島県 富山県 長野県	石川県 福井県	栃木県 群馬県 山梨県 岐阜県 鳥取県 島根県	その他の都府県

　　ウ　入院患者日用品費又は介護施設入所者基本生活費が算定される者の基準生活費の算定は、別に定めるところによる。
2　救護施設等
(1)　基準生活費の額（月額）
　ア　基準額

級地別	救護施設及びこれに準ずる施設	更生施設及びこれに準ずる施設
1級地	64,140円	67,950円
2級地	60,940	64,550
3級地	57,730	61,150

　イ　地区別冬季加算額

Ⅰ区（10月から4月まで）	Ⅱ区（10月から4月まで）	Ⅲ区（11月から4月まで）	Ⅳ区（11月から4月まで）	Ⅴ区（11月から3月まで）	Ⅵ区（11月から3月まで）
5,900円	4,480円	4,260円	3,760円	2,910円	2,050円

(2)　基準生活費の算定
　ア　基準生活費の額は、(1)に定める額とする。ただし、12月の基準生活費の額は、次の表に定める期末一時扶助費の額を加えた額とする。

級地別	期末一時扶助費
1級地	5,070円
2級地	4,610
3級地	4,150

　イ　表におけるⅠ区からⅥ区までの区分は、1の(2)のイの表に定めるところによる。
3　職業能力開発校附属宿泊施設等に入所又は寄宿している者についての特例

次の表の左欄に掲げる施設に入所又は寄宿している者(特別支援学校に附属する寄宿舎に寄宿している者にあつては、これらの学校の高等部の別科に就学する場合に限る。)に係る基準生活費の額は、1の規定にかかわらず、それぞれ同表の右欄に掲げる額とする。

施 設	基準生活費の額	
	基準月額	地区別冬季加算額及び期末一時扶助費の額
職業能力開発促進法(昭和44年法律第64号)にいう職業能力開発校、障害者職業能力開発校又はこれらに準ずる施設に附属する宿泊施設 特別支援学校に附属する寄宿舎	食費として施設に支払うべき額と入院患者日用品費の基準額の合計額	地区別冬季加算額は、2の(1)のイの表に定めるところにより、期末一時扶助費の額は、2の(2)のアの表に定めるところによる。
独立行政法人国立重度知的障害者総合施設のぞみの園が設置する施設 障害者の日常生活及び社会生活を総合的に支援するための法律(平成17年法律第123号)第5条第11項に規定する障害者支援施設 児童福祉法(昭和22年法律第164号)第42条第1号に規定する福祉型障害児入所施設	食費及び居住に要する費用として施設に支払うべき額と入院患者日用品費の額の合計額	
児童福祉法第42条第2号に規定する医療型障害児入所施設(以下「医療型障害児入所施設」という。) 児童福祉法にいう指定発達支援医療機関	入院患者日用品費の額	

4 特例加算

1から3までの基準生活費の算出にあたっては、1から3までにより算定される額に世帯人員一人につき月額1,000円を加えるものとする。

第2章 加算

1 妊産婦加算

(1) 加算額(月額)

級 地 別	妊 婦		産 婦
	妊娠6か月未満	妊娠6か月以上	
1級地及び2級地	9,130円	13,790円	8,480円
3 級 地	7,760	11,720	7,210

(2) 妊婦についての加算は、妊娠の事実を確認した日の属する月の翌月から行う。
(3) 産婦についての加算は、出産の日の属する月から行い、期間は6箇月を限度として別に定める。
(4) (3)の規定にかかわらず、保護受給中の者については、その出産の日の属する月は妊婦についての加算を行い、翌月から5箇月を限度として別に定めるところにより産婦についての加算を行う。
(5) 妊産婦加算は、病院又は診療所において給食を受けている入院患者については、行わない。

2 障害者加算
  (1) 加算額（月額）

		(2)のアに該当する者	(2)のイに該当する者
在宅者	1級地	26,810円	17,870円
在宅者	2級地	24,940	16,620
在宅者	3級地	23,060	15,380
入院患者又は社会福祉施設若しくは介護施設の入所者		22,310	14,870

（注） 社会福祉施設とは保護施設、障害者の日常生活及び社会生活を総合的に支援するための法律第5条第11項に規定する障害者支援施設、児童福祉法第42条第1号に規定する福祉型障害児入所施設又は老人福祉法（昭和38年法律第133号）にいう老人福祉施設をいい、介護施設とは介護保険法（平成9年法律第123号）にいう介護保険施設をいうものであること（以下同じ。）。

(2) 障害者加算は、次に掲げる者について行う。
  ア 身体障害者福祉法施行規則（昭和25年厚生省令第15号）別表第5号の身体障害者障害程度等級表（以下「障害等級表」という。）の1級若しくは2級又は国民年金法施行令（昭和34年政令第184号）別表に定める1級のいずれかに該当する障害のある者（症状が固定している者及び症状が固定してはいないが障害の原因となつた傷病について初めて医師又は歯科医師の診療を受けた後1年6月を経過した者に限る。）
  イ 障害等級表の3級又は国民年金法施行令別表に定める2級のいずれかに該当する障害のある者（症状が固定している者及び症状が固定してはいないが障害の原因となつた傷病について初めて医師又は歯科医師の診療を受けた後1年6月を経過した者に限る。）。ただし、アに該当する者

を除く。
(3) 特別児童扶養手当等の支給に関する法律施行令（昭和50年政令第207号）別表第1に定める程度の障害の状態にあるため、日常生活において常時の介護を必要とする者（児童福祉法に規定する障害児入所施設、老人福祉法に規定する養護老人ホーム及び特別養護老人ホーム並びに障害児福祉手当及び特別障害者手当の支給に関する省令（昭和50年厚生省令第34号）第1条に規定する施設に入所している者を除く。）については、別に15,690円を算定するものとする。
(4) (2)のアに該当する障害のある者であつて当該障害により日常生活の全てについて介護を必要とするものを、その者と同一世帯に属する者が介護する場合においては、別に13,150円を算定するものとする。この場合においては、(5)の規定は適用しないものとする。
(5) 介護人をつけるための費用を要する場合においては、別に、71,200円の範囲内において必要な額を算定するものとする。

3 介護施設入所者加算
　介護施設入所者加算は、介護施設入所者基本生活費が算定されている者であつて、障害者加算又は8に定める母子加算が算定されていないものについて行い、加算額（月額）は、9,880円の範囲内の額とする。

4 在宅患者加算
(1) 加算額（月額）

級　地　別	加　算　額
1級地及び2級地	13,270円
3　級　地	11,280

(2) 在宅患者加算は、次に掲げる在宅患者であつて現に療養に専念しているものについて行う。
　ア 結核患者であつて現に治療を受けているもの及び結核患者であつて現に治療を受けてはいないが、保護の実施機関の指定する医師の診断により栄養の補給を必要とすると認められるもの
　イ 結核患者以外の患者であつて3箇月以上の治療を必要とし、かつ、保護の実施機関の指定する医師の診断により栄養の補給を必要とすると認められるもの

5 放射線障害者加算
　放射線障害者加算は、次に掲げる者について行い、その額は、(1)に該当する者にあつては月額45,760円、(2)に該当する者にあつては月額22,880円とする。
(1) ア 原子爆弾被爆者に対する援護に関する法律（平成6年法律第117

号）第11条第1項の認定を受けた者であつて、同項の認定に係る負傷又は疾病の状態にあるもの（同法第24条第2項に規定する都道府県知事の認定を受けた者に限る。）

イ　放射線（広島市及び長崎市に投下された原子爆弾の放射線を除く。以下(2)において同じ。）を多量に浴びたことに起因する負傷又は疾病の患者であつて、当該負傷又は疾病が放射線を多量に浴びたことに起因する旨の厚生労働大臣の認定を受けたもの

(2)　ア　原子爆弾被爆者に対する援護に関する法律第11条第1項の認定を受けた者（同法第25条第2項に規定する都道府県知事の認定を受けた者であつて、(1)のアに該当しないものに限る。）

イ　放射線を多量に浴びたことに起因する負傷又は疾病の患者であつた者であつて、当該負傷又は疾病が放射線を多量に浴びたことに起因する旨の厚生労働大臣の認定を受けたもの

6　児童養育加算
(1)　加算額（月額）

児童養育加算は、児童の養育に当たる者について行い、その加算額（月額）は、高等学校等修了前の児童（18歳に達する日以後の最初の3月31日までの間にある児童をいう。）1人につき10,190円とする。

(2)　児童養育加算に係る経過的加算額（月額）

次に掲げる児童の養育に当たる者については、(1)の額に次に掲げる児童1人につき4,330円を加えるものとする。

ア　4人以上の世帯に属する3歳に満たない児童（月の初日に生まれた児童については、出生の日から3年を経過しない児童とする。以下同じ。）

イ　3人以下の世帯に属する3歳に満たない児童（当該児童について第1章の2若しくは3又は第3章の1(1)に掲げる額を算定する場合に限る。）

ウ　第3子以降の児童のうち、3歳以上の児童（月の初日に生まれた児童については、出生の日から3年を経過した児童とする。）であつて小学校修了前のもの（12歳に達する日以後の最初の3月31日までの間にある児童をいう。）

7　介護保険料加算

介護保険料加算は、介護保険の第一号被保険者であつて、介護保険法第131条に規定する普通徴収の方法によつて保険料を納付する義務を負うものに対して行い、その加算額は、当該者が被保険者となる介護保険を行う市町村に対して納付すべき保険料の実費とする。

8　母子加算
(1)　加算額（月額）

		児童1人	児童が2人の場合に加える額	児童が3人以上1人を増すごとに加える額
在宅者	1級地	18,800円	4,800円	2,900円
	2級地	17,400	4,400	2,700
	3級地	16,100	4,100	2,500
入院患者又は社会福祉施設若しくは介護施設の入所者		19,350	1,560	770

(2) 母子加算に係る経過的加算額（月額）

　次に掲げる児童の養育に当たる者については、(1)の表に掲げる額に次の表に掲げる額を加えるものとする。

　ア　3人以上の世帯に属する児童（当該児童が1人の場合に限る。）

　（ア）3人世帯

児童の年齢	1級地の1	1級地の2	2級地の1	2級地の2	3級地の1	3級地の2
0～5歳	3,330円	3,330円	0円	0円	0円	0円
6～11歳	3,330	3,330	3,200	0	0	0
12～14歳	3,330	3,330	3,200	2,780	1,760	0
15～17歳	0	0	0	0	0	0
18歳以上20歳未満	3,330	3,330	3,200	2,780	1,760	0

　（イ）4人世帯

児童の年齢	1級地の1	1級地の2	2級地の1	2級地の2	3級地の1	3級地の2
0～2歳	3,330円	3,330円	3,200円	3,200円	2,900円	0円
3～14歳	3,330	3,330	3,200	3,200	2,900	2,900
15～17歳	0	0	0	0	0	0
18歳以上20歳未満	3,330	3,330	3,200	3,200	2,900	2,900

　（ウ）5人以上の世帯

I　生活保護法関係法令　第2章　保護の基準

児童の年齢	1級地の1	1級地の2	2級地の1	2級地の2	3級地の1	3級地の2
0〜14歳	3,330円	3,330円	3,200円	3,200円	2,900円	2,900円
15〜17歳	0	0	0	0	0	0
18歳以上20歳未満	3,330	3,330	3,200	3,200	2,900	2,900

　　イ　(3)の養育に当たる者が第1章の1の基準生活費を算定される世帯に属する児童（当該児童全てが第3章の1(2)に掲げる児童又は医療型障害児施設に入所する児童であり、かつ同一世帯に属する当該児童が2人以下である場合に限る。）

	1級地の1	1級地の2	2級地の1	2級地の2	3級地の1	3級地の2
児童1人	3,330円	3,330円	3,200円	3,200円	2,900円	2,900円
児童2人	280	280	460	460	350	350

　(3)　母子加算は、父母の一方若しくは両方が欠けているか又はこれに準ずる状態にあるため、父母の他方又は父母以外の者が児童（18歳に達する日以後の最初の3月31日までの間にある者又は20歳未満で2の(2)に掲げる者をいう。）を養育しなければならない場合に、当該養育に当たる者について行う。ただし、当該養育に当たる者が父又は母である場合であつて、その者が児童の養育に当たることができる者と婚姻関係（婚姻の届出をしていないが事実上婚姻と同様の事情にある場合を含む。）にあり、かつ、同一世帯に属するときは、この限りでない。

9　重複調整等

　　障害者加算又は母子加算について、同一の者がいずれの加算事由にも該当する場合には、いずれか高い加算額（同額の場合にはいずれか一方の加算額）を算定するものとし、相当期間にわたり加算額の全額を必要としないものと認められる場合には、当該加算額の範囲内において必要な額を算定するものとする。ただし、障害者加算のうち2の(4)又は(5)に該当することにより行われる障害者加算額及び母子加算のうち児童が2人以上の場合に児童1人につき加算する額は、重複調整を行わないで算定するものとする。

第3章　入院患者日用品費、介護施設入所者基本生活費及び移送費

　1　入院患者日用品費

(1) 基準額及び加算額（月額）

基　準　額	地区別冬季加算額（11月から3月まで）		
	Ⅰ区及びⅡ区	Ⅲ区及びⅣ区	Ⅴ区及びⅥ区
23,110円以内	3,600円	2,110円	1,000円

(2) 入院患者日用品費は、次に掲げる者について算定する。
　ア　病院又は診療所に1箇月以上入院する者
　イ　救護施設、更生施設又は老人福祉法にいう養護老人ホーム若しくは特別養護老人ホームから病院又は診療所に入院する者
　ウ　介護施設から病院又は診療所に入院する者

(3) (1)の表におけるⅠ区からⅥ区までの区分は、第1章の1の(2)のイの表に定めるところによる。

2　介護施設入所者基本生活費

(1) 基準額及び加算額（月額）

基　準　額	地区別冬季加算額（11月から3月まで）		
	Ⅰ区及びⅡ区	Ⅲ区及びⅣ区	Ⅴ区及びⅥ区
9,880円以内	3,600円	2,110円	1,000円

(2) 介護施設入所者基本生活費は、介護施設に入所する者について算定する。

(3) (1)の表におけるⅠ区からⅥ区までの区分は、第1章の1の(2)のイの表に定めるところによる。

3　移送費
　移送費の額は、移送に必要な最小限度の額とする。

I　生活保護法関係法令　第2章　保護の基準

別表第2　教育扶助基準

区分 \ 学校別	次に掲げる学校 一　小学校 二　義務教育学校の前期課程 三　特別支援学校の小学部	次に掲げる学校 一　中学校 二　義務教育学校の後期課程 三　中等教育学校の前期課程（保護の実施機関が就学を認めた場合に限る。） 四　特別支援学校の中学部
基準額（月額）	2,600円	5,100円
教材代	正規の教材として学校長又は教育委員会が指定するものの購入又は利用に必要な額	
学校給食費	保護者が負担すべき給食費の額	
通学のための交通費	通学に必要な最小限度の額	
学習支援費(年間上限額)	16,000円以内	59,800円以内

別表第3　住宅扶助基準

1　基準額

区分 級地別	家賃、間代、地代等の額（月額）	補修費等住宅維持費の額（年額）
1級地及び2級地	13,000円以内	130,000円以内
3級地	8,000円以内	

2　家賃、間代、地代等については、当該費用が1の表に定める額を超えるときは、都道府県又は地方自治法（昭和22年法律第67号）第252条の19第1項の指定都市（以下「指定都市」という。）若しくは同法第252条の22第1項の中核市（以下「中核市」という。）ごとに、厚生労働大臣が別に定める額の範囲内の額とする。

別表第4　医療扶助基準

1	指定医療機関等において診療を受ける場合の費用	生活保護法第52条の規定による診療方針及び診療報酬に基づきその者の診療に必要な最小限度の額
2	薬剤又は治療材料に係る費用（1の費用に含まれる場合を除く。）	25,000円以内の額
3	施術のための費用	都道府県知事又は指定都市若しくは中核市の長が施術者のそれぞれの組合と協定して定めた額以内の額
4	移送費	移送に必要な最小限度の額

別表第5　介護扶助基準

1	居宅介護、福祉用具、住宅改修又は施設介護に係る費用	生活保護法第54条の2第5項において準用する同法第52条の規定による介護の方針及び介護の報酬に基づきその者の介護サービスに必要な最小限度の額
2	移送費	移送に必要な最小限度の額

別表第6　出産扶助基準

1　基準額

区　　　分	基　準　額
出産に要する費用	311,000円以内

2　病院、助産所等施設において分べんする場合は、入院（8日以内の実入院日数）に要する必要最少限度の額を基準額に加算する。

3　衛生材料費を必要とする場合は、6,100円の範囲内の額を基準額に加算する。

I 生活保護法関係法令　第2章　保護の基準

別表第7　生業扶助基準
1　基準額

区　　　分			基　　準　　額
生　業　費			47,000円以内
技能修得費	技能修得費（高等学校等就学費を除く。）		89,000円以内
	高等学校等就学費	基本額（月額）	5,300円
		教　材　代	正規の授業で使用する教材の購入又は利用に必要な額
		授業料（高等学校等就学支援金の支給に関する法律（平成22年法律第18号）第2条各号に掲げるものに在学する場合（同法第3条第1項の高等学校等就学支援金が支給されるときに限る。）を除く。）	高等学校等が所在する都道府県の条例に定める都道府県立の高等学校における額以内の額
		入学料	高等学校等が所在する都道府県の条例に定める都道府県立の高等学校等における額以内の額。ただし、市町村立の高等学校等に通学する場合は、当該高等学校等が所在する市町村の条例に定める市町村立の高等学校等における額以内の額。
		入学考査料	30,000円以内
		通学のための交通費	通学に必要な最小限度の額
		学習支援費（年間上限額）	84,600円以内
就　職　支　度　費			34,000円以内

2　技能修得費（高等学校等就学費を除く。以下同じ。）は、技能修得（高等学校等への就学を除く。以下同じ。）の期間が1年以内の場合において、1年を限度として算定する。ただし、世帯の自立更生上特に効果があると認められる技能

修得については、その期間は2年以内とし、1年につき技能修得費の範囲内の額を2年を限度として算定する。
3　技能修得のため交通費を必要とする場合は、1又は2に規定するところにより算定した技能修得費の額にその実費を加算する。

別表第8　葬祭扶助基準
1　基準額

級　地　別	基　　準　　額	
	大　　　人	小　　　人
1級地及び2級地	215,000円以内	172,000円以内
3　級　　地	188,100円以内	150,500円以内

2　葬祭に要する費用の額が基準額を超える場合であつて、葬祭地の市町村条例に定める火葬に要する費用の額が次に掲げる額を超えるときは、当該超える額を基準額に加算する。

級　地　別	大　　　人	小　　　人
1級地及び2級地	600円	500円
3　級　　地	480	400

3　葬祭に要する費用の額が基準額を超える場合であつて、自動車の料金その他死体の運搬に要する費用の額が次に掲げる額を超えるときは、23,060円から次に掲げる額を控除した額の範囲内において当該超える額を基準額に加算する。

級　地　別	金　　　額
1級地及び2級地	15,580円
3　級　　地	13,630

Ⅰ 生活保護法関係法令 第2章 保護の基準

別表第9　地域の級地区分
1　1級地
(1)　1級地—1
次に掲げる市町村

都道府県別	市　町　村　名
埼　玉　県	川口市、さいたま市
東　京　都	区の存する地域、八王子市、立川市、武蔵野市、三鷹市、府中市、昭島市、調布市、町田市、小金井市、小平市、日野市、東村山市、国分寺市、国立市、福生市、狛江市、東大和市、清瀬市、東久留米市、多摩市、稲城市、西東京市
神奈川県	横浜市、川崎市、鎌倉市、藤沢市、逗子市、大和市、三浦郡　葉山町
愛　知　県	名古屋市
京　都　府	京都市
大　阪　府	大阪市、堺市、豊中市、池田市、吹田市、高槻市、守口市、枚方市、茨木市、八尾市、寝屋川市、松原市、大東市、箕面市、門真市、摂津市、東大阪市
兵　庫　県	神戸市、尼崎市、西宮市、芦屋市、伊丹市、宝塚市、川西市

(2)　1級地—2
次に掲げる市町村

都道府県別	市　町　村　名
北　海　道	札幌市、江別市
宮　城　県	仙台市
埼　玉　県	所沢市、蕨市、戸田市、朝霞市、和光市、新座市
千　葉　県	千葉市、市川市、船橋市、松戸市、習志野市、浦安市
東　京　都	青梅市、武蔵村山市
神奈川県	横須賀市、平塚市、小田原市、茅ケ崎市、相模原市、三浦市、秦野市、厚木市、座間市
滋　賀　県	大津市
京　都　府	宇治市、向日市、長岡京市
大　阪　府	岸和田市、泉大津市、貝塚市、和泉市、高石市、藤井寺市、四條畷市、交野市、泉北郡　忠岡町
兵　庫　県	姫路市、明石市
岡　山　県	岡山市、倉敷市
広　島　県	広島市、呉市、福山市、安芸郡　府中町
福　岡　県	北九州市、福岡市

2　2級地
(1)　2級地—1
　　次に掲げる市町村

都道府県別	市　　町　　村　　名
北　海　道	函館市、小樽市、旭川市、室蘭市、釧路市、帯広市、苫小牧市、千歳市、恵庭市、北広島市
青　森　県	青森市
岩　手　県	盛岡市
秋　田　県	秋田市
山　形　県	山形市
福　島　県	福島市
茨　城　県	水戸市
栃　木　県	宇都宮市
群　馬　県	前橋市、高崎市、桐生市
埼　玉　県	川越市、熊谷市、春日部市、狭山市、上尾市、草加市、越谷市、入間市、志木市、桶川市、八潮市、富士見市、三郷市、ふじみ野市、入間郡　三芳町
千　葉　県	野田市、佐倉市、柏市、市原市、流山市、八千代市、我孫子市、鎌ケ谷市、四街道市
東　京　都	羽村市、あきる野市、西多摩郡　瑞穂町
神奈川県	伊勢原市、海老名市、南足柄市、綾瀬市、高座郡　寒川町、中郡　大磯町、二宮町、足柄上郡　大井町、松田町、開成町、足柄下郡　箱根町、真鶴町、湯河原町
新　潟　県	新潟市
富　山　県	富山市、高岡市
石　川　県	金沢市
福　井　県	福井市
山　梨　県	甲府市
長　野　県	長野市、松本市
岐　阜　県	岐阜市
静　岡　県	静岡市、浜松市、沼津市、熱海市、伊東市
愛　知　県	豊橋市、岡崎市、一宮市、春日井市、刈谷市、豊田市、知立市、尾張旭市、日進市
三　重　県	津市、四日市市
滋　賀　県	草津市
京　都　府	城陽市、八幡市、京田辺市、乙訓郡　大山崎町、久世郡　久御山町

Ⅰ 生活保護法関係法令 第2章 保護の基準

大　阪　府	泉佐野市、富田林市、河内長野市、柏原市、羽曳野市、泉南市、大阪狭山市、三島郡　島本町、泉南郡　熊取町、田尻町
奈　良　県	奈良市、生駒市
和 歌 山 県	和歌山市
鳥　取　県	鳥取市
島　根　県	松江市
山　口　県	下関市、山口市
徳　島　県	徳島市
香　川　県	高松市
愛　媛　県	松山市
高　知　県	高知市
福　岡　県	久留米市
佐　賀　県	佐賀市
長　崎　県	長崎市
熊　本　県	熊本市
大　分　県	大分市、別府市
宮　崎　県	宮崎市
鹿 児 島 県	鹿児島市
沖　縄　県	那覇市

(2)　2級地―2
　　次に掲げる市町村

都道府県別	市　　　町　　　村　　　名
北　海　道	夕張市、岩見沢市、登別市
宮　城　県	塩竈市、名取市、多賀城市
茨　城　県	日立市、土浦市、古河市、取手市
栃　木　県	足利市
新　潟　県	長岡市
石　川　県	小松市
長　野　県	上田市、岡谷市、諏訪市
岐　阜　県	大垣市、多治見市、瑞浪市、土岐市、各務原市
静　岡　県	三島市、富士市
愛　知　県	瀬戸市、豊川市、安城市、東海市、大府市、岩倉市、豊明市、清須市、北名古屋市
三　重　県	松阪市、桑名市
兵　庫　県	加古川市、高砂市、加古郡　播磨町
奈　良　県	橿原市

岡 山 県	玉野市
広 島 県	三原市、尾道市、府中市、大竹市、廿日市市、安芸郡　海田町、坂町
山 口 県	宇部市、防府市、岩国市、周南市
福 岡 県	大牟田市、直方市、飯塚市、田川市、行橋市、中間市、筑紫野市、春日市、大野城市、太宰府市、宗像市、古賀市、福津市、那珂川市、糟屋郡　宇美町、篠栗町、志免町、須恵町、新宮町、久山町、粕屋町、遠賀郡　芦屋町、水巻町、岡垣町、遠賀町、京都郡　苅田町
長 崎 県	佐世保市、西海市
熊 本 県	荒尾市

3　3級地
(1)　3級地—1
　　次に掲げる市町村

都道府県別	市　　　町　　　村　　　名
北 海 道	北見市、網走市、留萌市、稚内市、美唄市、芦別市、赤平市、紋別市、士別市、名寄市、三笠市、根室市、滝川市、砂川市、歌志内市、深川市、富良野市、伊達市、石狩市、北斗市、亀田郡　七飯町、山越郡　長万部町、檜山郡　江差町、虻田郡　京極町、倶知安町、岩内郡　岩内町、余市郡　余市町、空知郡　奈井江町、上砂川町、南富良野町、上川郡　鷹栖町、東神楽町、上川町、東川町、新得町、勇払郡　占冠村、安平町、中川郡　音威子府村、中川町、幕別町、天塩郡　天塩町、幌延町、宗谷郡　猿払村、枝幸郡　浜頓別町、枝幸町、網走郡　美幌町、斜里郡　斜里町、清里町、紋別郡　遠軽町、滝上町、興部町、西興部村、雄武町、沙流郡　日高町、浦河郡　浦河町、日高郡　新ひだか町、河東郡　音更町、河西郡　芽室町、中札内村、足寄郡　陸別町、釧路郡　釧路町、川上郡　弟子屈町、標津郡　中標津町、標津町、目梨郡　羅臼町
青 森 県	弘前市、八戸市、黒石市、五所川原市、十和田市、三沢市、むつ市
岩 手 県	宮古市、大船渡市、花巻市、北上市、久慈市、遠野市、一関市、陸前高田市、釜石市、二戸市、奥州市、滝沢市
宮 城 県	石巻市、気仙沼市、白石市、角田市、岩沼市、大崎市、富谷市、柴田郡　大河原町、柴田町、宮城郡　七ケ浜町、利府町
秋 田 県	能代市、横手市、大館市、男鹿市、湯沢市、鹿角市、由利本荘市、大仙市
山 形 県	米沢市、鶴岡市、酒田市、新庄市、寒河江市、上山市、村山市、長井市、天童市、東根市、尾花沢市、南陽市
福 島 県	会津若松市、郡山市、いわき市、白河市、須賀川市、喜多方市、相馬市、二本松市、南相馬市

茨 城 県	石岡市、龍ケ崎市、常陸太田市、高萩市、牛久市、つくば市、ひたちなか市、鹿嶋市、守谷市、筑西市、那珂郡　東海村、稲敷郡　美浦村、北相馬郡　利根町
栃 木 県	栃木市、佐野市、鹿沼市、日光市、小山市、真岡市、大田原市、矢板市、那須塩原市、下野市、河内郡　上三川町、下都賀郡　壬生町
群 馬 県	伊勢崎市、太田市、沼田市、館林市、渋川市、藤岡市、富岡市、安中市、吾妻郡　草津町、利根郡　みなかみ町、邑楽郡　大泉町
埼 玉 県	行田市、秩父市、飯能市、加須市、本荘市、東松山市、羽生市、鴻巣市、深谷市、久喜市、北本市、蓮田市、坂戸市、幸手市、鶴ケ島市、日高市、吉川市、白岡市、北足立郡　伊奈町、入間郡　毛呂山町、越生町、比企郡　嵐山町、小川町、鳩山町、南埼玉郡　宮代町、北葛飾郡　杉戸町、松伏町
千 葉 県	銚子市、館山市、木更津市、茂原市、成田市、東金市、旭市、勝浦市、鴨川市、君津市、富津市、袖ケ浦市、白井市、匝瑳市、香取市、印旛郡　酒々井町
東 京 都	西多摩郡　日の出町、檜原村、奥多摩町、大島町、利島村、新島村、神津島村、三宅村、御蔵島村、八丈町、青ケ島村、小笠原村
神 奈 川 県	足柄上郡　中井町、山北町、愛甲郡　愛川町、清川村
新 潟 県	三条市、柏崎市、新発田市、小千谷市、加茂市、十日町市、見附市、村上市、燕市、糸魚川市、五泉市、上越市、佐渡市、魚沼市、妙高市、南魚沼市　湯沢町、刈羽郡　刈羽村
富 山 県	魚津市、氷見市、滑川市、黒部市、砺波市、小矢部市、南砺市、射水市、中新川郡　舟橋村、上市町、立山町、下新川郡　入善町、朝日町
石 川 県	七尾市、輪島市、珠洲市、加賀市、羽咋市、かほく市、白山市、能美市、野々市市、能美郡　川北町、河北郡　津幡町、内灘町
福 井 県	敦賀市、小浜市、大野市、勝山市、鯖江市、あわら市、越前市、坂井市、吉田郡　永平寺町、南条郡　南越前町、丹生郡　越前町
山 梨 県	富士吉田市、都留市、山梨市、大月市、韮崎市、甲斐市、笛吹市、上野原市、甲州市、中央市、中巨摩郡　昭和町
長 野 県	飯田市、須坂市、小諸市、伊那市、駒ケ根市、中野市、大町市、飯山市、茅野市、塩尻市、佐久市、千曲市、東御市、安曇野市、北佐久郡　軽井沢町、諏訪郡　下諏訪町、富士見町、上伊那郡　辰野町、箕輪町、木曽郡　木曽町、埴科郡　坂城町、上高井郡　小布施町
岐 阜 県	高山市、関市、中津川市、美濃市、羽島市、恵那市、美濃加茂市、可児市、瑞穂市、羽島郡　岐南町、笠松町、本巣郡　北方町

生活保護法による保護の基準

静岡県	富士宮市、島田市、磐田市、焼津市、掛川市、藤枝市、御殿場市、袋井市、下田市、裾野市、湖西市、伊豆市、伊豆の国市、田方郡　函南町、駿東郡　清水町、長泉町、小山町
愛知県	半田市、津島市、碧南市、西尾市、蒲郡市、犬山市、常滑市、江南市、小牧市、稲沢市、新城市、知多市、高浜市、田原市、愛西市、弥富市、みよし市、あま市、長久手市、愛知郡　東郷町、西春日井郡　豊山町、丹羽郡　大口町、扶桑町、海部郡　大治町、蟹江町、飛島村、知多郡　阿久比町、東浦町、南知多町、美浜町、武豊町、額田郡　幸田町、北設楽郡　設楽町、東栄町
三重県	伊勢市、鈴鹿市、名張市、尾鷲市、亀山市、鳥羽市、熊野市、志摩市、伊賀市、桑名郡　木曽岬町、員弁郡　東員町、三重郡　菰野町、朝日町、川越町
滋賀県	彦根市、長浜市、近江八幡市、守山市、栗東市、甲賀市、野洲市、湖南市、東近江市
京都府	福知山市、舞鶴市、綾部市、宮津市、亀岡市、南丹市、木津川市、綴喜郡　井手町、宇治田原町、相楽郡　精華町
大阪府	阪南市、豊能郡　豊能町、能勢町、泉南郡　岬町、南河内郡　太子町、河南町、千早赤阪村
兵庫県	洲本市、相生市、豊岡市、赤穂市、西脇市、三木市、小野市、三田市、加西市、たつの市、川辺郡　猪名川町、加古郡　稲美町、揖保郡　太子町
奈良県	大和高田市、大和郡山市、天理市、桜井市、五條市、御所市、香芝市、葛城市、宇陀市、生駒郡　平群町、三郷町、斑鳩町、安堵町、磯城郡　川西町、三宅町、田原本町、高市郡　高取町、明日香村、北葛城郡　上牧町、王寺町、広陵町、河合町、吉野郡　吉野町、大淀町、下市町
和歌山県	海南市、橋本市、有田市、御坊市、田辺市、新宮市、岩出市、海草郡　紀美野町、伊都郡　高野町、有田郡　湯浅町、日高郡　美浜町、西牟婁郡　白浜町、東牟婁郡　那智勝浦町、太地町、串本町
鳥取県	米子市、倉吉市、境港市、西伯郡　日吉津村
島根県	浜田市、出雲市、益田市、大田市、安来市、江津市、隠岐郡　隠岐の島町
岡山県	津山市、笠岡市、井原市、総社市、高梁市、新見市、備前市、瀬戸内市、赤磐市、浅口市、都窪郡　早島町、浅口郡　里庄町、小田郡　矢掛町
広島県	竹原市、三次市、庄原市、東広島市、安芸高田市、江田島市、安芸郡　熊野町
山口県	萩市、下松市、光市、長門市、柳井市、美祢市、山陽小野田市、玖珂郡　和木町、熊毛郡　田布施町、平生町

157

徳島県	鳴門市、小松島市、阿南市
香川県	丸亀市、坂出市、善通寺市、観音寺市、香川郡　直島町、綾歌郡　宇多津町、仲多度郡　琴平町、多度津町
愛媛県	今治市、新居浜市、西条市、四国中央市
福岡県	柳川市、八女市、筑後市、大川市、豊前市、小郡市、嘉麻市、朝倉市
佐賀県	唐津市、鳥栖市
長崎県	諫早市、大村市、西彼杵郡　長与町、時津町
大分県	中津市
宮崎県	都城市、延岡市
鹿児島県	鹿屋市、枕崎市、阿久根市、出水市、伊佐市、指宿市、西之表市、垂水市、薩摩川内市、日置市、霧島市、いちき串木野市、南さつま市、奄美市、姶良市
沖縄県	宜野湾市、石垣市、浦添市、名護市、糸満市、沖縄市、うるま市、宮古島市

(2)　3級地—2

1級地、2級地及び3級地—1以外の市町村

第3章 保護施設及び日常生活支援住居施設

●救護施設、更生施設、授産施設及び宿所提供施設の設備及び運営に関する基準

（昭和41年7月1日　厚生省令第18号）

〔一部改正経過〕

第1次　昭和58年4月1日厚生省令第16号「救護施設、更生施設、授産施設及び宿所提供施設の設備及び運営に関する最低基準の一部を改正する省令」による改正
第2次　昭和62年3月9日厚生省令第12号「児童福祉施設最低基準等の一部を改正する省令」第3条による改正
第3次　平成3年4月12日厚生省令第30号「救護施設、更生施設、授産施設及び宿所提供施設の設備及び運営に関する最低基準の一部を改正する省令」による改正
第4次　平成6年4月8日厚生省令第32号「救護施設、更生施設、授産施設及び宿所提供施設の設備及び運営に関する最低基準等の一部を改正する省令」第1条による改正
第5次　平成12年6月7日厚生省令第100号「社会福祉の増進のための社会福祉事業法等の一部を改正する等の法律の施行に伴う厚生省関係省令の整備等に関する省令」第10条による改正
第6次　平成14年2月22日厚生労働省令第14号「保健婦助産婦看護婦法施行規則等の一部を改正する省令」第19条による改正
第7次　平成16年1月20日厚生労働省令第1号「児童福祉施設最低基準等の一部を改正する省令」第2条による改正
第8次　平成16年3月29日厚生労働省令第48号「救護施設、更生施設、授産施設及び宿所提供施設の設備及び運営に関する最低基準の一部を改正する省令」による改正
第9次　平成18年3月31日厚生労働省令第76号「身体障害者更生援護施設の設備及び運営に関する基準等の一部を改正する省令」第3・4条による改正
第10次　平成23年9月30日厚生労働省令第123号「児童福祉法施行規則等の一部を改正する省令」第3条による改正
第11次　平成23年12月21日厚生労働省令第150号「地域の自主性及び自立性を高めるための改革の推進を図るための関係法律の整備に関する法律の一部の施行に伴う厚生労働省関係省令の整備に関する省令」第8条による改正
第12次　令和3年3月31日厚生労働省令第80号「救護施設、更生施設、授産施設及び宿所提供施設の設備及び運営に関する基準及び厚生労働省の所管する法令の規定に基づく民間事業者等が行う書面の保存等における情報通信の技術の利用に関する省令の一部を改正する省令」第1条による改正

生活保護法（昭和25年法律第144号）第39条の規定に基づき、救護施設、更生施設、授産施設及び宿所提供施設の設備及び運営に関する最低基準を次のとおり定める。

救護施設、更生施設、授産施設及び宿所提供施設の設備及び運営に関する基準

目次　　　　　　　　　　　　　　　　　　　　　　　　　　　　　　頁
　第1章　総則（第1条—第8条）……………………………………160
　第2章　救護施設（第9条—第16条の2）…………………………162
　第3章　更生施設（第17条—第22条）………………………………165
　第4章　授産施設（第23条—第27条の2）…………………………167
　第5章　宿所提供施設（第28条—第33条）…………………………168
　附則

第1章　総則

（趣旨）

第1条　生活保護法（昭和25年法律第144号。以下「法」という。）第39条第2項の厚生労働省令で定める基準は、次の各号に掲げる基準に応じ、それぞれ当該各号に定める規定による基準とする。

一　法第39条第1項の規定により、同条第2項第1号に掲げる事項について都道府県（地方自治法（昭和22年法律第67号）第252条の19第1項の指定都市（以下「指定都市」という。）及び同法第252条の22第1項の中核市（以下「中核市」という。）にあつては、指定都市又は中核市。以下この条において同じ。）が条例を定めるに当たつて従うべき基準　第5条、第6条、第11条、第19条、第25条及び第30条の規定による基準

二　法第39条第1項の規定により、同条第2項第2号に掲げる事項について都道府県が条例を定めるに当たつて従うべき基準　第10条第3項第1号及び第5項第1号ロ（第10条の2において準ずる場合並びに第18条第3項及び第29条第3項において準用する場合を含む。）、第18条第1項第1号、第29条第1項第1号並びに附則第2項（第10条第5項第1号ロに係る部分に限る。）の規定による基準

三　法第39条第1項の規定により、同条第2項第3号に掲げる事項について都道府県が条例を定めるに当たつて従うべき基準　第6条の4、第15条第2項（第22条、第27条の2及び第33条において準用する場合を含む。）及び第26条の規定による基準

四　法第39条第1項の規定により、同条第2項第4号に掲げる事項について都道府県が条例を定めるに当たつて標準とすべき基準　第9条第1項及び第2項、第17条第1項、第23条第1項、第28条第1項並びに附則第2項（第9条第1項及び第2項、第17条第1項、第23条第1項並びに第28条第1項に係る部分に限る。）の規定による基準

五　法第39条第1項の規定により、同条第2項各号に掲げる事項以外の事項について都道府県が条例を定めるに当たつて参酌すべき基準　この省令に定める基準のうち、前各号に定める規定による基準以外のもの

（基本方針）

第2条　救護施設、更生施設、授産施設及び宿所提供施設（以下「救護施設等」という。）は、利用者に対し、健全な環境のもとで、社会福祉事業に関する熱意及び能力を有する職員による適切な処遇を行なうよう努めなければならない。

（構造設備の一般原則）

第3条　救護施設等の配置、構造及び設備は、日照、採光、換気等利用者の保健衛生に関する事項及び防災について十分考慮されたものでなければならない。

（設備の専用）

第4条　救護施設等の設備は、もつぱら当該施設の用に供するものでなければならない。ただし、利用者の処遇に支障がない場合には、この限りでない。

（職員の資格要件）

第5条　救護施設等の長（以下「施設長」という。）は、社会福祉法（昭和26年法律第45

号）第19条第1項各号のいずれかに該当する者若しくは社会福祉事業に2年以上従事した者又はこれらと同等以上の能力を有すると認められる者でなければならない。
2　生活指導員は、社会福祉法第19条第1項各号のいずれかに該当する者又はこれと同等以上の能力を有すると認められる者でなければならない。
（職員の専従）
第6条　救護施設等の職員は、もつぱら当該施設の職務に従事することができる者をもつて充てなければならない。ただし、利用者の処遇に支障がない場合には、この限りでない。
（苦情への対応）
第6条の2　救護施設等は、その行つた処遇に関する入所者からの苦情に迅速かつ適切に対応するために、苦情を受け付けるための窓口を設置する等の必要な措置を講じなければならない。
2　救護施設等は、その行つた処遇に関し、生活保護法第19条第4項に規定する保護の実施機関から指導又は助言を受けた場合は、当該指導又は助言に従つて必要な改善を行わなければならない。
3　救護施設等は、社会福祉法第83条に規定する運営適正化委員会が行う同法第85条第1項の規定による調査にできる限り協力しなければならない。
（就業環境の整備）
第6条の3　救護施設等は、利用者に対し適切な処遇を行う観点から、職場において行われる性的な言動又は優越的な関係を背景とした言動であつて業務上必要かつ相当な範囲を超えたものにより職員の就業環境が害されることを防止するための方針の明確化等の必要な措置を講じなければならない。
（業務継続計画の策定等）
第6条の4　救護施設等は、感染症や非常災害の発生時において、利用者に対する処遇を継続的に行うための、及び非常時の体制で早期の業務再開を図るための計画（以下「業務継続計画」という。）を策定し、当該業務継続計画に従い必要な措置を講じなければならない。
2　救護施設等は、職員に対し、業務継続計画について周知するとともに、必要な研修及び訓練を定期的に実施しなければならない。
3　救護施設等は、定期的に業務継続計画の見直しを行い、必要に応じて業務継続計画の変更を行うものとする。
（非常災害対策）
第7条　救護施設等は、消火設備その他の非常災害に際して必要な設備を設けるとともに、非常災害に対する具体的計画を立てておかなければならない。
2　救護施設等は、非常災害に備えるため、定期的に避難、救出その他必要な訓練を行なわなければならない。
3　救護施設等は、前項に規定する訓練の実施に当たつて、地域住民の参加が得られるよう連携に努めなければならない。

(帳簿の整備)
第8条　救護施設等は、設備、職員、会計及び利用者の処遇の状況に関する帳簿を整備しておかなければならない。

第2章　救護施設

(規模)
第9条　救護施設は、30人以上の人員を入所させることができる規模を有しなければならない。
2　救護施設は、当該施設と一体的に管理運営を行う、日常生活を営むことが困難な要保護者を入所させて生活扶助を行うことを目的とする施設であつて入所者が20人以下のもの(以下この章において「サテライト型施設」という。)を設置する場合は、5人以上の人員を入所させることができる規模を有するものとしなければならない。
3　救護施設は、被保護者の数が当該施設における入所者の総数のうちに占める割合がおおむね80パーセント以上としなければならない。

(設備の基準)
第10条　救護施設の建物(入所者の日常生活のために使用しない附属の建物を除く。)は、耐火建築物(建築基準法(昭和25年法律第201号)第2条第9号の2に規定する耐火建築物をいう。次項(第18条第3項において準用する場合を含む。)において同じ。)又は準耐火建築物(同法第2条第9号の3に規定する準耐火建築物をいう。次項(第18条第3項において準用する場合を含む。)において同じ。)でなければならない。
2　前項の規定にかかわらず、都道府県知事(指定都市及び中核市にあつては、指定都市又は中核市の市長。第18条第3項において準用する場合において同じ。)が、火災予防、消火活動等に関し専門的知識を有する者の意見を聴いて、次の各号のいずれかの要件を満たす木造かつ平屋建ての救護施設の建物であって、火災に係る入所者の安全性が確保されていると認めたときは、耐火建築物又は準耐火建築物とすることを要しない。
　一　スプリンクラー設備の設置、天井等の内装材等への難燃性の材料の使用、調理室等火災が発生するおそれがある箇所における防火区画の設置等により、初期消火及び延焼の抑制に配慮した構造であること。
　二　非常警報設備の設置等による火災の早期発見及び通報の体制が整備されており、円滑な消火活動が可能なものであること。
　三　避難口の増設、搬送を容易に行うために十分な幅員を有する避難路の確保等により、円滑な避難が可能な構造であり、かつ、避難訓練を頻繁に実施すること、配置人員を増員すること等により、火災の際の円滑な避難が可能なものであること。
3　救護施設には、次の各号に掲げる設備を設けなければならない。ただし、他の社会福祉施設等の設備を利用することにより施設の効果的な運営を期待することができる場合であって、入所者の処遇に支障がないときは、設備の一部を設けないことができる。
　一　居室
　二　静養室
　三　食堂

四　集会室
　　五　浴室
　　六　洗面所
　　七　便所
　　八　医務室
　　九　調理室
　　十　事務室
　　十一　宿直室
　　十二　介護職員室
　　十三　面接室
　　十四　洗濯室又は洗濯場
　　十五　汚物処理室
　　十六　霊安室
4　前項第1号に掲げる居室については、一般居室のほか、必要に応じ、常時の介護を必要とする者を入所させる居室（以下「特別居室」という。）を設けるものとする。
5　第3項各号に掲げる設備の基準は、次のとおりとする。
　　一　居室
　　　イ　地階に設けてはならないこと。
　　　ロ　入所者1人当たりの床面積は、収納設備等を除き、3.3平方メートル以上とすること。
　　　ハ　1以上の出入口は、避難上有効な空地、廊下又は広間に直接面して設けること。
　　　ニ　入所者の寝具及び身の回り品を各人別に収納することができる収納設備を設けること。
　　　ホ　特別居室は、原則として1階に設け、寝台又はこれに代わる設備を備えること。
　　二　静養室
　　　イ　医務室又は介護職員室に近接して設けること。
　　　ロ　イに定めるもののほか、前号イ及びハからホまでに定めるところによること。
　　三　洗面所
　　　居室のある階ごとに設けること。
　　四　便所
　　　居室のある階ごとに男子用と女子用を別に設けること。
　　五　医務室
　　　入所者を診療するために必要な医薬品、衛生材料及び医療機械器具を備えるほか、必要に応じて臨床検査設備を設けること。
　　六　調理室
　　　火気を使用する部分は、不燃材料を用いること。
　　七　介護職員室
　　　居室のある階ごとに居室に近接して設けること。

6 前各項に規定するもののほか、救護施設の設備の基準は、次に定めるところによる。
　一　廊下の幅は、1.35メートル以上とすること。ただし、中廊下の幅は、1.8メートル以上とすること。
　二　廊下、便所その他必要な場所に常夜燈を設けること。
　三　階段の傾斜は、ゆるやかにすること。
　（サテライト型施設の設備の基準）
第10条の2　サテライト型施設の設備の基準は、前条に規定する基準に準ずる。
　（職員の配置の基準）
第11条　救護施設には、次の各号に掲げる職員を置かなければならない。ただし、調理業務の全部を委託する救護施設にあつては、第7号に掲げる職員を置かないことができる。
　一　施設長
　二　医師
　三　生活指導員
　四　介護職員
　五　看護師又は准看護師
　六　栄養士
　七　調理員
2　生活指導員、介護職員及び看護師又は准看護師の総数は、通じておおむね入所者の数を5.4で除して得た数以上とする。
　（居室の入所人員）
第12条　一の居室に入所させる人員は、原則として4人以下とする。
　（給食）
第13条　給食は、あらかじめ作成された献立に従つて行うこととし、その献立は栄養並びに入所者の身体的状況及び嗜好を考慮したものでなければならない。
　（健康管理）
第14条　入所者については、その入所時及び毎年定期に2回以上健康診断を行なわなければならない。
　（衛生管理等）
第15条　救護施設は、入所者の使用する設備、食器等又は飲用に供する水については、衛生的な管理に努め、又は衛生上必要な措置を講ずるとともに、医薬品、衛生材料及び医療機械器具の管理を適正に行わなければならない。
2　救護施設は、当該救護施設において感染症又は食中毒が発生し、又はまん延しないように、次の各号に掲げる措置を講じなければならない。
　一　当該救護施設における感染症及び食中毒の予防及びまん延の防止のための対策を検討する委員会（テレビ電話装置その他の情報通信機器を活用して行うことができるものとする。）を定期的に開催するとともに、その結果について、職員に周知徹底を図ること。

二　当該救護施設における感染症及び食中毒の予防及びまん延の防止のための指針を整備すること。
三　当該救護施設において、職員に対し、感染症及び食中毒の予防及びまん延の防止のための研修並びに感染症の予防及びまん延の防止のための訓練を定期的に実施すること。
（生活指導等）
第16条　救護施設は、入所者に対し、生活の向上及び更生のための指導を受ける機会を与えなければならない。
2　救護施設は、入所者に対し、その精神的及び身体的条件に応じ、機能を回復し又は機能の減退を防止するための訓練又は作業に参加する機会を与えなければならない。
3　入所者の日常生活に充てられる場所は、必要に応じ、採暖のための措置を講じなければならない。
4　1週間に2回以上、入所者を入浴させ、又は清拭しなければならない。
5　教養娯楽設備等を備えるほか、適宜レクリエーション行事を行なわなければならない。
（給付金として支払を受けた金銭の管理）
第16条の2　救護施設は、当該救護施設の設置者が入所者に係る厚生労働大臣が定める給付金（以下この条において「給付金」という。）の支給を受けたときは、給付金として支払を受けた金銭を次に掲げるところにより管理しなければならない。
一　当該入所者に係る当該金銭及びこれに準ずるもの（これらの運用により生じた収益を含む。以下この条において「入所者に係る金銭」という。）をその他の財産と区分すること。
二　入所者に係る金銭を給付金の支給の趣旨に従つて用いること。
三　入所者に係る金銭の収支の状況を明らかにする帳簿を整備すること。
四　当該入所者が退所した場合には、速やかに、入所者に係る金銭を当該入所者に取得させること。
〔委任〕
本文の「厚生労働大臣が定める給付金」＝平成23年9月厚労告第375号「救護施設、更生施設、授産施設及び宿所提供施設の設備及び運営に関する基準第16条の2の規定に基づき厚生労働大臣が定める給付金」

第3章　更生施設

（規模）
第17条　更生施設は、30人以上の人員を入所させることができる規模を有しなければならない。
2　更生施設は、被保護者の数が当該施設における入所者の総数のうちに占める割合がおおむね80パーセント以上としなければならない。
（設備の基準）
第18条　更生施設には、次の各号に掲げる設備を設けなければならない。ただし、他の社会福祉施設等の設備を利用することにより施設の効果的な運営を期待することができる

場合であつて、入所者の処遇に支障がないときは、設備の一部を設けないことができる。
一　居室
二　静養室
三　集会室
四　食堂
五　浴室
六　洗面所
七　便所
八　医務室
九　作業室又は作業場
十　調理室
十一　事務室
十二　宿直室
十三　面接室
十四　洗濯室又は洗濯場
2　前項第9号に掲げる作業室又は作業場には、作業に従事する者の安全を確保するための設備を設けなければならない。
3　前2項に規定するもののほか、更生施設の設備の基準については、第10条第1項、第2項、第5項第1号（ホを除く。）及び第2号から第6号まで並びに第6項の規定を準用する。
　（職員の配置の基準）
第19条　更生施設には、次の各号に掲げる職員を置かなければならない。ただし、調理業務の全部を委託する更生施設にあつては、第7号に掲げる職員を置かないことができる。
一　施設長
二　医師
三　生活指導員
四　作業指導員
五　看護師又は准看護師
六　栄養士
七　調理員
2　生活指導員、作業指導員及び看護師又は准看護師の総数は、入所人員が150人以下の施設にあつては6人以上、入所人員が150人を超える施設にあつては6人に150人を超える部分40人につき1人を加えた数以上とする。
　（生活指導等）
第20条　更生施設は、入所者の勤労意欲を助長するとともに、入所者が退所後健全な社会生活を営むことができるよう入所者各人の精神及び身体の条件に適合する更生計画を作

成し、これに基づく指導をしなければならない。
2 前項に定めるもののほか、生活指導等については、第16条（第2項を除く。）の規定を準用する。
（作業指導）
第21条 更生施設は、入所者に対し、前条第1項の更生計画に従つて、入所者が退所後自立するのに必要な程度の技能を修得させなければならない。
2 作業指導の種目を決定するに当たつては、地域の実情及び入所者の職歴を考慮しなければならない。
（準用）
第22条 第12条から第15条まで及び第16条の2の規定は、更生施設について準用する。

第4章 授産施設

（規模）
第23条 授産施設は、20人以上の人員を利用させることができる規模を有しなければならない。
2 授産施設は、被保護者の数が当該施設における利用者の総数のうちに占める割合がおおむね50パーセント以上としなければならない。
（設備の基準）
第24条 授産施設には、次の各号に掲げる設備を設けなければならない。ただし、他の社会福祉施設等の設備を利用することにより施設の効果的な運営を期待することができる場合であつて、利用者の処遇に支障がないときは、設備の一部を設けないことができる。
一 作業室
二 作業設備
三 食堂
四 洗面所
五 便所
六 事務室
2 第1項各号に掲げる設備の基準は、次のとおりとする。
一 作業室
　イ 必要に応じて危害防止設備を設け、又は保護具を備えること。
　ロ 1以上の出入口は、避難上有効な空地、廊下又は広間に直接面して設けること。
二 便所
　男子用と女子用を別に設けること。
（職員の配置の基準）
第25条 授産施設には、次の各号に掲げる職員を置かなければならない。
一 施設長
二 作業指導員
（工賃の支払）

第26条　授産施設の利用者には、事業収入の額から、事業に必要な経費の額を控除した額に相当する額の工賃を支払わなければならない。
　　（自立指導）
第27条　授産施設は、利用者に対し、作業を通じて自立のために必要な指導を行なわなければならない。
第27条の２　第15条の規定（医薬品、衛生材料及び医療機械器具の管理に係る部分を除く。）は、授産施設について準用する。
　　　　第５章　宿所提供施設
　　（規模）
第28条　宿所提供施設は、30人以上の人員を利用させることができる規模を有しなければならない。
２　宿所提供施設は、被保護者の数が当該施設における入所者の総数のうちに占める割合がおおむね50パーセント以上としなければならない。
　　（設備の基準）
第29条　宿所提供施設には、次の各号に掲げる設備を設けなければならない。ただし、他の社会福祉施設等の設備を利用することにより施設の効果的な運営を期待することができる場合であつて、入所者の処遇に支障がないときは、設備の一部を設けないことができる。
　一　居室
　二　炊事設備
　三　便所
　四　面接室
　五　事務室
２　前項第２号に掲げる炊事設備の火器を使用する部分は、不燃材料を用いなければならない。
３　前２項に規定するもののほか、宿所提供施設の設備の基準については、第10条第５項第１号（ホを除く。）並びに第６項第１号及び第２号の規定を準用する。
　　（職員の配置の基準）
第30条　宿所提供施設には、施設長を置かなければならない。
　　（居室の利用世帯）
第31条　一の居室は、やむを得ない理由がある場合を除き、２以上の世帯に利用させてはならない。
　　（生活相談）
第32条　宿所提供施設は、生活の相談に応ずる等利用者の生活の向上を図ることに努めなければならない。
第33条　第15条の規定（医薬品、衛生材料及び医療機械器具の管理に係る部分を除く。）は、宿所提供施設について準用する。
　　　　附　　則

救護施設、更生施設、授産施設及び宿所提供施設の設備及び運営に関する基準

1 この省令は、昭和41年10月1日から施行する。
2 この省令の施行の際現に存する救護施設等については、第9条第1項及び第2項、第10条第1項（第18条第3項において準用する場合を含む。）、第5項第1号ロ（第18条第3項及び第29条第3項において準用する場合を含む。）及び第6項第1号（第18条第3項及び第29条第3項において準用する場合を含む。）、第17条第1項、第23条第1項並びに第28条第1項の規定は、当分の間適用しない。
3 この省令の施行の際現に存する救護施設等については、第10条第2項、第3項、第4項第1号（ロを除く。）から第11号まで（第18条第3項及び第29条第3項において準用する場合を含む。）及び第5項第2号から第5号まで（第18条第3項及び第29条第3項において準用する場合を含む。）、第18条第1項並びに第29条第1項及び第2項（第1号ロを除く。）の規定は、昭和44年9月30日までの間適用しない。

　　附　則（第12次改正）抄
（施行期日）
第1条　この省令は、令和3年8月1日から施行する。〔以下略〕
（業務継続計画の策定等に係る経過措置）
第2条　第1条の規定の施行の日から令和6年3月31日までの間、同条による改正後の救護施設、更生施設、授産施設及び宿所提供施設の設備及び運営に関する基準（以下「新基準」という。）第6条の4の規定の適用については、「講じなければ」とあるのは「講ずるよう努めなければ」と、「実施しなければ」とあるのは「実施するよう努めなければ」と、「行うものとする」とあるのは「行うよう努めるものとする」とする。
（感染症及び食中毒の予防及びまん延の防止のための措置に係る経過措置）
第3条　第1条の規定の施行の日から令和6年3月31日までの間、新基準第15条第2項（新基準第22条、第27条の2及び第33条において準用する場合を含む。）の規定の適用については、「講じなければ」とあるのは「講ずるよう努めなければ」とする。

●救護施設、更生施設、授産施設及び宿所提供施設の設備及び運営に関する基準第16条の2の規定に基づき厚生労働大臣が定める給付金

（平成23年9月30日　
厚生労働省告示第375号）

〔一部改正経過〕
　　第1次　平成24年3月31日厚労告第299号

　救護施設、更生施設、授産施設及び宿所提供施設の設備及び運営に関する最低基準（昭和41年厚生省令第18号）第16条の2（同令第22条において準用する場合を含む。）の規定に基づき、救護施設、更生施設、授産施設及び宿所提供施設の設備及び運営に関する最低基準第16条の2の規定に基づき厚生労働大臣が定める給付金を次のように定め、平成23年10月1日から適用する。

　　　救護施設、更生施設、授産施設及び宿所提供施設の設備及び運営に関する基
　　　準第16条の2の規定に基づき厚生労働大臣が定める給付金
　救護施設、更生施設、授産施設及び宿所提供施設の設備及び運営に関する基準（昭和41年厚生省令第18号）第16条の2（同令第22条において準用する場合を含む。）の規定に基づき厚生労働大臣が定める給付金は、児童手当法（昭和46年法律第73号）の規定による児童手当及び平成23年度における子ども手当の支給等に関する特別措置法（平成23年法律第107号）の規定による子ども手当とする。

　　　前　文（第1次改正）抄
〔前略〕平成24年4月1日から適用する。

●日常生活支援住居施設に関する厚生労働省令で定める要件等を定める省令

（令和2年3月27日　厚生労働省令第44号）

〔一部改正経過〕

　　第1次　令和5年12月26日厚生労働省第164号「デジタル社会の形成を図るための規制改革を推進するための厚生労働省関係省令の一部を改正する省令」第5条による改正

　生活保護法（昭和25年法律第144号）第30条第1項ただし書及び第84条の規定に基づき、日常生活支援住居施設に関する厚生労働省令で定める要件等を定める省令を次のように定める。

　　　日常生活支援住居施設に関する厚生労働省令で定める要件等を定める省令

目次

　第1章　総則（第1条—第8条） ……………………………………………………………171
　第2章　基本方針（第9条） …………………………………………………………………173
　第3章　人員に関する基準（第10条—第12条） …………………………………………174
　第4章　設備及び運営に関する基準（第13条—第26条） ………………………………175
　附則

　　　第1章　総則

（認定の要件）

第1条　生活保護法（昭和25年法律第144号。以下「法」という。）第30条第1項ただし書の厚生労働省令で定める要件は、次の各号のいずれにも該当するものとする。

一　都道府県、市町村又は法人が経営しているものであること。

二　社会福祉法（昭和26年法律第45号）第68条の2第1項に規定する社会福祉住居施設（同法第2条第3項第8号に規定する事業を行う施設に限る。）であって、当該施設を経営する者が同法第72条の規定による経営の制限又は停止を命ずる処分を受けていないこと。

三　第3章及び第4章に定める人員並びに設備及び運営に関する基準に従って将来にわたり適正な事業の運営をすることができる施設と認められること。

四　当該施設を経営する者が、第6条第1項の規定による日常生活支援住居施設の認定の取消し又は社会福祉法第72条の規定による経営の停止を命ずる処分を受けてから5年を経過していない者でないこと。

2　都道府県知事（地方自治法（昭和22年法律第67号）第252条の19第1項の指定都市（以下この項及び第2条第4項において「指定都市」という。）及び同法第252条の22第1項の中核市（以下この項及び第2条第4項において「中核市」という。）において

は、当該指定都市又は中核市の長をいう。以下同じ。）は、法第30条第1項ただし書の規定による認定を受けようとする施設が主として利用される地域において、日常生活上の支援が必要な要保護者の分布状況その他の状況からみて認定の必要がないと認めるときは、当該施設の認定をしないことができる。
　（認定の申請等）
第2条　法第30条第1項ただし書の規定による認定を受けようとする者は、次の各号に掲げる事項を記載した申請書又は書類を都道府県知事に提出しなければならない。ただし、第4号に掲げる事項を記載した申請書又は書類については、都道府県知事が、インターネットを利用して当該事項を閲覧することができる場合は、この限りでない。
　一　施設の名称及び所在地
　二　申請者の名称及び主たる事務所の所在地並びにその代表者の氏名、生年月日、住所及び職名
　三　当該申請に係る事業の開始予定年月日
　四　申請者の登記事項証明書又は条例等
　五　建物その他の設備の規模及び構造
　六　当該申請に係る事業の入所定員数
　七　日常生活及び社会生活上の支援を必要とする者に対する処遇の方法
　八　施設の管理者（第11条第1項に規定する管理者をいう。）及び生活支援提供責任者（第10条第3項に規定する生活支援提供責任者をいう。）の氏名及び経歴
　九　当該申請に係る事業の従業者の勤務体制及び勤務形態
　十　その他認定に関し都道府県知事が必要と認める事項
2　前項の規定にかかわらず、都道府県知事は、当該認定を受けようとする者が社会福祉法第68条の2の規定に基づき、同条に規定する社会福祉住居施設の届出を行っている場合において、前項第4号及び第5号に掲げる事項に変更がないときは、これらの事項に係る申請書の記載又は書類の提出を省略させることができる。
3　日常生活支援住居施設の認定を受けた施設を経営する者は、第1項の規定により届け出た事項に変更があったときは、10日以内に、その旨を都道府県知事に届け出なければならない。
4　都道府県（指定都市及び中核市にあっては、指定都市又は中核市。第3条第2項及び第4条において同じ。）の設置する施設については、本条の規定は適用しない。
　（市町村の長の意見の聴取）
第3条　都道府県知事は、前条第1項の規定による申請書の提出があったときは、第1条第2項の規定による認定の必要性について、当該申請のあった施設の所在する市町村の長その他要保護者数及び要保護者の置かれた状況からみて、当該施設へ被保護者の入所を委託することが想定される市町村（社会福祉法第14条第3項に規定する福祉事務所を設置していない町村にあっては、当該町村を管轄する都道府県を含む。）の長の意見を聴くことができる。
2　都道府県の設置する施設に係る前項の適用については、同項中「前条第1項の規定に

よる申請書の提出があった」とあるのは、「次条の規定により公示する」とする。
　（都道府県の設置する施設の取扱）
第4条　都道府県知事は、当該都道府県が設置する施設のうち、第1条第1項各号に掲げる要件に適していると認めるものについては、これを公示するものとする。
　（認定の辞退）
第5条　日常生活支援住居施設の法第30条第1項ただし書の規定による認定を受けた施設は、3月以上の予告期間を設けて、当該認定を辞退することができる。
2　都道府県知事は、前項の規定による認定の辞退の申出があったときは、遅滞なく、当該申出のあった施設に法第30条第1項ただし書の規定により被保護者を入所させ、又は当該施設に入所を委託している保護の実施機関（法第19条第4項に規定する保護の実施機関をいう。以下同じ。）に対し、その旨を通知しなければならない。
　（認定の取消し等）
第6条　都道府県知事は、日常生活支援住居施設の認定を受けた施設が第1条第1項各号に掲げる要件のいずれかに該当しなくなったと認めるときは、その認定を取り消し、又は期間を定めてその認定の全部若しくは一部の効力を停止することができる。
2　都道府県知事は、第4条の規定による公示がされた施設が第1条第1項各号に掲げる要件のいずれかに該当しなくなったと認めるときは、第4条の規定によりされた公示を取り消し、その旨を公示しなければならない。
3　都道府県知事は、第1項の規定により認定を取り消し、又は認定の全部若しくは一部の効力を停止したときは、遅滞なく、当該施設に法第30条第1項ただし書の規定により被保護者を入所させ、又は入所を委託している保護の実施機関に対し、その旨を通知しなければならない。
　（対象者）
第7条　法第30条第1項ただし書の規定に基づき、日常生活支援住居施設に入所させ、又は入所を委託する被保護者は、保護の実施機関が、その者の心身の状況及び生活歴、その者が自立した日常生活及び社会生活を営むために解決すべき課題、活用可能な他の社会資源、その者とその家族との関係等を踏まえ、日常生活支援住居施設において支援を行うことが必要と総合的に判断する者であって、入所を希望しているものとする。
　（支援の内容）
第8条　日常生活支援住居施設は、その入所者に対し、生活課題に関する相談に応じ、必要に応じて食事の提供等の日常生活を営むために必要な便宜を供与するとともに、入所者がその能力に応じて自立した日常生活及び社会生活を営むことができるよう、第15条第1項に規定する個別支援計画に基づき、家事等に関する支援、服薬管理等の健康管理の支援、日常生活に係る金銭の管理の支援、社会との交流の促進その他の支援及び関係機関との連絡調整を行うものとする。
　　第2章　基本方針
第9条　日常生活支援住居施設における支援は、第15条第1項に規定する個別支援計画に基づき、可能な限り、居宅における生活への復帰を念頭に置いて、入所者がその能力に

応じ自立した日常生活及び社会生活を営むことができるようにすることを目指すものでなければならない。
2 日常生活支援住居施設における支援は、入所者の意思及び人格を尊重し、常に当該入所者の立場に立って行われるものでなければならない。
3 日常生活支援住居施設における支援は、入所者の心身の状況、その置かれている環境等に応じて、入所者の選択に基づき、適切な保健、医療、福祉、就労支援等のサービスが、総合的かつ効率的に提供されるよう配慮して行われるものでなければならない。
4 日常生活支援住居施設における支援は、入所者に提供される福祉サービス等が特定の種類又は特定の福祉サービスを行う者によるサービスに不当に偏ることのないよう、公正中立に行われるものでなければならない。
5 日常生活支援住居施設は、自らその提供する支援の評価を行い、常にその改善を図らなければならない。

　　　第3章　人員に関する基準
　（従業者の員数）
第10条　日常生活支援住居施設には、入所者に対する日常生活上の支援を行う生活支援員を置く。
2 日常生活支援住居施設に置くべき生活支援員の員数は、常勤換算方法（施設の従業者の勤務延べ時間数を当該施設において常勤の従業者が勤務すべき時間数で除することにより、当該施設の従業者の員数を常勤の従業者の員数に換算する方法をいう。）で、入所定員を15で除して得た数以上とする。
3 日常生活支援住居施設は、生活支援員のうち次項に掲げる員数の者を生活支援提供責任者としなければならない。
4 生活支援提供責任者は、次の各号に掲げる入所定員の区分に応じ、それぞれ各号に掲げる員数を配置するものとする。
　一　入所定員が30以下　1以上
　二　入所定員が31以上　1に、入所定員が30を超えて30又はその端数を増すごとに1を加えて得た数以上
5 生活支援提供責任者は、常勤職員であって専ら日常生活支援住居施設の業務に従事する者でなければならない。
　（管理者）
第11条　日常生活支援住居施設には、その施設ごとに管理者を置かなければならない。
2 日常生活支援住居施設の管理者は、無料低額宿泊所の設備及び運営に関する基準（令和元年厚生労働省令第34号）第6条第1項に規定する施設長を兼ねるものとする。
3 日常生活支援住居施設の管理者は、当該日常生活支援住居施設の生活支援員及び生活支援提供責任者を兼ねることができる。
　（管理者及び従業者の資格要件）
第12条　日常生活支援住居施設の管理者は、社会福祉法第19条第1項各号のいずれかに該当する者若しくは社会福祉事業等に2年以上従事した者又はこれらと同等以上の能力を

有すると認められる者でなければならない。
2　生活支援提供責任者は、社会福祉法第19条第1項各号のいずれかに該当する者又はこれらと同等以上の能力を有すると認められるものでなければならない。
3　日常生活支援住居施設は、当該日常生活支援住居施設の生活支援員（日常生活支援住居施設の管理者及び生活支援提供責任者を除く。）が、できる限り社会福祉法第19条第1項各号のいずれかに該当する者とするよう努めるものとする。

第4章　設備及び運営に関する基準

（提供拒否の禁止）
第13条　日常生活支援住居施設は、保護の実施機関から法第30条第1項ただし書の規定による入所の委託の依頼を受けたときは、正当な理由がなく、これを拒んではならない。
（日常生活上の支援の提供方針）
第14条　日常生活支援住居施設は、次条第1項に規定する個別支援計画に基づき、入所者の心身の状況等に応じて、その者の支援を適切に行うとともに、日常生活及び社会生活上の支援の提供が漫然かつ画一的なものとならず、継続的かつ計画的に適切な支援が行われるよう配慮しなければならない。
2　日常生活支援住居施設における日常生活及び社会生活上の支援の提供に当たっては、懇切丁寧に行うことを旨とし、入所者に対し、支援上必要な事項について、理解しやすいように説明を行わなければならない。
3　日常生活支援住居施設は、日常生活支援住居施設における日常生活及び社会生活上の支援の提供に際しては、保護の実施機関その他の都道府県又は市町村の関係機関、相談等の支援を行う保健医療サービス又は福祉サービスを提供する者等との密接な連携に努めなければならない。
4　日常生活支援住居施設は、入所者の心身の状況等により、自ら適切な日常生活及び社会生活上の支援を提供することが困難であると認めた場合又は入所者が他の社会福祉施設への入所を希望する場合には、当該入所者の保護の実施機関と協議した上で、当該入所を希望する施設への紹介その他の便宜の供与を行うものとする。
（個別支援計画の作成等）
第15条　日常生活支援住居施設を経営する者は、生活支援提供責任者に日常生活支援に係る個別支援計画（以下「個別支援計画」という。）を作成させなければならない。
2　生活支援提供責任者は、個別支援計画の作成に当たっては、適切な方法により、入所者について、その心身の状況、その置かれている環境、日常生活全般の状況等の評価を通じて入所者の希望する生活や課題等の把握（以下この条において「アセスメント」という。）を行い、入所者が自立した日常生活及び社会生活を営むことができるように支援する上での適切な支援内容の検討をしなければならない。
3　生活支援提供責任者は、入所者に面接してアセスメントを行わなければならない。この場合において、生活支援提供責任者は、面接の趣旨を入所者に対して十分に説明し、理解を得なければならない。
4　生活支援提供責任者は、アセスメント及び支援内容の検討結果に基づき、入所者の生

活に対する意向、総合的な支援の方針、生活全般の質を向上させるための課題、日常生活及び社会生活上の支援の目標並びにその達成時期並びに日常生活及び社会生活上の支援を提供する上での留意事項等を記載した個別支援計画の原案を作成しなければならない。この場合において、当該日常生活支援住居施設が提供する日常生活及び社会生活上の支援以外の保健医療サービス又はその他の福祉サービス等との連携も含めて個別支援計画の原案に位置付けるよう努めなければならない。
5 生活支援提供責任者は、必要に応じて、担当者会議（生活支援提供責任者が個別支援計画の作成のために当該個別支援計画の原案に位置付けた福祉サービス等の担当者を招集して行う会議をいう。第18条において同じ。）の開催等により、当該個別支援計画の原案の内容について説明を行うとともに、当該担当者から、専門的な見地からの意見を求めることができる。
6 生活支援提供責任者は、個別支援計画の作成に当たり、その内容について、あらかじめ、当該個別支援計画に係る被保護者の保護の実施機関に協議し、同意を得なければならない。
7 生活支援提供責任者は、個別支援計画の作成に当たり、その内容について入所者に対して説明し、文書により入所者の同意を得なければならない。
8 生活支援提供責任者は、個別支援計画を作成した際には、当該個別支援計画を入所者に交付しなければならない。
9 生活支援提供責任者は、個別支援計画を作成した際には、その写しを当該個別支援計画に係る被保護者の保護の実施機関に対し遅滞なく提出しなければならない。
10 生活支援提供責任者は、個別支援計画の作成後、個別支援計画の実施状況の把握（入所者についての継続的なアセスメントを含む。次項において「モニタリング」という。）を行うとともに、少なくとも6月に1回以上、個別支援計画の見直しを行い、必要に応じて個別支援計画の変更を行うものとする。
11 生活支援提供責任者は、モニタリングに当たっては、定期的に入所者に面接するとともに、モニタリングの結果を記録しなければならない。
12 第2項から第9項までの規定は、第10項に規定する個別支援計画の変更について準用する。
　（生活支援提供責任者の責務）
第16条　生活支援提供責任者は、前条に規定する業務のほか、次の各号に掲げる業務を行うものとする。
　一　入所申込者の入所に際し、その者が現に利用している福祉サービス事業を行う者等に対する照会等により、その者の心身の状況、当該日常生活支援住居施設以外における福祉サービス等の利用状況等を把握すること。
　二　入所者の心身の状況、その置かれている環境等に照らし、入所者が自立した日常生活及び社会生活を営むことができるよう定期的に検討するとともに、自立した日常生活及び社会生活を営むことができると認められる入所者に対し、必要な援助を行うこと。

三 他の従業者に対する技術指導及び助言を行うこと。
　（保護の変更等の届出）
第17条　生活支援提供責任者は、日常生活支援住居施設に入所する被保護者について、法に基づく保護の変更、停止又は廃止を必要とする事由が生じたと認めるときは、速やかに、当該日常生活支援住居施設に法第30条第１項ただし書の規定により当該被保護者を入所させ、又は入所を委託している保護の実施機関に、これを届け出なければならない。
　（秘密保持）
第18条　生活支援提供責任者は、担当者会議等において入所者の個人情報を用いる場合又は第16条第１号の規定により入所申込者の個人情報を取得する場合は、あらかじめ、文書により当該入所者又は入所申込者の同意を得なければならない。
　（相談等）
第19条　生活支援員は、常に入所者の心身の状況、その置かれている環境等の的確な把握に努め、入所者に対し、その相談に適切に応じるとともに、必要な助言その他の援助を行わなければならない。
　（日常生活及び社会生活上の支援）
第20条　日常生活支援住居施設は、個別支援計画に基づき、入所者の状況に応じて、家事等、服薬管理等の健康管理、日常生活に係る金銭管理、社会との交流の促進その他に係る日常生活及び社会生活上の支援を行うものとする。
　（社会生活上の便宜の供与等）
第21条　日常生活支援住居施設の従業者は、入所者本人が日常生活及び社会生活を営む上で必要な行政機関に対する手続等を行うことが困難である場合は、当該入所者の同意を得て代わって行わなければならない。
２　日常生活支援住居施設は、前項の手続等を行うに当たっては、当該入所者に係る保護の実施機関と連携しなければならない。
　（地域との連携）
第22条　日常生活支援住居施設は、その運営に当たっては、地域住民又はその自発的な活動等との連携及び協力を行う等の地域との交流に努めなければならない。
　（事業者等からの利益収受等の禁止）
第23条　日常生活支援住居施設を経営する者及びその管理者は、個別支援計画の作成又は変更に関し、当該日常生活支援住居施設の生活支援提供責任者に対して、特定の福祉サービス等の事業を行う者等によるサービスを当該計画に位置付けるべき旨の指示等を行ってはならない。
２　日常生活支援住居施設の生活支援提供責任者は、個別支援計画の作成若しくは変更又は支援の提供に関し、入所者等に対して、特定の福祉サービス等の事業を行う者等によるサービスを利用すべき旨の指示等を行ってはならない。
３　日常生活支援住居施設を経営する者及びその従業者は、個別支援計画の作成若しくは変更又は支援の提供に関し、入所者に対して特定の福祉サービス等の事業を行う者等に

よるサービスを利用させることの対償として、当該福祉サービス等の事業を行う者等から金品その他の財産上の利益を収受してはならない。
　（調査への協力等）
第24条　日常生活支援住居施設は、その提供した支援に関し、都道府県知事若しくは保護の実施機関からの報告若しくは文書その他の物件の提出若しくは提示の求め又は当該従業者からの質問若しくは日常生活支援住居施設の帳簿書類その他の物件の検査に応じ、及び入所者からの苦情に関して都道府県知事又は保護の実施機関が行う調査に協力するとともに、都道府県知事又は保護の実施機関から指導又は助言を受けた場合は、当該指導又は助言に従って必要な改善を行わなければならない。

2　日常生活支援住居施設は、都道府県知事又は保護の実施機関から求めがあった場合には、前項の改善の内容を当該都道府県知事又は保護の実施機関に報告しなければならない。

3　日常生活支援住居施設は、社会福祉法第83条に規定する運営適正化委員会が同法第85条の規定により行う調査又はあっせんにできる限り協力しなければならない。
　（会計の区分）
第25条　日常生活支援住居施設を経営する者は、日常生活支援住居施設ごとに経理を区分するとともに、日常生活支援住居施設における支援に係る会計をその他の事業の会計と区分しなければならない。
　（準用規定）
第26条　日常生活支援住居施設の設備及び運営に関する基準については、この章に規定するもののほか、無料低額宿泊所の設備及び運営に関する基準の例によるものとする。
　　　附　則
この省令は、令和2年4月1日から施行する。
　　　附　則（第1次改正）
この省令は、令和6年3月31日から施行する。

第4章　指定医療機関・指定介護機関

第1節　指定医療機関

●指定医療機関医療担当規程

(昭和25年8月23日厚生省告示第222号)

〔一部改正経過〕
第1次	昭和26年9月13日厚告第193号	第2次	平成6年9月9日厚告第310号
第3次	平成12年4月19日厚告第213号	第4次	平成14年2月28日厚労第40号
第5次	平成14年9月27日厚労告第323号	第6次	平成18年3月31日厚労告第296号
第7次	平成20年3月31日厚労告第170号	第8次	平成22年3月31日厚労告第144号
第9次	平成25年12月25日厚労告第385号	第10次	平成26年4月18日厚労告第223号
第11次	平成27年3月31日厚労告第195号	第12次	平成30年9月28日厚労告第344号

　生活保護法（昭和25年法律第144号）第50条第1項の規定により、指定医療機関医療担当規程を次のとおり定める。
　　指定医療機関医療担当規程
　（指定医療機関の義務）
第1条　指定医療機関は、生活保護法（以下「法」という。）に定めるところによるのほか、この規定の定めるところにより、医療を必要とする被保護者（以下「患者」という。）の医療を担当しなければならない。
　（医療券及び初診券）
第2条　指定医療機関は、保護の実施機関の発給した有効な医療券（初診券を含む。以下同じ。）を所持する患者の診療を正当な事由がなく拒んではならない。
第3条　指定医療機関は、患者から医療券を提出して診療を求められたときは、その医療券が、その者について発給されたものであること及びその医療券が有効であることをたしかめた後でなければ診療をしてはならない。
　（診療時間）
第4条　指定医療機関は、自己の定めた診療時間において診療するほか、患者がやむを得ない事情により、その診療時間に診療を受けることができないときは、患者のために便宜な時間を定めて診療しなければならない。
　（援助）
第5条　指定医療機関が、患者に対し次に掲げる範囲の医療の行われることを必要と認めたときは、速やかに、患者が所定の手続をすることができるよう患者に対し必要な援助を与えなければならない。

I 生活保護法関係法令 第4章 指定医療機関・指定介護機関

一　居宅における療養上の管理及びその療養に伴う世話その他の看護
二　病院又は診療所への入院及びその療養に伴う世話その他の看護
三　移送
四　歯科の補てつ
（後発医薬品）
第6条　指定医療機関の医師又は歯科医師（以下「医師等」という。）は、投薬又は注射を行うに当たり、後発医薬品（法第34条第3項に規定する後発医薬品をいう。以下同じ。）の使用を考慮するよう努めるとともに、投薬を行うに当たつては、医学的知見に基づき後発医薬品を使用することができると認めた場合には、原則として、後発医薬品により投薬を行うものとする。
2　指定医療機関である薬局は、後発医薬品の備蓄に関する体制その他の後発医薬品の調剤に必要な体制の確保に努めなければならない。
3　指定医療機関である薬局の薬剤師は、処方せんに記載された医薬品に係る後発医薬品が保険薬局及び保険薬剤師療養担当規則（昭和32年厚生省令第16号）第9条の規定による厚生労働大臣の定める医薬品である場合であつて、当該処方せんを発行した医師等が後発医薬品への変更を認めているときは、患者に対して、後発医薬品に関する説明を適切に行わなければならない。この場合において、指定医療機関である薬局の薬剤師は、原則として、後発医薬品を調剤するものとする。
（証明書等の交付）
第7条　指定医療機関は、その診療中の患者及び保護の実施機関から法による保護につき、必要な証明書又は意見書等の交付を求められたときは、無償でこれを交付しなければならない。
2　指定医療機関は、患者の医療を担当した場合において、正当な理由がない限り、当該医療に関する費用の請求に係る計算の基礎となつた項目ごとに記載した明細書を無償で交付しなければならない。
（診療録）
第8条　指定医療機関は、患者に関する診療録に、国民健康保険の例によつて医療の担当に関し必要な事項を記載し、これを他の診療録と区別して整備しなければならない。
（帳簿）
第9条　指定医療機関は、診療及び診療報酬の請求に関する帳簿及び書類を完結の日から5年間保存しなければならない。
（通知）
第10条　指定医療機関が、患者について左の各号の一に該当する事実のあることを知つた場合には、すみやかに、意見を附して医療券を発給した保護の実施機関に通知しなければならない。
一　患者が正当な理由なくして、診療に関する指導に従わないとき。
二　患者が詐偽その他不正な手段により診療を受け、又は受けようとしたとき。
（指定訪問看護事業者等に関する特例）

指定医療機関医療担当規程

第11条　指定医療機関である健康保険法（大正11年法律第70号）第88条第1項に規定する指定訪問看護事業者又は介護保険法（平成9年法律第123号）第41条第1項に規定する指定居宅サービス事業者（同法第8条第4項に規定する訪問看護を行う者に限る。）若しくは同法第53条第1項に規定する指定介護予防サービス事業者（同法第8条の2第3項に規定する介護予防訪問看護を行う者に限る。）にあつては、第5条の規定は適用せず、第8条中「関する診療録」とあるのは「対する指定訪問看護の提供に関する諸記録」と、「国民健康保険の例によつて」とあるのは「国民健康保険又は後期高齢者医療の例によつて」と、「診療録と」とあるのは「諸記録と」と、それぞれ読み替えて適用するものとする。

　　（薬局に関する特例）
第12条　指定医療機関である薬局にあつては、第5条の規定は適用せず、第8条中「診療録」とあるのは「調剤録」と読み替え適用するものとする。

　　（準用）
第13条　第1条から第10条までの規定は、医療保護施設が患者の診療を担当する場合に、第1条から第5条まで、第7条第1項及び第8条から第10条までの規定は、指定助産機関又は指定施術機関が被保護者の助産又は施術を担当する場合に、それぞれ準用する。

　　　　前　文（第12次改正）抄
〔前略〕平成30年10月1日から適用する。ただし、指定医療機関である診療所において、明細書を常に交付することが困難であることについて正当な理由がある場合は、この告示による改正後の指定医療機関医療担当規程第7条第2項の規定にかかわらず、当分の間、患者から求められたときに明細書を交付することで足りるものとし、明細書の交付を無償で行うことが困難であることについて正当な理由がある場合は、同項の規定にかかわらず、当分の間、明細書の交付を有償で行うことができるものとする。

●生活保護法第52条第2項の規定による診療方針及び診療報酬

(昭和34年5月6日)
(厚生省告示第125号)

〔一部改正経過〕

第1次	昭和48年3月13日厚告第 39号	第2次	昭和58年1月31日厚告第 34号
第3次	昭和59年9月28日厚告第170号	第4次	昭和63年1月19日厚告第 11号
第5次	昭和63年3月30日厚告第111号	第6次	平成6年9月9日厚告第311号
第7次	平成7年2月27日厚告第 27号	第8次	平成12年4月19日厚告第212号
第9次	平成12年6月7日厚告第250号	第10次	平成12年12月28日厚告第465号
第11次	平成14年3月27日厚労告第129号	第12次	平成14年9月27日厚労告第324号
第13次	平成18年8月29日厚労告第589号	第14次	平成20年3月31日厚労告第171号
第15次	平成27年3月31日厚労告第195号	第16次	平成28年3月31日厚労告第156号

　生活保護法（昭和25年法律第144号）第52条第2項（同法第55条において準用する場合を含む。）の規定により、生活保護法第52条第2項の規定による診療方針及び診療報酬を次のとおり定め、昭和34年1月1日から適用し、生活保護法第52条第2項の規定による診療方針及び診療報酬（昭和25年8月厚生省告示第212号）は、昭和33年12月31日限り廃止する。

　　生活保護法第52条第2項の規定による診療方針及び診療報酬
1　歯科の歯冠修復及び欠損補綴の取扱において、歯科材料として金を使用することは、行なわない。
2　国民健康保険の診療方針及び診療報酬のうち、保険外併用療養費の支給に係るもの（厚生労働大臣の定める評価療養、患者申出療養及び選定療養（平成18年厚生労働省告示第495号）第2条第7号に規定する療養（次項において「長期入院選定療養」という。）につき別に定めるところによる場合を除く。第4項において同じ。）は指定医療機関及び医療保護施設には適用しない。
3　前項の規定により指定医療機関及び医療保護施設に適用される長期入院選定療養に係る費用の額は、国民健康保険法（昭和33年法律第192号）第42条第1項第1号に掲げる場合の例による。
4　前3項に定めるもののほか、結核の医療その他の特殊療法又は新療法による医療その他生活保護法（昭和25年法律第144号）の基本原理及び原則に基づき、国民健康保険の診療方針及び診療報酬（保険外併用療養費の支給に係るものを除く。）と異なる取扱いを必要とする事項に関しては、別に定めるところによる。
5　75歳以上の者及び65歳以上75歳未満の者であつて高齢者の医療の確保に関する法律施行令（平成19年政令第318号）別表に定める程度の障害の状態にあるもの（健康保険法（大正11年法律第70号）若しくは船員保険法（昭和14年法律第73号）の規定による被保

生活保護法第52条第2項の規定による診療方針及び診療報酬

険者及び被扶養者、国家公務員共済組合法（昭和33年法律第128号）若しくは地方公務員等共済組合法（昭和37年法律第152号）に基づく共済組合の組合員及び被扶養者又は私立学校教職員共済法（昭和28年法律第245号）の規定による私立学校教職員共済制度の加入者及び被扶養者である者を除く。）に係る診療方針及び診療報酬は、前各項に定めるもののほか、後期高齢者医療の診療方針及び診療報酬（健康保険法（大正11年法律第70号）第88条第1項に規定する指定訪問看護事業者、介護保険法（平成9年法律第123号）第41条第1項に規定する指定居宅サービス事業者（同法第8条第4項に規定する訪問看護を行う者に限る。）及び同法第53条第1項に規定する指定介護予防サービス事業者（同法第8条の2第3項に規定する介護予防訪問看護を行う者に限る。）にあつては高齢者の医療の確保に関する法律（昭和57年法律第80号）第78条第4項の規定による厚生労働大臣の定める基準及び同法第79条第1項の規定による厚生労働大臣の定め）の例による。

6　指定医療機関が健康保険の保険医療機関又は保険薬局であり、かつ、国民健康保険法第45条第3項（同法第52条第6項、第52条の2第3項及び第53条第3項において準用する場合を含む。）の規定による別段の定めの契約当事者であるときは、当該契約の相手方である市町村（特別区を含む。）の区域に居住地（生活保護法第19条第1項第2号又は同条第2項に該当する場合にあつては現在地とし、同条第3項に該当する場合にあつては入所前の居住地又は現在地とする。）を有する被保護者について当該指定医療機関が行つた医療に係る診療報酬は、当該定の例による。

7　指定医療機関がそれぞれその指定を受けた地方厚生局長又は都道府県知事若しくは地方自治法（昭和22年法律第67号）第252条の19第1項の指定都市（以下「指定都市」という。）若しくは同法第252条の22第1項の中核市（以下「中核市」という。）の市長との間に及び医療保護施設がその設置について認可を受けた都道府県知事若しくは指定都市若しくは中核市の市長又はこれを設置した都道府県若しくは指定都市若しくは中核市を管轄する都道府県知事若しくは指定都市若しくは中核市の市長との間に、診療報酬に関して協定を締結したときは、当該指定医療機関又は医療保護施設に係る診療報酬は、当該協定による。ただし、当該協定による診療報酬が健康保険法第76条第2項の規定による厚生労働大臣の定め、同法第85条第2項及び第85条の2第2項の規定による厚生労働大臣の定める基準若しくは同法第86条第2項第1号の規定による厚生労働大臣の定め（前項に該当する指定医療機関にあつては、当該定めのうち診療報酬が最低となる定め）若しくは同法第88条第4項の規定による厚生労働大臣の定め又は高齢者の医療の確保に関する法律第71条第1項の規定による厚生労働大臣の定め、同法第74条第2項及び第75条第2項の規定による厚生労働大臣の定める基準若しくは同法第78条第4項の規定による厚生労働大臣の定める基準の例による場合に比べて同額又は低額である場合に限る。

8　第6項に該当する指定医療機関について前項に規定する協定の締結があつたときは、第6項の規定は、これを適用しない。

　　　前　文（第16次改正）抄
〔前略〕平成28年4月1日から適用する。

●療養の給付及び公費負担医療に関する費用の請求に関する命令

（昭和51年8月2日　厚生省令第36号）

〔一部改正経過〕

- 第1次　昭和51年8月7日厚生省令第37号「児童福祉法施行規則等の一部を改正する省令」第8条による改正
- 第2次　昭和52年12月16日厚生省令第51号「療養の給付及び公費負担医療に関する費用の請求に関する省令の一部を改正する省令」による改正
- 第3次　昭和53年2月13日厚生省令第4号「療養の給付及び公費負担医療に関する費用の請求に関する省令及び療養取扱機関の療養の給付に関する費用の請求及び療養取扱機関の公費負担医療に関する費用の請求に関する省令の一部を改正する省令」第1条による改正
- 第4次　昭和56年2月21日厚生省令第6号「療養の給付及び公費負担医療に関する費用の請求に関する省令の一部を改正する省令」による改正
- 第5次　昭和56年6月19日厚生省令第46号「療養の給付及び公費負担医療に関する費用の請求に関する省令の一部を改正する省令」による改正
- 第6次　昭和58年1月31日厚生省令第3号「療養の給付及び公費負担医療に関する費用の請求に関する省令並びに療養取扱機関の療養の給付に関する費用の請求及び療養取扱機関の公費負担医療に関する費用の請求に関する省令の一部を改正する省令」第1条による改正
- 第7次　昭和59年2月29日厚生省令第9号「療養の給付、老人医療及び公費負担医療に関する費用の請求に関する省令及び療養取扱機関の療養の給付、老人医療及び公費負担医療に関する費用の請求に関する省令の一部を改正する省令」第1条による改正
- 第8次　昭和59年9月22日厚生省令第50号「療養の給付、老人医療及び公費負担医療に関する費用の請求に関する省令及び療養取扱機関の療養の給付、老人医療及び公費負担医療に関する費用の請求に関する省令の一部を改正する省令」第1条による改正
- 第9次　昭和60年2月21日厚生省令第4号「保険医療機関及び保険薬局の指定並びに保険医及び保険薬剤師の登録に関する省令等の一部を改正する省令」第4条による改正
- 第10次　昭和60年2月26日厚生省令第5号「療養の給付、老人医療及び公費負担医療に関する費用の請求に関する省令及び療養取扱機関の療養の給付、老人医療及び公費負担医療に関する費用の請求に関する省令の一部を改正する省令」第1条による改正
- 第11次　昭和61年3月27日厚生省令第13号「療養の給付、老人医療及び公費負担医療に関する費用の請求に関する省令及び療養取扱機関の療養の給付、老人医療及び公費負担医療に関する費用の請求に関する省令の一部を改正する省令」第1条による改正
- 第12次　昭和62年1月21日厚生省令第5号「療養の給付、老人医療及び公費負担医療に関する費用の請求に関する省令及び療養取扱機関の療養の給付、老人医療及び公費負担医療に関する費用の請求に関する省令の一部を改正する省令」第1条による改正
- 第13次　昭和63年3月26日厚生省令第18号「療養の給付、老人医療及び公費負担医療に関する費用の請求に関する省令及び療養取扱機関の療養の給付、老人医療及び公費負担医療に関する費用の請求に関する省令の一部を改正する省令」第1条による改正
- 第14次　昭和63年4月8日厚生省令第29号「精神衛生法施行規則等の一部を改正する省令」第3条による改正
- 第15次　昭和63年6月7日厚生省令第42号「療養の給付、老人医療及び公費負担医療に関する費用の請求に関する省令及び療養取扱機関の療養の給付、老人医療及び公費負担医療に関する費用の請求に関する省令の一部を改正する省令」第1条による改正
- 第16次　平成元年3月24日厚生省令第10号「人口動態調査令施行細則等の一部を改正する省令」第64条による改正

療養の給付及び公費負担医療に関する費用の請求に関する命令

第17次 平成元年2月16日厚生省令第5号「療養の給付、老人医療及び公費負担医療に関する費用の請求に関する省令の一部を改正する省令」による改正
第18次 平成2年3月26日厚生省令第10号「療養の給付、老人医療及び公費負担医療に関する費用の請求に関する省令及び療養取扱機関の療養の給付、老人医療及び公費負担医療に関する費用の請求に関する省令の一部を改正する省令」第1条による改正
第19次 平成2年8月1日厚生省令第47号「麻薬取締法施行規則等の一部を改正する省令」第4条による改正
第20次 平成3年9月27日厚生省令第51号「療養の給付、老人医療及び公費負担医療に関する費用の請求に関する省令及び療養取扱機関の療養の給付、老人医療及び公費負担医療に関する費用の請求に関する省令の一部を改正する省令」第1条による改正
第21次 平成3年12月26日厚生省令第60号「療養の給付、老人医療及び公費負担医療に関する費用の請求に関する省令及び療養取扱機関の療養の給付、老人医療及び公費負担医療に関する費用の請求に関する省令の一部を改正する省令」第1条による改正
第22次 平成4年3月23日厚生省令第13号「療養の給付、老人医療及び公費負担医療に関する費用の請求に関する省令及び療養取扱機関の療養の給付、老人医療及び公費負担医療に関する費用の請求に関する省令の一部を改正する省令」第1条による改正
第23次 平成5年4月12日厚生省令第20号「療養の給付、老人医療及び公費負担医療に関する費用の請求に関する省令及び療養取扱機関の療養の給付、老人医療及び公費負担医療に関する費用の請求に関する省令の一部を改正する省令」第1条による改正
第24次 平成6年3月29日厚生省令第16号「療養の給付、老人医療及び公費負担医療に関する費用の請求に関する省令及び療養取扱機関の療養の給付、老人医療及び公費負担医療に関する費用の請求に関する省令の一部を改正する省令」第1条による改正
第25次 平成6年10月14日厚生省令第67号「療養の給付、老人医療及び公費負担医療に関する費用の請求に関する省令等の一部を改正する等の省令」第1条・附則第3条による改正
第26次 平成6年12月27日厚生省令第79号「療養の給付、老人医療及び公費負担医療に関する費用の請求に関する省令及び療養取扱機関の療養の給付、老人医療及び公費負担医療に関する費用の請求に関する省令の一部を改正する省令の一部を改正する省令」による改正
第27次 平成7年3月28日厚生省令第19号「健康保険法施行規則等の一部を改正する省令」第6条による改正
第28次 平成7年5月15日厚生省令第33号「原子爆弾被爆者に対する援護に関する法律施行規則」附則第31条による改正
第29次 平成7年6月30日厚生省令第47号「精神保健法施行規則等の一部を改正する省令」第5条による改正
第30次 平成8年4月12日厚生省令第23号「療養の給付、老人医療及び公費負担医療に関する費用の請求に関する省令の一部を改正する省令」による改正
第31次 平成8年12月24日厚生省令第70号「療養の給付、老人医療及び公費負担医療に関する費用の請求に関する省令の一部を改正する省令」による改正
第32次 平成9年8月25日厚生省令第63号「療養の給付、老人医療及び公費負担医療に関する費用の請求に関する省令の一部を改正する省令」による改正
第33次 平成10年3月27日厚生省令第32号「健康保険法施行規則等の一部を改正する省令」第5条による改正
第34次 平成10年9月29日厚生省令第78号「健康保険法施行規則等の一部を改正する省令」第4条による改正
第35次 平成10年10月22日厚生省令第86号「保険医療機関及び保険医療養担当規則及び療養の給付、老人医療及び公費負担医療に関する費用の請求に関する省令の一部を改正する省令」第2条による改正
第36次 平成10年12月28日厚生省令第99号「感染症の予防及び感染症の患者に対する医療に関する法律施行規則」附則第10条による改正
第37次 平成11年12月28日厚生省令第104号「療養の給付、老人医療及び公費負担医療に関する費用の請求に関する省令の一部を改正する省令」による改正
第38次 平成12年3月31日厚生省令第83号「療養の給付、老人医療及び公費負担医療に関する費用の請求に関する省令の一部を改正する省令」による改正
第39次 平成12年12月13日厚生省令第144号「健康保険法施行規則等の一部を改正する省令」第3条による改正
第40次 平成12年10月20日厚生省令第127号「中央省庁等改革のための健康保険法施行規則等の一部を改正する等の省令」第101・142・150・192条による改正
第41次 平成13年3月23日厚生労働省令第30号「療養の給付、老人医療及び公費負担医療に関する費用の請求に関する省令の一部を改正する省令」による改正

185

I　生活保護法関係法令　第4章　指定医療機関・指定介護機関

第42次　平成13年10月1日厚生労働省令第203号「療養の給付、老人医療及び公費負担医療に関する費用の請求に関する省令及び療養取扱機関の療養の給付、老人医療及び公費負担医療に関する費用の請求に関する省令の一部を改正する省令及び療養の給付、老人医療及び公費負担医療に関する費用の請求に関する省令の一部を改正する省令」第1・2条による改正

第43次　平成14年3月8日厚生労働省令第24号「療養の給付、老人医療及び公費負担医療に関する費用の請求に関する省令の一部を改正する省令」による改正

第44次　平成14年4月30日厚生労働省令第67号「療養の給付、老人医療及び公費負担医療に関する費用の請求に関する省令の一部を改正する省令」による改正

第45次　平成14年9月12日厚生労働省令第120号「保険医療機関及び保険医療養担当規則等の一部を改正する省令」第5条による改正

第46次　平成15年2月25日厚生労働省令第15号「健康保険法施行規則等の一部を改正する省令」第9条による改正

第47次　平成15年3月13日厚生労働省令第24号「療養の給付、老人医療及び公費負担医療に関する費用の請求に関する省令の一部を改正する省令」による改正

第48次　平成15年3月17日厚生労働省令第36号「療養の給付、老人医療及び公費負担医療に関する費用の請求に関する省令の一部を改正する省令」による改正

第49次　平成16年3月30日厚生労働省令第65号「療養の給付、老人医療及び公費負担医療に関する費用の請求に関する省令及び老人訪問看護療養費、訪問看護療養費等の請求に関する省令の一部を改正する省令」第1条による改正

第50次　平成18年3月24日厚生労働省令第46号「健康保険法施行規則等の一部を改正する省令」第5条による改正

第51次　平成18年3月10日厚生労働省令第30号「療養の給付、老人医療及び公費負担医療に関する費用の請求に関する省令の一部を改正する省令」による改正

第52次　平成18年3月29日厚生労働省令第64号「療養の給付、老人医療及び公費負担医療に関する費用の請求に関する省令の一部を改正する省令」による改正

第53次　平成18年3月31日厚生労働省令第78号「障害者自立支援法の施行に伴う厚生労働省関係省令の整備等に関する省令」第10条による改正

第54次　平成18年4月10日厚生労働省令第111号「療養の給付、老人医療及び公費負担医療に関する費用の請求に関する省令の一部を改正する省令」による改正

第55次　平成18年9月8日厚生労働省令第157号「健康保険法施行規則等の一部を改正する省令」第17条による改正

第56次　平成18年9月29日厚生労働省令第169号「障害者自立支援法の一部の施行に伴う厚生労働省関係省令の整備等に関する省令」第16条による改正

第57次　平成19年3月23日厚生労働省令第26号「感染症の予防及び感染症の患者に対する医療に関する法律の一部を改正する法律の一部の施行に伴う厚生労働省関係省令の整備等に関する省令」第11条による改正

第58次　平成20年3月5日厚生労働省令第27号「療養の給付、老人医療及び公費負担医療に関する費用の請求に関する省令等の一部を改正する省令」第1条による改正

第59次　平成20年3月31日厚生労働省令第80号「中国残留邦人等の円滑な帰国の促進及び永住帰国後の自立の支援に関する法律施行規則等の一部を改正する省令」第6条による改正

第60次　平成21年5月8日厚生労働省令第110号「療養の給付及び公費負担医療に関する費用の請求に関する省令の一部を改正する省令」による改正

第61次　平成21年11月25日厚生労働省令第151号「療養の給付及び公費負担医療に関する費用の請求に関する省令の一部を改正する省令」による改正

第62次　平成24年1月13日厚生労働省令第2号「特定B型肝炎ウイルス感染者給付金等の支給に関する特別措置法の施行に伴う厚生労働省関係省令の整備に関する省令」第5条による改正

第63次　平成24年3月28日厚生労働省令第40号「障がい者制度改革推進本部等における検討を踏まえて障害保健福祉施策を見直すまでの間において障害者等の地域生活を支援するための関係法律の整備に関する法律の施行に伴う関係省令の整備等及び経過措置に関する省令」第6条による改正

第64次　平成25年1月18日厚生労働省令第4号「地域社会における共生の実現に向けて新たな障害保健福祉施策を講ずるための関係法律の整備に関する法律の施行に伴う関係省令の整備等に関する省令」第3条による改正

第65次　平成26年9月9日厚生労働省令第104号「中国残留邦人等の円滑な帰国の促進及び永住帰国後の自立の支援に関する法律の一部を改正する法律の施行に伴う厚生労働省関係省令の整備に関する省令」第3条による改正

第66次　平成26年11月12日厚生労働省令第121号「難病の患者に対する医療等に関する法律施行規則」附則第5条による改正

第67次　平成26年11月13日厚生労働省令第122号「児童福祉法施行規則の一部を改正する省令」附則第7条による改正

療養の給付及び公費負担医療に関する費用の請求に関する命令

第68次　平成30年3月22日厚生労働省令第30号「介護保険法施行規則等の一部を改正する等の省令」第20条による改正
第69次　令和2年9月25日厚生労働省令第161号「健康保険法施行規則等の一部を改正する省令」第7条による改正
第70次　令和3年9月29日厚生労働省令第163号「療養の給付及び公費負担医療に関する費用の請求に関する省令の一部を改正する省令」による改正
第71次　令和5年3月31日厚生労働省令第48号「こども家庭庁設置法等の施行に伴う厚生労働省関係省令の整備等に関する省令」第15条による改正
第72次　令和5年11月30日内閣府・厚生労働省令第8号「療養の給付及び公費負担医療に関する費用の請求に関する命令及び介護給付費及び公費負担医療等に関する費用の請求に関する命令の一部を改正する命令」第1・2条による改正
第73次　令和6年3月29日内閣府・厚生労働省令第11号「療養の給付及び公費負担医療に関する費用の請求に関する命令及び訪問看護療養費及び公費負担医療に関する費用の請求に関する命令の一部を改正する命令」第1条による改正

（療養の給付及び公費負担医療に関する費用の請求）
第1条　保険医療機関若しくは次に掲げる医療に関する給付（以下「公費負担医療」という。）を担当する病院若しくは診療所（以下単に「保険医療機関」という。）又は保険薬局若しくは公費負担医療を担当する薬局（以下単に「保険薬局」という。）は、療養の給付（健康保険法（大正11年法律第70号）第145条に規定する特別療養費、入院時食事療養費、入院時生活療養費、保険外併用療養費、家族療養費及び高額療養費の支給を含む。第8号を除き、以下同じ。）又は公費負担医療に関し費用を請求しようとするときは、電子情報処理組織の使用による請求（こども家庭庁長官及び厚生労働大臣が定める事項を電子情報処理組織（審査支払機関の使用に係る電子計算機（入出力装置を含む。以下同じ。）と、療養の給付及び公費負担医療に関する費用（以下「療養の給付費等」という。）の請求をしようとする保険医療機関又は保険薬局の使用に係る電子計算機とを電気通信回線で接続した電子情報処理組織をいう。以下同じ。）を使用して、こども家庭庁長官及び厚生労働大臣の定める方式に従つて電子計算機から入力して審査支払機関の使用に係る電子計算機に備えられたファイルに記録して行う療養の給付費等の請求をいう。）により行うものとする。
一　児童福祉法（昭和22年法律第164号）第19条の2第1項の小児慢性特定疾病医療費の支給、同法第20条第2項の医療に係る療育の給付又は同法第21条の5の29第1項の肢体不自由児通所医療費若しくは同法第24条の20第1項（同法第24条の24第3項において適用する場合を含む。）の障害児入所医療費の支給
二　障害者の日常生活及び社会生活を総合的に支援するための法律（平成17年法律第123号）第58条第1項の自立支援医療費、同法第70条第1項の療養介護医療費又は同法第71条第1項の基準該当療養介護医療費の支給
三　精神保健及び精神障害者福祉に関する法律（昭和25年法律第123号）第30条第1項の規定により費用の負担が行われる医療に関する給付
四　生活保護法（昭和25年法律第144号）第15条（中国残留邦人等の円滑な帰国の促進並びに永住帰国した中国残留邦人等及び特定配偶者の自立の支援に関する法律（平成6年法律第30号）第14条第4項（中国残留邦人等の円滑な帰国の促進及び永住帰国後の自立の支援に関する法律の一部を改正する法律（平成19年法律第127号）附則第4

条第2項において準用する場合を含む。)においてその例による場合を含む。)の医療扶助又は医療支援給付
　五　削除
　六　麻薬及び向精神薬取締法(昭和28年法律第14号)第58条の17第1項の規定により費用の負担が行われる医療に関する給付
　七　原子爆弾被爆者に対する援護に関する法律(平成6年法律第117号)第10条の医療の給付又は同法第18条の一般疾病医療費の支給
　八　戦傷病者特別援護法(昭和38年法律第168号)第10条の療養の給付又は同法第20条の更生医療の給付
　九　母子保健法(昭和40年法律第141号)第20条の養育医療の給付
　九の二　感染症の予防及び感染症の患者に対する医療に関する法律(平成10年法律第114号)第37条第1項(同法第44条の9第1項の規定に基づく政令によつて準用される場合を含む。)、第37条の2第1項、第44条の3の2第1項(同法第44条の9第1項の規定に基づく政令によつて準用される場合を含む。)又は第50条の3第1項の規定により費用の負担が行われる医療に関する給付
　九の三　石綿による健康被害の救済に関する法律(平成18年法律第4号)第4条第1項の医療費の支給
　九の四　特定B型肝炎ウイルス感染者給付金等の支給に関する特別措置法(平成23年法律第126号)第12条第1項の定期検査費又は同法第13条第1項の母子感染防止医療費の支給
　九の五　難病の患者に対する医療等に関する法律(平成26年法律第50号)第5条第1項の特定医療費の支給
　十　前各号に掲げるもののほか医療に関する給付であつて厚生労働大臣が定めるもの
2　前項の請求を行う場合において、療養の給付費等のうち、こども家庭庁長官及び厚生労働大臣の定めるものに係る請求を行う場合には、診療日ごとの症状、経過及び診療内容を明らかにすることができる情報を同項のファイルに記録しなければならない。
　(請求の補正)
第1条の2　前条第1項の規定により保険医療機関又は保険薬局が行つた請求について、同項のファイルに記録された情報のうち高齢者の医療の確保に関する法律(昭和57年法律第80号)第7条第4項(第7号を除く。)に規定する加入者及び同法第50条に規定する後期高齢者医療の被保険者(以下この条において「加入者等」という。)の資格に係る情報に軽微な不備(誤記、記載漏れその他これに類する明白な誤りであつて、保険医療機関又は保険薬局が記載しようとした事項を容易に推測することができると認められる程度のものをいう。)がある場合には、審査支払機関は、職権で、当該不備を補正することができる。この場合において、審査支払機関は、当該補正をした旨を、当該保険医療機関又は保険薬局に通知するものとする。
2　高齢者の医療の確保に関する法律第7条第2項に規定する保険者及び同法第48条に規定する後期高齢者医療広域連合(以下この条において「保険者等」という。)は、審査

支払機関に対し、審査支払機関が前項の規定による補正を行うために必要な加入者等の資格に係る情報を提供することができる。
3　審査支払機関は、前項の規定により提供を受けた情報を活用して第1項の規定による補正を行つた場合であつて、当該補正が保険医療機関又は保険薬局が行つた請求に係る保険者等を変更するものであるときは、当該補正後の請求に係る保険者等に対し、当該補正後の請求に係る情報を提供するものとする。
4　保険者等は、審査支払機関に対し、保険医療機関又は保険薬局が行つた請求に係る情報を提供して、第1項の規定による補正を行うことを求めることができる。
5　保険者等は、前項の規定による情報の提供及び申出を行うため、審査支払機関に対し、保険医療機関又は保険薬局が行つた請求に係る情報を提供し、当該請求に係る加入者等の資格に係る情報の提供を求めることができる。
6　審査支払機関は、前項の規定により保険者等から情報の提供の求めがあつたときは、当該保険者等に対し、保険医療機関又は保険薬局が行つた請求に係る加入者等の資格に係る情報を提供するものとする。
　（療養の給付費等の請求日）
第2条　第1条第1項の請求は、各月分について翌月10日までに行わなければならない。
2　第1条第1項の請求は、審査支払機関の使用に係る電子計算機に備えられたファイルへの記録がされた時に当該審査支払機関に到達したものとみなす。
　（療養の給付費等の請求の開始等の届出）
第3条　保険医療機関又は保険薬局は、第1条第1項の請求を始めようとするときは、あらかじめ、次に掲げる事項を当該請求に係る審査支払機関に届け出なければならない。
　一　保険医療機関又は保険薬局の名称及び所在地
　二　審査支払機関の使用に係る電子計算機に備えられたファイルに第1条の記録を行うために使用するプログラム（電子計算機に対する指令であつて、一の結果を得ることができるように組み合わされたものをいう。以下同じ。）の名称、当該プログラムの作成者の氏名又は名称及び同条第1項の請求を始めようとする年月
　三　その他こども家庭庁長官及び厚生労働大臣が定める事項
2　保険医療機関又は保険薬局は、審査支払機関の使用に係る電子計算機に備えられたファイルに第1条の記録を行うために使用するプログラムを変更しようとするとき（療養の給付費等の額の算定方法が改められたことに伴う変更を行おうとするときを除く。）は、あらかじめ、次に掲げる事項を当該請求に係る審査支払機関に届け出なければならない。
　一　保険医療機関又は保険薬局の名称及び所在地
　二　変更後のプログラムの名称及び当該プログラムの作成者の氏名又は名称
　三　変更後のプログラムを使用して第1条第1項の請求を始めようとする年月
　四　その他こども家庭庁長官及び厚生労働大臣が定める事項
　（請求の代行）

第4条　前4条の規定は、医師、歯科医師又は薬剤師を主たる構成員とする団体（その団体を主たる構成員とする団体を含む。）で、医療保険の運営及び審査支払機関の業務運営に密接な関連を有し、かつ、十分な社会的信用を有するものが第1条第1項の請求の事務を代行する場合について準用する。この場合において、第1条第1項中「費用を請求」とあるのは「医師、歯科医師又は薬剤師を主たる構成員とする団体（その団体を主たる構成員とする団体を含む。）で、医療保険の運営及び審査支払機関の業務運営に密接な関連を有し、かつ、十分な社会的信用を有するものであつて療養の給付及び公費負担医療に関する費用（以下「療養の給付費等」という。）の請求の代行を行うもの（以下「事務代行者」という。）を介して費用を請求」と、「電子情報処理組織の使用」とあるのは「事務代行者を介した電子情報処理組織の使用」と、「療養の給付及び公費負担医療に関する費用（以下「療養の給付費等」という。）の請求をしようとする保険医療機関又は保険薬局」とあるのは「事務代行者」と、「こども家庭庁長官及び厚生労働大臣の定める方式に従つて電子計算機」とあるのは「事務代行者を介してこども家庭庁長官及び厚生労働大臣の定める方式に従つて電子計算機」と、同条第2項中「前項」とあるのは「事務代行者を介した前項」と、「係る請求を」とあるのは「係る請求を事務代行者を介して」と、「同項」とあるのは「事務代行者を介して同項」と、第1条の2第1項及び第3項から第6項まで中「行つた請求」を「行つた事務代行者を介した請求」と、第2条第1項及び第2項中「第1条第1項」とあるのは「事務代行者を介した第1条第1項」と、第3条第1項各号列記以外の部分中「第1条第1項」とあるのは「事務代行者を介した第1条第1項」と、「始めようとするときは」とあるのは「始めようとするとき、又は事務代行者を介した同項の請求をやめようとするときは」と、同項第1号中「保険医療機関又は保険薬局」とあるのは「保険医療機関又は保険薬局及び事務代行者」と、同項第2号中「審査支払機関」とあるのは「事務代行者を介した第1条第1項の請求を始めようとする場合にあつては、審査支払機関」と、「同条第1項の請求を始めようとする年月」とあるのは「事務代行者を介した同条第1項の請求を始めようとする年月、事務代行者を介した同項の請求をやめようとする場合にあつてはその年月」と、同条第2項各号列記以外の部分中「を変更」とあるのは「を事務代行者が変更」と、同項第1号中「保険医療機関又は保険薬局」とあるのは「保険医療機関又は保険薬局及び事務代行者」と、同項第3号中「第1条第1項」とあるのは「事務代行者を介した第1条第1項」と読み替えるものとする。

　　　附　則　抄
　（施行期日）
第1条　この省令は、昭和51年11月1日から施行する。〔以下略〕
　（経過措置）
第3条　昭和51年10月1日前に行われた療養の給付又は公費負担医療に関する費用の請求については、なお従前の例による。
　（療養の給付費等の請求に係る経過措置）

第3条の2　令和6年3月31日以前の直近に保険医療機関又は保険薬局が行つた請求が、療養の給付及び公費負担医療に関する費用の請求に関する命令及び介護給付費及び公費負担医療等に関する費用等の請求に関する命令の一部を改正する命令（令和5年内閣府・厚生労働省令第8号。附則第3条の4第1項及び第3条の5第1項において「令和5年改正命令」という。）第2条による改正前の第1条第1項に規定する光ディスク等を用いた請求である場合には、当該保険医療機関又は保険薬局は、令和6年9月30日までの間、第1条第1項の規定にかかわらず、光ディスク等を用いた請求（こども家庭庁長官及び厚生労働大臣が定める事項を電子計算機を使用してこども家庭庁長官及び厚生労働大臣の定める方式に従つて記録したこども家庭庁長官及び厚生労働大臣の定める規格に適合する光ディスク（これに準ずる方法により一定の事項を確実に記録しておくことができる物を含む。以下「光ディスク等」という。）を提出することにより行う療養の給付費等の請求をいう。以下同じ。）を行うことができる。

2　令和6年9月30日以前の直近に保険医療機関又は保険薬局が行つた請求が、前項の規定による光ディスク等を用いた請求である場合には、当該保険医療機関又は保険薬局（令和6年10月1日以降に第1条第1項の請求を行つたものを除く。）は、令和6年10月1日以降に光ディスク等を用いた請求を行おうとするときは、あらかじめ、同項の請求を行える体制の整備に関する計画（その計画の期間が1年を超えないものに限る。）を添えて、その旨を審査支払機関に届け出なければならない。

3　前項の届出をした保険医療機関又は保険薬局は、第1条第1項の規定にかかわらず、前項の期間内に限り、光ディスク等を用いた請求を行うことができる。

第3条の3　光ディスク等を用いた請求を行う場合において、療養の給付費等のうち、こども家庭庁長官及び厚生労働大臣の定めるものに係る請求を行う場合には、診療日ごとの症状、経過及び診療内容を明らかにすることができる情報を光ディスク等に記録して、審査支払機関に提出しなければならない。

2　第1条の2、第2条第1項及び第3条第2項の規定は、光ディスク等を用いた請求について準用する。この場合において、第1条の2第1項中「同項のファイルに記録された情報」とあるのは「光ディスク等に記録された情報」と、第3条第2項中「審査支払機関の使用に係る電子計算機に備えられたファイルに第1条」とあるのは「光ディスク等に附則第3条の2第1項及び第3条の3第1項」と読み替えるものとする。

第3条の4　令和6年3月31日以前の直近に保険医療機関又は保険薬局が行つた請求が、令和5年改正命令第2条による改正前の第5条第1項に規定する書面による請求である場合において、当該保険医療機関又は保険薬局は、レセプトコンピュータ（療養の給付費等の請求を行う者の使用に係る電子計算機であつて、診療報酬請求書及び診療報酬明細書並びに調剤報酬請求書及び調剤報酬明細書（附則第4条の2第2項において「レセプト」という。）を電磁的記録（電子的方式、磁気的方式その他人の知覚によつては認識することができない方式で作られる記録であつて、電子計算機による情報処理の用に供されるものをいう。）をもつて作成することができるものをいう。以下同じ。）を使用していない旨を、あらかじめ審査支払機関に届け出たときは、第1条第1項の規定にか

191

かわらず、書面による請求（療養の給付費等について、保険医療機関にあつては診療報酬請求書に診療報酬明細書を、保険薬局にあつては調剤報酬請求書に調剤報酬明細書を添えて、これを当該診療報酬請求書又は調剤報酬請求書の審査支払機関に提出することにより請求することをいう。以下同じ。）を行うことができる。

2　前項の規定により書面による請求を行つている保険医療機関又は保険薬局は、第1条第1項の請求を行える体制を整備するよう努めるものとする。

第3条の5　令和6年3月31日以前の直近に保険医療機関である診療所又は保険薬局が行つた請求が、令和5年改正命令第2条による改正前の第6条第1項の規定による書面による請求である場合において、当該保険医療機関又は保険薬局は、次の表の上欄に掲げる保険医療機関又は保険薬局において診療又は調剤に従事する全ての常勤の保険医又は保険薬剤師の生年月日が、それぞれ同表の下欄に掲げる日以前である旨を、あらかじめ審査支払機関に届け出たときは、第1条第1項の規定にかかわらず、書面による請求を行うことができる。

レセプトコンピュータを使用している薬局	昭和19年4月1日
レセプトコンピュータを使用している診療所（歯科に係る療養の給付費等の請求を行う場合を除く。）	昭和20年7月1日
レセプトコンピュータを使用している診療所（歯科に係る療養の給付費等の請求を行う場合に限る。）	昭和21年4月1日
レセプトコンピュータを使用していない診療所又は薬局	

2　前項の届出をした保険医療機関又は保険薬局は、同項の表の上欄に掲げる保険医療機関又は保険薬局において新たに診療又は調剤に従事する常勤の保険医又は保険薬剤師の生年月日が、それぞれ同表の下欄に掲げる日より後であるときは、当該保険医又は保険薬剤師に係る情報を、遅滞なく審査支払機関に届け出なければならない。

3　前項の届出をした保険医療機関又は保険薬局は、当該届出をした日の属する月及びその翌月に限り、第1条第1項の規定にかかわらず、書面による請求を行うことができる。

第4条

5　附則第3条の4第1項並びに前条第1項及び第3項並びに本条第1項、第2項及び第4項に規定するもののほか、第1条第1項の規定にかかわらず、保険医療機関又は保険薬局のうち、次の各号に掲げるものに該当する旨をあらかじめ審査支払機関に届け出たものは、それぞれ当該各号に掲げる療養の給付費等の請求について、光ディスク等を用いた請求又は書面による請求を行うことができる。

一　電気通信回線設備の機能に障害が生じた保険医療機関又は保険薬局　当該障害が生じている間に行う療養の給付費等の請求

二　レセプトコンピュータの販売又はリースの事業を行う者との間で光ディスク等を用いた請求に係る設備の設置又はソフトウェアの導入に係る契約を締結している保険医

療機関又は保険薬局であつて、当該設置又は導入に係る作業が完了しておらず、療養の給付費等の請求の日までに光ディスク等を用いた請求ができないもの　当該設置又は導入に係る作業が完了するまでの間に行う療養の給付費等の請求
三　改築の工事中である施設又は臨時の施設において診療又は調剤を行つている保険医療機関又は保険薬局　当該改築の工事中である施設又は臨時の施設において診療又は調剤を行つている間に行う療養の給付費等の請求
四　廃止又は休止に関する計画を定めている保険医療機関又は保険薬局　廃止又は休止するまでの間に行う療養の給付費等の請求
五　その他第１条第１項の請求を行うことが特に困難な事情がある保険医療機関又は保険薬局当該請求
6　保険医療機関又は保険薬局は、前項の届出を行う際、当該届出の内容を確認できる資料を添付するものとする。
7　保険医療機関又は保険薬局は、第５項第１号、第２号又は第５号に該当する旨の届出を行うに当たり、当該届出をあらかじめ行えないことについてやむを得ない事情がある場合には、当該届出に係る療養の給付費等の請求の日に当該届出を行うことができる。この場合にあつては、前項の資料は当該療養の給付費等の請求の事後において、速やかに審査支払機関に提出するものとする。
第４条の２　書面による請求を行う場合において、療養の給付費等のうち、こども家庭庁長官及び厚生労働大臣の定めるものに係る請求を行う場合には、診療日ごとの症状、経過及び診療内容を明らかにすることができる資料を添付しなければならない。
2　書面による請求を行う場合には、レセプトの提出は、こども家庭庁長官及び厚生労働大臣が定める様式により行うものとする。
3　書面による請求を行う場合には、診療報酬請求書及び調剤報酬請求書は、各月分について翌月10日までに提出しなければならない。

　　　附　則（第73次改正）抄
（施行期日）
1　この命令は、令和６年４月１日から施行する。

◉介護保険法及び介護保険法施行法の施行に伴う関係政令の整備等に関する政令第12条第2項の規定に基づき厚生労働大臣が定める額

〔平成12年 4月20日〕
〔厚生省告示第221号〕

〔一部改正経過〕
　　第1次　平成12年12月28日厚告第468号

　介護保険法及び介護保険法施行法の施行に伴う関係政令の整備等に関する政令（平成11年政令第262号）第12条第2項の規定に基づき、厚生大臣が定める額を次のように定め、平成12年4月1日から適用する。

　　　介護保険法及び介護保険法施行法の施行に伴う関係政令の整備等に関する政
　　　令第12条第2項の規定に基づき厚生労働大臣が定める額

　介護保険法及び介護保険法施行法の施行に伴う関係政令の整備等に関する政令（平成11年政令第262号）第12条第1項の規定により同項に規定する医療扶助受給者等に対し医療扶助が行われる場合における同項の施設療養に相当するサービスに要する費用の額は、介護保険法施行法第26条第2項の厚生労働大臣が定める額（平成12年3月厚生省告示第179号）別表特定老人保健施設療養費額算定表第1により算定した費用の額及び同表第2により算定した費用の額の合計額とする。

　　　前　文（第1次改正）抄
　〔前略〕平成13年1月6日から適用する。

第2節　指定介護機関

●指定介護機関介護担当規程

〔平成12年3月31日〕
〔厚生省告示第191号〕

生活保護法（昭和25年法律第144号）第54条の2第4項において準用する同法第50条第1項の規定により、指定介護機関介護担当規程を次のように定め、平成12年4月1日から適用する。

　　　　指定介護機関介護担当規程
　（指定介護機関の義務）
第1条　指定介護機関は、生活保護法に定めるところによるほか、この規程の定めるところにより、介護を必要とする被保護者（以下「要介護者」という。）の介護を担当しなければならない。
　（提供義務）
第2条　指定介護機関は、保護の実施機関から要介護者の介護の委託を受けたときは、当該要介護者に対する介護サービスの提供を正当な事由がなく拒んではならない。
　（介護券）
第3条　指定介護機関は、要介護者に対し介護サービスを提供するに当たっては、当該要介護者について発給された介護券が有効であることを確かめなければならない。
　（援助）
第4条　指定介護機関は、要介護者に対し自ら適切な介護サービスを提供することが困難であると認めたときは、速やかに、要介護者が所定の手続をすることができるよう当該要介護者に対し必要な援助を与えなければならない。
　（証明書等の交付）
第5条　指定介護機関は、その介護サービスの提供中の要介護者及び保護の実施機関から生活保護法（昭和25年法律第144号）による保護につき、必要な証明書又は意見書等の交付を求められたときは、無償でこれを交付しなければならない。
　（介護記録）
第6条　指定介護機関は、要介護者に関する介護記録に、介護保険の例によって介護サービスの提供に関し必要な事項を記載し、これを他の介護記録と区別して整備しなければならない。
　（帳簿）
第7条　指定介護機関は、介護サービスの提供及び介護の報酬の請求に関する帳簿及び書類を完結の日から5年間保存しなければならない。
　（通知）

第8条　指定介護機関は、要介護者について次のいずれかに該当する事実のあることを知った場合には、速やかに、意見を付して介護券を発給した保護の実施機関に通知しなければならない。
一　要介護者が正当な理由なくして、介護サービスの提供に関する指導に従わないとき。
二　要介護者が詐欺その他不正な手段により介護サービスの提供を受け、又は受けようとしたとき。

●生活保護法第54条の2第5項において準用する同法第52条第2項の規定による介護の方針及び介護の報酬

（平成12年4月19日／厚生省告示第214号）

〔一部改正経過〕

第1次	平成17年9月30日厚労告第449号	第2次	平成18年3月31日厚労告第298号
第3次	平成20年3月31日厚労告第172号	第4次	平成24年3月29日厚労告第181号
第5次	平成30年3月30日厚労告第180号	第6次	令和2年8月27日厚労告第302号
第7次	令和6年3月29日厚労告第180号		

　生活保護法（昭和25年法律第144号）第54条の2第4項において準用する同法第52条第2項の規定に基づき、生活保護法第54条の2第4項において準用する同法第52条第2項の規定による介護の方針及び介護の報酬を次のように定め、平成12年4月1日から適用する。

　　生活保護法第54条の2第5項において準用する同法第52条第2項の規定による介護の方針及び介護の報酬

一　指定居宅サービス等の事業の人員、設備及び運営に関する基準（平成11年厚生省令第37号）第127条第3項第3号に規定する利用者が選定する特別な居室の提供及び同令第145条第3項第3号に規定する利用者が選定する特別な療養室等の提供は、行わない。
二　指定地域密着型サービスの事業の人員、設備及び運営に関する基準（平成18年厚生労働省令第34号）第136条第3項第3号に規定する入所者が選定する特別な居室の提供は、行わない。
三　指定介護老人福祉施設の人員、設備及び運営に関する基準（平成11年厚生省令第39号）第9条第3項第3号に規定する入所者が選定する特別な居室の提供は、行わない。

生活保護法第54条の2第5項において準用する介護の方針及び介護の報酬

四　介護老人保健施設の人員、施設及び設備並びに運営に関する基準（平成11年厚生省令第40号）第11条第3項第3号に規定する入所者が選定する特別な療養室の提供は、行わない。
五　介護医療院の人員、施設及び設備並びに運営に関する基準（平成30年厚生労働省令第5号）第14条第3項第3号に規定する入所者が選定する特別な療養室の提供は、行わない。
六　指定介護予防サービス等の事業の人員、設備及び運営並びに指定介護予防サービス等に係る介護予防のための効果的な支援の方法に関する基準（平成18年厚生労働省令第35号）第135条第3項第3号に規定する利用者が選定する特別な居室の提供及び同令第190条第3項第3号に規定する利用者が選定する特別な療養室等の提供は、行わない。
七　介護保険法（平成9年法律第123号）第51条の3第1項に規定する特定入所者に対しては、同条第2項第1号に規定する食費の基準費用額又は同項第2号に規定する居住費の基準費用額を超える費用を要する食事又は居室の提供は、行わない。
八　介護保険法第51条の3第5項に基づき特定入所者介護サービス費の支給があったものとみなされた場合にあっては、同条第2項第1号に規定する食費の負担限度額又は同項第2号に規定する居住費の負担限度額を超える額の支払を受けてはならない。
九　介護保険法第61条の3第1項に規定する特定入所者に対しては、同条第2項第1号に規定する食費の基準費用額又は同項第2号に規定する滞在費の基準費用額を超える食事又は居室の提供は、行わない。
十　介護保険法第61条の3第5項に基づき特定入所者介護予防サービス費の支給があったものとみなされた場合にあっては、同条第2項第1号に規定する食費の負担限度額又は同項第2号に規定する滞在費の負担限度額を超える額の支払を受けてはならない。

　　　附　則（第7次改正）
　この告示は、令和6年4月1日から適用する。

第5章　就労自立給付金及び進学・就職準備給付金

◉生活保護法施行規則第18条の5の規定に基づき厚生労働大臣が定める算定方法

〔平成26年4月18日〕
〔厚生労働省告示第224号〕

〔一部改正経過〕
　　第1次　平成30年9月4日厚労告第318号
　　注　令和6年6月18日厚労告第222号による改正は未適用につき〔参考〕として199頁以降に収載（令和6年10月1日適用）

　生活保護法の一部を改正する法律（平成25年法律第104号）及び生活保護法施行規則の一部を改正する省令（平成26年厚生労働省令第57号）の施行に伴い、及び生活保護法施行規則（昭和25年厚生省令第21号）第18条の5の規定に基づき、生活保護法施行規則第18条の5の規定に基づき厚生労働大臣が定める算定方法を次のように定め、生活保護法の一部を改正する法律の施行の日（平成26年7月1日）から適用する。
　　生活保護法施行規則第18条の5の規定に基づき厚生労働大臣が定める算定方法
　生活保護法施行規則（昭和25年厚生省令第21号）第18条の5の規定に基づき厚生労働大臣が定める算定方法は、生活保護法（昭和25年法律第144号。以下「法」という。）第55条の4第1項の規定により就労自立給付金を支給する者が、就労自立給付金の支給を受けようとする被保護者が保護を必要としなくなったと認めた日が属する月（その日が月の初日であるときは、その日の属する月の前月）から起算して前6月の期間（当該期間中に法第26条の規定により月の初日から末日までの期間の全日数にわたって保護を停止した月を除く。）における被保護者の属する世帯の就労による収入（法第19条第4項に規定する保護の実施機関が、当該世帯に係る就労による収入として認定したものに限り、勤労に伴う必要経費として認定した額を除く。）の額に100分の10を乗じて得た額（その額に1円未満の端数があるときは、これを切り捨てた額）に3万円（単身の世帯にあっては、2万円）を加えた額又は15万円（単身の世帯にあっては、10万円）のいずれか低い額を算定する方法とする。
　　　前　文（第1次改正）抄
　〔前略〕平成30年10月1日から適用する。ただし、生活保護法（昭和25年法律第144号）第55条の4第1項の規定により就労自立給付金を支給する者が、就労自立給付金の支給を受けようとする被保護者が保護を必要としなくなったと認めた日が属する月（その日が月の初日であるときは、その日の属する月の前月）が平成30年9月以前である場合における、当該被保護者に係る就労自立給付金の算定方法については、なお従前の例による。

生活保護法施行規則第18条の5の規定に基づき厚生労働大臣が定める算定方法

〔参　考〕
●生活保護法施行規則第18条の5の規定に基づき厚生労働大臣が定める算定方法

（令和 6 年 6 月 18 日　厚生労働省告示第222号）

　生活保護法施行規則（昭和25年厚生省令第21号）第18条の5の規定に基づき、生活保護法施行規則第18条の5の規定に基づき厚生労働大臣が定める算定方法（平成26年厚生労働省告示第224号）の一部を次の表のように改正し、令和6年10月1日から適用する。ただし、生活保護法（昭和25年法律第144号）第55条の4第1項の規定により就労自立給付金を支給する者が、就労自立給付金（同項に規定する就労自立給付金をいう。以下同じ。）の支給を受けようとする被保護者（同法第6条第1項に規定する被保護者をいう。）が保護を必要としなくなったと認めた日が属する月（その日が月の初日であるときは、その日の属する月の前月）が令和6年9月以前である場合における、当該被保護者に係る就労自立給付金の算定方法については、なお従前の例による。

（傍線部分は改正部分）

改　正　後	改　正　前
生活保護法施行規則第18条の5の規定に基づき厚生労働大臣が定める算定方法は、次の各号に掲げる額のいずれか低い額を算定する方法とする。	生活保護法施行規則（昭和25年厚生省令第21号）第18条の5の規定に基づき厚生労働大臣が定める算定方法は、生活保護法（昭和25年法律第144号。以下「法」という。）第55条の4第1項の規定により就労自立給付金を支給する者が、就労自立給付金の支給を受けようとする被保護者が保護を必要としなくなったと認めた日が属する月（その日が月の初日であるときは、その日の属する月の前月）から起算して前6月の期間（当該期間中に法第26条の規定により月の初日から末日までの期間の全日数にわたって保護を停止した月を除く。）における被保護者の属する世帯の就労による収入（法第19条第4項に規定する保護の実施機関が、当該世帯に係る就労による収入として認定したものに限り、勤労に伴う必要経費として認定した額を除く。）の額に100分の10を乗じて得た額（その額に1円未満の端数があるときは、これを

一 イに掲げる額にロに掲げる額を加えた額（その額が3万円（単身の世帯にあっては、2万円）を下回る場合には、3万円（単身の世帯にあっては、2万円））

イ 生活保護法（昭和25年法律第144号。以下「法」という。）第55条の4第1項の規定により就労自立給付金を支給する者が、就労自立給付金の支給を受けようとする被保護者が保護を必要としなくなったと認めた日が属する月（その日が月の初日であるときは、その日の属する月の前月。以下「廃止月」という。）から起算して前6月の期間（当該期間中に法第26条の規定により月の初日から末日までの期間の全日数にわたって保護を停止した月を除く。以下「算定対象期間」という。）の各月における被保護者の属する世帯の就労による収入（法第19条第4項に規定する保護の実施機関が当該世帯に係る就労による収入として認定したものに限り、当該保護の実施機関が勤労に伴う必要経費として認定したものを除く。以下「就労収入」という。）を合算した額に100分の10を乗じて得た額（その額に1円未満の端数があるときは、これを切り捨てた額）

ロ 5万円（単身の世帯にあっては、4万円）から、算定対象期間において最初に就労収入があった切り捨てた額）に3万円（単身の世帯にあっては、2万円）を加えた額又は15万円（単身の世帯にあっては、10万円）のいずれか低い額を算定する方法とする。
（新設）

生活保護法施行規則第18条の5の規定に基づき厚生労働大臣が定める算定方法

月の翌月から廃止月までの月数に7500円を乗じて得た額を減じて得た額 二　15万円（単身の世帯にあっては、10万円）	（新設）

●生活保護法施行規則第18条の10の規定に基づき厚生労働大臣が定める額

(平成30年6月8日
厚生労働省告示第244号)

〔一部改正経過〕
　　第1次　令和6年4月24日厚労告第194号

　生活困窮者等の自立を促進するための生活困窮者自立支援法等の一部を改正する法律（平成30年法律第44号）及び生活保護法施行規則及び生活保護法別表第1に規定する厚生労働省令で定める情報を定める省令の一部を改正する省令（平成30年厚生労働省令第72号）の施行に伴い、並びに生活保護法施行規則（昭和25年厚生省令第21号）第18条の10の規定に基づき、生活保護法施行規則第18条の10の規定に基づき厚生労働大臣が定める額を次のように定め、平成30年1月1日から適用する。
　　　生活保護法施行規則第18条の10の規定に基づき厚生労働大臣が定める額
　生活保護法施行規則第18条の10の規定に基づき厚生労働大臣が定める額は、次の各号に掲げる者の区分に応じ、当該各号に掲げる金額とする。
　一　生活保護法（昭和25年法律第144号）第55条の5第1項各号のいずれかに該当する者となることに伴い、転居する者　30万円
　二　前号以外の者　10万円
　　　　前　文（第1次改正）抄
〔前略〕令和6年1月1日から適用する。

II 生活保護法関係通知

II

書評および紹介
関係文献

第1章　総括的通知

○生活保護法の施行に関する件（依命通知）

（昭和25年5月20日　厚生省発社第46号）
（各都道府県知事宛　　厚生事務次官通知）

　旧生活保護法は、昭和21年10月1日に施行されてから救済福祉に関する基本的法律として極めて効果的な役割を果してきたのであるが、制定当時とは社会的、経済的事情を著しく異にする今日においては、法制上も幾多の不備欠陥が認められ、殊に新憲法の精神に立脚して真に国民の最低生活を保障するためには、この制度の根本的再編を必要とすることが認められるに至ったので、このたび、この法律の全面的改正が行われるに至ったのである。新法は、昭和25年5月4日法律第144号として公布と同時に施行され、これに伴う政令（政令第148号）及び省令（厚生省令第21号）も夫々本日公布施行の運びとなったが、この法律運用の適否は、国民生活の安定に影響するところ極めて大なるものがあるから、過去の経験を最大限度に活かし、この法律施行に関する諸般の整備を周到綿密に行うとともに、広く改正の趣旨の普及徹底を図り、特に下記事項に留意し、新法の目的達成に万遺憾のないよう致されたく、命によって通知する。
　なお、この通知において、新たに制定された生活保護法を「新法」と、生活保護法施行令を「令」と、生活保護法施行規則を「規則」と、又従前の生活保護法を「旧法」と夫々略称する。

記

第1　法律改正の趣旨
1　旧法は、救護法における所謂慈恵的な救貧思想を一応脱却していたのであるが、未だ完全に救貧法的色彩を拭払し得るに至らず、殊に憲法第25条に規定されている生存権保障の精神が未だ法文上明確となっていなかったので、新法においては、国が国民の最低生活を保障する建前を明確にするため、保護を受ける者の法的地位を確立し、保護機関等の職責権限と要保護者の権利との法的関係とを明瞭化するとともに、保護に関する不服申立制度によって、要保護者が正当なる保護の実施を主張し得る法的根拠を規定したこと。
2　旧法においては、民生委員をして市町村長の事務を補助せしめていたのであるが、勢の赴くところ民生委員の負担を次第に加重し、且つ、この法律の執行における公的責任を曖昧にするおそれがあったため、新法においては、一定の資格要件を具備した有給専任職員を市町村長の補助機関とし、民生委員に対しては、その社会奉仕者としての性格よりみて適当と認められる範囲内においてこの法律による保護事務につき協

力を求めることとし、以って、この法律の運用上両者の責任区分を明確にするとともに、それらの協力体制を整えたこと。
3　この法律による医療担当者は、この法律の実施上極めて重要な役割を担当するものであるにもかかわらず、従来その指導、監督につき十分な考慮が払われていなかった状況にかんがみ、新法においては医療機関に関する基本的事項を明確に規定し、且つ、それらに対する監督を強化したこと。
4　生活保護制度の運用は、旧法の6章47箇条からなる極めて簡単なる法律を以てしてはその万全を期しがたく、且つ、旧法においては法律で明らかに規定しなければならない事項の多くが施行令以下に譲られており、法制的にみても不完全なものとなって来たので、新法においてはこの制度における基本問題については、すべてこれを法律において明確に規定したこと。

第2　一般事項
1　この法律による最低生活の保障は、憲法に宣言されている所謂生存権的基本的人権の保障を実定法上に実現したものであり、この法律による保護は、要保護者の困窮の程度に応じて必要の最小限度において行われなければならないものであるから、この保護を漫然と機械的に行うことによって、国民の勤労意欲を減退させたり、或いはこの法律により当然与えられるべき保護を理由なく抑制することによって、要保護者の更生の力を枯渇させるようなことがあっては、この法律の目的に背反するものであって、この法律の目的は、法第1条に明文化されているように要保護者の最低限度の生活を保障するとともに、その自立を助長することにあるのであるから、この旨を関係機関に十分認識させ、この目的達成のために法の最も効果的な運用を期する必要があること。
2　この法律による保護は、この法律に定める要件を充たす限り、要保護状態に立ち至った原因の如何や、又人種、信条、性別、社会的身分、門地等の如何によって優先的に取扱をすることは、厳に戒めるべきであると同時に、新法において国民に対し積極的に保護請求権を認めた趣旨にかんがみ、この取扱に当っては、あらゆる方面において名実ともに慈恵的観念を一擲して臨むよう十分に指導されたいこと。
3　この法律による保護は、法第1条に規定されているように国民についてのみなされるものであるが、日本国に居住する朝鮮人及び台湾人であって日本国籍離脱の事実のない者は、この法律の適用に関しては差し当り日本国民として取り扱うこと。
4　新法にいう生活困窮者とは、生活の全分野において、健康で文化的な最低限度の生活を維持することのできない者を総称するのであって、単に生活扶助該当者のみを指すのでなく、具体的に云えば、新法による保護の種類として定められているところの生活、教育、住宅、医療、出産、生業及び葬祭のために最低限度必要な費用のうち、その一つでも欠く者は、この法律にいう生活困窮者であることに注意し、運用上過誤なきを期すること。
5　この法律による保護は、国民の最低生活を保障するための最後の手段として行われるものであるから、要保護者に対してはまず自力により、又は他の法律による扶助により、生活の維持をすることにあらゆる努力を払わしめ、然る後に、はじめてこの法

律による保護を補足的に行う建前をとっているのであって、この法律の適用に当っては、要保護者をしてその利用し得る物質的又は精神的の資源を最大限に活用させるとともに、他の社会福祉、公衆衛生その他の公的扶助を受け得る者に対してはその扶助を、或いは扶養義務者の扶養を受け得る者に対してはその扶養を受けさせる等、新法の適正な運用を期するよう関係機関を十分指導督励すること。但し、これらの手段を講じても要保護者が最低生活を充たすことの出来ないときは、その不足を補う程度において保護が積極的に行われなければならないものであることは勿論である。

なお、旧法の下においては、生計の維持に努めない者又は素行不良な者は、保護の絶体的欠格者として取り扱われ保護を実施する余地がなかったのであるが、これは国民の最低生活保障法としての理念からみて好ましくないので、新法においてはこれを改め、急迫した事由がある場合には、一応先ず保護を加え、然る後、適切な指導、指示その他の措置をすべきこととなっているから、これらの点を実施機関等に十分理解させ、遺漏なき運用を期すること。

第3　保護の原則に関する事項

1　新法においては、生活に困窮する国民に対して保護の請求権を認めたことに対応して、保護は申請に基いて開始することの建前を明らかにしたのであるが、これは決して保護の実施機関を受動的、消極的な立場に置くものではないから、保護の実施に関与する者は、常にその区域内に居住する者の生活状態に細心の注意を払い、急迫の事情のあると否とにかかわらず、保護の漏れることのないようこれが取扱については特に遺憾のないよう配慮すること。

2　この法律による保護の基準は、保護の実質的内容を規定する最も重要なものであるので、厚生大臣がこれを定めて別途告示することになったから、保護の実施機関はこの基準に準拠し、個々の要保護者の個人的又は世帯の実情を考慮し、適正なる保護の程度を決定するよう指導すること。

3　法第9条に規定する必要即応の原則は、要保護者の生活の実情に最も適応した保護を実施すべきことを要請するものであって、これは厚生大臣が保護の基準を決定するに当り従わなければならない原則であることは勿論、市町村長が保護を実施する上においても従わなければならない原則であること。従って、例えば、稼働能力のある要保護者に対して、その者の適性に応じ生業扶助を適用しその就労の促進を図ることはもとより必要と認められるが、乳幼児をかかえた母親に対して、同一の方針をもってのぞむことはむしろ避けるべきであって、これに対してはその母親がその乳幼児の養育に専念し得るように保護を決定すべきものであること。或いはその世帯において看護を不可欠とする病人がある場合においては、ある程度稼働能力のある者であってもその病人の看護に専念することができるよう、又人工栄養を必要とする乳児がある場合には、人工栄養によってその乳児の必要とする栄養が十分に補給し得るようにする等その世帯の必要なる事情を十分に考慮し、保護の種類及び方法を決定することが必要即応の原則にかなう所以であること。

第4　保護の種類及び範囲に関する事項

Ⅱ 生活保護法関係通知 第1章 総括的通知

1 この法律による保護の実施に当って、保護の種類及び範囲を決定することは極めて重要な意義を有するものであるが、殊に従来生活扶助としてまとめられていたものが今回の改正によって生活扶助、教育扶助及び住宅扶助の3種類に区別して取り扱われることとなったから、その運用上不都合の生じないよう十分注意すること。特に、保護の決定をするに当って、当該要保護世帯の収入を先ず生活の如何なる部面に充当させるかということは、生活を全一的なものと考える場合には一概に速断できない問題であるが、この法律が最低生活保障法である建前を考えると、その収入は原則として先ず衣食の費用に、次いで住居の費用に、次いで教育の費用其の他の必要な費用に充当させる様にし、その不足する経費に対して、この法律による保護を適用すべきであること。
2 法第18条第2項の規定による葬祭扶助は、被保護者が死亡した場合又は資力に乏しい者が死亡した場合であって、それらの者の葬祭を行う扶養義務者がないために第三者が代って葬祭を執行する場合に行われるものであって、本来の葬祭扶助とは趣を異にし、この場合は葬祭を行う者の資力を問うことなく、実費弁償の意味で葬祭扶助を行うものであること。

なお、この場合葬祭を行うものがないときは、墓地埋葬等に関する法律（昭和23年法律第48号）の定めるところにより、その死者の死亡地の市町村長が葬祭を行うこととなり、その場合の費用の負担についても同法の規定するところによるものであること。

第5 保護の機関及び実施に関する事項

1 この法律による保護の実施機関である市町村長は、保護事務という国家事務を国の機関として行う地位にあり、この法律施行上最も重要な責務を有する立場にあるものであるから、市町村長に対しこの法律の趣旨及び運用につき十分理解させる必要があること。
2 市町村長の補助機関としてこの法律実施の主軸となる社会福祉主事の資格、定数については、社会福祉主事の設置に関する法律（昭和25年5月15日法律第182号）に規定されているが、社会福祉主事は、市町村長の行う保護の決定及び被保護者の生活指導等に関する事務の執行を司るものであり、従って、その執務の適否は、この法律の目的達成に影響するところ極めて大なるものがあるから、これが職員の設置並びに指導訓練については格別の努力を払うこと。
3 この法律による保護事務の執行は、市町村長又は社会福祉主事の責任によって行われるべきものであるが、この法律の所期する目的を達成するためには、民生委員の協力を必要とすることが多い現状にかんがみ、民生委員を協力機関としこの法律による保護の実施に協力を求めることとしたものであるから、各地の実情に応じその必要とする協力を得るに努めること。

なお、民生委員のこの法律の施行事務に対する協力の方法については、昨年10月31日厚生省発社第72号社会局長、児童局長連名通知により措置することと了知ありたいこと。

4 この法律の施行に関する事務の監査は、この法律の適正な運営を期する上において

極めて重要な意義を有するので、今回の改正によって厚生大臣及び都道府県知事に対し事務監査を行うことを明文をもって義務づけ、且つ、この監査に当る官吏及び吏員に対し強力な権限を附与したものであるから、監査に当る者の指導訓練に努め、且つ、事務監査に伴って必要な費用を十分に計上し、以って所期の効果をあげるよう努めること。
5 法第28条の規定により市町村長に附与された調査及び検診の権限は、保護の適正な実施を図るために認められた強力な権限であるから、その行使に当っては要保護者の人権侵害にわたらぬよう慎重なる注意を払い、目的達成のため必要な最小限度に止めるよう特に指導監督を加えること。

第6 保護の方法に関する事項
1 新法において使用されている「居宅保護」及び「収容保護」という用語は、生活扶助についてのみ使用され、他の種類の扶助については居宅又は収容を保護の方法における区別として採用していないこと。但し、統計その他の方面において、特に別途の取扱をする場合があるが、この場合においてはその旨に明示する予定である。
2 生活扶助のための保護金品は、必ず１月分以内を限度としてこれを前渡しなければならないにもかかわらず、従来とかくこれが厳格に実行されず、ために被保護者の生活に支障の生ずるような事例が相当みられたのであるが、このようなことは絶対に許されないことであるから、今後は保護の実施機関を指導督励してかかる事例の絶無を期すること。
　なお、特別の事由によって１月分をこえて前渡した場合においては、その市町村名、前渡した理由、前渡した世帯数、前渡した月数、前渡した金額等を具し都道府県知事から当省に報告すること。
3 教育扶助のための保護金品は、被保護者の親権者に交付することを原則とすること。但し、これが生活費その他に流用されるおそれのある場合には、これを学校の長に対して交付し、学校の長から被保護者に現物給付させるよう指導すること。
4 出産扶助は、旧法において現物給付によることを原則としていたが、新法においては、金銭給付によることを原則として居り、これは出産扶助の性質上給付の範囲及び程度が概ね一定していること及び被保護者に対する心理的影響等を考慮したことによるものであること。

第7 保護施設に関する事項
1 新法においては、保護施設の種類及びその定義を明確に定めているが、これは保護施設の種類別にその設備及び運営における最低基準を考慮する必要に基くものであるから、その種類別特性を活かすよう留意するとともに、現存の保護施設についても種類別の特性を活かすため、必要に応じ利用者の入替を行う等の措置を講ずること。
　なお、今後保護施設の認可に当っては種類別を明らかにすること。
2 保護施設を認可しようとするときは、その施設の状況の事実の認定及び法律の解釈に関する態度を統一する必要があるので、当分の間、あらかじめ、当省に協議の上、認可すること。都道府県が保護施設を設置しようとするときも同様であること。

3 新法による保護施設の基準については、別途通知するから、当分の間、旧法に基き実施された標準によって取り扱うこと。
　なお、授産施設については、昭和25年4月10日社乙発第51号社会局長通知「授産事業の刷新について」によること。
4 旧法第7条の規定により認可された市町村又は公益法人の設置にかかる保護施設は、新法の経過規定により、この法律に基いて認可されたものとして取り扱われるが、この法律に定める要件を充たさないときは、期限を示してこれを改善整備させるよう努めること。
　なお、旧法に基いて設置された公益法人以外の私人の保護施設については、この法律施行後3月間（8月4日迄）は、この法律による保護施設として存続することが認められているからその期間内に、すみやかに、公益法人を設立させ法第41条による認可をうけさせるよう指導すること。この場合においては第7の2による当省への協議は、これを必要としないこと。
5 新法により都道府県知事に対し保護施設の立入検査等強力な権限が附与されたが、これが運用については行き過ぎのないよう十分注意すること。

第8 医療機関及び助産機関に関する事項
1 今回の改正により医療機関等（国の開設するものを除く。）の指定は、都道府県知事がこれを行うことになったのであるが、その指定に当っては規則第11条の規定により医療機関等の所在地又は住所地の市町村長の意見を徴した後これを行うこと。
　然して、指定に際し医療機関の開設者又は本人の同意を得るに当っては、指定された場合の法律関係、特に診療方針及び診療報酬、医療費審査等の事項について、あらかじめ、十分これを了解せしめた上でこれを行い、後日に問題を生ずることのないよう配意すること。
　なお、指定に伴い了解すべき事項の準則については、別途通知する予定である。
2 指定医療機関の診療方針及び診療報酬は、原則として国民健康保険の例によることとし、国民健康保険の行われていない地域においては健康保険の例によることとしたのであるが、社会保険に規定されていないので特に必要と認める場合又は社会保険に準拠することが適当でない場合においては、別途厚生大臣が定めることになっているが、現在旧法によって行われている診療方針を制限又は低下させる趣旨のものではないから、この点誤解のないよう関係機関にその趣旨を十分周知徹底させること。
3 この法律による医療は、最低医療を本則とし、かりそめにも濫診に亘るべきでないから、医療費の適正な支払を確保するため指定医療機関の診療内容及び診療報酬の審査を適切な方途を講じて実施すること。
　前記の医療費審査を行うに当っては、なるべく社会保険診療報酬支払基金法に定める審査委員会の意見を聞いて行うよう努めること。この場合における取扱の細目については別途通知する。
　前記以外の場合において国民健康保険診療調整協議会を利用する場合には、その協定案又は実施案を、その他の場合には審査機関を設置する都道府県又は市の名称、審

査機関の構成、1月当り平均取扱件数、1件当りの事務費単価及びその算出基礎を明らかにし、あらかじめ、当省に協議すること。
4 都道府県知事が、法第54条の規定に基いて指定医療機関について実地に立入検査を行うに当っては、医師たる吏員又は医療監視員をして行わせ、又はそれらの者を社会福祉主事に同行させて行わせ、且つ、この検査はこの法律に定められた検査の目的以外の事項に亘らせぬよう慎重を期すること。

第9 被保護者の権利及び義務に関する事項
1 新法は、被保護者のこの法律上占める地位を明らかにし、その権利を保障するとともに、その守るべき義務を課しているのであるが、それらの義務の履行については十分に指導し、いやしくも権利の濫用に陥らしめることのないよう万全の配意をつくすこと。
2 被保護者が指示等に従う義務に違反した場合の保護の停止、廃止等の処分については、特に慎重を期し、被保護者の権利を不当に侵害することのないよう厳に留意すること。

第10 不服の申立に関する事項
1 昨年4月旧法施行規則の一部改正によって道を開かれた不服申立の制度は、単に行政事務処理上の手続として実施されたものに過ぎなかったが、新法による不服申立は、国民の保護請求権の上に築かれた法律上の制度であって、被保護者の権利がこれによって具体的に保障されるという重大な意義を有するものであるから、その取扱については慎重を期し、国民の権利救済に遺憾なきを期すること。
2 不服申立のできる事項は、市町村長のなした保護に関する処分の一切に亘るが、あくまで市町村長の職務権限においてなされた処分に対してのみ認められるものであって、厚生大臣や都道府県知事の権限に属する事項、例えば、保護の基準や医療機関の指定等の変更を内容とする不服申立は認められないことは勿論であること。
3 不服の申立をするに当って、市町村長を経由させることにしているが、これは都道府県知事が当事者の一方のみの主張を聞いて決定することは妥当でないので相手方の主張をも併せて徴するものであるとともに、かくすることによって市町村長に対して自己の行った保護の決定処分について反省する機会を与える目的をも有するものであるから、この場合において市町村長が自己に誤りのあったことを認めた場合には、不服の申立に対する決定又は裁決をまつまでもなく、直ちに処分を変更して新たに適当な保護の決定をするよう指導すること。
4 不服の申立に関する諸手続については、令第3条乃至第8条に詳細な規定があるからこれが取扱に遺憾なきを期すること。

第11 費用に関する事項
1 生活保護制度は、その建前が形式上如何に完璧であっても、その実施に要する経費が不十分であるときは、その効果が著しく阻害される結果となるから、都道府県及び市町村は、この法律の実施に関し必要にして十分な費用を予算に計上し、且つ、支出するよう特に留意すること。

なお、市町村における費用は、その負担が極めて低率であるとはいえ、その金額が相当多額に上る関係上、従来往々にして市町村における財政的理由により保護の実施がゆがめられ勝ちな傾向があったが、このようなことは、この法律の趣旨からしても許されることでなく、且つ、これらの財源については近く地方財政平衡交付金法の実施に伴い必要な額を確保できることになっているから、財政的な理由でこの法律の施行が阻害されるようなことのないよう厳に留意すること。

2 被保護者を、保護施設以外の適当な施設に収容し、又はその収容を適当な施設若しくは私人の家庭に委託した場合、これに伴って必要な委託事務費については、保護施設事務費とは別にその基準を定めて実施することになったから別途通知に基き措置すること。

3 法第72条第1項の規定は、保護の実施機関との連絡が不十分な被保護者の保護及びこれの利用する保護施設等の運営に支障を来さないよう施設所在地の市町村に保護費及び保護施設事務費を一時繰替支弁させることとしているのであるが、この措置は施設所在地の市町村に一時的にせよ財政的負担を課する結果となるので、都道府県知事は、統轄する区域内に法第72条第1項の規定による厚生大臣の指定を必要とする施設等があるときは、その施設又は機関の名称、所在地、事業の種別、繰替支弁を必要とする者の出身地別概数及び繰替支弁を必要とする1箇月分の費用の総額等を明らかにし、且つ、関係市町村の同意書を徴したるうえ、当省社会局長に対し法第72条の規定による施設等の指定の申請をされたいこと。

4 規則第21条に規定した期間計算の例外的取扱の趣旨は、旧法と同じく施設所在地の市町村の負担を過重ならしめないためであるが、宿所提供施設及び母子寮において保護を受けている場合の取扱が、従来と異ることになったから誤りなきを期すること。

5 都道府県が公益法人の設置する保護施設の修理、改造、拡張又は整備に要する費用に対して補助金を交付する場合は、法第74条第1項各号に適合することが絶対的要件であり、且つ、同条第2項に規定する厳格なる監督に服しなければならないものであるから、この取扱については特に慎重を期すること。

6 この法律による保護費、民生委員費、保護施設事務費、委託事務費及び保護施設設備費に関する国庫負担の取扱については、別途通知すること。

第12 その他の事項

1 新法の施行後においても、旧法に基いて発した通知等はこの法律の趣旨に反しない限り、当分の間、なお有効なものとして取り扱うこと。

おって、これらの通知の改廃については、別途詳細に指示する。

2 新法の施行に伴い旧法に基いて実施された取扱手続等で改めなければならないものがあるときは、遅滞なくこれを整備し、新法の趣旨に基くところの保護の渋滞や間隙を生ずることのないよう留意すること。

なお、新法の施行に伴い都道府県条例、規則又は施行手続等を定め、又は変更したときは遅滞なく当省に報告すること。

○生活保護法の一部を改正する法律の施行について（依命通知）

（昭和26年9月13日　厚生省発社第80号）
（各都道府県知事宛　　厚生事務次官通知）

　「生活保護法の一部を改正する法律」は、昭和26年5月31日法律第168号をもって公布され、これに伴う「生活保護法施行令の一部を改正する政令」（昭和26年9月13日政令第296号）及び「生活保護法施行規則の一部を改正する省令」（昭和26年9月13日厚生省令第38号）も公布され、それぞれ本年10月1日から施行されることとなっているが、今回の改正中最も重要な点は、福祉事務所制度によって本法のより合理的な運営を企図しているものであり、従って、今後の本法の運営の適否は一にかかって福祉事務所の活動の如何に存するものであるから、福祉事務所の人員、機構の整備に万全を期し、その機能の活用に関し、十分意を用い、保護の適正を欠き、濫救、漏救のごとき弊を招来することがないよう、更に、本法施行後当分の間は、福祉事務所設置の進捗状況にもかんがみ、保護事務の渋滞或いは混乱を来すことがあることもおそれられるので、変更前の保護の実施機関と十分に連絡を密にし、その積極的なる協力を求めることによって、保護の実施に支障ないよう配意するとともに、特に、下記事項に留意し、改正法律の所期の目的の達成に特段の努力をわずらわしたく、命によって通知する。

　なお、この通知においては、今回改正された生活保護法、同施行令及び同施行規則を「改正法」、「改正施行令」及び「改正施行規則」と、従前の生活保護法、同施行令及び同施行規則を「旧法」、「旧施行令」及び「旧施行規則」とそれぞれ略称する。

記

第1　法律一部改正の要点

　　今回の改正は、社会福祉事業法の制定に対応して本法の実施、運営上変更すべき最小限の事項について改正が行われたものであり、改正の主なる点は、福祉事務所の設置に伴う保護の実施機関の変更、福祉事務所を設置しない町村の長の協力義務、社会福祉法人の創設による保護施設の設置主体の変更並びに保護費等の支弁主体及びその負担区分の変更であること。

第2　保護の実施機関に関する事項

　1　従来、保護の実施機関は、市町村長と定められていたが、社会福祉事業法の制定に伴い、本法の施行に関する現業事務は、福祉事務所においてこれを掌ることとなったので、改正法第19条第1項において保護の実施機関は、福祉事務所を設置しなければならない地方公共団体の長、即ち、都道府県知事及び市長並びに福祉事務所を管理する町村長と改められたものであること。

　2　被保護者を収容保護する場合の保護の実施機関のことについては、従来、旧施行規則第21条第1項に費用の負担関係を規律する居住期間の例外として間接的に規定されていたのであるが、改正法第19条第3項の規定において、今回、これと同趣旨のこと

を保護の実施機関の面から直接的に規定し、収容保護の場合の実施機関は、その者の収容前の居住地又は現在地により定められるものであることが明確にされたこと。而して、医療扶助の入院の場合のことについても、従来、前記と同様旧施行規則第21条第1項に規定されていたが、これについては、今回、改正法以下に何等特別に規定されていないのであるが、これは入院という事実のみによって入院患者の居住地が直ちに変動すると解されず、且つ、一般に入院療養という特殊性よりしてそこに居住地が設定されるものでないことにかんがみ、特に規定されなかったものに過ぎないのであるから、この場合の保護の実施機関は、従来の取扱と同様、入院前の居住関係によって定められるものであることに留意すること。

3　保護の実施機関は、法律上は前述したように、福祉事務所を管理するところの都道府県知事、市長及び町村長であるが、保護事務を迅速に実施する必要上、その職権を福祉事務所長、支庁長又は地方事務所長に委任して行わせることが適当であることにかんがみ、これが委任について改正法第19条第4項において明確に規定されたものであること。而して、本項によって委任を受けた福祉事務所長等は、その委任事項の範囲内においては、自己の責任と名において保護を決定し、且つ、実施するものであること。

4　委任については、なお、次の点に留意されたい。

(1)　改正法第19条第4項の規定により、福祉事務所長、支庁長又は地方事務所長（以下「福祉事務所長等」という。）に対し委任しうる事務は、保護の決定、実施に関する事務、即ち、法第24条から第28条まで、第30条から第37条まで、第48条、第62条、第63条、第64条第2項、第76条、第77条及び第80条並びに第81条に規定する事項であること。

(2)　福祉事務所長が都道府県知事又は市長より委任をうけて行政庁として保護を決定、実施することによって福祉事務所の機能が真に発揮されることになるのであるから、都道府県知事にあっては都道府県の福祉事務所長又は支庁長、地方事務所長に対して、又市にあっては五大市に限らず、すべての市長は市の福祉事務所長に対して、それぞれ保護の決定、実施に関する権限を委任することとし、且つ、委任は、福祉事務所長等が本法の事務の処理、執行を一貫して円滑になしうるよう、保護の決定、実施に関する事務は、原則としてこれを委任し、事務執行の簡素、迅速化を期すること。

(3)　都道府県において、福祉事務所が独立して設置される場合には、福祉事務所長に対して都道府県知事が委任するものであることは勿論であるが、ただ、都道府県が社会福祉事業法附則第7項の規定によって独立の福祉事務所を設置しないで支庁又は地方事務所内に現業事務を掌る組織を置く場合においては、その組織の長に対してではなくして、その組織を統轄する支庁長又は地方事務所長に対して都道府県知事が委任するものであること。

(4)　地方自治法第153条第2項において「都道府県知事は、その権限に属する事務の一部をその管理に属する行政庁又は市町村長に委任することができる。」ものとさ

れているのであるが、改正法第19条第4項は、この規定の内容を制限し、市町村長に対しては勿論、特別区長にはこれをなしえないものであること。

5　法第20条第2項に規定する都道府県知事の指揮、監督に関する職権の一部の委任については、客年7月6日社乙発第98号「生活保護法第20条第2項の取扱に関する件」において指示したところであるが、福祉事務所長等は、本来、保護の決定、実施に関する所謂現業機関たる性格を有するものであるから、これら現業事務に専念出来るよう前記の通知において支庁長又は地方事務所長に委任することを適当とした事項についても、向後はなるべく都道府県知事自身において行うものとすること。特に、家屋補修費、完全給食、完全看護の承認の如き事項は、必ず都道府県知事に保留すべきであること。

6　保護の決定及び実施に関する事務の委託については、概ね旧法と同様であるが、施行規則第1条の規定により、保護の実施機関はこの事務の委託を行い、又は委託を受けたときは、その旨を告示しなければならないのであるが、今回、改正施行規則において同条に第2項を附加して、保護の実施機関は前記の告示をしたときは、すみやかに、当該委託に関する書類の写を添えてこれを厚生大臣に届け出なければならないものとされたこと。而して、この場合は委託、受託の当事者双方の保護の実施機関が連名で届け出ることとされたいこと。

7　改正法第19条第7項、第22条、第29条及び第61条において福祉事務所長の権限が別個に規定されているが、これは現業事務の機関として本法の実施上必要とされている事項を示したものであって、都道府県知事よりの委任をまつまでもなく、福祉事務所長が独立してなしうる事務であること。而して、改正法附則第3項の規定により福祉事務所長とみなされるところの組織の長は、前記の事項についてのみ独自の権限を有するものであって、独立の福祉事務所長の場合と異り、都道府県知事等より保護の決定及び実施に関する事務の委任をうけうるものでないことは、前述した通りであること。

第3　保護の実施に関する事項

1　従来、市町村相互間にとかく保護の厚薄不均衡の嫌いがないでもなかったが、爾今福祉事務所における取扱に際しては、このようなことが是正されるように努めると共に、更に福祉事務所の機能を真に効果あらしめるため、査察指導に当るべき職員の指導監督についても十分意を用いられたいこと。

2　福祉事務所等においては、毎月の被保護世帯の訪問調査に当っても被保護世帯の類型の区分を行い、それぞれの類型に適した訪問調査及び指導を計画的に行い、もって合理的且つ能率的な事務の執行に工夫をこらし実効を挙げるよう意を用いること。

3　都道府県知事の管理する福祉事務所における本法事務の取扱については、次の点に留意すること。

(1)　福祉事務所を設置しない町村の長は、生活保護法の実施について保護の決定、実施に直接たずさわらないこととなったのであるが、町村長として管内住民の福祉について関心あるべきは当然のことであり、又保護の実施機関の側からしても町村長

の協力を得て始めて本法の円滑な実施運営を期することが出来ると考えられるので、これらの点を十分斟酌して両者が常に密接に連絡、提携して本法の円滑な運用を図るよう努められたいこと。
(2) 町村長は改正法第19条第7項第2号により保護の申請を受けた場合は、自己の判断で却下することはできないから、必ず福祉事務所長等に通達しなければならないものであり、口頭で申請があった場合においても所定の申請書を作成せしめ、而して、この場合は町村長は単なる経由機関として福祉事務所長等にそのまま申請書を進達するようなことなく、その申請書に記載されている事実の真否等保護の要否に関する参考書類をそえて進達させること。

なお、この場合保護の開始又は変更に関する申請は福祉事務所長が受理したときが法定上の受理の日になるものであること。
(3) 町村長から送付された保護開始又は変更に関する申請に対しては、町村長の調査書類によってそのまま保護の決定を行うとか、又は書面審査のみによって保護の決定を行うようなことなく、訪問員をして実地調査を行わしめたる後、決定、実施を行うようにすること。
(4) 町村長の協力については、あらかじめ調査報告すべき事項、調査方法、程度等を具体的に連絡しておいて迅速、適確に協力を求めるようにすることが適当であること。
(5) 福祉事務所長等が保護の開始又は変更に関する決定を行った場合においては、それぞれ理由を附して直接本人に通知しなければならないことはいうまでもないが、それらに関する決定の内容は、協力すべき町村長においても承知しうるよう措置すること。

なお、医療券の交付は福祉事務所長等において直接行うべきであることは勿論であるが、初診券の発行については、地理的事情より要保護者と福祉事務所長との連絡至難の場合等必要に応じ町村長にも交付させて差し支えないものであること。
(6) 福祉事務所長等が被保護者に対して保護金品を交付するにあたっては、なるべく近隣の区域については直接福祉事務所において交付することが望ましいが、直接交付することができないような事情にある場合は、改正法第19条第7項第3号により町村長をして交付せしめることができること。この具体的な取扱は、勿論それぞれの地域によって適切な方法を定めるべきであるが、いずれの方法による場合も保護金品が被保護者に迅速、確実に交付され、且つ、不正が生じないことが慎重に考慮されるべきである。而して、一般的に考えられることは、地方自治法施行令第150条第2項、第153条の規定により町村長又は町村の収入役などの職員に資金前渡して、これをして福祉事務所長等から被保護者本人に直接発行する扶助費支払通知書と引き換えに被保護者に保護金品を交付し、その領収書を確実に徴し、直ちに精算を行うこととすることが最も適当な方法であると考えられること。

なお、被保護者以外のものに対する費用の支払について、例えば、保護施設等に収容保護しているものに対する保護費、保護施設事務費及び委託事務費又は指定医療機

関に対する診療報酬等については、保護施設等に対して、福祉事務所長等から直接に金券送付の方法により行うことが適当であること。
4 改正法第19条第6項において町村長が必要な保護を行うものとされているところの特に急迫した事由により放置しがたいような場合とは、例えば、突発的な傷痍、疾病等によって生命が危殆に瀕しているような場合で、本来の保護の実施機関に連絡して保護の決定を受ける余裕のないような場合を意味するものであって、このような場合においてのみ病院等への移送等の如き応急的処置が認められるのである。而して、改正法第19条第6項の規定の趣旨は、この事項については町村長の責任においてなすべきものであることを規定したものであって、福祉事務所長等によりその要保護者に対して適当な処置がとられるまでは一種の保護の実施機関の機能を営むものであること。

町村長が前記によって応急的措置を実施する場合においては、よく本法の趣旨及び一般の取扱方針に準拠して実施することは勿論、事の大小を問わず、速やかに、本来の保護の実施機関に連絡をとらしめ、保護の実施に遺憾のないよう配意すること。而して、町村長の応急的措置として行う保護は、法第8条第2項及び第52条に規定する基準に従う本法上の保護であるので、その基準額又は診療方針に必ずよるべきものであること。

第4 保護施設の設置主体に関する事項
1 社会福祉事業法によって社会福祉事業経営主体につき社会福祉法人たる特別法人を定めた趣旨に対応して、改正法第41条第1項において本法による保護施設の設置主体も都道府県、市町村の外は、社会福祉法人でなければ設置できないこととされたものであること。
2 本年6月1日現在において、現に生活保護法による保護施設として認可されているものについては、改正法の附則第4項に規定しているように、そのものが引き続き保護施設として存続するためには、社会福祉事業法附則第11項及び第12項の規定による社会福祉法人切替の手続の外に、昭和27年5月31日までに本法による保護施設としての都道府県知事の認可を更めて行うべきものであるから特に留意して遺漏なきを期すること。

なお、この場合において、客年5月20日厚生省発社第46号「生活保護法の施行に関する件」下記第7の2において示した当省への承認の協議は、社会福祉法人の設立によっての厚生大臣の認可があったものは、特にこれを省略することとし、認可後は、すみやかにこの旨を当省に報告されたいこと。

第5 不服申立に関する事項
1 改正法第64条の規定にもとづく都道府県知事に対する不服の申立は、市に関する分を除いては、法律上再審請求の性質を有するものであるが、多くの場合、都道府県知事は改正法第19条第4項の規定により福祉事務所長等に保護の決定及び実施に関する事項を委任することになるから、事項上は福祉事務所長等が処分庁、経由庁となり、第一審機関として都道府県知事が従来と同様、不服申立に対する決定を行なうことに

なること。
2 市の場合にあっては、福祉事務所長が市長から保護の決定、実施についての権限を委任されている場合は、その福祉事務所長が処分庁となるのであるが、福祉事務所長から市長を経由することとして取り扱うように指導されたいこと。但し、この場合、10日間の法定経由期間は、福祉事務所長及び市長の経由期間を通算して計算すべきものであることに特に留意すること。
3 改正法第19条第6項に規定されている町村長は、保護の実施機関でないから町村長の応急的処置として行う保護については、不服の申立をすることができないものであること。
4 町村の福祉事務所の設置又は廃止により保護の実施機関が変更する場合において、不服申立書の経由、移送の手続を従来通りにすることは、極めて煩雑であり、且つ、齟齬を来す結果ともなるので、今回、旧施行令第4条を改正するとともに、第4条の2の1条を追加して、これが簡便化を図ったものであること。

第6 費用に関する事項
1 従来、保護費、保護施設事務費及び委託事務費(以下「保護費等」という。)については、市町村が支弁した費用について、国、都道府県及び市町村がそれぞれ8・1・1の割合で負担していたのであるが、改正法第70条及び第71条の規定により都道府県も市町村と並んで保護費等の支弁を行うこととなり、且つ、その負担関係も改正法第73条の規定により保護費等を支弁した都道府県、市町村がその保護費の2割を負担し、残余の8割は従来通り国が負担することとなったものであること。
2 従来、都道府県の市町村に対する保護費の負担関係について、市町村における居住期間1年未満の被保護者については、市町村は全く負担せず、都道府県が2割を負担していたのであるが、改正法においてはこの居住期間による負担率の差を撤廃し、たとえ居住期間が1年未満の極めて短期間のものであっても、居住地が明確な場合においては、それぞれ都道府県、市町村がともにその支弁額の2割を負担することにしたのであること。
3 然しながら、居住地がないか、又は明らかでない被保護者に対する場合の保護費については、今回の改正においても従来と同様、都道府県がその保護費等の2割を負担するものとしたこと。
　なお、これと同様の取扱が、宿所提供施設又は児童福祉法による母子寮にある被保護者に関してもとられていること。即ち、従来このような施設にある被保護者に関して居住期間の特例の取扱が旧施行規則第21条第2項に規定されていたが、今回の改正に当っては、これを法律事項として前段の事項とともに、改正法第73条第1号及び第2号に規定し、上の2つの施設にある被保護者については(それらの施設を利用するに至る前から、その施設の所在する市町村の区域内に居住地を有しているものはこれを除く。)、それらの施設の所在地を包括する都道府県が保護費等の2割を負担することにしたこと。但し、この場合において、保護の実施機関はそれらの施設の所在地を管轄する保護の実施機関であること。
4 従来、公益法人(改正法においては社会福祉法人)の設置する保護施設の修理、改

造、拡張、又は整備に要する費用に対し、法第74条の規定により、都道府県が補助した費用に対して、法第75条の規定により国がその3分の2を負担すべきものとして規定されたのであるが、今回、これを法第74条における都道府県の補助規定に対応して国の負担規定も補助規定に改めたが、このことは実質的には従来と異なるものではないから留意されたいこと。

5　今回の費用の負担区分の変更に伴って都道府県及び市町村の保護費等の負担額に変更を来すので、これらに伴う財政需要の点については法律改正の線に沿って平衡交付金の算定基礎を検討、是正されるから保護費等所要経費の予算措置に遺憾のないよう致されたいこと。

6　本法の施行上、特にその適正を期するために本年度から新たに行政事務費を国から補助することについては、既にその詳細につき指示したところであるが、特に、その経費の使途については遺憾のないよう配意されたいこと。

7　保護費等の市町村に対する国庫負担金の概算交付については従来のとおり都道府県知事を通じて行うものであるから留意されたいこと。

8　指定医療機関に対する診療報酬の支払の方法、時期及び特に会計年度区分については、従来ややもすると誤った取扱がなされ、そのため経理上の統一がとれなかったので、今回、この点について改正施行規則第17条において明確にされたものであること。

第7　その他の事項

1　町村における福祉事務所の設置又は廃止によって保護の実施機関が町村長を都道府県知事又は一部事務組合の長との間において自動的に変更される場合があるが、この場合、被保護者は同一人であり、行われる保護も継続的に行われるものが多いのであるから、この間において保護の手続上の不備のため事務に齟齬を来すような事は厳に戒むべきことであるので、改正法第83条において便宜的に経過措置を定めたものであること。

2　改正法第83条の規定は、改正法附則第2項の規定により改正法律の施行に伴う保護の実施機関の変更の場合にも準用されることになっているので、福祉事務所を設置しない町村においては、従来の都道府県知事に保護の実施機関が自動的に変更されることとなる。即ち、本年9月30日以前において、上の町村長が受理した保護の開始又は変更の申請について都道府県知事が引き継ぎをうけた場合において、都道府県知事は自らが申請を受けたものとして取り扱い、保護の実施機関となった10月1日からでなく、以前の実施機関が申請を受けた日から起算して法定期日内に保護に関する処分が行われなければならないものであり、又町村長が9月30日以前に決定、実施していた保護は、都道府県知事があらためてその変更の決定を行わない限り、10月1日以降も引き続き従来通り実施しなければならないことを意味するものであること。

3　上の2つの場合における費用の支弁及び負担関係については、変更前の実施機関が支弁又は負担すべきものとして取り扱うべきものは、たとえ変更後の保護の実施機関が決定した保護に関する費用であっても、従前の実施機関の統轄する地方公共団体が支弁又は負担すべきものであることに留意して遺憾なきを期すること。

○生活保護法による保護の基準の級地区分の取扱い等について

> 昭和41年5月18日　社保第160号
> 各都道府県知事・各指定都市市長宛　厚生省社会局長通知

〔改正経過〕
　　第1次改正　昭和54年3月31日社保第26号　　第2次改正　平成12年3月31日社援第824号

　　注　本通知は、平成13年3月27日社援発第518号により、地方自治法第245条の9第1項及び第3項の規定に基づく処理基準とされている。

　生活保護法による保護の基準（昭和38年4月1日厚生省告示第158号。以下「保護の基準」という。）第3項後段による取扱い等に関しては次により行なうこととされたから、了知のうえ実施に遺憾なきを期されたい。
　なお、昭和36年3月17日社発第155号厚生省社会局長通達「生活保護法による保護の基準の地域指定の取扱いについて」は廃止されたものであるので念のため。
1　市町村の合体、編入又は境界変更により異なる級地の地域が、同一の市町村の区域に属することとなる場合は、当該市町村の全部の区域について、合体、編入又は境界変更が行なわれた日の属する月の翌月（合体等の日が月の初日であるときは当該月）から最も高い級地区分を適用すること。ただし、当該市町村の区域に新たに属することとなる地域のうちに、人が居住しない地域があるときは、当該人が居住しない地域以外の地域のうち最も高い級地区分を適用すること。
2　前記1の場合で、最も高い級地区分の地域に、居住する被保護世帯がないか又はきわめて少数である等の理由により、前記1の取扱いによることが適当でないと認められる市町村については、当該市町村を管轄する都道府県知事は、事前に厚生大臣に情報提供すること。
3　市町村の分割若しくは分立が行なわれた場合、市を町村とし、町を村とし、村を町とする処分が行なわれた場合又は市町村の名称変更が行なわれた場合は、いずれも当該地域については従前の級地区分を適用すること。
4　町村を市とする処分が行なわれる場合、町村の廃置分合によって市が設置される場合又は町村が市に編入される場合は、保護の実施機関が変更することとなるのであるが、この場合の保護の決定等に係る経過措置については、生活保護法第83条の規定を準用すること。
5　前記1、3又は4の取扱いが適用された市町村については、当該市町村を管轄する都道府県知事がその都度その事情を附して厚生大臣に情報提供すること。

○地域の自主性及び自立性を高めるための改革の
　推進を図るための関係法律の整備に関する法律
　による生活保護法の一部改正等について

〔令和2年9月14日　社援発第0914第7号
　各都道府県知事・各指定都市市長・各中核市市長宛
　厚生労働省社会・援護局長通知〕

　今般、地域の自主性及び自立性を高めるための改革の推進を図るための関係法律の整備に関する法律（令和2年法律第41号。以下「分権一括法」という。）第6条の規定による生活保護法（昭和25年法律第144号。以下「法」という。）の一部改正及びこれに伴う以下の政省令の一部改正を行い、令和2年10月1日から施行することとしたところである。
・　生活保護法施行令及び地方自治法施行令の一部を改正する政令（令和2年政令第271号）第1条の規定による生活保護法施行令（昭和25年政令第148号。以下「令」という。）の一部改正
・　生活保護法施行規則及び厚生労働省組織規則の一部を改正する省令（令和2年厚生労働省令第158号）第1条の規定による生活保護法施行規則（昭和25年厚生省令第21号）の一部改正
　これらの改正の概要及び施行に当たっての留意事項は次のとおりであるので、これらの事項に留意の上、管内の保護の実施機関等関係方面に周知し、施行に遺漏なきを期されたい。

記

第1　改正の概要
　1　教育扶助のための保護金品の代理納付に関する事項
　　　公立学校における学校給食費等（以下「給食費等」という。）の地方公共団体単位での会計処理（公会計）、地方公共団体における徴収・管理業務の実施が推進されていること等を踏まえ、教育扶助のための保護金品について、福祉事務所の判断でその徴収・管理を行う地方公共団体等に対して代理納付できるものとすること。（法第37条の2及び令第3条関係）
　2　生活保護法による指定介護機関の指定の効力の停止に関する事項
　　　地方公共団体における不利益処分の事務手続の簡略化による介護機関に対する処分手続の一層の効率化並びに介護機関及び地方公共団体の事務負担軽減に資するため、介護保険法により同法に基づく指定介護機関としての効力が停止された指定介護機関については、連動して法による指定介護機関としての効力（介護保険法による効力の停止がされている部分に限る。）が停止されることとすること。（法第54条の2第4項

関係)
3 生活保護費の返還金等に係る収納事務の私人への委託に関する事項

生活保護費返還金等（法第63条の規定による返還金、法第77条の規定による徴収金、法第78条の規定による徴収金及び生活保護に起因する不当利得の返還金をいう。以下同じ。）の円滑な納付及び各福祉事務所の事務負担の軽減に資するよう、生活保護費返還金等の収納事務の私人委託を可能とすること。（法第78条の3及び令第11条関係）

4 その他所要の規定の整備を行うものとすること。

第2 留意事項
1 地方公共団体等に対する給食費等の代理納付について

教育扶助に係る保護金品については、法第32条第2項の規定において、被保護者（子ども）本人、その親権者、未成年後見人（以下、「親権者等」という。）又は当該被保護者の通学する学校の長に対して交付するものとされており、従来から、多くの実施機関においては、被保護者が通学する学校の長に対して給食費等を直接交付しているところである。

一方、「学校給食費等の徴収に関する公会計化等の推進について」（令和元年7月31日付け元文科初第561号文部科学省初等中等教育局長通知）により、公立学校における給食費等の徴収・管理に係る教員の業務負担を軽減することなどを目的として、給食費等を地方公共団体単位で会計処理（公会計）し、地方公共団体における徴収・管理業務の実施を推進することとされたところであり、これに伴い、給食費等の徴収・管理事務を公会計化した地方公共団体等については、その交付先が各学校の長ではなくなるため、親権者等に対して交付せざるを得ない状況になっていた。

こうした地方公共団体等においても、実施機関、親権者等双方の負担軽減の観点等から、今回の改正により、法第32条第2項の規定により交付する保護金品（教育扶助）について、給食費等を徴収・管理する地方公共団体等に対して代理納付することを可能としたものである。

なお、代理納付の実施に当たっては、法第32条第2項に基づき学校の長に対して直接支払う場合と同様、親権者等の同意及び委任状等は要しないものである。

2 生活保護費返還金等の収納の事務を私人へ委託する場合について
(1) 委託可能な事務の範囲

今回の改正により、法第78条の3の規定により私人に委託することができることとした生活保護費返還金等の収納の事務については、単に返還義務者から生活保護費返還金等を受け入れる行為のみを指すものであり、例えば、行政処分として行われる生活保護費返還金等の決定、公売、差押え、督促、立入調査等を私人に委託することを可能としたものではない。

(2) 委託先について

委託先については、コンビニエンスストアや資金決済事業者といった、収納業務に係るノウハウを持つ事業者が想定される。委託先の選定に当たっては、後述する

個人情報の保護に遺漏を生じることがないよう、十分に留意していただきたい。
(3) 個人情報の保護について
　生活保護の受給に関する情報は、特に慎重に保護することを要する重要な秘密情報であることから、生活保護費返還金等の収納業務について私人委託（民間事業者の活用）を検討する場合には、個人情報保護条例に、受託した民間事業者及びその従業員に対する規制を追加し、罰則の対象とするなどの必要な規定の整備を行うなど、個人情報の保護に遺漏を生じることがないよう、特段の配慮と慎重な取扱いが必要である。
　また、情報の他用途利用の禁止、委託業務の再委託の禁止、業務内容に限定した端末へのアクセス制限等、委託業務の内容に応じた情報の取扱方法を定めた上で委託契約に盛り込み、民間事業者に遵守させることを徹底することなどにより、情報の厳正な取扱いが確保されるよう、十分に留意していただきたい。
　加えて、納付書には、被保護者であることが分かる文言を記載しないなど、被保護者の心情にも配慮した措置を講じられたい。

第2章　保護の実施体制

○生活保護法施行細則準則について

　　　　　　　　　　　　　平成12年3月31日　　社援第871号
　　　　　　　　　　　　　各都道府県知事・各指定都市市長・各中核市市長宛
　　　　　　　　　　　　　厚生省社会・援護局長通知

〔改正経過〕

第1次改正	平成13年3月30日社援発第577号	第2次改正	平成17年3月31日社援発第0331001号
第3次改正	平成21年3月31日社援発第0331006号	第4次改正	平成26年4月25日社援発0425第2号
第5次改正	平成27年3月31日社援発0331第25号	第6次改正	平成27年9月16日社援発0916第1号
第7次改正	平成27年12月10日社援発1210第1号	第8次改正	平成30年6月8日社援発0608第5号
第9次改正	平成30年9月4日社援発0904第5号	第10次改正	平成30年9月28日社援発0928第3号（平成30年10月10日社援発1010第2号により一部改正）
第11次改正	令和元年5月27日社援発0527第1号	第12次改正	令和2年12月28日社援発1228第1号
第13次改正	令和3年3月31日社援発0331第18号	第14次改正	令和3年6月11日社援発0611第2号
第15次改正	令和4年3月30日社援発0330第2号	第16次改正	令和4年9月30日社援発0930第62号
第17次改正	令和5年9月29日社援発0929第109号	第18次改正	令和6年4月24日社援発0424第12号
第19次改正	令和6年6月17日社援発0617第3号		

注　令和6年6月18日社援発0618第6号による改正は未適用につき〔参考〕として319頁以降に収載（令和6年10月1日適用）

　今般、地方分権の推進を図るための関係法律の整備等に関する法律（平成11年法律第87号）の施行に伴い、生活保護法施行細則を改正する必要があるため、「生活保護法施行細則準則について」（昭和28年4月1日社乙発第47号厚生省社会局長通知）を廃止し、別紙のとおり生活保護法施行細則準則を定め、平成12年4月1日から適用することとしたので、了知の上、生活保護法施行細則を改正するとともに、その写しを当職あて提出するようお願いする。
　なお、保護の実施機関である市町村については、生活保護法施行細則の制定が必要になると解されることから、貴管内市町村に対して、本通知について周知願いたい。

別　紙

　　　「生活保護法施行細則」準則
　生活保護法施行細則を下記のように定める。

記

　　平成12年3月　日
　　　　　　　　　　　　　　　　　都道府県知事（市町村長）　氏　　名
○　都道府県（市町村）規則第　　　　号
　　　生活保護法施行細則

（目的）

第1条　生活保護法（昭和25年法律第144号、以下「法」という。）の施行については、法、生活保護法施行令（昭和25年政令第148号、以下「施行令」という。）及び生活保護法施行規則（昭和25年厚生省令第21号、以下「施行規則」という。）に定めるもののほ

か、この規則の定めるところによる。
　（委任）
第２条　法第19条第４項の規定により、法第24条から第28条まで、第30条から第37条の２まで、第48条第４項、第55条の７第１項及び第２項（法第55条の８第３項において準用する場合を含む。）、第55条の８第１項及び第２項、第62条、第63条、第76条第１項、第77条第２項、第78条の２第１項、第80条及び第81条に規定する都道府県知事の保護の決定及び実施に関する権限について、法第55条の４第２項の規定により、法第55条の４第１項、第55条の６及び第78条の２第２項に規定する就労自立給付金の支給に関する権限について、法第55条の５第２項の規定により、法第55条の５第１項及び第55条の６に規定する進学・就職準備給付金の支給に関する権限について、次の区分に掲げる地域につき、それぞれ当該各号の右欄に定める福祉事務所長、支庁長及び地方事務所長にこれを委任する。
　一　○○福祉事務所管内××郡　　　　　　　　　　　○○福祉事務所長
　二　○○支庁管内××郡、××郡　　　　　　　　　　○　○　支　庁　長
　三　○○地方事務所管内××郡
　　　但し、××郡××村字××の地域を除く。　　　　○○地方事務所長
　四　○○福祉事務所管内××郡、××郡及び
　　　○○福祉事務所管内××郡××村字××の地域　　○○福祉事務所長
２　前項の規定により委任を受けた福祉事務所長、支庁長及び地方事務所長は、この規則においては、以下「福祉事務所長等」という。
　（備考）　市が本条の規定を設ける場合は、次のように改めて規定するものとする。
　　　　　　この場合において、この規則（第20条の規定を除く。）中、「福祉事務所長等」を「福祉事務所長」と読み替えるものとする。
　（委任）
　第２条　法第19条第４項の規定により、法第24条から第28条まで、第30条から第37条の２まで、第48条第４項、第55条の７第１項及び第２項（法第55条の８第３項において準用する場合を含む。）、第55条の８第１項及び第２項、第62条、第63条、第76条第１項、第77条第２項、第78条の２第１項、第80条及び第81条に規定する市町村の保護の決定及び実施に関する権限について、法第55条の４第２項の規定により、法第55条の４第１項、第55条の６及び第78条の２第２項に規定する就労自立給付金の支給に関する権限について、法第55条の５第２項の規定により、法第55条の５第１項及び第55条の６に規定する進学・就職準備給付金の支給に関する権限について、次の区分に掲げる地域につき、それぞれ当該各号の右欄に定める福祉事務所長にこれを委任する。
　　一　○○区　　　　　　　　　　　　　　　　　　　○○福祉事務所長
　　二　○○区　　　　　　　　　　　　　　　　　　　○○福祉事務所長
（備付書類）
第３条　福祉事務所長等は、被保護者につき、次に掲げる書類を作成し、常に、その記載事項について整理しておかなければならない。
　一　面接記録票　　　　　　（様式第１号）

二　保護台帳　　　　　　　（様式第2号）
　三　保護決定調書　　　　　（様式第3号）
　四　保護金品支給台帳　　　（様式第4号）
　五　ケース記録票　　　　　（様式第5号）
2　福祉事務所長等は、次に掲げる書類を作成し、常に、その記載事項について整理しておかなければならない。
　一　受付簿　　　　　　　　（様式第6号）
　二　ケース番号索引簿　　　（様式第7号）
　三　ケース番号登載簿　　　（様式第8号）
　四　保護申請書受理簿　　　（様式第9号）
　五　医療券交付処理簿　　　（様式第10号）
　六　介護券交付処理簿　　　（様式第11号）
（通知）
第4条　法第19条第2項の規定によって要保護者の現在地の福祉事務所長等が保護を実施したときは、その福祉事務所長等は、前条第1項各号及び第6条に規定する書類の写しを添付して、速やかに、この旨を、当該被保護者の居住地の福祉事務所長に通知しなければならない。
2　被保護者が、その居住地を他の福祉事務所長等の所管区域内に移転したときは、旧居住地の福祉事務所長等は速やかに、必要な決定を行い、様式第　　号の書面により新居住地の福祉事務所長等に通知しなければならない。
3　前項の書面には、次に掲げる書類のうち保護の決定実施上必要と認められる最小限のものの写しを添付するものとする。
　一　保護台帳
　二　保護決定調書
　三　ケース記録票
　四　その他
（申請書）
第5条　保護の開始又は変更の申請の書面の様式の標準は、様式第12号とする。
2　法第18条第2項に規定する葬祭扶助の申請の書面の様式の標準は、前項の規定にかかわらず、様式第13号とする。
3　第1項の書面に添付する書面の様式の標準は、次のとおりとする。
　一　給与証明書　　　　　　　　様式第14号
　二　住宅補修計画書　　　　　　様式第15号
　三　生業計画書　　　　　　　　様式第16号
　（備考）　本条は、施行細則において申請様式の標準を示す場合の例文である。
（決定通知書）
第6条　法第24条第3項及び第9項、第25条第2項並びに第26条の書面は、様式第17号、第18号又は第19号によるものとする。
第7条　法第28条第1項の規定により検診を受けるべき旨を命ずるときに交付する検診命令書、検診書及び検診料請求書は、様式第20号によるものとする。

（調査依頼票）
第8条　法第29条の規定による調査の嘱託を行うときの調査依頼票は、様式第21号によるものとする。
（扶養照会書）
第9条　法第4条第2項の扶養義務者の扶養の可否を確認するために、要保護者の扶養義務者に対し、扶養義務の履行について照会するときの扶養照会書は、様式第22号によるものとする。
2　法第24条第8項の規定により明らかに扶養義務を履行することが可能と認められる扶養義務者に対し、要保護者の保護の開始について通知するときは、様式第25号によるものとする。
3　法第28条第2項の規定により明らかに扶養義務を履行することが可能と認められる扶養義務者に対し、扶養義務を履行しない理由について報告を求めるときは、様式第26号によるものとする。
（入所等依頼書）
第10条　法第30条第1項の規定により被保護者を保護施設若しくはその他の適当な施設に入所させ、若しくはこれらの施設に入所を委託し、又は私人の家庭に養護を委託するときに、その施設の長又は私人に対して発行する入所等依頼書は、様式第　　号によるものとする。
（保護金品の支給方法等）
第11条　福祉事務所長等が被保護者等に対して保護金品を交付する場合においては、出納員は当該被保護者等から様式第17号の書面（保護決定（変更）通知書）又はこれに代るものの提示を求めなければならない。
2　福祉事務所長等が、法第19条第7項の規定により、被保護者等に対する保護金品の交付を町村長に依頼して行う場合においては、指定された交付日の3日前までに様式第23号の支給明細書2部を送付するとともに、これが交付に要する資金を当該町村長に交付しなければならない。
（保護施設設置認可申請書）
第12条　法第40条第2項の規定による届出書の様式の標準は、様式第　　号とする。
2　法第41条第2項の規定による申請書の様式の標準は、様式第　　号とする。
　（備考）　本条は、施行細則において申請様式の標準を示す場合の例文である。
（保護施設変更届書等）
第13条　法第41条第5項の規定による申請書の様式の標準は、様式第　　号とする。
　（備考）　本条は、施行細則において申請様式の標準を示す場合の例文である。
（保護施設事業開始届書等）
第14条　保護施設が事業を開始したときは、当該施設の管理者は、様式第　　号の保護施設台帳を添付して、この旨を、速やかに、都道府県知事に届け出なければならない。
（改善命令等による措置結果報告書）
第15条　市町村、社会福祉法人又は日本赤十字社は、法第45条第1項又は第2項の規定に

よって保護施設の設備若しくは運営の改善、その事業の停止若しくは廃止を命ぜられ、又は保護施設の設置の認可を取り消されたときは、これに基いてとったその措置について、様式第　号の措置結果報告書を、その処分をうけた日から30日以内に都道府県知事に提出するものとする。
（利用被保護者状況変更届書）
第16条　法第48条第4項の規定による届出書は、様式第　号の利用被保護者状況変更届書によるものとする。
（保護施設休止報告書等）
第17条　施行規則第7条の規定による報告の様式は、様式第　号とする。
2　法第42条の規定による認可の申請の様式の標準は、様式第　号とする。
　　（備考）　本条第2項は、施行細則において申請様式の標準を示す場合の例文である。
（不服申立書）
第18条　法に基づく処分に係る審査請求書及び再審査請求書の様式の標準は、様式第24号とする。
　　（備考）　本条は、施行細則において申請様式の標準を示す場合の例文である。
（繰替支弁）
第19条　保護施設、指定医療機関その他これらに準ずる施設が法第72条第1項に規定する厚生労働大臣の指定を受けようとするときは、様式第　号の繰替支弁施設指定申請書を都道府県知事に提出するものとする。
（経由）
第20条　法又はこれに基く命令等により厚生労働大臣に提出することとされている書類が、法第19条第4項の規定により事務の委任を受けた福祉事務所長等、市町村又は社会福祉法人が設置する保護施設の設置者若しくは当該施設の長から提出されたときは、都道府県知事は、これを受理し、厚生労働大臣に提出するものとする。
　　（備考）　本条の規定は、法定受託事務に係る事務の処理基準ではないが、都道府県知事は、監査指導、審査請求に対する裁決等を通じて、管内の生活保護の運用の適正を確保する必要があり、このためには事務の実施の状況を把握することが必要であることから、本施行細則準則において定めたものである。
　　　　　　市が本条の規定を設ける場合は、「福祉事務所長等、市町村長又は社会福祉法人が設置する保護施設の設置者若しくは当該施設の長」を「福祉事務所長」と、「厚生労働大臣」を「都道府県知事又は厚生労働大臣」と、「都道府県知事」を「市町村長」と読み替えるものとする。
（就労自立給付金申請書）
第21条　施行規則第18条の4第1項の規定による就労自立給付金の支給の申請の様式の標準は、様式第27号とする。
　　（備考）　本条は、施行細則において申請様式の標準を示す場合の例文である。
（就労自立給付金決定調書）
第22条　法第55条の4第1項の規定により就労自立給付金を支給するときの決定調書は、

様式第28号によるものとする。
（就労自立給付金決定通知書）
第23条　法第55条の４第１項の規定により就労自立給付金を支給するときは、様式第29号により通知するものとする。
（進学・就職準備給付金申請書）
第24条　施行規則第18条の９第１項の規定による進学・就職準備給付金の支給の申請の様式の標準は、様式第30号とする。
　（備考）　本条は、施行規則において申請様式の標準を示す場合の例文である。
（進学・就職準備給付金決定調書）
第25条　法第55条の５第１項の規定により進学・就職準備給付金を支給するときの決定調書は、様式第31号によるものとする。
（進学・就職準備給付金決定通知書）
第26条　法第55条の５第１項の規定により進学・就職準備給付金を支給するときは、様式第32号により通知するものとする。
（徴収金等支払申出書）
第27条　法第78条の２第１項又は第２項の規定により保護費又は就労自立給付金から法第77条の２第１項に基づく徴収金の支払に充てる旨の申出様式の標準は、様式第33号とする。
２　法第78条の２第１項又は第２項の規定により保護費又は就労自立給付金から法第78条第１項に基づく徴収金の支払に充てる旨の申出様式の標準は、様式第34号とする。
　（備考）　本条は、施行細則において申請様式の標準を示す場合の例文である。

様式第1号

面 接 記 録 票

				整理番号	
面接年月日		年　　月　　日		面接者	
要保護者	氏　　　名		（　歳）	住　　所	
	世帯構成			電話番号	
来訪者	氏　　　名			住　　所	
	対象者との関係			電話番号	
相談回数	初回 ・ （　）回目（前回来所年月日　　年　　月　　日）				
保護歴の有無	無 ・ 有 （　　年　月　日 ～ 　年　月　日）				
来訪目的 （相談内容）					
来訪者への 助言内容					
急迫状態 の判断	預貯金・現金等の保有状況				
	ライフラインの停止・滞納状況				
	国民健康保険等の滞納状況				
制度の説明	実施（保護のしおり等：　配布 ・ 未配布） ・ 未実施				
申請意思	有 ・ 無				
面接結果	申請受理				
	相談のみ （理由）				
供覧・決裁					

様式第2号

県費	市町村費	保護台帳	ケース番号	

世帯主氏名		居住地現住地	
本籍地		居住の始期	年　月　日

氏　名	個人番号	続柄	性別	年齢	生年月日	学歴	心身の状況	職業	
								特殊技能	現職
1									
2									
3									
4									
5									
6									
7									
8									
9									
10									

資産の調	内容	見積額	処分の可否	負債の調	種類	金額	契約の内容
	土地						
	家屋						
	その他						

住居の状況	自家借家(間)の別	規模構造	建坪	畳数別室数	衛生状態	水道設備	電灯数	貸間の有無及びその広さ
					良 不良	有 無		

不在者の状況	氏名	続柄	性別	年齢	不在の時期及び不在者の現住地	原因	家庭との関係

扶養義務者の状況	氏名	続柄	性別	年齢	住所	扶養能力の有無及び扶養の程度

備考	

様式第3号

保 護 決 定 調 書   調書(1)

申　請	支給台帳	統計資料	ケース番号登載簿	
決判 　年　月　日	稟議 所長 課長 指導員	施行	起案	年　月　日
			担当員	

保　護　決　定　伺
調書の通り決定してよろしいか。なお御決裁の上は例文により通知してよろしいか。

申請書受理簿	支給台帳	統計資料	ケース番号登載簿	
決判 　年　月　日	稟議 所長 課長 指導員	施行	起案	年　月　日
			担当員	

保　護　決　定　伺
調書の通り決定してよろしいか。なお御決裁の上は例文により通知してよろしいか。

申請書受理簿	支給台帳	統計資料	ケース番号登載簿	
決判 　年　月　日	稟議 所長 課長 指導員	施行	起案	年　月　日
			担当員	

保　護　決　定　伺
調書の通り決定してよろしいか。なお御決裁の上は例文により通知してよろしいか。

申請書受理簿	支給台帳	統計資料	ケース番号登載簿	
決判 　年　月　日	稟議 所長 課長 指導員	施行	起案	年　月　日
			担当員	

保　護　決　定　伺
調書の通り決定してよろしいか。なお御決裁の上は例文により通知してよろしいか。

申請書受理簿	支給台帳	統計資料	ケース番号登載簿	
決判 　年　月　日	稟議 所長 課長 指導員	施行	起案	年　月　日
			担当員	

保　護　決　定　伺
調書の通り決定してよろしいか。なお御決裁の上は例文により通知してよろしいか。

申請書受理簿	支給台帳	統計資料	ケース番号登載簿	
決判 　年　月　日	稟議 所長 課長 指導員	施行	起案	年　月　日
			担当員	

保　護　決　定　伺
調書の通り決定してよろしいか。なお御決裁の上は例文により通知してよろしいか。

申請書受理簿	支給台帳	統計資料	ケース番号登載簿	
決判 　年　月　日	稟議 所長 課長 指導員	施行	起案	年　月　日
			担当員	

保　護　決　定　伺
調書の通り決定してよろしいか。なお御決裁の上は例文により通知してよろしいか。

生活保護法施行細則準則について

調書(2)

区分			最低生活費認定額						
			一般分	加算額	変更	変更	変更	変更	
第一類	1	（　歳）男女							
	2	（　歳）男女							
	3	（　歳）男女							
	4	（　歳）男女							
	5	（　歳）男女							
	6	（　歳）男女							
	7	（　歳）男女							
	8	（　歳）男女							
	9	（　歳）男女							
	10	（　歳）男女							
	小　　計								
	逓減率								
	計								
第　二　類									
生活費計									
住宅費									
教育費	認定年月日				変更		変更		
	氏　名								
	学　年		小中　年	小中　年	小中　年	小中　年	小中　年	小中　年	小中　年
	基準額								
	教材代								
	学校給食費								
	交通費								
	計								
介護費	認定年月日								
	氏　名								
	所要介護費概算月額								
	介護保険(−)								
	その他公費(−)								
	差引計								
医療費	認定年月日								
	氏　名								
	所要医療費概算月額								
	医療保険(−)								
	その他公費(−)								
	差引計								
その他費									
費									

Ⅱ 生活保護法関係通知 第2章 保護の実施体制

調書(3)

決定番号	月日	種別	扶助決定欄				開始廃止変更決定理由
			最低生活費	収入充当額	扶助額	方法	
1	・ ・	生 住 教 計 介 医					
2	・ ・	生 住 教 計 介 医					
3	・ ・	生 住 教 計 介 医					
4	・ ・	生 住 教 計 介 医					
5	・ ・	生 住 教 計 介 医					
6	・ ・	生 住 教 計 介 医					
7	・ ・	生 住 教 計 介 医					
8	・ ・	生 住 教 計 介 医					

調書(4)

月日	認定総額	収入充当額内訳欄				
		自　給　分		金　銭　収　入		
		認　定　額	(必)内訳	認　定　額	(必)内訳	
		(認)		(認)		
		(認)		(認)		
		(認)		(認)		
		(認)		(認)		
		(認)		(認)		
		(認)		(認)		
		(認)		(認)		

様式第4号

保 護 金 品 支 給 台 帳

地区 (町村)			定例 支給日		日	ケース 番　号		被保護世帯 氏名		
月　別	生活扶助	住宅扶助	教育扶助	扶助		扶助		扶助	合　計	摘　要
月分	円	円	円	円		円		円	円	
月分										
月分										
月分										
月分										
月分										
月分										
月分										
月分										
月分										
月分										
月分										
月分										
月分										

支給月日	品　　　目	数　量	金　額	摘　　　　要
			円	
支給上の 注意事項				

様式第5号

ケース記録票

様式第6号

面接受付簿

整理番号	面接月日	来訪者氏名	要保護者氏名	来訪目的 (相談内容)	相談結果等

様式第7号

ケース番号索引簿

氏　　　　　名	ケース番号	法		律	停廃止及び却下の別

様式第8号

ケース番号登載簿

ケース番号	氏　　名	住　　　　所	開始、停廃止、却下の別及び年月日					
			印	年	月	日	印	年	月	日
1										
2										
3										
4										
5										
17										
18										
19										
20										

様式第9号

保護申請書受理簿

文書収受月日	文書収受番号	指導員受領月日及び受領印	担当員へ交付月日及び受領印	新規変更の別	申請者名	処理状況			伺月日	決裁月日	施行月日	摘要
						開始	変更	却下 その他				

様式第10号

医療券交付処理簿

（　年　　月分）

受給者番号	交付年月日	診療月	ケース番号	受療者氏名	居住町村名	受療機関名	診療別	単独・併用給付	有効期間給付	本人支払額	交付方法	交付員更印	受付記名欄	備考

様式第11号

介護券交付処理簿

(年 月分)

受給者番号	交付年月日	受給月日	ケース番号	保険者番号	被保険者番号	受給者氏名	受給者住所	介護機関名	介護機関コード	サービス種類区分	単独・併用	有効期間	本人支払額	交付更員印	備考

Ⅱ 生活保護法関係通知 第2章 保護の実施体制

様式第12号

生活保護法による保護申請書

現在住んでいるところ					現在のところに住み始めた時期 年　月　日				※福祉事務所受付年月日
家族の状況	人員	氏名	個人番号	続柄	性別	年齢	生年月日	学歴	職業	健康状態
	1			世帯主						
	2									※町村役場受付年月日
	3									
	4									
	5									
	6									
	7									
	8									

家族のうち別なところに住んでいる者があるときはその名前と住んでいるところ	

資産の状況(別添1)	収入の状況(別添2)	関係先照会への同意(別添3)

援助をしてくれる者の状況	世帯主又は家族との関係	氏　名	住　所	今まで受けた援助及び将来の見込

保護を申請する理由（具体的に記入して下さい。）

上記のとおり相違ないので、生活保護法による保護を申請します。
　　　年　月　日
　　　　　　　　　　　申請者住所
　　　　　　　　　　　氏名
　　　　　　　　　　　保護を受けようとする者との関係
　　福祉事務所長殿

（記入上の注意）
1　※印欄には記入しないで下さい。
2　申請者と保護を受けようとする者が異なる場合には、別添の書類は保護を受けようとする者に記入してもらって下さい。
3　不実の申請をして不正に保護を受けた場合、生活保護法第85条又は刑法の規定によって処罰されることがあります。
（注）　この申請書は開始、変更いずれの場合にも用いるものとし、変更申請の場合は、変更にかかる事項を記入させ、別添1から3のうち必要なものを添付させること。

(別添1)

（表　面）

資　産　申　告　書

福祉事務所長　殿

年　月　日

氏　名

現在の私の世帯の資産の保有状況は、下記のとおり相違ありません。

1　不動産

			延面積	所有者氏名	所　在　地	抵当権
土地	(1)	宅　地	有・無			有・無
	(2)	田　畑	有・無			有・無
	(3)	山　林その他	有・無			有・無
			延面積	所有者氏名	所　在　地	抵当権
建物	(1) 居住用	持家借家・借間（いずれかを○で囲んで下さい）			（家賃　　　円）	有・無
	(2)	その他	有・無			有・無

2　現金・預貯金、有価証券等

現　金	有・無					円
預貯金	有・無	預金先	口座番号	口座氏名	預貯金額	
有価証券	有・無	種　類		額　面	評価概算額	

（記入に当たっては裏面の記入上の注意をよくお読み下さい。）

291

(裏 面)

		契　　　約　　　先	契　約　金	保　険　料
生 命 保 険	有・無			
その他の保険	有・無			

3　その他の資産

		使用状況	所有者氏名	車　　種	排 気 量	年　式
自　動　車 （自動二輪を含む）	有・無	使　　用 未　使　用				
貴　金　属	有・無	品　　名				
そ　の　他 高価なもの	有・無					

4　負債（借金）

	金　　額	借　　入　　先
有　・　無		

（記入上の注意）
(1)　この申告書は、保護を受けようとする者が記入して下さい。
(2)　資産の種類ごとにその有無について○で囲んで下さい。土地については借地等の場合も記入して下さい。
(3)　有を○で囲んだ資産については、下記に従って記入して下さい。
　①　同じ種類の資産を複数所有している場合は、そのすべてを記入して下さい。
　②　有価証券は、例えば「株券、国債」等と記入し、その評価概算額は現在売却した場合のおおよその金額を記入して下さい。
　③　貴金属は例えば「ダイヤの指輪」等と記入して下さい。
(4)　書ききれない場合は、余白に記入するか又は別紙に記入の上添付して下さい。
(5)　不実の申告をして不正に保護を受けた場合、生活保護法第85条又は刑法の規定によって処罰されることがあります。

(別添2)

(表　面)

収　入　申　告　書

福祉事務所長　殿

年　月　日

氏名

私の世帯の総収入は、下記のとおり相違ありません。

1　働いて得た収入

働いている者の名前	仕事の内容勤め先（会社名）等	区　分	当月分（見込額）	前 3 か 月 分		
				（　）月分	（　）月分	（　）月分
		収　入				
		必要経費①				
		就労日数				
		収　入				
		必要経費②				
		就労日数				
		収　入				
		必要経費③				
		就労日数				
必要経費（前月分）の主な内容	①					
	②					
	③					

2　恩給・年金等による収入（受けているものを○で囲んで下さい。）

有・無	国民年金、厚生年金、恩給、児童手当、児童扶養手当、特別児童扶養手当、雇用保険、傷病手当金、その他（　　　　　　　　）	収入額	月額　　　　　　円年額　　　　　　円

3　仕送りによる収入（前3か月間の合計を記入して下さい。）

有・無		内　　　容	仕送りした者の氏名
	仕送りによる収入	円	
	現物による収入	米、野菜、魚介（もらったものを○で囲んで下さい。）	

（記入に当たっては裏面の記入上の注意をよくお読み下さい。）

293

(裏　面)

4　その他の収入（前3か月間の合計を記入して下さい。）

有 ・ 無		内　　　　　容	収　　　入
	生命保険等の給付金		円
	財　産　収　入 （土地、家屋の賃貸料等）		円
	そ　　の　　他		円

5　その他将来において見込みのある収入（上記1〜4に記入したものを除く。）

有 ・ 無	内　　　　　　　容	収入見込額
		円

6　働いて得た収入がない者（義務教育終了前の者は記入する必要はありません。）

氏　　　　　名	働いて得た収入のない理由

（記入上の注意）
(1)　この申告書は、保護を受けようとする者が記入して下さい。
(2)　「1　働いて得た収入」は、給与、日雇、内職、農業、事業等による収入の種類ごとに記入して下さい。
(3)　農業収入については、前1年間の総収入のみを当月分の欄に記入して下さい。
(4)　必要経費欄には収入を得るために必要な交通費、材料代、仕入代、社会保険料等の経費の総額を記入して下さい。
(5)　2〜5の収入は、その有無について○で囲んで下さい。有を○で囲んだ収入については、その右欄にも記入して下さい。
(6)　書ききれない場合は、余白に記入するか又は別紙に記入の上添付して下さい。
(7)　収入のうち証明書等の取れるもの（例えば勤務先の給与証明書等、各種保険支払通知書等）は、この申告書に必ず添付して下さい。
(8)　不実の申告をして不正に保護を受けた場合、生活保護法第85条又は刑法の規定によって処罰されることがあります。

(別添3)

同 意 書

　生活保護法（以下「法」という。）による保護の決定若しくは実施又は法第77条若しくは第78条の規定の施行のために必要があるときは、私及び私の世帯員（以下「私等」という。）の以下に掲げる事項につき、貴福祉事務所が官公署、日本年金機構若しくは共済組合等（以下「官公署等」という。）に対し、必要な書類の閲覧若しくは資料の提供を求め、又は銀行、信託会社、私等の雇主、その他の関係人（以下「銀行等」という。）に報告を求めることに同意します。
　また、貴福祉事務所の調査又は報告要求に対し、官公署等又は銀行等が報告することについて、私等が同意している旨を官公署等又は銀行等に伝えて構いません。

- 氏名及び住所又は居所
- 資産及び収入の状況（生業若しくは就労又は求職活動の状況、扶養義務者の扶養の状況及び他の法律に定める扶助の状況を含む。）
- 健康状態
- 他の保護の実施機関における保護の決定及び実施の状況
- 支出の状況

※　保護廃止後は、氏名及び住所又は居所、健康状態並びに他の保護の実施機関における保護の決定及び実施の状況を除き、保護を受けていた期間における事項に限る。

　　　　年　　月　　日

　　　　　　　　　　　　　　　　　　　　住所

　　　　　　　　　　　　　　　　　　　　氏名

福祉事務所長殿

様式第13号

生活保護法による葬祭扶助申請書

　下記のとおりであるから生活保護法による葬祭扶助を受けたいので証ひょう書類を添えて申請します。

年　　月　　日

申請者住所
氏　名

福　祉　事　務　所　長　殿

記

死者	氏　名		葬祭を行う者との関係	
	死亡年月日	年　月　日	死亡時の住所又は居所	
葬祭予定日			年　月　日	
葬祭費	遺留金額	差引不足額	備　　　　　考	

様式第14号

給 与 証 明 書

年　月　日

　　　　　　　　　　　　　　　　　住　所
　　　　　　　　　　　　　　　　　事業所（雇主）

福 祉 事 務 所 長 殿

次の通り証明します。

氏　名	（歳）	職務内容及び職名	
居住地			

給与額	基 本 給		円	控除額	所 得 税		円
	日 給（日分）				健 康 保 険 料		
	家 族 手 当				厚生年金保険料		
	地 域 手 当				失 業 保 険 料		
	手 当						
	小　　計(イ)				小　　計(ロ)		

差 引 支 給 額 (イ)-(ロ)		摘要
前2月の手取額	月分	
	月分	

（備考）事実と違ったことを証明した場合には、生活保護法第85条の規定によって処罰されることがありますから御注意下さい。

様式第15号

住宅補修計画書		申請者氏名	
建物の規模構造			
補修を必要とする状況	1　破損の状況		
	2　修理の規模		

	品　　名	規　模	単価×数量＝金額			備　考
			単　価	数　量	金　額	
補修のために必要とする費用の内訳						

見積者	見積年月日	年　　　月　　　日
	住　　所	
	氏　　名	

様式第16号

| 生 業 計 画 書 | 申請者
氏　名 | |

1　生業計画の内容（誰が、いつ、どこで、どんな仕事をするか）

2　生業に必要なものの品と金額

3　生業の見透し
　　イ　収入をあげ得る時期
　　ロ　収入見込額
　　ハ　収入をあげるために必要な材料代その他の費用
　　ニ　利益（ロからハを引いた額）

様式第17号

発 第　　　号
　　　年　月　日

　　　　　　　　　　　　　　　　　　　福祉事務所長　　　　　　　　㊞

　　　殿

　　　　　　　　　　　保　護　決　定　通　知　書

　　　　　年　　月　　日付で申請された生活保護法による保護を、下記のとおり決定したから通知します。

記

1　保護の種類及び程度

イ 種類	生活扶助	住宅扶助	教育扶助	介護扶助	医療扶助	扶助	計
ロ 程度	円	円	円	円	円	円	円

　ハ　介護扶助自己負担額　　　　　　　円（事業者名　　　　　　　　　　）
　　　　　　　　　　　　　　　　　　　円（事業者名　　　　　　　　　　）
　　　　　　　　　　　　　　　　　　　円（事業者名　　　　　　　　　　）
　ニ　医療扶助自己負担月額　　　　　　円

2　保護の開始時期　　　　　　年　　月　　日
3　保護の方法
　イ　教育扶助中の　　　　　　費は学校長渡しとする。
4　保護を決定した理由
5　扶助金の支給日及び支給場所

（備考）
(1)　この決定通知が申請書受理後14日を経過した理由。
(2)　この決定に不服があるときは、この決定があったことを知った日の翌日から起算して3か月以内に、知事に対し審査請求をすることができます（なお、決定があったことを知った日の翌日から起算して3か月以内であっても、決定があった日の翌日から起算して1年を経過すると審査請求をすることができなくなります。）。
(3)　上記(2)の審査請求に対する裁決を経た場合に限り、その審査請求に対する裁決があったことを知った日の翌日から起算して6か月以内に、市を被告として（訴訟において市を代表する者は市長となります。）この決定の取消しの訴えを提起することができます（なお、裁決があったことを知った日の翌日から起算して6か月以内であっても、裁決があった日の翌日から起算して1年を経過すると決定の取消しの訴えを提起することができなくなります。）。ただし、次の①から③までのいずれかに該当するときは、審査請求に対する裁決を経ないでこの決定の取消しの訴えを提起することができます。①審査請求をした日（行政不服審査法（平成26年法律第68号）第23条の規定により不備を補正すべきことを命じられた場合にあっては、当該不備を補正した日）の翌日から起算して50日（50日以内に行政不服審査法第43条第3項の規定により通知を受けた場合は70日）を経過しても裁決がないとき。②決定、決定の執行又は手続の続行により生ずる著しい損害を避けるため緊急の必要があるとき。③その他裁決を経ないことにつき正当な理由があるとき。
(4)　扶助金を受取るときにはこの通知書と印鑑が必要ですから忘れないように持参して下さい。

（注）　この通知書は変更の場合にも用いるものとする。

様式第18号

発　第　　　号
　　　　　年　月　日

　　　　　　　　　　　福祉事務所長　　　　　　　　㊞
　　　　　　　　　　殿

　　　　　　　　保 護 申 請 却 下 通 知 書

　　　年　　月　　日付で申請された生活保護法による保護については、下記の理由で保護できないから却下します。
　なお、この決定に不服があるときは、この決定があったことを知った日の翌日から起算して3か月以内に、知事に対し審査請求をすることができます（なお、決定があったことを知った日の翌日から起算して3か月以内であっても、決定があった日の翌日から起算して1年を経過すると審査請求をすることができなくなります。）。
　また、この審査請求に対する裁決を経た場合に限り、その審査請求に対する裁決があったことを知った日の翌日から起算して6か月以内に、市を被告として（訴訟において市を代表する者は市長となります。）この決定の取消しの訴えを提起することができます（なお、裁決があったことを知った日の翌日から起算して6か月以内であっても、裁決があった日の翌日から起算して1年を経過すると決定の取消しの訴えを提起することができなくなります。）。ただし、次の①から③までのいずれかに該当するときは、審査請求に対する裁決を経ないでこの決定の取消しの訴えを提起することができます。①審査請求をした日（行政不服審査法（平成26年法律第68号）第23条の規定により不備を補正すべきことを命じられた場合にあっては、当該不備を補正した日）の翌日から起算して50日（50日以内に行政不服審査法第43条第3項の規定により通知を受けた場合は70日）を経過しても裁決がないとき。②決定、決定の執行又は手続の続行により生ずる著しい損害を避けるため緊急の必要があるとき。③その他裁決を経ないことにつき正当な理由があるとき。

　　　　　　　　　　　　記

1　却下の理由

2　この通知が申請書受理後14日を経過した事由

様式第19号

発第　　　号
　　　　　　　年　月　日
　　　　　　　　　　　　福祉事務所長　　　　　　　㊞
　　　　　　　殿

保護　廃止／停止　決定通知書

　　年　月　日第　　号により決定通知した生活保護法による保護を下記のとおり　廃止／停止　したから通知する。

記

1　廃止／停止　した保護の種類
2　停止する期間
3　廃止する時期　　　年　月　日
4　理　由

（備考）　この決定に不服があるときは、この決定があったことを知った日の翌日から起算して3か月以内に、知事に対し審査請求をすることができます（なお、決定があったことを知った日の翌日から起算して3か月以内であっても、決定があった日の翌日から起算して1年を経過すると審査請求をすることができなくなります。）。

　また、この審査請求に対する裁決を経た場合に限り、その審査請求に対する裁決があったことを知った日の翌日から起算して6か月以内に、市を被告として（訴訟において市を代表する者は市長となります。）この決定の取消しの訴えを提起することができます（なお、裁決があったことを知った日の翌日から起算して6か月以内であっても、裁決があった日の翌日から起算して1年を経過すると決定の取消しの訴えを提起することができなくなります。）。ただし、次の①から③までのいずれかに該当するときは、審査請求に対する裁決を経ないでこの決定の取消しの訴えを提起することができます。①審査請求をした日（行政不服審査法（平成26年法律第68号）第23条の規定により不備を補正すべきことを命じられた場合にあっては、当該不備を補正した日）の翌日から起算して50日（50日以内に行政不服審査法第43条第3項の規定により通知を受けた場合は70日）を経過しても裁決がないとき。②決定、決定の執行又は手続の続行により生ずる著しい損害を避けるため緊急の必要があるとき。③その他裁決を経ないことにつき正当な理由があるとき。

様式第20号

	検 診 命 令 書	
年　月　日交付		
交付第　　　号		年　月　日

　　　　　　　　　　　　　殿
検査を受ける者の
居住地及び氏名　　　　　　　　福祉事務所名　　　　　　㊞

下記により検査を受けて下さい。
1　検診を受ける日時
2　検診を受ける場所
3　検診を行なう医療機関の名称
　　所在地及び担当医師等氏名
4　備　考
（注意）
　1　検診を受けるときは、この書類を持参して下さい。
　2　この検診命令は、生活保護法第28条第１項の規定にもとづくものです。
　3　この検診命令を受けないと、同条第５項の規定により、あなたの保護申請が却下され、またはあなたに対する保護が変更、停止若しくは廃止される場合があります。
　4　この検診命令について疑問がある場合には、福祉事務所に相談して下さい。

検診書

※	年　月　日交付
	交付第　　　　号

福祉事務所長　殿

検査を受ける者の
居住地及び氏名　　　　　　　歳　男・女

医療機関の所在地及び名称
　院
　（所）　　　担当医師　　　　　　年　月　日　㊞

上記の者に対する検診結果は下記のとおりであります。　　㊞

記
1　傷病名
2　病　状
3　診療の要否、診療の方法等に関する意見
※地区担当員
※福祉事務所
　嘱託医意見
（注意）
この検診書は、福祉事務所長あて直接送付して下さい。

検診料請求書

※	年　月　日交付
	交付第　　　　号

福祉事務所長　殿

　　　　　　　年　月　日

医療機関の所在地
　　　　名　　称
医療機関の長又は
開設者の氏名

下記のとおり請求します。

※受診者	※居住地	
請　　求　　額	診察料	（検査名等）
		点
	料	点
	料	点
	合計	点
		円

（注意）
この請求書により直接福祉事務所あて請求して下さい。

様式第21号　　　　　　　　　　　　　　　　　　　　　番　　　号
　　　　　　　　　　　　　　　　　　　　　　　　　　年　月　日
　　　　　　　　　殿
　　　　　　　　　　　　　　　　　　福祉事務所長
　　　　　　　　　　　　　　　　　　　氏　　　名　㊞

　　　　　　生活保護法第29条の規定に基づく調査について（依頼）

　保護の決定若しくは実施又は生活保護法（以下「法」という。）第77条若しくは第78条の規定の施行のために必要がありますので、法第29条の規定に基づき、下記の事項について照会します。
　なお、当事務所において、入手した資料については、情報の秘密の保護に万全を期していますので念のため申し添えます。

　　　　　　　　　　　　　　　記

（参考）生活保護法
第29条　保護の実施機関及び福祉事務所長は、保護の決定若しくは実施又は第77条若しくは第78条の規定の施行のために必要があると認めるときは、次の各号に掲げる者の当該各号に定める事項につき、官公署、日本年金機構若しくは国民年金法（昭和34年法律第141号）第3条第2項に規定する共済組合等（以下「共済組合等」という。）に対し、必要な書類の閲覧若しくは資料の提供を求め、又は銀行、信託会社、次の各号に掲げる者の雇主その他の関係人に、報告を求めることができる。
一　要保護者又は被保護者であった者　氏名及び住所又は居所、資産及び収入の状況、健康状態、他の保護の実施機関における保護の決定及び実施の状況その他政令で定める事項（被保護者であった者にあっては、氏名及び住所又は居所、健康状態並びに他の保護の実施機関における保護の決定及び実施の状況を除き、保護を受けていた期間における事項に限る。）
二　前号に掲げる者の扶養義務者　氏名及び住所又は居所、資産及び収入の状況その他政令で定める事項（被保護者であった者の扶養義務者にあっては、氏名及び住所又は居所を除き、当該被保護者であった者が保護を受けていた期間における事項に限る。）
2　別表第1の上欄に掲げる官公署の長、日本年金機構又は共済組合等は、それぞれ同表の下欄に掲げる情報につき、保護の実施機関又は福祉事務所長から前項の規定による求めがあったときは、速やかに、当該情報を記載し、若しくは記録した書類を閲覧させ、又は資料の提供を行うものとする。
第24条　保護の開始を申請する者は、厚生労働省令で定めるところにより、次に掲げる事項を記載した申請書を保護の実施機関に提出しなければならない。ただし、当該申請書を作成することができない特別の事情があるときは、この限りでない。
　一～三　（略）
　四　要保護者の資産及び収入の状況（生業若しくは就労又は求職活動の状況、扶養義務者の扶養の状況及び他の法律に定める扶助の状況を含む。以下同じ。）
　五　（略）
（参考2）生活保護法施行令
第2条の2　法第29条第1項第1号に規定する政令で定める事項は、支出の状況とする。

様式第22号

番　　　号
年　月　日

　　　　殿

福祉事務所長
氏　　　名　㊞

生活保護法による保護の決定に伴う扶養の可否について（照会）

　あなたの　　にあたる甲さん（住所　　　　）は生活保護法による保護を申請して（受けて）いますが、生活保護法では民法に定められた扶養義務者による扶養は生活保護に優先して行われるものとされております。
　あなたは、民法に定められた扶養義務者か、そうなる可能性が高い方にあたることから、保護の決定実施上必要がありますので、あなたからどの程度扶養できるかについて、別紙扶養届書により　年　月　日までにご回答下さい。

（特記事項）

　　　　　　　　　　　　　　　　　　　　　　　　　　（担当者　　　　　　　）

（参考）
生活保護法第4条　保護は、生活に困窮する者が、その利用し得る資産、能力、その他あらゆるものを、その最低限度の生活の維持のために活用することを要件として行われる。
　　　　　　2　民法（明治29年法律第89号）に定める扶養義務者の扶養及び他の法律に定める扶助は、すべてこの法律による保護に優先して行われるものとする。
民　法　第877条　直系血族及び兄弟姉妹は、互いに扶養をする義務がある。
　　　　　　2　家庭裁判所は、特別の事情があるときは、前項に規定する場合のほか、三親等内の親族間においても扶養の義務を負わせることができる。

生活保護法施行細則準則について

（別紙）

扶 養 届 書

福祉事務所長　殿

　　　　　　　　　　　　　　　　　　　　住所
　　　　　　　　　　　　　　　　　　　　氏名

先に照会のあった甲に対する扶養について、次のとおり回答します。

1　精神的な支援について
　※　精神的な支援…対象者に対する定期的な訪問、電話、手紙のやり取り、一時的な子どもの預かりなど金銭的な援助以外の対象者への関わりをいいます。

精神的な支援の可否	可　・　不可
支援の開始時期	年　　月から（又は既に行っている）
具体的な支援の内容及び頻度	 ※緊急連絡先（電話番号　　　－　　　－　　　）

2　金銭的な援助について

金銭的な援助の可否	可　・　不可（理由：　　　　　　　　　　　）	
援助の開始時期	年　　月から（又は既に行っている）	
援助の方法・程度	①金銭により毎月（年）　・3,000円　・5,000円 　　　　　　　　　　　　・10,000円　・＿＿＿＿＿円を送付します。 ②物品により毎月（年）　　　を　　程度送付します。 ③氏名　　　　　　　を引き取ります。 ④その他	

3　私の世帯について

(1)　家族構成・収入等の状況

氏　　名	続柄	生年月日	職　業	勤　務　先	平均月収額
	本人				円

上記のうち甲についての
　①税法上の扶養控除を受けている者の氏名
　②会社等から家族手当を受けている者の氏名及び月額（　　　　円）

(2)　資産の状況　有・無
| ①家屋　　　㎡（坪）　　②宅地　　　㎡（坪） |
| ③田畑　　　㎡（坪）　　④山林等　　㎡（坪） |

(3)　負債の状況　有・無

負債の内容	返済月（年）額	返済の終了予定
住宅ローン	円	
その他（　）		

(4)　健康保険等の加入状況　①国民健康保険　②健康保険　③共済（　　）　④その他（　　）
　　　上記で①以外に加入している場合甲については被扶養者として
　　　①認定されている　②認定されていない　③認定手続をとるつもり

（記入上の注意）
1　該当するものを○で囲み、必要事項を記入して下さい。
2　平均月収額は総収入から所得税、社会保険料、事業経費等を差し引いた額を記入して下さい。
3　収入、負債の状況については、源泉徴収票、給与明細書、ローン返済予定表の写しなど、その状況が明らかになる書類を添付して下さい。

様式第23号

地　区（町　村）　　　　　　　　月分生活保護費支給明細書　　　　　　　（金　　　円也）　　　外　名渡

ケース番号	被保護世帯氏名	生活扶助	住宅扶助	教育扶助	扶助	合計	支給月日	記名欄	摘要
		円	円	円	円	円	月　日		
							月　日		
							月　日		
							月　日		
							月　日		
							月　日		
							月　日		

1　学校長渡しの教育費については学校別にこの様式に準じた明細書を作成すること。
2　使用の際、規格は、日本標準規格Ａ４とし、氏名欄は20欄設けること。

様式第24号

　　　　　　　審　査
　　　　　　　　　　　請　求　書（正・副）
　　　　　　　再審査

生活保護法に基づく令和　　年　　　月　　　　日付け第　　　　号の

知　　　事
福祉事務所長　の　処分　について不服ですから、　審　査　を請求します。
市（町村）長　　　裁決　　　　　　　　　　　　　再審査

　　令和　　年　　月　　日

　　　　　　　　　　　　　　　　　請求人住所
　　　　　　　　　　　　　　　　　氏名又は名称
　　　　　　　　　　　　　　　　　受益者との関係

知　　　事
厚生労働大臣　　　　　　　殿

| 1　不服の趣旨及び理由 |
| 2　処分（裁決）を知った日 |
| 3　不服申立ての教示の有無及びその内容 |

福祉事務所受付	年　月　日	都道府県受付	年　月　日

Ⅱ 生活保護法関係通知 第2章 保護の実施体制

様式第25号

　　　　　　　　　　　　　　　　　　　　　　　　　　番　　　　号
　　　　　　　　　　　　　　　　　　　　　　　　　　年　月　日
　　　　　　　　殿
　　　　　　　　　　　　　　　　　　　　　福祉事務所長
　　　　　　　　　　　　　　　　　　　　　氏　　　名　㊞

　　　　　生活保護法による保護の決定に伴う扶養義務者への通知について

　あなたの　　　　にあたる甲さんに対して生活保護法による保護の開始を決定いたしますので生活保護法第24条第8項の規定に基づき通知します。

氏　　　　　　　名	
保護の開始の申請があった日	

（参考）
　生活保護法第4条第1項　保護は、生活に困窮する者が、その利用し得る資産、能力その他あらゆるものを、その最低限度の生活の維持のために活用することを要件として行われる。
　　　　　　　　第2項　民法（明治29年法律第89号）に定める扶養義務者の扶養及び他の法律に定める扶助は、すべてこの法律による保護に優先して行われるものとする。
　生活保護法第24条第8項　保護の実施機関は、知れたる扶養義務者が民法の規定による扶養義務を履行していないと認められる場合において、保護の開始の決定をしようとするときは、厚生労働省令で定めるところにより、あらかじめ、当該扶養義務者に対して書面をもって厚生労働省令で定める事項を通知しなければならない。ただし、あらかじめ通知することが適当でない場合として厚生労働省令で定める場合は、この限りでない。
　民　法　第877条第1項　直系血族及び兄弟姉妹は、互いに扶養をする義務がある。
　　　　　　　　第2項　家庭裁判所は、特別の事情があるときは、前項に規定する場合のほか、三親等内の親族間においても扶養の義務を負わせることができる。

※「知れたる扶養義務者が民法の規定による扶養義務を履行していないと認められる場合」とは、当所において、①定期的に会っているなど交際状況が良好であること、②扶養義務者の勤務先等から当該要保護者にかかる扶養手当や税法上の扶養控除を受けていること、③高額な収入を得ているなど資力があることが明らかであること等を総合的に勘案して判断しています。

様式第26号

　　　　　　　　　　　　　　　　　　　　　　　　　番　　　　号
　　　　　　　　　　　　　　　　　　　　　　　　　年　月　日
　　　　　　殿
　　　　　　　　　　　　　　　　　　　　　　福祉事務所長
　　　　　　　　　　　　　　　　　　　　　氏　　　　名　㊞

　　　　　生活保護法第28条第2項の規定に基づく報告について（依頼）

　あなたの　　　にあたる甲さん（住所　　　　）は生活保護法による保護を申請して（受けて）いますが、生活保護法では民法に定められた扶養義務者による扶養は生活保護に優先して行われるものとされており、民法に定める扶養義務を履行することが可能と認められる扶養義務者が、扶養義務を履行していないときは、履行しない理由など保護の決定や実施などのために必要な範囲で、扶養義務者に対して報告を求めることができることとなっています。
　つきましては、保護の決定や実施などのため必要がありますので、　年　月　日までに扶養義務を履行しない理由について報告いただきますようお願いします。
※「民法に定める扶養義務を履行することが可能と認められる扶養義務者」とは、当所において、①定期的に会っているなど交際状況が良好であること、②扶養義務者の勤務先等から当該要保護者にかかる扶養手当や税法上の扶養控除を受けていること、③高額な収入を得ているなど資力があることが明らかであること等を総合的に勘案して判断しています。

　（特記事項）
　　　　　　　　　　　　　　　　　　　　　　　（担当者　　　　　）

（参考）
　生活保護法第4条第1項　保護は、生活に困窮する者が、その利用し得る資産、能力その他あらゆるものを、その最低限度の生活の維持のために活用することを要件として行われる。
　　　　　　　　　　第2項　民法（明治29年法律第89号）に定める扶養義務者の扶養及び他の法律に定める扶助は、すべてこの法律による保護に優先して行われるものとする。
　生活保護法第28条第2項　保護の実施機関は、保護の決定若しくは実施又は第77条若しくは第78条の規定の施行のため必要があると認めるときは、保護の開始又は変更の申請書及びその添付書類の内容を調査するために、厚生労働省令で定めるところにより、要保護者の扶養義務者若しくはその他の同居の親族又は保護の開始若しくは変更の申請の当時要保護者若しくはこれらの者であった者に対して、報告を求めることができる。
　民　法　第877条第1項　直系血族及び兄弟姉妹は、互いに扶養をする義務がある。
　　　　　　　　　　第2項　家庭裁判所は、特別の事情があるときは、前項に規定する場合のほか、三親等内の親族間においても扶養の義務を負わせることができる。

様式第27号

令和　年　月　日

就労自立給付金申請書

福祉事務所長殿

申請者　住所又は居所
　　　　氏名
　　　　個人番号

　下記のとおり、相違ありませんので、就労自立給付金の支給について必要書類を添えて申請します。

記

1　保護を必要としなくなった事由

2　添付書類

3　世帯構成員

氏　　名	性　別	生　年　月　日
	男・女	（　　　）年　月　日 歳
	男・女	（　　　）年　月　日 歳
	男・女	（　　　）年　月　日 歳
	男・女	（　　　）年　月　日 歳

4　公金受取口座の利用について（どちらか1つを選択してください。）
　　□利用する　　　　□利用しない
　※上記で「利用しない」を選択した場合は、原則、保護費の振込先口座へ給付金が振り込まれます。
　　なお、上記で「利用しない」を選択した場合で、かつ、保護費の振込先口座以外の口座への振込みを希望する場合は、別途お申し出下さい。

様式第28号

就労自立給付金決定調書							
ケース番号	対象者氏名						世帯構成
決判	年 月 日	稟議	所長	課長	指導員	施行		起案	年 月 日
								担当員	

就労自立給付金決定伺
調書のとおり決定してよろしいか。なお御決裁の上は例文により通知してよろしいか。

就労自立給付金決定欄			
		最低給付額	
算定対象期間	収入充当額	算定率	積立額

	積立合計額	
	上　限　額	
	支　給　額	

決定理由

支給日及び支給方法

様式第29号

発 第　　　　号
年　月　日
福祉事務所長

　　　　　　殿

就労自立給付金決定通知書

　　年　　月　　日付で申請された生活保護法による就労自立給付金を、下記のとおり決定したことから通知します。

記

1　支給額　　　　　　　　　　　　　円
2　保護の廃止時期　　　　　年　月　日
3　支給を決定した理由
4　就労自立給付金の支給日及び支給方法

（備考）
(1)　この決定通知が申請書受理後14日を経過した理由
(2)　この決定に不服があるときは、この決定があったことを知った日の翌日から起算して3か月以内に、知事に対し審査請求をすることができます（なお、決定があったことを知った日の翌日から起算して3か月以内であっても、決定があった日の翌日から起算して1年を経過すると審査請求をすることができなくなります。）。
(3)　上記(2)の審査請求に対する裁決を経た場合に限り、その審査請求に対する裁決があったことを知った日の翌日から起算して6か月以内に、市を被告として（訴訟において市を代表する者は市長となります。）この決定の取消しの訴えを提起することができます（なお、裁決があったことを知った日の翌日から起算して6か月以内であっても、裁決があった日の翌日から起算して1年を経過すると決定の取消しの訴えを提起することができなくなります。）。ただし、次の①から③までのいずれかに該当するときは、審査請求に対する裁決を経ないでこの決定の取消しの訴えを提起することができます。①審査請求をした日（行政不服審査法（平成26年法律第68号）第23条の規定により不備を補正すべきことを命じられた場合にあっては、当該不備を補正した日）の翌日から起算して50日（50日以内に行政不服審査法第43条第3項の規定により通知を受けた場合は70日）を経過しても裁決がないとき。②決定、決定の執行又は手続きの続行により生ずる著しい損害を避けるため緊急の必要があるとき。③その他裁決を経ないことにつき正当な理由があるとき。
(4)　就労自立給付金は、この通知を受けた日の属する年分の一時所得となりますが、一時所得には50万円の特別控除がありますので、他に生命保険の一時金など一時所得に該当する所得があり、50万円の特別控除をしてもなお残額がある場合に限り一時所得の金額が生じ、所得税及び個人住民税が課税されることになります。

生活保護法施行細則準則について

様式第30号

年　月　日

進学・就職準備給付金申請書

　　　長　殿

　　　　　　　　　　　　申請者
　　　　　　　　　　（進学する者又は就職する者）　　住所又は居所
　　　　　　　　　　　　　　　　　　　　　　　　　　氏名
　　　　　　　　　　　　　　　　　　　　　　　　　　個人番号

進学・就職準備給付金の支給について、次のとおり関係書類を添えて申請します。

記

1　世帯主の氏名　＿＿＿＿＿＿＿
2　申請者の生年月日　　　年　　　月　　　日
3　進学・就職する先（大学等名、会社名等）
　　名称　＿＿＿＿＿＿＿＿＿＿＿＿＿＿＿＿
4　進学・就職後の居住先（該当する□にチェックを入れてください。）
　□　進学・就職前の住宅と同じ
　□　転居により進学・就職前と異なる住居に居住（居住（予定）地を記載してください。）
　　　居住（予定）地　＿＿＿＿＿＿＿＿＿＿＿＿＿＿＿＿
5　就職の場合、おおむね6月以上最低限度の生活を維持するために必要な収入を得ることができると見込まれる理由

6　関係書類
　(1) 進学の場合
　　① 入学手続に着手していることが確認できる書類として、以下のいずれか
　　　・入学金を納付したことを証明する書類の写し
　　　・入学金延納（進学後に納付すること）を申請した書類の写し
　　　・入学金等の納付が不要な場合、進学先に提出する誓約書や進学先が発行する入学手続が完了したことを証明する書類等の写し
　　② 進学に伴い転居する場合は、新たに居住する住居の賃貸借契約書の写し等
　　③ その他支給決定にあたり必要な書類
　　※ 上記の書類を申請時に準備できない場合については、進学する学校の合格通知書や賃貸借契約時の見積書の写し等を添付した上で、後日、大学等に入学するまでにこれらの書類を提出してください。
　(2) 就職の場合
　　① 就職する見込みであることが確認できる書類として、以下のいずれか
　　　・内定通知書、事業主の発行する就職証明書等
　　　・個人事業主の場合、個人事業の開業届の写し
　　　・その他確実に就職先に就職することを証する書類
　　② 就職に伴い転居する場合は、新たに居住する住居の賃貸借契約書の写し等
　　③ その他支給決定にあたり必要な書類
　　※ 上記の書類を申請時に準備できない場合については、就職先の内定通知書や賃貸借契約時の見積書の写し等を添付した上で、後日、就職するまでにこれらの書類を提出してください。
7　進学・就職準備給付金振込先（申請者名義の口座に限ります。）
　　公金受取口座　□　利用する　　□　利用しない
　※ この給付金においては公金受取口座登録制度が適用されますので、上記で「利用する」を選択した場合は、本給付金振込先の記載及び通帳の写しなどの書類の添付は不要です。
　　金融機関名　＿＿＿＿＿＿＿　銀行・信用金庫・信用組合
　　　　　　　（該当する金融機関の種類に〇をしてください。）
　　支　店　名　＿＿＿＿＿＿＿　支店（ゆうちょ銀行除く）
　　記　　号　□□□□□　支店（ゆうちょ銀行のみ記載）
　　預金種類　□　普通預金　　□　当座預金
　　　　　　　（該当する□にチェックを入れてください。）
　　口座番号　□□□□□□□（右につめてご記載ください。）
　　［カ　ナ］
　　口座名義人　＿＿＿＿＿＿＿＿＿＿
　※ 上記の支店名・口座番号・口座名義人が確認できる通帳の写しなどの書類を添付してください。

様式第31号

進学・就職準備給付金決定調書		
ケース番号	対象者氏名	世帯主氏名

決判	年 月 日	稟議	所長	課長	指導員	施行		起案	年 月 日
								担当員	

進学・就職準備給付金決定伺

調書のとおり決定してよろしいか。なお御決裁の上は例文により通知してよろしいか。

進 学 ・ 就 職 準 備 給 付 金 決 定 欄
支給額 　　　　　　　　円 （進学先または就職先） （進学後または就職後の居住先）

不 支 給 の 理 由

進学・就職準備給付金を支給する場合、支給日及び支給方法

様式第32号

発第　　　　　号
　　　　年　　月　　日

　　　　　　殿

福祉事務所長

　　　　　　　進学・就職準備給付金支給（不支給）決定通知書

　　　　　年　　　月　　　日付で申請された生活保護法による進学・就職準備給付金を、下記のとおり決定しましたので通知します。

記

○　支給の可否
　　□　支給
　　□　不支給

○　進学・就職準備給付金を支給する場合、支給額、支給日、支給方法
　　支給額　　　　　　　　　　　　　　　円
　　支給日　　　　　　　　　　　年　　月　　日

○　不支給の場合、その理由

（備考）
(1)　この決定通知が申請書受理後14日を経過した理由
(2)　この決定に不服があるときは、この決定があったことを知った日の翌日から起算して3か月以内に、知事に対し審査請求をすることができます（なお、決定があったことを知った日の翌日から起算して3か月以内であっても、決定があった日の翌日から起算して1年を経過すると審査請求をすることができなくなります。）。
(3)　上記(2)の審査請求に対する裁決を経た場合に限り、その審査請求に対する裁決があったことを知った日の翌日から起算して6か月以内に、市を被告として（訴訟において市を代表する者は市長となります。）この決定の取消しの訴えを提起することができます（なお、裁決があったことを知った日の翌日から起算して6か月以内であっても、裁決があった日の翌日から起算して1年を経過すると決定の取消しの訴えを提起することができなくなります。）。ただし、次の①から③までのいずれかに該当するときは、審査請求に対する裁決を経ないでこの決定の取消しの訴えを提起することができます。①審査請求をした日（行政不服審査法（平成26年法律第68号）第23条の規定により不備を補正すべきことを命じられた場合にあっては、当該不備を補正した日）の翌日から起算して50日（50日以内に行政不服審査法第43条第3項の規定により通知を受けた場合は70日）を経過しても裁決がないとき。②決定、決定の執行又は手続きの続行により生ずる著しい損害を避けるため緊急の必要があるとき。③その他裁決を経ないことにつき正当な理由があるとき。
(4)　進学・就職準備給付金は、所得税や個人住民税は課されず、国税や地方税の滞納処分による差押えは禁止されています。

Ⅱ 生活保護法関係通知 第2章 保護の実施体制

様式第33号

　　　　　　　　　生活保護法第78条の2の規定による保護金品等を
　　　　　　　　　徴収金の納入に充てる旨の申出書
　　　　　　　　　　（生活保護法第77条の2第1項に基づく徴収金の
　　　　　　　　　　場合）

　私は、　　　　年　　月分からの保護金品等（保護費（金銭給付されるものに限る。）及び就労自立給付金をいう。以下同じ。）より、毎月　　　円を　　　年　　月　　日付費用徴収決定通知による法第77条の2第1項の規定に基づく徴収金の支払いに充てることを申し出ます。
　なお、申出の撤回又は申出内容の変更を行わない限りにおいて、本申出に基づき、徴収金を全て納付するまで保護金品等から支払いに充てるものとします。

　　　　年　　月　　日
　　住　所
　　氏　名

　福祉事務所長　殿

様式第34号

　　　　　　　　　生活保護法第78条の2の規定による保護金品等を
　　　　　　　　　徴収金の納入に充てる旨の申出書
　　　　　　　　　　（生活保護法第78条第1項に基づく徴収金の場合）

　私は、不実の申告など不正な手段により保護を受けた場合は、生活保護法第78条の2に基づき、交付される保護金品等（保護費（金銭給付されるものに限る。）及び就労自立給付金をいう。以下同じ。）の額から、生活保護法第78条第1項に基づく徴収金のうち貴福祉事務所と協議し定める額について、当該保護金品等の交付期日をもって支払いに充てる旨を下記の内容について確認した上で、申し出ます。
　なお、申出の撤回又は申出内容の変更を行わない限りにおいて、本申出に基づき、徴収金を全て納付するまで保護金品等から支払いに充てるものとします。

記

○　生活保護制度は、全額公費によってその財源が賄われていることから、不正受給はあってはならない。不正受給があった場合、生活保護法第78条に基づく徴収金は、必ず

全額支払わなければならないものであること
○ 不正をしようとする意思がなくても、申告漏れが度重なる場合は「不実の申告」と福祉事務所に判断される場合があること
○ 徴収金の支払いに際して、一括して納付することが困難な場合には、家計の節約に努め、本申出の方法により保護金品等から支払いに充てること

　　　　　年　　月　　日

　　　　　　　　　　　　　　　　　　　　住　所
　　　　　　　　　　　　　　　　　　　　氏　名

福祉事務所長　殿

　　　　　年　　月　　日

　私は、本申出に基づき、　　年　　月分からの保護金品等より毎月　　　　　円を　　年　　月　　日付費用徴収決定通知による法第78条第１項の規定に基づく徴収金の支払いに充てるものとします。

〔参　考〕
　○「生活保護法施行細則準則について」の一部改正について
　　　　　　　　　　　令和６年６月18日　社援発0618第６号
　　　　　　　　　　　各都道府県知事・各市市長・各特別区区長・各福祉事
　　　　　　　　　　　務所を設置する町村の長宛　厚生労働省社会・援護局
　　　　　　　　　　　長通知

　今般、「生活保護法施行細則準則について」（平成12年３月31日社援第871号厚生省社会・援護局長通知）の一部を別紙の新旧対照表のとおり改正し、令和６年10月１日から適用することとしたので、御了知の上、保護の実施に遺漏のないように御対応されたい。

Ⅱ 生活保護法関係通知 第2章 保護の実施体制

[別　紙]
○ [生活保護法施行細則準則について] (平成12年3月31日社援第871号厚生省社会・援護局長通知)

改正後	現行
[別　紙]　(略) 様式第1号～第27号　(略) 様式第28号	[別紙]　(略) 様式第1号～第27号　(略) 様式第28号

就労自立給付金調書（略）

様式第29号～第34号　(略)

○保護の実施機関における生活保護業務の実施方針の策定について

平成17年3月29日　社援保発第0329001号
各都道府県・各指定都市・各中核市民生主管部(局)長宛　厚生労働省社会・援護局保護課長通知

　従来より、各実施機関においては、毎年度、当該実施機関の進むべき方向、取り組むべき重点事項、現在抱えている問題に関する改善の方向性を示した基本方針として「生活保護運営方針」を策定し、生活保護業務の適切な運営に努めていただいているところである。
　しかしながら、一部の実施機関の運営方針においては、現在抱えている課題及びその要因の分析が十分でないために、毎年度、同じ内容となっているものや、実施機関内に十分な周知が図られていないものなど、形骸化している状況も見受けられるところである。
　効率的かつ効果的な業務運営を行うためには、適切な計画を策定し、その計画に沿って業務を実施し、その結果を評価して、計画の見直しを行うことが必要であり、運営方針については、この一連の流れ（計画―実施―評価―見直し）を意識して適切な計画として活用されるよう策定されることが重要である。
　そのため、今般、当該方針を「生活保護業務実施方針」（以下、「実施方針」という。）とし、実効ある実施方針が策定されるよう、その策定方法等について下記のとおり示すこととしたので、管内実施機関に対して周知方お願いしたい。
　なお、本通知は地方自治法（昭和22年法律第67号）第245条の4第1項の規定による技術的助言であることを申し添える。

記

1　実施機関における現状及び課題の把握
 (1)　保護の動向及び雇用情勢など地域の状況について、客観的な資料等に基づいて分析を行い、対応すべき課題について整理すること。
 (2)　前年度の監査指摘事項などを踏まえ、実施機関の抱える問題点について把握すること。
　　なお、問題点の把握については、単に問題点を列記するだけではなく、問題点を分析し、その問題が生じている要因を把握すること。
 (3)　前年度に実施した業務の取組の結果を評価・分析し、改善を図る事項の有無について検証すること。
2　実施方針の策定
 (1)　保護の実施機関は毎年度、上記1により把握した現状を踏まえ、当該年度における

生活保護業務の実施について、当該実施機関が進むべき方向、取り組むべき事項、現在抱えている問題点についての改善の方向、自立支援プログラムの導入等を内容とする生活保護の実施の方針を定めること。
(2) 実施方針の策定については、業務全般について網羅するものではなく、既に恒常的な業務として定着している事項及び重要性や緊急性が低いと考えられる事項は除き、早急な改善や対応が必要な事項を中心として策定すること。
(3) 実施方針には、問題を生じている要因の改善に向け取り組む内容が明らかとなるよう、具体的な手順や方法を盛り込むこと。
　また、できる限り数値目標を設定するなど、あらかじめ取組の効果を測定する指標を設定すること。
(4) 実施方針は、査察指導員、又は査察指導員と現業員の代表者で構成する策定委員会等によって原案を作成し、これを実施機関の長以下関係職員の参加のもとに十分討議し、実効性のある方針を立てること。策定されたものは、実施機関の決定事項として位置づけ、現業員等に周知徹底すること。
3　事業計画の策定及び取組の実施
(1) 実施方針に基づき、月別にあるいは四半期毎に、取り組むべき重点事項及び調査事務や各種研修会等の具体的な取組の内容及び実施時期を明らかにするため事業計画を策定すること。
(2) 事業実施にあたっては、適宜進行状況の確認を行い、必要に応じ計画の見直しを行うなど、確実な事業実施に努めること。
4　結果評価
(1) 実施方針に基づいて実施した取組については、実施した結果及び効果を集約するとともに、取組内容の評価及び問題点の分析を行うこと。
(2) 評価の結果、改善が必要な事項については、次年度の実施方針の策定に反映させること。

◯生活保護法関係文書の保存期間について

〔昭和36年9月29日　社発第726号
各都道府県知事・各指定都市市長宛　厚生省社会局長
通知〕

　各地方公共団体に係る生活保護法関係文書の保存期間については、本来各地方公共団体において自主的に定められるべきものであるが、生活保護法施行後10年をこえる時日が経過し、同法関係文書の量が特に保護の実施機関において相当膨大になっていることにかんがみ、保護の実施機関における同法関係文書の保存期間の標準を別紙のとおり示すから、了知されたい。

　なお、生活保護法関係文書は、生活保護法による保護の決定実施に関する事務の性質上被保護者個人の秘密に関連するものが少なくないので、保存期間を経過した文書の処理については特に慎重を期し、原則として焼却すべきものであるから、念のため。また、この標準は最少限度の保存期間を意味するものであるが、各地方公共団体の既存の保存期間区分がこれと異なる場合にはこの標準の線に沿って適宜調整して差し支えないものであるし、事務処理の便宜等の理由により標準をこえて保存することは自由である。

別　紙
　　　生活保護法関係文書の保存期間の標準
1　生活保護法関係文書の保存期間の区分は、永久、10年、5年、3年及び1年とする。
2　各文書の保存期間は、別表のとおりとする。ただし、当該世帯に係る保護に関する処分につき不服の申立てが提起された場合には、その申立てに対する決定又は裁決が確定した後3年間は、当該処分に係る文書を保存するものとする。また、当該世帯に係る保護に関する処分につき訴訟が提起された場合には、永久保存とする。
3　保存期間の計画は、文書の完結の翌年又は翌年度（保護費及保護施設事務費関係については翌年度）から起算する。

別表

	文　書　名	区　分	備　考
保護費及び保護施設事務	保護費負担金精算書（原本）	10年	
	保護施設事務費精算書（原本）	10年	
	保護費負担金交付決定通知書	10年	
	保護費負担金確定通知書	10年	
	保護費関係予算差引簿	5年	
	施行事務費予算差引簿	5年	
	保護費返還（徴収）金納付通知書（控え）	5年	
	保護費関係報告書（経理状況報告等）（控え）	1年	
	繰替支弁金計算書（控え）	5年	

費用関係	保護金品支給台帳	5年	
	保護費支給明細書（控え）	5年	
	教育扶助費精算書（原本）	5年	
保護一般関係	受付簿	3年	
	保護申請書受理簿	5年	
	ケース番号登載簿	永久	
	ケース番号索引簿	永久	
	不服申立書処理簿	3年	
	保護開始申請書	廃止後5年	
	保護変更申請書	5年	
	保護台帳	廃止後5年	
	保護決定調書	5年	
	面接記録票	3年	
	ケース記録票	廃止後5年	
	保護決定通知書（原議）	5年	変更決定通知書及び法第18条第2項の規定による葬祭扶助申請書を含む。
	保護申請却下決定通知書（原議）	5年	
	保護廃止（停止）決定通知書（原議）	5年	
	生計その他の状況変動報告	3年	法第48条第4項による報告、法第61条による届出等を指す。
	要保護者に関する町村長の調査書等	3年	
	法第29条による報告書等	3年	
	保護施設への収容依頼書（原議）	収容終了後1年	
	要保護者の転出通知書（原議）	1年	
	特別基準関係文書	3年	
医療関係	医療台帳	廃止後5年	
	診療要否意見書等各要否意見書	3年	治療材料等保護変更申請書（傷病届）と不可分のものを除く。
	医療券及び診療報酬請求明細書等各給付券及び各請求明細書	5年	
	診察料及び検査料請求書	5年	
	検診命令書、検診書及び検診料請求書	5年	
	診療報酬請求書等各費用請求書	5年	
	結核及び精神病入院協議関係文書	3年	
	嘱託医執務日誌	3年	
	医療券交付処理簿等各給付券交付処理簿	3年	
調査関係	被保護者全国一斉調査基礎調査及び特別実態調査調査票	1年	
	上記調査の集計結果表（控え）	3年	
	被保護者全国一斉調査個別調査調査票（控え）	1年	
	医療扶助実態調査受給者状況調査調査票（控え）	1年	

○福祉部局との連絡・連携体制の強化について

（平成12年４月13日　事務連絡
都道府県水道担当課長宛　厚生省水道整備課）

　テレビ、新聞報道などで、ご承知のことと思いますが、本年２月に栃木県宇都宮市において、２歳女児が必要な福祉施策の提供を受けられず、死亡するとの事件がありました。また、マスコミ等の報道では、水道も生活に困窮していることを発見できる機関の一つであり、水道料金滞納を理由にした機械的な給水停止をすべきではなかったといった意見が少なからず出されているところです。

　福祉行政への対応は市町村の福祉部局で対応するのが基本ではありますが、今回の事件を契機に、水道も市町村の行政サービスの一翼を担っているとの視点、及び、水道も生活に困窮していることを発見できる機関の一つであるとの視点に立ち、真に生活に困窮している者に対する機械的な給水停止を行うといった事態を回避するため、関係部局との連絡・連携体制の強化が地域の実情に応じ適正に行われますよう、管下の水道事業者に対する周知及び注意喚起方お願い致します。

　なお、栃木県宇都宮市においては、福祉部局、水道部局等よりなる連絡調整会議を設置し、再発防止に向けた検討が行われていますが、厚生省からは、市民団体の意見を参考に、督促状の下に、「○月○日には給水停止を行いますので、真に生活に困窮されている方は、○○（市町村の福祉事務所等）へ連絡願います。」と付記することを検討するよう提案したところであるので、参考として下さい。また、既に福祉部局などとの良好な連絡・連携体制がとられている水道事業者にあっては、具体事例等の知見を、厚生省水道整備課まで、情報提供頂けるよう併せて管下の水道事業者に周知方お願い致します。

○要保護者の把握のための関係部局・機関等との連絡・連携体制の強化について

平成13年3月30日　社援保発第27号
各都道府県・各指定都市・各中核市民生主管部(局)長
宛　厚生労働省社会・援護局保護課長通知

　従来より、生活困窮者に関する情報が、福祉事務所の窓口につながるよう、生活保護制度について周知を図るとともに、民生委員、保険年金部局及び保健福祉部局等との連携・連絡体制等の整備やこれらの情報が提供された際には、きめ細かな面接相談を実施するとともに、その後のフォローアップの充実等をお願いしてきたところである。
　最近も生活困窮から料金等を滞納し水道・電気等のライフラインが止められ、死亡等に至るという大変痛ましい事件が発生したところである。そのため、更に地域の実情に応じ、水道・電気等の事業者や居宅介護支援事業者等の福祉サービス提供事業者等との連絡・連携体制についても強化を図り、要保護者の把握、適正な保護の実施に努められるよう管内実施機関に対し周知されたい。
　なお、住居によっては、水道・電気等の料金徴収等の業務について、通常の事業者とは異なり、都市基盤整備公団等の住宅管理者等が行っている事例もあるため留意されたい。

○福祉部局との連携等に係る協力について

> 平成14年4月23日
> 北海道電力株式会社取締役営業部長、東北電力株式会社取締役お客様本部営業部長、東京電力株式会社常務取締役、中部電力株式会社取締役販売本部営業部長、北陸電力株式会社常務取締役、関西電力株式会社常務取締役お客様本部本部長代理、中国電力株式会社取締役販売事業本部部長、四国電力株式会社取締役営業部長、九州電力株式会社常務取締役、沖縄電力株式会社常務取締役宛　資源エネルギー庁電力・ガス事業部電力市場整備課長通知

> 平成14年4月23日　14電ガ市第1号
> 社団法人日本ガス協会専務理事、社団法人日本簡易ガス協会専務理事宛　資源エネルギー庁電力・ガス事業部ガス市場整備課長通知

> 平成14年4月23日
> 社団法人全国エルピーガス卸売協会専務理事、社団法人日本エルピーガス連合会専務理事、全国農業協同組合連合会常務理事宛　資源エネルギー庁資源・燃料部石油流通課長通知

　生活困窮者に関しては、ここ数年、餓死事件が新聞等で報道されておりますが、(宛名)におかれましては、これまでにも、生活困窮者と把握できた場合に対して、供給停止について柔軟に対応したり、状況に応じて福祉事務所等へ連絡を行うなどの取組を自主的に行われているものと認識しております。

　生活困窮者への対応については、市町村等の福祉部局の対応が基本であると認識しておりますが、生活困窮者への対応として地域の連帯が必要であり、(電力会社又は宛名)がその一翼を担いうる重要な機関の一つであることや上記の最近の情勢を踏まえ、生活困窮者と把握できた場合には、料金未払いによる供給停止に関し柔軟な対応を行っていただくとともに、プライバシーの保護に配慮しつつ、福祉部局等との連携について協力していただくようお願い申し上げます。

○生活保護制度における福祉事務所と民生委員等の関係機関との連携の在り方について

> 平成15年3月31日　社援保発第0331004号
> 各都道府県・各指定都市・各中核市民生主管部(局)長
> 宛　厚生労働省社会・援護局保護課長通知

〔改正経過〕
　　第1次改正　平成30年3月30日社援保発0330第8号

　生活保護制度については、その適切な実施に向けて、従来より福祉事務所の組織的な対応の強化はもとより、生活保護法上協力機関として位置付けられている民生委員を始めその他関係機関（以下「民生委員等の関係機関」という。）との連携のための体制の確立に努めていただいているところである。
　今般、福祉事務所と民生委員等の関係機関との連携の在り方に関し、更に実効的かつ具体的なものを示し、両者の連携体制の強化の参考とするため、別紙「生活保護制度における福祉事務所と民生委員等の関係機関との連携の手引」を策定したので、管内福祉事務所に対して周知方お願いしたい。
　なお、本通知は、地方自治法（昭和22年法律第67号）第245条の4第1項に規定する技術的な助言であることを申し添える。
　（別　紙）
　　　　生活保護制度における福祉事務所と民生委員等の関係機関との連携の手引
Ⅰ　目的
　　生活保護制度の適切な運営に当たっては、要保護者の把握を始め、保護の要件の確認の徹底や被保護者の自立に向けた援助等を行うことが重要であり、そのためには、福祉事務所が民生委員等の関係機関と十分な連携を図ることが必要である。
　　しかしながら、福祉事務所と民生委員等の関係機関との連携の実態について、形式的であるとの指摘があること等から、これを実効的なものとするため、当該連携に係る具体的な手引を作成することにより、福祉事務所の参考に資することを目的とする。
Ⅱ　具体的な連携の在り方
　1　要保護者の発見・連絡
　　　生活保護制度は申請主義をとっているため、生活に困窮する者からの申請で保護の開始決定を行うことが原則となっている。
　　　しかしながら、単に本人等からの申請を待つだけでなく、真に保護が必要な者に対

して適切に保護が実施できるように、地域の実情に応じて、住民に対する制度の周知や民生委員等の関係機関との連携によって生活に困窮する者の情報が福祉事務所につながるような工夫が必要である。

(1) 住民に対する生活保護制度等の周知

福祉事務所は、住民に対して生活保護制度の概要やその相談窓口等について広報紙等を通じて周知する。その際、民生委員が生活保護法上協力機関と規定されていることや福祉事務所と関係機関とが連携を図り、生活に困窮する者の発見等について努めていること等を紹介し、制度への理解と協力を得られるよう工夫する。

○周知が必要な主な事項

事項	内容
①生活保護制度の概要	・法の趣旨、原理原則、保護が受けられる場合等
②相談等の窓口	・福祉事務所の連絡先（郡部事務所については、町村の担当窓口を含む。） ・担当地区別の民生委員名簿等
③民生委員の生活保護法上の位置付け	・生活保護法第22条において、「民生委員は、この法律の施行において、市町村長、福祉事務所長又は社会福祉主事の事務の執行に協力する」ものと規定されていること
④民生委員の守秘義務	・民生委員は、民生委員法第15条により守秘義務が課せられており、活動を通じて知り得た情報については細心の注意をはらって相談・援助活動をしていること
⑤関係機関との連携	・住民の福祉の向上のため、福祉事務所は関係機関との間で生活に困窮する者の発見・連絡等について連携を図っていること

(2) 民生委員等の関係機関との連携体制

社会保険の保険料、水道及び公営住宅の利用料等の長期滞納者や保健・医療・福祉施策の相談や利用の中で発見・通報された生活に困窮する者は、保護受給に至る場合もあり、これらの者に係る情報は重要である。

また、成年被後見人については、成年後見人がその財産の管理等を行っていることから、成年後見人からの情報は成年被後見人の急迫した状況の把握等にとって重要である。

そのため、福祉事務所は、民生委員等の関係機関に対して、生活保護制度の概要及び相談窓口の周知や関係機関が生活に困窮する者を発見した際の対応に係る協力依頼を行うことが必要である。

○民生委員等の関係機関への周知事項

事　項	内　容
①生活保護制度の概要	・法の趣旨、原理原則、保護が受けられる場合等
②連絡窓口	・福祉事務所の連絡先（郡部事務所については、町村の担当窓口を含む。）

○民生委員等の関係機関への協力依頼事項

事　項	内　容
①福祉事務所に対する情報提供	・生活に困窮する者の氏名、住所、問題状況等
②生活困窮者に対する情報提供	・制度の概要及び相談窓口（住所、電話番号等）

2　面接相談及び保護申請時の対応
(1)　面接相談時

　　民生委員等の関係機関が生活に困窮する者を発見し、福祉事務所に連絡した場合及び生活に困窮した者が直接福祉事務所に相談に来た場合のいずれにおいても、他法他施策を活用することで問題解決に至る場合には、関係施策の制度概要及び窓口となる関係機関の紹介を行う。その際、機械的な紹介にならないよう、相談者本人の抱える問題状況等について、当該関係機関にあらかじめ連絡するとともに、窓口が同一建物内である場合は、直接案内するなど配慮する。

○主な他法他施策とその窓口等

他法他施策	窓　口　等
①公的年金の受給	・社会保険事務所
②医療保険の高額療養費の適用	・市町村の国民健康保険担当課等
③生活福祉資金の貸付	・市町村社会福祉協議会又は民生委員
④各種福祉手当の受給	・市町村の保健福祉部局

(2)　保護申請時

　　保護申請中の世帯について保護の要否、種類、程度及び方法の決定を行うため、必要に応じて民生委員等の関係機関に情報提供を求め、調査を行う。

　　なお、民生委員等の関係機関から提供された要保護者に関する情報については、福祉事務所として、総合的に判断するための材料とするよう留意する。

　ア　民生委員への協力依頼

保護申請中の世帯の生活実態調査の実施に当たっては、その地区を担当する民生委員に対して、
① 当該世帯の生活状況
② 当該世帯への援助の有無とその内容（生活福祉資金の貸付、高齢者等に対する介護等）
等について、報告等の協力を依頼する。
イ　その他関係機関への協力依頼
生活保護法第29条に定める資産や収入に関する調査が、常に迅速かつ円滑に行われるよう関係機関に協力を求める。

○生活保護法第29条調査関係

関係機関	内　　容
①税務部局（町村）	・課税台帳上の所得状況、固定資産の有無及び評価額等についての照会
②社会保険事務所	・公的年金の給付に係る収入申告に疑義がある場合やその受給権の有無についての照会
③公共職業安定所	・雇用保険の失業給付に係る収入申告に疑義がある場合やその受給権の有無についての照会
④労働基準監督署	・労働者災害補償保険の給付に係る収入申告に疑義がある場合やその受給権の有無についての照会
⑤運輸支局	・自動車の保有についての照会
⑥金融機関・保険会社	・預貯金、生命保険等の保有の有無とその預貯金額及び解約返戻金の額についての照会
⑦雇用主等	・雇用主、取引先、農協等に就労状況や賃金等の額についての照会

3　保護受給中の対応
(1) 関係機関への連絡
保護の申請者は、保護の開始が決定された後、国民健康保険の被保険者証の返還等関係機関へ手続をとる必要があるため、当該手続に遺漏がないよう、本人に対して助言指導をするとともに、関係機関に対して連絡をとる。

○関係機関への主な連絡内容

関係機関	内　　容
①社会保険部局・社会	・国民健康保険：被保険者証の返還

保険事務所	・国民年金	：法定免除の手続
	・介護保険	：介護保険料の代理納付
②小学校、中学校	・教育扶助の適用による教材代等の支払方法の変更の連絡	

(2) 援助方針の樹立及び変更

　被保護世帯の自立に向けて援助をするためには、あらかじめ援助方針を樹立するとともに適宜当該世帯の状況の変化に併せて、その内容の変更を行う必要がある。そのため、必要に応じて、民生委員等の関係機関から必要な事項等について情報提供を求める。

　また、被保護世帯に係る援助方針の樹立及び変更を行った場合は、民生委員に当該援助方針を周知するとともに、必要に応じ、継続的な生活指導への協力及び生活状況の変化が生じた場合の情報提供を求める。

　その他、必要に応じ、民生委員等の関係機関に対して情報提供を依頼する。

○援助方針の樹立及び変更に必要な連携

関係機関	内　　　容
①民生委員	・援助方針の樹立及び変更を行うために必要な事項や保護の方法等に関する事項等についての参考意見を聴取 ・継続的な生活指導への協力及び生活状況の変化が生じた場合の情報提供について協力を依頼 ・被保護世帯に対する訪問活動の際の情報提供について協力を依頼
②保健福祉部局	・高齢者、障害者その他保健福祉施策の援助が必要な者について、次の事項の情報提供を依頼 　①身体上及び精神上の障害の状況 　②利用している施策及び利用可能な施策 　③その他留意点
③公共職業安定所	・求職活動の状況について、次の事項の情報提供を依頼 　①求職の登録状況 　②紹介実績 　③面接等の結果 ・求人情報、地域の雇用状況、就労援助のための諸対策等の情報交換を依頼
④保健所	・障害者の日常生活及び社会生活を総合的に支援するための法律第58条第1項の適用の可否や社会復帰に向けての施策の活用や今後の援助方針についての情報提供

	・を依頼 ・結核患者に対する結核予防法に基づく各種給付の可否についての情報提供を依頼
⑤児童相談所	・児童の健全育成に関する情報提供を依頼 ・児童虐待の事実や疑いがある場合、その被害を受けている子ども及び親に対する援助方針についての情報提供を依頼
⑥配偶者暴力相談支援センター	・一時保護所や民間のシェルターへ入所している際の生活保護の適用やそこから居宅での保護に変更する際に必要な敷金等の認定等に必要な情報提供を依頼
⑦警察署	・児童虐待及びドメスティック・バイオレンスについて、被害者や加害者に関する情報提供を依頼 ・非行少年等や社会環境の浄化に関わる問題やその疑いがある場合にこれらに関する情報提供を依頼
⑧小学校、中学校	・児童の健全育成に関する情報提供を依頼 ・児童虐待の事実や疑いがある場合、その被害を受けている子どもについての情報提供を依頼
⑨介護支援専門員	・居宅介護支援計画や給付管理についての情報提供を依頼 ・介護サービスの利用状況等に関する情報提供を依頼

4 連絡会議等の開催

上記のように、要保護者の発見・連絡から保護受給まで、不断の連携体制を整備するため、少なくとも年2回は民生委員等の関係機関との連絡会議を福祉事務所が開催することが必要である。

(1) 年度当初においては、次の事項についての説明、依頼及び情報交換を行う。
　① 生活保護制度の概要
　② 生活困窮者を発見した際の連絡体制
　③ 各種調査への協力
　④ 継続的な支援
(2) 年度末においては、当該年度に生じた事例の点検及び評価を行い、次年度に向けた連携体制の在り方について情報交換を行う。

5 なお、民生委員等の関係機関との連携を図る際には、各地方公共団体における個人情報保護制度に留意し、民生委員等の関係機関との必要な情報の共有を図ることが必要である。

○要保護者の把握のための関係部局・機関等との連絡・連携体制の強化の徹底について

平成22年10月1日　社援保発1001第1号
各都道府県・各指定都市・各中核市民生主管部(局)長
宛　厚生労働省社会・援護局保護課長通知

　従来より、「要保護者の把握のための関係部局・機関等との連絡・連携体制の強化について」（平成13年3月30日社援保発第27号　厚生労働省社会・援護局保護課長通知）にて通知しているとおり、生活困窮者に関する情報が、福祉事務所の窓口につながるよう、生活保護制度について周知を図るとともに、関係部局、機関等との連絡・連携体制について強化を図り、要保護者の把握、適正な保護の実施に努められるようお願いしてきたところです。

　今夏、記録的な猛暑に見舞われた中、生活困窮者が公共料金等を滞納し電気・ガス等の供給が止められ、死亡に至るという大変痛ましい事案が発生しました。また、一部の自治体においては、関係部局・機関等との連絡・連携体制が十分に図れていない実態も見受けられます。

　このような実態を踏まえ、生活困窮者に関する情報を福祉事務所が適切に収集する観点から、改めて管内における電気・ガス等の事業者等との連絡・連携体制の実態を把握した上で、「福祉部局との連携等に係る協議について」（平成14年4月23日資源エネルギー庁関係課長通知）に基づき、例えば、電気等の供給停止に際して、生活困窮者からの求めに応じ福祉事務所の連絡先を紹介する等の取組を事業者等と連携して実施するとともに、事業者等が生活困窮者と把握できた場合に供給停止に関し柔軟な対応がとれるよう、事業者等と認識を共有する等、必要な措置を講じていただくようお願いします。

　また、生活保護受給中の方についても、猛暑日等には必要に応じて、特に高齢者等に対する訪問、電話かけ等を行い、安否、健康状態の確認に努められるよう管内実施機関に対し周知していただくようお願いします。

　上記の実施状況については、別途報告を求めますので御了知願います。

　なお、本通知については、資源エネルギー庁と協議済みであることを念のため申し添えます。

○要保護者の把握のための関係部局・機関等との連絡・連携体制の強化の徹底について

(平成23年7月8日　社援保発0708第1号
各都道府県・各指定都市・各中核市民生主管部(局)長
宛　厚生労働省社会・援護局保護課長通知)

　生活保護行政の推進については、平素から格段の御配慮を賜り厚く御礼申し上げます。
　昨夏、記録的な猛暑に見舞われた中、生活困窮者が公共料金等を滞納し電気・ガス等の供給が止められ、死亡に至るという大変痛ましい事案が生じたことを踏まえ、別添1の「要保護者の把握のための関係部局・機関等との連絡・連携体制の強化の徹底について」（平成22年10月1日社援保発1001第1号　厚生労働省社会・援護局保護課長通知）を発出し、生活困窮者に関する情報が、福祉事務所の窓口につながるよう、生活保護制度について周知するとともに、関係部局、機関等との連絡・連携体制について強化を図り、要保護者の把握、適正な保護の実施に努めるよう通知したところです。
　今夏については、厳しい電力供給の状況を踏まえ、政府として国民の皆様に節電に向けた各般の取組をお願いしているところでもあり、改めて夏季における生活困窮者の健康管理等の重要性について御理解いただき、下記事項について、必要な措置を講じていただくようお願いします。

記

1　要保護者に関する情報を福祉事務所が適切に収集する観点から、管内における電気・ガス等の事業者等との連絡・連携体制の実態を改めて把握すること。また、「福祉部局との連携等に係る協議について」（平成14年4月23日資源エネルギー庁関係課長通知）に基づき、例えば、電気等の供給停止に際して、生活困窮者からの求めに応じ福祉事務所の連絡先を紹介する等の取組を事業者等と連携して実施するとともに、事業者等が生活困窮者を把握した場合に柔軟な対応がとれるよう、あらかじめ事業者等と認識を共有するなど、必要な体制を整備すること。
2　「要保護者の把握のための関係部局・機関等との連絡・連携状況について（調査依頼）」（平成23年1月7日付厚生労働省社会・援護局保護課保護係長事務連絡）によって調査した結果が別添2のとおりであり、福祉事務所と関係機関との情報交換等連携が必ずしも十分とは言えないことから、同調査結果を踏まえ、関係機関との連携を十分に図ること。
3　別添3の、「熱中症予防の普及啓発・注意喚起について（周知依頼）」を踏まえ、生活保護受給者をはじめとする要保護者の方が、熱中症等の健康被害に遭うことを予防するため、別添リーフレットを配布する等により、熱中症予防を広く呼びかけること。また、猛暑日等には必要に応じて、特に熱中症になりやすい高齢者等に対する訪問、電話かけ等を行い、安否、健康状態の確認に努めるよう管内福祉事務所に対し周知すること。

また、別添4の「熱中症対策の取り組み事例の紹介について（情報提供）」（平成23年6月27日付厚生労働省社会・援護局地域福祉課事務連絡）で示されている、各自治体の取組を参考に、高齢者等に対する熱中症対策について、福祉事務所と関係部局との連携を十分に図ること。
別添1～4　略

○生活に困窮された方の把握のための関係部局・機関等との連絡・連携体制の強化の徹底について

平成24年2月23日　社援発0223第3号
各都道府県知事・各指定都市市長・各中核市市長宛
厚生労働省社会・援護局長通知

　従来より、「要保護者の把握のための関係部局・機関等との連絡・連携体制の強化について」（平成13年3月30日社援保発第27号厚生労働省社会・援護局保護課長通知）にて通知しているとおり、生活に困窮された方に関する情報が、地方自治体の福祉担当部局の窓口につながるよう、関係部局、機関等との連絡・連携体制について強化を図り、生活に困窮された方の把握や必要な支援に努めるようお願いしてきたところである。
　今般、生活に困窮された方が公共料金等を滞納し電気・ガス等の供給が止められた状態で発見されるという大変痛ましい事案が発生している。また、一部の地方自治体においては、関係部局・機関（民生委員を含む）等との連絡・連携体制が十分に図られていない実態も見受けられる。
　このような実態を踏まえ、生活に困窮された方に関する情報を地方自治体の福祉担当部局が適切に収集する観点から、改めて管内における電気・ガス等の事業者等との連絡・連携体制の実態を把握した上で、「福祉部局との連携等に係る協力について」（平成14年4月23日資源エネルギー庁関係課長通知）に留意し事業者等と連携を強化されたい。
　なお、その際は事業者や民生委員等から得られる生活に困窮された方の情報が着実に必要な支援につながるよう、地方自治体の福祉担当部局にこうした情報を一元的に受け止める体制を構築されたい。こうした情報を得た地方自治体の福祉担当部局は、民生委員等と連携の上、必要に応じて、生活に困窮された方に対する訪問、電話かけ等を行い、安否、健康状態の確認を行うなど適切な支援を実施されたい。
　今後、事業者と福祉関係部局との連携がより円滑に行われるようにするための方策について、検討することとしているのでご了知されたい。
　なお、本通知については、資源エネルギー庁と協議済みであることを念のため申し添える。

○身元不明者の身元確認を行うための生活保護担当部局における対応について

> 平成26年9月26日　社援保発0926第1号
> 各都道府県・各指定都市・各中核市民生主管部(局)長宛
> 厚生労働省社会・援護局保護課長通知

　今般、平成26年6月5日の警察庁公表資料による認知症の人の行方不明の状況や、昨今の新聞報道等による身元不明のまま保護されている認知症高齢者等が一定程度存在している問題を受けて、別添1のとおり本年6月に実施した「徘徊などで行方不明になった認知症の人等に関する実態調査」の調査結果（概況）が公表されたところである。

　生活保護法では、要保護者が急迫した状況にあるときは、すみやかに職権をもって保護を決定し、保護を開始することとしていることから、今回の調査においても、身元不明者のうち多くの者に対して、生活保護法による保護の適用がなされていることが判明している。

　これまでも、福祉事務所においては、身元不明者に対して関係部局・機関等と連携し、必要な支援を行ってきたものと考えているが、今般、別添2のとおり「今後の認知症高齢者等の行方不明・身元不明に対する自治体の取組の在り方について」（平成26年9月19日老発0919第4号厚生労働省老健局長通知）が発出されたところであり、今後、このような各地方自治体における身元不明者の身元確認に関する取組を進めていく上で、生活保護担当部局において望まれる対応を下記のとおり整理したので、了知の上、管内実施機関に対して周知されたい。

記

1　関係部局・機関等との連携体制の構築
　　各地方自治体において、身元不明者への対応を円滑に進められるよう、関係部局・機関等と十分に協議し、連携体制の構築に努めること。
2　身元確認を行う上で重要となる情報の整理
　　福祉事務所における身元不明の生活保護受給者への訪問活動等の支援を通じて、身元確認を行う上で重要となる情報を有することが多いため、関係部局・機関等との情報共有を図る観点から、身元不明のまま生活保護を適用している者について、上記通知3の(3)本人の身元確認につながると考えられる情報例を参考に、対象者の情報等を整理した名簿等を作成すること。
3　各地方自治体における情報公開や特設サイトの活用
　　現在、一部の地方自治体において特設サイトを開設し、身元不明者の情報公開が行われているところであり、これらの取組を参考として、関係部局と連携した上で、同様の取組の実施を検討すること（その際、各地方自治体における情報公開条例等との関係で、たとえ顔写真等の公開が難しい場合であっても、管内に身元不明として保護してい

る人数や保護開始年月日、性別等の基本的な情報と併せて、自治体の問合せ先を掲載したサイトを開設するだけでも、行方不明者をお探しのご家族等にとって有益な情報になると考えられる)。

　なお、各地方自治体において特設サイト等を開設した場合には、別添3「身元不明の認知症高齢者等に関する特設サイトの設置及び運用について」(平成26年8月5日当省老健局高齢者支援課認知症・虐待防止対策推進室事務連絡)で示されているとおり、当省のホームページに、地方自治体の当該ホームページへのリンクの一覧を掲載した特設サイトが設置されているので、開設に当たって参考とされたい。

(http://www.mhlw.go.jp/stf/seisakunitsuite/bunya/0000052978.html)
別添1～3　略

○保護の実施機関における訪問基準の作成について

> 平成27年3月31日　社援保発0331第4号
> 各都道府県・各指定都市・各中核市民生主管部(局)長
> 宛　厚生労働省社会・援護局保護課長通知

　生活保護における訪問調査は、生活保護受給世帯の生活状況等を把握し、保護の要否及び程度の確認、援助方針への反映やこれに基づく自立助長のための助言指導などを目的として行われるものとしている。その達成のためには、個々の生活保護受給世帯ごとに具体的に策定された援助方針を踏まえ、訪問調査目的を明確にした上で年間訪問計画を策定し、それに基づき確実な訪問調査を実施する必要がある。

　また、従来より、年間訪問計画の策定に当たっては、各実施機関において生活保護受給世帯の世帯類型や助言指導の必要性等に応じ、かつ、訪問目的を達成するために考慮された訪問基準であれば、それに基づき世帯の状況に応じた訪問計画を策定して差し支えないこととしているところである。

　しかしながら、今般、総務省の「生活保護に関する実態調査結果に基づく勧告」(平成26年8月)において、実施機関ごとの訪問計画水準に相違がみられ、また、計画と実績との間に乖離が生じており、計画の意義が乏しいものになっていると指摘されているところである。

　そのため、今般、全国的に同一水準の訪問計画が策定されるよう、訪問基準の作成の考え方をすでに各実施機関が独自に定めている訪問基準を参考に、下記のとおりとりまとめたので、適正な計画の策定が行われるよう管内実施機関に対して周知方お願いする。

　なお、訪問基準の作成の考え方はあくまで目安として示すものであり、実際に訪問基準を作成する場合には、これを一律機械的にあてはめる必要はないが、地域の実情等を踏まえつつ、必要十分な訪問調査が実施されるものとなるよう留意されたい。

記

1　訪問基準の作成

　実施機関において訪問基準を作成する場合には、生活保護受給世帯の生活状況や助言指導の必要性、援助方針等を考慮し、以下の考え方を踏まえて作成すること。

(1)　次のいずれかに該当する生活保護受給世帯は、1箇月又は2箇月に1回以上を目安として訪問調査を行う必要がある。

　　ア　就労阻害要因がないにもかかわらず、稼働能力の活用が不十分であるなど、積極的な助言指導を要する世帯

　　イ　生活状況や療養態度に課題があり、かつ民生委員・児童委員や保健所、児童相談所、地域包括支援センター等の関係機関(以下「民生委員等の関係機関」という。)との関わりや扶養義務者、近隣住民等との交流がないなど、生活状況や健康

状態等の把握を要する世帯
　　ウ　資産や他法他施策の活用を怠っており助言指導を要する世帯
　　エ　その他継続的な助言指導を要する世帯
(2)　次のいずれかに該当する生活保護受給世帯は、3箇月又は4箇月に1回以上を目安として訪問調査を行う必要がある。
　　ア　稼働能力の活用が不十分であったり、又は就労状況や就労収入が安定していないなど、定期的に助言指導を要する世帯（(1)アに該当する場合を除く。）
　　イ　民生委員等の関係機関との関わりや扶養義務者、近隣住民等との交流がほとんどなく、生活状況や健康状態等の把握を要する世帯
　　ウ　その他定期的な助言指導を要する世帯
(3)　(1)及び(2)以外の生活保護受給世帯は、6箇月に1回以上の訪問調査を行う必要がある。
　　ただし、「生活保護法による保護の実施要領について」（昭和38年4月1日付け社発第246号厚生省社会局長通知。以下「局長通知」という。）第12の1の(2)において、1年に1回以上の訪問とされている生活保護受給世帯については、この限りでない。
2　臨時訪問の実施
　実施機関においては、訪問計画以外に、局長通知第12の1の(3)に掲げる場合には、臨時訪問を行うこととされているが、その際には、次の事項に留意して実施する必要がある。
(1)　不在等の理由により生活状況等の把握が出来なかった場合や生活状況や健康状態などに変化があると認められるなど、状況の確認や助言指導を行う必要がある場合には、局長通知12の1の(3)のオに該当するものとして、臨時訪問を行うこと。
(2)　(1)のような状態が継続する場合には、訪問計画の見直しを行うこと。
　　なお、不在等により再訪問を行う時期については、当該月に行うことが望ましいこと。

○生活保護事務におけるマイナンバー導入に関する留意事項について

> 平成27年9月16日　社援保発0916第1号
> 各都道府県・各指定都市・各中核市民生主管部(局)長宛
> 厚生労働省社会・援護局保護課長通知

〔改正経過〕
　　　第1次改正　　令和6年5月27日社援保発0527第2号

　生活保護行政の推進については、平素より格段のご配慮を賜り厚く御礼申し上げます。
　さて、行政手続における特定の個人を識別するための番号の利用等に関する法律（平成25年法律第27号。以下「番号法」という。）の施行に伴い、生活保護事務において個人番号を活用することとなったため、「生活保護法施行細則準則について」（平成12年3月31日社援第871号厚生省社会・援護局長通知）の一部改正により、保護申請書等の様式に個人番号記載欄を追加し、また、身体障害者福祉法施行規則等の一部を改正する省令（令和5年厚生労働省令第127号）による生活保護法施行規則（昭和25年厚生省令第21号）の一部改正により、保護の開始等の申請における記載事項に個人番号が列挙されました。
　さらに、行政手続における特定の個人を識別するための番号の利用等に関する法律等の一部を改正する法律（令和5年法律第48号。以下「令和5年改正法」という。）等の施行に伴い、外国人保護事務についても、個人番号を活用することとなりました。
　今般、生活保護事務における個人番号の取扱いについて、下記のとおり留意事項をお示ししますので、その取扱いに遺漏なきよう管内福祉事務所への周知等よろしくお取り計らい願います。

記

1　生活保護申請時における個人番号の取扱いについて
(1)　生活保護法（昭和25年法律第144号）第24条第1項第5号及び生活保護法施行規則第1条第3項第1号において、保護の開始を申請する者が保護の実施機関に提出しなければならない申請書に記載する事項として、個人番号も列挙されていることから、申請書を受理する際には、所定の欄に個人番号を記載するよう申請者に求めること。
(2)　個人番号により必要な調査を全て行うことができるわけではないこと等から、個人番号の提供は保護の要件とはしていないが、デジタル庁による「マイナンバー利用事務におけるマイナンバー登録事務に係る横断的なガイドライン」（以下「横断的ガイドライン」という。）において、個人番号の取得は本人からの申請時に提供を受けることが原則とされていることから、可能な限り本人からの取得に努めること。それでも本人が個人番号の提供を拒む場合等においては、番号法第14条第2項に基づき、住基端末を利用して地方公共団体情報システム機構から個人番号を含む機構保存本人確

認情報(氏名、生年月日、性別、住所、個人番号等)の提供を受けることが可能であること。その際、横断的ガイドラインに記載のとおり、個人番号を特定するための住基ネット照会は、原則として、基本4情報(氏名・生年月日・性別・住所をいう。以下同じ。)又は氏名・生年月日・住所の3情報により行うこと。
(3) 住民登録のない者については個人番号が付番されないため、福祉事務所は住民票作成手続に必要な支援を行うこと。
(4) 生活保護法第24条第10項の規定による、町村長を経由した保護の開始又は変更の申請において、町村長は単なる経由機関に過ぎず、情報提供ネットワークシステムを使用した情報連携を行うことはできないこと。
(5) 個人番号を取り扱うにあたっては、各地方公共団体において策定した情報セキュリティポリシー等や特定個人情報の適正な取扱いに関するガイドライン(行政機関等編)(平成26年特定個人情報保護委員会告示第6号)等を遵守し、特定個人情報又は保有個人情報の漏えい、滅失、毀損その他の事態の発生を防止するため、適切な安全管理措置を講ずること。また、特定個人情報ファイルを保有する場合には、原則として、番号法第28条の規定に基づく特定個人情報保護評価の実施が義務付けられるとともに、漏えいその他の事態を発生させるリスクを軽減するための措置として特定個人情報保護評価書に記載した全ての措置を講ずる必要があること。
(6) 生活保護申請時に個人番号を取得する際は、横断的ガイドライン等を参照の上で正しく本人確認を行い、個人情報と基本4情報等を紐付ける登録事務を正しく行うこと。なお、生活保護事務においては、医療扶助におけるオンライン資格確認の運用において、被保護者のデータを住民基本台帳情報と照合・突合をすることとしているため、通常業務の中で、別途、横断的ガイドラインに記載の個人番号の紐付け誤り防止のための定期的な確認作業を実施しないこととして差し支えないが、常時から個人番号登録事務の実施体制を適切に確保する等、紐付け誤りが発生しないよう必要な対応を行うこと。
2 外国人の個人番号の取扱いについて
　一部の外国人住民(中長期在留者、特別永住者、一時庇護者及び仮滞在許可者、経過滞在者)も個人番号の付番の対象となっている。
　また、生活に困窮する外国人に対する生活保護の措置(「生活に困窮する外国人に対する生活保護の措置について」(昭和29年5月8日社発第382号厚生省社会局長通知)による。以下「外国人保護」という。)について、令和5年改正法等の施行に伴い、独自利用事務に係る条例を定めずとも、個人番号の「利用」が可能となったため、1に記載の内容も踏まえて適切に取り扱うこと。
　ただし、個人番号を利用した「情報連携」については、データ標準レイアウトの整備等を行う必要があることから、令和5年改正法及び行政手続における特定の個人を識別するための番号の利用等に関する法律第9条第1項に規定する準法定事務及び準法定事務処理者を定める命令(令和6年デジタル庁・総務省令第8号。以下「準法定事務主務省令」という。)等が施行された後も、当分の間は、独自利用事務に係る条例に基づき

情報連携を行う必要がある。このため、令和5年改正法及び準法定事務主務省令等の施行日に合わせて、独自利用事務に係る条例の規定の削除や個人情報保護委員会への独自利用事務の情報連携に係る中止の届出等をすることのないよう留意すること。

また、現在独自利用事務に係る条例を定めていない地方公共団体が情報連携を行うに当たっても、同様に、当分の間は、当該条例を定めるとともに、番号法第19条第9号に基づき、個人情報保護委員会に届出を行うことが必要であること。

なお、外国人保護の情報連携が可能となった場合においても、外国人保護に関する情報の提供については、現時点では番号法に基づく省令により手当がされていないことから、当該情報を提供することはできないので注意すること。

なお、上記の個人番号を利用した「情報連携」のうち、「情報照会」(準法定事務の実施に当たり、情報提供を求めること)については、現在、データ標準レイアウトを整備しているところであり、今後、令和7年6月頃を目途に、情報照会が可能となる見込みである。また、上記の個人番号を利用した「情報連携」のうち、「情報提供」(準法定事務の内容について、法定事務や他の準法定事務の実施のために情報提供すること)については、今後のスケジュールは未定である。

さらに、町村長を経由した保護の開始又は変更の申請を行う場合には、条例においてその旨規定する必要があることに留意すること。

第3章　保護の実施要領

第1節　基本通知

○生活保護法による保護の実施要領について

（昭和36年4月1日　厚生省発社第123号　各都道府県知事・各指定都市市長宛　厚生事務次官通知）

〔改正経過〕

第1次改正	昭和36年10月21日厚生省発社第314号	第2次改正	昭和37年4月2日厚生省発社第131号
第3次改正	昭和37年12月1日厚生省発社第362号	第4次改正	昭和37年12月22日厚生省発社第398号
第5次改正	昭和38年4月1日厚生省発社第67号	第6次改正	昭和38年9月12日厚生省発社第280号
第7次改正	昭和39年4月1日厚生省発社第72号	第8次改正	昭和39年12月15日発　社　第245号
第9次改正	昭和40年1月14日厚生省社第28号	第10次改正	昭和40年4月5日厚生省社第143号
第11次改正	昭和41年4月1日厚生省社第68号	第12次改正	昭和42年4月1日厚生省社第157号
第13次改正	昭和42年10月5日厚生省社第265号	第14次改正	昭和43年4月1日厚生省社第184号
第15次改正	昭和43年9月7日厚生省社第267号	第16次改正	昭和43年10月5日厚生省社第303号
第17次改正	昭和44年4月1日厚生省社第97号	第18次改正	昭和44年4月30日厚生省社第106号
第19次改正	昭和44年8月11日厚生省発社第183号	第20次改正	昭和44年10月6日厚生省社第214号
第21次改正	昭和45年2月6日厚生省社第92号	第22次改正	昭和45年4月1日厚生省社第258号
第23次改正	昭和45年10月8日厚生省社第603号	第24次改正	昭和46年4月1日厚生省社第257号
第25次改正	昭和46年9月28日厚生省社第559号	第26次改正	昭和47年3月14日厚生省社第213号
第27次改正	昭和47年9月29日厚生省社第748号	第28次改正	昭和48年3月12日厚生省社第200号
第29次改正	昭和48年10月1日厚生省社第895号	第30次改正	昭和49年4月1日厚生省社第333号
第31次改正	昭和49年5月9日厚生省社第473号	第32次改正	昭和49年6月13日厚生省社第528号
第33次改正	昭和49年9月30日厚生省社第746号	第34次改正	昭和49年11月27日厚生省社第848号
第35次改正	昭和50年3月31日厚生省社第240号	第36次改正	昭和50年8月15日厚生省社第758号
第37次改正	昭和51年3月31日厚生省社第297号	第38次改正	昭和51年5月18日厚生省社第479号
第39次改正	昭和51年8月14日厚生省社第752号	第40次改正	昭和51年9月20日厚生省社第827号
第41次改正	昭和52年3月31日厚生省社第296号	第42次改正	昭和52年5月14日厚生省社第470号
第43次改正	昭和52年8月18日厚生省社第760号	第44次改正	昭和53年3月31日厚生省社第377号
第45次改正	昭和53年5月11日厚生省社第556号	第46次改正	昭和54年1月17日厚生省社第9号
第47次改正	昭和54年3月31日厚生省社第345号	第48次改正	昭和54年7月27日厚生省社第669号
第49次改正	昭和55年1月25日厚生省社第60号	第50次改正	昭和55年3月31日厚生省社第428号
第51次改正	昭和55年5月1日厚生省社第514号	第52次改正	昭和55年11月27日厚生省社第985号
第53次改正	昭和56年3月31日厚生省社第332号	第54次改正	昭和56年5月20日厚生省社第547号
第55次改正	昭和56年7月22日厚生省社第726号	第56次改正	昭和57年3月31日厚生省社第381号
第57次改正	昭和57年5月11日厚生省社第514号	第58次改正	昭和58年3月31日厚生省社第230号
第59次改正	昭和58年5月17日厚生省社第358号	第60次改正	昭和59年3月31日厚生省社第266号
第61次改正	昭和59年5月22日厚生省社第388号	第62次改正	昭和60年3月30日厚生省社第341号
第63次改正	昭和60年5月21日厚生省社第465号	第64次改正	昭和61年3月31日厚生省社第295号
第65次改正	昭和61年5月17日厚生省社第492号	第66次改正	昭和62年3月28日厚生省社第348号
第67次改正	昭和62年5月18日厚生省社第449号	第68次改正	昭和63年3月31日厚生省社第191号
第69次改正	昭和63年5月25日厚生省社第300号	第70次改正	平成元年3月31日厚生省社第215号
第71次改正	平成元年5月24日厚生省社第324号	第72次改正	平成元年12月25日厚生省社第556号
第73次改正	平成2年3月31日厚生省社第198号	第74次改正	平成2年5月30日厚生省社第281号
第75次改正	平成3年3月30日厚生省社第143号	第76次改正	平成3年5月27日厚生省社第218号
第77次改正	平成4年3月31日厚生省社第169号	第78次改正	平成4年5月13日厚生省社第256号

生活保護法による保護の実施要領について

第79次改正	平成5年3月31日厚生省発社援第112号	第80次改正	平成5年5月13日厚生省発社援第154号
第81次改正	平成6年3月29日厚生省発社援第100号	第82次改正	平成6年5月26日厚生省発社援第160号
第83次改正	平成6年9月30日厚生省発社援第298号	第84次改正	平成6年11月30日厚生省発社援第339号
第85次改正	平成7年3月29日厚生省発社援第123号	第86次改正	平成7年5月22日厚生省発社援第181号
第87次改正	平成8年3月29日厚生省発社援第129号	第88次改正	平成9年3月31日厚生省発社援第96号
第89次改正	平成10年3月31日厚生省発社援第95号	第90次改正	平成10年5月14日厚生省発社援第152号
第91次改正	平成11年3月31日厚生省発社援第100号	第92次改正	平成11年5月17日厚生省発社援第149号
第93次改正	平成12年3月31日厚生省発社援第112号	第94次改正	平成15年3月31日厚生労働省発社援第0331001号
第95次改正	平成15年5月27日厚生労働省発社援第0527001号	第96次改正	平成15年8月26日厚生労働省発社援第0826002号
第97次改正	平成16年3月25日厚生労働省発社援第0325012号	第98次改正	平成17年3月31日厚生労働省発社援第0331003号
第99次改正	平成18年3月31日厚生労働省発社援第0331011号	第100次改正	平成19年3月31日厚生労働省発社援第0331001号
第101次改正	平成20年3月31日厚生労働省発社援第0331006号	第102次改正	平成21年10月29日厚生労働省発社援1029第13号
第103次改正	平成23年3月31日厚生労働省発社援0331第11号	第104次改正	平成24年3月30日厚生労働省発社援0330第3号
第105次改正	平成25年7月1日厚生労働省発社援0701第4号	第106次改正	平成26年3月31日厚生労働省発社援0331第7号
第107次改正	平成27年3月31日厚生労働省発社援0331第8号	第108次改正	平成27年8月6日厚生労働省発社援0806第3号
第109次改正	平成28年3月31日厚生労働省発社援0331第2号	第110次改正	平成29年3月31日厚生労働省発社援0331第2号
第111次改正	平成30年3月30日厚生労働省発社援0330第2号	第112次改正	平成30年9月4日厚生労働省発社援0904第3号
第113次改正	平成31年3月29日厚生労働省発社援0329第6号	第114次改正	令和元年7月17日厚生労働省発社援0712第2号
第115次改正	令和2年3月30日厚生労働省発社援0330第3号	第116次改正	令和2年8月28日厚生労働省発社援0805第6号
第117次改正	令和4年3月31日厚生労働省発社援0331第3号	第118次改正	令和5年3月30日厚生労働省発社援0330第56号
第119次改正	令和6年3月29日厚生労働省発社援0329第69号		

　標記については、昭和33年6月6日厚生省発社第111号厚生事務次官通知を全面改正して新たに次のとおり定めることとしたので、生活保護法による保護の実施については、法令及び告示に定めるもののほか、この要領によることとされたい。

　なお、本通知は地方自治法（昭和22年法律第67号）第245条の9第1項及び第3項の規定による処理基準であることを申し添える。

第1　世帯の認定

　同一の住居に居住し、生計を一にしている者は、原則として、同一世帯員として認定すること。

　なお、居住を一にしていない場合であっても、同一世帯として認定することが適当であるときは、同様とすること。

第2　実施責任

　保護の実施責任は、要保護者の居住地又は現在地により定められるが、この場合、居住地とは、要保護者の居住事実がある場所をいうものであること。

　なお、現にその場所に居住していなくても、他の場所に居住していることが一時的な便宜のためであって、一定期限の到来とともにその場所に復帰して起居を継続していく

ことが期待される場合等には、世帯の認定をも勘案のうえ、その場所を居住地として認定すること。

第3 資産の活用

最低生活の内容としてその所有又は利用を容認するに適しない資産は、次の場合を除き、原則として処分のうえ、最低限度の生活の維持のために活用させること。

なお、資産の活用は売却を原則とするが、これにより難いときは当該資産の貸与によって収益をあげる等活用の方法を考慮すること。

1 その資産が現実に最低限度の生活維持のために活用されており、かつ、処分するよりも保有している方が生活維持及び自立の助長に実効があがっているもの
2 現在活用されてはいないが、近い将来において活用されることがほぼ確実であって、かつ、処分するよりも保有している方が生活維持に実効があがると認められるもの
3 処分することができないか、又は著しく困難なもの
4 売却代金よりも売却に要する経費が高いもの
5 社会通念上処分させることを適当としないもの

第4 稼働能力の活用

要保護者に稼働能力がある場合には、その稼働能力を最低限度の生活の維持のために活用させること。

第5 扶養義務の取扱い

要保護者に扶養義務者がある場合には、扶養義務者に扶養及びその他の支援を求めるよう、要保護者を指導すること。また、民法上の扶養義務の履行を期待できる扶養義務者のあるときは、その扶養を保護に優先させること。この民法上の扶養義務は、法律上の義務ではあるが、これを直ちに法律に訴えて法律上の問題として取り運ぶことは扶養義務の性質上なるべく避けることが望ましいので、努めて当事者間における話合いによって解決し、円満裡に履行させることを本旨として取り扱うこと。

第6 他法他施策の活用

他の法律又は制度による保障、援助等を受けることができる者又は受けることができると推定される者については、極力その利用に努めさせること。

第7 最低生活費の認定

最低生活費は、要保護者の年齢別、性別、世帯構成別、所在地域別等による一般的な需要に基づくほか、健康状態等によるその個人又は世帯の特別の需要の相異並びにこれらの需要の継続性又は臨時性を考慮して認定すること。

1 経常的最低生活費

経常的最低生活費は、要保護者の衣食等月々の経常的な最低生活需要のすべてを満たすための費用として認定するものであり、したがって、被保護者は、経常的最低生活費の範囲内において通常予測される生活需要はすべてまかなうべきものであること。

実施機関は、保護の実施にあたり、被保護者がこの趣旨を理解し、自己の生活の維持向上に努めるよう指導すること。

2 臨時的最低生活費（一時扶助費）

臨時的最低生活費（一時扶助費）は、次に掲げる特別の需要のある者について、最低生活に必要不可欠な物資を欠いていると認められる場合であって、それらの物資を支給しなければならない緊急やむを得ない場合に限り、別に定めるところにより、臨時的に認定するものであること。

なお、被服費等の日常の諸経費は、本来経常的最低生活費の範囲内で、被保護者が、計画的に順次更新していくべきものであるから、一時扶助の認定にあたっては、十分留意すること。

(1) 出生、入学、入退院等による臨時的な特別需要
(2) 日常生活の用を弁ずることのできない長期療養者について臨時的に生じた特別需要
(3) 新たに保護開始する際等に最低生活の基盤となる物資を欠いている場合の特別需要

第8 収入の認定

収入の認定は、次により行うこと。

1 収入に関する申告及び調査

(1) 要保護者が保護の開始又は変更の申請をしたときのほか、次のような場合に、当該被保護者の収入に関し、申告を行わせること。

ア 実施機関において収入に関する定期又は随時の認定を行おうとするとき。
イ 当該世帯の収入に変動のあったことが推定され又は変動のあることが予想されるとき。

(2) 収入に変動があるときの申告については、あらかじめ被保護者に申告の要領、手続等を十分理解させ、つとめて自主的な申告を励行させること。

(3) 収入に関する申告は、収入を得る関係先、収入の有無、程度、内訳等について行わせるものとし、保護の目的達成に必要な場合においては、前記の申告を書面で行わせること。なお、その際これらの事項を証明すべき資料があれば、必ずこれを提出させること。

(4) 収入の認定にあたっては、(1)から(3)までによるほか、当該世帯の預金、現金、動産、不動産等の資産の状況、世帯員の生活歴、技能、稼働能力等の状況、社会保険その他社会保障的施策による受給資格の有無、扶養義務者又は縁故者等からの援助及びその世帯における金銭収入等のすべてについて綿密な調査を行い、必要に応じて関係先につき調査を行う等収入源について直接に把握すること。

2 収入額の認定の原則

収入の認定は、月額によることとし、この場合において、収入がほぼ確実に推定できるときはその額により、そうでないときは前3箇月間程度における収入額を標準として定めた額により、数箇月若しくはそれ以上の長期間にわたって収入の実情につき観察することを適当とするときは長期間の観察の結果により、それぞれ適正に認定すること。

Ⅱ 生活保護法関係通知 第3章 保護の実施要領

3 認定指針
(1) 就労に伴う収入
ア 勤労(被用)収入
(ｱ) 官公署、会社、工場、商店等に常用で勤務し、又は日雇その他により勤労収入を得ている者については、基本給、勤務地手当、家族手当及び超過勤務手当等の収入総額を認定すること。
(ｲ) 勤労収入を得るための必要経費としては、(4)によるほか、社会保険料、所得税、労働組合費、通勤費等の実費の額を認定すること。
イ 農業収入
(ｱ) 農業により収入を得ている者については、すべての農作物につき調査し、その収穫量に基づいて認定すること。
(ｲ) 農業収入を得るための必要経費としては、(4)によるほか、生産必要経費として小作料、農業保険法(昭和22年法律第185号)による掛金、雇人費、農機具の修理費、少額農具の購入費、納屋の修理費、水利組合費、肥料代、種苗代、薬剤費等についてその実際必要額を認定すること。
ウ 農業以外の事業(自営)収入
(ｱ) 農業以外の事業(いわゆる固定的な内職を含む。)により収入を得ている者については、その事業の種類に応じて、実際の収入額を認定し、又はその地域の同業者の収入の状況、その世帯の日常生活の状況等から客観的根拠に基づいた妥当性のある認定を行うこと。
(ｲ) 農業以外の事業収入を得るための必要経費は、(4)によるほか、その事業に必要な経費として店舗の家賃、地代、機械器具の修理費、店舗の修理費、原材料費、仕入代、交通費、運搬費等の諸経費についてその実際必要額を認定すること。ただし、前記家賃、地代等の額に住宅費を含めて処理する場合においては、住宅費にこれらの費用を重ねて計上してはならないこと。また、下宿間貸業であって家屋が自己の所有でなく、家賃を必要とする場合には、下宿間貸代の範囲内において実際家賃を認定して差し支えないこと。
エ その他不安定な就労による収入
知己、近隣等よりの臨時的な報酬の性質を有する少額の金銭その他少額かつ不安定な稼働収入がある場合で、その額(受領するために交通費等を必要とする場合はその必要経費の額を控除した額とする。)が月額1万5000円をこえるときは、そのこえる額を収入として認定すること。
(2) 就労に伴う収入以外の収入
ア 恩給、年金等の収入
(ｱ) 恩給、年金、失業保険金その他の公の給付(地方公共団体又はその長が条例又は予算措置により定期的に支給する金銭を含む。)については、その実際の受給額を認定すること。ただし、(3)のオ、ケ又はコに該当する額については、この限りでない。

(イ) (ア)の収入を得るために必要な経費として、交通費、所得税、郵便料等を要する場合又は受給資格の証明のために必要とした費用がある場合は、その実際必要額を認定すること。
イ 仕送り、贈与等による収入
(ア) 他からの仕送り、贈与等による金銭であって社会通念上収入として認定することを適当としないもののほかは、すべて認定すること。
(イ) 他からの仕送り、贈与等による主食、野菜又は魚介は、その仕送り、贈与等を受けた量について、農業収入又は農業以外の事業収入の認定の例により金銭に換算した額を認定すること。
(ウ) (ア)又は(イ)の収入を得るために必要な経費としてこれを受領するための交通費等を必要とする場合は、その実際必要額を認定すること。
ウ 財産収入
(ア) 田畑、家屋、機械器具等を他に利用させて得られる地代、小作料、家賃、間代、使用料等の収入については、その実際の収入額を認定すること。
(イ) 家屋の補修費、地代、機械器具等の修理費、その他(ア)の収入をあげるために必要とする経費については、最小限度の額を認定すること。
エ その他の収入
(ア) 地方公共団体又はその長が年末等の時期に支給する金銭（ア又は(3)のエ、ケ、コ若しくはサに該当するものを除く。）については、その額が世帯合算額8000円（月額）をこえる場合、そのこえる額を収入として認定すること。
(イ) 不動産又は動産の処分による収入、保険金その他の臨時的収入（(3)のオ、カ又はキに該当する額を除く。）については、その額（受領するために交通費等を必要とする場合は、その必要経費の額を控除した額とする。）が、世帯合算額8000円（月額）をこえる場合、そのこえる額を収入として認定すること。
(3) 次に掲げるものは、収入として認定しないこと。
ア 社会事業団体その他（地方公共団体及びその長を除く。）から被保護者に対して臨時的に恵与された慈善的性質を有する金銭であって、社会通念上収入として認定することが適当でないもの
イ 出産、就職、結婚、葬祭等に際して贈与される金銭であって、社会通念上収入として認定することが適当でないもの
ウ 他法、他施策等により貸し付けられる資金のうち当該被保護世帯の自立更生のために当てられる額
エ 自立更生を目的として恵与される金銭のうち当該被保護世帯の自立更生のためにあてられる額
オ 災害等によって損害を受けたことにより臨時的に受ける補償金、保険金又は見舞金のうち当該被保護世帯の自立更生のためにあてられる額
カ 保護の実施機関の指導又は指示により、動産又は不動産を売却して得た金銭のうち当該被保護世帯の自立更生のために当てられる額

キ　死亡を支給事由として臨時的に受ける保険金（オに該当するものを除く。）のうち当該被保護世帯の自立更生のために当てられる額

ク　高等学校等で就学しながら保護を受けることができるものとされた者の収入のうち、次に掲げるもの（ウからキまでに該当するものを除く。）

(ア)　生活保護法による保護の基準（昭和38年厚生省告示第158号）別表第7「生業扶助基準」に規定する高等学校等就学費の支給対象とならない経費（学習塾費等を含む。）及び高等学校等就学費の基準額で賄いきれない経費であって、その者の就学のために必要な最小限度の額

(イ)　当該被保護者の就労や早期の保護脱却に資する経費に充てられることを保護の実施機関が認めた場合において、これに要する必要最小限度の額

ケ　心身障害児（者）、老人等社会生活を営むうえで特に社会的な障害を有する者の福祉を図るため、地方公共団体又はその長が条例等に基づき定期的に支給する金銭のうち支給対象者一人につき8000円以内の額（月額）

コ　独立行政法人福祉医療機構法第12条第1項第10号に規定する心身障害者扶養共済制度により地方公共団体から支給される年金

サ　地方公共団体又はその長から国民の祝日たる敬老の日又はこどもの日の行事の一環として支給される金銭

シ　現に義務教育を受けている児童が就労して得た収入であって、収入として認定することが適当でないもの

ス　戦傷病者戦没者遺族等援護法による弔慰金又は戦没者等の遺族に対する特別弔慰金支給法による特別弔慰金

セ　未帰還者に関する特別措置法による弔慰料（同一世帯内に同一の者につきスを受けることができる者がある場合を除く。）

ソ　原子爆弾被爆者に対する援護に関する法律（平成6年法律第117号）により支給される医療特別手当のうち3万9390円並びに同法により支給される原子爆弾小頭症手当、健康管理手当、保健手当及び葬祭料

タ　戦没者等の妻に対する特別給付金支給法、戦傷病者等の妻に対する特別給付金支給法又は戦没者の父母等に対する特別給付金支給法により交付される国債の償還金

チ　公害健康被害の補償等に関する法律（昭和48年法律第111号）により支給される療養手当及び同法により支給される次に掲げる補償給付ごとに次に定める額

(ア)　障害補償費（介護加算額を除く。）　　障害の程度が公害健康被害の補償等に関する法律施行令（昭和49年政令第295号）第10条に規定する表（以下「公害障害等級表」という。）の特級又は1級に該当する者に支給される場合　3万6930円

障害の程度が公害障害等級表の2級に該当する者に支給される場合　1万8470円

障害の程度が公害障害等級表の3級に該当する者に支給される場合　1万1110円

(イ)　遺族補償費　3万6930円
　ツ　国及び地方公共団体が実施する統計調査の調査対象となり、協力した際に謝礼として支給される金額
(4)　勤労に伴う必要経費
　(1)のアからウまでに掲げる収入を得ている者については、勤労に伴う必要経費として別表「基礎控除額表」の額を認定すること。
　なお、新規に就労したため特別の経費を必要とする者については、別に定めるところにより、月額1万2200円をその者の収入から控除し、20歳未満の者については、別に定めるところにより、月額1万1600円をその者の収入から控除すること。
(5)　その他の必要経費
　次の経費については、真に必要やむを得ないものに限り、必要な最小限度の額を認定して差し支えないこと。
　ア　出かせぎ、行商、船舶乗組、寄宿等に要する一般生活費又は住宅費の実費
　イ　就労又は求職者支援制度による求職者支援訓練の受講に伴う子の託児費
　ウ　他法、他施策等による貸付金のうち当該被保護世帯の自立更生のために当てられる額の償還金
　エ　独立行政法人住宅金融支援機構の貸付金の償還金
　オ　地方税等の公租公課
　カ　健康保険の任意継続保険料
　キ　国民年金の受給権を得るために必要な任意加入保険料
　ク　厚生年金の受給権を得たために支払う必要が生じた共済組合等から過去に支給された退職一時金の返還に充てるために必要な経費

第9　保護の開始申請等
　生活保護は申請に基づき開始することを原則としており、保護の相談に当たっては、相談者の申請権を侵害しないことはもとより、申請権を侵害していると疑われるような行為も厳に慎むこと。

第10　保護の決定
　保護の要否及び程度は、原則として、当該世帯につき認定した最低生活費と、第8によって認定した収入（以下「収入充当額」という。）との対比によって決定すること。また、保護の種類は、その収入充当額を、原則として、第1に衣食等の生活費に、第2に住宅費に、第3に教育費及び高等学校等への就学に必要な経費に、以下介護、医療、出産、生業（高等学校等への就学に必要な経費を除く。）、葬祭に必要な経費の順に充当させ、その不足する費用に対応してこれを定めること。

第11　施行期日及び関係通知の廃止
1　この通知は、昭和36年4月1日から施行すること。ただし、母子加算に関する改正は、昭和36年9月1日から施行すること。
2　昭和33年6月6日厚生省発社第111号厚生事務次官通知「生活保護法による保護の実施要領について」は、廃止すること。ただし、当該通知中母子加算に関する部分は、昭和36年8月31日までなお効力を有すること。

別表

基礎控除額表（月額）

収入金額別区分			1人目			2人目以降		
円		円	円		円	円		円
0	～	15,000	0	～	15,000			0
15,001	～	15,199	15,001	～	15,199			15,000
15,200	～	18,999			15,200			15,000
19,000	～	22,999			15,600			15,000
23,000	～	26,999			16,000			15,000
27,000	～	30,999			16,400			15,000
31,000	～	34,999			16,800			15,000
35,000	～	38,999			17,200			15,000
39,000	～	42,999			17,600			15,000
43,000	～	46,999			18,000			15,300
47,000	～	50,999			18,400			15,640
51,000	～	54,999			18,800			15,980
55,000	～	58,999			19,200			16,320
59,000	～	62,999			19,600			16,660
63,000	～	66,999			20,000			17,000
67,000	～	70,999			20,400			17,340
71,000	～	74,999			20,800			17,680
75,000	～	78,999			21,200			18,020
79,000	～	82,999			21,600			18,360
83,000	～	86,999			22,000			18,700
87,000	～	90,999			22,400			19,040

範囲		値1	値2
91,000	~ 94,999	22,800	19,380
95,000	~ 98,999	23,200	19,720
99,000	~ 102,999	23,600	20,060
103,000	~ 106,999	24,000	20,400
107,000	~ 110,999	24,400	20,740
111,000	~ 114,999	24,800	21,080
115,000	~ 118,999	25,200	21,420
119,000	~ 122,999	25,600	21,760
123,000	~ 126,999	26,000	22,100
127,000	~ 130,999	26,400	22,440
131,000	~ 134,999	26,800	22,780
135,000	~ 138,999	27,200	23,120
139,000	~ 142,999	27,600	23,460
143,000	~ 146,999	28,000	23,800
147,000	~ 150,999	28,400	24,140
151,000	~ 154,999	28,800	24,480
155,000	~ 158,999	29,200	24,820
159,000	~ 162,999	29,600	25,160
163,000	~ 166,999	30,000	25,500
167,000	~ 170,999	30,400	25,840
171,000	~ 174,999	30,800	26,180
175,000	~ 178,999	31,200	26,520
179,000	~ 182,999	31,600	26,860
183,000	~ 186,999	32,000	27,200
187,000	~ 190,999	32,400	27,540

191,000 ~ 194,999	27,880	32,800
195,000 ~ 198,999	28,220	33,200
199,000 ~ 202,999	28,560	33,600
203,000 ~ 206,999	28,900	34,000
207,000 ~ 210,999	29,240	34,400
211,000 ~ 214,999	29,580	34,800
215,000 ~ 218,999	29,920	35,200
219,000 ~ 222,999	30,260	35,600
223,000 ~ 226,999	30,600	36,000
227,000 ~ 230,999	30,940	36,400
231,000 ~	(※)	(※)

(備考)

収入金額が231,000円以上の場合は、収入金額が4,000円増加するごとに、1人目については400円、2人目以降については340円を控除額に加算する。

○生活保護法による保護の実施要領について

```
昭和38年4月1日　社発第246号
各都道府県知事・各指定都市市長宛　厚生省社会局長
通知
```

〔改正経過〕

第1次改正	昭和38年8月1日社発第525号	第2次改正	昭和39年4月1日社発第165号
第3次改正	昭和39年8月19日社発第409号	第4次改正	昭和39年10月22日社発第547号
第5次改正	昭和39年12月12日社発第641号	第6次改正	昭和40年3月1日社保第163号
第7次改正	昭和40年4月1日社保第174号	第8次改正	昭和40年5月18日社保第286号
第9次改正	昭和41年4月1日社保第115号	第10次改正	昭和42年4月1日社保第78号
第11次改正	昭和42年10月5日社保第261号	第12次改正	昭和43年4月1日社保第81号
第13次改正	昭和43年10月1日社保第233号	第14次改正	昭和43年10月5日社保第231号
第15次改正	昭和44年4月1日社保第71号	第16次改正	昭和44年4月30日社保第103号
第17次改正	昭和44年9月27日社保第220号	第18次改正	昭和45年4月1日社保第76号
第19次改正	昭和46年4月1日社保第55号	第20次改正	昭和46年12月9日社保第167号
第21次改正	昭和47年2月22日社保第23号	第22次改正	昭和47年4月1日社保第59号
第23次改正	昭和47年6月29日社保第109号	第24次改正	昭和47年10月6日社保第168号
第25次改正	昭和48年4月1日社保第66号	第26次改正	昭和48年6月25日社保第118号
第27次改正	昭和48年10月1日社保第170号	第28次改正	昭和49年3月27日社保第55号
第29次改正	昭和49年5月1日社保第90号	第30次改正	昭和49年6月13日社保第114号
第31次改正	昭和49年9月12日社保第170号	第32次改正	昭和49年9月30日社保第178号
第33次改正	昭和50年2月8日社保第26号	第34次改正	昭和50年3月31日社保第57号
第35次改正	昭和50年8月15日社保第151号	第36次改正	昭和51年3月31日社保第49号
第37次改正	昭和51年8月14日社保第141号	第38次改正	昭和51年12月22日社保第193号
第39次改正	昭和52年3月31日社保第51号	第40次改正	昭和52年8月18日社保第123号
第41次改正	昭和53年3月31日社保第48号	第42次改正	昭和54年1月17日社保第7号
第43次改正	昭和54年3月31日社保第26号	第44次改正	昭和55年1月25日社保第10号
第45次改正	昭和55年3月31日社保第41号	第46次改正	昭和56年3月31日社保第36号
第47次改正	昭和56年7月7日社保第82号	第48次改正	昭和57年3月31日社保第35号
第49次改正	昭和57年9月30日社庶第109号	第50次改正	昭和58年3月31日社保第47号
第51次改正	昭和59年3月31日社保第35号	第52次改正	昭和60年3月30日社保第32号
第53次改正	昭和61年3月31日社保第46号	第54次改正	昭和61年9月25日社保第95号
第55次改正	昭和62年3月28日社保第29号	第56次改正	昭和63年3月31日社保第34号
第57次改正	昭和63年3月31日社保第37号	第58次改正	昭和63年7月1日社保第66号
第59次改正	平成元年3月31日社保第68号	第60次改正	平成2年3月31日社保第57号
第61次改正	平成3年3月30日社保第39号	第62次改正	平成4年3月31日社保第105号
第63次改正	平成5年3月31日社援第62号	第64次改正	平成6年3月29日社援第68号
第65次改正	平成7年3月29日社援保第79号	第66次改正	平成7年7月20日社援保第167号
第67次改正	平成8年3月18日社援保第50号	第68次改正	平成8年3月28日社援保第75号
第69次改正	平成8年3月29日社援保第78号	第70次改正	平成9年3月31日社援保第84号
第71次改正	平成10年3月31日社援第813号	第72次改正	平成11年3月31日社援第887号
第73次改正	平成12年3月31日社援発第823号	第74次改正	平成13年3月30日社援発第567号
第75次改正	平成14年3月29日社援発第0329025号	第76次改正	平成15年3月31日社援発第0331008号
第77次改正	平成15年7月31日社援発第0731007号	第78次改正	平成16年3月31日社援発第0331003号
第79次改正	平成17年3月31日社援発第0331002号	第80次改正	平成18年3月31日社援発第0331009号
第81次改正	平成18年9月29日社援発第0929017号	第82次改正	平成19年3月31日社援発第0331002号
第83次改正	平成20年3月31日社援発第0331027号	第84次改正	平成20年12月22日社援発第1222007号
第85次改正	平成21年3月31日社援発第0331005号	第86次改正	平成21年7月1日社援発0701第5号
第87次改正	平成21年10月29日社援発1029第12号	第88次改正	平成22年3月31日社援発0331第5号
第89次改正	平成22年5月21日社援発0521第1号	第90次改正	平成23年3月31日社援発0331第2号
第91次改正	平成23年7月19日社援発0719第2号	第92次改正	平成24年3月30日社援発0330第34号
第93次改正	平成25年3月29日社援発0329第59号	第94次改正	平成25年7月1日社援発0701第5号
第95次改正	平成26年3月31日社援発0331第39号	第96次改正	平成26年4月25日社援発0425第1号
第97次改正	平成27年3月31日社援発0331第6号	第98次改正	平成27年4月14日社援発0414第8号
第99次改正	平成27年5月14日社援発0514第1号	第100次改正	平成27年8月6日社援発0806第4号

改正	日付・番号	改正	日付・番号
第101次改正	平成28年3月31日社援発0331第4号	第102次改正	平成28年5月31日社援発0531第14号
第103次改正	平成29年3月31日社援発0331第4号	第104次改正	平成30年3月30日社援発0330第25号
第105次改正	平成30年4月10日社援発0410第9号	第106次改正	平成30年6月27日社援発0627第1号
第107次改正	平成30年9月4日社援発0904第1号	第108次改正	平成31年3月29日社援発0329第36号
第109次改正	令和元年8月27日社援発0827第5号（令和元年10月1日社援発1001第2号により一部改正）		
第110次改正	令和2年3月30日社援発0330第17号	第111次改正	令和2年8月31日社援発0831第1号
第112次改正	令和2年12月28日社援発1228第1号	第113次改正	令和3年3月30日社援発0330第3号
第114次改正	令和4年3月30日社援発0330第1号	第115次改正	令和4年7月26日社援発0726第3号
第116次改正	令和5年3月31日社援発0331第24号	第117次改正	令和5年6月23日社援発0623第10号
第118次改正	令和6年3月29日社援発0329第60号		

　標記については、保護基準の第19次改正に伴い、昭和36年4月1日厚生省発社第123号厚生事務次官通達の一部が改正され、本日別途通知されたところであるが、これに伴い昭和36年4月1日社発第188号本職通達についてもこれを全面改正して、新たに次のとおり定めることとしたから、了知のうえ、その取扱いに遺漏のないよう配意されたい。

　なお、本通達中「保護の基準」とは、生活保護法による保護の基準（昭和38年4月厚生省告示第158号）をいい、また「次官通達」とは、昭和36年4月1日厚生省発社第123号厚生事務次官通達をいう。

　おって今回の全面改正の要旨は、別添のとおりである。

　また、本通知は地方自治法（昭和22年法律第67号）第245条の9第1項及び第3項の規定による処理基準であることを申し添える。

〔別　添〕

　　生活保護法による保護の実施要領

目次　　　　　　　　　　　　　　　　　　　　　　　　　　　　　　　　　　頁
　第1　世帯の認定 ……………………………………………………………………356
　第2　実施責任 ………………………………………………………………………359
　第3　資産の活用 ……………………………………………………………………361
　第4　稼働能力の活用 ………………………………………………………………363
　第5　扶養義務の取扱い ……………………………………………………………364
　第6　他法他施策の活用 ……………………………………………………………367
　第7　最低生活費の認定 ……………………………………………………………368
　第8　収入の認定 ……………………………………………………………………393
　第9　保護の開始申請等 ……………………………………………………………399
　第10　保護の決定 ……………………………………………………………………400
　第11　保護決定実施上の指導指示及び検診命令 …………………………………405
　第12　訪問調査等 ……………………………………………………………………408
　第13　その他 …………………………………………………………………………410
　第14　施行期日等 ……………………………………………………………………412

第1　世帯の認定
　1　居住を一にしていないが、同一世帯に属していると判断すべき場合とは、次の場合をいうこと。

(1) 出かせぎしている場合
(2) 子が義務教育のため他の土地に寄宿している場合
(3) 夫婦間又は親の未成熟の子（中学３年以下の子をいう。以下同じ。）に対する関係（以下「生活保持義務関係」という。）にある者が就労のため他の土地に寄宿している場合
(4) 行商又は勤務等の関係上子を知人等にあずけ子の生活費を仕送りしている場合
(5) 病気治療のため病院等に入院又は入所（介護老人保健施設への入所に限る。２の(5)（ウを除く。）及び(6)並びに第２の１において同じ。）している場合
(6) 職業能力開発校等に入所している場合
(7) その他(1)から(6)までのいずれかと同様の状態にある場合
2 同一世帯に属していると認定されるものでも、次のいずれかに該当する場合は、世帯分離して差しつかえないこと。ただし、これらのうち(3)、(5)、(6)、(7)及び(8)については、特に機械的に取り扱うことなく、世帯の状況及び地域の生活実態を十分考慮したうえ実施すること。また、(6)又は(7)に該当する者と生活保持義務関係にある者が同一世帯内にある場合には、(6)又は(7)に該当する者とともに分離の対象として差しつかえない。
(1) 世帯員のうちに、稼働能力があるにもかかわらず収入を得るための努力をしない等保護の要件を欠く者があるが、他の世帯員が真にやむを得ない事情によって保護を要する状態にある場合
(2) 要保護者が自己に対し生活保持義務関係にある者がいない世帯に転入した場合であって、同一世帯として認定することが適当でないとき（直系血族の世帯に転入した場合にあっては、世帯分離を行わないとすれば、その世帯が要保護世帯となるときに限る。）
(3) 保護を要しない者が被保護世帯に当該世帯員の日常生活の世話を目的として転入した場合であって、同一世帯として認定することが適当でないとき（当該転入者がその世帯の世帯員のいずれに対しても生活保持義務関係にない場合に限る。）
(4) 次に掲げる場合であって、当該要保護者がいわゆる寝たきり老人、重度の心身障害者等で常時の介護又は監視を要する者であるとき（世帯分離を行なわないとすれば、その世帯が要保護世帯となる場合に限る。）
　ア 要保護者が自己に対し生活保持義務関係にある者がいない世帯に属している場合
　イ ア以外の場合であって、要保護者に対し生活保持義務関係にある者の収入が自己の一般生活費以下の場合
(5) 次に掲げる場合であって、その者を出身世帯員と同一世帯として認定することが出身世帯員の自立助長を著しく阻害すると認められるとき
　ア ６か月以上の入院又は入所を要する患者等に対して出身世帯員のいずれもが生活保持義務関係にない場合（世帯分離を行なわないとすれば、その世帯が要保護世帯となる場合に限る。）
　イ 出身世帯に自己に対し生活保持義務関係にある者が属している長期入院患者等

であって、入院又は入所期間がすでに1年をこえ、かつ、引き続き長期間にわたり入院又は入所を要する場合（世帯分離を行なわないとすれば、その世帯が要保護世帯となる場合に限る。）

ウ　ア又はイに該当することにより世帯分離された者が感染症の予防及び感染症の患者に対する医療に関する法律第37条の2若しくは精神保健及び精神障害者福祉に関する法律第30条の公費負担を受けて引き続き入院している場合又は引き続きその更生を目的とする施設に入所している場合

エ　イ又はウに該当することにより世帯分離された者が、退院又は退所後6か月以内に再入院若しくは再入所し、長期間にわたり入院若しくは入所を要する場合（世帯分離を行わないとすれば、その世帯が要保護世帯となる場合に限る。）

(6) (5)のア、イ及びエ以外の場合で、6か月以上入院又は入所を要する患者等の出身世帯員のうち入院患者等に対し生活保持義務関係にない者が収入を得ており、当該入院患者等と同一世帯として認定することがその者の自立助長を著しく阻害すると認められるとき（世帯分離を行なわないとすれば、その世帯が要保護世帯となる場合に限る。）

(7) 同一世帯員のいずれかに対し生活保持義務関係にない者が収入を得ている場合であって、結婚、転職等のため1年以内において自立し同一世帯に属さないようになると認められるとき

(8) 救護施設、養護老人ホーム、特別養護老人ホーム若しくは介護老人福祉施設、障害者支援施設又は児童福祉施設（障害児入所施設に限る。）の入所者（障害者支援施設については、重度の障害を有するため入所期間の長期化が見込まれるものに限る。）と出身世帯員とを同一世帯として認定することが適当でない場合（保護を受けることとなる者とその者に対し生活保持義務関係にある者とが分離されることとなる場合については、世帯分離を行なわないとすれば、その世帯が要保護世帯となるときに限る。）

3　高等学校（定時制及び通信制を含む。）、中等教育学校の後期課程、特別支援学校の高等部専攻科、高等専門学校、専修学校又は各種学校（以下「高等学校等」という。）に就学し卒業することが世帯の自立助長に効果的と認められる場合については、就学しながら、保護を受けることができるものとして差し支えないこと。

ただし、専修学校又は各種学校については、高等学校又は高等専門学校での就学に準ずるものと認められるものであって、その者がかつて高等学校等を修了したことのない場合であること。

4　次の各要件のいずれにも該当する者については、夜間大学等で就学しながら、保護を受けることができるものとして差しつかえないこと。

(1) その者の能力、経歴、健康状態、世帯の事情等を総合的に勘案の上、稼働能力を有する場合には十分それを活用していると認められること。

(2) 就学が世帯の自立助長に効果的であること。

5　次のいずれかに該当する場合は、世帯分離して差しつかえないこと。

(1) 保護開始時において、現に大学で就学している者が、その課程を修了するまでの間であって、その就学が特に世帯の自立助長に効果的であると認められる場合
(2) 次の貸与金、給付金等を受けて大学で就学する場合
　ア　大学等における修学の支援に関する法律に基づく学資支給及び授業料等減免
　イ　独立行政法人日本学生支援機構法による貸与金、給付金
　ウ　国の補助を受けて行われる就学資金貸与事業による貸与金であってイに準ずるもの
　エ　地方公共団体が実施する就学資金貸与事業による貸与金、給付金（ウに該当するものを除く。）であってイに準ずるもの
　オ　大学が実施する貸与金、給付金等であって、保護の実施機関が適当と認めるもの
(3) 生業扶助の対象とならない専修学校又は各種学校で就学する場合であって、その就学が特に世帯の自立助長に効果的であると認められる場合
6　同一世帯に属していると認められるものであっても、次の者については別世帯として取り扱うこと。
　中国残留邦人等の円滑な帰国の促進並びに永住帰国した中国残留邦人等及び特定配偶者の自立の支援に関する法律に定める特定中国残留邦人等（以下「特定中国残留邦人等」という。）及び同法に定める特定配偶者等（以下「特定配偶者等」という。）

第2　実施責任
1　居住地のない入院患者又は介護老人保健施設入所者については、原則としてその現在地である当該医療機関又は介護老人保健施設の所在地を所管する保護の実施機関が、保護の実施責任を負うものであるが、次の場合には、それぞれ当該各項によること。
(1) 保護を受けていなかった単身者で居住地のないものが入院又は入所した場合は、医療扶助若しくは介護扶助又は入院若しくは入所に伴なう生活扶助の適用について、保護の申請又は保護の申請権者からはじめて保護の実施機関に連絡のあった時点における、要保護者の現在地（ただし、当該単身者が急病により入院した場合であって、発病地を所管する保護の実施機関に対し申請又は連絡を行なうことができない事情にあったことが立証され、かつ、入院後直ちに保護の実施機関に申請又は連絡があった場合は、発病地とする。）を所管する保護の実施機関が、保護の実施責任を負うこと。
(2) 入院又は入所前の居住地に本人の家財等が保管され又は同地と同一管内地域に確実な帰来引受先がある場合であって、本人が退院又は退所後必ずその地域に居住することが予定されているときは、入院又は入所前の居住地を所管する保護の実施機関が、保護の実施責任（居住地保護の例による。）を負うこと。
(3) (2)のほか、入院若しくは入所と同時に居住地を失ない、又は入院若しくは入所後（入院又は入所後において住宅費が認定されていた場合には、当該住宅費が認定されなくなった日以後）3か月以内に入院又は入所を原因として居住地を失なった者（入院又は入所後3か月を経過した後において保護を申請した者であって、申請時において居住地がなかったものを除く。）については、入院又は入所前の居住地を所管する保護の実施機関が、保護の実施責任（現在地保護の例による。）を負うこと。

2 居住地のない被保護者又は要保護者について、保護の実施機関が、所管区域内に適当な指定医療機関がないか、あっても満床のため、所管区域外の指定医療機関に医療を委託した場合及び治療の必要上から所管区域外の指定医療機関に委託替えした場合（生活保護法による医療扶助を適用されている患者が自発的に転院転所をした場合であって、客観的に保護の実施機関において委託替えすべきであったと認められるときを含む。）には、当該医療の継続中従前の保護の実施機関が、なお保護の実施責任（1の(2)に該当する場合のほかは現在地保護の例による。）を負うこと。

3 居住地のない介護老人保健施設又は介護医療院入所者であって、法による介護扶助を適用されている被保護者が、当該保護の実施機関の所管区域外の指定介護機関に転院、転所をした場合には、当該介護扶助の継続中従前の保護の実施機関が、なお保護の実施責任（1の(2)に該当する場合のほかは現在地保護の例による。）を負うこと。

4 単身の被保護者（入所と同時に保護を開始される者を含む。）が国立保養所又は結核回復者の後保護を目的とする施設に入所した場合には、当該施設入所中の保護の実施責任は、入所前の居住地又は現在地により定めること。ただし、病院又は療養所から直ちに結核回復者の後保護を目的とする施設に入所した場合には、当該施設入所中の保護の実施責任は、病院又は療養所に入院又は入所中における保護の実施機関にあるものとすること。

5 保護施設及び日常生活支援住居施設に入所している者が病院、介護老人保健施設若しくは療養所に入院若しくは入所した場合又は保護施設を退所し、引き続き保護施設通所事業を利用した場合には、入院若しくは入所又は通所している期間中（保護施設通所事業については1年以内に限る。）、当該施設に入所していたときの保護の実施機関が引き続き保護の実施責任を負うこと。

6 被保護者が老人福祉法の措置により養護老人ホーム又は特別養護老人ホームに入所した場合は、その者の入所期間中、従前の保護の実施機関が従前どおり保護の実施責任を負うこと。

7 老人福祉法の措置により養護老人ホーム又は特別養護老人ホームに入所している者が病院、介護老人保健施設又は療養所に入院又は入所した場合で当該入所措置廃止と同時に保護を開始されるときのその者に対する保護の実施責任は、当該施設に入所中その者に対し保護の実施責任を負う保護の実施機関にあるものとすること。

8 保護を受けていない介護老人福祉施設入所者から保護の申請があった場合のその者に対する実施責任は、当該施設所在地を所管する保護の実施機関にあるものとすること。ただし、第1の規定により出身世帯と同一世帯と認定されるべき場合は、この限りでないこと。

9 被保護者が障害者の日常生活及び社会生活を総合的に支援するための法律に規定する障害者支援施設に入所し、又は共同生活援助を行う住居に入居した場合は、その者の入所又は入居期間中、従前の保護の実施機関が従前どおり保護の実施責任を負うこと。
　なお、当該者が入所又は入居前に属していた世帯が移転した場合でも、12の(1)の取扱いに拠らず、その世帯が従前居住していた地に居住地があるものと認定すること。

10 児童福祉施設（障害児入所施設に限る。）に入所している者に対する保護の実施責任

は、入所前の居住地又は現在地により定めること。
11 法第18条第2項第1号の規定に基づく、死亡した被保護者の葬祭を行う者に対する葬祭扶助の実施責任は、死亡した被保護者に対する保護の実施機関が負うものとすること。
12 居住地又は現在地の認定は次によること。
 (1) 第1の1によって同一世帯員と認定された者については、出身世帯の居住する地に居住地があるものと認定し、また、出身世帯が移転した場合には、その移転先を居住地と認定すること。
 (2) (1)の場合において、出身世帯が分散している等のためその出身世帯の居住地が明らかでないときは、そのうち、生活の本拠として最も安定性のある地を居住地と認定すること。ただし、これによりがたいときは、出身世帯の生計中心者のいる地を居住地と認定すること。
   なお、出身世帯員に安定した居住地がないときは、居住地がない者と認定すること。
 (3) 刑務所又は少年院より釈放され、又は仮釈放された者について帰住地がある場合であって、帰住先が出身世帯であるときは、その帰住地を居住地とし、そうでないときは、その帰住地を現在地とみなすこと。
 (4) 次に掲げる施設に収容されている者又は入所している者については、居住地がない者とみなし、原則として当該施設所在地を所管する保護の実施機関が保護の実施責任を負い、現在地保護を行うこと。
   ただし、下記の施設入所者の多くが配偶者からの暴力の被害者である現状にかんがみ、当該被害者の立場に立って広域的な連携を円滑に進める観点から、都道府県内又は近隣都道府県間における自治体相互の取り決めを定めた場合には、それによることとして差しつかえない。
   ア 「困難な問題を抱える女性への支援に関する法律」による女性自立支援施設又は女性相談支援センターの行う一時保護の施設
   イ 「配偶者からの暴力の防止及び被害者の保護等に関する法律」による女性相談支援センターが自ら行う又は委託して行う一時保護の施設
第3 資産の活用
 資産保有の限度及び資産活用の具体的取扱いは、次に掲げるところによること。ただし、保有の限度を超える資産であっても、次官通知第3の3から5までのいずれかに該当するものは、保有を認めて差し支えない。
 また、要保護者からの資産に関する申告は、資産の有無、程度、内訳等について行わせるものとし、上記の申告を書面で行わせること。なお、その際これらの事項を証する資料がある場合には、提出を求めること。
 なお、不動産の保有状況については、定期的に申告を行わせるとともに、必要がある場合は更に訪問調査等を行うこと。
 1 土地
  (1) 宅地
    次に掲げるものは、保有を認めること。ただし、処分価値が利用価値に比して著

しく大きいと認められるものは、この限りでない。
　また、要保護世帯向け不動産担保型生活資金（生活福祉資金貸付制度要綱に基づく「要保護世帯向け不動産担保型生活資金」をいう。以下同じ。）の利用が可能なものについては、当該貸付資金の利用によってこれを活用させること。
　　ア　当該世帯の居住の用に供される家屋に付属した土地で、建築基準法第52条及び第53条に規定する必要な面積のもの
　　イ　農業その他の事業の用に供される土地で、事業遂行上必要最小限度の面積のもの
(2) 田畑
　次のいずれにも該当するものは、保有を認めること。ただし、処分価値が利用価値に比して著しく大きいと認められるものは、この限りでない。
　　ア　当該地域の農家の平均耕作面積、当該世帯の稼働人員等から判断して適当と認められるものであること。
　　イ　当該世帯の世帯員が現に耕作しているものであるか、又は当該世帯の世帯員若しくは当該世帯の世帯員となる者がおおむね3年以内に耕作することにより世帯の収入増加に著しく貢献するようなものであること。
(3) 山林及び原野
　次のいずれにも該当するものは、保有を認めること。ただし、処分価値が利用価値に比して著しく大きいと認められるものは、この限りでない。
　　ア　事業用（植林事業を除く。）又は薪炭の自給用若しくは採草地用として必要なものであって、当該地域の低所得世帯との均衡を失することにならないと認められる面積のもの。
　　イ　当該世帯の世帯員が現に最低生活維持のために利用しているものであるか、又は当該世帯員若しくは当該世帯の世帯員となる者がおおむね3年以内に利用することにより世帯の収入増加に著しく貢献するようなものであること。
2　家屋
(1) 当該世帯の居住の用に供される家屋
　保有を認めること。ただし、処分価値が利用価値に比して著しく大きいと認められるものは、この限りでない。
　なお、保有を認められるものであっても、当該世帯の人員、構成等から判断して部屋数に余裕があると認められる場合は、間貸しにより活用させること。
　また、要保護世帯向け不動産担保型生活資金の利用が可能なものについては、当該貸付資金の利用によってこれを活用させること。
(2) その他の家屋
　　ア　事業の用に供される家屋で、営業種別、地理的条件等から判断して、その家屋の保有が当該地域の低所得世帯との均衡を失することにならないと認められる規模のものは、保有を認めること。ただし、処分価値が利用価値に比して著しく大きいと認められるものは、この限りでない。
　　イ　貸家は、保有を認めないこと。ただし、当該世帯の要保護推定期間（おおむね3年以内とする。）における家賃の合計が売却代金よりも多いと認められる場合

は、保有を認め、貸家として活用させること。
3 事業用品
次のいずれにも該当するものは、保有を認めること。ただし、処分価値が利用価値に比して著しく大きいと認められるものは、この限りでない。
(1) 事業用設備、事業用機械器具、商品、家畜であって、営業種目、地理的条件等から判断して、これらの物の保有が当該地域の低所得世帯との均衡を失することにならないと認められる程度のものであること。
(2) 当該世帯の世帯員が現に最低生活維持のために利用しているものであるか、又は当該世帯の世帯員若しくは当該世帯の世帯員となるものが、おおむね1年以内（事業用設備については3年以内）に利用することにより世帯の収入増加に著しく貢献するようなもの。
4 生活用品
(1) 家具什器及び衣類寝具
当該世帯の人員、構成等から判断して利用の必要があると認められる品目及び数量は、保有を認めること。
(2) 趣味装飾品
処分価値の小さいものは、保有を認めること。
(3) 貴金属及び債券
保有を認めないこと。
(4) その他の物品
ア 処分価値の小さいものは、保有を認めること。
イ ア以外の物品については、当該世帯の人員、構成等から判断して利用の必要があり、かつ、その保有を認めても当該地域の一般世帯との均衡を失することにならないと認められるものは、保有を認めること。
5 判断基準
1の(1)の当該世帯の居住の用に供される家屋に付属した土地、及び2の(1)の当該世帯の居住の用に供される家屋であって、当該ただし書にいう処分価値が利用価値に比して著しく大きいと認められるか否かの判断が困難な場合は、原則として各実施機関が設置するケース診断会議等において、総合的に検討を行うこと。

第4 稼働能力の活用
1 稼働能力を活用しているか否かについては、①稼働能力があるか否か、②その具体的な稼働能力を前提として、その能力を活用する意思があるか否か、③実際に稼働能力を活用する就労の場を得ることができるか否か、により判断すること。
また、判断に当たっては、必要に応じてケース診断会議や稼働能力判定会議等を開催するなど、組織的な検討を行うこと。
2 稼働能力があるか否かの評価については、年齢や医学的な面からの評価だけではなく、その者の有している資格、生活歴・職歴等を把握・分析し、それらを客観的かつ総合的に勘案して行うこと。
3 稼働能力を活用する意思があるか否かの評価については、求職状況報告書等により

本人に申告させるなど、その者の求職活動の実施状況を具体的に把握し、その者が2で評価した稼働能力を前提として真摯に求職活動を行ったかどうかを踏まえ行うこと。

4　就労の場を得ることができるか否かの評価については、2で評価した本人の稼働能力を前提として、地域における有効求人倍率や求人内容等の客観的な情報や、育児や介護の必要性などその者の就労を阻害する要因をふまえて行うこと。

第5　扶養義務の取扱い

1　扶養義務者の存否の確認について

(1)　保護の申請があったときは、要保護者の扶養義務者のうち次に掲げるものの存否をすみやかに確認すること。この場合には、要保護者よりの申告によるものとし、さらに必要があるときは、戸籍謄本等により確認すること。

　ア　絶対的扶養義務者。

　イ　アを除く三親等以内の親族のうち、実際に家庭裁判所において扶養義務創設の審判がなされる蓋然性が高い、次のような状況にある者（以下「相対的扶養義務者となり得る者」という。）

　　(ア)　現に当該要保護者又はその世帯に属する者を扶養している者。

　　(イ)　過去に当該要保護者又はその世帯に属する者から扶養を受ける等特別の事情があり、かつ、扶養能力があると推測される者。

(2)　扶養義務者の範囲は、次表のとおりであること。

親等表

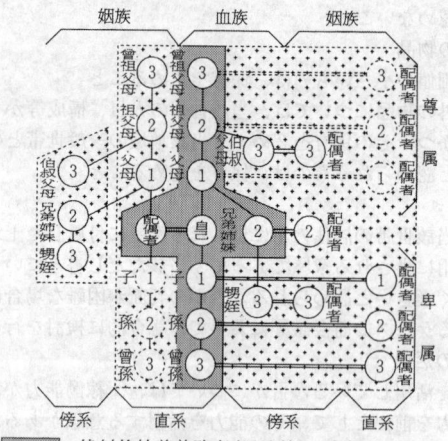

注　■　絶対的扶養義務者（民法第877条第1項）
　　⋯⋯　絶対的扶養義務者を除く三親等以内の親族（(1)のイの(ア)又は(イ)に該当する場合は相対的扶養義務者となり得る者）（民法第877条第2項）

①　配偶者は、継親の場合等であること。
　子①は、先夫の子、後妻の連れ子等である。

(3) 扶養義務者としての「兄弟姉妹」とは、父母の一方のみを同じくするものを含むものであること。
2 扶養能力の調査について
(1) 1により把握された扶養義務者について、その職業、収入等につき要保護者その他により聴取する等の方法により、扶養の可能性を調査すること。なお、調査にあたっては、金銭的な扶養の可能性のほか、被保護者に対する定期的な訪問・架電、書簡のやり取り、一時的な子どもの預かり等（以下「精神的な支援」という。）の可能性についても確認するものとする。
(2) 次に掲げる者（以下「重点的扶養能力調査対象者」という。）については、更にアからエにより扶養能力を調査すること。
　① 生活保持義務関係にある者
　② ①以外の親子関係にある者のうち扶養の可能性が期待される者
　③ ①、②以外の、過去に当該要保護者又はその世帯に属する者から扶養を受ける等特別の事情があり、かつ、扶養能力があると推測される者
　ア 重点的扶養能力調査対象者が保護の実施機関の管内に居住する場合には、実地につき調査すること。
　　重点的扶養能力調査対象者が保護の実施機関の管外に居住する場合には、まずその者に書面により回答期限を付して照会することとし、期限までに回答がないときは、再度期限を付して照会を行うこととし、なお回答がないときは、その者の居住地を所管する保護の実施機関に書面をもって調査依頼を行うか、又はその居住地の市町村長に照会すること。ただし、重点的扶養能力調査対象者に対して直接照会することが真に適当でないと認められる場合には、まず関係機関等に対して照会を行い、なお扶養能力が明らかにならないときは、その者の居住地を所管する保護の実施機関に書面をもって調査依頼を行うか、又はその居住地の市町村長に照会すること。
　　なお、相当の扶養能力があると認められる場合には、管外であっても、できれば実地につき調査すること。
　イ 調査は、重点的扶養能力調査対象者の世帯構成、職業、収入、課税所得及び社会保険の加入状況、要保護者についての税法上の扶養控除及び家族手当の受給並びに他の扶養履行の状況等について行うこと。
　ウ アの調査依頼を受けた保護の実施機関は、原則として３週間以内に調査の上回答すること。
　エ 調査に際しては、重点的扶養能力調査対象者に要保護者の生活困窮の実情をよく伝え、形式的にわたらないよう留意すること。
(3) 重点的扶養能力調査対象者以外の扶養義務者のうち扶養の可能性が期待される者については、次により扶養能力を調査すること。なお、実施機関の判断により、重点的扶養能力調査対象者に対する調査方法を援用しても差しつかえない。
　ア 重点的扶養能力調査対象者以外の扶養義務者のうち扶養の可能性が期待される

者への照会は、原則として書面により回答期限を付して行うこと。なお、実施機関の判断により電話連絡により行うこととしても差しつかえないが、不在等により連絡が取れない場合については、再度の照会又は書面による照会を行うこと。また、電話連絡により照会した場合については、その結果及び聴取した内容をケース記録に記載するとともに、金銭的な援助が得られる場合については、その援助の内容について書面での提出を求めること。

イ 実施機関において重点的扶養能力調査対象者以外の扶養義務者のうち扶養の可能性が期待される者に対して直接照会することが真に適当でないと認められる場合には、扶養の可能性が期待できないものとして取り扱うこと。

ウ 照会の際には要保護者の生活困窮の実情をよく伝えるとともに、重点的扶養能力調査対象者以外の扶養義務者のうち扶養の可能性が期待される者の世帯構成、職業、収入、課税所得及び社会保険の加入状況、要保護者についての税法上の扶養控除及び家族手当の受給並びに他の扶養履行の状況等の把握に努めること。

(4) 扶養の程度及び方法の認定は、実情に即し、実効のあがるように行うものとし、扶養義務者の了解を得られるよう努めること。この場合、扶養においては要保護者と扶養義務者との関係が一義的であるので、要保護者をして直接扶養義務者への依頼に努めさせるよう指導すること。

(5) 扶養の程度は、次の標準によること。

ア 生活保持義務関係（第1の2の(4)のイ、同(5)のイ若しくはエ又は同(8)に該当することによって世帯分離された者に対する生活保持義務関係を除く。）においては、扶養義務者の最低生活費を超過する部分

イ 第1の2の(4)のイ、同(5)のイ若しくはエ又は同(8)に該当することによって世帯分離された者に対する生活保持義務関係並びに直系血族（生活保持義務関係にある者を除く。）兄弟姉妹及び相対的扶養義務者の関係（以下「生活扶助義務関係」という。）においては、社会通念上それらの者にふさわしいと認められる程度の生活を損わない限度

(6) 扶養の程度の認定に当たっては、次の事項に留意すること。

ア 扶養義務者が生計中心者であるかどうか等その世帯内における地位等を考慮すること。

イ 重点的扶養能力調査対象者以外の者が要保護者を引き取ってすでになんらかの援助を行っていた場合は、その事情を考慮すること。

3 扶養義務者への通知について

保護の開始の申請をした要保護者について、保護の開始の決定をしようとする場合で、要保護者の扶養義務者に対する扶養能力の調査によって、法第77条第1項の規定による費用徴収を行う蓋然性が高いなど、明らかに扶養義務を履行することが可能と認められる扶養義務者が、民法に定める扶養を履行していない場合は、要保護者の氏名及び保護の開始の申請があった日を記載した書面を作成し、要保護者に保護の開始の決定をするまでの間に通知すること。

4 扶養の履行について
 (1) 扶養能力の調査によって、要保護者の扶養義務者のうち、法第77条第1項の規定による費用徴収を行う蓋然性が高いなど、明らかに扶養義務を履行することが可能と認められる扶養義務者が、民法に定める扶養を履行していない場合は、書面により履行しない理由について報告を求めること。
 (2) 重点的扶養能力調査対象者が十分な扶養能力があるにもかかわらず、正当な理由なくして扶養を拒み、他に円満な解決の途がない場合には、家庭裁判所に対する調停又は審判の申立てをも考慮すること。この場合において、要保護者にその申立てを行わせることが適当でないと判断されるときは、社会福祉主事が要保護者の委任を受けて申立ての代行を行なってもよいこと。なお、重点的扶養能力調査対象者以外の者について家庭裁判所に対して調停等を申立てることを妨げるものではない。
 (3) (2)の場合において、必要があるときは、(2)の手続の進行と平行してとりあえず必要な保護を行い、家庭裁判所の決定があった後、法第77条の規定により、扶養義務者から、扶養可能額の範囲内において、保護に要した費用を徴収する等の方法も考慮すること。
  なお、法第77条の規定による費用徴収を行うに当たっては、扶養権利者が保護を受けた当時において、当該扶養義務者が法律上の扶養義務者であり、かつ、扶養能力があったこと及び現在当該扶養義務者に費用償還能力があることを確認すること。
 (4) 扶養義務者の扶養能力又は扶養の履行状況に変動があったと予想される場合は、すみやかに、扶養能力の調査を行い、必要に応じて(1)の報告を求めたうえ、再認定等適宜の処理を行うこと。
  なお、重点的扶養能力調査対象者に係る扶養能力及び扶養の履行状況の調査は、年1回程度は行うこと。

第6 他法他施策の活用
 次に掲げるものは、特にその活用を図ること。また、活用を図るべきものはこれらに限られるものではないので、これら以外のものの活用についても、留意すること。
 1 身体障害者福祉法
 2 児童福祉法
 3 知的障害者福祉法
 4 障害者の日常生活及び社会生活を総合的に支援するための法律
 5 老人福祉法
 6 困難な問題を抱える女性への支援に関する法律
 7 配偶者からの暴力の防止及び被害者の保護等に関する法律
 8 災害救助法
 9 農業保険法
 10 精神保健及び精神障害者福祉に関する法律
 11 感染症の予防及び感染症の患者に対する医療に関する法律
 12 原子爆弾被爆者に対する援護に関する法律

13 公害健康被害の補償等に関する法律
14 特別支援学校への就学奨励に関する法律
15 健康保険法
16 厚生年金保険法
17 恩給法
18 各共済組合法
19 雇用保険法
20 労働者災害補償保険法
21 石綿による健康被害の救済に関する法律
22 国民健康保険法
23 国民年金法
24 高齢者の医療の確保に関する法律
25 介護保険法
26 児童扶養手当法
27 特別児童扶養手当等の支給に関する法律
28 児童手当法
29 戦傷病者戦没者遺族等援護法
30 未帰還者留守家族等援護法
31 引揚者給付金等支給法
32 自動車損害賠償保障法
33 墓地、埋葬等に関する法律
34 母子及び父子並びに寡婦福祉法
35 母子保健法
36 学校保健安全法
37 生活福祉資金
38 中国残留邦人等の円滑な帰国の促進並びに永住帰国した中国残留邦人等及び特定配偶者の自立の支援に関する法律
39 職業訓練の実施等による特定求職者の就職の支援に関する法律
40 年金生活者支援給付金の支給に関する法律

第7 最低生活費の認定

最低生活費の認定は、当該世帯が最低限度の生活を維持するために必要な需要を基にした費用を、必ず実地につき調査し、正確に行わなければならないこと。

1 級地基準の適用

級地基準の適用は、原則として世帯の居住地又は現在地によるものであるが、2 (一般生活費)に特別の定めがある場合のほか、次に掲げる場合は、例外的に、それぞれ当該各項によるものとすること。

(1) 葬祭扶助については、葬祭地の級地基準によること。
(2) 旅先等で急迫保護を必要とする場合は、当該要保護者の現在地の級地基準によること。

2 一般生活費
(1) 基準生活費
　ア　傷病、障害等による療養のため外出が著しく困難であり、常時在宅せざるを得ない者又は乳児（1歳の誕生日の前日までの間にある児童をいう。）が世帯員にいる場合であって、保護の基準別表第1第1章の1の(1)に規定する地区別冬季加算額によりがたいときは、地区別冬季加算額に1.3を乗じて得た額（当該額に10円未満の端数が生じたときは、当該端数を10円に切り上げた額とする。）の範囲内において特別基準の設定があったものとして必要な額を認定して差し支えないこと。

　　　なお、保護受給中の者について、冬季加算認定期間（各地区区分ごとに設定されている冬季加算を認定する期間をいう。）における月の中途で新たに冬季加算に係る特別基準を認定し、又は認定をやめるべき事由が生じたときは、それらの事由が生じた月の翌月から当該特別基準の認定変更を行うこと。

　　　ただし、月の中途で保護開始となった場合又は保護廃止となった場合など、冬季加算について日割計算により認定する場合は、冬季加算に係る特別基準についても日割計算により認定を行うこと。
　イ　同一の月において入院患者日用品費又は介護施設入所者基本生活費と居宅基準生活費をあわせて計上するとき（保護受給中の者で入院患者日用品費又は介護施設入所者基本生活費を算定されていたものが、月の中途で退院又は退所する場合をいう。）における居宅基準生活費は、入院患者日用品費又は介護施設入所者基本生活費が計上される期間を除いた日数に応じて計上すること。

　　　なお、保護の基準別表第1第1章の3に掲げる施設に入所している者にかかる基準生活費と居宅基準生活費をあわせて計上するときも同様とすること。
　ウ　同一の月において救護施設等基準生活費（保護の基準別表第1の第1章の2に掲げる施設に入所している者にかかる基準生活費をいう。以下同じ。）と居宅基準生活費をあわせて計上するときにおける居宅基準生活費は、救護施設等基準生活費が計上される期間の初日又は末日を含めた日数に応じて計上すること。
　エ　救護施設等基準生活費は、当該施設に入所した日から退所の日まで計上すること。

　　　ただし、居宅基準生活費を算定されている者が、「生活保護法による保護施設事務費及び委託事務費の支弁基準について」（平成20年3月31日厚生労働省発社援第0331011号厚生労働事務次官通知）に基づき救護施設等に一時入所する場合、当該一時入所期間中については、居宅基準生活費の変更は要しないものとすること。
　オ　イ、ウ及びエによるほか、出かせぎ等により1か月をこえる期間他の世帯員と所在を異にする世帯員については、所在を異にするに至った日の翌日から再び所在を一にするに至った日の前日まで他の世帯員とは別に一般生活費を計上すること。
　カ　入院患者に付添う出身世帯の世帯員が病院又は診療所において生活する場合で

あって、病院の管理運営方針等により病院給食又は寝具の貸与を受けなければならない事情があると認められるときは、その実費について基準生活費の算定上特別基準の設定があったものとして取り扱って差しつかえない。

なお、病院給食の実費を認める期間中の居宅基準生活費に係る第1類の経費については、保護の基準別表第1第1章の1の第1類の表に定める基準額（以下「第1類費基準額」という。）に0.25を乗じて得た額に次の表による年齢に応じた額を加えた額を計上すること。

病院給食の実費を認める期間中の居宅基準生活費に係る経過的加算額（月額）

	1級地―1	1級地―2	2級地―1	2級地―2	3級地―1	3級地―2
0～2歳	2,330	860	0	0	0	0
3～5歳	3,540	2,020	450	0	0	0
6～11歳	4,940	3,210	1,590	0	0	0
12～17歳	6,440	4,230	2,560	890	0	0
18・19歳	6,020	4,910	3,110	510	0	0
20～40歳	5,610	4,420	2,740	160	0	0
41～59歳	5,150	4,180	2,310	0	0	0
60～64歳	4,680	3,530	1,890	0	0	0
65～69歳	6,420	5,540	2,000	360	0	0
70～74歳	4,560	2,890	1,240	0	0	0
75歳以上	5,070	4,540	2,760	0	0	0

キ　入院患者日用品費又は介護施設入所者基本生活費が計上される期間における期末一時扶助費又は各種加算については、その期間当該被保護者が所在する地の級地基準による額を適用すること。

ク　オにより別に計上する一般生活費については、その者の所在する地の級地基準による額を適用すること。

ケ　救護施設等基準生活費（期末一時扶助費及び各種加算を含む。）は、当該施設所在地の級地基準により計上すること。ただし、2級地又は3級地に所在する保護施設に入所している者について、1級上の級地の基準を、特別基準の設定があったものとして適用して差しつかえないこと。

コ　オにより他の世帯員と別に一般生活費を計上する場合、保護の基準別表第1第1章の1の第2類の表に定める額については、出身世帯員の人員の世帯に適用される額と世帯人員1人の世帯に適用される額とを計上すること。

なお、第7の2の(4)のイにより居宅基準生活費を計上する場合も同様とすること。

サ　特定中国残留邦人等及び特定配偶者等と同居している世帯に係る基準生活費は、当該特定中国残留邦人等及び特定配偶者等を同一世帯員とみなした場合に算出される当該基準生活費の額から当該特定中国残留邦人等及び特定配偶者等に係る基準生活費の額を減じた額とする。

(2) 加算

各加算の取扱いは、次によること。

ア　妊産婦加算

(ア)　妊産婦加算の計上は、届出によって行なうものとし、妊婦であることの認定及び妊娠月数の認定は、母子健康手帳又は保護の実施機関の指定する医師若しくは助産師の診断により行なうこと。

(イ)　保護受給中の者につき、妊娠月数が月の中途で変わる場合にはその翌月から妊婦加算の額の変更を行なうこと。

(ウ)　産婦加算を行なう期間は、専ら母乳によって乳児をほ育する産婦については6か月間とし、その他の者については3か月間とすること。

(エ)　(ウ)の規定にかかわらず、保護受給中の者が出産したときは、当該月は妊婦加算を行ない、翌月から5か月間（専ら母乳によって乳児をほ育する産婦以外の者については2か月間）を限度として産婦加算を行なうこと。

(オ)　妊娠4か月以後において人工妊娠中絶を行なった場合及び死産（妊娠4か月以後の死児の出産）の場合には、3か月間（保護受給中の者については翌月から2か月間）産婦加算を行なうこと。

(カ)　妊婦又は産婦から保護の開始の申請があった場合には、申請月においても加算を行なうこと。

イ　削除

ウ　削除

エ　障害者加算

(ア)　障害の程度の判定は、原則として身体障害者手帳、国民年金証書、特別児童扶養手当証書又は福祉手当認定通知書により行うこと。

(イ)　身体障害者手帳、国民年金証書、特別児童扶養手当証書又は福祉手当認定通知書を所持していない者については、障害の程度の判定は、保護の実施機関の指定する医師の診断書その他障害の程度が確認できる書類に基づき行うこと。

(ウ)　保護受給中の者について、月の中途で新たに障害者加算を認定し、又はその認定を変更し若しくはやめるべき事由が生じたときは、それらの事由の生じた翌月から加算に関する最低生活費の認定変更を行なうこと。ただし、保護の基準別表第1第2章の2の(5)にいう障害者加算を行なうべき者については、その事由の生じた日から日割計算により加算の認定変更を行なって差しつかえないこと。

(エ)　障害者加算の認定を受けている者について、月の中途の入院入所又は退院退所に伴い、基準生活費の認定変更を行う場合は、これとあわせて加算額の認定変更も行うこと。

なお、居宅基準生活費と救護施設等基準生活費をあわせて計上する場合においては、救護施設等基準生活費が計上される間を除いた期間について在宅者にかかる加算の額を計上すること。
(オ) 介護人をつけるための費用が、保護の基準別表第1第2章の2の(5)によりがたい場合であって、特別児童扶養手当等の支給に関する法律施行令別表第1に定める程度の障害の状態にあり、日常起居動作に著しい障害のため真に他人による介護を要すると認められるときは、10万6820円の範囲内において当該年度の特別基準の設定があったものとして必要な額を認定して差し支えないこと。

オ 介護施設入所者加算
月の中途で新たに介護施設入所者加算を認定し、又はその認定をやめるべき事由が生じたときの加算の認定又は認定変更は、(4)に定める介護施設入所者基本生活費の算定の例によること。

カ 在宅患者加算
(ア) 給食のない病院等に入院又は入所している患者については、在宅療養者に準じて在宅患者加算を行なって差しつかえないこと。
(イ) 結核患者であって現に治療を受けていない場合における加算認定更新は、最長6か月の期間ごとに行なうこと。
(ウ) 保護受給中の者について、月の中途で新たに在宅患者加算を認定し、又はその認定をやめるべき事由が生じたときは、それらの事由の生じた月の翌月から加算の認定変更を行なうこと。

キ 放射線障害者加算
(ア) 保護受給中の者について、月の中途で新たに放射線障害者加算を認定し、又はその認定を変更すべき事由が生じたときは、それらの事由が生じた月の翌月から加算の認定変更を行なうこと。
(イ) 保護の基準別表第1第2章の5の(1)のイ及び(2)のイに規定する厚生労働大臣の認定については、次に掲げる事項を記載した申請書に、保護の実施機関の指定する医師の意見書及び当該負傷又は疾病に係る検査成績を記載した書類並びに当該世帯の保護適用状況を示す書類を添えて、厚生労働大臣に提出すること。
  a 認定を受けようとする患者の氏名、性別、生年月日、居住地及び職業
  b (1)のイ又は(2)のイの別
  c 負傷又は疾病の名称
  d 放射線を浴びたことに起因すると思われる自覚症状の経過
  e 放射線を浴びたことに起因すると思われる負傷又は疾病について受けた医療の概要
  f 放射線を浴びた当時の状況並びに浴びた放射線の種類及び量

ク 児童養育加算
(ア) 保護受給中の者について、月の中途で新たに児童養育加算（児童養育加算に係る経過的加算を含む）を認定し、又はその認定を変更し若しくはやめるべき事由が生じたときは、それらの事由の生じた月の翌月から加算の認定変更を行

うこと。
　(イ)　児童（18歳に達する日以降の最初の３月31日までの間にあるものをいう。以下この(イ)において同じ。）の養育にあたる者が児童にも該当する場合は、当該養育にあたる児童についても加算を計上して差しつかえない。
ケ　介護保険料加算
　(ア)　介護保険料加算は、普通徴収にかかる保険料の納期において、納付すべき実費を認定すること。
　(イ)　月の中途で新たに介護保険料加算を認定し又は認定をやめるべき事由が生じたときであっても日割り計算を行う必要はないこと。
コ　母子加算
　(ア)　保護の基準別表第１第２章の８に規定する母子加算に係る経過的加算について、同一の者が保護の基準別表第１第２章の８の(2)のア及びイの要件をすべて満たす場合は、いずれか高い加算の額を計上すること。
　(イ)　保護の基準別表第１第２章の８の(3)にいう「これに準ずる状態にある」場合とは、次に掲げる場合のように、父母の一方又は両方が子の養育にあたることができない場合をいうものであること。
　　a　父母の一方又は両方が常時介護又は監護を要する身体障害者又は精神障害者である場合
　　b　父母の一方又は両方が引き続き１年以上にわたって入院中又は法令により拘禁されている場合
　　c　父母の一方又は両方がおおむね１年以上（船舶の沈没等死亡の原因となるべき危難に遭遇したときは、その危難が去った後おおむね３か月以上）にわたって行方不明の場合又は父母の一方又は両方が子を引き続き１年以上遺棄していると認められる場合
　　d　父母の一方が配偶者からの暴力の防止及び被害者の保護に関する法律第10条第１項の規定による命令を受けた場合
　(ウ)　保護受給中の者について、月の中途で新たに母子加算（母子加算に係る経過的加算を含む。以下同じ。）を認定し、又はその認定を変更し若しくはやめるべき事由が生じたときは、それらの事由の生じた月の翌月から加算の認定変更を行うこと。
　(エ)　母子加算の認定を受けている者について、月の中途の入院入所又は退院退所に伴い、基準生活費の認定変更を行う場合は、これとあわせて加算額の認定変更も行うこと。
　　なお、居宅基準生活費と救護施設等基準生活費をあわせて計上する場合においては、救護施設等基準生活費が計上される間を除いた期間について在宅者にかかる加算の額を計上すること。
　(オ)　児童のみで構成されている世帯については、原則として母子加算の適用は認められないが、扶養義務者又は知人等による養育が全くなされないため、その世帯における兄又は姉等が弟妹等の養育に当たらなければならない場合は、そ

の兄又は姉等につき母子加算を受ける者に準ずるものとして母子加算の額（ただし、加算を受ける者については、児童として取り扱わないこと。）を加算して差しつかえないこと。

(カ) 母子加算を受ける者が長期（おおむね1年以上）にわたって入院中の場合であっても、その者が精神疾患で入院している等のため全く児童の養育に当たることができないとき又は他に養育に当たるものがあるときのほかは、その者につき加算を適用して差しつかえないこと。

(3) 入院患者の基準生活費の算定について

ア 病院又は診療所において給食を受ける入院患者については、入院患者日用品費が計上される期間に限り基準生活費は算定しないこと。ただし、特例加算及び12月における期末一時扶助費は算定するものとすること。

イ 入院患者日用品費が算定される入院患者が病院又は診療所において給食を受けない場合の基準生活費の額は、第1類費基準額に0.75を乗じて得た額、保護の基準別表第1第1章の1の第2類の表に定める基準額に0.2を乗じて得た額、特例加算及び次の表による年齢に応じた額の合計額（12月においては、当該合計額に期末一時扶助費を加えた額）とすること。

入院患者日用品費が算定される入院患者が病院又は診療所において給食を受けない場合の基準生活費に係る経過的加算額（月額）

	1級地―1	1級地―2	2級地―1	2級地―2	3級地―1	3級地―2
0～2歳	0	0	0	110	0	0
3～5歳	0	0	0	110	0	0
6～11歳	0	0	0	0	0	0
12～17歳	0	0	0	0	0	0
18・19歳	0	0	0	490	0	0
20～40歳	0	0	0	490	0	0
41～59歳	0	0	0	490	0	0
60～64歳	0	0	0	490	0	0
65～69歳	0	0	0	0	0	0
70～74歳	0	0	0	0	0	0
75歳以上	0	0	0	690	0	0

ウ 保護受給中の者について、入院期間が1か月未満であるため入院患者日用品費を算定しない場合は、一般生活費の認定の変更（各種加算の額の変更を含む。）を要しないものとすること。

エ　保護受給中の者が月の中途で入院し、入院患者日用品費を算定する場合でオ又はカに該当しないときは、入院患者日用品費は入院日の属する月の翌月の初日から計上すること。この場合、入院月の一般生活費の認定の変更（各種加算の額の変更を含む。）は要しないものとすること。
　　オ　保護の開始された日又は保護を停止されていて再び開始された日に入院している場合は、その日から入院患者日用品費を計上すること。
　　カ　救護施設、更生施設、養護老人ホーム若しくは特別養護老人ホーム又は介護施設に入所している者が入院した場合は、入院の日から入院患者日用品費を計上すること。
　　キ　入院患者日用品費が算定されている入院患者が退院又は死亡した場合は、入院患者日用品費は退院等の日まで計上することとし、一般生活費の認定の変更（各種加算の額の変更を含む。）を日割計算により行なうこと。ただし、退院と同時に介護施設に入所する場合はこの限りでない。
　　ク　入院患者日用品費は、原則として保護の基準別表第1第3章の1の(1)の基準額の全額（精神活動の減退等により日用品の需要の実態からその全額を必要としないもので、その状態が相当期間持続すると認められるものについては、基準額の85パーセントを標準として必要な額）を計上すること。
(4)　介護施設入所者基本生活費の算定について
　　ア　介護施設入所者基本生活費が算定される者については、基準生活費は算定しないこと。ただし、特例加算及び12月における期末一時扶助は算定するものとすること。
　　イ　保護受給中の者が月の中途で介護施設に入所したときは、介護施設入所者基本生活費は入所日の属する月の翌月（入所の日が月の初日のときは当該月）から計上すること。この場合、入所月の一般生活費の認定の変更（各種加算の額の変更を含む。）は要しないものとすること。なお、入院患者日用品費が算定されている入院患者等が医療機関等から介護施設に入所した場合も同様であること。
　　ウ　保護の開始された日又は保護を停止されていて再び開始された日に介護施設に入所している場合は、その日から介護施設入所者基本生活費を計上すること。
　　エ　救護施設、更生施設、養護老人ホーム又は特別養護老人ホームに入所している者が介護施設に入所した場合には、入所の日から介護施設入所者基本生活費を計上すること。
　　オ　介護施設入所者が退所又は死亡した場合は、介護施設入所者基本生活費は退所等の日まで計上することとし、一般生活費の認定の変更（各種加算の額の変更を含む。）を日割り計算により行うこと。ただし、介護施設を退所し、その日から病院又は診療所に入院する場合には、退所の日における介護施設入所者基本生活費については、計上を要しないこと。
　　カ　介護施設入所者基本生活費は、原則として保護の基準別表第1第3章の2の(1)の基準額の全額を計上すること。
(5)　被服費
　　ア　被保護者が次のいずれかに該当する場合であって、次官通知第7に定めるとこ

ろによって判断したうえ、必要と認めるときは、それぞれに定める額の範囲内において特別基準の設定があったものとして被服費を計上して差し支えないこと。
なお、(ア)から(ウ)までの場合においては、現物給付を原則とすること。
(ア) 次のいずれかに該当する場合において、現に使用する布団類が全くないか又は全く使用に堪えなくなり、代替のものがない場合
　a　保護開始時
　b　長期入院・入所後退院・退所した場合
　c　犯罪等により被害を受け、又は同一世帯に属する者から暴力を受け、生命及び身体の安全の確保を図るために新たに借家等に転居する場合

区　　　　　　　　分	金　　　　　　額
再生によることができる場合	1組につき1万5000円以内
新規に購入を必要とする場合	1組につき2万1900円以内

(イ) 保護開始時及び長期入院・入所後退院・退所した場合において、現に着用する被服（平常着）が全くないか若しくは全く使用に堪えない状況にある者又は学童服について特別の需要があると実施機関が認めた者の場合
　　　1人当たり　　　1万5000円以内
(ウ) 災害にあい、災害救助法第4条の救助が行われない場合において、当該地方公共団体等の救護をもってしては災害によって失った最低生活に直接必要な布団類、日常着用する被服をまかなうことができない場合

世 帯 人 員 別	金　　　　　　　　額	
	夏季(4月から9月まで)	冬季(10月から3月まで)
2人まで	2万1400円以内	3万8400円以内
4人まで	4万700円以内	6万5000円以内
5人	5万2400円以内	8万2600円以内
6人以上1人を増すごとに加算する額	7600円以内	1万1300円以内

(エ) 出産を控えて新生児のための寝具、産着、おむつ等を用意する必要がある場合
　　　　　　　　　　　　　　　　　　　　　　　　　　　5万5600円以内
(オ) 入院を必要とする者が入院に際し、寝巻又はこれに相当する被服が全くないか又は使用に堪えない場合　　　　　　　　　　　　　　　　4700円以内
(カ) 常時失禁状態にある患者（介護施設入所者を除く。）等が紙おむつ等を必要とする場合　　　　　　　　　　　　　　　　　　月額　2万5200円以内
　イ　布団類支給にあたっては、その世帯の世帯人員、世帯構成、世帯員の健康状態、住居の広さ、布団類保有状況及び当該地域の低所得世帯との均衡を失しない限度において最低生活の維持に必要な支給量を決定すること。なお、その者が使用していたものを再生して使用させることを第一に考慮し、みだりに新製の布団類を支給することのないように留意すること。

(6) 家具什器費
　ア　炊事用具、食器等の家具什器
　　　被保護世帯が次の(ア)から(オ)までのいずれかの場合に該当し、次官通知第7に定めるところによって判断した結果、炊事用具、食器等の家具什器を必要とする状態にあると認められるときは、3万4400円の範囲内において特別基準の設定があったものとして家具什器（イ及びウを除く。）を支給して差し支えないこと。
　　　なお、真にやむを得ない事情により、この額により難いと認められるときは、5万4800円の範囲内において、特別基準の設定があったものとして家具什器（イ及びウを除く。）を支給して差し支えないこと。
　(ア)　保護開始時において、最低生活に直接必要な家具什器の持合せがないとき。
　(イ)　単身の被保護世帯であり、当該単身者が長期入院・入所後に退院・退所し、新たに単身で居住を始める場合において、最低生活に直接必要な家具什器の持合せがないとき。
　(ウ)　災害にあい、災害救助法第4条の救助が行われない場合において、当該地方公共団体等の救護をもってしては、災害により失った最低生活に直接必要な家具什器をまかなうことができないとき。
　(エ)　転居の場合であって、新旧住居の設備の相異により、現に所有している最低生活に直接必要な家具什器を使用することができず、最低生活に直接必要な家具什器を補填しなければならない事情が認められるとき。
　(オ)　犯罪等により被害を受け、又は同一世帯に属する者から暴力を受け、生命及び身体の安全の確保を図るために新たに借家等に転居する場合において、最低生活に直接必要な家具什器の持合せがないとき。
　イ　暖房器具
　　　被保護世帯がアの(ア)から(オ)までのいずれかに該当した場合であって、それ以降、初めて到来する冬季加算が認定される月において、最低生活に直接必要な暖房器具の持ち合わせがないときは、暖房器具の購入に要する費用について、2万7000円の範囲内において、特別基準の設定があったものとして必要な額を認定して差し支えないこと。
　　　なお、被保護世帯が居住する地域の気候条件や住宅設備の状況等により、ＦＦ式又は煙突式等の暖房器具を購入する必要がある場合など、暖房器具の購入に要する費用が2万7000円をこえることが、真にやむを得ないと実施機関が認めたときは、暖房器具の購入に要する費用について、6万7000円の範囲内において、特別基準の設定があったものとして必要な額を認定して差し支えないこと。
　ウ　冷房器具
　　　被保護世帯がアの(ア)から(オ)までのいずれかに該当し、当該被保護世帯に属する被保護者に熱中症予防が特に必要とされる者がいる場合であって、それ以降、初めて到来する熱中症予防が必要となる時期を迎えるに当たり、最低生活に直接必要な冷房器具の持ち合わせがなく、真にやむを得ないと実施機関が認めたときは、冷房器具の購入に要する費用について、6万7000円の範囲内において、特別

基準の設定があったものとして必要な額を認定して差し支えないこと。
　エ　支給方法
　　　アからウまでの場合においては、収入充当順位にかかわりなく、現物給付の方法によること。ただし、現物給付の方法によることが適当でないと認められるときは、金銭給付の方法によっても差し支えないこと。
　　　なお、これらの家具什器の購入に際して設置費用が別途必要な場合であって、真にやむを得ないと実施機関が認めたときは、アからウまでとは別に特別基準の設定があったものとして、当該家具什器の設置に必要な最小限度の額を設定して差し支えないこと。
(7)　移送費
　ア　移送は、次のいずれかに該当する場合において、他に経費を支出する方法がないときに乗車船券を交付する等なるべく現物給付の方法によって行なうこととし、移送費の範囲は、(ケ)又は(サ)において別に定めるもののほか、必要最小限度の交通費、宿泊料及び飲食物費の額とすること。この場合、(ア)若しくは(イ)に該当する場合であって実施機関の委託により使役する者があるとき、(ウ)、(オ)、(コ)若しくは(シ)に該当する場合であって付添者を必要とするとき又は(エ)に該当する場合の被扶養者にあっては、その者に要する交通費、宿泊料及び飲食物費並びに日当（実施機関の委託により使役する者について必要がある場合に限る。）についても同様の取扱いとすること。
　(ア)　生計の途がなく、かつ、一定の住居を持たない者で、野外において生活している者、外国からの帰還者等やむを得ない状態にあると認められる要保護者を扶養義務者その他の確実な引取り先に移送する必要があると認められる場合
　(イ)　要保護者を保護の必要上遠隔地の保護施設等へ移送する場合
　(ウ)　被保護者が実施機関の指示又は指導をうけて他法による給付の手続、施設入所手続、就職手続及び検診等のため当該施設等へ出向いた場合
　(エ)　被保護者が実施機関の指示又は指導をうけてその者の属する世帯の世帯員として認定すべき被扶養者を引取りに行く場合
　(オ)　被保護者が障害者支援施設、公共職業能力開発施設等に入所し若しくはこれらの施設から退所する場合又はこれらの施設に通所する場合であって、身体的条件、地理的条件又は交通事情により、交通費を伴う方法以外には通所する方法が全くないか又はきわめて困難である場合
　(カ)　(オ)に掲げる施設等に入所している被保護者が当該施設の長の指導により出身世帯に一時帰省する場合又はこれらの施設に入所している者の出身世帯員（被保護世帯に限る。）がやむを得ない事情のため当該施設の長の要請により当該施設へ行く場合
　(キ)　被保護者が実施機関の指示又は指導をうけて求職又は施設利用のため熱心かつ誠実に努力した場合
　(ク)　被保護世帯員のいずれかが入院したため当該患者の移送以外に実施機関が認める最小限度の連絡を要する場合

(ケ) 被保護者(その委託による代理人を含む。)が、当該被保護者の配偶者、三親等以内の血族若しくは二親等以内の姻族であって他に引取人のない遺体、遺骨を引取りに行く場合又はそれらの者の遺骨を納めに行く場合で実施機関がやむを得ないと認めたとき。
　　　この場合、遺体の運搬費を要するときは、その実費を認定して差しつかえない。
(コ) 被保護者が、配偶者、三親等以内の血族若しくは二親等以内の姻族が危篤に陥っているためそのもとへ行く場合又はそれらの者の葬儀に参加する場合で実施機関がやむを得ないと認めたとき。
(サ) 被保護者が転居する場合又は住居を失なった被保護者が家財道具を他に保管する場合及びその家財道具を引き取る場合で、真にやむを得ないとき。
　　　この場合、荷造費及び運搬費を要するときは、実施機関が事前に承認した必要最小限度の額を認定して差しつかえない。
(シ) 被保護者が出産又は妊婦健診(妊婦に対する健康診査についての望ましい基準(平成27年3月31日厚生労働省告示第226号)に基づき公費負担の限度となっている回数に限る)のため病院、助産所等へ入院、入所し、又は退院、退所、通院又は通所する場合
(ス) 刑務所、少年院等に入所している者の出身世帯員(被保護世帯に限る。)がやむを得ない事情のため当該施設の長の要請により当該施設へ行く場合
(セ) アルコールやその他薬物などの依存症若しくはその既往のある者又はその同一世帯員が、病状改善や社会復帰の促進を図ることを目的とする事業や団体の活動を継続的に活用する場合若しくは当該事業や団体の実施する2泊3日以内の宿泊研修(原則として当該都道府県内に限る。)に参加する場合又は精神保健福祉センター、保健所等において精神保健福祉業務として行われる社会復帰相談指導事業等の対象者若しくはその同一世帯員が、その事業を継続的に活用する場合であって、それがその世帯の自立のため必要かつ有効であると認められるとき。
(ソ) 被保護者が子の養育費の支払いを求める調停又は審判のため家庭裁判所に出頭する場合
(タ) 被保護者が実施機関の被保護者健康管理支援事業に基づく受診勧奨による、健診(例えば、健康増進法に基づく健康診査)又は保健指導のため通院又は通所する場合
イ　生計の途がなく、かつ、一定の住居を持たない者で、野外において生活している者等に対し移送費を支給する場合には、面接、調査、照会等により知った事情を、できるだけ詳細に、保護台帳、ケース記録等に記入し、警察官の証明書等を参考書類として添付する等、保護の経緯を明らかにしておくように留意し、その保護台帳の写を目的地の保護の実施機関にすみやかに送付すること。
(8) 入学準備金
ア　小学校、義務教育学校の前期課程若しくは特別支援学校の小学部(以下「小学

校等」という。）又は中学校、義務教育学校の後期課程、中等教育学校の前期課程（保護の実施機関が就学を認めた場合に限る。）若しくは特別支援学校の中学部（以下「中学校等」という。）に入学する児童又は生徒が、入学の際、入学準備のための費用を必要とする場合は、それぞれ次の額の範囲内において特別基準の設定があったものとして必要な額を認定して差し支えないこと。この場合、原則として金銭給付によることとするが、現物給付によることが適当であると認められるときは現物給付によることとして差し支えないこと。

　　　　小学校等入学時　　　　6万4300円以内
　　　　中学校等入学時　　　　8万1000円以内

　イ　児童又は生徒が次の(ｱ)から(ｳ)までのいずれかに該当した場合であって、就学期間中に学生服、ランドセル及び通学用かばん（以下このイにおいて「制服等」という。）の買い換えが必要であると保護の実施機関が認めた場合は、上記アに規定する額の範囲内において特別基準の設定があったものとして必要な額を認定して差し支えないこと。
　　(ｱ)　制服等が成長に伴って使用に耐えない状態にあると認められる場合
　　(ｲ)　制服等が通常の使用による損耗により使用に耐えない状態にあると認められる場合
　　(ｳ)　制服等が災害等により消失又は使用に耐えない状態にあると認められる場合
(9)　就労活動促進費
　ア　次の(ｱ)及び(ｲ)のいずれにも該当する場合については、イに定める額を認定して差し支えない。
　　(ｱ)　早期に就労による保護脱却が可能と実施機関が判断する者
　　(ｲ)　次に掲げる活動要件をいずれも満たすこと。
　　　　a　「就労可能な被保護者の就労・自立支援の基本方針について」（平成25年5月16日社援発0516第18号厚生労働省社会・援護局長通知）に定める「自立活動確認書」（以下「確認書」という。）に基づき、以下のbからdに定める求職活動を行っていること。なお、bからdに定める活動要件を超える活動内容を確認書で計画している場合には、実際の求職活動がbからdの要件を満たしていれば支給要件を満たしているものとして取り扱って差し支えない。
　　　　b　原則、月1回以上求職先の面接を受けている又は月3回以上求職先に応募していること（地域の求人状況等のやむを得ない事情により回数を満たせない場合はこの限りでない。）。
　　　　c　原則、月1回以上保護の実施機関の面接を受けること（保護の実施機関との面接予定日に求職先の面接を受けることとなった場合など、求職活動上やむを得ない理由で保護の実施機関の面接を受けることができない場合はこの限りでない。）。
　　　　d　確認書に基づく求職活動として、(a)から(c)までを組み合わせて原則週1回以上の活動を月6回以上行っていること（求職活動の要件を満たすセミナー

の開催頻度が少ない等やむを得ない事情により回数を満たせない場合はこの限りでない。)。
  (a) 公共職業安定所における求職活動
    公共職業安定所への求職申し込みを行ったうえで、以下の活動を行うこと。なお、1日に複数回行った場合でも1回として算定すること。
    ・ 公共職業安定所での職業相談及び職業紹介
      (紹介状が発行されているにもかかわらず、正当な理由なく書類を提出しなかった場合や面接を受けなかった場合は、求職活動は行わなかったものとして取り扱う。)
    ・ 求職活動で必要な履歴書、職務経歴書の作り方や面接の受け方等をはじめ各種のセミナー等への参加。なお、公共職業安定所以外の機関が実施するセミナーは保護の実施機関が事前に認めたものに限ることとする。(同内容のセミナーは1回に限り対象とする。)
  (b) 「平成17年度における自立支援プログラムの基本方針について」(平成17年3月31日社援発第0331003号厚生労働省社会・援護局長通知)に定める就労支援プログラムに基づき、保護の実施機関が行う就労支援への参加(本支援の中で(a)の活動を行った場合には当該活動は重複算定しない。)
  (c) 「生活保護受給者等就労自立促進事業の実施について」(平成25年3月29日雇児発0329第30号、社援発0329第77号「生活保護受給者等就労自立促進事業の実施について」別添「生活保護受給者等就労自立促進事業実施要領」)に基づく生活保護受給者等就労自立促進事業への参加
 イ 就労活動促進費は、月額5000円とする。
 ウ 支給対象期間は、原則6か月以内とする。ただし、保護の実施機関が必要と認めた場合には、3か月以内の支給対象期間を2回まで(最長1年まで)延長できるものとする。
 エ 支給は、本人の申請に基づき、局第7の2の(9)のアに定める要件を確認の上、行うこと。
 オ 支給を開始した者については、「就労可能な被保護者の就労・自立支援の基本方針について」(平成25年5月16日社援発0516第18号厚生労働省社会・援護局長通知)に定める「求職活動状況・収入申告書」により毎月、求職活動の実績について報告させること。また、アの(イ)のCにおける原則月1回以上の面接においても活動状況を確認すること。
 カ 支給にあたっては、支給前1か月間の活動実績を確認することとし、原則としてその活動実績が支給要件を満たす場合に限り、支給すること。
 キ 就労が決定した場合には、就労が決定した月まで支給対象とする。
 ク 過去に支給した者は対象としない。ただし、保護廃止後、再度、保護開始となった場合であって、支給から5年が経過している場合にはこの限りでない。
(10) その他

ア　配電設備費
　(ア)　被保護者が現に居住する家屋に配電設備が全くない場合には、保護の基準別表第3の1の補修費等住宅維持費の額の範囲内において、特別基準の設定があったものとして、配電設備の新設に必要な額を認定して差しつかえないこと。
　　なお、真にやむを得ない事情により、この額により難いと認められるときは、保護の基準別表第3の1の基準額に1.5を乗じて得た額の範囲内において、特別基準の設定があったものとして、必要な額を認定して差しつかえない。
　(イ)　設備に要する経費の減免又は扶養義務者ないしは地域社会の援助等を期待できるものについては、極力これを受けるよう指導すること。
イ　水道、井戸又は下水道設備費
　(ア)　被保護者が最低限度の生活の維持のために水道若しくは井戸を設備することが真に必要であると認められ、かつ、その地域の殆んどの世帯が水道若しくは井戸を設けているとき又は被保護者が市街地の中心部等に居住している場合であって、現在の下水（屎尿を除く。）処理の方法では当該世帯又は近隣の衛生を著しく損うことが認められ、かつ、下水道設備によるほか適当な処理方法がないときに限り、保護の基準別表第3の1補修費等住宅維持費の額の範囲内において特別基準の設定があったものとして水道、井戸又は下水道設備の新設に必要な額を認定してさしつかえない。
　　なお、真にやむを得ない事情により、この額により難いと認められるときは、保護の基準別表第3の1の基準額に1.5を乗じて得た額の範囲内において、特別基準の設定があったものとして、必要な額を認定して差しつかえない。
　　また、水道又は井戸の設備に係る特別基準の設定に当っては水道又は井戸の設備費のそれぞれを比較して廉価なものを設備すること。
　(イ)　設備の規模は、近隣との均衡等を十分検討したうえで、最低限度の生活にふさわしい程度で決定すること。
　(ウ)　設備に要する経費の減免又は扶養義務者ないしは地域社会の援助等を期待できるものについては極力これを受けるように指導すること。
ウ　液化石油ガス設備費
　(ア)　被保護者が最低限度の生活の維持のためにプロパンガス等液化石油ガス設備を設けることが真に必要であると認められ、かつ、その設置が近隣との均衡を失することにならないと認められる場合に限り、保護の基準別表第3の1の補修費等住宅維持費の額の範囲内において、特別基準の設定があったものとして液化石油ガス設備の新設に必要な額を認定して差しつかえないこと。
　　なお、真にやむを得ない事情により、この額により難いと認められるときは、保護の基準別表第3の1の基準額に1.5を乗じて得た額の範囲内において、特別基準の設定があったものとして、必要な額を認定して差しつかえない。
　(イ)　設備の規模は、近隣との均衡等を十分検討したうえで、最低限度の生活にふさわしい程度で決定すること。
　(ウ)　設備に要する経費の減免又は扶養義務者ないしは地域社会の援助等を期待で

エ 家財保管料

医療機関、介護老人保健施設、職業能力開発校、社会福祉施設、無料低額宿泊所、日常生活支援住居施設等に入院又は入所している単身の被保護者でやむを得ない事情により、家財を自家以外の場所に保管してもらう必要があり、かつそのための経費を他からの援助等で賄うことのできないものについては、入院又は入所（入院又は入所後に被保護者になったときは、被保護者になった時。以下同じ。）後1年間を限度として月額1万4000円の額を特別基準の設定があったものとして認定して差しつかえないこと。ただし、明らかに入院又は入所後1年以上の入院加療、入所による指導訓練を必要とする者についてはこの限りではない。

なお、入院又は入所後において保護の実施要領第7の4の(1)のエの(ア)により住宅費が認定されている場合には、12か月から当該住宅費を認定した月数を差し引いた月数の範囲において認定すること。

オ 家財処分料

借家等に居住する単身の被保護者が医療機関、介護老人保健施設、職業能力開発校、社会福祉施設、無料低額宿泊所、日常生活支援住居施設等に入院若しくは入所し、又は有料老人ホーム若しくはサービス付き高齢者向け住宅に入居し、入院若しくは入所又は入居見込期間（入院若しくは入所又は入居後に被保護者となったときは、被保護者になった時から）が6か月を超えることにより真に家財の処分が必要な場合で、敷金の返還金、他からの援助等によりそのための経費を賄うことができないものについては、家財の処分に必要な最小限度の額を特別基準の設定があったものとして認定して差しつかえない。

カ 妊婦定期検診料

妊娠した被保護者が、妊娠期間中（妊娠後に被保護者となったときは、被保護者になった以降）市町村において行われる妊婦の健康診査事業を利用することができず、医療機関において定期検診を受ける場合は、公費負担により受診する場合を除き、特別基準の設定があったものとして必要な額を認定して差しつかえない。

キ 不動産鑑定費用等

保護の申請を行った者又は保護受給中の者が、要保護世帯向け不動産担保型生活資金を利用（社会福祉協議会による貸付審査により、貸付の利用に至らなかった場合も含む。）することに伴って必要となる不動産鑑定費用（社会福祉協議会が単位期間ごとに行う再評価に要する費用を除く。）、抵当権等の設定登記費用及びその他必要となる費用については、特別基準の設定があったものとして必要な額を認定して差しつかえない。

ク 除雪費

豪雪地帯（豪雪地帯対策特別措置法（昭和37年法律第73号）第2条第1項に規定する豪雪地帯をいう。4の(2)のエにおいて同じ。）において、本人又は親族や地域の支援では日常生活に必要な通路・避難路の確保のために必要な除排雪が困難な場合は、当該除排雪に要する費用（4の(2)のエにいう「雪囲い、雪下ろし等

に要する費用」を除く。）について、冬季加算認定期間ごとに3万3000円の範囲内において特別基準の設定があったものとして必要な額を認定して差し支えない。

3 教育費
(1) 基準額の算定
　教育扶助基準額の計上にあたっては、保護開始月、変更月、停止月又は廃止月においても、月額全額を計上すること。
(2) 学級費等
　学校教育活動のために全ての児童又は生徒について学級費、児童会又は生徒会費及びＰＴＡ会費等（以下「学級費等」という。）として保護者が学校に納付する場合であって、保護の基準別表第2に規定する基準額によりがたいときは、学級費等について次の額の範囲内において特別基準の設定があったものとして必要な額を認定して差し支えない。

　　　小学校等　　　　月額　　　1080円以内
　　　中学校等　　　　月額　　　1000円以内
(3) 教材代
　正規の教材として学校長又は教育委員会が指定するものについて、教育費のうちの教科書代を計上する場合には、学校長又は教育委員会の指定証明を徴すること。
　なお、正規の教材の範囲は、学校において当該学級の全児童が必ず購入することとなっている副読本的図書、ワークブック、和洋辞典及び楽器であること。
　また、正規の教材の利用に必要な額とは、ＩＣＴを活用した教育にかかる通信費であること。
(4) 通学のための交通費
　児童又は生徒が身体的条件、地理的条件又は交通事情により交通費を伴う方法による以外には通学する方法が全くないか、又はそれによらなければ通学がきわめて困難である場合においては、その通学のため必要な最小限度の交通費の額を計上すること。
(5) 校外活動参加費
　小学校等、中学校等又は教育委員会が行う校外活動（修学旅行を除く。）に、当該学年の児童又は生徒の全員が参加する場合は、その参加のために必要な最小限度の額を特別基準の設定があったものとして認定して差し支えないこと。
(6) 災害時等の学用品費の再支給
　災害その他不可抗力により学用品を消失し、学用品を再度購入することが必要な場合には、次の額の範囲内において特別基準の設定があったものとして必要な額を認定して差し支えないこと。

　　　小学校等　　　　1万1600円以内
　　　中学校等　　　　2万2700円以内
(7) 学習支援費
　ア　小学校等又は中学校等に通学する児童又は生徒が課外のクラブ活動を行うため

の費用を必要とする場合は、1学年ごとに保護の基準別表第2に規定する学習支援費（年間上限額）の項にそれぞれ規定する額（イにおいて「年間上限額」という。）の範囲内において、必要の都度、必要な額を認定すること。
イ アの課外のクラブ活動に要する費用について、合宿及び大会等への参加にかかる交通費及び宿泊費が必要となることにより、年間上限額によりがたい場合であって、真にやむを得ないと実施機関が認めたときは、1学年ごとに、年間上限額に換えて、年間上限額に1.3を乗じて得た額の範囲内において、特別基準の設定があったものとして必要な額を認定して差し支えないこと。
4 住宅費
(1) 家賃、間代、地代等
　ア 保護の基準別表第3の1の家賃、間代、地代等は居住する住居が借家若しくは借間であって家賃、間代等を必要とする場合又は居住する住居が自己の所有に属し、かつ住居の所在する土地に地代等を要する場合に認定すること。
　イ 月の中途で保護開始、変更、停止又は廃止となった場合であって、日割計算による家賃、間代、地代等の額を超えて家賃、間代、地代等を必要とするときは、1か月分の家賃、間代、地代等の基準額の範囲内で必要な額を認定して差し支えない。
　ウ 被保護者が真に必要やむを得ない事情により月の中途で転居した場合であって日割計算による家賃、間代の額をこえて家賃、間代を必要とするときは、転居前及び転居後の住居にかかる家賃、間代につき、それぞれ1か月分の家賃、間代の基準額の範囲内で必要な額を認定してさしつかえないこと。
　エ 入院患者がある場合等の住宅費の取扱い
　　(ｱ) 単身の者が、医療機関、介護老人保健施設、職業能力開発校、社会福祉施設等に入院入所期間中も従来通り住宅費を支出しなければならない生活実態にある場合は、入院入所（入院入所後に被保護者になったときは、被保護者になった時。以下この項において同じ。）後6か月以内に退院退所できる見込みのある場合に限り、入院入所後6か月間を限度として、当該住宅費を認定して差し支えないこと。
　　　なお、入院入所後における病状の変化等により6か月を超えて入院入所することが明らかとなった場合であっても、その時から3か月以内に確実に退院退所できる見込みがあると認められる場合には、更に3か月を限度として引き続き当該住宅費を認定して差し支えないこと。
　　(ｲ) (ｱ)以外の場合であって、保護受給中の単身者が月の中途で病院等に入院若しくは入所し、又は病院等から退院若しくは退所した場合において、日割計算による家賃、間代の額をこえて家賃、間代を必要とするときは、1か月分の家賃、間代の基準額の範囲内で必要な額を計上して差しつかえないこと。
　　　なお、地域の住宅事情等により、退院又は退所する月において住居を確保することが困難であるため、当該月の前月分の家賃、間代を必要とするときは、退院又は退所した日以前1か月を限度として1か月分の家賃、間代の基準額の

範囲内で必要な額を日割計算により計上して差しつかえないこと。
オ 保護の基準別表第3の2の規定に基づき厚生労働大臣が別に定める額（限度額）のうち、世帯人員別の住宅扶助（家賃・間代等）の限度額（オにおいて「世帯人員別の限度額」という。）によりがたい家賃、間代等であって、世帯員の状況、当該地域の住宅事情によりやむを得ないと認められるものについては、世帯人員別の限度額のうち世帯人員が1人の場合の限度額に次に掲げる率を乗じて得た額（カ、キ及びクにおいて「特別基準額」という。）の範囲内において、特別基準の設定があったものとして必要な額を認定して差しつかえないこと。

1人	2人	3人	4人	5人	6人	7人以上
1.3	1.4	1.5	1.6	1.7	1.7	1.8

カ 被保護者が転居に際し、敷金等を必要とする場合で、オに定める特別基準額以内の家賃又は間代を必要とする住居に転居するときは、オに定める特別基準額に3を乗じて得た額の範囲内において、特別基準の設定があったものとして必要な額を認定して差しつかえないこと。ただし、近い将来保護の廃止が予想され、その後に転居することをもって足りる者については、この限りでない。

キ 保護開始時において、安定した住居のない要保護者（保護の実施機関において居宅生活ができると認められる者に限る。）が住宅の確保に際し、敷金等を必要とする場合で、オに定める特別基準額以内の家賃又は間代を必要とする住居を確保するときは、オに定める特別基準額に3を乗じて得た額の範囲内において特別基準の設定があったものとして必要な額を認めて差し支えないこと（住環境が著しく劣悪な状態であることが確認された場合その他実施機関において居住することが不適切と認めた場合を除く。）。

ク 被保護者が居住する借家、借間の契約更新等に際し、契約更新料等を必要とする場合には、オに定める特別基準額の範囲内において特別基準の設定があったものとして必要な額を認定して差しつかえない。

(2) 住宅維持費
ア 保護の基準別表第3の1の補修費等住宅維持費は、被保護者が現に居住する家屋の畳、建具、水道設備、配電設備等の従属物の修理又は現に居住する家屋の補修その他維持のための経費を要する場合に認定すること。
なお、この場合の補修の規模は、社会通念上最低限度の生活にふさわしい程度とすること。

イ 家屋の修理又は補修その他維持に要する費用（エにより認定された額を除く。）が保護の基準別表第3の1によりがたい場合であってやむを得ない事情があると認められるときは、基準額に1.5を乗じて得た額の範囲内において、特別基準の設定があったものとして、必要な額を認定して差しつかえないこと。

ウ 災害に伴い家屋の補修等を必要とする場合には、すでに認定した補修費等住宅維持費にかかわりなく被災の時点から新たに補修費等住宅維持費を認定すること

として差しつかえないこと。
　　エ　豪雪地帯において、雪囲い、雪下ろし等をしなければ家屋が損壊するおそれがある場合には、当該雪囲い、雪下ろし等に要する費用について、一冬期間につき保護の基準別表第3の1に定める額の範囲内において特別基準の設定があったものとして、必要な額を認定して差しつかえないこと。
5　医療費
　　指定医療機関等において診療を受ける場合の医療費は、医療関係法令通達等に示すところにより診療に必要な最小限度の実費の額を計上すること。
6　介護費
　　指定介護機関において介護サービスを受ける場合の介護費は、介護関係法令通知等に示すところにより、介護サービスを受けるために必要な最小限度の実費の額を計上すること。
7　出産費
(1)　出産予定日の急変によりあらかじめ予定していた施設において分べんすることができなくなった場合等真にやむを得ない事情により、出産に要する費用が保護の基準別表第6により難いこととなったときは、保護の基準別表第6の1について、36万3000円の範囲内において特別基準の設定があったものとして必要な額を認定して差し支えないこと。
(2)　双生児出産の場合は、保護の基準別表第6の1について、基準額（(1)の要件を満たす場合は、36万3000円）の2倍の額の範囲内において特別基準の設定があったものとして必要な額を認定して差し支えないこと。
(3)　病院、診療所、助産所その他の者であって、健康保険法施行令第36条各号に掲げる要件のいずれにも該当するものによる医学的管理の下における出産であると保護の実施機関が認めるときは、保護の基準別表第6の1又は本通知第7の7の(1)に定める額に加え、3万円の範囲内において特別基準の設定があったものとして、同条第1号に規定する保険契約に関し被保護者が追加的に必要となる費用の額を認定して差し支えないこと。
8　生業費、技能修得費及び就職支度費
(1)　生業費
　　ア　専ら生計の維持を目的として営まれることを建前とする小規模の事業を営むために必要な資金又は生業を行なうために必要な器具若しくは資料を必要とする被保護者に対し、その必要とする実態を調査確認のうえ、基準額の範囲内における必要最小限度の額を計上するものとすること。
　　　　なお、生業費として認められる経費が保護の基準別表第7の1によりがたい場合であってやむを得ない事情があると認められるときは、7万8000円の範囲内において、特別基準の設定があったものとして必要な額を認定して差しつかえない。
　　イ　同一世帯に属する2人以上の者から同時に別個の生業計画により2件以上の申

請があった場合には、世帯の収入の増加及び自立助長に効果的に役立つと認められるものについては、それぞれ生業扶助を適用して差しつかえないこと。
　ウ　世帯を異にする２人以上の者から共同の出資事業につき申請がそれぞれ別個になされた場合には、生業計画について企業責任の所在、経営利潤の配分、資材及び労力の提供、製品の販路等を詳細に検討したうえ、個々の世帯の収入の増加及び自立助長に効果的に役立つと認められるものについては、それぞれ生業扶助を適用して差しつかえないこと。
　エ　支給品目の品質及び価格は、最低限度の生活にふさわしい程度で決定すること。
(2)　技能修得費
　ア　技能修得費（高等学校等就学費を除く）
　　技能修得費は、次に掲げる範囲において必要な額を認定すること。
　　なお、支給にあたっては、被保護者に対して、技能修得費の趣旨目的について十分な説明を行うとともに、技能修得状況の経過を把握し、適切な助言指導を行うこと。
　　(ア)　生計の維持に役立つ生業に就くために必要な技能を修得する経費を必要とする被保護者に対し、その必要とする実態を調査確認のうえ、基準額の範囲内における必要最小限度の額を計上するものとすること。
　　(イ)　身体障害者手帳を所持する視覚障害者が、あん摩マッサージ指圧師、はり師、きゅう師等に関する法律第２条第１項の養成施設において、はり師、きゅう師になるために必要な技能を修得する場合で、当該技能修得が世帯の自立助長に特に効果があると認められるときは、技能修得の期間が２年をこえる場合であっても、その期間１年につき保護の基準別表第７の１に規定する額の範囲内で特別基準の設定があったものとして必要な額を認定すること。
　　(ウ)　技能修得費として認められるものは、技能修得のために直接必要な授業料（月謝）、教科書・教材費、当該技能修得を受ける者全員が義務的に課せられる費用等の経費並びに資格検定等に要する費用（ただし、同一の資格検定等につき一度限りとする。）等の経費であること。
　　　なお、技能修得費として認められる経費が保護の基準別表第７の１によりがたい場合であってやむを得ない事情があると認められるときは、14万9000円の範囲内において特別基準の設定があったものとして必要な額を認定して差し支えないこと。
　　(エ)　上記(ア)に定めるところにかかわらず、(平成17年３月31日付け社援発第0331003号厚生労働省社会・援護局長通知に定めるところによる）自立支援プログラムに基づくなど、実施機関が特に必要と認めた場合については、コンピュータの基本的機能の操作等就職に有利な一般的技能や、コミュニケーション能力等就労に必要な基礎的能力を修得するための経費を必要とする被保護者についても、基準額の範囲内における必要最小限度の額を計上して差し支えな

いこと。

　なお、自立支援プログラムに基づく場合であって、1年間のうちに複数回の技能修得費を必要とする場合については、年額23万8000円の範囲内において特別基準の設定があったものとして必要な額を認定して差し支えないこと。

(オ)　当分の間、次のいずれかに該当する技能習得手当等を受けている被保護者については、その実額に相当する額を技能修得費として計上すること。この場合、その者の収入のうち当計上額は収入充当順位にかかわりなく技能修得費に充当することとし、また、その額が技能修得費の一般基準額をこえるときは、特別基準の設定があったものとして取り扱うこと。

　なお、bに該当するものとして取り扱う場合は、厚生労働大臣に情報提供すること。

　a　労働施策の総合的な推進並びに労働者の雇用の安定及び職業生活の充実等に関する法律等に基づき支給される技能習得手当又は求職者支援制度に基づき支給される通所手当

　b　職業能力開発促進法にいう公共職業能力開発施設に準ずる施設において職業訓練をうける者が地方公共団体又はその長から支給されるaに準ずる技能習得手当

(カ)　被保護者に対して、障害者の日常生活及び社会生活を総合的に支援するための法律第77条の規定に基づき、市町村が実施する地域生活支援事業の更生訓練費給付事業により、更生訓練費又は物品の支給が行われた場合は、当該訓練費の実額又は物品の支給に要する費用の実額を技能修得費として計上するとともに、その者の収入のうち当計上額は、収入充当順位にかかわりなく技能修得費に充当することとし、またその額が技能修得費の一般基準額をこえるときは、特別基準の設定があったものとして取り扱うこと。ただし、技能修得費を当該訓練費の実額又は物品の支給に要する費用の実額をこえて認定する必要があるとき、又は技能修得費として計上した額を各月に分割して支給することが適当でないと認められるときは、前記の取扱いによらず、一般基準額又は(イ)若しくは(ウ)による特別基準額として認められる額の範囲内において必要と認められる額を技能修得費として計上し、更生訓練費等は収入として認定すること。

(キ)　(ウ)による限度額を超えて費用を必要とする場合であって、次のいずれかに該当するときは、38万円の範囲内において特別基準の設定があったものとして取り扱って差しつかえないこと。

　この場合、給付にあたっては、必要と認められる最小限度の額を確認の上、その都度分割して給付するものとすること。

　a　生計の維持に役立つ生業に就くために専修学校又は各種学校において技能を修得する場合であって、当該世帯の自立助長に資することが確実に見込まれる場合

　b　自動車運転免許を取得する場合（免許の取得が雇用の条件となっている等

確実に就労するために必要な場合に限る。）
          c 雇用保険法第60条の2に規定する教育訓練給付金の対象となる厚生労働大臣の指定する教育訓練講座（原則として当該講座修了によって当該世帯の自立助長に効果的と認められる公的資格が得られるものに限る。）を受講する場合であって、当該世帯の自立助長に効果的と認められる場合
  イ　高等学校等就学費
    (ア)　高等学校等就学費は、高等学校等に就学し卒業することが当該世帯の自立助長に効果的であると認められる場合について、原則として当該学校における正規の就学年限に限り認定すること。
        なお、保護開始時に既に高等学校等に就学している場合には、原則として、正規の就学年限から既に就学した期間を減じた期間に限り認められるものであること。
    (イ)　高等学校等就学費基本額の計上にあたっては、保護開始月、変更月、停止月又は廃止月においても、月額全額を計上すること。
    (ウ)　学校教育活動のために全ての生徒について学級費、生徒会費及びPTA会費等（以下「学級費等」という。）として保護者が学校に納付する場合であって、保護の基準別表第7に規定する基本額によりがたいときは、学級費等について月額2330円の範囲内において特別基準の設定があったものとして必要な額を認定して差し支えない。
    (エ)　教材代の認定を行う場合には、必要に応じて教材の購入リスト等の提出を求めるなど、必要とする実費の額の確認を行うこと。
        正規の授業で使用する教科書等の範囲は、当該授業を受講する全生徒が必ず購入することとなっている教科書、副読本的図書、ワークブック、和洋辞典及び楽器であること。
        また、正規の教材の利用に必要な額とは、ICTを活用した教育にかかる通信費であること。
    (オ)　高等専門学校に就学している場合であって、第4学年及び第5学年に該当する場合は、授業料として、年額39万6000円の範囲内において特別基準の設定があったものとして必要な額を認定して差し支えないこと。なお、大学等における修学の支援に関する法律（令和元年法律第8号）第8条第1項による授業料等減免を受けた場合は、同法による授業料減免を受けなかった場合において必要な額として認定される額から、実際に授業料減免を受けた額を差し引いた額を必要な額として認定されたい。
    (カ)　高等学校等に入学する生徒が、入学の際、入学準備のための費用を必要とする場合は、8万7900円の範囲内において特別基準の設定があったものとして必要な額を認定して差しつかえないこと。この場合、原則として金銭給付によることとするが、現物給付によることが適当であると認められるときは現物給付によることとして差しつかえないこと。

　　　　　　また、生徒が次のaからcまでのいずれかに該当した場合であって、就学期間中に学生服及び通学用かばん（以下この㈹において「制服等」という。）の買い換えが必要であると保護の実施機関が認めた場合は、上記に規定する額の範囲内において特別基準の設定があったものとして必要な額を認定して差し支えないこと。
　　　　a　制服等が成長に伴って使用に耐えない状態にあると認められる場合
　　　　b　制服等が通常の使用による損耗により使用に耐えない状態にあると認められる場合
　　　　c　制服等が災害等により消失又は使用に耐えない状態にあると認められる場合
　　㈭　生徒が身体的条件、地理的条件又は交通事情により交通費を伴う方法による以外には通学する方法が全くないか、又はそれによらなければ通学がきわめて困難である場合においては、その通学のため必要な最小限度の交通費の額を計上すること。
　　㈯　災害その他不可抗力により学用品を消失し、学用品を再度購入することが必要な場合には、2万6500円の範囲内において特別基準の設定があったものとして必要な額を認定して差しつかえないこと。
　　　　また、同様に正規の授業で使用する教科書等を消失し、再度購入することが必要な場合には、上記の額に加えて、高等学校等就学費の教材代として支給対象となる範囲内において、必要な実費を認定して差し支えない。
　　㈰　高等学校等に通学する生徒が課外のクラブ活動を行うための費用を必要とする場合は、1学年ごとに保護の基準別表第7に規定する学習支援費（年間上限額）の項に規定する額（以下この㈰において「年間上限額」という。）の範囲内において、必要の都度、必要な額を認定すること。
　　　　また、上記の課外のクラブ活動に要する費用について、合宿及び大会等への参加にかかる交通費及び宿泊費が必要となることにより、年間上限額によりがたい場合であって、真にやむを得ないと実施機関が認めたときは、1学年ごとに、年間上限額に換えて、年間上限額に1.3を乗じて得た額の範囲内において、特別基準の設定があったものとして必要な額を認定して差し支えないこと。
　(3)　就職支度費
　　　就職の確定した被保護者が、就職のため直接必要とする洋服類、履物等の購入費用を要する場合は、基準額の範囲内で必要な額を計上すること。
　　　また、就職の確定した者が初任給が支給されるまでの通勤費については、必要やむを得ない場合に限り当該費用については、特別基準の設定があったものとして交通費実費分を計上すること。
9　葬祭費
(1)　小人の葬祭に要する費用が保護の基準別表第8の1の小人の基準額をこえる場合であって、当該地域の葬祭の実態が大人と同様であると認められるときは、保護の

基準別表第8の1の基準額について大人の基準を特別基準の設定があったものとして適用して差しつかえない。
(2) 法第18条第2項第1号に該当する死者に対し葬祭を行なう場合は、葬祭扶助基準額表の額（火葬料等についての加算及び(1)により特別基準の設定があった場合を含む。）に1000円を加算した額を特別基準の設定があったものとして、計上して差しつかえないこと。
(3) 死亡診断又は死体検案に要する費用（文書作成の手数料を含む。）が5350円をこえる場合は、葬祭扶助基準額表の額（火葬料等についての加算並びに(1)及び(2)により特別基準の設定があった場合を含む。）に当該こえる額を加算した額を、特別基準の設定があったものとして、計上して差しつかえないこと。
(4) 火葬又は埋葬を行なうまでの間、死体を保存するために特別な費用を必要とする事情がある場合は、必要最小限度の実費を特別基準の設定があったものとして計上して差しつかえないこと。
(5) 妊娠4か月以上で死産した場合には、葬祭費を認定して差しつかえないこと。
(6) 身元が判明しない自殺者等に対して市町村長が葬祭を行なった場合には、葬祭扶助の適用は、認められないこと。
10 特別基準の設定による費用
(1) 特別基準の設定があったときは、その額のとおり計上すること。
(2) 特別基準の設定があったものとして取り扱う費用の認定については、各費目に関する告示及び本職通知の規定に従い、かつ、次のアからオまでによって、必要な額を認定すること。なお、実施手続等については、(3)によること。
　ア　特別基準設定による費用の認定と援助方針
　　実施機関は、当該被保護世帯の援助方針に基づいて判断した結果、当該被保護世帯について、必要不可欠な特別の需要があると認められる場合に限り、特別基準の設定による費用を認定できるものであること。
　イ　特別需要額の認定
　　需要額の認定については、必要最小限度の額を認定すること。
　ウ　他法他施策の活用
　　生活福祉資金その他の他法他施策による給付等であって当該特別需要をみたすべきものについては、事前にその有無を検討し、その活用をはかるべきものであること。
　エ　扶養義務者その他からの援助
　　特別基準は、臨時又は特殊な需要に対応して設定されるものであるから、通常の扶養義務履行の有無とは別に、当該特殊需要に対する、扶養義務者その他からの臨時の援助の有無について、あらためて調査すること。
　オ　迅速な事務処理
　　特別基準による費用の設定が事後処理にならないよう厳に留意すること。
(3) 特別基準が設定されたものとして取り扱う費用等の認定にあたっては、次に掲げる資料を審査して認定すること。

ア　保護台帳
　　イ　保護決定調書
　　ウ　その他生活の現況、今後の自立更生等援助方針、特別基準設定の必要性、計画及び費用等の妥当性、他法他施策の活用の可能性、扶養義務者等他からの援助の可能性等を判断するために必要な資料
　　エ　計画書、見積書等
　　　(ア)　障害者加算：障害名、障害等級、障害の状況が確認できる書面、介護計画書（標準的な週における介護内容が確認できる書面）、領収書（更新時）
　　　(イ)　配電、水道、井戸または下水道設備費：設備計画書、関係図面、経費見積書、水質検査書、代替措置の検討
　　　(ウ)　敷金等：転居指導等のケース記録の写、敷金等の契約内容が確認できる書面
　　　(エ)　住宅維持費：補修計画書、図面、写真、経費見積書
　　　(オ)　生業費、技能修得費：生業（技能修得）計画書、経費見積書
　　　(カ)　扶助費の重複支給：理由申立書、関係官署の証明書
　　　(キ)　治療材料：医師の診断書、医師の意見書、経費見積書
　(4)　各費目に関する告示及び本職通知の規定による基準によりがたい特別の事情がある場合には、厚生労働大臣に情報提供すること。
第8　収入の認定
　1　定期収入の取扱い
　(1)　勤労（被用）収入
　　ア　常用収入
　　　(ア)　官公署、会社、工場、商店等に常用で勤務している者の収入については、本人から申告させるほか、前3か月分及び当該月分の見込みの基本給、勤務地手当、家族手当、超過勤務手当、各種源泉控除等の内訳を明記した給与証明を徴すること。ただし、給与証明書を徴することを適当としない場合には、給与明細書等をもってこれに代えても差しつかえないこと。
　　　(イ)　給与証明書の内容に不審のある場合又は証明額が同種の被用者の通常の収入額と考えられる額より相当程度低いと判断される場合には、直接事業主について具体的内容を調査確認すること。
　　　(ウ)　社会保険の被保険者については、10月又は11月に社会保険官署、健康保険組合等につき標準報酬との照会を行なうこと。
　　　(エ)　昇給及び賞与の時期については、給与先につきあらかじめ調査を行ない記録しておくこと。
　　　(オ)　就職月、昇給月及び賞与の支給月には、本人から申告させるとともに、給与証明書を徴すること。
　　　(カ)　賞与は、全額を支給月の収入として認定すること。ただし、これによることが適当でない場合は、当該賞与額を、支給月から引続く6か月以内の期間にわたって分割して認定するものとすること。
　　イ　日雇収入

(ア) 日雇で就労する者の収入については、本人から申告させるほか、前3か月分の就労日数に関して公共職業安定所の証明書を徴すること。この場合において、公共職業安定所から証明を徴することが困難な場合には、直接同所におもむいて聞取調査を行なうこと。
(イ) 本人から申告された就労日数が当該地域の平均就労日数以上である場合は、申告された日数により収入総額を認定すること。
(ウ) 申告された就労日数が当該地域の平均就労日数未満である場合は、就労できない理由を確かめ、正当な理由がないときは、就労日数を平均就労日数まで増加するように文書で指示したうえ、その実際の就労日数による収入総額を認定すること。
(エ) 本人の申告する賃金に不審のある場合は、直接事業主から証明書を徴するか又は事業主につき聞取調査を行ない、確認すること。
(オ) 夏季手当及び年末手当については(1)のアの(オ)及び(カ)によること。
ウ 臨時又は不特定就労収入
(ア) 臨時又は不特定な就労による収入については、その地域における同様の就労状況にある者の収入の状況、その世帯の日常生活の状況等を調査したうえ、収入総額を認定すること。
(イ) 申告された就労日数又は賃金に不審のある場合は、雇主の全部又は一部について具体的内容を聞取調査し、確認すること。
エ 必要経費として控除すべき労働組合費の範囲
次官通知第8の3の(1)のアにいう「労働組合費」は、当該労働組合の組合員の全員が、各月において徴収される組合費の実費をいうものであり、臨時に徴収されるものを含まないものであること。
(2) 農業収入
ア 農作物の収穫量は、本人の申立て、市町村の調査又は意見及び品目別作付面積に町村別等級地別平均反収を乗じたものを勘案して決定するものとし、三者の数字に著しく相違がある場合は、さらに農業協同組合、集荷組合、実行組合、農業改良普及員、民生委員等について調査のうえ、決定すること。
イ 保護開始月における保有農作物は、収穫量と同様の取扱いを行なうこと。
ウ 農業収入を得るための生産必要経費のうち、肥料代、種苗代及び薬剤費については、次に掲げる比率（農林水産省農産物生産費調査による。）に準拠して各福祉事務所ごとに比率を認定したうえ、これをエによる収穫高に乗じて認定すること。

玄　米（水稲）	9％
玄　米（陸稲）	26％
小　麦	23％
その他の農作物	20％

エ 農業収入は、次の算式により認定すること。
(ア) 主食（米、小麦、裸麦、大麦、そば等当該地域の食生活の実態によること。）
収穫高＝販売価格×収穫量

収穫高 – 生産必要経費 = 収入
　(イ)　野菜
　　　　販売価格×売却量＋自給量を金銭換算した額（別表1「金銭換算表」の野菜の額に自給割合を乗じて得た額をいう。） – 必要経費 = 収入
　オ　各福祉事務所ごとに管内の町村別、品目別、等級地別平均反収及び町村別、品目別農作物販売価格を調査し、調整又は補正しておくこと。
　カ　余剰野菜について、その地域に需要がなくこれを売却することができないときは、今後の耕作において穀類等換金の途の広い農作物を作付するよう指導するとともに、その作の収穫に限り自家消費を認めても差しつかえないこと。
　キ　農業収入は、収入があった時から将来に向い、原則として、12分の1ずつの額を認定すること。
(3)　農業以外の事業（自営）収入
　ア　農業以外の事業収入については、前3か月分及び当該月の見込みにつき、本人から申告させるほか、物品販売業（店売り、行商又は露店）、製造業及び加工業については、会計簿、商品又は原材料の仕入先、製品の販売先等について、運搬業（小運送）、修理（自転車修理、いかけ業、桶屋）及びサービス業（理髪業、靴磨等）については、正確なものがある場合は会計簿について、建築造園業（大工、左官、植木職等）については、一定した仕事先がある場合はその仕事先について、それぞれの実際の収入の状況を書面又は聞取りにより調査し、さらに市町村等税務関係機関の調査又は意見をも参考とすること。
　イ　魚介による収入は、次の算式により認定すること。
　　　　売却量×販売価格＋自給量を金銭に換算した額（別表1「金銭換算表」の魚介の額に自給割合を乗じて得た額をいう。） – 必要経費 = 収入
　ウ　養殖漁業等で年間の一時期のみの収穫で収入を得ている場合は、収入があった時から将来に向かい、原則として12分の1ずつの額を認定すること。
(4)　恩給、年金等の収入
　ア　恩給法、厚生年金保険法、船員保険法、各種共済組合法、国民年金法、児童扶養手当法等による給付で、1年以内の期間ごとに支給される年金又は手当については、実際の受給額を原則として受給月から次回の受給月の前月までの各月に分割して収入認定すること。
　　　　なお、当該給付について1年を単位として受給額が算定される場合は、その年額を12で除した額（1円未満の端数がある場合は切捨）を、各月の収入認定額として差し支えない。
　イ　老齢年金等で、介護保険法第135条の規定により介護保険料の特別徴収の対象となるものについては、特別徴収された後の実際の受給額を認定すること。
(5)　その他の収入
　　(1)から(4)までに該当する収入以外の収入はその全額を当該月の収入として認定すること。ただし、これによることが適当でない場合は、当該月から引き続く6か月以内の期間にわたって分割認定するものとすること。

2 収入として認定しないものの取扱い
 (1) 社会事業団体その他が被保護者に対して支給する金銭であって、当該給付の資金が、地方公共団体の予算措置によりまかなわれているものは、次官通知第8の3の(3)のアとして取り扱うことは認められないこと。
 (2) 被保護者に対して現物が給与された場合は、被贈与資産として取扱い、処分すべきものがあれば売却させてその収入を認定すること。ただし、就労の対価として現物が給与されたときは、その物品の処分価値により金銭換算のうえ、500円を控除した額を就労収入として認定すること。
 (3) 貸付資金のうち当該被保護世帯の自立更生のために当てられることにより収入として認定しないものは次のいずれかに該当し、かつ、貸付けを受けるについて保護の実施機関の事前の承認があるものであって、現実に当該貸付けの趣旨に即し使用されているものに限ること。
  ア 事業の開始又は継続、就労及び技能修得のための貸付資金
  イ 次のいずれかに該当する就学資金
   (ア) 高等学校等就学費の支給対象とならない経費(学習塾費等を含む。)及び高等学校等就学費の基準額又は学習支援費でまかないきれない経費であって、その者の就学のために必要な最小限度の額
   (イ) 高等学校等で就学しながら保護を受けることができるものとされた者の就労や早期の保護脱却に資する経費にあてられることを保護の実施機関が認めた場合において、これに必要な最小限度の額
   (ウ) 大学等への就学のため、第1の5による世帯分離又は、大学等への就学にあたり居住を別にすることが見込まれる世帯について、大学等への就学後に要する費用にあてるための貸付資金
  ウ 医療費又は介護等費貸付資金
  エ 結婚資金
  オ 国若しくは地方公共団体により行なわれる貸付資金又は国若しくは地方公共団体の委託事業として行なわれる貸付資金であって、次に掲げるもの
   (ア) 住宅資金又は転宅資金
   (イ) 老人若しくは身体障害者等が、機能回復訓練器具及び日常生活の便宜を図るための器具又は災害により損害を受けた者が、当該災害により生活基盤を構成する資産が損なわれた場合の当該生活基盤の回復に要する家具什器を購入するための貸付資金
   (ウ) 配電設備又は給排水設備のための貸付資金
   (エ) 国民年金の受給権を得るために必要な任意加入保険料のための貸付資金
   (オ) 日常生活において利用の必要性が高い生活用品を緊急に購入するための貸付資金
   (カ) 厚生年金の受給権を得たために支払う必要が生じた共済組合等から過去に支給された退職一時金の返還のための貸付資金

(4) 自立更生のための恵与金、災害等による補償金、保険金若しくは見舞金、指導、指示による売却収入又は死亡による保険金のうち、当該被保護世帯の自立更生のためにあてられることにより収入として認定しない額は、直ちに生業、医療、家屋補修等自立更生のための用途に供されるものに限ること。ただし、直ちに生業、医療、家屋補修、就学等にあてられない場合であっても、将来それらにあてることを目的として適当な者に預託されたときは、その預託されている間、これを収入として認定しないものとすること。

　また、当該金銭を受領するために必要な交通費等及び補償金等の請求に要する最小限度の費用は、必要経費として控除して差しつかえない。

(5) (3)の承認又は(4)の収入として認定しない取扱いを行なうに際して、当該貸付資金、補償金等が当該世帯の自立更生に役立つか否かを審査するため必要があるときは、自立更生計画を徴すること。

(6) 次官通知第8の3の(3)のケに掲げる金銭の取扱いについては、次によること。
　ア　社会生活を営むうえで特に社会的な障害のある者の福祉を図るため地方公共団体又はその長が支給する金銭に該当するものは、次に掲げる金銭であること。
　　(ｱ)　心身障害児（者）の福祉を図るために支給される金銭
　　(ｲ)　老人の福祉を図るために支給される金銭
　　(ｳ)　母子世帯に属する者の福祉を図るために支給される金銭
　　(ｴ)　多子世帯に属する者の福祉を図るために支給される金銭
　　(ｵ)　災害等によって保護者を失った児童の福祉を図るために支給される金銭
　　(ｶ)　(ｱ)から(ｵ)までに掲げる金銭に準ずるもの
　イ　アの(ｶ)に該当するものとして取り扱う場合又は同一人に対しアの(ｱ)から(ｶ)までに掲げる金銭が重複して支給される等特別な事由があり、特別な取扱いを必要とすると認められる場合は、都道府県知事は、厚生労働大臣に情報提供すること。

3　勤労控除の取扱い
(1) 基礎控除
　ア　基礎控除は、当該月の就労に伴う収入金額（賞与その他の臨時的な収入を分割して認定する場合は、各分割認定額をそれぞれの認定月の収入金額に加算して算定するものとする。）に対応する次官通知別表の基礎控除額表の収入金額別区分に基づき認定すること。
　イ　基礎控除の収入金額別区分は、次官通知第8の3の(1)のアによる勤労（被用）収入については、通勤費等の実費を控除する前の収入額により、同イによる農業収入又は同ウによる農業以外の事業（自営）収入については、生産必要経費又は事業必要経費を控除した後の収入額によること。
　ウ　世帯員が2人以上就労している場合には、イによる収入額の最も多い者については、次官通知別表の基礎控除額表の1人目の欄を適用し、その他の者については、それぞれ同表の2人目以降の欄を適用すること。
(2) 新規就労控除
　ア　新規就労控除を適用する場合は、次の場合であること。

(ア) 中学校、高等学校等を卒業した者が継続性のある職業に従事し、収入を得るために特別の経費を必要とする場合
(イ) 入院その他やむを得ない事情のためおおむね3年以上の間職業に従事することができなかった者が継続性のある職業に従事し、収入を得るために特別の経費を必要とする場合
イ 控除は、当該職業によって得られる収入につき、はじめて継続性のある職業についた月（当該新規就労に伴なう収入を翌月から認定することとするときは当該初回認定月）から6か月間に限り行なうものとすること。
(3) 20歳未満控除
ア 20歳未満の者については、その者の収入から次官通知第8の3の(4)に定める額を控除すること。ただし、次の場合は控除の対象としないものであること。
(ア) 単身者
(イ) 配偶者（婚姻の届出をしていないが、事実上婚姻関係と同様の事情にある場合を含む。以下同じ。）又は自己の未成熟の子とのみで独立した世帯を営んでいる場合
(ウ) 配偶者と自己の未成熟の子のみで独立した世帯を営んでいる場合
イ 20歳未満控除の適用をうけていた者が月の中途で20歳に達したときは、その翌月から認定の変更を行なうこと。
4 その他の控除
(1) 出かせぎ、行商、船舶乗組、寄宿等に要する費用につき控除を行なう場合は、一般生活費又は住宅費の実際必要額から、当該者の最低生活費として認定された一般生活費の額を差し引いて得た額を必要経費として認定すること。
(2) 就労又は求職者支援制度による求職者支援訓練の受講に伴う子の託児費については、その実費の額を収入から控除して認定すること。この場合において、委託された児童に対して受託者が提供する飲食物は、収入認定の対象としないこと。
(3) 貸付資金のうち当該被保護世帯の自立更生のために当てられる額の償還については、償還が現実に行なわれることを確認したうえ、次に掲げるものについて、当該貸付資金によって得られた収入（修学資金又は奨学資金（局第8の2の(3)のイの(ウ)に該当するものを除く）については、当該貸付を受けた者の収入、結婚資金については、当該貸付けを受けた者又は当該貸付資金により結婚した者の収入、医療費又は介護費貸付資金、住宅資金、転宅資金、老人若しくは身体障害者等が機能回復訓練器具及び日常生活の便宜を図るための器具又は災害により損害を受けた者が当該災害により生活基盤を構成する資産が損なわれた場合の当該生活基盤の回復に要する家具什器を購入するための貸付資金、配電設備又は給排水設備のための貸付資金、国民年金の受給権を得るために必要な任意加入保険料のための貸付資金並びに厚生年金の受給権を得たために支払う必要が生じた共済組合等から過去に支給された退職一時金の返還のための貸付資金については、当該世帯の全収入）から控除して認定すること。

ア 国若しくは、地方公共団体により行なわれるもの又は国若しくは地方公共団体の委託事業として行なわれるものであって、償還の免除又は猶予が得られなかったもの。ただし、医療費又は介護費貸付資金については、保護の実施機関の承認のあったものに限ること。
イ ア以外の法人又は私人（絶対的扶養義務者を除く。）により貸し付けられたもののうち、貸付けを受けるについて保護の実施機関の事前の承認のあったものであって、償還の免除又は猶予が得られなかったもの。ただし、事前の承認を受けなかったことについてやむを得ない事情があり、かつ、当該貸付資金が現にその者の自立助長に役立っていると認められ、事後において承認することが適当なものについても、同様とする。
ウ アに該当する技能修得資金とともに、当該技能修得期間中、貸付けを受けた生活資金については、貸付けを受けるについて保護の実施機関の事前の承認のあったものであって、償還の免除又は猶予が得られなかったもの。
(4) 独立行政法人住宅金融支援機構法による貸付資金の償還については、当該貸付資金によって建築した住宅の一部を活用して収入を得ている場合に限り、当該収入の範囲内において、当該償還金を控除して認定すること。
(5) 次に掲げる貸付資金は、国若しくは地方公共団体により行なわれるもの又は国若しくは地方公共団体の委託事業として行なわれるものに該当するものとして取り扱うこと。ただし、生活福祉資金貸付制度要綱に基づく貸付資金については、当該被保護世帯の自立更生のために当てられるものに限る。
(ｱ) 母子及び父子並びに寡婦福祉法による貸付資金
(ｲ) 生活福祉資金貸付制度要綱に基づく貸付資金
(ｳ) 婦人更生資金制度要綱に基づく貸付資金
(ｴ) 引揚者給付金等支給法に基づく国債を担保として、国民金融公庫から貸し付けられる生業資金
(ｵ) 天災による被害農林漁業者等に対する資金の融通に関する暫定措置法に基づく農業協同組合、森林組合又は金融機関の貸付資金
(ｶ) 農業近代化資金融通法に基づく農業協同組合、農業協同組合連合会又は農林中央金庫の貸付資金
(ｷ) 国民金融公庫からの低所得者に対する更生貸付資金
(ｸ) 住宅資金又は転宅資金であって国若しくは地方公共団体により行なわれる貸付資金又は国若しくは地方公共団体の委託事業として行なわれる貸付資金
(6) 生業資金の貸付けをうけた後、事業の失敗等により他の事業を営んでいる場合であって、その事業の資金の全部、または一部が、当該貸付金によりまかなわれているときは、変更した事業によって得られる収入から償還金を控除して認定して差しつかえないこと。

第9　保護の開始申請等
1　保護の相談における開始申請の取扱い
　　生活保護の相談があった場合には、相談者の状況を把握したうえで、他法他施策の活

用等についての助言を適切に行うとともに生活保護制度の仕組みについて十分な説明を行い、保護申請の意思を確認すること。

また、保護申請の意思が確認された者に対しては、速やかに保護申請書を交付し、申請手続きについての助言を行うとともに、保護の要否判定に必要となる資料は、極力速やかに提出するよう求めること。

なお、申請者が申請書及び同意書の書面での提出が困難である場合には、申請者の口頭によって必要事項に関する陳述を聴取し、書面に記載したうえで、その内容を本人に説明し記名を求めるなど、申請があったことを明らかにするための対応を行うこと。

2 要保護者の発見・把握

要保護者を発見し適切な保護を実施するため、生活困窮者に関する情報が保護の実施機関の窓口につながるよう、住民に対する生活保護制度の周知に努めるとともに、保健福祉関係部局や社会保険・水道・住宅担当部局等の関係機関及び民生委員・児童委員との連絡・連携を図ること。

第10 保護の決定

1 年齢改定

(1) 保護を継続して受ける者について、基準生活費の算定に係る満年齢の切替えは、毎年1回4月1日に行うことができること。

(2) 4月1日に行なう切替えは、3月31日までに基準生活費の変更を必要とする満年齢に達した者について行なうこと。

2 保護の要否及び程度の決定

(1) 保護の要否の判定は原則としてその判定を行う日の属する月までの3か月間の平均収入充当額に基づいて行うこととする。

ただし、常用勤労者について労働協約等の実態から賞与等を含む年間収入が確実に推定できる場合であって、次官通知第8の2の「長期間にわたって収入の実情につき観察することを適当とするとき」に該当するときは保護の申請月以降1年間において確実に得られると推定される総収入(収入を得るための必要経費の実費及び勤労に伴う必要経費として別表2に定める額を控除した額)の平均月割額をその月の収入充当額と定め保護の要否を判定すること。この取扱いにより保護を要すると判定された者に係る保護の程度の決定は常用収入について第8の1の(1)のアに定める取扱いにより行うこと。

(2) 農業収入又は年間の一時期のみの収穫による収入のある世帯については、保護の申請月以後1か年間における収穫予想高(前年における収穫高を基とし、平年作の程度、災害の有無、豊凶予想等収穫高の予想増減を勘案したもの)の平均月割額をその月の収入充当額として認定して保護の要否を判定し、保護を要すると判定されたものについては、現在の収入について第8(収入の認定)により認定した額に基づいて、保護の程度を決定すること。ただし、これによりがたい場合は、次の収穫を認定する時期まで、一般の要否判定の要領により、その要否及び程度を決定して差しつかえないこと。

(3) 医療予定期間が4か月未満の短期傷病を理由として医療扶助のための保護の申請があった場合には、医療予定期間に2か月を加えた月数の間における最低生活費と収入充当額(農業収入又は年間の一時期のみの収穫による収入については、(2)による平均月割額、(1)のただし書により収入を推定するべき常用勤労者の収入については、同ただし書により推定された総収入の平均月割額を基礎として算定した額。(4)において同じ。)との対比によって、保護の要否を判定し、保護を要すると判定されたものについては、第8により認定した収入によって保護の程度を決定すること。

なお、傷病の医療予定期間が4か月以上6か月未満である場合においては、6か月間における最低生活費と収入充当額との対比により、同様に取り扱うこと。

(4) 保護の要否判定を行う際に算定する障害者の日常生活及び社会生活を総合的に支援するための法律に規定する障害福祉サービス及び自立支援医療に要する費用は、概算障害福祉サービス所要額及び概算自立支援医療所要額によるものとし、次により算定すること。

ア　障害福祉サービス

障害福祉サービスの利用に係る負担上限月額(個別減免等を受けている者については、個別減免等が適用された後における負担上限月額)と食費等実費負担月額(入所施設利用の場合に限る。補足給付等を受けている者については、補足給付等を適用した後における食費等実費負担月額。)の合計額を上限として算定した1か月あたりの平均負担額

イ　自立支援医療

自立支援医療の利用に係る負担上限月額と食費の実費負担額(入院の場合に限る。)を上限とした1か月あたりの平均負担額

(5) 保護の要否判定を行う際に算定する介護費は、概算介護所要額によるものとし、概算介護所要額は次により算定すること。

なお、介護保険の被保険者については、アからカまでにつき、それぞれのサービスに係る介護保険給付の利用者負担分を限度とする。

ア　居宅介護(イを除く。)

居宅介護支援計画に基づき、当該者の要介護状態区分に応じた介護保険の居宅介護サービス費等区分支給限度基準額を上限として算定した1か月あたりの平均介護費用

イ　特定施設入居者生活介護、認知症対応型共同生活介護及び地域密着型特定施設入居者生活介護に係る居宅介護

当該者の要介護状態区分に応じた1か月あたりの介護費用

ウ　施設介護

当該者の要介護状態区分に応じた1か月あたりの施設介護費用(食事の提供に要する費用を含む。)

エ　介護予防(オを除く。)

介護予防支援計画に基づき、当該者の要支援状態区分に応じた介護保険の介護予防サービス費等区分支給限度基準額を上限として算定した1か月あたりの平均

介護費用
オ　介護予防特定施設入居者生活
介護及び介護予防認知症対応型共同生活介護に係る介護予防当該者の要支援状態区分に応じた1か月あたりの介護費用
カ　福祉用具購入及び介護予防福祉用具購入
介護扶助の対象となる福祉用具であって、当該者の心身の状況から必要となると判断されるものの購入費について、介護保険の居宅介護(介護予防)福祉用具購入費支給限度基準額を12で除して得た額を上限として算定した1か月あたりの費用
キ　介護予防・日常生活支援介護予防ケアマネジメントに基づき、市町村の実施要綱等において定められた介護予防・生活支援サービスにおける支給限度額を上限として算定した1か月当たりの平均介護費用
(6)　保護施設等の取扱い
ア　救護施設・更生施設及び宿所提供施設
救護施設、更生施設又は宿所提供施設に入所することを必要とする者の収入充当額が最低生活費認定額以下の場合又はその者の収入充当額が最低生活費認定額を超過する場合であって、その超過額が保護施設事務費に満たない場合は、その者を被保護者と決定し又は被保護者とみなして、最低生活費認定額と保護施設事務費との合算額から収入充当額を差し引いた額を保護費及び保護施設事務費支出額として決定すること。
イ　救護施設及び更生施設の行う通所事業
救護施設及び更生施設が行う通所事業を利用する者に係る保護施設事務費支出額の決定は次により行うこと。
(ｱ)　その世帯の収入充当額が最低生活費認定額以下の場合は、その者を被保護者と決定し、当該月の保護施設事務費の額をもって保護施設事務費支出額と決定すること。
(ｲ)　(ｱ)に該当しない場合であっても、その世帯の収入充当額が最低生活費認定額を超過する場合であって、その超過額が保護施設事務費に満たない場合は、当分の間、その者を被保護者とみなして、当該月の保護施設事務費の額をもって保護施設事務費支出額として決定して差し支えないこと。
また、前記に該当しない場合であっても、その世帯の収入充当額が最低生活費認定額に保護施設事務費の2倍に相当する額を加えた額以下であるときは、当分の間、その者を被保護者とみなして、最低生活費認定額に保護施設事務費の2倍に相当する額を加えた額と収入充当額との差額をもって保護施設事務費支出額として決定して差し支えないこと。
ウ　授産施設
授産施設を利用する者の生業扶助の決定は次により行なうこと。
(ｱ)　その世帯の収入充当額が最低生活費認定額と保護施設事務費(家庭授産を利用する場合は、家庭授産の事務費の額)の合算額以下の場合は、その者を被保護者と決定し、当該月の保護施設事務費の額をもって保護施設事務費支出額と

　　　　決定すること。
　　(イ)　(ア)に該当しない場合であっても、その世帯の収入充当額が最低生活費認定額に保護施設事務費（家庭授産を利用する場合であっても施設授産の事務費の額とする。）の２倍に相当する額を加えた額（以下「限度額」という。）以下であるときは、当該世帯の自立助長を考慮してその者を被保護者とみなし、当該月の保護施設事務費の額をもって保護施設事務費支出額と決定すること。
　　　また、現に授産施設を効果的に利用している者については、収入充当額が限度額をこえる場合であっても、当分の間、その者を被保護者とみなし、そのこえる額と当該月の保護施設事務費との差額をもって保護施設事務費支出額として決定して差しつかえないこと。
　エ　日常生活支援住居施設
　　日常生活支援住居施設に入所することを必要とする者の収入充当額が最低生活費認定額以下の場合又はその者の収入充当額が最低生活費認定額を超過する場合であって、その超過額が日常生活支援委託事務費に満たない場合は、その者を被保護者と決定し又は被保護者とみなして、最低生活費認定額と日常生活支援委託事務費との合算額から収入充当額を差し引いた額を保護費及び日常生活支援委託事務費として決定すること。
　オ　アからウの場合の保護施設事務費は、施設入所の属する月の翌月（初日に入所する場合は当該月）から退所の日の属する月まで月を単位として算定し、支出決定すること。
　　ただし、新たに事業を開始した施設であって事業開始後３か月を経過する日の属する月の末日が経過していない施設に月の中途で入退所する者の保護施設事務費は、入退所の日を含めた入所日数に応じ日割計算により算定すること。
　カ　アからウの場合において最低生活費認定額をこえる収入充当額があるため保護施設事務費の範囲内で生ずる本人支払額は、施設入所の属する月の翌月（初日に入所する場合は当該月）から退所の日の属する月まで、月を単位として算定すること。
　　ただし、新たに事業を開始した施設であって事業開始後３か月を経過する日の属する月の末日が経過していない施設に月の中途で入退所する者の本人支払額は、当該月の収入充当額に基づき算定すること。
　キ　エの場合の日常生活支援委託事務費は、当該月において入所している日数に応じて算定し、支出決定すること。
　　なお、月の中途で入退所する者については、入退所の日を含めた入所日数に応じて算定すること。
　ク　エの場合において最低生活費認定額をこえる収入充当額があるため日常生活支援委託事務費の範囲内で生ずる本人支払額は、月を単位として算定すること。月の中途で入退所する者については、入退所の日を含めた入所日数に応じ日割り計算により算定すること。
(7)　扶助費支給額又は本人支払額の算定（以下「支給額の算定」という。）は、次によ

り行なうこと。
　ア　収入額が月により変動しない定期的収入については、その月額を基礎として支給額の算定を行なうこと。
　イ　収入額が月によりある程度の変動が予想されるが、一定期間について観察すれば安定した継続的収入が得られると認められる場合は、3か月をこえない期間ごとに認定した収入の平均月割額を基礎として支給額の算定を行なうこと。
　ウ　農業収入又は年間の一時期のみの収穫による収入については、原則として12分の1相当額をもって支給額の算定を行なうこととするが、これによることが適当でないと認められる場合は、イにより支給額の算定を行なうこと。
　エ　賞与、期末手当等については、その収入月及び収入額が確実には握できるときは、その収入額を認定のうえ、これを基礎として支給額の算定を行なうこと。この場合、当該算定にかかる収入の額と、扶助費支給後に認定された収入額とに差を生じたときは、収入月以降の収入額に加減して支給額の算定を行なうこと。
　オ　アからエまでによることが適当でないと認められるときは、客観的根拠により推定できる収入額を基礎として支給額の算定を行なうこと。
　　なお、保護継続中の者が新たに就職した場合であって、当該新規就労による収入を当該月の収入として計上することが不適当であると認められる場合に限り、当該収入をその翌月の収入として計上して支給額の算定を行なうこと。また、この取扱いの適用をうけた者にかかる翌月以降の収入の認定は、当該月の収入をその翌月の収入とみなして取り扱うものであること。
(8)　最低生活費又は収入充当額の認定を変更すべき事由が事後において明らかとなった場合は、法第80条を適用すべき場合及び(7)のエによるべき場合を除き、当該事由に基づき扶助費支給額の変更決定を行なえば生ずることとなる返納額（確認月からその前々月までの分に限る。）を、次回支給月以後の収入充当額として計上して差し支えないこと。（この場合、最低生活費又は収入充当額の認定変更に基づく扶助費支給額の遡及変更決定処分を行なうことなく、前記取扱いの趣意を明示した通知を発して、次回支給月以後の扶助費支給額決定処分を行なえば足りるものであること。）
(9)　特定中国残留邦人等及び特定配偶者等と同居している場合であって、特定中国残留邦人等及び特定配偶者等が支援給付を受給しない場合における保護の要否の判定は、まず、当該要保護世帯と当該特定中国残留邦人等及び特定配偶者等とを同一世帯とみなした場合に算出される当該最低生活費の額と、収入充当額との対比により行うこと。
　　この場合、当該特定中国残留邦人等及び特定配偶者等の収入充当額の算定については、支援給付の実施要領の定めるところにより行い、当該要保護世帯の収入充当額の算定については、本通知の定めるところにより行うこと。なお、要否の判定に当たり、特定中国残留邦人等と特定配偶者等の資産については考慮する必要がないものであること。
　　この判定の結果要となった場合には、さらに局長通知第7—2—(1)—サによる当

該要保護世帯の最低生活費と、当該要保護世帯の収入充当額との対比により保護の要否判定及び程度の決定を行うこと。この場合、当該特定中国残留邦人等及び特定配偶者等の収入のうち支援給付の最低生活費を超える額については、収入として認定しないこと。

なお、要否の判定は保護の開始申請時のほか、年1回6月に行うこと。
3 保護の開始時期

保護の開始時期は、急迫保護の場合を除き、原則として、申請のあった日以降において要保護状態にあると判定された日とすること。

なお、町村長経由の申請の場合には、町村長が申請書を受領した日、また管轄違いの申請があった場合には、最初の保護の実施機関が申請を受理した日を、それぞれ申請のあった日として取り扱うこと。
4 扶助費の再支給

前渡された保護金品又は収入として認定された金品（以下「前渡保護金品等」という。）を失った場合で、次のいずれかに該当するときは、失った日以後の当該月の日数に応じて算定された額の範囲内において、その世帯に必要な額を特別基準の設定があったものとして認定できるものであること。
(1) 災害のために前渡保護金品等を流失し、又は紛失した場合
(2) 盗難、強奪その他不可抗力により前渡保護金品等を失った場合

第11 保護決定実施上の指導指示及び検診命令
1 保護申請時における助言指導
(1) 要保護者が、保護の開始の申請をしたときは、保護の受給要件並びに保護を受ける権利と保護を受けることに伴って生ずる生活上の義務及び届出の義務等について十分説明のうえ適切な指導を行なうこと。
(2) 要保護者が、自らの資産能力その他扶養、他法等利用しうる資源の活用を怠り又は忌避していると認められる場合は、適切な助言指導を行なうものとし、要保護者がこれに従わないときは、保護の要件を欠くものとして、申請を却下すること。

なお、要保護者が自らの資産、能力等の活用により最低生活の需要を満たすことができると認められる場合には、保護を要しないものとして申請を却下すること。
2 保護受給中における指導指示
(1) 保護受給中の者については、随時、1と同様の助言、指導を行うほか、特に次のような場合においては必要に応じて法第27条による指導指示を行うこと。
　ア 傷病その他の理由により離職し、又は就職していなかった者が傷病の回復等により就労（そのために必要な訓練等につくことを含む。）を可能とするに至ったとき。
　イ 義務教育の終了又は傷病者の介護もしくは乳児等の養育にあたることを要しなくなったため就労が可能となったとき。
　ウ 現に就労の機会を得ていながら、本人の稼働能力、同種の就労者の収入状況等からみて、十分な収入を得ているものとは認めがたいとき。
　エ 内職等により少額かつ不安定な収入を得ている者について、健康状態の回復、

　　　　世帯の事情の改善等により転職等が可能なとき。
　　オ　就労中であった者が労働争議参加等のため現に就労収入を得ていないとき。
　　カ　アからオまでに掲げる場合のほか、資産、扶養、他法他施策による措置等の活用を怠り、又は忌避していると認められるとき。
　　キ　次官通知第8の1による収入に関する申告及び局長通知第3による資産に関する申告を行なわないとき。
　　ク　世帯の変動等に関する法第61条の届出の義務を怠り、このため保護の決定実施が困難になり、又は困難になるおそれがあるとき。
　　ケ　主治医の意見に基づき、入院、転院又は退院が必要であると認められるとき。
　　コ　施設に入所させ、又は退所させる必要があると認められるとき。
　　サ　施設入所者が施設の管理規程に従わないため、施設運営上困難を生じている旨当該施設長から届出があったとき。
　　シ　キからサまでに掲げる場合のほか最低生活の維持向上又は健康の保持等に努めていない等被保護者としての義務を怠っていると認められるとき。
　　ス　その他、保護の目的を達成するため、又は保護の決定実施を行なうため、特に必要があると認められるとき。
　(2)　(1)のアからオまでによる指導指示を行なうにあたっては、本人又は親族、知己による求職活動をうながし、これに適切な助言、指導又はあっせんを行なうこととするが、これによることが適当でない場合は、公共職業安定所への連絡、紹介等について必要な指導指示を行なうものとすること。
　　　なお、被保護者の就労又は収入の増加を図るために必要があると認められるときは、生業扶助の適用等の措置について配慮すること。
　(3)　指導指示を行なうにあたっては、必要に応じて、事前に調査、検診命令等を行ない状況の把握に努めるとともに本人の能力、健康状態、世帯の事情、地域の慣行等について配慮し、指導指示が形式化することのないよう十分留意すること。
　(4)　法第27条による指導指示は、口頭により直接当該被保護者（これによりがたい場合は、当該世帯主）に対して行なうことを原則とするが、これによって目的を達せられなかったとき、または目的を達せられないと認められるとき、及びその他の事由で口頭によりがたいときは、文書による指導指示を行なうこととする。当該被保護者が文書による指導指示に従わなかったときは、必要に応じて法第62条により所定の手続を経たうえ当該世帯又は当該被保護者に対する保護の変更、停止又は廃止を行なうこと。
3　保護停止中における助言指導等
　　保護停止中の被保護者についても、その生活状況の経過を把握し、必要と認められる場合は、生活の維持向上に関し適切な助言指導を行なう等、所要の措置を講ずること。
4　検診命令
　(1)　検診を命ずべき場合
　　　次のような場合には、要保護者の健康状態等を確認するため検診を受けるべき旨を命ずること。なお、この場合事前に嘱託医の意見を徴することとし、さらに必要

と認められる場合には都道府県本庁(指定都市及び中核市にあっては市本庁とする。)の技術的な助言を求めること。
  ア 保護の要否又は程度の決定にあたって稼働能力の有無につき疑いがあるとき。
  イ 障害者加算その他の認定に関し検診が必要と認められるとき。
  ウ 医療扶助の決定をしようとする場合に、要保護者の病状に疑いがあるとき。
  エ 現に医療扶助による給付を受けている者につき当該給付の継続の必要性について疑いがあるとき。
  オ 介護扶助の実施にあたり、医学的判断を要するとき。
  カ 現に医療扶助の適用を受けている者の転退院の必要性の判定を行なうにつき、検診が必要と認められるとき。
  キ 自立助長の観点から健康状態を確認する必要があるとき。
  ク その他保護の決定実施上必要と認められるとき。
(2) 医師又は歯科医師の選定及び連絡
    検診を行なう医師又は歯科医師は、要保護者の当該疾病につき、正確かつ適切な診断を行ない得ると判断されるものの中から指定すること。この場合、指定しようとする医師または歯科医師に対して、検診すべき要保護者の氏名、期日、場所、方法、報酬等をあらかじめ連絡し、その了解を得ること。了解を得た場合は検診書及び検診料請求書を発行して交付すること。
(3) 検診命令書の発行
    (1)により検診を受けるべき旨を命じようとするときは、検診を受けるべき者に検診命令書を発行して行なうものとすること。
    この場合、原則として検診命令書は検診を受ける者に直接交付するものとし、交付にあたっては、検診命令について詳細に説明するとともに、これに従わないときは、保護の申請が却下され、又は保護の変更、停止若しくは廃止をされることがある旨伝えること。
(4) 検診書の検討および受理
    検診を行なった医師等から検診書の送付を受けたときは、その記載内容について検討し、不明な点があればそこの検診を行なった医師または歯科医師に照会して(1)の各号の疑いを明らかにしたうえ、これを受理すること。
(5) 検診料の支払
    検診を行った医師等から検診料請求書を受け取ったときは、その内容を審査してこれを確認し、検診料を当該医師又は歯科医師に支払うこと。
    なお、検診料は原則として法による診療方針及び診療報酬の例によるものとすること。ただし、検診結果を施行細則準則に定める様式以外の書面により作成する必要があると認められる場合は、検診料のほかに4720円の範囲内(ただし、障害認定に係るものについては6090円の範囲内)で特別基準の設定があったものとして必要な額を認定して差し支えない。
(6) 検診命令に従わない場合の取扱い
    検診命令に従わない場合において必要があると認められるときは、法第28条第5

項に定めるところにより当該保護の開始若しくは変更の申請を却下し、又は保護の変更、停止若しくは廃止を行なうこと。

第12 訪問調査等

1 訪問調査

　要保護者の生活状況等を把握し、援助方針に反映させることや、これに基づく自立を助長するための指導を行うことを目的として、世帯の状況に応じ、訪問を行うこと。訪問の実施にあたっては、訪問時の訪問調査目的を明確にし、それを踏まえ、年間訪問計画を策定のうえ行うこと。なお、世帯の状況に変化があると認められる等訪問計画以外に訪問することが必要である場合には、随時に訪問を行うこと。また、訪問計画は被保護者の状況の変化等に応じ見直すこと。

(1) 申請時等の訪問

　保護の開始又は変更の申請等のあった場合は、申請書等を受理した日から1週間以内に訪問し、実地に調査すること。

(2) 訪問計画に基づく訪問

　訪問計画は、次に掲げる頻度に留意し策定すること。

　ア　家庭訪問に係る基本的な取扱い

　　世帯の状況に応じて必要な回数を訪問することとし、少なくとも1年に2回以上訪問すること。

　　ただし、認知症対応型共同生活介護（グループホーム）を利用しており、施設管理者等により日常的に生活実態が把握され、その状況が福祉事務所に報告されている世帯については、入院入所者と同様に1年に1回以上訪問することとして差し支えない。

　イ　関係機関との連携等を活用した場合の取扱い

　　次の(ア)から(ウ)のいずれかに掲げる場合にあっては、それぞれ当該各号に掲げる事項の実施を3回目以上の家庭訪問とみなすこととして差し支えない。

　　(ア) 個別支援プログラムの活用

　　　被保護者本人からの（平成17年3月31日付け社援発第0331003号厚生労働省社会・援護局長通知に定めるところによる）個別支援プログラムへの参加状況の報告及び個別支援プログラムを実施する関係機関等との情報共有により必要な状況確認ができる場合には、その報告や情報共有

　　(イ) 法定事業の活用

　　　被保護者本人からの被保護者就労支援事業、被保護者健康管理支援事業への参加状況の報告及び被保護者就労支援事業、被保護者健康管理支援事業を実施する関係機関等との情報共有において当該事業を実施する関係機関等との連絡により必要な状況確認ができる場合には、その報告や情報共有

　　(ウ) 支援関係者が参集する会議体の活用

　　　当該被保護者を支援対象者として、個別支援計画を作成等する際に関係者が集まった会議体に担当現業員が参加する場合には、その場における該当世帯の生活実態に係る情報共有

　　　　また、㈎から㈢のいずれかに掲げる場合にあって、さらに次のa又はbのいずれかの要件を満たす高齢者世帯については、㈎から㈢に掲げる事項の実施を２回目以上の家庭訪問とみなすこととして差し支えない。
　　　　なお、被保護者から相談の求めがあった場合等には必要に応じて訪問を行うこととし、常日頃から被保護者との信頼関係の構築に努めること。
　　　　　a　自己の能力によって家計管理や服薬等の健康管理等が行われており、日常生活に支障がない。
　　　　　b　配食サービス等を活用した見守り支援や安否確認が定期的に行われており、緊急時に関係者との連絡調整が可能な体制が整っている。
　　ウ　「関係機関との連携等を活用した場合の取扱い」の留意事項等について
　　　　上記イの取扱いにあたっては、次の点に留意されたい。
　　　㈎　関係機関との連携等を活用した場合の取扱いについては、福祉事務所以外の他機関との連携によって、それらの機関が有する専門性を統合し支援に活用されることが望ましく、現業員が専門性を活かして向き合うべき本来の現業員の業務に充てられる時間を確保しやすくなることによって、生活保護における支援の質を高めることができるとともに、結果的に現業員の業務負担軽減にもつながることが期待されるものであること。
　　　㈡　家庭訪問とみなすことができるのは、情報共有等により必要な状況確認ができる場合に限られる。福祉事務所において、状況確認が十分にできないと判断される場合には、家庭訪問とみなすことはできないこと。
　　　㈢　情報共有等により必要な状況が確認できていたとしても、福祉事務所において、対面による助言・指導等のために訪問が必要と判断した場合においては、適切に訪問を行うこと。
　　　㈣　上記イの要件を満たす場合に一律機械的に家庭訪問とみなすべきものではなく、地域の実情等を踏まえつつ、各福祉事務所において必要十分な訪問調査を実施すること。
　　　㈤　関係機関との連携にあたっては、個人情報保護法等の趣旨に鑑み、被保護者の個人情報の取扱いに留意が必要であること。
　　エ　入院入所者訪問の取扱い
　　　㈎　入院している患者については、少なくとも１年に１回以上、本人及び担当主治医等に面接して、その病状等を確認すること。
　　　㈡　生活扶助を目的とする施設若しくは介護施設に入所している者又は保護施設通所事業を利用している者については、１年に１回以上訪問すること。
(3)　臨時訪問
　　次に掲げる場合については、臨時訪問を行うこと。
　　ア　申請により保護の変更を行う場合
　　イ　生業扶助により就労助成を行った場合
　　ウ　水道設備、電灯設備又は家屋補修に要する経費を認定した場合（事後確認）

409

エ　保護が停止されている場合
　　オ　その他指導若しくは、助成又は調査の必要のある場合
　2　関係機関調査
　　保護の決定実施上必要があるときは、年金事務所、公共職業安定所、事業主、保健所、指定医療機関、指定介護機関等の関係機関について、必要事項を調査すること。
　3　課税調査
　　被保護者の収入の状況を客観的に把握するため、毎年6月以降、課税資料の閲覧が可能となる時期に速やかに、税務担当官署の協力を得て被保護者に対する課税の状況を調査し、収入申告額との突合作業を実施すること。
　4　援助方針
　(1)　援助方針の策定
　　訪問調査や関係機関調査によって把握した要保護者の生活状況を踏まえ、個々の要保護者の自立に向けた課題を分析するとともに、それらの課題に応じた具体的な援助方針を策定すること。また、策定した援助方針については、原則として要保護者本人に説明し、理解を得るよう努めること。
　(2)　援助方針の評価と見直し
　　被保護世帯に対する指導援助の結果を適宜適切な時期に評価し、援助方針の見直しを行うこと。
　　援助方針の見直しは、世帯の状況等の変動にあわせて行うほか、世帯の状況等に変動がない場合であっても少なくとも年に1回以上行うこと。
　5　関係機関との連携
　　被保護世帯への指導援助にあたっては、関係部局、民生委員・児童委員、保健所、児童相談所、公共職業安定所、医療機関、介護機関、地域包括支援センター、障害福祉サービス事業者、学校、警察等の関係機関と必要な連携を図ること。
第13　その他
　1　国民年金保険料の取扱い
　　国民年金保険料の取扱いは、次のとおりであるので、これを踏まえ、被保護者の自立助長を図られたい。
　(1)　生活扶助を受ける者については、国民年金法第89条の規定により、生活扶助を受けるに至った日の属する月の前月からこれに該当しなくなる日の属する月までの期間に係る保険料は、すでに納付されたものを除き、納付することを要しないものであること。
　(2)　生活扶助以外の扶助を受けるものについては、国民年金法第90条の規定により、厚生労働大臣は、その指定する期間に係る保険料は、すでに納付されたものを除き、納付することを要しないものとすることができること。この場合において、被保護者から申請があったときは、直ちに免除の認定が行なわれるべきであるとされていること。なお、厚生労働大臣の指定する期間とは、申請のあった日の属する月の2年2か月（国民年金法第91条に規定する保険料の納期限に係る月であって、当

該納期限から2年を経過したものを除く。) 前の月から当該申請のあった日の属する年の翌年の6月までの期間において必要と認める期間である。
2 放送受信料
　被保護者が受信機を設置して締結する受信契約については、日本放送協会受信料免除基準により、放送受信料は免除されるものであること。
　なお、受信料免除申請書については、日本放送協会において用紙を印刷し、各放送局に配付することとされているので、もよりの放送局と連絡のうえこれを受領し、あらかじめ福祉事務所に備えておくこと。また受信料を免除されている者に係る保護の継続如何に関する連絡等について、日本放送協会の受信料免除に関する事務に協力すること。
3 国民年金（福祉年金）及び児童扶養手当の取扱い
(1) 福祉年金受給権の裁定請求に必要な費用及び児童扶養手当受給資格の認定請求に必要な費用については、次官通知第8の3の(2)のアの(イ)によって、年金又は手当収入を得るために必要な経費として、その実際必要額を当該収入から控除するものであること。
(2) 福祉年金（児童扶養手当）裁定（認定）請求に必要な添付書類で費用を伴うものは次に掲げる表の左欄のとおりであるが、これらは同表の右欄に記載するとおり処理することによってその費用を無料又は低額にすることができるのであるから、十分理解したうえ細部は関係機関に連絡し、手続に要する経費は最小限度に止めるとともに、手続が煩雑である等の理由により受給を期待しうる要保護者が裁定（認定）の申請を行なわないことのないよう指導すること。

戸籍の謄抄本又は住民票の写し	戸籍又は住民票の記載事項に関する証明書をもって代えた場合は費用を要しない。
受給権者（受給資格者）配偶者又は扶養義務者の所得証明書	裁定（認定）請求書を提出しようとする市町村長から福祉年金所得状況届（児童扶養手当所得状況届）に審査した旨の記載を受けることによって省略することができるが、この場合は費用を要しない。また、他の市町村長から同様の記載を受ける場合においても費用を免除されることがある。
母子福祉年金又は準母子福祉年金において夫等の死亡日を明らかにすることができる書類、夫等の死亡の当時における夫、受給権者及び子等の相互の身分関係を明らかにする書類等	戸籍若しくは除籍の抄本又は住民票の写しを必要とするときは左記による。また死亡した夫との関係が内縁関係であったため戸籍抄本等を添えることができないときは、医師、民生委員、社会福祉主事等の証明書で差しつかえなく、したがって費用を要しない。

児童扶養手当において身分関係又は生計関係を明らかにすることができる書類	戸籍の謄抄本又は住民票の写しを必要とするときは前記による。また、民生委員、社会福祉主事等の証明書によるときは費用を要しない。
福祉年金診断書	次の施設を利用するときは、無料又は低額料金によることができる。 1　無料交付施設 　(1)　身体障害者福祉法による身体障害者更生相談所及びその巡回相談 　(2)　児童福祉法によるし体不自由児施設 2　無料又は低額料金による交付施設 　(1)　国立病院、国立療養所、社会保険関係病院、日本赤十字病院、社会福祉法人経営の無料又は低額診療施設 　(2)　保健所のうちし体不自由児療育指定保健所
児童扶養手当障害認定診断書	福祉年金診断書と同様であるが、次の2点に留意すること。 1　国民年金法による障害等級の1級に該当し、障害（福祉）年金を受けている者については省略できる。 2　知的障害者福祉法による知的障害者更生相談所及びその巡回相談においても無料で交付を受けることができる。

第14　施行期日等

1　この通知は昭和38年4月1日から施行すること。
2　昭和36年4月1日社発第188号厚生省社会局長通知「生活保護法による保護の実施要領について」は廃止すること。

　　　前　文（第72次改正）抄
〔前略〕平成12年4月1日から適用する。
なお、昭和44年3月29日社保第75号本職通知「生活保護法により特別基準が設定されたものとして取扱う費用の認定にかかる承認の手続について」及び昭和44年3月29日社保第76号本職通知「生活保護法により特別基準が設定されたものとして取扱う費用の認定手続について」は、廃止する。
　　　附　則（第72次改正）

1　次に掲げる者の最低基準生活費の算定は、生活保護法による保護の基準（昭和38年厚生省告示第158号。以下「基準」という。)別表第1第3章の3の規定にかかわらず、2に掲げるところにより算定するものとする。

⑴ 介護保険法（平成9年法律第123号）の施行の日（以下、「施行日」という。）の前日において、老人保健施設に入所し、かつ基準別表第1の第3章の2の入院患者日用品費を現に算定していた者のうち、当該施設が介護保険法施行法（平成9年法律第124号）第8条の規定により介護老人保健施設となった後も引き続き当該施設に入所しているもの。

⑵ 施行日の前日において、介護保険法第7条第23項に規定する療養型病床群等に入院し、かつ基準別表第1の第3章の2の入院患者日用品費を現に算定していた者のうち、当該施設が施行日に介護保険法第48条第1項第3号の規定により指定介護療養型医療施設となった後も引き続き当該施設に入所しているもの。

2 施行日の前日までに現に算定されていた基準別表第1の第3章の2に規定する入院患者日用品費の額（地区別冬季加算及び期末一時扶助を除く。以下、「経過的基本生活費」という。）と基準別表第1の第3章の3に規定する介護施設入所者基本生活費の額を比較して、高い方の額を算定するものとする。

ただし、施行日以後に基準別表第1の第2章の加算のうち老齢加算、母子加算若しくは障害者加算（以下、「老齢加算等」という。）に該当することとなったとき又は施行日前に老齢加算等の計上を停止されていて、施行日以後に再び計上することとなったときには、経過的基本生活費と、基準別表第1の第3章の3の介護施設入所者基本生活費の額及び当該老齢加算等との合計額とを比較して、高い方の額を算定するものとする。

3 2により経過的基本生活費を算定されていた者が、月の中途で当該施設以外の介護施設に入所したときは、介護施設入所者基本生活費は入所日の属する月の翌月（入所日が月の初日のときは当該月）から計上すること。この場合、入所月の一般生活費の認定の変更（各種加算の額の変更を含む。）は要しないものとすること。

別表1

金銭換算表

	1級地—1		1級地—2		2級地—1		2級地—2		3級地—1		3級地—2	
	魚	野菜	魚介	野菜	魚介	野菜	魚介	野菜	魚介	野菜	魚介	野菜
	円	円	円	円	円	円	円	円	円	円	円	円
0歳〜2歳	4,470	3,890	4,260	3,710	4,070	3,540	3,860	3,360	3,660	3,190	3,460	3,020
3歳〜5歳	7,430	6,330	7,090	6,050	6,760	5,760	6,430	5,480	6,090	5,190	5,750	4,910
6歳〜11歳	9,690	8,240	9,250	7,870	8,820	7,500	8,380	7,120	7,950	6,760	7,510	6,390
12歳〜19歳	12,150	10,350	11,600	9,880	11,050	9,420	10,510	8,950	9,960	8,490	9,420	8,010
20歳〜40歳	10,230	8,700	9,770	8,310	9,310	7,920	8,850	7,520	8,390	7,130	7,930	6,740
41歳〜59歳	9,590	8,180	9,160	7,810	8,730	7,450	8,300	7,070	7,870	6,710	7,440	6,340
60歳〜69歳	9,280	7,910	8,860	7,550	8,450	7,190	8,020	6,840	7,610	6,490	7,190	6,120
70歳〜	8,250	7,010	7,880	6,690	7,510	6,380	7,130	6,060	6,760	5,740	6,400	5,430

別表2　　勤労に伴う必要経費として定める額

収入金額別区分	1級地		2級地		3級地	
	1人目	2人目以降	1人目	2人目以降	1人目	2人目以降
円	円	円	円	円	円	円
0～ 8,000	0～5,600	0～5,600	0～5,600	0～5,600	0～5,600	0～5,600
8,001～ 8,339	5,601～5,837	5,600	5,601～5,837	5,600	5,601～5,837	5,600
8,340～ 11,999	5,840	5,600	5,840	5,600	5,840	5,600
12,000～ 15,999	6,320	5,600	6,320	5,600	6,320	5,600
16,000～ 19,999	6,800	5,780	6,800	5,780	6,800	5,780
20,000～ 23,999	7,290	6,200	7,290	6,200	7,290	6,200
24,000～ 27,999	7,770	6,610	7,770	6,610	7,770	6,610
28,000～ 31,999	8,250	7,010	8,250	7,010	8,250	7,010
32,000～ 35,999	8,730	7,420	8,730	7,420	8,730	7,420
36,000～ 39,999	9,210	7,830	9,210	7,830	9,210	7,830
40,000～ 43,999	9,700	8,240	9,700	8,240	9,700	8,240
44,000～ 47,999	10,180	8,650	10,180	8,650	10,180	8,650
48,000～ 51,999	10,650	9,060	10,650	9,060	10,650	9,060
52,000～ 55,999	11,140	9,460	11,140	9,460	11,140	9,460
56,000～ 59,999	11,620	9,880	11,620	9,880	11,620	9,880
60,000～ 63,999	12,100	10,290	12,100	10,290	12,100	10,290
64,000～ 67,999	12,590	10,700	12,590	10,700	12,590	10,700
68,000～ 71,999	13,060	11,100	13,060	11,100	13,060	11,100
72,000～ 75,999	13,550	11,520	13,550	11,520	13,550	11,520
76,000～ 79,999	14,030	11,920	14,030	11,920	14,030	11,920

80,000～83,999	14,510		14,510		14,510	12,330
84,000～87,999	14,990		14,990		14,990	12,750
88,000～91,999	15,470		15,470		15,470	13,150
92,000～95,999	15,800		15,800		15,800	13,430
96,000～99,999	16,060		16,060		16,060	13,650
100,000～103,999	16,250	13,820	16,250	13,820	16,250	13,820
104,000～107,999	16,460	13,990	16,460	13,990	16,460	13,990
108,000～111,999	16,660	14,160	16,660	14,160	16,660	14,160
112,000～115,999	16,860	14,330	16,860	14,330	16,860	14,330
116,000～119,999	17,060	14,500	17,060	14,500	17,060	14,500
120,000～123,999	17,260	14,670	17,260	14,670	17,260	14,670
124,000～127,999	17,460	14,840	17,460	14,840	17,460	14,840
128,000～131,999	17,660	15,020	17,660	15,020	17,660	15,020
132,000～135,999	17,860	15,180	17,860	15,180	17,860	15,180
136,000～139,999	18,060	15,350	18,060	15,350	18,060	15,350
140,000～143,999	18,260	15,530	18,260	15,530	18,260	15,530
144,000～147,999	18,460	15,690	18,460	15,690	18,460	15,690
148,000～151,999	18,660	15,860	18,660	15,860	18,660	15,860
152,000～155,999	18,870	16,040	18,870	16,040	18,670	15,870
156,000～159,999	19,100	16,230	19,100	16,230	18,670	15,870
160,000～163,999	19,290	16,390	19,290	16,390	18,670	15,870
164,000～167,999	19,520	16,600	19,520	16,600	18,670	15,870
168,000～171,999	19,660	16,720	19,660	16,720	18,670	15,870
172,000～175,999	19,870	16,880	19,870	16,880	18,670	15,870
176,000～179,999	20,130	17,110	20,130	17,110	18,670	15,870

180,000～183,999	20,270	17,230	20,270	17,230	18,670	15,870
184,000～187,999	20,470	17,400	20,470	17,400	18,670	15,870
188,000～191,999	20,670	17,570	20,670	17,570	18,670	15,870
192,000～195,999	20,870	17,740	20,710	17,610	18,670	15,870
196,000～199,999	21,170	17,990	20,710	17,610	18,670	15,870
200,000～203,999	21,270	18,070	20,710	17,610	18,670	15,870
204,000～207,999	21,470	18,250	20,710	17,610	18,670	15,870
208,000～211,999	21,700	18,450	20,710	17,610	18,670	15,870
212,000～215,999	21,870	18,590	20,710	17,610	18,670	15,870
216,000～219,999	22,070	18,760	20,710	17,610	18,670	15,870
220,000～223,999	22,270	18,940	20,710	17,610	18,670	15,870
224,000～227,999	22,470	19,100	20,710	17,610	18,670	15,870
228,000～231,999	22,670	19,270	20,710	17,610	18,670	15,870
232,000～	22,760	19,350	20,710	17,610	18,670	15,870

(備考) 級地区分は、生活保護法による保護の基準（昭和38年厚生省告示第158号）別表第9「級地区分」による。
収入金額が0～8,000円の1人目及び2人目以降、8,001～8,339円の1人目の場合の必要経費として定める額は、収入金額に0.7を乗じた額（1円未満の端数は四捨五入）とする。

別　紙
　　　　保険料免除の取扱いについて（施行通達）抄

$$\begin{pmatrix}昭和35年6月13日\\各都道府県知事宛\quad厚生省年金局長通知\end{pmatrix}$$

　拠出制の国民年金においては、保険料の額を所得の多寡を問うことなく一律に100円及び150円と定め、保険料を負担することのできない低所得者については、これらの人々こそ年金制度による保障を最も必要とする人々であるとの趣旨から、これを本制度の適用から除外することなく適用対象に含め、これに対し保険料免除の措置を大幅にとることによって、できるかぎり多くの人々に拠出制国民年金の支給が行なわれるよう配慮されている。しかして、どの程度の低所得の者について、保険料の納付を要しないものとして取り扱うかの認定の基準については、国民年金法（昭和34年法律第141号。以下「法」という。）は、法第89条に定める当然免除の場合のほか、第90条各号に例示的列挙事項としてかかげているが、これらは、おおむね、市町村民税均等割を課せられていない程度の所得の人々を念頭に置いて立案せられたものである。しかしながら、市町村民税均等割の非課税の取扱いについては市町村により多少の相違がみられる実情にあり、これをそのまま全国的基準としがたい面もあるので、本年度においては、独自の基準をもって保険料免除の処理を行なう必要があるのである。

　かかる趣旨において、今般、別添の「保険料免除基準」を定めることとしたが、保険料免除事務の取扱いについては、次の諸点を基本的原則として運用せられたい。（中略）

第2　法第90条は、その構成において、個人単位にその所得能力を判断して保険料の免除を認定するかたちをとっているが、保険料の免除の認定は、実際上は通常の家庭の生活様式の実態からみて申請者の属する世帯の世帯員全員の所得等の状況に基づいて認定されることとなるから常に世帯全体の状況を考慮に置くこと。したがって、また法第90条第2号に該当する者については、すでに世帯単位の原則に基づいてその生活状況の審査が関係機関において行なわれているものであるから、本号該当者から申請があったときは格別の審査を行なうことなく、直ちに免除の認定を行なうべきであること。（以下略）

○生活保護法による保護の実施要領の取扱いについて

昭和38年4月1日　社保第34号
各都道府県・各指定都市民生主管部（局）長宛　厚生省
社会局保護課長通知

〔改正経過〕

第1次改正	昭和39年4月20日社保第36号	第2次改正	昭和39年12月16日社保第128号
第3次改正	昭和40年4月1日社保第175号	第4次改正	昭和41年4月1日社保第113号
第5次改正	昭和42年4月1日社保第71号	第6次改正	昭和43年4月1日社保第82号
第7次改正	昭和43年11月22日社保第256号	第8次改正	昭和44年4月1日社保第73号
第9次改正	昭和44年4月30日社保第104号	第10次改正	昭和45年4月1日社保第74号
第11次改正	昭和45年4月21日社保第97号	第12次改正	昭和46年4月1日社保第56号
第13次改正	昭和46年12月9日社保第166号	第14次改正	昭和47年4月1日社保第60号
第15次改正	昭和48年4月1日社保第67号	第16次改正	昭和49年3月27日社保第56号
第17次改正	昭和49年5月1日社保第91号	第18次改正	昭和50年2月8日社保第27号
第19次改正	昭和50年3月31日社保第58号	第20次改正	昭和51年3月31日社保第50号
第21次改正	昭和52年3月31日社保第52号	第22次改正	昭和53年3月31日社保第49号
第23次改正	昭和54年3月31日社保第27号	第24次改正	昭和55年3月31日社保第42号
第25次改正	昭和56年3月31日社保第37号	第26次改正	昭和57年3月31日社保第36号
第27次改正	昭和57年10月7日社保第106号	第28次改正	昭和58年3月31日社保第48号
第29次改正	昭和59年3月31日社保第36号	第30次改正	昭和60年3月30日社保第33号
第31次改正	昭和61年3月31日社保第47号	第32次改正	昭和61年9月25日社保第96号
第33次改正	昭和62年3月28日社保第30号	第34次改正	昭和63年3月31日社保第38号
第35次改正	平成元年3月31日社保第69号	第36次改正	平成2年3月31日社保第58号
第37次改正	平成3年3月30日社保第40号	第38次改正	平成4年3月31日社保第106号
第39次改正	平成5年3月31日社援保第63号	第40次改正	平成6年3月29日社援保第69号
第41次改正	平成7年3月29日社援保第80号	第42次改正	平成7年9月27日社援保第218号
第43次改正	平成8年3月18日社援保第52号	第44次改正	平成8年3月29日社援保第79号
第45次改正	平成9年3月31日社援保第83号	第46次改正	平成10年3月31日社援保第13号
第47次改正	平成11年3月31日社援保第16号	第48次改正	平成12年3月31日社援保第21号
第49次改正	平成13年3月30日社援第24号	第50次改正	平成13年12月27日社援保発第63号
第51次改正	平成14年3月29日社援保発第0329002号	第52次改正	平成15年3月31日社援保発第0331003号
第53次改正	平成15年7月31日社援保発第0731003号	第54次改正	平成16年3月31日社援保発第0331001号
第55次改正	平成17年3月31日社援保発第0331001号	第56次改正	平成18年3月31日社援保発第0331004号
第57次改正	平成18年9月29日社援保発第0929004号	第58次改正	平成19年3月31日社援保発第0331002号
第59次改正	平成20年3月31日社援保発第0331001号	第60次改正	平成21年3月31日社援保発第0331001号
第61次改正	平成21年7月1日社援保発0701第1号	第62次改正	平成21年10月29日社援保発1029第1号
第63次改正	平成21年12月25日社援保発1225第2号	第64次改正	平成22年3月31日社援保発0331第1号
第65次改正	平成22年5月21日社援保発0521第1号	第66次改正	平成23年3月31日社援保発0331第8号
第67次改正	平成24年3月30日社援保発0330第1号	第68次改正	平成25年3月29日社援保発0329第1号
第69次改正	平成25年7月1日社援保発0701第1号	第70次改正	平成26年3月31日社援保発0331第3号
第71次改正	平成26年4月25日社援保発0425第1号	第72次改正	平成27年3月31日社援保発0331第1号
第73次改正	平成27年4月14日社援保発0414第1号	第74次改正	平成27年5月14日社援保発0514第1号
第75次改正	平成27年8月6日社援保発0806第1号	第76次改正	平成28年3月31日社援保発0331第1号
第77次改正	平成28年5月31日社援保発0531第1号	第78次改正	平成29年3月31日社援保発0331第10号
第79次改正	平成30年3月30日社援保発0330第6号	第80次改正	平成30年6月8日社援保発0608第8号
第81次改正	平成30年6月27日社援保発0627第1号	第82次改正	平成30年9月4日社援保発0904第1号
第83次改正	平成30年9月28日社援保発0928第1号	第84次改正	平成31年3月29日社援保発0329第7号
第85次改正	令和元年8月27日社援保発0827第1号	第86次改正	令和2年3月31日社援保発0331第3号
第87次改正	令和2年9月14日社援保発0914第1号	第88次改正	令和3年2月26日社援保発0226第1号
第89次改正	令和3年3月30日社援保発0330第2号	第90次改正	令和4年3月30日社援保発0330第1号
第91次改正	令和4年7月26日社援保発0726第1号	第92次改正	令和5年3月31日社援保発0331第1号
第93次改正	令和6年3月29日社援保発0329第3号		

Ⅱ 生活保護法関係通知 第3章 保護の実施要領

今般、保護基準の第19次改定等に伴ない保護の実施要領については、昭和36年4月1日厚生省発社第123号厚生事務次官通知（以下「次官通知」という。）の一部が改正されるとともに昭和38年4月1日社発第246号厚生省社会局長通知（以下「局長通知」という。）が新たに定められたところであるが、これに伴ない昭和36年4月1日社保第22号本職通知を次のとおり全面改正したので了知のうえ実施要領取扱い上の指針とされたい。

また、本通知は、地方自治法（昭和22年法律第67号）第245条の9第1項及び第3項の規定による処理基準であることを申し添える。

生活保護法による保護の実施要領の取扱いについて

目次

		頁
第1	世帯の認定	420
第2	実施責任	422
第3	資産の活用	424
第4	稼働能力の活用	432
第5	扶養義務の取扱い	432
第6	他法他施策の活用	
第7	最低生活費の認定	434
第8	収入の認定	451
第9	保護の開始申請等	462
第10	保護の決定	462
第11	保護決定実施上の指導指示及び検診命令	470
第12	調査及び援助方針	472
第13	その他	473
第14	施行期日	473

第1 世帯の認定

問1 削除

問2 削除

問3 削除

問4 出かせぎ又は寄宿とは、生計を一にする世帯の所在地を離れて、特定又は不特定期間、他の土地で就労、事業、就学等のため仮の独立生活を営み、目的達成後その世帯に帰ることが予定されている状態をいうものと解してよいか。

答 お見込みのとおりである。

問5 生計を一にする世帯から離れて、他の土地に新たな生計の本拠を構えた場合には、これを転出として取り扱ってよいか。

答 貴見のとおり取り扱って差しつかえない。

問6 局長通知第1の5の(2)のイに該当するものは、どのようなものか。

答 例えば、公益財団法人交通遺児育英会の奨学金、文部科学省の高等学校等進学奨励費補助を受けて行われる事業による奨学金、生活福祉資金の教育支援資金のうち特に必要と認められる場合に支給されるもの、母子福祉資金、父子福祉資金又は寡婦福祉

資金の修学資金のうち特別貸付けによるもの等である。

問7　局長通知第1の3にいう「高等学校又は高等専門学校での就学に準ずるもの」とは、どのようなものをいうか。

答　専修学校又は各種学校の修業年限が3年以上であり、かつ、普通教育科目を含む就業時間数がおおむね年800時間以上である教育課程に就学する場合であって、就学する者の意欲、能力、健康状態等から判断して、当該被保護世帯の自立助長のうえで高等学校等での就学と同程度の効果が期待されるものをいう。

問8　世帯分離が認められる場合については、局長通知第1の2及び5に各々その要件が示されているが、これは、世帯分離により保護継続している場合にも適用されるべきものと思う。したがって、世帯分離要件に該当しなくなった場合は、世帯分離を解除した上、改めて同一世帯として認定を行い、保護の要否判定を行うべきものと考えるが、どうか。

答　世帯分離は、世帯単位の原則をつらぬくとかえって法の目的を実現できないと認められる場合に、例外的に認められる取扱いであることから、世帯分離要件は、世帯分離を行う時点だけでなく、保護継続中も常に満たされていなければならないものである。

　したがって、一旦世帯分離を行った場合であっても、その後の事情の変更により、世帯分離の要件を満たさなくなった場合には、世帯分離を解除し、世帯を単位として保護の要否及び程度を決定することとなる。

　具体的には、世帯分離により保護を要しないこととなった世帯の収入、資産の状況、就学の状況や、世帯構成、地域の生活実態との均衡及び世帯分離の効果等を継続的に把握し、世帯分離要件を満たしているかどうかについて、少なくとも毎年1回は検討を行う必要がある。

　なお、世帯分離の解除を円滑に行うためにも、世帯分離を行うに当たっては、当該世帯に対し世帯分離の趣旨等を十分に説明しておく必要がある。

問9　世帯分離をした場合において、分離により保護を要しないとした者（世帯）については、継続的に収入等を把握し、要件を満たしているかどうかについて少なくとも毎年1回は検討を行うこととされているが、世帯分離により保護を要しないとした者の非協力により保護を要しないとした者の収入等が申告されず、また再三届出を求めたにもかかわらず届出がなされないため要件の確認が行えないような場合は、どのように取り扱えばよいか。

答　世帯分離は、世帯単位の原則のもとで一定の要件を満たしていることを条件に保護の実施機関が適当と判断したときに例外的な取扱いとして認められているものである。したがって、世帯分離中は継続して分離の要件を満たしており、分離が適切であるとの実施機関の判断が前提となっているものであるから、設問のように福祉事務所において分離要件を見直すことが必要であると考え調査したが、世帯分離により保護を要しないとした者の非協力により、この確認ができない場合には当然世帯単位の原則に立ち帰り同一世帯と認定すべきものである。

　以上の考え方からすれば、設問のような場合においては、実施機関は、まず、世帯

分離を解除し、当該者を同一世帯と認定する変更決定を行うとともに、再度必要な資料等の提出を求め、なお指示に従わない場合は所要の手続を経て保護の停廃止を検討すべきである。

問10　世帯分離により入院若しくは入所中又は局長通知第1の2の(8)に掲げる施設に入所中の者のみを相当期間保護している場合であって、世帯分離後の出身世帯の生計中心者が代替わりしたこと等により、同一世帯として認定することが適当でないと認められる場合には、別世帯とみなして差しつかえないか。

答　次のいずれにも該当する場合であって、社会通念上同一世帯として認定することが適当でないと認められる場合には、出身世帯と分離して保護している者を別世帯とみなして差しつかえない。
1　世帯分離後、入院入所期間がおおむね5年以上にわたっており、今後も引き続き長期間に及ぶこと。
2　世帯分離されている者に対し、出身世帯員のいずれもが生活保持義務関係にないこと。
3　世帯分離後出身世帯の生計中心者が代替わりしていること。
　なお、別世帯とみなした場合にも、従前の保護の実施機関が、なお保護の実施責任（居住地保護の例による。）を負うこととなる。

第2　実施責任

問1　単身者たる入院患者又は介護老人保健施設入所者の入院又は入所前の居住地がなくなった場合は、他に親族等の縁故先で退院又は退所後の落着き先となることが期待される場所があるとしても、当該入院又は入所が法によるものであると否とを問わず、すべて居住地として認定されないと解してよいか。

答　局長通知第2の1の(2)に該当する場合を除き、お見込みのとおりである。

問2　世帯分離された入院患者又は介護老人保健施設入所者については、出身世帯の居住地をその居住地として認定すべきであり、出身世帯が移転した場合も同様であると解してよいか。

答　お見込みのとおりである。

問3　同一世帯員として認定すべき者のうち一方が病院又は療養所にあり、他方が保護施設にある場合で、入院又は入所前の居住地が消滅しているときの実施責任は、どのように判断すべきか。

答　それぞれ世帯を別にしているものとして判断すべきである。
　すなわち、保護施設にある者については法第19条第3項により、入院患者については局長通知第2の1又は2により取り扱うべきである。

問4　次の場合の要保護者にかかる実施責任はいずれにあるか。
(1)　感染症の予防及び感染症の患者に対する医療に関する法律に基づく公費負担（結核に係るものに限る。以下同じ。）又は心神喪失等の状態で重大な他害行為を行った者の医療及び観察等に関する法律（以下「医療観察法」という。）に基づく公費負担による入院患者等医療扶助の適用を受けていない被保護者で居住地のないものが

転院したとき。
(2) 医療扶助により入院していた者で局長通知第2の1の(3)又は2により保護を実施されていたものが、感染症の予防及び感染症の患者に対する医療に関する法律に基づく公費負担を受ける等医療扶助の適用を要しなくなった場合で引き続き生活扶助（入院患者日用品費）を要するとき。
(3) 医療観察法による措置廃止により、居住地のない被保護者が転院したとき。

答 (1)については、局長通知第2の2は適用されず、当該被保護者の現在地である転院先の医療機関所在地の実施機関が、入院患者日用品費等の支給について実施責任を負うものである。

(2)については、同一の医療機関に入院している限り引き続き局長通知第2の1の(3)又は2により実施責任が定められるものである。

(3)については、措置廃止と同時に転院となった場合は、局長通知第2の1により転院先の医療機関所在地の実施機関が実施責任を負うものである。

問5 局長通知第2の1の(3)にいう「入院後3か月以内」及び「入院後3か月を経過した後」の「3か月」はどのように算定すべきか。

答 いずれも入院した日の属する月を含めて4か月目の月の入院日に応当する日をいうものである。

問6 削除

問7 被保護者が軽費老人ホーム又は有料老人ホームに入所した場合、軽費老人ホーム又は有料老人ホーム所在地をその者の居住地とし、その者に対する保護の実施責任は、軽費老人ホーム又は有料老人ホーム所在地を所管する保護の実施機関が負うこととなるのか。

答(1) 軽費老人ホーム又は有料老人ホームに入居する被保護者のうち、これらの施設において特定施設入居者生活介護又は介護予防特定施設入居者生活介護を受ける者については、従前の保護の実施機関が引き続き保護の実施責任を負うこととなる。

(2) 軽費老人ホーム又は有料老人ホームに入居する者のうち、これらの施設において特定施設入居者生活介護又は介護予防特定施設入居者生活介護を受けない者については、居住地特例の適用はなく、これらの施設の所在地を所管する保護の実施機関が保護の実施責任を負うこととなる。

(3) 軽費老人ホーム又は有料老人ホームに入居している者から保護の申請があった場合は、その者が特定施設入居者生活介護又は介護予防特定施設入居者生活介護を受けるか否かにかかわらず、これらの施設の所在地を所管する保護の実施機関が保護の実施責任を負うこととなる。

(4) (2)と同様に、身体障害者福祉ホーム、精神障害者ホーム、知的障害者福祉ホーム、認知症対応型共同生活介護（グループホーム）等に入居する者については、これらの施設の所在地を所管する保護の実施機関が保護の実施責任を負うこととなる。

一方で、平成18年4月1日以後に障害者の日常生活及び社会生活を総合的に支援

するための法律に規定する共同生活援助を行う住居に入居した被保護者の保護の実施責任は、入居前に保護を受けていたかどうかにかかわらず、入居前の居住地又は現在地を所管する保護の実施機関が保護の実施責任を負うものであることに留意されたい。

問8　平成18年10月以前より児童福祉法に基づく措置により児童福祉施設（障害児入所施設に限る。）に入所している児童が、引き続き契約に基づき当該施設に入所する場合、その児童の入所期間中、当該施設（複数の施設に継続して入所措置された場合には最初に入所措置された施設）に入所措置する前の居住地又は現在地を所管する保護の実施機関が、当該児童に対する保護の実施責任を負うものと考えてよろしいか。

答　お見込みのとおりである。

第3　資産の活用

問1　削除

問2　削除

問3　削除

問4　削除

問5　削除

問6　局長通知第3の4の(4)のイにいう「当該地域の一般世帯との均衡を失することにならない」ことの判断基準を示されたい。

答(1)　「当該地域」とは、通常の場合、保護の実施機関の所管区域又は市町村の行政区域を単位とすることが適当であるが、実情に応じて、市の町内会、町村の集落等の区域を単位として取り扱って差しつかえない。

(2)　「一般世帯との均衡を失することにならない」場合とは、当該物品の普及率をもって判断するものとし、具体的には、当該地域の全世帯の70％程度（利用の必要性において同様の状態にある世帯に限ってみた場合には90％程度）の普及率を基準として認定すること。

問7　削除

問8　生活用品としての楽器、テレビ、カメラ及びステレオは、趣味装飾品、家具什器又はその他の物品のいずれに分類すべきか。

答　「その他の物品」として取り扱うこと。

問8の2　債券の保有は認められないこととなっているが、有価証券はすべて保有が認められないのか。

答　株券、国債証券、投資信託の受益証券など資産形成に資する有価証券は、保有を認められない。

なお、保護申請時において、未公開株券等の直ちに処分することが困難な有価証券であって、一定期限の到来により処分可能となるものを保有する場合に限り、保護適用後売却益を受領した時点で、開始時の資力として法第63条を適用することを条件に保護を適用して差し支えない。

問9　次のいずれかに該当する場合であって、自動車による以外に通勤する方法が全く

ないか、又は通勤することがきわめて困難であり、かつ、その保有が社会的に適当と認められるときは、次官通知第3の5にいう「社会通念上処分させることを適当としないもの」として通勤用自動車の保有を認めてよいか。
1　障害者が自動車により通勤する場合
2　公共交通機関の利用が著しく困難な地域に居住する者等が自動車により通勤する場合
3　公共交通機関の利用が著しく困難な地域にある勤務先に自動車により通勤する場合
4　深夜勤務等の業務に従事している者が自動車により通勤する場合

答　お見込みのとおりである。
　なお、2、3及び4については、次のいずれにも該当する場合に限るものとする。
(1)　世帯状況からみて、自動車による通勤がやむを得ないものであり、かつ、当該勤務が当該世帯の自立の助長に役立っていると認められること。
(2)　当該地域の自動車の普及率を勘案して、自動車を保有しない低所得世帯との均衡を失しないものであること。
(3)　自動車の処分価値が小さく、通勤に必要な範囲の自動車と認められるものであること。
(4)　当該勤務に伴う収入が自動車の維持費を大きく上回ること。

問9の2　通勤用自動車については、現に就労中の者にしか認められていないが、保護の開始申請時においては失業や傷病により就労を中断しているが、就労を再開する際には通勤に自動車を利用することが見込まれる場合であっても、保有している自動車は処分させなくてはならないのか。

答　概ね6か月以内に就労により保護から脱却することが確実に見込まれる者であって、保有する自動車の処分価値が小さいと判断されるものについては、次官通知第3の2「現在活用されてはいないが、近い将来において活用されることがほぼ確実であって、かつ、処分するよりも保有している方が生活維持に実効があがると認められるもの」に該当するものとして、処分指導を行わないものとして差し支えない。ただし、維持費の捻出が困難な場合についてはこの限りではない。
　また、概ね6か月経過後、保護から脱却していない場合においても、保護の実施機関の判断により、その者に就労阻害要因がなく、自立支援プログラム又は自立活動確認書により具体的に就労による自立に向けた活動が行われている者については、保護開始から概ね1年の範囲内において、処分指導を行わないものとして差し支えない。
　なお、処分指導はあくまで保留されているものであり、当該求職活動期間中に車の使用を認める趣旨ではないので、予め文書により「自動車の使用は認められない」旨を通知するなど、対象者には十分な説明・指導を行うこと。ただし、公共交通機関の利用が著しく困難な地域に居住している者については、求職活動に必要な場合に限り、当該自動車の使用を認めて差し支えない。
　また、期限到来後自立に至らなかった場合については、通勤用の自動車の保有要件

を満たす者が通勤用に使用している場合を除き、速やかに処分指導を行うこと。
問10　削除
問11　保護申請時において保険に加入しており、解約すれば返戻金のある場合は、すべて解約させるべきか。
答　保険の解約返戻金は、資産として活用させるのが原則である。ただし、返戻金が少額であり、かつ、保険料額が当該地域の一般世帯との均衡を失しない場合に限り、保護適用後保険金又は解約返戻金を受領した時点で法第63条を適用することを条件に解約させないで保護を適用して差しつかえない。
問12　次のいずれかに該当する場合は自動車の保有を認めてよいか。
　1　障害者（児）が通院、通所及び通学（以下「通院等」という。）のために自動車を必要とする場合
　2　公共交通機関の利用が著しく困難な地域に居住する者が通院等のために自動車を必要とする場合
答　次のいずれかに該当し、かつ、その保有が社会的に適当と認められるときは、次官通知第3の5にいう「社会通念上処分させることを適当としないもの」としてその保有を認めて差しつかえない。
　1　障害（児）者が通院等のために自動車を必要とする場合であって、次のいずれにも該当する場合
　(1)　障害（児）者の通院等のために定期的に自動車が利用されることが明らかな場合であること。
　(2)　当該者の障害の状況により利用し得る公共交通機関が全くないか又は公共交通機関を利用することが著しく困難であって、他法他施策による送迎サービス、扶養義務者等による送迎、医療機関等の行う送迎サービス等の活用が困難であり、また、タクシーでの移送に比べ自動車での通院が、地域の実態に照らし、社会通念上妥当であると判断される等、自動車により通院等を行うことが真にやむを得ない状況であることが明らかに認められること。
　(3)　自動車の処分価値が小さく、又は構造上身体障害者用に改造してあるものであって、通院等に必要最小限のもの（排気量がおおむね2000cc以下）であること。
　(4)　自動車の維持に要する費用（ガソリン代を除く。）が他からの援助（維持費に充てることを特定したものに限る。）、他施策の活用等により、確実にまかなわれる見通しがあること。
　(5)　障害者自身が運転する場合又は専ら障害（児）者の通院等のために生計同一者若しくは常時介護者が運転する場合であること。
　なお、以上のいずれかの要件に該当しない場合であっても、その保有を認めることが真に必要であるとする特段の事情があるときは、その保有の容認につき厚生労働大臣に情報提供すること。
　2　公共交通機関の利用が著しく困難な地域に居住する者が通院等のために自動車を

必要とする場合であって、次のいずれにも該当する場合
(1) 当該者の通院等のために定期的に自動車が利用されることが明らかな場合であること。
(2) 他法他施策による送迎サービス、扶養義務者等による送迎、医療機関等の行う送迎サービス等の活用が困難であり、また、タクシーでの移送に比べ自動車での通院が、地域の実態に照らし、社会通念上妥当であると判断される等、自動車により通院等を行うことが真にやむを得ない状況であることが明らかに認められること。
(3) 自動車の処分価値が小さく、通院等に必要最小限のもの（排気量がおおむね2000cc以下）であること。
(4) 自動車の維持に要する費用（ガソリン代を除く。）が他からの援助（維持費に充てることを特定したものに限る。）等により、確実に賄われる見通しがあること。
(5) 当該者自身が運転する場合又は専ら当該者の通院等のために生計同一者若しくは常時介護者が運転する場合であること。

問13 局長通知第3において、要保護者に資産の申告を行わせることとなっているが、保護受給中の申告の時期等について具体的に示されたい。

答 被保護者の現金、預金、動産、不動産等の資産に関する申告の時期及び回数については、少なくとも12か月ごとに行わせることとし、申告の内容に不審がある場合には必要に応じて関係先について調査を行うこと。

この場合、不動産の保有状況については、固定資産税納税通知書がある場合は写しを提出させるとともに、必要がある場合は、更に訪問調査等により的確に把握すること。

なお、保護の実施機関において関係機関の協力等により被保護者の保有不動産の状況を的確に把握できる場合には、必ずしも被保護者から申告を行わせる必要はないこと。

おって、不動産を取得又は処分したときの申告については、予め被保護者に申告の義務があることを十分に理解させ、速やかに申告を行わせること。

問14 ローン付住宅を保有している者から保護の申請があったが、どのように取り扱うべきか。

答 ローンにより取得した住宅で、ローン完済前のものを保有している者を保護した場合には、結果として生活に充てるべき保護費からローンの返済を行うこととなるので、原則として保護の適用は行うべきではない。

問15 局長通知第3の5にいうケース診断会議等の検討に付する目安を示されたい。

答 ケース診断会議等における検討対象ケースの選定に当たっては、当該実施機関における最上位級地の30歳代及び20歳代の夫婦と4歳の子を例とする3人世帯の生活扶助基準額に同住宅扶助特別基準額を加えた値におおよそ10年を乗じ、土地・家屋保有に係る一般低所得世帯、周辺地域住民の意識、持ち家状況等を勘案した所要の補正を行

う方法、またはその他地域の事情に応じた適切な方法により算出した額をもってケース診断会議等選定の目安額とする。

なお、当該目安額は、あくまでも当該診断会議等の検討に付するか否かの判断のための基準であり、保護の要否の決定基準ではないものである。

問16　局長通知第3の5にいうケース診断会議等ではどのような点について検討を行うのか示されたい。

答　当該土地・家屋に居住することによって営まれる生活の内容が、最低生活の観点から、他の被保護世帯や地域住民の生活内容との比較においてバランスを失しない程度のものであるか、また、生活保護の補足性の観点からみて、居住用の不動産としてその価値が著しい不公平を生じるものではないか等について、住民意識及び世帯の事情等を十分勘案して長期的な視点で行うものとする。

具体的には、
① 当該土地・家屋の見込処分価値の精査
② 当該土地・家屋の処分の可能性
③ 当該世帯の移転の可能性
④ 当該世帯員の健康状態・生活歴
⑤ 当該世帯と近隣の関係
⑥ 当該世帯の自立の可能性
⑦ 当該地域の低所得者の持ち家状況、土地・家屋の平均面積、地域感情
⑧ その他必要な事項

について検討し、当該世帯の実情に応じた土地・家屋の保有の容認あるいは活用の方策等の総合的な援助方針について意見をまとめること。

なお、土地・家屋の活用について援助方針を樹立する際には、当該世帯に将来の生活の不安を抱かせることのないよう配慮する必要があることから、単に資産活用に係る関係諸機関との連携、活用までの間の急迫保護のあり方、指導指示の内容について検討するのみでなく、個別の世帯の事情に即した他法他策の活用、不動産を担保とした貸付の活用、不動産の賃貸等による活用、公営住宅等への入居による活用、親族との関係など当該世帯の自立助長の観点から、全般にわたり十分な配慮を行った援助方針の樹立に努める必要があること。

また、土地・家屋の保有を容認することが適当と判断された場合においても、検討の結果を活かして改善が図られる援助方針の樹立について留意されたいこと。

問17　次官通知第3の5にいう「社会通念上処分させることを適当としないもの」としてルームエアコンの保有を認めてよいか。

答　お見込みのとおりである。

問18　生活保護の受給中、既に支給された保護費のやり繰りによって生じた預貯金等がある場合はどのように取り扱ったらよいか。

答　被保護者に、預貯金等がある場合については、まず、当該預貯金等が保護開始時に保有していたものではないこと、不正な手段（収入の未申告等）により蓄えられたも

のではないことを確認すること。当該預貯金等が既に支給された保護費のやり繰りによって生じたものと判断されるときは、当該預貯金等の使用目的を聴取し、その使用目的が生活保護の趣旨目的に反しないと認められる場合については、活用すべき資産には当たらないものとして、保有を容認して差しつかえない。なお、この場合、当該預貯金等があてられる経費については、保護費の支給又は就労に伴う必要経費控除の必要がないものであること。

　また、被保護者の生活状況等について確認し、必要に応じて生活の維持向上の観点から当該預貯金等の計画的な支出について助言指導を行うこと。

　さらに、保有の認められない物品の購入など使用目的が生活保護の趣旨目的に反すると認められる場合には、最低生活の維持のために活用すべき資産とみなさざるを得ない旨を被保護者に説明したうえで、状況に応じて収入認定や要否判定の上で保護の停止又は廃止を行うこと。

問18の2　高等学校等に就学中の者がいる被保護世帯において、当該者が高等学校等卒業後、専修学校、各種学校又は大学に就学するために必要な経費に充てるため、保護費のやり繰りにより預貯金等をすることは認められるか。

答　保護費のやり繰りによって生じた預貯金等については、その使用目的が生活保護の趣旨目的に反しないと認められる場合については、活用すべき資産には当たらないものとして保有を容認して差しつかえない取り扱いとしている。

　生業扶助の対象とならない専修学校又は各種学校への就学については、本来、高等学校等就学費を支給された者は卒業資格を活かして就労を目指すことが必要であるが、一方で、自立助長に効果的であると認められる等局第1－5の要件を満たす場合には世帯分離をしたうえで認めている。

　また、大学への就学については、貸与金を受けて就学する場合に世帯分離をしたうえで認めているが、大学への就学によって、就労に資する資格取得が見込まれることも考えられる。

　そのため、次のいずれにも該当する場合、保護費のやり繰りによって生じた預貯金等は、その使用目的が生活保護の趣旨目的に反しないと認められるものとして、保有を容認して差しつかえない。

　なお、保護の実施機関は、当該預貯金等の使用前に預貯金等の額を確認するとともに、使用後は下記3の目的のために使用されたことを証する書類等により、使用内容を確認すること。

1　具体的な就労自立に関する本人の希望や意思が明らかであり、また、生活態度等から卒業時の資格取得が見込めるなど特に自立助長に効果的であると認められること。

2　就労に資する資格を取得することが可能な専修学校、各種学校又は大学に就学すること。

3　当該預貯金等の使用目的が、高等学校等卒業後、専修学校、各種学校又は大学に就学するために必要な経費（事前に必要な入学料等に限る。）に充てるものである

こと。

　4　やり繰りで生じる預貯金等で対応する経費の内容や金額が、具体的かつ明確になっているものであって、原則として、やり繰りを行う前に保護の実施機関の承認を得ていること。

問18の3　保護の停廃止をする際に、活用すべき資産には当たらないものとして認められた預貯金等を保有していた場合、保護を再開する際の当該預貯金の取扱いを示されたい。

答　保護の停止は、おおむね6か月以内に再び保護を要する状態になることが予想される場合又は保護を要しない状態がなお確実性を欠くため、若干期間その世帯の生活状況の経過を観察する必要がある場合に行うものであり、保護停止中においても、その生活状況の経過を把握し、必要に応じて、助言指導を行うこととなっている。

　このため、保護停止前に認められていた当該預貯金等を保護停止中に保有することは認められるものである。なお、保護再開時に当たっては、自立更生計画等により、当該預貯金等の使用目的及び金額が保護停止前と変更ないものかどうか、変更されている場合はその事情等を確認すること。

　一方、保護の廃止は、特別な事由が生じない限り、保護を再開する必要がない場合又はおおむね6か月を超えて保護を要しない状態が継続する場合に行うものであり、保護廃止後は生活保護制度下の制約を受けないものである。

　したがって、保護廃止後は当該預貯金等を何に充てるかは本人の自由となるが、再び要保護状態となって保護の申請があった場合、保護廃止前に活用すべき資産には当たらないものとして認められた預貯金等を保有していたとしても、保護開始時の要否判定においては、活用すべき資産として取り扱うことに留意すること。

　なお、これらの手続について、被保護者に対し、上記の取扱いを十分に説明した上で行うこと。

問19　保護申請時において学資保険に加入している場合においても、本通知第3の問11と同様の条件を満たす場合については、解約させないで保護を適用してよいか。

答　当該学資保険が、次の条件を満たす場合には、保護適用後、満期保険金（一時金等を含む）又は解約返戻金を受領した時点で、開始時の解約返戻金相当額について法第63条を適用することを前提として、解約させないで保護を適用して差し支えない。

　1　同一世帯の構成員である子が18歳以下である時に、同一世帯員が満期保険金（一時金等を含む）を受け取るものであること

　2　満期保険金（一時金等を含む）又は満期前に解約した場合の返戻金の使途が世帯内の子の就学に要する費用にあてることを目的としたものであること

　3　開始時点の1世帯あたりの解約返戻金の額が50万円以下であること

問20　保護受給中に学資保険の満期保険金（一時金等を含む）又は解約返戻金を受領した場合について高等学校等就学費との関係もふまえて取扱いを示されたい。

答　満期保険金等を受領した場合、開始時の解約返戻金相当額については、法第63条を適用し返還を求めることとなるが、本通知第8の問40の(2)のオに定める就学等の費用

にあてられる額の範囲内で、返還を要しないものとして差しつかえない。なお、この場合、高等学校等就学費の支給対象とならない経費（学習塾費等を含む。）及び高等学校等就学費の基準額又は学習支援費でまかないきれない経費であって、その者の就学のために必要な最小限度の額にあてられる場合については、高等学校等就学費は基準額どおり計上しても差しつかえない。

開始時の解約返戻金相当額以外については、「保護費のやり繰りによって生じた預貯金等の取扱い」と同様に、使用目的が生活保護の趣旨目的に反しない場合については、収入認定の除外対象として取り扱い、当該収入があてられる経費については、保護費の支給又は就労に伴う必要経費控除の必要がないものであること。なお、この取扱いは、保有を認められた他の保険についても同様である。

問21　局長通知第3の1の(1)及び第3の2の(1)において、要保護世帯向け不動産担保型生活資金の利用が可能なものについては、当該貸付資金の利用によってこれを活用させることとし、その活用後に保有を認めることとされているが、当該貸付資金の利用が可能にも関わらず、その利用を拒む世帯に対しては、どのように対応するのか。

答　要保護世帯向け不動産担保型生活資金の利用が可能な場合には、当該貸付資金の利用が優先されるべきである。

したがって、当該貸付資金の利用を拒む世帯に対しては、資産の活用は保護の受給要件となることを説明し、その利用を勧奨するとともに、貸付期間中も相談に応じること、貸付の利用が終了した後、他の要件を満たす場合には生活保護が適用になる旨を説明することとされたい。

それでも、当該貸付資金の利用を拒む場合については、資産活用を恣意的に忌避し、法第4条に定める保護の受給要件を満たさないものと解し、

　1　生活保護受給中の者については、所要の手続を経て、保護を廃止する
　2　新規の保護申請者については、保護申請を却下する
こととされたい。

問22　保護受給中の者が要保護世帯向け不動産担保型生活資金を利用した場合、貸付日以前に支給された保護費はどのように取扱うのか。

答　要保護世帯向け不動産担保型生活資金の利用の可否については、社会福祉協議会による審査によって決定されることから、保護の実施機関による当該居住用不動産の保有認否の判断は、この審査結果を待って行うことになる。

したがって、この場合、貸付契約の成立をもって、当該居住用不動産が具体的に活用可能な資産になったものと判断されるべきであり、初回の貸付分が受けられる月の初日を資力発生日ととらえ、貸付日以前に支給された保護費については、法第63条による返還請求を行わないこと。

なお、この取扱いは、保護の実施機関が貸付日以前に当該居住用不動産の保有を否認していた場合も同様である。

問23　保有が容認されていた自動車が使用に耐えない状態となった場合、自動車の更新を認めてよいか。

答　次のいずれにも該当する場合であって、自動車を購入することが真にやむを得ないと認められる場合は、自動車の更新を認めて差し支えない。
　　ただし、保護の実施機関による事前の承認を得ることを原則とする。その際、保護費のやり繰りによって生じた預貯金等により賄う場合においては、本通知第3の18に従い、不正の手段により蓄えられたものではないこと等を確認すること。
　1　保有が容認されていた自動車が使用に耐えない状態となったこと。
　2　保有が容認されていた事情に変更がなく、自動車の更新後も引き続き本通知第3の9又は同第3の12に掲げる保有の容認要件に該当すること。
　3　自動車の処分価値が小さく、通勤、通院等に必要な範囲の自動車と認められるものであること。
　4　自動車の更新にかかる費用が扶養義務者等他からの援助又は保護費のやり繰りによって生じた預貯金等により確実に賄われること。

第4　稼働能力の活用
　問1　現に就労している者の稼働能力の活用状況が十分であるか否かについては、どのように判断したら良いのか。
　答　局長通知第4で示した稼働能力の活用についての判断基準は、現に就労している者についても当てはまるものである。
　　具体的には、その者の現在の就労状況が2により評価した本人の稼働能力から見て妥当な水準にあると認められる場合には、その者は稼働能力を活用していると判断することができるものである。
　　一方、本人の稼働能力から見て妥当な水準にないと認められる場合には、3及び4で示した事項を含めて1により客観的かつ総合的に判断されたい。

第5　扶養義務の取扱い
　問1　局長通知第5の1の(1)のイの(イ)にいう「特別の事情」に該当するのは、どのような場合であるか。
　答　民法第877条第2項にいう特別の事情と同様趣旨のものと考えてよく、この場合、特別の事情とは、法律上絶対的扶養義務者には一般的に扶養義務が課せられるが、その他の三親等内の親族についても、親族間に生活共同体的関係が存在する実態にあるときは、その実態に対応した扶養関係を認めるという観点から判断することが適当であるとされている。したがって、本法の運用にあたっても、この趣旨に沿って、保護の実施機関において、当事者間の関係並びに関係親族及び当該地域における扶養に関する慣行等を勘案して特別の事情の有無を判断すべきものである。
　　わが国の社会実態からみて、少なくとも次の場合には、それぞれ各号に掲げる者について特別の事情があると認めることが適当である。ただし、当該判断にあたっては機械的に取り扱うことなく、原則当事者間における話合い等によって解決するよう努めること。
　1　その者が、過去に当該申請者又はその世帯に属する者から扶養を受けたことがある場合

生活保護法による保護の実施要領の取扱いについて

  2 その者が、遺産相続等に関し、当該申請者又はその世帯に属する者から利益を受けたことがある場合

  3 当該親族間の慣行又は当該地域の慣行により、その者が当該申請者又はその世帯に属する者を扶養することが期待される立場にある場合

問2 局長通知第5の2の(1)による扶養の可能性の調査により、例えば、

 ① 当該扶養義務者が被保護者、社会福祉施設入所者及び実施機関がこれらと同様と認める者

 ② 要保護者の生活歴等から特別な事情があり明らかに扶養ができない者

 ③ 夫の暴力から逃れてきた母子、虐待等の経緯がある者等の当該扶養義務者に対し扶養を求めることにより明らかに要保護者の自立を阻害することになると認められる者

であって、明らかに扶養義務の履行が期待できない場合は、その間の局長通知第5の2の(2)及び(3)の扶養能力調査の方法はいかにすべきか。

答1 当該扶養義務者が生活保持義務関係にある扶養義務者であるときは、局長通知第5の2の(2)のアのただし書きにいう扶養義務者に対して直接照会することが真に適当でない場合として取り扱って差しつかえない。なお、③の場合は、直接照会することが真に適当でない場合として取り扱うこと。

 2 当該扶養義務者が生活保持義務関係にある扶養義務者以外であるときは、個別の慎重な検討を行い扶養の可能性が期待できないものとして取り扱って差しつかえない。なお、③の場合は、扶養の可能性が期待できないものとして取り扱うこと。

 3 また、1又は2のいずれの場合も、当該検討結果及び判定については、保護台帳、ケース記録等に明確に記載する必要があるものである。

問3 生活扶助義務関係にある者の扶養能力を判断するにあたり、所得税が課されない程度の収入を得ている者は、扶養能力がないものとして取り扱ってよいか。

答 給与所得者については、資産が特に大きい等、他に特別の事由がない限り、お見込みのとおり取り扱って差しつかえない。給与所得者であってもこの取扱いによることが適当でないと認められる者及び給与所得者以外の者については、各種収入額、資産保有状況、事業規模等を勘案して、個別に判断すること。

問4 局長通知第5の2の(5)のアは、生活保持義務関係にある者の同居の事実の有無又は親権の有無にかかわらず適用されるものと思うがどうか。

答 お見込みのとおりである。

問5 局長通知第5の3及び4の(1)における「明らかに扶養義務を履行することが可能と認められる扶養義務者」とはどのような者をいうか。

答 当該判断に当たっては、局長通知第5の2による扶養能力の調査の結果、①定期的に会っているなど交際状況が良好であること、②扶養義務者の勤務先等から当該要保護者に係る扶養手当や税法上の扶養控除を受けていること、③高額な収入を得ているなど、資力があることが明らかであること等を総合的に勘案し、扶養義務の履行を家庭裁判所へ調停又は審判の申立てを行う蓋然性が高いと認められる者をいう。

第6 他法他施策の活用

第7 最低生活費の認定

問1 入院患者に、付添いのため、出身世帯の世帯員がその級地を異にする地の病院又は療養所において生活する場合は、入院患者に準じ最低生活費の認定をしてよいか。

答 当該入院患者が未成熟の子、身体障害者等であって付添いが必要であると認められ、かつ、その出身世帯員が付添いを行うときは、入院患者及び付添いを行う世帯員の基準生活費については、局長通知第7の2の(1)により、病院等の所在地の級地基準を適用して差しつかえない。

また、住宅費についても、出身世帯員が入院患者に付添う期間中、局長通知第7の4の(1)のエ（入院患者がある場合の住宅費）を適用して差しつかえない。

問2 削除

問3 父が障害の状態にあるため母等が児童扶養手当を受けている場合は、すべて母子加算の適用があると考えてよいか。

答 児童扶養手当法第4条第1項にいう別表に定める程度の障害の状態にある者は、局長通知第7の2の(2)のコの(イ)にいう「父母の一方又は両方が常時介護又は監護を要する身体障害者、精神障害者である場合」に該当し、又は準ずるものとして取り扱って差しつかえない。

問4 母子加算をうけている母等が入院し、入院期間が長期になる見込みの場合であって、残存世帯に養育にあたる者があるとき、母等に対する母子加算をやめ、現に養育している者に加算してよいか。

答 母子加算をうけていた者が長期（1年以上）入院することが明らかな場合であって、出身世帯員の中に児童の養育にあたる者があるときは、その者に母子加算を加算して差しつかえない。

問5 削除

問6 職業能力開発校在校中の者が現に3か月以上治療を要する疾病にかかった場合、在宅患者加算を認定してよいか。

答 職業能力開発校在校中の者であっても、在宅患者加算の要件をみたす場合には在宅患者加算を加算して差しつかえない。

問7 削除

問8 下水道法第11条の3により水洗便所への改造義務を負う被保護者が、市町村又は扶養義務者等の助成又は援助により便所を改造する場合であって、当該改造にあたり家屋の一部を補修しなければならない真にやむを得ない事情があるときは、当該家屋の補修に要する費用を住宅維持費の支給対象として取り扱ってよいか。

答 市町村又は扶養義務者等から家屋の補修に要する費用の助成又は援助が期待できない場合は、お見込みのとおり取り扱って差しつかえない。

問9 削除
問10 削除
問11 削除
問12 学童が通学に際し、交通機関がなく、遠距離のため自転車を利用する必要がある場合は、自転車の購入費を認めてよいか。また、自転車による通学に伴って、ヘルメッ

トを必要とする場合は、ヘルメット購入費を認めてよいか。

答　その地域の殆んどすべての学童が自転車を利用している場合には、自転車の購入費を教育扶助の交通費の実費として認めて差しつかえない。また、学校の指導により、自転車を利用して通学している学童の全員がヘルメットをかぶっている実態にあると認められる場合には、ヘルメットの購入費を教育扶助の交通費の実費として認めて差しつかえない。

　なお、通学のため交通費を要する場合には、年間を通じて最も経済的な通学方法をとらせることが適当であるので、他に交通機関がある場合には、それとの比較において考慮すること。

問13　給食費を学校長に直接交付する場合又は地方公共団体等に代理納付する場合であって前渡の必要があるとき、当該給食費の認定の取扱いはいかにしたらよいか。

答　前渡の必要があると認定される給食費の概算額を毎月計上し、毎学年おおむね2回程度、適宜な時期に、精算を行うようにされたい。

　なお、保護を停止し、又は廃止するときは、そのときに精算を行われたい。

問14　風呂桶が破損した場合、この修理を家屋補修費の支給対象として取り扱ってよいか。

答　近隣に公衆浴場がない場合は、補修費の範囲内で修理を認めて差しつかえない。

　なお、重度の心身障害者、歩行困難な老人等が自宅において入浴することが真に必要と認められる場合、又はこれ以外の者が他に適当な入浴の方法がないと認められる場合は、入浴設備の設置に要する費用を住宅維持費の支給対象として取り扱って差しつかえない。

問15　葬祭費の大人、小人の別は、何を基準とするか。

答　火葬料等について市町村条例に区別の定めのある場合は当該条例により、条例のない場合はその地域の慣行による。

問16　民生委員が葬祭を行なった場合には、葬祭扶助を適用してよいか。

答　死亡者の近隣の民生委員が個人的に行なった場合には、適用して差しつかえない。ただし、自殺者等があった場合において、その地の民生委員が市町村長等の依頼により行なったときは、市町村等が葬祭を行なったものとして、葬祭扶助の適用は認められない。

問17　自殺者等について市町村長が埋葬を行なった場合において、埋葬の時より後に葬祭扶助の申請があったときは、これを適用してよいか。

答　当該埋葬後に必要とされる範囲内で、葬祭扶助の適用を行なうことは差しつかえない。

問18　新規中卒者等で就職の確定した者が就職地に赴くために要する交通費又は荷物の荷造費及び運賃について、生活扶助の移送費を適用してよいか。

答　就職することにより、生計の本拠を構える場合にかぎり、局長通知第7の2の(7)のアの(サ)として生活扶助の移送費を計上して差しつかえない。

問18の2　就職の確定した者が初任給が支給されるまでに通勤費を就職支度費として支給する場合とはどのような場合か。

答　当座の資金がない場合に限り、支給して差し支えない。

　　なお、通勤のための交通費は必要最小限度の実費を給付するものであり、最も経済的な経路及び方法により通勤定期券等を購入するよう指導し、支給後は通勤定期券等の写しを提出するなど購入実績及び通勤実態を確認されたい。

　　また、初任給支給後は、すでに支給した交通費分は必要経費として控除はせず、収入認定すること。

問19　最低生活費の認定にあたり、日割計算を行なわなければならないときは、各月の実日数によるべきか。

答　30日を分母として日割計算をすることを原則とするが、その月の実日数に応じて日割計算を行なうことが適当である場合には、実日数によること。

問20　官有地等における無許可建築物に居住する被保護者に対し、配電設備費又は水道設備費の支給が認められるか。

答　配電設備費等の支給は、要保護者の居住する家屋が適法な所有又は占有関係にあることを前提として決定されるべきものであり、不法に占拠された土地に建築された家屋について配電設備費等を支給することは適当でない。

　　ただし、当該土地の所有者又は権限ある管理者が当該配電設備等を行なうことを了承している場合は、例外として支給して差しつかえない。

問21　葬祭地において、火葬に要する費用の額を定めた条例のない場合の取扱いはどうするか。

答　葬祭地に隣接する市町村の条例に定めるところによられたい。

問22　同一人に生業費と就職支度費を計上してよいか。

答　同一人の就職について生業費と就職支度費とを重複して計上することは認められない。

　　なお、大工、植木職等通常その職業に必要な道具類を自弁することとなっている職業につく者については、当該道具類の購入に要する経費と就職支度に要する経費とを生業費の基準額の範囲内で計上して差しつかえない。この場合、就職の支度に要する経費は就職支度費の基準額の範囲内で計上すること。

問23　教育扶助の基準額は月額で表示されているが、被保護者が学用品や通学用品等を購入するために一時に経費を必要とするときは、数箇月分の教育扶助費を一括交付することとしてよいか。

答　教育費の需要の実態にかんがみ、教育扶助費の支給額のある児童生徒の場合に限り、月額で表示された教育扶助の基準額に当該学期の月数（学期の中途で保護を開始された児童の場合は、開始月以後当該学期内の月数）を乗じて得た額の範囲内で必要な額を学用品費等を購入する時期に支給して差しつかえない。

問24　特別支援学校への就学奨励に関する法律により学用品費及び通学用品費が給付されている児童生徒について教育扶助の基準額及び学習支援費の額を認定する場合はどうするか。

　　また、障害児入所施設に入所している児童が特別支援学校へ通学している場合、教

育扶助はどう認定するのか。

答　教育扶助の基準額及び交通費については、当該法律により給付される学用品費及び通学用品費の額との差額を計上し、学習支援費については、同法による給付がある場合においても、その全額を認定することとされたい。

　　また、障害児入所施設に入所している児童が特別支援学校へ通学している場合の教育扶助の認定についても同様に取り扱うこととされたい。

　　なお、就学困難な児童及び生徒に係る就学奨励についての国の援助に関する法律の適用により支給される学用品費及び通学用品費がある場合も同様に取り扱われたい。

問25　削除

問26　削除

問27　児童福祉法第27条第3項の規定により、都道府県が障害児入所施設（児童福祉法第42条第2号に規定する医療型障害児入所施設に限る。）への入所措置を行った者について、入院患者日用品費を計上してよろしいか。

答　児童福祉法第27条第3項の規定により、都道府県が入所措置を行った者については、児童福祉法の措置として日用品の給付が行われるので、当該児童にかかる日用品費支弁額の月額を収入認定することになるが、事務処理上は入院患者日用品費の基準額とその支弁額の月額との差額を計上することとして差しつかえない。

問28　冬季加算を一括前渡支給してよいか。

答　生活扶助のうち冬季加算に相応する分についても、1月分以内を限度として前渡することが原則であるが、薪炭等冬季必需物資について、当該地域の実態からみて適宜の時期に一括購入するのでなければ以後の購入が著しく困難となるような状態であれば、個々の被保護世帯において、これを他の生活需要に充当するおそれの有無等を確認し、必要やむを得ないと認められる場合は必要な額を一括前渡して差しつかえない。

問29　局長通知第7の2の(1)のアの「傷病、障害等による療養のため外出が著しく困難であり、常時在宅せざるを得ない者」とは、どのような者が該当するのか。

答　重度障害者加算を算定している者又は要介護度が3、4若しくは5である者であって、日常生活において常時の介護を必要とするため、外出が著しく困難であり、常時在宅している生活実態にある者（介護人の支援を受けて、通院等のために外出することがある者を含む。）が該当する。その他、医師の診断書等により、傷病、障害等による療養のため外出が著しく困難であり、常時在宅せざるを得ない状態にあると保護の実施機関が認めた者が該当する。

問29の2　傷病、障害等による療養のため外出が著しく困難であり、常時在宅せざるを得ない者又は乳児がいる世帯であって局長通知第7の2の(1)のアによる特別基準の適用の必要があると実施機関が認めた場合は、地区別冬季加算額の1.3倍の額を認定してよいか。

答　傷病、障害等による療養のため外出が著しく困難であり、常時在宅せざるを得ない者又は乳児が世帯員にいることが確認できれば、冬季に増加する光熱費が地区別冬季加算額で賄える特段の事情がない限り、地区別冬季加算額の1.3倍の額を認定して差

し支えない。
問30 局長通知第7の4の(1)のカにいう「転居に際し、敷金等を必要とする場合」とは、どのような場合をいうか。
答 「転居に際し、敷金等を必要とする場合」とは、次のいずれかに該当する場合で、敷金等を必要とするときに限られるものである。
1 入院患者が実施機関の指導に基づいて退院するに際し帰住する住居がない場合
2 実施機関の指導に基づき、現在支払われている家賃又は間代よりも低額な住居に転居する場合
3 土地収用法、都市計画法等の定めるところにより立退きを強制され、転居を必要とする場合
4 退職等により社宅等から転居する場合
5 法令又は管理者の指示により社会福祉施設等から退所するに際し帰住する住居がない場合（当該退所が施設入所の目的を達したことによる場合に限る。）
6 宿所提供施設、無料低額宿泊所等の利用者が居宅生活に移行する場合
7 現に居住する住宅等において、賃貸人又は当該住宅を管理する者等から、居室の提供以外のサービス利用の強要や、著しく高額な共益費等の請求などの不当な行為が行われていると認められるため、他の賃貸住宅等に転居する場合
8 現在の居住地が就労の場所から遠距離にあり、通勤が著しく困難であって、当該就労の場所の附近に転居することが、世帯の収入の増加、当該就労者の健康の維持等世帯の自立助長に特に効果的に役立つと認められる場合
9 火災等の災害により現住居が消滅し、又は居住にたえない状態になったと認められる場合
10 老朽又は破損により居住にたえない状態になったと認められる場合
11 居住する住居が著しく狭隘又は劣悪であって、明らかに居住にたえないと認められる場合
12 病気療養上著しく環境条件が悪いと認められる場合又は高齢者若しくは身体障害者がいる場合であって設備構造が居住に適さないと認められる場合
13 住宅が確保できないため、親戚、知人宅等に一時的に寄宿していた者が転居する場合
14 家主が相当の理由をもって立退きを要求し、又は借家契約の更新の拒絶若しくは解約の申入れを行ったことにより、やむを得ず転居する場合
15 離婚（事実婚の解消を含む。）により新たに住居を必要とする場合
16 高齢者、身体障害者等が扶養義務者の日常的介護を受けるため、扶養義務者の住居の近隣に転居する場合
　　または、双方が被保護者であって、扶養義務者が日常的介護のために高齢者、身体障害者等の住居の近隣に転居する場合
17 被保護者の状態等を考慮の上、適切な法定施設（グループホームや有料老人ホーム等、社会福祉各法に規定されている施設及びサービス付き高齢者向け住宅をい

生活保護法による保護の実施要領の取扱いについて

う。）に入居する場合であって、やむを得ない場合
18　犯罪等により被害を受け、又は同一世帯に属する者から暴力を受け、生命及び身体の安全の確保を図るために新たに借家等に転居する必要がある場合

問31　転居等により、保護継続中の者に対し、敷金が返還される場合、この返還金をどう取り扱うべきか。

答　当該返還金は当該月以降の収入として認定すべきものである。ただし、実施機関の指導又は指示により転居した場合においては、当該返還金を転居に際して必要とされる敷金等に当てさせて差しつかえない。
　なお、当該返還金を敷金等に当てさせた場合には、敷金等の経費について住宅扶助を行う必要はないものである。

問32　削除

問33　局長通知第7の2の(5)のア(イ)において示される事情が認められる場合、住居の構造から、蚊帳によるより網戸によることの方が効果的であると認められるときは、蚊帳に代えて網戸の設置を認めて差しつかえないか。

答　お見込みのとおり。

問34　家賃又は間代の中に電灯料又は水道料が含まれている場合の住宅費はどのように認定すればよいか。

答　電灯料又は水道料に相当する額を控除した額を住宅費として認定すること。

問35　敷金等として、権利金、礼金、不動産手数料、火災保険料、保証料を認定してよいか。

答　必要やむを得ない場合は、転居に際し必要なものとして認定して差しつかえない。

問36　削除

問37　12月の月の中途で保護の開始又は停止若しくは廃止があった者についての期末一時扶助費の額は日割計算しなくてよいか。

答　期末一時扶助費は12月から翌年1月にかけて引き続き保護を受ける者に対して越年資金として支給されるものである。
　従って、12月中に保護を開始される者については日割計算を行なうことなく支給するものである。また、12月中に保護を停止又は廃止される者については支給しないものである。(この場合すでに支給済であれば、法第80条を適用すべき場合を除き、全額返還させることとなる。)

問38　現に居住する家屋に便所がない場合には、これに要する費用を住宅維持費の支給対象として取り扱ってよいか。

答　お見込みのとおり取り扱って差しつかえない。

問39　削除

問40　生活保護法による保護の基準（昭和38年厚生省告示第158号。以下「保護の基準」という。）別表第7の2又は局長通知第7の8の(2)のア(イ)により技能修得の期間の延長が認められている期間、必要があればその年額について局長通知第7の8の(2)のア(ウ)に規定する技能修得費の特別基準額が適用され1年ごとに認定して差しつ

かえないものと解してよいか。
答　お見込みのとおりである。
問41　障害等級表の1級、2級又は3級に該当し、身体障害者手帳の交付を受けている者は、障害者加算の認定に当たり「症状が固定している者」に該当するものとして取り扱ってよいか。
答　お見込みのとおりである。
問42　常時失禁状態にある患者等が布おむつ、貸おむつ又はおむつの洗濯代が必要と認められる場合は、その費用を基準額の範囲内で支給してよいか。
答　お見込みのとおり取り扱って差しつかえない。
問43　児童が、児童発達支援センターに入所するときは、当該児童を小学校に入学する児童とみなして入学準備金を認定して差しつかえないか。
答　お見込みのとおり取り扱って差しつかえない。
問44　削除
問45　特別支援学校の小学部若しくは中学部に通学する児童若しくは生徒のうち、付添がなければ通学することができないか若しくはきわめて困難な者、又は小学校若しくは中学校に通学する児童若しくは生徒のうち、身体的事情等により一定期間付添がなければ通学することができないか若しくはきわめて困難な者については、これに要する交通費の額を局長通知第7の3の(4)により認定することとしてよろしいか。
答　お見込みのとおり取り扱って差しつかえない。
　　なお、特別支援学校に通学する児童又は生徒のうち、その一部については、特別支援学校への就学奨励に関する法律により付添に要する交通費が支給されるので留意すること。
問46　保護の基準別表第6の2にいう入院に要する必要最小限度の額の範囲及び程度を示されたい。
答　医療扶助において認められる入院に係る費用（入院基本料等）について8日以内の実入院日数に基づき算定した額の範囲内の必要最小限度の額とすること。
問47　局長通知第7の7の(1)にいう「真にやむを得ない事情」とは、どのような場合をいうか。
答　次のいずれかに該当する場合をいうものであること。
　1　出産予定日の急変等により、予定していた施設において出産するいとまがない場合又は予定していた施設が満床等で利用できない場合
　2　予約していた医師又は助産師の都合により、その介助が受けられない場合
　3　傷病により入院している間に出産した場合
問48　白ありの食害により家屋の損傷が進んでいる場合であって、放置すれば、明らかに当該家屋が損壊すると認められるときは、白ありの駆除のために要する必要最小限度の費用を住宅維持費の支給対象として取り扱ってよいか。
答　お見込みのとおり取り扱って差しつかえない。
問49　健康保険法等医療保険制度により葬祭扶助基準を若干上回る埋葬料、葬祭費又は

葬祭料が支給される場合であって、当該被保険者の職場における交際等から判断して真にやむを得ないと認められるときは、当該埋葬料等のうち実際に葬祭に当てられた額を収入認定の対象としないこととし、かつ、葬祭に係る需要はこれによって消滅したものとして取り扱って差しつかえないか。

答　お見込みのとおり取り扱って差しつかえない。

問50　削除

問51　出産扶助の入院料については、医療扶助において認められる費目、単価により算定した額を限度とすることになっているが、局長通知第7の7の(1)の特別基準を適用すべき場合、当該施設における出産に係る看護等の実態、当該地域における出産に係る入院費用の実態からみて真にやむを得ないと認められるときは、同程度の看護体制にある医療機関に入院した場合に医療扶助において認められる入院料の範囲内において必要な額を認定することは認められないか。

答　お見込みのとおり取り扱って差しつかえない。

問52　保護の基準別表第3の2の規定に基づき厚生労働大臣が定める額（世帯人員別の限度額）の適用について、世帯人員については、同一世帯員として認定され現に同居している被保護者の数によることとし、世帯員の減少があった場合には、その翌月から減少後の世帯人員に応じた限度額が適用されるものと解してよいか。

　また、①局長通知第1の5に基づき世帯分離したときは、世帯分離している間に限り、②世帯員が入院又は介護老人保健施設へ入所した場合で1年以内に退院が見込まれるときは、1年間に限り、その者も含めた人員によることを認めてよいか。

答　いずれもお見込みのとおりである。なお、①の適用に当たっては、第1の8のとおり、就学の状況や世帯分離の効果等を継続的に把握し、毎年1回は世帯分離要件を満たしているかどうかについて検討を行うこと。

　また、引き続き当該住居に居住する場合で、転居の準備等のためやむを得ないと認められるものについては世帯員の減少後6か月間を限度として、引き続き減少前の世帯人員に応じた限度額を適用して差しつかえない。

問53　削除

問54　局長通知第7の2の(2)のア(ウ)及び(エ)にいう「専ら母乳によって」とは、どの程度の場合をいうのか。

答　「専ら母乳によって」いる場合とは、当該保育されている乳児について、人工栄養に依存する率が20％未満の場合である。

　なお、人工栄養に依存する率は、乳児を養育する者の申立てを基礎として、保護の実施機関の指定する医師、助産師又は保健師の意見をきき、保護の実施機関が決定すること。また、人工栄養に依存する率の変動が予想されるときは、随時、確認を行うこと。

問55　住宅扶助の家賃、間代、地代等の額は月額で表示されているが、被保護者が数か月分の地代を一括して支払う必要があるときは数か月分の住宅扶助費を一括交付することとしてよいか。

答　地代については、その支払いの実態にかんがみ住宅扶助費の家賃、間代、地代等の額を

12か月の範囲内において必要な月分を地代支払いの時期に支給して差しつかえない。
　ただし、新たに、保護を開始した者については、保護を開始した日以降、次期地代支払い時期までの額を認定すること。
問56　局長通知第7の4の(1)のオにいう「世帯員の状況、当該地域の住宅事情によりやむを得ないと認められるもの」とは、どのような場合をいうのか。
答　世帯員に車椅子使用の障害者等特に通常より広い居室を必要とする者がいる場合、老人等で従前からの生活状況からみて転居が困難と認められる場合又は地域において保護の基準別表第3の2の規定に基づき厚生労働大臣が定める額（限度額）のうち、世帯人員別の住宅扶助（家賃・間代等）の限度額の範囲内では賃貸される実態がない場合をいう。
問57　削除
問58　保護の基準別表第1第2章の2の(1)の(注)にいう社会福祉施設には、軽費老人ホームB型は含まれないものと解してよいか。
答　お見込みのとおりである。
問59　転出した児童及び児童福祉施設に入所している児童については、母子加算の対象とはならないと解してよいか。
答　お見込みのとおりである。
　ただし、障害児入所施設（児童福祉法第42条第2号に規定する医療型障害児入所施設に限る。）に入所中の児童については、母子加算の対象として差し支えない（養育の実態がない場合を除く）。
問60　転出した児童及び児童福祉施設に入所している児童については、児童養育加算の対象となるのか。
答　児童福祉施設のうち、保護の基準別表第1の第1章の3に定める基準生活費を算定する施設に入所している児童については、児童養育加算を算定することとされたい。生活保護受給世帯から転出した児童や基準生活費を算定しない児童福祉施設に入所している児童については、児童養育加算は算定しない。
問60の2　保護の基準別表第1第2章の6の(1)に「高等学校等修了前のもの」とあるが、高等学校等に就学していない者も児童養育加算を算定してよいか。
答　お見込みのとおりである。児童養育加算については、18歳に達する日以後の最初の3月31日までの間にある者（本通知第7の問60にいう「転出した児童や基準生活費を算定しない児童福祉施設に入所している児童」を除く。）すべてが加算の対象となるものであり、高等学校等への就学を要件とするものではないことに留意されたい。
問61　局長通知第7の2の(5)のアの(イ)にいう「学童服について特別の需要があると実施機関が認めた者」とはどのような場合をいうのか。
答　学齢期の児童については、活動が活発な一方、成長が著しいため、学童服等が自然消耗前に使用不能となることから、小学校第4学年に進級する児童に限り認められるものであること。
　なお、学童服における被服費と買い換えに係る入学準備金は併給して差し支えない

ものであり、買い換えに係る入学準備金の支給に当たっては、被服費の支給額を考慮せずに必要な金額を支給して差し支えない。

問62　現に居住する家屋に網戸がない場合には、これに要する費用を住宅維持費の支給対象として取り扱ってよいか。

答　設置の必要が認められるときは、最低限度の生活にふさわしい程度において、住宅維持費の範囲内で網戸の設置に要する費用を支給して差し支えない。

問63　削除

問64　局長通知第7の4の(1)のエの(ア)により住宅費が認定される場合の施設にはどのようなものがあるか。

答　次のような施設に入所した場合が考えられる。
(1)　職業能力開発促進法にいう職業能力開発校、障害者職業能力開発校又はこれらに準ずる施設
(2)　社会福祉法第2条に規定する社会福祉施設等であって指導又は訓練を目的としているもの

問65　局長通知第7の2の(2)のエの(イ)にいう「障害の程度が確認できる書類」には、精神障害者保健福祉手帳が含まれるものと解して差し支えないか。

答　精神障害者保健福祉手帳の交付年月日又は更新年月日が障害の原因となった傷病について初めて医師の診療を受けた後1年6月を経過している場合に限り、お見込みのとおり取り扱って差し支えない。この場合において、同手帳の1級に該当する障害は国民年金法施行令（昭和34年政令第184号）別表に定める1級の障害と、同手帳の2級に該当する障害は同別表に定める2級の障害とそれぞれ認定するものとする。

なお、当該傷病について初めて医師の診療を受けた日の確認は、都道府県精神保健福祉主管部局において保管する当該手帳を発行した際の医師の診断書（写しを含む。以下同じ。）を確認することにより行うものとする。

おって、市町村において当該手帳を発行した際の医師の診断書を保管する場合は、当該診断書を確認することにより行うこととして差し支えない。

問66　短期入所生活介護又は短期入所療養介護を利用する場合の基準生活費の算定はどうすべきか。

答　居宅から1か月を超えて短期入所生活介護又は短期入所療養介護（以下この問において「短期入所」という。）を利用する場合には、利用開始日の属する月の翌月（利用開始日が月の初日であるときは当該月）から、介護施設入所者に適用される介護施設入所者基本生活費及び加算に当該施設に食費として支払うべき額を加えた額を算定すること。

なお、利用期間が1か月以内の場合については、介護施設入所者基本生活費の算定は要しないことから、一般生活費の認定の変更（各種加算の額の変更を含む。）を要しないものとすること。

この場合、1か月を超えるか否かは、居宅介護支援計画により予め確認するものとし、月の中途で計画に変更があった場合は、直ちに基準生活費を計上すること。

また、医療機関に入院しており、入院患者日用品費が算定されている者が退院し、そのまま短期入所を利用する場合には、入所日から入院患者日用品費及び加算を計上せず、介護施設入所者基本生活費及び加算に当該施設に食費として支払うべき額を加えた額を算定すること。

問67　保護開始前の滞納分に係る保険料について介護保険料加算の対象とすることは認められるか。

答　認められない。

問68　他の市町村から転入してきた被保護者が、転入前の市町村から月割賦課による未納分（滞納したものを含まない。）の保険料を請求されている場合は、介護保険料加算を認定して差し支えないか。また、加算を行うのは転出前の保護の実施機関か、転出後の保護の実施機関か。

答　請求額のうち、転入前の生活保護受給期間に応じた額を限度として、加算を認定して差し支えない。この場合、転出後の保護の実施機関において加算すること。
　　なお、逆に転入前の市町村から過納分の還付金があった場合には、転出後の保護の実施機関において当該還付金を収入認定すること。

問69　短期入所生活介護又は短期入所療養介護を利用している要介護（支援）者のおむつ代は、利用日数に応じて減額した額を認定すべきか。

答　短期入所生活介護又は短期入所療養介護の利用が月の2分の1を超える場合には、当該月のおむつ代は基準額に利用日数の割合に応じた額を減じて算定することとし、それ以外は基準額の範囲内で実費を計上して差し支えない。

問70　局長通知第7の8の(2)のアの(キ)のｃにいう公的資格とは具体的にどのようなものか。また、受講修了によって公的資格が得られる講座以外では、どのようなものが対象となり得るか。

答　公的資格とは、国家資格又は地方公共団体によって認定されている資格をいうものである。
　　また、受講修了によって公的資格の受験資格を得られるもの、又はいわゆる民間資格であって、当該講座が目標とする職種の雇用環境及び当該講座修了により得られる技能の優位性並びに申請者の職歴、当該職種への適合性及び就職意欲等について、総合的に判断し、目標とする職業への就職の可能性が高いと見込まれるものについては適用して差しつかえない。

問71　ケアハウスは、生活保護法による指定介護機関の指定の対象とされているが、新規に被保護者が入所することは可能か。また、入所に際し支払う必要がある保証金（敷金等に相当するものに限る。）を住宅扶助から支給することとして差しつかえないか。

答　ケアハウスについては、管理費（家賃相当の利用料をいう。）が住宅扶助基準額以下であって事務費及び生活費が生活扶助費により対応可能であれば、新規に被保護者が入所することは可能であり、入所に際し支払う必要がある保証金（敷金等に相当するものに限る。）については、局長通知第7の4の(1)のカにいう「転居に際し、敷金等を必要とする場合」であれば、敷金等に係る住宅扶助の基準額の範囲内で必要な額

を認定して差しつかえない。
　また、ケアハウス入所中の基準生活費については、居宅の生活扶助基準を適用し、生活費と事務費については生活扶助により対応し、管理費については、住宅扶助の基準額の範囲内で必要な実費を住宅扶助として認定することとなる。

問72　納期が年4回等少ない市町村において、納付月の翌月以降に保護が廃止となった場合、既に支給した介護保険料加算をどう取り扱うべきか。

答　介護保険料加算は、納期に納入すべき介護保険料の実費に相当する生活需要を保障するものであり、保護が廃止されたからといって、保護決定時の介護保険料加算の変更は要しない。

問73　養護老人ホームに入所する無年金者等介護保険料を負担する収入がない者から生活保護の申請があった場合、要保護者として介護保険料分の扶助費を支給するのか。

答　養護老人ホーム入所者で費用徴収基準の第1階層に区分される者については、介護保険料加算の内容に相当する生活需要は措置を受けている限り、全て施設入所の処遇（措置費）のうちに含まれることとされている。
　なお、養護老人ホーム入所者で医療扶助のみを受けている者についても、介護保険料加算を計上する必要はない。

問74　被保護者が被保険者資格を喪失し、資格喪失の日の属する月の前月までの月割りをもって介護保険料が賦課されたため、当該年度における介護保険料の過払い分が還付された。この場合、還付金をどのように取り扱うべきか。

答　介護保険料加算は、各納期に納入すべき介護保険料の実費に相当する需要について加算を行うものである。
　介護保険料の還付金が生じたときの取扱いは、還付金が被保険者の納付した介護保険料と当該年度の介護保険料額（当該被保険者の被保険者資格を有する期間に応じて賦課される介護保険料の額）との差を還付するものであり、過去に遡って各納期の介護保険料額を変更するものではないことから、介護保険料加算についても過去に遡っての変更は必要なく、法第63条による返還の問題は生じない。したがって、支給された時点における収入として取り扱うこと。

問75　被保護者が死亡したことで、その年度の介護保険料に過払いが生じ、遺族に対して還付金が支給された場合、どう取り扱うべきか。

答　当該還付金については、遺族に対し支給されたものであり、当該遺族が保護を受給している場合には、当該世帯の収入として認定することとなるが、そうでない場合には、収入認定及び返還の問題は生じない。

問76　介護保険料の納付月前に介護保険の第1号被保険者である被保護者が亡くなった場合、既に支払った保険料額が亡くなった月の前月までの月割りをもって賦課された保険料に満たなければ、介護保険の保険者から当該被保護者の配偶者又は当該世帯の世帯主に対し、亡くなった月の前月までの保険料を請求されることとなるが、これらの配偶者等に対し介護保険料加算を認定して差し支えないか。

答　お見込みのとおり取り扱って差し支えない。

問77 局長通知第7の4の(1)のキにいう「住宅の確保に際し、敷金等を必要とする場合」とは、どのような場合をいうか。
答 「住宅の確保に際し、敷金等を必要とする場合」とは、次のいずれにも該当する場合で、ケース診断会議等において総合的に判断した結果、真に敷金等が必要であると認められるときに限る。
1 居宅生活ができると認められること。
2 公営住宅等の敷金等を必要としない住居の確保ができないこと。
3 他法他施策による貸付制度や他からの援助等により敷金等がまかなわれないこと。
4 保護の開始の決定後、同一の住居に概ね6か月を超えて居住することが見込まれること。

問78 局長通知第7の4の(1)のキの「居宅生活ができると認められる者」の判断方法を示されたい。
答 居宅生活ができるか否かの判断は、居宅生活を営むうえで必要となる基本的な項目（生活費の金銭管理、服薬等の健康管理、炊事・洗濯、人とのコミュニケーション等）を自己の能力でできるか否か、自己の能力のみではできない場合にあっては、利用しうる社会資源の活用を含めできるか否かについて十分な検討を行い、必要に応じて関係部局及び保健所等関係機関から意見を聴取した上で、ケース診断会議等において総合的に判断すること。
　なお、当該判断に当たっては、要保護者、その扶養義務者等から要保護者の生活歴、過去の居住歴、現在の生活状況を聴取する等の方法により、極力判断材料の情報収集に努め、慎重に判断すること。

問79 保護の基準別表第1第1章の1の(2)のアの規定により、居宅における個人別の第1類の額を合算した額に一定の率（以下「逓減率」という。）を乗じて世帯の第1類の額を算定することとされているが、次に掲げる者の第1類の額を含めた合計額について逓減率を適用するのか。
(1) 局長通知第7の2の(3)のイに定める「入院患者日用品費が算定される入院患者が病院又は診療所において給食を受けない場合の基準生活費の額」が適用される者
(2) 局長通知第7の2の(1)のオに定める「出かせぎ等により1箇月をこえる期間他の世帯員と所在を異にする」者で、他の世帯員とは別に一般生活費を計上している者
答 逓減率の適用にあたっては、(1)及び(2)に該当する者は居宅における世帯構成員の数には含めないものとする。
　したがって、(1)及び(2)に該当する者の第1類の額を除いた合計額に逓減率を適用することとなる。

問80 局長通知第7の8の(2)のアの(エ)において、「実施機関が特に必要と認めた場合」の技能修得費については、どのようなものが対象となりうるか。また認定にあたって留意する点は何か。
答 技能修得費は、生業に必要な技能の修得を目的とするものであるから、対象として

は、稼働能力を有する者が、段階的であっても就労を目指して行う取組である必要がある。そのような取組であれば、就職に有利な一般的技能や就労に必要な基礎的能力の修得以外であっても、職場の適応訓練や就労意欲の喚起を目的としたセミナーの受講等に必要な経費についても支給の対象として差しつかえない。費用の支給にあたっては、本人の状況及び取組の内容や程度を勘案するとともに、実施機関と被保護者の間で、当該取組によって達成すべき目標や達成の期限を設定した自立計画書を策定するなど、効果的な取組が行われるよう努められたい。

なお、自立支援に資するものであっても、健康管理や家事などの生活指導など、日常生活の質の向上を主な目的とした取組については、技能修得費の対象としては認められないので留意されたい。

問81 高等学校等就学費の基本額は月額で表示されているが、被保護者が学用品や通学用品等を購入するために一時に経費を必要とするときは、数箇月分の高等学校等就学費を一括交付することとしてよいか。

答 就学費用の需要の実態にかんがみ、高等学校等就学費の支給額のある生徒の場合に限り、月額で表示された高等学校等就学費の基本額に当該学期の月数（学期の中途で保護を開始された生徒の場合は、開始月以後当該学期内の月数）を乗じて得た額の範囲内で必要な額を学用品等を購入する時期に支給して差しつかえない。

問82 通学のため通学定期券を購入する必要がある場合、通学定期券は原則として6か月単位で購入させることとしてよいか。また、生徒が通学に際し、遠距離のため自転車を利用する必要がある場合は、自転車の購入費を認めてよいか。

答 通学のための交通費は必要最小限度の実費を給付するものであり、最も経済的な経路及び方法により通学定期券を購入するよう指導されたい。

なお、給付の際については、通学定期券の写しを提出させるなど購入実績を確認されたい。

また、自転車の購入費についても、必要最小限度の額を、高等学校等就学費の交通費の実費として認めて差しつかえない。

問83 特別支援学校の高等部に通学する生徒のうち、付添がなければ通学することができないか若しくはきわめて困難な者、又は高等学校等に通学する生徒のうち、身体的事情等により一定期間付添がなければ通学することができないか若しくはきわめて困難な者については、これに要する交通費の額を局長通知第7の8の(2)のイの(キ)により認定することとしてよろしいか。

答 お見込みのとおり取り扱って差しつかえない。

問84 高等学校等就学費のうち授業料を受給している場合であって、地方自治体や私立学校等により高等学校等の授業料の減免措置が講じられている場合、高等学校等就学費による授業料の計上はどのように行ったらよいか。

答 自治体等による授業料の減免については、金銭として直接被保護者が受け取るものではないが、本来課される授業料について、他から間接的にその費用が賄われるものであることから、恵与金の一形態として見なすことができる。

恵与金等が高等学校等の就学費にあてられる場合については、被保護世帯の自立更生にあてられるものとして収入として認定しないこととするとともに、高等学校等就学費で賄いきれない費用に優先的に充当することを認める取扱いとしており、自治体等による授業料の減免についても、同様に取り扱うことが適当である。

したがって、減免措置が講じられている場合の高等学校等就学費の計上については、授業料の支払いが免除される場合には、当該免除措置により授業料の需要が満たされることから、保護費により授業料を給付する必要はなくなり、授業料の一部が減額される場合には、当該減額分は保護の基準額では賄いきれない授業料に優先的に充当するものとし、減額後、実際に被保護世帯が支払う授業料について、保護の基準額を上限として給付して差しつかえない。

問85　削除

問86　削除

問87　保護の基準別表第1第2章の2の(4)に定める家族介護料は、同居の特定中国残留邦人等又は特定配偶者等が被保護者の介護をしている場合にも算定できるものと考えてよいか。

答　お見込みのとおりである。

問88　契約更新料等として、更新手数料、火災保険料、保証料を認定してよいか。

答　必要やむを得ない場合には、契約更新に必要なものとして認定して差し支えない。

問89　夫婦の一方又は双方がそれぞれ別々に、認知症対応型共同生活介護を行う施設等に入居した場合の最低生活費の認定方法如何。

答　生計の同一性、あるいは、夫婦としての一定の交流が継続されている場合は、引き続き同一世帯として認定することになるが、その場合であっても、局長通知第7の2の(1)のエにより、それぞれに一般生活費を計上して差し支えない。

この場合の保護の基準別表第1第1章の1の第2類の表に定める額については、局長通知第7の2の(1)のケにより、他の世帯員とは別に一人世帯に適用される額を計上するものである。

また、住宅費については、それぞれ住宅扶助の基準額の範囲内で必要な額を認定して差し支えない。

問90　児童が転校する場合、新たに転入する学校において、校則等により制服や鞄等が定められているため、当該学校の児童の全員が制服や鞄等を着用しており、従前の被服では規格等が異なるため、新たに制服や鞄等を購入する必要があると認められる児童に限り、入学準備金を支給して差し支えないか。

答　お見込みのとおり取り扱って差し支えない。

ただし、小中学校入学時と異なり、転校による特別な事情に対応するものであるため、一律に給付するのではなく、購入リスト等の提出を求めるなど、必要とする実費の額の確認を行うこと。

問91　削除

問92　局長通知第7の2の(9)のアの(ア)にいう「早期に就労による保護脱却が可能と実施

機関が判断する者」とはどのような者をいうか。
答　「就労可能な被保護者の就労・自立支援の基本方針について」（平成25年5月16日社援発0516第18号厚生労働省社会・援護局長通知）の2に定める対象者のうち、現に就労している被保護者及び保護からの早期脱却が可能となる程度の就労が直ちに困難と見込まれる者を除いた者をいう。
問93　局長通知第7の2の(9)のウにいう支給対象期間はどのように定めるのか。
答　「就労可能な被保護者の就労・自立支援の基本方針について」（平成25年5月16日社援発0516第18号厚生労働省社会・援護局長通知）に定める「自立活動確認書」（以下「確認書」という。）において定めた原則6か月以内の活動期間とする。
　なお、活動期間終了時点で当該被保護者の求職活動の内容について検討し、保護の実施機関が当該被保護者の求職活動の促進のために集中的な支援を継続することが効果的であるとして確認書の活動期間の延長を認めた場合には、その確認書の活動延長期間（最長3か月間）まで支給対象期間として差し支えない。
　さらに、その延長期間経過時点で、3か月以内で就労に至る蓋然性が特に高いと認められるとして、確認書に定める活動期間を延長（最長3か月間）された場合には当該期間も、支給対象期間として差し支えない。（最長1年間）
問94　局長通知第7の2の(9)のオにいう求職活動実績の報告が、正当な理由なく行われない場合には、支給しないこととして取り扱ってよろしいか。
答　お見込みのとおり取り扱って差し支えない。
問95　月の途中から求職活動を開始した場合、その月の活動が支給要件を満たす内容かどうかの確認はどのようにするのか。
答　求職活動を月の途中から開始した場合には、活動開始から局長通知第7の2の(9)のオでいう求職活動の報告までの間の活動実績を確認し、この活動を1か月間継続するとすれば、支給要件を満たすことが見込まれる場合には、支給要件を満たしているものとみなして差し支えない。
問96　支給要件を超える日数（回数）があらかじめ計画されているセミナー等のプログラムに参加する場合に、局長通知第7の2の(9)のアの(イ)のd支給要件を満たす回数を出席した後、特段の理由なくプログラムの残りの回数を欠席するなど参加状況が適切でないと考えられる場合には、支給しないこととして差し支えないか。
答　日数（回数）があらかじめ計画されているセミナー等は、その全ての日数（回数）に参加することで効果が期待できるものとして設定されていることから、お見込みのとおり取り扱って差し支えない。
問97　傷病等のやむを得ない理由により求職活動を継続することが困難となった場合には、就労活動促進費の支給についてどのように取り扱うのか。
答　傷病等のやむを得ない理由により求職活動を継続することが困難であると保護の実施機関が判断した場合には、その翌月から支給対象外とする。なお、支給要件を満たす活動を再開できるようになった場合には、再開後の求職活動の実績を確認した上で、確認書において定めた活動期間のうち、既に支給された期間を除く残りの期間に

ついて支給することとして差し支えない。
- 問98　局長通知第7の2の(5)のアの(ア)のc及び同通知第7の2の(6)のアの(オ)にいう「犯罪等により被害を受け、又は同一世帯に属する者から暴力を受け、生命及び身体の安全の確保を図るために新たに借家等に転居する場合」に布団類又は家具什器費を支給する際、緊急やむを得ない場合は、転居時点で実施責任を負っている実施機関が支給してよいか。
- 答　お見込みのとおり取り扱って差し支えない。ただし、特別基準の認定や支給後の状況確認に関して、転居前後の保護の実施機関間において、暖房器具及び冷房器具の購入を含む特別基準の認定について整合のとれた対応となるよう十分な協議連絡を行うこと。また、支給後の状況確認を転居先の保護の実施機関において行うことを取り決める等、連携を図ること。
- 問99　局長通知第7の2の(6)のイの「暖房器具」の支給に当たり、暖房機能に加えて、冷房機能を有する器具の購入を認めてよいか。
- 答　お見込みのとおり取り扱って差し支えない。

　　　この場合の特別基準の額については、局長通知第7の2の(6)のウの「熱中症予防が特に必要とされる者」がいる世帯に該当する場合は局長通知第7の2の(6)のウに定める額の範囲内とし、「熱中症予防が特に必要とされる者」がいる世帯に該当しない場合は局長通知第7の2の(6)のイに定める低い額の範囲内とすること。

　　　また、局長通知第7の2の(6)のウの「冷房器具」の支給に当たっても、冷房機能に加えて、暖房機能を有する器具の購入を認めて差し支えない。

　　　なお、冷房器具と暖房器具のいずれも所持していない「熱中症予防が特に必要とされる者」がいる世帯については、両方の機能を有するものを購入するよう勧奨されたい。
- 問100　局長通知第7の2の(6)のウの「熱中症予防が特に必要とされる者」とは、どのような者が該当するのか。
- 答　被保護者の健康状態や住環境等を総合的に勘案の上、保護の実施機関が必要と認めた者が該当する。例えば、高齢者、障害（児）者、小児及び難病患者については体温の調節機能への配慮が必要であると考えられることから、これらの者について、他の要件に合致する場合には、特に購入に向けて積極的に勧奨されたい。
- 問101　局長通知第7の2の(6)のウに「熱中症予防が必要となる時期」とあるが、必要となる時期はどのように判断すればよいか。
- 答　保護の実施機関において、被保護者が居住する地域の気温の状況、被保護者の健康状態や、都道府県衛生主管部局等における熱中症予防に関する注意喚起の状況等を総合的に勘案の上、判断されたい。
- 問102　局長通知第7の3の(7)及び第7の8の(2)のイの(ケ)にいう「課外のクラブ活動」は、学校で実施するクラブ活動に限定されるのか。
- 答　学校で実施するクラブ活動に限定するものではなく、地域住民や児童若しくは生徒の保護者が密接に関わって行われる活動又はボランティアの一環として行われる活動であって、当該活動に係る実費相当分のみを徴収する活動も含むものとして差し支え

生活保護法による保護の実施要領の取扱いについて

ない。

なお、営利を目的として運営されている活動は対象とならない。

〔新生児聴覚検査料の認定〕

問103 新生児聴覚検査料は、出産扶助の支給対象として取り扱ってよいか。

答 お見込みのとおり取り扱って差し支えない。

第8 収入の認定

問1 勤労収入の経費として職場の親睦会費は認められないか。

答 勤労控除の基礎控除額には、職場の慶弔等交際費が含まれているから、重ねて親睦会費を控除することは認められない。

問2 125cc以下のオートバイ、原動機付自転車又は通勤用・事業用自動車の保有の認められた者については、通勤又は事業のための利用に伴う燃料費、修理費、車検に要する費用、自動車損害賠償保障法に基づく保険料及び任意保険料、自動車重量税・自動車税・軽自動車税、自動車運転免許の更新費用等を必要経費として勤労・事業収入から控除してよいか。

答 必要最小限度の額を必要経費として控除して差しつかえない。

なお、任意保険料については対人・対物賠償に係る保険料に限るものである。

また、自動車税及び軽自動車税については、身体障害者等の場合、減免されることがあるので留意されたい。

問3 農業保険法による共済金については、一般の農業収入と同様に必要経費を控除できないか。

答 同法による共済金のうち、農作物、蚕繭及び農作物にかかるものは、当該共済目的から得られた農業収入とみなし、認定額の月割及び必要経費の認定を行なって差しつかえない。

問4 農作物の必要経費中肥料費、種苗代及び薬剤費は、必ず率により認定しなければならないか。また、逆に前記以外の必要経費については、率を用いてはいけないか。

答 前段については、保護の実施機関ごとに客観的資料に基づき定められた必要経費率によることを原則とするが、この率によるよりも正確かつ便宜な方法があれば、必ずしも率によらなくてもよい。後段については、実費によることを原則とするが、地域ごとに正確かつ妥当な率を設定しうる場合には、率によっても差しつかえない。

問5 農業用噴霧器（比較的高額のもの）を近隣で共同購入する場合においてその世帯負担額が少額であるときは、農業収入を得るための必要経費として認めてよいか。

答 世帯の負担額が、少額農具の購入費程度の少額のものである場合には必要として認めて差しつかえない。

問6 農業収入を得るための必要経費としての納屋の修理費又は農業以外の自営収入を得るための必要経費としての店舗の修理費については、どの程度まで認めてよいか。

答 納屋の修理費又は店舗の修理費は、生業扶助の額の範囲内において必要最小限度の額を認定すること。

問7 削除

問8　削除
問9　削除
問10　引揚者給付金等支給法、農地被買収者等に対する給付金の支給に関する法律又は引揚者等に対する特別交付金の支給に関する法律による国債の政府買上げにより償還金収入を得たものが、その収入を自立更生のための資金として活用すると申し立てた場合これを収入として認定しないでよいか。
答　保護の実施機関が具体的な自立更生計画を根拠として現実に自立更生資金として活用されることを確認した場合に限り差しつかえない。
問11　生活福祉資金貸付制度要綱に基づく福祉資金のうち、災害を受けたことにより臨時に必要となる経費及び災害弔慰金の支給等に関する法律に基づく災害援護資金は、当該被保護世帯の自立更生のために当てられるものとして取り扱って差しつかえないか。
答　局長通知第8（収入の認定）の2及び同通知第8の4の(3)に該当する場合には、それぞれ収入として認定せず、又は償還金を収入から控除する取扱いを行って差しつかえない。
問12から問14まで　削除
問15　削除
問16　削除
問17　削除
問18　各種勤労控除の適用に当たり、農業又は農業以外の事業（自営業）を営んでいる場合であって、その事業に専ら従事する者が世帯内に2人以上いること等により、控除対象者の収入を明確に把握できないときは、これらの控除の適用は認められないと解してよいか。
答　同一の事業に従事する者が、世帯内に2人以上いてそれぞれの収入を明確に把握できない場合であっても、当該者の申立てにより事業に従事する各稼働者の事業に対する寄与の割合が推定できるときは、世帯の収入額に推定した寄与率を乗じて得た額を、また、事業に対する寄与の割合が推定できないときは、世帯の収入額を事業に従事する稼働人員で除して得た額を、それぞれの稼働者の収入として取り扱うこととし、各種勤労控除を適用するようにされたい。
問19　少額かつ不安定の稼働収入は合算額1万5000円まで控除されるが、この合算額は世帯単位か、又は個人単位であるか。
答　1万5000円の限度額は、個人ごとに算定される額である。
問20　勤労控除の基礎控除と少額かつ不安定の収入控除とは重複して差し支えないか。
答　次官通知第8の3の(1)のエにいう「その他不安定な就労による収入」は、同(1)のアからウまでの収入を得ていない者が得る収入をいうものである。
　　したがって、勤労者が内職等により少額の収入を得ている場合は、少額不安定収入としての控除を行わず、勤労収入と当該内職等による収入を合算して基礎控除を適用すべきである。

問21 義務教育以外の教育を行なう学校で就学する者がいる世帯で世帯員以外の絶対的扶養義務者から当該就学者の教育費にあてるべきものとして仕送りを受けている場合は、その仕送りを、当該就学者の収入として取り扱ってよいか。局長通知第1の3の関連でお尋ねする。
答 設例の場合、就学する者に優先して扶養を受けるべき事情にあると明らかに認められる者（たとえば当該扶養義務者と生活保持義務関係にある者）が同一世帯内にいるときを除き、当該仕送りのうち教育費にあてられる部分を就学者の収入として取り扱って差しつかえない。

問22 削除

問23 被保護者が就労に必要な自転車又は原動機付自転車を購入する場合、その購入額を月割にして、その収入から必要経費として控除してさしつかえないか。
答 当該職業に必要不可欠な場合であって、社会通念上ふさわしい程度の購入費であり、かつ、その購入によって収入が増加すると認められるときは、通常、交通費、運搬費等として計上されるべき額の範囲内で必要経費として認定してさしつかえない。また、通勤用に使用する場合においても、通常、交通費等として計上される程度の額の範囲内で認定してさしつかえない。

問24 削除

問25 被保護者から申告があった収入額に不審がある場合の取扱いをどうするか。
答 申告のあった収入が、被保護者の稼働能力、就労状況、当該地域の同種の業務についての賃金水準等の客観的事実にてらし不審があり、当該申告による収入額を基礎として認定を行なうことは適当でないと判断される場合であって、当該被保護者及び関係先についてさらに調査を行なった結果、なお、不審を解くに足る正当な理由及び立証に欠けると認められるときは、当該地域の同種の業務及び技能に対して支払われている賃金その他について綿密な調査を行ない、これを基礎に推定した収入額をもって認定して差しつかえない。

問26 市町村又は扶養義務者等が水洗便所設備費等の全部又は一部を助成又は援助する場合は、その助成費又は援助費をどのように取り扱うべきか。
答 当該助成費又は援助費については、これを局長通知第8の2の(4)に準じて収入として認定しないこととして差しつかえない。
なお、これらの費用は法による扶助の対象とはならないものである。

問27 削除
問28 削除
問29 削除
問30 削除
問31 削除

問32 局長通知第8の1の(2)のキにより認定された収入が同一月において重なった場合、基礎控除の適用はいかに行うべきか。また、同通知によって認定された農業収入が一以上あり、かつ、当該月において次官通知第8の3の(1)のア又はウに該当する収

入（勤労（被用）収入又は農業以外の事業収入）がある場合、基礎控除の適用はいかに行うべきか。

答　御照会の場合には、いずれも局長通知第8の3の(1)のイによる収入額を合算し、当該合算額につき各月ごとに基礎控除を適用すること。

問33　削除

問34　局長通知第8の2の(4)のただし書きにいう「適当な者」とは、どのような者をいうか。

答　社会福祉法人、新聞社、当該被保護世帯の自立更生を援助するために特に設立された団体等金融機関以外の者であって、当該金銭を安全に管理しうると認められるものをいう。

問35　削除
問36　削除
問37　削除
問38　削除

問39　局長通知第8の2の(2)のただし書きに関し、就労先から主食、野菜又は魚介を支給された場合はどのように取り扱うべきか。

答　局長通知第8の2の(2)のただし書きにより取り扱うことは認められず、主食、野菜又は魚介については、農業収入又は農業以外の事業収入の認定の例により金銭に換算した額を就労収入として認定することとされたい。

問40　局長通知第8の2の(3)及び(4)にいう自立更生のための用途に供される額の認定は、どのような基準によるべきか。

答　被保護世帯の自立更生のための用途に供されるものとしては、次に掲げる経費にあてられる額を認めるものとすること。これによりがたい特別の事情がある場合は、厚生労働大臣に情報提供すること。

　なお、この場合、恵与された金銭又は補償金等があてられる経費については、保護費支給又は就労に伴う必要経費控除の必要がないものであること。

(1)　被保護者が災害等により損害を受け、事業用施設、住宅、家具什器等の生活基盤を構成する資産が損われた場合の当該生活基盤の回復に要する経費又は被保護者が災害等により負傷し若しくは疾病にかかった場合の当該負傷若しくは疾病の治療に要する経費

(2)　(1)に掲げるもののほか、実施機関が当該被保護世帯の構成、世帯員の稼働能力その他の事情を考慮し、次に掲げる限度内において立てさせた自立更生計画の遂行に要する経費

　　ア　当該経費が事業の開始又は継続、技能習得等生業にあてられる場合は、生活福祉資金の福祉資金の貸付限度額に相当する額

　　イ　当該経費が医療にあてられる場合は、医療扶助基準による医療に要する経費及び医療を受けることに伴って通常必要と認められる経費の合算額

　　ウ　当該経費が介護等に充てられる場合は、生活福祉資金の福祉資金の貸付限度額

に相当する額
エ 当該経費が家屋補修、配電設備又は上下水道設備の新設、住宅扶助相当の用途等にあてられる場合は、生活福祉資金の福祉資金の貸付限度額に相当する額
オ 当該経費が、就学等にあてられる場合は、次に掲げる額
　(ア) 当該経費が幼稚園等での就園にあてられる場合は、入園料及び保育料その他就園のために必要と認められる最小限度の額
　(イ) 当該経費が義務教育を受けている児童の就学にあてられる場合は、入学の支度、学習図書、運動用具等の購入、珠算課外学習、学習塾費等、修学旅行参加等就学に伴って社会通念上必要と認められる用途にあてられる最小限度の実費額
　(ウ) 当該経費が高等学校等、夜間大学又は技能修得費（高等学校等就学費を除く。）の対象となる専修学校若しくは各種学校での就学にあてられる場合は、入学の支度及び就学のために必要と認められる最小限度の額（高等学校等の就学のために必要と認められる最小限度の額については、学習塾費等を含む。貸付金については、原則として、高等学校等就学費の支給対象とならない経費（学習塾費等を含む。）及び高等学校等就学費の基準額でまかないきれない経費であって、その者の就学のために必要な最小限度の額にあてられる場合に限る。）
　(エ) 当該経費が大学等への就学後に要する費用にあてられる場合は、授業料や生活費その他就学のために必要と認められる最小限度の額（当該取扱いは、大学等への就学後に要する費用にあてることを目的とした貸付金や恵与金を当該大学等に就学する者が高等学校等に在学している間に、同一世帯の被保護者が受領する場合に限る。）
カ 当該経費が、結婚にあてられる場合は寡婦福祉資金の結婚資金の貸付限度額に相当する額
キ 当該経費が弔慰に当てられる場合は、公害健康被害の補償等に関する法律による葬祭料の額
ク 当該経費が、当該世帯において利用の必要性が高い生活用品であって、保有を容認されるものの購入にあてられる場合は、直ちに購入にあてられる場合に限り、必要と認められる最小限度の額
ケ 当該経費が通院、通所及び通学のために保有を容認される自動車の維持に要する費用にあてられる場合は、当該自動車の利用に伴う燃料費、修理費、自動車損害賠償保障法に基づく保険料、対人・対物賠償に係る任意保険料及び道路運送車両法による自動車の検査に要する費用等として必要と認められる最小限度の額
コ 当該経費が国民年金受給権を得るために充てられる場合は、国民年金の任意加入保険料の額
サ 当該経費が次官通知第8の3の(3)のクの(イ)にいう「就労や早期の保護脱却に資する経費」に充てられる場合は、本通知第8の問58の2の2の(1)から(6)までのい

ずれかに該当し、同通知の取扱いに準じて認定された最小限度の額
 シ 厚生年金の受給権を得たために支払う必要が生じた共済組合等から過去に支給された退職一時金の返還額
 ス 当該経費が、養育費の履行確保にあてられる場合は、養育費の取決めに関する公正証書や調停申立て等に要する費用、養育費に係る保証サービスを利用した際の保証料に要する費用等として必要と認められる最小限度の額
(3) 成年後見人、保佐人、補助人の申立てや報酬のために必要な経費。ただし、この取扱いに当たっては、自立更生計画の策定を要しないこととする。

問41 扶養義務者からの援助金はすべて「他から恵与される金銭」として取り扱うことは認められないか。

答 扶養義務者からの援助金はその援助が当該扶養義務者について期待すべき扶養の程度をこえ、かつ、当該被保護世帯の自立更生のためにあてるべきことを明示してなされた場合に限り、「自立更生を目的として恵与された金銭」に該当するものとして取り扱って差しつかえない。

問41の2 大学等への就学のため、局長通知第1の5による世帯分離又は、大学等への就学にあたり居住を別にすることで被保護者でなくなった者から、その者自身の就学のためにその者が高等学校等に在学している間に同一世帯の被保護者が受領した貸付金（局第8の2の(3)のイに該当するものに限る）の償還金にあてるために、貸付金を受領した被保護者に対して金銭が恵与された場合、次官通知第8の3の(2)のイの(ア)にいう「社会通念上収入として認定することを適当としないもの」にあたるものとして、収入認定しないこととしてよいか。

答 お見込みのとおり取り扱って差しつかえない。

問42 雇用保険法第57条により支給される常用就職支度金は「自立更生を目的として恵与される金銭のうち当該被保護世帯の自立更生のためにあてられる額」として取り扱ってよいか。

答 次官通知第8の3の(2)のエの(イ)により収入として認定すること。

問43 地方公共団体が条例又は予算措置によって被保護者に対し臨時的に支給する金銭のうち、どのようなものが次官通知第8の3の(3)のエにいう「自立更生を目的として恵与される金銭」に該当するか。

答 地方公共団体が条例又は予算措置によって、被保護者に対し臨時的に支給する金銭のうち、局長通知第8の2の(4)にいう自立更生のための用途に供すべきものであることが支出の目的として明示されているものが、自立更生を目的として恵与される金銭に該当するものであり、かかる金銭のうち、実際に自立更生のための用途にあてられる額を、収入として認定しないものとすること。

この場合、支出目的として明示されている用途及びその用途に供される額の認定にあたっては、問40の答に示す基準によるものである。

したがって、地方公共団体又はその長が年末、盆、期末等の時期に支給する金銭は、次官通知第8の3の(3)のエによる取扱いは行なわず同(2)のエの(ア)によって取り扱うこととなる。

問44 削除

問45 削除
問46 給食付（給食費を徴されていない場合に限る。）で稼働収入を得ている場合の給食の取扱いいかん。
答　当該被保護者に係る第１類費の額として算定された額に0.75を乗じて得た額にその者の総食数に占める就労先で受ける給食数の割合（以下「給食の割合」という。）を乗じて得た額を収入に加算すること。
　　ただし、給食の割合が３分の１（１日１食）程度以下である場合は、この限りでない。
問47 削除
問48 次官通知第８の３の(5)のイにいう就労又は求職者支援制度による求職者支援訓練の受講に伴う子の託児費には、保育所入所支度に要する費用及び市町村が実施する放課後児童クラブに要する費用を含むものと解して差しつかえないか。
　　また、これが認められる場合、当該費用を入所月の収入から一括控除することができない場合には、月割にして控除して差しつかえないか。
答　いずれもお見込みのとおり取り扱って差しつかえない。
　　なお、放課後児童クラブについては、「「放課後児童健全育成事業」の実施について」（平成27年５月21日雇児発0521第８号厚生労働省雇用均等・児童家庭局長通知）の別紙「放課後児童健全育成事業実施要綱」に基づき実施されるものに限られるものである。
問49 在宅患者加算を認定されている者が、勤労収入を得ている場合には、勤労控除を適用してよいか。
答　真に栄養補給を必要とする者が社会生活適応のため実施機関の指定する医師の指導に基づき就労して勤労収入を得ている場合は、６か月間に限り、療養に専念しているものとみなしてお見込みのとおり取り扱って差し支えない。
問50 労働施策の総合的な推進並びに労働者の雇用の安定及び職業生活の充実等に関する法律等に基づく技能習得手当を受給しながら技能習得している者については、あわせて支給される基本手当又は寄宿手当に対し、勤労収入に準じて基礎控除を適用してよろしいか。
答　お見込みのとおり取り扱って差しつかえない。
問51 恩給、年金等の額が改定され、当該改定時期が支払期月と一致せず、１期月における支給額に、改定前の額と改定後の額が含まれる場合は、順を追って充当していくこととして差しつかえないか。
答　恩給、年金等の額の改定時期と支払期月が一致しない場合は、局長通知第８の１の(4)により収入認定することにより保護の停止又は廃止となる場合を除き、お見込みのとおり取り扱って差しつかえないこと。
問52 削除
問53 保護開始前に臨時的に受けた災害等による補償金、保険金、見舞金又は死亡による保険金の全部又は一部を当該災害等による損失の原状回復等当該世帯の自立更生の用途にあてるべく保有している場合についても、次官通知第８の３の(3)のオ又はキに準じ収入として認定しない取扱いとすることは認められないか。
答　その目的とする自立更生の用途が世帯員の将来の就学等保護開始後でなければ実現

し得ないものと認められる場合には、被保護世帯が補償金等を受けた場合と同様に取り扱って差しつかえない。
問54　削除
問55　収入認定の取扱いに当たっては、次官通知第8の1において、要保護者に申告を行わせることとなっているが、申告の時期等について具体的に示されたい。
答　収入に関する申告は、法第61条により被保護者の届出義務とされていることから、次官通知第8の1の(2)により、つとめて自主的な申告を励行させる必要がある。
　　また、収入に関する申告の時期及び回数については、実施機関において就労可能と判断される者には、就労に伴う収入の有無にかかわらず原則として毎月、実施機関において就労困難と判断される者には、少なくとも12か月ごとに行わせること。
　　なお、被保護者が常用雇用されている等各月毎の収入の増減が少ない場合の収入申告書の提出は、3か月ごとで差しつかえないこと。
　　さらに、上記のほか、保護の決定実施に必要がある場合は、その都度申告を行わせること。
問56　削除
問57　国民年金に任意加入する場合の保険料の控除が認められる場合はどのような場合か。
答　年金の受給権を得るためのものに限って認められるものであり、将来の年金額を増やすためのものは認められない。
　　なお、任意加入しても過去の未納分を納付しないと年金受給権を得られない場合には、年金受給権を得るために必要な限度で未納分の保険料についても控除して差し支えない。
問58　高等学校等で就学しながら保護を受けることができるものとされた者がアルバイト等の収入を得ている場合、私立高校における授業料の不足分、修学旅行費又はクラブ活動費（学習支援費を活用しても不足する分に限る）、学習塾費等にあてられる費用については、就学のために必要な費用として、必要最小限度の額を収入として認定しないこととしてよいか。
答　お見込みのとおり取り扱って差しつかえない。
問58の2　次官通知第8の3の(3)のクの(イ)にいう「就労や早期の保護脱却に資する経費」を認定する場合の取扱いを具体的に示されたい。
答　高等学校等で就学しながら保護を受けることができるものとされた者が就労することは、学業に支障のない範囲での就労にとどめるよう留意する必要があるが、次のいずれにも該当する場合には、次官通知第8の3の(3)のクの(イ)に該当するものとして、当該被保護者の就労や早期の生活保護からの脱却に資する経費を収入として認定しないこととし、また、経費の内容及び金額によって、一定期間同様の取扱いを必要とするときは、その取扱いを認めて差しつかえない。
　　収入として認定しない取扱いを行うにあたっては、保護の実施機関は、当該被保護者や当該世帯の世帯主に対して、本取扱いにより生じた金銭について別に管理することにより、明らかにしておくよう指導するとともに、定期的に報告を求め、当該金銭

が他の目的に使用されていないことを確認すること。

　なお、当該金銭を使用した場合は、保護の実施機関が承認した下記2の目的のために使用されたことを証する書類等により、使用内容を確認すること。保護の実施機関が承認した目的以外に使用していたときは、収入として認定しないこととした額に相当する額について費用返還を求めること。ただし、当初承認した目的以外であっても、その使用内容が下記2の目的の範囲であることが認められる場合にあっては、この限りではない。

1　高等学校等卒業後の具体的な就労や早期の保護脱却に関する本人の希望や意思が明らかであり、また、生活態度等から学業に支障がないなど、特に自立助長に効果的であると認められること。
2　次のいずれかに該当し、かつ、当該経費の内容や金額が、具体的かつ明確になっていること。
(1)　自動車運転免許等の就労に資する技能を修得する経費（技能修得費の給付対象となるものを除く。）
(2)　就労に資する資格を取得することが可能な専修学校、各種学校又は大学に就学するために必要な経費（事前に必要な受験料（交通費、宿泊費など受験に必要な費用を含む。）及び入学料や前期授業料等に限る。）
(3)　就労や就学に伴って、直ちに転居の必要が見込まれる場合の転居に要する費用
(4)　国若しくは地方公共団体により行われる貸付資金又は国若しくは地方公共団体の委託事業として行われる貸付資金の償還金
(5)　就職活動に必要な費用
(6)　海外留学に必要な費用（本通知第10の19に該当する場合に限る。）
3　当該被保護者から提出のあった具体的な自立更生計画を、保護の実施機関が事前に承認しているとともに、本取扱いにより生じた金銭について別に管理すること及び定期的な報告を行うことが可能と認められる者であること。

問58の3　大学等の入学金等にあてるための費用としてアルバイト収入を収入認定除外されていた者が、大学等における修学の支援に関する法律に基づく授業料等減免を受けることにより、入学金等の納付が不要となった場合、収入認定除外している額については、どのように取り扱うべきか。

答　当初収入として認定しないものとして承認した目的以外であっても、本通知第8の問58の2の2の目的の範囲内であれば、収入として認定しないこととして差し支えない。

　また、大学等の入学金等にあてるための費用として保護費のやり繰りにより預貯金等をしている場合については、当初保有を容認していた目的以外であっても、生活保護の趣旨目的に反しないものであれば、引き続き保有を容認して差し支えない。

　なお、同法に基づく授業料等減免を受けられるものの、入学前に授業料等の納付が必要であり、後日、授業料等に相当する金額が還付される場合がある。この場合、授業料等の納付のため、他からの貸付を受けた場合であれば、還付金は貸付の返還にあ

てられるものとなるので、保護の実施機関への費用返還を求める必要はない。入学金等の納付のため、保護費のやり繰りにより預貯金等をしている場合については、結果として入学金等の納付が不要であることをもって一律に預貯金等の額に相当する額の費用返還を求めるのではなく、同法に基づく授業料等減免を受けたことにより大学等の判断に基づき入学金等の納付が不要となるケースとの公平性の観点から、還付金を生活保護の趣旨目的に反しないものにあてる場合（すでに費消した場合も含む。）は、返還を求めないものとして差し支えない。入学金等の納付のため、アルバイト収入から収入認定除外されている場合についても、一律に収入として認定しない額に相当する額の費用返還を求めるものではなく、同法に基づく授業料等減免を受けたことにより大学等の判断に基づき入学金等の納付が不要となるケースとの公平性の観点から、還付金を本通知第8の問58の2の2の目的の範囲内の使途にあてる場合（すでに費消した場合も含む。）は、返還を求めないものとして差し支えない。

問59　保護開始時点で既に就学資金の貸付を受けていた場合、高等学校の就学に関する需要は満たされているものとして、高等学校等就学費は支給しないこととしてよいか。

答　高等学校等就学費については、被保護世帯の自立を支援する観点から、貸付を受けなくとも高等学校への就学が可能となるよう、生活保護において積極的に給付を行うものである。

したがって、既に就学資金の貸付を受けている場合であっても、保護開始時点において貸付内容の変更が可能であれば、高等学校等就学費の基準額の範囲内で就学に必要な経費が賄える場合については貸付の停止を、高等学校等就学費で賄いきれない経費が必要な場合については当該経費にあてられる必要最小限度の額に貸付額を変更し、その上で高等学校等就学費を給付することとされたい。

また、保護開始時点において貸付内容の変更が困難な場合であって、保護開始後に貸付金を受領する場合は、当該貸付金のうち高等学校等就学費により賄われる部分について、貸付金の受領後直ちに償還し、その上で高等学校等就学費を給付するとともに、実際に償還が行われているか確認を行うこと。

なお、貸付契約の内容等により、貸付内容の変更や貸付期間中の償還が困難な場合については、当該貸付金は高等学校等の就学にあてられるものとして収入として認定しないとともに、高等学校等就学費の支給を行わないこととして取り扱って差しつかえない。

問60　恵与金等の収入が、高等学校等就学費の支給対象とならない経費（学習塾費等を含む。）及び高等学校等就学費の基準額又は学習支援費でまかないきれない経費であって、その者の就学のために必要な最小限度の額にあてられる場合については、高等学校等就学費は基準額どおり計上することとしてよいか。

答　お見込みのとおり取り扱って差しつかえない。

ただし、恵与金等の収入を当該経費にあてた上で、なお余剰金が生じた場合については、当該余剰金は収入充当順位に関係なく高等学校等就学費に充当することとし、高等学校等就学費の基準額と当該余剰金の差額を、保護費の高等学校等就学費として

生活保護法による保護の実施要領の取扱いについて

計上されたい。

問61 局長通知第8の2の(3)のオの(オ)にいう「日常生活において利用の必要性が高い生活用品を緊急に購入する」として貸付資金を収入認定除外することができる場合を具体的に示されたい。

答 保護受給中の日常生活に必要な物品については、経常的最低生活費の範囲内で計画的に購入することが原則であるが、次のいずれにも該当し、かつ、経常的最低生活費のやり繰りにより当該貸付資金の償還が可能と認められる者については、当該貸付資金を収入として認定しないものとすること。

なお、保護の実施機関は、当該貸付資金の償還が適切に行われるよう、貸付制度を所管する関係機関と十分に調整を図り、適切な償還金の納付指導及び代理納付の活用を行うこと。

(1) 健康の保持や日常生活に著しい支障を来す恐れがあり、必要性が高いと認められる生活用品がないか若しくは全く使用に堪えない状態であること。

(2) 保護開始から概ね6か月経過していない場合や家計管理上特段の問題なく他に急な出費を要した場合など、計画的に購入資金を蓄えることができなかったことに真にやむを得ない事情が認められること。

(3) 購入予定品目、購入予定金額が社会通念上妥当と判断されるものであり、また必要最小限度の貸付であるとともに、償還計画がその後の最低生活の維持に支障を来さないものであると認められること。

(4) 貸付を受けることについて、当該被保護者は自立更生計画を提出するとともに、購入予定品目及び償還方法について保護の実施機関の事前の承認があること。

問62 児童福祉施設等に入所し、又は里親等に委託され、別世帯と認定されていた児童が、施設等を退所し、又は里親等への委託が解除され、被保護世帯に転入する際に、転入前の入所又は委託期間中に積み立てた児童手当の管理者を、施設長等から親権を行う父母に変更する場合、当該金銭を「自立更生を目的として恵与された金銭」に準じて取り扱って差し支えないか。

答 当該被保護世帯から提出のあった具体的な自立更生計画を、保護の実施機関が事前に承認しているとともに、本取扱いにより生じた金銭について保有する預貯金等と別に管理すること及び当該計画にかかる状況を定期的に報告することが可能と認められる場合に限り、お見込みのとおり取り扱って差し支えない。なお、当該金銭を使用した場合は、事前に承認された目的のために使用されたことを証する書類等により、使用内容を確認すること。保護の実施機関が承認した目的以外に使用していたときは、収入として認定しないこととした額について費用返還を求めること。

問63 夜間大学や高等専門学校等で就学しながら、保護を受けることができるとされた者が大学等における修学の支援に関する法律に基づく学資支給を受けた場合、就学のために必要と認められる最小限度の額は自立更生にあてられるものとして収入認定しないこととしてよいか。

答 お見込みのとおり取り扱って差し支えない。

第9 保護の開始申請等

問1 生活保護の面接相談においては、保護の申請意思はいかなる場合にも確認しなくてはならないのか。

答 相談者の保護の申請意思は、例えば、多額の預貯金を保有していることが確認されるなど生活保護に該当しないことが明らかな場合や、相談者が要保護者の知人であるなど保護の申請権を有していない場合等を除き確認すべきものである。なお、保護に該当しないことが明らかな場合であっても、申請権を有する者から申請の意思が表明された場合には申請書を交付すること。

問2 相談段階で扶養義務者の状況や援助の可能性について聴取することは申請権の侵害に当たるか。

答 扶養義務者の状況や援助の可能性について聴取すること自体は申請権の侵害に当たるものではないが、「扶養義務者と相談してからではないと申請を受け付けない」などの対応は申請権の侵害に当たるおそれがある。

また、相談者に対して扶養が保護の要件であるかのごとく説明を行い、その結果、保護の申請を諦めさせるようなことがあれば、これも申請権の侵害にあたるおそれがあるので留意されたい。

問3 相談段階で相談者の困窮の状況等を確認するために必要な資料の提出を求めることは申請権の侵害にあたるか。

答 相談段階で、資産及び収入の状況等が確認できる資料の提出を求めること自体は申請権の侵害に当たるものではない。ただし、「資料が提出されてからでないと申請を受け付けない」などの対応は適切ではない。

なお、申請段階では、速やかかつ正確な保護の決定を行うために、申請日以降できる限り早期に必要となる資料を提出するよう求めることは認められるが、書面等の提出は申請から保護決定までの間でも差し支えない。これに関し、当該申請者の事情や状況から必要となる資料の提出が困難と認められる場合には、保護の実施機関において調査等を実施し、要件の確認の審査を徹底することが必要となる。

第10 保護の決定

問1 ある世帯につき、世帯員の疾病（医療期間2か月）による医療扶助の要否を局長通知の特例により判定した結果、否と決定され、その後1か月経過したときに別に世帯員が疾病（医療期間2か月）にかかった場合においては、要否判定のための収支認定は、どのようにしたらよいか。

答 設例の場合においては、最初の疾病に関する要否判定において医療費を4か月に分割して支出の認定をしてあるから、最初の疾病につき2人目の申請時までに支払われるべきであった医療費の額をこえる額は、2人目の疾病の医療費の額に加算してこの疾病の医療扶助の要否を判定する。

たとえば、世帯の収入月1万3000円、同最低生活費（医療費を除く。）月8000円、最初の疾病の医療費計1万8000円、2人目の疾病の医療費計1万5000円の場合には、最初の疾病については、

収入13,000円×$\frac{医療期間}{(2+2)}$＞支出8,000円×$\frac{医療期間}{(2+2)}$＋医療費総計18,000円

となり、医療扶助は否と決定するものであり、2人目の疾病については、

収入は13,000円×$\frac{医療期間}{(2+2)}$と計算し、支出は、

8,000円×$\frac{医療期間}{(2+2)}$＋医療費総計15,000円＋$\overline{18,000円－(13,000円－8,000円)}$

×$\frac{支払済期間}{1}$と計算する。したがって、2人目の疾病については、医療扶助は要と決定される。

なお、前記の例において、保護の程度を決定するに際しては、最初の疾病の医療費については、18,000円－(13,000円－8,000円)×$\frac{支払済期間}{1}$を支出として認定するものとする。

問2　土曜日の夕方急病で入院した要保護者から月曜日に保護の申請があったが、土曜日にさかのぼって保護を適用して差しつかえないか。

答　医療扶助の適用については、設例の場合のように、急病等のため申請遅延につき真にやむを得ない事情のあったことが立証される場合には、必要最小限度で申請時期からさかのぼり保護を開始して差しつかえない。

問3　保護台帳、収支認定表等について、一般住民より閲覧の申出があったが、これを認めて差しつかえないか。

答　認めるべきではない。

　保護の決定実施に際しては、その事務の性質上要保護者にとっては隠したい個人的な秘密にわたる事項まで調査することがあるが、これらの事項につきその秘密を厳守することは、国民の福祉事務所に対する信頼を確保するうえから欠くことができないのみならず、法律上の義務でもある（地方公務員法第34条参照、なお、国家公務員法第100条、民生委員法第15条及び刑事訴訟法第144条に同趣旨の規定がある。）。したがって、これらの事項を記録した保護台帳等の閲覧は許されない。

　ただし、保護の実施機関が、個人情報保護法に基づき、自己を本人とする保護台帳、収支認定表等の個人情報の開示を請求された場合は、同法の定めるところにより適切に対応されたい。

　なお、保護について不服があれば不服申立てによるべきであり、また一般住民が保護の実施機関の法律執行につき疑義をもつときは、監査請求（地方自治法第75条）によるべきである。

問4　保護開始時の要否判定を行う際、次官通知第10にいう「当該世帯につき認定した最低生活費」とは具体的に如何なる費目を指すのか。

答　次に掲げる費目を指すものであること。

　ア　保護の基準別表第1生活扶助基準（ただし、同第1章の1の(2)の期末一時扶助及び同第3章の3の移送費であって局長通知第7の2の(7)のア(ウ)以下の場合のものを除く。）並びに局長通知第7の2の(1)のア及び局長通知第7の2の(5)のア(カ)（た

だし、紙おむつ、貸おむつ又はおむつの洗濯代が必要と認められる場合に限る。)
イ 保護の基準別表第2教育扶助基準（ただし、学習支援費を除く。）及び局長通知第7の3の(2)
ウ 保護の基準別表第3住宅扶助基準及び局長通知第7の4の(1)のオ（ただし、敷金、契約更新料及び住宅維持費を除く。）
エ 保護の基準別表第4医療扶助基準
オ 保護の基準別表第5介護扶助基準（ただし、住宅改修を除く。）
カ 保護の基準別表第6出産扶助基準並びに局長通知第7の7の(1)及び(2)
キ 保護の基準別表第8葬祭扶助基準並びに局長通知第7の9の(1)、(2)、(3)及び(4)

問5 保護開始時の要否判定を行う際、次官通知第10にいう「第8によって認定した収入」を算定するときには、いかなる経費を必要経費として認定すべきか。

答 次官通知第8の3により、勤労（被用）収入、農業収入、恩給年金等の収入等収入の種類ごとに定められた当該収入を得るための必要経費の実費及び同第8の3の(5)その他の必要経費のうち、ア、イ、オに掲げる費用の実費並びに勤労に伴う必要経費として局長通知第10の2の(1)に定める別表2に定める額（世帯員が2人以上就労している場合には、それぞれの額の総額）を認定するものであること。

問6 保護受給中の者の収入が保護開始時の要否判定に用うべき最低生活費をこえるに至り保護の廃止を必要とする際には、最低生活費及び収入については開始時と同様の取扱いによって認定して保護の要否判定を行なうものであるか。

答 保護開始時と異なり、現に保護受給中の者については、保護の実施要領の定めるところに従い、当該時点において現に生じている需要に基いて認定した最低生活費と収入充当額（勤労に伴う必要経費のうち基礎控除については、局長通知第10の2の(1)に定める別表2に定める額）との対比によって判定するものであること。

問7 局長通知第10の2の(1)のただし書きにいう「常用勤労者」とは如何なる勤労形態にあるものをいうか。

答 「常用勤労者」とは期間を定めず、又は1か月をこえる期間をきめて雇われ、かつ、月々一定の給与が支給されている者をいう。したがって就労日に対応して賃金が支払われている者は常用勤労者には該当しないものである。常用勤労者であるかないかの判断にあたっては、日雇健康保険を除く各種被用者保険加入の有無を一応の目安とすることも考えられる。

問8 局長通知第10の2の(1)のただし書きにいう「労働協約等の実態」には給与、賃金、期末手当、賞与等の額及び支払方法が、法律、条例、労使間の覚書等によって定められている場合、又は明文のとりきめはないが、雇用慣習上確定していると認められる場合も含まれるものと解してよいか。

また、賞与等を含む年間収入には定期昇給分、勤勉手当等、確実に予測できるものは、含めてよいか。

答 お見込みのとおりである。

問9 他の実施機関の管内で保護を受けていた者が転入してきた場合、その者にかかる

生活保護法による保護の実施要領の取扱いについて

保護の要否判定及び程度の決定は、保護受給中の者に対する取扱いと同様に行なって差しつかえないか。
答 お見込みのとおりである。
　　ただし、この取扱いは、当該転入した要保護者の保護の継続の要否について審査を要しないことを意味すると解してはならないので、念のため。
問10 恩給、年金等の受給者が保護を申請した場合において、保護の要否判定は申請直前に受給した恩給、年金等の額を、次官通知第8収入の認定、局長通知第8収入の認定及び本職通知第8収入の認定により、各月に分割して認定した額をもって行うこととし、また保護の程度の決定に際して収入充当額として認定すべき恩給、年金等の額は保護の開始時に現に所有する当該恩給、年金等の残額によることとして差しつかえないか。
答 お見込みのとおりである。
問10の2　保護開始時に保有する手持金は全て収入認定しなければならないか。
答 一般世帯はもちろん被保護世帯においても繰越金を保有しているという実態及び生活費は日々均等に消費されるものではないということ等から、保護開始時に保有する金銭のうちいわゆる家計上の繰越金程度のものについては、程度の決定に当たり配慮する面がある。
　　したがって、健全な家計運営ひいては自立助長を考慮し、保護の程度の決定に当たり認定すべき手持金は次によることとされたい。
　　なお、この取扱いは要否判定の結果保護要とされた世帯についての開始月における程度の決定上の配慮であり、要否判定、資産・収入の調査についての取扱いを変える趣旨のものではない。
　1　手持金の認定
　　　保護開始時の程度の決定に当たって認定すべき手持金は、当該世帯の最低生活費（医療扶助及び介護扶助を除く。）の5割を超える額とする。
　2　月の中途で開始する場合における当該月の程度の決定方式
　　(1)　勤労収入
　　　　最低生活費と収入の対比により、1か月分の扶助額又は本人支払額を算定した後、月末までの保護受給日数により扶助別に日割りする。
　　　　ただし、一時扶助、教育扶助等については日割りしない。

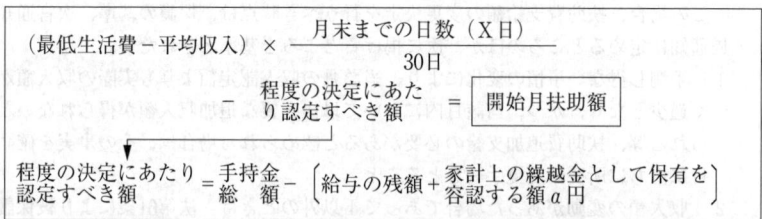

　　　　給与の残額については、平均収入として既に評価ずみであるから、開始月において給与の残額たる現金を保有していても再度資産として評価しない。

どれが給与の残額であるか判然としないときは、次の算式により推計する。

$$給与総額 \times \left(1 - \frac{給与日からの経過日数}{30日}\right) = 給与残額推計額$$

(2) 年金収入

年金の残額については、手持金から繰越金として容認する額を控除した残りの額を次回受給月の前月までに分割して（少額の場合は当月分の）収入充当額に計上する。

$$最低生活費 \times \frac{X日}{30日} - \frac{手持金（年金残額を含む）- a円}{次回受給月の前月までの月数} = \boxed{開始月扶助額}$$

(3) 農業収入

年金収入の例による。

ただし、経常収入については勤労収入の例による。

(4) 無収入

$$最低生活費 \times \frac{X日}{30日} - (手持金 - a円) = \boxed{開始月扶助額}$$

問11 局長通知第10の２の(8)では、最低生活費又は収入充当額の認定を変更すべき事由が事後において明らかとなった場合の被保護者からの返納額の取扱いを示しているが、実施機関からの追加支給を行うべき場合においても同様に考えて、次回支給月以後の収入充当額を減額することによって調整して差しつかえないか。

答 次回支給月以後の収入充当額を減額することによって調整することは認められないものであり、最低生活費又は収入充当額の認定変更に基づき、扶助費支給額の変更決定を行って追加支給すること。

この場合、扶助費支給額の変更決定を行うべき時点は、保護の基準、次官通知、局長通知に定めるところのほか、次に掲げるところを基準とされたい。

1　予測し得ない事情の変化により、当該月の収入認定額よりも実際の収入額が著しく過少となり、かつ、当該月内において以後必要な追加収入額が得られないと認められる等、扶助費追加支給の必要があると認められる場合は、その事実を確認した日に直ちに所要の変更手続をとること。

2　収入額の変動があった場合であって１以外のときは、法第61条により被保護者から当該月の収入に変動があった旨の届出があった場合であって、当該月の実収入総額を確認したうえ次官通知第８の２に示す収入額の認定の原則、局長通知第８及び

第10等に示すところによって認定した収入額と比較し、かつ、その他の事情をも勘案した結果、当該世帯の最低生活の維持に著しい支障をきたす事実を確認したときに所要の変更手続をとること。

問12　法第26条の規定により保護の停止又は廃止を行なう場合の取扱いの基準を示されたい。

答　被保護者が保護を要しなくなったときには、法第26条の規定により保護の停止又は廃止を行なうこととなるが、保護を停止すべき場合又は廃止すべき場合は、原則として、次によられたい。

1　保護を停止すべき場合
　(1)　当該世帯における臨時的な収入の増加、最低生活費の減少等により、一時的に保護を必要としなくなった場合であって、以後において見込まれるその世帯の最低生活費及び収入の状況から判断して、おおむね6か月以内に再び保護を要する状態になることが予想されるとき。
　　なお、この場合には、以後において見込まれる当該世帯の最低生活費及び収入充当額に基づき、停止期間（原則として日を単位とする。）をあらかじめ定めること。
　(2)　当該世帯における定期収入の恒常的な増加、最低生活費の恒常的な減少等により、一応保護を要しなくなったと認められるがその状態が今後継続することについて、なお確実性を欠くため、若干期間その世帯の生活状況の経過を観察する必要があるとき。

2　保護を廃止すべき場合
　(1)　当該世帯における定期収入の恒常的な増加、最低生活費の恒常的な減少等により、以後特別な事由が生じないかぎり、保護を再開する必要がないと認められるとき。
　(2)　当該世帯における収入の臨時的な増加、最低生活費の臨時的な減少等により、以後おおむね6か月を超えて保護を要しない状態が継続すると認められるとき。
　　なお、以上の場合における保護の停止又は廃止は保護を要しなくなった日から行なうことを原則とする。ただし、当該保護を要しなくなった日の属する月が、保護の停止又は廃止を決定した日の属する月の3か月以前であるときは、保護を要しなくなった日まで遡及して保護の停廃止を行なうことなく、保護を要しなくなった日から3か月までの間にかかる保護の費用について、法第63条又は法第78条の規定により費用を徴収することとし、前々月の初日をもって保護の停廃止を行なうこと。

問12の2　保護受給中の者が、要保護世帯向け不動産担保型生活資金を利用した場合には、必ず保護の廃止によらなければならないか。生活実態の把握が必要な場合等世帯の状況によっては停止とすることも可能か。

答　生活福祉資金の要保護世帯向け不動産担保型生活資金を利用した場合については、当該貸付資金が貸付を利用しなければ要保護状態となる世帯を対象としていることか

ら、貸付の利用が終了した後には生活保護の適用となる可能性が高い世帯であることを踏まえ、当該貸付資金の利用者については、保護の廃止ではなく、保護の停止を行うこととしても差しつかえない。

問12の3　保護受給中の者から「保護を辞退する」旨の意思を示した書面（以下「辞退届」という。）が提出された場合には、これに基づき保護を廃止しても差し支えないか。

答　被保護者から提出された「辞退届」が有効なものであり、かつ、保護を廃止することで直ちに急迫した状況に陥ると認められない場合には、当該保護を廃止して差し支えない。

　ただし、「辞退届」が有効となるためには、それが本人の任意かつ真摯な意思に基づくものであることが必要であり、保護の実施機関が「辞退届」の提出を強要してはならないことは言うまでもなく、本人が「保護を辞退する義務がある」と誤信して提出した「辞退届」や、本人の真意によらない「辞退届」は効力を有せず、これに基づき保護を廃止することはできないものである。

　また、「辞退届」が本人の任意かつ真摯な意思に基づいて提出された場合であっても、保護の廃止決定を行うに当たっては、例えば本人から自立の目途を聴取するなど、保護の廃止によって直ちに急迫した状況に陥ることのないよう留意すること。

　さらに、保護の廃止に際しては、国民健康保険への加入など、保護の廃止に伴い必要となる諸手続についても助言指導するとともに、必要に応じて自立相談支援機関につなぐこと。

問13　局長通知第10の1の(2)により年齢改定を行う場合、4月1日生れの者についてはどう取り扱うのか。

答　4月1日生れの者については、年齢計算に関する法律（明治35年法律第50号）及び民法（明治29年法律第89号）第143条の規定により、前日である3月31日をもって満年齢に達した者として取り扱うこととなる。

問14　削除

問15　居宅療養管理指導に係る居宅介護については、概算介護所要額をどのように算定すべきか。

答　原則として、申請日以降の利用に係る本人からの申し立てを基に、利用する予定の指定介護機関及び主治医の意見を確認し、必要と認められる場合には、必要な額を算定すべきである。

　ただし、過去の利用実績等から利用の必要性を判断できる場合には、介護保険の1か月あたり上限回数を基に介護費用を算定し、主治医の意見を省略して差し支えない。

問16　扶助費の再支給を行うにあたり、留意すべき事項を示されたい。

答　次の点に留意すること。
1　盗難、強奪その他不可抗力の認定
　(1)　盗難、強奪
　　　金額の多寡を問わず、警察に被害届を出し捜査依頼を必ず行わせること。
　(2)　その他不可抗力

その他としては遺失等が考えられるが、社会通念上一般に要求される程度の注意をしたにも関わらず、遺失したことが挙証されない限り、不可抗力とは認められない。遺失の場合も、警察に遺失届の提出を必ず行わせること。
2 調査及び指導等
 (1) 事実の調査
  被保護者から扶助費の再支給の申請があった場合には本人及び関係者等から事情を詳細に聴取するとともに、必要に応じて実地調査等を行い、失った理由、金額、当時の手持金等について十分に確認すること。
 (2) 扶養義務者に対する扶養依頼等の指導
  盗難等により保護金品を失ったという特別な事情があるので、通常の扶養は期待できない者も含め援助を受けることを指導し、扶養依頼を行うこと。
3 金品管理等生活指導
  一般に、保護費を紛失し再支給を申請するケースは、保護費の大部分を携帯し金銭管理に注意を欠く例が多いので、生活上の指導を十分に行い、必要以上の金品を携帯することのないよう配慮すること。
4 預貯金の活用
  被保護者が預貯金を有しており、これを充てれば最低生活が可能と認められる場合は、自己の急迫・緊急状態を回避するため、最優先として預貯金を生活維持に充てさせること。

問17 過去に年金担保貸付を利用するとともに生活保護を受給していたことのある者が再度借入をし、保護申請を行った場合、資産活用の要件を満たしていないことを理由とし、申請を却下してよろしいか。

答 過去に年金担保貸付を利用するとともに生活保護を受給し、その後に保護廃止となった者が、再度年金担保貸付制度を利用し、その借入金を例えばギャンブルや借金返済等に費消した後、本来受給できるはずの年金が受給できなくなった場合は、実質的に保護費を借金返済等に充てることを目的として年金担保貸付を利用していることになる。

生活保護制度は、生活に困窮する者が、その利用し得る資産、能力その他あらゆるものを、その最低限度の生活の維持のために活用することを要件として行われる（生活保護法第4条）ものであることから、老後の基礎的な生活費等として活用すべき年金を担保に貸付を受けて、これを先に述べたような使途に充てるために費消するような場合には、資産活用（月々の年金受給）を恣意的に忌避しているため、法第4条に定める保護の受給要件を満たしていないと解されることになる。

したがって、過去に年金担保貸付を利用するとともに生活保護を受給していたことがある者が再度借入をし、保護申請を行う場合には、
・ 当該申請者が急迫状況にあるかどうか
・ 保護受給前に年金担保貸付を利用したことについて、社会通念上、真にやむを得ない状況にあったかどうか

といった事情を勘案した上で、原則として、保護の実施機関は資産活用の要件を満たしていないことを理由とし、申請を却下して差し支えない。

なお、被保護者に対しては、生活保護受給中には年金担保貸付を受けることができないこと、年金担保貸付を受けている場合には生活保護を受けることができないことを周知しておかれたい。

問18　削除

問19　被保護者が海外に渡航した場合には、生活保護の取扱いはどうなるか。

答　被保護者が、一時的かつ短期に海外へ渡航した場合であって引き続き国内に居住の場所を有している場合は、海外へ渡航したことのみをもって生活保護を停廃止することはできないものである。

しかしながら、当該被保護者は渡航費用を支出できるだけの額の、本来その最低生活の維持のために活用すべき金銭を有していたことから、当該渡航費用のための金銭は収入認定の対象となるものである。したがって、それが単なる遊興を目的とした海外旅行等に充てられた場合には、その交通費及び宿泊費に充てられる額について収入認定を行うこととされたい。ただし、この場合、個々の世帯の状況等を勘案し、当該渡航期間中の基準生活費及び加算に相当する額を超える額については、収入認定しないものとして差し支えない。

また、次のような目的で概ね2週間以内の期間で海外へ渡航する場合には、その使途が必ずしも生活保護の趣旨目的に反するものとは認められないことから、保護費のやりくりによる預貯金等で賄う場合には、本通知第3の18により、他からの援助等で賄う場合には次官通知第8の3の(3)のエに該当するものとして、当該渡航に要する費用の全額を収入認定しないものとして差し支えない。

1　親族の冠婚葬祭、危篤の場合及び墓参
2　修学旅行
3　公的機関が主催する文化・スポーツ等の国際的な大会への参加（選抜又は招待された場合に限る。）
4　高等学校等で就学しながら保護を受けることができるものとされた者の海外留学であって世帯の自立助長に効果的であると認められる場合

第11　保護決定実施上の指導指示及び検診命令

問1　被保護者が書面による法第27条の規定による指導指示に従わない場合の取扱いの基準を示されたい。

答　被保護者が書面による指導指示に従わない場合には、必要と認められるときは、法第62条の規定により、所定の手続を経たうえ、保護の変更、停止又は廃止を行なうこととなるが、当該要保護者の状況によりなお効果が期待されるときは、これらの処分を行なうに先立ち、再度、法第27条により書面による指導指示を行なうこと。なお、この場合において、保護の変更、停止又は廃止のうちいずれを適用するかについては、次の基準によること。

1　当該指導指示の内容が比較的軽微な場合は、その実情に応じて適当と認められる

限度で保護の変更を行なうこと。
2 1によることが適当でない場合は保護を停止することとし、当該被保護者が指導指示に従ったとき、又は事情の変更により指導指示を必要とした事由がなくなったときは、停止を解除すること。

なお、保護を停止した後においても引き続き指導指示に従わないでいる場合には、さらに書面による指導指示を行なうこととし、これによってもなお従わない場合は、法第62条の規定により所定の手続を経たうえ、保護を廃止すること。
3 2の規定にかかわらず、次のいずれかに該当する場合は保護を廃止すること。
 (1) 最近1年以内において当該指導指示違反のほかに、文書による指導指示に対する違反、立入調査拒否若しくは検診命令違反があったとき。
 (2) 法第78条により費用徴収の対象となるべき事実について以後改めるよう指導指示したにもかかわらず、これに従わなかったとき。
 (3) 保護の停止を行なうことによっては当該指導指示に従わせることが著しく困難であると認められるとき。

なお、1から3に掲げる保護の変更、停止又は廃止は、当該処分を行なうことを実際に決定した日から適用することを原則とするが、あらかじめ履行の期限を定めて指導指示を行なった場合にはその指定期限の翌日まで遡及して適用して差しつかえない。

問2 要保護者が法第28条による検診命令に従わなかった場合の取扱いの基準を示されたい。

答 設問のような場合にはその必要があると認められるときは法第28条第5項により保護の開始若しくは変更の申請を却下し、又は、保護の変更、停止若しくは廃止を決定すること。

なお、法第28条第5項により処分を行なう場合は、次によること。
1 保護の開始申請に伴い、保護の要否を判定するため必要な検診である場合には、当該開始申請を却下すること。
2 保護の変更申請に伴い必要な検診である場合には当該変更申請を却下すること。
3 要保護者が検診を受けなかったため、特定の費用について必要性の有無が判断できないときは、最低生活費の算定に際し、当該費用を計上しないこと。
4 2又は3によりがたい場合は保護を停止することとし、当該被保護者が検診を受け、かつ、その結果保護を要することが明らかになったとき、又は検診を受けさせる必要がなくなったときには停止を解除すること。

なお、保護を停止した後、再度検診命令を行ない、なおこの命令にも従わないときは、法第28条第5項により保護を廃止すること。
5 4にかかわらず、最近1年以内において当該検診命令違反のほかに文書による指導指示に対する違反、立入調査拒否若しくは検診命令違反があったとき、又は停止によっては、当該要保護者をして検診命令に従わせることが著しく困難であると認められるときは、保護を廃止すること。

なお、4及び5に掲げる保護の変更、停止又は廃止は処分を行なうことを決定した日から適用することを原則とするが、あらかじめ期日を定めて検診命令を行なった場合にはその指定期日の翌日まで遡及して適用して差しつかえない。

第12　調査及び援助方針

問1　実施機関において、被保護世帯の世帯類型や助言指導の必要性等に応じた統一的な訪問基準を作成し、それに基づいて訪問計画を策定することとして差しつかえないか。

答　訪問調査については、①生活状況の把握、②保護の要否及び程度の確認、③自立助長のための助言指導などを目的として実施することが考えられるところであるが、これらの訪問目的を達成するために考慮された訪問基準であれば、お見込みのとおり取り扱って差しつかえない。

なお、上記の訪問基準の設定を行った場合であっても、被保護者の個々の状況に応じて、適宜、必要な訪問調査の実施に留意されたい。

問2　無料低額宿泊所に入所中の者に対し、訪問調査を行う場合、居宅の場合と同様、局長通知第12の1(2)に基づき、少なくとも1年に2回以上訪問するべきか。当該施設が日常生活支援住居施設の認定を受けている場合も同様か。

答　お見込みのとおり。

なお、訪問調査を行うにあたっては、居宅生活への移行が可能か検証する等、自立に向けた支援の検討を行うこと。

また、日常生活支援住居施設の入所者への訪問調査にあたっては、個別支援計画に基づく支援の実施状況についても確認を行い、必要に応じて計画の見直し等について施設の生活支援員と協議すること。

問3　局長通知第12の1の(2)のアにいう「認知症対応型共同生活介護（グループホーム）等」の施設には、認知症対応型共同生活介護（グループホーム）以外にどのようなものがあるのか。

答　有料老人ホーム、サービス付き高齢者向け住宅、軽費老人ホーム及び共同生活援助（障害者のグループホーム）であって、認知症対応型共同生活介護（グループホーム）と同程度の支援体制が整っている施設であること。

この判断に当たっては、次のすべての事項を満たしていることに留意された上で、毎年度体制状況の確認を行うこと。

1　夜勤職員が常駐している等、昼夜の時間帯を通じて支援体制が整っている。
2　当該施設の監督庁に意見を聴取し、当該施設が法令を遵守していることが確認できる。
3　医療機関等の関係機関との協力体制が整っている。

問4　局長通知第12の1の(2)のイの(ウ)にいう「支援関係者が参集する会議体」とは、具体的にどのようなものが想定されるか。

答　重層的支援体制整備事業における重層的支援会議、ケアマネジャーが参画するサービス担当者会議、成年後見制度を含めた権利擁護支援に関する具体的な支援方策等を

検討・協議する場（ケース会議や受任調整会議等）など、それぞれの制度における個別支援を行うための計画・プランを作成するための会議等が想定される。これらの会議体を含め、それぞれの地域における社会資源を踏まえて、個人情報の取扱いに留意しつつ、関係機関と緊密に連携いただきたい。

問5　局長通知第12の1の(2)のウの(イ)にいう「状況確認が十分にできないと判断される場合」とは、具体的にどのような場合が想定されるか。

答　情報共有等により「状況確認が十分にできないと判断される場合」については、例えば、就労支援事業に参加しているひとり親世帯について、就労支援事業の関係機関等との情報共有によって把握できる事業参加者の状況だけではなく、世帯の子の養育や資産活用の状況等に関する状況確認が求められる場合などが想定される。

第13　その他

問1　施行規則第22条第2項の規定による相続財産管理人の選任の請求は、保護の実施機関が民法第952条第1項にいう利害関係人として行なうものと解してよいか。

答　お見込みのとおりである。

問2　葬祭を行なう扶養義務者がないため葬祭扶助を行なった場合において、死者名義の郵便貯金通帳があるときは、どのように処分したらよいか。

答　郵便貯金通帳は、法第76条第1項にいう死者の遺留物品と解すべきであるが、とくに債権の証拠物件であることにかんがみ、郵便局の貯金窓口又はゆうちょ銀行店舗に対して具体的な払戻し等の方法につき確認を行った上で、払いもどしを受けるのが適当である。

問3　国若しくは地方公共団体により貸付けられる住宅資金又は国若しくは地方公共団体の委託事業として貸付けられる住宅資金と本法による住宅扶助との関係をどう取扱うべきか。

答　設問にかかる住宅資金の貸付けを受けるについての承認は、本法による扶助の対象とはなりがたい需要について行なうものであり、貸付金をもって本法の給付に代替させる趣旨のものではない。

第14　施行期日

1　この通知は、昭和38年4月1日から施行すること。

2　昭和36年4月1日社保第21号、厚生省社会局保護課長通知「生活保護法による保護の実施要領の解釈と運用について」、昭和36年4月1日社保第22号厚生省社会局保護課長通知「生活保護法による保護の実施要領に関する質疑応答について」及び昭和37年12月5日社保第91号厚生省社会局保護課長通知「生活保護法による保護の実施要領に関する疑義について」は、廃止すること。

第2節　一般通知等

1　実施責任関係

○老人ホームへの入所措置等に関する留意事項について

> 昭和62年1月31日　社老第9号
> 各都道府県・各指定都市民生主管部(局)長宛　厚生省
> 社会局老人福祉課長通知

〔改正経過〕
　第1次改正　平成3年3月8日老福第48号　　第2次改正　平成5年2月15日老計第19号
　第3次改正　平成8年3月22日老計第50号

　老人ホームへの入所措置等の指針については、本日付をもって、社会局長から通知されたところであるが、下記の事項にも留意され、適正な入所措置等が行われるよう、よろしくお取り計らい願いたい。併せて関係方面への周知について御配慮願いたい。
　なお、本通知は、昭和62年4月1日から施行することとし、これに伴い次の通知は、昭和62年3月31日をもって廃止する。
1　老人ホームの入所判定について（昭和59年9月20日社老第110号）
2　老人福祉法第11条第1項第3号の特別養護老人ホームへの収容の措置について（昭和39年9月12日社老第28号）

記

第1　措置の実施者
　1　老人福祉法（以下「法」という。）第11条第1項の措置の相手方たる老人が居住地を有するときは、その居住地の市町村が措置の実施者であること。ただし、当該老人が法第11条第1項第1号若しくは第2号又は生活保護法第30条第1項ただし書きの規定により、老人福祉法第5条の3に規定する養護老人ホーム又は特別養護老人ホーム、生活保護法第38条に規定する救護施設又は更生施設等に入所している場合にあっては、当該老人が入所前に居住地を有した者であるときは、その居住地の市町村が、当該老人が入所前に居住地を有しないか、又はその居住地が明らかでなかった者であるときは、入所前における当該老人の所在地の市町村が措置の実施者であること。

この場合における居住地とは、老人の居住事実がある場所をいうものであるが、現にその場所に生活していなくても、現在地に生活していることが一時的な便宜のためであり、一定期限の到来とともにその場所に復帰して起居を継続していくことが期待される場合等は、その場所を居住地として認定するものであること。
2 法第11条第1項の措置の相手方たる老人が居住地を有しないか又はその居住地が明らかでないときは、その所在地の市町村が措置の実施者であること。
　なお、当該老人が、老人福祉法第5条の3に規定する養護老人ホーム及び特別養護老人ホーム並びに生活保護法第38条に規定する救護施設及び更生施設以外の社会福祉施設又は病院等に入所している場合にあっては、当該施設の所在地の市町村が措置の実施者であること。

第2 老人ホームへの入所措置の要否判定困難ケースについての取り扱い
1 老人ホームへの入所措置の要否判定困難ケースについては、都道府県・指定都市・中核市本庁の助言を求めることが望ましいものであること。
2 都道府県・指定都市・中核市は、入所措置の要否判定困難ケースについて助言を求められた場合には、老人福祉主管課長、県本庁医師、福祉事務所長、保健所長、精神衛生センター所長及び老人福祉施設長のそれぞれの代表者で構成する「入所判定審査会」を開催し、その意見を聞くことが望ましいものであること。

第3 老人ホームへの入所措置決定時の事前説明等
1 老人ホームへの入所決定時に入所希望者及びその家族等に対して措置制度の仕組みや老人福祉施設の種類とそれぞれの機能について事前に十分説明し、理解を求めておくのが望ましいものであること。
2 老人ホームへの入所措置を決定した後、入所するまで数か月の期間を要する場合は実際に入所する時点で必要に応じ再度判定を行うのが望ましいものであること。
3 老人ホームへの入所措置の変更等に際しては、入所者及びその家族の意志を十分聴取するとともに措置の趣旨について十分説明し、理解と合意を得たうえで措置変更等を行うのが望ましいものであること。
4 老人ホームに入所中の者に係る措置継続の要否判定は、年度当初に行うのが望ましいものであること。

第4 養護委託の際の手続等
1 委託の措置を決定するに当たっては、あらかじめ、次の措置をとることが望ましいものであること。
　(1) 養護受託者に対し、委託しようとする老人の健康状態、経歴、性格、信仰等について了知させること。
　(2) 委託しようとする老人と養護受託者とを面接させること。
　(3) 委託しようとする老人と養護受託者が委託の措置について合意に達していることを確認すること。
2 委託の措置を決定したときは、養護受託者に対し、委託の条件として、少なくとも次に掲げる事項を文書をもって通知することが望ましいものであること。

(1)　処遇の範囲及び程度
　(2)　委託費の額及び経理の方法
　(3)　老人又は受託者が相互の関係において損害を被った場合、措置の実施者がこれを賠償する責を負わない旨
　(4)　措置の実施者が養護受託者について老人の養護に関して必要な指導をしたときは、これに従わなければならない旨
3　同一の養護受託者が2人以上の老人（それらが夫婦等特別の関係にある場合を除く。）を養護する場合は、次の事項に留意すること。
　(1)　個室を確保すること。
　(2)　委託人数は、養護受託者の能力等を勘案し認定すること。ただし、数名を限度とすること。
　(3)　養護受託者は、養護を受ける者の養護に万全を期すること。
4　団体の長への養護委託を行う場合は、前記3のほか、次の事項に留意すること。
　(1)　委託先は、社会福祉法人等とすること。
　(2)　養護受託者たる団体の長は、ボランティア等の協力を得て養護を行って差し支えないこと。

第5　遺留金品の取扱い

　法第27条に規定する遺留金品の取扱いは、生活保護法第76条の規定に基づく遺留金品の処分の例により取り扱うのが望ましいものであること。

○老人福祉法施行事務に係る質疑応答について

> 昭和39年1月7日　社施第1号
> 各都道府県・各指定都市民生主管部(局)長宛　厚生省
> 社会局施設課長通知

〔改正経過〕
　　第1次改正　昭和49年10月30日社老第87号

　標記のことについては、昭和38年8月1日社施第27号本職通知をもって通知したところであるが、今般更にその追加として老人福祉法施行後における主要な質疑応答を別紙のとおり示すから、事務処理上の参考とされたい。

別　紙
　　　老人福祉事務質疑応答
第1　福祉の措置に関する事項
　第1問　養護老人ホーム又は特別養護老人ホーム（以下「老人ホーム」という。）に私的契約で入所している者から当該老人ホーム所在地を管轄する甲市に措置開始の申出があった。当該老人の入所前の居住地は乙市である。措置の実施機関は甲、乙いずれの市の市長であるか。
　答　老人ホームに入所している者の居住地は、当該老人ホーム所在地であると解すべきであるので、設例の場合は当該老人ホーム所在地を管轄する福祉事務所を管理する甲市長が措置を行なうこととなる。
　　なお、軽費老人ホーム又は有料老人ホームに入所している者に対し措置を行なう場合も同様である。
　第2問　異なる措置の実施機関から措置を受けて同一の老人ホームに収容されている男女老人が当該施設内で結婚し、引き続き措置を受ける場合の措置の実施機関はどうなるか。
　答　当該被措置者は、婚姻により同一世帯を構成することとなるが、措置の実施機関は、老人福祉法第11条第4項ただし書に規定するとおり、当該被措置者の収容前の居住地又は現在地により定まるものであって、変動することはない。従って、この場合においては、同一世帯と認定される事例についても、2つの実施機関がそれぞれ引き続き別個に措置を行なうこととなる。
　第3問　老人福祉法施行細則準則第5条第2項によれば、養護受託者（申出者）の申出の受理、審査及び登録等については福祉事務所長が行なうこととされているが、これによると、福祉事務所長は自ら登録した養護受託者に対してのみ老人福祉法第11条第1項第4号による措置をとり得るものと解されるが如何。

答　原則としては、貴見のとおりであるが、同一都道府県、指定都市又は社会福祉事業法第13条第3項ただし書の市にあっては、当該都道府県又は市が設置した他の福祉事務所の管内に居住する養護受託者に対しても養護委託の措置を行なって差しつかえない。

第4問　老人の養護を受託した養護受託者が他の都道府県、市又は福祉事務所を設置する町村に転出した場合においては、先に行なった養護委託の措置を廃止すべきか。

答　貴見のとおりである。

第5問　老人ホームに収容されている者若しくは養護受託者にその養護を委託されている者が生活保護法による医療扶助により入院するとき、又は入院している被保護者が老人ホームに入所するとき若しくは養護受託者の家庭に入るときの移送に要する費用は、老人福祉法により支給することができるか。

　また、老人ホーム等から医療扶助により通院するときの移送に要する費用の取扱いはどうなるか。

答　いずれの場合においても、当該費用は、老人福祉法によっては支給されない。

第6問　老人ホームに収容されている者又は養護受託者にその養護を委託されている者が死亡した場合であって、次のようなときは、老人福祉法による葬祭又は葬祭の委託の措置を行なうことができるか。

1　当該死者の扶養義務者等に葬祭を行なうに充分な資力を有する者があり、しかもその葬祭を行なおうとしないとき
2　当該死者が同時に被保護者であってその葬祭を行なう者がないとき
3　当該死者の扶養義務者等が引き取って葬祭を行なう場合であってその扶養義務者等が要保護者であるとき

答　老人福祉法第11条第3項の規定により、葬祭又は葬祭の委託の措置は、葬祭を行なう者がないときに行なうものであるから、設例の1及び2については、当該措置を行なうこととし、設例の3については、当該措置は行なわないこととする。

第7問　生活保護法により養老施設に収容されていた者が、老人福祉法の施行直前に医療扶助により1か月以上入院し、老人福祉法施行後退院して老人ホームに入所しようとする場合において、その時点で60歳未満であるときは、これを措置することができるか。

　また、同様に同法施行前から養老施設に収容されていた60歳未満の者が、同法施行後に老人ホームから入院し、1か月以上を経て再び同法により老人ホームに入所しようとする場合の取扱いはどうなるか。

答　これらの事例における如く、かつて生活保護法により養老施設への収容の措置をとられていた者については、昭和38年8月1日社発第525号社会局長通知第5の趣旨にかんがみ、その者が60歳未満であっても、養護老人ホームへの収容の措置を行なって差し支えない。

第8問　老人福祉法の施行に伴い、老人ホームへの収容又は収容の委託の措置は、60歳以上の者について行なわれることとされたが、生活保護法による救護施設に生活保護

法第30条第1項但し書の規定により現に収容されている60歳以上の者については、老人ホームに収容の余力が生じた場合において老人ホームに移替えを行なうべきであるか。

答　貴見のとおりである。

第2　費用に関する事項

第9問　次の事例に掲げる者について、外国人の場合と同様に措置費につき老齢福祉年金又は障害福祉年金相当額を加算する取扱いは認められないか。

1　70歳以上とみられる者又は国民年金法別表に定める1級に該当する程度の廃疾の状態（以下「年金1級廃疾状態」という。）にある者であって、本籍が明らかでない（本籍が樺太等の旧日本領土であるため日本国籍を証明することができない場合を含む。）ため老齢福祉年金又は障害福祉年金を受給できないもの

2　国民年金法施行当時70歳をこえていたか、又は年金1級廃疾状態にあったが外国に居住していた場合等、年金の支給事由発生当時日本国内に住所を有しなかったため、老齢福祉年金又は障害福祉年金を受給できない者

3　身体障害者福祉法施行規則別表第5表の2に掲げる身体障害者程度等級表の1級又は2級に該当し、かつ、年金1級廃疾状態にない者

答　設問の事例に掲げる者については、昭和38年8月1日社発第525号社会局長通知第4の特例に準ずる取扱いは認められない。

このような者については、福祉年金の支給要件を満たさないことが確認された場合に、次に掲げる書類を添付して、昭和38年8月1日厚生省発社第253号厚生事務次官通知別紙の第1のただし書による特別基準設定申請を行なわれたい。

1　老齢による加算については、戸籍の抄本
2　廃疾による加算については、その程度についての確認書
3　老齢福祉年金又は障害福祉年金の支給要件を満たさないことの確認書
4　収入認定調書

第10問　削除

第11問　甲老人ホームに収容されている被措置者を乙老人ホーム（又は保護施設）に移し替えた場合において、当該日にかかる措置費等は甲、乙両施設に重複して交付してよいか。また、甲乙両施設が同一主体により経営されている場合も同様に取り扱ってよいか。

答　貴見のとおりである。

第12問　老人ホームに収容されている者が月の中途で死亡した場合、当該月の保護措置費の死亡日の翌日以降にかかる部分の取扱いはどうなるか。

答　保護措置費は、被措置者の当該月の養護に要する費用であり、かつ、当該施設の長又は養護受託者に交付されるものであるから、被措置者が月の中途で死亡した場合は、死亡日の翌日以降の部分は過払いとなり、地方自治法施行令第154条第2項の規定するところに従い、当該施設の長又は養護受託者から返納させること。

○生活保護法による保護の実施要領に関する疑義について(抄)

> 昭和39年7月10日　社保第61号
> 各都道府県・各指定都市民生主管部(局)長宛　厚生省社会局保護課長通知

　　注　本通知は、平成13年3月27日社援保発第19号により、地方自治法第245条の9第1項及び第3項の規定に基づく処理基準とされている。

標記実施要領にかかる昭和38年4月1日社発第246号厚生省社会局長通達(以下「局長通達」という。)の解釈と運用に関し疑義を生じている向もあるので、これが取扱いについては次によられたく通知する。

第1　実施責任に関する規定の改正について

1　局長通達第2の1の(1)については、本年4月1日社発第165号によって規定上整理が加えられた結果、入院中の単身者で保護を受けていなかった者が、入院後時日を経て保護を申請した場合で、申請の時点において居住地がないと認められるときには適用されないこととなったが、当該要保護者については局長通達第2の1本文が適用されるので、次の2に示す場合を除き実質上取扱いが改められたものではないこと。

2　入院中の単身者で保護を受けていなかった者から保護の申請があった場合、当該要保護者について局長通達第2の1の(2)に該当する事情があるときは、入院前の居住地を所管する実施機関が実施責任を負うものであること。

　従来、単身者が入院後時日を経て保護の申請を行なった場合には、改正前の局長通達第2の1の(1)が適用され、改正前の局長通達第2の1の(2)のア又はイの適用の余地はなかったので、この点今回の改正により取扱いが改められたものであること。

　なお、保護の申請が入院後3箇月以内に行なわれた場合で、局長通達第2の1の(3)に該当する事情があるときも同様であること。

第2　実施責任に関するその他の疑義について

1　保護を受けていなかった単身者が身体障害者更生援護施設その他局長通達第2の3に掲げる施設に入所する場合であっても、入所と同時に保護を受けることとなる場合には同項が適用されるものであること。

　したがって、保護を受けていなかった単身者から、これらの施設に入所することを希望し、あわせて保護を受けることについて申請があった場合、保護を要しないものとして当該申請を却下すべき場合を除き実施責任は同項の定めるところによること。

2　入院患者、身体障害者更生援護施設その他の施設に入所している者等が、入院又は入所中のまま当初属していた世帯を離れて他に生計関係を移すことについては、その事実を確認することが困難であり、また、当初属していた世帯が消滅したような場合

生活保護法による保護の実施要領に関する疑義について(抄)

を除いては通常予想されないところであるので、上記入院患者等についていわゆる転入転出の届出があったことをもってただちに保護の実施責任の判定上居住地の変更があったものと解することはできないこと。

　また、当初属していた世帯が消滅した場合であっても、他に引受先があるにとどまるときは、局長通達第2の1の実施責任が定められる事例が多いものと解されること。

第3・第4　略

2 扶養関係

○生活保護法第77条第2項に基づく家庭裁判所に
対する審判を求める申立てについて

> 昭和62年7月27日　社保第75号
> 各都道府県知事・各指定都市市長宛　厚生省社会局長
> 通知

　標記のことについて、本職から最高裁判所事務総局家庭局長に対して別紙1のとおり照会したところ、別紙2のとおり回答があったので、了知の上、生活保護法第77条の適用に遺漏のないよう配慮されたい。

（別紙1）

> 昭和62年3月17日　社保第20号
> 最高裁判所事務総局家庭局長宛　厚生省社会局長照会

　生活保護行政の運営については、平素から格別の御高配を賜り厚く御礼申し上げます。
　さて、生活保護法は、民法に定める扶養義務者の扶養を保護に優先させている（第4条第2項）ことから、扶養の義務を履行しなければならない者があるときは、同法第77条の規定によりその扶養義務者の扶養能力の範囲内で、保護に要する費用の全部又は一部を徴収できることとしております。
　最近、扶養義務者に十分な扶養能力があると認められるにもかかわらずその義務を履行していない事例が多くなってきており、このような事例に対しては生活保護法の原則からも放置することなく、同法第77条を適用し費用徴収を厳格に行っていく必要があると考えているところであります。
　そこで、同法第77条を運用するに当たり、下記について疑義が生じたので、貴職の見解を御教示いただきたく照会いたします。

記

　生活保護法第77条第2項に基づき、保護の実施機関が家庭裁判所に扶養義務者が負担すべき額についての審判を求める申立を行う場合、地方自治法第96条第1項の規定による当該自治体の議会の議決を要するか否かについて、本職としては、本件申立は国の機関委任事務であることから議決は要しないと判断しているところであるが如何。

生活保護法第77条第2項に基づく家庭裁判所に対する審判を求める申立てについて

(別紙2)

$\left(\begin{array}{l}\text{昭和62年5月26日　最高裁家1第183号}\\ \text{厚生省社会局長宛　最高裁判所事務総局家庭局長回答}\end{array}\right)$

　照会のありました標記の申立てについては、当該知事等が属している地方公共団体の議会の議決（地方自治法第96条第1項）を要しないものと考えます。

　なお、具体的事件の処理に関しては、当該申立てを受けた各家庭裁判所の判断事項であるので、念のため申し添えます。

○扶養義務履行が期待できない者の判断基準の留意点等について

(令和3年2月26日　事務連絡
各都道府県・各指定都市・各中核市生活保護担当課宛
厚生労働省社会・援護局保護課)

　生活保護行政の推進につきましては、平素から格段の御配慮を賜り厚く御礼申し上げます。
　さて、昨今の状況を踏まえ、今般、「「生活保護法による保護の実施要領の取扱いについて」の一部改正について（通知）」（令和3年2月26日付社援保発0226第1号厚生労働省社会・援護局保護課長通知）及び「「生活保護問答集について」の一部改正について」（令和3年2月26日付厚生労働省社会・援護局保護課長事務連絡）により、それぞれ「生活保護法による保護の実施要領の取扱いについて」（昭和38年4月1日社保第34号厚生省社会局保護課長通知。以下「課長通知」という。）の第5の問2及び「生活保護問答集について」（平成21年3月31日厚生労働省社会・援護局保護課長事務連絡）（以下「問答集」という。）の問5－1を改正し、扶養義務履行が期待できない者の判断基準の考え方をお示ししたところですが、これらの改正を踏まえた運用上の留意点についてお知らせいたします。また、併せて、保護の実施要領上の扶養に関する取扱いが煩雑であるとの意見があることを踏まえ、扶養に関する調査の流れについて、改めて周知いたしますので、都道府県におかれては管内保護の実施機関に対し周知徹底方お願いいたします。

記

1　改正の趣旨
　　生活保護法第4条第2項において、扶養義務者の扶養は「保護に優先して行われる」ものと定められており、「保護の要件」とは異なる位置づけのものとして規定されている。
　　この意味するところは、例えば、実際に扶養義務者からの金銭的扶養が行われたときに、これを被保護者の収入として取り扱うこと等を意味するものであり、扶養義務者による扶養の可否等が、保護の要否の判定に影響を及ぼすものではなく、「扶養義務の履行が期待できない」と判断される扶養義務者には、基本的には扶養義務者への直接の照会（以下、「扶養照会」という。）を行わない取扱いとしている。
　　今般の改正は、この対象者について、今の時代や実態に沿った形で運用できるよう見直したものである。
　　こうした改正の趣旨を踏まえ、各実施機関におかれても、要保護者の相談に当たっては、丁寧に生活歴等を聞き取り、個々の要保護者に寄り添った対応がなされるよう、より一層配慮されたい。

2　扶養に関する調査の手順
　　扶養に関する調査の手順については、問答集の第5に記載しているとおりであるが、

改めて以下のとおり周知する。特に、扶養照会は、(1)から(3)までの作業の結果、「扶養義務の履行が期待できる」と判断される者に対して行うものであることに注意する必要がある。
(1) 保護の実施機関が行う扶養に関する調査は、まず扶養義務者の存否の確認から行う。この作業は、要保護者からの申告を基本としつつ、必要に応じて戸籍謄本等によって行う。
(2) 存在が確認された扶養義務者については、要保護者等からの聞き取り等により、扶養の可能性の調査（以下「可能性調査」という。）を行う。この可能性調査においては、金銭の援助だけではなく、精神的な支援の可能性についても確認を行う。<u>なお、この可能性調査の判断の詳細について、下記「3　扶養義務履行が期待できない者の判断基準」でお示しするものである。</u>
(3) 可能性調査の結果、「扶養義務履行が期待できない者」と判断された場合は、個別に慎重な検討を行った上で、当該扶養義務者を直接照会することが真に適当でない場合又は扶養の可能性が期待できないものとして取り扱い、扶養照会を行わないこととして差し支えないものとしている。ただし、当該扶養義務者が生活保持義務関係にある者（保護の実施要領上、夫婦及び親の未成熟の子（中学3年以下の子をいう。）に対する関係としている。）である場合は、関係機関等に対する照会（以下「関係先調査」という。）を行うこととしている。
(4) 扶養照会における照会方法については、①「生活保持義務関係者」、②「生活保持義務関係以外の親子関係にある者のうち扶養の可能性が期待される者」、③「その他当該要保護世帯と特別な事情があり、かつ扶養能力があると推定される者」を、「重点的扶養能力調査対象者」として、実施機関の管内に居住する場合には実地で調査を行うなど、重点的に調査を実施することとしている。それ以外の扶養義務者については、文書による照会を行うなど、必要最小限度の調査を行うこととしている。

3　扶養義務履行が期待できない者の判断基準

2にお示ししたとおり、可能性調査の結果、「扶養義務履行が期待できない者」と判断された場合は、扶養の可能性がないもの等と取り扱うことができ、その場合は扶養照会を行わないものであるが、今般の改正において、当該扶養義務履行が期待できない者への該当に係る判断基準の明確化を図っている。この判断に係る運用上の留意点については以下のとおりであるので、参照されたい。
(1)　「扶養義務履行が期待できない者」の類型について
　　「扶養義務履行が期待できない者」について、課長通知第5の問2及び問答集の問5-1でお示ししている内容を整理すると、以下の3類型を例示している。
　① 当該扶養義務者が被保護者、社会福祉施設入所者、長期入院患者、主たる生計維持者ではない非稼働者（いわゆる専業主婦・主夫等）未成年者、概ね70歳以上の高齢者など
　② 要保護者の生活歴等から特別な事情があり明らかに扶養ができない（例えば、当該扶養義務者に借金を重ねている、当該扶養義務者と相続をめぐり対立している等の事情がある、縁が切られているなどの著しい関係不良の場合等が想定される。な

お、当該扶養義務者と一定期間（例えば10年程度）音信不通であるなど交流が断絶していると判断される場合は、著しい関係不良とみなしてよい。）
③ 当該扶養義務者に対し扶養を求めることにより明らかに要保護者の自立を阻害することになると認められる者（夫の暴力から逃れてきた母子、虐待等の経緯がある者等）
(2) 上記類型への当てはめについて
　上記①～③の類型はあくまで例示であり、直接当てはまらない場合においても、これらの例示と同等のものと判断できる場合は、「扶養義務履行が期待できない者」に該当するものとして取り扱ってよいことはいうまでもないが、特に②の類型への該当に係る判断については、下記の考え方を参照した上で行われたい。
・　従前、「20年間音信不通である」ことを該当例としてお示ししてきたところであるが、今般、例示を追加したのは、音信不通により交流が断絶しているかどうかに関わらず、当該扶養義務者に借金を重ねている、当該扶養義務者と相続をめぐり対立している、縁が切られているなどの著しい関係不良の場合等に該当するかどうかについて個別の事情を検討の上、扶養義務履行が期待できない者に該当するものと判断してよいという趣旨であること。
・　この検討に当たって、一定期間（例えば10年程度）音信不通であるなど交流が断絶している場合には、これをもって、「著しい関係不良等」と判断してよいこと。なお、10年程度音信不通である場合は、その他の個別事情の有無を問わず、交流断絶と判断してよいこと。また、音信不通となっている正確な期間が判明しない場合であっても、これに相当する期間音信不通であるとの申出があり、その申出の内容が否定される明確な根拠がないことをもって、該当するものと判断して差し支えないとの趣旨で、「程度」としていること。
4　当該扶養義務者に対し扶養を求めることにより明らかに要保護者の自立を阻害することになると認められる場合の取扱い
　特に、上記③の場合のように、扶養照会により要保護者の自立を阻害することになると認められる場合は、改正後の課長通知の第5の問2のとおり、扶養照会を控えることとしている。なお、この場合、生活保持義務関係の場合でも扶養照会を控えることとしている旨、念のため申し添える。
　また、生活保持義務関係の場合には、要保護者の申出が事実であるかなどの確認を行う観点から、関係先調査を行うこととなる。この関係先調査を行うに当たっては、当該扶養義務者本人に、関係先調査を行っている事実や当該要保護者の居住地はもとより、その手がかりとなる情報（例えば、福祉事務所名等）も知られることのないよう、特に慎重に調査を行うこと。
　この関係先調査の結果、③の類型に該当することについて、当該要保護者の申出が虚偽であったことが判明した場合には、改めて当該扶養義務者に係る可能性調査を行い、「扶養義務履行が期待できない者」に該当しないことを確認の上、扶養照会を行うこと。

以上

3 最低生活費関係

○生活保護法による保護の実施要領に関する疑義について(抄)

〔昭和38年11月29日　社保第85号
各都道府県・各指定都市民生主管部(局)長宛　厚生省
社会局保護課長通知〕

注　本通知は、平成13年3月27日社援保発第19号により、地方自治法第245条の9第1項及び第3項の規定に基づく処理基準とされている。

標記について、保護の実施要領の解釈と運用上、その取扱いに明確を欠いていた事項について、今般別紙質疑応答集のとおり取扱うこととなったので了承されたい。

〔最低生活費〕
問1　収容保護施設に入所している者に関する基準生活費(以下「入所費」という。)の計上にあたり、次の場合の取扱いを示されたい。
 (1)　入所費は、入所日から退所日まで計上してよいか。
 (2)　入所前の居住地の級地基準と、施設所在地の級地基準が異なる場合の入所日の入所費の級地基準は、入所前の居住地の級地基準を適用するのか。また、施設所在地の級地基準と、退所後の居住地の級地基準が異なる場合の退所日の入所費の級地基準は、退所後の居住地の級地基準を適用するのか。
 (3)　(1)の取扱いが認められるならば、A施設を退所し、同日にB施設に入所した場合、入所日が重複するが差しつかえないか。
答1　設問の(1)について
　　収容保護施設の入所費は、入所日から退所日まで計上するものである。
　2　設問の(2)について
　　前段については、入所日から施設所在地の級地基準を適用し、また後段についても退所日まで施設所在地の級地基準を適用されたい。
　3　設問の(3)について
　　設例のような場合は、入所日が重複しても差しつかえないものである。
問2　水害等で家屋内にはいった土砂を除去する場合に要する費用を、保護の基準別表第

3の1の補修費等住宅維持費により認定してよいか。
答　災害救助法その他、他法他施策による措置が行なわれない場合で、次に掲げる要件のすべてを満たすときは、認定して差しつかえない。
(1)　土砂の家屋内への浸入が甚だしいため、日常の起居に障害があること。
(2)　世帯員の中に土砂を除去する能力のある者がいないこと。
(3)　近隣の人または縁故知人等の援助を期待できないこと。
問3　住宅扶助の修理費等住宅維持費〔中略〕の年額の認定のもととなる1年の期間の起算点はどのように定めるべきか示されたい。
答　設問の年額の認定にかかる期間については、次により取扱うようにされたい。
(1)　保護を開始した日以後最初に家屋補修を決定した日の属する月から12か月
(2)　前項の期間が経過した後においては、期間満了の月の翌月以後はじめて家屋補修を決定した日の属する月から12か月（以後その期間が経過するごとに順次これに準じて取扱う。）
問4　昭和38年8月1日社発第525号厚生省社会局長通達第6の1の(2)において、養護老人ホーム等の入所者等に医療扶助を適用する場合、身体障害者加算及び老齢加算の認定要件を満たす者については、最低生活費としてこれを認定することとなっているが、その者の収入が加算認定額に満たないときは、不足分に相応する保護費の支給を行なうものと解してよいか。
答　設問の局長通達は、生活保護法による医療扶助の行なわれる者について、その要否判定及び本人支払額の決定を行なう際の取扱いを示したものであって、その者の収入がこれに満たない場合にその不足分を更に支給することまでは考慮していないものである。これらの加算の内容に相当する生活需要は、すべて老人福祉法の措置を受けている限りこれによる施設収容の処遇のうちに含まれているものと解され、もし、これを支給するとすれば、医療扶助を受ける者と受けない者との間に不均衡を生ずることになるからである。
問5　老人福祉法第11条第1項又は第2項の規定により、養護老人ホーム若しくは特別養護老人ホームに収容されている者又は養護受託者にその養護を委託されている者が、生活保護法による医療扶助により病院又は療養所に入院し又は入所したところ、その者に対する老人福祉法による当該措置が継続されている間に死亡した。この場合、生活保護法による葬祭扶助を行なってよいか。
答　老人福祉法による収容（養護委託を含む。）の措置が継続されており、かつ、その者の葬祭を行なう者がいないときは、その者が病院又は療養所に入院又は入所中であると否とにかかわりなく、同法による葬祭措置が行なわれるので、生活保護法による葬祭扶助は行なわれないものである。ただし、死者の家族等が引き取って葬祭を行なう場合にその家族等が要保護者であるときはこの限りでない。
問6　略
（収入の認定）
問7　未成年者のみで構成されている世帯であって、次のような場合未成年者控除の適用

生活保護法による保護の実施要領に関する疑義について（抄）

をして差しつかえないか。
(1) 未成年者の兄弟（姉妹）2人の世帯で、2人とも稼働収入を得ている場合
(2) (1)と家族構成が同様の世帯で、2人のうちいずれか一方のみが稼働収入を得ている場合
(3) 未成年者の兄弟（姉妹）3人以上の世帯で、その世帯員のうち1人でも稼働収入を得ていない者がいる場合

答　設例の(1)については、未成年者控除の適用は認められない。また(2)については、稼働収入を得ている者に対して未成年者控除を適用して差しつかえない。さらに(3)については、世帯のうち1人でも稼働収入を得ていない者がいるときは、稼働収入を得ている者に対して未成年者控除を適用して差しつかえない。

以上のとおり、未成年者のみで構成されている世帯においては、世帯員のうちに1人でも稼働収入を得ていなければ、稼働収入を得ている者に対して未成年者控除の適用は認めて差しつかえないものであり、世帯員全員が稼働収入を得ている場合は、未成年者控除の適用は認められないものである。

○生活保護法による保護における障害者加算等の認定について

> 昭和40年5月14日　社保第284号
> 各都道府県・各指定都市民生主管部(局)長宛　厚生省
> 社会局保護課長通知

〔改正経過〕
　　第1次改正　平成7年9月27日社援保第218号　　　第2次改正　平成11年3月31日社援保第15号
　　第3次改正　平成28年3月31日社援保発0331第5号

　　注　本通知は、平成13年3月27日社援保発第19号により、地方自治法第245条の9第1項及び
　　　　第3項の規定に基づく処理基準とされている。

　標記のことについては、保護の基準及び保護の実施要領の定めるところによるほか、次の点に留意のうえ管内実施機関を指導されるよう通知する。
1　生活保護法による保護における各種加算（放射線障害者加算を除く。）の対象とすべき障害者の認定は、必ずしも当該障害者を支給要件とする年金又は手当（以下「関連年金等」という。）における裁定又は認定をまって行うべきものではないこと。
　　したがって現に関連年金等の裁定等を受けていない障害者から加算についての申告があったときは、関連年金等の受給に必要な手続をとるよう指示するとともに、3により加算の適否について保護の実施機関としての認定を行うこと。
2　要保護者から関連年金等の裁定等を受けている旨の申告があったときは、保護の実施機関として特に診断書等を徴することなく当該裁定等の事実を確認のうえ相応の加算を認定して差しつかえないこと。
3　要保護者であって関連年金等の受給手続中である等のため保護の実施機関として加算の適否を認定する必要があると認められる者については、身体障害者更生相談所、知的障害者更生相談所、児童相談所、精神保健福祉センターその他実施機関の指定する医師の診断により認定を行うこと。
　　ただし、精神障害者保健福祉手帳の交付を受けた精神障害者であって当該手帳の交付年月日又は更新年月日が当該障害の原因となった傷病について初めて医師の診療を受けた後1年6月を経過しているものについては、医師の診断に代えて当該手帳により認定を行って差し支えないこと。この場合において、初めて医師の診療を受けた日の確認は、当該手帳発行の際の医師の診断書（写しを含む。以下同じ。）を確認することにより行うものとすること。
　　なお、当該傷病について初めて医師の診療を受けた日の確認は、都道府県精神保健福祉主管部局において保管する当該手帳を発行した際の医師の診断書を確認することによ

り行うものとすること。
　おって、保健所において当該手帳を発行した際の医師の診断書を保管する場合は、当該診断書を確認することにより行うこととして差し支えないこと。
4　3により障害者加算等を認定した被保護者についてその障害等が関連年金等の支給要件に該当しない旨の裁定又は認定が行われたときは、当該裁定等のあった月の翌月から生活保護法による保護における障害者加算等の認定を取り消すものとすること。
　ただし、当該裁定等に係る医師の診断の後、精神障害者保健福祉手帳の交付又は更新を受けることとなった者であって当該手帳の交付年月日又は更新年月日が当該障害の原因となった傷病について初めて医師の診療を受けた後1年6月を経過しているものについては、再度年金の受給に必要な手続をとるよう指示するとともに、年金の裁定が行われるまでの間に限り、当該手帳により障害者加算等の認定を行うものとすること。
5　3により障害者加算等の対象とならないものと認定した被保護者について、その障害度が関連年金等の支給要件に該当する旨を裁定又は認定が行なわれたときは、当該認定等のあった月の翌月から生活保護法による保護における障害者加算等を認定すること。
　この場合、当該裁定等の行なわれている以前に当該加算について生活保護法上の変更申請が行なわれていた場合に限り、当該裁定等のあった月、その前月及び前々月についても障害者加算等を認定するものとすること。

○精神障害者保健福祉手帳による障害者加算の障害の程度の判定について

> 平成7年9月27日　社援保第218号
> 各都道府県・各指定都市・各中核市民生主管部(局)長
> 宛　厚生省社会・援護局保護課長通知

　今般、精神保健法の一部を改正する法律（平成7年法律第94号）による改正後の精神保健及び精神障害者福祉に関する法律（昭和25年法律第123号）第45条の規定により創設された「精神障害者保健福祉手帳」の制度が平成7年10月1日から実施されることに伴い、昭和38年4月1日社保第34号当職通知「生活保護法による保護の実施要領の取扱いについて」及び昭和40年5月14日社保第284号当職通知「生活保護法による保護における障害者加算等の認定について」を別添のとおり改正したが、その要点は下記のとおりであるので、了知の上、保護の実施に遺憾のなきを期されたい。

記

　精神障害者の障害者加算の認定に係る障害の程度の判定は次のとおり行うことができるものとしたこと。
1　障害基礎年金の受給権を有する者の場合
　(1)　障害の程度の判定は原則として障害基礎年金（以下「年金」という。）に係る国民年金証書により行うが、精神障害者保健福祉手帳（以下「手帳」という。）を所持している者が年金の裁定を申請中である場合には、手帳の交付年月日又は更新年月日が当該障害の原因となる傷病について初めて医師の診療を受けた後1年6月を経過している場合に限り、年金の裁定が行われるまでの間は手帳に記載する障害の程度により障害者加算に係る障害の程度を判定できるものとしたこと。
　(2)　年金の裁定が却下された後、手帳の交付又は更新を受けた者については、年金の裁定の再申請を指示するとともに、再申請に係る年金の裁定が行われるまでの間は、当該手帳に記載する障害の程度により障害者加算に係る障害の程度の判定を行うことができるものとしたこと。
　(3)　障害の程度は、手帳の1級に該当する障害は国民年金法施行令（昭和34年政令第184号）別表に定める1級の障害と、同手帳の2級に該当する障害は同別表に定める2級の障害と、それぞれ認定するものとしたこと。
　(4)　手帳の交付年月日が当該障害の原因となる傷病について初めて医師の診療を受けた後1年6月を経過していることの確認は、都道府県精神保健福祉主管部局において保管する当該手帳を発行した際の医師の診断書（写しを含む。以下同じ。）を確認することにより行うものとしたこと。

また、保健所において当該手帳を発行した際の医師の診断書を保管する場合は、当該診断書を確認することにより行うこととしたこと。
2　障害年金の受給権を有する者以外の場合
(1)　手帳の交付年月日又は更新年月日が当該障害の原因となる傷病について初めて医師の診療を受けた後1年6月を経過している者については、手帳に記載する障害の程度により障害者加算に係る障害の程度を判定できるものとしたこと。
(2)　障害の程度は、手帳の1級に該当する障害は国民年金法施行令(昭和34年政令第184号)別表に定める1級の障害と、同手帳の2級に該当する障害は同別表に定める2級の障害と、それぞれ認定するものとしたこと。
(3)　手帳の交付年月日が当該障害の原因となる傷病について初めて医師の診療を受けた後1年6月を経過していることの確認は、都道府県精神保健福祉主管部局において保管する当該手帳を発行した際の医師の診断書を確認することにより行うものとしたこと。
　　また、保健所において当該手帳を発行した際の医師の診断書を保管する場合は、当該診断書を確認することにより行うこととしたこと。
別添　略

○在宅患者加算の認定について

> 昭和55年4月1日　社保第48号
> 各都道府県・各指定都市民生主管部(局)長宛　厚生省
> 社会局保護課長通知

　　注　本通知は、平成13年3月27日社援保発第19号により、地方自治法第245条の9第1項及び第3項の規定に基づく処理基準とされている。

　結核以外の在宅患者加算の認定については、その対象が広範囲であり、しかも「栄養の補給を必要とする」と認めることについての統一的な判断基準がないため、全国の認定状況をみると各都道府県間に不均衡が生じている。
　かかる現状に鑑み、今般、結核患者以外の在宅患者加算の認定について、できる限り全国統一的な実施を期すとともに、その適正化を図る観点から、別紙のとおり判断指針を作成したので、今後における在宅患者加算の認定にあたっての参考とされたい。
別　紙
　　　　在宅患者加算について　―結核患者以外の患者について―
1　在宅患者加算のあり方
　　結核患者以外についての在宅患者加算は、現に療養に専念している者であって、3か月以上の治療を必要とし、かつ、その病状から判断して医師の指導のもとに栄養補給を必要とする者に加算するものとする。
　　なお、その具体的な要否の認定にあたっては、次の判断指針によるものとする。
2　判断指針
　　次により要否を判断する。
　(1)　臨床検査成績が下記の項目の1つに該当し、かつ、それ以外の項目の検査成績を勘案した結果、栄養の補給が必要と認められるもの。
　　　ア　血清総蛋白量が6.0g／dl未満のもの
　　　イ　A／G比が1.0未満のもの、又はアルブミンが3.0g／dl未満のもの
　　　ウ　赤血球数が300万／mm³未満のもの
　　　エ　血色素量が10.0g／dl未満のもの
　　　オ　ヘマトクリット値が30％未満のもの
　(2)　腹部、胸部などの大手術の術後、原則として3か月以内の患者であって、栄養の補給が必要と認められるもの。
　(3)　臨床検査成績が上記(1)に該当していない場合、又は、その他の栄養状態を示す検査成績が著しく悪化を示している場合であって、総合的に判断して栄養の補給が必要と認められるもの。
3　認定期間
　　結核患者以外についての在宅患者加算の認定更新は、少なくとも3か月をこえない期間ごとにその要否を判断すること。

○老人福祉法の施行に伴う留意事項等について

> 昭和38年8月1日　社発第525号
> 各都道府県知事・各指定都市市長宛　厚生省社会局長
> 通知

〔改正経過〕
　　第1次改正　平成21年3月27日社援発第0327023号

　老人福祉法（昭和38年法律第133号）の施行に関しては、昭和38年7月15日付厚生省発社第235号事務次官通達「老人福祉法の施行について」その他の諸通達によって示されたところであるが、なお、法施行に当たって次の諸事項に留意され、遺憾のないよう御配慮を煩わしたい。

第1　老人ホームの設置認可等に係る協議及び報告について

　養護老人ホーム又は特別養護老人ホームの設置、廃止等については、当分の間、昭和30年5月24日付社発第391号本職通達「生活保護法による保護施設に係る協議及び報告について」中養老施設に係る部分（記の1の(3)及び(4)並びに2の(2)の2から5まで(3)の2のロ及びハ並びに3から7まで、(4)の1のロ及び4、(5)並びに(6)を除く。）を準用すること。この場合においては、「施設の運営の方針」及び「職員の定数及び職務の内容」をもって、「管理規程」又は「経理の方針」にかえることができるものであること。

　なお、社会福祉法人の設置する養護老人ホーム又は特別養護老人ホームの設置認可の協議については、当分の間、昭和32年1月9日付社発第12号本職通達「社会福祉法人の設立する保護施設設置認可の協議について」を準用すること。

第2　老人ホームの診療及び休養のための設置について

　養護老人ホーム又は特別養護老人ホームの診療及び休養のための設備については、当分の間、昭和29年12月21日付社発第1019号本職通達「養老施設、救護施設及び更生施設に設置する診療及び休養のための設備について」の規定中養老施設に係る部分を準用すること。

第3　老人ホームの実地監督について

　老人ホームについては、おおむね1年に1回以上老人福祉法第18条の規定に基づき当該職員をして実地監督を行なわせること。

　なお、この場合においては、当分の間、昭和30年10月14日付社発第773号本職通知「生活保護法による保護施設に対する指導監査について」の規定中養老施設に係る部分を準用すること。

第4　70歳以上の被措置者に係る措置費の特例について

　70歳以上であるか又は国民年金法（昭和34年法律第141号）別表に定める1級に該当する程度の廃疾の状態にある被措置者であって、日本国民でないもの（老齢福祉年金又

は障害福祉年金相当額以上の収入がある者を除く。)については、当分の間、昭和38年8月1日付厚生省発社第253号事務次官通知「老人福祉法による老人保護措置費に対する国庫負担について」による「老人福祉法による養護老人ホーム及び特別養護老人ホームへの収容、養護委託並びに葬祭に関する措置費国庫負担金交付基準」の第1のただし書にいう厚生大臣の承認があったものとして、当該被措置者の生活費に老齢福祉年金又は障害福祉年金相当額(収入がある者については、これらの福祉年金相当額から当該収入額を控除した額)の加算を行なうこと。なお、この加算を行なった場合には、当該施設から加算の対象となった者に対し加算額に相当する額を交付するよう指導されたいこと。

第5 養老施設入所者に対する経過措置について

老人福祉法附則第2条の規定により同法第11条第1項第2号の措置を受けて収容されている者とみなされた者については、昭和38年7月31日付社発第521号本職通知「老人ホームへの収容等の措置の実施について」の第10の1にかかわらず、その者が60歳未満であっても、当該措置の廃止を要しないこと。

第6 生活保護法における老人ホーム入所者等の取扱いについて

老人福祉法附則第13条の規定により生活保護法の養老施設は同法から削除され、老人福祉法附則第2条の規定により同法施行の際現に存する養老施設は同法により設置した養護老人ホームとみなされ、養老施設に収容されている者は同法第11条第1項第2号の措置を受けて収容されている者とみなされることとなり、生活保護法による保護の基準(昭和38年4月厚生省告示第158号)についても別添のとおり本年7月24日厚生省告示第332号をもってその一部が改正されたところであるが、これに伴い、生活保護法による本職通達を別記により改廃し、本年8月1日からそれぞれ適用することとしたので、次の事項に留意し、関係機関に周知徹底を図られたいこと。

1 保護の決定実施

(1) 基本原則

ア 老人福祉法による措置のうち、その内容が、生活保護法による保護と同一であるものについては、老人福祉法による措置が生活保護法による保護に優先するものであること。したがって、要保護者について老人福祉法による措置が期待される場合はつとめてこれを受けるよう指導すること。また、老人福祉法による措置が実施された場合には、その限度において生活保護法による保護は要しないものであること。

イ したがって、老人福祉法第11条第1項又は第2項の規定により現に養護老人ホーム若しくは特別養護老人ホームに収容され、又は養護受託者にその養護を委託されている者(以下「入所者等」という。)については同法に基づく援護が行なわれるので、生活保護法による保護は医療扶助を除き原則として適用の必要はないこと。

(2) 最低生活費の認定

ア 入所者等については老人福祉法により必要な援護が行なわれるので、基準生活

老人福祉法の施行に伴う留意事項等について

費、身体障害者加算、老齢加算、被服費等の支給は、生活保護法による保護としては認められないこと。
　イ　入所者等が、医療扶助を受け病院又は療養所に入院又は入所した場合には一般の場合と同様に、入院患者日用品費等の最低生活費を認定すること。
　ウ　入所者等が入院外による医療扶助を受ける場合には、身体障害者加算及び老齢加算の認定については一般の場合と同様とし、それ以外の最低生活費は認定しないものとすること。
(3)　収入の認定
　　入所者等の収入は一般の場合と同様すべて収入認定することを原則とするが、施設が給与する金銭（第4により施設が給与するものを除く。）は収入として認定しないこと。
(4)　保護の決定
　ア　入所者等に収入がある場合は、まず生活保護法による最低生活費に充当し、保護の要否及び程度を定めること。
　イ　入所者等から医療扶助のための保護の申請があったときは、本年4月1日付社発第246号本職通知「生活保護法による保護の実施要領について」第10の2の(3)に定める短期傷病に関する要否判定の特例により取り扱う必要のある場合があるから留意すること。
(5)　訪問調査等
　　入所者等から保護の開始の申請があった場合は、一般の新規申請を受理した場合と同様に、すみやかに実地調査を行なうこと。ただし、施設長から収容前の居住地、出身世帯員及び扶養義務者の住所氏名、収入及び資産の状況等を記載した副申書の提出があったときは、実地調査を省略して差しつかえないこと。
2　医療扶助
　　入所者等の医療については、従前における養老施設の被収容者の場合と同様であって、真に施設において措置できないと認められる場合に限り、医療扶助を適用するものであること。
3　経過措置
(1)　養老施設収容者の移し替え
　　生活保護法により養老施設に収容されている者については、老人福祉法による措置がとられたものとみなされるので、次の要領により保護の変更又は廃止の決定を行うこと。
　　なお、昭和38年4月1日付社発第246号本職通知第10の2の(6)のアにより被保護者とみなされている者については、被保護者に準じて取り扱うこと。
　ア　移し替えにおいて、生活保護法による保護の実施責任と老人福祉法による措置の実施責任は一致するものであること。すなわち、従前の保護の実施機関である都道府県知事又は市町村長が老人福祉法による措置の実施機関となること。
　イ　医療を必要としない者については、昭和38年7月31日限りをもって保護を廃止

すること。
　ウ　医療を必要とする者については、次によること。
　　(ｱ)　昭和38年8月の医療費見込み額が同月の収入充当額以下である者については、昭和38年7月31日限りをもって保護を廃止すること。
　　(ｲ)　昭和38年8月の医療費見込み額が同月の収入充当額をこえる者については、昭和38年8月1日をもって保護の変更決定を行ない、同日以降は医療扶助のみを行なうこととすること。この際、収入充当額と1の(2)により算定した最低生活費との差額を医療費の本人支払額として決定すること。
　　(ｳ)　昭和38年8月の収入充当額がない者については、昭和38年8月1日をもって保護の変更決定を行ない、同日以降は医療扶助のみを行なうこと。
　　(ｴ)　イ及びウの区分のために必要な医療の要否については、施設及び医療機関と密接な連絡をとること。
　(2)　費用
　　移し替え前に係る保護費及び保護施設事務費の支弁、負担、返還及び返還の免除並びに費用の徴収に関しては、移し替え後も従前どおりであること。
4　外国人の取扱い
(1)　生活保護法による保護に準じて養老施設に収容されている困窮外国人については、老人福祉法第11条第1項第2号の措置がとられたものとみなし、生活保護法による被保護者の取扱いに準じて老人福祉法の措置へ移し替える手続きをとること。この場合、保護の実施責任と措置の実施責任とは一致するものであること。すなわち、保護の実施機関である都道府県知事又は市町村長が措置の実施機関となること。
(2)　老人福祉法施行後新たに同法の措置の対象となる外国人については、同法の措置の実施機関が居住地又は現在地により定まるのに対し、生活保護の実施責任は外国人登録上の居住地により定まるので、保護の実施責任と措置の実施責任とが一致しない場合が生ずること。
別記　略

○老人ホームの移送に要する費用の取扱いについて

（昭和46年9月22日　社老第111号
各都道府県・各指定都市民生主管部（局）長宛　厚生省
社会局老人福祉課長通知）

標記のことについて、東京都民生局福祉部長からの照会（別紙1）に対し、（別紙2）のとおり回答したので通知する。

別紙1
　　養護老人ホームへの移送に要する費用の取扱いに関する疑義について
　　（照会）

（昭和46年8月21日　46民福老発第259号
厚生省社会局老人福祉課長宛　東京都民生局福祉部長
照会）

老人福祉法の施行については種々ご指導をいただいておりますが、次の点について疑義がありますので至急ご教示願います。

記

生活保護法による被保護者（以下「被保護者」という。）が老人ホームに入所する場合の移送に要する費用については、昭和39年1月7日付社施第1号厚生省社会局施設課長通知「老人福祉法施行事務にかかる質疑応答について」第5問に入院している被保護者が老人ホームに入所するときは、老人福祉法によって支給されない旨回答されているほか規定されていないが、居宅の被保護者が老人ホームに入所する場合の取扱いについて疑義がありますので、至急ご教示願います。

別紙2
　　老人ホームの移送に要する費用の取扱いについて（回答）

（昭和46年9月16日　社老第105号
東京都民生局福祉部長宛　厚生省社会局老人福祉課長
回答）

昭和46年8月21日付民福老発第259号をもって照会のあった標記については、今後次のとおり取扱われたい。

老人が、老人ホームに入所する場合の移送に要する費用は、当該老人が被保護者であるなしにかかわらず老人福祉法によって支給されるものである。

ただし、老人ホームに収容されている者が生活保護法による医療扶助により入院するとき又は入院している被保護者が老人ホームに入所する場合は、老人福祉法では支給されないものである。（昭和39年1月7日社施第1号厚生省社会局施設課長通知「老人福祉法施行事務に係る質疑応答について」問5参照）

なお、本件については、社会局保護課と調整ずみであるので申添える。

○公営住宅に入居している被保護世帯に対する家賃及び敷金の減免措置について

> 昭和44年12月8日　社保第277号
> 各都道府県・各指定都市民生主管部(局)長宛　厚生省
> 社会局保護課長通知

　公営住宅法（昭和26年法律第193号）にいう第2種公営住宅又はこれに準ずる公営の低家賃住宅に入居している被保護世帯に対しては、従来から種々の配慮を願っているところであるが、昭和44年6月30日付建設省住総発第123号をもって別添のとおり標記の事項について建設省住宅局長から通知されたので、貴職におかれてもその趣旨を了知のうえ、公営住宅の建設管理担当部局と協議し、被保護世帯に対する家賃及び敷金の減免措置を講じるよう格段の配慮を煩わしたい。
　なお、貴管下の市町村に対しても、この旨周知徹底を図られるよう努められたい。

別　添
　　　公営住宅の管理の適正化について（抄）

> 昭和44年6月30日　建設省住総発第123号
> 知事宛　建設省住宅局長通知

〔改正経過〕
　　第1次改正　平成3年6月10日　　第2次改正　平成5年6月25日住総発第109-2号
　　　　　　　　　　　　　　　　　　　　　　　　　　　　住建発第　95　号
　　　　　　　　　　　　　　　　　　　　　　　　　　　　住整発第66-4号

　公営住宅の管理については、かねてから格段のご努力をお願いしているところであるが、今回公営住宅法の一部改正により公営住宅本来の性格にかんがみ高額所得者に対する明渡請求の制度が制定されたので、将来高額所得者に対する明渡請求制度を厳正に実施するためにも今後事業主体において一層姿勢を正し、下記事項に十分留意のうえ管理の適正化に遺憾のないようにされたい。
　なお、管下事業主体に対しても、この旨周知徹底を図られるとともに、適切な指導監督を行なうよう努められたい。

記

1～3　略
4　家賃の適正化について
　(1)・(2)　略
　(3)　特に収入の低い者等に対し減免等の措置を適切に講ずること。
　　　生活保護世帯等の収入の著しく低い世帯その他特別の事情のある世帯に対しては、積極的に家賃の減免又は徴収の猶予の措置を講ずること。
　　　なお、敷金についても、生活保護世帯又はこれに準ずるような世帯に対しては、積極的に減免措置を講ずるように努めること。
5～8　略

◯生活保護法による住宅扶助の取扱いについて

> 昭和47年8月14日　社保第136号
> 各都道府県・各指定都市民生主管部(局)長宛　厚生省
> 社会局保護課長通知

標記について、別紙2のとおり京都府民生労働部長より照会があったが、別紙1のとおり回答したので、了知の上、関係諸機関へよろしく周知徹底されたい。

別紙1

生活保護法による住宅扶助の取扱いについて

> 昭和47年8月14日　社保第136号
> 京都府民生部長宛　厚生省社会局保護課長回答

昭和47年7月31日付社第879号をもって照会のあった標記について、次のとおり回答する。

記

生活保護法による保護は、原則として過去の債務はこれを対象としないこととしている。しかしながら、本件のごとく、裁判上の和解判決によって、被保護世帯にかかる家賃・間代、地代等(以下「家賃等」という。)の増額が遡及して発効し、その家賃等の月額が住居の構造等から妥当であり、住宅扶助基準の範囲内である場合においては、家賃等が増額された時点(本件は家賃等が増額された時点が保護開始時点前の場合であるので保護開始時点)よりさかのぼって新家賃等による住宅扶助を適用してさしつかえない。

別紙2

生活保護法による住宅扶助の取扱いについて

> 昭和47年7月31日　社第879号
> 厚生省社会局保護課長宛　京都府民生労働部長照会

上記のことについて、保護の実施上疑義が生じましたので、次のことについてご教示願います。

記

昭和46年6月2日付け保護開始の某女(85歳)は、昭和44年12月から他の借家人とともに借家人組合を作り家賃値上げに反対していたところ、家主が借家人組合を相手に提訴し、争訴中、昭和47年5月22日従来の家賃2000円を昭和46年2月1日から3600円とし、供託金を取り戻したうえ差額を昭和47年5月末日までに支払うことを条件に和解が成立したが、このように裁判上の和解成立により家賃がさかのぼって増額され、その差額を一括支払わなければならない場合生活保護法による住宅扶助の適用余地があるか。

また、あるとすればその遡及期間および額の限度はあるか。

なお、生活保護法による住宅扶助は昭和46年6月から昭和47年5月まで月額2000円を認定し、某女は法務局に供託している。

○生活保護法による住宅扶助の認定等について

> 昭和60年3月30日　社保第37号
> 各都道府県・各指定都市民生主管部(局)長宛　厚生省
> 社会局保護課長通知

〔改正経過〕

第1次改正　平成8年3月18日社援保第52号

注　本通知は、平成13年3月27日社援保発第19号により、地方自治法第245条の9第1項及び第3項の規定に基づく処理基準とされている。

　生活保護法による保護の基準（昭和38年4月厚生省告示第158号）別表第3の2が昭和60年3月30日厚生省告示第54号をもって改正され、同日付け厚生省社第341号厚生事務次官通知「生活保護法による保護の基準の一部改正及び保護の実施要領の一部改正について」により通知されたところであるが、今後、公営住宅に入居している被保護世帯に対する住宅扶助の認定等については、次の点に留意し適正に実施されるよう管下実施機関に対する指導を図られたい。

1　第2種公営住宅に入居している被保護世帯については、その支払うべき家賃等の額を住宅扶助費として認定していたところであるが、一部の第2種公営住宅の家賃の中には相当高額なものがあり、地域の一般民営借家賃間との間に不均衡を生じていること等にかんがみ、今般前記のとおり住宅扶助の取扱いが改正されたところである。これにより、昭和60年4月1日から第2種公営住宅に入居している被保護世帯に対する住宅扶助については、一般民営借家賃間の場合と同様、都道府県、指定都市又は中核市の長が厚生大臣の承認を得て各年度ごとに定める額の範囲内で認定されることとなった。

　　なお、今回の改正に伴い、公営住宅に入居している被保護世帯に対する家賃及び敷金の減免措置の実施等については別途建設省より関係部局に対し通知される予定である。

2　最近、公営住宅入居者等が家賃を滞納する事例が多く見受けられるところである。このことについては、本来、住宅管理者と入居者との間で解決されるべき問題ではあるが、住宅扶助として使途を限定して支給された扶助費を一般生活費に充当することは、生活保護法（以下「法」という。）第8条及び第60条（生活上の義務）の趣旨に反するものであり、生活保護制度運営上も看過し得ないものである。

　　したがって、公営住宅管理者からの連絡等により家賃を滞納する事例を発見した場合は、速やかに家賃を支払うよう法第27条により指導指示を行うこととし、なおこれに従わない場合には法第62条の規定により保護の停廃止の措置をとることについて検討すること。

　　また、前記の指導等によっても効果的に保護目的が達成されない場合には、被保護世帯に代って公営住宅管理者に家賃を支払う旨の委任状等を提出させ、直接、公営住宅管理者に支払う方法をとっても差し支えないこと。

○住宅扶助の認定にかかる留意事項について

（平成27年5月13日　社援保発0513第1号
各都道府県・各指定都市・各中核市民生主管部（局）長
宛　厚生労働省社会・援護局保護課長通知）

　生活保護行政の推進につきましては、平素格別の御配慮を賜り厚く御礼申し上げます。
　さて、生活保護法による住宅扶助については、「生活保護法による保護の基準」（昭和38年厚生省告示第158号）別表第3の2の規定に基づき、各都道府県（市）における厚生労働大臣が別に定める額（以下「住宅扶助（家賃・間代等）の限度額」という。）を定めた「生活保護法による保護の基準に基づき厚生労働大臣が別に定める住宅扶助（家賃・間代等）の限度額の設定について（通知）」（平成27年4月14日社援発0414第9号厚生労働省社会・援護局長通知。以下「局長通知」という。）が発出され、本年7月1日から適用されることとなりました。
　今般の住宅扶助の見直しにおいては、社会保障審議会生活保護基準部会報告書（平成27年1月9日）を踏まえ、最低限度の生活の維持に支障が生じないよう、局長通知においても必要な経過措置等を規定しているところです。
　その上で、住宅扶助の認定に当たっては、生活保護受給者の居住の安定や居住先確保の支援の観点から、下記について御留意いただき、管内福祉事務所に対して周知徹底をお願いします。
　なお、本通知は、地方自治法（昭和22年法律第67号）第245条の4第1項の規定に基づく技術的助言であることを申し添えます。

記

1　現に生活保護を受けている世帯が、今般の住宅扶助の見直しによって、本年7月1日以降の住宅扶助（家賃・間代等）の限度額より、実際の家賃・間代等が上回る場合は、近隣の家賃相場等から当該住居等の家賃・間代等の引下げが可能か否かについて検討すること。具体的には、貸主等が契約更新等の際に当該住居等の家賃・間代等を住宅扶助（家賃・間代等）の限度額以下まで引下げるのか確認し、福祉事務所においては、必要に応じて今般の住宅扶助（家賃・間代等）の適正化を図った趣旨等を丁寧に説明し、貸主等の理解が得られるよう努めること。
　　その際には、生活保護受給世帯のプライバシーに配慮する必要があることから、生活保護受給者であることを貸主等に明らかにすることまでを求めるのではなく、一般的な賃貸借契約の範囲内で確認するものであることに留意すること。
　　また、貸主等が家賃、間代等の引下げに応じる場合であっても、その引下げ分が共益費などの他の費用として転嫁され、結果として生活保護受給世帯の家計が圧迫されることがないよう留意すること。
2　1において、住宅扶助（家賃・間代等）の限度額以下への家賃・間代等の引下げが困

難であった場合は、福祉事務所において、当該世帯の意思や生活状況等を十分に確認し、必要に応じて局長通知に定める経過措置等の適用や住宅扶助（家賃・間代等）の限度額の範囲内の家賃である適切な住宅への転居について検討すること。

この検討に当たり、経過措置の適用は生活保護受給世帯によって適用期限が異なり、経過措置終了後は住宅扶助（家賃・間代等）の限度額が適用されることを踏まえ、当該世帯に対しては、当該世帯に適用される経過措置の内容を十分に説明することに留意すること。

特に、経過措置期限の終了前に何らかの事由により経過措置を終了しなくてはならない事案が発生した場合は、慎重に判断すること。

3　福祉事務所は、生活保護受給世帯が保護開始時に住宅を確保する場合や受給中に転居する必要がある場合には、最低居住面積水準を満たす等、適切な住宅の確保を図るため、例えば不動産関係団体と連携し、民間の不動産賃貸情報などを活用した支援を行える体制を整える等、その仕組みづくりに努めること。なお、住生活基本計画（全国計画）（平成23年3月15日閣議決定）において最低居住面積水準未満率を早期に解消することが目標として掲げられていることに留意すること。

その際、住宅扶助の代理納付の仕組みを積極的に活用して家賃滞納のリスク解消という家主に対するメリット付けを行うことや、必要に応じて不動産業者へ同行する等の居住先確保の支援に取り組むこと。

また、日頃から公営住宅担当部局や不動産関係団体と連携を図り、地域の公営住宅やUR賃貸住宅、民間の不動産賃貸住宅の空き状況等について把握しておき、必要に応じて生活保護受給世帯へ情報提供を行うこと。さらに、支援の必要な高齢者にあっては、現在、養護老人ホームでは定員割れの施設も見られることから、福祉事務所が高齢者福祉担当部局と連携を図り、養護老人ホームへの入居も選択肢として検討すること。

4　福祉事務所は、生活保護受給世帯に対する訪問活動等によって、生活実態の把握及び居住環境の確認に努めるとともに、住環境が著しく劣悪な状態であり、転居が適当であると確認した場合には、適切な居住場所への転居を促すなど必要な支援を的確に行うこと。

また、転居等で新たに入居しようとする住宅の家賃・間代等が近隣同種の住宅の家賃額と比較して、合理的な理由なく高額な設定となっていると認められる場合には、適正な家賃額の物件に入居するよう助言指導を行うこと。

5　「生活保護法による保護の実施要領の取扱いについて」（昭和38年4月1日社保第34号厚生省社会局保護課長通知）第7の問56の答における「地域において保護の基準別表第3の2の規定に基づき厚生労働大臣が定める額（限度額）のうち、世帯人員別の住宅扶助（家賃・間代等）の限度額の範囲内では賃貸される実態がない場合」というのは、地域の実態において、民間住宅への入居が困難なため、やむを得ず無料低額宿泊所等を利用する場合も含むものである。

この適用を判断するに当たっては、無料低額宿泊所等はあくまで一時的な起居の場所として利用されることを基本としつつ、生活の継続性や安定性の観点から、当該無料低

額宿泊所等を利用するに際して床面積別の住宅扶助（家賃・間代等）の限度額が適用されないことや、無料低額宿泊所においては、「社会福祉法第2条第3項に規定する生計困難者のために無料又は低額な料金で宿泊所を利用させる事業を行う施設の設備及び運営について」（平成15年7月31日社援発第0731008号厚生労働省社会・援護局長通知）の別紙「無料低額宿泊所の設備、運営等に関する指針」に定める事項を遵守していること等を確認し、慎重に判断すること。

○無料低額宿泊所等における住宅扶助の認定について

[令和2年8月24日　社援保発0824第1号
各都道府県・各指定都市・各中核市民生主管部(局)長
宛　厚生労働省社会・援護局保護課長通知]

　生活保護法（昭和25年法律第144号）による住宅扶助については、「生活保護法による保護の基準に基づき厚生労働大臣が別に定める住宅扶助（家賃・間代等）の限度額の設定について（通知）」（平成27年4月14日社援発0414第9号厚生労働省社会・援護局長通知。以下「局長通知」という。）により、床面積に応じた限度額を適用することとしている。しかしながら、社会福祉法（昭和26年法律第45号）第2条第3項第8号に規定する無料低額宿泊事業を行う同法第68条の2第1項に規定する社会福祉住居施設（以下「無料低額宿泊所」という。）、賃貸借契約以外の契約で宿所を提供する施設等（以下「無料低額宿泊所等」という。）に起居している場合、入居者に対する支援に係る費用を居室使用料等により賄っている状況がある。こうした事情を考慮し、一定の要件を満たす場合には、局長通知1(2)の床面積別の住宅扶助（家賃・間代等）の限度額の適用対象外としてきたところである。
　今般、「生活困窮者等の自立を促進するための生活困窮者自立支援法等の一部を改正する法律」（平成30年法律第44号）による改正後の社会福祉法及び生活保護法が本年4月1日に施行され、無料低額宿泊所の設備及び運営に関する基準が整備されるとともに、日常生活支援住居施設の創設により、都道府県知事（指定都市及び中核市にあっては、指定都市又は中核市の長）の認定を受けた施設に被保護者を入所させるときは、委託事務費の交付を受けることが可能となった。このため、無料低額宿泊所等における住宅扶助の適用について、下記のとおり定め、本年10月1日から適用することとしたので、了知の上、生活保護の適正な実施に遺漏なきを期されたい。
　また、本通知は、地方自治法（昭和22年法律第67号）第245条の9第1項及び第3項の規定による処理基準であるので申し添える。
　なお、本通知の適用をもって「生活保護法による住宅扶助の認定について」（平成27年4月14日社援保発0414第2号当職通知）は廃止する。
記

1　住宅扶助額の認定方法
　(1)　無料低額宿泊所等の居室について、各居室の間仕切壁が堅固なものであり、天井まで達している場合であって、1世帯で使用している場合には、住宅扶助の限度額（以下「限度額」という。）の範囲内で、住宅扶助額を認定して差し支えないこと。

また、居室使用料等の額については、入居者と事業者の間で交わされた契約書等により確認すること。
(2)　無料低額宿泊所等の居室を生計の同一が認められない2人以上の者で共用している場合は、それぞれの者を別世帯として認定し、世帯ごとの住宅扶助額を合計した額については、1居室につき1世帯分の住宅扶助の基準額（複数人世帯用の基準額を当該居室の定員に応じて適用する。以下「基準額」という。）の範囲内とする。この場合の世帯ごとの住宅扶助額の認定に当たっては、1(1)に準じて取り扱うとともに、居住の実態、契約内容等を踏まえ、例えば、基準額について居室を共用する人数で除した額等により認定すること。
　　　なお、住宅扶助額の算定の根拠となる契約書等の写しを徴収すること。
(3)　住宅扶助額の認定に当たっては、入居者1世帯分の居室の床面積を契約書及び実地調査により確認した上、居住実態が1(1)又は(2)のどちらに該当するかを判断すること。
　　　なお、契約書には入居者の床面積が明確になるよう部屋番号等の記載が必要であり、記載がない場合、福祉事務所は入居者に対し、施設長等から部屋番号等の記載を求めるよう指導すること。
2　日常生活支援住居施設としての認定を受けない無料低額宿泊所等における面積減額の経過措置
　　局長通知1(2)の床面積別の住宅扶助（家賃・間代等）の限度額の適用に当たって、本人の自立助長の観点から無料低額宿泊所等を利用することが真に必要と認められる場合には、次に掲げる期間までの間に限り、局長通知1(2)アのただし書の「当該世帯の自立助長の観点から引き続き当該住居等に居住することが必要と認められる場合」又は「当該地域の住宅事情の状況により引き続き当該住居等に居住することがやむを得ないと認められる場合」に該当するものとして差し支えないこと。
　ア　日常生活支援住居施設の認定を受けない無料低額宿泊所
　　　令和3年9月まで。
　イ　緊急的な居所の確保等を目的とする施設等（無料低額宿泊所を除く。）であって、一時的な利用を前提として1日単位で利用料等を設定するもの
　　　当分の間。
3　無料低額宿泊所の「簡易個室」解消までの間における居室面積別の減額率
　　無料低額宿泊所の居室のうち、間仕切壁が天井まで達していない、いわゆる「簡易個室」であるものについては、令和5年3月までに解消を図ることとしている。早期の解消を促す観点から、次に掲げる期間におけるこれらの居室における住宅扶助の上限額は、2によらず、それぞれ局長通知の限度額に下記の率を乗じて得た額（端数が生じた場合は千円未満を四捨五入し、千円単位とする。）とする。
　ア　令和3年4月〜令和4年3月までの間
　　　居室面積が7.43㎡以上の場合　　　　　　90％
　　　居室面積が4.95㎡以上7.43㎡未満の場合　80％

　　　　　居室面積が4.95㎡未満の場合　　　　　70%
　　イ　令和4年4月～令和5年3月までの間
　　　　　居室面積が7.43㎡以上の場合　　　　　80%
　　　　　居室面積が4.95㎡以上7.43㎡未満の場合　70%
　　　　　居室面積が4.95㎡未満の場合　　　　　60%
　4　留意事項
　(1)　福祉事務所は、無料低額宿泊所等に入居している被保護者への保護金品の支給については、直接無料低額宿泊所等の事業者に交付することなく、被保護者本人へ確実に交付されるようにすること。
　　　ただし、居室使用料等及び共益費については、「生活保護法第37条の2に規定する保護の方法の特例（住宅扶助の代理納付）に係る留意事項について」（平成18年3月31日社援保発第0331006号当職通知）により、代理納付を行うことができるものであること。
　(2)　福祉事務所は、保護の実施責任を有する被保護者が居住している無料低額宿泊所等を訪問し、適切な処遇が行われているか等生活実態の把握に努めるとともに、当該被保護者に対して、居住上問題が生じた場合には連絡するよう徹底させ、劣悪な状況であると認められるときには、転居指導を行うとともに必要な支援を行うこと。
　(3)　福祉事務所は、保護の実施責任を有する被保護者が無料低額宿泊所に居住している場合には、無料低額宿泊所の設備及び運営に関する基準（令和元年厚生労働省令第34号）の規定を標準とし又は参酌して定める条例に定める事項が遵守されているか確認すること。
　　　また、都道府県知事（指定都市及び中核市にあっては、指定都市又は中核市の長）は、無料低額宿泊所に対する社会福祉法第70条の規定による調査等によって把握された情報を福祉事務所に適宜提供し、福祉事務所における無料低額宿泊所に入居する被保護者の生活実態の把握に協力すること。

○生活保護法第37条の2に規定する保護の方法の特例(住宅扶助の代理納付)に係る留意事項について

平成18年3月31日　社援保発第0331006号
各都道府県・各指定都市・各中核市民生主管部(局)長宛　厚生労働省社会・援護局保護課長通知

〔改正経過〕
第1次改正　平成25年5月16日社援保発0516第6号　第2次改正　平成26年4月25日社援保発0425第5号
第3次改正　令和2年3月31日社援保発0331第2号

　今般、介護保険法等の一部を改正する法律(平成17年法律第77号)に伴う介護保険法施行令等の一部を改正する政令(平成18年政令第154号)が公布され、平成18年4月1日より施行することとされた。
　今回の改正により、新たに生活保護法(以下「法」という。)第37条の2を創設するとともに、改正後の生活保護法施行令第3条において、法第33条第4項の規定により交付する保護金品(住宅扶助)について、保護の実施機関による代理納付を可能とした。
　また、生活保護法の一部を改正する法律(平成25年法律第104号)に伴う生活保護法の一部を改正する法律の施行に伴う関係政令の整備等に関する政令(平成26年政令第164号)が公布され、平成26年7月1日より施行することとされた。
　この改正により、法第31条第3項の規定により交付する保護金品であって賃借して居住する住宅に係る共益費(以下「共益費」と言う。)についても、代理納付を可能としたところである。
　さらに、住宅確保要配慮者に対する賃貸住宅の供給の促進に関する法律(住宅セーフティネット法)の一部を改正する法律(平成29年法律第24号)が平成29年10月25日より施行されている。
　この改正により、生活保護受給者を含む低額所得者、高齢者、子育て世帯等の、賃貸人から入居を制限される場合のある者を「住宅確保要配慮者」と位置づけ、民間の空き家・空き室を有効活用した住宅確保要配慮者の入居を拒まない賃貸住宅の登録制度が創設された。住宅確保要配慮者の入居を拒まない賃貸住宅として登録された住宅の賃貸人で住宅確保要配慮者に対する賃貸住宅の供給の促進に関する法律(平成19年法律第112号)第21条第1項に規定する登録事業者は生活保護受給者の家賃滞納等に係る情報を福祉事務所に通知することができることとされ、通知を受けた福祉事務所は、代理納付等の措置の必要性を判断するため、速やかに事実確認を行うこととされた。
　また、高齢者単身又は高齢者のみの世帯や低所得者世帯等が安心して地域で暮らしていくため、大家が抱える不安に対する対策が必要であり、生活保護制度においては住宅扶助の代理納付の活用が求められている。

住宅扶助の代理納付の実施にあたっての留意事項は、下記のとおりであるので、管内実施機関及び関係機関に対し周知お願いしたい。

なお、法第37条の2に規定する介護保険料の代理納付については、「介護保険料加算の認定及び代理納付の実施等について」(平成12年9月1日社援保第54号本職通知)により取り扱われたい。

おって、下記3のとおり関係通知について、一部を改正することとしたので、了知の上、保護の実施に遺憾のなきを期されたい。

記

1 改正の趣旨

住宅扶助費は、家賃等の実額を被保護者に対して金銭給付するものであるが、一部に家賃等の支払いを滞納する事例が見受けられるところであり、家主等とトラブルになる場合もある。このことについては、本来、家主と入居者である被保護者との間で解決されるべき問題ではあるが、住宅扶助として使途を限定された扶助費を一般生活費に充当することは生活保護法の趣旨に反するものであり、住宅扶助費が家賃支払いに的確に充てられる必要がある。また、原則として共益費は住宅扶助費と同時に家主等に支払う必要があるものである。

こうしたことを踏まえて、法第37条の2及び生活保護法施行令第3条の規定により、被保護者に代わり保護の実施機関が納付することを可能とするものである。

2 留意事項

(1) 家賃等を滞納している場合

住宅扶助費を支給しているにもかかわらず家賃等以外に費消し家賃等を滞納している被保護者については、滞納期間及び滞納額、生活状況、金銭の消費状況等を把握の上、上記1の改正の趣旨を踏まえ、住宅扶助及び共益費について、原則、代理納付を適用されたい。

ただし、家主が希望しない場合や住宅扶助費が満額支給されない場合等は、代理納付を適用しない取扱いとして差し支えない。

(2) 公営住宅の場合

公営住宅は公営住宅法に基づき、国と地方公共団体が協力して、住宅に困窮する低額所得者に対し、低廉な家賃で供給されるものであること及び上記1の改正の趣旨に鑑み、住宅扶助について、原則、代理納付を適用されたい。

ただし、口座振替により住宅扶助の目的が達せられる場合や住宅扶助費が満額支給されない場合等は、代理納付を適用しない取扱いとして差し支えない。

(3) 登録住宅の場合

住宅確保要配慮者に対する賃貸住宅の供給の促進に関する法律(平成19年法律第112号)第10条第5項に規定する登録住宅(以下「登録住宅」という。)は、同法第2条に規定する住宅確保要配慮者の入居を拒まない住居であり、被保護者の住居確保の観点からも、その増加が望ましい。登録住宅の増加のためには家賃滞納に関する賃貸人の不安を解消することが重要であること及び上記1の改正の趣旨に鑑み、住宅確保要

配慮者に対する賃貸住宅の供給の促進に関する法律（平成19年法律第112号）第21条第１項に規定する登録事業者が提供する登録住宅に新たに入居する被保護者の住宅扶助及び共益費については、原則、代理納付を適用されたい。

ただし、口座振替により住宅扶助の目的が達せられる場合や家主が希望しない場合、住宅扶助費が満額支給されない場合等は、代理納付を適用しない取扱いとして差し支えない。

なお、現に登録住宅に被保護者が入居している場合や、現に被保護者が入居している住居が登録住宅となった場合、現に登録住宅に入居している者が被保護者になった場合については、上記２(1)及び住宅確保要配慮者に対する賃貸住宅の供給の促進に関する法律（平成19年法律第112号）第21条第１項に規定する通知等があった場合を除き、代理納付を適用しない取扱いとして差し支えない。

また、要保護者が住居を確保するに際し、登録住宅においては住宅扶助及び共益費については上記の場合を除き代理納付であることを事前に説明するとともに、賃貸人とも適宜連携されたい。

(4) 無料低額宿泊所の場合

無料低額宿泊所に入居している場合については、従前、「生活保護法による住宅扶助の認定について」（平成27年４月14日社援保発0414第２号厚生労働省社会・援護局保護課長通知）２(1)により、一律に住宅扶助の代理納付は適用しない取扱いとしていた。令和２年４月１日に「生活困窮者等の自立を促進するための生活困窮者自立支援法等の一部を改正する法律」（平成30年法律第44号）による、事前届出制の導入、設備及び運営に関する基準を定めた条例の制定、当該基準を満たさない場合の改善命令に関する規定が施行されることを踏まえ、同通知にかかわらず、無料低額宿泊所に入居する者の居室使用料及び共益費についても、実施機関において個別に検討した上で、代理納付を適用して差し支えない。

(5) その他

(1)～(4)の場合に限らず、実施機関において適宜代理納付の対象者を決めることは差し支えない。

また、代理納付の実施にあたって、被保護者の同意及び委任状等は要しないものであるので、ご留意願いたい。

3　関係通知の改正

(1)　「介護保険料加算の認定及び代理納付の実施等について」（平成12年９月１日社援保第54号厚生省社会・援護局保護課長通知）の一部を別紙１のとおり改正し、平成18年４月１日から適用することとする。

(2)　「公営住宅に入居する被保護者の保証人及び家賃の取扱いについて」（平成14年３月29日付社援保発第0329001号厚生労働省社会・援護局保護課長通知）の一部を別紙２のとおり改正し、平成18年４月１日から適用することとする。

別紙１・２　略

○生活保護受給者の住まいの確保のための福祉部局と住宅部局等の連携について

> 平成27年6月11日　社援保発0611第1号・国住賃第13号・国住心第57号
> 各都道府県・各指定都市・各中核市民生・住宅主管部（局）長宛　厚生労働省社会・援護局保護・国土交通省住宅局住宅総合整備・安心居住推進課長連名通知

　日頃より生活保護行政及び住宅行政の推進にご協力を賜り、厚く御礼申し上げます。
　さて、平成27年5月17日未明に発生した川崎市の簡易宿所火災では、被災者の多くは高齢の生活保護受給者であり、転居先となる住まいの確保が重要な課題となっています。今後、同様の事案が発生した場合等を含め、生活保護受給者の安心・安全な住まいを確保するための取組を強化していく必要があります。
　生活保護行政においては、社会保障審議会生活保護基準部会報告書（平成27年1月9日）を踏まえ、本年7月に住宅扶助基準を見直すこととしたところです。その上で、住宅扶助の認定に当たっては、「住宅扶助の認定にかかる留意事項について（通知）」（平成27年5月13日社援保発0513第1号）において、福祉事務所は、日頃から公営住宅担当部局や不動産関係団体と連携を図るなどにより、生活保護受給者の居住の安定や居住先確保の支援を行える体制を整えるなどの取組をお願いしているところです。
　一方、住宅政策においては、「住宅確保要配慮者に対する賃貸住宅の供給の促進に関する法律」（平成19年法律第112号。以下「住宅セーフティネット法」という。）に基づき、生活保護受給者である低額所得者を含む住宅確保要配慮者に対する公的賃貸住宅（公営住宅、独立行政法人都市再生機構又は地方住宅供給公社が整備する賃貸住宅、地域優良賃貸住宅等）の供給の促進や民間賃貸住宅への円滑な入居の促進などを図ることとしています。
　生活保護受給者については、簡易宿所等から地域生活への移行の促進や自立した生活を送ることができるような環境整備を進める観点から、生活保護施策等と民間賃貸住宅への円滑な入居に関する施策等との連携が重要となります。
　つきましては、下記のとおり取組を実施する上での留意点をまとめましたので、各自治体におかれましても、福祉部局、住宅部局、居住支援協議会（住宅セーフティネット法第10条第1項に基づき組織される協議会）、不動産関係団体、福祉関係団体等との連携のもと、これらの取組の充実を図っていただきますようお願いいたします。
　また、都道府県におかれましては、管内の市町村（指定都市・中核市を除く。）に周知していただきますようお願いいたします。
　なお、不動産関係団体の長に対して生活保護受給者の民間賃貸住宅への居住支援の協力

につき依頼する予定ですので、念のため申し添えます。
記
1 住宅扶助に係る代理納付制度の積極的な活用等について
　　生活保護における住宅扶助費は、家賃等の実額を生活保護受給者に対して金銭給付するものですが、一部に家賃等の支払を滞納する事例が見受けられ、転居せざるを得ない状況に陥る場合があることについては、従来より指摘されているところです。住宅扶助に係る代理納付制度については、こうしたことを踏まえて、生活保護法（昭和25年法律第144号）第37条の2及び生活保護法施行令（昭和25年政令第148号）第3条の規定により、生活保護受給者に代わり保護の実施機関が納付することを可能としています。住宅扶助の代理納付については、「生活保護法第37条の2に規定する保護の方法の特例（住宅扶助の代理納付）に係る留意事項について」（平成18年3月31日社援保発第0331006号厚生労働省社会・援護局保護課長通知）により、その取扱いに係る留意事項を周知したところですが、福祉部局は、住宅扶助及び共益費の代理納付の趣旨を踏まえ、家賃等を滞納し得る生活保護受給者について、より一層の積極的な活用をお願いいたします。
　　また、生活保護受給者の安定した地域生活の継続を図ることを目的とした「居住の安定確保支援事業」（平成25年5月15日社援保発0515第2号）については、住宅扶助の代理納付の活用等により、安定的な家賃収入の確保について賃貸人の理解を得て、既存の民間賃貸住宅への受け入れを促進するとともに、見守り等の日常生活を支援する取組を推進する事業であり、福祉部局は、生活保護受給者の居住支援のために、本事業の積極的な活用をお願いいたします。
2 公営住宅への入居について
　　住宅に困窮する低額所得者に低廉な家賃で賃貸又は転貸される公営住宅には、生活保護受給者の地域生活の場としても積極的な役割を果たすことが期待されています。
　　そのため、生活保護受給者が公営住宅への入居を希望する場合、住宅部局と福祉部局が十分な連携を図りつつ、必要な情報提供や助言等を行うなど、特段の配慮をお願いいたします。
3 民間賃貸住宅への入居について
　(1) 住宅確保要配慮者が入居可能な民間賃貸住宅の情報共有等について
　　　住宅部局は各自治体の住宅相談窓口、居住支援協議会等が把握している生活保護受給者等の住宅確保要配慮者の入居が可能な民間賃貸住宅情報を福祉部局と共有するとともに、福祉部局は福祉事務所に対して情報提供をお願いいたします。
　(2) 入居・居住支援サービス提供事業者等の情報共有等について
　　　生活保護受給世帯の約半数は高齢者世帯ですが、家主は高齢者世帯の民間賃貸住宅への入居に対して、保証人の確保や入居中の安否等に不安を抱いており、結果として入居選別をしている場合もあります。
　　　そういった家主の不安感を軽減し、生活保護受給者の民間賃貸住宅への円滑な入居の支援を推進するためには、家賃債務保証、身元保証、見守りサービス、残存家財の整理等の入居・居住支援サービスの活用が重要になります。

そのため、福祉部局と住宅部局が連携し、各地域において入居・居住支援サービスの提供を実施している社会福祉協議会、NPO法人、民間事業者等の情報収集や本取組に対する協力依頼等を実施するとともに、福祉部局は福祉事務所に対して情報提供をお願いいたします。

なお、当該サービスの提供事業者に関する情報については、居住支援協議会で把握している場合もあるため、ご確認ください。

(3) 民間賃貸住宅の紹介に係る相談窓口について

生活保護受給者が入居可能な民間賃貸住宅の紹介に係る相談については、不動産関係団体等において相談を受け付けている場合がありますので、その旨福祉事務所のケースワーカー等へご案内いただきますようお願いいたします。

なお、相談窓口等の詳細については、別途、事務連絡でお知らせします。

4 居住支援協議会の活動等について

「居住支援協議会による「住まい」の包括サポートを実現するための取組について」（平成27年5月15日付け障障発0515第2号、老高発0515第1号、国住心第30号）において、居住支援協議会の設立、活動強化等を依頼しているところですが、今回の趣旨をご理解いただき、さらなる居住支援協議会の活動の充実を図っていただきますようお願いいたします。

○公営住宅家賃等の減免措置について

>昭和60年5月17日
>各都道府県・各指定都市生活保護主管課長宛　厚生省
>社会局保護課課長補佐内かん

拝啓、時下益々御清祥のこととお慶び申し上げます。
　生活保護の運営実施につきましては、平素から種々の御配意を賜わり厚くお礼申し上げます。
　さて、生活保護法による住宅扶助の認定等につきましては、昭和60年3月30日付社保第37号保護課長通知をもって御連絡申し上げたところでございますが、今般、第2種公営住宅の家賃等の減免について、昭和60年4月25日付建設省住公発第2号をもって別添のとおり建設省住宅局総務課公営住宅管理対策官から各都道府県公営住宅建設管理担当部局長あて通知されましたので送付致します。
　つきましては、公営住宅建設管理主管課と連絡調整を図り、被保護世帯に対する公営住宅家賃等の減免措置が講じられるよう格段の御配意をお願い申し上げます。

敬　具

別　添
　　第2種公営住宅の家賃等の減免について

>昭和60年4月25日　建設省住公発第2号
>各都道府県公営住宅建設管理担当部(局)長宛　建設省
>住宅局住宅総務課公営住宅管理対策官通知

　公営住宅の家賃等の減免については、従来より、格段の御配慮をいただいているところであるが、別添のとおり、生活保護法による住宅扶助の認定等について（昭和60年3月30日付け社保第30号）が厚生省社会局保護課長から通達されたこともあり、公営住宅の管理の適正化について（昭和44年6月30日付け住総発第123号「住宅局長通達」）に即し、第2種公営住宅に入居している生活保護法による生活扶助を受けている者の減額についても、なお一層の御配慮をお願いする。
　また、実施に当たっては、民生部局と密接に連絡調整を図られたい。
　なお、貴管下事業主体についてもこの旨周知を図られたい。

別添　略

○公営住宅に入居する被保護者の保証人及び家賃の取扱いについて

> 平成14年3月29日　社援保発第0329001号
> 各都道府県・各指定都市・各中核市民生主管部(局)長宛　厚生労働省社会・援護局保護課長通知

〔改正経過〕
　　第1次改正　平成18年3月31日社援保発第0331006号

　公営住宅の入居に際しては、保証人の確保が必要とされる場合があるが、被保護者本人の努力にもかかわらずその確保ができない事例が見受けられ、住宅に困窮する被保護者の居住の安定への配慮が求められているところである。
　一方、公営住宅に入居している被保護者が家賃を滞納している事例があり、公営住宅における被保護者の家賃滞納防止が求められているところである。
　ついては、次の点に関し、保護の実施機関と公営住宅管理者との間で協議・調整等の連携が図られるよう管内実施機関に対し周知願いたい。
　なお、保護の実施機関と公営住宅管理者が連携を図るに際しては、各地方公共団体における個人情報保護制度に留意されたい。

1　保証人の免除等
　公営住宅においては、「公営住宅管理標準条例(案)について」(平成8年10月14日建設省住総発第153号建設省住宅局長通知)により示されているように、入居の際の保証人要件については、公営住宅管理者の判断によるものであり、公営住宅への入居が決定した被保護者がその努力にもかかわらず保証人が見つからないために入居が困難な状況にある場合には、公営住宅管理者の判断により入居に際し必ずしも保証人を要しない等とすることができるものであること。

2　家賃の代理納付の取扱い
　家賃の代理納付については、「生活保護法第37条の2に規定する保護の方法の特例(住宅扶助の代理納付)に係る留意事項について」(平成18年3月31日社援保発第0331006号本職通知)により対応すること。

〔参考〕

○更生訓練費の生活保護法上の取扱いについて

（昭和43年10月26日　社更第253号
各都道府県知事・各指定都市民生主管部（局）長宛　厚
生省社会局更生課長通知）

〔改正経過〕
　　第1次改正　平成5年3月31日社援更第123号

　昭和43年10月1日社保第233号社会局長通知「生活保護法による保護の実施要領の一部改正について」により、標記の取扱いが定められたが、その内容及び留意事項は次のとおりであるので、市町村、関係施設長等に対し周知徹底を図るとともに、これが取扱いに遺憾のないようにされたい。

1 (1)　生活保護を受けている身体障害者が、身体障害者福祉法第18条の2の規定による更生訓練費を支給された場合には、生活保護法上は、更生訓練費に見合う額が技能修得費（生業扶助）として計上され、支給された更生訓練費は収入充当順位にかかわらず技能修得費に充当するものとされ、また、当該更生訓練費の額が技能修得費の一般基準額をこえるときは特別基準の設定があったものとして取扱われるので、更生訓練費は受給者に確保されるものであること。

 (2)　技能修得費の額を更生訓練費の額をこえて計上する必要がある場合（更生訓練費だけでは当該施設において技能修得するに必要な費用を満しえない場合）、または、当該施設の訓練科目の関係から教材を購入する等のため一時にまとまった費用を必要とすることにより、月単位に支給される更生訓練費では不適当となる場合においては、1の(1)の取扱いによらず、当該施設における訓練のために必要な費用については、生活保護法による技能修得費が一括計上されるものであること。なお、この場合においては、その後月々支給される更生訓練費は収入認定されることになるものであること。

2　1の(2)の取扱いが必要となるのは、あん摩マッサージ指圧師等の養成を行なう失明者更生施設入所者に更生訓練費を支給する場合に限られると思われるが、この場合には、次の点に留意すること。

 (1)　生活保護法により支給される技能修得費の額は、当該技能修得費の支給を受ける身体障害者の入所している施設の長が証明した額に基づいて保護の実施機関が認定した額となるので、実際に必要な額を証明するよう関係施設長を指導すること。なお1の(2)の後段の場合においては、少なくとも入所者が当該年度に支給を受ける更生訓練費に見合う額（その内容となっている需要）については、技能修得費の対象となるものであるので、この点に留意のうえ必要額を証明すること。

 (2)　昭和43年度においてすでに技能修得費の計上を受けている者については、同年度に支給される更生訓練費は収入認定されることになるが、必要に応じ、すでに支給を受けた技能修得費の額に同年度の更生訓練費の支給予定額を加えた額を限度額（ただ

し、技能修得費の特別基準の限度額を最高限度とする。)として、技能修得費の額の変更（生業扶助の決定の変更）を申請すること。

なお、以上の取扱いについては、厚生省社会局保護課と協議済みであること。

○老人福祉法施行事務に伴なう疑義照会について（抄）

　　　　　　　　　　（昭和39年2月11日　社施第5号
　　　　　　　　　　　神戸市民生局長宛　厚生省社会局施設課長通知）

昭和38年12月7日神民保第732号をもって照会のあった標記については、次のとおりであるから了知されたい。

　　　　　　　　　　　　　記

1～3　略
4　照会記の4について
　　葬祭又は葬祭の委託の措置は、死亡した被措置者についてその葬祭を行なう者がないときに行なわれるものであるので、設問のようにその葬祭を行なう者があるときは、老人福祉法による措置は行なわれないものである。
5　照会記の5について
　　前記4にいう措置は、死亡した被措置者についてその葬祭を行なう者があるか否かによってその要否を認定するものであって、葬祭を行なう者の費用負担能力の有無等によるものではない。なお、当該葬祭を行なう者が要保護者であるときは、生活保護法による葬祭扶助が行なわれるものであるから念のために申し添える。（昭和38年11月29日社保第85号社会局保護課長通知別紙の問5及びその答参照のこと。）
6以下　略

　　　　　　　　　　（昭和38年12月7日　神戸保第732号
　　　　　　　　　　　厚生省社会局施設課長宛　神戸市民生局長照会）

老人福祉法の施行につき種々の御指導いただいておりますが、次の諸点につき疑義がありますので、御教示願いたく照会いたします。

　　　　　　　　　　　　　記

1～3　略
4　出身世帯のある場合、所謂、葬祭執行者がある場合の葬祭費の負担の原則は、出身世帯にあるか、老人福祉法でみるべきか。
5　葬祭執行者が費用負担能力がない場合、老人福祉法で支出するとすればその負担能力がないと判定する認定基準はどうあるべきか。また一部負担もありうるか。
6以下　略

○生活保護法における特別基準の設定にかかる情報提供について

> 平成12年7月7日　社援保第43号
> 各都道府県・各指定都市・各中核市民生主管部(局)長
> 宛　厚生省社会・援護局保護課長通知

〔改正経過〕
第1次改正　平成21年3月27日社援保発第0327001号

　今般、平成12年3月31日付けで昭和38年4月1日社発第246号厚生省社会局長通知「生活保護法による保護の実施要領について」(以下「保護の実施要領」という。)、昭和36年9月30日社発第727号厚生省社会局長通知「生活保護法による医療扶助運営要領について」(以下「医療扶助運営要領」という。)及び昭和38年4月1日社保第34号本職通知「生活保護法による保護の実施要領の取扱いについて」(以下「保護の実施要領の取扱い」という。)の一部改正が行われるとともに平成12年3月31日社援第825号厚生省社会・援護局長通知「生活保護法による介護扶助運営要領について」(以下「介護扶助運営要領」という。)が定められ、新たに、各種基準によりがたい特別の事情がある場合には、厚生労働大臣に情報提供することが規定されたところであり、次のように取扱われるよう管内実施機関に周知されたい。

1　厚生労働大臣に情報提供をする事項
　(1)　保護の実施要領中、次に該当する場合
　　①　第7の8の(2)のアの(オ)
　　　職業能力開発促進法にいう公共職業能力開発施設に準ずる施設において職業訓練を受ける者が地方公共団体又はその長から支給される(ア)に準ずる技能修得手当に該当するものとして取り扱う場合
　　②　第7の10の(4)
　　　各費目に関する告示及び本職通知の規定による基準によりがたい特別の事情がある場合
　　③　第8の2の(6)のイ　(都道府県知事からの情報提供)
　　　収入として認定しないものの取扱いとして第8の2の(6)のアの(ア)から(オ)までに掲げる金銭に準ずるものとして取り扱う場合又は同一人に対してアの(ア)から(カ)までに掲げる金銭が重複して支給される等特別な場合
　(2)　医療扶助運営要領中、次に該当する場合
　　①　第2の2の(7)

国民健康保険、健康保険、老人保健の診療における取扱い等により難い場合
② 第3の6の(3)のアの(ウ)のイ
第3の6の(3)のアの(ア)に掲げる以外の治療材料が2万5000円を超える場合
(3) 介護扶助運営要領中、次に該当する場合
① 第2の2の(6)
介護保険の介護の方針及び介護の報酬により難い場合
② 第5の3の(3)
福祉用具の給付に当たり、限度額を超えて給付が必要と認められる場合
③ 第5の4の(2)
住宅の改修に当たり、居宅介護住宅改修費支給限度基準額又は居宅支援住宅改修費支給限度基準額によりがたい場合
(4) 保護の実施要領の取扱い中、次に該当する場合
・第3の問12の答
次のいずれかの要件に該当しない場合であっても、その保有を認めることが真に必要であるとする特段の事情があるとき
2 情報提供の流れ
(1) 実施機関からの情報提供
　各規定に基づき直接、実施機関より厚生労働大臣あて、情報提供することは可能ではあるが、当該実施機関の所在する都道府県（以下「都道府県」という。）は、管内の生活保護事務の適正実施を図る役割を担うものであり、その前提として管内における運用状況の把握が不可欠であることから、都道府県（指定都市及び中核市を含む。以下同じ。）において取りまとめのうえ、提出願いたい。
　また、保護の実施機関（都道府県を除く。）におかれては、直接、厚生労働大臣あて情報提供を行った場合は、都道府県知事あて、同様の内容を情報提供願いたい。
(2) 厚生労働省の意見聴取
　厚生労働省においては、実施機関より厚生労働大臣に対し情報提供が行われた場合、必要に応じて都道府県に対し、保護の適正実施の観点から管内での当該情報提供の内容についての取扱いについて、意見聴取を行うことがあるのでご承知願いたい。
3 留意事項
(1) 1による情報提供を行うにあたっては、それ以外の一般的な情報提供と区別するため、厚生労働大臣の特別基準の設定が必要と思慮される旨及び各実施要領及び運営要領等の根拠を明記するものとする。
(2) 添付書類については、保護の実施要領第7の10の(3)を参考にし、厚生労働大臣の特別基準の設定の必要性が十分わかるものを用意されたい。

生活保護法における特別基準の設定にかかる情報提供について

(参考)
 ○基本的な流れ

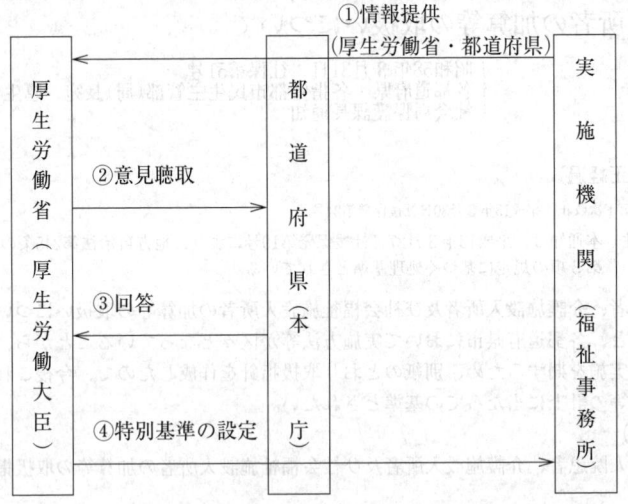

○入院患者、介護施設入所者及び社会福祉施設入所者の加算等の取扱いについて

> 昭和58年3月31日　社保第51号
> 各都道府県・各指定都市民生主管部(局)長宛　厚生省
> 社会局保護課長通知

〔改正経過〕

　　第1次改正　平成13年3月30日社援保発第24号
　　注　本通知は、平成13年3月27日社援保発第19号により、地方自治法第245条の9第1項及び第3項の規定に基づく処理基準とされている。

　入院患者、介護施設入所者及び社会福祉施設入所者の加算等の取扱いについて全国の状況をみると、各都道府県市において実施方法等が区々となっていることから、今般、全国統一的な実施を期するため、別紙のとおり取扱指針を作成したので、今後これらの者に対する加算等の計上に当たっての基準とされたい。

（別　紙）
　　　　入院患者、介護施設入所者及び社会福祉施設入所者の加算等の取扱指針
1　趣旨
　告示別表第1第2章の5に規定する介護施設入所者加算若しくは同章の10に規定する重複調整等の対象となる加算又は同第3章の1に規定する入院患者日用品費若しくは同章の2に規定する介護施設入所者基本生活費（これに相当するものを含む。）（以下「加算等」という。）は、原則としてその基準額の全額を計上することとされているが、医療機関、介護施設又は社会福祉施設（以下「医療機関等」という。）に入院入所中の被保護者で、この額では合理的な目的のない手持金の累積を生ずる場合には、告示別表第1第2章の5、同章の10、同第3章の2及び同章の3の規定に基づき、これらを支給されている者の消費の実態に見合った額を計上するのが本来である。
　しかしながら、こうしたことが事務的な理由等から困難な場合であって被保護者本人以外の者が手持金を管理しているときは、その累積額に着目して次のような加算等の計上を行うこととする。
2　取扱いの対象者
　次の(1)から(3)までのいずれかに該当する者で、金銭管理能力がないため医療機関等の長又はこれらに準ずる者に金銭の管理をゆだねている者
　(1)　入院患者で加算等を認定されている者
　(2)　介護施設入所者で加算等を認定されている者
　(3)　社会福祉施設入所者で加算等を認定されている者
3　手持金の累積額
　対象者に認定されている加算等の6か月分の額。ただし、近い将来医療を受けることに伴って通常必要と認められる経費については、必要最小限の範囲で配慮して差し支え

ない。
4 計上の方法
加算等の計上は、次の方法による。
(1) 手持金の累積が前記3の額に達している場合は、加算等の計上を停止する。
(2) 手持金が加算等の1か月分程度まで減少した場合は、再度加算等を計上する。
(3) なお、介護施設入所者加算又は重複調整等の対象となる加算及び入院患者日用品費又は介護施設入所者基本生活費の両者が認定されている者については、次のような段階的な取扱いを行っても差し支えない。
　ア (1)の場合においてまず介護施設入所者加算又は重複調整等の対象となる加算の計上を停止し、更に累積が進行する場合は入院患者日用品費又は介護施設入所者基本生活費の順に計上を停止する。
　イ (2)の場合においてまず入院患者日用品費又は介護施設入所者基本生活費を計上し、更に必要がある場合には介護施設入所者加算又は重複調整等の対象となる加算の順に計上する。
　ウ 介護保険料加算が認定されている場合は、入院患者日用品費又は介護施設入所者基本生活費の停止又は計上に合わせて一体的に取り扱う。
5 取扱上の留意事項
(1) この指針の取扱いに当たっては、医療機関等の理解を十分に得た上、円滑に実施するよう配慮すること。
(2) 加算等の計上を停止しようとする場合は、停止の前に、必要な加算等の需要が計画的かつ合理的に賄われていたかどうかを調査し、加算等の全額を必要としないことを確認の上行うこと。
　また、停止の後は、年金等の支給時期を勘案しながら必要の都度対象者の加算等の消費状況を確認し、適切な対応を採ること。
(3) 社会福祉施設の長に加算等の管理をゆだねている場合であっても、更生訓練を目的とする施設に入所している者等で、金銭管理能力を有する者については、今回の取扱いの対象とならないこと。
(4) 介護保険料加算が計上されている者であって、保護の実施機関が当該加算に相当する額を受領し、被保護者に代わって保険者に納付している者については、当該加算の計上が停止又は再計上された場合、その旨保険者に連絡するとともに、当該加算の停止により代理納付ができなくなることから、保険者及び医療機関等の長の協力を得て、円滑な保険料納付が行われるよう配慮されたい。
(5) 加算等を計上しないことにより、保護を要しなくなる場合でも、直ちに保護を廃止せずとりあえず保護の停止を行うこと。
　ただし、累積金が多額であるため保護を廃止しても最低生活が維持でき、特段の事情の変化がなければ相当長期にわたって保護を要しないと判断される者については廃止すること。
　なお、保護の停止又は廃止を行う場合には、国民健康保険への加入手続きについて遺漏のないようにすること。

○救護施設入所者に対する保護費の適正な支給について

> 平成27年3月31日　社援保発0331第3号
> 各都道府県・各指定都市・各中核市民生主管部(局)長
> 宛　厚生労働省社会・援護局保護課長通知

　生活保護行政の推進については、平素から格段の御配慮を賜り厚く御礼申し上げます。
　標記については、先般、会計検査院が実地検査を行ったところ、金銭の管理を委ねている救護施設入所者に対する保護費の支給について、一部の福祉事務所において適切に行われていない事案が見られたことから是正改善を行うべきとの指摘を受けたところです。
　このため、今回の会計検査院からの指摘（別添参照）を踏まえ、下記の事項に留意の上、適正な処理にあたられるよう管内福祉事務所に対して周知徹底いただくようお願いします。

記

1　会計検査院における指摘の概要
　金銭の管理を委ねている救護施設入所者が、手持金の額が障害者加算の6か月分の額に達しているにもかかわらず、「入院患者、介護施設入所者及び社会福祉施設入所者の加算等の取扱いについて」（昭和58年社保第51号厚生省社会局保護課長通知。以下「取扱指針」という。）に基づいた取扱いによらず、障害者加算の計上の停止をしていないこと。

2　改善に向けた取組
(1)　救護施設入所者であって、金銭管理能力がないために施設長又はこれに準ずる者に金銭の管理を委ねている者については、以下の事項に十分留意のうえ、加算の計上停止の措置を適切に講じること。
　ア　取扱指針により、「生活保護法による保護の基準」（昭和38年4月1日厚生省告示第158号）の規定に基づき消費の実態に見合った額を計上することが必要な保護費については、手持金の累積額に着目した計上の停止を行うこととしている。
　　　現行の生活保護基準において、上記に該当する保護費として、取扱指針にいう加算等（以下「加算等」という。）とは以下の保護費を指すものであること。
　　・　介護施設入所者基本生活費及び介護施設入所者加算（冬季加算及び期末一時扶助を含む。）
　　・　入院患者日用品費（冬季加算及び期末一時扶助を含む。）
　　・　障害者加算又は母子加算
　　　このことから、救護施設入所者に計上される基準生活費については、加算等には含まれず、取扱指針によって計上の停止を行うことは認められていないこと。
　　　よって、加算等の計上の停止を行う「手持金の累積額が対象者に認定されている

加算等の6か月分の額に達している場合」における「加算等の6か月分の額」の算定には、救護施設入所者に計上される基準生活費は含まれないものであること。これを踏まえて、加算等の計上の停止の検討を行うこと。
イ　取扱指針の対象者は、金銭管理能力のない者であることから、救護施設の施設長等に金銭の管理を委ねている入所者であっても、金銭管理能力を有する者は、取扱指針の対象者ではないことに留意すること。

　また、取扱指針によって加算等の計上を停止しようとする場合には、停止の前に、加算等の全額を必要としないことを確認する必要があることから、入所している救護施設の理解を十分に得た上で、円滑に実施するよう配慮すること。

　なお、救護施設において地域移行に向けた具体的な個別支援計画が策定されている入所者については、これまでの消費実態と今後の必要な需要等を適切に確認するなど、入所者の地域生活への移行に支障を来すことのないよう、特に留意すること。

(2) 都道府県・指定都市本庁が行う福祉事務所に対する監査においても、今回の会計検査院による指摘を踏まえ、上記に記載した取組等、改善に向けた対策が実際に実施されているかについて、確認すること。また、履行状況が不十分な場合は、改善のための必要な指導・援助を行うこと。

別添　略

○介護保険料加算の認定及び代理納付の実施等について

> 平成12年9月1日　社援保第54号
> 各都道府県・各指定都市・各中核市民生主管部(局)長　宛
> 厚生省社会・援護局保護課長通知

〔改正経過〕
第1次改正　平成18年3月31日社援保発第0331006号　　第2次改正　令和元年5月27日社援保発0527第1号
第3次改正　令和3年1月7日社援保発0107第1号

　平成12年3月31日に「生活保護法による保護の基準」（昭和38年4月厚生省告示第158号）の一部が改正され、あらたに介護保険料加算が創設されたところであるが、その具体的な取扱いは、下記のとおりであるので、管内実施機関及び関係機関に周知願いたい。
　なお、本通知については、厚生省老人保健福祉局介護保険課と協議済みであること。また、本通知は技術的助言・勧告として行うものであることを念のため申し添える。

記

1　介護保険料加算の認定について
　(1)　基本的な取扱い
　　　介護保険料加算は、介護保険の第1号被保険者であって、介護保険法（平成9年法律第123号）第131条に規定する普通徴収の方法によって保険料を納付する義務を負う者に対して、保険者に対して納付すべき介護保険料の実費を認定することとされている。保護の実施機関は、認定にあたり、平成12年3月31日付社援第825号「生活保護法による介護扶助の運営要領について」（以下「介護扶助運営要領」という。）の第3の2の(1)に定めるところにより、65歳以上の被保険者である被保護者等に関する情報を保険者に通知し、それにより保険者から保護の実施機関あて通知される第一段階の所得区分の納期及び納期毎の保険料の額又は納入通知書（写し）に基づき実費を認定すること。
　(2)　保護の要否の判定の際の取扱い
　　　介護保険料の額は、その納期において納付すべき実費を認定することとされているが、保護の要否判定に際しては、平均的な需要に基づき判定する必要があるため、加入する保険者の納期にかかわらず、被保護者に適用される第一段階の所得区分の年額保険料（年度中途に保護が開始された場合については、保護開始日の属する月から年度末までの保険料）を月割して算定した額で行うこと。
　　　この場合、要否の判定と程度の決定ではその取扱いが異なるので留意すること。
　(3)　保護の程度の決定の際の取扱い
　　ア　賦課期日（4月1日）に被保険者である被保護者の場合
　　　　実施機関は、保険者から通知される納期毎の保険料の額に基づき、当該納期月に

おいて納付すべき介護保険料の実費を認定すること。
　イ　賦課期日（4月1日）に被保険者であった者が年度中途に保護を開始した場合
　　　年度中途に被保険者が保護を開始した場合、保護開始日の属する月から第一段階が適用されるため、年額保険料が再算定され、再算定後の年額保険料から既支払額（未納、既納に関わらず、納期の過ぎた保険料額をいう。）を控除した額を、残りの納期回数で除して得た額が保護開始日以降の各納期月に賦課されることとなる。保護の実施機関は、生活保護の開始決定の連絡を保険者に対して行い、それにより保険者から通知されるその者の納期毎の再算定後の保険料の額（納入通知書の写し）に基づき実費を認定すること。
　　　ただし、納期月において保険者における年額保険料の再算定及び通知が当該月の加算の認定に間に合わない場合には、既に通知されている再算定前の保険料額を認定し、次回以降の加算額において調整を行うこと。
　ウ　被保護者が年度中途に被保険者資格を取得した場合
　　　65歳到達や他市町村からの転入など被保護者が年度中途に被保険者資格を取得した場合には、資格取得日の属する月から年度末まで月割賦課した額を残りの納期回数で除して得た額が資格取得日以降の各納期月に賦課されることとなる。保護の実施機関は、保険者から通知される納期毎の保険料の額（納入通知書の写し）に基づき実費を認定すること。
　　　なお、他の市町村から転入してきた被保護者が、転入前の市町村から月割賦課による未納分（滞納したものを含まない。）の保険料の請求を受ける場合や、2月乃至3月に被保険者資格を取得した場合で、当該年度中には既に納期がないときなどには、市町村が条例で定める納期以外にも月割賦課による保険料の請求を受ける場合があるが、この場合についても同様であること。
2　代理納付の実施について
 (1)　代理納付の基本的な考え方
　　　生活扶助の保護金品は、施設入所の場合を除いて世帯主又はこれに準ずる者に交付することが原則であり、これにより難い場合は個々の被保護者に交付するものである。
　　　したがって、介護保険料加算についても被保護者に交付し、被保護者本人が保険料を保険者に納付することが基本となる。
　　　しかしながら、被保護者にとって煩雑であるほか、介護保険料加算相当額を他の用途に費消し、保険料を滞納することがあれば、介護保険料加算の計上の趣旨及び目的に反するとともに、介護保険給付を償還払い化する措置をとられるおそれがあることから、保護の実施機関は、(2)から(4)までに定めるところにより、その世帯員である被保護者に代わって、保険料を保険者に納付すること（以下「代理納付」という。）ができること。
 (2)　代理納付の要件
　　　代理納付は、次の各号の要件を満たす場合に限り行うことができるものであること。
　ア　当該世帯に生活扶助費として、介護保険料加算相当額以上が支給されていること。

イ 削除
(3) 代理納付の開始又は終了の保険者への通知
　保険者は代理納付が行われる被保護者（以下「代理納付対象者」という。）の納付書を実施機関あてに送付することとされているので、保護の実施機関は、代理納付対象者について、代理納付を開始する旨を速やかに文書で保険者に通知すること。また、代理納付の中止事由（代理納付対象者の属する世帯が保護の停・廃止の処分を受けた場合又は生活扶助費として介護保険料加算相当額が支給されなくなる場合等）が生じた場合には、保険者は納付書を本人あてに送付することとされているので、当該者について代理納付を終了する旨を速やかに文書で保険者に通知すること。
　なお、保険者への通知は、介護扶助運営要領の様式第4号の1の備考欄に「代理納付の有・無」等を記載することにより行うこととしても差し支えないこと。
(4) 代理納付に係る納付方法等
　代理納付に係る納付方法は、納付書による支払い又は保険者が定める口座への振り込み等によること。
　なお、いずれの方法においても、実施機関は、被保護者毎、納期毎の保険料の納付を証明する文書を、保険者から得られるようにし、必要に応じて、保険料を納付した旨の連絡を被保護世帯に対して文書で行うこと。
3　削除

〔参考〕

○介護保険料に係る生活保護受給者の取扱いについて

〔平成12年9月1日　老介第11号
各都道府県介護保険主管部(局)長宛　厚生省老人保健
福祉局介護保険課長通知〕

　標記について、今般、下記のとおりその運用について定めたので、本日付厚生省社会・援護局保護課長通知と併せて御了知の上、管内市町村にその周知を図られたい。
　なお、本通知については、厚生省社会・援護局保護課と協議済みであることを念のため申し添える。

記

1　保険料額等の実施機関への連絡
　　生活保護制度において、第1号被保険者の介護保険料については、普通徴収の場合は、生活扶助の介護保険料加算として実費を支給、また、特別徴収の場合は、収入認定において年金収入からの控除をすることとされている。そのため、扶助額の適正な決定を速やかに行えるよう、保険者は保護の実施機関に対して被保護者の保険料額等の情報を連絡する必要がある。
　　具体的な保護の実施機関と保険者との事務処理の流れは以下のとおり。
　① 保護の実施機関は、毎年度当初、被保護者情報連絡表により、賦課期日（4月1日）現在の被保護者のうち65歳以上の者及び当該年度において65歳に到達する者の情報を保険者へ通知する。
　② 保険者は、第一段階の所得区分の納期と納期毎の保険料額を、連絡を受けている保護の実施機関に通知する。
　③ 保険者は、第1号被保険者について、年度途中に生活保護の開始決定の連絡を保護の実施機関から受けた場合、その者の納期毎の再算定後の保険料の額（納入通知書の写し）を、保護の実施機関に通知する。
　④ 保険者は、第1号被保険者の被保護者について、以下の事項を保護の実施機関に通知する。
　　ア　被保護者に係る年額保険料額並びに納期及び納期毎の保険料額
　　イ　保険料の徴収方法（10月以降）
　　ウ　保険者番号、被保険者番号等
2　代理納付について
　　別添「介護保険料加算の認定及び代理納付の実施等について（平成12年9月1日社援保第54号）」により、保護の実施機関は、その世帯員である被保護者に代わって、生活扶助の介護保険料加算相当分の介護保険料を保険者に納付すること（以下「代理納付」

という。)ができることとされているので、保険者は以下の取扱いを行うこととする。
① 保険者は、保護の実施機関から、代理納付を開始する旨の連絡を受けた第1号被保険者の納付書については、保護の実施機関あてに送付し、代理納付を終了する旨の連絡を受けた第1号被保険者の納付書については、本人あてに送付すること。
② 代理納付に係る納付方法については、保護の実施機関から金融機関への口座振込も行えるよう、代理納付用の指定口座の確保を行い、保護の実施機関にあらかじめ連絡すること。
③ 保険者は、保護の実施機関の求めに応じて、代理納付対象者の納付結果を明記した文書(納付証明書等)を交付すること。
別添　略

○生活保護制度における代理納付等の適切な活用等について

平成19年10月5日　社援保発第1005002号・社援指発第1005001号
各都道府県・各指定都市・各中核市民生主管部(局)長　宛　厚生労働省社会・援護局保護課長・総務課指導監査室長連名通知

〔改正経過〕
第1次改正　令和元年5月9日社援保発0509第1号・社援自発0509第1号

　標記については、先般、会計検査院が実地検査を行ったところ、生活保護費として介護保険料加算、住宅扶助、学校給食費(以下「介護保険料加算等」という。)が支給されている被保護者について、介護保険料、公営住宅家賃及び学校給食費(以下「介護保険料等」という。)が未納となっている事例が認められたことから、適切に代理納付や学校長払い(以下「代理納付等」という。)を活用すること等により、これらの未納防止が図られるよう是正改善を行うべきとの指摘を受けているところである。

　生活保護における扶助のうち、介護保険料加算等については、当該使途に充てるために、それぞれの実費を支給しているところであり、これらの扶助費が一般生活費に充当されることは生活保護法の趣旨に反するものであるため、これらの扶助費がその目的とする使途に的確に充てられるよう適切な指導等を行うことが必要である。

　このため、今般、会計検査院からの指摘も踏まえ、適切な納付指導及び代理納付等の適切な活用について留意すべき点を下記のとおり示すこととしたので、ご了知のうえ、管内の実施機関に対して、周知徹底を図られたい。

　なお、本通知の内容については、老健局介護保険課、国土交通省住宅局住宅総合整備課及び文部科学省スポーツ・青少年局学校健康教育課と協議済であることを申し添える。

記

1　会計検査院による指摘の概要
　介護保険料加算等については、当該使途に充てるために、その実費を支給しているところであり、その目的とする使途に的確に充てられることが必要であるが、
○　介護保険料等の徴収担当部局との連携が十分でなかったため、被保護者の介護保険料等の納付状況を把握していなかったり、介護保険料加算等の代理納付等について関係機関との調整等が整っておらず、代理納付等の活用が図られていないこと。
○　被保護者に対する介護保険料等の適正納付についての指導が十分に行われていないこと、また、代理納付等についても必要に応じて的確に適用されていないこと。

2　改善に向けた取組み
　今回の会計検査院の指摘事例の多くは、介護保険料等の徴収担当部局との連携が十分でなかったため、介護保険料加算等が支給されている被保護者の納付状況を把握していなかったり、またこれを把握している場合においても、その適正納付についての指導が十分でなく、代理納付等の適用も的確に行われていないことに起因するものである。

ついては、このように代理納付等の適切な活用等が十分でない実施機関においては、下記の事項に留意のうえ、その改善策の実施に取り組まれたい。
なお、その際併せて、以下の通知にもご留意願いたい。
○ 介護保険料加算の認定及び代理納付の実施等について（平成12年9月1日社援保第54号）
○ 介護保険料にかかる生活保護受給者の取扱いについて（平成12年9月1日老介第11号）
○ 公営住宅に入居する被保護者の保証人及び家賃の取扱いについて（平成14年3月29日社援保発第0329001号）
○ 公営住宅の家賃の取扱い等について（平成14年3月29日国住総第216号）
○ 生活保護法第37条の2に規定する保護の方法の特例（住宅扶助の代理納付）に係る留意事項について（平成18年3月31日社援保発第0331006号）
○ 公営住宅の家賃の取扱いについて（平成18年3月31日国住総第212号）

(1) 介護保険料等の徴収担当部局との連携

　介護保険料加算等を支給された被保護者がその扶助費を適切にこれらの使途に充てているかどうかを把握するためには、介護保険料等の徴収担当部局との連携を図ることが必要不可欠である。

　このため、保護の実施機関においても、

　　○ 介護保険料等の徴収担当部局へ被保護者リストの提供を行い、納付状況の確認を依頼する
　　○ 介護保険料等の徴収担当部局から未納者リスト等の提供を受ける

等、各自治体の実情に応じた連携体制の構築を図り、被保護者の納付状況を適切に把握することとされたい。

　なお、被保護者リストの提供にあたっては、介護扶助運営要領に定める被保護者情報連絡表の様式（別添）を適宜参考とされたい。

(2) 被保護者の状況を踏まえた適切な納付指導及び代理納付等の活用

　介護保険料等の徴収担当部局からの情報提供等により、保護の実施機関において、介護保険料等が未納となっている事例を確認した場合は、当該被保護者の日常生活状況等を把握したうえで、適切な納付指導を行うか、代理納付等の手続をとることにより未納状況の改善を図ることとされたい。

　なお、介護保険料加算及び住宅扶助については、生活保護法第37条の2及び生活保護法施行令第3条により、保護の実施機関による代理納付を可能としているところであり、また学校給食費については、生活保護法第32条第2項により、被保護者の通学する学校の長に対して交付することが可能となっている。

(3) 指導監査時における対応

　都道府県及び指定都市本庁が行う福祉事務所の監査においても、上記代理納付等の適切な活用等についての取組みが不十分な福祉事務所に対しては、改善に向けた対策が実施されているか、確認されたい。

生活保護制度における代理納付等の適切な活用等について

別添

被保護者情報連絡表（保険者用）

（令和　年　月　日現在）

番号	氏名	住所	生年月日	年齢	被保険者番号※	保護開始、停止、廃止年月日※	備考

（注）
1　4月1日現在の被保護者のうち65歳以上の者及び当該年度において65歳に到達する者を記入する。
2　※は市町村記入欄。
3　「保護開始、停止、廃止年月日」欄は、4月以降の保護の実施機関からの連絡に基づき市町村が記入するための欄。

〔参考〕

○生活保護受給者の介護保険料徴収に係る保護の実施機関との連携等について

> 平成19年10月5日　老介発第1005001号
> 各都道府県介護保険主管部(局)長宛　厚生労働省老健
> 局介護保険課長通知

　標記については、今般、会計検査院による実地検査により生活保護受給者に係る介護保険料の未納の事例が認められ、是正改善すべきとの指摘がなされたところである。これを受け、下記のとおりその未納防止策をとりまとめたので、別添厚生労働省社会・援護局保護課長・総務課指導監査室長通知と併せて御了知の上、貴管内市町村等関係方面への周知徹底をお願いする。

　なお、本通知については、厚生労働省社会・援護局保護課及び総務課指導監査室と協議済みであること、また、本通知は技術的助言・勧告として行うものであることを念のため申し添える。

記

1　保護の実施機関との情報の共有について
　　生活保護受給者の介護保険料の納付状況については、その納付状況を保護の実施機関に情報提供する等保護の実施機関との情報の共有に努めるものとする。
2　介護保険料未納者に対する納付指導について
　　保護の実施機関との情報共有の結果、生活保護受給者の介護保険料の未納を確認した場合には、保護の実施機関と連携を図り、適切な納付指導を行うものとする。
3　代理納付の実施に係る協力について
　　保護の実施機関は介護保険料の代理納付ができることとされており、介護保険料未納防止の有効な手立てとなっているが、代理納付の実施にあたっては、保護の実施機関に必要な協力を行うものとする。
　　なお、当該協力にあたっては「介護保険料に係る生活保護受給者の取扱いについて（平成12年9月1日老介第11号）」を参考にするものとする。

別添　略

○生活保護基準の見直しに伴う他制度における経過措置等の円滑な実施に係る留意事項について

> 平成30年9月4日　社援保発0904第2号
> 各都道府県・各指定都市・各中核市民生主管部(局)長
> 宛　厚生労働省社会・援護局保護課長通知

　生活保護基準の見直しについては、他制度に影響が生じる可能性が指摘されていることから、政府として、できる限り影響が及ばないようにするため、全閣僚で対応方針（別添1）を確認しており、この対応方針については、生活保護基準の見直しの考え方（別添2）と併せて、既に、本年3月1日の社会・援護局関係主管課長会議等において情報提供している。

　特に、今回の生活保護基準の見直しに伴い保護が廃止又は停止（以下「廃止等」という。）になる者については、他制度における生活保護受給者を対象とする給付や自己負担額の減免等についても対象でなくなる可能性があることから、これらの者の生活の維持に支障が生じることのないよう特段の配慮が必要である。

　このため、生活保護基準の見直しに直接影響を受け得る国の制度（別添3）においては、生活保護基準の見直しに伴い保護が廃止等になる者について、必要に応じて生活保護受給者に準じて取り扱うなどの措置を講じることとしている。

　こうした他制度における経過措置等が円滑に行われるよう、当面の間の福祉事務所における具体的な取扱いに係る留意事項を下記のとおりお示しするのでよろしくお取り計らい願いたい。

　なお、本通知は、地方自治法（昭和22年法律第67号）第245条の4第1項の規定に基づく技術的助言である。

　また、「生活扶助基準の見直しに伴う他制度における経過措置等の円滑な実施に係る留意事項について（通知）」（平成25年7月17日付け社援保発0717第1号厚生労働省社会・援護局保護課長通知）は、廃止する。

記

1　新生活保護基準の施行に伴い保護が廃止等になる者に対する措置に係る留意事項について
　(1)　基本的な考え方
　　　政府の対応方針に基づき、各制度においては、生活保護基準の見直しに伴い保護が廃止等になる者について、必要に応じて生活保護受給者に準じて取り扱うなどの措置を講じることとしている。
　　　このため、他制度所管部局において当該措置の適用対象であるか否かを確認する事務が円滑に行われるよう、生活保護基準の見直しに伴い保護が廃止等になる世帯につ

いては、(2)の取扱いにより生活保護廃止（停止）証明書を交付することとしている。

なお、当該生活保護廃止（停止）証明書は、地方自治体において独自に行っている事業において、国の制度と同様に、生活保護基準の見直しに伴い保護が廃止等になる者を生活保護受給者に準じて取り扱う等の経過措置を講ずる場合についても用いることができることから、各制度を所管する担当部局と連携の上、適宜活用されたい。

(2) 生活保護廃止（停止）証明書について

新生活保護基準の施行以前から保護を受給しており、保護の要否判定において、施行前の生活保護基準で算出した最低生活費（※1）と比較すると、世帯の収入充当額が最低生活費を下回るが、施行後の新しい生活保護基準で算出した最低生活費と比較すると、世帯の収入充当額が最低生活費を上回る（※2・3）ことになり、保護が廃止等になる世帯を対象として、別紙様式により「生活保護廃止（停止）証明書」を交付する。

この「生活保護廃止（停止）証明書」には、①新生活保護基準の施行前の最低生活費、②新生活保護基準の施行後の最低生活費及び③その世帯の保護が廃止等になる時点での収入充当額を記載した上で、対象世帯に交付することとし、保護が廃止等になった後、他制度に基づく給付や自己負担額の減免等の措置を受ける場合に、当該制度を所管する窓口に当該生活保護廃止（停止）証明書を提示するよう教示すること。

※1 最低生活費には、生活扶助、教育扶助、住宅扶助、介護扶助等のほか、国民健康保険や後期高齢者医療制度の適用を受けた場合の保険料及び自己負担額等を計上すること。

※2 新生活保護基準の施行と同時に世帯人員等に変更があった場合は、生活扶助基準の見直し以外の影響による最低生活費の変動があることから、生活保護廃止（停止）証明書に新生活保護基準の施行前の最低生活費を記載する際には、施行後（変更後）の世帯構成等にあわせた最低生活費を仮に算出し、その最低生活費を記載すること。

※3 保護の要否判定に当たっては、10月から翌年4月までの間において、冬季加算等が計上されることを踏まえ、当該期間内では保護要となる場合であっても、当該期間外に保護否となる可能性があることに留意すること。

2 保護の廃止等に係る判断について

新生活保護基準の施行に伴い、保護の廃止等の判断を行うに当たっては、国民健康保険や後期高齢者医療制度、介護保険、自立支援医療等の保険料や自己負担額等を負担しても、なお保護を受給せずに今後の生活を維持できるかについて十分検討を行うこと。また、保護を廃止する場合は、「生活保護法による保護の実施要領の取扱いについて」（昭和38年4月1日社保第34号厚生省社会局保護課長通知）第10の問12に記載されているとおり、「特別な事由が生じないかぎり、保護を再開する必要がないと認められるとき」又は「以後おおむね6か月を超えて保護を要しない状態が継続すると認められるとき」に限りすべきものであって、今般の生活保護基準の見直しに伴い、一時的に世帯の収入充当額が最低生活費を上回ったことをもって保護を廃止することのないよう充分留

意すること。
3 保護が廃止等になる時の対応について
　上記2による要否判定の結果、保護が廃止等になる場合は、当該世帯に対して、保護の廃止等に伴い加入が必要となる国民健康保険（後期高齢者医療制度を含む）や国民年金等の各種社会保障制度への加入に必要となる諸手続について助言指導するとともに、保険料や自己負担額の減免制度等について丁寧に説明すること。
　また、これらの諸手続が漏れなくかつ円滑に進むよう、保護の実施機関から各制度の担当課に対して情報提供を行うなど密接な連携を図り対応すること。
　さらに、関係機関との連携に当たっては、当該世帯の状況に応じて、生活困窮者自立支援制度の自立相談支援機関につなぐなど、当該世帯に対して、保護が廃止等になった後においても継続的な支援が行われるよう留意すること。

（別添1）　「生活保護基準の見直しに伴い他制度に生じる影響について（対応方針）」
　　　　　（平成30年1月19日）　略
（別添2）　平成30年10月以降における生活保護基準の見直し　略
（別添3）　生活保護基準の見直しに伴い、直接影響を受け得る国の制度について　略
（参考1）　生活保護基準の見直しに伴い他制度に生じる影響について　略
　　http://www.mhlw.go.jp/file/04-Houdouhappyou-12002000-Shakaiengokyoku-Shakai-Hogoka/0000191696.pdf
（参考2）　社会・援護局関係主管課長会議資料（平成30年3月1日）　略
　　https://www.mhlw.go.jp/stf/shingi2/0000195476.html

(別紙様式)

生活保護廃止(停止)証明書

　住　　　所
　世帯主氏名(生年月日)
　世帯員氏名(生年月日)

　上記の者は、世帯の収入充当額が最低生活費を上回るため、保護が廃止(停止)となりましたが、廃止(停止)日及び保護を要しない理由は、下記のとおりであることを証明します。

記

(1) 生活保護の廃止(停止)日
　　　平成　　　年　　　月　　　日
(2) 保護を要しない理由
　　世帯の収入充当額が最低生活費を上回り、保護を要しないため。
(3) 新生活保護基準施行前及び生活保護廃止(停止)時の最低生活費並びに生活保護廃止(停止)時の収入充当額

新生活保護基準施行前(平成30年9月)の最低生活費	円
生活保護廃止(停止)時(平成30年〇月)の最低生活費	円
生活保護廃止(停止)時の収入充当額	円

平成　　年　　月　　日
○　○　福　祉　事　務　所　長

4　収入認定関係

○原子爆弾被爆者に対する特別措置に関する各種給付に係る収入の認定等について

（昭和43年10月1日　社保第232号
各都道府県・各指定都市民生主管部(局)長宛　厚生省
社会局保護課長通知）

〔改正経過〕
　　第1次改正　昭和57年3月10日社保第23号　　　　第2次改正　平成3年3月30日社保第40号
　　第3次改正　平成21年3月27日社援発第0327001号

　注　本通知は、平成13年3月27日社援発第19号により、地方自治法第245条の9第1項及び第3項の規定に基づく処理基準とされている。

　原子爆弾被爆者に対する特別措置に関する法律（昭和43年法律第53号。以下「被爆者特別措置法」という。）が昭和43年9月1日から施行され、原子爆弾被爆者に対して同法に基づく各種の給付が支給されることとなったが、生活保護法による被保護者がこれらの給付を受けた場合の収入の認定等の取扱いは次によることとされているので、了知のうえ、管下実施機関に対する指導上遺憾のないようにされたい。
1　医療特別手当、原子爆弾小頭症手当、健康管理手当、保健手当及び葬祭料について
　　被爆者特別措置法第2条に基づく医療特別手当、第4条の2に基づく原子爆弾小頭症手当、第5条に基づく健康管理手当、第5条の2に基づく保健手当及び第9条の2に基づく葬祭料は、昭和36年4月1日厚生省発社第123号厚生事務次官通知「生活保護法による保護の実施要領について」（以下「次官通知」という。）第8の3の(3)のソにより取り扱うものであること。
　　なお、医療特別手当の受給資格を有する被保護者は、生活保護法による保護の基準（昭和38年4月厚生省告示第158号。以下「保護の基準」という。）別表第1第2章の6の(1)のアに基づき放射線障害者加算の対象となるものであるから、保護の決定及び実施に際して十分留意すること。
2　特別手当について
　　被爆者特別措置法第3条に基づく特別手当は、次官通知第8の3の(2)のアに該当するものであるから収入として認定すること。
　　なお、特別手当の受給資格を有する被保護者は、保護の基準別表第1第2章の6の(2)

のアに基づき放射線障害者加算の対象となるものであるから、保護の決定及び実施に際して十分留意すること。
3 介護手当について
　被爆者特別措置法第8条に基づく介護手当は、現に介護を受けている場合には昭和38年4月1日社発第246号厚生省社会局長通達「生活保護法による保護の実施要領について」の第7の2の(2)のエの(オ)に掲げる額まで収入として認定せず、現に介護を受けていない場合には収入として認定する取扱いとするものであること。
　なお、この場合において、保護の基準別表第1第2章の4の(4)又は(5)に規定する費用は算定する必要はないものであること。

〔参考〕

○地方公共団体が実施する福祉的給付金制度の生活保護法上の取扱いについて

昭和44年4月26日
各都道府県・各指定都市民生主管部(局)長宛　厚生省
社会局保護課長内かん

拝啓　新緑の候ますます御清栄のこととおよろこび申し上げます。生活保護法の実施につきましては平素から皆様の御努力を頂き厚く御礼申し上げます。

　さて、最近における地方公共団体の福祉施策の推進は、財政事情の好転もあって、著しいものがありますが、中でも本年度からは、条例等に基づき心身障害者、老人、児童等に対し福祉的な年金、手当等を支給する施策を実施する動きが急速に高まり、これに対する世論の関心も強く、特にこれらが保護世帯に支給された場合の収入認定の取扱いがマスコミを通じて問題とされた経過は既に御承知のとおりであります。

　このような社会の動きに対し法の基本的な建前に反しない限り、前向きで対応すべきことは、私共としても先に全国課長会議において申し述べたところであり、かつ、従来から、例えば敬老の日の祝金の例、災害事故による保険金、補償金の例のように厚生省としても十分意を用いてきたところであります。

　今回の問題についても、その実態を冷静に分析検討し早急に対策を樹立すべく2月上旬に全国的な実態調査をわずらわし、その結果に基づき鋭意検討を続けて参りましたが、その後関係地方公共団体はもとより、国会の質疑においても、マスコミ関係者の意見も、すべて早期前向き解決を要望するものなので、この際至急結論を出すこととしました。この種の問題の検討についてはできれば全国課長会議において各位の御意見を伺いたいと考えたところでありますが、緊急に事態に対処する必要から、去る4月22日全国の各ブロック別に6人の都道府県主管部長にお集り頂き行政的、専門的な立場から十分御意見を承るとともに、翌23日には社会福祉審議会生活保護専門分科会の委員からも専門的見地からの御意見、御批判を頂き、今般別紙案のような対策を確定し、近く正式に御通知申し上げることにいたしました。

　この案の趣旨及び当面の取扱いについては、別紙のとおりでありますが、要は社会的ハンディキャップがある心身障害者、老人、多子家庭の児童等については円滑な社会生活を営む上で、本人又はその家族を慰謝激励することが望ましく、そのための経費として地方公共団体が福祉施策の一環として給付金制度を設けた場合、それが妥当な額である限り、法第4条に規定する「最低生活の維持のために利用し得る資産等」として取り扱わない、

即ち収入認定しないこととしたものであります。このような趣旨の金銭は地域社会において条例等により住民の総意として支給するものであれば、それをすべて生活費に充当させるよりも、その善意を生かし、保護世帯が喜んでその給付を受け、明るく立直っていくことが望ましく、かつ、生活保護法全体の立法趣旨にも反しないし、今後各地方公共団体の自立的な福祉施策の芽を育てるゆえんであると考えた次第であります。

ただ、今回この案にふみきるにあたって、心配いたしましたのは最低生活の保障の法たる生活保護法の宿命的なきびしさを背負っている第一線の現業職員諸氏にどのような影響を与えるかという点であります。かりにも、誤解に基づき、法の運用が世論（俗論も含めて）に押され、行政としての筋を曲げ、不当にゆがめられたと理解されたのでは、現業職員の志気に影響するばかりでなく、永年の努力で築きあげたまれにみる優れた実施体制がくずれる恐れがあります。この点につきましては、別紙を参照され、特に貴職から管下関係職員に取扱いの趣旨が正しく理解され適正に運用されますよう特段の配慮を賜りたいと存じます。

なお、今回の問題と取り組み、反省させられたことが多くありましたが、その第1は、この問題があたかも生活保護の問題であるかのように新聞紙上等では取り扱われたのでありますが、本来は保護行政以前の福祉施策のあり方の問題であり、少なくとも都道府県段階では、この手当制度については都道府県と市町村の福祉施策の相互関連等について検討協議し、ないしは市町村を指導する必要があるのではないかと思われたことです。基本的には、福祉施策全体について国、都道府県、市町村の分担と協力について検討されるべき問題で、今後厚生省としても真剣に対処すべく内部検討を進めています。

第2は、この問題を通じて私共内部の者以外には生活保護の基本的な仕組み、運用の実態、現行の基準等生活保護の現状が正しく理解されていないことを痛感いたしました。今後私共は生活保護のP・Rについて相互に研究努力をする必要があり、当面少なくとも市町村の理事者には制度を正確に理解し、福祉施策の策定にあたっては、事前に生活保護との関係を考慮するようにP・Rすべきものと考えます。

第3は、各都道府県におかれては、関連施策の動き、社会の状況等を十分に注目され、生活保護行政上対応を要するものについては、すみやかに私共に御協議をいただき、ともに社会需要に即応した生きた制度運用を確保してゆくため、今後いっそうの努力を尽してまいる必要があります。

末筆になりましたが、変動の激しい時代に生活保護行政の一端をになう私共は、今後とも気持を通わせ合い、制度の健全な発展に努めて参りたいと存じております。

各位の今後いっそうの御健勝をお祈りいたします。

敬　具

地方公共団体が実施する福祉的給付金制度の生活保護法上の取扱いについて

別　紙
　　　地方公共団体の福祉的給付金制度について
1　今般確定した取扱い方針
　(1)　取扱い方針
　　　別紙（案）のとおり。
　(2)　適用
　　　昭和44年4月分以降の給付について適用する。
　(3)　その他留意すべき事項
　　ア　福祉的金銭給付について
　　　　ここにいう福祉的金銭給付とは、老人、心身障害者、母子世帯に属する者等いわゆる社会的ハンディキャップを負っている者について、そのハンディキャップを補い、社会に適応させ、単に物質的にのみならず、精神的にも人間として生きるに価する生活を送れるよう、生活保護制度等の目的とする所得保障とは異なる分野の、多分に精神的、人格的な面での需要、即ち、福祉的需要を満たすために給付される金銭をいうものである。
　　イ　自立助長との関係
　　　　「自立助長をはかる」ということは、これを基本的に、各人がその本来の人間的能力を発揮した状態で社会に適応するというものと考えれば、これは即ち「福祉を図る」ことと同じ意味と考えられる。
　　　　自立助長のための需要は、生活保護制度においても、政策的に各種控除等をもって対応するように考慮されているが、これは、法第8条にいう厚生大臣の定める基準に本来的に含まれるべきものではなく、所得保障の目的と並んで、生活保護制度に副次的に設けられている自立助長の目的から、最低限度の基準を確保したうえで、さらにこれに併せて、より望ましい政策的なものとして設けられているといえる。
　　　　したがって、支出の目的自体が福祉的なものとして支出される金銭については、今回の法第4条の解釈方針によって最低限度の生活の維持に活用しえないものとなったが、本来かかる目的ではなく給付される金銭（災害補償金等）を自立助長の使途に充てさせるか、充てさせないかは、法第1条に基づき行政上の裁量として許容される程度の行政運用に属するものであって、法解釈上必然的にかかる措置をとらなければならないというものではない。両者は一応別の根拠に基づく措置である。
　　ウ　敬老会、子供の日祝金等の臨時金との関連
　　　　標記の臨時金を収入認定しない趣旨は、本質的には今回の措置と同様である。
　　　　しかし、臨時金については、臨時的、一時的な福祉需要に対応するもので、定期金と併せて一率に月額をもって規制することは適当でないため、個々に費目を限ってその取扱いを定めることとするものである。
　　エ　年末等の手当（2000円限度）との関係

年末等の手当は、必ずしも福祉的な性質のものではないので、取扱いを区別するものである。
　オ　心身障害児扶養保険との関係
　　心身障害児扶養保険の保険金は、生活を安定させるための所得保障であるので、今回の措置の対象とは一切しないものである。
2　今後の予定等
(1)　以上の取扱いは、厚生事務次官通達等をもって近く指示される予定であること。
　なお、別紙通達案の社会局長通知第8の2の(6)のイにより協議を必要とする福祉的給付については、この内かん到達後からただちに本省に協議の手続きを行なって差しつかえないこと。
(2)　詳細については、5月のブロック会議において説明する予定であること。
別紙　略

○小児がん患者に対する療養援助金の生活保護法上の取扱いについて

昭和48年1月23日
各都道府県・各指定都市民生主管部(局)長宛　厚生省
社会局保護課長内かん

〔改正経過〕
　　第1次改正　平成21年3月27日社援保発第0327001号

　拝啓　時下益々ご清祥のこととお慶び申しあげます。生活保護行政の運営につきましては、平素格別のご配慮を煩わしているところであります。
　さて、このたび財団法人がんの子供を守る会から、同会の小児がん患者に対する療養援助金（療養援助金の概要については、別添1、2参照）の生活保護上の取扱いについて要望があり、これについて検討した結果、同会の療養援助金が生活費等に廻されることなく、間接医療費に充当され、被保護小児がん患者の自立更生のために使われる場合は、昭和36年4月1日厚生省発社第123号厚生事務次官通知「生活保護法による保護の実施要領について」第8の3の(3)のエに該当するものとして、療養援助金を生活保護法上収入認定しない取扱いとすることとし、この旨回答いたしました。
　これにもとづき同会から、全国の主要医療機関等に対し、小児がん療養援助金の取扱いについて、別添3のとおり通知されましたので、了知のうえ、保護の実施機関等関係機関に対してこの旨ご指導賜わりたくお願い申し上げます。

敬具

別添1・2　略

別添3
　平素当会事業につきましては格別のご配意を賜り厚くお礼を申し上げます。
　さて、小児がん治療費に対しましては昭和46年度から公費負担の途が開かれておりますが、本会では、これと別個に小児がん患者家庭に対し、公費負担の対象にならない、いわゆる間接的な医療費について、年間最高20万円の限度で援助を行なっております。
　この援助金は、現に生活保護法による医療扶助受給中の家庭からも申請があり、今後増加していくものと思われます。
　しかしながらこの援助金が保護の決定実施上、収入として認定されますと切角の当会援助の趣旨が生かされることなく、かつ、医療扶助受給中の方々にご迷惑をおかけすることともなります。
　そこで、当会援助金についてはこれを収入として認定しない扱いとされるよう、厚生省に陳情しておりましたところ、昨年12月、厚生省から下記のとおり、ご回答をいただきました。

各位におかれては、医療扶助受給中のご家庭からの本会療養援助の申請につきましては、下記お含みのうえ、よろしくご配意下さいますようお願い申し上げます。

記

1 財団法人がんの子供を守る会の療養援助金が生活費等に廻されることなく、間接医療費に充当され被保護小児がん患者世帯の自立更生のために使われる場合は療養援助金も生活保護法上収入認定しない扱いとする
2 間接医療費に充当することができるものについては、福祉事務所とあらかじめ十分連絡をとられたい

　　昭和48年1月22日

　　　　　　　　　　　　　　　　　　　　　　　財団法人　がんの子供を守る会

医療相談担当主管者　殿

○労災特別援護措置の生活保護法上の取扱いについて

（昭和48年11月21日　社保第204号
各都道府県・各指定都市民生主管部（局）長宛　厚生省
社会局保護課長通知）

〔改正経過〕

第1次改正　平成21年3月27日社援保発第0327001号

注　本通知は、平成13年3月27日社援保発第19号により、地方自治法第245条の9第1項及び第3項の規定に基づく処理基準とされている。

　今般、労働省において、労災特別援護措置（別添通知写参照）を実施することになったが、生活保護法による被保護者がこの措置を受けた場合の取扱いは、次のとおりであるので了知のうえ、保護の実施に遺憾なきを期されたい。
1 労災特別援護措置に基づく援護（以下「援護」という。）のうち診察・薬剤又は治療材料の支給・処置・手術その他の治療・病院への収容及び看護は、生活保護法による医療扶助に優先して行われるものであること。
2 援護のうち療養に要する雑費は、公害に係る健康被害の救済に関する特別措置法に基づく医療手当と同様の趣旨により支給されるものであることにかんがみ、生活保護法による保護の実施要領について（昭和36年4月1日厚生省発社第123号厚生事務次官通知）第8の3の(3)のチに準じて収入として認定しないこととして差しつかえない。
　なお、これが雑費の支給趣旨については、労働省と協議済であるので念のため申し添える。

別添　略

○自動車事故対策センターが行う生活資金の貸付けの生活保護法上の取扱いについて

> 昭和48年12月21日　社保第223号
> 各都道府県・各指定都市民生主管部(局)長宛　厚生省
> 社会局保護課長通知

〔改正経過〕

　　第1次改正　平成21年3月27日社援保発第0327001号

　　　注　本通知は、平成13年3月27日社援発第19号により、地方自治法第245条の9第1項及び第3項の規定に基づく処理基準とされている。

　自動車事故対策センター法（昭和48年法律第65号）第31条第1項第3号、第4号及び第8号の規定により、自動車事故の被害者に対し、自動車損害賠償保障法（昭和30年法律第97号。以下「自賠法」という。）による損害賠償の保障制度と相まって被害者の保護を増進することを目的として認可法人　自動車事故対策センター（以下「センター」という。）が行う資金の貸付け制度（保険金立替貸付、保障金立替貸付、交通遺児等貸付及び不履行判決貸付）は別添（写）の「自動車事故対策センターが行う生活資金貸付け要綱（以下「要綱」という。）」により本年12月10日から実施されることとなったが、生活保護法（以下「法」という。）におけるこれが取扱いは、次のとおりであるので了知のうえ、保護の適正な実施に遺憾のないよう指導の徹底を図られたい。

　なお、4については、センターと協議済である。

1　自賠法の規定により後遺障害に係る損害賠償額の支払を受けるべき被害者及び同法第5章の規定による損害の補てんとして支払われる金額の支払を受けるべき被害者に対し、それぞれ立替貸付として保険金立替貸付又は保障金立替貸付が行われることとなったが、これが取扱いについては、「生活保護法による保護の実施要領について（昭和36年4月1日厚生省発社第123号厚生事務次官通知。以下「次官通知」という。）」の第8の3の(3)のオにより取り扱うこととされたいこと。

2　自動車事故により死亡又は自賠法別表第1級から第3級までに該当することとなった者の遺児等に対し、交通遺児等貸付として一時金及び育成費が貸し付けられることとなったが、これが取扱いについては、次官通知の第8の3の(3)のウにより取り扱うこととされたいこと。

3　自動車事故による損害賠償についての債務名義を得た被害者であって当該債務名義に係る債権についてその全部又は一部の弁済を受けることが困難と認められるものに対し、損害賠償額の一部につき不履行判決貸付が行われることとなったが、これが取扱いについては、次官通知の第8の3の(3)のオにより取り扱うこととされたいこと。

4　要綱のⅡの5の(1)の(ハ)には、法第6条第1項に規定する被保護者である場合を含むものであること。

別添　略

○公害健康被害の補償等に関する法律による各種補償給付の取扱いについて

> 昭和49年11月27日　社保第213号
> 各都道府県・各指定都市民生主管部(局)長宛　厚生省
> 社会局保護課長通知

〔改正経過〕

第1次改正	昭和51年5月12日社保第80号	第2次改正	昭和57年3月10日社保第23号
第3次改正	平成4年2月25日社保第75号	第4次改正	平成7年4月1日社援保第88号
第5次改正	平成21年3月27日社援保発第0327001号	第6次改正	令和元年5月27日社援保発0527第1号

　　　注　本通知は、平成13年3月27日社援保発第19号により、地方自治法第245条の9第1項及び第3項の規定に基づく処理基準とされている。

　公害健康被害の補償等に関する法律（昭和48年法律第111号。以下「公害補償法」という。）が昭和49年9月1日から施行され、同法に基づき、都道府県知事又は同法第4条第3項の政令で定める市（以下「政令市」という。）の長により認定を受けた者（以下「被認定者」という。）に対し、各種の補償給付が支給されることとなったが、生活保護法（以下「法」という。）による被保護者がこれらの給付を受けた場合の取扱いは、下記のとおりであるので、了知のうえ、管下実施機関及び法の指定医療機関に対して指導の徹底を図られたい。

　なお、公害に係る健康被害の救済に関する特別措置法による各種給付の取扱いについて（昭和45年2月6日社保第24号）は廃止する。

記

1　療養の給付又は医療費の支給について
 (1)　被認定者が公害健康被害の補償等に関する法律施行令（昭和49年政令第295号）別表第1及び第2で定める疾病（以下「指定疾病」という。）にかかっている場合は、公害補償法による療養の給付又は医療費の支給が法の医療扶助に優先して行われるので、福祉事務所長は要保護者がこれに該当すると思われるときは、都道府県（政令市）公害主管部（局）と連絡をとり、当該要保護者が公害補償法による療養の給付又は医療費の支給を受けるよう配意すること。
　　　なお、公害補償法による療養の給付又は医療費の支給を受けられる者に対し、法による医療扶助を適用した場合における公害補償法第14条第2項の規定に基づく求償の手続きは、別紙によって行うものであること。
 (2)　被認定者の指定疾病以外の疾病の医療については、公害補償法による療養の給付又は医療費の支給の取扱いは適用されないので、医療扶助を適用すること。
2　障害補償費、遺族補償費、児童補償手当及び療養手当について
 (1)　介護加算額を除く障害補償費及び児童補償手当、遺族補償費並びに療養手当は、昭

和36年4月1日厚生省発社第123号・厚生事務次官通知「生活保護法による保護の実施要領について」第8の3の(2)のア及び(3)のチに従って取扱うこと。
(2) 障害の程度が公害健康被害の補償等に関する法律施行令第10条又は第20条に規定する表の特級に該当する者に支給される介護加算については、現に介護されている場合には昭和38年4月1日社発第246号厚生省社会局長通知「生活保護法による保護の実施要領について」の第7の2の(2)のエの(オ)に掲げる額まで収入として認定せず、現に介護を受けていない場合には収入として認定する取扱いとするが、同手当の受給資格を有する者に対しては、その支給が行われる期間、生活保護法による保護の実施基準（昭和38年4月厚生省告示第158号）別表第1第2章の4の(4)又は(5)に規定する介護のための費用は、介護加算の額以下の場合は算定する必要がなく、介護加算の額を超える場合はその差額を算定して差し支えないこと。
3 遺族補償一時金について
　遺族補償一時金は、昭和36年4月1日厚生省発社第123号・厚生事務次官通知「生活保護法による保護の実施要領について」第8の3の(3)のオに基づき、「自立更生のために当てられる額」を収入として認定しないこと。
4 葬祭料について
　被認定者が、当該認定に係る疾病に起因して死亡したときは、法第4条及び公害補償法第14条の規定に基づき、公害補償法による葬祭料の支給が法の葬祭扶助に優先して行われるものであること。この場合において当該葬祭料は、収入として認定しないものであること。
　なお、公害補償法による葬祭料の支給を受けられる者に対し、法による葬祭扶助を適用した場合における公害補償法第14条第2項の規定に基づく求償の手続は、別紙によって行うものであること。
別　紙
　　　　公害補償法に基づく求償について
1　公害補償法による被認定者に係る通知
　補償給付の対象となる公害補償法による被認定者であって、法の被保護者に該当する者については、都道府県知事又は政令市の長から都道府県（指定都市又は中核市）民生主管部（局）生活保護担当課長に対し、次により通知がなされるものであること。
(1) 通知の時期
　ア　被保護者が公害補償法による指定疾病にかかっていると認定されたとき。
　イ　被保護者で公害補償法による指定疾病にかかっていると認定された者の認定の効力が失われ、又は認定が取り消されたとき。
(2) 通知される事項
　ア　指定疾病にかかっていると認定された被保護者を管轄する福祉事務所名
　イ　指定疾病にかかっていると認定された被保護者の氏名
　ウ　指定疾病の種類
　エ　公害医療手帳の記号番号
　オ　(1)のアの場合においては、認定の申請年月日及び認定年月日

カ　(1)のイの場合においては、その事由及びその事由に該当した年月日
　(3)　通知の方法
　　　通知は各月分をまとめて行われる。
2　補償給付と法による給付との関係
　(1)　既に、補償給付（療養の給付又は医療費及び葬祭料をいう。以下同じ。）がされた者については、同一の事由について、当該補償給付の価額の限度で、補償給付に相当する法による給付はしないものであること。
　(2)　被認定者が死亡した場合においては、重複して葬祭料及び葬祭扶助の葬祭費を支払うことがないよう、公害主管部（局）との連絡を密にすること。
　　　なお、公害補償法による葬祭料については、指定疾病に起因して死亡した場合にその旨の認定がなされたうえ支給されるものであるので、その支給が遅れることが予想されるが、この場合には、とりあえず葬祭扶助を適用し、葬祭料の支給決定がされた後求償措置をとることとして差しつかえないこと。
3　都道府県知事又は政令市の長に対する求償
　(1)　補償給付がされる前に、法の規定により同一の事由について補償給付に相当する給付がされたことが明らかとなった場合における都道府県知事又は政令市の長に対する求償は、別添1（様式）による文書に納入告知書を添え、これを当該公害主管部（局）に送付することにより行うこと。この場合において、求償事務を円滑に処理するため、事前に公害主管部（局）と福祉事務所において求償の範囲及び求償額について調整するよう配慮されたいこと。
　　　なお、求償額の確定等に必要な最小限度の書類（診療報酬請求明細書等の写）については、公害主管部（局）の求めに応じ、事前の調整又は正式の求償の際、これを送付するものであること。
　(2)　公害補償法による療養の給付又は医療費は、指定疾病について行われるものであり、その具体的範囲は、別添2の昭和49年9月28日環保企第110号環境庁企画調整局環境保健部長通知に示されているとおりであるので求償の際留意すること。
4　その他
　(1)　都道府県（指定都市又は中核市）民生主管部（局）生活保護担当課長は、1による通知を受けた場合、被認定者の氏名、その他の所要事項を所管の福祉事務所長に連絡する等その措置について遺憾のないよう取り扱われたいこと。
　(2)　本通知に基づく求償にあたっては、指定疾病を発生させた原因者が明確に特定できるときは、法第63条の規定を適用することも可能であるので、この場合には、昭和47年12月5日社保第196号本職通知「第三者加害行為による補償金、保険金等を受領した場合における生活保護法第63条の適用について」の趣旨をふまえて、公害主管部（局）と連絡を密にし、事務処理の円滑な遂行を図ること。

公害健康被害の補償等に関する法律による各種補償給付の取扱いについて

別添1（様式）

令和　年　月　日

都道府県知事（市、区長）殿

　　　　　　　　　　　　都道府県知事（指定都市市長）
　　　　　　　　　　　　　　〇〇〇〇市長

生活保護法による給付の求償について

　下記内訳書のとおり、生活保護法に基づき支給した生活保護費を公害健康被害の補償等に関する法律第14条第2項の規定により求償します。ついては同封納入告知書により納入してください。

記

内　訳　書

公害医療手帳記号番号	氏　名	補償給付の種類	金　額	内　訳	支払年月日
合　　計					

別添2　略

○各種制度による介護手当等に係る収入の認定等について

> 昭和57年3月10日　社保第23号
> 各都道府県・各指定都市民生主管部(局)長宛　厚生省社会局保護課長通知

〔改正経過〕
　第1次改正　平成4年2月25日社保第75号　　第2次改正　平成21年3月27日社援保発第0327001号

　　注　本通知は、平成13年3月27日社援保発第19号により、地方自治法第245条の9第1項及び第3項の規定に基づく処理基準とされている。

　昭和43年10月1日社保第232号本職通知「原子爆弾被爆者に対する特別措置に関する各種給付に係る収入の認定等について」及び昭和49年11月27日社保第213号本職通知「公害健康被害補償法による各種補償給付の取扱いについて」をそれぞれ別紙1及び別紙2のとおり改正するとともに、労働者災害補償保険法(昭和22年法律第50号)第23条に基づく労働福祉事業による介護料及び自動車事故対策センター法(昭和48年法律第165号)に基づく自動車事故対策センターから支給される介護料に係る収入の認定等の取扱いを別紙3のとおりとし、昭和57年4月1日から適用することとしたので遺憾のないようにされたい。
別紙1・2　略
（別紙3）
　労働者災害補償保険法(昭和22年法律第50号)第23条に基づく労働福祉事業による介護料及び自動車事故対策センター法(昭和48年法律第65号)に基づく自動車事故対策センターから支給される介護料に係る収入の認定等の取扱いは、次のとおりである。
　現に介護されている場合は、昭和38年4月1日社発第246号厚生省社会局長通知「生活保護法による保護の実施要領について」の第7の2の(2)のエの(オ)に掲げる額（この額を超えて介護人を付けるために支出している場合には、当該支出している額）まで収入として認定せず、現に介護されていない場合は収入として認定するものであること。
　なお、この場合において、生活保護法による保護の基準(昭和38年4月厚生省告示第158号)別表第1第2章の4の(4)又は(5)に規定する介護のための費用は、介護料の額以下の場合は算定する必要がなく、介護料の額を超える場合はその差額を算定して差し支えないこと。

○スモン訴訟の和解に伴う収入の認定等について

> 昭和57年3月10日 社保第24号
> 各都道府県・各指定都市民生主管部(局)長宛 厚生省
> 社会局保護課長通知

〔改正経過〕
　　　第1次改正　平成4年2月25日社保第75号　　第2次改正　平成21年3月27日社援保発第0327001号

　注　本通知は、平成13年3月27日社援保発第19号により、地方自治法第245条の9第1項及び第3項の規定に基づく処理基準とされている。

　全国各地においていわゆるスモン訴訟の和解が相次いで行われたところであるが、当該和解により金銭を得る場合の生活保護法による収入の認定等の取扱いを下記のとおりとし、昭和57年4月1日から適用することとしたので遺憾のないようにされたい。

記

1　和解に基づく一時金、健康管理手当、介護費用及び遺族弔慰金について
　(1)　一時金及び遺族弔慰金は、昭和36年4月1日厚生省発社第123号厚生事務次官通知「生活保護法による保護の実施要領について」第8の3の(3)のオに基づき、「自立更生のために当てられる額」は収入として認定しないこと。
　(2)　健康管理手当は、原子爆弾被爆者に対する特別措置に関する法律（昭和43年法律第53号）第5条に規定する健康管理手当に相当する額まで収入として認定しないこと。
　(3)　介護費用の取扱いは次のとおりであること。
　　ア　現に介護されている場合は、昭和38年4月1日社発第246号厚生省社会局長通知「生活保護法による保護の実施要領について」の第7の2の(2)のエの(オ)に掲げる額（この額を超えて介護人を付けるために支出している場合には当該支出している額）まで収入として認定しない。この場合において生活保護法による保護の基準（昭和38年4月厚生省告示第158号）別表第1第2章の4の(4)又は(5)に規定する介護のための費用は、介護費用の額以下の場合は算定する必要がなく、介護費用の額を超える場合はその差額を算定して差し支えないこと。
　　イ　現に介護されていない場合は、収入として認定する。
2　国が行う重症スモン患者介護事業に基づく介護費用について
　　1の(3)により取扱うこと。
（注）　和解に基づく健康管理手当及び介護費用の支払いは、医薬品副作用被害救済基金法（昭和54年法律第55号）附則第6条第1項の規定に基づき医薬品副作用被害救済基金を通じ行われているところであるが、国が行う重症スモン患者介護事業に基づく介護費用の支払いについても昭和57年4月以降同基金を通じ行われる予定となっている。

◯水俣病総合対策による各種給付の生活保護法上の取扱いについて

> 平成4年5月25日　社保第180号
> 各都道府県・各指定都市民生主管部(局)長宛　厚生省
> 社会局保護課長通知

〔改正経過〕
第1次改正　平成8年4月18日社援保第97号　　第2次改正　平成21年3月27日社援保発第0327001号

　　注　本通知は、平成13年3月27日社援保発第19号により、地方自治法第245条の9第1項及び第3項の規定に基づく処理基準とされている。

　今般、熊本県、鹿児島県、新潟県において、別添要領に基づき水俣病総合対策が実施されることとなった（現在、前記各県に居住していない者もその対象となる点に留意されたい。）が、生活保護法による被保護者がこの対策による各種給付を受けた場合の取扱い等は、下記のとおりであるので、了知の上、保護の実施に遺憾のなきを期されたい。
　なお、本件については、環境庁と協議済みであるので、念のため申し添える。

記

1　療養費について
　　水俣病総合対策に基づき支給される療養費は、生活保護法による医療扶助の受給者はその対象から除外されているが、次に掲げる世帯にあっては療養費の支給を受けることにより、保護を継続する必要がなくなることに配意すること。
　　なお、保護を廃止する世帯については、医療扶助に係る本人支払額がなくなる等当該保護廃止決定処分が当該世帯に利益となるものであることを十分説明し、保護の廃止に当たること。また、(2)に該当する世帯にあっては、保護の廃止とともに国民健康保険の適用に配意すること。
(1)　被用者保険の加入世帯
　　　医療扶助単給世帯については本人支払額が、また、出産扶助、生業扶助又は葬祭扶助の1又は2以上のみを受けている世帯については当該世帯が要する医療費のうち医療扶助に相当する額が、それぞれ次のアからウまでに掲げるものを合算した額を上回ることとなる世帯
　　ア　医療扶助の給付対象ではあるが、保険対象とはならない治療材料費、医師の往診に要する交通費等
　　イ　出産扶助、生業扶助又は葬祭扶助を受けている世帯にあっては当該扶助費相当額
　　ウ　保護を廃止された場合に当該世帯において支払わなければならない医療費の一部負担金等に係る額

(2) 保護を受けているために国民健康保険の適用除外となっている世帯

医療扶助単給世帯については本人支払額が、また、出産扶助、生業扶助又は葬祭扶助の1又は2以上のみを受けている世帯については当該世帯が要する医療費のうち医療扶助に相当する額が、それぞれ、国民健康保険料相当額と(1)のアからウまでに掲げるものの合算額とを合計した額を上回ることとなる世帯

2 はり・きゅう施術費及びはり・きゅう施術・温泉療養費について

水俣病総合対策に基づき支給されるはり・きゅう施術費及びはり・きゅう施術・温泉療養費は、昭和36年4月1日厚生省発社第123号厚生事務次官通知「生活保護法による保護の実施要領について」(以下「次官通知」という。)第8の3の(3)のエに準じて収入として認定しないこととして差し支えないこと。

3 療養手当について

水俣病総合対策に基づき支給される療養手当は、次官通知第8の3の(3)のチに準じて収入として認定しないこととして差し支えないこと。

別添　略

○自動車事故被害者援護財団給付事業及び貸付事業の取扱いについて

> 昭和59年9月19日
> 各都道府県・各指定都市民生主管部(局)長宛　厚生省
> 社会局保護課長内かん

〔改正経過〕

　　　第1次改正　平成21年3月27日社援保発第0327001号

　拝啓、時下益々御清祥のこととお慶び申し上げます。
　生活保護行政につきましては、平素格別の御配意を賜り厚く御礼申し上げます。
　さて、自動車事故の被害者に対しては、従来から自動車損害賠償保障法(昭和30年法律第97号)及び自動車事故対策センター法(昭和48年法律第64号)により、その保護の増進が図られておりますが、今般その生活の安定と向上を図ることを目的として財団法人自動車事故被害者援護財団が設立され、各種の援護事業(越年資金の支給、就職支度金の支給、緊急時見舞金の支給、緊急一時貸付け)が別添(写)の自動車事故被害者援護財団給付事業及び貸付事業実施規程により本年9月1日から実施されることになりました。
　ついては、生活保護法におけるこれが取扱いを次のとおりといたしますので了知のうえ、保護の適正実施に遺憾のないよう指導の徹底をお願い申し上げます。

敬　具

1　自動車事故被害者家庭及びその他の生活困難家庭(以下「自動車事故被害者家庭等」という。)の子弟が義務教育を修了して直ちに就職する場合に就職支度金が支給されることになりましたが、これが取扱いについては、生活保護法による保護の実施要領について(昭和36年4月1日厚生省発社第123号厚生事務次官通知。以下「次官通知」という。)の第8の3の(3)のエにより取り扱うこととされたいこと。
2　自動車事故被害者家庭等の家族が死亡した場合又は重度の後遺障害を被った場合に緊急時見舞金が支給されることになりましたが、これが取扱いについては、次官通知の第8の3の(3)のオにより取扱うこととされたいこと。
3　自動車事故被害者家庭等が傷病、災害その他の事由により一時的に生活が著しく困難となった場合又は生計困難を克服するための更生資金を必要とする場合に緊急一時貸付けが行われることになりましたが、これが取扱いについては、次官通知の第8の3の(3)のウにより取り扱うこととされたいこと。
4　なお、自動車事故被害者家庭等のうち特に生計困窮度の高い家庭が新年を迎えるに当たっての生活資金を必要とする場合に越年資金が支給されることになりましたが、被保護世帯は支給対象外とされていること。

別添　略

○犯罪被害者等給付金の支給等による犯罪被害者等の支援に関する法律に基づく犯罪被害者等給付金の生活保護制度上の取扱いについて

[令和5年6月30日　社援保発0630第1号
各都道府県・各市町村民生主管部(局)長宛
厚生労働省社会・援護局保護課長通知]

　生活保護行政の推進については、平素から格段の御配慮を賜り厚く御礼申し上げる。
　犯罪被害者等給付金の支給等による犯罪被害者等の支援に関する法律（昭和55年法律第36号）に基づき、犯罪被害者又はその遺族（以下「犯罪被害者等」という。）に支給される犯罪被害者等給付金（以下「給付金」という。）の生活保護制度における取扱いについて、犯罪被害者等施策推進会議決定（令和5年6月6日。別添参照）を踏まえ、本日より、下記のとおり取り扱うこととしたので、管内実施機関に周知徹底いただくとともに、適切な保護の実施にあたるよう特段の配慮を図られたい。
　また、本通知は、地方自治法（昭和22年法律第67号）第245条の9第1項及び第3項の規定による処理基準であることを申し添える。
　なお、本通知の適用をもって「犯罪被害者等給付金の支給等による犯罪被害者等の支援に関する法律に基づく犯罪被害者等給付金に係る生活保護における取扱いについて」（平成24年3月30日付社援保発0330第3号当職通知）は廃止する。

記

1　給付金の生活保護制度上の取扱いについて
(1)　生活保護を受給中の方が給付金を受給した場合の取扱いについては、「生活保護法による保護の実施要領について」（昭和36年4月1日厚生省発社第123号厚生事務次官通知）第8の3の(3)のオに従い、「当該被保護世帯の自立更生のために当てられる額」を収入として認定しないこととし、その超える額を収入として認定すること。
(2)　給付金を受給した際の「生活保護法による保護の実施要領について」（昭和38年4月1日社発第246号厚生省社会局長通知）第8の2の(5)に定める自立更生計画の取扱いについては以下のア及びイのとおりとすること。
　　ア　当該被保護世帯の自立更生のために充てられる費用であれば、直ちに自立更生のための用途に供されるものでなくても、実施機関が必要と認めた場合は、自立更生計画に計上することを認めること。
　　イ　実際の経費が自立更生計画に計上した額を下回り、受給した給付金に残余が生じた場合、計上額と購入額との差額分の範囲内で、自立更生のために当てられる費用として実施機関が必要と認めた場合は収入として認定しないこととし、その超える額を収入として認定すること。

2 留意事項等について
(1) 実施機関においては、要保護者である犯罪被害者等に対し、関係機関と連携し、給付金の申請勧奨を行うとともに、生活保護上の給付金の取扱いについて懇切丁寧に説明すること。また、給付金を受給する際の自立更生計画の策定に当たって支援を行い、要保護者である犯罪被害者等が給付金を有効に活用できるよう配慮すること。
(2) 自立更生のために当てられる額の認定基準については、「生活保護法による保護の実施要領の取扱いについて」(昭和38年4月1日社保第34号厚生省社会局保護課長通知)問第8の40に規定しているが、犯罪被害者等の特別な事情に配慮し、一律・機械的な取扱いとならないよう留意するとともに、裁判やカウンセリングに要する費用など、この認定基準によりがたい特別の事情がある場合は、厚生労働大臣に情報提供すること。

以上

別添　略

5　保護の決定関係

○労働争議中の労働者等に対する生活保護法の適用について

〔昭和43年4月26日　社保第111号
各都道府県知事宛　厚生省社会局長通知〕

注　本通知は、平成13年3月27日社援発第518号により、地方自治法第245条の9第1項及び第3項の規定に基づく処理基準とされている。

労働争議中の労働者に対する生活保護法（以下「法」という。）の適用については、従前より必要に応じて個別に通知してきたところであるが、使用者から解雇された労働者であってその解雇を不当として労働委員会又は裁判所において、係争中のもの（以下「係争中の労働者」という。）に対する法の適用についても、これらの通知の趣旨に即して取り扱われるべきものであるが、今般これらの労働者に対する取り扱い方針をとりまとめるとともに、関連する留意事項をあわせて示すこととしたので、了知のうえ、管下実施機関の指導に遺漏のないよう配意されたい。なお、従前の関係通知写等を添付するので参考とされたい。

1　生活保護適用の要否の判定について
(1)　生活保護制度と労働基本権保障のための諸制度とは一応別個の理念に基づくものであるから、労働争議中の労働者又は係争中の労働者（以下「労働争議中の労働者等」という。）に対する生活保護の適用についても、法による保護の要件をみたしているか否かの判定を行なうにあたっては、あくまでも法により考察するものであること。
　　なお、この結果保護の要件を欠く者に対して保護の開始申請を却下し、又は保護を停廃止したとしても、これによってその者の労働基本権が侵害されるとは解されないこと。（別添3　昭和37年2月7日社発第66号通知のうち「照会第二点について」参照）
(2)　労働争議中の労働者等に係る生活保護の開始の申請があった場合、その者が保護の要件を欠くと認められるときにおいても、法の目的にかんがみ、ただちに申請を却下することなく、法の原理を説明し、内職その他により収入をあげるよう指導し、また、生活困窮状態が長期にわたることが予想される場合は、公共職業安定所を通じて適当な職業のあっせんをうける等により、その能力の活用を図るよう指導し、かかる措置を講じてもなお能力を活用しないと認められるときに、はじめて申請を却下することが適当であること。（別添2　昭和24年4月20日社発第709号通知のうち記の1別

添3　昭和37年2月7日社発第66号通知のうち「照会第一点について」等参照）
　　なお、申請を却下した結果他の世帯員の困窮状態が著しいため、真に必要と認められる場合には、世帯分離してさしつかえないこと。（別添3　昭和37年2月7日社発第66号通知のうち「照会第三点について」参照）
2　法第4条第1項の要件適合の判定について
　　保護適用の要否の判定を行なうに際し、法第4条第1項の要件に適合するか否かの判定については、とくに次の点に留意すること。
(1) 争議行為を行なうこと及び労働委員会又は裁判所において係争すること自体は、法第4条第1項にいう能力を活用することとは解されないこと。
(2) 労働争議中の労働者等は、一般の求職者に比較して就労の機会が少ないこともあると思われるが、当該労働者が誠実に求職活動を行なっていると認められる間は、実際に就労していなくても、能力を活用しているものと解されること。ただし、当該求職活動を行なっている期間であっても、内職その他により収入をあげることが可能である場合は、これに従事することがあわせて必要となるものであること。
　　なお、具体的な判定は、個別に、本人の能力、求人状況等を勘案して行なうべきものであり、この場合、求職活動を行なうに際して、ことさらに、本人が労働争議中又は係争中であることを強調する等、故意に求人者をして雇用を断念させようとしたときは、誠実な求職活動とは認められないものであること。
(3) 係争中の労働者については、(1)及び(2)のほか、次の点に留意すること。
　ア　係争中の労働者に対しても、失業保険金、厚生年金等が支給される取扱いとなっているからその受給を指示すること。
　イ　係争中の労働者に対しては、退職金の受領を指示すること。
　　なお、当該労働者が退職金を受領した場合であっても、その受領がやむを得ない事由によるものであって解雇について異議をとどめていることが認められるときは、解雇を承認したこととはならないとするのが、判例等の示すところであるから、必要がある場合は、この旨を当該労働者に説明すること。（別添4参照）
3　過去の未払い賃金が支払われた場合の法第63条の適用について
　　解雇に関する労働争議又は係争が解決したこと等のため過去の未払い賃金の支払いを受けた労働者が、被保護者である場合（賃金未払期間において一時被保護者であった場合を含む。）は、当該賃金は、法第63条にいう資力と認められるものであり、同条に基づき費用の返還を命じ得るものであること。裁判所の仮処分によって賃金等の支払いが行なわれたときも同様であること。この場合において、保護の開始前の期間に係る賃金は、保護開始時における資力と、保護受給中の期間に係る賃金は、保護受給中における資力と解されること。
　　なお、1の(2)のなお書の取扱いにより世帯分離して世帯員のみに保護を適用した場合であっても、世帯主が前記未払い賃金の支払いを受けたときは、その賃金は当該世帯に係る資力とみるべきものであり、前記と同様に費用の返還を命じ得るものであること。

別添1
　　　生活保護法の適用に関する件

> 昭和24年2月25日　社発第324号
> 各都道府県知事宛　厚生省社会局長通知

　経済界の最近の事業不振による各会社、工場等に於ての給料の遅払又は未払の続出と、官公庁職員に対する俸給の年末調整による手取金の過少の為、各地方に於て生活困窮を理由に勤労者の生活保護法による生活扶助の適用を申出る向が漸増する傾向にあり、中には、これが適用について感情的に尖鋭化したまま集団的に地方公共団体に直接強く要望する動きが少くないように思料される。

　これが対策については、貴職においても諸般の情勢を充分考慮の上適切な措置を採っておられるものと存ずるが、この様な要求に対する本法の適用については、概ね下記方針により、あくまで法の厳正なる実施を確保し、かりそめにも一時を糊塗するような便宜的手段により、その施行を誤ることのないよう厳に留意され度、又この旨関係機関にも十分周知徹底するよう取計われたい。

　なお、参考の為別紙東京都、埼玉県に起った実例を送付する。

　　　　　　　　　　　記

1　給料の遅払又は未払は、失業の如く収入源の枯渇ではなく、当然近い将来に支払われることが予定されるものであるから、このような場合においては、会社、工場等の経営主に対する給料の支払請求をなすべき債権を担保として金銭借入をなす等の一時的窮状を打開する方途が可能であり又それについての凡ゆる努力をすべきものであって、直ちに、これを以って本法にいう保護を要する状態にある者とは言い難いものである。
2　現実に本人の手取金が少く、他に処分する物も既に手離し、真に収入を挙げるべき余地がなく最低生活の維持ができないと認められるときには、本法の適用を受けることは一般生活困窮者の場合と何等異るものではないことは勿論であり、この場合の保護の開始にあたっては、個々の世帯について（民生委員の調書を経て）最低生活費の認定を厳格に行い、支給額を決定すべきものであるから、これらの者に対し、集団的な取り扱いを行い、一率に一定額の支給をなす等の措置は絶対にしないよう厳に留意すること。
3　削除
4　なお、これらの者は、現に生活扶助を受けている者と異って、生活能力の旺盛なものであるから、生活費の不足分は何等かの余暇を得て臨時収入を挙げ得る道を講ずれば充足し得るものと考えられるので、経営主その他関係機関と充分協議の上積極的打開策の考究に極力努めること。
　更にかくの如き生活不安が継続化するものとすれば、公共職業安定所を通じて他の適当な会社、工場その他の職業を斡旋する等の積極的転換策を講ずること。

実例　略

II 生活保護法関係通知 第3章 保護の実施要領

別添2

会社工場等争議の場合の生活保護法適用に関する件

（昭和24年4月20日　社発第709号
　各都道府県知事宛　厚生省社会局長通知）

標記の件に関し、別紙甲号愛知県知事の照会に対して、別紙乙号の通り回答したから了知ありたい。

〔別紙甲号〕

会社工場等の争議の場合の生活保護法適用について

（昭和24年4月7日　社発第221号
　厚生省社会局長宛　愛知県知事照会）

標記の件に関し疑義があるので至急何分の御指示を願いたい。

記

1　争議の発生に起因して社発第324号社会局長通知下記の2に準ずる事情に立ち至った場合、生活保護法を適用すべきか否か。
2　前項に関し争議発生の原因の如何により取扱を別にすべきか否か。
　(1)　待遇改善等労働者側の要求に起因して争議発生の場合如何に取り扱うか。
　(2)　工場閉鎖、従業員の整理等使用者側の処置に起因した争議発生の場合、如何に取り扱うか。
　(3)　給料の遅払、未払の為、社発第324号社会局長通知下記の2により保護を開始したところ、その後これが解決に関連し争議発生したる場合、如何に取り扱うか。
3　従来より生活扶助を受けている者が争議に加った場合、如何に取り扱うか。

〔別紙乙号〕

会社工場争議の場合の生活保護法適用に関する件

（昭和24年4月20日　社発第709号
　愛知県知事宛　厚生省社会局長回答）

4月7日社会第221号をもって照会の標記の件については、下記了知のうえ、これが取り扱いに遺憾のないように致されたい。

記

1　本法の趣旨からして争議行為による場合であっても、生活の保護を要する状態に立ち至れば、これに本法を適用してはならないということはいえないが、然し、この場合本人は勤労能力もあり、勤労意思もあるものであるから、内職その他により収入を挙げ得る道を講じ得る筈であり、それでも、なお、生活に困窮するときは、社発第324号通知下記の4により積極的転換策を講じさせ、真に止むを得ない状態になれば同通知下記の2により取り扱うものであること。
2　従って照会2の件については、争議発生の原因により取扱を別にすべきものでないから前項の取扱によられたいこと。
3　従来より生活扶助を受けている者であっても本人は勤労能力及び勤労意志もあり、その取扱については、照会1の場合と何等異るものでないから、争議行為により生活に困

窮したという理由のみで生活扶助費をただ漫然と引上げることのないよう留意すること。

別添3
　　　　労働組合役職員が行なった生活保護法による保護の申請の取扱いについて
　　　　　　　　　　　　　　　　　（昭和37年2月7日　社発第66号）
　　　　　　　　　　　　　　　　　（山口県知事宛　厚生省社会局長回答）
　昭和36年12月7日社第1610号をもって照会のあった標記について次のとおり解答する。
　照会第一点について
　　労働組合の役職員として労働運動に従事しているために稼動収入が少ない者は、能力の活用をはかっているとはいえず、生活保護法第4条第1項の要件を欠くから、同条第3項に該当する場合を除き、開始申請を却下すべきものであるが、法の目的にかんがみ、ただちに決定を行なうことなく、法の原理を説明し、通常の勤労を行なうよう指導したうえ、これによってもなお能力を活用しないと認められるときにはじめて却下するのが適当である。
　照会第二点について
　　生活保護制度は、生活に困窮する国民に対し平等に最低限度の生活を保障するものであり、他方憲法によって保障される勤労者の団結権等いわゆる労働三権は、経済上の弱者である勤労者に使用者と対等の立場に立って交渉することができるようにしようとするものであって、両者は一応別個の理念に基づくものである。したがって法による保護の要件を満しているか否かの判断を下すにあたってはあくまでも法により考察すべきであって、本件のごとき者につき、保護の要件を欠くとして開始申請を却下し、又は保護を停廃止したとしても、これをもって労働権の侵害ということはできない。
　　次に不当労働行為は、使用者対勤労者の関係においてのみ問題となるものであるから、第三者たる保護の実施機関と勤労者との間には何ら問題は生じない。保護の実施機関が同時に使用する者を代表する者である場合においても、その者は別個の関係において別個の職務を行なうにすぎず事情は変らない。
　照会第三点について
　　申請を却下した結果他の世帯員の困窮状態が著しいため真に必要と認められる場合には分離して差しつかえないと解する。
（照会）
　　　　労働組合役職員からの保護申請に対する取扱いについて
　　　　　　　　　　　　　　　　　（昭和36年12月7日　社発第1610号）
　　　　　　　　　　　　　　　　　（厚生省社会局長宛　山口県知事照会）
　生活保護法による保護の実施上、下記のとおり疑義がありますので、その取扱いについてお示し願います。
　　　　　　　　　　　　　　　記
〔前文　略〕
(1)　労働運動に従事しているために稼動収入が減少したことは、法第4条にいう能力の

活用をはかっていないものと考えられるが、組合役員をやめておおむね通常の就労日数まで就労するよう指示し、これに従わないときは、保護の要件を欠くものとして保護申請を却下して差しつかえないか。
(2) この場合、その役員を辞退して就労するよう指導し、保護申請を却下し又は保護廃止をすることと、憲法上の権利侵害や労働組合法にいう不当労働行為との関係についてはいかん。
(3) 労働争議の場合の取扱いと同様に解して本人を世帯分離して真にやむを得ない場合は、その世帯員のみを保護して差しつかえないか。

別添4
　　解雇に対する異議を留保しつつ退職金を受領した場合は解雇の承認にならないとする判例
1　昭和25年4月11日東京地裁決定（解雇不承認の意志を明示しつつ受領した場合）
　〔決定理由〕抄
　　「依願退職届を出したり、解雇予告手当、退職金等を受領した場合には、解雇を承認しない旨明確にその意志を表示する等その他の方法により、解雇の効力を明らかに争う旨の反証のない限り、解雇を承認したと認めるほかはない。
(1) 依願退職願を提出せず、解雇の効力を争う旨を明らかにして退職金を受領した申請人○○
(2) 依願退職願を提出し退職金を受領したが、当初より解雇の効力を争い、入院療養費にあてるため、同年12月2日にいたりこれを受領したと認められる申請人××（なお同申請人は解雇予告手当を受領していない。）
(3) 退職金をとるため、依願退職願を提出したがその際、解雇を承認するものではないことを附記したところ、受理を拒否され、改めて通常の退職届を提出したと認められる申請人△△については、いずれも解雇を承認する意志がなかったものと認められる。
2　昭和27年7月29日東京地裁判決（解雇の不当を争う旨留保して受領した場合）
　〔判決理由〕抄
　　「一般に解雇の意志表示を受けた労働者が使用者に対し進んで退職を申出で、退職金を受領した場合は特段の事情のない限り当該解雇について争をやめる旨同意したものと推認せられるのであるが、その際右解雇者がなお解雇の不当を争う旨の留保を附して形式的に右手続をなし、使用者も右留保を承認した場合は、その労働者が解雇の当否を争い、労働委員会等にその救済を求める権利は未だ失われないことはもちろんである。」
3　昭和26年11月10日東京地裁判決（従業員としての仮の地位を定める仮処分申請後の受領）
　〔判決要旨〕抄
　　「債権者らが、債務者の主張するように予告手当並びに退職金を受領したことは当事者間に争のないところであるが、解雇の承認は、解雇の意志表示によって生じた係争を終了させる旨の意志表示、乃至は雇傭契約の合意解約の意志表示で、当事者間の契約と

解すべきものであり、予告手当退職金の受領が暗黙に右意志表示のなされたことを推定せしめる場合のあることは、これを否定し得ないが、債権者らが退職金等を受領したのは、いずれも本件仮処分申請後のことであることは当事者間に争のないところであって、右解雇の効力を争っている時のことであるから、他に右意志表示を暗黙になしたことをうかがうに足る事情の疎明のない限り、右退職金の受領のみをもって、解雇を承認したものと推定することはできないものと言わねばならない。」(昭和25年5月11日大阪地裁判決　同趣旨)

4　昭和25年5月22日仙台地裁判決（生活費として受領する旨留保して受領した場合）
〔判決理由〕抄
「申請人C、同Dが昭和24年10月14日以降失業保険金を受領し、同年11月下旬被申請会社が供託した退職金を受領したことは当事者間に争がなく、被申請会社は、右のような行為は暗黙に解雇を承認した行為であると主張するけれども、申請人本人C訊問の結果によれば、右申請人3名は被申請会社に対し生活費として受領する旨の意志表示をしていることが疎明される。失業保険金も右と同様の趣旨と考えられるから、この点に関する被申請会社の主張は採用できない。」

○被保護者が海外に渡航した場合の取扱いについて

> 平成20年4月1日　社援保発第0401006号
> 各都道府県・各指定都市・各中核市民生主管部(局)長
> 宛　厚生労働省社会・援護局保護課長通知

　被保護者が海外に渡航する場合の保護費の取扱いについては、保護の実施要領課長通知第10の19に規定したところであるが、具体的な手順について次のとおり定めたので、管内の実施機関に対し周知されたい。
　なお、本通知は、地方自治法（昭和22年法律第67号）第245条の9第1項及び第3項の規定による処理基準としたので申し添える。
1　実施機関は、被保護者から渡航に先立ち、渡航先（宿泊先）、渡航目的及び日程並びに費用及びその捻出方法等について記載した書面を提出させること。
2　実施機関は、上記1の記載内容について、保護の実施要領課長通知問第10の19に基づき、その交通費や宿泊費に充てるための金銭（以下「渡航費用」という）を収入認定するか否か検討し、その検討結果をあらかじめ被保護者に伝えること。
　以降、検討の結果に基づき、次のとおり取り扱うこと。
(1)　検討の結果、渡航費用について収入認定を行う必要がないものと判断された場合
　　実施機関は、被保護者に対し、帰国後速やかに渡航内容を改めて報告するようあらかじめ指導すること。この場合、渡航期間中実際にかかった費用について改めて申告を求めることを要しないものである。
　　また、渡航前に「海外旅行保険」等に加入するよう指導すること。
(2)　検討の結果、渡航費用について収入認定を行うと判断した場合であって、かつ本人が実際に渡航した場合
　ア　実施機関は、被保護者に対し、帰国後速やかに渡航内容を改めて報告するようあらかじめ指導すること。その際、渡航費用に係る領収書等の挙証資料を提出するよう指導すること。
　　また、渡航前に、「海外旅行保険」等に加入するよう指導すること。
　イ　実施機関は、保護費が口座払いとなっている場合には、本人が帰国したことを確認するまでの間、保護費の支給を窓口払いに変更すること。ただし、世帯員の一部が国内にとどまる場合については、この限りではない。
　ウ　実施機関は、被保護者の帰国後、1による事前の届出書及びアによる領収書等の挙証資料に基づき当該渡航費用を確定し、収入認定額を算出すること。
　　なお、これにより難い場合は、旅行会社等から見積もりを徴収するなどの方法で渡航費用を確定すること。

さらに、旅行会社等から見積もりを徴収するなどの方法によっても、渡航費用の確定が困難な場合については、当該都道府県又は市町村における「海外出張の際に適用される旅費及び日当の基準（旅費等に関する規則等）」に基づき算出された額を渡航費用とすること。
(3) 検討の結果、渡航費用について収入認定を行うと判断した場合であって、被保護者が渡航を取りやめた場合
　　渡航に充てるために所持していた金銭は、次のとおり取り扱うこと。
　ア　保護費のやりくりにより貯えた金銭の場合
　　　生活保護の趣旨目的にあった用途で使用するよう指導し、改めてその使途について被保護者本人より確認すること。その結果、当該貯えた金銭を収入認定するか否かについて、保護の実施要領課長通知第3の18に基づき再度判断すること。
　イ　他の者からの援助等による金銭の場合
　　　既に援助金等を受領している場合は、援助金等の出資者に速やかに返却するよう指導すること。その結果、返却されたことが確認された場合は収入認定を行うことを要しないものである。
3　留意事項
(1) 上記の渡航費用の取扱い及び事前の届出の必要性等については、日頃から「保護のしおり」等を用いて被保護者に周知をしておくこと。
(2) 事前の届出がなく、帰国後において海外渡航の報告があった場合においても、上記2のとおり取り扱うとともに、今後必ず事前の届出を行うよう指導すること。

○無料低額宿泊所及び日常生活支援住居施設における生活保護の適用について

> 令和2年3月27日　社援保発0327第1号
> 各都道府県・各指定都市・各中核市民生主管部(局)長宛
> 厚生労働省社会・援護局保護課長通知

〔改正経過〕

　　第1次改正　令和3年1月7日社援保発0107第1号

　今般、「生活困窮者等の自立を促進するための生活困窮者自立支援法等の一部を改正する法律」(平成30年法律第44号)による改正社会福祉法及び生活保護法の一部が施行され、無料低額宿泊所について設備及び運営に関する基準に関する条例の制定等の見直しが行われるとともに、生活保護受給者の日常生活上の支援を「日常生活支援住居施設」に委託する仕組みが創設されたところである。

　それに伴い、この度、下記のとおり無料低額宿泊所及び日常生活支援住居施設における生活保護の適用について必要な事項を定めたので、了知の上、適切な保護の実施に努められたい。

　また、本通知のうち第3の1⑶ウについては、地方自治法(昭和22年法律第67号)第245条の9第1項及び第3項の規定による処理基準である。

記

第1　趣旨

　無料低額宿泊所においては、これまで、主に現に住居がない生計困難者の住まいの場として活用されてきた。ホームレスなど現に住居がない方への生活保護の適用に当たっては、「ホームレスに対する生活保護の適用について」(平成15年7月31日社援保発第0731001号厚生労働省社会・援護局保護課長通知)において、その基本的な取扱いを定めているところである。

　当該通知においては、「要保護者の生活歴、職歴、病歴、居住歴及び現在の生活状況及び居宅生活を営む上で必要となる基本的な項目(生活費の金銭管理、服薬等の健康管理、炊事・洗濯、人とのコミュニケーション等)の確認によって、居宅生活を営むことができるか否かの点について、特に留意」し、居宅生活を送ることが可能と認められる場合には、居宅の確保を図った上で居宅において生活保護を適用する一方で、「直ちに居宅生活を送ることが困難な場合には、保護施設や無料低額宿泊所等において保護を行う」こととしている。

　この基本的な考え方は、特段変更するものではなく、引き続き、無料低額宿泊所及び日常生活支援住居施設については、直ちに単独では居宅生活を送ることが困難な者が、それぞれの施設において提供される支援を受けながら生活する居住の場として活用されるものである。

　本通知においては、これまでの基本的な取扱いを基礎として、被保護者が無料低額宿

泊所及び日常生活支援住居施設を利用する場合の取扱いを整理したものである。
第2 無料低額宿泊所及び日常生活支援住居施設の主たる利用対象者像
　第1のとおり、無料低額宿泊所及び日常生活支援住居施設ともに、直ちに単独では居宅生活を送ることが困難な者が利用する施設であるが、それぞれの主たる利用対象者像は次のとおりである。
(1) 無料低額宿泊所
　　無料低額宿泊所は、生計困難者のために、無料又は低額な料金で、簡易住宅を貸し付け、又は宿泊所その他の施設を利用させる事業を行う施設として、主に、ホームレスなど現に安定した居所が確保されていない者であって、直ちに居宅での生活を送ることが困難な者が、居宅生活へ移行するまでの間の居所の場として利用されるものである。
　　無料低額宿泊所においては、居室等の提供にあわせて、入居者の希望等に応じて、食事の提供など日常生活上の便宜を供与するとともに、必要な状況把握を行うことにより、地域において自立した日常生活又は社会生活を営むことができるようにするものである。
(2) 日常生活支援住居施設
　　日常生活支援住居施設については、無料低額宿泊所のうち、被保護者に対する日常生活上の支援を行う施設として、その支援の実施に必要な人員を配置するなど一定の要件を満たす施設である。日常生活支援住居施設は、日常生活又は社会生活を送る上で何らかの課題を有し、単独では居宅での生活が困難な状態である者を入所させ、その生活課題に関する相談、入所者の状況に応じた家事等に関する支援、服薬等の健康管理支援、日常生活における金銭管理の支援、社会との交流その他の支援及び関係機関との連携調整を行うことにより、その者の状態に応じた自立した日常生活及び社会生活を営むことができるよう利用されるものである。
　　なお、日常生活支援住居施設において提供される支援と、無料低額宿泊所において提供される支援について、別添1のとおり整理したので参考にされたい。
第3 無料低額宿泊所及び日常生活支援住居施設における保護の適用
1 新規相談申請から無料低額宿泊所及び日常生活支援住居施設における保護の適用までの基本的流れ
(1) 保護の相談・申請時における対応
　ア 本人の状況等の把握
　　住居のない者から生活保護の相談及び申請があった場合においては、保護の受給要件を確認するための資産や収入等の状況把握に加え、居宅生活の可能性及び日常生活上の支援等の必要性を判断するため、面接相談時の細かなヒアリングによって、可能な範囲で以下の事項について状況把握を行うこと。
・要保護者の生育歴、生活歴、職歴、病歴、居住歴及び現在の生活状況等
・住居喪失等に至った要因やその背景
・居宅生活を営む上で必要となる基本的な項目（生活費の金銭管理、服薬等の健

康管理、炊事・洗濯、人とのコミュニケーション）に関する本人の能力や本人の抱える課題
・その他、住民票や戸籍等の状況、負債の有無、家族等の有無やその関係、生活用品や携帯電話等の有無など、居宅の確保や日常生活を営むことができるか検討する上で参考となる事項

イ 居宅生活の可否の検討

第3の1(1)アによって把握した状況を踏まえて、居宅生活を営むことができるか否か、日常生活上の支援の必要性があるか否かについて検討すること。

この場合、居宅生活を営むことができるか否かの検討にあたっては、生活扶助の適用は居宅において行うことが原則であることを踏まえつつ、居宅生活を営む上で必要な基本的な項目について自己の能力でできるか否か、自己の能力でできない場合にあっては、介護保険サービス、障害者福祉サービスその他の保健医療福祉施策、家族や知人等による支援の有無など利用可能な社会資源の活用を含めて可能か否かについて検討を行うものであること。

ウ 直ちに居宅生活が困難な者への支援方法等の検討

第3の1(1)ア及びイによって、直ちに居宅生活を営むことが困難と認められる場合については、その者の状況や当該地域における社会資源の状況等に応じて、保護施設、無料低額宿泊所、日常生活支援住居施設等のほか、養護老人ホーム、障害者福祉施設等の他法の施設等の利用の可否等について検討を行うこと。

この場合、身体上又は精神上の著しい障害がある場合や、身体上又は精神上の理由により養護及び生活指導が必要な場合など、救護施設や更生施設での支援が適当な場合については保護施設への入所を検討するほか、高齢者で養護が必要な場合には養護老人ホーム、その他、障害者福祉施設、婦人保護施設、母子生活支援施設など他法の施設の入所対象になる場合には、各施設の担当者等とも連携の上、他法施設への入所を検討すること。

直ちに居宅生活を営むことが困難と認められる場合であって、社会福祉施設等の入所対象にはならない場合（直ちに社会福祉施設等に入所することが困難な場合等も含む）については、無料低額宿泊所又は日常生活支援住居施設の利用について検討すること。

このうち、無料低額宿泊所については、日常生活を営む上での基本的な項目については特段の問題は見受けられないが、過去の借金や身分保証等の課題がありアパート等の住宅を確保するまでに準備等が必要な場合や、日常生活を営む上での基本的な項目について若干の課題があり、安定した日常生活を営むために日々の状況確認や見守り等が必要な場合について利用を検討すること。

日常生活支援住居施設については、日常生活を営む上での基本的な項目について一定の課題があり、安定した日常生活を営むために、その日常生活上の課題に関する日々の助言や相談等の支援、家事等に関する支援、服薬等の健康管理支援、金銭管理の支援、社会との交流その他の支援及び関係機関との連携調整等の

支援を必要とする場合について利用を検討すること。
　　　　また、これらの入所先を検討するにあたっては、別添2に添付した本人の状態像の例も参考にして検討を行われたいこと。
　　エ　本人の意向の聴取
　　　　上記アの本人の状況把握のためのヒアリングとあわせて、居住の場や必要な日常生活上の支援等に関して、本人の意向や希望を聴取すること。
(2)　保護の適用方法の方針決定等
　　　住居のない者への生活扶助の適用について、生活保護法（昭和25年法律第144号）第30条の規定に基づき、生活扶助は居宅又は施設等において行う必要があることから、生活保護の決定に際して、要保護者が適切な居住の場を確保できるよう支援を行うこと。
　　　この生活保護の適用方法の決定に当たっては、第3の1(1)によって把握した本人の状況や活用可能な社会資源、本人の意向等を総合的に勘案し、ケース診断会議等により検討を行うこと。
　　　また、当該方針については、要保護者本人に対して、要保護者自身の状況、活用可能な社会資源の状況、今後の支援方針等について十分に説明を行った上で、居住の場の確保など必要な支援を行うこと。
(3)　居住の場等の確保に関する支援
　　ア　居宅生活が可能と認められた者又は社会福祉施設への入所が適当な者
　　　　居宅生活が可能と認められた者に対しては、住宅の確保について必要な相談支援等を行うとともに、必要に応じて、住宅扶助による敷金等の支給の他、必要な支援を行うこと。
　　　　保護施設への入所が適当な場合については、施設側との調整等を行い、入所措置を行うこと。
　　　　また、養護老人ホーム等の他法の施設への入所が適当な場合については、各施設担当者と情報共有及び協議の上、入所措置の手続を依頼すること。
　　イ　無料低額宿泊所への入居
　　　　無料低額宿泊所は、入居者と事業者との契約に基づいて利用されるものであることから、その入居については要保護者本人が選択して決定するものである。
　　　　福祉事務所においては、要保護者本人の選択に資するよう、無料低額宿泊所以外の選択しうる施設等がある場合や、無料低額宿泊所が複数ある場合には、それぞれの事業所等について情報提供を行うこと。
　　　　なお、上記の情報提供の内容としては、事業所等の所在地、居室や設備の状況、食事提供の有無、利用料の目安などが考えられるため、当該情報について一覧等で整理しておくことが望ましいものであること。
　　　　その上で、要保護者が無料低額宿泊所の利用を希望する場合には、施設との連絡調整などの必要な支援を行うこと。
　　　　また、無料低額宿泊所においては、入居申込者に対して運営規程の概要、サー

ビスの内容や費用等の重要事項を説明し、入居申込者の同意を得た上で契約を行うことが義務付けられていることから、上記の連絡調整を行う際には、改めて事業所側に対して懇切丁寧な説明を求めるとともに、要保護者には契約手続前に意思を確認するなど、適切な契約手続が行われるよう留意すること。
ウ　日常生活支援住居施設の利用及び日常生活上の支援の委託
　日常生活支援住居施設は、無料低額宿泊所のうち一定の要件を満たすものであり、その居室等の利用や、食事提供等のサービス利用については、無料低額宿泊所と同様に、入所者と施設との契約に基づいて利用されるものである。
　その上で、日常生活支援住居施設については、日常生活上の支援が必要な者が利用する施設であることから、福祉事務所においては、無料低額宿泊所と同様に要保護者と施設との契約等に関する支援を行うとともに、あわせて、福祉事務所と施設との間で日常生活上の支援の委託手続を行うものであること。
(ｱ)　日常生活支援住居施設の利用に関する支援
　福祉事務所においては、要保護者の状況等から日常生活上の支援が必要と認められる場合には、利用可能な日常生活支援住居施設について情報提供を行った上で、無料低額宿泊所の場合と同様に、要保護者の希望に基づいて、施設利用のための連絡調整等を行うこと。
(ｲ)　日常生活支援の委託
　福祉事務所は、上記の連絡調整とあわせて、日常生活支援住居施設に対して次のとおり日常生活支援の委託手続を行うこと。
① 福祉事務所長は、生活保護法第30条第１項の規程により、被保護者が入所を希望する日常生活支援住居施設に日常生活上の支援を委託するときは、その施設の管理者に対して、様式１の「日常生活支援の委託について（依頼）」を発行し、依頼する。
② 依頼を受けた日常生活支援住居施設の管理者は、福祉事務所長に対して様式２の「日常生活支援の委託について（回答）」により当該委託依頼に関する受託の可否について返信を行う。
2　緊急的・臨時的な居所の確保等
　第３の１に記載した、生活保護の相談・申請からその者に応じた居住先の確保までの期間において、直ちに居宅を確保することが困難な場合や、居宅生活が可能かどうか判断できない場合においては、緊急的・臨時的な居所を確保する必要がある。
　その場合は、保護施設、無料低額宿泊所及び日常生活支援住居施設のほか、生活困窮者自立支援法（平成25年法律第105号）に基づく一時生活支援事業のホームレス緊急一時宿泊事業（シェルター）又はホームレス自立支援センター、簡易宿泊所その他民間の宿泊施設などを紹介するなど、居所の確保に関する支援を行うこと。
　なお、これにより保護施設又は日常生活支援住居施設に入所した場合は、当該入所者についても保護施設事務費又は日常生活支援委託事務費の算定対象になるほか、民間の宿泊施設等の宿泊料等についても、「「緊急雇用対策」における貧困・困窮者支援

のための生活保護制度の運用改善について」(平成21年10月30日社援発1030第4号厚生労働省社会・援護局保護課長通知)で示したとおり、住宅扶助費の範囲内で支給して差し支えないものであること。

また、緊急的・臨時的に居所を確保した場合、概ね1か月を目途に本人の状況の把握等や居宅生活の可能性等の検討、本人の意向の聴取等を進め、速やかに、その者の状態等に応じた適切な居住の場の確保に向けた支援を行うこと。

3 無料低額宿泊所の入居者等からの保護申請

無料低額宿泊所に既に入居している者からの保護申請に当たっても、第3の1の手続と同様に、本人の状況把握や居宅生活の可否を検討するものであること。検討の結果、居宅生活が可能と判断される場合には、居宅の確保等の支援を行うものであること。

また、日常生活支援住居施設については、入所対象者を「日常生活支援が必要と福祉事務所が判断した者」としており、入所を希望する要保護者から施設に直接申込みがあった場合には、原則として入所前に福祉事務所に連絡し、その入所の可否について判断を求めることとしている。当該、連絡を受けた福祉事務所においては、第3の1の手続と同様に、本人の状況把握や居宅生活の可否を検討すること。

なお、当該検討等に要する期間については、第3の2の取扱いに準じて、無料低額宿泊所又は日常生活支援住居施設を緊急的・臨時的な居所として活用して差し支えないものであること。

4 無料低額宿泊所及び日常生活支援住居施設の利用者への支援

(1) 無料低額宿泊所の入居者に対する支援

無料低額宿泊所については、これまでも、現に住居がない生計困難者に一時的な居住の場を提供するものとして位置づけられてきたところであり、「無料低額宿泊所の設備及び運営に関する基準」(令和元年厚生労働省令第34号(以下、「基準省令」という。)においても「基本的に一時的な居住の場であることに鑑み、(略)入居者が独立して日常生活を営むことができるか常に把握」し、「独立して日常生活を営むことができると認められる者について(略)円滑な退居のために必要な援助を行う」旨を規定している。

そのため、無料低額宿泊所に入居する被保護者に対して、その状況に応じて必要な訪問調査を行い、その者の状況や意向の把握に努めるとともに、居宅生活への移行に向けた支援を行うこと。

また、基準省令において、無料低額宿泊所の利用に関する契約期間については、1年以内に限定し、契約期間の終了前には、契約の更新について入居者の意向を確認するとともに、継続利用の必要性があるか関係機関で協議を行うこととしていることから、少なくとも年1回は居宅移行の可能性について検討し、当該検討結果については福祉事務所の援助方針にも反映させた上で、必要な支援を行うこと。

(2) 日常生活支援住居施設の入所者に対する支援

日常生活支援住居施設については、日常生活支援が必要な者が利用する施設であるが、その支援については「可能な限り居宅生活への復帰を念頭において」行われ

るものとしており、入所の契約期間等についても無料低額宿泊所と同様に、1年以内に限定し、契約期間終了前に継続利用の必要性を検討することとしている。

したがって、日常生活支援住居施設の入所者のうち、居宅生活への移行が可能な者に対しては、無料低額宿泊所の入居者と同様に居宅移行に向けた支援を行うものであること。

また、日常生活支援住居施設については、入所者毎に個別支援計画を作成し、当該計画に基づいて必要な支援を行うこととしている。また、この計画の作成に当たっては、その内容について福祉事務所と協議して作成することとしている。個別支援計画については、6か月に1回は見直しを行うこととしていることから、定期的な訪問調査活動にあわせて、日常生活支援住居施設での支援内容について、必要な協議を行うこと。

第4　無料低額宿泊所における留意事項
(1)　無届けの無料低額宿泊所への対応について

福祉事務所は、無料低額宿泊所の事業の範囲に該当しているが、無料低額宿泊所としての届出を行っていない事業所を把握したときは、都道府県・指定都市本庁、中核市本庁（以下「都道府県等」という。）にその旨を連絡し、都道府県等は、当該事業者に対して届出の勧奨を行うこと。

また、福祉事務所は、無料低額宿泊所の届出を忌避している事業所について、被保護者への紹介は行わないこととし、現に当該事業所に入居している被保護者については、転居等の支援を行うこと。

なお、上記の取扱いについては、現に基準省令第11条に規定する「サテライト型住居」に準じた事業を実施しており、令和4年4月までに届出を予定している事業所はこの限りではないこと。

(2)　多人数居室及びいわゆる簡易個室等の対応について

多人数居室や居室間の間仕切壁が天井まで達していないいわゆる「簡易個室」については、令和5年3月末までにその解消を図ることとしている。

これらの居室について期限までの解消が円滑に図られるよう、福祉事務所は、他に利用可能な施設等が全く無い場合を除き、原則として被保護者に対して新規の入居先として紹介を行わないこと。また既にこれらの居室に入居している被保護者に対しては、転居先等を紹介するなど、転居に向けた支援を行うこと。

また、基準省令附則第3条に該当する事業所において、改善計画が提出されない又は改善計画に沿った改善が図られないことにより、都道府県から改善命令が行われた事業所についても、上記と同様の取扱いとすること。

以下、省略
（様式1）　日常生活支援の委託について（依頼）
（様式2）　日常生活支援の委託について（回答）
（別添1）　無料低額宿泊所及び日常生活支援住居施設における支援
（別添2）　本人の状態像の例

○職や住まいを失った方々への支援の徹底について

平成21年3月18日　社援保発第0318001号
各都道府県・各指定都市・各中核市民生主管部(局)長　宛
厚生労働省社会・援護局保護課長通知

　雇用失業情勢が厳しい中、全国的に生活保護受給者の増加傾向が続いており、昨年12月の被保護実人員は約160万人となっている。今後、景気がさらに後退すれば、職や住まいを失い、生活に困窮する方がさらに増加すると考えられる。
　政府では、昨年末以降、職や住まいを失った方々の住居の確保や生計の維持等のための支援に全力で取り組んでいるところであるが、これらの施策を講じてもなお生活に困窮する方は、生活保護の開始の申請に至ることが考えられる。
　各実施機関においては、生活に困窮する方々を早期に発見し、本人の事情や状況に応じた支援を関係機関と連携して迅速に実施することが必要である。このため、今般、下記のとおり、特に支援に当たって徹底していただきたい事項をとりまとめたので、各自治体におかれては、ホームレス対策担当部局等と連携の上、これらの施策の充実に努められたい。

記

1　今後の生活困窮者の増加に対応するために実施すべき事項
　(1)　福祉事務所の体制整備
　　　各自治体においては、今後の生活困窮者の増加に適切に対応するため、福祉事務所の人員体制の強化を検討されたい。特に、ケースワーカーの増員を図るだけでなく、事務補助員、就労支援専門員等の体制を充実することも併せて検討されたい。
　　　厚生労働省においては、人員体制の整備について、セーフティネット支援対策等事業費補助金により10分の10の国庫補助による支援を実施しているところである。また、別添のとおり、政府全体の取組として雇用機会の緊急確保のため緊急雇用創出事業等が実施されており、この事業の取組例の1つとして「生活保護制度円滑実施支援事業」をお示ししているところである。これらの施策により、福祉事務所の人員体制の整備について財政的支援を受けることも可能であることから、その活用を積極的に検討されたい。
　　　また、各自治体においては、生活保護の申請の急増時などに臨機応変に適切な人員体制がとれるよう、あらかじめ応援体制等について検討されたい。
　(2)　他法他施策等の情報提供の徹底
　　　ハローワーク等の関係機関においては、離職者に対する支援の充実が図られている。具体的には、ハローワークにおいては、社員寮等の退去を余儀なくされた方々への住宅確保等のための相談支援（雇用促進住宅への入居あっせん並びに住宅入居初期

費用、家賃補助費及び生活・就職活動費の資金の貸付に関する相談）を実施している。また、入居可能な公営住宅及び独立行政法人都市再生機構の賃貸住宅（UR住宅）の情報も提供している。

　このため、保護の実施機関においては、ハローワーク等と日ごろから「顔の見える関係」を構築し、相談者のニーズに応じて、ハローワーク等の窓口に相談者を確実につなぐとともに、就職安定資金などの他施策についての情報の提供を行うなど必要な支援を行われたい。

(3) 都道府県等によるホームレス自立支援センターやホームレス緊急一時宿泊事業（シェルター）の実施の強化

　ホームレスに対して地域の実情に応じ、ホームレス自立支援センターやホームレス緊急一時宿泊事業（シェルター）の実施などの対策がとられており、直ちに借家等で自活することは困難であるが就労意欲と能力のある者については、ホームレス自立支援センター等において支援を行う必要がある。

　これらの施設は既存建築物等を活用し、又は借り上げて設置することについてもセーフティネット支援対策事業費補助金の補助対象としたところである。各自治体においては、今後の生活困窮者の増加に備えて、早急にこれらの施設の整備に取り組まれたい。

(4) 現在地保護の徹底

　生活保護法（以下「法」という。）第19条第1項第2号は、「居住地がないか、又は明らかでない要保護者であって、その管理に属する福祉事務所の所管区域内に現在地を有するもの」について、その福祉事務所が保護を決定し、実施するものと定めている。

　このため、「住まい」のない者については、その現在地を所管する保護の実施機関が生活保護の申請を受け付けることとなる。なお、申請の後、保護を決定するに当たっては、法第30条において「生活扶助は、被保護者の居宅において行うものとする。ただし、これによることが適当でないとき、（中略）被保護者を救護施設、更生施設若しくはその他の適当な施設に入所（後略）」とされていることから、アパートや施設などに居住していただくこととなる。

　また、保護の実施機関においては、相談者の意に反して他の自治体への移動を勧める行為は認められないものであり、相談を受けた現在地の実施機関が必要な支援を行われたい。

(5) 生活困窮者の早期発見

　生活困窮者の中には、極度に困窮した状態になるまで行政機関等に相談することがなく、結果として労働施策や福祉施策等による支援を受ける時間的余裕がない者もいる。このような方については、本来、その前段階で、行政機関等が生活相談を実施し、必要な公的支援を紹介又は実施することが必要である。

　このため、保護の実施機関においては、保健福祉部局及び社会保険・水道・住宅担当部局、ハローワーク、求職者総合支援センター等の関係機関並びに民生委員・児童

委員との連携を図り、生活困窮者の情報が福祉事務所の窓口につながるような仕組みづくりを推進されたい。
2 保護の申請から保護の適用までの対応
(1) 居宅生活の可否についての判断
　住居を喪失した者に対して生活保護を適用するに当たっては、申請者の状況に応じた保護を行うため、まず申請者がどのような問題（身体的・精神的状況のほか、日常生活管理能力、金銭管理能力、稼働能力等）を抱えているのか十分に把握する必要がある。
　特に、保護を適用する際に、居宅生活が適当であるのか、福祉的な援助等が必要であるため、保護施設等又は自立支援センターへの入所が適当であるのかを判断するために、アセスメントを十分に行われたい。なお、住宅扶助費として敷金等を受給できる者は、居宅生活ができると認められる者に限られるので留意されたい。
(2) 住居の確保等についての情報提供及び関係機関との連携
　居宅生活が可能と認められる者による住居の確保を支援するため、各自治体においては、例えば、不動産関係団体と連携し、住居を喪失した者や保証人が得られない者に対してアパート等をあっせんする不動産業者の情報を収集するなど、必要に応じて、住居に関する情報を提供できるよう、その仕組みづくりに努められたい。
　また、「直ちに居宅生活を送ることが困難である」と判断された者や、居宅生活が可能か否かの判断ができない者については、施設等における支援が、一定の期間、必要である。このため、各自治体においては、ホームレス自立支援センターやホームレス緊急一時宿泊事業（シェルター）等の必要な施設の確保を図るとともに、関係部局と連携を図られたい。
(3) 適切な審査の実施
　生活保護の決定に当たっては、急迫の場合を除き、通常の手順に従って必要な審査を行った上で、法定期間内での適切な処理に努める必要がある。
　特に、稼働能力の活用の判断に当たっては、保護の実施要領の規定に従い、①稼働能力があるか否か、②その稼働能力を前提として、その能力を活用する意思があるか否か、③実際に稼働能力を活用する就労の場を得ることができるか否か、により判断することとなる。
　したがって、単に稼働能力があることをもって保護の要件を欠くものではないが、一方で、実際に稼働能力を活用する就労の場を得られるにもかかわらず職に就くことを拒んでいる場合は保護の要件を欠くこととなる。このため、本人の生活歴・職歴等を聴取し、本人の稼働能力に見合った就労の場が得られるかどうかについて十分見極め、必要な支援を行われたい。
(4) 保護の開始決定における留意点
　保護の開始決定に当たっては、特に次の点に留意されたい。
　ア　保護の開始決定は、申請者の住居が確保されたとき（アパート等に入居したとき、又は入居できることが確実になったとき）以降、又は施設等に入所したとき以

降に行うこと。なお、住居が確保されていないことを理由として保護申請を却下することはできないものであること。
　イ　保護の開始日は、申請日以降であって、要保護状態にあると判定された日とすることとしている。したがって、申請日以降に他の支援等により一定期間要保護状態になかったことが明らかである場合等を除き、通常、その申請日が保護の開始日となることに留意すること。その際、生活扶助費については第1類及び第2類の表に掲げる額並びに加算額等を合算した額を計上すること。
　ウ　アパート等の住居を確保するまでの間に、一時的にカプセルホテル、簡易宿泊所等に宿泊した場合、これらの宿泊料については、当該月のアパート等の家賃に要する額と合算して、1か月の住宅扶助費の基準額の範囲内で支給して差し支えないものであること。
3　保護の適用後の就労支援の実施
　生活保護制度への国民の信頼を確保するためには、被保護者の就労支援を徹底し、自立を助長することが不可欠である。
　とりわけ、離職者の大多数は「就労の能力」や「就労の意思」を有していると考えられる。このため、離職者である生活保護受給者が「就労の場」を得ることができるよう、就労支援専門員等による就労支援をきめ細かく実施するとともに、ハローワーク等と連携し、生活保護受給者等就労支援事業や自立支援プログラムなどを活用されたい。その際、各自治体においては、就労支援専門員等の配置を推進されたい。
　なお、就労支援専門員等の支援を拒み、かつ積極的に「就労の場」を得る努力をしない者については、保護の要件を欠くものであり、法第27条に基づく指導指示を徹底することが必要である。さらに、指導指示に違反する場合は、保護の停廃止を含めた厳格な対応を検討されたい。
別添　略

○「緊急雇用対策」における貧困・困窮者支援のための生活保護制度の運用改善について

〔平成21年10月30日　社援保発1030第4号
各都道府県・各指定都市・各中核市民生主管部(局)長
宛　厚生労働省社会・援護局保護課長通知〕

　今般、政府において「緊急雇用対策」(平成21年10月23日緊急雇用対策本部決定)がとりまとめられ、具体的な対策として、「貧困・困窮者支援」を実施することとされており、その一環として、「生活保護制度の運用改善」が事項として盛り込まれたところである。
　雇用情勢は今年7月に失業率が過去最高に達するなど依然として厳しい状況にあり、求職中の貧困・困窮者への支援は緊急を要しているところである。
　こうしたことを踏まえ、失業等により生活に困窮する方々への支援に積極的に取り組み、とりわけ一時的な居所の確保を図る観点から、生活保護制度として下記のとおり運用改善を講ずることとしたので、管内実施機関に周知徹底をお願いする。
　あわせて、各自治体におかれては、引き続き「職や住まいを失った方々への支援の徹底について」(平成21年3月18日社援保発第0318001号保護課長通知)の趣旨をご理解の上、下記の取組とともに適切な支援に努められたい。

記

1　一時的な居所の確保が緊急的に必要な場合の支援について
　　各実施機関においては、失業等により居所のない者から生活保護の相談・申請があり、一時的な居所を緊急的に紹介する必要がある場合に備え、近隣の安価な民間宿泊所、ビジネスホテル、カプセルホテル等の情報を収集されたい。
2　一時的な居所の確保に必要な宿泊料等の支給について
　　生活保護の申請者が、やむを得ず一時的に上記の民間宿泊所等を利用し、生活保護が開始された場合は、その後に移った一般住宅等の家賃に要する住宅扶助費とは別に、日割等により計算された必要最小限度の一時的な宿泊料等について、保護の基準別表第3の2の厚生労働大臣が別に定める額の範囲内で支給して差し支えないこととする。

○失業等により生活に困窮する方々への支援の留意事項について

〔平成21年12月25日　社援保発1225第1号
各都道府県・各指定都市・各中核市民生主管部(局)長
宛　厚生労働省社会・援護局保護課長通知〕

　先般、政府の「緊急雇用対策」(平成21年10月23日緊急雇用対策本部決定)に基づき、失業等により生活に困窮する方々への支援として、ハローワークにおけるワンストップ・サービス・デイが実施されたところです。職員の派遣等、御協力いただいた関係地方公共団体には改めて御礼申し上げます。

　当該事業の実施に当たっては、利用者の方々から高い評価をいただいたところですが、一方、失業等により生活に困窮する方々への支援について課題も生じております。

　こうしたことを踏まえ、各自治体におかれては、引き続き「職や住まいを失った方々への支援の徹底について」(平成21年3月18日社援保発第0318001号保護課長通知)及び「緊急雇用対策における貧困・困窮者支援のための生活保護制度の運用改善について」(平成21年10月30日社援保発1030第4号保護課長通知)の趣旨を再度ご理解いただくとともに、失業等により生活に困窮する方々への支援に当たっては、ハローワーク等の関係行政機関や、ホームレス支援を行うＮＰＯ法人等の民間団体と連携の上、下記の事項について留意し、効果的で実効ある生活保護制度の運用に努めていただきますようお願いいたします。

記

1　速やかな保護決定

　失業等により生活に困窮する方が、所持金がなく、日々の食費や求職のための交通費等も欠く場合には、申請後も日々の食費等に事欠く状態が放置されることのないようにする必要がある。そのため、臨時特例つなぎ資金貸付制度等の活用について積極的に支援し、保護の決定に当たっては、申請者の窮状にかんがみて、可能な限り速やかに行うよう努めること。

2　住まいを失った申請者等に対する居宅の確保支援

　失業等により住居を失ったか、又は失うおそれのある者に対しては、まず安心して暮らせる住居の確保を優先するという基本的な考え方に立ち、「居宅生活可能と認められる者」については、可能な限り速やかに敷金等を支給し、安定的な住居の確保がなされるよう、支援すること。

　なお、居宅生活ができるか否かの判断に当たっては、「生活保護問答集」(平成21年3月31日保護課長事務連絡)問7―107において判断の視点を示しているところであるが、これは判断の視点であって、そのうちの一つの要件が満たされないことのみをもって居宅生活ができないと判断することのないよう、留意されたい。

3 適切な世帯の認定
　失業等により住居を失い、一時的に知人宅に身を寄せている方から保護の申請がなされた場合には、一時的に同居していることをもって、知人と申請者を同一世帯として機械的に認定することは適当ではないので、申請者の生活状況等を聴取した上、適切な世帯認定を行うこと。
4 他法他施策活用の考え方
　就職安定資金及び総合支援資金等の公的貸付制度及び住宅手当は、生活保護法第4条第1項のいう「その他あらゆるもの」には含まれず、本人の意に反して利用を強要することはできないものであること。
　保護の相談時には、相談者に誤解が生じないよう、適切な助言に努めること。
5 実施機関が異なる申請者の対応
　面接相談時に、相談を受けた福祉事務所と保護の実施責任を負う福祉事務所が異なることが判明した場合においても、相談者が保護の申請意思を示した場合には、相談を受けた福祉事務所から相談者の実施責任を負う福祉事務所に相談記録等を速やかに回付すること。
6 関係機関との連携強化等について
　保護の実施機関においては、住宅手当、総合支援資金及び訓練・生活支援給付金等の各種関係施策について積極的な情報収集を行うとともに、特に失業等により生活に困窮する方々に対しては、生活保護の相談のみならず、これらの関係施策の活用なども含め生活全般の相談に対応するよう配慮すること。
　また、相談に対応した職員は、必要に応じてハローワークや社会福祉協議会等の関係機関の担当者と連絡を取り、個々の調整を行う等、関係機関との連携強化に努め、相談者に配慮した対応を行うこと。
　さらに、上記2の安定的な住居の確保に当たっては、ホームレス支援を行っているNPO法人等の民間団体や不動産業者等との連携に努めること。

6 費用の返還関係

○第三者加害行為による補償金、保険金等を受領した場合における生活保護法第63条の適用について

> 昭和47年12月5日　社保第196号
> 各都道府県・各指定都市民生主管部(局)長宛　厚生省
> 社会局保護課長通知

注　本通知は、平成13年3月27日社援保発第19号により、地方自治法第245条の9第1項及び第3項の規定に基づく処理基準とされている。

標記について、今回下記のとおり取扱い方針を定めたので、了知のうえ、管下実施機関を指導されたい。

記

1　生活保護法第63条にいう資力の発生時点としては、加害行為発生時点から被害者に損害賠償請求権が存するので、加害行為発生時点たること。したがって、その時点以後支弁された保護費については法第63条の返還対象となること。
2　実施機関は、1による返還額の決定にあたっては、損害賠償請求権が客観的に確実性を有するに至ったと判断される時点以後について支弁された保護費を標準として世帯の現在の生活状況および将来の自立助長を考慮して定められたいこと。
　この場合、損害賠償請求権が客観的に確実性を有するに至ったと判断される時点とは、公害、自動車事故については次の時点であること。
(1)　公害の場合
　ア　第1次的に訴訟等を行なった者については、最終判決または和解の時点
　イ　第1次訴訟等の参加者以外の者であって、客観的に第1次訴訟等の参加者と同様の公害による被害を受けた者と認められる者についても、アと同一の時点
　ウ　ア、イに該当しない者については、その訴訟等に関する最終判決または和解の時点
(2)　自動車事故の場合
　自動車損害賠償保障法により保険金が支払われることは確実なため、事故発生時点

○生活保護費の費用返還及び費用徴収決定の取扱いについて

平成24年7月23日　社援保発0723第1号
各都道府県・各指定都市・各中核市民生主管部(局)長　宛
厚生労働省社会・援護局保護課長通知

〔改正経過〕

第1次改正	平成26年4月25日社援保発0425第4号	第2次改正	平成28年3月31日社援保発0331第3号
第3次改正	平成30年3月30日社援保発0330第7号	第4次改正	平成30年6月8日社援保発0608第9号
第5次改正	平成30年9月28日社援保発0928第2号（平成30年10月10日社援保発1010第1号により一部改正）	第6次改正	令和元年5月27日社援保発0527第1号
第7次改正	令和3年1月7日社援保発0107第1号	第8次改正	令和6年4月24日社援保発0424第3号

　生活保護行政の推進については、平素から格段の御配慮を賜り厚く御礼申し上げます。
　生活保護制度は、生活保護法（昭和25年法律第144号。以下「法」という。）第4条に基づき、その利用し得る資産、能力その他あらゆるものを、その最低限度の生活の維持のために活用することを要件としていますが、急迫の場合や資力はあるものの直ちに活用できない事情がある場合は適用され得るものです。
　ただし、資力があることを確認した際は、当該被保護者に対して、資力の発生時期に遡って法第63条に基づき費用返還を求め、加えて法第77条の2第1項に基づき法第63条の保護の実施機関の定める額の全額又は一部を徴収することができるとしています。
　また、不実の申請その他不正な手段により保護を受けた者、又は受けさせた者に対しては法第78条に基づく費用徴収を行うこととしています。
　本制度は、支援が必要な人に確実に保護を実施する必要があると同時に、不正事案については、全額公費によってその財源が賄われていることに鑑みれば制度に対する国民の信頼を揺るがす極めて深刻な問題であるため、厳正な対処が必要です。
　このため、保護費、就労自立給付金及び進学・就職準備給付金の費用返還及び費用徴収決定の取扱いについては、下記の事項に留意の上、適正かつ厳格な処理に当たられるよう管内保護の実施機関に対し周知徹底いただくようお願いします。

記

1 法第63条に基づく費用返還の取扱いについて
 (1) 返還対象額について
  　法第63条に基づく費用返還については、原則、全額を返還対象とすること。
  　ただし、全額を返還対象とすることによって当該被保護世帯の自立が著しく阻害されると認められる場合は、次に定める範囲の額を返還額から控除して差し支えない。
  　なお、返還額から控除する額の認定に当たっては、認定に当たっての保護の実施機関の判断を明確にするため、別添1の様式を活用されたい。
  ① 本人が十分注意を払っていたにもかかわらず盗難等の不可抗力により消失した額であって、警察にも遺失届が出されており、消失が不可抗力であることを確実に証明できる場合。
  ② 家屋補修、生業等の一時的な経費であって、保護（変更）の申請があれば保護費の支給が認められると保護の実施機関が判断する範囲のものに充てられた額。（保護基準額以内の額に限る。）
  ③ 当該収入が、「生活保護法による保護の実施要領について」（昭和36年4月1日厚生省発社第123号厚生事務次官通知）第8の3の(3)に該当するものにあっては、「生活保護法による保護の実施要領の取扱いについて」（昭和38年4月1日社保第34号厚生省社会局保護課長通知）第8の40の認定基準に基づき、保護の実施機関が認めた額。（事前に実施機関に相談があったものに限る。ただし、事後に相談があったことについて真にやむを得ない事情が認められるものについては、挙証資料によって確認できるものに限り同様に取り扱って差しつかえない。）
  ④ 当該世帯の自立更生のためのやむを得ない用途に充てられたものであって、地域住民との均衡を考慮し、社会通念上容認される程度として保護の実施機関が認めた額。
  　　ただし、以下の使途は自立更生の範囲には含まれない。
    (ｱ) いわゆる浪費した額（当該収入を得たことを保護の実施機関に届け出ないまま費消した場合を含む）
    (ｲ) 贈与等により当該世帯以外のために充てられた額
    (ｳ) 保有が容認されない物品等の購入のために充てられた額
    (ｴ) 保護開始前の債務に対する弁済のために充てられた額
  ⑤ ④にかかわらず、遡及して受給した年金については、(2)により取扱うこと。
  ⑥ 当該収入があったことを契機に世帯が保護から脱却する場合であっては、今後の生活設計等から判断して当該世帯の自立更生のために真に必要と保護の実施機関が認めた額。この場合、当該世帯に対してその趣旨を十分説明するとともに、短期間で再度保護を要することとならないよう必要な生活指導を徹底すること。
  　なお、「当該収入があったことを契機に世帯が保護から脱却する場合」とは、当該収入から過去に支給した保護費相当額を返還した上でなお残額があり、その残額により今後相当期間生活することが可能であると見込まれる場合や、残額がない場

合であっても当該収入を得ると同時に定期的収入等が得られるようになった場合をいう。

そのため、当該収入に対して保護費の返還を求めないことと同時に、専ら当該世帯の今後の生活費用全般に充てることを「自立更生」に当たるものとする取扱いは認められないので留意すること。

(2) 遡及して受給した年金収入にかかる自立更生費の取扱いについて

年金を遡及して受給した場合の返還金から自立更生費等を控除することについては、定期的に支給される年金の受給額の全額が収入認定されることとの公平性を考慮すると、上記(1)と同様の考え方で自立更生費等を控除するのではなく、厳格に対応することが求められる。

そのため、遡及して受給した年金収入については、次のように取扱うこと。

(ア) 保護の実施機関は、被保護世帯が年金の裁定請求を行うに当たり遡及して年金を受給した場合は、以下の取扱いを説明しておくこと。
① 資力の発生時点によっては法第63条に基づく費用返還の必要が生じること
② 当該費用返還額は原則として全額となること
③ 真にやむを得ない理由により控除を認める場合があるが、事前に保護の実施機関に相談することが必要であり、事後の相談は、傷病や疾病などの健康上の理由や災害など本人の責めによらないやむを得ない事由がない限り認められないこと

(イ) 原則として遡及受給した年金収入は全額返還対象となるとした趣旨を踏まえ、当該世帯から事前に相談のあった、真にやむを得ない理由により控除する費用については、保護の実施機関として慎重に必要性を検討すること。

(ウ) 資力の発生時点は、年金受給権発生日であり、裁定請求日又は年金受給日ではないことに留意すること。また、年金受給権発生日が保護開始前となる場合、返還額決定の対象を開始時以降の支払月と対応する遡及分の年金額に限定するのではなく、既に支給した保護費の額の範囲内で受給額の全額を対象とすること。

2 法第77条の2に基づく費用徴収決定について

法第77条の2第1項により、保護に要する費用を支弁した都道府県又は市町村の長は、法第63条の費用返還額の全部又は一部を徴収金として徴収することができる。一方で、法第77条の2第1項及び生活保護法施行規則(昭和25年厚生省令第21号)第22条の3により、「保護の実施機関の責めに帰すべき事由によつて、保護金品を交付すべきでないにもかかわらず、保護金品の交付が行われたために、被保護者が資力を有することとなつたとき」は、法第63条の費用返還額を法第77条の2第1項の徴収金として徴収することができず、具体的には、被保護者から適時に収入申告書等が提出されていたにもかかわらずこれを保護費の算定に適時に反映できなかった場合、保護の実施機関が実施要領等に定められた調査を適切に行わなかったことにより保護の程度の決定を誤った場合等が該当する。

3 法第78条に基づく費用徴収決定について

法第63条は、本来、資力はあるが、これが直ちに最低生活のために活用できない事情にある要保護者に対して保護を行い、資力が換金されるなど最低生活に充当できるようになった段階で既に支給した保護金品との調整を図るために、当該被保護者に返還を求めるものであり、被保護者の作為又は不作為により保護の実施機関が錯誤に陥ったため扶助費の不当な支給が行われた場合に適用される条項ではない。

被保護者に不当に受給しようとする意思がなかったことが立証される場合で、保護の実施機関への届出又は申告をすみやかに行わなかったことについてやむを得ない理由が認められるときや、保護の実施機関及び被保護者が予想しなかったような収入があったことが事後になって判明したとき等は法第63条の適用が妥当であるが、法第78条の条項を適用する際の基準は次に掲げるものとし、当該基準に該当すると判断される場合は、法第78条に基づく費用徴収決定をすみやかに行うこと。

① 保護の実施機関が被保護者に対し、届出又は申告について口頭又は文書による指示をしたにもかかわらず被保護者がこれに応じなかったとき
② 届出又は申告に当たり明らかに作為を加えたとき
③ 届出又は申告に当たり特段の作為を加えない場合でも、保護の実施機関又はその職員が届出又は申告の内容等の不審について説明等を求めたにもかかわらずこれに応じず、又は虚偽の説明を行ったようなとき
④ 課税調査等により、当該被保護者が提出した収入申告書が虚偽であることが判明したとき

(1) 届出又は申告の徹底について

保護の実施機関が被保護世帯に対して行った収入申告書の届出義務等に関する説明が不十分であり、又は説明を行ったとしても、ケース記録等に記録せず、説明を行ったことを挙証する資料がないなどの理由により、本来、法第78条を適用すべき事案にもかかわらず、法第63条を適用しているという不適切な実態が一部自治体にあることが指摘されているところである。

そのため、「生活保護行政を適正に運営するための手引について」(平成18年3月30日社援保発第0330001号本職通知) Ⅰの2に基づき、届出が必要な資産及び収入の種類を具体的に列挙した届出義務についての「福祉事務所長名の通知」や「保護のしおり」等を、保護開始時及び継続ケースについては、少なくとも年1回以上、世帯主及び世帯員等に配布等の方法により、届出義務の内容を十分説明しておくよう徹底を図られたい。

法第78条の適用に当たって最も留意すべき点は、被保護者等に不当又は不正に受給しようとする意思があったことについての立証の可否であり、立証を困難にしているものの原因は、被保護世帯に対する収入申告の義務についての説明が保護の実施機関によって十分になされていない、あるいは説明を行ったとしても当該被保護世帯が理解したことについて、事後になってケース記録等によっても確認できないといったこと等にあると考えられる。

このような事態を未然に防止し、法第78条の適用を厳格に実施するためにも、収入

申告の義務の説明をしたこと及びその内容を理解していることを、保護の実施機関と被保護世帯との間で明確にする必要がある。

よって、別添2の様式を用いて、保護の実施機関が当該被保護世帯に対し、収入申告の必要性及び義務について説明を行ったことや当該被保護者がその説明（収入に変動があった場合、すみやかに保護の実施機関に申告することや、申告等を怠った場合は、法第78条の適用を受け、全額費用徴収されること等）を理解したことを保護の実施機関と被保護世帯とで共有し明確にすること。

(2) 収入申告を求める際の留意点

課税調査によって被保護世帯の収入が判明した事案のうち、その収入が当該被保護世帯の世帯主以外の者（未成年）の就労収入であるという場合には、一律に法第63条を適用しているという不適切な実態が一部自治体にあることが指摘されているところである。

未成年である世帯員についても、稼働年齢層であれば当然に保護の実施機関に対し申告の義務はあるので、申告を怠っていれば原則として法第78条の適用とすべきである。

また、世帯主が世帯員の就労について関知していなかった、就労していた世帯員本人も申告の義務を承知していなかった、保護の実施機関も保護開始時にのみ収入申告書の提出の義務を説明しただけであり、当該被保護世帯の子が高校生になった際に就労収入の申告の義務について説明を怠っていた等の理由により、法第63条を適用せざるを得ないという判断がなされている実態が見受けられる。

そのため、別添2の様式によって、収入申告の義務について説明を行う際、世帯主以外に稼働年齢層の世帯員（高校生等未成年を含む）がいる世帯については、当該世帯員本人の自書による署名等の記載を求めること。この際、別葉とするか同一様式内に世帯員の署名欄等を設けるかは自治体の判断で対応されたい。

さらに、保護開始世帯については、世帯主及び稼働年齢層の世帯員に対し収入申告の義務について開始時に説明することとし、既に受給中の世帯については稼働年齢層の者がいる世帯への訪問時等に改めて収入申告の義務について説明するとともに、別添2の様式を活用されたい。その際、基礎控除等の勤労控除及び高等学校等就学者における就労や早期の保護脱却に資する経費等の収入認定除外についても説明すること。

なお、世帯主及び世帯員の病状や当該被保護世帯の家庭環境その他の事情により、世帯主や世帯員において収入申告義務についての理解又は了知が極めて困難であり、結果として適正に収入申告がなされなかったことについてやむを得ない場合があることも考えられるところである。よって、別添2の様式が提出され、かつ、提出された収入申告書と課税調査等の結果が相違している状況であっても、不正受給の意思の有無の確認に当たっては、世帯主及び世帯員の病状や当該被保護世帯の家庭環境等も考慮することとし、その上で、法第78条に基づく費用徴収を適用するか、法第63条に基づく費用返還を適用するかを決定されたい。また、このような場合において法第63条

に基づく費用返還を適用する際は、同時に、世帯主及び世帯員の全員に対して改めて収入申告義務について丁寧に説明し、必要に応じて指導指示を行うとともに、特に収入申告義務の了知が極めて困難な場合に法第63条に基づく費用返還を適用した場合にあっては、同時に当該収入を得た者に対して直接収入申告義務について説明し、以降、適正に収入申告がなされなかった場合は法第78条に基づく費用徴収を適用すること。

4　不正受給に対する徴収金への加算

法第78条第1項又は第3項により、不実の申請その他不正な手段により保護を受け、若しくは就労自立給付金若しくは進学・就職準備給付金の支給を受け、又は他人をして受けさせた者に対し、当該不正受給に係る徴収金の額に、100分の40を乗じた額以下の金額を加算して徴収することができることとしている。

当該加算措置を適用することが妥当であると考えられるものは、以下の状況が認められるような場合である。

①　収入申告書等の提出書類に意図的に虚偽の記載をする、又は偽造、改ざんするなど不正が悪質、巧妙であるとき
②　過去に保護費の不正受給を繰り返し行っていたり、必要な調査に協力しないなどの状況があるとき
③　不正受給期間が長期にわたるものであるとき

当該加算措置を適用するか否かの判断に当たっては、不正の事実の発覚後、事実確認に協力的であることや不正に受給した金銭の返還に積極的に応じる意向を示すなどの状況についても合わせて考慮することとし、原則として保護の実施機関が設置するケース診断会議等において、総合的に検討を行う必要がある。

なお、徴収金への加算については平成26年7月1日以後に支払われた保護費、就労自立給付金又は進学・就職準備給付金についてのみ100分の40を乗じた額以下の金額を上乗せして徴収できるものであり、平成26年6月30日以前に支払われた保護費については当該加算措置の適用はないことに留意すること。

また、加算して徴収する金額は、罰則の趣旨で徴収するものであり、不正受給を行った金額の徴収とは性格が異なることから、保護費の国庫負担金の算定の基礎には算入しないことに留意する。

5　国税徴収の例による費用徴収について

法第77条の2第2項では、同条第1項の規定による徴収金について国税徴収の例により徴収することができることとしている。また、法第78条第4項では、法第77条の2第2項の規定は法第78条第1項から第3項までの規定による徴収金について準用することとしている。これらの規定に関して、特に以下の点に留意すること。

(1)　法第77条の2第1項の規定に基づき生じる債権及び法第78条第1項から第3項までの規定に基づき生じる債権は、破産法（平成16年法律第75号）第97条第4号に規定する租税等の請求権に該当し、免責許可の決定の効力が及ばず（同法第253条第1項）、また、当該債権に係る債務の弁済は、同法第163条第3項の規定により、同法第162条

第1項の適用を受けず、偏頗行為の否認の例外となること
(2) 保護の実施機関は、被保護世帯の保護金品及び最低生活を維持するに当たって必要な程度の財産の徴収を行わないこと
(3) 法第77条の2第1項の規定は、平成30年10月1日以後に支払われた保護費に係る徴収金について適用されるものであり、平成30年9月30日以前に支払われた保護費については本規定の対象とならないこと。

また、法第78条第1項又は第3項の規定による徴収金の徴収については、平成26年7月1日以後に支払われた保護費、就労自立給付金又は進学・就職準備給付金についての不正受給に対して適用されるものであり、平成26年6月30日以前に支払われた保護費については本規定の対象とならないこと。

6 法第78条の2による費用徴収について（保護金品等との調整）

従来、法第63条による返還金については、保護費との調整を行う規定が存在しなかったことから、被保護者が金融機関への口座振込等を行う手間や、振込み忘れ等による返還金の回収漏れが生じるなど、被保護者と保護の実施機関の双方に負担が生じているという課題があった。

このため、法第78条の2を改正し、保護の実施機関は、被保護者が保護金品の一部（金銭給付によって行われるものに限る。）又は就労自立給付金の全部又は一部（以下「保護金品等」という。）を、法第77条の2による徴収金の納入に充てる旨を申し出た場合（保護金品に関しては、申出に加えて、保護の実施機関が当該被保護者の生活の維持に支障がないと認めた場合）には、当該被保護者に対して保護金品の交付又は就労自立給付金の支給をする際に当該申出に係る徴収金を徴収することができることとしている（法第77条の2第1項に規定する「徴収することが適当でないときとして厚生労働省令で定めるとき」（本通知の2参照）及び法第55条の5第1項に規定する進学・就職準備給付金は、本取扱いの対象外であるので留意すること。）。

また、法第78条第1項又は第3項の規定による徴収金の徴収については、不正により受給した金銭を費消していないこと等により、それに相当する額を被保護者が有している場合には当該金銭により返還させることが可能である。しかし、不正受給した金銭を費消したうえ、引き続き保護を受給するなど当該徴収金の徴収が困難な場合があることから、法第78条の2により、保護の実施機関は、被保護者が保護金品等を、法第78条第1項による徴収金の納入に充てる旨を申し出た場合（保護金品に関しては、これに加えて、保護の実施機関が当該被保護者の生活の維持に支障がないと認めた場合）には、当該被保護者に対して保護金品の交付又は就労自立給付金の支給をする際に当該申出に係る徴収金を徴収することができることとしている（法第55条の5第1項に規定する進学・就職準備給付金は、本取扱いの対象外であるので留意すること。）。

本取扱いを実施する場合には、以下の事項に留意すること。
(1) 被保護者からの申出について
　(ア) 法第77条の2に基づく徴収金の場合
　　　被保護者による、保護金品等を法第77条の2第1項に基づく徴収金の納入に充てる旨の申出については、同項の規定に基づく徴収金の決定がされた際などに、別添

3（法第77条の2に基づく徴収金の場合）の様式を参考に当該申出の趣旨及び取扱いについて説明し、必要事項を記載させた書面の提出を求めること。

また、申出書の提出は任意の意思に基づくものであり、提出を強制するものではないことに十分留意し、申出後に被保護者から当該申出の取消について意思表示がされた場合は、その旨を記載した書面等の提出を求めた上で、申出の取消しを認めること。

なお、保護金品等と調整する徴収金額については、徴収金を決定した時点で、保護金品と調整する額の上限額などについて保護の実施機関から説明し、上述の別添3の様式に記載させるなど当該徴収金額の書面への記載を求めること。

(イ) 法第78条第1項に基づく徴収金の場合

被保護者による、保護金品等を法第78条第1項に基づく徴収金の納入に充てる旨の申出については、保護の開始決定を行う者については保護開始決定時などの時点で、別添4（法第78条に基づく徴収金の場合）の様式（申出書）を参考に、あらかじめ当該申出の趣旨及び取扱いについて説明し、必要事項を記載させた書面の提出を求めることとし、現に保護を受けている者に対しては適宜、提出を求めること。

この場合、被保護者にとっては徴収金の発生や徴収金が発生した場合の金額が不明な段階で申出を行うか否か判断しがたい面もある上、申出書の提出は任意の意思に基づくものであり、提出を強制するものではないことに十分留意する必要があるが、そもそも全額公費により財源が賄われている制度にあって不正受給は許されるものではないこと、徴収金が発生した場合には当該徴収金を納付する必要があることや保護金品と調整する額の上限額などについて保護の実施機関から説明し、当該申出が行われるよう努めること。

なお、申出後に被保護者から当該申出の取消について意思表示がされた場合は、その旨を記載した書面等の提出を求めた上で、申出の取消しを認めること。

また、申出書を提出する段階では、当然に徴収金が発生しておらず、発生した場合にはじめて、当該被保護者及び保護の実施機関双方にとって、月々の保護費支給額、徴収金等を考慮した上で保護金品等から具体的に調整する徴収金額の検討が可能となると考えられる。このことから、保護金品等と調整する徴収金額については、徴収金を決定した時点で、前述の別添4の様式に追記させるなど当該徴収金額の書面への記載を求めること。

(2) 「生活の維持に支障がない」場合について

被保護者に対して支給された保護金品については、一般的に世帯主等に当該世帯の家計の合理的な運営がゆだねられていることから、支出の節約の努力等によって徴収金に充てる金員について生活を維持しながら被保護者が捻出することは可能であると考えられる。

具体的に保護金品と調整する金額については、単身世帯であれば5000円程度、複数世帯であれば1万円程度を上限の目安とし、生活保護法による保護の基準（昭和38年厚生省告示第158号）別表第1第1章及び第2章に定める加算（障害者加算における

他人介護料及び介護保険料加算は除く。)の計上されている世帯の加算額相当分、就労収入のある世帯の就労収入に係る控除額(必要経費を除く。)相当分を、上限額の目安に加えて差し支えないものとする。(複数の徴収金について保護金品と調整する場合は、徴収金の総額に対して、上記の目安を適用すること。)

　生活の維持に支障がないとする徴収金額については、上記によるほか、領収書・レシートなど家計状況や生活状況について可能な限り把握するとともに、被保護者の同意を得た上で、当該被保護世帯の自立の助長についても十分配慮し保護の実施機関にて個別に判断すること。

　なお、被保護者に収入がある場合であって最低生活費に収入を充当した結果、住宅扶助、教育扶助の全額又は一部相当額のみが保護費として支給される場合でも、当該保護費支給額が徴収金額を超えるのであれば、保護金品と徴収金を調整することができるものである。

　また、納付書等により返還を求める場合には、前述の上限額にかかわらず従前の例により徴収金額を決定して差し支えない。

別添1

要返還額の認定について

決裁 □□□

1　被保護世帯

保護開始年月日	
世帯類型	
世帯番号	
世帯主名	
世帯員数	
住所（あるいは地区）	

2　被保護世帯が得た収入

収入の名称	受領年月日	資力発生年月日	受領額 A	控除額等 B	収入認定額 C（A−B）
法第63条を適用する理由（収入判明の端緒等）					

（控除額等内訳）

必要経費（社会保険料、交通費等）

費目等	認定額
計	

各種控除

費目等	認定額
計	

※　「生活保護法による保護の実施要領について」（昭和36年4月1日厚生省発社第123号厚生事務次官通知）第8−3−(2)−エで示すその他の収入の場合の世帯合算8,000円以内の額、同通知第8−3−(4)で示す勤労に伴う必要経費の額

3　要返還額

返還決定（予定）日	収入認定額 C	福祉事務所支弁額 D（※1）	要返還額 E（※2）

※1　資力発生日以降に支弁したもので、消滅時効が完成していない額について計上
※2　当該資力を限度として支給した保護金品の全額

4　被保護世帯が申請した自立更生経費　　自立更生計画受領日　令和　年　月　日

費目等	申請額	認定基準（※）	認定の可否	認定額
合計（F）				

※　「生活保護法による保護の実施要領の取扱いについて」（昭和38年4月1日社保第34号厚生省社会局保護課長通知）第8の40で示す基準等によるもの

認定控除額　F　[　　　　]　円
返還請求額　G（E−F）　[　　　　]　円

作成日　令和　年　月　日
担当者名　　　　　　印

別添2

生活保護法第61条に基づく収入の申告について（確認）

(チェック欄)

- ☐ 生活保護法第61条に基づき、自分の世帯の収入について、福祉事務所長に申告する義務があること。
- ☐ 世帯主だけではなく、働ける年齢の者が世帯にいる場合、その者の収入についても福祉事務所長に申告する義務があること。高校生などの未成年が就労（アルバイトも含む）で得た収入についても申告する義務があること。
- ☐ 不実の申告があった場合は、生活保護法第78条に基づき、得た収入の全額を徴収されるものであること。不正をしようとする意思がなくても、申告漏れが度重なる場合は「不実の申告」と福祉事務所に判断される場合があること。
- ☐ そのため、世帯全体の収入に変動があった場合、すみやかに福祉事務所に申告すること。

以上のことにつきまして、貴福祉事務所担当＿＿＿＿＿＿＿氏より説明を受け、理解しました。

令和　年　月　日

　　　　　　　　　　住　所
　　　　　　　　　　氏　名

福祉事務所長殿

(参考) 生活保護法
第61条　被保護者は、収入、支出その他生計の状況について変動があつたとき、又は居住地若しくは世帯の構成に異動があつたときは、すみやかに、保護の実施機関又は福祉事務所長にその旨を届け出なければならない。
第78条　不実の申請その他不正な手段により保護を受け、又は他人をして受けさせた者があるときは、保護費を支弁した都道府県又は市町村の長は、その費用の全部又は一部を、その者から徴収することができる。

別添3

生活保護法第78条の2の規定による保護金品等を
徴収金の納入に充てる旨の申出書
（生活保護法第77条の2第1項に基づく徴収金の場合）

　私は、　　　　年　　月分からの保護金品等（保護費（金銭給付されるものに限る。）及び就労自立給付金をいう。以下同じ。）より、毎月　　　　円を　　　　年　　月　　日付費用徴収決定通知による法第77条の2第1項の規定に基づく徴収金の支払いに充てることを申し出ます。
　なお、申出の撤回又は申出内容の変更を行わない限りにおいて、本申出に基づき、徴収金を全て納付するまで保護金品等から支払いに充てるものとします。

　　　　年　　月　　日
　住　所
　氏　名

　福祉事務所長　殿

別添4

生活保護法第78条の2の規定による保護金品等を
徴収金の納入に充てる旨の申出書
(生活保護法第78条第1項に基づく徴収金の場合)

　私は、不実の申告など不正な手段により保護を受けた場合は、生活保護法第78条の2に基づき、交付される保護金品等（保護費（金銭給付されるものに限る。）及び就労自立給付金をいう。以下同じ。）の額から、生活保護法第78条第1項に基づく徴収金のうち貴福祉事務所と協議し定める額について、当該保護金品等の交付期日をもって支払いに充てる旨を下記の内容について確認した上で、申し出ます。
　なお、申出の撤回又は申出内容の変更を行わない限りにおいて、本申出に基づき、徴収金を全て納付するまで保護金品等から支払いに充てるものとします。

記

○　生活保護制度は、全額公費によってその財源が賄われていることから、不正受給はあってはならない。不正受給があった場合、生活保護法第78条に基づく徴収金は、必ず全額支払わなければならないものであること
○　不正をしようとする意思がなくても、申告漏れが度重なる場合は「不実の申告」と福祉事務所に判断される場合があること
○　徴収金の支払いに際して、一括して納付することが困難な場合には、家計の節約に努め、本申出の方法により保護金品等から支払いに充てること

　　　　年　　月　　日

　　　　　　　　　　　　　　　　　　　　住　所
　　　　　　　　　　　　　　　　　　　　氏　名

　　福祉事務所長　殿

　　　年　　月　　日
　　　私は、本申出に基づき、　　　　年　　月分からの保護金品等より毎月
　　　　　　　円を　　　　年　　月　　日付費用徴収決定通知による
　　法第78条第1項の規定に基づく徴収金の支払いに充てるものとします。

7　第三者行為求償関係

○生活保護制度における第三者行為求償事務について

（平成26年4月18日　社援発0418第354号
各都道府県知事・各指定都市市長・各中核市市長宛
厚生労働省社会・援護局長通知）

　生活保護法の一部を改正する法律（平成25年法律第104号）の施行に伴い、今後、第三者行為を原因とする負傷等に対して医療扶助又は介護扶助の給付があった場合には、生活保護法（昭和25年法律第144号）第76条の2の規定に基づき、当該給付に係る費用の限度において生活保護受給者が有する損害賠償請求権を代位取得することとなり、その加害者及び当該者が加入する損害保険会社等に対し、求償を行うことができることとなる。

　これを踏まえ、当該求償事務処理の例として、別添「生活保護制度における第三者行為求償事務の取扱要領」を策定したので、これについて御了知の上、管内市町村に対し、その周知を図るとともに、当該要領を参照の上、その運用に遺漏のないようにされたい。

　なお、当該求償事務に関しては、更にその事務処理の詳細について、別途示すこととするので御了知願いたい。

（別　添）
　　　生活保護制度における第三者行為求償事務の取扱要領
第1　趣旨
　自動車による交通事故等の第三者行為に関し、地方自治体が生活保護法第76条の2の規定に基づき、生活保護受給者が加害者又は当該者が加入する損害保険会社等（以下「第三者」という。）に対して有する損害賠償請求権を取得した場合において、地方自治体と加害者又は自動車損害賠償保障法（昭和30年法律第97号）に基づく自動車損害賠償責任保険若しくは自動車損害賠償責任共済（以下「自賠責保険等」という。）若しくは任意の対人賠償保険（以下「任意保険」という。）の損害保険会社等との間の損害賠償額等についての照会、回答の方途の一例を示し、地方自治体における求償事務の円滑な処理を図ろうとするものである。
第2　生活保護法第76条の2の規定の効果
　生活保護受給者が第三者行為被害に遭った場合には、第一義的には、当該生活保護受給者が第三者から損害賠償金の支払いを受け、これをもって必要な医療又は介護サービ

生活保護制度における第三者行為求償事務について

スを受けるべきものである。しかしながら、損害賠償金の額の確定や支払が行われるまでに相当程度時間を要すること等の事情から医療扶助又は介護扶助（以下「医療扶助等」という。）を適用する場合があり、その場合、地方自治体が、当該第三者行為により生じた被害のために支弁した医療扶助等の費用の限度において、生活保護受給者が当該第三者に対して有する損害賠償の請求権を取得できるよう生活保護法第76条の2が規定されたものである。

これにより、以下の1から3までの条件を満たす場合、地方自治体は第三者行為により被害の遭った生活保護受給者が加害者に対して有する損害賠償請求権を法律上当然に取得することとなり、これを行使し、かつ賠償金を受領することができるものである。

1 医療扶助等の給付事由が第三者の不法行為等により生じたものであること。
2 地方自治体がその事故に対してすでに医療扶助等の給付を行ったこと。
3 生活保護受給者の第三者に対する損害賠償請求権が現に存在すること。

第3 事務処理の概要

地方自治体における求償事務の処理は、以下の手順により行う。

1 第三者行為被害の届出の受付等

生活保護受給者が自動車による交通事故等の被害に遭い、これを原因とする負傷等について医療又は介護サービスを要する場合には、生活保護受給者に、負傷等の状況、診療等の状況、加害者の情報、損害賠償金の支払状況、示談の有無等の届出（以下「第三者行為被害届」という。）を提出させた上で、医療扶助等を受けさせる。

併せて、交通事故証明書、事故発生状況報告書、損害賠償請求権の代位取得についての念書等、必要な書類の提出も求める。

なお、負傷等のため、生活保護受給者本人によりこれらの書類の用意が困難な場合には、福祉事務所職員が必要事項を聴取り代筆を行う等必要な支援を行う。

そのほか、当該負傷等の状況にかんがみて緊急に医療又は介護サービスを受けた場合にあっても、第三者行為被害届を速やかに提出するよう、生活保護受給者に対し指導する。

2―A 第三者行為被害に関する損害保険会社等への照会【加害者が自賠責保険等や任意保険に加入している場合】

自賠責保険等や任意保険の適用対象となる事案については、第三者行為による被害を受けた生活保護受給者に対する重複払いを防止する等の観点から、損害保険会社等に対して、回答書式を同封の上、加害者の情報、事故発生状況、損害賠償金の支払状況、過失割合に関する意見、示談の有無等を照会する。

なお、損害保険会社等からの回答が設定した回答期限までに到着せず遅延した場合には、督促状を送る等、適宜督促を行うこととし、それでもなお回答がない場合には、迅速に事務処理を進めるという観点から、回答を待つことなく求償に係る事務処理を進めることとする。

2―B 第三者行為に関する加害者への照会【加害者が自賠責保険等や任意保険に加入していない場合】

自賠責保険等や任意保険の適用対象とならず求償先が加害者本人になる事案については、加害者本人に対して、回答書式を同封の上、当該加害者の情報、事故発生状況、損害賠償金の支払状況、過失割合に関する意見、示談の有無等を照会する。
　なお、加害者からの回答が設定した回答期限までに到着せず遅延した場合には、督促状を送る等、適宜督促を行うこととし、それでもなお回答がない場合には、迅速に事務処理を進めるという観点から、回答を待つことなく求償に係る事務処理を進めることとする。
3　第三者行為被害に関する調査（必要に応じて実施）
　1及び2による資料等を総合的に検討してなお、事実関係の把握等に不備、不審等があると認められる場合又は1及び2による資料等が未提出のため事実関係の把握が困難な場合には、必要に応じて、福祉事務所の職員により実地調査や関係者への電話照会等を行う。
4　損害賠償請求額の決定・支払請求
　第三者行為を原因とする負傷等に対する医療扶助等がなされた場合、これに係る費用を把握し、1から3までの資料等を踏まえ過失割合等を考慮した上で、損害賠償請求額を決定する。
　その上で、当該損害賠償請求額の支払請求書を、交通事故証明書や事故発生状況報告書、診療報酬明細書等の請求に必要な書類とともに、加害者又は損害保険会社等に対して通知し、支払請求する。
第4　留意事項
　福祉事務所は、管内の生活保護受給者に対し、第三者行為被害があった場合には第三者行為被害届を提出するよう保護開始時や医療券交付時等に、周知・徹底することとする。
　また、生活保護受給者の第三者行為を原因とする医療扶助の給付の状況について、福祉事務所は、診療報酬明細書の点検において、診療報酬明細書の特記事項欄の第三者行為であることの記載の有無や、一般的に第三者行為を原因として生じたと考えられる外科、整形外科、脳神経外科、救命救急に係る外傷性疾患（外傷性くも膜下出血、頭部挫傷、頭部打撲、頸部挫傷、頸椎部挫傷、胸部挫傷、鎖骨骨折、顔面挫傷、腰部捻挫等）の有無を確認する等により把握するよう努めるものとする。
　そのほか、福祉事務所は、日頃から近隣の救急病院、外科病院、整形外科病院等と連絡関係を構築するよう努めるものとする。例えば、第三者行為を原因とする医療扶助の給付を行う場合には、病院等の窓口において、当該医療扶助の給付を受ける患者が事前に福祉事務所へ第三者行為被害届の提出を行っているか確認等がなされることが望ましい。

生活保護制度における第三者行為求償事務について

(参考)

事務処理手順のフロー

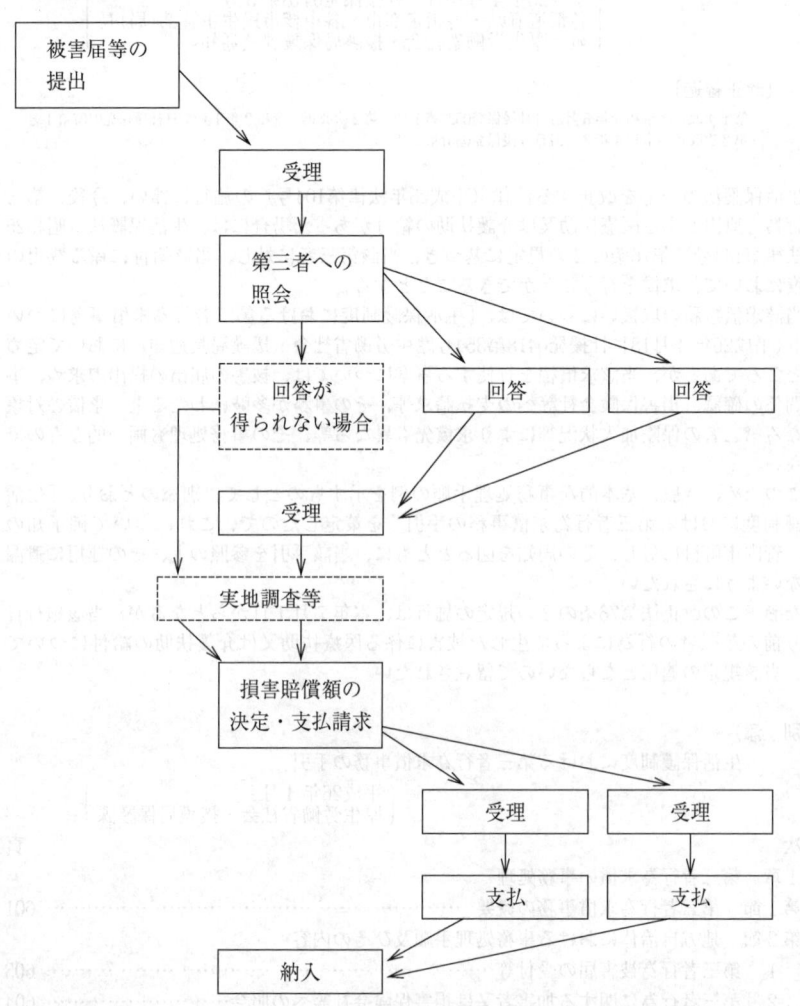

○生活保護制度における第三者行為求償事務の手引について

平成26年4月18日　社援保発0418第3号
各都道府県・各指定都市・各中核市民生主管部(局)長宛　厚生労働省社会・援護局保護課長通知

〔改正経過〕
第1次改正　令和元年5月27日社援発0527第1号　第2次改正　令和3年1月7日社援発0107第1号
第3次改正　令和4年3月31日社援発0331第2号

　生活保護法の一部を改正する法律（平成25年法律第104号）の施行に伴い、今後、第三者行為を原因とする医療扶助又は介護扶助の給付があった場合には、生活保護法（昭和25年法律第144号）第76条の2の規定に基づき、当該第三者に対し、当該給付に係る費用の限度において、求償を行うことができることとなる。
　当該求償事務の取扱いについては、「生活保護制度における第三者行為求償事務について」（平成26年4月18日社援発0418第354号厚生労働省社会・援護局長通知）において定めたところであるが、当該求償権を行使する事案については、被害の届出の提出の求め、事実関係の確認、損害保険会社等への支払請求等、その事務が多岐にわたる上、求償の対象となる第三者の保険加入状況等により求償先も異なる等、その事務処理も画一的なものではない。
　このため、今般、基本的な事務処理手順の例を示すものとして、別添のとおり、「生活保護制度における第三者行為求償事務の手引」を策定したので、これについて御了知の上、管内市町村に対し、その周知を図るとともに、当該手引を参照の上、その運用に遺漏のないようにされたい。
　なお、この改正法第76条の2の規定の施行は、本年7月1日からとなるが、当該施行日より前の第三者の行為によって生じた被害に係る医療扶助又は介護扶助の給付については、当該規定の適用とならないので留意されたい。

（別　添）
　　　生活保護制度における第三者行為求償事務の手引
平成26年4月
厚生労働省社会・援護局保護課

目次　　　　　　　　　　　　　　　　　　　　　　　　　　　　　　　　　頁
第1章　第三者行為求償の事務処理
　第1節　第三者行為求償事務の概要……………………………………………601
　第2節　地方自治体における事務処理手順及びその内容
　　1　第三者行為被害届の受付等…………………………………………………603
　　2　第三者行為に関する加害者又は損害保険会社等への照会………………604
　　3　第三者行為被害に関する調査（必要に応じて実施）……………………606
　　4　損害賠償請求額の決定・支払請求…………………………………………606

第3節　求償の対象（求償額、消滅時効）
　　1　求償額の算出方法……………………………………………………… 607
　　2　求償を行う期間………………………………………………………… 610
第2章　様式例……………………………………………………………………… 612

　　第1章　第三者行為求償の事務処理
　　　第1節　第三者行為求償事務の概要
1　改正規定の趣旨
　　生活保護法（昭和25年法律第144号。以下「法」という。）による医療扶助は、生活保護受給者の負傷、疾病に関して行われる医療について行うものであり、法による介護扶助は、要介護状態等となった生活保護受給者の入浴、排せつ、食事等の介護について行うものであるが、その医療扶助又は介護扶助（以下「医療扶助等」という。）の原因となった事由が当該生活保護受給者及び当該生活保護を実施する地方自治体以外の者の加害行為（以下「第三者行為」という。）によって発生する場合がある。
　　こうした第三者行為を原因として生活保護受給者が第三者（第三者行為の加害者のみならず、当該第三者が加入する損害保険会社等を含む。以下「第三者」という。）に対し損害賠償請求権を取得した場合、第一義的には、当該第三者に対して損害賠償を請求し、これにより受領した賠償金を治療等に必要な医療費を含む最低生活費に充当すべきであるが、当該損害賠償金の受領の前に医療にかかる必要があるケースが多いため、第三者行為による被害を受けた生活保護受給者（以下「第一当事者被保護者」という。）は、いったん医療扶助等により医療又は介護サービスを受けることとなり、その後、当該生活保護受給者が、第三者に対して損害賠償を請求せず、賠償金が第三者から支払われない事案が存在する。
　　このため、今般の生活保護法改正により、法第76条の2において、医療扶助等と民事損害賠償との調整について定め、第三者行為による被害について医療扶助等を行ったときは、地方自治体は、医療扶助等を受けた者が当該第三者に対して有する損害賠償請求権を医療扶助等の給付額の限度で取得し、当該第三者に対して求償するものとする。
　　なお、同条の規定による損害賠償請求権の取得は、政策的見地から特に法律が認めた効果であり、要件の具備により当然に効力が発生し、第三者に対抗するために格別の要件を必要としない。
2　法第76条の2の規定の適用対象となる第三者行為被害の要件
　　第三者行為が法第76条の2の規定の適用対象となるには、
(1)　医療扶助等の給付事由が第三者の不法行為等により生じたものであること
(2)　地方自治体がその事故に対してすでに医療扶助等の給付を行ったこと
(3)　生活保護受給者の第三者に対する損害賠償請求権が現に存在すること
の3要件を必要とする。
　　上記(1)から(3)までの要件の詳細については、以下のとおり。
(1)　医療扶助等の給付事由が第三者の不法行為等により生じたものであること
　　ア　「第三者」とは、第一当事者被保護者及び医療扶助等を行った地方自治体以外の

者であって、その第三者行為被害について損害賠償責任を有する者を意味する。
　　イ　第三者行為被害には、人の加害行為によって被害が発生した場合のみならず、土地の工作物等の設置又は保存に瑕疵があり、民法（明治29年法律第89号）第717条の規定に基づきその占有者又は所有者が損害賠償責任を負う場合、及び動物の加害によって被害が発生した場合でその占有者等が民法第718条の規定に基づき損害賠償責任を負う場合等も含まれる。
(2)　地方自治体がその事故に対してすでに医療扶助等の給付を行ったこと
　　地方自治体が生活保護受給者の第三者行為被害に対して医療扶助等の給付を行っていなければ、地方自治体が求償すべき損害賠償請求権が存在しないこととなる。
(3)　生活保護受給者の第三者に対する損害賠償請求権が現に存在すること
　　民法その他の法令の規定に基づき、第三者が第一当事者被保護者に対し損害賠償をまだ行っておらず、又は差し押さえられていない等、損害賠償請求権が現に存在していることが必要である。
　　なお、上記(1)から(3)までの要件を具備することにより法的には当然に当該規定の適用対象となるが、当該規定の対象となることにより取得した求償権については、財政上最も国及び地方自治体の利益に適合するよう処理されるべきであり、一定の合理的な理由の下、地方自治体の裁量によって放棄することも検討すること。
3　第三者行為被害と自動車保険
　第三者行為被害はその大部分が交通事故であり、その場合には医療扶助等の給付については、他法他施策優先の保護の原則から、自動車損害賠償保障法（昭和30年法律第97号。以下「自賠責法」という。）第5条に規定する自動車損害賠償責任保険若しくは自動車損害賠償責任共済（以下「自賠責保険等」という。）又は任意の対人賠償保険・共済（以下「任意保険等」という。）による保険金又は共済金の支払が優先されることとなる。
　また、自賠責法第71条に規定する政府の自動車損害賠償保障事業によるてん補金についても、医療扶助等の給付に優先されて支払われるものである。
　ただし、政府の自動車損害賠償補償事業は、あくまでも被害者へのてん補金を支払うものであり、損害賠償ではないことから、当該てん補金は、法第76条の2に規定する損害賠償請求権の代位取得の対象とはならないが、当該てん補金の支払いがあった場合には収入認定すること。また、この場合において、損害保険会社等に対して損害賠償請求権を行使するときの支払請求額は、支払請求額から当該てん補金の額を差し引いた額となるので、留意すること。
4　損害賠償義務及び保険金支払義務等を負う者の相互関係
　第三者行為被害において医療扶助等の原因となった被害につき損害賠償義務を負う者としては、不法行為責任を負う加害者、使用者責任を負う使用者、運行供用者責任を負う運行供用者等があり、保険金支払義務を負う者としては、自動車損害賠償責任保険及び任意保険等を取り扱う損害保険会社、自動車損害賠償責任共済を取り扱う都道府県共済連等がある。

第一当事者被保護者の有する損害賠償請求権を取得した地方自治体は、その求償権の行使は、加害者と損害保険会社等のいずれにも行うことが可能である。

5　損害賠償と示談

　加害者の不法行為等によって損害を受けた第一当事者被保護者は、当該加害者やその加入する損害保険会社等に対して損害賠償請求を行うことができるが、この損害賠償請求権は私法上の債権であるものの、他法他施策優先という保護の原則を踏まえれば、第一当事者被保護者は医療扶助等の給付を行った地方自治体に相談することなく、加害者や損害保険会社等に対して有する損害賠償請求権の全部又は一部を放棄すべきではない。この点については、福祉事務所から、管内の生活保護受給者に対し、日常から説明を行っていくべきである。

　第一当事者被保護者が自ら、地方自治体に相談なく加害者や損害保険会社等との間において、損害賠償額について示談を行い、損害賠償債務の全部又は一部の行使をせず、その限度において損害賠償請求権を喪失した場合には、地方自治体も損害賠償請求権を失うことになるため、留意が必要である。

　なお、示談については、次のような効力が生じるものである。

(1) 当事者間で示談が成立した後、示談の内容に反する事象が現れても、原則としてその示談の効力は失われない。

(2) 示談がその内容どおり履行されない場合は、債権者は債務不履行を理由に民法第540条、第541条、第543条に基づき、その示談を破棄することができる。

(3) 次のような意思を欠いたり、意思表示に瑕疵があった場合の示談は無効とすること又は取り消すことができる。

　① 錯誤又は心裡留保による意思表示に基づく場合

　② 詐欺又は脅迫による意思表示に基づく場合

第2節　地方自治体における事務処理手順及びその内容

1　第三者行為被害届の受付等

　生活保護受給者が第三者行為被害に遭い、これを原因とする負傷等について医療又は介護サービスを要する場合には、当該生活保護受給者に、被害発生状況、損害賠償金の支払い状況、過失割合に関する意見等の届出（以下「第三者行為被害届」という。）をさせた上で、医療扶助等を受けさせること。

(1) 第三者行為被害届の提出

　　生活保護受給者の負傷等について医療扶助等の給付を必要とする場合であって、地方自治体が、負傷等の原因が第三者行為によるものとして、法第76条の2の規定に基づき損害賠償請求権を代位取得するものについては、地方自治体は、当該生活保護受給者に対して、第1号様式「第三者行為被害届」を提出させること。

　　また、第三者行為被害届の提出よりも医療扶助等の給付が先行した場合であっても、第一当事者被保護者に対して、速やかに第三者行為被害届を提出させること。

　　なお、第一当事者被保護者本人により、当該被害届に係る必要事項の記入が困難な場合には、福祉事務所職員が必要な支援を行うものとする。

(2) 第三者行為被害届以外の添付書類の提出

第三者行為被害届の提出と併せて、第一当事者被保護者に対し、例えば交通事故の場合、下記の書類の添付を求めること。

なお、第一当事者被保護者本人により、これらの書類の用意が困難な場合には、関係機関に書類交付の申請を替わって行う等により、書類の充足に向けて必要な支援を行うものとする。

① 「交通事故証明書（写）」又は「交通事故発生届」
② 「事故発生状況報告書」
③ 「念書」
④ その他必要な書類（示談が行われた場合には示談書の謄本の写し、損害賠償金の一部又は全部、仮渡金、内払金を受けた場合にはその支払証明書や通知書、等）

(3) 添付書類について（詳細）

① 交通事故証明書等

交通事故証明書は、自動車安全運転センターにおいて交付証明を受けたものを提出させること。

なお、警察署への未届等の理由により、当該証明書の提出ができない場合には、様式第2号「交通事故発生届」を提出させること。

また、交通事故以外の第三者行為被害については、当該被害の発生の事実に関し、公的機関の証明等が得られる場合には、当該証明書等の提出を行うよう指導すること。

② 事故発生状況報告書

過失割合の認定の参考等とするため、第一当事者被保護者から、様式第3号「事故発生状況報告書」を提出させること。

③ 念書

第三者行為被害における求償事務を適正に行うため、第一当事者被保護者から、様式第4号「念書」を提出させること。

なお、念書の提出に当たっては、その後の債権関係において無用な混乱が生じないよう、地方自治体の担当者がその内容を読み上げる等、生活保護受給者の理解を確認した上で提出させること。

2 第三者行為に関する加害者又は損害保険会社等への照会

第三者行為被害における求償事務を適正に行うため、地方自治体は、第三者行為の加害者又は当該者が加入する損害保険会社等に対して、必要な事項を照会すること。

(1) 照会の方法

地方自治体は、加害者又は損害保険会社等に対して、様式第5号「生活保護法の医療扶助又は介護扶助の給付についての通知及び損害賠償等についての照会」により、様式第4号「念書」及び様式第6号「損害賠償等につき回答」の用紙を添付した上で、照会すること。

なお、任意保険等の損害保険会社等に対して照会する場合は、災害発生状況や過失

割合の判断に必要な参考資料（例えば、第三者行為被害届）を添付すること。

これは、任意保険等の保険金額の決定に当たっては、第三者行為被害の過失割合が大きな考慮要素となり、第一当事者被保護者、加害者双方の過失割合についての損害保険会社等の意見を徴することが重要となるためである。

また、照会に際しては、その回答期限を社会通念上合理的な範囲で設定し、迅速に回答を得ることができるよう配慮するとともに、事実関係についての調査を要する等の理由により、過失割合についての意見の提出が遅れるような場合には、判明する事項から順次回答するよう損害保険会社等に対して要請すること。

なお、「保険金等が支払われている場合の内訳」欄については、損害保険会社等が事務手続の必要上作成している「任意保険等の損害額積算明細書」等により、保険金等が支払われている場合の内訳を全て把握することが可能であれば、当該書類を回答文書に添付して内訳の記載に替えても差しつかえないものとする。

(2) 照会先

事案は、主として、
① 加害者が自賠責保険等のみ加入している場合
② 加害者が自賠責保険等の他に任意保険等にも加入している場合
③ 加害者が保険未加入である場合

等が考えられるが、その照会先はそれぞれ異なる。詳細は以下のとおり。

① 加害者が自賠責保険等のみ加入している場合

自賠責保険等の損害保険会社等に対して照会する。

その際には、保険金限度額（自賠責保険では、傷害の場合は、限度額が120万円と少額であり、請求権の行使の前に支払額が残存しているかの確認が必要）や、任意保険等の損害保険会社等と任意一括払対応であって任意保険等に対して先行して請求すべきなのか等について確認する。

② 加害者が自賠責保険等の他に任意保険等にも加入している場合

任意保険等にも加入している場合には、任意一括払対応である場合が多いことから、まずは、任意保険等の損害保険会社等に照会することが基本となる。

なお、任意一括払対応ではない場合には、自賠責保険等に係る部分の照会は、自賠責保険等の損害保険会社等に対して行い、任意保険等に係る部分の照会は、任意保険等を取り扱う損害保険会社等に対して行うものとする。

③ 加害者が保険未加入である場合

無保険車及び自賠責保険等、任意保険等の保険金等の限度額を超過した場合や、暴力行為等による第三者行為被害にあっては、加害者に対して直接、代位取得した損害賠償請求権を行使し、支払請求を行うこととなる。

必要事項の照会に当たっては、当該加害者に対して照会することとする。

なお、照会に当たって加害者に提示する診療報酬明細書には、第一当事者被保護者に既往症があった場合には、第三者行為被害と関係のない治療も混在している場合がある。この場合に加害者に被害者の私病の治療内容を知らせることは、第一当

事者被保護者の個人情報に関する問題が起こり得るため、例えば、診療報酬明細書の添付を省略するなど、第一当事者被保護者への配慮を行う必要がある。

(3) 回答が得られない場合の対応

加害者又は損害保険会社等への照会について、地方自治体が設定した回答期限までに回答がなく、遅延している場合には、様式第7号「損害賠償等についての照会に対する回答の提出について」により、改めて合理的な範囲で回答期限を設定した上で催促を行うこと。

なお、催促したにもかかわらず、損害保険会社等より何ら連絡もないまま回答期限を過ぎた場合には、迅速に事務処理を進めるという観点から、損害保険会社等の回答を待つことなく求償に係る事務処理を進める等、適宜対応を進めるものとする。

3 第三者行為被害に関する調査（必要に応じて実施）

第三者行為被害届、加害者又は損害保険会社等への照会に対する回答等を総合的に検討し、その内容に不備、不審等があると認められる場合又はそれらの書類が未提出のために事実関係の把握が困難な場合には、必要に応じて、地方自治体の職員により、調査を行うこと。

具体的には、実地に赴き、第三者行為被害届や加害者又は損害保険会社等への照会に対する回答等を参照しながら調査を行う、事案発生時に第三者行為被害の現場を目撃した者等関係者に対する電話照会、文書照会等により行うものとする。

4 損害賠償請求額の決定・支払請求

(1) 損害賠償請求額の決定【詳細は第3節】

診療報酬明細書により、第三者行為を原因とする負傷等について、医療扶助等の給付の完了（治癒・中止・症状固定・示談等）がなされた時点で、これに係る費用を把握する。この際、医療扶助等の支払額に過誤がある場合には、当該過誤調整に係る精算書等により正しい費用を把握するものとする。

この際、私病、既往症等これらの被害に関係のない分は減額するものとする。ただし、私病等について分離が困難な場合は、自動車事故によるものについては、医療扶助等の給付を担当した医師等の判断を基に、第三者行為被害に関係する費用を請求し、損害保険料率算出機構の行う自賠責保険等の損害調査の結果等を踏まえ、損害保険会社等と調整を図るものとする。

その上で、損害賠償請求額を決定するに当たっては、当事者双方の過失割合等を考慮して算出する必要があるが、この請求額の算出方法等については、第3節において詳細を示すので、参照されたい。

なお、医療扶助等の給付の完了を待たずとも、損害賠償額の一部として、任意保険等では内払金の請求を行うことができる事案もあることから、必要な場合には、これらの請求を行うことも検討すること。また、自賠責保険に対して、給付の完了を待たずに請求を行うことも可能であるが、自賠責保険では、給付が完了した場合か、他の損害と合算して限度額を超過した場合で、様式第8号「自動車損害賠償責任保険損害賠償金支払請求書」の「医療扶助又は介護扶助の給付」欄を「完了」として請求する

までは処理がされずに保留される点に留意すること。
(2) 支払請求の方法
支払請求は、
- 自賠責保険等に対しては、様式第8号「自動車損害賠償責任保険損害賠償金支払請求書」により、
- 加害者又は任意保険等に対しては、様式第9号「損害賠償金支払請求書」により、

それぞれ行うものとする。
　また、いずれの場合も、円滑な事務処理とするため、次に掲げる書類を添付する必要がある。
① 「交通事故証明書（写）」又は「交通事故発生届」
② 「事故発生状況報告書」
③ 「診療報酬明細書（写）」
④ 「介護給付明細書（写）」及び「サービス利用票（写）」
⑤ 「念書」
⑥ その他加害者又は損害保険会社等への照会等を踏まえて必要となった書類

　なお、原本を提出する書類については、その後、第一当事者被保護者や加害者又は損害保険会社等との調整を行う場合に備え、地方自治体において複写物を管理しておくこと。

(3) 支払請求先
　2による照会結果等を踏まえ、以下のとおり請求する。
① 加害者が自賠責保険等のみ加入している場合
　　自賠責保険等の損害保険会社等に請求する。
② 加害者が自賠責保険等の他に任意保険等も加入している場合
　ア 任意一括払対応の場合
　　　自賠責保険等の部分を含め、すべての部分について、任意保険等の損害保険会社等に請求する。
　イ 任意一括払対応ではない場合
　　　自賠責保険等の限度額までの部分については、自賠責保険等の損害保険会社等に請求し、その超過額であって任意保険等で支払われる部分については、任意保険等の損害保険会社等に請求する。
③ 加害者が保険未加入である場合
　　加害者本人に請求する。

第3節　求償の対象（求償額、消滅時効）

1 求償額の算出方法
　第一当事者被保護者が第三者に対して請求し得る損害賠償には、不法行為責任を負う加害者、使用者責任を負う使用者、運行供用者責任を負う運行供用者に対して請求し得る損害賠償だけではなく、自賠責保険等及び任意保険等を取り扱っている損害保険会社

等に対して請求し得る保険金等をも含むものである。
　しかし、地方自治体が法第76条の2の規定に基づき損害賠償請求権を取得し、求償することができる損害賠償額は、同一の事由に関し、第一当事者被保護者が第三者に対して請求し得る損害賠償額と医療扶助等の給付額とを比較したいずれか低い額であり、損害賠償額の範囲も、医療扶助等の給付事項に対応する損害賠償に限定されるものである。
　また、これらの算出に当たっては過失相殺が行われる場合もある。
　第一当事者被保護者が第三者に対して有する損害賠償請求額の具体的な算出方法は、次頁以降のとおり。以下の枠線内の算式は、それらの概要である。

> ＜自賠責保険等＞
> 　請求額（①）＝第一当事者被保護者に生じた損害（医療扶助等の対象となる医療又は介護サービスに要した費用）の合計額
> 　　　　　　　≦限度額（120万円）のうち医療扶助等の対象となる医療又は介護サービスに対する保険金額
> 　（ただし、第一当事者被保護者に重大な過失（70％以上）があった事故であって、傷害の場合には20％減額される。）
> ＜任意保険等＞
> 　請求額（②）＝第一当事者被保護者に生じた損害（医療扶助等の対象となる医療又は介護サービスに要した費用）の合計額－自賠責保険等の請求額（①）
> 　　　　　　　≦限度額（保険約款に定める額）のうち医療扶助等の対象となる医療又は介護サービスに対する保険金額
> 　（ただし、第一当事者被保護者の過失割合に応じて過失相殺が行われる。）
> 　※　既に第一当事者被保護者が第三者から損害賠償金を受領している場合にあっては、①、②の額から当該受領金額を控除した額が請求額となる。

(1)　第一当事者被保護者が第三者に対して有する損害賠償請求額
　①　求償可能な第一当事者被保護者の損害の把握
　　ア　医療に係る費用
　　　　医療扶助として行われるものすべて
　　イ　介護に係る費用
　　　　介護扶助として行われるものすべて
　②　過失相殺等
　　　第一当事者被保護者に過失がある場合にあっては、自賠責保険等に対して支払請求を行う場合を除き（ウで後述）、前記①の範囲内で算出された第一当事者被保護者に生じた損害額に過失相殺を行うことにより、第一当事者被保護者が第三者に対

して有する損害賠償請求額となる。
ア　過失割合の認定
　　民法第722条第2項においては、「被害者に過失があったときは、裁判所は、これを考慮して、損害賠償の額を定めることができる」とされており、最終的には裁判所において過失割合を認定することとなるが、実際に発生する多くの損害賠償請求事案について裁判で損害賠償額が決定されることを待つことは、時間や費用をいたずらに費やすことにもなることから、一般的には過去の類似判例等を当てはめ、当事者間の合意に基づき示談により過失割合を加味して損害賠償額が決められているのが通例である。
　　そのため、求償を行う際には過失割合を認定する必要があるが、過失割合の認定は次により行うこと。
　a　過失割合は損害賠償額の確定について重要な要素であり、過失割合の認定に当たっては公平な立場で行うこと。
　　　また、両当事者で過失割合の主張が一致しない場合には、求償事務に支障を来さないよう両当事者の指導を行い、主張の内容及び被害発生状況等を総合的に勘案して過失割合を認定すること。
　b　自動車事故については、道路、道路標識、信号機等の状況及び運転者の行為等が過失割合の判定要素となるが、損害保険会社等の意見も参考にしつつ、「民事交通訴訟における過失相殺率等の認定基準」（東京地裁民事交通訴訟研究会編、別冊判例タイムズ第16号）等の参考図書を参照の上、客観的に過失割合を認定すること。
　　　なお、損害保険会社等の意見や参考図書の記載内容は、過失割合を認定するに当たっての参考資料に過ぎず、これらに拘束されるものではないことは当然のことであり、被害発生状況等を総合的に勘案して個々の事案ごとに妥当と考えられる過失割合を認定すること。
イ　第一当事者被保護者に過失が認められる場合の過失相殺（任意保険等への請求又は加害者への直接請求の場合）
　　第一当事者被保護者に過失が認められる場合は、第一当事者被保護者に生じた損害の合計額に第三者行為の加害者の過失割合を乗じて得た額を、第一当事者被保護者が第三者に対して有する損害賠償請求額とすること。
　　例えば、第一当事者被保護者の過失割合が40％、加害者の過失割合が60％の場合には、第一当事者被保護者の医療扶助等の給付事項に対応する損害額の合計額に60％を乗じて損害賠償請求額を算出すること。
ウ　自賠責保険等の損害保険会社等に対して支払請求を行う場合における過失割合の取扱い
　　自賠責保険等損害保険会社等に対して支払請求を行う事案については、上記イにかかわらず、第一当事者被保護者の損害額に当事者の過失割合を加味することなく、損害賠償請求額を算出すること。これは、自賠責保険等においては、第一

当事者被保護者に重過失が認められる場合を除き第一当事者被保護者の過失の有無にかかわらず自賠責保険等の限度額までは保険金等を支払うという取扱いを定めているためである。

また、任意一括払対応の事案において、損害賠償の対象となる医療扶助等の給付額や慰謝料等の合計額が自賠責保険等の限度額に収まる場合にも、最終的にその支払いは自賠責保険等を支払う損害保険会社等が自賠責保険の基準により負担することになるため、同様に、第一当事者の過失割合等を考慮せずに、任意保険等の損害保険会社等に対して求償すること。

③ 第一当事者被保護者が既に第三者から損害賠償を受領している場合

前記①及び②により算出して得られた損害賠償請求額のうち、第一当事者被保護者が既に第三者から同一の事由に基づく損害賠償を受領している場合には、前記①及び②により算出して得られた額から、第一当事者被保護者が既に受領した額を控除して得た額をもって、損害賠償請求額とすること。

(2) 求償額

前記(1)の方法により得られた額と医療扶助等の給付額を比較して、いずれか低い額とすること。

(3) 第一当事者被保護者が請求権の一部を放棄した場合の取扱いについて

第一当事者被保護者と第三者との間で示談が成立した場合において、その示談額が、本来自賠責保険等の損害保険会社等に対して請求できる金額を下回るものである場合、例えば、任意一括払いが成立している事案で当事者の過失割合によって過失相殺を行って計算した額で示談が成立したが、本来は示談額より高い額での請求が可能であったような場合には、他法他施策優先という保護の原則を踏まえればあってはならないが、民事法律関係においては第一当事者被保護者等は任意に自らの権利を放棄する自由を有するものであるため、有効な示談として認められる。

すなわち、第一当事者被保護者が請求権の一部を放棄した場合には、求償額が、本来求償できたであろう額を下回る場合が生じることもあり得るので注意すべきであり、福祉事務所は、管内の生活保護受給者に対し、日常から、他法他施策優先が保護の原則であることを説明すべきであること。

(4) 求償の対象とならない事項の取扱い

(1)①のとおり、損害賠償請求権を代位取得し、求償することができるのは、医療及び介護サービスに係る損害賠償請求権に限られる。

すなわち、これら以外の慰謝料等に係る損害賠償請求権は、引き続き第一当事者被保護者が有しているものであり、当該者が、求償を行う地方自治体とは別途、加害者又は損害保険会社等に対し、損害賠償請求を行わせる必要があるので留意すること。

また、地方自治体による求償と、第一当事者被保護者による慰謝料等の請求が競合する場合には、自賠責保険の限度額の範囲内においては、第一当事者被保護者に対する支払いが優先される点に留意すること。

2 求償を行う期間

地方自治体が行う求償は、第一当事者被保護者が第三者に対して有する損害賠償請求権を前提とするため、第一当事者被保護者が有している損害賠償請求権に係る消滅時効の起算日等の事由は、そのまま地方自治体が引き継ぐことになる。

　そのため、地方自治体が第一当事者被保護者より取得した損害賠償請求権が民法上の不法行為責任（自賠責法上の運行供用者責任の場合も同じ）である場合には、民法第724条の2に基づき第一当事者被保護者が損害及び加害者を知ったとき、すなわち、一般的には第三者行為被害の発生日から5年間を経過した時点で消滅時効が完成することになる。

　なお、主な損害賠償請求権の消滅時効は以下のとおり。

① 自賠責保険等に対する被害者請求権等・・・3年（自賠責法第19条）
② 運行供用者責任に基づく損害賠償請求権・・・5年（自賠責法第4条、民法第724条の2）
③ 不法行為による損害賠償請求権・・・5年（民法第724条の2）
④ 製造物責任法に基づく損害賠償請求権・・・5年（製造物責任法第6条、民法第724条の2）
⑤ 旅客運送業者等に対する損害賠償請求権・・・5年（民法第166条第1項）
⑥ 債務不履行（安全配慮義務違反等）による損害賠償請求権・・・5年（民法第166条第1項）

Ⅱ 生活保護法関係通知 第3章 保護の実施要領

様式第1号

第 三 者 行 為 被 害 届

被害者	ふりがな 氏 名		生年月日	明・大・昭・平・令 年 月 日生
	住所			電話 （ ）
相手方	ふりがな 氏 名		生年月日	明・大・昭・平・令 年 月 日生
	住所			電話 （ ）
相手方の使用者	ふりがな 氏 名		生年月日	明・大・昭・平・令 年 月 日生
	住所			電話 （ ）
負傷の日時及び場所	令和 年 月 日 午前／午後 時 分頃、場所			
発病の原因又は負傷時の状況				
疾病又は負傷の程度			治癒までの見込み	入　　院　　　　　日 通　　院　　　　　日 診療費総額　　　　円
診療を受けた指定医療機関名	当初		転医後	
自動車事故の場合の加害自動車	自賠責保険（共済）契約会社名		証明書番号	第　　　　　　号
	契約者住所		契約者氏名	
	所有者住所		所有者氏名	
	登録番号又は車両番号		車台番号	
	任意保険（共済）の有無	有　　　　　　　　保険株式（相互）会社 住所　　　　　　　農業協同組合　・無 担当者名　　　　　　電話　（　）		
損害賠償に関する交渉の経過				

生活保護法施行規則第22条の2の規定により、上記のとおり届け出ます。
　　令和　　年　　月　　日
　　　都道府県知事（市町村長）　殿
　　　　　　　　　　　　　　　氏　名
　　　　　　　　　　　　　　　住　所

注1　発病の原因又は負傷時の状況はできるだけ詳細に記入して下さい。
　2　損害賠償に関する交渉の経過は、　　月　　日見舞品をどれだけ受け取った、医療費、付添いの費用はどちらで負担する等、詳細に記入し、示談が成立した時は示談書の写しを提出して下さい。
　3　自動車の轢き逃げ等で加害者が不明の場合はその旨を書いて下さい。
　4　後日調査の必要上、関係者の電話番号等はできるだけ記入して下さい。

様式第2号

交通事故発生届（「交通事故証明書」が得られない場合）

当事者	① 被害者	ふりがな 氏　名	（　　）歳		
		住　所		TEL（　）	
		車両登録番号		自賠責保険(共済)証明書番号	
	② 相手方	ふりがな 氏　名	（　　）歳		
		住　所		TEL（　）	
		車両登録番号		自賠責保険(共済)証明書番号	
③	事故発生日時	令和　年　月　日　午前・午後　時　分			
④	事故発生場所				
⑤	事故発生状況				
⑥	「交通事故証明書」が得られない理由				
⑦ 被害者	上記⑥の理由により、「交通事故証明書」は提出できませんが、事故発生の事実は上記①～⑤に記載したとおりです。 　令和　年　月　日 　　　　　　氏　名 　　　　　　住　所				
⑧ 目撃者	上記①～⑤に記載された事故を目撃したことを証明します。 　令和　年　月　日 　　　　　　氏　名　　　　　　TEL（　） 　　　　　　住　所				
⑨ 相手方	上記①～⑤に記載された事故により①の者に損害を与えたことを自認します。 　令和　年　月　日 　　　　　　氏　名　　　　　　TEL（　） 　　　　　　住　所				

　令和　年　月　日
　都道府県知事（市町村長）　殿

　　　　　　　　　届出人　氏　名
　　　　　　　　　　　　　住　所

〔注意〕
1　警察署への届出をしなかった等のために「交通事故証明書」の提出ができない場合に提出してください。
2　①及び②の「車両登録番号」及び「自賠責保険証明番号」の欄には、交通事故発生時において、被害者又は第三者が乗車していた車両に関する事項を記載して下さい。
3　⑧の「目撃者」の欄は、①～⑤に記載された交通事故の目撃者がいた場合に記載して下さい。

Ⅱ 生活保護法関係通知 第3章 保護の実施要領

様式第3号

事 故 発 生 状 況 報 告 書

当事者	甲(相手方)	氏名 (電話)		自賠責保険(共済)証明書番号		第　　　　　号	
	乙(被害者)	氏名 (電話)		自動車の番号			

天候	晴・曇・雨・雪・霧	交通状況	混雑・普通・閑散	時間	午前 午後　時　分頃

道路状況	舗装 してある/していない 、歩道(両・片) ある/ない 、直線・カーブ 平坦・坂、見通し 良い/悪い 、積雪路・凍結路 信号 ある/ない 、駐停車禁止 されてある/されていない 、その他の標識

速度	甲車両　km/h(制限速度　km/h)、乙車両　km/h(制限速度　km/h)

事故発生概略図	事故現場における自動車と被害者の状況を図示して下さい。(道路幅をmで記入して下さい。) 甲車　⌂ 乙車　■ 進行方向　↑ 信号　◎◎◎ 一時停止　▽ 人間　人 自転車 バイク

上記図の説明	

別紙交通事故証明に補足して上記のとおりご報告申し上げます。

　　　　令和　　年　　月　　日

　　　報告者　甲との関係(　　　)
　　　　　　　乙との関係(　　　)

様式第4号

念　　　　　書（被保護者）

1　私が下記第三者行為により受けた被害について、生活保護法による医療扶助（又は介護扶助）を受けたときは、生活保護法第76条の2の規定により医療扶助（又は介護扶助）額の限度において、（都道府県又は市町村）が相手方又は損害保険会社（共済）に対する損害賠償請求権を法律上当然に取得するとともに、これを行使し、かつ賠償金を受領することを理解しましたので、次の事項を遵守することについて、書面をもって申し立てます。
(1)　相手方又は損害保険会社（共済）と示談を行おうとする場合は、必ず前もって（都道府県又は市町村）にその内容を申し出ること。
(2)　相手方は損害保険会社（共済）に白紙委任状を渡さないこと。
(3)　相手方又は損害保険会社（共済）から金品を受けたときは、受領年月日・内容・金額（評価額）をもれなくかつ遅滞無く（都道府県又は市町村）に届け出ること。
2　また、次の内容については、異議ありません。
(1)　（都道府県又は市町村）が、相手方又は損害保険会社（共済）に対し、損害賠償の支払を求める際、当該事故に関係する診療報酬明細書の写しその他必要な書類を添付すること。
(2)　損害保険会社（共済）が、損害保険料率算出機構に対し、自賠責保険への残額調査等を求める際、当該事故に関係する診療報酬明細書の写しその他必要な書類を添付する場合があること。
(3)　（都道府県又は市町村）が、損害保険会社（共済）に対し、当該事故の治療終了日や総損害額、保険金の支払日・支払金額等の必要情報を確認する場合があること。
(4)　（都道府県又は市町村）が、損害保険会社（共済）から、医師の診断書や意見書等の提出を受ける場合があること。
(5)　（都道府県又は市町村）が、医師（医療機関）に対し、当該事故の傷病内容や治療内容、治療期間等の必要情報を確認する場合があること。
(6)　（都道府県又は市町村）が、事案発生時に第三者行為被害の現場を目撃した者等関係者に対し、必要情報を確認する場合があること。

令和　　年　　月　　日

　　　　　　　　　　　　　　　　申立者　住所
　　　　　　　　　　　　　　　　　　　　氏名

（あて先）　（都道府県知事又は市町村長）　殿

記

事故発生年月日	令和　　年　　月　　日		発生場所	
相手方	住　所			
	氏　名			
第一当事者 被保護者 （被害者）	住　所			
	氏　名			
※被保護者と申立者との関係				

※欄は申立者と被保護者が異なる時のみ記入してください。

Ⅱ　生活保護法関係通知　第3章　保護の実施要領

様式第5号

　　　　　　　　　　　　　　　　　　　　　　　　　令和　　年　　月　　日

_____　御中

　　　　　　　　　　　　　　都道府県知事（市町村長）　　　　　　㊞

生活保護法の医療扶助又は介護扶助の給付についての通知及び損害賠償等についての照会

第一当事者 被保護者 （被害者）	ふりがな 氏名		男・女	歳
	住所			
事故年月日	令和　　年　　月　　日		場所	
第三者行為の 相手方氏名		契約者氏名		登録番号 （車両番号）	
自賠責保険（共済） ・証明書番号			任意保険（共済） ・証券番号	

　上記第一当事者被保護者（被害者）の第三者行為被害に関し、自賠責保険（共済）及び自動車保険（共済）においていかなる処理がなされたか等について承知したいので、生活保護の医療扶助及び介護扶助の給付状況を通知するとともに照会します。

　なお、御回答は令和　　年　　月　　日までにお願いします。その際、全ての事項について回答できない場合には、回答できる事項から順次御回答願います。

1　通知事項

　　給付金額　　　　　　　　　　　　　　　　　　　円（医療扶助・介護扶助）
　　給付期間　医療扶助（令和　　年　　月　　日　～　令和　　年　　月　　日）
　　　　　　　介護扶助（令和　　年　　月　　日　～　令和　　年　　月　　日）

2　照会事項

　①　別紙回答書の事項

　②　別紙回答書のうち5過失割合に対する意見及び判断の根拠を除いた事項

　　　　　　　　　　　　　　　（○で囲んだ方について御回答願います。）

　なお、自賠責保険（共済）及び自動車保険（共済）の保険金、共済金、損害賠償額、仮渡金又は内払金の支払いに先立って上記給付を行ったことから、生活保護法第76条の2の規定により、貴殿に対し求償致しますことを念のため申し添えます。

（郵便番号）_____―_____　　（所在地）_____
（電　話）_____（　　）_____　（FAX）_____（　　）_____
（所　属）_____（担当者）_____

生活保護制度における第三者行為求償事務の手引について

様式第6号

令和　年　月　日

都道府県知事（市町村長）　殿

会　社　名　　　　　　　　　　
（共済連名）　　　　　　　　　
責任者氏名　　　　　　　　　　
担当者氏名　　　　　　　　　　
電話　（　）

損害賠償等につき回答

第一当事者（被害者）		事故発生年月日	令和　年　月　日

上記第一当事者被保護者（被害者）に関する令和　年　月　日付け　発第　号により照会の件につき、下記のとおり回答します。

1　自賠責保険（共済）に関する事項　　2　任意保険（共済）に関する事項

保有者(ふりがな)		証明書番号		被保険者(ふりがな)（共済）者	氏名	
調査事務所（共済連）					住所	
調査事務所受付番号				証券番号		
仮渡金の支払の有無	有（　　　　円）・無			保険会社事故番号		

3　共通事項
　イ　保険金等が支払われている場合
　　　（内訳は裏面又は任意保険の損害積算明細書写し等記載のとおり）
　ロ　保険金等の請求があるも未払のとき

支払予定年月日	令和　年　月　日	支払予定金額	円

　ハ　保険金等の支払請求がない。
4　示談
　　有（示談成立年月日：令和　年　月　日）・無
5　過失割合に対する意見及び判断の根拠
　　（意見）第一当事者（被害者）　　　％　：　第二当事者（相手方）　　　％
　　（根拠）
　　_____
　　_____
　　_____
　　_____

注：(1)　該当する項目の記号を○で囲んでください。
　　(2)　上記3イについては、内訳が明らかなものについて記入してください。なお、内訳が不明な場合には、「備考」欄にその旨を記入してください。
　　(3)　上記4及び5については、任意保険（共済）（任意一括を含む。）の場合にのみ記入してください。
　　(4)　上記4について示談が締結された場合には、示談書の写しを添付してください。
　　(5)　上記5については、必要に応じ資料を添付してください。

(裏面)
保険金等が支払われている場合の内訳

損害の種類	損害額	支払額	支払対象期間	支払年月日	受領者	備考
治 療 費	円		年　月　日（ 年　月　日）	年　月　日～ 　　月　日		
文 書 料	円		年　月　日（ 年　月　日）	年　月　日～ 　　月　日		
看 護 料	円		年　月　日（ 年　月　日）	年　月　日～ 　　月　日		
諸 雑 費	円		年　月　日（ 年　月　日）	年　月　日～ 　　月　日		
通 院 費	円		年　月　日（ 年　月　日）	年　月　日～ 　　月　日		
休 業 損 害	円		年　月　日（ 年　月　日）	年　月　日～ 　　月　日		
慰 謝 料	円			年　月　日～ 　　月　日		
その他費用	円		年　月　日（ 年　月　日）	年　月　日～ 　　月　日		

		後遺障害			死亡			合計	
		逸失利益	介護料	慰謝料等	逸失利益	介護料	慰謝料等		
		円	円	円	円	円	円	円	
		年月日～年月日	年月日～年月日	年月日～年月日	年月日～年月日	年月日～年月日	年月日～年月日		

(注) 1 後遺障害に係る慰謝料等には、慰謝料のほか家屋改造費等も合むものである。
    2 支払対象期間については、始期と終期を明記すること。
    3 支払年月日については、複数回支払を行った場合には最初の支払と最終の支払を明記し、備考欄に支払回数を記入すること。

様式第7号

　　　　　　　　　　　　　　　　　　　　　　　　　　　令和　　年　　月　　日

　　　　　　　　　　御中

　　　　　　　　　　　　　　　　　　　　　　　　都道府県知事（市町村長）

　　　　　　損害賠償等についての照会に対する回答の提出について（督促）

　令和　　年　　月　　日付け　　発第　　号により照会した第一当事者（被害者）＿＿＿＿＿＿＿に関する件につき、貴殿の御回答がまだ本職あて提出いただいておらず、生活保護の事務処理に支障を来しております。
　ついては、令和　　年　　月　　日までに御回答下さるよう重ねてお願い申し上げます。
　また、全ての事項につき回答ができない場合には、回答できる事項から順次御回答願います。
　本件につきまして何か御不明な点等ありましたら、下記まで御照会ください。

連絡先

　（担当部署・担当者）
　　＿＿＿＿＿＿＿＿＿＿＿＿＿＿＿＿＿＿＿＿＿＿＿＿＿＿＿＿＿

　（電話番号）　　　（　　）　　　　　　（ＦＡＸ）　　　（　　）＿＿＿＿＿

　なお、過失割合に対する第一当事者（被害者）の主張は、第一当事者　　％、第二当事者（相手方）　　％となっておりますが、上記期限までに御回答のない場合には、当方が判断する過失割合に基づき事務処理を行う場合があることを念のため申し添えます。

生活保護制度における第三者行為求償事務の手引について

様式第8号

令和　年　月　日

　　　　御中

都道府県知事（市町村長）

住　所	
担当部署・担当者名	
連　絡　先	電話　（　　）
被害者との関係	生活保護の実施機関

自動車損害賠償責任保険　損害賠償金支払請求書

貴社に対し、下記事故について、関係書類を添付の上、請求します。

自賠責保険等証明番号	第　　　　　号			事故年月日			
保険契約者	ふりがな 氏　名			保有者（所有者・使用者）	住　所		
	連絡先	電話　（　　）			ふりがな 氏　名		
加害運転者	ふりがな 氏　名				連絡先	電話　（　　）	
	連絡先	電話　（　　）	保有者との関係		契約者との関係	本人・譲受人・借受人 その他（　　　）	
	職　業		年齢　　歳	性別 男・女	被害者	ふりがな 氏　名		
請求額		円			連絡先	電話（　）	年齢　　歳
医療扶助又は介護扶助の給付	（　継続中　・　完了　）				職　業		性別 男・女

損害賠償金は、以下の口座にお支払いください。
なお、銀行口座振込をもって受領したものとします。

金融機関名（支店）	
口座名・番号	
口座名義人	

様式第9号

令和　年　月　日

御中（様）

都道府県知事（市町村長）

住　所	
担当部署・担当者名	
連　絡　先	電話　（　　　）
被害者との関係	生活保護の実施機関

損害賠償金支払請求書

貴社（貴方）に対し、下記事故について、関係書類を添付の上、請求します。

事故発生年月日							
被害者	ふりがな 氏　名						
	連絡先	電話 （　　）		住所			
	職　業			年齢	歳	性別	男・女
加害者	ふりがな 氏　名						
	連絡先	電話 （　　）		住所			
	職　業			年齢	歳	性別	男・女

医療扶助又は介護扶助の給付額	円
過失割合	被害者　％：加害者　％
自賠責収納額	円
請求金額	円

※　任意一括払契約であって、医療扶助又は介護扶助の給付額が自賠責の限度額（120万円）以内の場合には、過失割合の項は記入いたしません。

損害賠償金は、以下の口座にお支払いください。
なお、銀行口座振込をもって受領したものとします。

金融機関名（支店）	
口座名・番号	
口座名義人	

○生活保護制度における第三者行為求償事務に係る疑義について

平成26年6月30日　事務連絡
各都道府県・各指定都市・各中核市生活保護担当課生活保護担当係長宛　厚生労働省社会・援護局保護課企画法令係長

〔改正経過〕

第1次改正　平成28年3月31日事務連絡

　生活保護行政の運営につきましては、平素から格段の御配慮を賜り厚く御礼申し上げます。
　先般の生活保護関係第三者行為求償担当者会議を踏まえ、いただいた御質問について、下記のとおり回答いたします。
　都道府県におかれましては、管内の市町村（特別区を含み、指定都市及び中核市を除く。）に対して周知いただくようお願いいたします。

記

【制度全般】

問　これまでは、第三者行為被害に係る医療扶助等については、当該被害を受けた生活保護受給者（以下「第一当事者被保護者」という。）本人から損害賠償請求してもらい、第一当事者被保護者に支払われた損害賠償金を生活保護法（昭和25年法律第144号。以下「法」という。）第63条の規定に基づき返還請求していたが、今後はこうした対応はできないのか。

答　今回の法改正後に、第三者行為被害に係る医療扶助等を行った場合、地方自治体は損害賠償請求権を取得することとなるため、その部分について、第一当事者被保護者が損害賠償請求することはできなくなる。

問　第三者行為被害に係る損害賠償請求権の代位取得の規定が創設されたことにより、第一当事者被保護者に対して率先して医療扶助等を行うことを想定しているのか。それともやむを得ない場合に医療扶助等を行うことを想定しているのか。

答　「生活保護制度における第三者行為求償事務の取扱要領」の第2において、「生活保護受給者が第三者行為被害に遭った場合には、第一義的には、当該生活保護受給者が第三者から損害賠償金の支払いを受け、これをもって必要な医療又は介護サービスを受けるべきものである。しかしながら、損害賠償金の額の確定や支払が行われるまでに相当

程度時間を要すること等の事情から医療扶助又は介護扶助（以下「医療扶助等」という。）を適用する場合があり、（以下略）」とお示ししているとおりである。

問　「生活保護制度における第三者行為求償事務の手引」の第1章第1節の2では「財政上最も国及び地方自治体の利益に適合するよう処理されるべきであり、一定の合理的な理由の下、地方自治体の裁量によって放棄することも検討すること。」とあることから、第一当事者被保護者の過失割合が高く、又は医療扶助等に要した費用が僅少であるため損害賠償請求額が僅少である場合や、支払能力のない加害者側に直接請求するような場合など、求償事務に係るコストと請求額を考慮し、地方自治体が請求権を行使しないという判断をしてもよいということか。
答　お見込みのとおり。

問　第三者行為被害に係る損害賠償請求権の代位取得の対象は、法第76条の2の施行日である本年7月1日以降の第三者行為被害に係る医療扶助等であると考えてよいか。
答　お見込みのとおり。

問　地方自治体が第三者行為被害に係る損害賠償請求権を代位取得する時期は、被保護者が指定医療機関等から医療等を受けたときと考えてよいか。
答　お見込みのとおり。

問　地方自治体が第三者行為被害に係る損害賠償請求権を代位取得するのは、医療扶助又は介護扶助の対象となるものすべてと考えてよいか。
答　お見込みのとおり。

問　葬祭扶助については、第三者行為被害に係る損害賠償請求権の代位取得の対象となっていないが、第三者行為により被保護者が死亡し、葬祭扶助を行った後に加害者加入の保険等から葬祭費が支払われた場合、その支払われた金額は、収入認定又は返還の対象となると考えてよいか。その場合、相続人が損害保険会社等に葬祭費を請求しない可能性が考えられるが、代位取得の範囲に葬祭扶助を含めなかった理由はなぜか。
答　給付した医療扶助及び介護扶助に係るもの以外の慰謝料等の損害賠償金については、第一当事者被保護者に請求していただいた上で収入認定し、又は法第63条の規定に基づき返還していただくこととなる。
　なお、今般の改正において、第三者行為被害に係る損害賠償請求権の代位取得の対象とする扶助については、
①　第三者行為で給付事由が起き得るか
②　給付事由が特定可能か
③　他の制度でも既に同様の規定があるか
のいずれも満たすものとしており、葬祭扶助は③を満たさないため対象にはしなかった

ものである。

問　医療扶助等を行った後、第一当事者被保護者が死亡した場合、死亡による保護の廃止後も、地方自治体が取得した第三者行為被害に係る損害賠償請求権は失わないものと解してよろしいか。
答　お見込みのとおり。

問　被保護者が保護の実施機関が属する地方自治体の公用車（地下鉄、バス等）により受傷した場合、第三者求償の対象とならないと考えて良いか。
答　お見込みのとおり、損害賠償の請求先が当該地方自治体となる場合は第三者とはなり得ないため対象とならない。

問　第一当事者被保護者が車の所有を認められていない場合において、これに反して車を所有し、運転中に第三者によって事故にあった場合でも、当該事故による被害に係る医療扶助等について地方自治体は損害賠償請求権を取得するものと考えてよいか。
答　お見込みのとおり。

問　第一当事者被保護者自身が保険等に加入している場合、当該保険会社等に対する請求権については、第三者に対する損害賠償の請求権ではないため、地方自治体は代位取得できないという理解でよいか。
答　お見込みのとおり。

問　第一当事者被保護者が第三者行為被害により面会謝絶である場合等、地方自治体が当該者と接触できない場合であっても、必要書類が用意できるような場合には、求償事務を進めても良いか。
答　お見込みのとおり。

問　第一当事者被保護者が、地方自治体に相談なく損害保険会社等や加害者と示談を行った場合、地方自治体は代位取得した損害賠償請求権を行使できないのか。
答　地方自治体が第一当事者被保護者の損害賠償請求権を代位取得した後に行った第一当事者被保護者の示談は、地方自治体の損害賠償請求権には及ばないため、地方自治体において求償事務を進めていただいて差し支えない。

【届出書類関係】
問　第三者行為被害届の届出の根拠如何。
答　生活保護法施行規則（昭和25年厚生省令第21号）第22条の2である。

問　保護開始以前から第三者行為被害について治療を受けていた方が、国民健康保険や後

期高齢者医療で第三者行為被害の届出をしていた場合に、その治療継続中に生活保護になったときは、第三者行為被害に関する届出を改めて行ってもらう必要があるということでよいか。
答　お見込みのとおり。

問　第三者行為被害を受けた場合において、加害者が特定できないときは、「第三者行為被害届」の提出は必要か。必要な場合、相手方は不明としてよいか。
答　加害者が不明であっても届け出をしてもらうよう、被保護者への周知をしていただきたい。加害者が不明であっても、後日判明することもあるため、記憶が鮮明なうちに届け出ていただくことが重要である。また、交通事故の場合、政府保障事業を活用し、法第63条の規定に基づき返還請求することができるケースも考えられる。
　なお、加害者が特定できない間は、損害賠償請求を行うことはできない点に留意すること。

問　目撃者が「交通事故発生届」等に記載されていない場合など、目撃者がわからない場合はどのように対応すべきか。また、目撃者を捜す具体的な方法如何。
答　目撃者の情報については、例えば過失割合の認定等に当たって、受給者と相手方との意見に相違がある場合に事実確認を行うのに有効であると考えているが、当該事務の実施に当たって必ず必要な情報ではない。また、目撃者を捜す具体的な方法についてはお示しすることは困難である。このため仮に目撃者がいない場合でも事務を進めて差し支えない。

問　第三者行為被害届の届出を拒む場合や、念書など求償事務に必要な書類を拒む場合には、法第27条の規定による指導指示を行うことはできるか。
答　第三者行為被害届や必要書類の提出を拒むことをもって法第27条の規定による指導指示を行うことは適切ではないと考える。
　なお、第一当事者被保護者本人が慰謝料等の請求権行使を拒むような場合や、政府保障事業が利用できるにもかかわらずその利用を拒む場合には、資産等の活用を怠り、又は忌避しているとして、同規定に基づく指導指示を行うことができる。

【提出書類関係】
問　第三者行為被害届の添付書類となる交通事故証明書の自動車安全運転センターでの発行に係る手数料の取扱いはどうするのか。
答　交通事故証明書の発行に係る手数料の取扱いについては、現行では、第一当事者被保護者本人が損害賠償請求を行い支払われた賠償金について、当該賠償金を収入認定する際に手数料分を控除できる取扱いとしている。今回の法改正により、第三者行為被害に係る医療扶助等に係る分については、地方自治体が損害賠償請求権を取得することとなるが、それ以外の慰謝料等については、交通事故証明書の手数料も含め従前どおり第一

生活保護制度における第三者行為求償事務に係る疑義について

当事者被保護者本人に請求いただくこととなる。交通事故証明書は1事故につき1通あれば足りるため、その手数料については、従前どおりの取扱いとなる。

なお、交付を受けることについて正当な利益のある者であれば、自動車安全運転センターに対して「交通事故証明書」の発行を依頼することができることから、第三者行為被害に係る損害賠償請求権を代位取得した地方自治体も発行を依頼することは可能である。ただし、法第29条の規定に基づく調査は、保護の決定若しくは実施又は法第77条若しくは第78条の規定の施行のために行うものであり、求償事務の実施に当たり法第29条を根拠に「交通事故証明書」の発行を依頼することはできないので、留意すること。

問　地方公共団体は個人情報保護法第2条により個人情報取扱事業者の適用外となっており、個人情報の取扱いについては各地方自治体の条例等による適用を受ける。このため、念書による個人情報の提出等の同意がない場合においても、条例等で認められていれば、保険会社等に対して求償権を行使する際に、診療報酬明細等の情報を提供することが可能であると考えられるが如何か。

答　個人情報の取扱いについては、損害保険会社等においても適切な対応が求められていることから、地方自治体からの照会に対する回答や請求に対する支払いを進める上で、本人の同意書の提出が求められることとなり、念書をとることは事務を進める上で不可欠と考える。

なお、個人情報保護法第5条において、地方自治体は同法の趣旨にのっとり、必要な施策を策定し、及びこれを実施する責務を有する旨が規定されており、これを踏まえて各地方自治体が個人情報保護に関する条例を定めているところである。個人情報保護の第三者提供については、これらの法令や条例の趣旨を踏まえ、各地方自治体においてご検討されるべきものと考える。

問　念書の様式では、申立者が第一当事者被保護者以外の者からの提出も可能となっているが、この場合、本人が同意しているとはいえない「念書」の効力はあるか。

答　個別のケースに応じてご判断いただくこととなるが、申立人が被保護者の後見人、代理人等である場合は正式な念書として受理して差し支えない。それ以外の場合で、本人が同意していない念書については効力を持たないと考える。

問　地方自治体が加害者や目撃者等の関係者に対し、交渉や照会を行うこととなるが、そのような場合に、被害者が被保護者であることを相手方に隠すことは困難であるが、事前に「念書」を第一当事者被保護者から提出していただくということを以って対応していくということでよいか。

答　お見込みのとおり。

【関係機関への照会関係】
問　損害保険会社等への照会はいつの時点で行うのか。

答　加害者又は損害保険会社等への事前照会については、今後、損害賠償請求を行う予定であることを事前にアナウンスする目的で行うものであり、第三者行為被害届が提出された時点で照会されたい。

問　損害保険会社等への照会の法的根拠は何か。
答　加害者又は損害保険会社等への事前照会について、今後、損害賠償請求を行う予定であることを事前にアナウンスすることを目的で行うものであり、必ずしも法的根拠が必要なものではない。

問　事故等に関する警察への照会はどのような方法で行うのか。
答　調査中の事故等の情報について、警察から入手することは困難である。なお、送検された後であれば、検察で証拠書類の閲覧をすることは可能である。

【実地調査関係】
問　第三者行為被害に係る「実地調査」については、根拠規定はあるのか。
答　お尋ねの「実地調査」については、必要に応じて、実地に赴き事実関係の調査を行うものであり、必ずしも法的根拠が必要なものではない。

【過失割合の認定関係】
問　「生活保護制度における第三者行為求償事務の手引」第１章第３節１の(1)の②のaに「両当事者で過失の割合の主張が一致しない場合には、求償事務に支障を来さないよう両当事者の指導を行い」とあるが、両当事者への指導権限となる根拠如何。
答　御指摘の箇所については、「両当事者の主張の調整」という趣旨であり、必ずしも法的根拠が必要なものではない。

問　損害保険会社等へ照会を行っても回答が得られない場合や損害保険会社等と過失割合の調整で折り合いがつかない場合、それぞれどのように対応すればよいか。
答　お尋ねのような場合については、地方自治体で判断した過失割合に基づき損害賠償請求を行っていただくこととなる。なお、この場合、損害保険会社等が判断した過失割合に基づく額しか納付されないことが考えられるが、残額については、訴訟を提起して納付を求めるか、債権放棄手続をしていただくこととなる。

【請求関係】
問　自賠責保険又は自賠責共済（以下「自賠責保険等」という。）に対して請求する場合、請求段階では過失割合や重過失減額等を考慮せず請求することとしてよいか。
答　お見込みのとおり。

問　自賠責保険等では後遺障害による医療費は対象外となるのか。

答　自賠責保険等では、後遺障害を残した事故について、症状固定までの医療費等は限度額120万円の範囲内で支払われることとなるが、それ以降、後遺障害による医療費については、後遺障害の等級に応じた額が慰謝料等として一括で支払われることとなる。当該慰謝料等については、地方自治体がその請求権を代位取得することはできないため、本人に請求していただく必要があり、本人に支払われた慰謝料等について、法第63条の規定に基づく返還請求をしていただくこととなる。

問　任意一括払の場合、地方自治体は自賠責保険等から受領する分も含めて任意保険会社等に請求することとしてよいか。
答　お見込みのとおり。

問　地方自治体が取得した第三者行為被害に係る損害賠償請求権に基づく請求は地方自治体名で行い、賠償金も地方自治体が直接受領することとなるのか。
答　お見込みのとおり。

問　地方自治体が取得した第三者行為被害に係る損害賠償請求権に基づく請求に対して加害者側に不服があり、訴訟を提起された場合は、加害者側と地方自治体との争いになるのか。
答　請求に当たっては事前の照会や過失割合の調整を行っていただくため、訴訟となることは希であると考えているが、仮に加害者側から訴訟が提起されたとすればお見込みのとおりとなる。この場合は基本的に判決に従って対応いただくものと考える。

問　地方自治体が取得できる第三者行為被害に係る損害賠償請求権に基づく請求の範囲についてはどのように考えればよいのか。不必要な転院や治療が行われた場合にはどうしたらよいか。
答　損害賠償の範囲は「相当因果関係」の概念により限定されており、地方自治体が加害者に請求できる額も、事故等から「通常生ずべき損害」により第一当事者被保護者が受けた医療扶助等の額に限定されている。したがって第一当事者被保護者に対して、不必要な治療や転院が行われた場合は、その分については加害者に請求することはできないものと考える。

問　被保護者が第三者とケンカし、相互に同程度受傷した場合、医療扶助等が行われれば、地方自治体は第三者に損害賠償請求することはできるのか。
答　お尋ねの場合においても、当該被保護者の第三者に対する損害賠償請求権が存するのであれば、地方自治体は当該請求権を代位取得することとなる。この際第一当事者被保護者に過失が認められるのであれば、その分減額されることとなる。

問　第一当事者被保護者に対し医療扶助等を行ったものの、損害賠償請求をする前に加害

者が亡くなった場合、どのように対応すればよいのか。
答　加害者側への請求権自体は発生しており、仮に債務を引き継ぐ法定相続人が不在だったとしても、ほとんどの損害保険会社等の約款上、損害保険会社等への損害賠償請求は引き続き可能とされている。

問　第三者行為被害について損害保険会社等へ損害賠償請求する場合、医療扶助等は地方自治体が、慰謝料等は第一当事者被保護者がそれぞれ別に請求することになるか。
答　お見込みのとおり。

問　第一当事者被保護者に対する医療等の費用について、医療扶助等のほか、他の法律に基づく扶助等と併給されていた場合には、損害賠償金はどのように調整されるのか。
答　地方自治体は、法第76条の2の規定に基づき医療扶助費又は介護扶助費として支払った額の限度において、第三者に対する損害賠償請求権を取得できるが、他の法律に基づく扶助等に係る損害賠償請求権と競合する場合には、損害賠償金はそれぞれ要した費用について比例按分して支払われることとなる。
　なお、損害保険会社等に対する損害賠償請求に当たって、地方自治体において他の法律に基づく扶助等と請求額の調整を行う必要はない。

問　法第73条の規定により都道府県が保護費を負担する第一当事者被保護者に係る損害賠償請求権についても、医療扶助費又は介護扶助費を支弁した市町村が代位取得するという理解でよいか。
答　お見込みのとおり。

【事務の委託関係】
問　求償事務について、国民健康保険の場合、国民健康保険団体連合会への業務委託が法律上認められているが、生活保護の場合同様の委託はできるのか。
答　法には委託の規定がないため、求償事務を委託することはできない。ただし、当該事務に伴う資料の作成、実地調査等の委託は可能である。

問　第三者行為求償事務について、都道府県知事等から福祉事務所長に委任することはできるのか。
答　地方自治法（昭和22年法律第67号）第153条第2項の規定により、生活保護法第76条の2の規定により取得した損害賠償請求権に係る事務について、福祉事務所長に委任することは可能である。委任した場合は、「生活保護制度における第三者行為求償事務の手引」の様式の宛先等を修正して活用していただいて差し支えない。

【その他】
問　セーフティネット補助金による第三者行為求償事務に係る雇上げ費用について、どの

ようなものが補助の対象となるのか。
答　第三者行為求償を行うに当たって、過失割合の計算方法等について、専門的知見を要する場面が出てくると考えられ、そうした際に、弁護士や司法書士等に相談をする費用等を想定している。

問　厚生労働省が作成した被保護者周知用のビラの印刷費用に国の補助金はつくのか。
答　お尋ねのような補助金はないが、御指摘のビラを活用するなどして、被保護者への周知に努めていただきたい。

問　政府保障事業からのてん補金は、収入認定されるが、支払金額が高額な場合、保護の停廃止等の検討対象となるのか。
答　政府保障事業によるてん補金については、都道府県知事等による請求ができないため、第一当事者被保護者から請求していただく必要がある。支払われたてん補金については、自立更生のために充てられる額等を控除した上で、法第63条の規定に基づき、第三者行為被害に係る医療扶助等に要した費用の返還請求を行い、剰余分については収入認定をすることとなる。その額が多額である場合にあっては保護の停廃止の基準に基づき停廃止の検討を行っていただくこととなると考えている。

問　例えば、第三者行為被害に係る医療扶助等の費用が200万円で過失割合が被害者：加害者＝４：６のとき、地方自治体に対して損害保険会社等により120万円が支払われることとなるが、当該費用との差額である80万円は地方自治体において債権放棄する必要があるのか。
答　地方自治体も損害保険会社等も過失割合を４：６と考えている場合、地方自治体が有する債権は過失減額を考慮して120万円となる。そのため、損害保険会社等から120万円が納付されれば、債権は全額回収されたこととなる。
　一方、地方自治体と損害保険会社等がそれぞれ考えている過失割合に相違がある場合（例えば、地方自治体が０：10と考えているが、損害保険会社等は４：６と考えている場合）、地方自治体が有する債権は200万円となる。しかし、損害保険会社等が120万円しか納付しない場合、80万円が収納未済額として残り、これについては、訴訟を提起して納付を求めるか、債権放棄手続を行っていただくこととなる。

8 他法との関係

○生活保護制度における他法他施策の適正な活用について

> 平成18年9月29日　社援保発第0929003号・社援指発第0929001号
> 各都道府県・各指定都市・各中核市民生主管部(局)長宛　厚生労働省社会・援護局保護課・総務課指導監査室長連名通知

　生活保護の決定及び実施に当たっては他法他施策の優先活用が前提となっているが、先般、会計検査院が実地検査を行ったところ、年金の受給権が発生しているのに年金の裁定請求手続が行われていない事例及び障害者自立支援法第58条に基づく自立支援医療(精神通院医療)制度(平成17年度までは、精神保健福祉法第32条に基づく通院医療)の適用が適切に行われていない事例が多数見られたことから、他法他施策の活用が適時・適切に行われるよう是正改善を行うべきとの指摘を受けているところである。

　そのため、今般、会計検査院からの指摘も踏まえ、他法他施策の活用にかかる事務について留意すべき点を下記のとおり示すこととしたので、了知の上、一層適正な処理にあたられるよう管内福祉事務所に対し周知徹底を図られたい。

記

1　会計検査院における指摘の概要
　(1)　年金受給について
　　　一定の年齢に達した被保護者の受給資格を社会保険事務所に確認していないなど、年金受給資格の調査が十分でないことから、年金の受給権が発生しているにもかかわらず、年金の裁定請求手続きが行われず、年金を受給していない事態が見受けられること。
　　　特に、60歳から受給できる特別支給の老齢厚生年金の受給資格については、制度に対する理解が不足しており、受給資格の調査が行われていないこと。
　(2)　精神通院医療について
　　　被保護者の病名の確認を的確に行っておらず、対象疾患に罹患していることの把握が十分でないこと等から、精神通院医療の適用申請が行われていなかったり、保護開始又は治療開始から通院医療の適用までに長期間経過している事態が見受けられること。
2　改善に向けた取り組み
　(1)　適時適切な調査の実施

生活保護制度における他法他施策の適正な活用について

　今回の会計検査院の指摘事例の多くは、必要な調査が確実に行われていないことに起因するものである。ついては下記の事項に留意するとともに、調査が確実に行われていない福祉事務所においては、福祉事務所の実施方針に改善に向けた取組を行う旨明記するなど、組織的な改善策の実施について積極的に取り組まれたい。
ア　年金の支給状況等に係る調査について
　　年金の支給状況等に係る調査については、「生活保護法第29条に基づく年金の支給状況等に関する社会保険事務所への調査嘱託の実施等について」（平成18年3月31日社援発第0331012号保護課長通知）により示しているとおり、「58歳事前通知」（別添資料1参照）等を十分に活用する等、適切な調査を行うこと。
　　その際、実施機関において把握している被保護者の生活歴や職歴等を参考に、当該「58歳事前通知」の内容を確認するなど、厚生年金の加入月数について、的確な把握に努められたい。
　　また、特別支給の老齢厚生年金については、将来の年金受給額が減額されることなく、60歳から受給できるものであることから別添資料2を参考として、その旨管内実施機関への周知を図ることとされたい。なお、特別支給の老齢厚生年金の受給権を有する被保護者に対しては、その活用について指導することとされたい。
イ　精神通院医療の活用に係る調査について
　　保護開始時等において、精神疾患により通院をしている者については、本人から精神通院医療の適用が行われているか聴取することなどにより、精神通院医療の適用状況について把握した上で、適用がされていない場合については、主治医への病状調査等の実施など医療機関等と連携を図ることにより適用の可能性について把握すること。
　　適用の可能性がある者に対しては、直ちに適用に向けた申請指導を行うとともに、申請結果について、本人からの聴取、都道府県精神医療担当課からの結果通知により適切に把握すること。
　　また、継続ケースについても、レセプトにより傷病名の一斉点検を行うなど、被保護者の病状の的確な把握を行うこと。
(2)　年金の支給状況及び精神通院医療の活用に係る調査の実施に関する進捗管理について
　　適時適切な調査を確実に実施するためには、業務を担当者任せにすることなく、組織として統一的な業務の実施及び進捗管理を行うことが必要である。
　　組織的な取組を推進するためには、調査の実施状況等について情報の共有化を図ることが必要であり、福祉事務所として統一的な様式等を定めるなど調査等に係る記録を整備するとともに、その進捗状況について確認が行われることも一つの有効な手段であると考えられる。
　　そのため、各福祉事務所において調査が確実に行われているか点検の上、別紙様式

を参考に、統一的な記録様式の整備を行うなどにより、組織的な取組の推進を図られたい。
(3) 指導監査時における確認について
　都道府県及び指定都市本庁が行う福祉事務所の監査においても、上記年金受給及び精神通院医療の活用についての取組が不十分な福祉事務所に対しては、改善に向けた対策が実施されているか、確認されたい。

別添資料1・2　略

生活保護制度における他法他施策の適正な活用について

別　紙
年金加入状況確認調書
(注意事項)
- 当調書は全ての被保護者(20歳未満で基礎年金番号の無い者は除く)について、それぞれ作成すること。
- 「保護開始時確認事項」については、保護開始時に速やかに調査確認し、査察指導員の確認を受けること。
- 「58歳以上確認事項」については、被保護者が58歳以上の場合、速やかに調査確認し、査察指導員の確認を受けること。

○保護開始時確認事項

被保護者氏名	
生年月日	年　　月　　日
職歴	年　　月　　日にケース記録に記載
基礎年金番号	
法定免除(申請免除)手続の状況	年　　月　　日に手続実施
障害年金の受給資格	有　・　無(　年　月　日に確認)

○58歳以上確認事項
(加入状況)

国民年金				厚生年金保険	その他	合計加入期間
納付月数	免除月数	学生特例	合　計			

(受給資格)

年金の種類	受給資格の有無	確　認　日	備　考
特別支給の老齢厚生年金	有　・　無	年　月　日に確認	
老齢基礎年金	有　・　無	年　月　日に確認	
老齢厚生年金	有　・　無	年　月　日に確認	

確認欄	確認が必要な時	査察指導員	担当現業員
	保護開始時		
	被保護者58歳到達時		

II 生活保護法関係通知 第3章 保護の実施要領

精神通院医療適用確認調書

(注意事項)
・ 当調書は、レセプト点検等により精神通院医療の適用の可能性がある被保護者全てについて、個々に作成すること。

○ 通院の状況

被保護者氏名	
病名	
診療開始日	年　　月　　日

○ 精神通院医療の該当可能性の確認

レセプトの確認 (診療月)	主 治 医 意 見	査察指導員	担当者
年　　月	該当・非該当 (確認日　　年　　月　　日)		
年　　月	該当・非該当 (確認日　　年　　月　　日)		
年　　月	該当・非該当 (確認日　　年　　月　　日)		

※ 主治医より非該当との意見が付された場合であっても、継続的に通院状況等を把握の上、必要に応じて再度の確認を行うこと。

○ 申請指導の状況

指 導 し た 日	指導状況・指導方針	査察指導員	担当者
年　月　日			
年　月　日			
年　月　日			

○ 申請及び適用の状況

申請年月日	年　　月　　日
申請結果	該当・非該当 (　　年　　月　　日)

	確認欄	査察指導員		担　当　者	

○生活保護制度における他法他施策の適正な活用について

> 平成22年3月24日　社援保発0324第1号
> 各都道府県・各指定都市・各中核市民生主管部(局)長　宛
> 厚生労働省社会・援護局保護課長通知

　平素から福祉行政の推進に御尽力を賜り、御礼申し上げます。
　生活保護の決定及び実施に当たっては、他法他施策の優先活用が前提ですが、会計検査院が行った実地検査において、障害者自立支援法に基づく自立支援給付の適用が適切に行われていない事例が多数見られたことから、生活保護の他法他施策の活用が適時適切に行われるよう是正改善を行うべきとの指摘を受けているところです。
　このため、今回の会計検査院からの指摘（別添参照）も踏まえ、生活保護の他法他施策の優先活用に関わる事務について御留意いただきたい点を下記のとおり示すこととしましたので、御了知いただくとともに、一層適正な処理にあたられるよう管内福祉事務所に対し周知徹底いただきますよう、御協力をお願い申し上げます。

記

1　会計検査院における指摘の概要
(1)　医療扶助と自立支援医療制度の適用関係について
　　被保護者が受けている医療内容が十分に把握されていないこと等から、人工透析療法やペースメーカー移植術等の更生医療に係る自立支援給付（以下「自立支援医療」という。）を受けることが可能であるのに、これを活用することなく医療扶助を給付している事態が見受けられること。
(2)　介護扶助と自立支援給付等の適用関係について
　　40歳以上65歳未満の介護保険の被保険者でない被保護者（以下「被保険者以外の方」という。）については、障害者自立支援法の自立支援給付等（以下「自立支援給付等」という。）が生活保護の介護扶助に優先して適用されることに対する担当者の認識が十分でないこと及び被保護者の病状の把握及び身体障害者手帳の取得の可否に関わる検討が十分でないこと等により、自立支援給付等が適切に活用されていない事態が見受けられること。
2　改善に向けた取組
（医療扶助について）
(1)　適時適切な点検調査の実施
　　今回の会計検査院が指摘した事例の多くは、被保護者の医療内容に係る点検調査が確実に行われていないことに起因するものと考えます。
　　ついては下記の事項に御留意いただくとともに、問題が生じている福祉事務所においては、福祉事務所の実施方針に改善に向けた取組を明記するなど、組織的な改善策の実施に積極的に取り組んでいただくようお願いします。

ア　福祉事務所における自立支援医療制度の活用の徹底について
　　福祉事務所におかれては、保護開始時等に、自立支援医療の適用が可能な医療の提供を受けている方については、本人から自立支援医療が適用されているかについて聴取するとともに、不明な場合は障害担当課へ照会を行うこと等を通じて、自立支援医療の適用状況を把握し、適用されていない場合は、主治医への病状調査等を行った上で適用の可能性について把握していただきたい。
　　適用の可能性がある方に対しては、遅滞なく適用に向けた申請指導を行うとともに、申請結果についても、本人からの聴取、障害担当課からの結果通知等を通じて適切に把握していただきたい。
　　また、現在は自立支援医療適用の医療を受けていない継続ケースについても、身体障害者手帳を有している方等のレセプトは重点的に点検調査する等を通じて、被保護者の病状について的確に把握していただきたい。
　　このため、各福祉事務所において点検調査が確実に行われるよう、別紙様式（様式１－１、様式１－２）を参考に、台帳の整備を行うことにより、組織的な取組を推進していただきたい。
　イ　都道府県等本庁における自立支援医療に関する点検調査について
　　都道府県・指定都市・中核市本庁においては、従前より「診療報酬の知事決定に伴う審査について」（昭和44年7月9日社保第166号）に基づき必要な審査を実施しているところですが、当該審査を行う際には、自立支援医療等の他法他施策の適用の可能性についても適切に審査を行うようお願いします。
　　この場合、上記(1)アに記載した台帳を福祉事務所から提出していただき、当該台帳に掲載されている被保護者、特に今回の会計検査院が指摘した人工透析療法、ペースメーカー移植術、人工関節置換術等の自立支援医療適用の可能性がある方の診療報酬明細書等については重点的に点検調査を実施する等の取組を推進していただきたい。
　ウ　外部の専門点検業者の活用について
　　上述した点検調査を実施するにあたり、技術的部分の審査体制が不十分な場合には、積極的に外部の専門点検業者に委託するなど、福祉事務所及び都道府県等本庁におかれては点検調査の充実を図るよう努めていただきたい。
(2)　指導監査時における確認について
　　都道府県・指定都市本庁が行う福祉事務所に対する監査においても、今回の会計検査院による指摘を踏まえ、上記に記載した取組等、改善に向けた対策が実際に実施されているかについて、確認していただくようお願いします。また、履行状況が不十分な場合は、改善のための必要な指導・援助をお願いします。
(3)　地方厚生局における指導監査について
　　今回の会計検査院からの指摘は、他法他施策の優先活用という生活保護法の補足性の考え方が遵守されていないことを明らかにする、極めて憂慮すべき事態と考えます。

このため、平成22年4月から地方厚生局の生活保護監査官（併任）等により、都道府県・指定都市・中核市本庁に対して、生活保護の医療扶助における他法他施策の優先活用を徹底し、生活保護法第23条第1項に基づく生活保護法施行事務監査を実施することとしていますので御了知ください。
　平成22年度の地方厚生局監査事項については、今回の会計検査院からの指摘を踏まえ、自立支援医療制度の適用状況に着目した監査を実施する予定です。
　このことから、都道府県等本庁におかれては、上記(1)アに記載した台帳を取りまとめていただき、平成22年5月末日を期限として当職あて提出いただくようお願いします。
　また、提出に当たっては、調査時点に若干の相違がある程度の資料を既に有している場合は、当該調査時期を明記の上、これにかえて提出いただくことは差し支えないので念のため申し添えます。
（介護扶助について）
(1) 適時適切な点検調査の実施
　今回の会計検査院が指摘した事例の多くは、40歳以上65歳未満の介護保険の被保険者でない被保護者（以下「被保険者以外の方」という。）の方に関して、自立支援給付等が生活保護の介護扶助に優先して適用されることに対する担当者の認識が十分でないこと、被保護者の病状把握が確実に行われていないことに起因するものと考えます。
　ついては下記の事項に御留意いただくとともに、問題が生じている福祉事務所におかれては、福祉事務所の実施方針に改善に向けた取組を明記するなど、組織的な改善策の実施に積極的に取り組んでいただきたい。
（福祉事務所における被保険者以外の方に関する自立支援給付等活用の徹底について）
　被保険者以外の方は、介護保険法施行令第2条各号の特定疾病により、要介護又は要支援の状態にあるとして介護扶助が支給可能となりますが、福祉事務所におかれては、その決定に際しては、以下の点について御留意いただきたい。
ア　被保護者が身体障害者手帳を取得していない場合
　　身体障害の場合、自立支援給付等を受けるためには身体障害者手帳の取得が必要となることから、身体障害者手帳を取得していない者については、まず手帳の取得の可否について判断していただく必要があるので、下記の方法のどちらかにより判断を行って下さい。
　　(ｱ)　被保護者の病状調査票等に基づき、病状を把握し、身体障害者手帳取得可能な障害に該当する可能性が見込まれるのであれば障害担当課へ照会を行うこと
　　(ｲ)　病状調査等が未実施の場合は、被保護者の主治医に病状調査を行い、照会すること
　　上記の照会ののち、身体障害者手帳の取得が可能であれば、優先的に自立支援給付等の適用を検討するようお願いします。
イ　被保護者が身体障害者手帳を取得している場合

優先的に自立支援給付等の適用を検討するようお願いします。
ウ 被保護者が身体障害でない場合
初老期における認知症等で被保護者が身体障害でない場合は、個々の病状を病状調査等により把握し、自立支援給付等の適用の可否について検討するようお願いします。なお、脳血管疾患等脳に関する特定疾病については、器質性精神障害により、精神障害に該当することもあるので、その観点からの自立支援給付等の適用も検討してください。

また、特定疾病になる以前より、既に障害区分認定を受け、障害サービスを利用している者が特定疾病になった場合は、障害区分認定を取り直すことにより、特定疾病に罹患したことにより必要となる障害サービスを受けることが可能となるので、優先的に自立支援給付等の適用を検討するようお願いします。

身体障害者手帳の取得の可否、自立支援給付等の適用の可否については、障害担当課に対する照会、協議及び自立支援給付等を活用するための障害区分認定の申請等、障害担当課との連携が不可欠であることに御留意ください。

また、被保険者以外の方であって、現在は自立支援給付等を活用していない介護扶助が継続されているケースについても、上記(1)アからウまでを参考に、指定介護機関等と連携して居宅サービス計画等のサービス給付内容を主体的に把握した上で確認を行い、自立支援給付等が適用できる場合は優先的に適用するようお願いします。

なお、上記継続ケースについては、平成22年9月末までに確認を終えるようお願いします。

このため、各福祉事務所において確認が確実に行われるよう、別紙様式2を参考に台帳整備を行うことにより、組織的な取組を推進していただくようお願いします。

(2) 指導監査時における確認について
都道府県・指定都市本庁が行う福祉事務所に対する監査においても、今回の会計検査院による指摘を踏まえ、上記に記載した取組等、改善に向けた対策が実際に実施されているかについて確認していただくようお願いします。また、履行状況が不十分な場合は改善のための必要な指導・援助をお願いします。

別添 略

様式1－1

自立支援医療適用確認台帳（じん臓用）

平成22年4月1日現在

○作成対象：本台帳は、調査時点において身体障害者手帳のうち「じん臓機能障害」を理由に所持している全ての被保護者について記載すること。

番号	都道府県市名	福祉事務所名	ケース番号	被保護者氏名	身体障害者手帳の所持について			更生医療適用の有無
					種類	等級	取得年月日	
1	○○県	○○福祉事務所	○○○○○	○○ ○○	身体（じん臓）	3	平成○○年○月○日	・適用（　　　　　　） ・申請中（H.○○.○.○○） ・無
2			○○○○○	○○ ○○	身体（じん臓）	1	平成○○年○月○日	・適用（人工透析療法） ・申請中（H.○○.○.○○） ・無
3								・適用（　　　　　　） ・申請中（H.○○.○.○○） ・無
4								・適用（　　　　　　） ・申請中（H.○○.○.○○） ・無
5								・適用（　　　　　　） ・申請中（H.○○.○.○○） ・無
6								・適用（　　　　　　） ・申請中（H.○○.○.○○） ・無
7								・適用（　　　　　　） ・申請中（H.○○.○.○○） ・無
8								・適用（　　　　　　） ・申請中（H.○○.○.○○） ・無
9								・適用（　　　　　　） ・申請中（H.○○.○.○○） ・無
10								・適用（　　　　　　） ・申請中（H.○○.○.○○） ・無
11								・適用（　　　　　　） ・申請中（H.○○.○.○○） ・無
12								・適用（　　　　　　） ・申請中（H.○○.○.○○） ・無
13								・適用（　　　　　　） ・申請中（H.○○.○.○○） ・無
14								・適用（　　　　　　） ・申請中（H.○○.○.○○） ・無
15								・適用（　　　　　　） ・申請中（H.○○.○.○○） ・無

16								・適用（　　　　　） ・申請中（H.○○.○.○○） ・無
17								・適用（　　　　　） ・申請中（H.○○.○.○○） ・無
18								・適用（　　　　　） ・申請中（H.○○.○.○○） ・無
19								・適用（　　　　　） ・申請中（H.○○.○.○○） ・無
20								・適用（　　　　　） ・申請中（H.○○.○.○○） ・無

様式1-2

自立支援医療適用確認台帳（その他）

平成22年4月1日現在

○作成対象：本台帳は、調査時点において身体障害者手帳のうち「じん臓機能障害」以**外**を理由に所持している全ての被保護者について記載すること。

番号	都道府県市名	福祉事務所名	ケース番号	被保護者氏名	身体障害者手帳の所持について			更生医療適用の有無
					種類	等級	取得年月日	
1	○○県	○○福祉事務所	○○○○○	○○ ○○	身体（心臓）	1	平成○○年○月○日	・適用（ペースメーカー移植術） ・申請中（H.○○.○.○○） ・無
2			○○○○○	○○ ○○	身体（肢体）	4	平成○○年○月○日	・適用（　　　） ・申請中（H.○○.○.○○） ・無
3								・適用（　　　） ・申請中（H.○○.○.○○） ・無
4								・適用（　　　） ・申請中（H.○○.○.○○） ・無
5								・適用（　　　） ・申請中（H.○○.○.○○） ・無
6								・適用（　　　） ・申請中（H.○○.○.○○） ・無
7								・適用（　　　） ・申請中（H.○○.○.○○） ・無
8								・適用（　　　） ・申請中（H.○○.○.○○） ・無
9								・適用（　　　） ・申請中（H.○○.○.○○） ・無
10								・適用（　　　） ・申請中（H.○○.○.○○） ・無
11								・適用（　　　） ・申請中（H.○○.○.○○） ・無
12								・適用（　　　） ・申請中（H.○○.○.○○） ・無
13								・適用（　　　） ・申請中（H.○○.○.○○） ・無
14								・適用（　　　） ・申請中（H.○○.○.○○） ・無
15								・適用（　　　） ・申請中（H.○○.○.○○） ・無
16								・適用（　　　） ・申請中（H.○○.○.○○） ・無
17								・適用（　　　） ・申請中（H.○○.○.○○） ・無
18								・適用（　　　） ・申請中（H.○○.○.○○） ・無
19								・適用（　　　） ・申請中（H.○○.○.○○） ・無
20								・適用（　　　） ・申請中（H.○○.○.○○） ・無

別紙様式2—1
○○福祉事務所
40歳以上65歳未満の介護保険の被保険者ではない被保護者における自立支援給付該当可能
○新規ケース

ケース番号	被保険者番号(※2)	介護保険の被保険者資格取得日	氏名	年齢	要介護度	要介護認定有効期間	介護保険法施行令第2条各号で定める特定疾病	身体障取得の有無
○○	H100987654	—	○○ ○○	50	要介護3	平成21年10月1日～平成22年3月31日	脳血管疾患	有・(無)
△△	H109876540	—	×× ××	62	要支援2	平成21年10月1日～平成22年3月31日	脊柱管狭窄症	有・無

※1 要介護度の認定調査を行った者について台帳へ記載すること。
※2 生活保護法による介護券の記載要領及び留意点について（平成12年3月13日社援保第11号）「別紙第17被保険者番号」に規定されている
※3 複数のサービスを利用している場合はサービスごとに記載すること。
※4 介護サービスには生活保護法第15条の2第1項第1号に規定する居宅介護（居宅療養管理指導、特定施設入居者生活介護、認知症対応型
　　に規定する介護予防（介護予防居宅療養管理指導、介護予防特定施設入居者生活介護及び介護予防認知症対応型共同生活介護を除く。）、同

生活保護制度における他法他施策の適正な活用について

性確認台帳

害者手帳	利用を予定している介護サービスの種類 （※3） （※4）	利用可能性のある障害サービスの種類 （※3）	介護サービスの利用を予定している場合はその理由	決裁欄	
「無」の場合、手帳取得に関する申請の有無				担当者 （確認日、印）	査察指導員 （確認日、印）
有・無	訪問介護 訪問入浴介護	—	障害福祉サービスでは賄うことができない不足分について行っているもの	3／9 印	3／13 印
	—	日常生活用具等給付費	—		
有・無	訪問介護	—			

番号を記載すること。

共同生活介護及び地域密着型特定施設入居者生活介護を除く。）、同項第2号に規定する福祉用具、同項第3号に規定する住宅改修、同項第5号項第6号に規定する介護予防福祉用具、同項第7号に規定する介護予防住宅改修について対象とする。

Ⅱ　生活保護法関係通知　第3章　保護の実施要領

別紙様式2－2
〇〇福祉事務所
40歳以上65歳未満の介護保険の被保険者ではない被保護者における自立支援給付該当可能
〇継続ケース

ケース番号	被保険者番号（※1）	介護保険の被保険者資格取得日	氏名	年齢	要介護度	要介護認定有効期間	介護保険法施行令第2条各号で定める特定疾病	見直しの時点まで利用していた介護サービスの種類（※2）
〇〇	H100987654	－	〇〇　〇〇	50	要介護3	平成21年10月1日～平成22年3月31日	脳血管疾患	訪問介護 訪問入浴介護 －
△△	H109876540	－	××　××	62	要支援2	平成21年10月1日～平成22年3月31日	脊柱管狭窄症	訪問介護

※1　生活保護法による介護券の記載要領及び留意点について（平成12年3月13日社援保第11号）「別紙第17被保険者番号」に規定されている
※2　複数のサービスを利用している場合はサービスごとに記載すること。
※3　特定疾病により利用しようとしていた介護サービスに対応する自立支援給付等による障害サービスを利用している場合、記載すること。
※4　介護サービスには生活保護法第15条の2第1項第1号に規定する居宅介護（居宅療養管理指導、特定施設入居者生活介護、認知症対応型に規定する介護予防（介護予防居宅療養管理指導、介護予防特定施設入居者生活介護及び介護予防認知症対応型共同生活介護を除く。）、同

自立支援給付等を既に受けているか否か（※2）（※3）	自立支援給付等適用の可否					障害程度区分認定等有効期間（最大3年）
	障害担当課への照会				障害程度区分認定審査中か否か（※2）	
	障害担当課への照会の有無（※2）	「無」の場合、照会しなかった理由（※2）	（「照会の有無」欄が「有」の場合記載）障害担当課への照会結果 可・不可（※2）			
否	有・無	－	可・不可	否	平成21年10月1日～平成22年3月31日
有	有・無	既に自立支援給付を受けているため	可・不可	否	
否	有・無	手帳取得不可のため	可・不可	－	－
	有・無		可・不可		
	有・無		可・不可		
	有・無		可・不可		
	有・無		可・不可		
	有・無		可・不可		

生活保護制度における他法他施策の適正な活用について

性確認台帳

見直しの時点まで利用していた障害サービスの種類（※2）	自立支援給付等該当可能性確認日（※2）	障害者手帳保有の有無（有の場合は手帳の種類・障害の種類・級を記載）		身体障害者手帳取得の可否		
				照会の有無	主治医等への照会	
		手帳の種類（身体・精神・知的）	障害の種類・級		「無」の場合、照会しなかった理由	（照会した場合のみ記載）主治医等への照会結果 可・不可
ー 日常生活用具等給付費	平成21年9月1日	身体	右方マヒ・2級	有・(無)	既に取得済み	可・不可
ー	平成21年9月1日	無	ー	(有)・無	ー	可・(不可)
				有・無		可・不可
				有・無		可・不可
				有・無		可・不可
				有・無		可・不可
				有・無		可・不可

番号を記載すること。

共同生活介護及び地域密着型特定施設入居者生活介護を除く。）、同項第2号に規定する福祉用具、同項第3号に規定する住宅改修、同項第5号項第6号に規定する介護予防福祉用具、同項第7号に規定する介護予防住宅改修について対象とする。

見直し後、利用している介護サービスの種類	見直し後、利用している障害サービスの内容	現在介護サービスを利用している場合で、介護扶助10割給付により対応している場合はその理由	決裁欄	
			担当者（確認日、印）	査察指導員（確認日、印）
訪問入浴介護	居宅介護地域生活支援事業（訪問入浴サービス）	障害福祉サービスでは賄うことができない不足分について行っているもの	3／9 印	3／13 印
ー	日常生活用具等給付費			

○年金制度及び不動産等の資産の活用の徹底等について

> 平成23年3月31日　社援保発0331第3号
> 各都道府県・各指定都市・各中核市民生主管部(局)長
> 　　宛　厚生労働省社会・援護局保護課長通知

〔改正経過〕
　　第1次改正　令和元年5月27日社援保発0527第1号　第2次改正　令和4年3月30日社援保発0330第3号

　平素より福祉行政の推進に御尽力を賜り、御礼申し上げます。
　生活保護制度は、生活保護法第4条に基づき、その利用し得る資産、能力あらゆるものを、その最低限度の生活の維持のために活用することを要件とし、生活保護の実施にあたっては、年金制度等の社会保障施策や、保有している不動産等の資産の活用が前提となっています。
　しかしながら、今般、会計検査院より、①厚生年金の脱退手当金及び国民年金の任意加入を含む年金制度の活用、②不動産担保型貸付資金制度の活用を含めた不動産等の資産の活用について、一部の実施機関において不十分な事案が見受けられ、是正改善を行うべきとの指摘を受けたところです。
　このため、今回の会計検査院からの指摘を踏まえ、特に年金制度及び不動産等の資産の活用について、下記の事項に留意の上、一層適正な処理にあたられるよう管内実施機関に対し周知徹底いただくようお願いします。

記

1　年金加入状況等の把握について
　(1)　会計検査院からの指摘の概要
　　　生活保護制度は、生活保護法第4条に基づき、その利用し得る資産、能力その他あらゆるものを、その最低限度の生活の維持のために活用することを要件としている。そのため、生活保護の実施にあたっては、年金などの社会保障施策等の活用が前提となっている。
　　　しかしながら、今般、会計検査院より、厚生年金の脱退手当金及び国民年金の任意加入について活用がなされていない事態は、生活保護制度の趣旨からみて適切でなく、以下の改善措置が求められたところである。
　　①　年金制度及び生活福祉資金制度について改めて周知徹底を図るとともに、事業主体が脱退手当金を受給できる者及び国民年金の任意加入により年金受給権を取得できる者を確実に把握するよう、これら年金給付の受給権の有無等を確認するための必要な様式を事業主体に示す等の措置を講じること
　　②　次のような指示及び技術的助言を行うこと
　　　ア　脱退手当金の裁定請求及び国民年金の任意加入手続について生活保護受給者に対する指導を十分に行うこと

イ　生活福祉資金貸付金を活用するため、都道府県社会福祉協議会等との連携を強化すること
　③　生活保護受給者が任意加入により年金受給権を取得できる場合には、生活福祉資金を貸し付けることができること、及び貸付要綱等で定められた期間について貸付金の償還を猶予できることを十分に周知すること
　④　生活保護法施行事務監査の際に、脱退手当金の受給及び国民年金の任意加入に関する他法他施策の活用を図ることについて、改めて指示を徹底すること
(2)　改善に向けた取組
　上記(1)の指摘を踏まえ、以下の取組を実施すること。
　また、以下の取組を十分行えるよう、「生活困窮者自立相談支援事業等の実施について」（平成27年7月27日社援発0727第2号厚生労働省社会・援護局長通知）における生活保護適正実施推進事業の活用についても検討されたい。
【保護の実施機関における取組】
①　特に60歳以上の生活保護受給者の年金加入状況について、「ねんきん定期便」等を活用するとともに、年金事務所や市町村の国民年金担当課等と連携の上、必要に応じて生活保護法第29条に基づく調査を実施し、別添1の様式を参考の上、年金加入状況を的確に把握し、別添2の様式を参考の上、年金加入状況について組織的に管理するよう管内の実施機関に周知されたい。
②　上記①により年金加入状況を把握した結果、別添3のフローチャートを参照の上年金受給権及び脱退手当金受給権を確認し、裁定請求手続及び国民年金の任意加入手続に関し必要な指導助言を行うこと。
　　国民年金に任意加入すれば年金受給権を得られると認められる生活保護受給者に対しては、任意加入に関する必要な指導助言を行うほか、年金受給権が得られない生活保護受給者であっても、脱退手当金の受給の可能性がないか調査するよう、管内の実施機関に指導されたい。
　　なお、任意加入する場合は、以下の点に留意すること。
　・　世帯に収入がある場合
　　　年金受給権を得るために国民年金に任意加入する場合の保険料については、「生活保護法による保護の実施要領について」（昭和36年4月1日厚生省発社第123号厚生事務次官通知。以下、「次官通知」という。）第8－3(5)キに基づき、必要経費として認定できる旨を生活保護受給者に情報提供するとともに、任意加入手続について指導助言すること。
　・　世帯に収入がない場合
　　　生活福祉資金貸付金等を活用することにより、国民年金の受給権を得るために必要な任意加入保険料を支払う場合、「生活保護法による保護の実施要領について」（昭和38年4月1日社発第246号厚生省社会局長通知。以下、「局長通知」という。）第8－2(3)－オ(エ)に基づき、収入認定から除外でき、当該貸付金の償還にあたっても、局長通知第8－4(3)に基づき、償還に当てられる額を収入から控

除することが可能である旨、生活保護受給者に助言すること。
【都道府県、指定都市本庁における取組】
　都道府県・指定都市本庁が行う福祉事務所に対する監査においても、今回の会計検査院による指摘を踏まえ、上記に記載した取組等、改善に向けた対策が実際に実施されているかについて、確認すること。また、履行状況が不十分な場合は、改善のための必要な指導・援助を行うこと。

2　不動産等の資産活用の徹底について
(1)　会計検査院からの指摘の概要
　生活保護の実施にあたり、所有する不動産等の資産についても、上記1の年金制度と同様、生活保護法第4条に基づき、活用することが前提となっている。
　しかしながら、今般、会計検査院より、要保護世帯向け不動産担保型生活資金貸付制度の利用の検討を十分に行っていない、利用していない世帯に対して指導が十分に行われていない場合などの被保護世帯において、貸付制度の利用が可能であるのに、その利用が進まず保護を継続していて、被保護者が所有する資産の活用が図られていない事態は生活保護制度の趣旨からみて適切とは認められず要保護世帯向け不動産担保型生活資金貸付制度による資産の活用が適時適切に行われるよう、以下の改善措置が求められたところである。
①　次のような指示及び技術的助言を行うこと
　ア　生活保護の実施において、生活保護受給世帯の所有する不動産資産の活用を図ることについての認識を徹底させるとともに、全国会議等で、その活用が適切に行われている事業主体の事務処理、研修教材等の優良事例を取り上げるなどして生活保護受給世帯の所有する資産の活用の徹底を図ること
　イ　生活保護受給世帯の不動産資産の状況について、適時適切に把握するための体制を整備すること
　ウ　生活保護受給世帯に対する援助方針等に、不動産担保型資金貸付制度の活用についての方針を定めるとともに、同貸付制度を利用した不動産資産の活用について、生活保護受給者に対して具体的な説明や指導を行うこと
　エ　不動産担保型資金等の事務手続をより分かりやすく明示することにより、同貸付制度に対する誤認を防止等すること
　オ　地方自治体と都道府県社会福祉協議会との連携を強化すること
②　生活保護法施行事務監査の際に、生活保護受給世帯が保有する資産の実態把握及び活用状況の確認を徹底し、制度の活用等が十分でない実施主体に対して改めて指示を徹底すること
(2)　改善に向けた取組
　上記(1)の指摘を踏まえ、以下の取組を実施すること。
　また、以下の取組を十分行えるよう、「生活困窮者自立相談支援事業等の実施について」(平成27年7月27日社援発0727第2号厚生労働省社会・援護局長通知)における生活保護適正実施推進事業の活用についても検討されたい。

年金制度及び不動産等の資産の活用の徹底等について

【保護の実施機関における取組】
① 生活保護受給世帯が所有する不動産等の資産の状況等について別添4の様式を参考に適時適切に把握の上、別添5により組織的に管理されたい。
② 上記により不動産等の資産の状況を把握した結果、別添6の資産活用(不動産担保型生活資金)事務手続のフローチャートを参照の上、保有の可否を検討し、不動産担保型生活資金の利用についての方針を定め、利用の阻害要因の改善を含めて援助方針を策定し、必要に応じて不動産担保型生活資金貸付制度の活用等について具体的に指導助言を行うこと。

【都道府県、指定都市本庁における取組】
都道府県・指定都市本庁が行う福祉事務所に対する監査においても、今回の会計検査院による指摘を踏まえ、上記に記載した取組等、改善に向けた対策が実際に実施されているかについて、確認すること。また、履行状況が不十分な場合は、改善のための必要な指導・援助を行うこと。

3 課税調査の徹底について
課税調査にあたっては、「課税調査の徹底及び早期実施について」(平成20年10月6日社援保発第1006001号保護課長通知)に基づき実施することとしている。
しかしながら、今般、会計検査院より、課税調査の実施時期について早期に実施されていない、調査の結果、判明した収入について8月分保護費に反映されていない、査察指導員による進行管理がなされておらず、確認を行っていない等の実態が見受けられ、再度、指摘を受けたところである。
課税調査は不正受給事案を早期に発見できる調査であり、生活保護制度に対する国民の信頼及び、生活保護受給者間の公平性を確保する観点も踏まえ、課税調査の重要性を再度理解の上、課税調査の早期実施、保護費への早期反映を図るとともに、別添7を参照の上、査察指導員等による適切な進行管理、点検体制を構築すること。

Ⅱ　生活保護法関係通知　第3章　保護の実施要領

別添1

年　金　調　査　表

調査年月日：令和　　年　　月　　日

（基礎年金番号） 氏名　　　　　　　性別（　）	旧姓	60歳到達年月 令和　　年　　月	老齢年金受給必要月数　　　　月
T・S・H・R　　年　　月　　日生		65歳到達月 令和　　年　　月	国民年金　（納付）　　月 〃　　　　（申免）　　月 〃　　　　（法免）　　月
（基礎年金番号） ①配偶者氏名　　性別（　） T・S・H・R　年　月　日生		（基礎年金番号） ②配偶者氏名　　性別（　） T・S・H・R　年　月　日生	厚生年金等公的年金　　月 カラ期間　　　　　　月 　　小計　_____ 今から60歳まで_____月 　　計　　　　　　　月
添付書類	□ ねんきん定期便 □ 国民年金の履歴 □ 厚生年金の履歴 □ 国民年金納付記録		不足期間　　　　　　月 厚生年金基金加入期間　　月
脱退手当金（S16.4.1以前に生まれた者のみ） □ 受給権あり 　　□ 受給済　S・H・R　年　月　日 　　□ 未受給　←裁定手続きの指導 □ 受給権なし		□ 老齢厚生年金の受給権あり □ 老齢基礎年金の受給権あり □ 国民年金に任意加入して受給権を取得する 　可能性あり 　　□ 世帯収入あり 　　□ 世帯に収入なし←生活福祉資金等借入 　　　　　　　　　　　　　　を指導	
特記事項	①年額　②カラ期間　③3号未納　④未確認手番　⑤脱退手当金　⑥国民年金の任意加入　⑦その他		
今後の処遇方針（年金の裁定請求、脱退手当金の請求、国民年金の任意加入による受給権取得など）			

査察指導員	年　月　日	印
現業員	年　月　日	印

年金制度及び不動産等の資産の活用の徹底等について

別添2

年金加入状況管理進行表

福祉事務所名：

ケース番号	世帯類型	世帯人員	婚姻歴の有無	保護開始年月日	氏名	生年月日	年金加入状況					調査年月日	脱退手当金受給年月日	年金受給資格までの不足月数	年金受給資格を得た際の受給額	国民年金任意加入制度の受検討	障害年金		障害者手帳取得年月日	備考
							国民年金納付月数	法定・申請免除期間	厚生年金納付月数	計						受給の有無	確認年月日		
(例) 12345	高齢	単身	○	R○.○.○	○○	S10.11.1	110	46	25	181	R○.○.○	―	119	○○	要検討	無	R○.○.○	R○.○.○	

記入要領
1 この調査は、○年○月○日現在で老齢年金を収入認定していない者で、○年○月○日現在で60歳以上の被保護者について作成すること。
2 世帯人員は、単身世帯のみ「単身」と記入すること（2人以上は記入する必要はありません）。また、単身世帯について、婚姻歴がある場合は○を付けてください。
3 年金加入状況は加入月数を記入し、過去に調査した年月日をケースファイル等から転記すること。（調査していない場合は年金事務所等に照会すること。）
4 障害世帯又は障害者手帳を所持している世帯員については、障害年金の受給の有無と、障害年金について確認した年月日を記入してください。

別添3

年金の受給見込み確認表

※1）年金の加入記録は、「ねんきん定期便」又は、法第29条調査などにより確認してください。
※2）確認した項目はチェックボックスをチェックしてください。

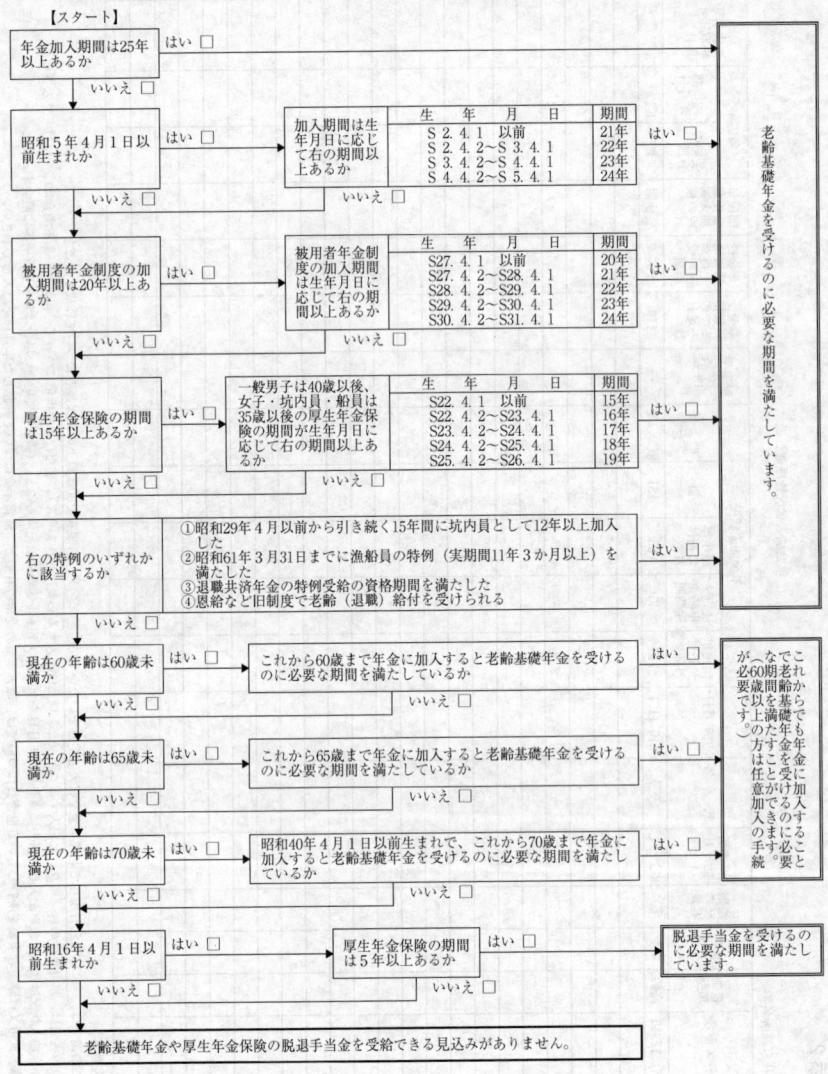

年金制度及び不動産等の資産の活用の徹底等について

別添4

資産保有台帳（個票）

資産（不動産）保有台帳（一覧）の台帳番号 _____
ケース番号 _____
氏　名 _____　　保護開始　年　月　日
住　所 _____　　保護廃止　年　月　日

１．世帯の状況

氏　名	年齢	続柄	健康等の状況	65歳到達（予定）年月日
				年　月　日
				年　月　日
				年　月　日

２．推定相続人の状況

氏　名	年齢	続柄	住　　所	健康等の状況	同意の状況

３．土地

所在地 所有権者（世帯主との続柄）	地目	面積	評価額 （調査年月日）	保有の可否 処分指示年月日	抵当権等の設定状況	備考
（　　）						
（　　）						
（　　）						

４．家屋

所在地 所有権者（世帯主との続柄）	種類	面積	評価額 （調査年月日）	保有の可否 処分指示年月日	抵当権等の設定状況	備考
（　　）						
（　　）						
（　　）						

５．その他の資産

６．処理経過等（不動産担保型生活資金の検討状況、利用の阻害要因の改善策等）

特記事項	不動産担保型資金の利用対象	該当・非該当	
	資産内容確認	査察指導員	現業員
	年　月		
	年　月		
	年　月		

記入要領等
1　この台帳は、被保護世帯の資産の状況を定期的に把握し、あわせて不動産担保型生活資金による資金の活用の検討を行うものである。
2　「世帯の状況」の「健康等の状況」には、認知症、身体障害者手帳等の所持状況等を記入すること。
3　「推定相続人の状況」の「同意の状況」には不動産担保型生活資金についての同意の状況及び不同意者との調整状況、同意に向けた福祉事務所の方針等を記入すること。
4　「土地」の①「所有権者」には登記簿上の所有権者を記入し、世帯主との続柄を記入する。
　　②「地目」には土地の地目を記入する。
　　③「評価額」には、当該土地に係る固定資産税評価額の評価替えの行われた年ごとにその年の属する４月１日現在の固定資産税評価額を記入する。
　　④「抵当権等の設定状況」には、抵当権等の設定年月日、設定金額、抵当権等の設定の根拠となる債務額の残額等を記入すること。
5　「家屋」について未登記の家屋がある場合は、「未登記」と備考欄に記入すること。
6　処理経過等（不動産担保型生活資金の検討状況、利用阻害要因の改善策等）には、不動産担保型資金の利用についての取組状況及び今後の利用するための方針、利用の阻害要因（例えば①合理的な理由がないのに制度の利用を拒否している。②推定相続人に行方不明者がいて同意の意思確認がとれない。③被保護世帯が認知症で制度説明ができていない。④家屋未登記となっているなど。）

II 生活保護法関係通知 第3章 保護の実施要領

別添5
資産（不動産）保有台帳（一覧）

年度　　　　担当査察指導員氏名　　　　　　　　※建物所在地の（）内は家屋番号　　　　□は65歳未満世帯員あり。

No.	ケース番号	氏名	年齢	世帯員数	担当CW	保有資産内訳（直近4月1日現在評価）							容認開始日	貸付検討の要否	備考
						土地			建物			評価額合計			
						所在地	面積	評価額	所在地	面積	評価額				
例	245	厚生 太郎	60歳	1人	○CW	○○1-2-3	112.31㎡	11,724千円	○○1-2-3(456)	61.41㎡	683千円	12,407千円	R○.6.22	否	名義人は亡父。土地に対して抵当権の設定あり。
1															
2															
3															
4															
5															
6															
7															
8															
9															
10															
11															
12															
13															
14															
15															
16															
17															
18															
19															
20															

記入要領
1 この台帳により本教指導員が固定資産税の評価替えのあった年度に係る4月1日現在の被保護者世帯の資産の状況について作成し、保有資産の状況、不動産担保型生活資金貸付制度の利用の要否等について毎年適時適切に把握すること。
2 評価額は、固定資産評価額等の調査確認により評価額を記入すること。なお、土地の状況等により数値的に低位な状況と判断した方が妥当できる場合、合筆にして評価した土地を合筆して評価の合計額を記入すること。
3 貸付の要否欄には、不動産担保型生活資金貸付制度の「要」「否」を記入すること。
4 備考欄には、①本人保以外、被保護世帯名義世帯用不動産以外は備考欄に具体的に付記する。②不動産担保型生活資金の利用については備考欄に具体的に付記する。③土地の状況等により個宜的に合筆して評価をしている場合は、その旨付記する。

生活保護廃止世帯（廃止時評価額）

No.	ケース番号	氏名	年齢	世帯員数	担当CW	保有資産内訳（直近4月1日現在評価）							容認開始日	備考
						土地			建物			評価額合計		
						所在地	面積	評価額	所在地	面積	評価額			
例	987	厚生 花子	67歳	1人	△CW	□3-8-9	65.57㎡	6,210千円	□3-8-9(899)	69.73㎡	553千円	6,763千円	R2.2.27	R4.11リバモ開始、R5.11廃止

別添6

資産活用（不動産担保型生活資金）事務手続のフローチャート

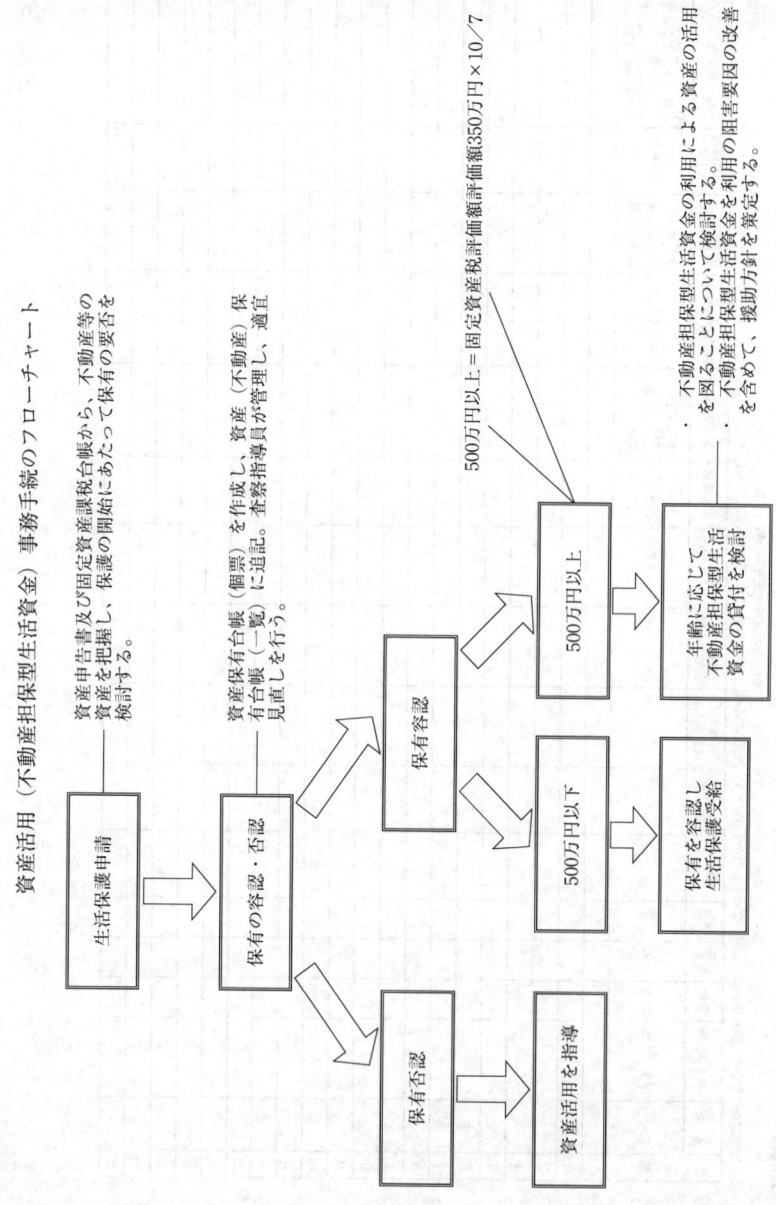

II 生活保護法関係通知 第3章 保護の実施要領

別添7

令和○年度課税調査管理台帳(一覧)

※ 課税調査において、課税申告額と不一致のあったケースについて台帳に記入し、事務処理について経過を追記する。

No.	ケース番号	氏名	年齢	世帯員数	担当CW	当課税申告年金額	課税申告就労収入額	当課税申告就労収入額	申告額不一致理由	本人確認	法第29条調査	本人弁明内容	法第63条・78条の適用	返還徴収方法	備考
例	245	厚生太郎	60歳	1人	保護CW			0	1,000,000	収入未申告	否認	R○.7.15依頼 R○.8.5回答確認	隠蔽を容認	R○.8.20付け法第78条費用徴収決定	分割納付	収入申告について、法第27条による文書指示を実施。収入状況の把握を追加。
1															
2															
3															
4															
5															
6															
7															
8															
9															
10															
11															
12															
13															
14															
15															
16															
17															
18															
19															
20															

○里親登録に関する疑義について

(昭和24年6月17日　児発第465号)
(京都府知事宛　厚生省児童局長回答)

5月7日第335号をもって御来照の標記の件につき下記の通り回答する。

記

1　児童の両親共に死亡して祖父母がこれを扶養する場合は、たとえこの扶養をすることによって経済的援助を受けねばならぬときと雖も、民法第877条第1項によって直系血族間に於いては当然扶養の義務があることを明確にしており、要綱第1章第4(ハ)による但書に準ずる里親として認めることはできない。
　　従ってこのような場合には生活保護法による保護を受けるのが妥当である。
2　前項により了知されたい。
3　三親等以外の親族と三親等内の親族中、伯父、伯母（叔父、叔母）であって、現に児童を預かり、生活保護法の適用をうけている場合において、里親としての資格を備えておれば里親に切り換えてよいが、これ以外の三親等以内の者については里親としてはならない。
　　なお、前項に於いて里親にした場合は、従来交付していた児童に対する生活保護法による生活扶助費は、当然停止されるべきであり、それに代わって、児童福祉法の里親の委託費が交付されることになるのは勿論であるが、念のため申し添える。

　　　里親登録について

(昭和24年5月7日　第335号)
(厚生省児童局長宛　京都府知事照会)

家庭養育運営要綱第1章第4(ハ)により（三親等但書を除く）内の者は原則として里親登録はできないことになっておるが、下記の様な場合は里親として認められないか伺います。

記

1　両親共に死亡して祖父母以外にはこれを扶養する者なく、而もこの子供を扶養することによって経済的援助を受けねばならぬ場合、運営要綱第1章第4(ハ)による但書に準じ里親として認めることはできないか。
2　他家に嫁いだ娘の子供が孤児となった場合、或いはその親が子供の監護に不適当と認められる場合娘の実家の親がその孫を扶養する場合里親として認められるか。
3　三親等内又はそれ以外の親族にして、現在子供を預かっておるがため生活保護法にかかっておる場合その扶養者が里親としての資格を供えておればこれを里親に切り換えてよいか。

○老人ホームへの入所措置等の指針について(抄)

> 平成18年3月31日　老発第0331028号
> 各都道府県知事・各指定都市市長・各中核市市長宛
> 厚生労働省老健局長通知

　介護保険法等の一部を改正する法律（平成17年法律第77号）により、養護老人ホームに係る老人福祉法（昭和38年法律第133号。以下「法」という。）の一部改正が行われることに伴い、同法第11条の規定による入所措置等に係る指針を下記のとおり定めたので、ご了知の上、管内市町村、関係施設等に周知されたい。
　なお、本通知は平成18年4月1日から施行することとし、これに伴い、「老人ホームへの入所措置等の指針について」（昭和62年1月31日社老第8号）は、平成18年3月31日をもって廃止する。

記

　　　老人ホームへの入所措置等の指針
第1～第7　略
第8　65歳未満の者に対する措置
　1　法第11条第1項第1号又は第3号に規定する措置
　　法第11条第1項第1号又は第3号に規定する措置において、65歳未満の者であって特に必要があると認められるものは、法第11条第1項第1号又は第3号のいずれかの措置の基準に適合する者であって、60歳以上の者について行うものとする。
　　ただし、60歳未満の者であって次のいずれかに該当するときは、老人ホームの入所措置を行うものとする。
　⑴　老衰が著しく、かつ、生活保護法に定める救護施設への入所要件を満たしているが、救護施設に余力がないため、これに入所することができないとき。
　⑵　初老期における認知症（介護保険法施行令（平成10年12月24日政令第412号）第2条第6号に規定する初老期における認知症をいう。）に該当するとき。
　⑶　その配偶者が老人ホームの入所の措置を受ける場合であって、かつ、その者自身が老人ホームへの入所基準のうち、年齢以外の基準に適合するとき。
　2　法第11条第1項第2号に規定する措置
　　法第11条第1項第2号に規定する措置において、65歳未満の者であって特に必要があると認められるものは、法第11条第1項第2号の措置の基準に適合する者であって、介護保険法第7条第3項第2号に該当するものについて行うものとする。
第9　略

○生活福祉資金の貸付けについて(抄)

> 平成21年7月28日　厚生労働省発社援0728第9号
> 各都道府県知事・各指定都市市長宛　厚生労働事務次官通知

〔改正経過〕

第1次改正	平成22年8月6日厚生労働省発社援0806第2号	第2次改正	平成23年11月2日厚生労働省発社援1102第1号
第3次改正	平成27年3月12日厚生労働省発社援0312第11号	第4次改正	平成28年1月22日厚生労働省発社援0122第8号
第5次改正	平成31年3月29日厚生労働省発社援0329第8号	第6次改正	令和2年3月31日厚生労働省発社援0331第38号
第7次改正	令和2年4月20日厚生労働省発社援0420第2号		

　生活福祉資金の貸付けについては、平成2年8月14日付厚生省社第398号厚生事務次官通知「生活福祉資金の貸付けについて」、平成13年12月17日付厚生労働省発社援第537号本職通知「生活福祉資金(離職者支援資金)の貸付けについて」、平成14年12月24日付厚生労働省発社援第1224001号本職通知「生活福祉資金(長期生活支援資金)の貸付けについて」、平成19年3月27日付厚生労働省発社援第0327002号本職通知「生活福祉資金(要保護世帯向け長期生活支援資金)の貸付けについて」により実施してきたところである。

　今般、現下の厳しい雇用経済情勢に対応するため、様々な雇用対策や生活保護等福祉施策等が、セーフティネットとして重層的に機能することが求められている。こうしたセーフティネットの施策の一つとして、本制度が、低所得者、高齢者、身体障害者等に対して更なる活用促進が図られ、効果的な支援を実施できるよう、資金の種類の統合・再編を行う等の見直しを行ったので、別紙のとおり「生活福祉資金貸付制度要綱」(以下「要綱」という。)を定め、平成21年10月1日より施行することとしたので通知する。

　また、本制度の運営に当たっては、下記に留意のうえ遺憾なきを期されたい。なお、前述の平成2年8月14日付厚生省社第398号厚生事務次官通知「生活福祉資金の貸付けについて」、平成13年12月17日付厚生労働省発社援第537号本職通知「生活福祉資金(離職者支援資金)の貸付けについて」、平成14年12月24日付厚生労働省発社援第1224001号本職通知「生活福祉資金(長期生活支援資金)の貸付けについて」、平成19年3月27日付厚生労働省発社援第0327002号本職通知「生活福祉資金(要保護世帯向け長期生活支援資金)の貸付けについて」については、平成21年9月30日限り廃止する。

記

1　制度の周知徹底

　本制度は、戦後復興期の低所得者階層の防貧と自立更生を促進する地域活動を起源とし、その後、その時代時代における経済・社会情勢等を踏まえ、幾度の改正を行い現在

に至っている。

制度の所期の目的は、現在においても揺るぎないものであるが、現下の厳しい経済情勢においても単に景気だけの問題に還元されるものではなく、雇用主の都合による解雇等の問題を含み、また、社会情勢をみても、多重債務問題が深刻化される等、これまでに増して多様かつ深刻な問題を抱えている。こうした諸情勢を鑑み、今般、抜本的な見直しを行ったところである。

制度の周知に当たっては、このような経済・社会情勢の変化や今般の抜本的な見直しの趣旨・目的を十分理解の上、自治体、都道府県社会福祉協議会、市町村社会福祉協議会、民生委員による活動はもとより、福祉事務所、公共職業安定所等関係機関とも十分連携して、取組むことがことさら重要である。

なお、関係機関等との連携を具体化させるものとして、生活・就労等生活全般に係る総合相談キャンペーンの企画・参加なども考えられ、あらゆる広告媒体・機会等を活用しながら創意工夫した周知活動を期待する。

2　相談支援の充実

本制度の運用は民生委員活動と両輪の関係にあることは勿論であるが、今般4つの資金種別に整理統合されたことにより、従来にも増して、より資金ニーズに応じた関係機関との連携が重要となる。特に、総合支援資金については、自治体が実施する住宅手当及びホームレス対策並びに公共職業安定所が実施する各種雇用施策等との連携がことさら重要となる。

また、法律的な解決が必要な問題を抱える者も多くあることから、こうした問題解決のためには、地元弁護士会等専門家の協力も必要となることも踏まえれば、総合支援体制の確立が求められる。

3　適正迅速な運営

本制度は民法に基づく金銭消費貸借契約を原則とするものであるが、今般の見直しの基本方針である「借り易く、かつ貸し易く」、また、真に必要とする者に対してサービスを提供するという「適正実施の精神」を十分理解した上で、制度の運用に当たることが重要である。

（別　紙）

　　　　生活福祉資金貸付制度要綱

第1　目的

この要綱は、低所得者、障害者又は高齢者に対し、資金の貸付けと必要な相談支援を行うことにより、その経済的自立及び生活意欲の助長促進並びに在宅福祉及び社会参加の促進を図り、安定した生活を送れるようにすることを目的とする。

なお、生活困窮者自立支援法（平成25年法律第105号。以下「法」という。）に基づく各事業と連携し、効果的、効率的な支援を実施することにより、生活困窮者の自立の促進を図るものとする。

第2　実施主体

1　生活福祉資金（以下「資金」という。）の貸付けは、社会福祉法第110条第1項に規

定する都道府県社会福祉協議会（以下「都道府県社協」という。）が行うものとする。
2　都道府県社協は、資金の貸付業務の一部を当該都道府県の区域内にある社会福祉法第109条第1項に規定する市町村社会福祉協議会（以下「市町村社協」という。）に委託することができる。また、特に必要と認められるときは、厚生労働大臣が定める者に委託することができる。

第3　貸付対象
　資金の貸付けの対象となる世帯は、次の各号に掲げる世帯とする。
　ただし、暴力団員による不当な行為の防止等に関する法律第2条第6号に規定する暴力団員（以下「暴力団員」という。）が属する世帯を除くものとする。
　(1)・(2)　略
　(3)　65歳以上の高齢者の属する世帯（以下「高齢者世帯」という。）

第4　資金の種類
　資金の種類は、次の4種類とする。
1～3　略
4　不動産担保型生活資金
　次の各号に掲げる資金をいう。
　(1)　略
　(2)　要保護世帯向け不動産担保型生活資金
　　一定の居住用不動産を有し、将来にわたりその住居を所有し、又は住み続けることを希望する要保護の高齢者世帯であって、次のいずれにも該当する世帯に対し、当該不動産を担保として生活費を貸し付ける資金
　　ア　借入申込者が単独で概ね500万円以上の資産価値の居住用不動産（借入申込者の配偶者とともに連帯して資金の貸付けを受けようとする場合に限り、当該配偶者と共有している不動産を含む。）を所有していること
　　イ　借入申込者が所有している居住用不動産に賃借権等の利用権及び抵当権等の担保権が設定されていないこと
　　ウ　借入申込者及び配偶者が原則として65歳以上であること
　　エ　借入申込者の属する世帯が、本制度を利用しなければ、生活保護の受給を要することとなる要保護世帯であると保護の実施機関（生活保護法第19条第4項に規定する保護の実施機関をいう。以下同じ。）が認めた世帯であること

第5　貸付金額の限度
　貸し付ける資金（以下「貸付金」という。）の額は、都道府県社協の会長（以下「都道府県社協会長」という。）が借入申込者における資金の使途や必要性、償還能力等を勘案の上、真に必要な額について決定するものとし、その上限額は次に掲げるとおりとする。
1～3　略
4　不動産担保型生活資金

(1) 略
(2) 要保護世帯向け不動産担保型生活資金
　ア　本資金の借入申込者が現に所有している居住用不動産（以下「本件不動産」という。）の評価額の7割（集合住宅の場合は5割）を標準として都道府県社協会長が定めた額
　イ　1月当たりの貸付額は、当該世帯の貸付基本額の範囲内で都道府県社協会長及び借入申込者が契約により定めた額
　ウ　前号の貸付基本額は、当該世帯の最低生活費等を勘案し、保護の実施機関が定めた額とする。
5　貸付限度額の特例
　貸付限度額について、特に必要と認められるときは、厚生労働大臣が特別の措置を講ずることができるものとする。
第6　貸付けの方法
1　貸付金の据置期間及び償還期限
　貸付金の据置期間及び償還期限は、次表のとおりとする。ただし、災害を受けたことにより、総合支援資金又は福祉資金を貸し付ける場合には、当該災害の状況に応じ、次表の規定にかかわらず、据置期間を貸付けの日から2年以内とすることができる。

資金の種類		据置期間	償還期限
不動産担保型生活資金	不動産担保型生活資金	契約の終了後3月以内	据置期間終了時
	要保護世帯向け不動産担保型生活資金		

2　貸付金の利率
(1)・(2)　略
(3)　不動産担保型生活資金（第4の4の(1)に規定する「不動産担保型生活資金」をいう。以下同じ。）及び要保護世帯向け不動産担保型生活資金の貸付金の利率は、都道府県社協会長が年度（毎年4月1日から翌年3月31日までをいう。）ごとに、年3パーセント又は当該年度における4月1日（当日が金融機関等休業日の場合はその翌営業日）時点の銀行の長期プライムレートのいずれか低い方を基準として定めるものとする。
(4)　不動産担保型生活資金及び要保護世帯向け不動産担保型生活資金の貸付金の利子は、初回の貸付金の交付日の属する月から起算して36月ごとの期間中の貸付金の総額ごとに、当該期間の最終日（当該期間の途中で貸付けを停止した場合は、当該貸付停止日）の翌日から当該貸付契約の終了日までの間、日数により計算して付するものとする。
3　貸付けの特例
　貸付金の据置期間、償還期限及び利率について、特に必要と認められるときは、厚

生労働大臣が特別の措置を講ずることができるものとする。
4 貸付金の交付
　貸付金の交付は、一括、分割又は月決めの交付の方法によるものとする。ただし、総合支援資金のうち生活支援費、不動産担保型生活資金及び要保護世帯向け不動産担保型生活資金については次の方法によるものとする。
⑴ 略
⑵ 不動産担保型生活資金及び要保護世帯向け不動産担保型生活資金
　ア　貸付期間は、貸付元利金（貸付金とその利子を合計した金額をいう。以下同じ。）が貸付限度額に達するまでの期間とする。
　イ　略
　ウ　要保護世帯向け不動産担保型生活資金の貸付金は、原則として1月ごとに交付するものとする。
5 略
第7 略
第8 連帯保証人
1 借入申込者は、原則として連帯保証人を立てるものとする。ただし、連帯保証人を立てない場合でも、資金の貸付けを受けることができるものとする。
2 緊急小口資金又は要保護世帯向け不動産担保型生活資金の貸付けを受けようとするときは、連帯保証人を必要としないものとする。
3～6 略
第9 重複貸付及び再貸付
1 重複貸付
　同一世帯に対して資金（資金ごとに細分された経費の種類を含む。以下同じ。）を同時に貸し付ける場合には、資金の性格から判断して貸し付けられるものとする。
2 再貸付
　同種の資金の再度にわたる貸付けは、次の各号の場合に限り行うことができる。この場合において、特に借受世帯の償還能力を勘案し貸し付けるものとする。
⑴ 借受人又は借受人の属する世帯が災害その他やむを得ない事情にあると認められるとき
⑵ 借受人の自立更生を促進するために特に必要があると認められるとき
第10 貸付決定及び契約締結
1 都道府県社協会長は、借入申込者（要保護世帯向け不動産担保型生活資金の借入申込者の場合は、本制度の利用に関してあらかじめ保護の実施機関から通知を受けている者に限る。）から資金の借入れの申込みがあったときは、申込みの内容を審査し、貸付けの決定をするものとする。
2 都道府県社協会長は、資金の貸付けを決定したときは、借入申込者に対し貸付決定通知書を交付し、貸付けに係る契約を締結（以下「貸付契約」という。）するとともに、借入申込者から借用書の提出を受けるものとする。

第11 借受人等の責務
 1 借受人は、借入の目的に即して資金を使用するとともに、市町村社協及び都道府県社協、民生委員が行う必要な相談支援や法に基づく自立相談支援事業等による支援により、経済的及び社会的な自立を図り、安定した生活を送れるよう努めなければならない。
 2 略
 3 借受人、連帯借受人、連帯保証人は市町村社協及び都道府県社協から、契約で定めた内容等に関する問い合わせを受けたとき又は定期的な報告を求められたときは、回答又は報告を行わなければならない。
 4 不動産担保型生活資金及び要保護世帯向け不動産担保型生活資金の借受人は、都道府県社協会長の承認を受けずに居住用不動産の譲渡、居住用不動産に対する賃借権等の利用権又は抵当権等の担保権の設定、居住用不動産の損壊その他居住用不動産に係る一切の法律上及び事実上の処分をしてはならない。
 5 不動産担保型生活資金及び要保護世帯向け不動産担保型生活資金の借受人は、都道府県社協会長の求めがあれば、本件土地及び本件不動産の再評価その他貸付けの実施に必要な調査に協力しなければならない。
 6 不動産担保型生活資金の借受人は、都道府県社協会長の承認を受けずに配偶者又は借受人若しくは配偶者の親以外の者を同居させてはならない。
 7 借受人、連帯借受人、連帯保証人、又は借受人が要保護世帯向け不動産担保型生活資金を利用することに同意した推定相続人(不動産担保型生活資金及び要保護世帯向け不動産担保型生活資金の借入申込者の相続が開始した場合に相続人となるべき者をいう。以下同じ。)は次のいずれかに該当する場合は、直ちに都道府県社協会長に届け出なければならない。
  (1) 借受人の氏名に変更があったとき
  (2) 借受人が就職等による自立又は必要な資金の融通を他から受ける等して、貸付けの目的を達成したとき
  (3) 借受人が生活保護受給を開始したとき
  (4) 借受人が転居し、又は入院若しくは社会福祉施設等への入所等により居住用不動産を長期間にわたり不在にするとき
  (5) 借受人が仮差押若しくは仮処分(以下「民事保全」という。)又は強制執行若しくは競売(以下「民事執行」という。)の申立てを受けたとき
  (6) 借受人が破産又は民事再生手続開始(以下「破産等」という。)の申立てを受け、又は申立てをしたとき
  (7) 借受人に関し成年後見、保佐又は補助開始の審判、任意後見監督人選任の審判その他借受人の心身の状況に著しい変更があったとき
  (8) 借受人が死亡したとき
  (9) 連帯借受人又は連帯保証人の氏名又は住所に変更があったとき
  (10) 連帯借受人又は連帯保証人の状況に著しい変更があったとき

⑾　不動産担保型生活資金の貸付けにおいて次の変更等があったとき
　　ア　借受人の推定相続人の範囲に変更があったとき
　　イ　同居者の転出入その他借受人の属する世帯の状況に著しい変更があったとき
　　ウ　居住用不動産が法令により収用又は使用されたとき
　　エ　滅失、損壊その他の事由によって居住用不動産の価値が著しく減少したとき
　⑿　要保護世帯向け不動産担保型生活資金の貸付けにおいて次の変更等があったとき
　　ア　借受人の推定相続人の範囲に変更があったことを知ったとき
　　イ　借受人の推定相続人の氏名又は住所に変更があったことを知ったとき
　　ウ　貸付けを受けた時点において世帯に属していた者以外の者を同居させようとするとき
　　エ　本件不動産が法令により収用又は使用されたとき
　　オ　滅失、損壊その他の事由によって本件不動産の価値が著しく減少したとき
　⒀　その他都道府県社協会長が定めた事由が生じたとき
 8　その他、借受人、連帯借受人及び連帯保証人は、都道府県社協会長との契約に定める条件を遵守しなければならない。
第12　一括償還及び貸付けの停止及び解約
 1　都道府県社協会長は、次の各号のいずれかに該当すると判断した場合には、いつでも貸付金の全部又は一部につき一括償還を請求し、又は将来に向かって貸付けを停止し若しくは貸付契約を解約することができる。
　⑴　借受人が貸付金の使途をみだりに変更し、又は他に流用したとき
　⑵　借受人が虚偽の申込みその他不正な手段により貸付けを受けたとき
　⑶　借受人がその責務に違反したとき
　⑷　借受人が借受期間中に就職等による自立又は必要な資金の融通を他から受ける等して、貸付けの目的を達成したと認められるとき
　⑸　借受人が貸付けの目的を達成する見込みがないと認められるとき
　⑹　借受人が生活保護受給を開始したとき
　⑺　借受人が民事保全又は民事執行の申立てを受けたとき
　⑻　借受人が破産等の申立てをし、又は申立てを受けたとき
　⑼　不動産担保型生活資金又は要保護世帯向け不動産担保型生活資金の貸付けにおいて次のいずれかの変更等があったとき
　　ア　借受人が転居等により居住用不動産に居住しなくなったとき
　　イ　居住用不動産が法令に基づき収用又は使用されたとき
　　ウ　滅失、損壊その他の事由によって居住用不動産の価値が著しく減少したとき
　⑽　借受人が都道府県社協会長から求められた貸付限度額の変更に応じないとき
　⑾　借受人又は借受人の属する世帯の者が暴力団員であることが判明したとき
　⑿　その他貸付け又は貸付契約を継続しがたい事由が生じたとき
 2　略
 3　不動産担保型生活資金及び要保護世帯向け不動産担保型生活資金の貸付けの場合

は、都道府県社協会長は、貸付元利金が貸付限度額に達したときは、貸付けを停止するものとする。
4 借受人は、都道府県社協会長に申し出て貸付けの停止を求め、又は貸付契約を解約することができる。

第13 延滞利子
1 都道府県社協会長は、借受人が貸付元利金を定められた償還期限までに償還しなかったときは、延滞元金につき年3.0パーセントの率をもって、当該償還期限の翌日から償還した日までの日数により計算した延滞利子を徴収する。
ただし当該償還期限までに償還しなかったことについて、災害その他やむを得ない事由があると認められるとき又は不動産担保型生活資金及び要保護世帯向け不動産担保型生活資金において償還のために行う居住用不動産の換価に日時を要すると認められるときは、この限りでない。
2 都道府県社協会長は、前項により計算した延滞利子がこれを徴収するのに要する費用に満たないと認められるときは、当該延滞利子を債権として調定しないことができる。

第14 貸付金の償還猶予
1 都道府県社協会長は、借受人又は借受人の属する世帯が災害その他やむを得ない事由により償還期限までに貸付元利金を償還することが著しく困難になったと認められるときは借受人又は連帯保証人の申請に基づき貸付元利金の償還を猶予することができる。
2 略
3 都道府県社協会長は、不動産担保型生活資金及び要保護世帯向け不動産担保型生活資金の借受人が死亡した場合であって、配偶者から承継の申出があった場合には、貸付契約の承継の決定をするまでの間について、当該配偶者の申請に基づき貸付元利金の償還を猶予することができる。
4 都道府県社協会長は、要保護世帯向け不動産担保型生活資金の貸付元利金が貸付限度額に達した後借受人が死亡した場合であって、配偶者が死亡するまでの間、当該配偶者の申請に基づき貸付元利金の償還を猶予することができる。
5 都道府県社協会長は、貸付元利金の償還を猶予した場合であっても、借受人が民事保全、民事執行若しくは破産等の申立てを受け、又は破産等の申立てをしたときその他必要があると認めるときは、償還の猶予を取り消すことができる。
6 都道府県社協会長は、法に基づく支援を行う機関からの要請により、借受人の自立に向けた支援の観点から特に必要性が高いと認められるときは、貸付元利金の償還を猶予することができる。

第15 償還免除
都道府県社協会長は、死亡その他やむを得ない事由により貸付元利金(延滞利子を含む。)を償還することができなくなったと認められるときは、貸付元利金(延滞利子を含む。)の償還未済額の全部又は一部の償還を免除することができる。

第16　民生委員の役割
　民生委員は、民生委員法第14条の職務内容に関する規定に基づき、都道府県社協及び市町村社協と緊密に連携し、本貸付事業の運営についても積極的に協力するものとする。具体的には、
　(1)　都道府県社協及び市町村社協、福祉事務所等関係機関と連携した本制度の広報・周知活動
　(2)　本制度の利用に関する情報提供、助言
　(3)　都道府県社協及び市町村社協の要請に基づく、借入申込者及び借受人の属する世帯の調査及び生活実態の把握
　(4)　借受人及び借入申込者の自立更生に関する生活全般にわたる相談支援等
第17　不動産担保型生活資金の貸付け
　1　償還担保措置
　(1)　略
　(2)　要保護世帯向け不動産担保型生活資金
　　ア　借入申込者は、都道府県社協会長のために本件不動産に関し根抵当権を設定し、登記をするものとする。
　　イ　保護の実施機関は、本制度の利用について、推定相続人に対し必要な説明を行うよう努めるものとする。その際、本制度の利用についての同意を得るよう努めるものとし、同意が得られない場合であっても、本制度の趣旨等について必要な説明を行うものとする。
　2　推定相続人の異動
　(1)　略
　(2)　要保護世帯向け不動産担保型生活資金
　　　契約期間中に借受人に新たな推定相続人が生じた場合については、1の(2)のイの規定を準用する。
　3　不動産の再評価
　(1)　都道府県社協会長は、各単位期間ごとに本件土地又は本件不動産の再評価を行うものとする。
　(2)　(1)の規定にかかわらず、都道府県社協会長は、滅失、損壊その他の事由によって本件不動産の価値が著しく減少したおそれがあると認めるときは、本件土地又は本件不動産の再評価を行うものとする。
　(3)　都道府県社協会長は、本件土地又は本件不動産の再評価を行った場合において、必要があると認めるときは、借受人に対し貸付限度額の変更を求めるものとする。
　4　契約の終了
　　貸付契約は、次のいずれかの事由が生じた場合に終了する。ただし、(1)については、5の規定に基づく貸付契約の承継が行われた場合は、この限りでない。
　(1)　借受人（連帯借受人がいる場合は借受人及び連帯借受人）が死亡したとき
　(2)　都道府県社協会長が貸付契約を解約したとき

(3)　借受人が貸付契約を解約したとき
　5　貸付契約の承継
　　(1)　借受人が死亡した場合であって、次のいずれにも該当する場合は、借受人の配偶者は都道府県社協会長と貸付金の承継に係る契約（以下「承継契約」という。）を締結し、貸付契約の承継を行うことができる。
　　　ア　原則として配偶者が従来借受人と同居していたこと
　　　イ　配偶者が居住用不動産を単独で相続し、登記をしていること
　　　ウ　原則として配偶者が居住用不動産に引き続いて居住する予定であること
　　　エ　借受人に係る貸付元利金が、承継の申し出があったときに行う再評価により算定した貸付限度額に達していないこと
　　(2)　承継契約が締結された場合は、借受人の死亡時に遡って貸付契約は継続していたものとみなす。この場合において、借受人の死亡後、承継契約が締結されるまでの間に配偶者に対し貸し付けるべき資金は、承継契約の締結後速やかに交付するものとする。
　6　費用負担
　　(1)　資金の借入申込みに必要な本件土地又は本件不動産の評価（再評価を除く。）、担保物件の登記（変更登記を除く。）にかかる費用は、不動産担保型生活資金の貸付けにおいては、借受人が負担するものとし、要保護世帯向け不動産担保型生活資金の貸付けにおいては、保護の実施機関が負担するものとする。
　　(2)　再評価に係る不動産の評価、担保物件の変更登記、居住用不動産の処分その他の貸付契約に係る費用は、不動産担保型生活資金の貸付けのときは、借受人が負担するものとし、要保護世帯向け不動産担保型生活資金の貸付けのときは、都道府県社協が負担するものとする。
　　(3)　前記(1)(2)以外に要するその他の費用は、借受人が負担するものとする。
第18　その他
　(1)　この事業の実施のために、市町村社協等の体制整備を図るための経費については、当分の間、貸付原資の一部を取り崩して使用することを可能とする。
　(2)　この要綱中「市町村社協」とあるのは、都の特別区及び指定都市の区の存する区域の社会福祉協議会については「区社協」と、社会福祉協議会が結成されていない市町村においては「市町村民生委員協議会」とそれぞれ読み替えるものとする。
第19　経過措置
　　平成2年8月14日厚生省発社第398号厚生事務次官通知「生活福祉資金の貸付けについて」、平成13年12月17日厚生労働省発社援第537号本職通知「生活福祉資金（離職者支援資金）の貸付けについて」、平成14年12月24日厚生労働省発社援第1224001号本職通知「生活福祉資金（長期生活支援資金）の貸付けについて」、平成19年3月27日厚生労働省発社援第0327002号本職通知「生活福祉資金（要保護世帯向け長期生活支援資金）の貸付けについて」に基づき貸し付けられた資金は、なお従前の例による。

○生活福祉資金（要保護世帯向け不動産担保型生活資金）貸付制度の運営について

平成21年7月28日　社援発0728第15号
各都道府県知事・各指定都市市長宛　厚生労働省社会
・援護局長通知

〔改正経過〕
第1次改正　平成28年1月22日社援発0122第8号　　第2次改正　平成31年3月29日社援発0329第17号
第3次改正　令和2年3月31日社援発0331第53号

　生活福祉資金（要保護世帯向け不動産担保型生活資金）の貸付けについては、「生活福祉資金の貸付けについて」（平成21年7月28日付厚生労働省発社援0728第9号厚生労働事務次官通知）により、「生活福祉資金貸付制度要綱」（以下「要綱」という。）が通知されたところであるが、要綱第4の4の(2)に規定する要保護世帯向け不動産担保型生活資金の取扱いについて、別紙のとおり「生活福祉資金（要保護世帯向け不動産担保型生活資金）運営要領」を定めたので、通知する。
　本制度の実施に当たっては、関係機関等関係方面に十分周知され、所期の目的達成に遺漏のないよう配意されたい。
　なお、「生活福祉資金（要保護世帯向け長期生活支援資金）の運営について」（平成19年3月30日社援発第0330025号本職通知）については、平成21年9月30日限り廃止する。
（別　紙）
　　　生活福祉資金（要保護世帯向け不動産担保型生活資金）運営要領
第1　基本的事項
　1　要領の目的
　　　生活福祉資金貸付制度に係る都道府県社会福祉協議会（以下「都道府県社協」という。）等関係機関における事務処理要領を定め、当該制度の円滑な運営に資するものとする。
　　　ただし、都道府県社協等関係機関は、この要領の趣旨を逸脱しない範囲において、地域の実情に即した効率的かつ効果的な運営を行って差し支えないものとする。
　2　市町村社会福祉協議会への委託
　　　要綱第2の2に定めるところにより、都道府県社会福祉協議会（以下「都道府県社協」という。）が市町村社会福祉協議会（以下「市町村社協」という。）に要保護世帯向け不動産担保型生活資金（以下「資金」という。）の貸付業務の一部を委託する場合、その範囲は原則として次に掲げるとおりとし、契約書を交わすものとする。
　(1)　資金の貸付けに関する相談及び援助業務
　(2)　資金の貸付け及び償還に関する書類の交付、受付及び都道府県社協への送付事務
　(3)　資金の貸付けを受けようとする者（以下「借入申込者」という。）及び資金の貸付けを受けた者（以下「借受人」という。）の属する世帯の調査に関する業務
　(4)　その他必要と認められる業務
　3　民生委員の協力
　　　要綱第16に定めるところにより、民生委員は次に掲げる事務について協力するもの

とする。
(1) 資金の貸付けに関する相談及び援助
(2) 都道府県社協(市町村社協に貸付業務の一部が委託されている場合にあっては都道府県社協及び市町村社協)の要請に基づく借入申込者及び借受人の属する世帯の調査
(3) その他必要と認められる事務
第2 借入申込手続
1 保護の実施機関からの必要書類の受理
　都道府県社協会長は、保護の実施機関から、貸付対象と見込まれる世帯に関する次に掲げる書類を受理した後でなければ、3の借入申込みの申請を受け付けてはならない。
(1) 要保護世帯向け不動産担保型生活資金貸付対象世帯通知書
(2) 貸付対象世帯調査書
(3) 借入申込者が所有している居住用不動産(以下「本件不動産」という。)の登記簿謄本(付随する地籍図、公図を含む。)
(4) 戸籍謄本など推定相続人(借入申込者の相続が開始した場合に相続人となるべき者をいう。以下同じ。)を確認することのできる書類
(5) 推定相続人の同意書又は推定相続人との本件に関する調整状況を付記した書類
2 借入申込みがない場合の連絡
　都道府県社協会長は、前項の書類を受理してから1週間を経ても対象世帯からの連絡がない場合には、その旨保護の実施機関に通知するものとする。
3 借入申込みの申請
　借入申込者は、要保護世帯向け不動産担保型生活資金借入申込書に所定の事項を記載し、次に掲げる添付資料とともに、都道府県社協会長に申請するものとする。ただし、(3)、(4)及び(5)については、借入申込者がこれを保有していない場合は添付を省略することができる。
(1) 借入申込者の戸籍謄本
(2) 借入申込者の属する世帯全員の住民票の写し
(3) 本件不動産の位置図
(4) 本件不動産の測量図
(5) 本件不動産の建物図面
4 民生委員の調査
　借入申込者の居住地を担当区域とする民生委員(以下「担当民生委員」という。)は、都道府県社協会長から要請があった場合には、借受人の属する世帯の状況を調査し、民生委員調査書に所定の事項を記載し、都道府県社協会長に提出するものとする。
5 都道府県社協の調査
(1) 都道府県社協会長は、資金の借入れの申込みがあったときは、借入申込者の属する世帯の状況を調査し、本件不動産の評価を行うものとする。
(2) 都道府県社協会長は、必要があると認めるときは、担当民生委員に対し借受人の属する世帯の状況の調査を要請するものとする。
(3) 都道府県社協会長は、本件不動産の評価を行うに当たっては、不動産鑑定士の協

生活福祉資金（要保護世帯向け不動産担保型生活資金）貸付制度の運営について

力を得て、必要に応じて保護の実施機関に同行を求め本件不動産及びその周辺地域の調査を行うものとする。
第3 貸付決定等
 1 貸付決定
  (1) 都道府県社協会長は、原則として借入申込みの申請のあった日から1月以内に、貸付けの可否を決定するものとする。なお、特別な理由により1月以内に、貸付けの可否を決定することができない場合は、事前に保護の実施機関にその旨を通知するものとする。
  (2) 都道府県社協会長は、借入申込者に対して資金を貸し付ける旨を決定する場合には、本件不動産の評価額、貸付限度額及び本件不動産に設定する根抵当権の極度額をあわせて決定するものとする。
  (3) 本件不動産の評価額は、原則として国土交通省の定める不動産鑑定評価基準に基づき算定するものとする。また、都道府県社協は本件不動産の土地の公示価格（地価公示法第8条に規定する公示価格をいう。）の調査を行うものとする。
  (4) 貸付限度額は、本件不動産の評価額の概ね7割（集合住宅の場合は評価額の概ね5割）を基準として定めるものとする。
  (5) 本件不動産に設定する根抵当権の極度額は、本件不動産の評価額の概ね10割を基準として定めるものとする。
 2 貸付決定の通知
  (1) 都道府県社協会長は、借入申込者に対して資金を貸し付ける旨を決定したときは、貸付決定書に貸付限度額その他所定の事項を記載し、借入申込者及び保護の実施機関に通知するものとする。
  (2) 都道府県社協会長は、借入申込者に対して資金の貸付けを認めない旨を決定したときは、貸付不承認決定書に所定の事項を記載し、借入申込者及び保護の実施機関に通知する。また、必要に応じて保護の実施機関に生活保護申請の相談を行う旨を教示するものとする。
  (3) 都道府県社協会長は、(1)又は(2)の通知を行うときは、借入申込者の推定相続人に対し、その旨を連絡するものとする。
 3 貸付契約の締結と貸付金の交付
  (1) 貸付決定書の通知を受けた借入申込者は、継続的金銭消費貸借契約及び根抵当権等設定契約証書（以下「貸付契約書」という。）に署名捺印し、自己の印鑑登録証明書を添えて都道府県社協会長に提出し、都道府県社協と貸付契約を締結するものとする。
  (2) 都道府県社協が要綱第5の4の(2)のウに定めるところにより借受人に対し交付する毎回の貸付金の額は、要綱第5の4の(2)のイに定める1月当たりの貸付額とし、貸付契約により定めるものとする。
  (3) 都道府県社協会長は、貸付決定書の通知を受けた者と貸付契約を締結した後、その者と共同して、速やかに根抵当権の設定に係る登記をするものとする。
  (4) 都道府県社協会長は、根抵当権の設定登記の完了後、貸付契約に定めるところにより貸付金を交付するものとする。
第4 貸付利率
 都道府県社協会長は、各年度の貸付利率を決定したときは、都道府県知事及び指定都

市市長に報告するとともに、都道府県社協の事務所において閲覧に供し、第5に定めるところにより借受人に対し通知するものとする。
第5　貸付状況の通知
　都道府県社協会長は、毎年度1回以上、貸付状況通知書に当該年度の貸付利率、貸付元利金（貸付金とその利子を合計した金額をいう。以下同じ。）その他所定の事項を記載し、借受人及び保護の実施機関に対し貸付状況を通知するものとする。
第6　各種変更手続
　1　貸付金の臨時増額
　　(1)　借受人は、医療費、住宅改造費等の支出に充てるため臨時に貸付金の増額を必要とする場合には、貸付金臨時増額申請書にその理由その他所定の事項を記載し、都道府県社協会長に申請するものとする。
　　(2)　都道府県社協会長は、(1)の申請を受けた場合において保護の実施機関の意見を聴き、必要があると認めるときは、要綱第5の4の(2)のイに定める1月当たりの貸付額の上限の額を超えて、貸付金の額を臨時に増額することができるものとする。
　　(3)　都道府県社協会長は、貸付金の額の臨時増額を認める旨を決定したときは、貸付金臨時増額承認決定書に所定の事項を記載し、借受人及び保護の実施機関に通知するものとする。
　　(4)　都道府県社協会長は、貸付金の額の臨時増額を認めない旨を決定したときは、貸付金臨時増額不承認決定書に所定の事項を記載し、借受人及び保護の実施機関に通知するものとする。
　　(5)　貸付金臨時増額承認決定書の通知を受けた借受人は、貸付契約書を、都道府県社協会長に提出し、貸付金の額を臨時に増額する旨を貸付契約書に記載するものとする。
　　(6)　臨時に増額した貸付金の交付は、(5)に定める貸付契約書への記載が完了した後、行うものとする。
　　(7)　貸付金の臨時増額については、第3の2(3)の規定を準用する。
　2　毎回の貸付金額の変更
　　(1)　借受人がやむを得ない理由により毎回の貸付金の額の変更を必要とするに至ったときは、貸付金額変更申請書にその理由その他所定の事項を記載し、都道府県社協会長に申請するものとする。
　　(2)　都道府県社協会長は、(1)の申請を受けた場合において保護の実施機関の意見を聴き、必要があると認めるときは、要綱第5の4の(2)のイに定める1月当たりの貸付額を変更し、毎回の貸付金の額を変更することができるものとする。
　　(3)　都道府県社協会長は、毎回の貸付金の額の変更を認める旨を決定したときは、貸付金額変更承認決定書に所定の事項を記載し、借受人及び保護の実施機関に通知するものとする。
　　(4)　都道府県社協会長は、毎回の貸付金の額の変更を認めない旨を決定したときは、貸付金額変更不承認決定書に所定の事項を記載し、借受人及び保護の実施機関に通知するものとする。
　　(5)　貸付金額変更承認決定書の通知を受けた借受人は、貸付契約書を都道府県社協会長に提出し、毎回の貸付金の額を変更する旨を貸付契約書に記載するものとする。
　　(6)　毎回の貸付金の額を変更した後の貸付金の交付は、(5)に定める貸付契約書への記

生活福祉資金（要保護世帯向け不動産担保型生活資金）貸付制度の運営について

載が完了した後、行うものとする。
(7) 毎回の貸付金の額の変更については、第3の2(3)の規定を準用する。
3 不動産の現状変更
(1) 要綱第11の4に定める本件不動産の現状変更を申請しようとする借受人は、現状変更承認申請書に所定の事項を記載し、都道府県社協会長に申請するものとする。
(2) 都道府県社協会長は、(1)の現状変更を認める旨を決定したときは、現状変更承認決定書に所定の事項を記載し、借受人及び保護の実施機関に通知するものとする。
(3) 都道府県社協会長は、(1)の現状変更を認めない旨を決定したときは、現状変更不承認決定書に所定の事項を記載し、借受人及び保護の実施機関に通知するものとする。
4 各種変更の届出
借受人又は借受人が本制度を利用することに同意した推定相続人は、要綱第11の7のいずれかに該当する場合は、変更届出書に異動の内容その他所定の事項を記載し、直ちに都道府県社協会長に届け出るものとする。

第7 不動産の再評価
1 都道府県社協会長は、要綱第17の3の(1)及び(2)、並びに第9の3に定める場合のほか、借受人から本件不動産の価値が著しく増加したことにより貸付限度額の増額を求める旨の申出があった場合、本件不動産の再評価を行うものとする。
2 都道府県社協会長は、毎年度、本件不動産の公示価格の変動状況を確認することとし、それが貸付限度額を算定したときの公示価格と比べて1割以上減少した場合は、要綱第17の3の(2)に定める再評価を行うものとする。
3 貸付限度額の増額を求める借受人は、貸付限度額増額申請書に所定の事項を記載し、市町村社協を通じ、都道府県社協会長に提出するものとする。
4 本件不動産の再評価額は、国土交通省の定める不動産鑑定評価基準等を用いて算定するものとする。
5 都道府県社協会長は、本件不動産の再評価の結果、本件不動産の評価額が貸付限度額を算定したときと比べて1割以上減少した場合は、要綱第17の3の(3)に定めるところにより借受人に対し貸付限度額の変更を求めるものとし、貸付限度額減額要請書に減額後の貸付限度額その他所定の事項を記載し、市町村社協を通じ、借受人及び保護の実施機関に通知するものとする。
6 都道府県社協会長は、貸付限度額の増額を認める旨を決定したときは、貸付限度額増額承認書に増額後の貸付限度額その他所定の事項を記載し、市町村社協を通じ、借受人に通知するものとする。この場合において、増額後の貸付限度額は、本件不動産に設定した根抵当権の極度額を超えることはできないものとする。
7 貸付限度額減額要請書又は貸付限度額増額承認書の通知を受けた借受人は、貸付契約書を市町村社協を通じ、都道府県社協会長に提出し、貸付限度額を変更する旨を貸付契約書に記載するものとする。

第8 貸付停止及び解約
1 都道府県社協会長は、貸付けの停止を決定したときは、貸付停止決定書に所定の事項を記載し、借受人及び保護の実施機関に通知するものとする。
2 都道府県社協会長は、貸付契約の解約を決定したときは、貸付契約解約告知書に所

定の事項を記載し、借受人及び保護の実施機関に通知するものとする。
第9　貸付契約の承継
 1　借受人が死亡した場合において、要綱第17の5に定めるところにより貸付契約を承継しようとする当該借受人の配偶者（以下「承継申出者」という。）は、保護の実施機関に届け出た上で貸付契約承継申出書に所定の事項を記載し、次に掲げる添付資料とともに、借受人の死亡後3月以内に都道府県社協会長に提出するものとする。ただし、(4)、(6)及び(7)については、承継申出者がこれを保有していない場合は添付を省略することができる。
　(1)　承継申出者の戸籍謄本
　(2)　承継申出者の属する世帯全員の住民票の写し
　(3)　承継申出者の属する世帯が本貸付契約を承継しなければ、生活保護を要することとなる要保護世帯であると保護の実施機関が認めた証明書
　(4)　本件不動産の位置図
　(5)　本件不動産の登記簿謄本（付随する地籍図、公図を含む。）
　(6)　本件不動産の測量図
　(7)　本件不動産の建物図面
 2　都道府県社協会長は、貸付契約の承継の申出があったときは、申出の内容を審査し、承継申出者を新たな借受人とする貸付契約の承継の可否を決定するものとする。
 3　都道府県社協会長は、貸付契約の承継の申出があったときは、本件不動産の再評価を行うものとする。
 4　貸付契約の承継に当たっては、承継申出者は借受人の貸付元利金償還債務の全額を引き受けるものとする。
 5　都道府県社協会長は、必要に応じて担当民生委員に対し承継申出者の属する世帯の状況の調査を要請するものとする。
 6　都道府県社協会長は、承継申出者に対して貸付契約の承継を認める旨を決定したときは、貸付契約承継承認決定書に所定の事項を記載し、当該承継申出者及び保護の実施機関に通知するものとする。
 7　都道府県社協会長は、承継申出者に対して貸付契約の承継を認めない旨の決定をしたときは、貸付契約承継不承認決定書に所定の事項を記載し、当該承継申出者及び保護の実施機関に通知する。また、必要に応じて保護の実施機関に生活保護申請に関する相談を行う旨を教示するものとする。
 8　貸付契約承継承認決定書の通知を受けた承継申出者は、都道府県社協会長が作成した継続的金銭消費貸借契約及び根抵当権等設定契約証書（承継契約分）に署名捺印し、自己の印鑑登録証明書を添えて都道府県社協会長に提出し、都道府県社協と貸付契約の承継に係る契約（以下「承継契約」という。）を締結するものとする。
 9　承継契約を締結した配偶者に対する貸付金の交付は、根抵当権の変更登記その他の貸付元利金の償還担保手続が完了した後に行うものとする。
第10　保護の実施機関との連携
　都道府県社協会長は、次に掲げる場合には、保護の実施機関に通知するものとする。
　(1)　資金の貸付の可否及び資金の貸付を決定したとき。この場合、貸付条件についても通知するものとする。

(2) 変更の届け出を受けたとき。
(3) 貸付元利金が貸付限度額に達するとき。この場合、1か月前までに通知するものとする。
(4) 貸付元利金が貸付限度額に達したとき。この場合、貸付けを停止し通知するものとする。
(5) 貸付限度額の変更を行ったとき。
(6) 貸付けの契約が終了したとき。
(7) 承継契約を締結したとき。

第11 償還手続
1 借受人(借受人の死亡により貸付契約が終了した場合は、その相続人(相続人が不存在の場合は、相続財産管理人)。以下同じ。)は、据置期間の終了時までに貸付元利金を都道府県社協会長に償還するものとする。
2 借受人が据置期間が経過しても速やかに貸付元利金を償還しない場合は、都道府県社協会長は本件不動産に設定した根抵当権を実行し、貸付元利金の償還を受けるものとする。ただし、要綱第14の1、3又は4に定めるところにより償還が猶予されている間は、この限りでない。
3 都道府県社協会長は、借受人が貸付元利金の償還を完了したときは、当該借受人に対し貸付契約書及びこれに添えて提出された印鑑登録証明書を遅滞なく返還するものとする。

第12 延滞利子
1 延滞利子額の算定
要綱第13の1に定める延滞利子の額は、次の方法により算定するものとする。

$$\text{延滞元金} \times 0.03 \times \frac{\text{延滞日数}}{365} \text{ (円未満切り捨て)}$$

2 延滞利子の支払免除手続
(1) 要綱第13の1のただし書きに定める延滞利子の支払免除を申請しようとする借受人は、延滞利子支払免除申請書にその理由その他所定の事項を記載し、都道府県社協会長に提出するものとする。
(2) 都道府県社協会長は、延滞利子の支払免除の申請があったときは、延滞利子の全部又は一部の支払免除の承認又は不承認を決定するものとする。
(3) 都道府県社協会長は、延滞利子の全部又は一部の支払免除を認める旨を決定したときは、延滞利子支払免除承認決定書に支払を免除した期間及び支払を免除した金額その他所定の事項を記載し、借受人に通知するものとする。
(4) 都道府県社協会長は、延滞利子の支払免除を認めない旨を決定したときは、延滞利子支払免除不承認決定書に所定の事項を記載し、借受人に通知するものとする。

第13 償還猶予手続
1 要綱第14の1、3又は4に定める貸付元利金の償還猶予を申請しようとする借受人又は要綱第14の4における配偶者(以下「借受人等」という。)は、償還猶予申請書にその理由、猶予期間、猶予後の償還期限その他所定の事項を記載し、都道府県社協会長に提出するものとする。
2 都道府県社協会長は、貸付元利金の償還猶予の申請があったときは、償還猶予の承

認又は不承認を決定するものとする。
3 貸付元利金の償還猶予期間は、要綱第14の4の場合を除き、原則として1年以内とする。
4 都道府県社協会長は、貸付元利金の償還の猶予を認める旨を決定したときは、償還猶予承認決定書に償還を猶予した期間及び当該償還猶予により変更した償還期限その他所定の事項を記載し、借受人等に通知するものとする。
5 都道府県社協会長は、貸付元利金の償還の猶予を認めない旨を決定したときは、償還猶予不承認決定書に所定の事項を記載し、借受人等に通知するものとする。
6 都道府県社協会長は、償還猶予の決定を取り消したときは、償還猶予決定取消書に所定の事項を記載し、借受人等に通知するものとする。

第14 償還免除手続
1 要綱第15に定める貸付元利金の償還免除を申請しようとする借受人は、償還免除申請書にその理由、償還免除を求める額その他所定の事項を記載し、都道府県社協会長に提出するものとする。
2 都道府県社協会長は、貸付元利金の償還免除の申請があったときは、償還免除の承認又は不承認を決定するものとする。
3 貸付元利金の償還免除は、次のいずれかに該当する場合に行うことができる。なお、償還免除を決定したときには、都道府県知事又は指定都市市長に報告するものとする。ただし、(5)に掲げる場合にあっては、都道府県知事又は指定都市市長の承認を必要とするものとする。
 (1) 償還期限到来後2年を経過してもなお借受人から償還未済額を償還させることが著しく困難であると認められるとき。
 (2) 償還未済額について、消滅時効が完成しているとき。
 (3) 根抵当権を実行しても貸付元利金の償還を受けられないとき。
 (4) 根抵当権の実行による貸付元利金の償還が見込まれないとき又は根抵当権の実行が成立しないとき。
 (5) (1)から(4)に掲げる場合以外であって、将来にわたって償還が困難と認められるとき。
4 都道府県社協会長は、3の(5)に該当することにより償還を免除するべきであると判断したときは、償還免除承認申請書にその旨を記載し、必要な資料を添えて、都道府県知事又は指定都市市長に提出するものとする。
5 都道府県社協会長は、償還免除を認める旨を決定したときは、償還免除承認決定書に所定の事項を記載し、借受人に通知するものとする。
6 都道府県社協会長は、償還免除を認めない旨の決定をしたときは、償還免除不承認決定書に所定の事項を記載し、借受人に通知するものとする。

第15 書類管理
都道府県社協（市町村社協に貸付業務の一部が委託されている場合にあっては都道府県社協及び市町村社協）は、資金の取扱いに当たっては、事務分掌を明確に定め、別に定める書類を備え付け、常に責任の所在及び貸付業務の実施状況を明らかにしておかなければならないものとする。

第16 会計

生活福祉資金（要保護世帯向け不動産担保型生活資金）貸付制度の運営について

　　資金の貸付業務を行うに当たっては、貸付資金（欠損補てん積立金を含む。）について特別会計を設け、明瞭に経理しなければならない。
　　なお、貸付事務費及び欠損補てん積立金に関しては、「生活福祉資金（総合支援資金）貸付制度の運営について」（平成21年7月28日付社援発0728第12号本職通知）の別紙「生活福祉資金（総合支援資金）運営要領」（以下「運営要領」という。）第9の2及び3の規定を準用する。
第17　指導及び監督
　　貸付業務の指導及び監督については、運営要領の第10貸付業務の指導及び監督によるものとする。
第18　報告
　　貸付業務及び経理状況の報告については、運営要領の第11報告によるものとする。
第19　市町村社協の会長の経由
　　都道府県社協が市町村社協に貸付業務の一部を委託する場合にあっては、本運営要領中第2の2、3、4及び5(2)並びに第3の2(1)、(2)、(3)及び3(1)並びに第5並びに第6の1(1)、(3)、(4)、(5)、2(1)、(3)、(4)、(5)、3(1)、(2)、(3)及び4並びに第7の3及び4並びに第8の1及び2並びに第9の1、5、6、7及び8並びに第11の2及び4並びに第12の2、(1)、(3)及び(4)並びに第13の1、4、5及び6並びに第14の1、5及び6における提出、要請等は、市町村社協の会長を経由して行うものとする。
第20　審査委員会の活用
　1　都道府県社協会長は、資金の貸付けの決定、本件不動産の評価額（再評価の場合を含む。）の決定、貸付限度額（変更の場合を含む。）の決定、本件不動産に設定する根抵当権の極度額の決定、貸付金の臨時増額の決定、貸付けの停止の決定、資金の貸付けに係る契約（以下「貸付契約」という。）の解約の決定、貸付契約の承継の決定、延滞利子の支払免除の決定、償還猶予の決定（取消しを含む。）及び償還免除の決定にあたり、特に慎重な判断が必要とされる理由がある場合には、都道府県社協に設置されている不動産担保型生活資金審査委員会（以下「審査委員会」という。）に意見を聴くことができるものとする。この場合、審査委員会は運営要領に定める貸付審査等運営委員会をもって代えることができるものとする。
　2　少額の延滞利子の処理に係る審査委員会への報告
　(1)　要綱第13の2に定める「これを徴収するのに要する費用」とは、請求及び督促を行うための経費をいう。
　(2)　都道府県社協会長は、延滞利子について、請求及び督促を行うための経費に満たないと認め、債権として調定しなかった場合は、審査委員会に報告するものとする。
第21　経過措置
　1　本要領中「市町村社協」とあるのは、都の特別区及び指定都市の区の存する区域の社会福祉協議会については「区社会福祉協議会」と、社会福祉協議会が結成されていない市町村においては「市町村民生委員協議会」とそれぞれ読み替えるものとする。
　2　既に資金の貸付けを受けた者に関する貸付台帳その他必要書類、帳簿等については、従前の様式を適宜補って使用して差し支えないものとする。

○要保護世帯向け不動産担保型生活資金の生活保護制度上の取扱い及び保護の実施機関における事務手続について

> 平成19年3月30日　社援保発第0330001号
> 各都道府県・各指定都市・各中核市民生主管部(局)長宛　厚生労働省社会・援護局保護課長通知

〔改正経過〕
第1次改正　平成22年3月31日社援保発0331第3号　　第2次改正　令和元年5月27日社援保発0527第1号
第3次改正　令和3年1月7日社援保発0107第1号

　要保護世帯向け不動産担保型生活資金（以下「新貸付制度」という。）については、「生活福祉資金（要保護世帯向け不動産担保型生活資金）の貸付けについて」（平成19年3月27日厚生労働省発社援第0327002号厚生労働事務次官通知）により「生活福祉資金（要保護世帯向け不動産担保型生活資金）貸付制度要綱」（以下「貸付要綱」という。）が通知され、また、「生活福祉資金（要保護世帯向け不動産担保型生活資金）の運営について」（平成19年3月30日社援発第0330025号厚生労働省社会・援護局長通知）により「生活福祉資金（要保護世帯向け不動産担保型生活資金）運営要領」（以下「運営要領」という。）が通知されたところであるが、新貸付制度の生活保護制度上の取扱い及び福祉事務所における事務手続について下記のとおり定めたので、ご了知の上、生活保護の適正な実施に遺漏のなきを期されたい。
　なお、本通知の1の(2)については、地方自治法（昭和22年法律第67号）第245条の9第1項及び第3項の規定による処理基準としたので申し添える。

記

1　新貸付制度の生活保護制度上の取扱いについて
　(1)　新貸付制度の創設趣旨
　　　生活保護制度における居住用不動産の取扱いに関しては、これまで生活保護制度の在り方に関する専門委員会や全国知事会・全国市長会より、被保護者に対して何の援助もしなかった扶養義務者が、被保護者の死亡時に家屋・土地を相続するような現状は、社会的公平の観点から国民の理解が得られないため、資産活用を徹底すべきである旨指摘されてきたところである。
　　　そこで、今般、所有する居住用不動産の活用により生活資金を得ることを容易にし、長年住み慣れた住居に住み続けながら居住用不動産の活用を促す施策として、現行の生活福祉資金制度の一類型として、新貸付制度が創設されたところである。
　(2)　生活保護制度上の取扱い
　　ア　現行の取扱い

要保護世帯向け不動産担保型生活資金の取扱い及び事務手続について

　生活保護法（昭和25年法律第144号）第4条第1項は、生活保護を適用するためには、資産、能力その他あらゆるものを、その最低限度の生活の維持のために活用することを要件としており、居住用家屋及びそれに付随した宅地については、それらの処分価値が利用価値に比して著しく大きい場合には、原則として処分の上、最低限度の生活の維持のために活用させることとしている。

　また、その判断が困難な場合については、原則として各実施機関が設置する処遇検討会等において、総合的な検討を行うこととされており、当該処遇検討会等の検討に付するか否かの判断の目安額として、当該実施機関における最上位級地の標準3人世帯の生活扶助基準額に同住宅扶助特別基準額を加えた値におおよそ10年を乗じ、土地・家屋保有に係る一般低所得世帯、周辺地域住民の意識、持ち家状況等を勘案した所要の補正を行う方法等により算出された額としているところである。

イ　新貸付制度の創設に伴う生活保護制度上の取扱い

　今般、生活福祉資金貸付制度において、新貸付制度が創設されたことに伴い、高齢者世帯等が有する居住用不動産で、新貸付制度の利用が可能なものについては、当該貸付の利用による居住用不動産の活用を行わせることとし、貸付の利用期間中には生活保護の適用を行わないこととするものである。

　具体的には、保護の実施要領の中の下記の箇所において定めたところであるので、これにより適切に取り扱うこととされたい。

・　「生活保護法による保護の実施要領について」（昭和38年4月1日社発第246号社会局長通知）の第3の1の(1)及び第3の2の(1)
・　「生活保護法による保護の実施要領の取扱いについて」（昭和38年4月1日社保第34号社会局保護課長通知）の第3の21

　なお、新貸付制度において貸付対象となる居住用不動産の評価額は概ね500万円以上の資産価値を有するものとされていることから、新貸付制度の貸付対象となる世帯については、結果的に現行の資産保有の上限額が引き下げられることになるが、貸付対象とならない場合には、現行どおりの取扱いとなることに留意されたい。

　また、年齢が65歳未満の者について、500万円以上の資産を保有容認して保護を決定した場合については、年齢が65歳に到達した時点で、新貸付制度を利用させることになるので、その旨当該被保護世帯にも十分に説明すること。

2　保護の実施機関における事務手続及び社会福祉協議会との連携について

　新貸付制度の貸付対象については、その創設趣旨を勘案して、「借入申込者の属する世帯が、本制度を利用しなければ、生活保護の受給を要することとなる要保護世帯であると保護の実施機関が認めた世帯であること。」（貸付要綱第3の4）とされていることから、貸付事務については、保護の実施機関と都道府県社会福祉協議会（都道府県社会福祉協議会から貸付業務の一部を委託されている市町村社会福祉協議会を含む。以下「社協」という。）とが連携してこれを行う仕組みとしたところであるので、その趣旨を御理解のうえ、ご協力願いたい。

(1) 相談・申請時の対応

居住用不動産を保有する者（原則として65歳以上の者に限る。）から保護の申請があった場合、保護の実施機関は保護の要否判定に必要な資力調査等を行い、その結果、当該保護申請者等の属する世帯が当該資産を活用しなければ要保護状態にあると認められたときは、貸付制度の利用が可能な世帯（以下「貸付対象世帯」という。）に該当するか否かについての調査を開始すること。

その際、保護申請者に対して、新貸付制度の仕組み及び生活保護制度との関係について、以下の内容につき十分な説明を行うこと。

ア　新貸付制度の仕組み
・　居住用不動産を担保として生活資金を貸し付ける制度
・　そのため、推定相続人に相続されない可能性があること

イ　生活保護制度との関係
・　新貸付制度の利用が可能な場合には生活保護を適用しないこと
・　利用可能な者が貸付の利用を拒否した場合、保護の要件（資産活用の要件）を満たさないものとして、生活保護を適用しないこと
・　貸付対象外の場合は、他の要件を満たせば生活保護を適用すること
・　新貸付制度を貸付限度額まで利用した後は、他の要件を満たせば、生活保護を適用すること
・　自ら不動産を売却して生活費に充てた後に、再び困窮した場合は、他の要件を満たせば生活保護を適用すること

(2) 評価額の算出方法

保護申請者の保有する居住用不動産について、次の方法により評価額（戸建住宅の家屋部分は除く）を算定するとともに、不動産登記簿の記載内容等に基づき、抵当権の設定の有無など、新貸付制度の他の貸付要件に合致するか否かを確認すること。

なお、貸付の可否を判断する評価額は、最終的には社協において判断されることとなるので、①又は②により得られる額が新貸付制度の対象となる評価額概ね500万円を若干下回る場合でも、借入れ申込等の手続きを進めること。

①　固定資産税評価額×10／7
②　地価公示価格（又は都道府県の地価調査）×面積

(3) 貸付額の目安となる貸付基本額の算定

上記(2)により検討した結果、保護申請者の属する世帯が貸付対象世帯に該当する場合には、資力調査の結果に基づき当該世帯の最低生活費及び収入充当額を算定し、月々の貸付額の目安となる貸付基本額（貸付に当たっての月額上限）を算定すること。

貸付基本額は、原則として、当該世帯の生活扶助費の1.5倍から収入充当額を差し引いた額とするが、当該世帯にこれ以外の特別な需要が恒常的に見込まれる場合には、特別に必要な額を加算した額として差し支えない。

【貸付基本額＝生活扶助費×1.5－収入充当額】

なお、以下の者については、それぞれ定めるところにより算定すること。
- 医療扶助単給の者
  貸付基本額＝被保護世帯に適用される自己負担限度額
- 医療扶助単給以外の入院・入所者
  貸付基本額＝生活扶助費×1.5－収入充当額
  　　　　　＋被保護世帯に適用される自己負担限度額

(4) 推定相続人の同意

保護申請者に推定相続人がいる場合には、新貸付制度の利用について推定相続人の同意を得るよう努めること。

ア　世帯員である推定相続人（配偶者を除く）に対しては、可能な限り保護申請者による借入申込への同意を得るよう努めること（同意が得られる場合、社協会長を名宛人とする同意書（以下「借入申込同意書」という。）を提出してもらうこと）。

イ　世帯員以外の推定相続人に対しては、扶養照会の際に、
- 保護申請者から保護の申請が行われていること
- 保護申請者が居住用不動産を有していることから、新貸付制度の利用が生活保護に優先するものであること
- 保護申請者が新貸付制度を利用した場合、推定相続人は当該居住用不動産を相続できなくなることがあること

の３点について通知するとともに、扶養の可否と合わせて、保護申請者による借入申込への同意について回答期限を付して照会すること（同意が得られる場合には、借入申込同意書を提出してもらうこと）。［参考例１］

なお、回答期限を過ぎても回答がない場合や、不在等により連絡が取れない場合には、電話連絡等により再度照会を行うこと。

ウ　照会に対し、推定相続人から同意を得られない場合であっても、例えば、推定相続人が償還に応じれば不動産の相続・保有は可能なことを説明するなどして可能な限り同意を得られるよう説得に努めるとともに、最終的に同意が得られない場合や再度照会を行っても全く回答が得られない場合等には、その顛末（調整状況）を記した書類を作成すること。

(5) 貸付対象世帯に対する貸付申請の指導

保護申請者の属する世帯が貸付対象世帯に該当する場合には、保護申請者に対して、以下の内容を説明し、借入申込を行うよう指導すること。
- 保護申請者の保有する居住用不動産が、新貸付制度による貸付対象となり得ること
- 保護申請者が新貸付制度による貸付の申請（以下「借入申込」という）を拒否した場合には、保護の要件（資産活用の要件）を満たさないものとして保護の申請を却下すること
- 借入申込の結果、社協において貸付を承認した場合は、貸付により当該世帯の収入が当該世帯の最低生活費を上回ることになるため保護の適用を行わないこと

その際、対象者が高齢であることを踏まえ、次に該当したときは速やかに保護の実施機関に相談するよう懇切丁寧に説明すること。
　　　・　貸付が不承認だったとき
　　　・　貸付決定後、貸付上限額に達するため貸付終了を予告されたとき
　　　・　貸付決定後、世帯員の増加等により生活に困窮したとき
　　　・　その他生活上の不安が生じたとき
(6) 社協への必要書類の送付
　　保護申請者の属する世帯が貸付対象世帯に該当する場合は、上記(5)により保護申請者本人に対して借入申込を指導するとともに、事務手続を円滑にするため、保護申請者本人の同意を得た上で、貸付審査に必要な次の書類を社協へ送付すること。
　　ア　要保護世帯向け不動産担保型生活資金貸付対象世帯通知書［様式１］
　　イ　貸付対象世帯調査書（居住用不動産を所有していること以外は生活保護の受給要件を満たしていること、世帯構成員の状況、貸付基本額及び本件不動産に係る見込み評価額について記載した書類）［様式２］
　　ウ　本件不動産の登記簿謄本（可能であれば付随する公図等を含む）
　　エ　推定相続人がいる場合には以下の書類
　　　・　推定相続人を確認できる書類
　　　・　推定相続人が同意書を提出した場合には当該同意書［様式３］
　　　・　推定相続人が同意書を提出しなかった場合には、当該推定相続人に係る借入申込に関する推定相続人の同意についての調整状況を記した書類［様式４］
(7) 不動産鑑定に際しての社協への協力
　　保護の実施機関は、保護申請者からの借入申込を受けた社協が居住用不動産の鑑定を行うに当たり、保護申請者の居宅への訪問について職員の同行を求められた場合はこれに協力すること。
(8) 貸付決定までの間の保護の適用
　　保護申請後、保護申請者が借入申込を行い、貸付決定が出るまでに通常１月を要することから、保護申請日から30日の範囲内で保護の適用について処分決定を留保することとされたい。
　　ただし、借入申込から貸付の決定までに１月以上を要する旨の連絡を社協から受けた場合や急迫状況にある場合には、一旦保護を決定し、貸付決定通知を受けた時点で停止もしくは廃止すること。
(9) 貸付決定後の対応
　　ア　借受人に関する記録の保管
　　　保護の実施機関は、社協から保護申請者に係る貸付を決定した旨の連絡を受けた場合、上記２(8)により保護の決定についての処分を留保していた場合には当該保護申請者の保護申請を却下し、一旦保護を決定していた場合には保護を廃止することとなるが、その後も、当該借受人が貸付を受けている期間中は、当該保護申請者（以下「借受人」という。）に関する保護申請及び保護受給に関する記録を保管して

おくこと。
イ 貸付不承認の場合の対応
　保護の実施機関は、社協から保護申請者に対する貸付を不承認とした旨の連絡を受けた場合であって、上記2(8)により保護の決定についての処分を留保していた場合には、速やかに保護の決定を行うこと。
ウ 貸付額の変更等に関する意見の提出
　保護の実施機関は、貸付決定後、借受人が貸付金の増額申請又は貸付額の変更申請を行ったことについて社協から通知を受けた場合には、当該借受人の属する世帯の最低生活費等に照らして当該増額又は変更後の貸付額が適当であるか否か及び適当でない場合には適当と考えられる額（上限額）についての意見書を作成し、社協に送付すること。
　この他、貸付の解約、世帯員の変更等について社協から通知を受けた場合には、当該借受人に対し、必要に応じて相談・助言を行うこと。
エ 借受人の実態把握
　保護の実施機関は、借受人が貸付を受けている間も、民生委員と連携を取るなどして、可能な限り借受人世帯の生活状況を把握するよう努めるとともに、借受人から生活上の不安等について相談が行われたときは積極的に助言等を行うこと。
オ 契約者の死亡後の対応
　保護の実施機関は、借受人に対する貸付が終了した後に当該借受人に対して保護を適用した場合において、当該被保護者が死亡したときは、社協へ連絡すること。
　また、引き取り扶養など死亡以外の理由により当該被保護者に対する保護を廃止したときも、社協へその旨を連絡すること。
(10) 不動産鑑定及び登記費用の取扱い
　借入申込の際に必要となる不動産鑑定及び登記等に要する経費（再評価等に要する経費を除く。）については、生活扶助のうちの一時扶助により給付することとしているが、保護の実施機関においては、社協への必要書類の送付に際して、保護申請者の同意を得た上で行うこととされているので、その際に当該保護申請者に代わって不動産鑑定及び登記費用等を社協（社協から委託を受けた不動産鑑定士等を含む）へ支払う旨の委任状等を提出してもらったうえで、社協等からの請求に基づき、直接支払うものとする。[参考例2・3]

様式1

要保護世帯向け不動産担保型生活資金貸付対象世帯通知書

○○県社会福祉協議会会長　殿

　下記の者が属する世帯は要保護世帯向け不動産担保型生活資金の利用対象者と見込まれるので必要書類を添付し、通知します。

　　　　　　　　　　　　　利用対象者

　　　　　　　　　　　　　　　氏　名＿＿＿＿＿＿＿＿＿＿＿＿

　　　　　　　　　　　　　　　住　所＿＿＿＿＿＿＿＿＿＿＿＿

　　　　　　　　　　　　　　　電話番号＿＿＿＿＿＿＿＿＿＿＿＿

令和　　年　　月　　日

　　　　　　　　　　　　　　　　　　　　　　　　○○福祉事務所所長　　　印

要保護世帯向け不動産担保型生活資金の取扱い及び事務手続について

様式2

貸付対象世帯調査書

令和　年　月　日
〇〇福祉事務所長

借入申込者	フリガナ		性別	男・女	生年月日	明治 大正 昭和 平成	年　月　日（　歳）
	氏　名						
	フリガナ						
	住　所	〒					
	電話番号						

世帯の状況		氏　名	続柄	年齢	収入（月収）	疾病・障害・要介護の状態	備考（勤務先等）
	1		本人				
	2						
	3						
	4						
	成年後見人等、任意後見人等の有無				有　・　無		
	有の場合はその	種　別	成年後見人等（補助人・保佐人・成年後見人） 任意後見人等（任意後見人受任者・任意後見人）				
		氏　名		電話番号			
		住　所					
	他の借入金の有無 （有の場合はその種別及び負債額）		有　・　無				

資産の状況	土地	所有者氏名			地積		㎡
		共有者の有無 （有の場合はその氏名）	有　・　無		担保権・使用権設定の有無	有　・　無	
	建物	所有者氏名			床面積		㎡
		築後		年	構造		
		共有者の有無 （有の場合はその氏名）	有　・　無		担保権・使用権設定の有無	有　・　無	
	居住用不動産の評価額		評価方法	固定資産税評価額			円
				地価公示価格			円
貸付方法	1月当たりの貸付基本額			円			

推定相続人の状況

氏　名	続柄	年齢	電話番号	住　　所	同意の有無
					有・無
					有・無
					有・無
					有・無
					有・無
					有・無
					有・無
					有・無
					有・無
					有・無

同居人の状況

同居人の有無	有・無			

氏　名	続柄	年齢	電話番号	住　　　所

※「世帯の状況」欄に記載したものを除く。

1月当たりの貸付基本額の算定根拠		
①生活扶助基準額		円
②収入充当額		円
③特別加算額		円
特別加算額が必要な理由	（例）○○により通院が必要なため	
④医療等の自己負担限度額		円
①×1.5−②+③=		円
※なお、医療扶助単給の場合は③+④、入院又は入所の場合は①×1.5−②+③+④により算定する		

様式3

要保護世帯向け不動産担保型生活資金利用同意書

　(借入申込者)　が「要保護世帯向け不動産担保型生活資金」を利用し、(借入申込者)　と都道府県社会福祉協議会の貸付契約終了後、貸付金の償還が出来ないときは、(借入申込者)　の居住用不動産に設定された抵当権が実行されることに同意します。

　　令和　　年　　月　　日

　　　　　　　　　　　　　　　住　所　_____

　　　　　　　　　　　　　　　氏　名　_____　　印
　　　　　　　　　　　　　　　（借入申込者との続柄　　　　　　　）

○○都道府県社会福祉協議会会長　　殿

様式4

要保護世帯向け不動産担保型生活資金の借入申込に関する
推定相続人の同意についての調整状況

1 推定相続人の氏名・住所	○○　○○ ○○県○○市○○
2 保護申請者との関係	○○
3 同意についての調整状況	（記入例） ○月○日 　扶養照会書とともに、要保護世帯向け不動産担保型生活資金の制度説明及び保護申請者の借入申込に対する同意依頼を記した照会書を送付（借入申込同意書を同封） ○月○日 　扶養照会・借入申込への同意に関する返答がないため、電話するが不在 ○月○日 　再度電話したところ、所得が低いため扶養はできないこと及び不動産については自分が相続するものと考えていたため借入申込には同意できないとの回答。 　これに対し、再度制度の趣旨及び推定相続人が償還に応じれば不動産の相続・保有は可能である旨を説明したところ、少し考えてみるとの返答。 ○月○日 　確認の電話を行ったところ、やはり納得できないので同意できないとの回答であったため、推定相続人の同意がなくとも保護申請者が借入申込を行えば貸付は可能であることについて再度説明。

要保護世帯向け不動産担保型生活資金の取扱い及び事務手続について

参考例1

番　　号
年　月　日

殿

福祉事務所長
氏　　名　公印

要保護世帯向け不動産担保型生活資金の利用について（照会）

　あなたの　　にあたる甲さん（住所　　　　　）は生活保護法による保護を申請して（受けて）いますが、甲さんは、お住まいの土地・家屋（マンション）を所有しておられるため、生活保護の適否を判断するに当たっては、まず、それを活用していただかなければなりません（法第4条）。
　甲さんの土地・家屋（マンション）は、福祉事務所において調査したところ、社会福祉協議会が実施する「要保護世帯向け不動産担保型生活資金」の活用が可能と思われ、この場合には保護の適用が不要となるため、甲さんにはこの「要保護世帯向け不動産担保型生活資金」の借入申込を行っていただく予定です。
　「要保護世帯向け不動産担保型生活資金」とは、居住用不動産を担保に生活資金を融資することによって高齢者が長年住み慣れた住居に住み続けながら、月々の生活資金を得られるようにするという制度です。償還は、利用契約者の死後、当該資産を処分して行われます。
　したがって、推定相続人であるあなたは、当該不動産を相続できない場合があります。この旨、ご了解いただくとともに、別紙の利用同意書に必要事項を記入の上　　年　月　　日までに返信していただきますようお願いいたします。
　なお、ご同意いただけない場合でも、甲さんは「要保護世帯向け不動産担保型生活資金」による融資を受けることが可能であり、この場合には甲さんに対して生活保護は適用できないことを申し添えます。

（参考）
生活保護法第4条　保護は、生活に困窮する者が、その利用しうる資産、能力、その他あらゆるものを、その最低限度の生活の維持のために活用することを要件として行われる。
　　　　　　　2　民法に定める扶養義務者の扶養及び他の法律に定める扶助は、すべてこの法律による保護に優先して行われるものとする。

参考例2

委任状

　私は、私の世帯に支給される生活保護法に基づく保護金品のうち「要保護世帯向け不動産担保型生活資金」の利用に際して支給される生活扶助費の一時扶助費（不動産鑑定費用及び抵当権等の設定登記費用等）について、下記の者が私に代って受領し、かつ受領した金銭を＿＿＿＿＿＿＿＿＿＿社会福祉協議会（社会福祉協議会から委託を受けた不動産鑑定士等を含む）に支払うことを委任します。

記

（受任者）
＿＿＿＿＿＿＿＿＿＿＿＿＿福祉事務所長

　　　　　　　　　　令和　　年　　月　　日
　　　　　　　　　（委任者）
　　　　　　　　　　住　所　＿＿＿＿＿＿＿＿＿＿＿＿＿＿
　　　　　　　　　　氏　名　＿＿＿＿＿＿＿＿＿＿＿＿＿＿

参考例3

＿＿＿＿＿＿＿＿＿＿福祉事務所長　殿

不動産鑑定料等請求書

　「要保護世帯向け不動産担保型生活資金」の貸付審査に伴う不動産鑑定費用及び貸付契約に必要となる抵当権等の設定に係る登記費用等について、下記のとおり請求します。

　　不動産鑑定料　＿＿＿＿＿＿＿＿＿＿＿＿円

　　　　鑑定物件　住　所　＿＿＿＿＿＿＿＿＿＿＿＿＿＿＿
　　　　　　　　　所有者　＿＿＿＿＿＿＿＿＿＿＿＿＿＿＿

　　抵当権等設定登記費用　＿＿＿＿＿＿＿＿円

　　　　登記物件　住　所　＿＿＿＿＿＿＿＿＿＿＿＿＿＿＿
　　　　　　　　　所有者　＿＿＿＿＿＿＿＿＿＿＿＿＿＿＿
　　その他（　　　　）＿＿＿＿＿＿円
　　　　対象物件　住　所　＿＿＿＿＿＿＿＿＿＿＿＿＿＿＿
　　　　　　　　　所有者　＿＿＿＿＿＿＿＿＿＿＿＿＿＿＿

　　　　　　　　　　令和　　年　　月　　日
　　　　　　　　　　　　所在地　＿＿＿＿＿＿＿＿＿＿＿＿
　　　　　　　　　　　　名　称　＿＿＿＿＿＿＿＿＿＿＿＿
　　　　　　　　　　　　氏　名　＿＿＿＿＿＿＿＿＿＿＿＿

○要保護世帯向け長期生活支援資金の運用に関する疑義照会への回答の送付について

平成19年3月30日　事務連絡
各都道府県・各指定都市・各中核市民生主管部(局)生活保護担当課生活保護担当係長宛　厚生労働省社会・援護局保護課保護係長

　生活保護行政の推進については、平素より格段のご配慮を賜り厚く御礼申し上げます。
　要保護世帯向け長期生活支援資金の運用に関する追加の疑義照会への回答を作成いたしましたので、ご了知のうえ、管内福祉事務所への周知方よろしくお願いします。
要保護世帯向け長期生活支援資金の運用等に関する疑義照会への回答

問1　平成19年4月以降の新規保護申請者のうち、新貸付制度の対象となるものについては速やかに適用することとされているが、社会福祉協議会における実施体制等の問題から、新貸付制度の貸付事務が4月から開始することが困難である場合の取扱如何。[2月13日会議資料：問1]

（回　答）
　新貸付制度は平成19年4月施行であるため、新規保護申請者のうち新貸付制度の対象となるものについては、速やかに適用することとし、施行日前から保護を受給している者とは別に切り分けて適用して頂きたいところであるが、設問のようなやむを得ない事情がある場合には、当該保護申請者が要保護状態となっている点を考慮し、まずは保護を決定することとして差し支えない。
　ただし、これはあくまでも制度施行の初期段階における特別な取扱いであることにご留意頂いたうえで、早急に貸付事務を開始するよう願いたい。
　なお、この場合、当該申請者に対して新貸付制度の利用が可能となり次第、貸付を利用する必要がある旨の説明を行うこととされたい。

問2　福祉事務所から社会福祉協議会へ貸付事前審査を依頼するにあたり、推定相続人に関する情報を社協へ提供することは、生活保護の施行事務のためとは言えず個人情報の目的外使用にあたる可能性があるのではないか。

（回　答）
　個人情報保護との関係については、当該地方自治体における個人情報保護条例の定めるところにより適切に取り扱われたい。
　なお、本事例への対応としては、推定相続人への扶養照会の際に、福祉事務所において当該保護申請者に係る新貸付制度の利用手続を行うにあたって、社会福祉協議会へ以下の情報を提供することを扶養照会の文書にあらかじめ記載しておくこと等が考えられ

Ⅱ　生活保護法関係通知　第3章　保護の実施要領

る。
　　・　福祉事務所から当該推定相続人へ同意確認を行ったこと及び同意の有無
　　・　当該推定相続人に係る住所、氏名、年齢及び電話番号

問3　貸付の利用によって生活保護申請が却下された者に対して不動産鑑定費用等を給付する場合、具体的にどのような手続で行うのか。［2月13日会議資料：問50］

（回　答）
　生活保護申請が却下された者に対する不動産鑑定費用等の給付については、現行の検診命令における医療機関からの検診料請求書による検診料の支払と同様の方法で給付することとされたい。つまり、社会福祉協議会又は不動産鑑定士等から鑑定料等の請求書を提出して頂いたうえで、これらの者に対して鑑定料等を支払うこととされたい。
　なお、請求書の様式例を「要保護世帯向け長期生活支援資金の生活保護制度上の取扱い及び保護の実施機関における事務手続について」（平成19年3月30日社援保発第0330001号厚生労働省社会・援護局長保護課長通知）においてお示ししているので、適宜ご活用されたい。

問4　社会福祉協議会において原則として申込後1か月以内に貸付の可否が決定されることから、この期間は保護の決定処分を留保するとあるが、これは社会福祉協議会への貸付申請日から1か月間保護の決定処分を留保できるということか。
　　　　　　　　　　　　　　　　　　　　　　［2月13日会議資料：問65］

（回　答）
　生活保護法第24条第3項において、保護の実施機関は保護の申請があった日から14日以内、特別な理由がある場合には30日以内に保護の決定を行わなければならないとされており、問65の回答については、あくまでも生活保護の申請日から30日の範囲内において保護の決定処分を留保できるという趣旨である。

●無料低額宿泊所の設備及び運営に関する基準

〔令和元年8月19日〕
〔厚生労働省令第34号〕

〔一部改正経過〕

第1次　令和5年12月26日厚生労働省令第161号「デジタル社会の形成を図るための規制改革を推進するための厚生労働省関係省令の一部を改正する省令」第41条による改正

社会福祉法（昭和26年法律第45号）第68条の5第1項の規定に基づき、無料低額宿泊所の設備及び運営に関する基準を次のように定める。

　　　無料低額宿泊所の設備及び運営に関する基準

目次

第1章　総則（第1条・第2条） ……………………………………………………695
第2章　基本方針（第3条） …………………………………………………………696
第3章　設備及び運営に関する基準（第4条―第32条） …………………………697
附則

　　　第1章　総則

（趣旨）

第1条　社会福祉法（昭和26年法律第45号。以下「法」という。）第2条第3項第8号に規定する生計困難者のために、無料又は低額な料金で、簡易住宅を貸し付け、又は宿泊所その他の施設を利用させる事業を行う施設（以下「無料低額宿泊所」という。）に係る法第68条の5第2項の厚生労働省令で定める基準は、次の各号に掲げる基準に応じ、それぞれ当該各号に定める規定による基準とする。

一　法第68条の5第1項の規定により、同条第2項第1号に掲げる事項について都道府県（地方自治法（昭和22年法律第67号）第252条の19第1項の指定都市（以下「指定都市」という。）及び同法第252条の22第1項の中核市（以下「中核市」という。）にあっては、指定都市又は中核市。以下この条において同じ。）が条例を定めるに当たって標準とすべき基準　第6条及び第13条の規定による基準

二　法第68条の5第1項の規定により、同条第2項第2号に掲げる事項について都道府県が条例を定めるに当たって標準とすべき基準　第12条第4項第1号及び第6項第1号ハ並びに附則第3条第1項第1号の規定による基準

三　法第68条の5第1項の規定により、同条第2項第3号に掲げる事項について都道府県が条例を定めるに当たって標準とすべき基準　第14条第1項から第6項まで、第28条及び第31条の規定による基準

四　法第68条の5第1項の規定により、同条第2項第4号に掲げる事項について都道府県が条例を定めるに当たって標準とすべき基準　第10条並びに第11条第1項（利用期間に係る部分を除く。）及び第4項の規定による基準

五 法第68条の5第1項の規定により、同条第2項各号に掲げる事項以外の事項について都道府県が条例を定めるに当たって参酌すべき基準 この省令で定める基準のうち、前各号に定める規定による基準以外のもの

(無料低額宿泊所の範囲)

第2条 無料低額宿泊所は、次の各号に掲げる事項を満たすものとする。ただし、他の法令により必要な規制が行われている等事業の主たる目的が、生計困難者のために、無料又は低額な料金で、簡易住宅を貸し付け、又は宿泊所その他の施設を利用させるものでないことが明らかである場合は、この限りでない。

一 次に掲げるいずれかの事項を満たすものであること。

　イ 入居の対象者を生計困難者に限定していること（明示的に限定していない場合であっても、生計困難者に限定して入居を勧誘していると認められる場合を含む。）。

　ロ 入居者の総数に占める生活保護法（昭和25年法律第144号）第6条第1項に規定する被保護者（以下「被保護者」という。）の数の割合が、おおむね50パーセント以上であり、居室の利用に係る契約が建物の賃貸借契約以外の契約であること。

　ハ 入居者の総数に占める被保護者の数の割合が、おおむね50パーセント以上であり、利用料（居室使用料及び共益費を除く。）を受領してサービスを提供していること（サービスを提供する事業者が人的関係、資本関係等において当該施設と密接な関係を有する場合を含む。）。

二 居室使用料が無料又は生活保護法第8条に規定する厚生労働大臣の定める基準（同法第11条第3号に規定する住宅扶助に係るものに限る。）に基づく額以下であること。

第2章 基本方針

(基本方針)

第3条 無料低額宿泊所は、入居者が地域において自立した日常生活又は社会生活を営むことができるよう、現に住居を求めている生計困難者につき、無料又は低額な料金で、居室その他の設備を利用させるとともに、その有する能力に応じ自立した日常生活を営むことができるよう必要なサービスを適切かつ効果的に行うものでなければならない。

2 無料低額宿泊所は、入居者の意思及び人格を尊重して、常に当該入居者の立場に立ったサービスの提供に努めなければならない。

3 無料低額宿泊所は、基本的に一時的な居住の場であることに鑑み、入居者の心身の状況、その置かれている環境等に照らし、当該入居者が独立して日常生活を営むことができるか常に把握しなければならない。

4 無料低額宿泊所は、独立して日常生活を営むことができると認められる入居者に対し、当該入居者の希望、退居後に置かれることとなる環境等を勘案し、当該入居者の円滑な退居のための必要な援助に努めなければならない。

5 無料低額宿泊所は、地域との結び付きを重視した運営を行い、都道府県、市町村（特別区を含む。以下同じ。）、生計困難者の福祉を増進することを目的とする事業を行う者その他の保健医療サービス又は福祉サービスを提供する者との連携に努めなければなら

ない。
第3章　設備及び運営に関する基準
（構造設備等の一般原則）
第4条　無料低額宿泊所の配置、構造及び設備は、日照、採光、換気等入居者の保健衛生に関する事項及び防災について十分考慮されたものでなければならない。
（設備の専用）
第5条　無料低額宿泊所の設備は、専ら当該無料低額宿泊所の用に供するものでなければならない。ただし、入居者に提供するサービスに支障がない場合には、この限りでない。
（職員等の資格要件）
第6条　無料低額宿泊所の長（以下「施設長」という。）は、法第19条第1項各号のいずれかに該当する者若しくは社会福祉事業等に2年以上従事した者又はこれらと同等以上の能力を有すると認められる者でなければならない。
2　無料低額宿泊所は、当該無料低額宿泊所の職員（施設長を除く。）が、できる限り法第19条第1項各号のいずれかに該当する者とするよう努めるものとする。
3　無料低額宿泊所の職員（施設長を含む。第21条を除き、以下同じ。）その他の無料低額宿泊所の運営に携わる者は、暴力団員による不当な行為の防止等に関する法律（平成3年法律第77号）第2条第6号に規定する暴力団員又は同号に規定する暴力団員でなくなった日から5年を経過しない者であってはならない。
（運営規程）
第7条　無料低額宿泊所は、次に掲げる施設の運営についての重要事項に関する規程（以下「運営規程」という。）を定めておかなければならない。
一　施設の目的及び運営の方針
二　職員の職種、員数及び職務の内容
三　入居定員
四　入居者に提供するサービスの内容及び利用料その他の費用の額
五　施設の利用に当たっての留意事項
六　非常災害対策
七　その他施設の運営に関する重要事項
2　無料低額宿泊所は、前項に規定する運営規程を定め、又は変更したときは、都道府県（指定都市及び中核市にあっては、指定都市又は中核市。）に届け出なければならない。
（非常災害対策）
第8条　無料低額宿泊所は、消火設備その他の非常災害に際して必要な設備を設けるとともに、非常災害に対する具体的計画を立て、非常災害時の関係機関への通報及び連絡体制を整備し、それらを定期的に職員に周知しなければならない。
2　無料低額宿泊所は、非常災害に備えるため、少なくとも1年に1回以上、定期的に避難、救出その他必要な訓練を行わなければならない。

（記録の整備）
第９条　無料低額宿泊所は、設備、職員及び会計に関する諸記録を整備しておかなければならない。
２　無料低額宿泊所は、入居者に提供するサービスの状況に関する次の各号に掲げる記録を整備し、その完結の日から５年間保存しなければならない。
一　提供した具体的なサービスの内容等の記録
二　第30条第２項に規定する苦情の内容等の記録
三　第31条第２項に規定する事故の状況及び事故に際して採った処置についての記録

（規模）
第10条　無料低額宿泊所は、５人以上の人員を入居させることができる規模を有するものでなければならない。

（サテライト型住居の設置）
第11条　無料低額宿泊所は、本体となる施設（入居定員が５人以上10人以下のものに限る。以下この条において「本体施設」という。）と一体的に運営される附属施設であって、利用期間が原則として１年以下のもの（入居定員が４人以下のものに限る。以下「サテライト型住居」という。）を設置することができる。
２　サテライト型住居は、本体施設からおおむね20分で移動できる範囲に設置する等、入居者へのサービス提供に支障がないものとする。
３　一の本体施設に附属することができるサテライト型住居の数は、次の各号に掲げる職員配置の基準に応じ、それぞれ当該各号に定める数とする。
一　第６条第１項及び第３項の要件を満たす者が施設長のみ　　４以下
二　第６条第１項及び第３項の要件を満たす者が施設長のほか１人以上　　８以下
４　無料低額宿泊所（サテライト型住居を設置するものに限る。）の入居定員の合計は、次の各号に掲げる職員配置の基準に応じ、それぞれ当該各号に定める人数とする。
一　第６条第１項及び第３項の要件を満たす者が施設長のみ　　20人以下
二　第６条第１項及び第３項の要件を満たす者が施設長のほか１人以上　　40人以下
５　無料低額宿泊所（サテライト型住居を設置するものに限る。）は、サテライト型住居について、第９条各項に規定する記録のほか、第20条の規定による状況把握の実施に係る記録を整備し、その完結の日から５年間保存しなければならない。

（設備の基準）
第12条　無料低額宿泊所の建物は、建築基準法（昭和25年法律第201号）の規定を遵守するものでなければならない。
２　無料低額宿泊所の建物は、消防法（昭和23年法律第186号）の規定を遵守するものでなければならない。
３　前項の規定にかかわらず、無料低額宿泊所は、消火器の設置、自動火災報知設備等の防火に係る設備の整備に努めなければならない。
４　無料低額宿泊所には、次に掲げる設備を設けなければならない。ただし、法第62条第１項に規定する社会福祉施設その他の施設の設備を利用することにより、当該無料低額

宿泊所の効果的な運営を期待することができる場合であって、入居者に提供するサービスに支障がないときは、設備の一部を設けないことができる。
　一　居室
　二　炊事設備
　三　洗面所
　四　便所
　五　浴室
　六　洗濯室又は洗濯場
5　無料低額宿泊所には、必要に応じ、次に掲げる設備その他の施設の円滑な運営に資する設備を設けなければならない。
　一　共用室
　二　相談室
　三　食堂
6　第4項各号に掲げる設備の基準は、次のとおりとする。
　一　居室
　　イ　一の居室の定員は、1人とすること。ただし、入居者がその者と生計を一にする配偶者その他の親族と同居する等、2人以上で入居させることがサービスの提供上必要と認められる場合は、この限りでない。
　　ロ　地階に設けてはならないこと。
　　ハ　一の居室の床面積（収納設備を除く。）は、7.43平方メートル以上とすること。ただし、地域の事情によりこれにより難い場合にあっては、4.95平方メートル以上とすること。
　　ニ　居室の扉は、堅固なものとし、居室ごとに設けること。
　　ホ　出入口は、屋外、廊下又は広間のいずれかに直接面して設けること。
　　ヘ　各居室の間仕切壁は、堅固なものとし、天井まで達していること。
　二　炊事設備　火気を使用する部分は、不燃材料を用いること。
　三　洗面所　入居定員に適したものを設けること。
　四　便所　入居定員に適したものを設けること。
　五　浴室
　　イ　入居定員に適したものを設けること。
　　ロ　浴槽を設けること。
　六　洗濯室又は洗濯場　入居定員に適したものを設けること。
　（職員配置の基準）
第13条　無料低額宿泊所に置くべき職員の員数は、入居者の数及び提供するサービスの内容に応じた適当数とし、そのうち1人は施設長としなければならない。
2　当該無料低額宿泊所が生活保護法第30条第1項ただし書に規定する日常生活支援住居施設（以下「日常生活支援住居施設」という。）に該当する場合は、前項の規定にかかわらず、日常生活支援住居施設としての職員配置の要件を満たさなければならない。

（入居申込者に対する説明、契約等）
第14条　無料低額宿泊所は、居室の利用その他のサービスの提供の開始に際しては、あらかじめ、入居申込者に対し、運営規程の概要、職員の勤務の体制、当該サービスの内容及び費用その他の入居申込者のサービスの選択に資すると認められる重要事項を記した文書を交付して説明を行うとともに、居室の利用に係る契約とそれ以外のサービスの提供に係る契約をそれぞれ文書により締結しなければならない。
2　無料低額宿泊所は、前項の契約又は当該契約の更新において、契約期間（１年以内のものに限る。ただし、居室の利用に係る契約については、建物の賃貸借契約（借地借家法（平成３年法律第90号）第38条の規定による定期建物賃貸借を除く。）の場合は、１年とする。）及び解約に関する事項を定めなければならない。
3　無料低額宿泊所は、前項の契約期間の満了前に、あらかじめ入居者の意向を確認するとともに、法第14条の規定に基づき都道府県又は市町村が設置する福祉に関する事務所（以下「福祉事務所」という。）等都道府県又は市町村の関係機関と、当該入居者が継続して無料低額宿泊所を利用する必要性について協議しなければならない。
4　無料低額宿泊所は、第２項の解約に関する事項において、入居者の権利を不当に狭めるような条件を定めてはならない。
5　無料低額宿泊所は、第２項の解約に関する事項において、入居者が解約を申し入れたときは、速やかに当該契約を終了する旨を定めなければならない。
6　無料低額宿泊所は、第１項の契約又は当該契約の更新において、入居申込者に対し、保証人を立てさせてはならない。
7　無料低額宿泊所は、入居申込者からの申出があった場合には、第１項の規定による文書の交付に代えて、第10項で定めるところにより、当該入居申込者の承諾を得て、当該文書に記すべき重要事項及び第２項の事項を電子情報処理組織を使用する方法その他の情報通信の技術を利用する方法であって次に掲げるもの（以下この条において「電磁的方法」という。）により提供することができる。この場合において、当該無料低額宿泊所は、当該文書を交付したものとみなす。
　一　電子情報処理組織を使用する方法のうちイ又はロに掲げるもの
　　イ　無料低額宿泊所の使用に係る電子計算機と入居申込者の使用に係る電子計算機とを接続する電気通信回線を通じて送信し、受信者の使用に係る電子計算機に備えられたファイルに記録する方法
　　ロ　無料低額宿泊所の使用に係る電子計算機に備えられたファイルに記録された第１項の重要事項及び第２項の事項を電気通信回線を通じて入居申込者の閲覧に供し、当該入居申込者の使用に係る電子計算機に備えられたファイルに当該重要事項等を記録する方法（電磁的方法による提供を受ける旨の承諾又は受けない旨の申出をする場合にあっては、無料低額宿泊所の使用に係る電子計算機に備えられたファイルにその旨を記録する方法）
　二　電磁的記録媒体（電磁的記録（電子的方式、磁気的方式その他人の知覚によっては認識することができない方式で作られる記録であって電子計算機による情報処理の用に供されるものをいう。）に係る記録媒体をいう。）をもって調製するファイルに第１

項の重要事項及び第2項の事項を記録したものを交付する方法
8 前項に掲げる方法は、入居申込者がファイルへの記録を出力することにより文書を作成することができるものでなければならない。
9 第7項第1号の電子情報処理組織とは、無料低額宿泊所の使用に係る電子計算機と、入居申込者の使用に係る電子計算機とを電気通信回線で接続した電子情報処理組織をいう。
10 無料低額宿泊所は、第7項の規定により第1項の重要事項及び第2項の事項を提供しようとするときは、あらかじめ、当該入居申込者に対し、その用いる次に掲げる電磁的方法の種類及び内容を示し、文書又は電磁的方法による承諾を得なければならない。
　一　第7項各号に規定する方法のうち無料低額宿泊所が使用するもの
　二　ファイルへの記録の方式
11 前項の規定による承諾を得た無料低額宿泊所は、当該入居申込者から文書又は電磁的方法により電磁的方法による提供を受けない旨の申出があったときは、当該入居申込者に対し、第1項の重要事項及び第2項の事項の提供を電磁的方法によってしてはならない。ただし、当該入居申込者が再び前項の規定による承諾をした場合は、この限りでない。

（入退居）
第15条　無料低額宿泊所は、入居予定者の入居に際しては、その者の心身の状況、生活の状況等の把握に努めなければならない。
2　無料低額宿泊所は、入居者の心身の状況、入居中に提供することができるサービスの内容等に照らし、無料低額宿泊所において日常生活を営むことが困難となったと認められる入居者に対し、その者の希望、その者が退居後に置かれることとなる環境等を勘案し、その者の状態に適合するサービスに関する情報の提供を行うとともに、適切な他のサービスを受けることができるよう必要な援助に努めなければならない。
3　無料低額宿泊所は、入居者の退居に係る援助に際しては、福祉事務所等都道府県又は市町村の関係機関、相談等の支援を行う保健医療サービス又は福祉サービスを提供する者等との密接な連携に努めなければならない。

（利用料の受領）
第16条　無料低額宿泊所は、入居者から利用料として、次に掲げる費用（第7号については、当該無料低額宿泊所が日常生活支援住居施設である場合に限る。）を受領することができる。
　一　食事の提供に要する費用
　二　居室使用料
　三　共益費
　四　光熱水費
　五　日用品費
　六　基本サービス費
　七　入居者が選定する日常生活上の支援に関するサービスの提供に要する費用

2 前項各号に掲げる利用料の基準は、次のとおりとする。
　一　食事の提供に要する費用　食材費及び調理等に関する費用に相当する金額とすること。
　二　居室使用料
　　イ　当該無料低額宿泊所の整備に要した費用、修繕費、管理事務費、地代に相当する額等を基礎として合理的に算定された金額とすること。
　　ロ　イに規定する金額以外に、敷金、権利金、謝金等の金品を受領しないこと。
　三　共益費　共用部分の清掃、備品の整備等の共用部分の維持管理に要する費用に相当する金額とすること。
　四　光熱水費　居室及び共用部分に係る光熱水費に相当する金額とすること。
　五　日用品費　入居者本人が使用する日用品の購入費に相当する金額とすること。
　六　基本サービス費　入居者の状況把握等の業務に係る人件費、事務費等に相当する金額とすること。
　七　入居者が選定する日常生活上の支援に関するサービスの提供に要する費用
　　イ　人件費、事務費等（前号の基本サービス費に係るものを除く。）に相当する金額とすること。
　　ロ　日常生活支援住居施設として受領する委託費を除くこと。
（サービス提供の方針）
第17条　無料低額宿泊所は、入居者の健康保持に努めるほか、当該入居者が安心して生き生きと明るく生活できるよう、その心身の状況や希望に応じたサービスの提供を行うとともに、生きがいをもって生活できるようにするための機会を適切に提供しなければならない。
2　無料低額宿泊所は、入居者にとって当該無料低額宿泊所全体が1つの住居であることに鑑み、入居者が共用部分を円滑に使用できるよう配慮した運営を行わなければならない。
3　無料低額宿泊所は、プライバシーの確保に配慮した運営を行わなければならない。
4　無料低額宿泊所の職員は、入居者に対するサービスの提供に当たっては、懇切丁寧に行うことを旨とし、当該入居者に対し、サービスの提供を行う上で必要な事項について、理解しやすいように説明を行わなければならない。
（食事）
第18条　無料低額宿泊所は、入居者に食事を提供する場合、量及び栄養並びに当該入居者の心身の状況及び嗜好を考慮した食事を、適切な時間に提供しなければならない。
（入浴）
第19条　無料低額宿泊所は、入居者に対し1日に1回の頻度で入浴の機会を提供しなければならない。ただし、やむを得ない事情があるときは、あらかじめ、当該入居者に対し当該事情の説明を行うことにより、1週間に3回以上の頻度とすることができる。
（状況把握）
第20条　無料低額宿泊所は、原則として1日に1回以上、入居者に対し居室への訪問等の

方法による状況把握を行わなければならない。
　（施設長の責務）
第21条　施設長は、無料低額宿泊所の職員の管理、入退居に係る調整、業務の実施状況の把握その他の管理を一元的に行わなければならない。
2　施設長は、職員にこの章の規定を遵守させるために必要な指揮命令を行うものとする。
　（職員の責務）
第22条　無料低額宿泊所の職員は、入居者からの相談に応じるとともに、適切な助言及び必要な支援を行わなければならない。
　（勤務体制の確保等）
第23条　無料低額宿泊所は、入居者に対し、適切なサービスを提供できるよう、職員の勤務体制を整備しておかなければならない。
2　無料低額宿泊所は、職員に対し、その資質の向上のための研修の機会を確保しなければならない。
3　無料低額宿泊所は、職員の処遇について、労働に関する法令の規定を遵守するとともに、職員の待遇の向上に努めなければならない。
　（定員の遵守）
第24条　無料低額宿泊所は、入居定員及び居室の定員を超えて入居させてはならない。ただし、災害その他のやむを得ない事情がある場合は、この限りでない。
　（衛生管理等）
第25条　無料低額宿泊所は、入居者の使用する設備、食器等又は飲用に供する水について、衛生的な管理に努め、又は衛生上必要な措置を講じなければならない。
2　無料低額宿泊所は、当該無料低額宿泊所において感染症、食中毒又は害虫が発生し、又はまん延しないように必要な措置を講ずるよう努めなければならない。
　（日常生活に係る金銭管理）
第26条　入居者の金銭の管理は当該入居者本人が行うことを原則とする。ただし、金銭の適切な管理を行うことに支障がある入居者であって、無料低額宿泊所による金銭の管理を希望するものに対し、次に掲げるところにより無料低額宿泊所が、日常生活に係る金銭を管理することを妨げない。
　一　成年後見制度その他の金銭の管理に係る制度をできる限り活用すること。
　二　無料低額宿泊所が管理する金銭は、当該入居者に係る金銭及びこれに準ずるもの（これらの運用により生じた収益を含む。以下この条において「金銭等」という。）であって、日常生活を営むために必要な金額に限ること。
　三　金銭等を無料低額宿泊所が有する他の財産と区分すること。
　四　金銭等は当該入居者の意思を尊重して管理すること。
　五　第14条第1項に規定する契約とは別に、当該入居者の日常生活に係る金銭等の管理に係る事項のみを内容とする契約を締結すること。
　六　金銭等の出納を行う場合は、無料低額宿泊所の職員が2人以上で確認を行う等の適

切な体制を整備すること。
　七　入居者ごとに金銭等の収支の状況を明らかにする帳簿を整備するとともに、収支の記録について定期的に入居者本人に報告を行うこと。
　八　当該入居者が退居する場合には、速やかに、管理する金銭等を当該入居者に返還すること。
　九　金銭等の詳細な管理方法、入居者本人に対する収支の記録の報告方法等について管理規程を定めること。
　十　前号の管理規程を定め、又は変更したときは、都道府県（指定都市及び中核市にあっては、指定都市又は中核市。以下この条において同じ。）に届け出ること。
　十一　当該入居者が被保護者である場合は、当該入居者の金銭等の管理に係る契約の締結時又は変更時には、福祉事務所にその旨の報告を行うこと。
　十二　金銭等の管理の状況について、都道府県の求めに応じて速やかに報告できる体制を整えておくこと。
　（掲示及び公表）
第27条　無料低額宿泊所は、入居者の見やすい場所に、運営規程の概要、職員の勤務の体制その他入居者のサービスの選択に資すると認められる事項を掲示しなければならない。
２　無料低額宿泊所は、運営規程を公表するとともに、毎会計年度終了後３月以内に、貸借対照表、損益計算書等の収支の状況に係る書類を公表しなければならない。
　（秘密保持等）
第28条　無料低額宿泊所の職員は、正当な理由がなく、その業務上知り得た入居者の秘密を漏らしてはならない。
２　無料低額宿泊所は、当該無料低額宿泊所の職員であった者が、正当な理由がなく、その業務上知り得た入居者の秘密を漏らすことがないよう、必要な措置を講じなければならない。
　（広告）
第29条　無料低額宿泊所は、当該無料低額宿泊所について広告をする場合は、その内容が虚偽又は誇大なものであってはならない。
　（苦情への対応）
第30条　無料低額宿泊所は、その提供したサービスに関する入居者の苦情に迅速かつ適切に対応するために、苦情を受け付けるための窓口の設置その他の必要な措置を講じなければならない。
２　無料低額宿泊所は、前項の苦情を受け付けた場合は、当該苦情の内容等を記録しなければならない。
３　無料低額宿泊所は、その提供したサービスに関し、都道府県（指定都市及び中核市にあっては、指定都市又は中核市。以下この条において同じ。）から指導又は助言を受けた場合は、当該指導又は助言に従って必要な改善を行わなければならない。
４　無料低額宿泊所は、都道府県からの求めがあった場合には、前項の改善の内容を都道

府県に報告しなければならない。

5　無料低額宿泊所は、法第83条に規定する運営適正化委員会が行う法第85条第1項の規定による調査にできる限り協力しなければならない。

（事故発生時の対応）

第31条　無料低額宿泊所は、入居者に対するサービスの提供により事故が発生した場合は、速やかに都道府県（指定都市及び中核市にあっては、指定都市又は中核市）、当該入居者の家族等に連絡を行うとともに、必要な措置を講じなければならない。

2　無料低額宿泊所は、前項の事故の状況及び事故に際して採った処置について記録しなければならない。

3　無料低額宿泊所は、入居者に対するサービスの提供により賠償すべき事故が発生した場合は、損害賠償を速やかに行わなければならない。

（サテライト型住居に係る設備の基準等の規定の適用）

第32条　第12条第3項から第5項までの規定は、サテライト型住居ごとに適用する。

　　附　則

（施行期日）

第1条　この省令は、令和2年4月1日から施行する。ただし、第1条第4号（第11条第1項（利用期間に係る部分を除く。）に係る部分に限る。）及び第5号（第11条第1項（利用期間に係る部分に限る。）から第5項まで及び第32条に係る部分に限る。）、第11条並びに第32条の規定は、令和4年4月1日から施行する。

（居室に関する経過措置）

第2条　この省令（前条ただし書の規定を除く。以下同じ。）の施行の際に生活困窮者等の自立を促進するための生活困窮者自立支援法等の一部を改正する法律（平成30年法律第44号）第5条の規定による改正前の法第69条第1項の規定による届出がなされている無料低額宿泊所が、事業の用に供している建物（基本的な設備が完成しているものを含み、この省令の施行の後に増築され、又は全面的に改築された部分を除く。）について第12条第6項第1号イ及びニからヘまでの規定は、この省令の施行後3年間は、適用しない。

第3条　この省令の施行の際に生活困窮者等の自立を促進するための生活困窮者自立支援法等の一部を改正する法律第5条の規定による改正前の法第69条第1項の規定による届出がなされている無料低額宿泊所が、平成27年6月30日において事業の用に供していた建物（基本的な設備が完成しているものを含み、平成27年7月1日以降に増築され、又は全面的に改築された部分を除く。）の居室のうち、第12条第6項第1号ハに規定する基準を満たさないものについては、同号ハの規定にかかわらず、当分の間、次に掲げる事項を満たすことを条件として、無料低額宿泊所としての利用に供することができる。

一　居室の床面積が、収納設備等を除き、3.3平方メートル以上であること。

二　入居予定者に対し、あらかじめ、居室の床面積が第12条第6項第1号ハに規定する基準を満たさないことを記した文書を交付して説明を行い、同意を得ること。

三　入居者の寝具及び身の回り品を各人別に収納することができる収納設備を設けること。
　四　第12条第5項第1号の規定にかかわらず、共用室を設けること。
　五　居室の床面積の改善についての計画を、都道府県（指定都市及び中核市にあっては、指定都市又は中核市。以下この条において同じ。）と協議の上作成すること。
　六　前号の規定により作成した計画を都道府県に提出するとともに、段階的かつ計画的に第12条第6項第1号ハに規定する基準を満たすよう必要な改善を行うこと。
2　前項の建物については、同項第5号の規定による必要な改善が図られない限り、新たな居室の増築はできない。
　　（条例の制定に係る経過措置）
第4条　この省令の施行の日から起算して1年を超えない期間内において、法第68条の5第1項の規定に基づく都道府県（指定都市及び中核市にあっては、指定都市又は中核市。以下この条において同じ。）の条例が制定施行されるまでの間は、この省令に規定する基準は、当該都道府県が法第68条の5第1項の規定に基づき条例で定める基準とみなす。
　　　附　則（第1次改正）
この省令は、公布の日〔令和5年12月26日〕から施行する。

○無料低額宿泊所の設備及び運営に関する基準について

> 令和元年9月10日　社援発0910第3号
> 各都道府県知事・各指定都市市長・各中核市市長宛
> 厚生労働省社会・援護局長通知

　社会福祉住居施設のうち、無料低額宿泊所については、生活困窮者等の自立を促進するための生活困窮者自立支援法等の一部を改正する法律（平成30年法律第44号。以下「改正法」という。）第5条による改正後の社会福祉法（昭和26年法律第45号）第68条の5の規定に基づき、無料低額宿泊所の設備及び運営に関する基準（令和元年厚生労働省令第34号。以下「基準省令」という。）が公布され、令和2年4月1日から施行される。
　基準省令の趣旨及び内容は下記のとおりであるので、ご了知の上、条例の策定に当たっての参考にされたい。また、基準省令とあわせて管内市町村（特別区を含む。）、関係団体、関係機関に周知を図られたい。
　なお、本通知は令和2年4月1日から適用することとし、これに伴い「社会福祉法第2条第3項に規定する生計困難者のために無料又は低額な料金で宿泊所を利用させる事業を行う施設の設備及び運営について」（平成15年7月31日社援発第0731008号厚生労働省社会・援護局長通知）は令和2年3月31日をもって廃止する。

記

第1　一般的事項
　1　無料低額宿泊所の事業範囲
　　　基準省令第2条は、無料低額宿泊所の事業の範囲について規定したものであり、同条各号に掲げる事項を満たす場合には、無料低額宿泊所に該当するものとして、社会福祉法第68条の2の規定による届出が必要となるものであること。
　　　なお、同条ただし書の規定については、老人福祉法（昭和38年法律第133号）、高齢者の居住の安定確保に関する法律（平成13年法律第26号）、障害者の日常生活及び社会生活を総合的に支援するための法律（平成17年法律第123号）、旅館業法（昭和23年法律第138号）その他の法律により必要な規制が行われている場合や、自治体等から事業の委託や事業費の補助等が行われており、無料低額宿泊所とは事業目的や対象者が異なる事業であることが明らかであるものが該当するものである。
　　(1)　同条第1号イの「生計困難者」の範囲は、生活保護法（昭和25年法律第144号）第6条第2項に規定する要保護者及びこれに準ずる低収入であるために生計が困難である者とし、「生計困難者に限定して入居を勧誘していると認められる場合」に

は、路上生活者等に声かけして入居の申込みを行わせている場合、生計困難者を対象とした生活相談等を実施して入居のあっせんを行っている場合及び生活保護の申請を行うことを前提として入居者を募集している場合を含むこと。
(2) 同号ロ及びハの「被保護者の数の割合」については、直近1年間（事業開始から1年未満の場合は事業開始から直近月まで）の利用実績から判断すること。新規に事業開始する場合にあっては、事業者が入居を想定している対象者により判断することとして差し支えないが、事業開始時には無料低額宿泊所に該当しないこととした場合であっても、事業開始から6か月間の利用実績において、被保護者の数の割合がおおむね50パーセント以上であることが判明した場合には、無料低額宿泊所に該当するものとして判断すること。
(3) 同号ハの「共益費」は、共用部分の清掃、備品の整備等の共用部分の維持管理に要する費用を指すものであり、共益費という名目でも、当該費用が食事や日用品の供与等のサービスに係る費用に充てられている場合には、利用料を受領してサービスを提供しているものとして、無料低額宿泊所に該当するものとして判断すること。

また、居室を提供する事業者と、サービスを提供する事業者が異なる場合であっても、一方の事業者の役員や代表者が他方の事業者の役員等を兼務している場合、それぞれの事業者が親会社と子会社の関係にある場合、事業者間で委託契約等が結ばれている場合等については、各事業者に密接な関係があるものとして判断すること。
(4) 同条第2号は、「居室使用料」について、無料であるか、又は近隣同種の住宅との均衡を失しない範囲として、その具体的な基準は、生活保護の住宅扶助特別基準の金額以下のものを指すものであること。

2 基本方針
(1) 基準省令第3条は、無料低額宿泊所は、居室等の提供とあわせ、入居者の状況に応じ自立した日常生活を送るための支援を行うこと等、入居者の福祉の増進を図るために必要な支援の方針を総括的に規定したものである。
(2) 無料低額宿泊所については、直ちに単身での居宅生活が困難な者に対し、居宅生活が可能な状況になるまでの間の一時的な居住の場を提供するほか、他の社会福祉施設の入所対象にならない者に対し、居宅と社会福祉施設との中間的な居住の場を提供する役割を担うものである。

そのため、同条第3項及び第4項の規定に基づき、入居者が一般の居宅等において独立して日常生活を営むことができるか（介護保険法（平成9年法律第123号）、障害者の日常生活及び社会生活を総合的に支援するための法律等に基づいて提供されるサービスを利用して独立して日常生活を営むことができる場合も含む。）常に把握するとともに、当該入居者の希望等を勘案し、退居のための必要な援助に努めることとするものであること。

なお、同条第3項の「一時的な居住の場」について、入居を必要とする期間は各

入居者の状況によって様々であり、日常生活の支援が必要な者については、「日常生活支援住居施設」の認定を受ける無料低額宿泊所に中長期間入居することも想定されることから、一律に入居期間を限定することとはしていないものであること。
(3) 同条第5項の「地域との結び付きを重視した運営」については、入居者の適切な外出の機会の確保や地域との交流を図ることによる社会との結び付きの確保を図ることを求めるものである。そのため、無料低額宿泊所の開設に当たっては、地域住民に対して説明会等を開催し、事業運営について理解を得るよう努めるものであること。

また、入居者の状況に応じて必要なサービス提供が行われるよう、地域において活用可能な保健医療サービスや福祉サービスを提供する事業者との連携に努めるものであること。

3 構造設備等の一般原則

基準省令第4条は、無料低額宿泊所の構造設備に係る一般原則について定めたものであり、無料低額宿泊所の配置、構造及び設備について、基準省令、建築基準法等の関係法令の規定を遵守するとともに、日照、採光、換気等を入居者に十分配慮されたものとし、入居者の保健衛生及び防災に万全を期すべきことを趣旨とするものである。

4 設備の専用

基準省令第5条は、無料低額宿泊所の設備は、入居者が必要に応じて直ちに使用できる状態にするため、原則として専用としなければならないものであるが、同一敷地内で他の社会福祉事業等を実施している場合等であって、当該無料低額宿泊所の効果的な運営と入居者に対する適切なサービスの提供が確保される場合には、設備の一部について同条ただし書の規定を適用して差し支えないものであること。

5 職員等の資格要件

基準省令第6条第1項は、無料低額宿泊所の施設長(以下「施設長」という。)について、その資格要件を定めたものである。同条第1項の「社会福祉事業等に2年以上従事した者」については、社会福祉事業において業務に従事した者のほか、生活困窮者自立支援法(平成25年法律第105号)に基づく事業又は老人福祉法第29条第1項に規定する有料老人ホーム及び高齢者の居住の安定確保に関する法律第5条第1項に規定するサービス付き高齢者向け住宅において業務に従事した場合を含むものとする。

ただし、社会福祉事業を実施している事業所で業務に従事している場合であっても、主として清掃や調理業務に従事していた期間や、無料低額宿泊所の入居者が当該無料低額宿泊所で補助的業務に従事していた期間は、業務経験としては認められないものであること。

また、無料低額宿泊所の入居者を、当該無料低額宿泊所に入居した状態で施設長とすることは認められないものであること。

同項の「同等以上の能力を有していると認められる者」とは、「社会福祉施設の長の

資格要件について」(昭和53年2月20日社庶13号厚生省社会局長、児童家庭局長通知)に基づく施設長資格認定講習会の課程を修了した者であること。なお、原則として施設長に就任する前に当該講習会の課程を修了しておく必要があるが、特別の事情がある場合には、課程の修了が施設長就任後であってもやむを得ないこと。

6 運営規程

基準省令第7条は、無料低額宿泊所の適正な運営及び入居者に対する適切なサービスの提供を確保するために同条第1項第1号から第7号までに掲げる事項を内容とする運営規程を定めることを義務付けたものであるが、特に次の点に留意するものとする。

(1) 職員の職種、員数及び職務の内容については、施設長と施設長以外の職員別に、人数(常勤・非常勤別)及び職務の内容について記載するほか、通常、職員が当該無料低額宿泊所で勤務する時間について規定すること。

(2) 入居者に提供するサービスの内容については、居室の面積、設備の状況、食事提供の有無並びに提供回数及びその内容、日用品等の提供内容等を、利用料その他の費用の額については、利用料として受領する費目とその金額を規定するものであること。

(3) 施設の利用に当たっての留意事項については、入居者側が留意すべき事項(入居生活上のルール、設備利用上の留意事項等)を指すものであること。

(4) 非常災害対策については、基準省令第8条第1項の規定に基づく非常災害に関する具体的な計画を指すものであること。

7 非常災害対策

(1) 基準省令第8条は、無料低額宿泊所は、非常災害に際して必要な具体的計画の策定、関係機関への通報及び連携体制の整備、避難及び救出訓練の実施等その対策に万全を期さなければならないことを規定したものである。

(2) 同条第1項の「消火設備その他の非常災害に際して必要な設備」とは、消防法(昭和23年法律第186号)第17条第1項に規定する消防用設備等や、風水害、地震等の災害に際して必要な設備を指すものであること。

なお、消防法上、整備すべき消防用設備等については、消防法施行令(昭和36年政令第37号)別表第一における防火対象物の用途やその規模等に応じて具体的な規定が設けられている。

一般的には、無料低額宿泊所は、同表(5)項ロの「寄宿舎、下宿又は共同住宅」に該当することが想定されるが、不特定多数の人が主として短い期間宿泊し、宿泊者等の入れ替わりが頻繁である場合には、同表(5)項イの「旅館、ホテル及び宿泊所その他これらに類するもの」に該当する場合があるため、必要に応じて消防機関に確認すること。

(3) 基準省令第8条第1項の「非常災害に対する具体的計画」とは、火災、風水害、地震等の災害に対処するための計画を指すものであること。

なお、無料低額宿泊所のうち、消防法施行令第3条の2第1項に規定する消防計

画を定めている場合は、当該計画をもって「非常災害に対する具体的計画」とみなして差し支えないこと。
　また、無料低額宿泊所は、非常災害に対する責任者を定め、その者に計画の策定等の業務を行わせること。
(4)　基準省令第8条第2項の「避難、救出その他必要な訓練」については、災害発生時において、消火、通報、避難誘導等が適切に実施されるための訓練を指すものであること。
　消防法施行令第3条の2第2項に規定する「消火、通報及び避難の訓練」を実施した場合は、当該訓練の実施をもって「避難、救出その他の必要な訓練」を実施したものとみなして差し支えないこと。
　なお、同令別表第一(五)項イ該当する無料低額宿泊所においては、消防法施行規則(昭和36年自治省令第6号) 第3条第10項の規定に基づき、消防法施行令第3条の2第2項に規定する「消火、通報及び避難の訓練」を年2回以上実施する必要があることに留意すること。

8　記録の整備
　基準省令第9条の「記録の整備」は、無料低額宿泊所における日々の運営、財産及び入居者に提供するサービスの状況等に関する事実を正確に記録し、常に当該無料低額宿泊所の実情を的確に把握するため、少なくとも次の記録を備えなければならないものであること。
(1)　運営に関する記録
　ア　職員の勤務状況、給与等に関するもの
　イ　施設運営に必要な諸規程
　ウ　事業計画及び事業実施状況に関するもの
　エ　関係機関に対する報告書等の文書
(2)　入居者に関する記録
　ア　入居者名簿
　イ　入居者台帳（入居者の生活歴及び入退居に関する記録その他必要な事項を記載したもの）
　ウ　サービス提供に関する入居者からの苦情の内容等
(3)　会計処理に関する記録
　ア　収支予算及び収支決算に関する書類
　イ　金銭の出納に関するもの
　ウ　債権債務に関するもの
　エ　物品の受払に関するもの
　オ　収入支出に関するもの
　カ　その他会計に関するもの

9　規模
　基準省令第10条は、社会福祉法第2条第4項第4号の規定により、常時保護を受け

る者が5人に満たない施設は社会福祉事業には含まれないこととされていることから、無料低額宿泊所の定員は5人以上の人員を入居させることができる規模を有するものであることを規定したものである。
10　サテライト型住居の設置
(1)　基準省令第11条は、無料低額宿泊所の入居者が、より一般の住宅に近い環境で、居宅での生活へ移行するための準備及び訓練を行うための「サテライト型住居」の設置について必要な規定を設けるものである。
(2)　同条第1項は、無料低額宿泊所について、入居定員が5人以上10人以下の施設を本体施設として、当該本体施設に付随する施設として入居定員が4人以下のサテライト型住居を設置できることとし、サテライト型住居も無料低額宿泊所の一部分として最低基準の適用を受けるものである。
　　この場合、本体施設とサテライト型住居をあわせた全体を1つの無料低額宿泊所として取り扱うものであり、施設長は、本体施設とサテライト型住居をあわせて管理運営する者を1名配置するものであること。
(3)　サテライト型住居は、より一般の住宅に近い環境で居宅生活の準備や訓練を行うものであることから、入居定員は4人以下に限定している。なお、居宅生活の準備等を行う観点から、食事や日用品の購入については、自炊や買い物の機会の確保をする等、できる限り入居者本人自身が行うよう努めるものであること。
(4)　同項に規定するサテライト型住居の利用期間については、1回の契約期間内に居宅への移行を図ることを前提に、原則1年間としたものである。
　　入居期間は、入居者の状況に応じた適切な転居先が確保できない等、特別な事情がある場合は、1年間を超えてもやむを得ないものとするが、その場合であっても、速やかに転居先を確保できるよう支援するものとし、契約の再更新を行う等継続して入居することを前提として利用することは認められないこと。
(5)　同条第2項は、サテライト型住居の設置については、本体施設からおおむね20分で移動できる範囲に設置する等、入居者の状況把握等の無料低額宿泊所としての一体的なサービス提供に支障がないものとすることを規定したものである。
　　この場合、移動時間については、職員が通常用いる交通手段によるものとするが、公共交通機関を用いる場合には、移動に要する時間により一律に判断するものではなく、交通基盤の整備状況等を踏まえ実情に応じて適切に判断すること。
(6)　同条第3項は、サテライト型住居の設置数について、サテライト型住居は職員が巡回して支援する形態で運営されることを想定していることから、サテライト型住居への移動等に要する時間等を考慮して、設置可能な箇所を4か所までに限定するものである。
　　また、施設長の要件を満たす者が、施設長以外の職員として配置されている場合については、2人の職員がそれぞれ巡回を行うことを前提として、設置可能な箇所を8か所までとするものである。
(7)　同条第4項は、本体施設及びサテライト型住居の入居定員の合計について、それ

ぞれの入居者に対する支援等に支障が生じない範囲として、20人までに限定するものとする。
　また、サテライト型住居の設置数と同様、施設長の要件を満たす者が、施設長以外の職員として配置されている場合については、入居定員の合計は40人までとするものである。
(8)　同条第5項は、サテライト型住居において巡回による状況把握が適切に実施され、その状況が確認できるようにする観点から、状況把握の実施状況について記録を整備することを求めるものである。

第2　設備に関する基準
1　建築基準法（昭和25年法律第201号）及び消防法の遵守等
　基準省令第12条第1項及び第2項は、建物の防火防災対策及び入居者の安全確保の観点から、建築基準法及び消防法の規定の遵守等に係る確認的規定として定めたものである。
(1)　建築基準法において、学校、病院等の用途に供する建築物は「特殊建築物」として、その用途や規模に応じて適用される基準が定められているが、無料低額宿泊所については個別の用途としては明記されていない。一般的に、無料低額宿泊所は、同法に定める寄宿舎又は共同住宅として取り扱われるが、個別の建築物の用途については同法第2条第35号に規定する特定行政庁の判断に従われたいこと。
(2)　消防法の規定の適用については、第1の7(2)なお書で記載したとおり、防火対象物の用途やその規模等に応じて設置すべき設備等が異なること。
(3)　基準省令第12条第3項は、建物の規模等により消防法で設置義務がかからない場合であっても、入居者の安全確保を図るため、消火器、自動火災報知設備等の設置等防火対策の充実に努めることを求めるものである。

2　無料低額宿泊所における設備
　基準省令第12条第4項から第6項までについては、無料低額宿泊所に設ける設備に関して規定したものであるが、各設備に係る規定の内容については、以下のとおりである。
(1)　設置が必要な設備
　ア　同条第4項に規定する設備は、無料低額宿泊所の運営上及び入居者のサービスの提供上当然設けなければならないものであるが、同一敷地内に他の社会福祉住居施設その他の施設が設置されている場合であって、当該施設の設備を利用することにより無料低額宿泊所の効果的な運営が図られ、かつ入居者へのサービス提供に支障がない場合には、入居者が日常継続的に使用する設備以外の設備について、その一部を設けないことができるものであること。
　イ　同条第5項に規定する設備は、入居者へのサービス提供に支障がない場合は、同じ部屋を複数の入居者の兼用として差し支えないものであること。ただし、入居者のプライバシーに関わる相談に際しては必要に応じて各居室で行う等プライバシーが守られるよう配慮すること。

また、無料低額宿泊所のうち、各居室に専用の炊事設備や便所、浴室等が設けられているワンルーム型の施設においては、共用室、相談室及び食堂を設けないこととして差し支えないこと。
(2) 居室について
ア 床面積について、「地域の事情によりこれにより難い場合」とは、当該地域の住宅事情、無料低額宿泊所の利用対象者数や地域の無料低額宿泊所等の状況等から、直ちにアパート等の居宅生活が困難な生計困難者の居住の場の確保に支障が生じる恐れのある場合を想定しているものである。床面積を4.95平方メートル以上とする基準を適用する範囲については、あらかじめ適用する地域を設定するか、宿泊所の立地等により個々に判断するか、いずれの方法によっても差し支えないこと。なお、居室の床面積に係る基準は壁芯での測定によるものであること。また、居室の天井高については、建築基準法施行令第21条第1項の規定により2.1メートル以上とすることとされているため、当該基準を満たさない場合には、居室の床面積としては算定できないものであること。ただし、ロフトスペースの活用等により居室の一部分について天井高が2.1メートル未満の場合については、居室全体の平均の天井高が2.1メートル以上である場合に限り居室の全体を床面積として算定できるものであること。
イ 居室について、家族等が入居する場合にあっては、当該居室に入居する人数に応じて適切な面積を確保するものとして、原則として1人当たり7.43平方メートル以上とすること。
ウ 居室については地階に設けないこととしているが、建築基準法第29条の規定による地階における住宅等の居室として、壁及び床の防湿その他の事項に関する基準を満たすものについてはこの限りではないこと。
エ 間仕切壁については、プライバシー確保のために適切な素材とし、簡易なパネル、ベニヤ板等で室内を仕切っただけのものは認められないこと。ただし、一般の住宅を改修している場合であって、建物の構造上、各居室がふすま等で仕切られている場合や、居室間の間仕切壁の上部に欄間が設けられている場合には、基準に適合するものとして取り扱って差し支えないこと。
(3) 居室以外の設備
ア 面積や数の定めがない設備については、それぞれの設備のもつ機能を十分に発揮し得る適当な広さ又は数を確保するよう配慮すること。例えば浴室については、入居者が適切な時間帯及び入浴時間で1日1回は入浴できる広さや数が確保されている必要があること。
イ 炊事設備には、食器、食品等を清潔に保管する設備並びに防虫及び防鼠の設備を設けること。
第3 職員配置に関する基準
(1) 基準省令第13条は、無料低額宿泊所の職員配置について、施設長を1名配置するとともに、施設長以外の職員は入居者の数及び提供するサービスの内容に応じ、そ

のサービス提供に支障が生じないよう適当な数を配置することを求めたものである。
(2) 施設長については、社会福祉法第68条の6において準用する同法第66条に規定するとおり、「専任」の管理者として配置しなければならないものである。したがって、施設長はその勤務時間においては主として当該無料低額宿泊所における施設長の業務に従事する必要があること。

ただし、施設長としての勤務時間以外の時間において、他の無料低額宿泊所の支援業務や、無料低額宿泊所以外の業務に従事することを妨げるものではないこと。

第4 運営に関する基準
1 入居申込者等に対する説明、契約等
(1) 基準省令第14条第1項は、入居者に対しては、サービスの提供に際して、あらかじめサービスを選択するために必要な重要事項について説明を行い、同意を得た上で、契約を結ばなければならないことを規定したものである。

また、契約については、居室の利用（居室及び共用設備の利用並びに電気、ガス、水道等の設備の利用に付随して利用されるものを含む。）に係る契約と、居室の利用以外の契約（食事、日用品等の提供、基本サービス等）に係る契約をそれぞれ文書により締結すること。

なお、入居に当たっては、提供するサービスについて十分な説明を行い、入居者本人の同意を得た上で契約を締結するものであり、入居者が望まないサービスの利用を強制してはならないものであること。

(2) 同条第2項は、無料低額宿泊所は基本的に一時的な居住の場であることに鑑み、独立して日常生活を営むことができるか等入居の必要性等が検討されないまま、入居期間が長期にわたることを防止する観点から、契約期間を1年以内に限定するものである。

なお、建物の賃貸借契約については、定期建物賃貸借を除き、契約期間を1年以上とすることとされていることから、居室等の利用に係る契約が賃貸借契約（定期建物賃貸借の場合を除く。）の場合は、契約期間を1年とする必要があるので留意する必要があること。

(3) 同条第3項は、契約期間の満了前には、契約の更新に関して入居者の意向を確認するとともに、関係機関とのカンファレンス等により継続した利用の必要性が認められるか協議することを求めるものである。その際に居宅での生活に移行することが可能と判断された場合等には、関係機関との連携のもと、必要な支援を行うものであること。

(4) 解約については、事業者及び入居者双方の解約条項を契約上定め、契約書に明記しておく必要がある。特に、事業者からの解約について、解約を申し入れることができる事由、解約の申入れから解約までの期間等を定めることとし、解約の事由については入居者に重大な義務違反があった場合等に限定することや、違反行為の是正について必要な催告期間を設ける等入居者の権利の保護に十分に配慮したものと

すること。
(5) 入居者からの解約については、退居等が制限されることなく速やかに退居が可能となるよう必要な規定を契約上定め、契約書に明記することを求めるものであること。また、解約に伴う違約金の支払を求める等、解約を制限する規定を設けることは認められないものであること。
(6) 基準省令第14条第7項から第11項までは、重要事項等が記載された文書の交付について電磁的方法により提供する場合の取扱いについて規定したものであるが、電磁的方法による提供は入居者が承諾した場合に限られるものである。その場合、入居者には十分に説明し理解を得ることが求められるものであること。

2 入退居

基準省令第15条は、無料低額宿泊所については、居宅と社会福祉施設との中間的な施設としての役割を担うものとして、心身の状況等により他の社会福祉施設等への転居が必要な場合には転居に向けた支援を行うことを求めるものである。

他の社会福祉施設等への転居を行う場合については、他の福祉サービスの活用等の調整が必要となることが考えられることから、福祉事務所、相談支援機関等の関係機関との連携を図るものであること。

3 利用料

(1) 基準省令第16条は、無料低額宿泊所の適正な運営を確保する観点から、利用料について、あいまいな名目での料金の受領や不当に高額な料金設定を防止するため、受領できる費用の内容及びその基準を規定したものである。
(2) 利用料の金額については、次に掲げるそれぞれの費目に応じて、実費やサービスを提供するために必要となる費用を勘案して設定することとし、例えば、前年度等の一定期間の実績金額等を基に算出した概算額を、平均利用者数で按分する等、実際の事業経費に即して算定するものであること。

職員の人件費については、調理等の業務、宿泊所の管理に係る業務、入居者の状況把握や軽微な生活上の相談等に係る業務等の業務内容を勘案して、それぞれ食事の提供に要する費用、居室使用料、基本サービス費等の金額設定の根拠として差し支えない。ただし、職員が無料低額宿泊所以外の業務を兼務している場合には、当該兼務している業務に係る勤務時間等を勘案して相当する費用を除いて算定すること。

ア 食事の提供に要する費用

食材料の購入費、調理を行う者の人件費、調理器具の購入及び維持管理費等の費用に相当する金額を基礎として算定するものであること。

なお、食事の提供に要する費用については、事前の申出等により利用者が提供を求めない場合に対応できるよう1食当たりの単価を設定すること。また、弁当等市販品を配布する場合については、購入、配送等の調達に要する費用以上の料金を設定する等、不当に営利を図ることは認められないものであること。

イ 居室使用料

　　　　無料低額宿泊所の整備、改修等に要した費用、修繕費や建物の管理に要する人件費等の維持管理費、保険料、当該物件の家賃及び地代等に相当する金額を基礎として算定するものであること。
　　　　なお、上記により算定した金額以外に、敷金等入居に当たっての一時金を求めてはならないものであること。
　　ウ　共益費
　　　　共用部分の清掃、備品の整備等の共用部分の維持管理に要する費用に相当する金額を基礎として算定するものであること。なお、共用部分に要する光熱水費や、共用で使用する日用品に要する日用品費について、共益費として算定するか、光熱水費や日用品費で算定するかは事業者の判断によることとして差し支えない。
　　エ　光熱水費
　　　　居室及び共用部分に要する光熱水費の実費に相当する金額を基礎として算定するものであること。
　　オ　日用品費
　　　　入居者が使用する日用品について購入、配送等の調達に要する費用に相当する金額を基礎として算定するものであること。
　　カ　基本サービス費
　　　　入居者の状況把握、軽微な生活上の相談等を行うために配置する職員の人件費及び当該業務に要する事務費等に要する費用に相当する費用を基にして合理的に算定するものであること。
　　キ　日常生活上の支援に関するサービスの提供に要する費用
　　　　日常生活支援住居施設の認定要件を満たす無料低額宿泊所において、提供される日常生活支援に関するサービスを行うために配置する職員の人件費、当該業務に要する事務費等に相当する費用を基にして合理的に算定した額から、日常生活上の支援に要する委託事務費として福祉事務所から受領する金額を除いて算定するものであること。
(3)　利用料の設定については、必ずしも基準省令第16条第1項各号に規定する各事項を全て区分する必要はなく、例えば、共益費と光熱水費を同じ費目として設定しても差し支えない。また、各費目の名称について、同項各号に規定する各事項と異なる名称を用いても差し支えない。ただし、その場合もその費用の内容については運営規程上に明記する等、利用者等に説明できるようにしておかなければならないこと。
4　サービス提供の方針
(1)　基準省令第17条は、無料低額宿泊所は、入居者の状況把握、生活上の相談等を通じて、入居者の健康の保持及び入居者自身での生活管理に向けた支援及び入居者同士の役割分担の機会の提供等、当該無料低額宿泊所における適切な生活を送る事ができるように支援に努めることとしたものである。

(2) 同条第2項は、無料低額宿泊所は複数の入居者が共同で生活する場であることから、共有スペースの利用等について入居者の意向等も踏まえ一定のルールを設ける等円滑な運営が行われるよう配慮することを求めたものである。
　　喫煙に関しては、喫煙場所、喫煙可能時間等を設定するとともに、必要な換気を行う等受動喫煙の防止に努めるものであること。
(3) 同条第3項は、無料低額宿泊所は、施錠等も含めた個人の居住スペースの確保、入居者との面談時の配慮等、入居者のプライバシーの確保に配慮した運営を行うことを求めたものである。
(4) 同条第4項は、入居申込者への説明時や、入居中のサービス提供等を行うに際しては、入居者本人の理解の状況等に応じて、その内容等について入居者の理解が得られるよう懇切丁寧に行うことを求めたものである。

5　食事、入浴
(1) 基準省令第18条は、無料低額宿泊所において提供される食事は、できるだけ変化に富み、入居者の年齢等にも配慮し、栄養的にもバランスを考慮したものであることを求めるものである。
　　食事の提供は、入居者がその内容を確認できるようあらかじめ作成した献立に応じて提供することを原則とし、利用者から事前の申し出があった場合には、食事の提供を行わない等、入居者の希望等に応じた対応が行われるようにすること。
(2) 基準省令第19条は、適切な時間帯及び入浴時間で1日1回は入浴の機会を提供しなければならないことを求めたものである。
　　なお、入浴の機会の提供については、入居者の意向等も踏まえた上で、シャワーのみの対応とする日を設けて差し支えないこと。
　　入浴について、同条ただし書の1日1回の頻度で提供できない「やむを得ない事情」とは、入浴に際して介助等の支援が必要な場合であって、職員の勤務体制、介護サービス利用等の状況によって1日1回の入浴が困難な場合等を想定しているものであり、入居者数に応じた入浴設備が整っていないことを理由とすることは認められないものであること。

6　状況把握
　基準省令第20条は無料低額宿泊所における入居者の状況把握について規定したものであるが、利用者の状況把握については、心身の状況に変化等がないか、生活上の問題等を抱えていないか等利用者が安定した生活を送るための支援の観点から行うものとし、その方法は、共用室等での面談、居室への訪問等を想定している。
　ただし、状況把握の方法や頻度等については、適切なアセスメントやマネジメントに基づき、利用者との合意の下に決定されるべきものであり、利用者の心身の状況等に応じて、訪問以外の方法での状況把握、訪問等を行わない日があることを必ずしも妨げるものではないこと。
　なお、職員の勤務状況により休日となる日については、訪問等による状況把握を行う必要はないが、利用者からの臨時の連絡等には適宜応じることができるよう適切な

支援体制を講じること。
7 職員の業務等
　基準省令第21条から第24条までについては、職員等の責務、勤務体制等について規定したものである。このうち、職員の勤務体制の確保に関しては、原則として月ごとに勤務表を作成し、職員の日々の勤務時間、常勤・非常勤の別等を明確にすること。
　職員の処遇については、労働基準法等の遵守を求めるものであるが、特に、職員が無料低額宿泊所の施設内に住み込みでの勤務を行う場合等には、勤務実態に応じて断続的労働の許可を得るなど留意が必要なものであること。
8 定員の遵守
　基準省令第24条は、災害等の緊急やむを得ない事情がある場合を除き、無料低額宿泊所の定員を超過して入居者を受け入れてはならないものであること。
　なお、緊急やむを得ず定員を超過して入居者を受け入れる場合で、1つの居室を複数人で使用するときや、居室の要件を満たさない場所を使用するときは、1人で1居室を使用する居室使用料を受領することは認められないものであること。
9 衛生管理等
　基準省令第25条は、衛生管理等について規定したものであるが、調理及び配膳に伴う衛生は、食品衛生法（昭和22年法律第233号）等関係法規に準じて行うこととし、食中毒、感染症及び害虫の発生を防止するための措置等については、必要に応じて保健所の助言、指導等を求めること。
　また、無料低額宿泊所の施設内は定期的に大掃除を行う等清潔を保つものであること。
10 日常生活金銭管理
（1）基準省令第26条は、入居者の日常生活に係る金銭の管理について規定したものである。入居者の金銭管理については、入居者本人が行うことが原則であるが、金銭の適切な管理に支障がある者について、本人の安定した生活の維持や金銭の自己管理に向けた訓練等のために必要がある場合には、一定の要件を設けた上で、無料低額宿泊所の職員が金銭管理を行うことを妨げないこととしたもの。
　職員が金銭管理を行うことについて、金銭の適切な管理に支障がある入居者本人が金銭の管理を希望する場合に限定したものであるため、入居者の状況や金銭管理を希望するか否かによらず入居者全員と金銭管理契約を行うことは認められないものであること。
（2）入居者の状況等から、成年後見制度、権利擁護事業（日常生活自立支援事業）等他の金銭管理に係る制度の活用が可能な場合には、当該制度の活用を図る必要があること。
（3）金銭管理の対象については、あくまでも日常生活を営むために月々の生活費として必要な金額に限られるものであり、資産や多額の現金等の管理を行うことは認められないものであること。
（4）金銭管理を行う場合には、サービスの利用契約とは別に、金銭等の管理契約を締結する必要があること。契約を行う場合には、同条第9号に定める管理規程の内容

について十分に説明を行う必要があること。
(5) 金銭管理は入居者の意思を尊重して管理することとし、入居者本人の意思に反して、個々の支出を極端に制限し、あるいは購入品を限定してはならないこと。また、入居者本人が金銭等の管理契約の解約を申し入れたときは、解約するとともに管理する金銭等を速やかに返還する必要があること。
(6) 金銭管理を行う場合には、同条第6号から第8号までに掲げる事項に関して具体的な方法等を定めた管理規程を定めることとし、その内容は、都道府県等に届出を行うものであること。

11 掲示及び公表

基準省令第27条は、事業の適正な実施と、入居者等のサービスの選択に資する観点から、運営規程の概要等を無料低額宿泊所の施設内に掲示しておくことを求めるものである。

また、事業実施の透明性を担保する観点から、運営規程及び収支の状況については、公表することとし、公表の方法については、インターネットの利用により行うこととするほか、法人等の主たる事務所に備え置き、閲覧の請求があった場合には請求に応じなければならないこととするものである。

12 秘密の保持

基準省令第28条は、職員及び職員であった者に係る秘密の保持について規定したものである。このうち、職員であった者については、無料低額宿泊所での業務上知り得た入居者の秘密を漏らすことがないよう必要な措置を講じるよう求めているが、具体的には、職員との雇用契約時等において、当該無料低額宿泊所の職員が職員でなくなった後においてもこれらの秘密を保持すべき旨を取り決め、例えば、違約金についての定めを置く等の措置を講じるべきものであること。

13 広告

基準省令第29条は、広告を行う場合、提供されるサービスの内容、利用料若しくは解約に関する事項、事業者の資力若しくは信用に関する事項又は事業者の実績に関する事項について、著しく事実に相違する表示をし、又は著しく優良又は有利であると人を誤認させるような表示をしてはならないことを規定したものである。

14 苦情への対応

(1) 基準省令第30条第1項の「必要な措置」とは、苦情を受け付けるための窓口を設置することのほか、苦情の対応の手順等無料低額宿泊所における苦情に対応するために講ずる措置の概要を明確にし、入居者へサービスの内容等を説明する文書に記載するとともに、当該無料低額宿泊所の施設内に掲示する等である。
(2) 同条第2項は、無料低額宿泊所を運営する事業者が、受け付けた苦情に対して、迅速かつ適切に対応するため、当該苦情の受付日、内容等を記録することを義務付けるものである。また、無料低額宿泊所は、苦情がサービスの質の向上を図る上での重要な情報であるとの認識に立ち、苦情の内容を踏まえ、サービスの質の向上に向けた取組を自ら行うべきである。

なお、基準省令第9条第2項の規定に基づき苦情の内容等の記録は、記録を作成

した日から5年間保存しなければならない。
15　事故発生時の対応
  (1)　基準省令第31条は、無料低額宿泊所の施設内で事故が発生した場合には、都道府県のほか、家族等がいる場合は家族、事故の当事者が生活保護受給者の場合は福祉事務所に対して、それぞれ連絡を行うとともに、必要な措置を講ずることとしたものである。
  (2)　同条第2項は、事故の状況や事故に際して採った処置については記録することを義務付けるものである。
　　　なお、基準省令第9条第2項の規定に基づき事故の状況や事故に際して採った処置についての記録は、記録を作成した日から5年間保存しなければならない。
  (3)　同条第3項は、無料低額宿泊所において、賠償すべき事故が発生した場合には、速やかに賠償しなければならないことを規定したものである。そのため、損害賠償保険に加入しておくことが望ましいものであること。
16　サテライト型住居に係る設備基準等の適用
　　基準省令第32条は、無料低額宿泊所に設ける設備について、サテライト型住居ごとに設けなければならない旨を規定したものである。
第5　居室に関する経過措置
  (1)　基準省令附則第2条は、基準省令の施行（令和2年4月1日。以下同じ。）の際現に改正法第5条の規定による改正前の社会福祉法第69条第1項の規定による届出がなされている無料低額宿泊所の建物において、1つの居室の定員が2人以上の居室又は間仕切壁が天井まで達していない居室については、既入居者の転居等に要する期間等を勘案し、基準省令の施行後3年以内に解消を図るものである。
  (2)　基準省令附則第3条は、基準省令の施行の際現に改正法第5条の規定による改正前の社会福祉法第69条第1項の規定による届出がなされている無料低額宿泊所の建物において、床面積が基準省令第12条第6項第1号ハに規定する基準を満たさない居室について、当該基準に適合させるために大規模な改修工事等が必要になる場合もあることから、一律に経過措置の年限等を区切ることはせず、個々の無料低額宿泊所の状況に応じて段階的かつ計画的に当該基準を満たすよう改善計画の策定を求めるものである。
　　　経過措置の対象となる施設は、平成27年6月末日時点において宿泊所として利用されていた施設とし、同日時点で無料低額宿泊所として届出がなされていたもののほか、無料低額宿泊事業に相当する事業を実施していたと都道府県が認める場合に限り、届出を行っていなかった施設についても経過措置の対象となり得るものとすること。
　　　床面積の改善計画については、当該計画の内容やその履行について都道府県等と協議するものとし、特に、軽微な改修等で対応が可能な場合については、その状況に応じて年限を区切るなど適切な対応を行うこと。
　　　なお、正当な理由なく改善計画に基づいた改善措置がなされない場合には、社会福祉法第71条の規定に基づく事業の改善命令等の対象になり得るものであること。

○無料低額宿泊所の設備及び運営に関する指導指針について

> 令和2年3月27日　社援発0325第14号
> 各都道府県・各指定都市・各中核市民生主管部(局)長　宛
> 厚生労働省社会・援護局長通知

　無料低額宿泊所については、「生活困窮者等の自立を促進するための生活困窮者自立支援法等の一部を改正する法律」(平成30年法律第44号)の一部の施行に伴い、各都道府県、指定都市、中核市(以下「都道府県等」という。)において、社会福祉法(昭和26年法律第45号。以下「法」という。)第68条の5第1項の規定に基づき、その設備及び運営に関する基準を条例で定めるとともに、当該基準に適合しないと認められるときは、法第71条の規定による改善命令を行うこととされるなど規制の強化が図られたところである。

　無料低額宿泊所に対する指導等の実施については、これまでも法第70条の規定に基づき実施されているところであるが、上記の制度改正を踏まえ、別添のとおり「無料低額宿泊所の設備及び運営に関する指導指針」を定めたので、下記の事項に留意の上、管内の無料低額宿泊所に対して適切な指導を行われたい。

記

1　指導指針の性格

　　無料低額宿泊所については、これまで、それぞれの事業所において、所在する地域や入居者の状況に応じて創意工夫のもとで事業が実施されてきた。一方で、不適切な事業運営を行っている事業所の存在も指摘されていたことから、無料低額宿泊所の設備及び運営に関する基準(令和元年厚生労働省令第34号。以下「基準省令」という。)に沿った事業運営がなされるよう指導等を行っていく必要がある。

　　無料低額宿泊所の基準については、基準省令で定めた基準を標準とし、又は参酌して、都道府県等において条例を定めていることから、都道府県等においては、本指導指針を参考として、必要に応じて各地域の実情も踏まえた事項を含めた指導要領等を定めるなど、適切かつ継続的な指導を行われたい。

2　無料低額宿泊所の定義の周知等
　(1)　無料低額宿泊所の定義の周知

　　　無料低額宿泊所については、法第2条第3項第8号に規定する「生計困難者のために、無料又は低額な料金で、簡易住宅を貸し付け、又は宿泊所その他の施設を利用させる事業」を行う施設であり、その具体的な事業の範囲については基準省令第2条において定義している。

　　　この事業の範囲に該当する事業については、法第68条の2の規定による事業開始の届出の有無にかかわらず、無料低額宿泊所として扱うものであることから、類似の事

業を行っている事業所が確認された場合については、当該事業範囲について周知し、事業範囲に該当する事業を行っている事業者には、無料低額宿泊所としての届出を行うよう勧奨されたい。

　また、他法に基づく規制等が行われている等、主たる事業目的が無料低額宿泊所の運営ではないことが明らかな場合には、無料低額宿泊所には該当しないこととしている。したがって、例えば、届出を行おうとする事業者の事業形態が、高齢者を集めて入居させて食事の提供等のサービスを行っているなどの場合には、有料老人ホームの定義に該当することから、有料老人ホームとしての届出を行うよう指導されたい。

(2)　無料低額宿泊所の届出の徹底

　無料低額宿泊所の事業範囲に該当する事業を行っている場合、その事業内容等の一部について無料低額宿泊所の基準に適合しない部分があったとしても、それをもって事業者は届出の義務を免れるものではない。また、事業開始にあたっての「届出」については、一定の基準に該当するかどうかを判断した上で「認可」や「指定」を行う事業とは異なるものであり、基本的に事業開始の届出があった場合について、これを受け付けない取扱いを行う裁量は行政側にはない。

　したがって、事業内容において一部基準に適合しない部分がある場合であっても、届出を行わせた上で、基準に適合しない部分について、改善に向けた指導や改善命令を行うこととされたい。

　なお、届出書に記載すべき事項について記載されていない場合や、添付すべき書類が添付されていない場合など届出書類自体に形式的な不備がある場合については、その補正を求め、届出書類を一旦返却し、修正をした上で再提出を求めることとして差し支えない。

　また、事業内容が無料低額宿泊所に該当しない事業者からの届出については、届出書類等を返却した上で、適切な届出先を紹介するなどの対応をされたい。

3　無料低額宿泊所への指導の実施等

　無料低額宿泊所に対しては、適切な運営を確保する観点から、定期的に法第70条に規定する調査等を実施し、基準に適合しない運営が行われている場合には、改善に向けた指導等を行うものである。当該指導及び指導結果を踏まえた措置について、指導の流れやその根拠、考え方等については、次のとおりである。

(1)　調査等の実施

　無料低額宿泊所の事業内容に関する調査等については、法第70条の規定に基づき実施するものである。この調査等の実施については、定期的に行うもののほか、福祉事務所からの連絡等により、基準に適合しない運営が行われていることが疑われる場合等には、随時行う必要があるものである。

　福祉事務所による被保護者の定期訪問等の機会は、基準に適合しない運営の疑いを発見する契機となるものであり、福祉事務所との連携を図るよう努められたい。

　なお、当該調査等については、無料低額宿泊事業に該当する事業を行っている場合、届出の有無にかかわらず実施が可能である。

(2) 行政指導及び改善命令
　　上記の調査等の結果、基準に適合しない運営等が認められた場合には、その内容に応じて①期限等を付して改善について指導するとともに、②正当な理由なく指導に従わず、改善が図られない場合には、法第71条に規定する改善命令を行うこと。
(3) 事業の制限又は停止命令
　ア　改善命令に従わない場合においては、法第72条の規定に基づき社会福祉事業の経営の制限又は停止を命ずること。
　　　また、改善命令に違反した以外にも、次に掲げる場合には事業の制限又は停止命令を行うことが可能である。
　　・法第68条の2により届け出た事項について、重大な変更があった場合において、変更の事実を隠蔽するなど意図して届出を行わなかった場合
　　・法第70条の調査等について、報告の求めに応じない又は虚偽の報告を行った場合、調査等を拒否又は妨害、忌避した場合
　　・不当な営利を図り、又は利用者の処遇について不当な行為を行った場合
　　・利用契約時において書面を交付しなかった場合
　　・事業の内容等について誇大広告等がされている場合
　イ　アに掲げた事項のうち、特に、「不当な営利を図り、不当な行為があった場合」に該当する場合とは、次のような行為が想定されるものであり、このような場合は、入居者保護の観点から、指導や改善命令等を経ずに、法第72条の規定に基づき事業の制限停止命令を行うこと。
　　・契約に基づかない曖昧な名目での不当な料金の受領
　　・強制的な契約の締結や、不実の告知、不利益となる事実の不告知など、不当な手続による契約の締結
　　・入居者からの契約解除を認めない、契約解除等に際して損害賠償額をあらかじめ設けるなど、不当な契約条項を盛り込んだ契約の締結
　　・契約に基づかない、又は強制的な契約による金銭管理
　　・入居者の生命又は身体の安全に危害を及ぼすおそれのある行為
　　　なお、届出を行わず無料低額宿泊所を運営している場合にも、不正な営利や不当な行為が確認された場合には、法第72条の規定に基づき事業の制限停止命令を行うことが可能である。
　　　また、事業の制限又は停止命令を行う場合には、入居者に対して転居支援をあわせて行うなど、適切な対応を図ること。
(4) 罰則
　　事業の制限又は停止命令に従わず事業を継続して運営した場合には、法第131条の規定により6月以下の懲役又は50万円以下の罰金等に該当するものであること。
4　無料低額宿泊所への調査等の実施にかかる留意事項
(1) 福祉事務所においては、被保護者が入居する住居等において無料低額宿泊所の事業範囲に該当する事業が行われていることを把握した場合には、都道府県等の本庁に報

告を行うこと。また、無料低額宿泊所等（無届けの無料低額宿泊所を含む。以下同じ。）の入居者への訪問調査を行う際には、適切な処遇が行われるかなどの生活実態を把握するとともに、不当な行為等が疑われる場合は、都道府県等に報告を行うこと。
(2) 無料低額宿泊所への調査等の実施に当たっては、必要に応じて消防部局及び建築部局との連携を図ること。その場合、「生計困難者等の住まいにおける防火防災対策の助言等について」（平成30年3月20日社援保発0320第1号・老高発0320第1号・消防予第86号・国住指第4678号）において通知している取組内容を踏まえて連携を図られたいこと。
(3) 無料低額宿泊所について日常生活支援住居施設として認定されている場合には、日常生活支援住居施設に関する厚生労働省令で定める要件等を定める省令（令和2年厚生労働省令第44号）第24条第1項に基づく日常生活支援住居施設に関する調査等もあわせて実施するなど効率的効果的な実施に努めること。その際、同項に基づく日常生活支援住居施設に関する調査等は福祉事務所も行うことが可能であり、日常生活支援住居施設としての認定を行った自治体が、入所者の保護の実施機関である福祉事務所を管轄していない場合においては、施設の負担軽減の観点から、当該福祉事務所とも連携し、同時に実施することも差し支えないこと。

別　添
　　無料低額宿泊所の設備及び運営に関する指導指針
1　指導検査等の目的
　　無料低額宿泊所に対する指導検査は、社会福祉法（昭和26年法律第45号）第70条の規定に基づき、関係法令、通知による事業運営についての指導事項について検査等を行うとともに、運営全般について助言、一般指導を行うことによって、適正な事業運営を図るものであること。
2　指導検査方法等
(1) 指導監査は、「一般検査」と「特別検査」とし、都道府県、指定都市及び中核市において、関係書類を閲覧し、関係者からの聴取により行い、効果的な実施に努めること。
　ア　一般検査
　　　一般検査は、原則として全ての無料低額宿泊所に対し、定期的に実地検査を行うなど、計画的に実施すること。また、実地検査を行わない年には、適宜、書面による検査を実施すること。
　　　一般検査の実施に当たっては、主に別紙「無料低額宿泊所指導検査事項」に記載した事項について、実施状況等を確認すること。
　イ　特別検査
　　　特別検査は、次のいずれかに該当する場合に行うものとし、改善が図られるまで重点的かつ継続的に特別検査を実施すること。

(ア)　事業運営に不正又は著しい不当があったことを疑うに足りる理由があるとき
　　　(イ)　最低基準に違反があると疑うに足りる理由があるとき
　　　(ウ)　指導検査における問題点の是正改善がみられないとき
　　　(エ)　正当な理由がなく、一般監査を拒否したとき
　(2)　指導検査計画等
　　　一般検査の実施に当たっては、実施計画を策定するなど、計画的に実施すること。
　　　なお、一般検査の実施に当たっては、前年度の検査の結果等を勘案して当該年度の重点事項を定め、その効果的実施について十分留意すること。
3　指導検査後の措置
　(1)　指導検査結果の通知等
　　　指導検査の終了後は、施設長等関係職員の出席を求め、指導検査の結果及び改善を要すると認められた事項について講評及び指示を行うものとし、後日文書によって指導の通知を行うものとする。
　(2)　改善報告書の提出
　　　文書で改善を指示した事項については、期限を付して具体的改善措置状況を示す資料の提出を求めること。
　　　また、必要に応じて、実地においてその改善状況を確認すること。
　(3)　改善命令等
　　　3(1)の指導検査結果通知の事項について、改善措置が講じられない場合は、個々の内容に応じ、社会福祉法第71条の規定による改善命令等所要の措置を講ずること。

無料低額宿泊所の設備及び運営に関する指導指針について

〔別添〕

無料低額宿泊所指導検査事項

主眼事項	着眼点
第1　入居者に対する適切なサービスの提供の確保	無料低額宿泊所におけるサービス等の提供については、入居者が地域において自立した日常生活又は社会生活を営むことができるよう、入居者の意思及び人格を尊重するよう配慮されているか。 　事業所の管理の都合により、入居者の生活を不当に制限していないか。
1　入居者の処遇の充実	(1)　入居者に食事を提供する場合、適切な食事が提供されるよう努めているか。 　ア　食事の量及び栄養は確保されているか。 　イ　入居者の心身の状況及び嗜（し）好を考慮した食事が提供されるよう努めているか。 　ウ　食事は適切な時間に提供しているか。 (2)　入浴の機会は適切に提供しているか。 　ア　入浴の機会は原則1日1回提供されているか。 　イ　入浴可能な時間帯や入浴時間は適切に確保されているか。 (3)　入居者について、他の保健医療福祉サービスの活用が必要な場合には、適切にサービスが利用されるよう、当該サービスを提供する事業所等との連携に努められているか。 (4)　心身の状況等から無料低額宿泊所での生活が困難となったと認められる入居者に対しては、適切な他のサービスを受けることができるよう必要な援助に努めているか。 (5)　入居者にプライバシーの確保に配慮された運営がされているか。 (6)　苦情を受け付けるための窓口を設置するなど苦情解決に適切に対応されているか。
2　入居者の生活環境等の確保	(1)　入居者の居室及び共用室などの共用設備について、日照、採光、換気及び防災について十分考慮されたものであるか。 (2)　居室等の面積、設備の構造は基準に適合したものとなっているか。 (3)　炊事設備、洗面所、浴室、便所、洗濯場の設備は、適

727

		切に設けられているか。 (4) 共用室、相談室、食堂等、入居者に対するサービス提供において必要な設備は適切に設けられているか。 (5) 設備、食器等、飲用水について、衛生的に管理されているか。 (6) 感染症、食中毒又は害虫が発生し、又はまん延しないように必要な措置を講ずるよう努めているか。 (7) 喫煙は、喫煙場所及び喫煙可能時間等の設定や必要な換気を行う等受動喫煙の防止に努めているか。
3	自立に向けた支援	(1) 入居者が独立して日常生活を営むことができるか常に把握に努めているか。また、独立して日常生活を営むことができると認められる入居者に対しては、円滑な退居に向けて必要な援助がおこなわれているか。 (2) 入居者に対して、原則として1日1回、心身の状況変化や生活上の問題の把握など安定して生活を送る観点からの状況の把握を行っているか。 (3) 入居にかかる契約期間終了前には、入居者の意向を確認するとともに、継続利用の必要性について、福祉事務所等の関係機関と協議されているか。
4	適切な契約に基づいたサービス提供の実施	(1) 入居申込者には、運営規程の概要、職員の勤務の体制、当該サービスの内容及び費用その他の入居申込者のサービスの選択に資すると認められる重要事項を記した文書を交付して説明されているか。 (2) サービスの利用に際して、入居者との契約が適切に行われているか。 　ア 居室の利用に係る契約とそれ以外のサービスの提供に係る契約をそれぞれ文書により締結しているか。 　イ 居室の利用に関する契約期間は1年以内とされているか。 　ウ 解約に関する規定が設けられているか。 　エ 解約に際して、入居者の権利を不当に狭めるような条件が定められていないか。 　オ 契約に際して、保証人等を求めていないか。 (3) 金銭の管理は、入居者本人が行うことを原則とし、施設が金銭管理を行う者については、金銭の適切な管理を行うことに支障がある者であって、金銭の管理を希望する者に限定されているか。 (4) 金銭管理を行う場合は、適切な手続等に沿って行われ

		ているか。 ア　成年後見制度その他の金銭の管理に係る制度をできる限り活用しているか。 イ　日常生活を営むために必要な金額に限っているか。 ウ　金銭等の管理に係る契約を締結しているか。 エ　金銭等の詳細な管理方法、入居者本人に対する収支の記録の報告方法等について管理規程を定めているか。 オ　金銭管理を行う体制、収支の記録、本人への報告、行政機関への報告等は適切に行われているか。 カ　金銭管理契約を解除する場合等において金銭の返還は適切におこなわれているか。
第2　施設の適切な運営の確保		社会福祉事業として、適切な運営を行うよう努めているか。
	1　適切な運営規程の整備及び運営体制の確保	(1)　施設の定員は遵守されているか。 (2)　事業運営についての重要事項を規定した運営規程を定めているか。 ア　運営規程には、施設の目的及び運営の方針、職員の職種、員数及び職務の内容、入居定員、入居者に提供するサービスの内容及び利用料その他の費用の額、施設の利用に当たっての留意事項、非常災害対策、その他施設の運営に関する重要事項について、必要な規定が設けられているか。 イ　運営規程は公表されているか。 ウ　施設内に概要を掲示するなど入居者が確認できる措置を講じているか。 エ　運営規程を変更した時は、都道府県知事に報告が行われているか。 (3)　サービス提供にあたる利用料は適切に設定されているか。 ア　食事の提供に要する費用、居室利用料、共益費、光熱水費、日用品費、基本サービス費、入居者が選定する日常生活上の支援に関するサービスの提供に要する費用以外の名目で利用料を設定していないか。 イ　各利用料の金額の設定については、基準に掲げた事項に即して適切に設定されているか。 ①　食事の提供に要する費用：食材費及び調理を行う人件費、調理器具の購入や維持管理など調理等に関

する費用に相当する金額を基礎として算定された額
② 居室利用料：当該無料低額宿泊所の整備や改修に要した費用、修繕費、管理事務を行う人件費、保険料、物件の家賃地代に相当する額等を基礎として合理的に算定された金額
③ 共益費：共用部分の清掃、備品の整備等の共用部分の維持管理に要する費用に相当する金額
④ 光熱水費：居室及び共用部分に係る光熱水費の実費に相当する金額を基礎として算定した額
⑤ 日用品費：入居者本人が使用する日用品の購入費及び配送等の調達に相当する金額を基礎として算定した額
⑥ 基本サービス費：入居者の状況把握や軽微な生活上の相談等を行うために配置される職員の人件費及び当該業務に要する事務費等に要する費用を基にして算定した額
⑦ 入居者が選定する日常生活上の支援に関するサービスの提供に要する費用：日常生活上の支援に関するサービスにかかる人件費、事務費等（基本サービス費に係るものを除く。）に相当する金額から、日常生活支援住居施設として受領する委託費を除いている額（日常生活支援住居施設の認定要件を満たす無料低額宿泊所のみ）

(4) 事業の運営等に関する記録は適切に整備されているか。
　ア 職員の勤務状況や事業の実施状況などの事業運営に関する記録、入居者名簿や入居者台帳など入居者に関する記録、収支予算及び決算や出納記録など会計処理に関する記録は整備されているか。
　イ 入居者に提供するサービス内容にかかる記録、苦情の内容、事故の状況やその処置についての記録を整備し、完結から５年間保存されているか。
　ウ 貸借対照表、損益計算書等の収支の状況について公表されているか。

(5) 事故が発生した場合には、都道府県等への報告など適切な対処が行われているか。また、損害賠償すべき事故の発生に備えた対応が講じられているか。

(6) 事業内容について広告をする場合は、虚偽又は誇大な表示ものでないか。

2	職員体制等の整備	(1) 施設長は適切に配置されているか。 　ア　施設長には、基準の要件を満たす者が配置されているか。 　イ　施設長は、主として当該無料低額宿泊所の職務に従事しているか。 (2) 職員（施設長を含む）は、入居者数や提供するサービスに応じて必要な者が配置されているか。 (3) 職員の勤務体制について、勤務表等により適切に管理されているか。また、労働関係各法が遵守されているか。 (4) 職員による個人情報の漏洩等の防止に努めているか。
3	防火防災対策	(1) 建物について、建築基準法、消防法の規定を遵守しているか。 　ア　建築部局又は消防部局から指導等がされている場合には、指導等を踏まえて、改善が図られているか。 　イ　消火器や自動火災報知設備など防火にかかる設備等の設置に努めているか。 (2) 非常災害対策について充実強化に努めているか。 　ア　防火管理の取組や、避難先、災害発生時の対応など、非常災害に対する具体的計画を策定しているか。 　イ　非常災害時の通報及び連絡体制を整備し、職員等に周知しているか。 　ウ　非常災害対策を運営規程に記載した上で、入居者に説明等を行っているか。 　エ　非常災害対策の対応のため、年1回以上（※）、定期的に消火、通報、避難誘導等が適切に実施されるための訓練が行われているか。 　※　消防法施行規則（昭和36年自治省令第6号）第3条第10項の規定が適用されるものについては、消火訓練及び避難訓練を年2回以上

○生活保護受給者が居住する社会福祉各法に法的
　位置付けのない施設及び社会福祉法第2条第3
　項に規定する生活困難者のために無料又は低額
　な料金で宿泊所を利用させる事業を行う施設に
　関する留意事項について

〔平成21年10月20日　社援保発1020第1号
　各都道府県・各指定都市・各中核市民生主管部(局)長
　宛　厚生労働省社会・援護局保護課長通知〕

　今般、生活保護受給者が居住する社会福祉各法に法的位置付けのない施設（以下、「未届施設」という。）については、平成21年1月1日時点での実態を報告いただき、社会福祉法第2条第3項に規定する生活困難者のために無料又は低額な料金で宿泊所を利用させる事業を行う施設（以下、「無料低額宿泊所」という。）については、平成21年6月30日時点の実態を報告いただき、別添のとおりとりまとめたところである。
　また、近年、このような施設においては、防火安全体制の不備等について一部不適切な事案が見受けられたところである。
　これらの状況を踏まえ、特に下記の事項について留意の上、管内実施機関に周知するとともに、生活保護行政の適正な運用及び生活保護受給者に対する適切な支援の確保が図られるようお願いする。
　別添の調査結果により、不適切な事項があった施設については、都道府県本庁等からの指導内容及び改善状況等に関して、別途調査を行うこととしているので、ご了知願いたい。
　なお、本通知は地方自治法（昭和22年法律第67号）第245条の4第1項の規定による技術的助言である。

記

1　訪問調査の徹底及び劣悪な居住環境にある場合などの転居支援について
　　保護の実施機関においては、未届施設や無料低額宿泊所に居住する被保護者に対しても少なくとも年に2回以上の訪問活動を行い、生活実態の把握に努めるとともに、居住環境や施設における処遇について随時確認すること。
　　その際、住環境が著しく劣悪な状態であることが確認された場合については、関係機関と連携し、より適切な他の施設への転居を促すこと。
　　また、居宅生活ができると認められた場合は、公営住宅等への転居の支援に努めること。
2　防火安全体制の確認の協力について

生活困難者のために宿泊所を利用させる事業を行う施設に関する留意事項について

　　上記訪問調査の結果については、所轄の消防署等と連携の上、適宜必要な情報提供を行い、防火安全体制の確認についての協力に努めること。
　　なお、本件について総務省消防庁と協議済みである。
3　未届施設に関する関係部局との連携について
　　日頃より、生活保護の担当部局と施設の担当部局は、必要な情報を随時交換するなど連携の強化に努め、例えば有料老人ホームに類似した施設であることが確認された場合は、施設の担当部局へ情報提供をすること。
　　なお、届出に関する事務は、都道府県、指定都市及び中核市（以下「都道府県等」という。）が行うこととなるため、都道府県等の生活保護の担当部局が生活保護受給者が利用する施設に関する情報を一括して管理した上で、都道府県等の施設の担当部局と連携を図ること。
4　生活保護費の適正な交付について
　　生活保護費のうち、住宅扶助等については代理納付を認めているものの、生活扶助については、生活保護法第31条第3項に規定するとおり、原則、生活保護受給者本人に対して交付するものである。
　　生活保護法第31条第4項及び第5項の規定に該当する場合に限り、生活扶助を施設の管理者等に直接交付できることとされているが、未届施設及び無料低額宿泊所については、基本的に当該規定に該当しないため、必ず本人に交付すること。
　　また、生活保護受給者が、施設との契約に基づき、交付を受けた保護費の管理を施設に委託する場合であっても、本人の意思に反して強制的に保護費から利用料等の名目で全部又は一部が第三者に差し引かれるといった事態がないよう十分留意すること。
　　なお、金銭管理契約を締結する場合は、施設が各利用者の現金出納簿を作成し、個人毎に管理を行うよう指導すること。
5　無料低額宿泊所の収支状況の公開について
　　無料低額宿泊所については、「社会福祉法第2条第3項に規定する生計困難者のために無料又は低額な料金で宿泊所を利用させる事業を行う施設の設備及び運営について」（平成15年7月31日社援発第0731008号厚生労働省社会・援護局長通知）において、「貸借対照表及び損益計算書など収支の状況を毎会計年度終了後3か月以内に公開すること」としており、本取扱いは事業経営の透明性の確保、さらには利用者の処遇の確保のため、特に留意すべき事項であり、無料低額宿泊所に対する指導を徹底されたい。
別添　略

○無料低額宿泊所の設備及び運営に関する基準のサテライト型住居への適用に係る留意事項について

> 令和3年8月27日　社援保発0827第1号
> 各都道府県・各指定都市・各中核市民生主管部(局)長宛　厚生労働省社会・援護局保護課長通知

　無料低額宿泊所の運営については、「無料低額宿泊所の設備及び運営に関する基準」（令和元年8月厚生労働省令第34号）（以下「省令」という。）及び「無料低額宿泊所の設備及び運営に関する基準について」（令和元年9月10日付社援発0910第3号厚生労働省社会・援護局長通知）等に基づき行われているところですが、省令第11条に規定するサテライト型住居に係る基準については、省令附則第1条により令和4年4月1日から施行されます。

　各自治体においては、省令を参酌基準又は標準として、社会福祉法（昭和26年法律第45号）（以下「法」という。）第68条の5に基づき、無料低額宿泊所の設備及び運営に関する基準を条例で定めていただいているところですが、この基準のサテライト型住居への適用開始に伴い、留意事項を別添のとおりまとめましたので、必要に応じた条例の改正等や基準の適用に当たっては、当該留意事項を踏まえて対応いただきますようお願いいたします。

　なお、省令第3章に定める基準は第1条各号に定めるとおり、参酌基準又は標準であり、参酌基準については十分参照し、標準については合理的な理由がある範囲内で、管内の無料低額宿泊所の運営状況及び地域の実情等を勘案し、省令第3章と異なる基準を規定することができるものであることを念のため申し添えます。

　各自治体におかれましては、管内市町村、福祉事務所及び無料低額宿泊所を運営する事業者等関係者への周知をお願いするとともに、入居者への適切な支援について格段のご配慮をお願いいたします。

　また、本通知は、地方自治法（昭和22年法律第67号）第245条の4第1項の規定する技術的助言であることを申し添えます。

別　添
　　　無料低額宿泊所におけるサテライト型住居の運営に係る留意事項
1　省令第3条（基本方針）関係
　無料低額宿泊所は、直ちに単身での居宅生活が困難な者に対し、居宅生活が可能な状況になるまでの間の一時的な居住の場を提供するほか、他の社会福祉施設の入所対象にならない者に対し、居宅と社会福祉施設との中間的な居住の場を提供する役割を担うものである。そのため、入居者が一般の居宅等において独立して日常生活を営むことができるか常に把握するとともに、当該入居者の希望等を勘案し、退去のための必要な援助

に努めることとされている。

　無料低額宿泊所に入居する者の多くは、居宅での生活歴がない若しくは明らかでない者又は住所不定者であった期間が長い者等であるが、サテライト型住居の入居者については、一般居宅での生活に移行する準備をしている者等の居宅生活に近い状態像の者等を想定している。

　また、入居者に対しては、基準省令第14条第１項に規定する重要事項を記した文書を交付するなどにより、入居者本人が居宅での生活に移行する意思を明確に持つことを確認し、居宅での生活に向けた必要な支援を行うことに関して、十分な説明を行うこととされたい。

2　省令第８条（非常災害対策）関係

　本体施設及びサテライト型住居は、それぞれの施設ごとに設備の構造、入居者を取り巻く生活環境及び職員による支援方法等が異なるため、基準省令第８条第１項に規定する消火設備その他の非常災害に際して必要な設備について、本体施設及びサテライト型住居の施設ごとに適切に整備する必要がある。施設毎に必要となる設備については、必要に応じて担当部署に確認することとされたい。

　また、非常災害に対する具体的な計画については、施設の設置場所によってその内容が異なることから、本体施設及びサテライト型住居の施設ごとに策定することとされたい。

3　省令第11条（サテライト型住居の設置）関係

(1)　本体施設及びサテライト型住居の施設所在地を管轄する自治体がそれぞれ異なる場合は、本体施設を所管する自治体において、当該本体施設のサテライト型住居も含め、届出受理、指導・検査等を実施することとされたい。その際、本体施設を所管する自治体から、サテライト型住居の施設所在地を管轄する自治体（都道府県等本庁）に対して、施設名、住所等の必要な情報を提供するなど、自治体間における連携に支障が生じないよう情報共有に努められたい。

　また、所管する自治体により法第70条の規定に基づく立入検査等を行う場合は、例えば、サテライト型住居に居住する被保護者の実施機関の職員による訪問とあわせて行うなど、相互に連携に努められたい。

　サテライト型住居の所在地が本体施設の所在地の自治体と異なる場合、当該サテライト型住居と本体施設で入居者に適用される住宅扶助基準額が異なる場合があるため、家賃又は居室利用料を勘案する際には留意されたい。

　また、サテライト型住居への該当は、本体施設と「一体的に」運営されているかについて確認すること等により、判断することとなる。具体的には、運営者の同一性、会計処理、契約形態及び職員体制等が本体施設と密接に関係しているかなどを確認し、これらの状況を総合的に勘案した上で判断することとされたい。

(2)　日常生活支援住居施設については、無料低額宿泊所であることが前提となる。日常生活支援住居施設として生活保護法第30条の認定を受けている無料低額宿泊所がサテライト型住居を設置する場合がありうるが、日常生活住居支援施設の職員配置基準

は、同一建物内において入居者に対する支援を行うことを前提としており、サテライト型住居が認定の対象となることは想定していないことに留意されたい。
　　　また、この場合において、日常生活支援住居施設の配置基準を満たすべく本体施設に配置された人員が、当該配置基準を満たすべく勤務する時間内において、サテライト型住居の業務を行うことはできず、本体施設に係る配置基準を満たした上で、別途サテライト型住居の業務を行うための人員配置が必要であることに留意されたい。
(3)　本体施設からサテライト型住居までの移動時間に関し、省令第11条第2項において、おおむね20分で移動できる範囲が上限であることとされている。この趣旨は、入居者の状況把握等の無料低額宿泊所としての一体的なサービス提供に支障がないものとすることが必要であることを考慮したものである。
　　　移動時間については、一般的な移動手段、生活圏域の広さ等の実情が地域により特に異なると考えられるところであり、上記規定の趣旨を十分参照した上で、各自治体において異なる移動時間を定めることも考えられる。なお、入居者の緊急時等への対応が適切に行われるよう、公共交通機関以外の移動手段についても考慮する必要があることに留意されたい。
(4)　省令第11条第3項各号に掲げるサテライト型住居を設置できる箇所数については、サテライト型住居は職員が巡回して支援する形態で運営されることを想定し、支援に支障が生じないような箇所数の上限として設定しているものである。
(5)　省令第11条第4項各号に掲げるサテライト型住居の入居定員については、本体施設及びサテライト型住居の施設の職員体制を維持し支援に支障が生じないことを考慮して上限として設定しているものである。
4　省令第12条（設備の基準）第4項関係
　　サテライト型住居の入居者は、一般居宅での生活に移行する準備をしている者等の居宅生活に近い状態像の者等を想定しており、サテライト型住居において、一般居宅での生活と同様に生活することで、一般居宅への円滑な移行を目指すものと位置づけている。このため、省令第12条第4項に規定する設備（居室、炊事設備、洗面所、便所、浴室、洗濯室又は洗濯場）については、施設内で入居者が他の者と共用することなく単独で使用すること（いわゆるワンルームマンション型）が望ましい形態である。共用する場合（シェアハウス型）には、設備を共用する人数に応じてそれぞれの設備を十分に利用できるよう、適当な広さ又は数を確保することに配慮すること。例えば浴室については、入居者が適切な時間帯及び入浴時間で1日1回は入浴ができる広さや数が確保されているなど、設備の共用が問題とならないよう留意すること。
　　また、同様の趣旨から、家族等との同居の場合を除き、サテライト型住居における1居室当たりの入居定員は1名とすべきと考えられる。
5　省令第14条（入居申込者に対する説明、契約等）関係
　　無料低額宿泊所は基本的に一時的な居住の場であるが、特に、サテライト型住居は、入居者として、一般居宅での生活に移行する準備をしている者等の居宅生活に近い状態像の者等を想定し、サテライト型住居において、一般居宅での生活と同様に生活するこ

とで、一般居宅への円滑な移行を目指すものと位置づけていることから、入居期間は原則として1年以下とし、1年以上の入居の継続の必要性等は本体施設以上に十分な検討が必要である。こうした検討が行われないまま、入居期間が長期にわたることは適当ではないことに留意されたい。

具体的な入居継続の必要性の検討としては、契約期間の満了前には、改めて一般居宅への移行について、事業者により適切にアセスメントを実施し、本人の希望を聴取の上、保護の実施機関とも相談し、サテライト型住居への入居継続、本体施設への移行、一般居宅への移行のいずれの対応方針とするかの検討を行われたい。

6 省令第15条（入退去）関係

本体施設からサテライト型住居への移行に当たっては、以下の対応を行うこととされたい。

・事業者において移行予定者の状態像や生活能力等に関するアセスメントを行うとともにサテライト型住居への移行の希望等を確認する。

・居所の移転について、事前に事業者から保護の実施機関への相談を行うとともに、保護の実施機関においては、移行予定者とともに今後の支援方針を確認し、必要に応じて保護の実施機関としての意見を付するものとする。

なお、こうした対応に当たっては、事業者においてアセスメント等に関する記録を残すこととされたい。本体施設からサテライト型住居への移行に当たっては、居宅への移行支援や定着支援に係る国庫補助事業を活用することが可能であり、当該者の居宅生活を支援することも併せて検討されたい。

7 省令第16条（利用料）関係

無料低額宿泊所の利用料については、実費やサービスを提供するために必要となる費用を勘案して設定することとしている。本体施設に比較して支援に係る時間等が少ないことが想定されることから、サテライト型住居の利用者に係る基本サービス費については、本体施設の入居者と比較して支援時間当たりの費用について不均衡が生じないよう、訪問等による支援時間に応じて適切な基本サービス費を設定することとされたい。

8 省令第20条（状況把握）関係

サテライト型住居の入居者の状況把握については、サテライト型住居は、入居者として、一般居宅での生活に移行する準備をしている者等の居宅生活に近い状態像の者等を想定し、サテライト型住居において、一般居宅での生活と同様の生活を行うことで、一般居宅への円滑な移行を目指すものと位置づけていることから、日常生活に通常必要と考えられる事項（金銭管理、健康管理・衛生管理、炊事洗濯等、安全管理等）が適切に行われているかの確認の必要性が特に高いことに留意されたい。

なお、確認の方法としては、電話連絡等の職員と入居者が面会しない方法や本体施設における面談等の方法のみでは、上記事項を確認することが困難である場合が多いと想定されるため、原則として居室を巡回することとされたい。その際、状況把握の方法や頻度等について、適切なアセスメントやマネジメントに基づき、利用者との合意の下に行うよう留意されたい。

9 省令第26条（日常生活に係る金銭管理）関係
　サテライト型住居は、入居者として、一般居宅での生活に移行する準備をしている者等の居宅生活に近い状態像の者等を想定し、サテライト型住居において、一般居宅での生活と同様の生活を行うことで、一般居宅への円滑な移行を目指すものと位置づけていることに鑑み、サテライト型住居の入居者の金銭管理を行った場合、特に当該入居者本人が希望した際に直ちに出納することが適切であり、職員体制を整えるよう留意されたい。

○「配偶者からの暴力の防止及び被害者の保護に
　関する法律の一部を改正する法律」の施行等に
　伴う生活保護制度における留意事項について

〔平成20年4月1日　社援保発第0401007号
　各都道府県・各指定都市・各中核市民生主管部(局)長
　宛　厚生労働省社会・援護局保護課長通知〕

　配偶者からの暴力の防止及び被害者の保護に関する法律の一部を改正する法律（平成19年法律第113号。以下「改正法」という。）については、平成20年1月11日から施行され、また、同日付けで、改正後の配偶者からの暴力の防止及び被害者の保護に関する法律（平成13年法律第31号。以下「法」という。）に基づき、配偶者からの暴力の防止及び被害者の保護のための施策に関する基本的な方針（以下「基本方針」という。）が告示されました。
　改正法の施行等に関する全般的な留意事項については、内閣府男女共同参画局長及び厚生労働省雇用均等・児童家庭局長より『「配偶者からの暴力の防止及び被害者の保護に関する法律の一部を改正する法律」の施行について』（平成20年1月11日府共第4号・雇児発第0111002号）をもって通知されていますが、生活保護制度における留意事項について下記のとおりお知らせいたします。
　なお、都道府県におかれましては、管内の実施機関にもお知らせいただきますようお願いいたします。

記

1　法の改正及び基本方針の概要（生活保護関係部分）
　(1)　配偶者暴力相談支援センターの業務（法第3条第3項第4号、基本方針第2―7―(3)―ウ）
　　　配偶者暴力相談防止センターの業務として、被害者が自立して生活することを促進するため、就業の促進、住宅の確保、援護等に関する制度の利用等について、情報の提供、助言、関係機関との連絡調整その他の援助を行うことが、法律上明確にされた。
　　　これを踏まえ、同センターにおいては、被害者に対し、事案に応じ、生活保護制度の適用について、福祉事務所に相談するよう、情報提供等を行うことが必要であることとされた。
　(2)　福祉事務所による自立支援（法第8条の3、基本方針第2―7―(3)―ア）
　　　福祉事務所は、生活保護法、児童福祉法、母子及び寡婦福祉法その他の法令で定めるところにより、被害者の自立を支援するために必要な措置を講ずるよう努めなければならないことが、法律上明確にされた。
　　　これを踏まえ、福祉事務所においては、生活保護法の規定により、生活保護の要件を満たす被害者に対して生活保護を適用するとともに、その自立を助長するため必要な助言等を実施することが必要であることとされた。
2　留意事項

Ⅱ　生活保護法関係通知　第3章　保護の実施要領

(1) 関係機関の連携及び職務関係者による配慮（法第9条及び第23条、基本方針第2―9及び10)

　これまでもその職務を行うに当たり、被害者の心身の状況、その置かれている環境等を踏まえ、被害者の人権を尊重するとともに、その安全の確保及び秘密の保持に十分な配慮をしなければならないとされてきたところである。

　このたび、基本方針において、①被害者と直接接する場合は、被害者が配偶者からの暴力により心身とも傷ついていることに十分留意し、被害者に更なる被害（二次的被害）が生じることのないよう配慮すること、②加害者の元から避難している被害者の居所が加害者に知られてしまう、あるいは被害者を支援している者の氏名等が加害者に知られてしまうといったことのないよう十分配慮することが示されたところである。

　については、生活保護の実施に当たり、被害者（申請者）の生活状況や扶養関係について把握する際には、法第9条及び基本方針第2―9の規定に基づき、関係機関と連携協力し関係機関から情報を得る等により、被害者に更なる被害が生じることや、被害者の居所が加害者に知られないよう十分配慮されたい。

(2) その他

　既に通知している次の事項についても、十分留意すること。

① 実施責任（生活保護法による保護の実施要領について（昭和38年4月1日社発第246号）第2―12―(4)―イ）

　法による婦人相談所が自ら行う又は委託して行う一時保護の施設に入所している者については、他に居住地がない限り、居住地がない者とみなし、原則として当該施設所在地を所管する保護の実施機関が保護の実施責任を負い、現在地保護を行うこと。

　ただし、入所者の立場に立って広域的な連携を円滑に進める観点から、都道府県内又は近隣都道府県間において地方公共団体相互の取決めを定めた場合には、それによることとして差し支えない。

② 扶養能力調査の方法（生活保護法による保護の実施要領の取扱いについて（昭和38年4月1日社保第34号）第5の問2）

　夫の暴力から逃れてきた母子等当該扶養義務者に対し扶養を求めることにより明らかに要保護者の自立を阻害することになると認められる者であって、明らかに扶養義務の履行が期待できない場合は、まず、関係機関等に対し照会を行い、なお、扶養能力が明らかにならないときは、その者の居住地を所管する保護の実施機関に書面をもって調査依頼を行うか、又はその居住地の市町村長に照会することとして差しつかえない。

　当該扶養義務者が生活保持義務関係にある扶養義務者以外であるときは、個別の慎重な検討を行い扶養の可能性が期待できないものとして取り扱って差しつかえない。

　なお、いずれの場合も、当該検討経過及び判定については、保護台帳、ケース記録等に明確に記載する必要があるものである。

○障害者の日常生活及び社会生活を総合的に支援するための法律施行規則第27条等の規定が適用される要保護者(境界層該当者)に対する保護の実施機関における取扱いについて

平成18年３月31日　社援保発第0331007号
各都道府県・各指定都市・各中核市民生主管部(局)長
宛　厚生労働省社会・援護局保護課長通知

〔改正経過〕

第１次改正　平成18年９月29日社援保発第0929005号　　第２次改正　平成20年７月１日社援保発第0701001号
第３次改正　平成22年４月１日社援保発第0401第１号　　第４次改正　平成25年４月１日社援保発第0401第１号
第５次改正　令和元年５月27日社援保発第0527第１号

　障害者の日常生活及び社会生活を総合的に支援するための法律施行規則（平成18年厚生労働省令第19号）第27条、第53条、第55条、第56条、第64条の３の２、第64条の３の４、第64条の３の５、第64条の４及び第65条の３の規定が適用される要保護者、児童福祉法施行規則（昭和23年厚生省令第11号）第25条の３、第25条の24の２、第25条の24の４、第25条の24の５及び第25条の25の規定が適用される要保護者、障害者の日常生活及び社会生活を総合的に支援するための法律第58条第３項第２号の厚生労働大臣が定める額（平成18年厚生労働省告示第156号）の第２号の規定が適用される要保護者、障害者の日常生活及び社会生活を総合的に支援するための法律第70条第２項及び第71条第２項において準用する同法第58条第３項第２号の厚生労働大臣が定める額（平成18年厚生労働省告示第525号）の第３号及び第５号の規定が適用される要保護者、障害者の日常生活及び社会生活を総合的に支援するための法律第70条第２項及び第71条第２項において準用する同法第58条第３項第３号の厚生労働大臣が定める額（平成18年厚生労働省告示第526号）の第３号の規定が適用される要保護者、児童福祉法第24条の20第２項第２号の規定に基づき厚生労働大臣が定める額（平成18年厚生労働省告示第558号）の第２号の規定が適用される要保護者、障害者の日常生活及び社会生活を総合的に支援するための法律第58条第３項第３号の厚生労働大臣が定める額（平成18年厚生労働省告示第571号）の第２号の規定が適用される要保護者、障害者の日常生活及び社会生活を総合的に支援するための法律施行令第21条の３第１項の規定に基づき厚生労働大臣が定める食費等の負担限度額の算定方法（平成19年厚生労働省告示第133号）の第１号ハの規定が適用される要保護者及び児童福祉法施行令第27条の６第１項の規定に基づき厚生労働大臣が定める食費等の負担限度額の算定方法（平成19年厚生労働省告示第140号）の第２号ハの規定が適用される要保護者（以下「境界層該当者」という。）については、障害者の日常生活及び社会生活を総合的に支援するための法律（平成17年法律第123号）並びに児童福祉法（昭和22年法律第164号）により、障害

福祉サービス、自立支援医療、補装具及び障害児施設支援を利用する者が生活保護の受給の対象者となる場合には、生活保護の適用対象でなくなるまで利用料及び食費等実費負担額について減額し又は免除する措置が取られることとなっている。
　この措置に関する保護の実施機関における具体的な取扱いは、下記のとおりであるので、管内実施機関に対し周知方お願いしたい。
　なお、本通知は、地方自治法（昭和22年法律第67号）第245条の９第１項及び第３項の規定による処理基準としたので申し添える。

記

1　基本的な取扱い
　(1)　負担軽減措置の対象者及び内容について
　　　次表の左欄に掲げる者については、右欄の負担軽減措置がなされることとされているため、保護を要しないこと。
　　　なお、負担上限月額については、障害者の日常生活及び社会生活を総合的に支援するための法律施行令（以下「障令」という。）第42条の４第２項及び附則第13条の２並びに児童福祉法施行令（以下「児令」という。）第27条の11第２項及び第50条の８の規定による減免を受けている場合にあっては、これらの規定を適用した後の負担上限月額とする。

対象者	内容
ア　居宅・通所サービス利用者 　居宅又は通所サービス利用に係る負担上限月額を「０円」としたならば、保護を必要としない状態となる者。	居宅又は通所サービス利用者が保護を必要としなくなるまで、負担上限月額が「０円」まで減額される。 ［定率負担の減免措置］
イ　施設入所者（福祉型障害児施設入所者を含む。ただし、エに該当する者を除く。） 　㈦　20歳以上の場合 　　a　入所施設サービス利用に係る負担上限月額を「０円」としたならば、保護を必要としない状態となる者。 　　b　入所施設サービスの負担上限月額を「０円」とした上で、更に食費等の実費負担額（補足給付を受けている者については、補足給付を適用した後の負担額とする。以下同じ。）を「０円を下限」として減額されたとすれば、保	a　入所施設サービス利用者が保護を必要としなくなるまで、負担上限月額が「０円」まで減額される。 ［定率負担の減免措置］ b　入所施設サービス利用者の負担上限月額を「０円」としても生活保護対象者となる場合、保護を必要としなくなるまで、食費等の実費負担額が「０円を下限」として減額される。

障害者総合支援法施行規則の規定が適用される要保護者に対する取扱い

護を必要としない状態となる者。 (イ) 20歳未満の場合 　a　入所施設サービス利用に係る負担上限月額を「０円」としたならば、保護を必要としない状態となる者。 　b　入所施設サービスの負担上限月額を「０円」とした上で、更に食費等の実費負担額を18～19歳の場合は「１万円を下限」として、18歳未満の場合は「1000円を下限」として減額されたとすれば、保護を必要としない状態となる者。	[食費負担の軽減措置] 　a　入所施設サービス利用者が保護を必要としなくなるまで、負担上限月額が「０円」まで減額される。 [定率負担の減免措置] 　b　入所施設サービス利用者の負担上限月額を「０円」としても生活保護対象者となる場合、保護を必要としなくなるまで、食費等の実費負担額が１か月につき、18～19歳の場合は「１万円を下限」として、18歳未満の場合は「1000円を下限」として減額される。 [食費負担の軽減措置]
ウ　自立支援医療利用者 　a　自立支援医療の利用に係る負担上限月額を「5000円」、「2500円」又は「０円」としたならば、保護を必要としない状態となる者。 　b　自立支援医療に係る負担上限月額を「０円」とした上で、更に食事療養費の標準負担額（以下「食費の実費負担額」という。）を「０円」としたならば、保護を必要としない状態となる者（入院の場合に限る）。 　なお、自立支援医療利用者については、「高額療養費及び老人医療の高額療養費等の生活保護法における取扱いについて」（平成14年９月30日社援保発第0930001号厚生労働省社会・援護局保護課長通知）に定める医療保険等の自己負担限度額の減額措置をまず適用するものであること。	a　自立支援医療利用者が保護を必要としなくなるまで、負担上限月額が「5000円」、「2500円」又は「０円」まで減額される。 [自立支援医療の減免措置] 　b　自立支援医療利用者の負担上限月額を「０円」としても生活保護対象者となる場合で、食費の実費負担額を「０円」としたならば、保護を必要としない状態となる者について、食費の実費負担額が免除される。 [食費負担の軽減措置]
エ　医療型障害児施設及び療養介護事業（以	

下「医療型障害児施設等」という。）利用者

(ア) 医療型障害児施設入所者（20歳以上）・通所者及び療養介護利用者（20歳以上）

 a 医療型障害児施設等の利用に係る医療部分の負担上限月額を「2万4600円」、「1万5000円」又は「0円」としたならば、保護を必要としない状態となる者。

 なお、医療型施設等利用者については、「高額療養費及び老人医療の高額療養費等の生活保護法における取扱いについて」（平成14年9月30日社援保発第0930001号厚生労働省社会・援護局保護課長通知）に定める医療保険等の自己負担限度額の減額措置をまず適用するものであること。

 b 医療型障害児施設等の利用による医療部分の負担上限月額を「0円」とした上で、福祉部分の負担上限月額を「0円」としたならば、保護を必要としない状態となる者。

 c 施設入所者については、医療部分及び福祉部分の負担上限月額を「0円」にした上で、更に食費の実費負担額を「0円」としたならば、保護を必要としない状態となる者。

(イ) 医療型障害児施設入所者（20歳未満）及び療養介護利用者（20歳未満）

 a 食費の実費負担額を「0円」としたとすれば、保護を必要としない状態となる者。

 b 食費の実費負担額を「0円」とした上で、更に医療型障害児施設等の利用

a 施設利用者が保護を必要としなくなるまで、医療部分の負担上限月額が「2万4600円」、「1万5000円」又は「0円」まで減額される。
［定率負担の減免措置（医療部分）］

b 医療部分の負担上限月額を「0円」としても生活保護対象となる場合、保護を必要としなくなるまで、福祉部分の負担上限月額が「0円」まで減額される。
［定率負担の減免措置（福祉部分）］

c 入所施設利用者の負担上限月額を「0円」にしても生活保護対象者となる場合、保護を必要としなくなるまで、食費の実費負担額が「0円」まで減額される。
［食費負担の軽減措置］

a 施設入所者が保護を必要としなくなるまで、食費の実費負担額が「0円」まで減額される。
［食費負担の軽減措置］

b 食費の実費負担額を「0円」としても生活保護対象となる場合、保護

に係る医療部分の負担上限月額を「2万4600円」、「1万5000円」又は「1万円」（18歳及び19歳の場合）若しくは「1000円」（18歳未満の場合）としたならば、保護を必要としない状態となる者。 c　医療型障害児施設等による医療部分の負担上限月額を「1万円」（18歳及び19歳の場合）又は「1000円」（18歳未満の場合）とした上で、福祉部分の負担上限月額を「0円」として減額されたとすれば、保護を必要としない状態となる者。	を必要としなくなるまで、医療部分の負担上限月額が「2万4600円」、「1万5000円」又は「1万円」（18歳及び19歳の場合）若しくは「1000円」（18歳未満の場合）まで減額される。 ［定率負担の減免措置（医療部分）］ c　食費の実費負担額を「0円」とし、医療部分の負担上限月額を「1万円」（18歳〜19歳の場合）又は「1000円」（18歳未満の場合）としても生活保護対象となる場合、保護を必要としなくなるまで、福祉部分の負担上限月額が「0円」まで減額される。 ［定率負担の減免措置（福祉部分）］
オ　補装具利用者 　補装具利用に係る負担上限月額を「0円」としたならば、保護を必要としない状態となる者。	補装具利用者が保護を必要としなくなるまで、負担上限月額が「0円」まで減額される。 ［定率負担の減免措置］

(2)　負担軽減措置適用の優先順位について

　　負担軽減措置を適用する優先順位については、まず前記(1)のア（居宅・通所サービスに係る定率負担の減免措置）又はイ（まず入所施設サービス利用に係る定率負担の減免措置、次に食費負担の軽減措置）、次にウ（まず自立支援医療費の軽減措置、次に食費負担の軽減措置）、次にエ（医療型障害児施設等利用に係る負担軽減措置）、次にオ（補装具に係る減免措置）の順に講ずるものとされている。

2　境界層対象者に対する証明書の交付

　　境界層対象者に対する負担軽減措置は市町村又は都道府県の障害施策担当部局がその手続を行うものであるが、福祉事務所長は、保護の申請に応じ、保護開始時の要否判定を行った結果、当該申請者が境界層対象者であることが明らかになった場合又は保護を受けている者が境界層対象者に該当する場合、別添の証明書を境界層対象者に交付するものとし、その際、市町村の障害施策担当部局に対する負担軽減措置の申請に当たっては、当該証明書を添えて提出するよう教示すること。

3　具体的な事務手続

(1)　要否判定の手続

　　ア　境界層対象者に対する負担軽減措置を受けようとする障害福祉サービス利用者、

自立支援医療利用者、補装具利用者から生活保護の申請があった場合等において、福祉事務所は市町村又は都道府県の障害部局に対し、以下の情報提供を求めるものとする。
(ｱ) 障害福祉サービスに係る負担上限月額（医療型個別減免、高額障害福祉サービス費等の各種の負担軽減措置適用後の負担上限月額）
(ｲ) 入所施設利用者に係る食費等実費負担額（入所施設における食費等の実費負担に係る軽減措置適用後の実費負担額）
(ｳ) 自立支援医療利用者に係る概算医療費額（概算自己負担額及び食費の実費負担額）

　　　ただし、生活保護の申請に際して自立支援医療に係る医師の意見書等により当該自立支援医療の利用者の概算医療費が確認できる場合は市町村又は都道府県の障害部局への確認を省略して差し支えない。
(ｴ) 補装具利用者に係る負担上限月額
イ　福祉事務所においては、当該申請者の世帯に係る生活保護基準額（生活保護法による保護の基準（昭和38年厚生省告示第158号）別表第1第1章の3による基準生活費の特例（施設入所サービスの利用に係る食費等の実費負担額）は除く。）に前記(1)のアの(ｱ)から(ｴ)までを加えた額を最低生活費とした上で、当該世帯の収入との比較によって保護の要否判定を行い、負担軽減措置の実施によって保護を必要としない状態となるかどうかを判断する。

　　具体的には、保護を要さないために必要となる減免額が0円以下になるまで、利用するサービスに応じ、以下の順番で負担上限月額及び食費等の実費負担額を減じる。

　　なお、平成20年7月から障害者が障害福祉サービスを利用する場合等の負担上限額を判定する際の世帯の範囲が変更され、世帯の範囲は当該障害者及び配偶者とされているが、保護の要否判定に当たっての世帯の範囲は従前のとおりである。
(ｱ) 障害福祉サービス（療養介護を除く。）又は障害児施設支援（医療型障害児施設に係る支援を除く。以下同じ。）の負担上限月額
　　a　居宅・通所サービス
　　　　負担上限月額を「0円」に置き換える。
　　b　入所施設（20歳以上）
　　　　負担上限月額を「0円」に置き換える。
　　c　入所施設（20歳未満）
　　　　負担上限月額を「0円」に置き換える。
(ｲ) 入所施設（医療型障害児施設等に係る支援を除く。）に係る食費等の実費負担額
　　　実費負担額を、1か月につき、20歳以上の場合は「0円を下限として保護を必要としない額」に、18歳又は19歳の場合は「1万円を下限として保護を必要としない額」に、18歳未満の場合は「1000円を下限として保護を必要としない額」に

障害者総合支援法施行規則の規定が適用される要保護者に対する取扱い

　　　　置き換える。
　　(ウ)　医療保険等に係る自己負担限度額
　　　　自己負担限度額を「３万5400円」に置き換える。（「高額療養費及び老人医療の高額療養費等の生活保護法における取扱いについて」（平成14年９月30日社援保発第0930001号厚生労働省社会・援護局保護課長通知）に定める医療保険等の自己負担限度額の減額措置）
　　(エ)　自立支援医療に係る負担上限月額
　　　　負担上限月額を「5000円」、「2500円」、「０円」の順に置き換える。
　　(オ)　自立支援医療に係る食費の実費負担額
　　　　実費負担額を「０円」に置き換える。
　　(カ)　医療型障害児施設又は療養介護に係る負担上限月額及び食費等実費負担額
　　　ａ　医療型障害児施設入所者（20歳以上）、医療型障害児施設通所者、療養介護利用者
　　　　(a)　医療部分の負担上限月額を「２万4600円」、「１万5000円」、「０円」の順に置き換える。
　　　　(b)　福祉部分の負担上限月額を「０円」に置き換える。
　　　　(c)　食費等の実費負担額を１か月につき「０円」に置き換える。
　　　ｂ　医療型障害児施設入所者（20歳未満）
　　　　(a)　食費の実費負担額を「０円」に置き換える。
　　　　(b)　医療部分の負担上限月額を「２万4600円」、「１万5000円」、「１万円」（18歳及び19歳の場合）、「1000円」（18歳未満の場合）の順に置き換える。
　　　　(c)　福祉部分の負担上限月額を「０円」に置き換える。
　　(キ)　補装具に係る負担上限月額
　　　　負担上限月額を「０円」に置き換える。
(2)　境界層対象者証明書の発行
　　境界層対象者証明書には以下の事項を記載すること。（別添様式参照）
　ア　却下に係る申請日又は保護廃止日
　　当該者に係る処分が却下の場合、却下に係る申請日を、保護廃止の場合には、保護廃止日を記載する。
　イ　保護を要しない理由
　　(ア)　障害福祉サービス（療養介護を除く。以下同じ。）又は障害児施設支援（医療型障害児施設を除く。以下同じ。）
　　　ａ　障害福祉サービス又は障害児施設支援に係る負担上限月額を減額すれば保護を要しなくなる場合
　　　　証明書に「障害福祉サービス定率負担減額相当」又は「障害児施設支援定率負担減額相当」であること及び保護を必要としなくなる負担上限月額を記載する。具体的には、居宅・通所サービス利用者の場合又は施設入所者の場合には、「０円」を記載する。
　　　ｂ　障害福祉サービス又は障害児施設支援に係る負担上限月額を「０円」に置き

換えることに加え、入所施設に係る食費等の実費負担額を、20歳以上の場合「０円を下限」として、18歳及び19歳の場合「１万円を下限」として、18歳未満の場合「1000円を下限」として減額すれば、保護を要しなくなる場合

　証明書に「障害福祉サービス定率負担減額相当」又は「障害児施設支援定率負担減額相当」であり、負担上限月額を「０円」とすること及び「補足給付特例対象」であることを記載するとともに、保護を要しなくなる実費負担額を記載する。

　また、要否判定において収入認定した額及びその世帯に適用される最低生活費（定率負担免除後）の額を記載する。

　c　居宅・通所サービス利用者についてはａの措置、施設入所者についてはｂの措置に加え、自立支援医療に係る負担上限月額を減額すれば、保護を要しなくなる場合

　証明書に前記ａ又はｂの内容に加え、「自立支援医療定率負担減額相当」であること及び保護を必要としなくなる負担上限月額を記載する。具体的には、「5000円」、「2500円」、「０円」のいずれかを記載する。

　なお、医療保険等の自己負担限度額を「３万5400円」とすれば、保護を必要としなくなる場合については、自立支援医療に関する事項は証明書への記載を要しない。

　d　ｃの措置に加え、自立支援医療に係る食費の実費負担の免除により、保護を要しなくなる場合

　証明書に前記ｃの内容に加え、「自立支援医療食事療養費免除対象」と記載する。

(ｲ)　自立支援医療

　a　自立支援医療に係る負担上限月額を減額すれば、保護を要しなくなる場合

　証明書に「自立支援医療定率負担減額相当」であること及び保護を必要としなくなる負担上限月額を記載する。具体的には、「5000円」、「2500円」、「０円」のいずれかを記載する。

　なお、医療保険等の自己負担限度額を「３万5400円」とすれば、保護を必要としなくなる場合については、証明書の交付は必要なく、却下通知書を交付する。

　b　自立支援医療に係る負担上限月額を「０円」に置き換えることに加え、食費の実費負担の免除により、保護を要しなくなる場合

　証明書に「自立支援医療食事療養費免除対象」と記載する。

(ｳ)　医療型障害児施設入所者（20歳以上）・通所者及び療養介護利用者（20歳以上）

　a　医療部分の負担上限月額を減額すれば保護を要しなくなる場合

　証明書に「障害児施設支援定率負担（医療）減額相当」又は「療養介護定率負担（医療）減額相当」であること及び保護を必要としなくなる負担上限月額を記載する。具体的には、医療部分に「２万4600円」、「１万5000円」、「０円」

のいずれかを記載する。
b 医療部分の負担上限月額を「０円」に置き換えることに加え、福祉部分の負担上限額を減額すれば保護を要しなくなる場合

証明書に「障害児施設支援定率負担（医療及び福祉）減額相当」又は「療養介護定率負担（医療又は福祉）減額相当」であること及び保護を必要としなくなる負担上限月額を記載する。具体的には、医療部分に「０円」を、福祉部分に「０円」を記載する。

c 医療部分及び福祉部分の負担上限月額を「０円」に置き換えることに加え、食費の実費負担額を減額すれば保護を要しなくなる場合

証明書に「障害児施設支援定率負担（医療及び福祉）減額相当」又は「療養介護定率負担（医療及び福祉）減額相当」であり、負担上限月額を「０円」とすること、「障害児施設医療食事療養費軽減対象者」又は「療養介護医療食事療養費軽減対象者」であり、食費の実費負担額を「０円」とすることを記載する。

(エ) 医療型障害児施設入所者（20歳未満）及び療養介護利用者（20歳未満）
a 食費の実費負担額を減額すれば保護を要しなくなる場合

証明書に「障害児施設医療食事療養費軽減対象者」であり、食費の実費負担額を「０円」とすることを記載する。

b 食費の実費負担額を「０円」に置き換えることに加え、医療部分の負担上限月額を減額すれば、保護を要しなくなる場合

証明書に「障害児施設医療食事療養費軽減対象者」であること、食費の実費負担額を「０円」とすること、「障害児施設支援定率負担（医療）減額相当」であること及び保護を必要としなくなる負担上限月額を記載する。具体的には医療部分に「２万4600円」、「１万5000円」、「１万円」(18歳及び19歳の場合)、「1000円」(18歳未満の場合)のいずれかを記載する。

c 食費の実費負担額を「０円」に置き換えることに加え、医療部分及び福祉部分の負担上限月額を減額すれば、保護を要しなくなる場合

証明書に「障害児施設医療食事療養費軽減対象者」であること、食費の実費負担額を「０円」とすること、「障害児施設支援定率負担（医療及び福祉）減額相当」であること及び保護を必要としなくなる負担上限月額を記載する。具体的には、医療部分に「１万円」(18歳及び19歳の場合)又は「1000円」(18歳未満の場合)を、福祉部分に「０円」を記載する。

(オ) 補装具利用者
a 補装具に係る負担上限月額を減額すれば保護を要しなくなる場合

証明書に「補装具定率負担減額相当」であること及び保護を必要としなくなる負担上限月額を記載する。具体的には、「０円」を記載する。

なお、前記のいずれかの措置に加えて補装具に係る負担上限月額を減額すれば、保護を必要としなくなる場合においては、証明書にその措置内容を加えて記載する。

(別　添)

〇〇〇発第×××号
年　月　日

住　　所
氏　　名

〇〇福祉事務所長　印

　　障害者の日常生活及び社会生活を総合的に支援するための法律における境界層対象者証明書

　上記の者（及びその世帯員）は、世帯の収入が最低生活費を上回るため、生活保護の申請が却下（生活保護が廃止）となりましたが、却下に係る申請日（保護廃止日）及び保護を要しない理由は、下記のとおりであることを証明します。

記

1　却下に係る申請日（保護廃止日）　　　　　　令和　　年　　月　　日
2　保護を要しない理由
　　別紙参照

（別紙）
1　障害福祉サービス（療養介護を除く。）又は障害児施設支援（医療型障害児施設を除く。）の負担上限月額の減額を要する場合
　　「障害福祉サービス定率負担減額相当」又は「障害児施設支援定率負担減額相当」であるため、負担上限月額を＿＿＿円に減額することにより、保護を要しないため。
2　障害福祉サービス（療養介護を除く。）又は障害児施設支援（医療型障害児施設を除く。）の定率負担の免除に加え、食費等の実費負担の軽減を要する場合
　　「障害福祉サービス定率負担減額相当」又は「障害児施設支援定率負担減額相当」であるため、負担上限月額を0円にするとともに、「補足給付特例対象」であるので、食費等の実費負担額を＿＿＿円に減額することによって、保護を要しないため。
　　なお、当該世帯に係る収入認定額は＿＿＿円、最低生活費は＿＿＿円である。
3　障害福祉サービス（療養介護を除く。）又は障害児施設支援（医療型障害児施設を除く。）の定率負担の免除及び食費等の実費負担の軽減に加え、自立支援医療の負担上限月額の減額を要する場合
　　「障害福祉サービス定率負担減額相当」又は「障害児施設支援定率負担減額相当」であるため、負担上限月額を0円にするとともに「補足給付特例対象」であるため、食費等の実費負担額を0円に減額し、さらに「自立支援医療定率負担減額相当」であるため、負担上限月額を＿＿＿円に減額することにより、保護を要しないため。

障害者総合支援法施行規則の規定が適用される要保護者に対する取扱い

4 障害福祉サービス（療養介護を除く。）又は障害児施設支援（医療型障害児施設を除く。）の定率負担の免除及び食費等の実費負担の軽減並びに自立支援医療の定率負担及び食費の実費負担の免除を要する場合

「障害福祉サービス定率負担減額相当」又は「障害児施設支援定率負担減額相当」であるため、負担上限月額を０円にするとし、「補足給付特例対象」であるため、食費等の実費負担額を０円に減額し、「自立支援医療食事療養費免除対象」であるため、負担上限月額を０円とするとともに、食費の実費負担額を免除することにより、保護を要しないため。

5 自立支援医療の負担上限月額の減額を要する場合

「自立支援医療定率負担減額相当」であるため、負担上限月額を＿＿円に減額することにより、保護を要しないため。

6 自立支援医療の定率負担及び食費の実費負担の免除を要する場合

「自立支援医療食事療養費免除対象」であるため、負担上限月額を０円にするとともに、食費の実費負担額を免除することにより、保護を要しないため。

7 医療型障害児施設又は療養介護の負担上限月額（医療）の減額を要する場合（20歳以上）

「障害児施設支援定率負担（医療）減額相当」又は「療養介護定率負担（医療）減額相当」であるため、負担上限月額を＿＿円に減額することにより、保護を要しないため。

8 医療型障害児施設又は療養介護の負担上限月額（医療及び福祉）の減額を要する場合（20歳以上）

「障害児施設支援定率負担（医療及び福祉）減額相当」又は「療養介護定率負担（医療及び福祉）減額相当」であるため、医療に係る負担上限月額を０円にするとともに、福祉に係る負担上限月額を＿＿円に減額することにより、保護を要しないため。

9 医療型障害児施設又は療養介護の負担上限月額（医療及び福祉）の免除に加え、食費の実費負担の軽減を要する場合（20歳以上）

「障害児施設支援定率負担（医療及び福祉）減額相当」又は「療養介護定率負担（医療及び福祉）減額相当」であるため、負担上限月額（医療及び福祉）を０円にするとともに「障害児施設医療食事療養費軽減対象者」又は「療養介護医療食事療養費軽減対象者」であるため、食費の実費負担額を０円に減額することによって、保護を要しないため。

10 医療型障害児施設又は療養介護の食費の実費負担の軽減を要する場合（20歳未満）

「障害児施設医療食事療養費軽減対象者」又は「療養介護医療食事療養費軽減対象者」であるため、食費の実費負担額を０円に減額することによって、保護を要しないため。

11 医療型障害児施設又は療養介護の食費の実費負担の軽減に加え、負担上限月額（医療）の減額を要する場合（20歳未満）

「障害児施設医療食事療養費軽減対象者」又は「療養介護医療食事療養費軽減対象

者」であるため、食費の実費負担額を0円にするとともに、「障害児施設支援定率負担（医療）減額相当」であるため、負担上限月額を＿＿円に減額することにより、保護を要しないため。
12 医療型障害児施設の食費の実費負担の軽減に加え、負担上限月額（医療及び福祉）の減額を要する場合（20歳未満）

「障害児施設医療食事療養費軽減対象者」又は「療養介護医療食事療養費軽減対象者」であるため、食費の実費負担額を0円にするとともに、「障害児施設支援定率負担（医療及び福祉）減額相当」であるため、医療に係る負担上限月額を1万円（18歳及び19歳の場合）又は1000円（18歳未満の場合）にするとともに、福祉に係る負担上限月額を＿＿円に減額することにより、保護を要しないため。
13 補装具の定率負担の軽減を要する場合

「補装具定率負担減額相当」であるため、負担上限月額を＿＿円にすることにより、保護を要しないため。

※ なお、前記のいずれかの措置に加えて補装具に係る負担上限月額を減額すれば保護を必要としなくなる場合においては、証明書に1～12を参考としてその措置内容を加えて記載すること。

○石綿による健康被害の救済に関する法律による各種手当等に係る生活保護法上の取扱いについて

> 平成18年3月31日　社援保発第0331009号
> 各都道府県・各指定都市・各中核市民生主管部(局)長　宛
> 厚生労働省社会・援護局保護課長通知

〔改正経過〕
第1次改正　平成21年3月27日社援保発第0327001号

今般、標記の石綿による健康被害の救済に関する法律（平成18年法律第4号）が公布されたところであるが、生活保護法による被保護者が同法による各種手当等の給付を受けた際の取扱い等は下記のとおりとし、平成18年4月1日から適用することとしたので、管内実施機関に対し周知され、保護の実施にあたり遺憾のないようにされたい。

なお、本通知は、環境省と協議済みであり、地方自治法（昭和22年法律第67号）第245条の9第1項及び第3項の規定による処理基準としたので申し添える。

記

1　医療費について
　石綿による健康被害の救済に関する法律第26条第1項の規定により、同法の認定疾病に関する医療については、生活保護に優先して給付されるため、医療扶助の適用は必要はないこと。

2　療養手当について
　療養手当は、原子爆弾被爆者に対する援護に関する法律（平成6年法律第117号）第27条に規定する健康管理手当に相当する額まで収入として認定しないこととし、残りの額については、
　(1)　現に介護されている場合は、「生活保護法による保護の基準（昭和38年4月厚生省告示第158号。以下「保護の基準」という。）」別表第1第2章の4の(5)に掲げる額まで収入として認定しないこと。この場合において保護の基準別表第1第2章の4の(4)又は(5)に規定する介護のための費用は算定する必要がないこと。
　(2)　現に介護されていない場合は、収入として認定すること。

3　葬祭料、特別葬祭料
　石綿による健康被害の救済に関する法律第26条第2項の規定による葬祭料、特別葬祭料の給付を受ける場合には、生活保護法による葬祭扶助の給付は要さないこと。

4　特別遺族弔慰金、救済給付調整金
　「生活保護法による保護の実施要領について（昭和36年4月1日付厚生省発社第123号厚生事務次官通知）」第8の3の(3)のオに該当するものとして取り扱うこと。

○中国帰国者等に対する生活保護制度上の取扱いについて

> 平成19年3月30日　社援保発第0330002号
> 各都道府県・各指定都市・各中核市民生主管部(局)長
> 宛　厚生労働省社会・援護局保護課長通知

〔改正経過〕
第1次改正　平成21年3月27日社援保発第0327001号　　第2次改正　令和3年3月30日社援保発0330第3号
第3次改正　令和4年3月30日社援保発0330第2号

　中国帰国者等への支援については、これまで永住帰国者の受入れ及び帰国者等の定着自立促進を目指し、援護施策において種々の対策が講じられているところであるが、今般、中国帰国者等が置かれている特殊な事情を踏まえ、援護担当部局と生活保護担当部局との連携により、生活保護を受給している中国帰国者等を対象とした地域生活支援プログラム(「生活保護受給中の中国帰国者等への地域生活支援プログラムについて」(平成19年3月30日社援発第0330007号厚生労働省社会・援護局長通知))に基づき、中国帰国者等が地域において安心して生活を営むことができるよう、個々の生活状況を把握するとともに、そのニーズに応じたきめ細かな支援を行うことにより、社会的・経済的自立の助長を図ることとしたところである。
　これに伴い、中国帰国者等に対する生活保護制度上の取扱いについて、今般、下記のとおり定め、平成19年4月1日から適用することとしたので、了知のうえ、保護の適切な実施に遺漏のなきを期されたい。
　なお、本通知は、地方自治法(昭和22年法律第67号)第245条の9第1項及び第3項の規定による処理基準としたので申し添える。

記

1　取扱いの対象者
　本通知に定める取扱いの対象者は、中国残留邦人等の円滑な帰国の促進並びに永住帰国した中国残留邦人等及び特定配偶者の自立の支援に関する法律(平成6年法律第30号)第2条第4項に規定する永住帰国をした中国残留邦人等(同条第1項に規定する中国残留邦人等をいう。)及び中国残留邦人等の円滑な帰国の促進並びに永住帰国した中国残留邦人等及び特定配偶者の自立の支援に関する法律施行規則(平成6年厚生省令第63号。以下「施行規則」という。)第10条に規定する親族等(以下「中国帰国者等」という。)とする。
　なお、施行規則第10条第4号に規定する当該中国残留邦人等を扶養する目的として同行する者については、成年の子1世帯に限ることとされている。
2　親族訪問等のために中国等へ渡航する場合の生活扶助費の取扱い

中国帰国者等に対する生活保護制度上の取扱いについて

　中国帰国者等のうち一世が親族訪問や墓参等のために1～2か月程度の間、中国等へ渡航する場合については、渡航日数に応じた生活扶助費の減額を行わないこととする。
　この渡航期間については、原則として1～2か月程度とするが、渡航期間中にやむを得ない事情が生じた場合には、これを超えることも認めることとして差し支えない。
　なお、本取扱いは原則として中国帰国者等のうち一世が中国等へ渡航する場合に限るものであるが、中国帰国者等のうち一世と同一世帯員である者が単独で中国等へ渡航する場合についても適用されることとするのでご留意願いたい。
3　渡航に要する費用の収入認定上の取扱い
　中国帰国者等が親族訪問や墓参等のために中国等へ渡航するための費用を以下の金銭等から賄う場合、当該金銭等については、中国帰国者等の自立更生のために充てられるものとして、収入として認定しない取扱いとする。
(1)　財団法人中国残留孤児援護基金より支給される里帰り費用
(2)　扶養義務者からの援助金
(3)　上記以外の他の者から恵与される金銭
(4)　保護費のやり繰りによる預貯金
　なお、保護の実施要領上は、(1)から(3)については、次官通知第8の3の(3)のエにより取扱うものとし、当該金銭が渡航費用に充てられる場合、これを自立更生のために充てられる額として、収入として認定しないこと。(4)については、課長通知第3の18により取扱うものとし、当該預貯金が渡航費用に充てられる場合は、その使途が生活保護の趣旨目的に反しないものと考えられることから、収入として認定しないこと。
4　援護施策により支給される交通費、教材費等の収入認定上の取扱い
　今般、新たな援護施策として以下の事業が実施されるが、これらの施策により支給される金銭については、中国帰国者等の自立更生のために充てられるものとして、収入として認定しない取扱いとする。
(1)　中国帰国者等が中国帰国者自立研修センターや中国帰国者支援・交流センター等の実施する日本語教室や交流事業等へ参加する際の交通費や教材費の支給
(2)　中国帰国者等のうち二世・三世に対する日本語検定等に要する費用の支給
　なお、保護の実施要領上は、次官通知第8の3の(3)のエにより取扱い、当該金銭を自立更生のために充てられる額として、収入として認定しないこと。
　また、帰国後に支給される自立支度金については、当該支度金の性格が外地残留による長年の苦労を慰謝する見舞金的なものであることから、次官通知第8の3の(3)のオによるものとし、当該世帯の自立更生のために充てられる額については、収入として認定しない取扱いとしているところであるので、ご留意願いたい。

○中国帰国者等に対する生活保護制度上の取扱いに関する疑義照会への回答の送付について

> 平成19年3月30日　事務連絡
> 各都道府県・各指定都市・各中核市民生主管部(局)生活保護担当課生活保護担当係長宛　厚生労働省社会・援護局保護課保護係長

〔改正経過〕

　第1次改正　令和4年6月1日事務連絡

　生活保護行政の推進については、平素より格段のご配慮を賜り厚く御礼申し上げます。

　中国帰国者等に対する生活保護制度上の取扱いについては、本日付け保護課長通知によりお示ししたところでございますが、本通知に関してこれまで頂いております疑義照会への回答を別途作成いたしましたので、ご了知のうえ、管内福祉事務所への周知方よろしくお願いします。

　　　　中国帰国者等に対する生活保護制度上の取扱いに関する疑義照会への回答

> 問1　今般の中国帰国者等に対する生活保護制度上の取扱いについて、「中国帰国者等」の定義を示されたい。

（回　答）

　中国帰国者等とは、中国残留邦人等の円滑な帰国の促進並びに永住帰国した中国残留邦人等及び特定配偶者の自立の支援に関する法律（平成6年法律第30号）第2条第4項に規定する永住帰国をした中国残留邦人等（同条第1項に規定する中国残留邦人等をいう。）及び中国残留邦人等の円滑な帰国の促進並びに永住帰国した中国残留邦人等及び特定配偶者の自立の支援に関する法律施行規則（平成6年厚生労働省令第63号。以下「施行規則」という。）第10条に規定する親族等とする。

　なお、施行規則第10条第4号に規定する当該中国残留邦人等を扶養する目的として同行する者については、成年の子1世帯に限ることとされている。

> ○中国残留邦人等の円滑な帰国の促進並びに永住帰国した中国残留邦人等及び特定配偶者の自立の支援に関する法律（抄）
>
> （平成6年4月6日・法律第30号）
>
> 　第2条　この法律において「中国残留邦人等」とは、次に掲げる者をいう。
> 　　第1項
> 　　一　中国の地域における昭和20年8月9日以後の混乱等の状況の下で本邦に引き揚げることなく同年9月2日以前から引き続き中国の地域に居住して

中国帰国者等に対する生活保護制度上の取扱いに関する疑義照会への回答

いる者であって同日において日本国民として本邦に本籍を有していたもの及びこれらの者を両親として同月3日以後中国の地域で出生し、引き続き中国の地域に居住している者並びにこれらの者に準ずる事情にあるものとして厚生労働省令で定める者

二　中国の地域以外の地域において前号に規定する者と同様の事情にあるものとして厚生労働省令で定める者

第4項　この法律において「永住帰国」とは、本邦に永住する目的で本邦に帰国することをいう。

第6条　国は、中国残留邦人等が永住帰国する場合には、当該中国残留邦人等に対し、厚生労働省令で定めるところにより、当該永住帰国のための旅行に要する費用（当該永住帰国する中国残留邦人等と本邦で生活を共にするために本邦に入国する当該中国残留邦人等の親族等であって厚生労働省令で定めるものがいる場合には、当該親族等の本邦への旅行に要する費用を含む。）を支給する。

○中国残留邦人等の円滑な帰国の促進並びに永住帰国した中国残留邦人等及び特定配偶者の自立の支援に関する法律施行規則（抄）

（平成6年9月27日・厚生省令第63号）

第10条　法第6条第1項に規定する永住帰国する中国残留邦人等と本邦で生活を共にするために本邦に入国する当該中国残留邦人等の親族等であって厚生労働省令で定めるものは、中国残留邦人等の親族等（当該中国残留邦人等と本邦で生活を共にするために本邦に入国するものであって当該中国残留邦人等に同行するものに限る。）のうち、次に掲げるものとする。

一　配偶者

二　18歳未満の実子

三　日常生活又は社会生活に相当程度の障害がある実子（配偶者のないものに限る。）であって当該中国残留邦人等又はその配偶者の扶養を受けているもの

四　実子であって当該中国残留邦人等（55歳以上であるもの又は日常生活若しくは社会生活に相当程度の障害があるものに限る。）の永住帰国後の早期の自立の促進及び生活の安定のために必要な扶養を行うため本邦で生活を共にすることが最も適当である者として当該中国残留邦人等から申出のあったもの

五　前号に規定する者の配偶者（前号に規定する者に同行して本邦に入国するものに限る。）

六　前各号に規定する者に準ずるものとして厚生労働大臣が認める者

問2　中国帰国者等のうち一世に関して、国費帰国者と自費帰国者ではその取扱いが異なるのか。

（回　答）
　　中国帰国者等のうち一世については、本来国費帰国対象者であるが国から永住帰国旅費の支給を受けずに自費（私費）で帰国した者についても、本取扱いの対象とするものである。
　　なお、本取扱いの対象となるかどうか疑義が生じた場合には、都道府県の援護担当課へ確認することとされたい。

問3　中国帰国者等一世と同一世帯員である者が単独で中国へ渡航する場合についても生活扶助費を減額しないことに関して、以下の場合の取扱いを示されたい。
　①　同一世帯員については、国費帰国者に限定されると解してよろしいか。
　②　中国帰国者一世と別に世帯を設けている場合には対象にならないのか。
　③　中国帰国者一世と同一世帯員であるかどうかについては、日本への帰国当時の状況で判断するのか、もしくは現在の状況で判断することになるのか。
　④　中国帰国者一世が死亡した場合について、世帯に残った二・三世は本取扱いの対象とならなくなるのか。

（回　答）
　①　本来国費帰国対象者である親族等で、国から永住帰国旅費の支給を受けずに自費（私費）で帰国した者についても、当該中国帰国者等本人（一世）と同一世帯員である場合には本取扱いの対象とする。
　　　ただし、これ以外の親族等については、その者が中国帰国者等一世と同居している場合においても、本取扱いの対象外とするのでご留意願いたい。
　②　中国帰国者等一世の子ども（二世）や孫（三世）が、日本へ帰国後に当該中国帰国者一世から独立した世帯を設けている場合は本取扱いの対象外とする。
　③　帰国当時の状況ではなく、現在の状況で判断することとされたい。
　④　本取扱いは、原則として中国帰国者等一世が中国へ渡航する場合に限る取扱いであるが、同一世帯員については、同じ世帯内にいることに鑑み、生活保護費の取扱いが世帯員ごとに異ならないようにするために対象としているものである。よって、当該事例に係る二・三世については本取扱いの対象外とする。

問4　問3の①に関連して、日本人の配偶者（中国人）として国費により永住帰国した者が、その後離婚した場合については、本取扱いの対象とならなくなるのか。

（回　答）
　　当該元配偶者が中国帰国者等一世と同一世帯員でない場合については、本取扱いの対象外となる。

問5　本取扱いの対象とはならない者が、海外へ渡航した場合については、従前どおり、生活扶助費の減額を行うこととしてよろしいか。

（回　答）

　　お見込みのとおりである。

問6　渡航期間中にやむを得ない事情が生じた場合には、期間が1～2か月を超えても差し支えないとあるが、やむを得ない事情とは具体的にどのようなことを想定しているのか。

（回　答）

　　個々の事情によって様々な状況が想定されるため、一律的な取扱いを示すことは困難であるが、例えば、渡航期間中に親族や養父母が病気に罹ったため、その看病をする場合等が考えられる。

問7　中国渡航後、予定期日から1か月以上過ぎても帰国しない場合は、帰国予定日まで遡って一旦保護の停止を行い、帰国後にやむを得ない事情が認められた場合のみ、その事情に応じて保護停止の解除日を設定してよいか。

（回　答）

　　当該事例については、原則としての中国への渡航の最大期間である2か月までは保護費の支給を行うこととされたい。

　　なお、渡航後2か月以上に渡って連絡がない場合については、一旦保護費の支給を停止することもやむを得ないところである。この場合、帰国後やむを得ない事情が認められた場合には速やかに停止期間中の保護費を支給することとされたい。

問8　事前に福祉事務所への届出がないまま中国へ渡航した場合についても、保護費の支給停止を行わないこととなるのか。

（回　答）

　　保護の実施機関におかれては、中国帰国者等のいる世帯に対して、今般の海外渡航期間中の保護費の継続支給の取扱いの趣旨を伝えるとともに、海外渡航に際して事前の届出をするよう周知されたい。

　　なお、事前の届出のない場合についても、問7と同様に、原則としての中国への渡航の最大期間である2か月までは保護費の支給を行うこととされたい。その後、事後的に渡航目的を確認することとされたい。

問9　年間複数回にわたって渡航する場合においても、生活扶助費の減額を行わない取扱いとなるのか。

（回　答）

　　複数回渡航する場合でも、生活扶助費の減額は行わないこととされたい。

問10　中国への渡航に要した費用に充てられたかどうかの確認は、領収書等の提出を求めて行うのか。その際、自立更生として認められる範囲はどこまでか。

（回　答）

　　自立更生として認められる範囲としては、渡航に通常要する費用である旅費、現

地滞在費、土産代等が対象となるものであるが、その確認に際しては、領収書等の提出まで求める必要はなく、当該中国帰国者等からの自己申告によることで足りるものとして取り扱われたい。

問11　単身被保護者の場合、渡航期間中に保護費の定例支払日が到来することも想定されるが、支払方法はどのようにすればよいのか。

（回　答）
　当該被保護者への保護費の支払方法が銀行口座への振り込みである場合については、通常どおり口座振り込みにより支給することとして差し支えない。窓口払いの場合については、渡航期間中の支給が現実的に困難であることから、帰国後に支給することで差し支えない。

問12　1か月を超える比較的長期の渡航を行う被保護者について、渡航中の生活実態の確認等はどのようにするのか。

（回　答）
　中国渡航期間中については、その生活実態の把握を行うことは現実的には困難であることから、帰国後にパスポート等により出入国の状況のみ確認すればよいものとする。

問13　地域生活支援プログラムに中国帰国者が参加する場合、個別支援プログラムへの参加と認め、被保護者本人からの報告や連絡を局長通知第12の1の(2)のアに定める「3回目以上の家庭訪問」とみなしてよろしいか。

（回　答）
　お見込みのとおりである。

問14　新たな援護施策として、就労に役に立つ日本語等の資格取得を希望する者に対して、当該資格の取得に要する費用を支給することとされているが、援護施策から当該費用が支給される場合、生活保護の生業扶助を支給する必要はないものとしてよろしいか。

（回　答）
　援護施策から支給される資格取得のための費用については、これを収入認定除外する取扱いとなるが、当該資格取得が局長通知第7の8の(2)のアの(キ)に示す生業扶助の支給要件も満たす場合であって、当該生業扶助の支給額が、援護施策から支給される金額を上回る場合については、その差額分を生業扶助として支給することとされたい。

（参　考）
永住帰国旅費の支給範囲と保護費継続支給者との関係
1　永住帰国旅費の支給範囲

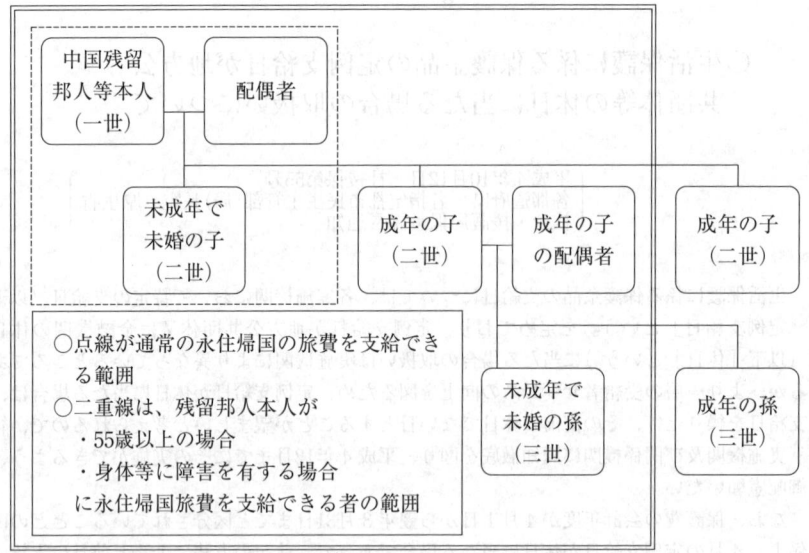

○点線が通常の永住帰国の旅費を支給できる範囲
○二重線は、残留邦人本人が
・55歳以上の場合
・身体等に障害を有する場合
に永住帰国旅費を支給できる者の範囲

永住帰国旅費を支給できる者の範囲
1　残留邦人本人
2　配偶者
3　20歳未満の未婚の子
4　身体等に障害を有する子又は学校在宅中で本人又はその配偶者の扶養を受けている者
5　本人が55歳以上である場合で、帰国後本人と同居して本人を扶養するために同行して帰国する成年の1世帯
6　本人が身体等に障害がある場合で、帰国後本人と同居して本人を扶養するために同行して帰国する成年の子1世帯
7　その他厚生労働大臣が認める者（例：養父母等）

2　中国への渡航期間中の保護費継続支給者の範囲
　○　中国残留邦人等本人（一世）のうち永住帰国した者（中国帰国者等一世）
　○　永住帰国旅費の支給範囲となる者のうち、当該中国帰国者等一世と同一世帯員である者
　　※　なお、これらの者について、国からの永住帰国旅費の支給を受けて帰国したかどうかは問わないものとする。

9　その他

○生活保護に係る保護金品の定例支給日が地方公共団体等の休日に当たる場合の取扱いについて

> 平成4年10月12日　社援保第55号
> 各都道府県・各指定都市民生主管部(局)長宛　厚生省
> 社会・援護局保護課長通知

　生活保護に係る保護金品の支給日については、各実施機関において特定の支給日(以下「定例支給日」という。)を定めており、定例支給日が地方公共団体又は金融機関の休日(以下「休日」という。)に当たる場合の取扱いは実施機関により異なっているところであるが、より一層の受給者サービスの向上を図るため、定例支給日が休日に当たる場合は、支給日を繰り上げ、その直前の休日でない日とすることが望ましいと考えられるので、管下実施機関及び関係機関に周知徹底を図り、平成4年12月までにその実施ができるよう、御配慮願いたい。

　なお、保護費の会計年度が4月1日から翌年3月31日までと区分されていることとの関係上、4月の定例支給日が休日に当たる場合であって、前記の方法によると前月に支給すべきこととなるときは、4月の最初の休日でない日に支給すべきものとなるので、念のため申し添える。

○特定者に対する旅客鉄道株式会社の通勤定期乗車券の特別割引制度について

〔昭和62年4月1日　社保第37号
　各都道府県知事・各指定都市市長宛　厚生省社会・児
　童家庭局長連名通知〕

　本日、「特定者用定期乗車券発売規則」が、別添のとおり公告されたところであるが、標記割引制度については、従来における取扱いと同様であるので、引き続き所要の事務処理に遺憾なきを期すとともに、貴管下市（区）町村及び保護の実施機関に周知徹底を図られたい。

（別　添）
　　　　特定者用定期乗車券発売規則
（適用範囲）
第1条　この規則は、被保護世帯の世帯員に対して発売する特定者用の定期乗車券の発売その他の取扱いについて適用する。
2　この規則に定めていない事項については、旅客営業に関する一般の規定による。
（被保護世帯）
第2条　この規則における「被保護世帯」とは、次の各号に掲げる世帯をいう。
(1)　生活保護法（昭和25年法律第144号）の定めるところにより保護を受けている世帯。ただし、同法第19条第1項第2号に該当する者を除く。
(2)　児童扶養手当法（昭和36年法律第238号）の定めるところにより児童扶養手当の支給を受けている世帯。
（定期乗車券の種類等）
第3条　特定者用の定期乗車券の種類は、旅客営業規則（昭和　年　月　旅客鉄道株式会社公告第　号。以下「旅客規則」という。）第35条の規定により発売する通勤定期乗車券に限るものとする。
2　前項の規定により通勤定期乗車券を発売する者（以下「特定者」という。）は、被保護世帯に属する者とする。
（取扱区間）
第4条　前条の規定により発売する特定者用の通勤定期乗車券の取扱区間は、北海道旅客鉄道株式会社、東日本旅客鉄道株式会社、東海旅客鉄道株式会社、西日本旅客鉄道株式会社、四国旅客鉄道株式会社及び九州旅客鉄道株式会社（以下これらを「旅客鉄道会社」という。）の鉄道の各駅相互間とする。この場合、旅客鉄道会社の航路又は自動車線にまたがって乗車船する場合は、全区間に対して1枚の通勤定期乗車券を発売することがある。
（旅客運賃）
第5条　特定者用の通勤定期乗車券の定期旅客運賃は、旅客規則第95条第1号又は同第99条に規定する定期旅客運賃を3割引したものとする。

（資格証明書）
第6条　特定者用の通勤定期乗車券を購入しようとする旅客は、あらかじめ、次の各号に掲げる者（以下「市町村長等」という。）が発行する別表第1に定める様式の特定者資格証明書（以下「資格証明書」という。）の交付を受けておかなければならない。
 (1)　第2条第1号の規定に該当する世帯の特定者にあっては、社会福祉事業法（昭和26年法律第45号）に基づく福祉に関する事務所の長（以下「社会福祉事務所長」という。）
 (2)　第2条第2号の規定に該当する世帯の特定者にあっては、市区町村長
2　前項の場合、別表第2に定める様式の特定者資格証明書交付申請書（以下「資格証明書交付申請書」という。）に、第2条第1号の規定に該当する世帯の特定者にあっては、本人の写真（最近6箇月以内に撮影した縦4センチメートル、横3センチメートルの正面上半身のものとする。以下同じ。）を、同条第2号の規定に該当する世帯の特定者にあっては児童扶養手当証書及び本人の写真を添付して、市町村長等に提出するものとする。
3　資格証明書の発行者は、資格証明書交付申請書の提出を受けた場合は、資格証明書に所要事項を記入（写真は、所定欄にはりつける。）して公印を押すとともに、資格証明書交付申請書の所定欄に、資格証明書の発行年月日及び番号を記入し、資格証明書交付申請書に対して契印を押して、特定者に交付するものとする。
4　資格証明書は、特定者用の通勤定期乗車券を購入するとき及び特定者用の通勤定期乗車券によって乗車する場合で、係員の請求があったときは、これを呈示しなければならない。
5　資格証明書は、次の各号の一に該当する場合は、無効とする。ただし、第1号の場合を除き、再交付又は訂正を受けたときは、この限りではない。
 (1)　特定者の資格を失ったとき
 (2)　氏名を改めたとき
 (3)　住所を移転したとき
 (4)　資格証明書の表示が不明となったとき
6　資格証明書の有効期間は、発行の日から1箇年間とする。
（購入証明書）
第7条　特定者用の通勤定期乗車券を購入しようとする旅客は、市町村長等が発行する別表第3に定める様式の特定者用定期乗車券購入証明書（以下「購入証明書」という。）及び旅客規則第35条第2項に規定する定期乗車券購入申込書を提出するものとする。
2　購入証明書については、旅客規則に定める旅客運賃割引証に関する規定を準用する。
3　購入証明書の発行者は、購入証明書に所要事項を記入のうえ公印を押して、特定者に交付するものとする。
4　購入証明書の有効期間は、発行の日から6箇月間とする。
5　購入証明書は、旅客鉄道会社において調製し、厚生省を経て市町村長等に配付する。
（定期乗車券の効力）
第8条　特定者用の通勤定期乗車券は、使用する場合において、第6条の規定による資格証明書を携帯していないときは、これを無効として回収する。

○生活保護の適正実施の推進について

```
昭和56年11月17日　社保第123号
各都道府県・各指定都市民生主管部(局)長宛　厚生省
社会局保護・監査指導課長連名通知
```

〔改正経過〕
　　第1次改正　平成12年3月31日社援第15号　　　第2次改正　平成26年4月25日社援保発0425第2号
　　第3次改正　令和3年1月7日社援保発0107第1号

　注　本通知（2(2)のうち「更に法第85条又は刑法の規定に係る告発について検討すること」、
　　　2(4)及び2(5)を除く。）は、平成13年3月27日社援保発第20号・社援監発第4号により、
　　　地方自治法第245条の9第1項及び第3項の規定に基づく処理基準とされている。

　標記については、平素格別の御配意を煩わしているところであるが、近時、暴力団関係者等による生活保護の不正受給事件が再三発生し、このため生活保護行政のあり方についての批判すら招いていることはまことに遺憾である。このような事件の発生は、大多数の善意の被保護者に多大な迷惑をかけるばかりでなく、生活保護制度そのものに対する国民の信頼を失わせるおそれがあり、その社会的影響は極めて大きいものがある。
　これらの事件の中には、保護の実施機関等関係者の努力だけではその発生を未然に防止することが困難なものもあるが、他方、保護適用者の資産及び収入の把握が適切でなかったために生じたと思料されるものも見受けられる状況にある。
　かかる事態にかんがみ、ごく限られた一部の者によるとはいえ厳に不正受給の防止を図り、一方、真に生活に困窮する者に対しては必要な保護を確保するため、保護の決定又は実施に当たっては、福祉事務所の組織的な対応の強化を図るとともに特に次の点に留意のうえ適正に行うよう、貴管内実施機関に対し周知の徹底を図られたい。
1　新規申請の場合
(1)　資産の保有状況、収入状況その他の保護の決定に必要な事項の調査把握をより確実にするため、保護の新規申請時又は申請後速やかに申請者等に対し次の措置を講ずること。
　　ア　資産の保有状況については、土地、建物、預貯金、自動車等の保有状況、生命保険の加入状況等資産の種類ごとに克明に記入したうえ、当該記入内容が事実に相違ない旨附記し記名した書面の提出を求めること。また、保護の実施機関が資産の保有状況に関し関係先に資料の提供を求めること等について同意する旨を記し署名した書面を申請者等から提出させることや訪問調査等により事実の的確な把握に努めること。
　　イ　収入状況については、勤労収入、年金、仕送り、保険金等その収入の種類ごとに克明に記入したうえ、当該記入内容が事実に相違ない旨附記し記名した書面、当該

　　　　記入内容を証明するに足る資料の提出を求めること。また、保護の実施機関が収入
　　　　状況に関し関係先に資料の提供を求めること等について同意する旨を記し署名した
　　　　書面を申請者等から提出させることや訪問調査等により事実の的確な把握に努める
　　　　こと。
　　　ウ　就労や求職活動の状況、健康状態、支出の状況等についても、保護の実施機関が
　　　　関係先に資料の提供を求めること等について同意する旨を記し署名した書面を申請
　　　　者等から提出させることや訪問調査等により事実の的確な把握に努めること。
　　　エ　訪問調査及び提出資料によってもなお資産の保有状況、収入状況その他の保護の
　　　　決定に必要な事項に不明な点が残る場合には、必要に応じ官公署、日本年金機構若
　　　　しくは国民年金法第3条第2項に規定する共済組合等に対し、必要な書類の閲覧若
　　　　しくは資料の提供を求め、又は金融機関、保険会社、雇用主等の関係先に報告を求
　　　　めるとともに関係官署と連携を図ることにより、事実の的確な把握に努めること。
　(2)　(1)のア、イによる書面及び(1)のイによる記入内容を証明するに足る資料の提出並び
　　　にこれらに関する調査を拒む等の者に関しては、保護の決定（変更の決定を含む。以
　　　下同じ。）及び実施に当たっては、生活保護法（以下「法」という。）第4条、第8条
　　　及び第9条の趣旨に照らして、保護の申請者の現在の需要を的確に把握したうえで、
　　　法第24条に基づき、保護の要否、種類、程度及び方法を決定しなければならないとさ
　　　れていることから、資産の保有状況、収入状況その他の保護の決定に必要な事項の調
　　　査につき保護の申請者の協力が得られない場合、適切な保護の決定を行うことが困難
　　　となる。従って、このような場合には、保護の申請者に対し、生活保護法の趣旨、内
　　　容等につき十分に説明を行うとともに、やむを得なければ、法第28条の規定による保
　　　護申請を却下することについて検討すること。
2　保護受給中の場合
　(1)　収入申告書等の提出書類の検討、関係先からの資料提供等及び訪問調査等の結果不
　　　明な点がある場合には、当該受給者に対し次の措置を講ずること。
　　　ア　収入状況については、勤労収入、年金、仕送り、保険金、相続等による資産の取
　　　　得等収入の種類ごとに克明に記入したうえ、当該記入内容が事実に相違ない旨附記
　　　　し記名した書面、当該記入内容を証明するに足る資料の提出を求めること。また、
　　　　保護の実施機関が収入状況に関し関係先に資料の提供を求めること等について同意
　　　　する旨を記し署名した書面を被保護者から提出させることや訪問調査等により事実
　　　　の的確な把握に努めること。
　　　イ　就労や求職活動の状況、健康状態、支出の状況等についても、保護の実施機関が
　　　　関係先に資料の提供を求めること等について同意する旨を記し署名した書面を申請
　　　　者等から提出させることや訪問調査等により事実の的確な把握に努めること。
　　　ウ　訪問調査及び提出資料によってもなお収入状況に不明な点が残る場合には、必要
　　　　に応じ官公署、日本年金機構若しくは国民年金法第3条第2項に規定する共済組合
　　　　等に対し、必要な書類の閲覧若しくは資料の提供を求め、又は金融機関、保険会
　　　　社、雇用主等の関係先に報告を求めるとともに関係官署と連携を図ることにより、

事実の的確な把握に努めること。
(2) 以上の結果不正受給が確認できた場合には、法第78条第1項に基づき、法第78条の2第1項に定める方法等により給与した保護費を徴収するほか、更に法第85条又は刑法の規定に係る告発について検討すること。
(3) (1)のアによる書面及びその内容を証明するに足る資料の提出並びにこれらに関する調査を拒む等の者に対しては、文書による指導指示を行い、これに従わない場合には指導指示違反として法第62条の規定に基づく保護の停止等の措置を行うこと、又はやむを得ない場合には法第28条の規定に基づく保護の停止等の措置を行うことについて検討すること。
(4) 福祉事務所長が(2)による告発又は(3)による措置を講じた場合には、都道府県(指定都市及び中核市を含む。以下同じ。)に情報提供すること。
(5) 刑事事件及び新聞、議会等で問題になることが予想される等の不正受給事件については、その概要、対応方針等について速やかに厚生大臣あて情報提供いただくとともに、必要に応じて厚生大臣に技術的助言を求めること。

○生活保護制度の適正な運営の推進について

> 昭和58年12月1日　社監第111号
> 各都道府県・各指定都市民生主管部(局)長宛　厚生省
> 社会局監査指導課長通知

　生活保護制度の健全かつ適正な運営については、平素格別の御配慮と御努力を煩わしているところであり、着実に実効を挙げつつあるが、数次にわたる通知やこれに添った指導等に拘わらず遺憾ながら、一部の限られた事例であっても不正受給事件が依然として跡をたたないことは憂慮に堪えないところである。
　また、国及び各都道府県・指定都市が実施した別添の昭和57年度の生活保護法施行事務監査の結果等からみても、今後さらに適正実施を強力に推進する必要性を痛感しているところである。
　云うまでもなく、生活保護制度は真に生活に困窮する者に対し、その最低限度の生活を支える最も基本的な社会保障制度であり、同時に自立助長を促進することを目的とした社会福祉の制度である。したがって、実施上最も心すべきは、常に個別ケースごとの保護の適格性を確保し、国民の納得と支持が得られるような厳正な運営を行うことである。
　過般、暴力団員の不正受給の発生、摘発以来、本制度の運営に対する国民の批判は誠に厳しいものがあるが、前述のような制度の本質からもこれを関係者全員が真剣に受けとめ、適正実施こそが本制度の確固たる維持発展に不可欠であり、厳正な確な運営による社会的公正の確保なしには国民の付託に応えることができないことを銘記すべきである。
　そのためには、国及び各都道府県・指定都市が本制度の運営について改めてその取組みを強化する必要があるが、特に第一線の実施機関である福祉事務所の運営の適否が制度存立の鍵を握っている点に思いを致し、今後の指導監督においては、法令はもとより従来の指導通知を厳守するとともに、特に下記の点に留意の上遺憾なきを期されたい。
　なお、この旨管下福祉事務所長に趣旨の徹底を図られたい。

記

1　不正受給防止対策の確立強化
　　保護の申請時における受給要件、とりわけ当該世帯における収入、資産、稼働能力等の実態を的確に把握するための厳格な調査、審査に努めるとともに、収入、資産等に関し、申請者の挙証責任、義務履行を確保し、不確実な状況のまま保護を開始することのないよう厳に注意を払い、保護開始後においても個々の世帯の実情に即した処遇及び自立助長等の観点から訪問調査活動を積極的かつ効果的に実施し、当該世帯の生活実態及び就労実態の迅速的確な把握に努め処遇に万全を期すること。
　　なお、暴力団関係者等から保護の申請があった場合においては、それが真に止むを得ない事由によるものであるか否かをあらゆる関係機関の協力を得て徹底的に調査し、福祉事務所としての判断を客観的に明確にした上で要否及び程度を決定することとし、決

定後直ちに都道府県・指定都市本庁（以下「県（市）本庁」という。）に報告させること。
　　また、暴力団員、麻薬・覚醒剤常習者等が保護の廃止後他の福祉事務所の管内に転出、保護申請に及ぶ場合もあるので、かかる者については不正受給の未然防止の観点から、福祉事務所相互の連携を密にし、安易な保護の適用が行われることのないよう細心の注意を払う必要があること。
2　不正受給に対する厳正な対処について
　　不正受給の実態が明らかに認められた場合においては、福祉事務所は速やかに県（市）本庁にその内容、経緯を報告し、指示を求め、告発、費用徴収等厳正な措置を講ずること。
　　また、不正受給が発生した福祉事務所に対しては、県（市）本庁の責任者自らが指揮して速やかに全ケースについて点検を行わせるとともに、本職あてその概要及び措置内容を報告すること。
3　稼働年令層に属する者に対する指導等の徹底について
　　過去の不祥事例、指摘事例等をみるとそれが傷病を理由に保護の開始申請がなされ、漫然と保護が継続されている間に発生したものが多いことに鑑み、特に、稼働年令層に属する者については、病状の確認を本人の主訴のみによって行うことなく必ず主治医の意見を徴することはもとより必要に応じ国立又は公的医療機関、保健所等の医師による診断を求め、かつ、嘱託医の意見を徴するなど客観的に把握し処遇方針を明確に樹立した上で対処するとともに、レセプト点検等により常に受療実態等を明確に把握すること。
　　また、就労が可能と判断された者に対しては、就労についての具体的かつ効果的な指導指示の徹底を図ること。
4　組織的対応の強化について
　　昨今の社会経済情勢や不正受給事例の内容等からみて、現業員乃至福祉事務所のみでは解決が困難と思われる問題も少なくないので、福祉事務所がその組織を挙げての取組みを強化するとともに、ケースの適切な処遇上必要なあらゆる関係機関との連携を密にし、不正受給の未然防止、早期発見並びに就労等にかかる指導指示の徹底について積極的かつ効果的な推進に努めること。
　　なお、昭和57年度監査結果からも明らかなように、不正受給発見の契機の約8割は福祉事務所の調査、審査及び関係先への照会によるものであり、これは県（市）本庁の本制度への取組みの強化及び福祉事務所の組織的対応の成果にほかならないので、今後さらに福祉事務所に対する指導援助を強化し、問題解決のための方策を徹底して講じられたいこと。
別添　略

◯生活保護法に基づく保護の決定、実施に係る事務に関する訴訟の取扱いについて

> 平成7年3月29日　社援保第78号
> 各都道府県・各指定都市・各中核市民生主管部(局)長
> 宛　厚生省社会・援護局保護課長通知

〔改正経過〕
　　　第1次改正　平成29年3月21日社援発0321第1号　第2次改正　平成30年3月30日社援発0330第2号

　生活保護法に基づく保護の決定、実施等に係る事務に関する訴訟（行政事件訴訟法（昭和37年法律第139号）第3条に基づく抗告訴訟について、地方公共団体は、国の利害に関係のある訴訟についての法務大臣の権限等に関する法律（昭和22年法律第194号）第6条により、法務大臣の指揮を受けるところであり、新たに訴訟が提起された場合及び係属中の訴訟について、地方公共団体から所轄の法務局又は地方法務局（以下「法務局等」という。）へ報告を行うこと（平成11年12月14日付け法務省訟務局長通知）とされているところです。
　また、当職としては、生活保護の決定、実施等に係る事務は、法定受託事務であり、地方公共団体との連携を図りつつ、生活保護行政の適正な実施に努めていくためにも、生活保護法関係の訴訟について、把握を行い、助言等を行うことが必要であると考えております。
　つきましては、当職に対しては、生活保護法関係の訴訟について、所轄の法務局等の長に対して報告いただく抗告訴訟に加えて、国家賠償法（昭和22年10月27日法律第125号）第1条に基づく国家賠償請求訴訟についても、下記要領により、直接報告を行っていただき、併せて都道府県にも報告いただきますようお願いいたします。
　なお、都道府県におかれましては、当職への報告が速やかになされるよう、この旨貴管内市区町村に対して周知願います。

記

1　新たに訴訟が提起された場合
　生活保護法の訴訟が新たに提起された場合においては、速やかに、当職に対し、次の事項を記載した書面に訴状を添えて報告いただくようお願いします。
(1)　報告すべき事項
　　①　提起された訴訟の概要
　　　　事件名、事件番号、係属裁判所、提起年月日、原告（代理人）、被告（代理人）、争訟となった処分、処分庁、請求の趣旨、訴訟提起に至るまでの経緯など
　　②　訴訟を実施する担当職員及びその所属部局名、電話連絡先など
(2)　報告先

東京都千代田区霞が関1－2－2　厚生労働省社会・援護局保護課審査係
2　訴訟の期日ごとの報告
　上記1にて報告の後、当該訴訟の期日終了毎に、速やかに、その経過について報告（審理内容、次回期日及び内容等、提出書面の写し等）をいただきますようお願いします。
3　結審後の報告
（1）結審後
　結審後は、上記報告に加えて、勝訴・敗訴の見込み及び主な争点に関する主張の概要等（様式任意）についても併せてご報告をお願いします。
（2）判決言い渡し後
　判決言い渡し後、その結果について、速やかにご連絡ください。
　特に行政庁が敗訴した場合には、判決書受領から2週間以内に上訴要否に関する判断が必要であるため、ご留意下さい。
（3）判決確定後
　判決が確定した際にも、必ずその旨ご報告をお願いします。
4　その他
　当該訴訟に関連する内容については、当職宛に必要に応じて助言等を求めていただくようお願いします。
　特に、裁判所へ提出する書面に関する助言等については、提出期限を踏まえ、余裕を持ったご相談をお願いします。

○不正受給事案や現業員等による不正等が発生した際における速やかな報告等について

平成24年10月23日　社援自発1023第1号
各都道府県・各指定都市・各中核市民生主管部(局)長宛　厚生労働省社会・援護局保護課自立推進・指導監査室長通知

　生活保護の適正実施につきましては、平素より格別のご尽力をいただき厚く御礼申し上げます。
　さて、被保護者による不正受給や現業員等による生活保護費の詐取等の不正の未然防止等を図り、生活保護の適正実施を推進する観点から、それぞれの該当事案発生時における厚生労働省への速やかな報告等について、関連通知等においてお願いしているところです。

Ⅱ　生活保護法関係通知　第3章　保護の実施要領

　しかしながら、依然として、これら通知の趣旨が徹底されず、事案発生（確認）から厚生労働省への報告までに著しい長期間を要した上、その間、該当実施機関における実態の解明・把握や、当該自治体内における再発防止策の検討等に関して極めて不十分な対応しか行われていなかった事案などが見られています。
　悪質な不正受給事案や現業員等による不正等は、生活保護行政に対する国民の信頼を根底から揺るがすものであり、万一こうした事案が発生した場合には、早急に、保護の実施機関、都道府県・指定都市本庁と厚生労働省とが情報を共有の上、迅速かつ適切な対応を図る必要があります。特に、現業員等による詐取、領得、事務け怠等については、早急に、当該実施機関において、①関係する被保護世帯に対する適切な保護の決定実施を確保して正常化を図り、②発生要因を含む事案の全貌を明らかにして、③実効性ある再発防止策を構築し、生活保護行政に対する国民の信頼を確保する必要があります。
　ついては、次の点を踏まえ、不正受給事案や現業員等による不正事案が発生した際における、厚生労働省への迅速な報告を確実に行うよう、管内実施機関への徹底をお願いします。

記

1　被保護者による不正受給事案について
　告訴・告発を行った事案や、刑事事件及び新聞、議会等で問題になることが予想される等の不正受給事件については、「生活保護の適正実施の推進について」（昭和56年11月17日付社保第123号厚生省社会局保護・監査指導課長連名通知）の2の(4)、(5)に基づき、その概要、対応方針等について速やかに情報提供するとともに、必要に応じて技術的助言を求めること。
2　現業員等による不正等事案について
　現業員等による詐取等の不正事案が生じた場合は、「現業員等による生活保護費の詐取等の不正防止等について」（平成21年3月9日付社援保発第0309001号厚生労働省社会・援護局保護課長通知）の2の(1)、(2)の別添1及び別添2により速やかに報告すること。なお、現業員等による事務け怠事案については、懲戒処分を受けたものについて報告を求めているところであるが、今後にあっては、自治体人事当局が懲戒処分を検討する対象とした事案や、保護費の過大・過小支給の判明に伴って国庫負担金の再精算を要する可能性が高い事案、都道府県・指定都市本庁が特別監査の対象とした事案、報道や議会等で問題となることが予想される事案などについても、当該事案の発生が確認された段階で、事案の概要、対応方針等について速やかに情報提供いただくとともに、必要に応じて技術的助言を求めることとされたい。（懲戒処分を受けたものに係る報告は従来のとおり。）

○暴力団員に対する生活保護の適用について

[平成18年3月30日　社援保発第0330002号
各都道府県・各指定都市・各中核市民生主管部(局)長
宛　厚生労働省社会・援護局保護課長通知]

　反社会的行為により市民生活の安全と平穏を脅かす暴力団員に対して生活保護を適用することは、国民の生活保護制度に対する信頼を揺るがすばかりでなく、結果的に公費である保護費が暴力団の資金源となり、暴力団の維持存続に利用されるおそれも生じることとなり、社会正義の上でも極めて大きな問題である。このため、暴力団員に対する生活保護の適用については、厳正な対応を行い、市民の理解と支持が得られるようにする必要がある。

　これを踏まえ、暴力団員に対する生活保護の取扱いを徹底するとともに、その実効を期すため、暴力団員該当性に関する情報提供依頼等に関して警察との連携を強化することとしたので、その趣旨について十分に了知するとともに、適正な運用に努められたい。

　なお、本通知は、地方自治法（昭和22年法律第67号）第245条の9第1項及び第3項の規定による処理基準としたので申し添える。

　また、本通知の内容については、警察庁とも協議済みであり、同庁から都道府県警察本部にも通知されているので、了知されたい。

記

1　基本方針

　　生活保護法（昭和25年法律第144号。以下「法」という。）第2条は「すべて国民は、この法律の定める要件を満たす限り、この法律による保護を、無差別平等に受けることができる」とし、保護を受けるに当たっては、保護を要する状態に至った原因や社会的身分等により優先的・差別的に取り扱われることがないことを規定している（無差別平等の原則）が、いかなる者であっても、保護を受けるためには、法第4条に定める補足性の要件、すなわち資産、収入、稼働能力その他あらゆるものを活用するという要件を満たすことが必要であり、申請者が保護の要件を満たしていない場合に保護の申請を却下することは、無差別平等の原則と矛盾するものではない。

　　ここで、そもそも暴力団員（暴力団による不当な行為の防止等に関する法律（平成3年5月15日法律第77号。以下「暴力団対策法」という。）第2条第6号に規定する「暴力団員」をいう。）は、集団的に又は常習的に暴力団活動（暴力団対策法第2条第1号に規定する暴力的不法行為等をいう。）に従事することにより違法・不当な収入を得ている蓋然性が極めて高いことから、暴力団員については、保護の要件の判断に当たり、

(1)　本来は正当に就労できる能力を有すると認められることから、稼働能力の活用要件

を満たさない
  (2) 暴力団活動を通じて得られる違法・不当な収入について本人が福祉事務所に対して申告することは期待できないことに加え、このような収入については一般に犯罪の発覚や没収を免れるために隠匿が図られ、又は資金源としてその属する暴力団に移転されるものであるため、福祉事務所による生活実態の把握や法第29条に基づく資産等調査によってこれを発見・把握することは困難であることから、資産・収入の活用要件を満たしていると判断することができないが、これは申請者が暴力団員であることに帰因するものである

と認められることから、保護の要件を満たさないものとして、急迫した状況（生存が危うい場合その他社会通念上放置し難いと認められる程度に情況が切迫している場合をいう。以下「急迫状況」という。）にある場合を除き、申請を却下することとする。

　　また、保護受給中に、被保護者が暴力団員であることが判明した場合にも、同様の考えに基づき保護の廃止を検討する。
2　暴力団員及び暴力団員であることが疑われる者への対応
  (1) 組織的対応
      保護を申請し、又は申請しようとする者（以下「申請者等」という。）が、申請相談・調査・指導の過程におけるその申立てや態度等から暴力団員であると疑われる場合（例：「過去には暴力団員であったが、現在は脱退している」と主張するものの、就労状況や生活実態等に照らして離脱の真偽が疑われる場合）には、警察等の関係機関との連携を十分図るとともに、必要に応じ福祉事務所長、査察指導員等幹部職員が直接対応する等、組織を挙げて取り組む必要があり、福祉事務所においては日頃からこのような組織的体制の確立に努めること。

      また、ケースワーカーや面接相談員は、ケース診断会議等を通じて決定された福祉事務所としての指導方針に沿って、これらのケースに対応すること。

      なお、査察指導員は、必要に応じ面接に同席することや同行訪問等を行うこと等により、ケースワーカー等を支援するとともに、助言指導を積極的に行い、ケースワーカー等のみにその対応を任せることのないように留意すること。
  (2) 警察に対する情報提供依頼に当たっての留意事項等
    ①　1に基づく申請の却下の判断及び暴力団員による不正受給事案等の防止のため、申請者等が暴力団員であることが疑われる場合において、関係者への聞き取りや新聞報道等の他の方法によっては福祉事務所が暴力団員該当性を確認することが困難なときには、その暴力団員該当性について警察から情報提供を受ける必要がある場合がある。この場合の警察に対する情報提供依頼は、資産及び収入の状況に関する照会の根拠である法第29条に基づくものではなく、生活保護行政上の必要性に基づいて警察に対し任意の協力を求めるものである。

        警察による暴力団情報の提供は、「暴力団排除等のための部外への情報提供について」（平成12年9月14日付け警察庁丙暴暴一発第14号、別添）に基づき行われているところ、警察に対し暴力団員該当性について情報を求めるに当たっては、都道府県

警察本部又は警察署の暴力団排除担当課（以下「警察の暴力団排除担当課」という。）を窓口とすることとし、依頼に際しては、生活保護行政の適正な運用のために暴力団員該当性についての情報が不可欠であること（申請者等が暴力団員である蓋然性が高いこと、1に基づき、暴力団員については保護の要件に照らして原則として保護の申請を却下する必要があること、暴力団員による不正受給の未然防止の重要性等）について十分に説明すること。

なお、日頃から管内の保護の動向や暴力団情勢について警察の暴力団排除担当課と情報交換等を行うなど、緊密な連携にも配慮すること。

② 申請相談の時点で、申請者等により、実施機関職員に対する暴力行為や脅迫的言動等がなされ、又はなされる可能性がある場合には、あらかじめ警察の暴力団排除担当課の担当者に連絡を取り、対応方法について助言を求めるほか、事態の態様や必要性に応じて有事の際の迅速な対応が可能なように事前に協力を求めるなど、必要な支援を得られるよう依頼すること。

また、各都道府県の暴力追放運動推進センター等における不当要求防止責任者講習への参加や、同センターにおいて提供されている暴力団関連情報の活用などにより、日頃から暴力団員への対応要領の理解や管内の暴力団の動向の把握に努めること。

(3) 保護の要件の判断と指導指示の徹底

申請者等が暴力団員である場合には、ケース診断会議等を通じて保護の受給要件の適合性についての厳格な審査を行い、指導指示方針を明確にして対応に臨む必要がある。

① 申請者等が暴力団員であることが確認された場合には、1の基本方針に基づき、原則として、既に申請を行っている場合には申請を却下し、相談等の段階である場合には、暴力団を離脱しない限り、申請を行っても却下することとなる旨を説明すること。ただし、法第4条第3項の規定に基づき、急迫状況にあると認められる者については、その状態が解消するまでの間は保護を適用することができるものである。

この場合において、申請却下の理由は、「暴力団員であることから稼働能力活用の要件に適合せず、また資産・収入の活用の要件が確認できないこと」等となることに留意すること。なお、これらの要件の判断に関し、申請者等が暴力団員であると福祉事務所が判断した根拠を問われた場合には、警察からの情報提供によるものであることを明らかにすることは可能である。

② 申請者等が申請時点においては暴力団員であったが、

ア 暴力団からの脱退届及び離脱を確認できる書類（絶縁状・破門状等）
イ 誓約書（二度と暴力団活動を行わない、暴力的言動を行わない等）
ウ 自立更生計画書

の提出を要請するなどにより、暴力団から離脱させた場合であって、現に生活に困窮していることが他の調査等から明らかであるときには、あらためて厳格な資産調

査等を行い、保護の適否を判断すること。

なお、これらの書類の真偽について疑いがある場合には、警察の暴力団排除担当課に対して(2)①に則り再度情報提供を求めるなどにより確認に努めること。

また、暴力団からの離脱を求めるに当たり、申請者等が、所属する暴力団からの離脱妨害や報復等のおそれがある旨を申し立てる場合には、このような行為が暴力団対策法第16条（加入の強要等の禁止）第2項に該当し得ることを踏まえ、警察の暴力団排除担当課や都道府県暴力追放運動推進センター等に相談を行うよう助言すること。

③ ②の結果、保護を適用することとなる場合であっても、保護受給中に自立更生計画書等に反して暴力団活動を行った場合には直ちに保護を廃止する旨明確に指導指示しておくとともに、保護受給中は病状、稼働状況等生活実態の的確な把握に努め、暴力団活動を行っている疑いが生じた場合には、(2)①に則り警察に情報提供を求めるなど関係機関と連携を取ってその実態把握を行うこと。この結果、暴力団活動の事実が認められた場合や、職員の訪問時等に暴力、威嚇行動等を行った場合には、所要の手続を経て、保護の廃止の措置を講ずること。

なお、具体的に職員に対し暴力行為等が行われた場合には、速やかに警察へ通報する等の手続をとり、厳正に対処すること。

また、福祉事務所による生活実態の把握等を通じ、保護適用中に、被保護者が暴力団員ではないかとの疑いが新たに生じた場合には、(2)①に則り暴力団員該当性について警察の暴力団排除担当課に情報提供を求め、暴力団員であることが判明した場合には、②に準じて離脱等の指示を行い、これに従わない場合には所要の手続きを経て保護を廃止すること。

④ 世帯の構成員に暴力団員がいる場合において、当該暴力団員は①のただし書きの規定に該当しないが、生計を同一とする他の世帯員が真にやむを得ない事情によって保護を要する場合は、「生活保護法による保護の実施要領について」（昭和38年4月1日社発第246号厚生省社会局長通知）第1―2―(1)により世帯分離による保護適用を検討すること。

3 暴力団員による不正受給事案への対応

暴力団員による不正受給事案については、保護費が暴力団の資金源として用いられることとなり、社会的反響も大きいことから、警察等捜査機関に対する告訴や捜査への協力を行い、厳正な対応を行うこと。

4 警察との連携・協力強化のための協議等

(1) 警察との協議

2(2)(3)及び3に係る対応時を含め、生活保護行政を適正に推進するため、定期的又は必要に応じて、警察の暴力団排除担当課と県本庁保護担当課又は福祉事務所の間で以下の事項等に関して協議等を行うなど、警察との連携強化及び情報交換の円滑化を図ること。

① 暴力団員の保護状況（申請者等又は被保護者が暴力団員であった場合の申請却下

又は保護廃止の状況を含む。）及び暴力団の動向と対策
　②　暴力団員受給ケースに関する情報交換
　③　保護担当課・福祉事務所と都道府県警察本部・警察署との連携及び協力の在り方
　④　その他必要な事項（不正受給防止対策等）
(2)　関係機関の実施する暴力団からの離脱支援・社会復帰対策等の活用と協力等
　　都道府県暴力追放運動推進センターにおいては、暴力団からの離脱支援や社会復帰対策を推進していることから、これらの積極的な活用にも配慮するとともに、これらの取組への協力・参加等を通じ、関係機関との連携を強化するよう努めること。

（別　添）
　　暴力団排除等のための部外への情報提供について

> 平成12年9月14日　警察庁丙暴一発第14号
> 各地方機関の長・各都道府県警察の長・各方面本部長・（参考送付先）・庁内各局部課長宛　警察庁暴力団対策部長通知

　暴力団情報については、警察は厳格に管理する責任（守秘義務）を負っているが、他方で一定の場合に部外へ提供することによって、社会から暴力団を排除するという暴力団対策の本来の目的のために活用することも当然必要である。
　また、暴力団が巧妙に市民社会の様々な社会経済システムに介入している状況を反映し、暴力団を排除しようとする団体・個人が、警察に暴力団情報の提供を求める場面がこれまで以上に多様化している。
　この点にかんがみ、暴力団対策の趣旨に沿って市民社会の強い要請にこたえるとともに、警察職員による不適正な暴力団情報の漏えいがあれば、国民の警察に対する信頼を著しく失墜させることからこれを防止するため、暴力団情報の部外への提供に関しては、下記のとおりとするので、その対応に遺憾なきを期されたい。
記
第1　基本的な考え方
　1　組織としての対応の徹底
　　　暴力団情報の提供については、個々の警察官が依頼を受けて個人的に対応するということがあってはならず、必ず、提供の是非について警察本部の暴力団対策主管課長又は警察署長の責任において組織的な判断を行う。
　2　情報の正確性の担保
　　　暴力団情報を提供するに当たっては、必要な補充調査を実施するなどして、当該情報の正確性を担保する。
　3　情報提供に係る責任の自覚
　　　情報の内容及び情報提供の正当性について警察が立証する責任を負わなければなら

ないとの認識を持つ。
4 情報提供の必要不可欠性及び非代替性についての十分な検討
暴力団員の個人情報の提供については、当該情報が暴力団排除等の目的の達成のために必要不可欠であり、かつ、警察からの情報提供によらなければ当該目的を達成することが困難な場合に行う。
第2 積極的な情報提供の推進
債権管理回収業に関する特別措置法及び廃棄物の処理及び清掃に関する法律のように情報提供に係る手続について明文の規定が法令にある場合及び情報提供できる場合を定型化・類型化して警察と他の機関との間で申合せ等が結ばれている場合には、これによるものとする。
また、暴力団犯罪の被害者の被害回復訴訟において組長等の使用者責任を追及する場合や暴力団事務所撤去訴訟等暴力団を実質的な相手方とする訴訟を支援する場合は、特に積極的な情報提供を行うこと。
暴力団に係る被害者対策、資金源対策の視点や社会の基本システムに暴力団を介入させないという視点からは、以下の第3に示した基準に従いつつ、可能な範囲で積極的な情報提供を行うこと。
第3 情報提供の基準等
1 情報提供の基準
暴力団情報については、警察は厳格に管理する責任（守秘義務）を負っていることから、情報提供によって達成される公益の程度によって、情報提供の要件及び提供できる情報の範囲・内容が異なってくる。
そこで、以下の(1)及び(2)の観点から検討を行い、暴力団対策に資すると認められる場合は、暴力団情報を当該情報を必要とする者に提供すること。
ただし、情報提供が法的に許される場合であっても、警察は、常に提供の義務を負うわけではないので、組織的に対応可能な範囲で提供することとする。
(1) 暴力団情報の提供に係る要件
ア 暴力団による犯罪、暴力的要求行為等による被害の防止又は回復
情報提供を必要とする事案の具体的内容を検討し、被害が発生し、又は発生するおそれがある場合には、被害の防止又は回復のために必要な情報を提供する。
イ 暴力団の組織の維持又は拡大への打撃
暴力団の勢力の誇示、暴力団の資金獲得等暴力団の組織の維持又は拡大に係る活動に打撃を与えるために必要な場合には、情報を提供する。
(2) 提供する暴力団情報の範囲・内容
下記ア、イ、ウの順に慎重な検討を行う。
ア 暴力団の活動の実態についての情報（個人情報以外の情報）の提供
暴力団の義理掛けが行われるおそれがあること、暴力団が特定の場所を事務所としていること、傘下組織に係る包括団体の名称等、個人情報以外の情報の提供によって足りる場合には、これらの情報を提供する。

また、暴力団の支配下にある法人を排除するような場合においては、安易にその役員等が暴力団員等（暴力団員、準構成員、総会屋等及び社会運動等標ぼうゴロをいう。以下同じ。）であるか否かに係る情報（以下「暴力団員等該当性情報」という。）を提供するのではなく、役員等に占める暴力団員等の比率、当該法人の活動実態等についての情報提供により暴力団の支配性を明らかにすることをまず検討する。

 イ 暴力団員等該当性情報の提供

上記アによって当該公益を実現することができないかを検討した上で、次に、相談等に係る者を暴力団員等として認定している旨（暴力団員等該当性情報）を回答することを検討する。この場合でも、住所、生年月日等の暴力団員等該当性情報以外の個人情報（以下のウの情報）を安易に提供することのないように注意する。

 ウ 上記イ以外の個人情報の提供

上記イによって当該公益を実現することができないかを慎重に検討した上で、それでも公益実現のために必要であると認められる場合には、連絡先その他の暴力団員等該当性情報以外の個人情報を提供する。

なお、前科・前歴情報の提供、顔写真の交付は行わないこと。

2 提供する暴力団情報の内容に係る注意点

(1) 指定暴力団以外の暴力団について

指定暴力団以外の暴力団のうち、特に消長の激しい規模の小さな暴力団については、これが暴力団、すなわち「その団体の構成員が集団的に又は常習的に暴力的不法行為等を行うことを助長するおそれがある団体」（暴力団員による不当な行為の防止等に関する法律第2条第2号）に該当することを明確に認定できる資料の存否につき確認する。

(2) 準構成員及び元構成員の場合の取扱い

 ア 準構成員

準構成員の場合については、構成員であることが明確に認定できる者の場合と異なり、暴力団との関係の態様、程度等が様々であることから、漫然と「準構成員である」といった情報提供をしない。

情報提供が求められている個別の事案に応じて、当該準構成員と暴力団との関係の態様、程度について十分な検討を行い、構成員とほぼ同視し得ると確実に言えるか否かを個別に判断する。

 イ 元構成員

現に自らの意思で反社会的団体である暴力団に所属している構成員の場合と異なり、元構成員については、暴力団との関係を断ち切って更生しようとしている者もいることから、過去に暴力団員であったことが法律上の欠格要件となっている場合や現状が準構成員とみなすことができる場合は格別、過去に暴力団に所属していたという事実だけをもって情報提供をしない。

3 都道府県暴力追放運動推進センターに対する情報提供について
  都道府県暴力追放運動推進センター(以下「センター」という。)に対して相談があった場合も、警察において上記基準等に従って判断した上で必要な暴力団情報をセンターに提供し、センターが相談者に当該情報を告知することとする。
第4 情報提供の方式
 1 暴力団情報を提供するに当たっては、情報提供の相手方の信頼性、情報提供の相手方が情報を悪用しないような仕組みを整備しているか否かということについて十分検討の上、当該相手方に対して情報を他目的に利用しないよう警告し、また、必要であれば、情報の適正な管理のために必要な仕組みを整備するよう要請するものとする。
 2 情報提供の相手方に守秘義務がある場合等、情報の適正な管理のために必要な仕組みが整備されていると認められるときは、情報提供を文書により行ってよい。
  これ以外の場合においては、口頭による回答にとどめること。
 3 情報提供は、原則として、当該情報を必要とする当事者に対して行うものとする。ただし、情報提供を受けるべき者の委任を受けた弁護士に提供する場合その他情報提供を受けるべき者本人に提供する場合と同視できる場合はこの限りでない。
第5 暴力団情報の提供に係る記録の整備
 1 警察本部及び警察署の暴力団対策主管課においては、部外への暴力団情報の提供(警察部内の暴力団対策主管部門以外の部門から部外への暴力団情報の提供について協議を受けた場合を含む。)に関し、上記第3の基準による判断を行ったときは、情報提供の求めの概要、提供の是非についての判断の理由及び結果等について、確実に記録した上、決裁を受けて対応すること。
 2 常に所属長又はこれに相当する上級幹部が実際に最終判断を下すものとする。ただし、情報提供を行うことについて緊急かつ明確な必要が認められる場合においては、事後報告としても差し支えない。
 3 部外からの暴力団情報に係る照会及びそれに対する警察の回答状況については、情報の適正な管理に万全を期すため、各警察本部の暴力団対策主管課において定期的に把握すること。

○生活保護行政を適正に運営するための手引について

（平成18年3月30日　社援保発第0330001号
各都道府県・各指定都市・各中核市民生主管部(局)長
宛　厚生労働省社会・援護局保護課長通知）

〔改正経過〕

第1次改正	平成22年3月31日社援保発0331第3号	第2次改正	平成23年12月1日社援保発1201第1号
第3次改正	平成26年4月25日社援保発0425第3号	第4次改正	平成27年3月31日社援保発0331第2号
第5次改正	平成28年3月31日社援保発0331第2号	第6次改正	平成30年9月28日社援保発0928第3号
第7次改正	令和元年5月27日社援保発0527第1号	第8次改正	令和3年1月7日社援保発0107第1号

　生活保護行政の運営については、従前より保護の実施要領及び別冊問答集等により、その取扱いを示してきたところであるが、今般、生活保護行政の適正な運営という観点から、地方自治体における取組事例も参考としつつ、関連事項を整理した手引を作成したところであるので、貴管内実施機関に対し周知するとともに、関係機関との連携の強化を図りつつ、本手引を活用し、保護の適正な運営に積極的に取り組まれたい。

目次　　　　　　　　　　　　　　　　　　　　　　　　　　　　　　　　　　　頁
Ⅰ　申請相談から保護の決定に至るまでの対応 ……………………………………782
　1　申請相談から保護の決定までの対応の概略 …………………………………782
　2　届出義務の遵守 …………………………………………………………………784
　3　収入申告等の徴取 ………………………………………………………………784
　4　関係先調査の実施 ………………………………………………………………785
　5　暴力団員に対する生活保護の適用についての考え方 ………………………789
　6　年金担保貸付及び恩給担保貸付を利用している者への対応 ………………793
　7　自主的内部点検の実施 …………………………………………………………795
Ⅱ　指導指示から保護の停廃止に至るまでの対応 …………………………………795
　1　法第27条による指導指示 ………………………………………………………795
　2　保護の変更、停止又は廃止 ……………………………………………………796
　3　稼働能力のある者に対する指導指示 …………………………………………796
　4　履行期限を定めた指導指示 ……………………………………………………798
Ⅲ　保護受給中に収入未申告等があった場合の対応 ………………………………799
　1　基本的な考え方 …………………………………………………………………800
　2　就労収入等の収入未申告等が疑われる場合の対応 …………………………800
　3　ケース診断会議等の開催 ………………………………………………………801
Ⅳ　費用返還（徴収）及び告訴等の対応 ……………………………………………804
　1　未申告の収入等が判明した際の迅速な事務処理 ……………………………804
　2　法第63条の適用の判断 …………………………………………………………804
　3　法第77条の2の適用の判断 ……………………………………………………805
　4　法第78条の適用の判断 …………………………………………………………805
　5　費用徴収方法 ……………………………………………………………………808
　6　告訴等の手順 ……………………………………………………………………809
　7　捜査機関から捜査への協力を求められた場合の対応 ………………………813

Ⅱ 生活保護法関係通知 第3章 保護の実施要領

生活保護行政を適正に運営するための手引

Ⅰ 申請相談から保護の決定に至るまでの対応

> 実施機関の来訪者に対する面接相談や保護の申請時においては、懇切丁寧に法の趣旨や制度概要を説明するとともに、他法他施策について専門的な立場からの助言を行う等適切な援助を行うことが必要である。また、保護の要否を判定するにあたって十分な調査を行うとともに、援助困難ケースについては組織的な対応をとることが重要である。

1 申請相談から保護の決定までの対応の概略
 (1) 保護の相談の段階から「保護のしおり」等を用いて制度の仕組みを十分に説明するとともに、他法他施策や地域の社会資源の活用等についての助言を適切に実施することが必要である。要保護者に対してはきめ細かな面接相談、申請の意思のある方への申請手続への援助指導を行うこととともに、法律上認められた保護の申請権を侵害しないことは言うまでもなく、侵害していると疑われるような行為自体も厳に慎むべきものであることに留意する。

  保護の相談においては、個人情報に立ち入ったことを聴取する必要があることから、個々のプライバシーに配慮したきめ細やかな対応が必要であるが、生活保護が必要な者に確実に保護が実施されるためには、相談を通じて真に急迫した状況（生存が危うい場合その他社会通念上放置し難いと認められる程度に状況が切迫している場合をいう。以下「急迫状況」という。）を的確に把握することも重要である。

  このためには、手持ち金及び預貯金の保有状況、家賃、負債、水道・電気等のライフラインに係る滞納状況等、急迫状況をはじめとする生活状況を的確に把握することが必要であり、必要に応じて、民生委員・各種相談員、保健福祉・社会保険関係部局、水道・電気等の事業者、住宅担当部局等の関係機関とも連絡・連携して、より確実に生活状況の把握をする。

  なお、保護の申請に至らなかった場合は、必要に応じて、生活困窮者自立支援制度等の適切な支援につなぐことも必要である。
 (2) 保護の開始申請は、申請の意思表示がされたことやその意思が示された時期等を明確にすることが必要であることから、原則として申請書の提出を求めることが必要である。ただし、申請書の提出が困難である場合は、この限りではなく、要保護者の申請の意思確認について必要な援助を行うよう配慮する。

  また、保護の要否の判定に必要となる書類（同意書等）が揃わない場合であっても申請書は受理し、申請から保護の決定を行うまでの間に、極力速やかに提出するよう求める。ただし、当該書類を提出することが困難である場合は、この限りではない。この場合において、保護の実施機関が収入状況に関し関係先に資料の提供を求めること等に同意する旨を記し署名した書面（以下「同意書」という。）につい

ては、申請者の口頭によって必要事項に関する陳述を聴取し、書面に記載した上でその内容を本人に説明し署名を求めるなどの援助を行い、その他の書類については、要保護者の可能な範囲で提出を求めることに留意する。

(3) 申請時においては、被保護者の権利と義務等を説明する。また、保護の受給要件（生活保護法（以下「法」という。）第4条）を満たしているかどうかを判断するため、(2)により要保護者から必要な書類を的確に提出させるとともに、資産、収入等が不明な時には、保護の決定又は実施のために必要がある場合に要保護者の氏名及び住所又は居所、資産及び収入の状況、生業若しくは就労又は求職活動の状況、扶養義務者の扶養の状況、他の法律に定める扶助の状況、健康状態、他の保護の実施機関における保護の決定及び実施の状況並びに支出の状況（以下「資産及び収入の状況等」という。）について保護の実施機関又は福祉事務所長（以下「保護の実施機関」という。）が官公署、日本年金機構若しくは共済組合等（以下「官公署等」という。）に対し、必要な書類の閲覧若しくは資料の提供を求め、又は関係人に対し報告を求めることができる旨規定した法第29条に基づく調査（以下「法第29条に基づく関係先調査」という。）を実施し、また、能力活用の確認が必要と認められる要保護者には、法第28条に基づく検診命令を実施し、要件の確認の審査を徹底する。さらに、必ず実地調査を行うとともに、申請以前の生活状況や保護の申請に至った理由を的確に把握する。

(4) 保護の要否判定、保護の決定にあたっては、各種調査に速やかに着手し、必要な調査は全て実施する。調査を法定期限内に終えることができない場合には、申請内容に係る疑義の程度や申請者の困窮状況等を個別に検討した上で、期限を延長する必要がある場合には、申請のあった日から30日を限度として延長する。その際、主に査察指導員による進行管理や調査結果の点検等を行うなど組織的に管理し、延長等の判断を行う必要がある。なお、やむを得ず、各種調査の結果が揃わないままに、保護の決定を行った場合には、調査結果の判明後、速やかに保護の要否等について決定した内容を再確認する。

また、ケース診断会議を適宜活用し、援助方針等を明確にし、特に、援助困難ケースについては、その後のケース援助に重大な影響を及ぼすことになるので、自立阻害要因を的確に把握し、ケース診断会議における検討を行う等により組織として当該被保護者の状況に応じた援助方針を樹立するよう徹底する。

さらに、資産、能力及び他法他施策の活用や、扶養義務者の扶養が十分でないケースに対しては、適切な助言指導を行う。資産、能力等の活用に関する助言指導に従わないときは、急迫状況にある場合を除き、保護の要件を欠くものとして申請を却下することも検討する。保護の要否判定の結果、資産、能力等を活用してもなお、最低生活費の需要が充たされない場合、保護を開始することとなる。

(5) 保護の開始申請をした要保護者について、要否判定の結果、保護開始決定をしようとする場合で、明らかに扶養義務を履行することが可能と認められる扶養義務者が、民法に定める扶養を履行していない場合には、保護の実施機関は、法第24条第8項の規定に基づき、当該要保護者が保護開始されることについて、要保護者に保護の開始の決定をするまでの間に、当該扶養義務者に対して書面をもって通知する

必要がある。

　また、上記同様、明らかに扶養義務を履行することが可能と認められる扶養義務者が、民法に定める扶養を履行していない場合は、法第28条第2項により当該扶養義務者本人に扶養を履行しない理由について報告を求めること。

　なお、要保護者の扶養義務者に対する調査の結果、あらかじめ通知することや報告を求めることとなるのは以下の場合に限定されるので留意すること。

① 保護の実施機関が、当該扶養義務者について、法第77条第1項の規定が適用される蓋然性が高いと判断される場合

② 保護の実施機関が、要保護者が配偶者からの暴力の防止及び被害者の保護等に関する法律（平成13年法律第31号）第1条第1項に規定する配偶者からの暴力を受けた者でないと認めた場合

③ 上記のほか、保護の実施機関が、通知することや報告を求めることによって、要保護者の自立に重大な支障を及ぼすおそれがないと認めた場合

2　届出義務の遵守

(1)　すべての資産、収入、生計の状況、世帯の構成等について正確に申告するとともに、申告している内容に変動があった場合には、速やかに届け出る義務があることを周知しておくことが重要である。

　このためには、届出が必要な資産及び収入の種類を具体的に列挙した届出義務についての「福祉事務所長名の通知」や「保護のしおり」等を、保護開始時及び継続ケースについては、少なくとも年1回以上、世帯主及び世帯員等に配布する等の方法により、届出義務の内容を十分説明しておく必要がある。

(2)　収入申告の必要性や届出義務について保護の実施機関が被保護世帯に説明を行ったことや当該被保護者がその説明を理解したことを、保護の実施機関と被保護世帯とで共有し、そのことを明確にするために、被保護世帯が所定の事項を記載した「生活保護費の費用返還及び費用徴収の決定について」（平成24年7月23日社援保発0723第1号厚生労働省社会・援護局保護課長通知）別添2の様式等により徴取しておく必要がある。

　また、法第78条の2により保護金品等が交付される前に法第78条の規定による徴収金の納入に充てる旨の被保護者の申出についても、上記通知の別添3の様式により提出されるよう努める。

3　収入申告等の徴取

　保護の実施機関は、要保護者に対して保護の決定又は実施に必要がある場合は、法第28条により報告を求め、法第29条により要保護者の資産及び収入の状況等について調査し把握することが重要である。また、被保護者から正当な理由なく報告が行われない等の場合には、法第27条により指導指示を行うなど的確に状況を把握するために所要の措置を講じる必要がある。

(1)　収入申告は、原則として文書により行わせる必要がある。収入申告書には収入の種類、金額又は求職活動の状況等を正確に記載させるとともに、その内容を挙証する給与明細書又は求職状況報告書等の添付が必要である。また、収入申告書様式の中に挙証資料の添付、虚偽申告の禁止及び指定期日までの提出義務等を注記してお

き、被保護者にあらかじめ周知しておくことにも留意する。
(2) 収入申告書の提出回数は、保護の実施機関において就労可能と判断される者には、就労に伴う収入の有無にかかわらず毎月（常用雇用されている等毎月ごとの収入の増減が少ない場合は3か月ごとで差し支えない）、保護の実施機関において就労困難と判断される者には、最低12か月に1回は申告させる必要がある。なお、高齢者世帯や単身入院世帯等でも、年金の繰上げ受給、仕送り収入、資産売却収入等がある場合が考えられるので、最低12か月に1回は徴取する必要がある。

稼働年齢層の者がいる場合等で、再三の指示にもかかわらず収入申告書の提出等に応じないため、保護の要否判定あるいは保護の程度の決定ができない場合には、ケース診断会議で援助方針を決定し、それに基づき申告するよう改めて口頭で指示し、一定期間経過しても、申告しない場合には、法第27条により文書指示し、それでもなお従わない場合には、所要の手続を経て保護の変更、停廃止を検討することとなる。

(3) 徴取した収入申告書の内容については、訪問調査（居宅・関係先等）、課税調査との突合、本人の能力、健康状態、就労状況、世帯事情、地域の慣行、地場賃金の水準を参考に検討し、その内容に不審のある場合又は申告額が同種の通常の収入額と考えられる額より、相当程度低いと判断される場合には、事業主等の関係先に資料の提供を求めるなど、疑義を残したまま処理することのないようにする。

(4) 資産申告書は、保護開始時に資産の保有状況を正確に記載させるとともに、その内容を挙証する関係書類の添付が必要である。また、保護受給中の資産申告書の提出回数は、最低12箇月に1回は徴取する必要があり、申告の内容に不審がある場合には関係先に対して調査を行うこと。特に不動産の保有状況については、扶養義務者の死亡に伴う相続、土地の転売等必要がある場合は、世帯訪問調査、扶養義務調査等により把握する必要がある。

4 関係先調査の実施
(1) 収入状況等の把握及び同意書の徴取

収入状況については、勤労収入、年金、仕送り、保険金、相続等による資産の取得等収入ごとに克明に記入したうえ、当該記入内容が事実に相違ない旨を附記し署名した書面、当該記入内容を証明するに足る資料の提出を求めることが必要である。

また、訪問調査や提出資料によっても収入状況等に不明な点が残る場合には、必要に応じ関係先に資料の提供を求めるとともに関係官署とも連携を図り事実を把握することが必要であることから、申請の際又は申請後速やかに、同意書を申請者から提出させるようにする。

なお、同意書を提出することが困難である場合を除き、同意書が提出されないため、関係先調査ができない場合には、
① 保護受給中の者については、法第27条による文書指示を行い、これに従わない場合には指導指示違反として法第62条の規定に基づく保護の停止等の措置を行うこと
② 保護申請中の者については、同意書を提出しなければ適切な保護の決定が困難となることや、生活保護法の趣旨、内容等につき十分に説明を行うとともに、そ

れでもなお同意書の提出を拒む場合には、法第28条の規定に基づき保護申請を却下すること
について検討する必要がある。
(2) 関係先調査と個人情報保護法及び行政機関個人情報保護法との関係について
① 行政機関個人情報保護法との関係
　行政機関等の保有する個人情報の保護に関する法律（以下「行政機関個人情報保護法」という。）においては、原則として、法令に基づく場合を除き、行政機関が保有する個人情報を、保有目的外の目的のために第三者に提供してはならないこととされている（行政機関個人情報保護法第8条第1項）。
　しかし、
ア　本人の同意がある場合（同条第2項第1号）や、
イ　地方公共団体等が、法令の定める事務又は業務の遂行に必要な限度で提供に係る個人情報を利用し、かつ、当該個人情報を利用することについて相当な理由のある場合（同項第3号）
等には、この限りではないとされている。
　ここで、アの「本人の同意」は書面によることを要しないと解されており、行政機関個人情報保護法上、特定の同意書の形式が要請されているわけではない。
　また、イの「相当な理由」とは、少なくとも社会通念上、客観的に見て合理的な理由があることが求められるものであり、その有無については、保有個人情報の内容や利用目的等を勘案して、行政機関の長が個別に判断することとなる。
　地方自治体の行政機関個人情報保護条例についても、基本的には同じ考え方を取っているものと考えられる。
② 個人情報保護法との関係
　一方、民間の個人情報事業者を対象とする個人情報の保護に関する法律（以下「個人情報保護法」という。）においては、原則として、あらかじめ本人の同意を得ないで、第三者に個人データを提供してはならないこととされている（個人情報保護法第23条第1項。なお、この場合においても、「本人の同意」を得る方法は問わないこととされている。）。
　しかし、本人の同意がなくとも、
ア　法令に基づく場合（同項第1号）や、
イ　人の生命、身体又は財産の保護のために必要がある場合であって、本人の同意を得ることが困難であるとき（同項第2号）、
ウ　国の機関若しくは地方公共団体又はその委託を受けた者が法令の定める事務を遂行することに対して協力する必要がある場合であって、本人の同意を得ることにより当該事務の遂行に支障を及ぼすおそれがあるとき（同項第4号）
等の場合は、例外として第三者への提供が可能である。
③ 両法における「法令に基づく場合」と生活保護法の関係規定
ア　法第50条について
　法第50条は、指定医療機関は、厚生労働大臣の定めるところにより、懇切丁寧に被保護者の医療を担当しなければならず（第1項）、また、被保護者の医療

について、都道府県知事の行う指導に従わなければならない（第2項）ことと規定している。さらに、第1項の規定により定められた指定医療機関医療担当規程（以下「医療担当規程」という。）第7条には、指定医療機関は、その診療中の患者及び保護の実施機関から生活保護法による保護につき、必要な証明書又は意見書等の交付を求められたときは、無償でこれを交付しなければならないこととされている。

　　法第50条第1項及び医療担当規程第7条により、一般に指定医療機関には保護の実施機関からの医療に関する病状調査等に応じる義務があり、さらに、都道府県が医療担当規程第7条の調査に対し適切に報告を行うよう指導することによっても、指定医療機関はこの指導に従う義務を負うことから、このような調査は行政機関個人情報保護法第8条第1項及び個人情報保護法第23条第1項第1号の「法令に基づく場合」に該当し、指定医療機関は、被保護者の同意がなくとも、個人情報である被保護者の病状等について保護の実施機関に回答することができる。

　　なお、医療担当規程第7条にいう「法による保護」は、医療扶助だけではなく、生活保護全般を指すものである。そのため、同条により保護の実施機関が指定医療機関に対して行うことができる病状調査の範囲には、当該指定医療機関に対して医療扶助の委託をした医療に関するものは当然に含まれるが、当該指定医療機関が行った保護開始前の医療や他の公費負担医療制度による医療等、医療扶助の委託をしていない医療に関するものについても、稼働能力の有無や程度の判定、生活保護費の給付の必要性や程度の判定、他法他施策の利用可能性の有無の判定というような生活保護の決定・実施及び自立助長に必要なものであれば含まれるものである。

　　ただし、障害年金等、他の社会保障制度の給付の申請等のために必要な意見書、証明書等については、保護の決定等に直接必要なものではなく、同条の対象に含まれないため留意されたい。
　イ　法第29条について
　　保護の実施機関が行う法第29条に基づく関係先調査は、行政機関個人情報保護法第8条にいう「法令に基づく場合」及び個人情報保護法第23条第1号の「法令に基づく場合」に当たるものと解される。

　　しかし、この場合であっても、法第29条第2項の規定により回答義務の対象となる調査範囲を除き、相手方は提供を義務づけられるものではなく、実際に提供することの適否は、それぞれの法令の趣旨に沿って適切に判断されることが必要であるとされている。また、本人の同意がある場合その他例外に当たる場合であっても、あくまで実際の情報の提供は相手方の任意によるものであることに留意する必要がある。
④　まとめ
　　以上を整理すれば、
　ア　生活保護の適用や被保護者の支援に当たって、必要な被保護者の病状を把握するための被保護者の病状調査について、法第50条第1項及び指定医療機関医

療担当規程第7条に基づく調査を行い、または、法第50条第2項に基づく指導を行った場合には、本人の同意なしに回答（個人情報の提供）を得ることが可能である。
　イ　資産や収入の状況等（例：預貯金、生命保険、年金、労災保険等）については、法第29条に基づく関係先調査を行い、これを根拠として回答（個人情報の提供）を得ることが可能である。
　　なお、在留資格の確認や出入国状況、拘留又は留置等の状況に関する情報は、保護の決定又は実施のために必要がある場合には法第29条に定める「居所」として上記調査の範囲に含まれるものである。
　　また、現在、法第29条に基づく関係先調査を行うに当たっては、平成12年3月31日社援第871号厚生省社会・援護局長通知による生活保護法施行細則準則第5条に基づく様式第12号の生活保護法による保護申請書別添3に示した同意書を徴取し、これを添付することとしているが、この同意書については、
　　a　有効期限はない
　　b　世帯員個別の署名は必ずしも必要ではない（生活保護は世帯単位で決定しており、世帯主を介して世帯員へ給付を行っていることから、世帯主の同意書をもって世帯員の同意があったものと解される）
　　と解されるものである。
　ウ　資産や収入の状況等以外（アに係るものを除く。）の事項であっても、本人からの明示的な同意がある場合は、個人情報の提供を受けることは可能である。
　　また、同意がない場合であっても、
　　a　行政機関に対する調査の場合：
　　　当該情報が生活保護事務や業務の遂行に当たって必要であり、これを利用することに相当な理由があるとき
　　b　民間の個人情報事業者に対する調査の場合：
　　　○　人の生命、身体又は財産の保護のために必要がある場合であって、本人の同意を得ることが困難であるとき
　　　○　国の機関若しくは地方公共団体又はその委託を受けた者が法令の定める事務を遂行することに対して協力する必要がある場合であって、本人の同意を得ることにより当該事務の遂行に支障を及ぼすおそれがあるとき
　　等には、情報の提供を受けることは可能である（ただし、必ず提供を受けられることが保障されるものではないことに留意。）。
(3)　調査時の留意事項
　①　調査を円滑かつ効率的に行うためには、前項を踏まえ、調査の実施に当たってそれぞれの対象機関に関する調査の根拠や必要性を確認した上で、
　　○　法第29条に基づく調査である場合は、この旨を明確にすること
　　○　法第29条に基づく調査であるか否かにかかわらず、法第29条第2項の規定により回答義務の対象となる調査範囲を除き、同意書の徴取が可能な場合には必ず同意書を添付すること
　　○　特に、法第29条に基づかない調査の場合には、調査書等において、当該提供

を求める情報について相手先から提供を受けることが、生活保護事務の遂行（補足性の原則等に基づく保護の決定・実施の判断等）に当たって必要であるという合理的な理由等について、具体的に明記・説明すること
等が必要である。
② 調査書の送付に当たっては、相手先において円滑かつ効率的に必要な回答を行い得るよう、調査項目の記載方法等について配慮することが必要である。例えば、
○ 回答を要する事項について、具体的かつ明確に記載する
○ 調査対象者（世帯主、世帯員）の氏名や生年月日、住所等の表記について誤りのないよう入念に確認する
○ 直前又はそれ以前の世帯の住所を併記する
○ 婚姻や養子縁組等により姓を変更したことが明らかな者については旧姓を併記する
等により、相手方の調査がより円滑かつ広範囲に行われるとともに、データ不足等による再調査等の手間が省かれることとなる。
(4) 都市銀行、地方銀行、信託銀行、第二地方銀行協会加盟銀行、信用組合及び信用金庫等に対する法第29条第1項の規定に基づく調査については、「金融機関本店等に対する一括照会の実施について」（平成24年9月14日社援保発0914第1号厚生労働省社会・援護局保護課長通知）により適切に行うよう留意する。
(5) 課税調査
課税調査については、年1回実施することとしており、これを契機として不正受給と疑われるケースを発見する場合があり、保護の適正実施において重要な調査となっている。保護の実施機関においては、法第29条に基づく調査として、地方税等の課税状況等の調査を税務担当官署の協力を得て実施することが必要である。
また、保護の実施機関において保護費の不正受給事案を把握した場合には、未申告収入等について適切な税務処理が行われていない可能性もあるので、適宜税務上の取扱いについて税務担当官署へ連絡することについても考慮する。
5 暴力団員に対する生活保護の適用についての考え方
(1) 暴力団員に生活保護を適用することの問題点
反社会的行為により市民生活の安全と平穏を脅かす暴力団員（暴力団員による不当な行為の防止等に関する法律（以下「暴力団対策法」という。）第2条第6号の「暴力団員」をいう。）に対して生活保護を適用することは、国民の生活保護制度に対する信頼を揺るがすばかりでなく、結果的に公費である保護費が暴力団の資金源となり、暴力団の維持存続に利用されるおそれも生じることとなり、社会正義の上でも極めて大きな問題である。このため、暴力団員に対する生活保護の適用については、厳正な対応を行い、市民の理解と支持が得られるようにする必要がある。
(2) 基本方針
法第2条は「すべて国民は、この法律の定める要件を満たす限り、この法律による保護を、無差別平等に受けることができる」とし、保護を受けるに当たっては、保護を要する状態に至った原因や社会的身分等により優先的・差別的に取り扱われ

ることがないことを規定している（無差別平等の原則）が、いかなる者であっても、保護を受けるためには、法第4条に定める補足性の要件、すなわち資産、収入、稼働能力その他あらゆるものを活用するという要件を満たすことが必要であり、申請者が保護の要件を満たしていない場合に保護の申請を却下することは、無差別平等の原則と矛盾するものではない。

　ここで、そもそも暴力団員は集団的に又は常習的に暴力団活動（暴力団対策法第2条第1号に規定する暴力的不法行為等をいう。）に従事することにより違法・不当な収入を得ている蓋然性が極めて高いことから、暴力団員については、保護の要件の判断に当たり、

① 本来は正当に就労できる能力を有すると認められることから、稼働能力の活用要件を満たさない

② 暴力団活動を通じて得られる違法・不当な収入について本人が保護の実施機関に対して申告することは期待できないことに加え、このような収入については一般に犯罪の発覚や没収を免れるために隠匿が図られ、又は資金源としてその属する暴力団に移転されるものであるため、保護の実施機関による生活実態の把握や法第29条等に基づく資産等調査によってこれを発見・把握することは困難であることから、資産・収入の活用要件を満たしていると判断することができないが、これは暴力団員であることに起因するものである

と認められることから、保護の要件を満たさないものとして、急迫状況にある場合を除き、申請を却下することとする。

　また、保護受給中に、被保護者が暴力団員であることが判明した場合にも、同様の考えに基づき保護の廃止を検討する。

(3) 暴力団員及び暴力団員であることが疑われる者への対応

① 組織的対応

　保護を申請し、又は申請しようとする者（以下「申請者等」という。）が、申請相談・調査・指導の過程におけるその申立てや態度等から暴力団員であると疑われる場合（例：「過去には暴力団員であったが、現在は脱退している」と主張するものの、就労状況や生活実態等に照らして離脱の真偽が疑われる場合）には、警察等の関係官署との連携を十分図るとともに、必要に応じ所長、査察指導員等幹部職員が直接対応する等、組織を挙げて取り組む必要があり、保護の実施機関においては日頃からこのような組織的体制の確立に努めること。

　また、ケースワーカーや面接相談員は、ケース診断会議等を通じて決定された保護の実施機関としての指導方針に沿って、これらのケースに対応すること。

　なお、査察指導員は、必要に応じ面接に同席することや同行訪問等を行うこと等により、ケースワーカー等を支援するとともに、助言指導を積極的に行い、ケースワーカー等のみにその対応を任せることのないように留意すること。

② 警察に対する情報提供依頼に当たっての留意事項等

ア (1)及び(2)に基づく申請の却下の判断及び暴力団員による不正受給事案等の防止のため、申請者等が暴力団員であることが疑われる場合において、関係者への聞き取りや新聞報道等の他の方法によっては保護の実施機関が暴力団員該当

性を確認することが困難なときには、その暴力団員該当性について警察から情報提供を受ける必要がある場合がある。

この場合の警察に対する情報提供依頼は、資産及び収入の状況に関する照会の根拠である法第29条に基づくものではなく、生活保護行政上の必要性に基づいて警察に対し任意の協力を求めるものである。

警察による暴力団情報の提供は、「暴力団排除等のための部外への情報提供について」(平成12年9月14日付け警察庁丙暴暴一発第14号、別添)に基づき行われているところ、警察に対し暴力団員該当性について情報を求めるに当たっては、都道府県警察本部又は警察署の暴力団排除担当課(以下「警察の暴力団排除担当課」という。)を窓口とすることとし、依頼に際しては、生活保護行政の適正な運用のために暴力団員該当性についての情報が不可欠であること(申請者等が暴力団員である蓋然性が高いこと、(1)及び(2)に基づき、暴力団員については保護の要件に照らして原則として保護の申請を却下する必要があること、暴力団員による不正受給の未然防止の重要性等)について十分に説明すること。

なお、日頃から管内の保護の動向や暴力団情勢について警察の暴力団排除担当課と情報交換等を行うなど、緊密な連携にも配慮すること。

イ　なお、申請相談の時点で、申請者等により、実施機関職員に対する暴力行為や脅迫的言動等がなされ、又はなされる可能性がある場合には、あらかじめ警察の暴力団排除担当課の担当者に連絡を取り、対応方法について助言を求めるほか、事態の態様や必要性に応じて有事の際の迅速な対応が可能なように事前に協力を求めるなど、必要な支援を得られるよう依頼すること。

また、各都道府県の暴力追放運動推進センター等における不当要求防止責任者講習への参加や、同センターにおいて提供されている暴力団関連情報の活用などにより、日頃から暴力団員への対応要領の理解や管内の暴力団の動向の把握に努めることも必要である。

③　保護の要件の判断と指導指示の徹底

申請者等が暴力団員である場合には、ケース診断会議等を通じて保護の受給要件の適合性についての厳格な審査を行い、指導指示方針を明確にして対応に臨む必要がある。

ア　申請者等が暴力団員であることが確認された場合には、(2)の基本方針に基づき、原則として、既に申請を行っている場合には申請を却下し、相談等の段階である場合には、暴力団を離脱しない限り、申請を行っても却下することとなる旨を説明する。ただし、法第4条第3項の規定に基づき、急迫状態にあると認められる者については、その状態が解消するまでの間は保護を適用することができるものである。

この場合において、申請却下の理由は、「暴力団員であることから稼働能力活用の要件に適合せず、また資産・収入の活用の要件が確認できないこと」等となる。また、これらの要件の判断に際し、申請者等が暴力団員であると保護の実施機関が判断した根拠を問われた場合には、警察からの情報提供によるも

Ⅱ　生活保護法関係通知　第3章　保護の実施要領

のであることを明らかにすることは可能である。
　　イ　申請者等が申請時点においては暴力団員であったが、
　　　　a　暴力団からの脱退届及び離脱を確認できる書類（絶縁状・破門状等）
　　　　b　誓約書（二度と暴力団活動を行わない、暴力的言動を行わない等）
　　　　c　自立更生計画書
　　　の提出を要請するなどにより、暴力団から離脱させた場合であって、現に生活に困窮していることが他の調査等から明らかであるときには、あらためて厳格な資産調査等を行い、保護の適否を判断する。
　　　なお、これらの書類の真偽について疑いがある場合には、警察の暴力団排除担当課に対して②アに則り再度情報提供を求めるなどにより確認に努めること。
　　　また、暴力団からの離脱を求めるに当たり、申請者等が、所属する暴力団からの脱退妨害や報復等のおそれがある旨を申し立てる場合には、このような行為が暴力団対策法第16条（加入の強要等の禁止）第2項に該当し得ることを踏まえ、警察の暴力団排除担当課や都道府県暴力追放運動推進センター等に相談するよう助言すること。
　　ウ　イの結果、保護を適用することとなる場合であっても、保護受給中に自立更生計画書等に反して暴力団活動を行った場合には直ちに保護を廃止する旨明確に指導指示しておくとともに、保護受給中は病状、稼働状況等生活実態の的確な把握に努め、暴力団活動を行っている疑いが生じた場合には、②アに則り情報提供を求めるなど関係官署と連携を取ってその実態把握を行う。この結果、暴力団活動の事実が認められた場合や、職員の訪問時等に暴力、威嚇行動等を行った場合には、所要の手続を経て、保護の廃止の措置を講ずる。
　　　なお、具体的に職員に対し暴力行為等が行われた場合には、速やかに警察へ通報する等の手続をとり、厳正に対処する必要がある。
　　　また、保護の実施機関による生活実態の把握等を通じ、保護適用中に、被保護者が暴力団員ではないかとの疑いが新たに生じた場合には、②アに則り暴力団員該当性について警察の暴力団排除担当課に情報提供を求め、暴力団員であることが判明した場合には、イに準じて離脱等の指示を行い、これに従わない場合には所要の手続きを経て保護を廃止する。
　　エ　世帯の構成員に暴力団員がいる場合において、当該暴力団員はアの但し書の規定に該当しないが、生計を同一とする他の世帯員が真にやむを得ない事情によって保護を要する場合は、局第1—2—(1)により世帯分離による保護適用を検討する。
　(4)　暴力団員による不正受給事案への対応
　　　保護費の不正受給事案に関する警察等捜査機関との協力については、後記Ⅳ4及び5に詳述するが、特に暴力団員による不正受給事案については、保護費が暴力団の資金源として用いられることとなり、社会的反響も大きいことから、警察等捜査機関に対する告訴や捜査への協力を行い、厳正な対応を行う。

(5) 警察との連携・協力強化のための協議等
① 警察との協議
(3)②、③及び(4)に係る対応時を含め、生活保護行政を適正に推進するため、定期的又は必要に応じて、警察の暴力団排除担当課と県本庁保護担当課又は保護の実施機関の間で、以下の事項等に関して協議等を行うなど警察との連携強化及び情報交換の円滑化を図ること。
　ア　暴力団員の保護状況（申請者又は被保護者が暴力団であった場合の申請却下又は保護廃止の状況を含む。）及び暴力団の動向と対策
　イ　暴力団員受給ケースに関する情報交換
　ウ　保護担当課・保護の実施機関と都道府県警察本部・警察署との連携及び協力の在り方
　エ　その他必要な事項（不正受給防止対策等）
② 関係官署の実施する暴力団からの離脱支援・社会復帰対策等の活用と協力等
都道府県暴力追放運動推進センターにおいては、暴力団からの離脱支援や社会復帰対策を推進していることから、これらの積極的な活用にも配慮するとともに、これらの取組への協力・参加等を通じ、関係官署との連携を強化するよう努めること。
6　年金担保貸付及び恩給担保貸付を利用している者への対応
(1) 生活保護受給中の者の場合の考え方
　本来、生活保護受給中の者には、日常的な生活需要だけではなく臨時的需要も満たすに十分な生活保護費が支給される。また、自立更生のために必要な貸付は、保護の実施機関の承認を受けた上で生活福祉資金等の貸付を受けることができることから、いずれにしても、生活保護受給中の者が年金担保貸付及び恩給担保貸付（以下「年金担保貸付等」という。）を受けなければならない理由は想定できない。
　生活保護制度は、生活に困窮する者が、その利用し得る資産、能力その他あらゆるものを、その最低限度の生活の維持のために活用することを要件として行われる（法第4条）ものであることから、老後の基礎的な生活費として活用すべき年金及び恩給を担保に貸付を受けて、その借入金を例えばギャンブルや他の借金返済等に充てるために費消するような場合、
① 資産活用（月々の年金受給）を恣意的に忌避しているため、法第4条に定める保護の受給要件を満たしていないと解され、
② 加えて、法第60条に定める被保護者の生活上の義務（常に能力に応じて勤労に励み、支出の節約を図ること）を怠っている
ことになる。
　よって、生活保護受給中の者が年金担保貸付等を受けることは、生活保護法の趣旨に反するものと整理する。
(2) 過去に年金担保貸付等を利用するとともに生活保護を受給していたことがある者について
　過去に年金担保貸付を利用するとともに生活保護を受給し、その後に保護廃止と

なった者が、再度年金担保貸付等制度を利用し、その借入金を借金返済やギャンブル等に費消した後、本来受給できるはずの年金及び恩給が受給できなくなった場合は、実質的に保護費を借金返済等に充てることを目的として年金担保貸付を利用していることになる。

今後は、このような者についても(1)の者と同様、最低生活の維持のために利用可能な資産の活用（月々の年金受給）を恣意的に忌避しており、法第4条に定める保護の受給要件を満たしていないものと解し、原則として生活保護を適用しないものと整理する。

(3) 上記の整理を踏まえ、年金担保貸付の利用者については、次のように対応する。

① 生活保護受給中の者及び年金担保貸付等を利用中に生活保護を受給した者で生活保護廃止後5年が経過していない者（以下「被保護者等」という。）への対応策

被保護者等については、年金担保貸付等の借入を制限することとし、保護の実施機関と福祉医療機構、日本政策金融公庫、及び沖縄振興開発金融公庫（以下「福祉医療機構等」という。）との連携によって、以下のような仕組みで、年金担保貸付等の審査時に被保護者等の該当性の確認を行う。

・ 年金担保貸付等の借入申込書に、被保護者等に該当するか否かの自己申告欄を新たに設けることとし、該当するとの申告があった場合には、貸付申請を受け付けない。

・ あらかじめ被保護者に関する情報を保護の実施機関から厚生労働省へ提供していただくこととし、福祉医療機構等はこの情報を用いて審査することにより貸付を行わない。

② 過去に年金担保貸付等を利用するとともに生活保護を受給していたことがある者への対応策

過去に年金担保貸付等を利用するとともに生活保護を受給していたことがある者が再度借入をし、保護申請を行う場合には、資産活用の要件を満たさないものと解し、それを理由とし、原則として、保護の実施機関は生活保護を適用しない。

保護の実施機関は、年金担保貸付等を利用している場合には生活保護が適用されない取扱いとなることを、被保護者に対して事前に周知することとし、さらに、申請者個々の状況により、必要に応じ、以下の事項を勘案した上で生活保護の適用を判断すること。

・ 急迫状況にあるかどうか

・ 保護受給前に年金担保貸付等を利用したことについて、社会通念上、真にやむを得ない状況にあったかどうか

なお、本取扱いの実施にあたっては、生活保護受給者等が年金担保貸付等を受けることにつき、他にも債務がある等の理由がある場合には、その問題解決に向けた支援（例えば、多重債務者への対応として、法律扶助協会、無料法律相談等の活用による早期債務整理の相談助言、債務整理の支援に関する個別支援プログ

ラムの活用や金銭管理能力の修得のための家計簿記帳の指導を行う等の支援)を行うよう努めること。
　③　返済期間の延長に関する情報提供について
　　福祉医療機構等において、年金担保貸付利用者が生活に困窮した場合等については、返済期間の延長により月々の返済金額の引下げを行うこととしている。
　　返済期間の延長手続により、保護を要しない状況になることも考えられることから、保護の実施機関においては、保護の相談者・申請者に対して、返済期間の延長手続を助言するほか、生活保護の受給中の者に対しても、必要に応じて同様に助言すること。
　　また、②により保護を却下した者に対しては、直ちに急迫した状況に陥ることのないよう、必ず返済期間の延長手続きを行うよう助言すること。
7　自主的内部点検の実施
　　生活保護を適正に実施し、事務の正確性を確保するためには、毎年一定の期間を定め、自主的内部点検を実施するとともに、必要に応じ関係先調査を行うなど保護の実施機関が組織を挙げて取組を行う必要がある。
Ⅱ　指導指示から保護の停廃止に至るまでの対応

　保護受給中において指導指示を行うべき場合については、局第11―2―(1)に仔細に定められているが、個別ケースに即して柔軟に対応し、効果的な指導指示を行う必要がある。

1　法第27条による指導指示
　(1)　口頭による指導
　　ア　生活上の義務、届出義務及び能力活用等に関して、定期的に助言指導を行ってもその履行が十分でなく、法第27条による指導指示が必要である場合には、援助方針、ケース記録、挙証資料、指導の経過等を踏まえ、組織として対応を協議する。
　　イ　その結果、法第27条による指導指示が必要とされた場合は、具体的に指導指示を行い、それに対する本人の意見、対応状況等をケース記録に詳細に整理、記録する。
　　ウ　指導指示は、長期的に漫然と行わず、具体的に指導指示の内容、期間等を明示して行う。
　　エ　法第27条による指導指示は、口頭により直接当該被保護者（これによりがたい場合は、当該世帯主）に対して行うことを原則とする。
　(2)　文書による指導
　　一定期間、口頭による指導指示を行ったにもかかわらず、目的が達成されなかったとき、又は達成されないと認められるときに文書による指導指示を行う。
　　ア　文書での指導指示や保護の変更、停止又は廃止等が将来的に必要になると判断される場合は、口頭による指導指示の方法に準じ、ケース診断会議等に諮り、組織として、指導指示の理由、内容、時期等を検討しケース援助の全般を含めた具

体的な方針を決定する。
イ 文書による指導指示は、指導指示書により、指導指示を行う理由、内容、対象者等を分かりやすく、具体的に記載する。また必要に応じて、過去の指導状況を勘案しつつ、個別ケースに即して適切な履行期限を定める。
ウ 指導指示書には、法的根拠を明示し、指導指示に従わないとき（履行期限を定めた場合は、その期限までに履行されないとき）は、保護の変更、停止又は保護が廃止されることがある旨を記載する。
エ 指導指示書は、当該被保護者（これによりがたい場合は世帯主）に読み聞かせる等十分に説明したうえ手交し、受取証に署名等をさせる（手交の際、担当ケースワーカーだけでなく査察指導員が同席することが望ましい）。これによりがたい場合には、内容証明し郵送により行う。
オ 文書による指導指示後も、その履行状況の把握、必要な助言指導等を行いケース記録にその状況を記載する。
2 保護の変更、停止又は廃止
文書による指示を行っても正当な理由なく文書指示に従わない場合には、さらにケース診断会議に諮る等組織的に十分検討のうえ、弁明の機会を与える等法第62条第4項による所定の手続を経たうえで保護の変更、停止又は廃止を行う。
(1) 予め当該処分をしようとする理由、弁明をすべき日時及び場所を通知し、弁明の機会を与える必要がある。
(2) 指導指示に従わないことに対して正当な理由がない場合、又は、正当な理由がなく指定場所に来所しない場合は、保護の変更、停止又は廃止の処分決定を行う。
(3) 処分は、理由をわかり易く明記したうえで書面により通知する（この場合でも、不服申立て等を行うことができる旨を記載する）。
なお、指導指示に従わないことを理由として保護を廃止された者が、廃止後間もなく再度保護申請を行った場合においては、保護廃止に至った理由が解消されているかどうかを勘案したうえで保護の適用について判断し、保護廃止に至った理由が解消されていない場合は、保護の要件を満たさないものとして、申請を却下して差し支えない。
3 稼働能力のある者に対する指導指示
(1) 傷病を理由に稼働能力を活用していないか、又は稼働が不十分なケース
ア 現状の確認
本人の訴え、嘱託医・主治医からの意見、ケースワーカーからみた生活実態、稼働実態、医療要否意見書、レセプト（3〜6か月）等から現状を確認し、ケース診断会議において稼働能力を判定する。
イ アの結果、就労又はさらに能力活用が可能である場合、口頭による就労指導を行う。就労指導の際、被保護者の権利義務について十分説明する。
なお、口頭指導によっても十分に稼働能力を活用しない場合には法第27条に基づく文書による指導指示を行う。
○ 能力を活用していない者、転職の指導及び就労日数等が少なく就労日数等の

増加を指導した者に対しては、求職活動状況・収入申告書を提出させる。
　○　また、保護の実施機関が就労可能と判断する被保護者であって、就労による自立に向け「就労可能な被保護者の就労・自立支援の基本方針について」（平成25年5月16日社援発0516第18号厚生労働省社会・援護局長通知）による取組が効果的であると認められる者については、当該通知に基づく支援を行うこと。
　　なお、今後能力活用が期待できる被保護者に対しては、公共職業安定所等を通じて行う求職活動を支援するとともに、求職活動状況の報告、公共職業安定所の求職登録等を指示、自立支援プログラムへの参加、生業費、技能修得費、就労活動促進費、その他他法他施策を活用するなど、積極的な援助と効果的な指導を行う。
　ウ　傷病を理由に指導に応じない者に対しては法第28条に基づく検診命令を行う。この際、被保護者に対して、法の趣旨を十分説明のうえ、文書でもって行う。
　　（なお、検診命令に応じない場合は、法第28条第4項により保護の変更、停止又は廃止を行う。）
(2)　傷病以外の理由で稼働能力を活用していないか、又は稼働が不十分なケース
　ア　適職がない等を理由に稼働しないものについては、稼働能力を活用するために誠実に求職活動等をしているかどうか、日雇い等で仕事の不安定を理由に稼働が不十分なものについては、稼働能力を活用するために誠実に稼働しているか、又は能力活用が不十分かどうかをケース診断会議等において判定する。この場合、年齢、能力、健康状態及び地域における雇用の状況等を総合的に判断する。
　イ　アの結果、能力活用していないか又は不十分な場合、口頭による就労指導を行う。その際、被保護者の権利義務について十分説明する。
　　なお、口頭指導によっても十分に稼働能力を活用しない場合には法第27条に基づく文書による指導指示を行う。
　○　適職がない等を理由に稼働しないものについては、求職活動状況・収入申告書を提出させる。日雇い等で仕事の不安定を理由に稼働が不十分なものについては、現在の仕事で収入増が期待できるものは、稼働日数等増の指導を行い、仕事が不安定等により収入増が期待できないものは、転職指導を行うとともに、積極的な援助と効果的な指導を行う。その際、求職活動状況・収入申告書を提出させる。
　○　また、保護の実施機関が就労可能と判断する被保護者であって、就労による自立に向け「就労可能な被保護者の就労・自立支援の基本方針について」（平成25年5月16日社援発0516第18号厚生労働省社会・援護局長通知）による取組が効果的であると認められる者については、当該通知に基づく支援を行うこと。
　　なお、今後能力活用が期待できる被保護者に対して、公共職業安定所等を通じて行う求職活動を支援するとともに、求職活動状況の報告、公共職業安定所の求職登録等を指示、自立支援プログラムへの参加、生業費、技能修得費、就

労活動促進費、その他他法他施策を活用するなど、積極的な援助と効果的な指導を行う。
4 履行期限を定めた指導指示
(1) 指導指示を行う場合には、口頭、文書を問わず、長期的に漫然と行わず、指導指示の内容、履行期限等を具体的に明示して行うことが重要となる。
(2) 履行期限を定めた場合においては、履行期限が到来するまでの間、本人による履行の努力を求めるだけでなく、保護の実施機関においても積極的な援助と効果的な指導を行うことが求められる。

例えば、就労に関して適職がないこと等を理由に稼働しない者に対して指導指示を行った場合には、求職活動状況・収入申告書を提出させたうえで、公共職業安定所等における求職活動や求職登録等を行わせる等自立へ向けた取組を求めるだけでなく、保護の実施機関としても、公共職業安定所等への同行訪問を適宜行う等求職活動を支援するとともに、就労に関する自立支援プログラムへの参加の勧奨、生業費、技能修得費、その他他法他施策の活用など具体的な支援について検討していくこととなる。
(3) 口頭指導による指導指示に十分対応していないと判断される場合には、さらに組織として対応を協議し、必要に応じて、個別ケースに即して適切な履行期限を定めたうえで、法第27条に基づく文書による指導指示を行う。
(4) 指導指示書には、法的根拠を明示し、履行期限までに履行されないときは、保護の変更、停止又は保護が廃止されることがある旨を記載する。

この場合においても、保護の実施機関は被保護者に対し、指導指示内容の履行状況について報告を求めるだけでなく、具体的な援助や効果的な指導を行うことが求められる。
(5) 文書による指示を行っても正当な理由なく文書指示に従わない場合には、さらにケース診断会議に諮る等組織的に十分検討を行ったうえで、弁明の機会を与える等法第62条第4項による所定の手続を経て保護の変更、停止又は廃止を行う。

特に履行期限を定め、その期限までに指導指示内容が履行されなかったことを理由として保護の停廃止を検討する場合には、単に期限が到来したことだけをもって判断するのではなく、期限までの間の指導指示に対する被保護者への取組状況や保護の実施機関における援助状況を十分に検討することが必要である。

指導指示書の例

```
                                          令和○年○月○日
○○県○○市○○
        ○○○○様
                               ○○県○○市○○
                                  福祉事務所長　○○○○

             生活保護法第27条第1項に基づく指導指示書
```

貴世帯に対してはかねてから下記の指示事項について、再三、指導・指示してきましたが、いっこうに改善（努力）のあとが認められません。
　このような状態では、これまでのように生活保護法の適用を続けることはできなくなりますので、つきましては、同法第27条第1項の規定によりあらためて下記のとおり指示しますので、早急に改善（努力）し、その結果を報告してください。
　なお、正当な理由なくこれに従わないときは、同法第62条第3項の規定により保護の変更、停止又は廃止をすることがあります。
1　指示事項・内容
　　これまで再三に渡り、求職活動を積極的に行い、自立に向け努力することを指示してきましたが、いまだに努力のあとがみられませんので、職業安定所へ行き、職業の斡旋を受ける等、自立に向けて努力することを指示します。

2　履行期限
　　令和〇〇年〇月〇日

　　生活保護法（抜粋）

　　第27条　保護の実施機関は、被保護者に対して、生活の維持、向上その他保護の目的達成に必要な指導又は指示をすることができる。
　　2　前項の指導又は指示は、被保護者の自由を尊重し、必要の最少限度に止めなければならない。
　　3　第1項の規定は、被保護者の意に反して、指導又は指示を強制し得るものと解釈してはならない。
　　第60条　被保護者は、常に、能力に応じて勤労に励み、支出の節約を図り、その他生活の維持、向上に努めなければならない。
　　第62条　被保護者は、保護の実施機関が、第30条第1項ただし書の規定により被保護者を救護施設、更生施設若しくはその他の適当な施設に入所させ、若しくはこれらの施設に入所を委託し、若しくは私人の家庭に養護を委託して保護を行うことを決定したとき、又は第27条の規定により、被保護者に対し、必要な指導又は指示をしたときは、これに従わなければならない。
　　3　保護の実施機関は、被保護者が前2項の規定による義務に違反したときは、保護の変更、停止又は廃止をすることができる。
　　4　保護の実施機関は、前項の規定により保護の変更、停止又は廃止の処分をする場合には、当該被保護者に対して弁明の機会を与えなければならない。この場合においては、あらかじめ、当該処分をしようとする理由、弁明をすべき日時及び場所を通知しなければならない。

Ⅲ　保護受給中に収入未申告等があった場合の対応

　保護開始時及び受給中に届出義務履行等を指示しているにもかかわらず、収入の未

申告又は申告内容が不実である（以下「収入未申告等」という）ことが生じることがある。こうした場合、事実を証明する客観的な資料の収集に努め、組織的な対応を行う必要がある。

1 基本的な考え方

　収入未申告等については、訪問調査、課税調査及び地域住民からの通報等を契機として、保護の実施機関が把握している収入等の状況についても疑義が生じた場合には、不正受給であるかないかについて検討することとなるが、この段階では単に「収入未申告等の疑い」があることに過ぎないので、保護の実施機関としては、まずは事実の的確な把握をすることが必要である。

　特に、地域住民からの通報については、単に何らかの誤解に基づくものや被保護者に対するいやがらせ等の目的に基づく虚偽の情報であったりすることもあり、また、通報以外に不正の事実を挙証する資料等がないのが一般的であり、通報以外に収入の未申告を疑う根拠がない時点では、直接被保護者に事実関係を確認するのではなく、他の方法で挙証資料を収集することに努める必要がある。

　なお、保護の実施機関は、常に被保護者の状況を調査し、把握しておくことを求められており、収入申告書等の届出について保護の開始時はもとより日頃から遵守するよう指導しておくことが必要である。被保護者に報告を求め、保護の実施機関の指導によっても収入申告書等保護の要件を確認するための書面が提出されない場合については、文書による指導指示を行い、これに従わない場合には指導指示違反として法第62条に基づく保護の停廃止を行うこととなる。

2 就労収入等の収入未申告等が疑われる場合の対応

　収入の内容によって、把握すべき事項や手順は様々であるが、例えば、就労収入等の未申告が疑われる場合の対応としては以下のとおり。

　なお、就労収入申告に疑いのある者の事例としては、①就労の事実を申告せず就労している疑いのある者、②就労内容と異なる収入申告をしている疑いのある者、③収入を過少申告している疑いのある者が考えられる。

(1) 本人に対する収入申告書等の提出指導

　上記Ⅰの2の(2)により、保護の開始時において、収入申告の必要性や届出義務について保護の実施機関が被保護世帯に説明を行ったことや当該被保護者がその説明を理解したことを保護の実施機関と被保護世帯とで共有し、そのことを明確にしておく必要がある。

　また、本人から定期的に収入申告書等を徴取しておくことのほか、日頃の訪問調査活動の際に就労状況について聴取し実態の把握に努めることが必要であり、収入申告書の徴取が行われていなかった場合には、提出を指導することが必要である。

(2) 就労先（事業者等）に対する確認方法

　就労先（事業者等）が判明しているときには、就労先訪問等によって実態を把握した上で、就労の事実が判明した場合には、就労先等に対し、給与明細等就労事実を挙証する資料となるものの提出を依頼する。就労先の事業者と被保護者との関係を考慮し、まずは本人に対し事実確認を行った後、就労先への照会を行う方が適切

である場合もあるので留意する。
　就労の事実が確認されたにもかかわらず、就労先から資料の提出を受けられない場合であって、他に就労の事実を証明する資料が入手できない場合には、被保護者本人に就労先等での就労の実態について事実確認した上で、これを認めた場合には本人から就労事実に関する資料を提出させる。本人がこれを拒む場合には、提出について指示を行う。

(3) その他の確認方法
　その他、収入未申告等の事実確認のため、課税調査による所得額の把握、金融機関からの預金残高証明や生命保険会社の保険金等支払証明等について、法第29条に基づく調査等の実施によって徴収する等、挙証資料の収集に努める。

(4) 本人に対する事実確認
　(1)ないし(3)の資料により、収入未申告等の事実が確認できた場合には、本人に対し、収入申告書の提出及び申告義務違反についての釈明に関しての指示を行う。口頭指導による履行期限を過ぎても収入申告書が提出されない場合には、文書による収入申告指示（指示に従わない場合には、法第62条第3項により、保護の停廃止等の措置をとることになる旨を附記する）を行う。
　なお、就労先が判明していない場合や、就労先調査等によっては、収入未申告等の事実が確認できない場合には、本人から事情聴取するとともに収入申告書の提出を求める。

(5) 本人に対する事実確認に当たっての留意事項
　収入未申告等が疑われる被保護者に対する事実確認については、当該者との信頼関係が損なわれないよう十分配慮する必要があることから、原則として、その事実が客観的な資料により概ね確認された時点で、これらの資料を根拠として示しつつ行う。
　また、客観的資料により収入未申告等の手段が極めて悪質であることが明らかとなっている場合や過去に同様の不正受給を行ったことがある場合等には、不正受給に関する事実の確認という目的を明らかにすることにより、逆に真実の説明が得られず、また不正受給を挙証する資料が隠滅されるなどのおそれがある。この場合には、定期的な就労状況報告を求める等の形式により、本人があくまでも事実を申告しないかどうか確認しておくことも必要である。このような対応により、事後の法第78条の適用や刑事告発の必要性を判断する際に必要な不正性の認識やこれを隠蔽する意図等の有無が確認されることにもなると考えられる。

3　ケース診断会議等の開催
　客観的資料の収集や本人に対する事実確認を経て、収入未申告等による不正受給の事実が確認できた時点で、所長等幹部職員を交えたケース診断会議等を開催し、不正受給であることの判断やその後の処分等について、組織として、十分に協議検討して、決定する。この際には、不正受給の内容が明らかとなるケース検討票を作成するとともに、参考資料（例：届出義務についての説明を受け理解した旨を記載した書

面、不正事実の発見に至るまでの経過記録、関係先調査結果の概要、不正受給額（費用徴収すべき金額）積算書等）を整理し、会議での協議検討・決定が円滑に行われるよう工夫する。

なお、不正事実の認定に先立ち、保護の実施機関側に瑕疵等（例：届出の義務等の指導は日頃から行っているか、収入申告書等は定期的に徴取しているか等）がないかを点検し、処分内容の検討に当たって参考とするとともに、以降の事務執行に当たり是正すべき事項は是正する。

（参考）
　　　　就労収入等の収入未申告等が疑われる場合の対応のフロー図

1　就労収入申告に疑いのある者としては、以下のような者が考えられる。
　①　就労の事実を申告せず就労している疑いのある者
　②　就労内容と異なる収入申告をしている疑いのある者
　③　収入を過少申告している疑いのある者

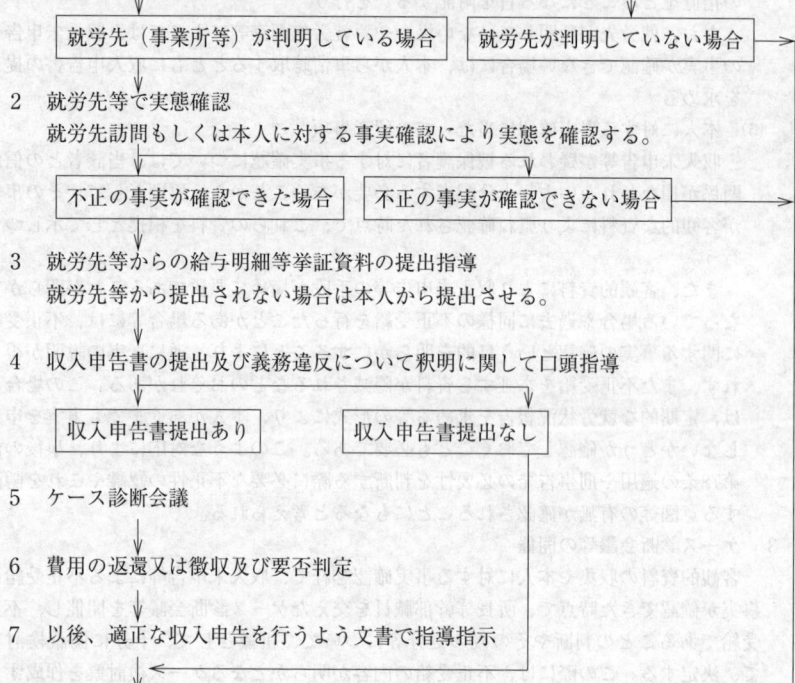

2　就労先等で実態確認
　　就労先訪問もしくは本人に対する事実確認により実態を確認する。

3　就労先等からの給与明細等挙証資料の提出指導
　　就労先等から提出されない場合は本人から提出させる。

4　収入申告書の提出及び義務違反について釈明に関して口頭指導

5　ケース診断会議

6　費用の返還又は徴収及び要否判定

7　以後、適正な収入申告を行うよう文書で指導指示

8　文書による収入申告指示

生活保護行政を適正に運営するための手引について

```
        ↓                    ↓
┌─────────────┐    ┌─────────────┐
│収入申告書提出あり│    │収入申告書提出なし│
└─────────────┘    └─────────────┘
        ↓                    ↓
  〔5以下に同じ〕    ┌──────────────────────────────┐
                    │収入申告書の提出がない場合で、4の口頭指│
                    │示による履行期限を過ぎてもなお提出がなけ│
                    │れば法第27条による文書指示をする（指示に│
                    │従わない場合、法第62条第3項により、保護│
                    │の停止又は廃止等の措置をとる旨を附記）│
                    └──────────────────────────────┘
                                ↓
```

9　本人から事情聴取及び収入申告書の提出指導（不正の事実を認めた場合は2へ）

```
        ↓                    ↓
┌─────────────┐    ┌─────────────┐
│不正の事実を認めた場合│    │不正の事実を認めない場合│
└─────────────┘    └─────────────┘
        ↓
  〔2以下に同じ〕
```

10　不正事実の確認が困難

　・法第78条の適用をし得る客観的資料があればそれに基づき処分
　・不正受給が明確にならない場合は、法第78条の処分はできない
　・稼働能力を十分活用している場合には、その判断に誤りがないかどうかを点検するとともに、実際にはより多くの収入を得ている可能性があるので、以下の手順により想定される就労収入に見合った稼働能力の活用を求める必要がある。

```
        ↓                    ↓
┌─────────────────┐  ┌─────────────────┐
│傷病を理由に稼働能力を活用して│  │傷病以外の理由で稼働能力を活用│
│いないか、又は稼働が不十分  │  │していないか、又は稼働が不十分│
└─────────────────┘  └─────────────────┘
        ↓
```

11　ケース診断会議における稼働能力の判定

12　口頭による就労指導

13　法第27条に基づく文書指導

14　法第62条第4項に定める手続等を経て保護の停廃止

Ⅳ 費用返還（徴収）及び告訴等の対応

> 収入未申告等の場合や保護の開始後に資産・収入等があったことが後日に判明した場合には、当然保護に要した費用の返還を求めなければならない。その際適用される条文は、具体的には法第63条と法第78条とに大別されるが、その取扱いには十分留意する必要がある。
> なお、届出義務を怠り、または虚偽の申告等の不正な手段により保護を受けたケースに対しては、不正受給額全額の返還を命ずるとともに、特に悪質なケースについては、告訴等をする等厳正な対応が必要である。

1 未申告の収入等が判明した際の迅速な事務処理
　適切に費用返還又は費用徴収を行うために、収入未申告等の疑義が発生した場合には、法第29条に基づく関係先調査の実施や本人に対する事実確認など、事実関係の調査に速やかに着手する必要がある。
　また、当該調査によって、未申告の収入が判明した場合には、まず当該世帯がその収入を現在も継続して得ているか否かについて速やかに確認し、その結果、現在も継続して収入があることが判明した場合には、未申告の収入が判明した時点から遅くとも翌々月の保護費に反映させるよう迅速な認定処理を行う。
　さらに、客観的資料の収集や本人に対する事実確認を経て、収入未申告等による不正受給の事実が確認できたときは、速やかに組織として不正受給であることの判断や今後の処分等について検討し、おおむね1か月以内を目途に法第78条の決定を行う。
　なお、要保護者が資力を有しながらも、資産を直ちに処分することが困難であることなどを理由として保護を開始する場合に、当該資産が最低生活に充当できるようになったときは、速やかに組織として費用返還額について検討し、おおむね1か月以内を目途に法第63条の決定を行う。
2 法第63条の適用の判断
(1) 法第63条の適用
　生活保護は最低生活を満たし得る資力（資産・収入）があればそれを活用することが前提となっている。例外的に、次のような場合には、個々のケースの実情に照らし、要保護者が有する資力について法第63条の費用返還の対象として必要な保護を行っている。
　ア　要保護者が急迫状態にあって直ちに保護を必要とする状況にあるケース
　イ　資力はあるが、これを最低生活の維持のために充てることができない特段の事情のあるケース
　この適用にあたっては、要保護者が資力を有していることを認識しているので、保護の実施機関は当該資産の取扱いを十分説明し、来るべき時期が到来すれば費用返還すべきことを通知することとなる。
　なお、本来法第78条を適用すべき事案にもかかわらず法第63条を適用するということが生じないようにするため、保護の実施機関が被保護世帯に対して行った収入

申告書の届出義務等に関する説明について、ケース記録等への記録や説明を行ったことを挙証する資料を整えることなど、必要な対応を日頃から行っておくよう留意する。
(2) 費用返還額の決定
　費用返還額については、原則として当該資力を限度として支給した保護金品の全額を返還額とすべきであるが、こうした取扱いを行うことが当該世帯の自立を著しく阻害すると認められるような場合については、実施要領等に定める範囲においてそれぞれの額を本来の要返還額から控除して返還額と決定する取扱いとして差し支えないこととしているので、ケースの実態を的確に把握し、場合によってはケース診断会議を活用したうえ、必要な措置を講じる。
　なお、返還額から控除する額の認定に当たっては、「生活保護費の費用返還及び費用徴収の決定について」（平成24年7月23日社援保発0723第1号厚生労働省社会・援護局保護課長通知）別添1の様式を活用するなどして、認定に当たっての保護の実施機関の判断を明確にしておくことが必要である。
3　法第77条の2の適用の判断
　法第63条の返還金に係る債権については、法第77条の2第1項の規定に基づき強制徴収公債権として徴収する方法と、これまでどおり非強制徴収公債権として徴収する方法のいずれかを検討することになるが、どちらを適用するかは、当該債権を強制徴収公債権とする必要性の有無や、当該返還金を法第78条の2第1項又は第2項の規定により保護金品（金銭給付によって行うものに限る。以下同じ。）の一部又は就労自立給付金の全部若しくは一部（以下「保護金品等」という。）から徴収するのか否か等を勘案の上、都道府県及び市町村において判断されたい。
　また、法第77条の2第1項及び生活保護法施行規則（昭和25年厚生省令第21号）第22条の3に基づき、法第63条の返還金に係る債権が「保護の実施機関の責めに帰すべき事由によって、保護金品を交付すべきでないにもかかわらず、保護金品の交付が行われたために、被保護者が資力を有することとなつたとき」を原因とするものである場合は、法第77条の2の規定は適用できず、自ずと当該返還金を保護金品等から徴収することもできない。実施機関の責めに帰すべき事由は、具体的には、被保護者から適時に収入申告書等が提出されていたにもかかわらずこれを保護費の算定に適時に反映できなかった場合、保護の実施機関が実施要領等に定められた調査を適切に行わなかったことにより保護の程度の決定を誤った場合等であり、取扱いに留意されたい。
　なお、法第63条の費用返還処分と法第77条の2第1項の徴収金決定処分は別個の行政処分であり、また、法第63条の費用返還処分は保護の決定及び実施に関する処分である一方で、法第77条の2の徴収金決定処分は保護の決定及び実施に関する処分に該当せず、よって双方の処分の審査請求の提起先に係る適用法令が異なることになるから、留意すること。
4　法第78条の適用の判断
(1) 法第78条の趣旨

不実の申請その他不正な手段により保護を受け、または他人をして受けさせた者は刑法該当条文（詐欺等）又は法第85条の規定によって処罰される。しかしながら、これだけでは保護金品に対する損失は補填されないため、係る不法行為により不正に保護を受けた者から保護費又は就労自立給付金を返還させるよう法第78条が規定されている。

注）「不実の申請その他不正な手段」とは、積極的に虚偽の事実を申し立てることはもちろん、消極的に事実を故意に隠蔽することも含まれる。刑法第246条にいう詐欺罪の構成要件である人を欺罔することよりも意味が広い。なお、不正な手段には、保護を受けることを直接の目的として自ら身体を傷害した場合や、他人に交付された医療券を譲り受けてこれを悪用して医療扶助をうけた場合等も含むものである。

(2) 法第78条の適用
　ア　不正受給かどうかの判断は、事実確認の調査を行ったうえで、不正受給の事実が確認できた時点で所長等幹部職員を交えたケース診断会議等で十分協議検討し、その処理方法等を決定する。
　イ　会議では、費用返還（法第63条）又は費用徴収（法第78条）の検討を行うとともに、保護の要否判定を行う。
　ウ　法第78条によることが妥当であると考えられるものは、具体的には以下の状況が認められるような場合である。
　　(ｱ)　届出又は申告について口頭又は文書による指示をしたにもかかわらずそれに応じなかったとき
　　(ｲ)　届出又は申告に当たり明らかに作為を加えたとき
　　(ｳ)　届出又は申告に当たり特段の作為を加えない場合でも、保護の実施機関又はその職員が届出又は申告の内容等の不審について説明を求めたにもかかわらずこれに応じず、又は虚偽の説明を行ったようなとき
　　(ｴ)　保護の実施機関の課説調査等により、当該被保護者が提出した収入申告書等の内容が虚偽であることが判明したとき
　　　○　したがって、例えば被保護者が届出又は申告を怠ったことに故意が認められる場合は、保護の実施機関が社会通念上妥当な注意を払えば容易に発見できる程度のものであっても法第63条でなく法第78条を適用すべきである。
　　　○　また、費消したという本人の申立のみで安易に法第63条を適用し、不正額の一部を返還免除するような安易な取扱いは厳に慎むべきものである。

(3) 不正受給額の確定
　　法第78条に基づく返還額の決定は、保護の実施機関ではなく、保護費又は就労自立給付金を支弁した都道府県又は市町村の長が一方的に行うものであり、さらに法第78条による徴収額は、不正受給額の全額又は徴収する額にその100分の40を乗じて得た額を加算した額の範囲内で決定するものであって、法第63条のように保護の実施機関が徴収額から自立更生のために充てられる費用を控除する余地はない。

(参考)
問　いわゆる不正受給について、法第78条に基づいて費用を徴収すべき場合、相手方に資力がないときはどう取り扱うべきか。
答　法第78条に基づく費用の徴収は、いわば損害追徴としての性格のものであり、法第63条や法第77条に基づく費用の返還や徴収の場合と異なり、その徴収額の決定に当たり相手方の資力（徴収に応ずる能力）が考慮されるというものではない。
　法第63条の返還額は「保護の実施機関の定める額」とされ、法第77条の負担額は「保護の実施機関と扶養義務者の間の協議」が行われるのに対し、法第78条による徴収額は、保護費を支弁した地方公共団体の長としての立場で決定することとなる。
　この場合、保護の実施機関として額を定めることとされているものは、保護の目的達成という見地からの配慮を強く要請される性格の返還や徴収であり、費用支弁団体の長として額を定めるものと、主として財政支出の適正という見地から行われる徴収と解されるわけである（法第63条に規定される返還額の決定の権限のほか、法第78条に基づく費用徴収権限も福祉事務所長に委任されていることがあるが、前者が法第19条第4項に基づき「保護の決定及び実施に関する事務」として委任されるのに対し、後者は、保護の実施機関としての権限の委任ではなく地方自治法に基づく一般的な権限委任として行われるものであり、その性格はあくまで区分されるものである。）。
　以上のような趣旨から、法第78条に基づく費用の徴収は、相手方の資力にかかわりなく決定されるべきものである。
　そのように決定された費用徴収について、徴収の猶予を行うかあるいは最終的に徴収の免除を行うかどうかということは、地方公共団体の徴収債権についての地方自治法その他による一般的な取扱いにより処理されるべきで、生活保護法には何ら規定がないものである。（このことは、一旦決定された後の法第63条による費用返還債権や、保護の変更、停廃止に伴う戻入債権についても同様である。）
　なお、地方公共団体がいわゆる不正受給について法第78条の発動を怠っている場合は、保護費の国庫負担に当たって当該地方公共団体に対し負担金返還措置がとられる場合がある。

(4) 不正受給に対する徴収金への加算
　法第78条では、保護費を支弁した都道府県及び市町村の長は、不正受給の徴収金に加え、徴収金に100分の40を乗じて得た額以下の金額を加算して徴収できることとしている。
　このことから、特に悪質な不正受給があった場合等には不正受給を行った金額に加算して徴収することにより厳正に対処することとし、また、その判断に当たっては、原則ケース診断会議等を開催するなど、組織的な検討を行い決定する。
　なお、徴収金の加算については、平成26年7月1日以降に支払われた保護費又は

就労自立給付金についての不正受給に対して行うことができるものであり、平成26年6月30日以前に支払われた保護費については本規定の対象とならないことに留意する。
- (5) 司法処分と法第78条に基づく費用徴収額の関係
  - ア 行政処分としての法第78条に基づく費用徴収と司法処分としての罰則の適用とはそれぞれ独立したものと考えられる。したがって、行政機関として不正受給の事実及びその額が確認できる範囲内であれば、捜査機関による捜査又は起訴の有無にかかわらず、法第78条に基づく費用徴収決定を行う（関係書類の押収等により事実の確認が不可能なため事実上法第78条に基づく費用徴収決定ができない場合も考えられるが、その場合であっても事実の確認ができるようになり次第、適正に行政処分を行う。）。
  - イ 法第78条に基づく費用徴収の額は、必ずしも司法処分において問題となる額（例えば起訴事実記載額又は判決において確定された額）とは一致することを要しないが、一旦徴収を決定した額を超える額が判決等において不正受給額として明らかにされるような場合には、加えて費用徴収の決定を行うことも検討する。
- 5 費用徴収方法
- (1) 法第77条の2及び法第78条による費用徴収について
  - ア 法第77条の2及び法第78条に基づく徴収金についての国庫負担金との精算は、地方自治法、同法施行令等の徴収手続により行う。
  - イ 徴収額が決定された時点において、その旨について文書を送付する（この文書は納入の通知ではない）。
  - ウ その調定方法については、返納すべき金額を一括して調定（一括調定）することが原則であるが、必要に応じ、分割して返納額を調定（分割調定）しても差し支えない。
  - エ 分割納付を認める場合は事前に返済誓約書の提出を求め分割納入の決定を行う。
  - オ 既に調定済債権について履行期限の延長の処分をする場合は納入義務者から「履行延期申請書」を徴し行い、履行延期の処分を決定した場合には「履行延期承認通知書」を作成し、債務者に通知する。
  - カ 債権の管理にあたっては、以下の事項に留意のうえ適正に行う。
    - 保護係と管理（経理）係との間の連絡を密にし、双方が連携して返還金等の督促及び指導に当たること
    - 生活保護廃止後の者の返還金等に係る債権管理について担当に引き継ぎを行うこと
    - 被保護者の転出先の把握や債務の相続人に対する対応を十分に行うこと
    - 納入未済額について、時効中断等の措置を的確に行うこと
- (2) 法第77条の2第2項（法第78条第4項により準用する場合を含む。）による国税徴収の例による費用徴収について

法第77条の2第2項では、同条第1項の規定による徴収金について国税徴収の例により徴収することができることとしている。また、法第78条第4項では、法第77条の2第2項の規定は法第78条第1項から第3項までの規定による徴収金について準用することとしている。

保護費及び就労自立給付金については、すべて公費により賄われているものであり、これに基づく債権は極めて公共性が高い債権であることから、原則国税徴収の例により強制的な徴収ができることとしている。

ただし、保護の実施機関は、被保護世帯の保護金品及び最低生活を維持するに当たって必要な程度の財産の徴収を行わないよう十分留意すること。

なお、法第77条の2第1項の規定は、平成30年10月1日以後に支払われた保護費に係る徴収金について適用されるものであり、平成30年9月30日以前に支払われた保護費については本規定の対象とならないことに留意する。

また、法第78条第1項又は第3項の規定による徴収金の徴収については、平成26年7月1日以後に支払われた保護費についての不正受給に対して適用されるものであり、平成26年6月30日以前に支払われた保護費については本規定の対象とならないことに留意する。

(3) 法第78条の2による費用徴収について（保護金品等との調整）

法第78条の2第1項により、保護の実施機関は、法第77条の2第1項及び法第78条第1項に基づく徴収金について保護金品等と調整することができる。

その実施に当たっては、被保護者本人から当該保護金品等を徴収金の納入に充てる旨を事前に申し出た場合（保護金品に関しては、かつ、保護の実施機関が最低限度の生活の維持に支障がないと認めた場合）に、あらかじめ保護金品等の支給をする際に徴収金を差し引いた上で、保護費を支給することとする。

なお、保護金品等と徴収金の調整は、被保護者の生活の維持に支障を来すことのないよう「生活保護費の費用返還及び費用徴収の決定について」（平成24年7月23日社援保発0723第1号厚生労働省社会・援護局保護課長通知）を参照した上で、適正に行うよう留意する。

6 告訴等の手順
(1) 不正受給事案につき告訴等を行うか否かの判断に当たって考慮すべき事項
　ア　法第85条において処罰の対象とされている「不実の申請その他不正な手段により保護を受け、又は他人をして受けさせ」る行為は、法第78条により費用徴収の対象となる行為と重なり得るものであるが、法第85条や刑法各条に基づく罰則の適用は司法処分であり、法第78条に基づく行政処分とはおのずから目的を異にするものであるので、法第78条により費用の徴収を決定した場合には必ず法第85条等に定める罰則に関し告訴、告発又は被害届の提出（以下「告訴等」という。）等の措置をとらなければならないというものではない。
　イ　不正受給事案を把握した場合に、告訴等の措置をとるかどうかは、個々の事例の状況に応じて保護の実施機関が判断することになるが、特に、悪質な手段によ

る不正受給の場合は、その社会的影響も考慮することが必要である。
　ウ　告訴等の検討を行う際の判断に当たっては、「生活保護に関する不正事案への対応について」（平成26年4月1日社援保発0401第1号厚生労働省社会・援護局保護課長通知）を参考にするとともに、個別事案に応じて、その構成要件該当性や悪質性等を踏まえて判断することが必要であることに留意すること。
(2) 告訴等の性質について
　告訴（刑事訴訟法第230条）とは、犯罪により被害を被った者が、捜査機関（検察官又は司法警察員）に対して犯罪事実を申告し、犯人の処罰を求めることである。また、告発（同法第239条第1項）は、犯人、告訴権者又は捜査機関等以外の第三者が、捜査機関に対し、犯罪事実を申告して、犯人の処罰を求める意思表示である。公務員が職務を行うことにより犯罪があると思料するときは、告発の義務が生じる（同法第239条第2項）。
　告訴・告発と被害届との相違点は、被害届が単に被害事実の申告である一方、告訴・告発はそこに犯罪者の処罰を求める意思があることである。
　司法警察員により告訴・告発が受理されると、速やかに捜査が開始されることになる（同法第242条）。
(3) 告訴・告発の方法
　告訴・告発は、口頭又は書面により、検察官又は司法警察員に対し行う（刑事訴訟法第241条第1項）とされているが、通常、官公庁の行う告訴・告発は書面によっており、正確性や記録性の観点からも書面によることが望ましい。告訴状・告発状の提出先については、一般的には、保護の実施機関の所在地を管轄する警察署となろう。
(4) 告訴・告発の区別及び告訴・告発を行う者について
　保護費の不正受給については、当該保護費の支弁団体において、当該不正受給額に係る「被害」が生じたものと解されるため、一義的には当該支弁団体の長に告訴権があるものと解されるが、実際にどのような立場の者が当該団体を代表して告訴権を行使することができるかについては、その団体の意志決定方法の実態等に即して検討し、決定されるべきである。
　一方、告発については、犯人、告訴権者又は捜査機関等以外の何人も行い得ることから、福祉事務所長による告発という形を取ることも可能であろう。
　これらを踏まえ、告訴・告発のどちらの形式によるか及び告訴人・告発人を誰にするかについては、当該地方自治体の内規等に特段の定めがある場合はそれに従い、なければ、告訴又は告発後の捜査機関による事情聴取や資料提出要請への対応の利便性等を総合的に検討して決定することが必要である。
　なお、告訴・告発にあたっては、後述の告訴・告発状の書き方等を含め、保護の実施機関の属する行政機関の顧問弁護士等、専門家の助言を受けることが望ましい。
(5) 告訴状等の作成

ア　様式
　　用紙については法定の決まりはないが、実務上はＡ４用紙の縦置き、横書きを使用している場合が多い。
イ　記載事項
　　通常、告訴状等に記載される事項は以下のとおりである。
　○　表題（「告訴状」又は「告発状」）
　○　告訴（告発）人の住所、氏名
　○　被告訴人又は被告発人の住所、氏名
　○　「告訴（告発）事実」：犯罪構成要件に該当する具体的事実
　　　基本的には、誰を、どのような犯罪事実について処罰してほしいかを明らかにする必要がある。犯罪事実については、どのような犯罪事実を申告したのかが認識できる程度に特定されていれば足りるとされているが、実際には、犯罪の日時、場所、態様、罪名などをある程度特定する必要がある（①誰が②いつ③どこで④誰に⑤どういう手段をつかって⑥どういうことをしたのか）。
　　　なお、告訴（告発）事実の記載に当たっては、該当する罰条（法第85条の罪又は刑法該当条文の罪（特に詐欺罪））の構成要件に沿った形とすることが望ましいが、このためには、告訴（告発）の段階で、告訴（告発）しようとする不正受給行為が法第85条に当たるか又は詐欺罪に当たるかについて保護の実施機関として一応の判断を下すことが必要となる。
　　　この判断に際しては、２(1)注にも記載したとおり、法第85条の罪は、詐欺罪において必要とされる欺罔（人を欺く行為）及び相手方の錯誤を要件とせず、広く不実の申請その他不正な手段が保護の原因となっていれば足りるものであり、積極的に虚偽の事実を申し立てることのほか、消極的に事実を故意に隠蔽することも含まれることに留意する必要があるが、他方、不正の手段が悪質である場合や不正受給の金額が多額に上る場合等には、詐欺罪の構成要件に該当し得る限り、詐欺罪で告訴（告発）することが適当であろう。
　　　なお、犯罪事実及び該当する罰条については、最終的には告訴状等を受理した捜査機関による捜査を経て特定されるものであることから、告訴状等における犯罪事実及び該当する罰条が、捜査の結果特定された犯罪事実及び該当罰条とは異なっていたとしても、告訴等の法的効果には何ら問題はない。
　　　いずれにしても、(4)及び後記(6)のとおり、告訴状等を提出する予定の警察署等との間で事前に犯罪事実の記載ぶり及び適用罰条について打ち合わせを行っておくことが望ましい。
　○　「告訴（告発）に至る経緯等」：告訴（告発）人が被害を受ける（犯罪の発生を知る）に至った事情、背景、参考事項
　○　「証拠資料」：告訴（告発）事実を立証すべき証拠の標目（証拠物及び証人となるべき者の氏名等を含む）
　　　（特に、収入申告書及び収入申告義務に関する指導・指示の状況に関する記

録は、不申告・虚偽申告の故意性を立証するに当たって重要である。）
○ 「右被告訴人（被告発人）の所為は刑罰法規の第○条に該当する行為と思料されるので、被告訴人の処罰を願いたく、告訴する」旨の記述
○ 告訴（告発）人の署名押印
○ 告訴（告発）状を提出する捜査機関の宛名
○ 告訴（告発）人が所持する証拠方法の写しの添付
　一般に、告訴・告発は犯罪捜査のきっかけであり、犯罪事実の立証のための詳しい捜査は警察又は検察により行われるため、告訴・告発の時点で犯罪事実に係る記載事項全てが保護の実施機関により既に立証され、又は立証可能な事実でなければならないというわけではないが、犯罪事実として記載した事項が可能な限り客観的に分かる資料（写しで可）を添付するよう配慮する必要がある。
(6) 事前の警察署への相談について
　告訴・告発を受けた捜査機関は原則としてこれを受理する義務があるが、根拠が必ずしも十分とは認められないような告訴等については、告訴状等の補正や追加資料の添付を要請されることがある。このような手間を回避するためにも、可能な限り、告訴状等を作成する前に、犯罪事実の概要及び処罰を求める意志があることについて、提出予定先の警察署の担当課等に事前に相談し、適切な告訴状等の書き方や必要な資料について打ち合わせを行っておくことが望ましい。
(7) 告訴状等の提出について
　告訴・告発を受理した捜査機関は、事案の内容を的確かつ十分に把握し、告訴・告発の趣旨・目的や動機、証拠の程度などを確認する作業に入る。このため、告訴・告発状の提出時の他にも、捜査の進展に応じ、告訴人や事情をよく知る関係者（ケースワーカー等）に対して事情を聴取することがある。このような要請があった場合は可能な限り対応することが必要である。

告訴状の例

　　　　　　　　　　　　　告訴状

　　　　　　　　　　住所
　　　　　　　　　　　告訴人　○○市
　　　　　　　　　　　　　　　代表者市長　○○○○

　　　　　　　　　　住所
　　　　　　　　　　　被告訴人　○○○○

　告訴事実

1　被告訴人は、令和○年○月○日、（住所）の○○市○○福祉事務所において、無

収入であるとして生活保護費の給付方を申請し、保護の実施機関である〇〇市長から生活保護の決定及び実施につき権限の委任を受けている同事務所長から、無収入のため最低限度の生活を維持することのできない者と認定されて、生活保護費の給付決定を受け、同月以降、生活保護法に基づく生活保護費の給付を受けていたものである。

2　被告訴人は、令和〇年〇月から〇月まで、〇〇株式会社から給与として〇〇円を受領して収入を得たのであるから、生活保護法第61条により、その旨をすみやかに〇〇福祉事務所長に届け出る義務があったのにあえて届け出ず、同事務所長をして被告訴人には収入がなく依然生活に困窮しており、正当に生活保護費の給付を受けられるものと誤信せしめ、同人が生活保護費の給付決定を維持しているのに乗じて、令和〇年から〇年までの間、〇回にわたり、〇〇福祉事務所において生活保護費として現金合計〇〇円の交付を受けて、これを騙取したものである。

3　被告訴人の上記行為は、刑法第246条第1項（詐欺罪）に該当するものと考えるので、厳重処罰を求めて告訴する。
令和〇年〇月〇日

　　　　　　　　　　　　　　　告訴人　〇〇市
　　　　　　　　　　　　　　　　　代表者市長　〇〇〇〇　（公印）

〇〇警察署長　様

7　捜査機関から捜査への協力を求められた場合の対応
⑴　保護の実施機関において特定の被保護者が不正受給をしている疑いを抱いておらず、又は疑いは生じているものの、未だ客観的な資料による不正受給の事実が確認できていない段階で、別途不正受給の端緒情報を得て既に捜査を開始している捜査機関から不正受給に関する通報を受け、被害届の提出や資料の提供等を求められる場合がある。

　　しかし、実際に不正受給された額や、それが不正を行う故意に基づくものであるか否か等については、保護費の算定状況や収入申告の状況等と照らして確認しなければ、明らかとならない場合が多いことから、捜査機関の内偵結果に基づく通報のみによって、その内容を直ちに保護の実施機関の被害届等の内容とすることは原則として適切ではない。

⑵　すなわち、このような場合、保護の実施機関は原則として、その他の方法により不正受給に関する情報を入手した場合と同様、法第78条による費用徴収のために必要な事実確認を行う、すなわち保護決定調書やケース記録等を精査し、また客観的な資料を得るために法第29条に基づく関係先調査を行うなどにより、不正の事実について実態を把握することが必要である。

　　この場合、捜査機関に対しては、生活保護制度においては、法第78条により不実

の申請その他不正な手段により保護を受けた者からその費用の一部又は全部を徴収することができることとなっており、保護の実施機関においては一義的には保護の実施機関としての立場から法に基づく調査を実施し、不正受給の事実や不正受給額について確認する必要があること、この確認ができ次第、被害届の提出等を行うことについて説明し、了承を得て直ちに調査を開始することとなる（特に不正受給額については、後日、被保護者から徴収することとなるので、保護の実施機関が主体的に額の特定をする必要がある）。

なお、被害届の提出や資料の提供を捜査機関から早急に求められた場合や、調査に相当の時間を要することが予想される場合には、事案の内容や捜査の進捗状況、被保護者の状況等に応じ、一定の時点で実際に利用・入手可能な資料の範囲で判断し、対応することも必要である。

(3) 保護の実施機関の行う調査等によっては必要な情報が得られず、捜査機関からの内報にしか頼れない場合には、捜査機関が捜査上一定の結論を出すまで保護の実施機関の調査を差し控えることとしてもやむを得ないものである。

また、法第78条の適用に当たっては、不正の事実や不正の認識について本人に確認することが通常であるが、捜査機関から、被保護者本人に対して保護の実施機関が直接確認を行い、又は行おうとすれば、当該被保護者が逃亡し、又は証拠を隠滅するおそれがあるため、直接確認することは控えてほしい旨の依頼があった場合には、確認を控えることもやむを得ないものである。

(4) いずれにしても、被害届の内容や提出時期、必要な資料の範囲や提出方法等について、捜査機関と保護の実施機関との間で十分な情報交換や緊密な連絡を行った上で適切に対応することが必要である。

なお、特定の被保護者の犯した犯罪（不正受給に関連する犯罪以外の犯罪を含む。）に関連する事実について、捜査機関の要請を受けて保護の実施機関の有する情報を提供することは、一義的に公務員の守秘義務（及び行政機関個人情報保護法）に抵触するものではないと解される。

(5) 刑事事件及び新聞、議会等で問題になることが予想される等の不正受給事件については、その概要、対応方針等について速やかに厚生労働大臣あて情報提供するとともに、必要に応じ技術的助言を求めることとされていることに留意する。

別添　略

○生活保護に関する不正事案への対応について

> 平成26年4月1日　社援保発0401第1号
> 各都道府県知事・各指定都市市長・各中核市市長宛
> 厚生労働省社会・援護局保護課長通知

　生活保護に関する不正事案について、対応を放置することは、制度全体への国民の信頼を損なうことにも繋がりかねず、厳正な対応が必要であり、そのことは、「社会保障審議会生活困窮者の支援の在り方に関する特別部会報告書」（平成25年1月25日）においても指摘されているところである。

　また、「生活保護制度に関する国と地方の協議中間とりまとめ」（平成23年12月12日）においても、「悪質な不正事案に対しては、刑事告訴・告発をする等福祉事務所において厳正な対応が必要である。それを円滑に行うため、国は、不正事案の告発の目安となる基準の策定について検討する必要がある。」と指摘されているところである。

　これらも踏まえ、生活保護の不正事案については、生活保護法を改正し、これに対応する罰金の上限額を現行法の30万円から100万円に引き上げる等、諸種の方策を講じることとした（改正法の施行は平成26年7月1日）。

　さらに、今般、不正事案への告訴等を行う場合の対応について、下記のとおりとするので、御了知の上、必要に応じ各都道府県警察と情報共有いただきつつ、一層厳正な対応を行うよう配慮されたい。

記

　不正事案に対して告訴等を行う場合の手順については、既に「生活保護行政を適正に運営するための手引について」（平成18年3月30日社援保発第0330001号）Ⅳ4において示しているところである。

　今般、不正事案に対して告訴等を検討する際の判断基準（目安）について、既に地方自治体が独自に定めている具体的判断基準を参考に、当方で以下のとおりとりまとめた。

　各地方自治体におかれては、公務員が職務を行うことにより犯罪があると思料するときは、告発の義務が生じる（刑事訴訟法第239条第2項）ことにも留意しつつ、悪質な不正事案に対しては、これらも参考にして、積極的に告訴等を含めた厳正な対応をとられたい。

　なお、当該基準はあくまで目安として示すものであり、実際に告訴等を行うか否かは、当該基準によって一律機械的ではなく、個別事案に応じて、その構成要件該当性や悪質性等を踏まえて判断されるべきであることに留意されたい。

　また、各地方自治体において実際に告訴等を行った事案の概況及び各地方自治体において独自に定めている告訴等に対する基準等の概況は別添1及び別添2のとおりである。

　さらに、生活保護法（昭和25年法律第144号）第85条の構成要件に対する考え方は別添3のとおりであるので、不正事案への対応を検討するに当たっては、これらの内容も併せて参考とされたい。

○ 次のいずれかに該当するものであること
① 不正受給金額が高額である
（高額であることを理由に告訴等を行う基準としては、100万円以上を目安としている自治体が多い。）
② 収入等に関する提出書類に意図的に虚偽を記載する、又は偽造、改ざんをするなど悪質な手段を講じている
③ 不正受給期間が長期にわたる
（長期にわたることを理由に告訴等を行う基準としては、1年以上を目安としている自治体が多い。）
④ 生活保護制度の趣旨に反した使途のために不正受給を行ったものである
（ギャンブル、浪費等）
⑤ 過去にも不正受給をした事実がある
⑥ 告訴等の手段をとらない場合、返還の見込みが無い
（費用徴収に応じない等）
⑦ その他特に悪質であると認められる事実がある
（複数の福祉事務所で重複して不正受給している等）

別添1・2　略

【別添3】
生活保護法第85条の構成要件への考え方について

生活保護法第85条の構成要件に対する考え方は下記のとおりであるので、当該要件に該当する事案については、必要に応じて当該条文の適用を検討すること。

1 不実の申請その他不正な手段を用いたこと
・「不実の申請」について
　積極的に虚偽の事実を申請すること（例：世帯人員を実際より多く申請すること等）だけでなく、消極的に事実を歪曲又は隠蔽すること（例：就労収入等があるにも関わらずそれを申告しないこと等）も含まれる。
・「不正の手段」について
　刑法第246条（詐欺罪）の構成要件である「欺罔行為（一般人をして財物・財産上の利益を処分させるような錯誤に陥らせる行為）」よりも広義の不正手段をいう。換言すれば、本来の状態であれば保護を受けることができないにもかかわらず保護を受けている場合について、その際に用いた行為（例：他人に交付された医療券を譲り受け、これを利用して医療の給付を受ける場合等）を指すものである。

2 1によって保護を受け、又は、他人をして保護を受けさせたこと
・「保護」について
　保護が実際に実施されることだけでなく、保護の決定がなされることも含む。
・「他人をして保護を受けさせたこと」について
　例えば、医療券を他人に譲り渡して医療を受けさせた者等が含まれる。

3 本条に該当する行為について刑法に正条がないこと
　「不正な手段により保護を受け、又は他人をして受けさせた」行為が、刑法各本条に規定する構成要件に該当するときは、刑事犯として刑法各本条の規定によって処断される。
　本条の行為に関係する刑法の規定として、代表的なものとしては第246条の詐欺罪であるが、その他主なものは下記のとおり。
　（刑法第95条第2項の職務強要罪、同法第155条第1項の公文書偽造罪、同法第156条の虚偽公文書作成罪、同法第157条の公正証書原本不実記載罪、同法第159条第1項の私文書偽造罪。）

【参照条文】生活保護法（昭和25年法律第144号）抄
（罰則）
第85条　不実の申請その他不正な手段により保護を受け、又は他人をして受けさせた者は、3年以下の懲役又は100万円以下の罰金に処する。ただし、刑法（明治40年法律第45号）に正条があるときは、刑法による。
2　偽りその他不正な手段により就労自立給付金の支給を受け、又は他人をして受けさせた者は、3年以下の懲役又は100万円以下の罰金に処する。ただし、刑法に正条があるときは、刑法による。
　※　生活保護法の一部を改正する法律（平成25年法律第104号）による改正後（平成26年7月1日施行）

◯社会保障各制度における利用者等への必要な情報の伝達の徹底について

> 平成30年7月30日　健発0730第1号・子発0730第1号・社援発0730第2号・障発0730第1号・老発0730第1号・保発0730第1号・年管発0730第1号
> 各都道府県知事宛　厚生労働省健康・子ども家庭・社会・援護局長・社会・援護局障害保健福祉部長・老健・保険局長・大臣官房年金管理審議官連名通知

　平素より、児童福祉、社会福祉、障害福祉、介護福祉、介護保険、医療保険、年金等の社会保障分野の各制度（以下「社会保障各制度」という。）の運営につきましては、格別の御高配を賜り、厚く御礼申し上げます。

　社会保障各制度における窓口業務を実施する地方公共団体又は関係機関（以下「実施機関」という。）においては、社会保障各制度の利用者、被保険者又は受給者等（以下「利用者等」という。）に対して、実施機関の窓口における説明の他、利用者等に対する郵送等により、制度の利用に当たり必要な情報の伝達に努めていただいておりますが、今般、利用者等の住所又は居所等の把握が不十分であり、利用者等に正しく情報が伝達されていないケースが見受けられたことから、利用者等への必要な情報の伝達を徹底するに当たっての留意点を改めて整理したので、お知らせいたします。

　各都道府県におかれましては、制度の運用に当たり、参考にしていただくとともに、管内の市区町村や関係機関等に周知していただくよう、お願いいたします。

　なお、本通知は地方自治法（昭和22年法律第67号）第245条の4第1項の規定に基づく技術的助言であること及び内容について、総務省と調整済みであることを申し添えます。

記

第1　必要な情報の伝達の徹底について

　実施機関は、利用者等に対して、社会保障各制度において受けられるサービス、給付等並びに当該サービス、給付等を受けるに当たり必要な負担及び申請手続等の利用者等が把握する必要がある情報を適時適切に伝達すること。そのためには、実施機関は、利用者等に必要な情報を遺漏なく伝達できる体制を確保することが必要であり、次の(1)から(3)までを実施すること。ただし、(1)については、利用者等に情報を伝達するに当たり、住所を把握する必要がない場合は、この限りでない。
(1)　利用者等の住所の把握（第2参照）
(2)　利用者等の居所等の把握（第3参照）

(3) 利用者等へのきめ細やかな連絡（第4参照）
第2　利用者等の住所の把握
　実施機関は、利用者等の住所を適切に把握するため、次の①から③までを実施すること。ただし、利用者等に必要な情報を伝達するに当たり、住所を把握する必要がない場合は、この限りでない。
① 住所の把握に係る関係機関等との情報連携
　実施機関は、各地方公共団体において住民基本台帳に係る事務を所管する部局、地方公共団体情報システム機構その他の関係機関等と連携し、利用者等の住所を把握すること。
② 住所の変更に係る手続きの徹底及び簡素化
　実施機関は、利用者等が住所を変更した場合、住所の変更に係る社会保障各制度における必要な手続きを行うよう、利用者等に周知徹底すること。
　また、利用者等の負担軽減のため、住所の変更に係る手続きの簡素化に努めること。
③ 住所の把握に必要な調査の実施
　実施機関は、利用者等に送達した郵便物等が正しく届かずに返送されてきた場合等、実施機関の把握している利用者等の住所が誤っている可能性が高いと判断されるときは、正しい住所を把握するため、法令上実施機関に認められた権限の範囲において調査を行うこと。なお、当該調査の結果、住民基本台帳に基づく情報と異なる事実を知ったときには、速やかに、各地方公共団体において住民基本台帳に係る事務を所管する部局に通報すること。
第3　利用者等の居所等の把握
　実施機関は、利用者等に必要な情報に関する資料の郵送等を行うに当たり、住所よりも、住所以外の場所（以下「居所」という。）に連絡を行うことが適当である場合には、利用者等の居所等を把握するとともに、居所等に連絡するよう努めること。実施機関は、利用者等の居所等の把握を適切に行うため、次の①及び②を実施すること。
① 居所等の登録に係る手続きの周知・徹底及び簡素化
　実施機関は、利用者等に対して、利用者等が介護施設への長期入所、医療機関への長期入院等により住所と異なる場所で一定期間生活する場合、配偶者からの暴力の被害を受けている者が住所と異なる場所で生活している場合、本人の認知機能の低下等により、法定代理人等に連絡することが適当である場合等、住所ではなく居所等に連絡を行うことが適当である場合には、実施機関に居所等を登録するよう周知・徹底を図ること。
　また、利用者等の負担軽減のため、居所等の登録に係る手続きの簡素化に努めること。当該簡素化の例としては、利用者等が社会保障各制度のうち複数の制度の居所等の登録に係る手続きをまとめて行うことができる様式を作成し、使用することが挙げられること。
　なお、年金制度においては、居所等の登録に係る手続きを日本年金機構で行ってい

るところであるが、利用者等の手続きの負担軽減のため、市町村の国民年金に係る事務を所管する部局においても、今後、日本年金機構より送付することを予定している日本年金機構の居所登録届（仮称）を設置すること。また、市町村の他の社会保障各制度を所管する部局は、当該制度の居所の登録に係る手続きに際して、当該居所登録届が国民年金に係る事務を所管する部局に備え付けてある旨の案内を行うよう努めること。
② 関係機関及び関係者との連携

実施機関は、医療機関、介護施設等の関係機関及び法定代理人、ケアマネジャー等の関係者に対して、利用者等のうち居所等の登録が必要である者がいる場合には、当該利用者等に居所等の登録を促してもらうよう努めること。

第4 利用者等へのきめ細やかな情報の伝達について

実施機関は、第2又は第3の実施に加え、必要な情報を遺漏なく伝達できるよう、次の①及び②に掲げるきめ細やかな連絡に努めること。

① 制度改正に伴う広報

実施機関は、制度改正等に伴い、サービス、給付等の内容が変更になった場合には、その変更点について、利用者等に対する広報に努めること。

② 利用者等に対する個別勧奨

実施機関は、利用者等が自ら申請を行うことが必要な手続等について、利用者等に対して、申請を行うよう勧奨するとともに、利用者等から申請等がない場合には、可能な限り、繰り返し連絡を行う又は異なる方法により連絡を行う等、適切な申請の勧奨に努めること。

○就労可能な被保護者の就労・自立支援の基本方針について

平成25年5月16日　社援発0516第18号
各都道府県知事・各指定都市市長・各中核市市長宛
厚生労働省社会・援護局長通知

〔改正経過〕
第1次改正　令和元年5月27日社援発0527第1号

　生活保護受給世帯は一昨年に過去最高を更新して以降も増加傾向が続いている。特に稼働年齢層も多く含まれると考えられるその他の世帯の割合が大きく増加しており、就労支援を通じた保護脱却を目指す取組の重要性が高まってきている。
　現在、就労可能な被保護者への就労支援は、自立支援プログラム等により、きめ細かに行うことにしているが、就職できないという状況が長く続くと、就労による自立が困難になってくる傾向があるため、保護開始直後から早期脱却を目指し、期間を設定して集中的かつ切れ目ない支援を行うことが必要である。
　このことは、「社会保障審議会生活困窮者の支援の在り方に関する特別部会報告書」（平成25年1月25日）においても報告されており、また、「生活保護制度に関する国と地方の協議」中間とりまとめ（平成23年12月12日）においても、「国から地方自治体に対して、期間を設定した集中的な就労支援を行うこと等を含む生活保護受給者の経験や適性等に応じた就労・自立支援の方針を提示する必要がある。」とされているところである。
　ついては、「就労可能な被保護者の就労・自立支援の基本方針」を定め、平成25年5月16日から適用することとしたので、了知の上、保護の実施に遺漏なきを期されたい。
　本通知は、地方自治法（昭和22年法律第67号）第245条の9第1項及び第3項の規定による処理基準としたので申し添える。
　なお、本通知は厚生労働省職業安定局と協議済みであるので念のため申し添える。

記

1　趣旨
　生活保護法（昭和25年法律第144号。以下「法」という。）第4条においては、「利用し得る資産、能力その他あらゆるもの」を活用することが規定されており、就労可能な被保護者については、稼働能力の十分な活用が求められる。これまでも就労可能な被保護者に対しては、自立支援プログラムへの参加勧奨など必要な支援を行ってきたところであるが、就職できないという状況が長く続くと、就労による自立が困難となってくる傾向がある。
　そのため、保護開始後から早期脱却を目指し、一定期間を活動期間と定め、本人の同意を得た上で、その活動期間内に行う就労自立に向けた具体的な活動内容とその活動を

計画的に取組むことについて、保護の実施機関と双方とで確認をする。その確認内容に基づき、保護の実施機関は、その期間内に保護脱却できるよう、保護脱却に至るまで切れ目なく集中的な支援を行うことによって被保護者の就労による自立を促進するものである。
2 対象者
　保護の実施機関が就労可能と判断する被保護者（高校在学、傷病、障害等のため、就労が困難な者を除き、現に就労している被保護者を含む。）であって、就労による自立に向け、本支援が効果的と思われる者（保護開始時点では就労困難と判断された者が、その後、就労可能と認められるようになった場合にはその者も含む。また、保護からの早期脱却が可能となる程度の就労が直ちに困難と見込まれる場合であっても、本支援を行うことが特に必要と判断した場合にはその者も含む。）（以下「対象者」という。）
3 自立に向けた被保護者主体の計画的な取組の確認
　保護の実施機関は、保護開始決定後速やかに（保護開始時点では就労困難と判断された者が、その後、就労可能と認められるようになったときはその時点）、対象者に対して、就労による生活保護からの早期脱却に向けて保護の実施機関が求職活動内容を予め本人と共有し、的確な支援を行うことを目的として、被保護者が主体的かつ計画的に行う取組を確認するため、次の取組を行う。
(1) 保護の実施機関は、速やかに面談の機会を設け、稼働能力を十分活用することが求められていることを十分に説明した上で、本人の同意を得て、求職活動の具体的な目標、内容を決定し、本人と保護の実施機関との共通認識のもと、適切な就労活動及び的確な就労支援を行うため、別紙1を参考に自立活動確認書（以下「確認書」という。）の作成を求めること。
　　また、必要に応じて、本人の意向を尊重しつつ、確認書の作成を支援すること。
(2) 確認書の作成にあたっては、求職の職種、就労場所、勤務形態等就職に関する本人の意向、学歴、職歴、稼働能力、地域の求人状況等を総合的に勘案し、原則6か月以内の一定期間を活動期間と定め、その活動期間内に就職できることを目指し、具体的な目標や、求職活動の内容及びそれに対する具体的な就労支援、その他保護の実施機関が必要と認める事項を確認すること。
(3) 確認書は、本人の同意及び署名を得て、原本を保護の実施機関が保管し、写しを被保護者に手渡し、内容を共有すること。
(4) 保護の実施機関は、確認書に基づき、集中的な支援を行うこと。
4 申告の徹底
　稼働能力の活用状況を確認するため、対象者から、以下の申告を求めること。
(1) 収入の申告
　　対象者のうち、現に就労している被保護者に対しては、毎月別紙2を参考にして収入申告書を提出させること。収入申告書は、勤務先、就労日数、収入額を記入させ、これらの事項を証明すべき資料がある場合には、これを添付させること。ただし、当該被保護者が常用雇用されている等各月毎の収入の増減が少ない場合の収入申告書の

提出は、3か月ごとで差し支えないこと。
(2) 求職活動状況・収入の申告
　対象者のうち、就労していない者及び現に就労しているが就労収入増加のための活動が必要な者に対しては、毎月、別紙3を参考にして求職活動状況・収入申告書を提出させること。ただし、現に就労している者で、別紙2による申告をしているものについては、別紙3の2「収入の状況」欄への記載は必要ないこと。
　求職活動状況については、活動の日数、内容及びその結果を記入させ、活動が確認できる書類を添付させること。
　なお、生活保護受給者等就労自立促進事業（平成25年3月29日付け雇児発0329第30号、社援発0329第77号「生活保護受給者等就労自立促進事業の実施について」別添「生活保護受給者等就労自立促進事業実施要領」）の支援対象者である場合や自立支援プログラムその他の保護の実施機関による就労支援策が実施されるなど、保護の実施機関において、別途、当該被保護者の就労・求職状況を把握している場合はその活動については申告を求めない扱いとして差し支えない。
5　確認書に基づく求職活動の確認及び確認書の見直し
(1) 求職活動の報告時
　保護の実施機関は、求職活動状況・収入申告書の記載内容を確認し、不明な点がある場合には、被保護者との面談などにより活動内容を確認すること。
(2) 活動開始から一定期間経過後
ア　保護の実施機関は、活動期間の中間時点を目途に、これまでの求職活動の状況等を評価すること。
イ　評価の結果、現在の活動内容では、就労の目処が立たないと判断した場合には、本人と面談の上、それまでの取組に加えて職種・就労場所の範囲等を広げて求職活動を行うなど、本人の同意を得て、より柔軟な取組を行うよう活動内容を見直すとともに、合わせて確認書についても見直しを行うこと。
ウ　また、それまでの求職活動を通じて直ちに保護脱却が可能となる程度の就労が困難と見込まれる場合には、本人と面談の上、生活のリズムの安定や就労実績を積み重ねることで、その後の就労に繋がりやすくする観点から、パートタイム勤務等短時間・低額であっても一旦就労することに向けた求職活動を行うよう、本人の同意を得て、活動内容を見直すとともに、合わせて確認書についても見直しを行うこと。
エ　集中的な就労支援を継続することが適当でないと判断される者は、就労意欲の喚起のための機会の提供等、本人の状況に即した適切な事業への移行を検討するなど支援内容の見直しを行うこと。
(3) 活動期間終了時
ア　活動期間終了時点において、確認書に基づく求職活動の状況等を評価すること。
イ　評価の結果、今後も集中的な支援を継続することが効果的であると判断される場合には、最長3か月を延長期間とし、本人の同意を得て再度確認書を作成し、引き

続き就労支援を行うこと。
　　ウ　さらに、その延長期間経過時点で、なお集中的な支援を継続することで就労に結びつく蓋然性が高いと判断される場合には、更に最長3か月延長すること。(最長1年)
　　エ　集中的な就労支援を継続することが適当でないと判断される者は、(2)のエと同様に支援内容を見直すこと。
6　就労・求職状況管理台帳による管理
　保護の実施機関は、対象者の稼働能力の活用状況を把握するため、4により申告が必要な被保護者ごとに、別紙4を参考として「就労・求職状況管理台帳」により管理すること。
　対象者が求職活動状況の申告を行ったときは、就労・求職状況管理台帳にその旨記載し、収入額、就労日数、求職活動日数等その概要についても記載すること。
　なお、被保護者から提出された申告書等については、個別のケース台帳において保管し、また、就労・求職状況について、被保護者から聞き取った内容は、ケース記録に記載すること。
7　稼働能力の活用状況に問題がある者等に対する対応
　3の自立に向けた計画的取組の確認に応じない、又は4の申告を行わない者であって、求職活動が十分に行われていないと保護の実施機関が判断する者については、保護の実施機関は、必要な指導・指示を行うこと。
　なお、指導・指示を行うにあたっては、就労先が見つかっていないことのみを理由として指導・指示を行うなど、機械的な取扱いにならないよう留意すること。上記指導を3か月程度継続してもなお、正当な理由もなくこれに従わない場合には、保護の実施機関は、それぞれ個別の事情に配慮しつつ、法第27条に基づく文書による指導・指示を行うこと。文書による指導・指示は、申告の期限（目安は1か月程度）を付す等具体的かつ適切な内容となるよう留意すること。
　さらにこれに従わない場合には、保護の実施機関は、所定の手続を経た上で、法第62条第3項に規定する保護の変更、停止又は廃止について検討すること。
　なお、稼働能力の活用が十分でなく、保護の要件を満たさないと考えられる者への対応として、保護を停止して就労指導を継続することが保護を廃止するよりも受給者の自立助長につながる場合もあることから、保護の停止を活用し、保護の停止期間中において就労指導を継続して就労を促すことも検討されたい。
8　留意事項
(1)　平成25年5月16日からこの取組を実施する。
(2)　新たに保護を開始した者のうち、本通知の対象となる者から順次確認を行い、平成25年7月末を目途にして、全ての対象者に対して確認を行うこととする。
(3)　本通知の対象者については1～7を適用することとし、「就労可能な被保護者の就労及び求職状況の把握について（平成14年3月29日社援発第0329024号）」の対象者であって本通知の対象にならない者については、従前のとおりとする。

就労可能な被保護者の就労・自立支援の基本方針について

(別紙1)

自立活動確認書

作成年月日 令和 年 月 日

氏名		生年月日（年齢） S・H・R 年 月 日（ 歳） 男・女

活動期間	令和 年 月 日 ～ 令和 年 月 日
目標 (総括的に記載)	

	就業形態	□ 正規職員（フルタイム） □ パート等短時間就労 □ その他（　　　）
	職種	□ 清掃 □ 調理（補助含む） □ 整備 □ 工場・倉庫作業 □ その他（具体的に　　　）
	場所	□ 管内（市内） □ 管外（市外）
	通勤時間	□ 30分以内 □ 30分～1時間 □ 1時間～2時間 □ 2時間以上
	通勤手段	□ 電車通勤可 □ バス通勤可 □ その他（　　）
就職希望	勤務日数	□ 1日～2日 □ 2日～3日 □ 4日～5日 □ その他（　　）
	勤務時間	（週）□ 3時間以内 □ 3時間～5時間 □ 5時間以上
	勤務時間帯	□ 日勤 □ 夜勤 □ 交代勤務 □ フルタイム □ 午前 □ 午後 □ 終日 □ その他（　　）
	休日	□ 月 □ 火 □ 水 □ 木 □ 金 □ 土 □ 日 □ 祝日 □ 不問 □ 週（　）日
	賃金	（月給）（　　）円程度 （時給）（　　）円程度
	その他	□ 社会保険有 □ 住込可 □ その他（　　）
留意事項 (自立に向けた課題)		□ 病気療養 □ 障害 □ 育児 □ 介護 □ その他（　　）

支援内容 目標達成に向けて取り組んでいく内容		☐ 生活保護受給者等就労自立促進事業への参加を希望します。 ☐ 就労支援員による支援（就労支援プログラム△△への参加）を希望します。 ☐ ハローワークなどを利用し、求職活動を行います。 ☐ その他（　　　　　　　　　　　　　　　　　　　　　　　　　　　）
		●具体的な活動内容（複数選択可） ☐ ハローワークでの求人情報の閲覧（月　　回以上） ☐ ハローワークでの職業相談や職業紹介（月　　回以上） ☐ ハローワークの紹介による求人先への応募（月　　回以上） ☐ ハローワークの紹介による求人先との面接（月　　回以上） ☐ ハローワークなどを利用せず、求人先への応募・面接（月　　回以上） ☐ 就労支援員による支援（月　　回以上） ☐ ケースワーカー又は就労支援員との面接・面談（月　　回以上） ☐ 履歴書、職務経歴書の作り方や面接の受け方等の各種セミナー等への参加 ☐ 公共職業訓練や求職者支援訓練等の就労のための訓練活動 ☐ （具体的に　　　　　　　　　　　　　　　　　　　　　　　　　　　）
その他		

【注意事項】
○毎月　　日に、又は就職が決定するなど内容の変更が必要なときには、活動状況を福祉事務所のケースワーカー又は就労支援員に報告してください。
○求職活動の状況によっては、目標や方針を見直す場合があります。

令和　　年　　月　　日
上記の自立支援計画表に基づいて、支援を受けるとともに、早期の目標達成に向けて活動します。

令和　　年　　月　　日

氏名（署名）

(別紙2)

(表面)

収入申告書

福祉事務所長　殿　　　　　　　　　令和　年　月　日

　　　　　　　　　　　　　　　住　所
　　　　　　　　　　　　　　　氏　名

私の収入を次のとおり申告します。

1　働いて得た収入

日	働いた日に○印	勤務先(会社名)	収入額(日当等)	日	働いた日に○印	勤務先(会社名)	収入額(日当等)
1				17			
2				18			
3				19			
4				20			
5				21			
6				22			
7				23			
8				24			
9				25			
10				26			
11				27			
12				28			
13				29			
14				30			
15				31			
16				合計	就労日数		日
					収入額		円
					必要経費額		円

(記入に当たっては裏面の記入上の注意をよくお読み下さい。)

(裏面)

2 恩給・年金等による収入（受けているものを○で囲んで下さい。）

有・無	国民年金、厚生年金、恩給、児童手当、児童扶養手当、雇用保険、傷病手当金、その他（　　　　　）	収入額	月額	円
			年額	円

3 仕送りによる収入

有・無		内容	仕送りした者の氏名
	仕送りによる収入		
	現物による収入	米、野菜、魚介 （もらったものを○で囲んで下さい。）	

4 その他の収入

有・無		内容	収入
	生命保険等の給付金		円
	財産収入 （土地、家屋の賃貸料等）		円
	その他		円

（記入上の注意）

1 「1 働いて得た収入」のうち、
　(1) 働いた日に○印を付け、その右欄に勤務先及びその日の収入を記載して下さい。
　　また、1箇月の合計を合計欄に記入して下さい。（ただし、給料が月給の場合、収入額は合計欄のみ記入して下さい。）
　(2) 合計欄の必要経費欄には収入を得るために必要な交通費、材料費、仕入代、社会保険料等の経費の総額を記入して下さい。
2 2～4の収入は、その有無について○で囲んで下さい。有を○で囲んだ収入については、その右欄にも記入して下さい。
3 書ききれない場合は、余白に記入するか又は別紙に記入の上添付して下さい。
4 収入のうち証明書等の取れるもの（例えば勤務先の給与証明書等、各種保険支払通知書等）は、この申告書に必ず添付して下さい。
5 不実の申告をして不正に保護を受けた場合、生活保護法第85条又は刑法の規定によって処罰されることがあります。

（別紙３）

令和〇〇年〇月分　求職活動状況・収入申告書
（様式例）

令和〇〇年〇〇月〇〇日

〇〇〇〇〇福祉事務所長　殿

住　所
氏　名

私の求職活動等の実施状況及び収入を次のとおり申告します。

1　求職活動等の実施状況
　①　ハローワークにおける求職活動

日　付	活動場所・内容等	具体的な活動内容 （適宜〇印をつけ、具体的内容を記載）	確認欄（※） （署名・捺印）
〇月〇日	ハローワーク〇〇〇	求人情報閲覧 （内容：　　　　　　　　　　　　　　）	
〇月〇日	ハローワーク〇〇〇	職業相談・職業紹介・セミナー・その他 （支援内容：　　　　　　　　　　　　）	
〇月〇日	ハローワーク〇〇〇	ハローワークの紹介による求人先への応募 （会社名：　　　　　　　　　　　　　）	
活動回数	〇回	求職申込み状況 （いずれかに〇印）　求職中・新規申込み	

※　「確認」欄には、ハローワーク担当者の署名又は捺印をしてもらうこと

　②　①以外の求職活動の状況

日　付	活動場所・内容等	具体的な活動内容 （適宜〇印をつけ、具体的内容を記載）
〇月〇日	福祉事務所の就労支援員による就労支援	面接の受け方・履歴書の書き方・同行訪問・その他 （支援内容：　　　　　　　　　　　　）
〇月〇日	就労のための訓練活動	公共職業訓練・求職者支援訓練 （訓練内容：　　　　　　　　　　　　）
〇月〇日	就労のための技能等の修得	就労に必要な基礎的能力等の取得講座 （内容：　　　　　　　　　　　　　　）
〇月〇日	求人情報の閲覧	求人情報閲覧（新聞・雑誌・インターネット・その他） （内容：　　　　　　　　　　　　　　）
〇月〇日	その他	知人からの職業紹介 （内容：　　　　　　　　　　　　　　）

2　収入の状況

収入の種類・内容	収入額
（記載例）児童扶養手当	〇〇〇〇〇円

Ⅱ 生活保護法関係通知 第3章 保護の実施要領

(別紙4)

就労・求職状況管理合帳

ケース番号	氏名	稼働能力活用に係る処遇方針	月別稼働能力活用状況												停廃止年月日
			4	5	6	7	8	9	10	11	12	1	2	3	
			収・求	収・求	収・求	収・求	収・求	収・求	収・求	収・求	収・求	収・求	収・求	収・求	年月日 1・2 3・4
			収・求	収・求	収・求	収・求	収・求	収・求	収・求	収・求	収・求	収・求	収・求	収・求	年月日 1・2 3・4
			収・求	収・求	収・求	収・求	収・求	収・求	収・求	収・求	収・求	収・求	収・求	収・求	年月日 1・2 3・4
			収・求	収・求	収・求	収・求	収・求	収・求	収・求	収・求	収・求	収・求	収・求	収・求	年月日 1・2 3・4
			収・求	収・求	収・求	収・求	収・求	収・求	収・求	収・求	収・求	収・求	収・求	収・求	年月日 1・2 3・4

※ 「月別稼働能力活用状況」欄には、収入申告書又は求職活動申告書の提出があれば、それぞれ「収」又は「求」を○で囲み把握した就労日数及び収入額並びに求職日数を記載すること。
※ 保護を停廃止した場合には、「停廃止年月日」欄に停廃止年月日を記入し、停廃止理由について下記のうちから該当する番号を○で囲むこと。(第1の2の(1)により世帯分離した場合も含む。)

(廃止理由)
・ 働きによる収入の増加・取得 …………1
・ 稼働能力の活用にかかる指導・指示違反 …………2
・ 届出の履行にかかる指導・指示違反 …………3
・ その他 …………4

○就労可能な被保護者の就労及び求職状況の把握について

平成14年3月29日　社援発第0329024号
各都道府県知事・各指定都市市長・各中核市市長宛
厚生労働省社会・援護局長通知

〔改正経過〕
第1次改正　平成17年3月31日社援発第0331004号　　第2次改正　令和元年5月27日社援発0527第1号

　雇用環境が厳しい中において、稼働能力がある被保護者の就労促進にあたり、公共職業安定所との連携を一層図っていくことはもとより、被保護者の就労指導を効果的に行うことが求められている。このため、保護の実施機関は、これらの者の収入及び就労状況を被保護者との信頼関係のもとにおいて的確に把握し、適切な指導援助を行う必要がある。ついては、標記について、下記のとおりその取扱いを定め、平成14年4月1日から適用することとしたので、了知の上、保護の実施に遺漏のなきを期されたい。
　また、本通知は、地方自治法（昭和22年法律第67号）第245条の9第1項及び第3項の規定による処理基準としたので申し添える。

記

1　趣旨
　生活保護法（昭和25年法律第144号。以下「法」という。）第4条において、「利用し得る資産、能力その他あらゆるもの」を活用することが規定されている。したがって、就労可能な被保護者については、稼働能力の十分な活用が求められるとともに、保護の実施機関は、これらの者の就労・求職状況を把握し、その者の自立助長を図るため、適切な指導を行う必要がある。
　今般、生活保護制度については、経済的な給付を中心とする制度から、保護の実施機関が組織的に被保護者の自立を支援する制度に転換することを目的として、自立支援プログラムの導入を推進し、被保護者の状況に応じて自立支援プログラム等により具体的な就労支援を行うこととしている。
　一方、就労可能な被保護者が、自立支援プログラムその他の実施機関による就労支援対策によらず、自ら求職活動を行う場合であっても、保護の実施機関は、当該被保護者に対し、就労・求職状況を組織的に把握及び管理した上で、助言指導を行う必要があることから、就労・求職状況の報告を求め、適正な保護の決定実施を図るものである。

2　対象者
　保護の実施機関が就労可能と判断する被保護者（高校在学、傷病、障害等のため、就労が困難と保護の実施機関が判断する者以外の被保護者をいう。なお、現に就労している被保護者も含む。）

なお、自立支援プログラムその他の実施機関による就労支援対策が実施され、当該被保護者の就労・求職状況が把握されている場合は対象としないものとする。
　また、対象者として選定する際には、支援方針にその旨記載するなど、実施機関としての方針を明確にすること。
3　申告の徹底
　稼働能力の活用状況を確認するため、就労可能な被保護者から、以下の申告を求めること。
　(1)　収入の申告
　　　就労可能な被保護者のうち、現に就労している被保護者に対しては、毎月、別紙1を参考にして収入申告書を提出させること。収入申告書は、勤務先、就労日数、収入額を記入させ、これらの事項を証明すべき資料がある場合には、これを添付すること。
　　　ただし、当該被保護者が常用雇用されている等各月毎の収入の増減が少ない場合の収入申告書の提出は、3か月ごとで差しつかえないこと。
　(2)　求職活動状況・収入の申告
　　　就労可能な被保護者のうち就労していない者に対しては、毎月、別紙2を参考にして求職活動状況・収入申告書を提出させること。求職活動状況については、求職活動日数、求職活動の内容及びその結果を記入させ、面談等を通じてその状況の把握や必要な助言指導に努めること。
4　就労・求職状況管理台帳の整備
　保護の実施機関は、収入申告及び稼働能力活用状況の申告又は稼働能力の活用状況を把握するため、就労可能な被保護者ごとに、別紙3を参考として「就労・求職状況管理台帳」を作成すること。
　就労可能な被保護者が収入申告及び求職活動状況の申告を行ったときは、就労・求職状況管理台帳にその旨記載し、収入額、就労日数、求職活動日数等その概要についても記載すること。
　なお、被保護者から提出された申告書等については、個別のケース台帳において保管し、また、就労・求職状況について、被保護者から聞き取った内容は、ケース記録に記載すること。
5　稼働能力の活用状況に対する対応
　申告された就労・求職状況の内容が、当該地域における求人状況、賃金水準、就労日数、申告者の稼働能力等を勘案し、稼働能力が十分に活用されていないと判断される場合や求職活動の方法等について改善を図る必要があると判断される場合には、その要因を分析したうえ、自立支援プログラムへの参加勧奨を行うなど、必要な助言を行うとともに、支援方針等の見直しを行うこと。
　なお、就労支援を行うに当たっては、機械的な取扱いにならないよう、当該被保護者の状況や地域の雇用情勢を考慮するとともに、公共職業安定所との連携はもちろんのこと、公共職業安定所のOB等の雇上げによる体制強化や技能修得費の積極的な活用を図

るよう留意すること。
6 就労・求職状況の調査
　保護の実施機関は、必要に応じ家庭訪問、関係先調査等を実施することにより、申告された内容の確認を行うこと。特に、申告された内容について、疑義があるときは、申告者に対し説明を求めるとともに、申告内容を証明できる資料がある場合には、これを提出させ、必要に応じ勤務先等関係先に直接調査確認を行うこと。
7 申告を行わない者に対する対応
　3による申告については、対象となる被保護者に対し、当該申告書の提出は保護の実施機関が就労を支援していくために必要な情報を得ることを目的としている旨を事前に十分周知を図るとともに、申告を行わない者については、保護の実施機関は、申告を行うよう指導すること。
　上記指導を3か月程度継続してもなお、正当な理由もなくこれに従わない場合には、保護の実施機関は、それぞれの個別の事情に配慮しつつ、法第27条に基づき文書による指導・指示を行うこと。さらに、これに従わない場合には、保護の実施機関は、所定の手続きを経た上で、法第62条第3項に規定する保護の変更、停止又は廃止について検討すること。
　なお、文書による指導・指示は、申告の期限（目安は1か月程度）を付す等具体的かつ適切な内容となるよう留意すること。

(別紙1)

(表　面)

収　入　申　告　書

福祉事務所長　殿　　　　　　　　令和　　年　　月　　日

住　所
氏　名

私の収入を次のとおり申告します。

1　働いて得た収入

日	働いた日に○印	勤務先(会社名)	収入額(日当等)	日	働いた日に○印	勤務先(会社名)	収入額(日当等)
1				17			
2				18			
3				19			
4				20			
5				21			
6				22			
7				23			
8				24			
9				25			
10				26			
11				27			
12				28			
13				29			
14				30			
15				31			
16							
合計				就労日数			日
				収入額			円
				必要経費額			円

(記入に当たっては裏面の記入上の注意をよくお読み下さい。)

（裏　面）

2　恩給・年金等による収入（受けているものを○で囲んで下さい。）

有・無	国民年金、厚生年金、恩給、児童手当、児童扶養手当、特別児童扶養手当、雇用保険、傷病手当金、その他（　　　　）	収入額	月額　　　　　円 年額　　　　　円

3　仕送りによる収入

有・無		内　容	仕送りした者の氏名
	仕送りによる収入		
	現物による収入	米、野菜、魚介（もらったものを○で囲んで下さい。）	

4　その他の収入

有・無		内　容	収　入
	生命保険等の給付金		円
	財産収入 （土地、家屋の賃貸料等）		円
	その他		円

（記入上の注意）

1　「1　働いて得た収入」のうち、
　(1)　働いた日に○印を付け、その右欄に勤務先及びその日の収入を記載して下さい。また、1箇月の合計を合計欄に記入して下さい。（ただし、給料が月給の場合、収入額は合計欄のみ記入して下さい。）
　(2)　合計欄の必要経費欄には収入を得るために必要な交通費、材料費、仕入代、社会保険料等の経費の総額を記入して下さい。

2　2～4の収入は、その有無について○で囲んで下さい。有を○で囲んだ収入については、その右欄にも記入して下さい。

3　書ききれない場合は、余白に記入するか又は別紙に記入の上添付して下さい。

4　収入のうち証明書等の取れるもの（例えば勤務先の給与証明書等、各種保険支払通知書等）は、この申告書に必ず添付して下さい。

5　不実の申告をして不正に保護を受けた場合、生活保護法第85条又は刑法の規定によって処罰されることがあります。

(別紙2)

求職活動状況・収入申告書

福祉事務所長　殿　　　　　　　令和　年　月　日

住　所
氏　名

私の求職活動状況及び収入を次のとおり申告します。

1　求職活動状況

（　　　月分）

日	仕事を探した ところ・方法	紹介又は連絡 をした会社名	仕事の内容	会社との 接触方法	結　果
記入例	職安	○○警備会社	ガードマン	面接	断られた
記入例	知人	△△清掃	清掃	面接	返事待ち
記入例	シルバー人材センター				該当なし
記入例	求職情報誌	××建設	土木	電話で問い合わせ	断られた
記入例		□□商店	営業	面接	返事待ち
仕事を探した日数			日		

2　収入の状況

収入の種類・内容	収　入　額
（記載例）　児童扶養手当	○○円

就労可能な被保護者の就労及び求職状況の把握について

(別紙3)

就労・求職状況管理合帳

ケース番号	氏名	稼働能力活用に係る処遇方針	月別稼働能力活用状況													停廃止年月日
			4	5	6	7	8	9	10	11	12	1	2	3	
			収・求	収・求	収・求	収・求	収・求	収・求	収・求	収・求	収・求	収・求	収・求	収・求	年月日 1・2 3・4
			収・求	収・求	収・求	収・求	収・求	収・求	収・求	収・求	収・求	収・求	収・求	収・求	年月日 1・2 3・4
			収・求	収・求	収・求	収・求	収・求	収・求	収・求	収・求	収・求	収・求	収・求	収・求	年月日 1・2 3・4
			収・求	収・求	収・求	収・求	収・求	収・求	収・求	収・求	収・求	収・求	収・求	収・求	年月日 1・2 3・4
			収・求	収・求	収・求	収・求	収・求	収・求	収・求	収・求	収・求	収・求	収・求	収・求	年月日 1・2 3・4

※ 「月別稼働能力活用状況」欄には、収入申告書又は求職活動申告書の提出があれば、それぞれ「収」又は「求」を○で囲み、申告により把握した就労日数及び収入額並びに求職活動日数を記載すること。
※ 保護を停廃止した場合には、「停廃止年月日」欄に停廃止年月日を記入し、停廃止理由について下記のうちから該当する番号を○で囲むこと。(⑮第1の2の(1)により世帯分離した場合も含む。)
(廃止理由)
・働きによる収入の増加・取得 ………… 1
・稼働能力の活用にかかる指導・指示違反 … 2
・届出の履行にかかる指導・指示違反 …… 3
・その他 ………………………………… 4

○ 「就労可能な被保護者の就労及び求職状況の把握について」の一部改正に伴う留意事項等について

> 平成17年3月31日　事務連絡
> 各都道府県・各指定都市・各中核市民生主管部(局)生活保護担当課・係長宛　厚生労働省社会・援護局保護課保護係長

　生活保護行政の推進については、平素より格段のご配慮を賜り厚く御礼申し上げます。
　標記については、本日付け厚生労働省社会・援護局長通知「就労可能な被保護者の就労及び求職状況の把握についての一部改正について」により通知されたところでありますが、その改正の概要及び留意事項等については下記のとおりですので、通知と併せて管内福祉事務所への周知方をよろしくお願いします。

記

○　自立支援プログラムとの関係の整理（1「趣旨」、2「対象者」の改正）
　　自立支援プログラムの導入を推進することにより、就労可能な被保護者に対する就労支援については、自立支援プログラム等により就労支援を行うことになるが、自立支援プログラムその他の就労支援が実施される場合、当該支援を実施することによって実施機関が就労・求職状況を把握することが可能となるため、別途、求職状況の報告を求める必要がなくなることから、「自立支援プログラム等その他の就労支援対策が実施され、被保護者の就労・求職状況の把握がされている場合」は通知の対象としないこととした。
　　したがって、自立支援プログラム等の就労支援によらず自ら求職活動を行う者については、引き続き通知の対象となり、求職状況を把握した上で必要な助言指導を行うこととなるので留意されたい。
○　通知の目的の明確化（1「趣旨」、5「活用状況に対する対応」の改正）
　　求職状況等の提出を求めることは、実施機関が求職状況を把握し、自立支援プログラムその他の就労支援につなげる手段として活用するために実施するものであることから、「就労・求職状況を把握した上で、助言指導を行う必要があることから、就労・求職状況の報告を求め」ていることを明記することとした。（報告を提出させること自体が就労指導ではないことを明確化）
　　また、「稼働能力の活用が不十分な者、求職活動の方法について改善を図る必要がある者については、要因を分析し、自立支援プログラムへの参加勧奨を行うなど必要な助言を行うこと」を明記することとした。

「就労可能な被保護者の就労及び求職状況の把握について」の一部改正に伴う留意事項等

したがって、被保護者から求職状況の報告が提出された場合には、求職活動の方法等に問題がないかどうか検討し、必要に応じ適切な助言指導を行うこととされたい。
○ その他の改正
このほか、業務負担の軽減を図る観点等から、次のとおり所要の改正を行うこととした。
・収入の申告の頻度について、常用雇用されている場合など収入が安定している場合には、毎月の提出から3か月ごとの提出で差しつかえないこととした。
・就労していない者からの申告について、それぞれ別の様式により提出を求めていた収入申告と求職状況の様式を一本化することとした。
・求職状況にかかる挙証資料の提出について、申告内容に疑義がある場合のみに限定することとした。

なお、求職状況の申告内容に疑義がある際の挙証資料の提出を求める目的は、求職活動の状況を把握した上で適切に助言指導を行うためであることを意識すること。また、事前に公共職業安定所の利用方法を教示したり同行訪問を行うなど、被保護者に助言指導を行い、被保護者の求職活動が形式的なものとならないよう留意されたい。

○生活保護法第29条に基づく公共職業安定所長に対する調査の嘱託について

> 昭和58年9月12日　社保第95号
> 各都道府県指定都市民生主管部(局)長宛　厚生省社会局保護課長通知

　標記について、別添1のとおり労働省職業安定局雇用保険課長に依頼したところ別添2のとおり回答があり、必要な協力が得られることとなったので、次の点に留意の上、貴管下実施機関に周知徹底を図られたい。

記

1　職業安定法第51条（秘密の厳守）の規定により、公共職業安定所長からの回答は本人の同意書を添付した公文書によって調査の嘱託が行なわれた場合にのみ得られるものであること。
2　公共職業安定所長に対する調査の嘱託は、機械的に行うことなくその必要性について十分な検討を加えるとともに、保護の決定及び実施に必要不可欠な事項について行なうこと。

別添1
　　　生活保護法第29条に基づく公共職業安定所長に対する調査の嘱託について
　　　　（依頼）

> 昭和58年8月22日　社保第90号
> 労働省職業安定局雇用保険課長宛　厚生省社会局保護課長依頼

　生活保護行政の運営については、平素から格別の御高配を賜わり厚く御礼申し上げます。
　さて、生活保護の不正受給の防止については、不正受給者を排除し、制度の適正を期すべく従来から鋭意取り組んでいるところですが、関係機関との連携を強化し、要保護者の収入、資産等を的確に把握することが極めて重要な対策となっています。
　つきましては、生活保護法第29条の規定に基づき保護の実施機関又は福祉事務所長が公共職業安定所長に対し要保護者の雇用保険の受給状況等に関して調査の嘱託を行なった場合の必要な協力について、特段の御配意を賜わりますようお願い申しあげます。
　なお、保護の実施機関又は福祉事務所長が官公署等に調査を嘱託する場合には、調査依頼状（公文）に要保護者の同意書を添付するよう指導しておりますので、念のため申し添えます。

別添2
　　　生活保護法第29条に基づく公共職業安定所長に対する調査の嘱託について
　　　　（回答）

> 昭和58年8月27日　雇保収第4号
> 厚生省社会局保護課長宛　労働省職業安定局雇用保険課長回答

　昭和58年8月22日付け社保第90号により依頼のありました標記については、その趣旨に沿って協力することとし、各都道府県へも指示しましたので通知します。

○生活保護法第29条に基づく年金の支給状況等に関する調査嘱託に関する協力依頼について

〔平成18年3月31日　社援保発第0331011号
社会保険庁運営部企画課長宛　厚生労働省社会・援護
局保護課長通知〕

　生活保護に関しては、適正な保護の決定及び保護費の支給のために、資産及び収入の状況を把握することが不可欠であることから、従来より貴庁社会保険事務所において、生活保護法第29条に基づく資産及び収入の状況に関する調査嘱託（以下「資産等調査」という。）にご協力いただいているところである。
　今般、資産等調査に関して、下記の整理を行ったことから、貴庁社会保険事務所に対して周知を図るとともに、資産等調査に対し一層のご協力をお願いする。

記

1　資産等調査に関する同意書について
　保護の実施機関は、保護の決定又は実施のために必要がある場合には、生活保護法第29条に基づき、要保護者の年金受給権の有無、年金支給額及び裁定年月日等（以下「年金の支給状況等」という。）について、社会保険事務所に対して調査を嘱託するに当たって、生活保護法施行細則準則第5条に基づく様式第12号の生活保護法による保護申請書別添3の同意書（別紙）を参考として要保護者の同意書を提出させ、当該書面を添付して関係機関に照会することとしている。
　この同意書の文面については、次のとおり整理している。
① 　生活保護の申請時だけではなく、保護の決定又は実施のために必要がある場合に資産等調査を行うことに同意して、提出させているものであることから、その同意の範囲において有効期限はないこと。
② 　当該同意書による調査の範囲には、社会保険事務所に対する年金受給権の有無や年金受給額等に関する調査も含まれているものであること。
③ 　生活保護は世帯単位で決定しており（生活保護法第10条）、生活扶助や住宅扶助については世帯主又はこれに準ずる者を介して世帯員へ給付を行っている（同法第31条第3項及び第33条第4項）ことから、世帯主が世帯を代表して同意書を提出することとしており、世帯員個別の署名や押印がなくても世帯員も同意していること。

2　上記の整理を踏まえた資産等調査への協力依頼について
　貴庁社会保険事務所において、以下のような理由で保護の実施機関が実施している資産等調査に対して回答していただけない事例があることを地方自治体から聞いているところであるので、上記1の整理について貴庁社会保険事務所に対して周知を図るとともに、このような理由で回答していただけないことのなきよう資産等調査に対し一層のご

理解、ご協力をお願いする。
- 同意書の作成日が調査日より古いこと（同意書の有効期限を問題とすること）。
- 同意書中の「資産及び収入の状況」には、年金の支給状況（受給権の有無や年金受給額、裁定年月日）は含まれないとすること（これらが明記されていないことを問題とすること）。
- 同意書中に「官公署」として社会保険事務所が明記されていないこと。
- 調査に同意する旨の署名が、世帯員ごとにされていないこと（同意書に加えて、世帯員ごとの同意を求めること）。
- 同意書の原本や専用の同意書が添付されていないこと。
- 同意書の他に本人の委任状がないこと。
- 同意書があるにも関わらず、被保険者に直接来所を求めること。

なお、別添「生活保護法第29条に基づく調査嘱託における社会保険事務所への調査の実施について」（平成18年3月31日社援保発第0331012号厚生労働省社会・援護局保護課長通知）のとおり、年金の支給状況等の資産等調査に関して、保護の実施機関に周知を図ったところである。

別添　略

（別　紙）

同　　意　　書

　保護の決定又は実施のために必要があるときは、私及び私の世帯員（以下「私等」という。）の資産及び収入の状況につき、貴福祉事務所が官公署に調査を嘱託し、又は銀行、信託会社、私若しくは私の世帯員の雇主、その他の関係人（以下「銀行等」という。）に報告を求めることに同意します。

　また、貴福祉事務所の調査嘱託又は報告要求に対し、官公署又は銀行等が報告することについて、私等が同意している旨を官公署又は銀行等に伝えて構いません。

年　　月　　日

　　　　　　　　　　　　　　　　　　　　住所
　　　　　　　　　　　　　　　　　　　　氏名　　　　　　　　　　㊞

　　福祉事務所長殿

○金融機関本店等に対する一括照会の実施について

平成24年9月14日　社援保発0914第1号
各都道府県・各指定都市・各中核市民生主管部(局)長
宛　厚生労働省社会・援護局保護課長通知

〔改正経過〕
第1次改正　平成26年9月30日社援保発0930第1号　　第2次改正　平成28年3月31日社援保発0331第4号
第3次改正　令和元年5月27日社援保発0527第1号　　第4次改正　令和元年10月21日社援保発1021第1号

　生活保護法(以下「法」という。)第29条による調査の実施については日頃よりご尽力賜り厚く御礼申し上げます。
　金融機関本店に対する一括照会については、昨年12月の「生活保護制度に関する国と地方の協議に係る中間取りまとめ」で、保護の決定・実施のために福祉事務所が行う調査・照会を円滑に行うため、要保護者の資産・収入に関する金融機関本店に対する一括照会について速やかに導入に向けた手続を進める必要がある旨の提言がされています。このたび、都市銀行、地方銀行、信託銀行、第二地方銀行協会加盟銀行、信用組合及び信用金庫等(以下「銀行等」という。)に対する法第29条に基づく調査について、より効果的な手法である銀行等が指定する本店・本部・センター等(以下「本店等」という。)への一括照会を下記により平成24年12月(一部の団体は平成28年4月)から実施することとしたので、その取扱いに遺漏なきよう管内福祉事務所への周知等よろしくお取り計らい願います。
　なお、本通知については、一般社団法人全国銀行協会、一般社団法人全国信用金庫協会、一般社団法人全国信用組合中央協会、一般社団法人全国労働金庫協会及び労働金庫連合会と協議済みであることを念のため申し添えます。

記

1　金融機関本店等に対する一括照会について
　　これまで、各福祉事務所が複数の支店に別々に照会をしていたものが、本店等に一括照会を行うことによって、各福祉事務所の事務負担の軽減につながるとともに、より多くの支店の状況も把握できるようになることから、資産調査が効率的、効果的に実施できるものである。
2　実施方法
(1)　本店等一括照会を行う銀行等の範囲
　　各福祉事務所が本店等一括照会を行う銀行等の範囲は、後日送付するリストに掲げる銀行等であって、現在も各福祉事務所が調査を行っている店舗を有する銀行等に限るものである。
(2)　本店等一括照会の依頼先

　　　　本店等一括照会の依頼先は、銀行等が指定する本店・本部・センター等とする。
　　　　銀行等は本店等一括照会の目的に反しない範囲で、地域（東京・名古屋・大阪等）毎に本店等を指定でき、各福祉事務所は、指定された本店等に依頼を行えば、当該銀行の日本国内全店舗における回答を得られるものとする。
　　　　なお、各銀行等の具体的な照会先は後日リストを送付する。
　(3)　調査対象者（世帯）
　　　　本店等一括照会による調査対象者（世帯）は、原則として、生活保護の申請を行った者（世帯）及び不正受給が疑われる者（世帯）に限るものとする。
　(4)　照会内容
　　　　本店等一括照会の照会内容は、次の2点とする。
　　ア　口座の有無
　　イ　口座が「有」の場合の取引店及び調査時点の残高
　(5)　照会方法
　　ア　本店等一括照会は、調査書（別紙様式）に次の①から⑤の事項の記入を行った上で、上記(2)へ郵送することにより行う。郵送は、照会に必要な書類と返信用の封筒（切手を貼付し返信先（福祉事務所）の住所と宛名を書いたもの）を同封のうえ行うこと。
　　　①　漢字氏名
　　　②　カナ氏名
　　　③　性別
　　　④　生年月日
　　　⑤　住所
　　イ　調査書については、別紙様式によることを原則とする。
　　ウ　調査依頼時点ですでに調査対象者（世帯）の取引銀行や取引店が判明しているものの、判明している取引店以外における口座の有無等について調査を行うために本店等一括照会を行う場合には、当該取引銀行への調査書に判明している取引店や口座番号等を可能な範囲で記入する。
　　エ　削除
　(6)　銀行による回答
　　ア　銀行等は福祉事務所から上記(5)に基づく照会が行われた場合、当該銀行の日本国内全店舗（事務・システム上の事情から調査困難な店舗がある場合には、当該店舗を除く。）における上記(4)の内容を調査し、回答する。
　　イ　銀行等による上記アの回答は、当該銀行等の回答書（別添）と任意の書面を福祉事務所が予め調査書を送付した際同封した返信用の封筒に封入し郵送することにより行われる。この場合の任意の書面は、銀行における内部帳票等により代えることができることとしているので、各銀行等毎に様式が異なるので留意すること。
3　本店等一括照会の留意点
　(1)　本店等一括照会は平成24年12月1日以降、福祉事務所が郵送するものから実施する

ので、11月に申請があったものでも、調査票の郵送が12月1日以降行われるものであれば対象となる。
(2) 福祉事務所において不正受給の疑いがある場合等、真にやむを得ない理由により上記2の(4)以外の状況（口座の異動明細等）が必要な場合は、本店等一括照会によらず、取引店を特定し、郵送により照会を行う（照会文書には、本店一括照会と同様に、同意書を福祉事務所において保管している旨を付記するものとする）。その際は上記2の(5)のアの内容に加えて可能な範囲で判明している科目名、口座番号等を記入するとともに、極力、照会事項を特定すること（様式任意）。また、本店等一括照会の調査書（統一様式）や別紙の形式による共通の表示があるものは使用しないこと。なお、福祉事務所において取引店を特定できていない場合には、必ずあらかじめ本店等一括照会により取引店を特定のうえで、当該取引店に対して照会を行うこと。
(3) 金融機関より同意書（写）の送付が求められた場合は、速やかに提供する必要があること。このため、福祉事務所においては、照会しようとする者が個々に調査に同意していることがわかるものを常に保管しておくこと。
　なお、金融機関からの同意書（写）の送付の求めに応じられないことによって金融機関が対応に苦慮するといった事例が生じた場合は、福祉事務所においても対応を求められるため、そういった事例が生じないよう福祉事務所において責任をもって同意書を保管するよう留意されたい。

別添・別紙　略

Ⅱ 生活保護法関係通知 第3章 保護の実施要領

【別紙様式】

<table>
<tr><td>生活保護
本店等一括照会</td><td></td><td>第　　　　　　号
令和　　年　　月　　日</td></tr>
</table>

　　　　　銀行　様

　　　　　　　　　　　　　　　福祉事務所長　（福祉事務所番号）

　　　　　　　　　　　　　　　　　　氏　　　　名　　公印

生活保護法第29条の規定に基づく調査について（依頼）

　保護の決定若しくは実施又は生活保護法（以下「法」という。）第77条若しくは第78条の規定の施行のために必要がありますので、法第29条の規定に基づき、別紙の（第　　号─　）～（第　　号─　）記載の調査対象者（計　人分）について、貴行本支店における預金口座の有無、及び口座保有されている場合の残高を照会します。

　なお、当事務所において、入手した資料については、情報の秘密の保護に万全を期していますので念のため申し添えます。

※　全国銀行協会取りまとめ「生活保護法第29条に基づく調査における『本店等一括照会』実施要領」（令和元年10月11日付事会第47号）によりご回答ください。
※　調査対象者である要保護者（被保護者であったもの、扶養義務者を含む）の調査への同意については、書面（同意書）を徴取の上、当福祉事務所において当該書面を保管している旨を申し添えます。また、当該書面の提供依頼があった場合は、その写しを速やかに提供いたします。

（参考）生活保護法
（資料の提供等）
第29条　保護の実施機関及び福祉事務所長は、保護の決定若しくは実施又は第77条若しくは第78条の規定の施行のために必要があると認めるときは、次の各号に掲げる者の当該各号に定める事項につき、官公署、日本年金機構若しくは国民年金法（昭和34年法律第141号）第3条第2項に規定する共済組合等（次項において「共済組合等」という。）に対し、必要な書類の閲覧若しくは資料の提供を求め、又は銀行、信託会社、次の各号に掲げる者の雇主その他の関係人に、報告を求めることができる。
一　要保護者又は被保護者であった者　氏名及び住所又は居所、資産及び収入の状況、健康状態、他の保護の実施機関における保護の決定及び実施の状況その他政令で定める事項（被保護者であった者にあっては、氏名及び住所又は居所、健康状態並びに他の保護の実施機関における保護の決定及び実施の状況を除き、保護を受けていた期間における事項に限る。）
二　前号に掲げる者の扶養義務者　氏名及び住所又は居所、資産及び収入の状況その他政令で定める事項（被保護者であった者の扶養義務者にあっては、氏名及び住所又は居所を除き、当該被保護者であった者が保護を受けていた期間における事項に限る。）

〔回答先〕
　住所

　担当部署
　担当者名
　連絡先

(別紙)

第　　号

〔調査対象者に関する情報〕

世帯主	1	カナ		カナ		性別	
		氏名		旧姓		生年月日	年　月　日
		カナ(※)					
		現住所	〒　－				
世帯員	2	カナ		カナ		性別	
		氏名		旧姓		生年月日	年　月　日
	3	カナ		カナ		性別	
		氏名		旧姓		生年月日	年　月　日
	4	カナ		カナ		性別	
		氏名		旧姓		生年月日	年　月　日
	5	カナ		カナ		性別	
		氏名		旧姓		生年月日	年　月　日

(※) 箇所の入力は任意

〔参考情報〕旧住所および調査対象者が保有している貴行預金口座

旧住所	〒　－						
名義人名	店番	店名店	科目	普通（　）	口座番号		
名義人名	店番	店名店	科目	普通（　）	口座番号		
名義人名	店番	店名店	科目	普通（　）	口座番号		
名義人名	店番	店名店	科目	普通（　）	口座番号		
名義人名	店番	店名店	科目	普通（　）	口座番号		

〔備考〕

以　上

○生活保護法の一部改正による生活保護法第29条第2項の創設に伴う同条第1項に規定する関係先への調査実施に関する留意事項について

> 平成26年6月30日　社援保発0630第1号
> 各都道府県・各指定都市・各中核市民生主管部(局)長
> 　宛　厚生労働省社会・援護局保護課長通知

〔改正経過〕

第1次改正	平成27年3月31日社援保発0331第21号	第2次改正	平成30年6月8日社援保発0608第3号
第3次改正	平成30年9月28日社援保発0928第5号	第4次改正	令和2年3月30日社援保発0330第3号
第5次改正	令和3年1月7日社援保発0107第1号	第6次改正	令和4年3月31日社援保発0331第3号
第7次改正	令和6年4月24日社援保発0424第1号		

　今般、生活保護法の一部を改正する法律（平成25年法律第104号。以下「改正法」という。）が平成25年12月13日に公布され、平成26年7月1日から施行することとしている。
　これにより、生活保護法（昭和25年法律第144号）第29条が改正され、新たに生活保護法第29条第2項を創設して官公署等に回答義務を設けるなど、保護の決定又は実施等に当たって行う要保護者の資産や収入などを確認するための調査について、一層の適切な実施を図るために調査権限の強化を図ったところである。
　これに伴い、今般、生活保護法別表第1に規定する厚生労働省令で定める情報を定める省令（平成26年厚生労働省令第72号。以下「情報省令」という。）を制定し、回答義務の範囲について示したところであるが、下記のとおり、本通知により、回答義務の範囲を更に詳細に整理するとともに、今般の改正法による改正後の生活保護法（以下「新法」という。）第29条による調査の実施に当たって留意事項を整理したので、管内実施機関に対し周知方お願いしたい。
　また、回答義務の範囲については、新法別表第1の備考に定めるところにより、情報省令の制定に当たって関係省庁と協議を行っており、その際、併せて本通知の別紙についても協議を行っているので、念のため申し添える。

記

第1　改正の趣旨
　従前より、保護の実施機関及び福祉事務所長（以下「保護の実施機関等」という。）は保護の決定又は実施のため必要があるときは、要保護者から必要な書類を的確に提出させるとともに、必要がある場合は要保護者の状況について、官公署に対し調査を嘱託し、又は関係人に対し報告を求めることができる旨規定した改正法による改正前の生活保護法（以下「旧法」という。）第29条に基づき調査を実施いただいているところである。
　今回、生活保護の不正事案に厳正に対処するとともに、国民の信頼を確保するためにも適正な保護の実施が必要であることから、保護の実施機関等が保護の決定若しくは実

生活保護法第29条第1項に規定する関係先への調査実施に関する留意事項

施又は新法第77条若しくは第78条の規定の施行（以下「保護の決定又は実施等」という。）のために行う調査権限の拡大を図ることとしたものである。

なお、今回の改正では、保護の決定又は実施のために行う場合だけでなく、扶養義務者に対する費用の徴収や不正受給の費用徴収を行う場合又はそれらを検討する場合にも調査を実施できることを明示したこと、また、近年の他の社会保障関係法における同様の調査規定との関係等も踏まえ、他の行政機関等に「調査を嘱託」を、「必要な書類の閲覧若しくは資料の提供を求め」ると文言を改めているが、特段これまでの事務の変更を意図したものではないので、念のため申し添える。

第2　改正の概要
1　調査の対象者について、旧法では、要保護者又はその扶養義務者と定められていたが、被保護者であった者（保護が廃止された者）及びその扶養義務者を追加したこと。
2　調査事項について、資産及び収入の状況に加えて、就労又は求職活動の状況、健康状態、支出の状況等の事項を追加したこと。
3　官公署、日本年金機構又は国民年金法（昭和34年法律第141号）第3条第2項に規定する共済組合等（以下「官公署等」という。）に対し、新法及び情報省令で定める範囲の情報について、資料の閲覧又は資料の提供を求めた場合に回答を義務づけたこと。

第3　関係先調査の実施に関する留意事項
1　新法第29条による調査については、適正な保護の決定又は実施等に当たって、第4の表の範囲において実施が認められるものであることから、保護の実施機関等にあっては、第1の改正の趣旨を踏まえ、効果的・効率的な調査を行うよう努めること。
2　関係先調査の実施に当たっては、従前と同様に、原則として、申請時又は申請後直ちに保護の実施機関等が行う資産、収入の状況等に関する関係先調査に同意する旨を記した書面（同意書）に、署名をさせ申請者から提出させること。
なお、今般の法改正により調査範囲等が変更されたこと等に伴い、別途「生活保護法施行細則準則について」（平成12年3月31日社援発第871号。以下「施行細則準則」という。）様式第12号別添3に定める同意書様式を改正したので、現に保護を受けている者についても、適宜、様式変更後の同意書の提出を求めること。

第4　関係先調査の範囲
新法第29条では、保護の決定又は実施等のため必要があると認めるときに行う調査の範囲について、下表のとおり調査対象者、調査事項を定めている。
下表中、過去に被保護者であった者の調査の実施は、保護の実施機関等が保護の決定又は実施等のために必要があると認める場合の年限に制限はないが、保護決定調書等の保存期間を踏まえ5年を標準とすること。ただし、当該情報を所有する官公署等及び関係人においては、当該情報に係る文書等の保存期間内であって管理している範囲において回答が可能であることに留意すること。
また、過去に被保護者であった者の※印の事項に係る調査の実施は、保護を受けていた期間に限るものであること。

【表】

(A)	調査対象者(B)	調査事項(C)
1	・要保護者 ・過去に被保護者であった者 （法第29条第1項第1号関係）	・氏名 ・住所又は居所 ・資産の状況（※） ・収入の状況（※） ・生業若しくは就労又は求職活動の状況（※） ・扶養義務者の扶養の状況（※） ・他の法律に定める扶助の状況（※） ・健康状態 ・他の保護の実施機関における保護の決定及び実施の状況 ・支出の状況（※）
2	・要保護者の扶養義務者 ・過去に被保護者であった者の扶養義務者 （法第29条第1項第2号関係）	・氏名 ・住所又は居所 ・資産の状況（※） ・収入の状況（※）

第5　新法第29条第2項の創設により回答義務の対象となる情報に係る調査の実施

　適正な保護の決定又は実施等に当たっては、当該要保護者に対する保護の実施責任を負う保護の実施機関等以外の関係先の保有する情報の提供を受けることが必要不可欠である。そのため、新法第29条第2項において、上記表(A)欄の1に定める調査対象者、調査事項であって、かつ新法別表第一に掲げる情報にあっては、保護の実施機関等が官公署等に行う情報提供の求めに対して、回答を義務付けたところである。

　回答義務の対象となる情報を当該官公署等に求める場合の留意事項は以下のとおりである。

　なお、回答義務の対象となる情報以外の情報については、相手方に情報提供を義務付けるものではないが、法第29条に基づく関係先調査は、個人情報保護法第23条第1号等の「法令に基づく場合」に当たるものと解されていることに鑑み協力が得られるよう調整を行うこと。

1　回答義務の範囲等

　　回答義務の対象となる情報に係る調査の実施について、保護の実施機関等が官公署等に提供する情報、官公署等から保護の実施機関に提供される回答義務の対象となる情報及び調査先等は別紙のとおりであること。

2　調査方法

　　保護の実施機関等が、回答義務の対象となる情報にかかる調査を行う際は、調査対

生活保護法第29条第1項に規定する関係先への調査実施に関する留意事項

象者を特定した上で施行細則準則様式第21号に定める調査依頼書に、別紙に定める「保護の実施機関が提供する情報」を記載すること。その上で、別紙に定める調査先ごとの回答義務の対象となる情報を記載した任意の調査票を作成し、施行細則準則様式第21号に定める調査依頼書に添付の上、郵送等確実に調査先に到達する方法により行うこと。

なお、調査先との関係で「資料の閲覧」により行う場合にあっては、上記の取扱いに準じ、当該調査先と調整の上で行うこと。

また、この調査は、回答を義務化しているため、同意書を添付する必要はない。ただし、調査に回答義務の対象とならない情報が含まれる場合には、当然に同意書の添付を要することとなるので留意すること。

3　調査先からの回答

保護の実施機関等から上記2により調査が行われた場合、調査先は、別紙に定める回答義務の対象となる情報について調査し、回答することとなる。

なお、調査先による回答は、保護の実施機関等が作成した調査票によるほか調査先の内部帳票等により行われることもある。

また、回答義務の対象となっている情報であっても、調査先で現に保有していない場合には当該情報が得られないこととなるので留意すること。

4　調査の留意点

調査依頼時点ですでに調査対象者（世帯）に係る回答義務の対象となる情報が判明している場合には、その内容を調査票に可能な範囲で記入するなど、円滑かつ効率的に必要な回答が得られるよう配慮した上で調査すること。

なお、新法第29条第2項の創設により、資料の閲覧又は資料の提供を求めた場合において、一部の範囲の情報に係る回答を義務付けたものであるが、改正法によって回答義務の対象となった情報について、すべからく調査を行う必要があるということではないこと。今回の改正を契機に、いたずらに調査を行うことは、調査先に過度な負担を生じさせ、かえって回答が著しく遅滞するなどの事態もあり得るものであることから、真に調査が必要か否か検討をした上で、適切に調査依頼を行うべきであることに改めて留意すること。

II 生活保護法関係通知 第3章 保護の実施要領

[別紙]

○ 回答義務の対象となる情報に係る調査の実施について、調査項目、調査先及び調査対象者を特定するために保護の実施機関等が官公署等に提供する情報（調査先から提供される情報）、調査先から提供される情報、調査先から保護の実施機関等に提供される情報（保護の実施機関等が提供する情報）については、以下のとおりとし、一時金払いに支払われる現金給付に限るものとし、定期的に生計の一助となり、継続的に生計の状況に関するものについては、「収入の状況に関するもの」から除いている。

調査項目に係る根拠法	調査項目	調査先から提供される情報	調査先	保護の実施機関等が提供する情報
【資産の状況に関するもの】				
1 道路運送車両法（昭和26年法律第185号）	自動車登録ファイルに登録された自動車	自動車登録ファイルに記録を受けた自動車の所有者又は使用者として記録された事項	地方運輸支局（運輸支局長あて）自動車検査登録事務所（事務所長あて）神戸運輸監理部兵庫陸運部（運輸監理部長あて）沖縄総合事務局陸運事務所宮古運輸事務所又は八重山運輸事務所（事務所長あて）	調査対象者氏名・性別・生年月日・住所、保護の開始（廃止）日・自動車の登録番号
2 相続税法（昭和25年法律第73号）	相続税	別添の事項	被相続人の住所地を管轄する税務署	調査対象者氏名・性別・生年月日・被相続人の氏名、被相続人の住所・相続開始年月日・保護の開始日
3 相続税法	贈与税	別添の事項	調査対象者の所在地を管轄する税務署	調査対象者氏名・性別・生年月日・住所・受贈年月日・保護の開始日
4 地方税法	自動車取得税	別添の事項	都道府県税務担当課都道府県税務事務所	調査対象者氏名・性別・生年月日・住所・受贈年月日・保護の開始日
5 地方税法	自動車税	別添の事項	都道府県税務担当課都道府県税務事務所	調査対象者氏名・性別・生年月日・住所・受贈年月日・保護の開始日
6 地方税法	固定資産税	別添の事項	市町村税務担当課（東京都23区の区域内は都税事務所）	調査対象者氏名・性別・生年月日・住所・受贈年月日・保護の開始日

生活保護法第29条第1項に規定する関係先への調査実施に関する留意事項

	根拠法	調査項目	別添の事項	調査先	調査対象者氏名・性別・生年月日・住所・保護の開始月日(廃止)日
7	地方税法	軽自動車税		市町村税務担当課	調査対象者氏名・性別・生年月日・受給年月日・保護の開始月日

【収入の状況に関するもの】

	調査項目に係る根拠法	調査項目	別添の事項	調査先	保護の実施機関等が提供する情報
1	恩給法(大正12年法律第48号)	年金である給付	調査先から提供される情報	総務省政策統括官(恩給担当)恩給業務管理官	調査対象者氏名・性別・生年月日・住所・保護の開始月日(廃止)日
2	労働者災害補償保険法(昭和22年法律第50号)	未支給の保険給付(3から14までに係るものに限る。)	金額・支給された期間	厚生労働省労働基準局労災保険業務課	調査対象者氏名・性別・生年月日・住所・保護の開始月日(廃止)日
3	労働者災害補償保険法	休業補償給付	金額・支給された期間	厚生労働省労働基準局労災保険業務課	調査対象者氏名・性別・生年月日・住所・保護の開始月日(廃止)日
4	労働者災害補償保険法	障害補償年金	金額・支給された期間	厚生労働省労働基準局労災保険業務課	調査対象者氏名・性別・生年月日・住所・保護の開始月日(廃止)日
5	労働者災害補償保険法	遺族補償年金	金額・支給された期間	厚生労働省労働基準局労災保険業務課	調査対象者氏名・性別・生年月日・住所・保護の開始月日(廃止)日
6	労働者災害補償保険法	傷病補償年金	金額・支給された期間	厚生労働省労働基準局労災保険業務課	調査対象者氏名・性別・生年月日・住所・保護の開始月日(廃止)日
7	労働者災害補償保険法	複数事業労働者休業給付	金額・支給された期間	厚生労働省労働基準局労災保険業務課	調査対象者氏名・性別・生年月日・住所・保護の開始月日(廃止)日
8	労働者災害補償保険法	複数事業労働者障害給付	金額・支給された期間	厚生労働省労働基準局労災保険業務課	調査対象者氏名・性別・生年月日・住所・保護の開始月日(廃止)日
9	労働者災害補償保険法	複数事業労働者遺族給付	金額・支給された期間	厚生労働省労働基準局労災保険業務課	調査対象者氏名・性別・生年月日・住所・保護の開始月日(廃止)日

Ⅱ　生活保護法関係通知　第3章　保護の実施要領

	法律	給付名	照会内容	照会先	回答内容
10	労働者災害補償保険法	複数事業労働者傷病年金	金額・支給された期間	厚生労働省労働基準局労災保険業務課	調査対象者氏名・住所・生年月日・性別・保護の開始(廃止)日
11	労働者災害補償保険法	休業給付	金額・支給された期間	厚生労働省労働基準局労災保険業務課	調査対象者氏名・住所・生年月日・性別・保護の開始(廃止)日
12	労働者災害補償保険法	障害年金	金額・支給された期間	厚生労働省労働基準局労災保険業務課	調査対象者氏名・住所・生年月日・性別・保護の開始(廃止)日
13	労働者災害補償保険法	遺族年金	金額・支給された期間	厚生労働省労働基準局労災保険業務課	調査対象者氏名・住所・生年月日・性別・保護の開始(廃止)日
14	労働者災害補償保険法	傷病年金	金額・支給された期間	厚生労働省労働基準局労災保険業務課	調査対象者氏名・住所・生年月日・性別・保護の開始(廃止)日
15	労働者災害補償保険法	障害補償年金前払一時金	金額・支給された期間	厚生労働省労働基準局労災保険業務課	調査対象者氏名・住所・生年月日・性別・保護の開始(廃止)日
16	労働者災害補償保険法	遺族補償年金前払一時金	金額・支給された期間	厚生労働省労働基準局労災保険業務課	調査対象者氏名・住所・生年月日・性別・保護の開始(廃止)日
17	労働者災害補償保険法	複数事業労働者障害年金前払一時金	金額・支給された期間	厚生労働省労働基準局労災保険業務課	調査対象者氏名・住所・生年月日・性別・保護の開始(廃止)日
18	労働者災害補償保険法	複数事業労働者遺族年金前払一時金	金額・支給された期間	厚生労働省労働基準局労災保険業務課	調査対象者氏名・住所・生年月日・性別・保護の開始(廃止)日
19	労働者災害補償保険法	障害年金前払一時金	金額・支給された期間	厚生労働省労働基準局労災保険業務課	調査対象者氏名・住所・生年月日・性別・保護の開始(廃止)日
20	労働者災害補償保険法	遺族年金前払一時金	金額・支給された期間	厚生労働省労働基準局労災保険業務課	調査対象者氏名・住所・生年月日・性別・保護の開始(廃止)日

生活保護法第29条第1項に規定する関係先への調査実施に関する留意事項

	法律	給付名		期間	照会先	調査事項
21	戦傷病者戦没者遺族等援護法（昭和27年法律第127号）	障害年金		支給された期間	厚生労働省社会・援護局援護課	金額	調査対象者氏名・性別・生年月日・住所、保護の開始月日（廃止）日
22	戦傷病者戦没者遺族等援護法	遺族年金		支給された期間	厚生労働省社会・援護局援護課	調査対象者氏名・性別・生年月日・住所、保護の開始月日（廃止）日
23	戦傷病者戦没者遺族等援護法	遺族給与金		支給された期間	厚生労働省社会・援護局援護課	調査対象者氏名・性別・生年月日・住所、保護の開始月日（廃止）日
24	未帰還者留守家族等援護法（昭和28年法律第161号）	留守家族手当		支給された期間	厚生労働省社会・援護局援護課	調査対象者氏名・性別・生年月日・住所、保護の開始月日（廃止）日
25	戦傷病者特別援護法（昭和38年法律第168号）	療養手当		支給された期間	厚生労働省社会・援護局援護企画課	調査対象者氏名・性別・生年月日・住所、保護の開始月日（廃止）日
26	雇用保険法（昭和49年法律第116号）	未支給の失業等給付及び休業給付（27から37までに係るものに限る。）		支給された期間	管轄のハローワーク雇用保険給付部門	調査対象者氏名・性別・生年月日・住所、保護の開始月日（廃止）日
27	雇用保険法	基本手当		支給された期間	管轄のハローワーク雇用保険給付部門	調査対象者氏名・性別・生年月日・住所、保護の開始月日（廃止）日
28	雇用保険法	技能習得手当		支給された期間	管轄のハローワーク雇用保険給付部門	調査対象者氏名・性別・生年月日・住所、保護の開始月日（廃止）日
29	雇用保険法	寄宿手当		支給された期間	管轄のハローワーク雇用保険給付部門	調査対象者氏名・性別・生年月日・住所、保護の開始月日（廃止）日
30	雇用保険法	傷病手当		支給された期間	管轄のハローワーク雇用保険給付部門	調査対象者氏名・性別・生年月日・住所、保護の開始月日（廃止）日
31	雇用保険法	日雇労働求職者給付金		支給された期間	管轄のハローワーク雇用保険給付部門	調査対象者氏名・性別・生年月日・住所、保護の開始月日（廃止）日
32	雇用保険法	教育訓練給付金（専門実践教育訓練に係るものに限る。）		支給された期間	管轄のハローワーク雇用保険給付部門	調査対象者氏名・性別・生年月日・住所、保護の開始月日（廃止）日

II 生活保護法関係通知　第3章　保護の実施要領

33	雇用保険法	高年齢雇用継続基本給付金	金額・支給された期間	管轄のハローワーク雇用保険給付部門	調査対象者氏名・住所・性別・生年月日・保護の開始（廃止）日
34	雇用保険法	高年齢再就職給付金	金額・支給された期間	管轄のハローワーク雇用保険給付部門	調査対象者氏名・住所・性別・生年月日・保護の開始（廃止）日
35	雇用保険法	介護休業給付金	金額・支給された期間	管轄のハローワーク雇用保険給付部門	調査対象者氏名・住所・性別・生年月日・保護の開始（廃止）日
36	雇用保険法	育児休業給付金	金額・支給された期間	管轄のハローワーク雇用保険給付部門	調査対象者氏名・住所・性別・生年月日・保護の開始（廃止）日
37	雇用保険法	出生時育児休業給付金	金額・支給された期間	管轄のハローワーク雇用保険給付部門	調査対象者氏名・住所・性別・生年月日・保護の開始（廃止）日
38	雇用保険法	教育訓練支援給付金	金額・支給された期間	管轄のハローワーク雇用保険給付部門	調査対象者氏名・住所・性別・生年月日・保護の開始（廃止）日
39	石綿による健康被害の救済に関する法律（平成18年法律第4号）	特別遺族年金	金額・支給された期間	厚生労働省労働基準局労災補償部労災保険業務課	調査対象者氏名・住所・性別・生年月日・保護の開始（廃止）日
40	職業訓練の実施等による特定求職者の就職の支援に関する法律（昭和23年法律第47号）	職業訓練受講給付金	金額・支給された期間	管轄のハローワーク職業相談部門	調査対象者氏名・住所・性別・生年月日・保護の開始（廃止）日
41	予防接種法（昭和23年法律第68号）	障害児養育年金	金額・支給された期間	市町村予防接種事業担当課	調査対象者氏名・住所・性別・生年月日・保護の開始（廃止）日
42	予防接種法	障害年金	金額・支給された期間	市町村予防接種事業担当課	調査対象者氏名・住所・性別・生年月日・保護の開始（廃止）日
43	予防接種法	遺族年金	金額・支給された期間	市町村予防接種事業担当課	調査対象者氏名・住所・性別・生年月日・保護の開始（廃止）日
44	児童手当法（昭和46年法律第73号）	児童手当	金額・支給された期間	市町村児童手当担当課	調査対象者氏名・住所・性別・生年月日・保護の開始（廃止）日

生活保護法第29条第1項に規定する関係先への調査実施に関する留意事項

	法令名	特例給付		市町村児童手当担当課	調査対象者氏名・性別・生年月日・住所、保護の開始（廃止）日
45	児童手当法			市町村児童手当担当課	調査対象者氏名・性別・生年月日・住所、保護の開始（廃止）日
46	漁業経営の改善及び再建整備に関する特別措置法（昭和51年法律第43号）	職業転換給付金（就職促進手当及び技能習得手当に限る。）	金額・支給された期間	地方運輸局船員職業安定窓口（船員に限る。）	調査対象者氏名・性別・生年月日・住所、保護の開始（廃止）日
47	国際協定の締結等に伴う漁業離職者に関する臨時措置法（昭和52年法律第94号）	給付金（訓練待期手当、就職促進手当及び技能習得手当に限る。）	金額・支給された期間	地方運輸局船員職業安定窓口（船員に限る。）	調査対象者氏名・性別・生年月日・住所、保護の開始（廃止）日
48	船員の雇用の促進に関する特別措置法（昭和52年法律第96号）	就職促進給付金（訓練待期手当、就職促進手当及び技能習得手当に限る。）	金額・支給された期間	地方運輸局船員職業安定窓口（船員に限る。）	調査対象者氏名・性別・生年月日・住所、保護の開始（廃止）日
49	本州四国連絡橋の建設に伴う一般旅客定期航路事業等に関する特別措置法（昭和56年法律第72号）	就職促進給付金（訓練待期手当、就職促進手当及び技能習得手当に限る。）	金額・支給された期間	地方運輸局船員職業安定窓口（船員に限る。）	調査対象者氏名・性別・生年月日・住所、保護の開始（廃止）日
50	所得税法（昭和40年法律第33号）	所得税	別添の事項	調査対象者の所在地を管轄する税務署	調査対象者氏名・性別・生年月日・住所、保護の開始（廃止）日
51	生活保護法（昭和25年法律第144号）	生活扶助	金額・支給された期間	福祉事務所生活保護担当課	調査対象者氏名・性別・生年月日・住所、保護の開始（廃止）日
52	生活保護法	教育扶助	金額・支給された期間	福祉事務所生活保護担当課	調査対象者氏名・性別・生年月日・住所、保護の開始（廃止）日
53	生活保護法	住宅扶助	金額・支給された期間	福祉事務所生活保護担当課	調査対象者氏名・性別・生年月日・住所、保護の開始（廃止）日
54	生活保護法	医療扶助	金額・支給された期間	福祉事務所生活保護担当課	調査対象者氏名・性別・生年月日・住所、保護の開始（廃止）日
55	生活保護法	介護扶助	金額・支給された期間	福祉事務所生活保護担当課	調査対象者氏名・性別・生年月日・住所、保護の開始（廃止）日

	法令	種別		照会先	照会事項
56	生活保護法	出産扶助	金額・支給された期間	福祉事務所生活保護担当課	調査対象者氏名・住所・性別・生年月日、保護の開始(廃止)日
57	生活保護法	生業扶助	金額・支給された期間	福祉事務所生活保護担当課	調査対象者氏名・住所・性別・生年月日、保護の開始(廃止)日
58	生活保護法	葬祭扶助	金額・支給された期間	福祉事務所生活保護担当課	調査対象者氏名・住所・性別・生年月日、保護の開始(廃止)日
59	生活保護法	就労自立給付金	金額・支給された期間	福祉事務所生活保護担当課	調査対象者氏名・住所・性別・生年月日、保護の開始(廃止)日
60	生活保護法	進学・就職準備給付金	金額・支給された期間	福祉事務所生活保護担当課	調査対象者氏名・住所・性別・生年月日、保護の開始(廃止)日
61	児童扶養手当法(昭和36年法律第238号)	児童扶養手当	金額・支給された期間	福祉事務所児童扶養手当担当課	調査対象者氏名・住所・性別・生年月日、保護の開始(廃止)日
62	母子及び父子並びに寡婦福祉法(昭和39年法律第129号)	母子家庭自立支援給付金	金額・支給された期間	福祉事務所母子家庭自立給付金担当課	調査対象者氏名・住所・性別・生年月日、保護の開始(廃止)日
63	母子及び父子並びに寡婦福祉法(昭和39年法律第129号)	父子家庭自立支援給付金	金額・支給された期間	福祉事務所父子家庭自立給付金担当課	調査対象者氏名・住所・性別・生年月日、保護の開始(廃止)日
64	特別児童扶養手当等の支給に関する法律(昭和39年法律第134号)	障害児福祉手当	金額・支給された期間	福祉事務所障害児福祉手当担当課	調査対象者氏名・住所・性別・生年月日、保護の開始(廃止)日
65	特別児童扶養手当等の支給に関する法律	特別障害者手当	金額・支給された期間	福祉事務所特別障害者手当担当課	調査対象者氏名・住所・性別・生年月日、保護の開始(廃止)日
66	特別児童扶養手当等の支給に関する法律	経過的福祉手当	金額・支給された期間	福祉事務所経過的福祉手当担当課	調査対象者氏名・住所・性別・生年月日、保護の開始(廃止)日
67	生活困窮者自立支援法	生活困窮者住宅確保給付金	金額・支給された期間	都道府県又は市町村生活困窮者自立支援制度担当課	調査対象者氏名・住所・性別・生年月日、保護の開始(廃止)日

生活保護法第29条第1項に規定する関係先への調査実施に関する留意事項

68	地方税法	道府県民税			市町村税務担当課	調査対象者氏名・性別・生年月日・住所、保護の開始日（廃止）日
69	地方税法	市町村民税			市町村税務担当課	調査対象者氏名・性別・生年月日・住所、保護の開始日（廃止）日
70	障害者の日常生活及び社会生活を総合的に支援するための法律（平成17年法律第123号）	自立支援医療費	診療報酬請求書及び診療報酬明細書並びに調剤報酬請求書及び調剤報酬明細書		都道府県又は市町村自立支援医療担当課	調査対象者氏名・性別・生年月日・住所、保護の開始日（廃止）日
71	厚生年金保険法（昭和29年法律第115号）	年金である保険給付	金額・支給された期間		管轄の年金事務所	調査対象者氏名・性別・生年月日・住所、保護の開始日（廃止）日
72	国家公務員共済組合法（昭和33年法律第128号）	年金である給付	金額・支給された期間		国家公務員共済組合連合会年金部年金相談室	調査対象者氏名・性別・生年月日・住所、保護の開始日（廃止）日
73	国家公務員共済組合法	傷病手当金	金額・支給された期間		各省庁等国家公務員共済組合	調査対象者氏名・性別・生年月日・住所、保護の開始日（廃止）日
74	国家公務員共済組合法	出産手当金	金額・支給された期間		各省庁等国家公務員共済組合	調査対象者氏名・性別・生年月日・住所、保護の開始日（廃止）日
75	国家公務員共済組合法	休業手当金	金額・支給された期間		各省庁等国家公務員共済組合	調査対象者氏名・性別・生年月日・住所、保護の開始日（廃止）日
76	国家公務員共済組合法	育児休業手当金	金額・支給された期間		各省庁等国家公務員共済組合	調査対象者氏名・性別・生年月日・住所、保護の開始日（廃止）日
77	国家公務員共済組合法	介護休業手当金	金額・支給された期間		各省庁等国家公務員共済組合	調査対象者氏名・性別・生年月日・住所、保護の開始日（廃止）日
78	国民年金法（昭和34年法律第141号）	年金である給付	金額・支給された期間		管轄の年金事務所	調査対象者氏名・性別・生年月日・住所、保護の開始日（廃止）日
79	地方公務員等共済組合法（昭和37年法律第152号）	年金である給付	金額・支給された期間		各地方公務員共済組合又は全国市町村職員共済組合連合会	調査対象者氏名・性別・生年月日・住所、保護の開始日（廃止）日

II 生活保護法関係通知 第3章 保護の実施要領

80	地方公務員等共済組合法	傷病手当金	金額・支給された期間	所属する地方公務員共済組合	調査対象者氏名・住所・生年月日・性別・保護の開始（廃止）日
81	地方公務員等共済組合法	出産手当金	金額・支給された期間	所属する地方公務員共済組合	調査対象者氏名・住所・生年月日・性別・保護の開始（廃止）日
82	地方公務員等共済組合法	休業手当金	金額・支給された期間	所属する地方公務員共済組合	調査対象者氏名・住所・生年月日・性別・保護の開始（廃止）日
83	地方公務員等共済組合法	育児休業手当金	金額・支給された期間	所属する地方公務員共済組合	調査対象者氏名・住所・生年月日・性別・保護の開始（廃止）日
84	地方公務員等共済組合法	介護休業手当金	金額・支給された期間	所属する地方公務員共済組合	調査対象者氏名・住所・生年月日・性別・保護の開始（廃止）日
85	特定障害者に対する特別障害給付金の支給に関する法律（平成16年法律第166号）	特別障害給付金	金額・支給された期間	管轄の年金事務所	調査対象者氏名・住所・生年月日・性別・保護の開始（廃止）日
86	私立学校教職員共済法（昭和28年法律第245号）	年金である給付	金額・支給された期間	日本私立学校振興・共済事業団年金部第二課	調査対象者氏名・住所・生年月日・性別・保護の開始（廃止）日
87	私立学校教職員共済法	傷病手当金	金額・支給された期間	日本私立学校振興・共済事業団業務部短期給付課	調査対象者氏名・住所・生年月日・性別・保護の開始（廃止）日
88	私立学校教職員共済法	出産手当金	金額・支給された期間	日本私立学校振興・共済事業団業務部短期給付課	調査対象者氏名・住所・生年月日・性別・保護の開始（廃止）日
89	私立学校教職員共済法	休業手当金	金額・支給された期間	日本私立学校振興・共済事業団業務部短期給付課	調査対象者氏名・住所・生年月日・性別・保護の開始（廃止）日
90	年金生活者支援給付金の支給に関する法律	年金生活者支援給付金	金額・支給された期間	管轄の年金事務所	調査対象者氏名・住所・生年月日・性別・保護の開始（廃止）日

生活保護法第29条第1項に規定する関係先への調査実施に関する留意事項

91	特別児童扶養手当等の支給に関する法律	特別児童扶養手当	金額・支給された期間	(特別児童扶養手当)厚生労働省社会・援護局障害保健福祉部企画課(障害児福祉手当、特別障害者手当)福祉事務所担当課	調査対象者氏名・性別・生年月日・住所・保護の開始(廃止)日
92	国民健康保険法(昭和33年法律第192号)	傷病手当金の支給	金額・支給された期間	市町村国民健康保険担当課	調査対象者氏名・性別・生年月日・住所・保護の開始(廃止)日
93	高齢者の医療の確保に関する法律(昭和57年法律第80号)	傷病手当金の支給	金額・支給された期間	後期高齢者医療広域連合病手当金担当課	調査対象者氏名・性別・生年月日・住所・保護の開始(廃止)日
94	労働施策の総合的な推進並びに労働者の雇用の安定及び職業生活の充実等に関する法律(昭和41年法律第132号)	職業転換給付金(就職促進手当)	金額・支給された期間	管轄する労働局総務部総務課(会計課)	調査対象者氏名・性別・生年月日・住所・保護の開始(廃止)日
95	労働施策の総合的な推進並びに労働者の雇用の安定及び職業生活の充実等に関する法律	職業転換給付金(訓練手当)※うち認定駐留軍関係離職者及び沖縄失業者に対するもの	金額・支給された期間	管轄する労働局総務部総務課(会計課)	調査対象者氏名・性別・生年月日・住所・保護の開始(廃止)日
96	労働施策の総合的な推進並びに労働者の雇用の安定及び職業生活の充実等に関する法律	職業転換給付金(訓練手当)※うち認定駐留軍関係離職者及び沖縄失業者に対するものを除く	金額・支給された期間	都道府県	調査対象者氏名・性別・生年月日・住所・保護の開始(廃止)日
97	公害健康被害の補償等に関する法律(昭和48年法律第111号)	障害補償費	金額・支給された期間	都道府県公害健康被害補償担当課	調査対象者氏名・性別・生年月日・住所・保護の開始(廃止)日
98	公害健康被害の補償等に関する法律	遺族補償費	金額・支給された期間	都道府県公害健康被害補償担当課	調査対象者氏名・性別・生年月日・住所・保護の開始(廃止)日
99	公害健康被害の補償等に関する法律	児童補償手当	金額・支給された期間	都道府県公害健康被害補償担当課	調査対象者氏名・性別・生年月日・住所・保護の開始(廃止)日

II 生活保護法関係通知 第3章 保護の実施要領

No.	調査項目に係る根拠法	調査項目	調査先から提供される情報	調査先	保護の実施機関等が提供する情報
100	原子爆弾被爆者に対する援護に関する法律（平成6年法律第117号）	医療特別手当	金額・支給された期間	都道府県又は広島市若しくは長崎市被爆者援護担当課	調査対象者氏名・住所、保護の開始月日・性別・生年月日（廃止）日
101	原子爆弾被爆者に対する援護に関する法律	特別手当	金額・支給された期間	都道府県又は広島市若しくは長崎市被爆者援護担当課	調査対象者氏名・住所、保護の開始月日・性別・生年月日（廃止）日
102	原子爆弾被爆者に対する援護に関する法律	家族介護手当	金額・支給された期間	都道府県又は広島市若しくは長崎市被爆者援護担当課	調査対象者氏名・住所、保護の開始月日・性別・生年月日（廃止）日
103	国会議員互助年金法を廃止する法律（平成18年法律第1号）による廃止前の国会議員互助年金法（昭和33年法律第70号）	年金である給付	金額・支給された期間	総務省政策統括官（恩給担当）恩給業務管理官	調査対象者氏名・住所、保護の開始月日・性別・生年月日（廃止）日
104	執行官法の一部を改正する法律（平成19年法律第18号）による改正前の執行官法（昭和41年法律第111号）	年金である給付	金額・支給された期間	総務省政策統括官（恩給担当）恩給業務管理官	調査対象者氏名・住所、保護の開始月日・性別・生年月日（廃止）日

【その他】

No.	調査項目に係る根拠法	調査項目	調査先から提供される情報	調査先	保護の実施機関等が提供する情報
1	職業訓練の実施等による特定求職者の就職の支援に関する法律	認定職業訓練又は公共職業訓練等の指示	有無・実施日	管轄のハローワーク職業相談部門	調査対象者氏名・住所、保護の開始月日・性別・生年月日（廃止）日
2	職業安定法（昭和22年法律第141号）	職業紹介	有無・実施日	管轄のハローワーク職業相談部門	調査対象者氏名・住所、保護の開始月日・性別・生年月日（廃止）日
3	職業安定法	職業指導	有無・実施日	管轄のハローワーク職業相談部門	調査対象者氏名・住所、保護の開始月日・性別・生年月日（廃止）日

生活保護法第29条第1項に規定する関係先への調査実施に関する留意事項

	法律	事業	調査事項	関係先	調査対象者情報
4	健康増進法（平成14年法律第103号）	健康増進事業（健康増進法施行規則（平成15年厚生労働省令第86号）第4条の2各号に掲げる事業に限る。）	有無・実施日・内容	市町村健康増進事業担当課	調査対象者氏名・性別・生年月日・住所・保護の開始（廃止）日
5	戸籍法（昭和22年法律第124号）		戸籍又は除かれた戸籍	戸籍若しくは除かれた戸籍の謄本若しくは抄本又は戸籍若しくは除かれた戸籍に記載した事項に関する証明書	市町村戸籍担当課	調査対象者氏名・性別・生年月日・住所・保護の開始（廃止）日・本籍地
6	船員職業安定法（昭和23年法律第130号）	船員職業紹介	有無・実施日	地方運輸局船員職業安定窓口	調査対象者氏名・性別・生年月日・住所・保護の開始（廃止）日
7	船員職業安定法	職業指導	有無・実施日	地方運輸局船員職業安定窓口	調査対象者氏名・性別・生年月日・住所・保護の開始（廃止）日
8	船員職業安定法	部員職業補導	有無・実施日	地方運輸局船員職業安定窓口	調査対象者氏名・性別・生年月日・住所・保護の開始（廃止）日
9	職業能力開発促進法（昭和44年法律第64号）	職業訓練	有無・実施期間	都道府県又は市町村職業能力開発担当課	調査対象者氏名・性別・生年月日・住所・保護の開始（廃止）日
10	国民健康保険法	健康教育、健康相談、健康診査その他の被保険者の健康の保持増進のために必要な事業	有無・実施日・内容	市町村国民健康保険担当課	調査対象者氏名・性別・生年月日・住所・保護の開始（廃止）日
11	高齢者の医療の確保に関する法律	特定健康診査	有無・実施日・内容	市町村国民健康保険担当課	調査対象者氏名・性別・生年月日・住所・保護の開始（廃止）日
12	高齢者の医療の確保に関する法律	特定保健指導	有無・実施日・内容	市町村国民健康保険担当課	調査対象者氏名・性別・生年月日・住所・保護の開始（廃止）日
13	高齢者の医療の確保に関する法律	健康教育、健康相談、健康診査その他の被保険者の健康の保持増進のために必要な事業	有無・実施日・内容	後期高齢者医療広域連合健診・保健指導担当課	調査対象者氏名・性別・生年月日・住所・保護の開始（廃止）日

Ⅱ 生活保護法関係通知 第3章 保護の実施要領

【別添】

○ 回答義務の対象となる国税情報について、調査先から提供されるものは、以下のとおりとする。
○ 回答義務の対象となる地方税情報について、主な事項は以下のとおりであるが、具体的な事項については、従前の取扱いを参考としつつ、調査先と調整の上で実施すること。
○ なお、税情報については、要保護者に関するもののみ対象となるので、留意すること。

【国税情報】		
1 相続税関係情報（要保護者に限る。）	(1)	納付税額
	(2)	還付税額
	(3)	相続税の課税財産のうち、土地の価額
	(4)	相続税の課税財産のうち、家屋・構築物の価額
	(5)	相続税の課税財産のうち、事業（農業）用財産の価額
	(6)	相続税の課税財産のうち、有価証券の価額
	(7)	相続税の課税財産のうち、現金、預貯金等の価額
	(8)	相続税の課税財産のうち、家庭用財産の価額
	(9)	相続税の課税財産のうち、(3)から(8)まで以外の財産の価額
	(10)	相続時精算課税適用財産の価額
	(11)	債務等の金額
	(12)	純資産価額に加算される暦年課税分の贈与財産価額
2 贈与税関係情報（要保護者に限る。）	(1)	納付税額
	(2)	暦年課税に係る贈与税の課税財産の種類と価額
	(3)	住宅取得等資金のうち非課税の適用を受ける金額
	(4)	相続時精算課税に係る贈与税の課税財産の種類と価額
3 所得税関係情報（要保護者に限る。）	所得税青色申告決算書に記載のある月別売上（収入）金額及び仕入金額に関する情報	
【地方税情報】		
1 市町村民税／道府県民税関係情報	(1)	市町村民税道府県民税申告書中下記の事項 ・収入金額等（各区分ごと） ・所得金額（各区分ごと） ・生命保険料控除 ・地震保険料控除 ・扶養控除 ・16歳未満の扶養親族 ・給与所得の内訳 ・事業・不動産所得に関する事項 ・配当所得に関する事項 ・雑所得（公的年金等以外）に関する事項 ・総合譲渡・一時所得の所得金額に関する事項 ・別居の扶養親族等に関する事項
	(2)	給与支払報告書中下記の事項

生活保護法第29条第1項に規定する関係先への調査実施に関する留意事項

		・支払金額 ・生命保険料の控除額 ・地震保険料の控除額
2 自動車取得税／自動車税／軽自動車税関係情報	(1)	自動車取得税・自動車税申告（報告）書／軽自動車税申告（報告）書中下記の事項 ・登録（取得）年月日 ・車体の形状 ・車名（通称名） ・型式 ・車台番号 ・主たる定置場 ・所有形態 ・申告区分 ・取得原因
	(2)	軽自動車税申告（報告）書（原動機付自転車・小型特殊自動車）中下記の事項 ・申告の理由 ・種別 ・車名（通称名） ・型式及び年式 ・車体番号 ・主たる定置場 ・販売／譲渡証明年月日 ・所有形態
3 固定資産税関係情報	(1)	課税明細書中下記の事項 ・資産 ・土地又は家屋の所在 ・前年度分の課税標準額 ・当該年度価格 ・当該年度課税標準額
	(2)	土地名寄帳中下記の事項 ・土地の所在 ・地目 ・地積 ・価格 ・課税標準額
	(3)	家屋名寄帳中下記の事項 ・家屋の所在 ・家屋番号 ・床面積 ・価格
	(4)	償却資産申告書（償却資産課税台帳）中下記の事項 ・事業種目 ・事業開始年月 ・取得価額（資産の種類ごと） ・評価額（資産の種類ごと） ・決定価格（資産の種類ごと） ・課税標準額（資産の種類ごと） ・事業所等資産の所在地

Ⅱ 生活保護法関係通知 第3章 保護の実施要領

○生活保護法第29条に基づく税務署長に対する資料の提供等の求めについて

```
平成26年6月30日　社援保発0630第2号
各都道府県・各指定都市・各中核市民生主管部(局)長
宛　厚生労働省社会・援護局保護課長通知
```

〔改正経過〕
　　第1次改正　令和元年5月27日社援保発0527第1号

　生活保護法の一部を改正する法律（平成25年法律第104号）による改正後の生活保護法（昭和25年法律第144号）第29条については、「生活保護法の一部改正による生活保護法第29条第2項の創設に伴う同条第1項に規定する関係先への調査実施に関する留意事項について」（平成26年6月30日付け社援保発0630第1号厚生労働省社会・援護局保護課長通知）により通知しているところであるが、このうち、税務署長に対して資料の提供等を求める場合の取扱いについては、下記のとおりとすることとしたので、御了知の上、管内の実施機関に対し周知方お願いしたい。
　なお、本通知の内容については、国税庁と協議を行っているものであるので、念のため申し添える。

記

1　税務署長に対して、要保護者の相続税又は贈与税の申告情報等について照会する際は、別添1の照会様式により行うこととすること。
2　1のうち要保護者の相続税の申告情報等について照会する場合にあっては、相続に係る死亡者の住所地を所轄する税務署あてに照会すること。
3　税務署長に対して、要保護者の「所得税青色申告決算書（一般用）」に記載のある「月別売上（収入）金額及び仕入金額」に関する情報について照会する際は、別添2の照会様式により行うこととすること。
　　なお、当該照会により得られる情報は、要保護者の商・工業や自由職業などの自営業から生ずる売上（収入）金額及び仕入金額の月別金額のみであることに留意すること。
4　3の照会に当たっては、あらかじめ、青色申告の適用の有無及び青色申告決算書の控を保有しているか否かについて要保護者に確認した上で、青色申告の適用があり、かつ、青色申告決算書の控を保有していない場合など、真に必要なときに限り行うこと。
　　また、照会する際は、当該要保護者が申告に係る書類を提出した税務署あてに照会すること。
5　税務署長に対する照会は、繁忙期となる確定申告時期（2月・3月）に集中しないよう、照会先における事務負担を考慮して行うこと。

生活保護法第29条に基づく税務署長に対する資料の提供等の求めについて

(別添1)

生活保護の受給に係る資産調査について(照会)

生活保護法第29条の規定に基づき、下記の対象者に係る相続税又は贈与税の申告情報等について照会します。

記

項　目	対象者1	対象者2	対象者3
フリガナ			
氏　名			
性　別			
生年月日	年　月　日	年　月　日	年　月　日
住　所			
保護の開始日	令和　年　月　日	令和　年　月　日	令和　年　月　日
相続・贈与の別	相　続・贈　与	相　続・贈　与	相　続・贈　与
相続開始年月日 (又は受贈年分)	令和__年__月__日 (令和___年分)	令和__年__月__日 (令和___年分)	令和__年__月__日 (令和___年分)
※　フリガナ			
※ 被相続人氏名			
※ 被相続人住所			

(注)　※は相続の場合のみ記載。

(別添2)

生活保護の受給に係る収入の状況に関する調査について(照会)

生活保護法第29条の規定に基づき、下記の者に係る「所得税青色申告決算書(一般用)」に記載のある「月別売上(収入)金額及び仕入金額」に関する情報について照会します。

記

(コクゼイ　タロウ)	性別	生年月日	照会年分	保護の開始日
国　税　太　郎	ⓜ 女	M・T・Ⓢ・H・R 50・1・1	令和〇年分	令和〇年1月
東京都千代田区霞が関×—××—×× ※要保護者が申告を行った際の納税地を記載すること。				

○生命保険会社に対する調査の実施について

> 平成27年2月13日 社援保発0213第2号
> 各都道府県・各指定都市・各中核市民生主管部(局)長 宛
> 厚生労働省社会・援護局保護課長通知

〔改正経過〕
　　第1次改正　令和元年10月21日社援保発1021第2号

　生活保護法第29条に基づく関係機関に対する調査実施については日頃より御尽力賜り厚く御礼申し上げます。
　さて、生活保護法の一部を改正する法律（平成25年法律第104号）による改正後の生活保護法（昭和25年法律第144号。以下「法」という。）第29条の調査実施に関する留意事項については、「生活保護法の一部改正による生活保護法第29条第2項の創設に伴う同条第1項に規定する関係先への調査実施に関する留意事項について」（平成26年6月30日社援保発0630第1号厚生労働省社会・援護局保護課長通知）により通知しているところです。
　今般、法第29条による調査のうち、生命保険会社に対して実施するものについて、下記のとおり留意事項をお示しするので、その取扱いに遺漏なきよう管内福祉事務所への周知等よろしくお取り計らい願います。
　なお、本通知については、一般社団法人生命保険協会と協議済みであることを念のため申し添えます。

記

1　生命保険会社に対する照会様式等の統一について
　　生命保険会社に対して調査を実施する際の照会様式及び依頼事項に関する用語の統一化を図り、調査先から円滑かつ効率的に必要な回答を得ることによって、調査を効率的、効果的に実施するものである。
2　実施方法
　(1)　照会方法
　　ア　各福祉事務所が生命保険会社に対して照会する場合は、別紙1の「調査依頼書及び調査対象者一覧兼回答書」に必要事項の記入を行い、郵送することにより行う。郵送は、調査に必要な書類と返信用の封筒（切手を添付し返信先（福祉事務所）の住所と宛名を書いたもの）を同封の上行うこと。
　　　　なお、各生命保険会社の調査依頼書等の送付先は別添の「生命保険契約照会先一覧」のとおりであるので参照すること。
　　イ　調査依頼時点ですでに調査対象者の生命保険加入が判明しているものの、判明している生命保険以外について照会を行う場合には、当該生命保険会社への「調査対象者一覧兼回答書」の備考欄に判明している保険証券番号を記入すること。
　　ウ　削除
　　エ　生命保険会社からの回答が得られた後に、下記(2)に掲げる回答事項以外の事項を

再照会する場合には、別紙2の「調査依頼書(再照会)」に照会内容を具体的に記入して行うこと。それ以外の照会方法は、上記と同様の方法により行うこと。

　なお、福祉事務所において、すでに調査対象者の生命保険加入が判明しているものの、下記(2)に掲げる回答事項以外の事項の照会を行う場合も再照会と同様の方法により行うこと。
(2)　生命保険会社による回答
　ア　福祉事務所が上記(1)に基づく照会を行った場合、当該照会を受けた生命保険会社から、加入の有無及び加入が「有」の場合には、調査時点における以下の事項が含まれるように回答が行われるものであること。
　　○保険証券番号　○保険の種類　○契約年月日　○満期年月日
　　○保険契約者名　○被保険者名　○保険金の受取人
　　○保険金額(満期・死亡・災害死亡)○保険料　　○解約返戻金額
　　○積立配当金額　○貸付残高
　イ　生命保険会社による上記アの回答は、「調査対象者一覧兼回答書」と任意の書面を福祉事務所が調査依頼書等を送付した際に同封した返信用の封筒に封入し郵送することにより行われる。この場合の任意の書面は、生命保険会社の内部帳票等の場合もあるので留意すること。
3　調査に関する留意事項
(1)　各福祉事務所が生命保険会社に対して照会する際の「調査対象者一覧兼回答書」は、生命保険会社が各福祉事務所に回答する際の回答書にもなることから、照会する際には原本と写し(計2部)を同封すること。
(2)　調査依頼書等については、別紙1及び別紙2の様式によることとする。
(3)　「調査対象者一覧兼回答書」の記入に当たって、生命保険会社においては氏名、生年月日及び住所が一致することをもって個人を特定しているため、調査対象者の旧姓や前住所地等の場合も併せて照会する際は、それぞれ別の調査対象者として必要事項を記入すること。備考欄等に旧姓や前住所地等を記載しないこと。また、本籍地を記載しないこと。

　なお、調査対象者の必要事項については、省略することなく記入するなど生命保険会社において円滑かつ効率的に必要な回答を行い得るよう記載方法等についても配慮すること。
(4)　調査依頼書等に同封する返信用の封筒については、当該調査における依頼件数、回答量の分量に対して適切な封筒(大きさ、適正金額の切手の添付、料金後納郵便等)の同封に配慮すること。
(5)　生命保険会社より同意書(写)の送付が求められた場合は、速やかに提供する必要があること。このため、福祉事務所においては、照会しようとする者が個々に調査に同意していることがわかるものを常に保管しておくこと。

　なお、生命保険会社からの同意書(写)の送付の求めに応じられないことによって生命保険会社が対応に苦慮するといった事例が生じた場合は、福祉事務所においても対応を求められるため、そういった事例が生じないよう福祉事務所において責任をもって同意書を保管するよう留意されたい。

別紙1

　　　　　　　　　　　　　　　　　　　　　　　　番　　　　　号
　　　　　　　　　　　　　　　　　　　　　　　　年　　月　　日

（生命保険会社）　殿

　　　　　　　　　　　　　　　　　　　　　福祉事務所長
　　　　　　　　　　　　　　　　　　　　　　氏　　　名　㊞

　　　　　　生活保護法第29条の規定に基づく調査について（依頼）

　保護の決定若しくは実施又は生活保護法（以下「法」という。）第77条若しくは第78条の規定の施行のために必要がありますので、法第29条の規定に基づき、別紙に記載の調査対象者の下記事項について照会します。
　なお、当事務所において、入手した資料については、情報の秘密の保護に万全を期していますので念のため申し添えます。
※　調査対象者である要保護者（被保護者であったもの、扶養義務者を含む）の調査への同意については、書面（同意書）を徴取の上、当福祉事務所において当該書面を保管している旨を申し添えます。また、当該書面の提供依頼があった場合は、その写しを速やかに提供いたします。

　　　　　　　　　　　　　　　　記

1　調査対象者　　　別紙の調査対象者一覧のとおり
2　調査事項　　　　以下項目を含むよう回答してください。

　　┌─────────────────────────────────┐
　　│＜調査事項＞   │
　　│　○保険証券番号　○保険の種類　○契約年月日　○満期年月日   │
　　│　○保険契約者名　○被保険者名　○保険金の受取人   │
　　│　○保険金額（満期・死亡・災害死亡）　○保険料   │
　　│　○解約返戻金額　○積立配当金額　○貸付残高   │
　　└─────────────────────────────────┘

【連絡先】　　電話番号：　　（　　）　　　　　　　［内線：　　　　　］
【回答送付先】

　　┌─────────────────────────────────┐
　　│（住所）   │
　　│　〒   │
　　│　担当課   担当者：   │
　　└─────────────────────────────────┘

生命保険会社に対する調査の実施について

|別紙|

　　　　福祉事務所　　　　　　　　　　　　文書番号　第　　　号
　　　　　課　　御中　　　　　　　　　　　照会日　　年　月　日

調査対象者一覧　兼　回答書

No.	氏名	フリガナ	性別	生年月日 (和暦)	〒	住所	備考	該当
1								有・無
2								有・無
3								有・無
4								有・無
5								有・無
6								有・無
7								有・無
8								有・無
9								有・無
10								有・無
11								有・無
12								有・無
13								有・無
14								有・無
15								有・無
16								有・無
17								有・無
18								有・無
19								有・無
20								有・無

　　　調査回答日　　年　月　日　　　　〒
　　　　　　　　　　　　　　　　　　　（住所）
　　　　　　　　　　　　　　　　　　　（回答会社・部署・担当名）
　　　　　　　　　　　　　　　　　　　ＴＥＬ：

Ⅱ 生活保護法関係通知 第3章 保護の実施要領

福祉事務所　　　　　　　　　　　　文書番号　第　　　号
　　課　　御中　　　　　　　　　　照会日　　年　月　日

調査対象者一覧 兼 回答書

No.	氏名	フリガナ	性別	生年月日（和暦）	〒	住所	備考	該当
1	生保 太郎	セイホ タロウ	男	S34.8.3	100—0005	東京都千代田区丸の内3—4—●	No.1234567890	有・無
2	保険 太郎	ホケン タロウ	男	S34.8.3	100—0005	東京都千代田区丸の内3—4—▲	「1．生保太郎」の旧姓、旧住所	有・無
3								有・無
4								有・無
5								有・無
6								有・無
7								有・無
8								有・無
9								有・無
10								有・無
11								有・無
12								有・無
13								有・無
14								有・無
15								有・無
16								有・無
17								有・無
18								有・無
19								有・無
20								有・無

（注記）同一人物で、「旧姓・通称名・旧住所」等での検索が必要な場合は、行を変えて記載ください。（備考に同一人物である旨を記載）

保険証券番号は備考に記載

調査回答日　　年　月　日

〒
（住所）
（回答会社・部署・担当名）
ＴＥＬ：

|別紙2|

番　　号
年　月　日

（生命保険会社）　殿

福祉事務所長
氏　　名　㊞

生活保護法第29条の規定に基づく調査について（依頼）【再照会】

　保護の決定若しくは実施又は生活保護法（以下「法」という。）第77条若しくは第78条の規定の施行のために必要がありますので、法第29条の規定に基づき、別紙に記載の調査対象者の下記事項について照会します。
　なお、当事務所において、入手した資料については、情報の秘密の保護に万全を期していますので念のため申し添えます。
※　調査対象者である要保護者（被保護者であったもの、扶養義務者を含む）の調査への同意については、書面（同意書）を徴取の上、当福祉事務所において当該書面を保管している旨を申し添えます。また、当該書面の提供依頼があった場合は、その写しを速やかに提供いたします。

記

1　調査対象　　　別紙の調査対象者一覧のとおり
2　調査事項　　　次の内容について回答してください。

＜調査事項＞（具体的に記載）

【連絡先】　電話番号：　　（　）　　　　　［内線：　　　］
【回答送付先】

（住所）
〒

担当課　　　　　　　　　　　　　　担当者：

○生活保護法第29条に基づく労災給付に係る調査について

> 平成31年3月29日　社援保発0329第6号
> 各都道府県・各指定都市・各中核市民生主管部(局)長　宛
> 厚生労働省社会・援護局保護課長通知

　生活保護法（昭和25年法律第144号。以下「法」という。）第29条に基づく関係機関に対する調査の嘱託及び報告の請求については、日頃よりご尽力賜り厚く御礼申し上げます。
　法第29条による調査に係る留意事項については、「生活保護法の一部改正による生活保護法第29条第2項の創設に伴う同条第1項に規定する関係先への調査実施に関する留意事項について」（平成26年6月30日付け社援保発0630第1号厚生労働省社会・援護局保護課長通知。以下「課長通知」という。）により通知しているところです。
　課長通知において、労働者災害補償保険法（昭和22年法律第50号）に基づく保険給付及び石綿による健康被害の救済に関する法律（平成18年法律第4号）に基づく特別遺族給付金（以下「労災給付等」という。）に係る照会については保護の実施機関（以下「実施機関」という。）から厚生労働省労働基準局（以下「労働基準局」という。）に照会するよう示しているところですが、労働基準局ではなく所轄労働基準監督署に照会を行うなど、課長通知に基づく取扱いが徹底されていない状況が散見されているところです。このため、地方分権改革に関する「平成30年の地方からの提案等に関する対応方針」（平成30年12月25日閣議決定）（別紙1）において、「保護の実施機関が行う要保護者等に係る調査（第29条）のうち、労働者災害補償保険法（昭22法50）第7条第1項に基づく保険給付の調査については、調査の照会先が厚生労働省労働基準局であることの周知徹底を図るとともに、同局に照会する際の様式を統一するなど、迅速かつ適正に生活保護費が決定されるよう、地方公共団体に2018年度中に通知するとともに、全国会議を通じて周知する。」こととされました。
　これを踏まえ改めて留意いただきたい点を下記のとおり整理しましたので、その取扱いに遺漏なきよう管内実施機関への周知等よろしくお取り計らい願います。
　なお、本通知は労働基準局と協議済みであることを念のため申し添えます。

記

1　労災給付等に関する制度概要及び対象者
　労災給付等は1.業務上の事由又は通勤による負傷や疾病による療養のため、2.労働することができないため、3.賃金を受けていないためという要件を満たす限り支給されるものであるため、稼働中の被保護者が突如稼働を中止した場合など、労災給付の受給の可能性がある場合は調査の実施について検討すること。（労災給付の詳細については以

下を参照。https://www.mhlw.go.jp/bunya/roudoukijun/pamphlet_faq.html)
2 調査の実施方法
　実施機関が労働基準局に調査を行う際には、調査依頼書（別紙2）に課長通知の別紙に定める「保護の実施機関等が提供する情報」（①調査対象者氏名（フリガナ）、②性別、③生年月日、④住所、⑤保護の開始（廃止）日）を記載した上で実施すること。
　また、労働基準局への照会項目は、より迅速に回答を得る観点から次のとおりとすること。

> (1)　　年　月　日から　　年　月　日までの間における労災給付等の受給の有無
> 【受給有の場合】
> (2)　ア　給付の種類、イ　支払年月日、ウ　支払額、エ　支給された期間（既支払分に限る）

　なお、労働基準局に対する調査の実施に当たっては、法第29条第2項に基づき回答義務がある項目（課長通知の別紙の「調査項目」に掲げる労災給付等の種類ごとに上記(1)及び(2)に記載した項目）以外の項目について回答を求める場合には、同意書の添付が必要である。
3 調査に関する留意事項
(1) 被保護世帯への訪問調査や被保護者からの提出資料によっても、収入状況等に不明な点が残る場合など、真に調査が必要か否か検討した上で、調査を実施すること。
(2) 資力の発生日については、給付の請求時ではなく支給決定時点となるので留意すること。
(3) 労働基準局に提出する同意書が平成25年法改正前に作成したものである場合には、当該同意書は従前の調査範囲についてのみ同意したものであるため、回答も従前の範囲において行われるものであること。そのため、調査に当たっては、平成25年法改正後に作成した同意書を要保護者等から徴取するよう努めること。

別紙1
　「平成30年の地方からの提案等に関する対応方針」（平成30年12月25日閣議決定）（抄）
6 義務付け・枠付けの見直し等
【厚生労働省】
(16) 生活保護法（昭25法144）
(iv) 保護の実施機関が行う要保護者等に係る調査（第29条）のうち、労働者災害補償保険法（昭22法50）第7条第1項に基づく保険給付の調査については、調査の照会先が厚生労働省労働基準局であることの周知徹底を図るとともに、同局に照会する際の様式を統一するなど、迅速かつ適正に生活保護費が決定されるよう、地方公共団体に2018年度中に通知するとともに、全国会議を通じて周知する。

別紙2

番　号
年　月　日

厚生労働省労働基準局長　殿

福祉事務所長
氏　名　

生活保護法第29条の規定に基づく調査について（依頼）

　保護の決定若しくは実施又は生活保護法（以下「法」という。）第77条若しくは第78条の規定の施行のために必要がありますので、法第29条の規定に基づき、別紙に記載の調査対象者の下記事項について照会します。
　本調査依頼書と併せて調査対象者の同意書を同封します。
　なお、当事務所において、入手した資料については、情報の秘密の保護に万全を期していますので念のため申し添えます。

記

1　調査対象者（①調査対象者氏名（フリガナ）、②性別、③生年月日、④住所、⑤保護の開始（廃止）日）
2　調査事項

＜調査事項＞
(1)　　　年　月　日から　　年　月　日までの間における労災給付等の受給の有無
【受給有の場合】
(2)　ア　給付の種類、イ　支払年月日、ウ　支払額、エ　支給された期間（既支払分に限る）

【連絡先】　　電話番号：　　　（　　　）　　　　　［内線：　　　］
【回答送付先】

（住所）
〒

担当課　　　　　　　　　　　　　　　　　担当者：

○課税調査の徹底及び早期実施について

> 平成20年10月6日　社援保発第1006001号
> 各都道府県・各指定都市・各中核市民生主管部(局)長
> 宛　厚生労働省社会・援護局保護課長通知

〔改正経過〕
　第1次改正　平成23年3月31日社援保発0331第9号

　保護の実施機関においては、生活保護制度に対する国民の信頼を保ち、被保護者間の公平性を確保するため、被保護者から正しい収入申告を求めることと合わせて、課税調査等により被保護者の収入状況を的確に把握することが必要である。
　課税調査については、保護の実施要領局長通知第12の3において、「被保護者の収入の状況を客観的に把握するため、年1回、税務担当官署の協力を得て被保護者に対する課税の状況を調査すること」としている。実施機関においては、この規定に基づき不正受給の早期発見及び未然防止に努めることとなっている。
　しかしながら、今般、会計検査院より、一部の自治体において、課税調査が速やかに行われなかったことや、その後の事務処理が適切でなかったことなどにより、未申告の就労収入等が適正に収入認定されなかった事例について、改善の必要がある旨の指摘がなされている。
　ついては、今後、このような事態が生じないよう、調査の実施時期及び調査結果から未申告の収入が判明した場合の事務処理等について、下記の事項に留意の上、引き続き、生活保護行政の適正な運営が図られるよう実施機関に対し周知徹底されたい。

記

1　実施機関における課税調査の実施時期及び課税調査により未申告の収入が判明した際の迅速な事務処理について
　　各実施機関が作成する生活保護業務の実施方針に基づく事業計画において、課税調査を6月以降、各自治体で課税資料の閲覧可能な時期に速やかに実施することを明記し、早期に調査を実施すること。
　　また、調査の結果、未申告の収入が判明した場合には、まず当該世帯がその収入を継続して得ているか否かについて速やかに確認すること。その結果、現在も継続して収入があることが判明した場合には、当該収入について遅くとも8月分の保護費に反映させるよう迅速な認定処理を行うこと。
2　実施機関における課税調査の組織的な実施体制の整備について
　　課税調査の実施漏れや実施の遅れ等の事態を防止するため、主に査察指導員による進行管理や課税調査結果の点検等、課税調査を的確に行う体制の整備を図ること。
3　都道府県等が実施する指導監査時の対応について
　　都道府県等が実施する指導監査の際に、課税調査の実施時期、課税調査の点検体制等について確認し、取組が不十分な実施機関に対する指導を徹底すること。なお、厚生労

働省が実施する指導監査においても、当該事項について指導を徹底することとしている。
4 課税調査の調査対象者について
　課税調査の調査対象は、調査対象期間において生活保護を受給していた者全員を対象として実施されたい。
　管外に転出した者や保護廃止となった者であっても、生活保護費の不正受給については是正されるべきものであり、被保護者間の公平性の確保を図るべきことや、課税情報の閲覧可能時期が翌年の6月以降となることの実情を踏まえ、調査対象とする。

○東北地方太平洋沖地震による被災者の生活保護の取扱いについて

　　　　　　　平成23年3月17日　社援保発0317第1号
　　　　　　　各都道府県・各指定都市・各中核市民生主管部(局)長
　　　　　宛　厚生労働省社会・援護局保護課長通知

　平成23年3月11日に発生した東北地方太平洋沖地震により、被災地の自治体で生活された方が他の自治体に避難した後、生活困窮に陥る事案が一部の自治体において発生しています。
　被災者に対する支援については、現在、災害救助法（昭和22年法律第218号）等の他法他施策において必要な支援が進められていますが、生活保護の相談に至る場合も考えられることから、特に被災地周辺の保護の実施機関においては、被災地から一時的に避難した方から生活保護の申請があった場合、下記の事項について留意の上、迅速かつ適切な保護の実施にあたるよう、管内実施機関に対し周知徹底いただくよう、特段の御配慮をお願いします。

記

1 保護の実施責任について

今般の地震により本来の居住地を一時的に離れて遠方に避難している場合、本来の居住地に帰来できない等被災者の特別な事情に配慮し、避難先の保護の実施機関が実施責任を負い現在地保護を行うものとすること。

ただし、仮設住宅への入居や扶養義務者による引き取りなど、将来における居住の蓋然性が高いと認められる場合については、当該居住事実がある場所を所管する実施機関が実施責任を負い居住地保護を行うものとすること。

2 生活保護の決定について

被災者の状況を十分配慮し、生活保護の申請意思が確認された場合においては、申請権の侵害がないように留意の上、迅速に対応すること。

また、被災者が本来の居住地に資産を残さざるを得ない場合等については、被災者の特別な事情に配慮し、「生活保護法による保護の実施要領について」（昭和36年4月1日厚生省発社第123号厚生事務次官通知）第3の3に掲げる「処分することができないか、又は著しく困難なもの」として取り扱うこととすること。

ただし、直ちには処分することが困難であっても、一定期限の到来により処分可能となるときその他後日の調査で資力が判明したときは、生活保護法（昭和25年5月4日法律第144号。以下「法」という。）第63条による費用返還義務を文書により明らかにした上で保護を開始することとし、当該被災者に対し上記の取扱いについて、十分説明した上で生活保護を開始するよう留意すること。

なお、保護開始時においては、生活保護制度はもとより、活用し得る他法他施策について十分説明し、懇切丁寧な対応に努めること。

3 扶養義務者、知人宅等へ転入する場合の住宅扶助について

本来支給を要しないものと解するが、保護開始後の避難前の住居に関し、賃貸借契約が継続している場合で、必要やむを得ないときは支給して差し支えないこと。

なお、この場合、家主等に連絡をとることが可能なときには、早急に契約解除等の手続をとるよう指導すること。

4 被災地の自治体との連絡体制について

緊急的に避難先で保護を受給する場合、従前より保護受給中の方については、それぞれの保護の実施機関から二重に保護費が支給されることも考えられるが、被災地における特別な事情に配慮し、事後において現在地の保護の実施機関から被災地の保護の実施機関へ連絡・連携を図り調整すること。

また、この場合についても上記2のただし書と同様、保護開始時において、法第63条による費用返還義務を文書により明らかにした上で保護を開始することとし、当該被災者に対して返還義務がある旨を十分説明した上で、生活保護を開始するよう留意すること。

○東北地方太平洋沖地震による被災者の生活保護の取扱いについて（その２）

> 平成23年3月29日　社援保発0329第1号
> 各都道府県・各指定都市・各中核市民生主管部（局）長宛　厚生労働省社会・援護局保護課長通知

標記の件について、下記の事項に留意の上、適切な保護の実施にあたられるよう、管内実施機関に対し周知徹底をお願いします。

記

1　保護費の支給事務について

　避難所において保護費を支給する場合、必要な保護費を遺漏なく支給すること。被災状況によっては、生活実態の把握が十分できない場合も考えられるが、被災者の特別な事情に配慮し、不足が生じることのないよう配慮すること。

　この場合、体育館・公民館等の避難所における最低生活費の算定に当たり、生活扶助は居宅基準を計上すること。ただし、避難所の代わりに旅館・ホテル等を借り上げた場合については、具体的な事例に即し、個別に判断することとしている。

2　一時的に保護費の支給が困難な場合の取扱いについて

　生活保護受給者に対しては、上記1の対応により遺漏なく最低生活を保障することとしているが、保護の実施機関の震災被害等により、一時的に保護費の支給が困難な状況にある場合については、「生活福祉資金貸付（福祉資金［緊急小口資金］）の特例について」（平成23年3月11日社援発0311第3号厚生労働省社会・援護局長通知）を参照の上、被災した世帯に対する緊急小口資金の貸付の活用も検討すること。

　また、やむを得ず貸付を利用する場合、当該貸付金は保護費が実際に支給されるまでの生活費の立替えであることから、保護費支給時に速やかに一括して当該貸付金の償還を行うことについて、当該貸付の実施機関と連携を図り確認した上で収入認定しない取扱いとして差し支えない。

　なお、保護費が支給された後、当該貸付金を速やかに一括して償還しないことが確認された場合、未償還分については最低生活費を超えるものとして、全額収入認定すること。

○東日本大震災による被災者の生活保護の取扱いについて(その3)

```
平成23年5月2日　社援保発0502第2号
各都道府県・各指定都市・各中核市民生主管部(局)長
宛　厚生労働省社会・援護局保護課長通知
```

〔改正経過〕
　　第1次改正　令和元年5月27日社援保発0527第1号　第2次改正　令和3年1月7日社援保発0107第1号

　生活保護行政の推進については、平素から格段の御配慮を賜り厚く御礼申し上げます。
　今般、東日本大震災の被災者が受ける義援金（以下「第1次義援金」という。）の配分が開始されたこと等を契機として、下記のとおり、被災した被保護世帯が東日本大震災に係る義援金、災害弔慰金、補償金、見舞金等（以下「義援金等」という。）を受けた場合の収入認定の取扱いを定めました。管内実施機関に周知徹底いただくとともに、被災者の事情に配慮し、適切な保護の実施に当たるよう、特段の御配慮をお願いします。

記

1　義援金等の生活保護制度上の取扱いについて
　　義援金等の生活保護制度上の収入認定の取扱いは、「生活保護法による保護の実施要領について」（昭和36年4月1日厚生省発社第123号厚生事務次官通知）第8の3の(3)のオに従い、「当該被保護世帯の自立更生のために当てられる額」を収入として認定しないこととし、その超える額を収入として認定すること。
2　自立更生計画の策定について
　　「生活保護法による保護の実施要領について」（昭和38年4月1日社発第246号厚生省社会局長通知）第8の2の(5)に定める「自立更生計画」の取扱いについては、次のとおりとすること。
　(1)　自立更生計画は、別紙1の様式により策定すること。
　　　ただし、自立更生のために充てられる費用の内容（費目、金額）が明記されるものであれば、各実施機関で定めたものを使用しても差し支えないこと。
　　　なお、策定に当たっては、被災者の被災状況や意向を十分に配慮し、一律・機械的な取扱いとならないよう留意するとともに、あらかじめ別紙2を提示、説明するなど被災者の事務負担の軽減に努めること。
　(2)　第1次義援金のように、震災後、緊急的に配分（支給）される義援金等については、当座の生活基盤の回復に充てられると考えられることや、一費目が低額で、かつ世帯員ごとに必要となる費目を個々に自立更生計画に計上することとすると被保護者の負担が大きくなることにかんがみ、費目・金額を積み上げずに包括的に一定額を自立更生に充てられるものとして自立更生計画に計上して差し支えないこと。この場

合、使途について確認する必要はないこと。
(3) 今後、複数次に渡って配分される義援金等については、自立更生計画を段階的に策定するなど、当該義援金等が、被災した被保護世帯の生活再建に有効に活用されるよう配慮すること。
(4) 当該被保護世帯の自立更生のために充てられる費用であれば、直ちに自立更生のための用途に供されるものでなくても、実施機関が必要と認めた場合は、預託することなく、自立更生計画に計上して差し支えないこと。

　ただし、実施機関は、自立更生計画の実施状況について（自立更生に充てられたものとして手続を簡略にした分を除く）、適宜、被保護世帯に報告を求めるなどの方法により把握すること。
(5) 実際の経費が自立更生計画に計上した額を下回り、義援金等に残余が生じた場合、計上額と購入額との差額分の範囲内で、別途、自立更生のために充てられる費用として認定して差し支えないこと。

　なお、このような場合、自立更生計画を再度策定する必要はないが、差額分の使途について事前に実施機関に報告するように被保護世帯に説明するなどの適切な取扱いに留意すること。

別紙1

自立更生計画書

_____長殿

　　　　　　　　　　　　　　　　　　　令和　　年　　月　　日

1　被災の状況について
　(1)　震災によって亡くなられた方あるいは行方が分からなくなった方　　　人
　(2)　住家の状況（当てはまる方を○で囲む）　　全壊　・　半壊
　(3)　原発事故による避難・屋内待避の有無　　　有　・　無
2　給付及び自立更生に充てられる費用の状況について

給付されたもの		自立更生に充てられる費用
義援金	万円	【生活用品・家具】（①）（単位：万円）
災害弔慰金	万円	
被災者生活再建支援金	万円	
東京電力の補償金	万円	【家電】（②）
その他の見舞金等	（単位：万円）	
		【生業・教育】（③）
小　計	万円	
貸付けを受けたもの		【住家（建築・補修）】（④）
災害援護資金	万円	
その他の貸付金	（単位：万円）	
		【その他】（⑤）
小　計	万円	
合計	万円	合計　　　万円（①〜⑤の計）

　上記のとおり、東日本大震災に係る義援金等の給付金及び貸付金を自立更生のために使用します。

　　　　　住　所
　　　　　氏　名（世帯代表者）

別紙2

[参考] 自立更生のために充てられる費目（例）

1　生活用品・家具	
	什器
	衣服・布団
	食器棚
	テーブル・イス
	たんす
	ガステーブル
	その他
2　家電	
	テレビ
	冷蔵庫
	洗濯機
	炊飯器
	電子レンジ・オーブントースター
	冷暖房用器具
	通信機器（携帯電話・固定電話・パソコン・プリンター・ファクシミリ等）
	その他
3　生業・教育	
	事業用施設の整備に係るもの（施設の補修・事業用機器の購入等）
	技能習得に係るもの
	就学等に係るもの（学習図書、運動用具等、珠算課外学習、学習塾等）
	制服・通学用鞄・靴等
	文房具等
	その他
4　住家	
	補修
	建築
	配電設備・上下水道設備の新設
	その他
5　結婚費用（寡婦福祉資金の結婚資金の貸付限度額相当）	
6　墓石、仏壇、法事等弔意に要する経費	
7　通院、通所及び通学等のために保有を容認された自動車の維持に要する経費	
8　その他	
	その他生活基盤の整備に必要なもの

○東日本大震災により生活に困窮された方への支援の徹底について

〔平成24年1月6日　社援保発0106第2号
各都道府県・各指定都市・各中核市民生主管部(局)長
宛　厚生労働省社会・援護局保護課長通知〕

　東日本大震災による被災者の生活保護の取扱いについては、これまで「東北地方太平洋沖地震による被災者の生活保護の取扱いについて」（平成23年3月17日社援保発0317第1号厚生労働省社会・援護局保護課長通知。以下、「その1通知」という。）などにより周知し、各自治体におかれましては万全を期していただいており、厚く御礼申し上げます。
　政府としては、東日本大震災発生以降、被災等により職や住まいを失った方々の住居の確保や生計維持など生活再建のための支援に全力で取り組んでいるところですが、本年1月中旬には雇用保険の失業給付の給付期間の延長措置（広域延長給付）による支給終了者が出始めることが予想されることから、各種施策を講じてもなお生活に困窮する方が生活保護の開始の申請に至ることが考えられます。
　このため、今般、下記のとおり、支援に当たって留意いただきたい事項を取りまとめましたので、各自治体におかれましては、都道府県労働局、ハローワークや産業政策担当部局とも連携の上、被災者への適切な支援に努めるようお願いします。
　なお、本通知については、厚生労働省職業安定局とも協議済であることを申し添えます。

記

1　生活困窮者に対する保護の適用について
　雇用保険の失業給付の支給が終了した被災者に対する雇用支援については、「『日本はひとつ』しごとプロジェクト」フェーズ3（別添1参照）等により対応しているものの、就労できず生活困窮に至る方が生じることも考えられる。このような方で「就労の能力」や「就労の意思」を有し、現に就労していなくても積極的に求職活動等を行っているなど保護の要件を満たしていれば保護が適用されるので、以下の2～4に掲げる事項に留意の上、適切な保護の実施に努められたい。
2　保護申請から保護適用までの対応
(1)　今般の震災により本来の居住地を一時的に離れて遠方に避難している場合の保護の実施機関については、その1通知の1にあるとおり、本来の居住地に帰来できない等被災した方々の特別な事情に配慮し、避難先の保護の実施機関が実施責任を負い現在地保護を行うこととしているので留意すること。
(2)　生活保護の決定に当たっては、被災した方々の状況を十分配慮し、申請権の侵害がないよう留意の上、急迫の場合を除き、通常の手順に従って必要な審査を行った上で、法定期間内での適切な処理に努めること。

特に、稼働能力については、実際に稼働能力を活用する就労の場を得られるにもかかわらず職に就くことを拒んでいる場合は保護の要件を欠くこととなるが、単に稼働能力があることのみをもって保護の要件を欠くものではない。このため、本人の生活歴・職歴等を聴取し、本人の稼働能力に見合った就労の場が得られるかどうかについて十分見極め、必要な支援を行われたい。

(3) 被災した方々が本来の居住地に資産を残さざるを得ない場合等については、その１通知の２にあるとおり、被災者の特別な事情に配慮し、「生活保護法による保護の実施要領について」（昭和36年４月１日厚生省発社第123号厚生事務次官通知）第３の３に掲げる「処分することができないか、又は著しく困難なもの」として取り扱うこととしているので留意されたい。

3 保護適用後の就労支援の実施

雇用保険の失業給付の支給が終了したことを契機に保護の申請に至る方の多くは、「就労の能力」や「就労の意思」を有していると考えられる。このため、離職者である生活保護受給者が「就労の場」を得ることができるよう、就労支援員等による就労支援をきめ細かく実施するとともに、ハローワーク等と連携し、「福祉から就労」支援事業※におけるチーム支援やその他就労支援に関する自立支援プログラムなどを活用されたい。

なお、「就労の場」を得る努力をしない者に対しては、当該者の稼働能力や地域の雇用情勢等を十分見極め、法第27条に基づく指導指示を行う等必要な対応を行うこと。

※ 被災３県（岩手、宮城及び福島労働局）においては、平成24年度から本格的に本事業を実施

4 他法他施策等の情報収集及び情報提供の徹底

被災した方々に対する雇用支援については、「『日本はひとつ』しごとプロジェクト」フェーズ３に盛り込まれた施策により対応することとしていることから、当該雇用施策の事業主体となる県や市町村の産業政策部局、ハローワークから情報を収集し、相談者に対し申請権の侵害がないよう留意の上、他法他施策に関する情報提供や活用を促すとともに、生活保護受給者への就労支援に活用するよう努められたい。

特に、生活保護の相談や申請を行ったものの、保護の要否を判定した結果、保護受給に至らなかった方に対しては、必要に応じ、求職者支援制度や生活福祉資金、住宅手当制度を紹介するとともに、預貯金等の資産の減少など状況が変化した際には速やかに再度相談に来るよう促すなど、懇切丁寧な対応に努めること。

なお、平成23年度第３次補正予算に計上された「被災生活保護受給者に対する生活再建サポート事業」において保護の実施機関に配置する「生活再建サポーター」は、何らか東日本大震災の影響を受けた生活保護受給者（保護の相談に来た者を含む）に対し、各種施策等の情報提供や手続き等地域の実情に応じた様々な役割を柔軟に行っていただくことを想定しており、それにより生活保護受給者への必要な支援を行き届かせることが可能になるとともに、保護の実施機関の事務を総合的に補完できるものであるため、積極的な活用を検討されたい。

別添　略

第4章 医療扶助運営要領

第1節 基本通知

○生活保護法による医療扶助運営要領について

> 昭和36年9月30日　社発第727号
> 各都道府県知事・各指定都市市長宛　厚生省社会局長
> 通知

〔改正経過〕

第 1 次改正	昭和36年11月27日社発第856号	第 2 次改正	昭和37年 3 月31日社発第251号
第 3 次改正	昭和37年 5 月31日社発第350号	第 4 次改正	昭和37年10月16日社発第677号
第 5 次改正	昭和38年 1 月31日社発第69号	第 6 次改正	昭和38年 3 月30日社発第256号
第 7 次改正	昭和38年 6 月13日社発第414号	第 8 次改正	昭和38年 7 月17日社発第493号
第 9 次改正	昭和38年 8 月 1 日社発第525号	第10次改正	昭和38年10月23日社発第702号
第11次改正	昭和39年 5 月 1 日社発第220号	第12次改正	昭和39年 8 月 1 日社発第469号
第13次改正	昭和40年 5 月 1 日社発第270号	第14次改正	昭和40年 9 月28日社発第394号
第15次改正	昭和40年10月30日社保第438号	第16次改正	昭和41年 5 月 1 日社保第148号
第17次改正	昭和41年12月27日社保第330号	第18次改正	昭和42年 4 月 1 日社保第69号
第19次改正	昭和42年 5 月16日社保第101号	第20次改正	昭和42年12月15日社保第336号
第21次改正	昭和43年 4 月 1 日社保第83号	第22次改正	昭和44年 4 月 1 日社保第72号
第23次改正	昭和44年 7 月 9 日社保第165号	第24次改正	昭和45年 2 月 1 日社保第20号
第25次改正	昭和45年 4 月 1 日社保第71号	第26次改正	昭和46年 4 月 1 日社保第57号
第27次改正	昭和47年 2 月12日社保第19号	第28次改正	昭和47年 3 月 7 日社保第37号
第29次改正	昭和47年 3 月29日社保第57号	第30次改正	昭和48年 4 月 1 日社保第62号
第31次改正	昭和48年 8 月23日社保第156号	第32次改正	昭和49年 1 月31日社保第20号
第33次改正	昭和49年 2 月28日社保第36号	第34次改正	昭和49年 4 月 1 日社保第59号
第35次改正	昭和49年 9 月19日社保第173号	第36次改正	昭和49年10月12日社保第189号
第37次改正	昭和49年10月29日社保第194号	第38次改正	昭和49年11月27日社保第212号
第39次改正	昭和50年 4 月14日社保第66号	第40次改正	昭和50年 5 月10日社保第79号
第41次改正	昭和51年 3 月31日社保第51号	第42次改正	昭和51年 4 月27日社保第69号
第43次改正	昭和51年 4 月30日社保第75号	第44次改正	昭和51年 8 月 7 日社保第133号
第45次改正	昭和52年 4 月 1 日社保第63号	第46次改正	昭和52年 4 月25日社保第75号
第47次改正	昭和53年 2 月13日社保第17号	第48次改正	昭和53年 3 月 1 日社保第33号
第49次改正	昭和53年 3 月31日社保第48号	第50次改正	昭和53年 4 月27日社保第58号
第51次改正	昭和54年 3 月31日社保第26号	第52次改正	昭和54年 4 月27日社保第35号
第53次改正	昭和55年 3 月31日社保第41号	第54次改正	昭和55年 5 月28日社保第68号
第55次改正	昭和56年 6 月 2 日社保第69号	第56次改正	昭和56年 3 月31日社保第36号
第57次改正	昭和56年 6 月 9 日社保第69号	第58次改正	昭和56年 6 月19日社保第74号
第59次改正	昭和56年 7 月 1 日社保第79号	第60次改正	昭和57年 3 月31日社保第36号
第61次改正	昭和57年 5 月20日社保第64号	第62次改正	昭和57年 9 月30日社庶第109号
第63次改正	昭和58年 1 月31日社保第10号	第64次改正	昭和58年 7 月11日社保第82号
第65次改正	昭和58年11月 1 日社保第108号	第66次改正	昭和59年 2 月29日社保第20号
第67次改正	昭和59年 3 月31日社保第35号	第68次改正	昭和59年 8 月28日社保第84号
第69次改正	昭和59年 8 月29日社保第85号	第70次改正	昭和59年 9 月28日社保第104号
第71次改正	昭和60年 2 月26日社保第19号	第72次改正	昭和60年 3 月30日社保第32号
第73次改正	昭和60年 5 月31日社保第58号	第74次改正	昭和60年 7 月16日社保第74号
第75次改正	昭和61年 3 月27日社保第35号	第76次改正	昭和61年 7 月 1 日社保第83号
第77次改正	昭和61年 7 月25日社保第88号	第78次改正	昭和61年11月10日社保第109号

II 生活保護法関係通知　第4章　医療扶助運営要領

第79次改正	昭和61年12月27日社保第121号	第80次改正	昭和62年3月28日社保第29号
第81次改正	昭和62年4月1日社保第34号	第82次改正	昭和63年3月28日社保第31号
第83次改正	昭和63年3月31日社保第34号	第84次改正	昭和63年6月7日社保第58号
第85次改正	昭和63年6月20日社保第62号	第86次改正	昭和63年7月1日社保第66号
第87次改正	平成元年3月31日社保第68号	第88次改正	平成元年5月29日社保第123号
第89次改正	平成2年3月26日社保第51号	第90次改正	平成2年3月31日社保第57号
第91次改正	平成2年5月24日社保第86号	第92次改正	平成3年3月24日社保第93号
第93次改正	平成4年3月27日社保第99号	第94次改正	平成4年4月27日社保第163号
第95次改正	平成4年4月28日社保第165号	第96次改正	平成4年5月29日社保第181号
第97次改正	平成5年3月31日社援保第64号	第98次改正	平成5年4月21日社援保第90号
第99次改正	平成6年3月29日社援保第67号	第100次改正	平成6年3月31日社援企第48号
第101次改正	平成6年5月31日社援保第119号	第102次改正	平成6年6月14日社援保第123号
第103次改正	平成6年10月14日社援保第200号	第104次改正	平成7年3月30日社援保第82号
第105次改正	平成7年4月1日社援企第54号・児発第365号	第106次改正	平成7年7月20日社援保第167号
第107次改正	平成7年9月27日社援保第215号	第108次改正	平成8年3月18日社援保第50号
第109次改正	平成8年3月28日社援保第75号	第110次改正	平成8年5月23日社援保第130号
第111次改正	平成8年6月24日社援保第145号	第112次改正	平成8年11月11日社援保第219号
第113次改正	平成8年12月12日社援保第258号	第114次改正	平成8年12月24日社援保第268号
第115次改正	平成9年2月28日社援保第27号	第116次改正	平成9年3月31日社援保第84号
第117次改正	平成9年4月1日社援保第87号	第118次改正	平成10年3月9日社援第490号
第119次改正	平成10年3月31日社援第813号	第120次改正	平成10年4月1日社援第926号
第121次改正	平成10年4月13日社援第1,040号	第122次改正	平成10年7月1日社援第1,703号
第123次改正	平成10年10月27日社援第2,647号	第124次改正	平成10年12月25日社援第3,076号
第125次改正	平成11年3月31日社援第887号	第126次改正	平成11年3月31日社援第896号
第127次改正	平成11年8月27日社援第2,087号	第128次改正	平成12年3月31日社援第814号
第129次改正	平成12年6月26日社援第1,531号	第130次改正	平成13年3月22日社援発第474号
第131次改正	平成14年3月27日社援発第0327027号	第132次改正	平成14年6月24日社援発第0624002号
第133次改正	平成14年9月30日社援発第0930003号	第134次改正	平成15年3月28日社援発第0328010号
第135次改正	平成17年3月31日社援発第0331014号	第136次改正	平成18年3月31日社援発第0331002号
第137次改正	平成18年6月23日社援発第0623009号	第138次改正	平成18年9月29日社援発第0929010号
第139次改正	平成19年3月29日社援発第0329011号	第140次改正	平成20年4月1日社援発第0401005号
第141次改正	平成20年6月6日社援発第0606003号	第142次改正	平成21年3月30日社援発第0330037号
第143次改正	平成22年3月12日社援発0312第1号	第144次改正	平成22年6月3日社援発0603第4号
第145次改正	平成22年12月22日社援発1222第4号	第146次改正	平成23年3月31日社援発0331第16号
第147次改正	平成23年3月29日社援発0329第65号	第148次改正	平成25年4月25日社援発0425第7号
第149次改正	平成26年3月31日社援発0331第44号	第150次改正	平成26年4月25日社援発0425第12号
第151次改正	平成27年3月31日社援発0331第8号	第152次改正	平成28年3月31日社援発0331第10号
第153次改正	平成28年9月30日社援発0930第8号	第154次改正	平成28年10月6日社援発1006第7号
第155次改正	平成30年6月5日社援発0605第3号	第156次改正	平成30年9月28日社援発0928第5号
第157次改正	令和元年5月27日社援発0527第1号	第158次改正	令和元年8月27日社援発0827第6号
第159次改正	令和元年9月25日社援発0925第2号	第160次改正	令和2年6月1日社援発0601第3号
第161次改正	令和2年12月23日社援発1201第5号	第162次改正	令和2年12月28日社援発1228第1号
第163次改正	令和4年6月1日社援発0601第3号	第164次改正	令和4年8月3日社援発0603第6号
第165次改正	令和4年9月30日社援発0930第60号	第166次改正	令和6年2月29日社援発0229第12号
第167次改正	令和6年3月29日社援発0329第53号	第168次改正	令和6年6月6日社援発0606第5号

注　未適用分については〔参考〕として965頁以降に収載（令和6年10月1日適用分）

　　注　本通知は、平成13年3月27日社援発第518号により、地方自治法第245条の9第1項及び第3項の規定に基づく処理基準とされている。

標記については、昭和33年7月3日社発第424号本職通知を全面改正して新たに次のとおり定めたので、今後はこの運営要領により医療扶助の実施に万全を期されたい。

なお、今回の全面改正の要旨は、別紙のとおりである。

　　医療扶助運営要領

目次　　　　　　　　　　　　　　　　　　　　　　　　　　　　　　　　　　　　　頁
第1　医療扶助運営方針…………………………………………………………………889
第2　医療扶助運営体制…………………………………………………………………889

第3　医療扶助実施方式……………………………………… 893
　第4　医療扶助指定機関……………………………………… 911
　第5　診療報酬の審査および支払…………………………… 912
　第6　指導および検査………………………………………… 913
　第7　精神医療取扱要領……………………………………… 919
　第8　施行期日等……………………………………………… 921
第1　医療扶助運営方針
　1　この運営要領は、生活保護法（第4の2及び3を除き、以下「法」という。）による医療扶助の適正な実施を図るため、都道府県知事（指定都市及び中核市の市長を含む。第7を除き、以下同じ。）、実施機関等の行なうべき事務を規定するとともに、事務処理の要領を示したものであって、都道府県知事、実施機関等は、医療扶助の実施に際して、生活保護に関する法令、告示および通知に基づくほか、この運営要領によって事務を処理し、もって適正かつ円滑な実施を期すること。
　2　生活保護制度は、国民の最低生活保障の最終の拠り所としての役割を果たしているものであるが、疾病が貧困の主たる原因の一つとなっている現状にかんがみて、特に、医療扶助の実施については、ひとり医療扶助の見地のみならず、生活保護全般の見地から、制度の基本原理および原則に基づき公正妥当な取扱いを行なうよう留意すること。
　3　医療扶助の実施にあたって、便宜上、社会保険等の他制度に準じて取扱いをしている点があるが、生活保護制度は、国民の最低限度の生活の需要を満たすに十分なものであって、かつ、これをこえないものでなければならないという原則において、他制度と基本的な差異があることに留意して、実施の適正を期すること。
　4　医療扶助関係事務を円滑適確に遂行できるよう、その事務体制の確立に万全を期するとともに、その事務処理にあたっては、関係機関相互の緊密な協力提携に留意すること。
　5　医療扶助の実施にあたっては、福祉事務所と被保護者との関係のほか、医療扶助の特質から、指定医療機関等との関係が必然かつひん繁に生ずるが、これらの関係が相互信頼の基礎の上に立たない限り、到底医療扶助の適正な実施を確保することができないので、被保護者および指定医療機関等に対して、十分な指導、連絡または協力依頼を行なうこと。
　6　この運営要領の内容は、全国統一的事務処理の関係から厳格に守られることが要請されるが、実施機関の問題および各種様式（各給付券の様式並びに治療材料費及び施術料の請求明細書の様式の全部並びにその他の様式中の指定医療機関等の記載にかかる部分を除く。）の採用等については、この運営要領を基として都道府県（指定都市及び中核市を含む。第3の4の(6)及び第7を除き、以下同じ。）又は実施機関等の実情に即して、適宜実施して差しつかえないので、いたずらに機械的実施に陥ることなく、創意工夫と良識を生かして事務処理の万全を期すること。
第2　医療扶助運営体制
　　医療扶助関係事務を円滑かつ適切に実施できるよう、次の運営体制を標準として、そ

の事務処理体制を整備すること。
1 都道府県、指定都市及び中核市の本庁関係
 (1) 医療係
　都道府県本庁（指定都市及び中核市にあっては市本庁とする。以下同じ。）主管課においては、専任の医療係を設置し、または医療扶助事務主任者を置く等万全の体制を整えること。
　医療係等の行なうべき事務は、おおむね別紙第1号の1の(1)のとおりであるが、(2)に規定する医系職員、精神科嘱託医、他の係員または他の関係部課と密接な連絡を図らしめ、医療扶助の実施に遺漏のないよう留意せしめること。
 (2) 医系職員
　都道府県本庁主管課においては、専任の医系職員（医師等、医療に関する専門的な知識を有する職員をいう。以下同じ。）1名以上を配置すること。
　医系職員の行なうべき事務の主なものは、おおむね別紙第1号の1の(2)のとおりであるが、これらのほか生活保護実施面においては医療関係の専門的判断を要する場合も少なくないので、医療係はもとより、他の関係係員等と緊密な連けいを図らしめるほか、生活保護実施上の問題点につき積極的な指導助言を行なうよう留意せしめるとともに、医療関係面につき、他の関係部課および関係機関等との密接な連絡協調につき配意せしめること。
 (3) 精神科嘱託医
　医系職員の行なうべき事務のうち、精神科医療に関する事務を行なわせるため、適当な精神科専門医を1名以上嘱託医として委嘱すること。
 (4) 医療扶助に関する審議会（以下、「医療扶助審議会」という。）
　都道府県本庁においては、知事の医療扶助その他保護の決定実施にあたっての医学的判断等を的確に行うことのできる体制を確保すること。また、これらの医学的判断その他医療扶助に関する諮問に答えるため等の附属機関として、医療扶助審議会を設置することが望ましい。
　なお、その構成および運営等については、次の基準を参考とすること。
　ア　審議事項
　　(ア) 結核入院要否判定
　　(イ) 精神疾患入院要否判定
　　(ウ) 結核、精神疾患以外の傷病による入院要否の判定
　　(エ) 訪問看護の要否判定
　　(オ) 在宅患者加算等各種給付の要否の判定
　　(カ) 医療扶助の適正実施に関して参考意見を述べること等その他必要と認められるもの
　イ　構成
　　医療扶助審議会の委員として、国立病院、国立療養所および民間指定医療機関の医師、保健所長、都道府県民生部（局）の医系職員等のうちから適当な者を選任する。

ウ　審議
　　　　前記アにより諮問を受けた医療扶助審議会は、患者の病状及び療養状況等の全経過等を踏まえ総合的な検討を行うとともに、医療扶助の本則に基づき公正妥当な答申を行う。
　　　　なお、審議にあたっては、その経過および答申根拠の記録、その他関係書類を整備する。
(5)　運営台帳
　　都道府県本庁においては、次に掲げる運営台帳を作成し、整備すること。
　　ア　指定医療機関名簿（福祉事務所別、旧総合病院、医科、歯科、訪問看護ステーションおよび薬局別）、医療保護施設名簿、指定施術機関名簿および指定助産機関名簿（様式第1号）
　　イ　指定申請書（変更届書、休止・廃止届書、再開届書、処分届書、指定辞退届書）受理簿（様式第2号）
(6)　手続書類
　　都道府県本庁においては、次に掲げる手続書類用紙を印刷し、管内福祉事務所に配布し常備させること。
　　ア　医療機関等指定申請書
　　イ　医療機関等変更届書
　　ウ　医療機関等休止・廃止届書
　　エ　医療機関等再開届書
　　オ　医療機関等処分届書
　　カ　医療機関等指定辞退届書
(7)　医療扶助関係様式等の公示
　　都道府県知事は、次に掲げる事項を都道府県の公報により公示すること。
　　ア　手続書類の様式（保護変更申請書（傷病届）、各要否意見書および医療券等）
　　イ　給付方針および費用に関する事項
2　福祉事務所関係
　　医療扶助は、他の扶助と異なり、診療の要否、程度の判定等専門的判断を要する特殊性をもつものではあるが、他面、生活扶助、その他の扶助とならび被保護者の生活を保障するとともに、その自立を助長するための意義を有するものである。したがって、他の扶助における現業活動と遊離して行なわれるべきものではなく、これと緊密な連けいを保って実施するよう、その運営体制の確立に万全を期すること。
　　なお、保護の実施機関は、生活保護制度について理解のある医師のうちから嘱託医（1年ごとに更新することとするが、特別の理由がない限り、再任を妨げるものではないこと。また、精神科医療に関する事務を行わせるため、一般の嘱託医に加え、原則として、精神科嘱託医を設置すること。）を委嘱し、及び事務を行なう所員のうちから、医療扶助関係事務を担当する者（以下「医療事務担当者」という。）を定めること。
　　さらに、被保護者に対し健康の保持・増進に自ら努めることを促すための体制を整備すること。

おって、医療扶助の実施に関し、各職種の担当すべき事務については、次に掲げるもののほか、別紙第1号に示すところによること。
(1) 査察指導員
　　査察指導員は、医療扶助の現状を常に把握し、査察指導計画を策定し、地区担当員、嘱託医等との組織的連けいに努める等医療扶助適正実施の推進を図ること。
(2) 地区担当員
　　地区担当員は、その担当する被保護世帯に関する医療扶助の決定、実施にあたるとともに、査察指導員、嘱託医等との組織的な連けいに努めること。
(3) 嘱託医
　　嘱託医は、査察指導員、地区担当員等からの要請に基づき医療扶助の決定、実施にともなう専門的判断及び必要な助言指導を行なうこと。なお、医療扶助以外の扶助において医学的判断を必要とする場合にも同様とすること。
(4) 医療事務担当者
　　医療事務担当者は、医療扶助の円滑な実施を図るため必要な事務を処理すること。
(5) 給付券交付処理簿
　　福祉事務所においては、給付券交付処理簿（入院、入院外、歯科、訪問看護、老人訪問看護、調剤、治療材料、施術及び移送の別）（様式第11号）を作成すること。
　　なお、電子資格確認により医療扶助を受給する被保護者の場合は、給付券交付処理簿（治療材料、施術及び移送を除く。）の作成を不要とする。
(6) 手続書類
　　福祉事務所においては、次に掲げる手続書類用紙を印刷し、常備すること。
　ア　保護変更申請書（傷病届）（様式第12号）
　イ　医療要否意見書及び診察料、検査料請求書（様式第13号）
　ウ　精神疾患入院要否意見書（様式第16号）
　エ　保護変更申請書（傷病届）及び訪問看護要否意見書（様式第17号）
　オ　保護変更申請書（傷病届）及び給付要否意見書（治療材料及び移送、様式第18号の1）、（柔道整復、様式第18号の1の2）、（あん摩・マッサージ及びはり・きゅう、様式第18号の1の3）
　カ　生活保護法による医療扶助のはり・きゅうの受療連絡票（様式第18号の2）
　キ　施術初検料請求書（様式第19号）
　ク　医療券又は調剤券（様式第23号）
　ケ　訪問看護に係る利用料請求書（様式第23号の7）
　コ　治療材料券及び治療材料費請求明細書（様式第25号）
　サ　施術券及び施術報酬請求明細書（様式第26号の1～3）
　シ　診療依頼書（入院外）（様式第37号）
　ス　検診命令書、検診書及び検診料請求書（生活保護法施行細則準則様式第20号）
(7) 本省に対する情報提供
　　保護の実施機関は、国民健康保険、健康保険、後期高齢者医療の診療における取

扱い等により難いものについては、医療扶助の特別基準設定につき情報提供すること。なお、その際には次の事項に関する書類を添付すること。
　　　ア　特別基準を必要とする理由
　　　イ　特別基準の申請額およびこれが最低限度の額であることを証する書類
　　　ウ　関係専門医等の意見
　　　エ　その他アに関連して参考となる資料
　(8)　都道府県本庁に対する技術的助言の求め
　　　保護の実施機関は、都道府県知事に対し、次の点につき必要に応じて連絡し又は技術的な助言を求めること。
　　　ア　医療機関等の指定に関する事項
　　　イ　医療の要否の判定又は保護の決定実施上の医学的判断に関し疑義があると保護の実施機関が認めた事項
　　　ウ　他法他施策関係について必要とされる事項
　　　エ　その他特に求められた事項
　3　町村関係
　　町村における担当係の医療扶助関係事務は、次のとおりであること。
　(1)　保護変更申請書（傷病届）および各給付要否意見書等の受払簿の作成、整備および保存
　(2)　各給付要否意見書等および診療依頼書（入院外）の交付
　(3)　応急医療扶助の実施
　(4)　その他医療扶助の実施に関する事項
第3　医療扶助実施方式
　1　医療扶助の申請
　　医療扶助の申請は次によるものとすること。
　(1)　保護開始申請（入院・入院外）
　　　法による保護を受けていない者が、医療扶助のみ又は医療扶助と同時に他の扶助を申請する場合には、保護申請書の一般的記載事項のほか、申請の事由欄に当該傷病の部位、発病時期、病状、社会保険の被保険者又は被扶養者たる資格の有無、後期高齢者医療制度の被保険者資格の有無その他参考事項を記載したうえ福祉事務所長に提出させること。
　(2)　保護変更申請（入院・入院外）
　　　医療扶助以外の扶助を受けている者が、医療扶助を申請する場合には、保護変更申請書（傷病届）に所要事項を記載したうえ福祉事務所長に提出させること。
　(3)　各給付要否意見書の発行
　　　ア　医療扶助の開始につき申請があった場合には、申請者の実情に応じ、医療要否意見書、精神疾患入院要否意見書又は保護変更申請書（傷病届）・訪問看護要否意見書（以下「医療要否意見書等」という。）に福祉事務所又は町村の担当員が必要事項を記載の上、申請者に対してこれらの取扱いについて十分説明し、速やかに指定医療機関において所要事項の記入を受け、福祉事務所長又は町村長に提

出するよう指導して発行するものとすること。
　イ　各給付要否意見書の提出については、申請者の事情等により指定医療機関から直接提出させても差しつかえないこと。
　ウ　次の各号の一に該当する場合にあっては、各給付要否意見書の提出を求める必要はないこと。
　　(ｱ)　収入、資産等の状況により被保護者とならないことがほぼ明らかなとき
　　(ｲ)　必要な給付がすべて他法他施策により行なわれることが明らかなとき
　　(ｳ)　被保護者が入院外医療扶助の併給開始または変更申請を行なった場合であって、明らかに医療の必要が認められ、かつ、活用すべき他法他施策がないと判断されるとき
　　(ｴ)　被保護者が医療扶助の併給開始又は変更申請を行った場合であって、病状の悪化等により明らかに入院医療の必要が認められ、かつ、活用すべき他法他施策がないと判断されるとき
　エ　ウの(ｳ)に該当する場合であって、保護変更申請書（傷病届）が町村長を経由して提出されるときは、町村長は直ちに診療依頼書（入院外）を交付するとともに、すみやかに保護変更申請書（傷病届）を福祉事務所長に送付すること。
　オ　福祉事務所又は町村において各給付要否意見書を発行する際は、指定医療機関から次の標準により選定して、当該指定医療機関において各給付要否意見書に意見を記載のうえ提出するよう指導すること。
　　なお、選定にあたっては、要保護者の希望を参考とすること。
　　(ｱ)　要保護者の居住地等に比較的近距離に所在する指定医療機関であること。
　　(ｲ)　病床（医療法（昭和23年法律第205号）第7条第2項第5号に規定する一般病床に係るものに限る。以下、この項において同じ。）の数が200以上である指定医療機関の受診については、以下の場合に限ること。
　　　a　他の病院又は診療所からの文書による紹介がある場合
　　　b　緊急その他やむを得ない事情がある場合
　　　c　地域において病床の数が200以上である指定医療機関のみが特定の診療科を標榜しており、当該診療科への受診が必要である場合
　　　d　a～cの他、個別の事情を考慮し、嘱託医に協議の上で病床の数が200以上である指定医療機関への受診が必要であると判断される場合
　　(ｳ)　要保護者が人工妊娠中絶若しくは不妊手術又は結核の治療をうけようとするときは、原則としてそれぞれ同時に母体保護法による指定医師又は感染症の予防及び感染症の患者に対する医療に関する法律による結核指定医療機関としての指定を受けている指定医療機関であること。
　　(ｴ)　感染症の予防及び感染症の患者に対する医療に関する法律、精神保健及び精神障害者福祉に関する法律又は障害者の日常生活及び社会生活を総合的に支援するための法律による指定の取消を受けている指定医療機関でないこと。
　　(ｵ)　過去3箇月間に第6の3(2)イによる「戒告」を受けたことのない指定医療機関であること。

生活保護法による医療扶助運営要領について

(4) 各給付要否意見書の検討および受理

　福祉事務所長は、要保護者から各給付要否意見書の提出を受けまたは町村長からこれらの送付を受けたときは、その記載事項につき検討したうえ受理すること。この場合、記載内容が不明の場合にはそれぞれ記載者に照会するとともに、要保護者に対する医療扶助の決定にあたり問題があると思われるときは昭和38年4月1日社発第246号厚生省社会局長通知「生活保護法による保護の実施要領について」第11の4により検診を命ずること。なお他の扶助、特に生活扶助の開始を同時に申請している場合には、その決定につき遺漏のないよう留意すること。

(5) 診察料、検査料の支払

　福祉事務所長は、被保護者を診察した医療機関が、医療を必要としない旨の意見を述べた場合及び被保護者を診察した医療機関と異なる医療機関に被保護者の医療を委託した場合は、当該医療機関の請求に基づき診察料（初診、再診、往診）又は検査料（診断書料については、4720円の範囲内で特別基準の設定があったものとして、必要な額を認定して差しつかえない。）について直接当該医療機関に支払うこと。

　ただし、すでに医療券を発行又は電子資格確認により医療扶助を受給したときは、診察料、検査料は当該医療券又は電子資格確認に基づき請求されるので福祉事務所においては支払わないこと。

　なお、この場合の診察または検査は被保護者に対し医療を行なう必要の有無並びに必要な場合にその期間および費用を予測するに必要と認められる限度に止められるべきものであるので、この点あらかじめ医療機関に周知徹底を図っておくこと。

2　医療扶助の決定

(1) 決定の際の留意事項

　福祉事務所長は、医療扶助に関する決定をしようとするときは、一般的事項とともに次の事項について留意すること。

　ア　医療扶助の始期

　　医療扶助を適用すべき期日は、原則として、保護申請書または保護変更申請書（傷病届）の提出のあった日以降において医療扶助を適用する必要があると認められた日とすること。

　イ　他法他施策の活用

　　要保護者の医療につき、医療扶助に優先して活用されるべき他法他施策による給付の有無を調査確認し、これがあると判断されるときは当該要保護者に対してこれを活用すべきことを指導するとともに、当該他法他施策の運営実施を管理する機関に連絡して、当該要保護者に対する援助が適正円滑に行なわれるよう配意すること。

　　なお、他法他施策の活用に関しては、別紙第2号に留意すること。

　ウ　入院等に関する都道府県本庁に対する技術的助言の求め

　　一般入院要否判定基準、訪問看護要否判定基準並びに精神医療取扱要領に基づく判定の結果、入院等の要否についてなお疑義のある場合は都道府県知事に技術的な助言を求めること。

　　　　また、福祉事務所の所在する都道府県等の区域外にある医療機関に患者を委託する場合の医療機関の選定について疑義がある場合も同様とすること。
　　エ　一般入院要否判定基準
　　　入院医療は、居宅では真に医療の目的を達し難いと認められた場合に限り認められること。
　　　入院を認めて差しつかえない場合を例示すれば次のとおりであること。従って、たとえば通院が不便だとか、居宅療養も不可能ではないが、入院の方がより一層良いとか、あるいは重症であっても往診又は（老人）訪問看護による居宅医療で治療の目的を達し得る場合等においては当該居宅医療によるべきであること。
　　　(ｱ)　ある種の手術後、身体の動揺を避けなければならない必要がある場合
　　　(ｲ)　朝夕数回にわたる専門技術的処置または手術を必要とする場合
　　　(ｳ)　病状が相当重く、しばしば病状を診察して経過を観察する必要がある場合
　　　(ｴ)　特に厳密な食餌療法その他病院固定の設備をしばしば利用する特殊な療法を施す場合
　　　(ｵ)　病状により特に居宅療法ではその効果をもたらすことが困難な場合
　　オ　訪問看護要否判定基準
　　　訪問看護は、疾病又は負傷により居宅において継続して療養を受ける状態にある者に対し、その者の居宅において看護師等が行う療養上の世話又は診療の補助を必要とする場合に限り認められること。
　　　なお、要介護者又は要支援者に対する訪問看護は、介護保険又は介護扶助による給付が優先されるため、医療扶助による給付は、急性増悪時の訪問看護及び末期がん・難病等に対する訪問看護及び精神疾患を有する患者（認知症が主傷病である者を除く。）であり、精神科訪問看護指示書が交付された場合の精神科訪問看護に限られるものであること。
　　カ　保護施設等における医療の取扱い
　　　救護施設、更生施設、養護老人ホーム、特別養護老人ホーム及び介護老人福祉施設における入所者の医療については、原則として、医療扶助は適用しないこと。ただし、病状によってはこの原則を貫くことが困難な場合も予想されるので真に当該施設においては措置できないと認められる場合に限り、医療扶助を適用して差しつかえないこと。
(2)　本人支払額の決定
　本人支払額は次により決定すること。
　　ア　要保護者が医療扶助のみの適用を受ける者である場合には、保護の実施要領についての通知の定めるところにより当該要保護者の属する世帯の収入充当額から当該世帯の医療費を除く最低生活費を差し引いた額をもって本人支払額とすること。
　　イ　本人支払額は、第一に診療（医療扶助による診察、薬剤（調剤を除く。）、医学的処置、手術、居宅における療養上の管理及びその療養に伴う世話その他の看護、病

院又は診療所への入院及びその療養に伴う世話その他の看護をいう。）の給付に充当するものとし以下調剤、治療材料、施術、移送の各給付の順に充当すること。
(3) 医療扶助の変更に関する決定
　　福祉事務所は、現に医療扶助を受けている者が次に該当すると認められたときは、医療扶助の変更に関する決定（保護の変更の決定）を行なうこと。
ア　本人支払額を変更すべきことを確認したとき
イ　指定医療機関を変更すべきことを確認したとき
ウ　入院から入院外に、または入院外から入院に変更すべきことを確認したとき
エ　介護老人保健施設から医科に変更すべきことを確認したとき
オ　医科から歯科に、または歯科から医科に変更すべきことを確認したとき
カ　他法による負担の程度に変更すべきことを確認したとき
キ　診療中に訪問看護、治療材料、施術または移送の給付を必要とすることを確認したとき、またはこれらの給付につき変更すべきことを確認したとき
ク　検診命令に従わない場合で医療扶助の変更を必要と認めたとき
(4) 被保護者に対する通知
　　福祉事務所長は、要保護者について医療扶助の開始、変更、停止または廃止（他法他施策の活用に伴い保護を変更、停止または廃止する場合を含む。）に関する決定をしたときは、一般の例に従い、保護決定通知書または保護停止、廃止決定通知書により、申請者または被保護者に対して通知すること。ただし、保護変更申請書（傷病届）に基づき医療扶助の開始または変更に関する決定をしたときで、当該通知書により通知する必要がない場合には、適当な方法によることとして差しつかえないこと。
　　また、申請却下の決定をしたときは、一般の例に従い、保護申請却下通知書により申請者に対して通知すること。
(5) 医療券の発行等
　　医療扶助による診察、薬剤（調剤を除く。）、医学的処置、手術等の診療の給付は、電子資格確認により行なうものとすること。
　　なお、急迫した事由その他やむを得ない事由によって、被保護者が指定医療機関から、電子資格確認により医療扶助を受給する被保護者であることの確認を受けることができない場合は、医療券を発行して行なうものとすること。
　　また、電子資格確認の場合は、本項ア、ウ、エの(ア)、(エ)及び(オ)、オの(イ)、第3の3の(1)、第3の4、第5、様式第13号並びに様式第37号中「医療券」とあるのは「医療券情報」と、「発行」とあるのは「登録」と、様式第13号中「交付」とあるのは「登録」と、「患者に後日」とあるのは「後日」と、様式第37号中「送付」は「登録」と読み替えるものとすること。
ア　医療券の発行の単位
　　医療券は暦月を単位として発行するものとし、診療の給付が月の中途を始期または終期とする場合は、それにより有効期間を記載した医療券を発行するものとすること。
　　なお、月末を始期とする医療の給付が翌月にまたがる場合は、翌月分の医療券

を同時に発行して差しつかえないこと。
イ 医療券の有効性
医療券は、福祉事務所において所要事項を記載し、福祉事務所長印を押したものをもって有効とするものであること。
医療券の修正は、福祉事務所において当該医療券の記載事項について所要の訂正を行ない、福祉事務所長印を当該訂正箇所に押したものをもって有効とすること。
なお、電子資格確認の場合は、本号は適用しない。
ウ 医療機関に対する委託
(ｱ) 医療の給付を委託する医療機関(指定訪問看護事業者を除く。)は、原則として各給付要否意見書に意見を記載した医療機関とすること。
(ｲ) (ｱ)の医療機関が指定医療機関でないときは、要保護者の診療に支障のない限り１の(3)のオの標準に該当する指定医療機関に委託すること。
(ｳ) 要保護者が急迫した状況にあるときは、(ｱ)および(ｲ)にかかわらず、要保護者のもよりの指定医療機関(これがないときは非指定医療機関)に委託すること。ただし、非指定医療機関に委託した場合は、急迫した状況がやんで転医が可能になったときに、直ちに適当な指定医療機関に転医させること。
(ｴ) 訪問看護事業者の選定に当たっては、要保護者の希望も参考とした上、要保護者の要介護状態、事業者と要保護者の居住地との距離等を考慮すること。
なお、訪問看護に係る医療券の発行に当たっては、訪問看護事業者と密に連絡をとり、基本利用料以外の利用料に相当する費用の支給対象を事前に明らかにしておくこと。
エ 医療券の作成等
医療券の作成及び電子資格確認に当たって留意すべき事項は次のとおりであること。
なお、電子資格確認の場合は、本号(ｱ)及び(ｳ)～(ｵ)並びにキ中「記入」とあるのは「入力」と読み替えるものとすること。
(ｱ) 医療券の各欄には福祉事務所長が医療券を発行する際に所要事項を記入すること。
なお、本人支払額を記入する場合においては当該本人支払額に10円未満の端数があるときはこれを切捨てるものとし、本人支払額がない場合はその欄に斜線を引く(電子資格確認の場合は、「０」を入力する)こと。
(ｲ) 医療券の「診療別」、「備考」欄の社会保険及び感染症の予防及び感染症の患者に対する医療に関する法律第37条の２はそれぞれ該当する文字を○で囲む(電子資格確認の場合は、医療券情報の「診療別」欄に診療別コードを入力し、「感染症の予防及び感染症の患者に対する医療に関する法律第37条の２の該当状況」欄に該当有無を入力する)こと。
(ｳ) 医療券の「傷病名」欄には、医療要否意見書等記載の傷病名又は部位を記入し、傷病届により医療券を発行するときは、「備考」欄に患者の病状を記入す

生活保護法による医療扶助運営要領について

る（電子資格確認の場合は、医療券情報の「傷病名１～３」欄にそれぞれ傷病名を入力すること。なお、３つ以上の傷病名の入力が必要な場合は、「備考」欄に入力する）こと。
　(エ)　被保険者が資格喪失後も継続給付を受けることができる傷病については、その傷病名及びその旨を医療券の「備考」欄に記入すること。
　(オ)　「取扱担当者名」欄には、医療券交付事務取扱責任者名を記入すること。
　(カ)　75歳以上の者及び65歳以上75歳未満の者であって高齢者の医療の確保に関する法律施行令別表に定める程度の障害の状態にあるもの（被用者保険の加入者を除く。）（以下「75歳以上の者等」という。）についての医療券には、「備考」欄の余白に75歳以上の者等に該当するに至った日の属する月の翌月（その日が月の初日であるときは、その日の属する月）から⑲と表示する（電子資格確認の場合は、医療券情報の「後期高齢者医療の該当状況」欄に該当有無を入力する）こと。

オ　医療券の交付等
　医療券の交付又は電子資格確認にあたっては、特に次の点に留意させること。
　(ア)　当該医療券を所定の医療機関に提出（電子資格確認の場合は、マイナンバーカードを提示）して医療を受けること。
　(イ)　当該医療券の有効期間内に医療を受けること。
　(ウ)　治療が終ったとき、又は診療を中止したときは、速やかにその旨を福祉事務所に届け出ること。

　　　受領者が患者以外の者であるときは、特に誤解または不適正のないように注意すること。
　　　医療券の交付にあたっては、被保護者をして医療券交付処理簿に記名をさせ、または被保護者から受領証を徴すること。ただし、被保護者が入院中であって扶養義務者等がない場合等、これが困難な場合には、医療券を所定の医療機関に直接交付しても差しつかえないが、この場合は事後に当該医療機関に対し、被保護者の受領証を送付するよう依頼することとし、被保護者から受領証を徴することが困難な状態にあるときは、当該医療機関の管理者から受領証を徴すること。
　　　なお、電子資格確認の場合は、本号は適用しない。

カ　医療券の修正等
　福祉事務所長は、被保護者について、医療扶助の変更、停止または廃止に関する決定をした場合において、すでに発行した医療券を修正する必要があるときは、当該修正についてすみやかに決裁手続を完了したうえ、当該医療券の提出を求め、その記載事項について所要の訂正を行ない当該訂正に関する福祉事務所長印を押すこととし、電子資格確認の場合は、当該医療券情報の変更を行うこと。

キ　医療券の補正等
　福祉事務所長は、医療券発行（電子資格確認の場合は、医療券情報を登録）後、医療機関からの申出に基づき当該医療券の有効期間の延長を必要と認めたとき

は、当該医療券について必要な補正（電子資格確認の場合は、当該医療券情報の変更）を行なうこと。

医療機関において治療中に医療券の「傷病名」欄に記入された傷病名以外の傷病が発生し、それについて医療を要すると認めたときは、医療券の「傷病名」欄（下部余白）に当該傷病名を記入するよう指導すること。（なお、電子資格確認の場合は、福祉事務所において、「傷病名１～３」欄に入力すること。なお、３つ以上の傷病名の入力が必要な場合は、「備考」欄に入力すること。）

また、診療報酬明細書の「傷病名」欄（下部余白）および「診療開始日」欄（下部余白）に当該傷病名および発病（診療開始）年月日をそれぞれ記入して診療報酬の請求を行うよう指導し、福祉事務所においては医療券の補正を省略して差しつかえないこと。（なお、電子資格確認の場合は、福祉事務所において、当該医療券情報の変更を行うこと。）

さらに、医療を必要なことが明白な者からの傷病届により、発行する医療券については、傷病名を指定医療機関において医療券の「傷病名」欄に記入するよう指導すること。（電子資格確認の場合には、福祉事務所において、「傷病名１～３」欄に入力すること。なお、３つ以上の傷病名の入力が必要な場合は、「備考」欄に入力すること。）

3 医療扶助の継続等
(1) 医療券によって医療扶助を受けている者が、引き続き翌月にわたって医療を必要とするときは、第３の２の(5)に定めるところにより、翌月分の医療券を発行すること。

ただし、その者が引き続き３か月（第３の１の(3)のウの(ｳ)に該当するもの（以下「併給入院外患者」という。）及び訪問看護の利用者は、６か月）を超えて医療を必要とするときは、第４月分（併給入院外患者及び訪問看護の利用者は、第７月分）の医療券を発行する前にあらかじめ第３の１の(3)のアに定めるところに準じて発行した医療要否意見書により第４月以降（併給入院外患者及び訪問看護の利用者は、第７月以降）における医療扶助継続の要否を十分検討することとし、さらに引き続き医療を必要とするときは、３か月（併給入院外患者及び訪問看護の利用者は、６か月）を経過するごとに同様の手続により医療扶助継続の要否を十分検討すること。

この場合において、福祉事務所長は、医療扶助を受けている者（併給入院外患者及び訪問看護の利用者を除く。）につき、嘱託医の意見により、４か月以上引き続いて医療を必要とすると認めたときは、本項ただし書き前段の規定にかかわらず、４か月以上６か月以内の期間ごとに発行する医療要否意見書等により医療扶助継続の要否を検討することとして差しつかえないこと。

なお、併給入院外患者及び訪問看護の利用者にあっては、医療開始後第６月までに限り、他の方法により引き続き翌月にわたって医療の必要の有無を検討することができるときは、医療要否意見書の提出を求めることなく翌月分の医療券を発行し

て差しつかえないこと。
(2) 福祉事務所長は、医療扶助を受けている者につき、継続して治療を要しないことを確認したときは、一般の例に従い医療扶助の廃止等の手続を行なうこと。この場合、必要に応じ当該被保護者について訪問調査を行なう等の方法により事実を確認すること。

4 一般診療に関する診療方針および診療報酬並びに指定医療機関の請求
　一般診療に関する診療方針及び診療報酬は、法第52条、指定医療機関医療担当規程（昭和25年8月厚生省告示第222号）及び生活保護法第52条第2項の規定による診療方針及び診療報酬（昭和34年5月厚生省告示第125号）によること。
　なお、別紙第3号に留意するほか、次の点に配意すること。
(1) 生活保護法第52条第2項の規定による診療方針及び診療報酬第1項中「金を使用すること」とあるのは、金位14カラット以上の合金を使用することをいうものであること。
(2) 病院又は診療所への入院及びその療養に伴う世話その他の看護のうち食事の提供たる療養及び温度、照明及び給水に関する適切な療養環境の形成たる療養に係る診療報酬については、入院時食事療養費に係る食事療養及び入院時生活療養費に係る生活療養の費用の額の算定に関する基準（平成18年3月厚生労働省告示第99号）の例による。
　また、健康保険法による訪問看護に係る費用については、訪問看護療養費に係る指定訪問看護の費用の額の算定方法（平成20年3月厚生労働省告示第67号）の例によることとし、訪問看護の基本利用料以外の利用料に相当する費用については、必要最小限度の実費の額とすること。
(3) 後期高齢者医療の例による診療方針及び診療報酬（保険外併用療養費の支給に係るものを除く。）は、75歳以上の者等に該当するに至った日の属する月の翌月（その日が月の初日であるときは、その日の属する月）から適用するものとすること。
　また、「65歳以上75歳未満の者であって高齢者の医療の確保に関する法律施行令別表に定める程度の障害の状態にあるもの」に該当するか否かの認定は、国民健康保険法第6条第8号の規定により同法の適用を除外されている者の場合は福祉事務所長が行うこととなるが、原則として生活保護法による保護の基準（昭和38年4月厚生省告示第158号）別表第1第2章2障害者加算の例によること。
(4) 通算対象入院料（一般病棟入院基本料（特別入院基本料及び後期高齢者特定入院基本料を含む。）、特定機能病院入院基本料（一般病棟の場合に限る。）及び専門病院入院基本料をいう。）を算定する病棟に180日を超えて入院している患者で厚生労働大臣が別に定める患者に該当しない者のうち、いかなる方法によっても退院後の受入先が確保できない者であって真にやむを得ないと判断される者については、別に定めるところにより、受入先が確保されるまでの間、当該患者が180日経過するまでに保険給付の対象とされていた入院基本料等の範囲内において必要な額を認定

(5) 指定医療機関が、医療券によって診療を行なった場合には、診療報酬明細書又は訪問看護療養費明細書に必要事項を記載して発行した福祉事務所ごとにとりまとめ、当月診療分を所定の様式による診療報酬請求書を添えてこれらの書類を翌月10日までに当該指定医療機関の所在する都道府県の社会保険診療報酬支払基金の支部（以下「支払基金」という。）に提出させるものとすること。
(6) 指定医療機関のうち、旧総合病院における診療科別の初診料、検査料又は診療報酬の請求は、社会保険の取扱いの例によるものであるが、この場合においても医療券は1枚発行すれば足りること。

5 調剤の給付
(1) 調剤券の発行等
　医療扶助を申請した者が、診療の給付と同時に指定薬局による調剤の給付につき申出があった場合には、電子資格確認により、給付を行なうものとすること。
　なお、急迫した事由その他やむを得ない事由によって、被保護者が指定医療機関から、電子資格確認により医療扶助を受給する被保護者であることの確認を受けることができない場合は、医療券と同時に調剤券を発行するものとすること。調剤券の発行又は調剤券情報の登録については、指定薬局に対する委託、調剤券の作成、交付等は医療券又は医療券情報の登録等の場合に準ずるものとするが、患者に処方せんを発行すべき場合には、保険医療機関及び保険医療養担当規則（昭和32年厚生省令第15号）第23条に規定する様式に必要な事項を記載して交付する（電子処方箋の場合は、電子処方箋管理サービスに処方内容を登録する）よう指定医療機関に対して周知徹底を図ること。
　なお、当用紙への記載に当たっては、当用紙中「保険医療機関」とあるのは「指定医療機関」と、「保険医」とあるのは「指定医」と読み替えるものとする。
　患者は指定薬局により調剤の給付を受けようとするときは、指定医療機関から交付された処方せんを福祉事務所長の発行した調剤券に添付して調剤券に記載された指定薬局に提出する（電子資格確認の場合は、指定医療機関から交付された処方せんのみを指定薬局に提出する）ものとすること。（電子処方箋の場合を除く。）
　指定薬局が調剤報酬の請求をする場合は、医療機関の場合に準ずること。
　なお、指定薬局においては次の事項を記入した調剤録を保存すること。（ただし、この調剤録は、調剤済みとなった処方せんに調剤録と同様の事項を記入したものをもってかえることができる。）
一　薬剤師法施行規則第16条に規定する事項
二　調剤券を発行した福祉事務所名
三　当該薬局で調剤した薬剤について処方せんに記載してある用量、既調剤量および使用期間
四　当該薬局で調剤した薬剤についての薬剤価格、調剤手数料、請求金額、社保負担額、他法負担額および本人支払額

(2) 後発医薬品の給付
　ア　指定医療機関及び指定薬局における取組
　　　医師又は歯科医師が医学的知見に基づき後発医薬品を使用することができると認めたときは、次のとおりの取扱いにより、後発医薬品を調剤するよう、指定医療機関及び指定薬局に対して周知徹底を図ること（後発医薬品の薬価が先発医薬品の薬価よりも高くなっている又は先発医薬品の薬価と同額となっている場合を除く。）。また、被保護者に対しても、本取扱いについて周知徹底を図ること。
　　㋐　処方医が一般名処方を行っている場合又は銘柄名処方であって後発医薬品への変更を不可としていない場合には、指定医療機関又は指定薬局は、後発医薬品を調剤すること。このため、先発医薬品の調剤が必要である場合は、処方医が必ず当該先発医薬品の銘柄名処方をする必要があること。
　　㋑　ただし、後発医薬品の在庫がない場合は、先発医薬品を調剤することが可能であること。
　　㋒　後発医薬品の使用への不安等から必要な服薬ができない等の事情が認められるときは、薬剤師が処方医に疑義照会を行い、当該処方医において医学的知見に基づき先発医薬品が必要と判断すれば、先発医薬品を調剤することができるものであること。
　　　　ただし、処方医に連絡が取れず、やむを得ない場合には、指定薬局から福祉事務所に確認の上、先発医薬品を調剤することができるが、速やかに（遅くとも次回受診時までに）薬剤師から処方医に対し、調剤した薬剤の情報を提供するとともに、次回の処方内容について確認すべきものであること。
　イ　福祉事務所における取組
　　　上記アの㋐の場合又は㋒の処方医への確認後、再度医学的知見に基づき後発医薬品を使用することができると認められた場合において、指定医療機関又は指定薬局における説明を受けても、なお先発医薬品の使用を希望する患者に対しては、福祉事務所において制度について説明し、理解を求めること。
6　治療材料の給付
　治療材料の給付（貸与及び修理を含む。第3の6において同じ。）につき申請があった場合には、必要事項を記載した給付要否意見書（治療材料）を要保護者に交付し、すみやかに指定医療機関及び取扱業者において所要事項の記入を受け、福祉事務所長又は町村長に提出するよう指導すること。
　治療材料の給付を行うに当たって留意を要する点は次のとおりであること。
(1)　給付要否意見書（治療材料）の発行
　　要保護者の申請に基づき、その希望を参考に取扱業者を福祉事務所において選定し、給付要否意見書（治療材料）を発行するものとするが、その際、次の点につき要保護者を指導すること。
　　なお、治療材料が、貸与又は修理によることを適当としない場合については、給付要否意見書（治療材料）の当該箇所を抹消の上、発行すること。

　　　　ア　要保護者の医療を担当している医療機関において、給付要否意見書（治療材料）の所要事項の記入を受けること。
　　　　イ　福祉事務所が選定した取扱業者に所要経費概算見積の記入を受けること。その際、治療材料が貸与可能な物である場合又は要保護者が既に保有する治療材料を修理することで足りる場合は、治療材料の貸与又は修理に要する費用について、併せて見積を徴すること。
　(2)　給付の決定及び治療材料券の発行
　　　治療材料の給付を決定したときは、福祉事務所長は治療材料券を要保護者に交付すること。なお、当該材料が貸与を適当としない物品であるとき、修理が困難であるとき、貸与又は修理による費用が購入による費用より高額になるときその他貸与又は修理を適当としない場合を除き、原則として給付方法は貸与又は修理によること。また、給付要否意見書（治療材料）の記載に疑問がある場合には、それぞれ記載者に照会することとし、所要経費が適当でないと認められる場合には他の取扱業者にも照会して適正な給付を行うこと。
　　　治療材料の給付にあたる業者は、原則として、給付要否意見書（治療材料）に記載されている取扱業者とし、これによりがたいときは、他の適当な取扱業者を福祉事務所において選定すること。
　　　治療材料券を交付するにあたり、次の点を要保護者に指導すること。
　　　　ア　治療材料券に記載されている取扱業者から、治療材料券に記載されている方法で治療材料の給付を受けること。
　　　　イ　治療材料の給付を受けたときは、すみやかにその旨を福祉事務所長に連絡すること。
　　　　ウ　治療材料券の有効呈示期間は、発行の日から10日間であること。
　　　　　なお、有効な治療材料券を提出した者に限り、治療材料を給付することとし、かつ、治療材料券は所定の治療材料の１回限りの購入若しくは修理又は治療材料券に記載された期間内の貸与によってその効力を消滅するものであることにつき、取扱業者に周知徹底を図ること。
　(3)　治療材料給付方針及び治療材料費
　　　ア　給付方針
　　　　(ｱ)　国民健康保険の療養費の支給対象となる治療用装具及び輸血に使用する生血は、その例により現物給付とする。
　　　　　また、次に掲げる材料の範囲においては、必要最小限度の機能を有するものを、原則として現物給付によって行うものとすること。ただし、吸引器及びネブライザーについては、現物給付に限ること。
　　　　　義肢、装具、眼鏡、収尿器、ストーマ装具、歩行補助つえ、尿中糖半定量検査用試験紙、吸引器及びネブライザー
　　　　(ｲ)　(ｱ)に掲げる材料については、次によるものとする。
　　　　　a　義肢、装具、眼鏡、収尿器、ストーマ装具及び歩行補助つえについては、

障害者の日常生活及び社会生活を総合的に支援するための法律の規定に基づく補装具の購入若しくは修理又は日常生活上の便宜を図るための用具の給付若しくは貸与を受けることができない場合であること。さらに、歩行補助つえについては、前記の他、介護保険法又は生活保護法の規定に基づく福祉用具の貸与を受けることができない場合であること。

　b　義肢、装具、眼鏡、収尿器、ストーマ装具及び歩行補助つえについては、治療等の一環としてこれを必要とする真にやむを得ない事由が認められる場合に限ること。

　c　尿中糖半定量検査用試験紙は、現に糖尿病患者であって、医師が食事療法に必要と認めた場合に限り、必要最小限度の量を給付することができるものであること。

　d　吸引器は、喉頭腫瘍で喉頭を摘出した患者等の気管内に分泌物が貯留し、その自力排泄が困難な者を対象とし、病状が安定しており、社会復帰の観点から吸引器使用による自宅療養のほうがより効果的であり、当該材料を給付しなければ、吸引器による処置のために入院が必要である場合に限ること。また、器具の使用に習熟していることが必要であること。

　e　ネブライザーは、呼吸器等疾病に罹患し、社会復帰の観点から当該材料の使用による在宅療養がより効果的である者であって、当該材料を給付しなければ、ネブライザーによる処置のために入院が必要である場合に限ること。なお、装置の使用に習熟していることが必要であり、通院による処置対応が可能な者については除くこと。

(ウ) (ア)に掲げる以外の材料については、それを治療の一環として必要とする真にやむを得ない事由が認められる場合は、以下により取り扱うこと。なお、当該材料が障害者の日常生活及び社会生活を総合的に支援するための法律第5条第24項の規定に基づく補装具、第77条の規定に基づく日常生活上の便宜を図るための用具又は介護保険法第8条第12項若しくは第44条第1項の規定に基づく福祉用具である場合には、まず、それらの制度の活用を検討すること。

　a　治療材料の費用（治療材料の1回の購入若しくは修理又は所要期間内の貸与につき必要とする額をいう。第3の6において以下同じ。）が2万5000円以内の場合、必要に応じて都道府県知事に技術的な助言を求めた上で給付すること。

　b　治療材料の費用が2万5000円を超える場合、厚生労働大臣に対して特別基準の設定につき情報提供すること。

(エ) 治療材料の給付につき、要否の判定に疑義のある場合は必要に応じて都道府県知事に技術的な助言を求めること。

イ　費用

(ア) 治療材料の費用は、(1)のイの見積による額とし、原則として国民健康保険の療養費の例の範囲内とすること。

なお、義肢、装具、眼鏡及び歩行補助つえ（つえを除く。）の費用については、原則として障害者の日常生活及び社会生活を総合的に支援するための法律の規定に基づく補装具の種目、購入又は修理に要する費用の額の算定等に関する基準（平成18年9月29日厚生労働省告示第528号）の別表に定める額の100分の106に相当する額（国、地方公共団体、日本赤十字社、社会福祉法人又は民法（明治29年法律第89号）第34条の規定により設立された法人の設置する補装具製作施設に委託する場合の費用については、さらに100分の95を乗じた額）を限度とすること。

真にやむを得ない事情によりこの基準の額を超えて給付する必要がある場合又は尿中糖半定量検査用試験紙、吸引器、ネブライザー、収尿器、ストーマ装具若しくは歩行補助つえ（つえに限る。）を給付する場合の費用については、当該材料の購入、貸与又は修理に必要な最小限度の実費とし、その額が2万5000円を超える場合であっても、特別基準の設定があったものとして取り扱って差し支えないが、いずれの場合についても、必要に応じて都道府県知事に技術的な助言を求めること。

(イ) アの(ｳ)に係る治療材料の費用は、最低限度の実費とすること。
(4) 治療材料費の請求
治療材料の給付を行った取扱業者が、当該治療材料の費用を請求する場合は、交付された治療材料費請求明細書に所要事項を記載し、請求書を添付して当該治療材料券を発行した福祉事務所長に提出させるものとすること。
7 施術の給付
施術の給付につき、申請があった場合には、給付要否意見書（柔道整復、あん摩・マッサージ、はり・きゅう）に必要事項を記載のうえ、すみやかに指定施術機関及び指定医療機関において所要事項の記入を受け、福祉事務所長又は町村長に提出するよう指導して発行すること。
施術の給付を行なうにあたっては、柔道整復師が打撲又は捻挫の患部に手当をする場合および脱臼又は骨折の患部に応急手当をする場合は医師の同意は不要であるが、応急手当以外の脱臼又は骨折の患部に手当をする場合は医師の同意が必要であること。
この場合において、あん摩・マッサージ指圧師が脱臼又は骨折の患部以外に施術をするとき及びはり・きゅう師が施術をするときは、当該施術の要否に関する診断書をもって、医師の同意書に代えることができること。
施術の給付を行なうにあたって留意を要する点は次のとおりであること。
(1) 給付要否意見書の発行
要保護者の申請に基づき、その希望をきいて指定施術機関を福祉事務所において選定し、給付要否意見書を発行するものとするが、その際、次の点につき配意せしめること。
ア 福祉事務所が選定した指定施術機関において給付要否意見書の所要事項の記入

を受けること。
　　　イ　指定医療機関において給付要否意見書の所要事項の記入を受けること。
　(2)　施術券の発行
　　　　給付要否意見書(施術)に基づき、施術の給付を必要と認めたときは、福祉事務所長は施術券を被保護者に発行すること。施術券は暦月を単位として発行するものとし、月末を始期とする施術の給付が翌月にまたがる場合は、一般診療の場合と同様とすること。
　　　　施術券により医療扶助を受けている者が、引き続き翌月にわたって施術を必要とするときは、翌月分の施術券を発行すること。
　　　　ただし、その者が引き続き3か月(あん摩・マッサージ及びはり・きゅうにあっては6か月)を超えて施術を必要とするときは、第4月分(あん摩・マッサージ及びはり・きゅうにあっては第7月分)の施術券を発行する前にあらかじめ(1)に定めるところに準じて発行した給付要否意見書により第4月(あん摩・マッサージ及びはり・きゅうにあっては第7月)以降における医療扶助継続の要否を十分検討することとし、さらに引き続き施術を必要とするときは、3か月(あん摩・マッサージ及びはり・きゅうにあっては6か月)を経過するごとに同様の手続により医療扶助継続の要否を十分検討すること。
　　　　施術機関は、原則として給付要否意見書に記載した機関とし、これによりがたいときは、他の適当な機関を福祉事務所長において選定すること。
　　　　施術券を交付するにあたり、次の点を被保護者に留意せしめること。
　　　ア　施術券に記載されている施術機関から給付を受けること。
　　　イ　当該施術券の有効期間内に受療すること。
　　　ウ　施術が終ったとき又は施術を中止したときは、すみやかにその旨を福祉事務所に届け出ること。
　(3)　施術給付方針および施術料
　　　ア　給付方針
　　　　　必要最小限度の施術を原則として現物給付するものとし、その範囲は、あん摩・マッサージ、柔道整復およびはり・きゅうとすること(はり・きゅうにあっては、慢性病であって、医師による適当な治療手段がないものを対象とするが、指定医療機関の医療の給付が行なわれている期間は、その疾病にかかる施術は、給付の対象とはならないこと。)。
　　　　　なお、この者が現に指定医療機関において診療をうけている場合には、当該指定医療機関の意見を求めたうえで要否を決定すること。
　　　イ　費用
　　　　　費用は次によるものとすること。
　　　　㈦　あん摩・マッサージについては、別紙第4号の1協定書案に基づきあん摩・マッサージの施術料金の算定方法(別紙第4号の2)を基準として都道府県知事と関係団体との間で協定して定めた額以内の額とすること。

(イ) 柔道整復については、前記協定書案に基づき柔道整復師の施術料金の算定方法（別紙第4号の3）を基準として都道府県知事と関係団体との間で協定して定めた額以内の額とすること。
(ウ) はり・きゅうについては、前記協定書案に基づきはり師及びきゅう師の施術料金の算定方法（別紙第4号の4）を基準として都道府県知事と関係団体との間で協定して定めた額以内の額とすること。
(エ) (ア)から(ウ)までの費用の算定に当たっては、別紙第4号の2から別紙第4号の4までの基準によるほか、はり師、きゅう師及びあん摩・マッサージ・指圧師の施術に係る療養費及び柔道整復師の施術に係る療養費の支給の例を参考にすること。
(4) 施術料の請求
　指定施術機関が施術券によって患者に対する施術を行なったときは、施術料に関する都道府県知事と施術師会との協定に基づき、当該施術に対する報酬の支払を請求させるものとすること。
　施術報酬請求のため、指定施術機関に施術報酬請求明細書を、また、当月施術分をとりまとめて施術報酬請求書をそれぞれ作成させ、これらの書類を翌月10日までに当該施術券を発行した福祉事務所長に提出させるものとすること。
8　削除
9　移送の給付
 (1) 給付方針
　移送の給付については、個別にその内容を審査し、次に掲げる範囲の移送について給付を行うものとする。
　また、給付については、療養に必要な最小限度の日数に限り、傷病等の状態に応じて経済的かつ合理的な経路及び交通手段によって行うものであること。
　経済的かつ合理的な経路及び交通手段についての判断に当たっては、同一の病態にある当該地域の他の患者との均衡を失しないようにすること。
 (2) 給付の範囲
　アからクまでに掲げる場合において給付を行う。
　受診する医療機関については、原則として要保護者の居住地等に比較的近距離に所在する医療機関に限るものであること。
　ただし、傷病等の状態により、要保護者の居住地等に比較的近距離に所在する医療機関での対応が困難な場合は、専門的治療の必要性、治療実績、患者である被保護者と主治医との信頼関係、同一の病態にある当該地域の他の患者の受診行動等を総合的に勘案し、適切な医療機関への受診が認められる。
　ア　医療機関に電車・バス等により受診する場合で、当該受診に係る交通費が必要な場合
　イ　被保護者の傷病、障害等の状態により、電車・バス等の利用が著しく困難な者が医療機関に受診する際の交通費が必要な場合

生活保護法による医療扶助運営要領について

ウ 検診命令により検診を受ける際に交通費が必要となる場合
エ 医師の往診等に係る交通費又は燃料費が必要となる場合
オ 負傷した患者が災害現場等から医療機関に緊急に搬送される場合
カ 離島等で疾病にかかり、又は負傷し、その症状が重篤であり、かつ、傷病が発生した場所の付近の医療機関では必要な医療が不可能であるか又は著しく困難であるため、必要な医療の提供を受けられる最寄りの医療機関に移送を行う場合
キ 移動困難な患者であって、患者の症状からみて、当該医療機関の設備等では十分な診療ができず、医師の指示により緊急に転院する場合
ク 医療の給付対象として認められている移植手術を行うために、臓器等の摘出を行う医師等の派遣及び摘出臓器等の搬送に交通費又は搬送代が必要な場合(ただし、国内搬送に限る。)

なお、福祉事務所において審査の結果、なお疑義がある場合及び上記の範囲で対応が困難な場合については、都道府県本庁に技術的助言を求めた上で、移送の給付が真に必要であると認められる場合には、給付を認めて差し支えないこと。

(3) 給付手続き
ア 給付手続きの周知
　要保護者に対し、移送の給付について、その内容と原則として事前の申請や領収書等の提出が必要であることを周知すること。
イ 給付決定に関する審査
　被保護者から申請があった場合、給付要否意見書(移送)により主治医の意見を確認するとともに、その内容に関する嘱託医協議及び必要に応じて検診命令を行い、福祉事務所において必要性を判断し、給付の対象となる医療機関、受診日数の程度、経路及び利用する交通機関を適正に決定すること。
　ただし、医療要否意見書等により、移送を要することが明らかな場合であり、かつ、移送に要する交通費等が確実に確認できる場合は、給付要否意見書(移送)の提出を求める必要はないこと。
　また、都道府県域を超える受診に係る移送や、管内で同一病態にある他の被保護者の受診に係る交通費と比較して高額である場合等、給付決定に関する審査において、被保護者の健康状態について確認する必要がある場合には、検診を受けるべき旨を命ずることができること。
　なお、移送の際に利用する交通機関については、地域の実態料金や複数事業者の見積等により検討を行った上で、最も経済的な交通機関を福祉事務所において決定すること。
　また、福祉事務所において給付を決定する以前に交通機関を利用した際の交通費や、福祉事務所において決定した医療機関、受診日数の程度、経路、交通機関と異なることにより生じた交通費については、原則として給付の対象にならないものであること。
ウ 事後申請の取扱い

緊急の場合等であって、事前の申請が困難なやむを得ない事由があると認められる場合であって、当該事由が消失した後速やかに申請があったときは、事後の申請であっても内容確認の上、給付を行って差し支えないこと。
　エ　継続的給付の場合の手続
　　翌月にわたって移送の給付を必要とするときは、引き続き移送の給付を行って差し支えないが、その者が3か月を超えて移送の給付を必要とするときは、第4月分の移送を決定する前にあらかじめ給付要否意見書（移送）等を参考に、継続の要否を十分に検討すること。
　　ただし、被保護者の傷病等の状態により、3か月を超えて移送の給付を必要とすることが明らかである場合は、第7月分の移送を決定する前に、給付要否意見書（移送）等を参考に、継続の要否を検討することとして差し支えないこと。
(4)　費用
　ア　移送に要する費用は、傷病等の状態に応じ、経済的かつ合理的な方法及び経路により移送を行ったものとして算定される最小限度の実費（医学的管理等のため付添人を必要とする場合に限り、当該付添人の日当等も含む。）
　　なお、身体障害者等の割引運賃が利用できる場合には、当該割引運賃を用いて算定した額とすること。
　イ　当該料金の算定にあたっては、領収書、複数業者の見積書、地域の実態料金等の挙証資料に基づき、額の決定を行うこと。
10　急迫保護等
(1)　被保護者である患者が急迫した状況にあるため、各給付券を発行する余裕のないときは、福祉事務所長は、指定医療機関等に当該状況を説明して、各給付券を発行しないで各給付を行なっても差しつかえないこと。
　　ただし、保護を行なったときは、すみやかに各給付券を作成し、交付すること。
(2)　保護を受けていない患者が急迫した状況にあるため、保護の申請の手続をとらないで入院し、又は入院外の治療を受けた場合であって、保護の申請権者又は医療機関から医療扶助の適用について連絡があったときは、すみやかに保護申請書を提出するよう指示するとともに、要否の判定があるまでは医療扶助の決定があったものとして取扱うことはできないので、この点に留意させること。
　　この場合、連絡の経緯を記録にとどめることとし、保護を要するものと認められたときは、連絡のあった日を保護申請書の提出のあった日とみなして差しつかえないこと。
(3)　町村長は、その町村の区域内において特に急迫した事由により放置することができない状態にある要保護者に対して、応急的処置として、必要な医療扶助を行なうこと。
　　なお、町村長は、応急保護を行ったときは、ただちにその旨を福祉事務所長に報告し、すみやかに一般の手続をさせること。
11　医療区分等

福祉事務所長は、一般ファイル中に医療区分を設け、または一般ファイルと独立の医療ファイルを設けて、医療扶助関係書類を常時分類整理して編綴すること。
12 削除
13 非指定医療機関の診療報酬請求
　急迫等のやむを得ない理由により非指定医療機関に患者の診療を委託したときは当該診療に対する報酬を、所定の様式による診療報酬明細書および診療報酬請求書（これによりがたいときは任意の請求書）により、委託した福祉事務所長に請求させるものとすること。

第4　医療扶助指定機関
1　指定医療機関の指定の際の留意事項
　(1)　法による医療扶助のための医療を担当する機関は、申請のあったもののうち、法第49条の2第2項各号のいずれにも該当せず、医療扶助に基づく医療等について理解を有していると認められるものについて指定するものとすること。
　　このうち、感染症の予防及び感染症の患者に対する医療に関する法律第37条の2に規定する内容の医療を行う医療機関にあっては、同法第38条第1項の規定による指定を受けている医療機関を指定すること。
　(2)　指定を行った医療機関に対しては、指定後においても、第6の1の(2)アによる一般指導により、生活保護に関する法令、告示及び通知に定める事項について周知徹底を行い、医療扶助に基づく医療等に対する理解が一層深まるよう取り組むこと。
　(3)　申請のあった医療機関が、法第49条の2第3項各号のいずれかに該当する医療機関については、指定をしないことができるものであること。
　(4)　指定医療機関の指定の有効期間は6年間とし、6年ごとに更新の申請を行わせ、上記(1)の指定手続と同様に審査するものとすること。ただし、保険医療機関や保険薬局であって、指定医療機関の指定を受けた日から、おおむね引き続き当該開設者である保険医若しくは保険薬剤師のみが診療や調剤しているもの又はその者と同一世帯に属する配偶者等のみが診療若しくは調剤に従事しているものについては、その指定の効力を失う日前6月から同日前3月までの間に別段の申出がないときは、更新の申請があったものとみなすものであること。
2　健康保険法等による診療報酬に係る承認及び届出等
　(1)　健康保険法に基づく保険医療機関であり、同法等により診療報酬に係る指定、承認又は認定を受けている場合には、生活保護法において重ねてこれらの指定、承認又は認定は要しないものであること。
　(2)　健康保険法に基づく保険医療機関であり、同法等により診療報酬に係る届出をしている場合には、生活保護法において重ねてこれらの届出は要しないものであること。
3　指定施術機関および指定助産機関
　指定医療機関の指定基準の際の留意事項、医療機関の指定および指定医療機関の義

務は、法に定める範囲内で指定施術機関および指定助産機関に準用すること。
4 医療保護施設
指定医療機関の義務は、医療保護施設に準用すること。
第5 診療報酬の審査および支払
1 診療報酬の審査および支払
(1) 審査、支払機関
診療報酬審査機関は、社会保険診療報酬支払基金審査委員会又は社会保険診療報酬支払基金の主たる事務所に設けられた特別審査委員会（以下単に「審査委員会」という。）とし、支払機関は支払基金とすること。
(2) 委託契約
審査および支払に関する事務の委託につき、都道府県知事および市町村長は支払基金幹事長と別に定めるところにより契約を締結し、覚書を交換すること。
(3) 審査および支払の事務処理
都道府県知事および市町村長は、支払基金事務所の支部から送付された診療報酬明細書若しくは訪問看護療養費明細書又は併用分患者についてはこれらに代えて作成された連名簿（以下「明細書等」という。）を、医療券を発行した福祉事務所に送付すること。
2 診療報酬の決定
(1) 都道府県知事は、支払基金における審査の終了した明細書等について検討し、診療報酬額を決定することができるものであるが、診療報酬額の適否について審査委員会の審査を経ることになっているので、都道府県知事における診療報酬の決定の際には、特に、被保護者の本人支払額との関係等医療扶助における特異な点につき審査を行なうものとし、診療内容につき疑義のある場合は、審査委員会に再審査を求めたうえで診療報酬額を決定すること。
なお、再審査の結果につき疑義のある場合は、都道府県および審査委員会の双方において十分協議したうえで額を決定するものとすること。
(2) 知事決定の内容のうち、査定分については審査録を作成し、支払基金の再審査に附したものについては、再審査結果を確認すること。
3 審査および決定に関する注意事項
(1) 都道府県本庁主管課長は、支払基金幹事会に出席し、同会の状況を把握し、必要な事項はこれを要請するものとすること。
(2) 医系職員は、支払基金の審査状況を把握し、診療方針等に関し、必要な事項はこれを要請するものとすること。
(3) 支払基金審査と知事決定との円滑な実施を図るため、なるべく医系職員を審査委員会の委員として支払基金審査に参加させるように努めること。
(4) 生活保護法関係の診療報酬明細書の審査の際、社会保険診療報酬支払基金法第18条の規定に基づく診療担当者の出頭による審査を積極的に活用するよう、審査委員会に対し十分連絡要請すること。

(5) 診療報酬の額について過誤払いがあったときは、支払基金に通知し、翌月以降において支払うべき診療報酬金額からこれを控除するよう措置すること。この場合、当該返還額について都道府県知事の決定手続を行なうこと。ただし、過誤払いがあった当該医療機関に翌月以降において控除すべき診療報酬がない場合は、これを返還させるよう措置すること。
4 診療報酬以外の費用の支払等
(1) 治療材料費、施術料、看護料等の支払

治療材料費、施術料及び訪問看護における基本利用料以外の利用料に相当する費用については、福祉事務所長は、請求関係書類を審査し、請求額を確認した上、これを請求者に支払うこと。

なお、訪問看護における基本利用料以外の利用料に相当する費用については、指定訪問看護事業者に利用料請求書を当月分について作成させ、翌月10日までに医療券を発行した福祉事務所長に提出させるものとする。
(2) 非指定医療機関に対する診療報酬支払

福祉事務所長は、第3の13により請求を受けたときは、必要に応じ都道府県知事の技術的な助言を受け、請求関係書類を審査した上で、請求者に支払うこと。

当該審査は、当該患者の傷病の緊急性、転医の要否等に注意して行なうこと。
(3) 保護が遡及決定された場合等の医療費の支払

福祉事務所長は、保護が遡及決定された場合等で、保護申請以後の被保護者の医療費を真にやむを得ない事情のため当該被保護者が支払った場合は、その者にこれを金銭給付して差しつかえないこと。

第6 指導および検査
1 指定医療機関に対する指導
(1) 目的

指定医療機関に対する指導は、被保護者に対する援助の充実と自立助長に資するため、法による医療の給付が適正に行なわれるよう制度の趣旨、医療扶助に関する事務取扱等の周知徹底を図ることを目的とすること。
(2) 指導の形態

指導の形態は、一般指導と個別指導の2種とすること。

ア 一般指導

一般指導は、都道府県知事が、法並びにこれに基づく命令、告示及び通知に定める事項について、その周知徹底を図るため、講習会、広報、文書等の方法により行うものとすること。

イ 個別指導

個別指導は、厚生労働大臣又は都道府県知事が次のいずれかにより、指導の対象となる指定医療機関において個別に面接懇談方式により行うものとすること。ただし、必要に応じ、指定医療機関の管理者又はその他の関係者を一定の場所に集合させて行っても差し支えないこと。

(ｱ) 厚生労働大臣又は都道府県知事が単独で行う指導
(ｲ) 厚生労働大臣及び都道府県知事が共同で行う指導（以下「共同指導」という。）
(3) 指導対象の選定
　指導は全ての指定医療機関を対象とするが、重点的かつ効率的な指導を行う観点から、指導形態に応じて次の基準を参考にして対象となる医療機関を一定の計画に基づいて選定すること。
ア　一般指導
　原則として、全ての指定医療機関とするが、周知徹底を図る内容に応じ、一部の指定医療機関を選定しても差し支えないこと。
イ　個別指導
(ｱ) 厚生労働大臣又は都道府県知事が単独で行う指導
　次に掲げる事項について、個別に内容審査をした上で、指定医療機関を選定すること。
　a　社会保険診療報酬支払基金、実施機関、被保護者等から診療内容又は診療報酬の請求その他医療扶助の実施に関する情報の提供があり、個別指導が必要と認められた指定医療機関
　b　個別指導の結果、再度個別指導を行うことが必要と認められた指定医療機関又は個別指導において改善を求めたにもかかわらず、改善が認められない指定医療機関
　c　検査の結果、一定期間経過後に個別指導が必要と認められた指定医療機関
　d　社会保険診療報酬支払基金から提供される被保護者に係る診療報酬請求データ又は電子レセプトの分析結果等を活用して得られる指定医療機関の特徴（例えば請求全体に占める被保護者に関する請求割合が高い、被保護者以外と比較して被保護者の診療報酬明細書（調剤報酬明細書を含む。）の1件あたりの平均請求点数が高い、被保護者の県外受診の割合が高い、他の指定医療機関と比較して、頻回受診者や重複・多剤投与者の割合が高い等）を総合的に勘案し、個別に内容審査をした上で個別指導が必要と認められる指定医療機関
　e　その他、特に個別指導が必要と認められる指定医療機関
(ｲ) 共同指導
　上記(ｱ)により選定された指定医療機関の中から、その内容等を勘案し、共同指導を実施することが必要な指定医療機関を選定すること。
(ｳ) 選定上の留意点
　指導対象となる指定医療機関の選定にあたっては、指導にあたる職員（以下「指導担当者」という。）のみでなく複数の構成員からなる合議体において決定することや、医療関係者（医師、歯科医師、薬剤師、保健師、看護師等）からの意見を聴取するなど、組織的に公正な選定を行うものとすること。

(4) 指導方法等
　ア　一般指導
　　(ア)　指導方法
　　　　周知徹底を図る内容に応じ、以下の方法等により行うこと。
　　　　a　講習会方式による講習・講演
　　　　b　全ての指定医療機関に対する広報及び関係機関、関係団体等を通じた周知
　　　　c　新規指定医療機関に対する制度理解のための文書配布
　　(イ)　実施上の留意点
　　　　講習会方式で実施する場合において、指導対象となる指定医療機関を決定した時は、あらかじめ一般指導の日時、場所、出席者、指導内容等を文書により当該指定医療機関に通知すること。
　イ　個別指導
　　(ア)　実施通知
　　　　厚生労働大臣又は都道府県知事は、指導対象となる指定医療機関を決定したときは、あらかじめ次に掲げる事項を文書により当該指定医療機関に通知すること。
　　　　なお、共同指導を実施する場合には、当該通知に厚生労働大臣及び都道府県知事が共同で行うことを明記すること。
　　　　a　個別指導の目的
　　　　b　個別指導の日時及び場所
　　　　c　出席者
　　　　d　準備すべき書類等
　　(イ)　指導方法
　　　　個別指導は、被保護者の医療給付に関する事務及び診療状況等について診療録その他の帳簿書類等を閲覧するとともに、関係者から説明を求め、面接懇談方式で行うこと。なお、個別指導を行う前に、被保護者から受療状況等の聴取が必要と考えられるときは、福祉事務所の協力を得ながら速やかに聴取を行い、その結果を基に当該指定医療機関の指導を行うこと。
　　(ウ)　指導後の措置等
　　　　a　再指導
　　　　　個別指導において、適正を欠く取扱いが疑われ、再度指導を行わなければ改善の要否が判断できない場合には、当該指定医療機関に再指導を行うこと。なお、この場合、被保護者から受療状況等の聴取が必要と考えられるときは、福祉事務所の協力を得ながら速やかに聴取を行い、その結果をもとに当該指定医療機関の再指導を行うこと。
　　　　b　要検査
　　　　　個別指導の結果、下記2の(2)に定める検査対象の選定項目に該当すると判断した場合には、後日、速やかに検査を行うこと。

なお、指導中に診療内容又は診療報酬の請求について、明らかに不正又は著しい不当を確認した場合には、個別指導を中止し、直ちに検査を行うことができるものであること。
c 指導結果の通知等
個別指導の結果、改善を要する事項が認められた場合又は診療報酬について過誤による調整を要すると認められた場合には、後日、文書によってその旨の通知を行うものとすること。
d 報告書の提出
都道府県知事は、当該指定医療機関に対して、文書で通知した事項について、文書により報告を求めること。
(エ) 実施上の留意点
a 指導の実施に際しては、つとめて診療に支障のない日時を選ぶこと。また、必要に応じ、関係団体との連絡調整（指導方針に係る協議、指導時の立会依頼など）を行い運営の円滑を期すること。
b 実施時期の決定にあたっては、地方厚生（支）局及び衛生関係部局の行う指導計画等との調整を図ること。
c 指導担当者は、公正かつ親切丁寧な態度を保持すること。
(5) 指摘事項の周知
個別指導の結果、改善を求めた指摘事項から留意すべき点を整理し、その改善に向けた取組内容について、管内の指定医療機関に対して、周知を行うこと。
2 指定医療機関に対する検査
(1) 目的
指定医療機関に対する検査は、被保護者にかかる診療内容および診療報酬の請求の適否を調査して診療方針を徹底せしめ、もって医療扶助の適正な実施を図ることを目的とすること。
(2) 検査対象の選定
検査は、次のいずれかに該当する場合に、厚生労働大臣又は都道府県知事が行うものとすること。ただし、法第84条の4第1項に該当すると認められる場合には、厚生労働大臣又は都道府県知事が共同で行うことを検討すること。
ア 診療内容に不正又は著しい不当があったことを疑うに足りる理由があるとき。
イ 診療報酬の請求に不正又は著しい不当があったことを疑うに足りる理由があるとき。
ウ 度重なる個別指導によっても診療内容又は診療報酬の請求に改善が見られないとき。
エ 正当な理由がなく個別指導を拒否したとき。
(3) 検査方法等
ア 実施通知
厚生労働大臣又は都道府県知事は、検査対象となる指定医療機関を決定したと

きは、あらかじめ次に掲げる事項を文書により当該指定医療機関に通知すること。
　なお、厚生労働大臣及び都道府県知事が共同で検査を実施する場合には、当該通知にその旨を明記すること。
　　(ｱ)　検査の根拠規定及び目的
　　(ｲ)　検査の日時及び場所
　　(ｳ)　出席者
　　(ｴ)　準備すべき書類等
　イ　検査の内容及び方法
　　検査は、被保護者の診療内容及び診療報酬請求の適否その他医療扶助の実施に関して、診療報酬明細書（調剤報酬明細書を含む。）と診療録（調剤録を含む。）その他の帳簿書類の照合、設備等の調査により実地に行うものとすること。
　　なお、必要に応じ被保護者についての調査をあわせて行うものとすること。
　ウ　実施上の留意点
　　(ｱ)　検査の実施に際しては、つとめて診療に支障のない日時を選ぶこと。また、必要に応じ、関係団体との連絡調整（検査方針に係る協議、検査時の立会依頼など）を行い運営の円滑を期すること。
　　(ｲ)　実施時期の決定にあたっては、地方厚生（支）局及び衛生関係部局の行う監査計画等との調整を図ること。
　　(ｳ)　検査にあたる職員は、公正かつ親切丁寧な態度を保持すること。
3　検査後の措置等
(1)　検査結果の通知及び報告書の提出
　ア　検査の結果は、後日、文書によってその旨の通知を行うものとすること。
　イ　厚生労働大臣又は都道府県知事は、当該指定医療機関に対して、改善を要すると認められた通知事項については、文書により報告を求めるものとすること。
(2)　行政上の措置
　ア　指定取消、効力停止
　　都道府県知事は、指定医療機関が次のいずれかに該当したときは、その指定の取消しを行なうこと。ただし、指定の取消しの処分に該当する医療機関の機能、事案の内容等を総合的に勘案し、医療扶助のための医療の確保を図るため特に必要と認められる場合は、期間を定めてその指定の全部若しくは一部の効力停止を行うことができるものとする。
　　(ｱ)　故意に不正又は不当な診療を行なったもの。
　　(ｲ)　故意に不正又は不当な診療報酬の請求を行なったもの。
　　(ｳ)　重大な過失により、不正又は不当な診療をしばしば行なったもの。
　　(ｴ)　重大な過失により、不正又は不当な診療報酬の請求をしばしば行なったもの。
　イ　戒告

都道府県知事は、法による指定医療機関が次のいずれかに該当したときは、戒告の措置を行なうこと。
　(ｱ)　重大な過失により不正又は不当な診療を行なったもの。
　(ｲ)　重大な過失により不正又は不当な診療報酬の請求を行なったもの。
　(ｳ)　軽微な過失により不正又は不当な診療をしばしば行ったもの。
　(ｴ)　軽微な過失により不正又は不当な診療報酬の請求をしばしば行なったもの。
ウ　注意
　都道府県知事は、法による指定医療機関が次のいずれかに該当したときは、注意の措置を行なうこと。
　(ｱ)　軽微な過失により不正又は不当な診療を行なったもの。
　(ｲ)　軽微な過失により不正又は不当な診療報酬の請求を行なったもの。
(3)　聴聞等
　検査の結果、当該指定医療機関が指定の取消又は期間を定めてその指定の全部若しくは一部の効力停止の処分に該当すると認められる場合には、検査後、指定の取消等の処分予定者に対して、行政手続法（平成5年法律第88号）の規定に基づき聴聞又は弁明の機会の付与を行わなければならないこと。
(4)　経済上の措置
　ア　都道府県知事は、検査の結果、診療及び診療報酬の請求に関し不正又は不当の事実が認められ、これに係る返還金が生じた場合には、すみやかに支払基金に連絡し、当該指定医療機関に支払う予定の診療報酬額からこれを控除させるよう措置すること。ただし、当該指定医療機関に翌月以降において控除すべき診療報酬がない場合は、これを保護の実施機関に直接返還させるよう措置すること。
　イ　不正又は不当の診療および診療報酬の請求があったが、未だその診療報酬の支払いが行なわれていないときは、都道府県知事は、すみやかに支払基金に連絡し、当該指定医療機関に支払うべき診療報酬額からこれを控除させるよう措置すること。
　ウ　指定の取消しの処分を行った場合、又は期間を定めてその指定の全部若しくは一部の効力停止の処分を行った場合には、原則として、法第78条第2項の規定により返還額に100分の40を乗じて得た額も保護の実施機関に支払わせるよう措置すること。
(5)　厚生労働大臣への通知
　都道府県知事は、指定医療機関について指定の取消しの処分を行った場合、又は期間を定めてその指定の全部若しくは一部の効力停止の処分を行った場合において、健康保険法（大正11年法律第70号）第80条各号のいずれかに該当すると疑うに足りる事実があるときは、法第83条の2に基づき厚生労働大臣に対し、その事実を通知すること。
4　医療保護施設等の取扱い
　1から3までに定めるところは、医療保護施設、指定施術機関および指定助産機関

について準用するものとすること。
　なお、医療保護施設が指定医療機関に対する取消しの事項に該当するときは、法第45条の規定に基づく改善命令を行なうこと。
第7　精神医療取扱要領
　精神医療については、一般の取扱いによるほか、次によること。
　1　精神保健及び精神障害者福祉に関する法律第29条の規定に基づく措置入院の要件に該当する精神医療の取扱手続
　　(1)　福祉事務所長は、要保護者が精神保健及び精神障害者福祉に関する法律第29条の規定に基づく措置入院の要件に該当すると思われる者であるときは、(2)以下に定めるところによって取り扱うこと。
　　　なお、精神保健及び精神障害者福祉に関する法律第29条の規定に基づく措置入院の基準については、昭和63年4月8日厚生省告示第125号で定められているものであること。
　　(2)　医療扶助による入院の申請を行なった要保護者が、精神障害者若しくはその疑いのある者又は覚せい剤の慢性中毒患者若しくはその疑いのある者であるときは、国若しくは都道府県の設置した精神科病院又は精神保健及び精神障害者福祉に関する法律による指定病院（同時に法による指定医療機関であるもの）と連絡をとり、当該要保護者を入院させなければ当該疾患のため自身を傷つけ、又は他人に害を及ぼすおそれがあると思われるときは、もよりの保健所長を経由し、都道府県知事（指定都市市長を含む。3を除き、以下同じ。）に対して精神保健及び精神障害者福祉に関する法律第22条に規定する申請を行なうと同時に3の要領により医療扶助による申請を行なうこと。
　　　なお、この場合、精神保健及び精神障害者福祉に関する法律第22条の申請結果が判明するまでは原則として医療扶助の決定を行なわないこと。
　　(3)　(2)の申請を行った要保護者が精神保健及び精神障害者福祉に関する法律の措置入院の要件に該当したときは、都道府県知事からその旨福祉事務所長に通知があるので、その通知を受理したときは、直ちに医療扶助の申請を却下し、この旨要保護者に通知すること。
　　　また、精神保健及び精神障害者福祉に関する法律による措置入院の要件に該当しなかったときは、3の要領により、医療扶助による入院の要否を判定すること。
　　(4)　医療扶助により入院している被保護者が精神保健及び精神障害者福祉に関する法律の措置入院の要件に該当すると思われるときは、直ちに指定医療機関からその旨の連絡を求め、必要と認められる場合、(2)に準じて精神保健及び精神障害者福祉に関する法律第22条に規定する申請を行なうこと。
　　　なお、この被保護者に関して前記の申請をするときは、被保護者であることを証する書類を添付すること。
　　(5)　(4)の申請を行った被保護者に関して、精神保健及び精神障害者福祉に関する法律の措置入院の要件に該当したときは、都道府県知事からその旨福祉事務所長に通知

があるので、その通知を受理したときは、精神保健及び精神障害者福祉に関する法律の措置入院決定日の前日限りで医療扶助を廃止し、被保護者及び指定医療機関にこの旨を通知すること。

また、精神保健及び精神障害者福祉に関する法律の措置入院の要件に該当しなかったときは、3の要領により、医療扶助による継続入院の要否を判定すること。

ただし、既に3の要領に基づいて判定された入院承認期間がある者についてはこの限りでないこと。

(6) 都道府県（指定都市及び中核市を含む。）民生部（局）は、昭和29年11月17日社発第904号厚生省社会局長、同公衆衛生局長連名通知「生活保護法による医療扶助と公衆衛生法規との関係について」に基づいて要保護者の精神保健及び精神障害者福祉に関する法律による措置入院が適正に行なわれているか否か常時検討し、精神保健及び精神障害者福祉に関する法律の措置入院となるべきケースを医療扶助によって肩替りすることがないよう、当該都道府県衛生部（局）と適宜連絡をとり、それらに基づいて適切な措置を講ずること。

2 障害者の日常生活及び社会生活を総合的に支援するための法律(平成17年法律第123号) 第5条第22項の自立支援医療（障害者の日常生活及び社会生活を総合的に支援するための法律施行令（平成18年政令第10号）第1条第3号の精神通院医療に限る。以下「精神通院医療」という。）の対象となる精神疾患に係る医療の取扱手続

(1) 福祉事務所長は、生活保護法による医療扶助の申請があった場合において、当該要保護者が精神通院医療の対象となる入院外医療を必要とする精神障害及び精神障害に付随する軽易な傷病を有する者であると思われるときは、直ちに精神通院医療の支給認定の申請手続を行うよう指導すること。ただし、現に精神通院医療の支給認定を受けているものについては所定の手続により医療扶助の要否を決定すること。

なお、精神通院医療の支給認定の申請手続を行う場合には、所定の申請書、診断書及び課税状況等の判る資料のほか、別に前記診断書の写し一部を添付して市町村長を経由し、都道府県知事に対して提出させること。

また、この申請を行った場合で、福祉事務所長の交付した医療要否意見書等があるときは、その意見書に精神通院医療の支給認定の申請をしたこと及び所要の医療費概算額のみを記入して、福祉事務所長に提出するよう指導すること。

(2) (1)の申請に要する診断書作成及び手続協力のための費用については、3000円以内の額を、医療機関の請求に基づき、福祉事務所払いの医療扶助費として支払って差し支えないこと。

(3) (1)の申請を行った要保護者に関する精神通院医療に係る支給認定を行ったかどうかについては、都道府県知事から市町村長を通じ次の資料をもって福祉事務所長に通知があるので、当該通知を受理したときは、通知に伴い送付された資料および(1)の医療要否意見書等を審査し、医療扶助の要否を決定すること。

なお、精神通院医療の支給認定却下通知を受けた者については、特に当該要保護

者の病状について慎重に審査し、必要なときは指定医療機関に照会したうえ、医療扶助の要否を決定すること。
　　ア　精神通院医療の支給認定が行われたとき
　　　　医療受給者証（及び診断書）の写し
　　イ　精神通院医療の支給認定が行われなかったとき
　　　　却下通知書（及び診断書）の写し
⑷　福祉事務所長は、精神通院医療に係る支給認定を受けた被保護者に対しては、精神通院医療の支給認定の有効期間中においては、精神通院医療の対象となる入院外医療については、医療扶助を行わないものであること。なお、前記の被保護者に支給認定の行われない併発疾病のある場合には、一般の例により発行される医療要否意見書の「主要症状」欄には精神障害に関する病状を記載することは必要ないものであること。
3　精神疾患入退院取扱要領
⑴　福祉事務所長は、医療扶助による精神疾患に係る患者の入院を決定しようとするときは、指定医療機関に対して精神疾患入院要否意見書の提出を求めること。
　　なお、この取扱いは、新規の医療扶助による入院、入院外医療扶助の変更による入院および入院医療扶助の継続の場合のすべてに適用するものであること。
　　また、入院医療扶助の継続の場合は、当該入院の決定時から6箇月（6箇月の範囲内において、都道府県知事（指定都市及び中核市の市長を含む。⑵において同じ。）が期間を定めた場合には当該期間）又は⑶によって福祉事務所長が定めた期間ごとに精神疾患入院要否意見書の提出を求めること。
⑵　⑴による精神疾患入院要否意見書を受理した福祉事務所長は、当該意見書を審査し、入院の要否について疑義があると認められるものについては、都道府県知事に技術的な助言を求め、その結果に基づいて入院の要否を決定すること。
　　なお、この協議にあたっては精神疾患入院要否意見書のほか、精神疾患入院要否判定補助カード（様式第10号）を整備のうえ、これを添付すること。
⑶　福祉事務所長は、入院期間を決定する場合は6箇月の範囲内において定めること。
第8　施行期日等
1　この通知は、昭和36年10月1日から施行すること。
2　昭和33年7月3日社発第424号厚生省社会局長通知「生活保護法による医療扶助運営要領について」は廃止する。ただし、同通知に基づいて調製された各給付要否意見書及び医療券（診療報酬請求明細書）等は、当分の間、これを取り繕って使用して差し支えないこと。

様式第1号

指定機関名簿

指定番号	医療機関等コード	名称	所在地	診療科名等	開設者 氏名(名称等)	開設者 住所(所在地)	開設者 生年月日	管理者 氏名	管理者 住所	管理者 生年月日	指定年月日	指定有効期間
												～

(注意) 1 助産師又は施術者については、「開設者名(氏名)」に本人の氏名を記載するとともに「住所(所在地)」にその住所を記載すること。
2 指定訪問看護事業者については、その開設する訪問看護ステーションごとに記載すること(「開設者名(氏名)」及び「住所(所在地)」には、指定訪問看護事業者の名称及び主たる事務所の所在地を記載すること。)。

一覧表

指定番号	医療機関等コード	名称	所在地	診療科名等	開設者 氏名(名称等)	開設者 住所(所在地)	開設者 生年月日	生活保護法 指定年月日	生活保護法 指定有効期間	健康保険法 指定有効期間	みなし更新申	有・無
							年 月 日	年 月 日	年 月 日 ～ 年 月 日	年 月 日 ～ 年 月 日		

				管理者 氏名	管理者 住所	管理者 生年月日
						年 月 日

指定番号	医療機関等コード	名称	所在地	診療科名等	開設者 氏名(名称等)	開設者 住所(所在地)	開設者 生年月日	生活保護法 指定年月日	生活保護法 指定有効期間	健康保険法 指定有効期間	みなし更新申	有・無
							年 月 日	年 月 日	年 月 日 ～ 年 月 日	年 月 日 ～ 年 月 日		

				管理者 氏名	管理者 住所	管理者 生年月日
						年 月 日

様式第2号

指定番号	医療機関等コード	名称	所在地	診療科名等	生活保護法指定年月日	生活保護法指定有効期間	健康保険法指定有効期間	みなし更新申
					年 月 日	年 月 日 ~ 年 月 日	年 月 日 ~ 年 月 日	有・無
		開設者				管理者		
		氏名（名称等）	住所（所在地）	生年月日 年 月 日		氏名	生年月日 年 月 日	

指定番号	医療機関等コード	名称	所在地	診療科名等	生活保護法指定年月日	生活保護法指定有効期間	健康保険法指定有効期間	みなし更新申
					年 月 日	年 月 日 ~ 年 月 日	年 月 日 ~ 年 月 日	有・無
		開設者				管理者		
		氏名（名称等）	住所（所在地）	生年月日 年 月 日		氏名	生年月日 年 月 日	

指定・指定更新申請書（変更届書等）受理簿

受理番号	受理年月日	名称	申請者（開設者）名	住所（所在地）	指定・指定更新年月日	辞退年月日	指定番号	備考

（注意）1　「指定年月日」は、当該指定医療機関が初めて生活保護法による指定を受けた年月日を記載。
　　　　2　開設者が法人の場合、「申請者（開設者）名」に法人の名称及び代表者の職・氏名を記載し、「住所（所在地）」に法人の主たる事務所の所在地を記載。

様式第3号から様式第9号まで　削除

様式第10号

結核 入院要否判定補助カード
精神疾患

〇〇福祉事務所

ケース番号							
患者氏名	（職業　　　）			家族関係	初診	年 月 日 発病	年 月 日
診療歴	傷病名及び入院・入院外別	生活環境	住居の種類 部屋数 その他	費用負担区分（　） 世帯人員（　） 畳数（　）		生活歴 及び発病前状況等	
		受療期間	年 月～年 月 年 月～年 月 年 月～年 月	精神疾患		現病歴	
	初診	年 月 日					
結核	主要症状発見 ツ反応・陽転	年 月 年 月		手術	年 月 年 月 年 月		
既住の医療		年 月～年 月 年 月～年 月 年 月～年 月		結核診査協議会判定 精神		結果又は実地調査の結果	
回数	承認期間		承認の条件等	承認方法			
1	年 月 日～（　か月）			1 福祉事務所長 2 医療扶助審議会等		（　月　日）	
2	年 月 日～（　か月）			1 福祉事務所長 2 医療扶助審議会等		（　月　日）	
3	年 月 日～（　か月）			1 福祉事務所長 2 医療扶助審議会等		（　月　日）	
4	年 月 日～（　か月）			1 福祉事務所長 2 医療扶助審議会等		（　月　日）	
5	年 月 日～（　か月）			1 福祉事務所長 2 医療扶助審議会等		（　月　日）	

様式第11号

(1) 給付券（　　券）交付処理簿

交付番号	月　別	患　者　氏　名	記名欄	備　　　考
1	月分			
2	〃			
3	〃			
4	〃			
5	〃			
6	〃			

(2) 給付券（　　）交付処理簿（併用分）

受 給 者 番 号			月　別	患者氏名	医療機関等コード	本人支払額	記名欄	確認印	備　　考
000	001	8	月分						
000	002	6	〃						
000	003	4	〃						
000	004	2	〃						
000	005	9	〃						
000	006	7	〃						

様式第12号

保護変更申請書（傷病届）

1 医療　2 治療材料　3 施術（柔道整復・あん摩・マッサージ・はり・きゅう）
4 移送

		※受理年月日	年　月　日
患者氏名	男・女 （　歳）	居　住　地	
世帯主氏名		現在受けている扶助	生・住・教・医・その他

病状及び理由

上記のとおり生活保護法による保護の変更を申請します。

　　　　　　　　　　　　　　　　　　　令和　　年　　月　　日

福祉事務所長殿

　　　　　　申請者 ｛ 住　　所
　　　　　　　　　　 氏　　名
　　　　　　　　　　 患者との関係

生活保護法による医療扶助運営要領について

様式第13号

(表　面)

医　療　要　否　意　見　書

※1医科　2歯科	※1新規　2継続（単・併）	※受理年月日	年　月　日

（氏名）　　　（　歳）に係る医療の要否について意見を求めます。

　　　　院（所）長殿　　　　　　　　令和　年　月　日
　　　　　　　　　　　　　　　　　　福祉事務所長　　㊞

傷病名又は部位	(1) (2) (3)	初診年月日	(1) 年 月 日 (2) 〃 〃 〃 (3) 〃 〃 〃	転　帰 (継続のとき記入)	年 月 日 治ゆ　死亡　中止
主要症状及び今後の診療見込	（今後の診療見込に関連する臨床諸検査結果等を記入して下さい。）					

治療見込期間	入院外	か月　日間	概算医療費	(1) 今回診療日以降1か月間 円 （入院料　　円）	(2) 第2か月目以降6か月目まで 円 （入院料　円）	福祉事務所への連絡事項
	入院	期間	か月　日間			
		(予定) 年　月　日				

上記のとおり（1入院外　2入院）医療を（1要する　2要しない）と認めます。
　　　　　　　　　　　　　　　　　　　令和　年　月　日
　　　　福祉事務所長　殿
　　　　　　指定医療機関の所在地及び名称
　　　　　　院（所）　　　　　　　　長
　　　　　　担当医師（診療科名）

※嘱託医の意見

···（切　取　線）···

※発行年月日	年　月　日	診察料・検査料請求書		※発行取扱者
※受理年月日	年　月　日	令和　年　月　日		

　　　　　福祉事務所長　殿
　　　　　　　指定医療機関の所在地及び名称
　　　　　　　指定医療機関の長又は開設者氏名
　下記のとおり請求します。

この券による診察年月日	年　月　日	※受診者氏名		（　歳）
請求額	診察料　初・再 〃	点 〃	(検査名)	
	合　計	点	※社保等負担額　円　差引計　円	㊞

(裏　面)

（注意）

1　この意見書を提示した患者で（1新規）のものは新規に生活保護法による保護を申請している世帯の者ですから診察料等を患者から徴収して下さい。

　　（2継続）のものは生活保護法による保護を受けている世帯の者ですから診察料等を患者から徴収しないで下さい。

　　なお、患者に後日医療券が交付された場合には、その医療券に基づき支払基金等あて請求して下さい。

　　また、この場合、診察料等の徴収額が、その医療券に記載されている「本人支払額」欄の金額を超過している場合には、その超過額を患者に返して下さい。

2　「主要症状及び今後の診療見込」欄において臨床諸検査等の記入を福祉事務所からお願いしたときは、直近の臨床諸検査結果等を記入して下さい。

3　患者が診察（初診、再診、往診）又は検査だけを受けた場合には医療券が交付されませんので、この請求書によって直接福祉事務所長に請求して下さい。ただし、新規申請の場合は保護の決定を受けたものに限ります。

（記入要領）

1　この意見書は、生活保護法による医療扶助を受けようとするとき又は現に受けている医療扶助の停、廃止を行なう場合に必要となる大切な資料でありますので、できるだけ詳しく、かつ、正確に記入して下さい。ただし、精神病の傷病による入院医療については別に定める様式により記入していただくことになっております。

2　診断が確定せず、傷病名に疑義がある場合には「傷病名又は部位」欄には○○の疑いと記入して下さい。

3　「初診年月日」欄には、費用負担関係の如何にかかわらず、その傷病についての初診年月日を記入して下さい。

4　「概算医療費」欄の「(1)今回診療日以降1か月間」にはこの意見書による診療日以降1か月間に要する医療費概算額を、「(2)第2か月目以降6か月目まで」には、1か月を超えて診療を必要とするものについて、第2か月目以降6か月目までに要する医療費概算額を記入し、（　）内に入院料を再掲して下さい。

　　なお、2継続で㊞の場合は記入する必要はありません。

5　この意見書を提出した患者が急性期医療の定額払い方式の対象患者（以下「対象患者」という。）となる場合は、次のように記入して下さい。

　(1)　「医療要否意見書」の次に「(医科入院定額支払用)」と記入して下さい。

(2) 既に対象患者として入院している患者から、この意見書が提出された場合、「診療見込期間」欄の「入院期間」には総入院期間を記入し、その下に「残り期間　か月　日間」と記入して下さい。
(3) 「概算医療費」欄の「(1)今回診療日以降1か月間」には入院時請求額を、「(2)第2か月目以降6か月目まで」には概算医療費の総額を記入して下さい。
6 ※印欄は福祉事務所で記入します。

様式第14号・第15号　削除

Ⅱ 生活保護法関係通知 第4章 医療扶助運営要領

様式第16号

(表)

精 神 疾 患 入 院

※患者氏名	(男・女)	※生年月日	明治 大正 昭和 平成 令和	年　　月　　日生 (満　　歳)
※居住地	都道 府県	郡市 区		町村 区
※※患者の職業			※※発病年月日	年　　月　　日
現在の入院形態			当院入院年月日 (入院形態)	年　　月　　日 (　　　　　)
病　　　名	1　主たる精神障害	2　従たる精神障害		3　身体合併症
※※ 生活歴及び現病歴 〈精神科又は神経科受診歴等を含め記載すること。〉	(陳述者氏名　　　　　続柄　　　　　)			
初 回 入 院 期 間	年　　月　　日～　　　年　　月　　日			
前 回 入 院 期 間	年　　月　　日～　　　年　　月　　日			
初回から前回までの入院回数	計　　　　回			
過去6か月間の病状又は状態像の変化の概要	Ⅰ　悪化傾向　Ⅱ　動揺傾向　Ⅲ　不変　Ⅳ　改善傾向 〈特記事項〉			
過去6か月間の外泊の実績	Ⅰ　1回　　Ⅱ　2回　　Ⅲ　3回以上　　Ⅳ　なし			
現在の外出許可の状況	Ⅰ　外出禁止 Ⅱ　院内外出許可（1単独　2他の患者同伴　3看護者、家族等同伴） Ⅲ　院外外出許可（1単独　2他の患者同伴　3看護者、家族等同伴）			

(注意)　1　※印の欄は福祉事務所が記入します。
　　　　2　※※印の欄は欄外に継続入院となっている場合は記入の必要がありません。
　　　　3　この意見書の具体的記入要領及びこの患者が精神保健及び精神障害者福祉に関する法律
　　　　4　概算医療費については、診療開始後6か月に限り、「概算医療費」欄の「1今回診療日以
　　　　　6か月目まで」に、1か月を超えて診察を必要と認めるものについて、第2か月目以降6

生活保護法による医療扶助運営要領について

面）
要　否　意　見　書

※1　新規 {(1) 現在入院中　2　継続入院
         (2) その他

※受理年月日　　　年　　月　　日

※指定医療機関名

現在の病状又は状態像	
	Ⅰ　抑うつ状態 　1 抑うつ気分　2 内的不穏　3 焦燥・激越　4 精神運動制止　5 罪責感　6 自殺念慮　7 睡眠障害　8 食欲障害又は体重減少　9 その他（　　　）
	Ⅱ　躁状態 　1 高揚気分　2 多弁・多動　3 行為心迫　4 思考奔逸　5 易怒性・被刺激性亢進　6 誇大性　7 その他（　　　）
	Ⅲ　幻覚妄想状態 　1 幻覚　2 妄想　3 させられ体験　4 思考形式の障害　5 奇異な行為　6 その他（　　　）
	Ⅳ　精神運動興奮状態 　1 滅裂思考　2 硬い表情・姿勢　3 興奮状態　4 その他（　　　）
	Ⅴ　昏迷状態 　1 無言　2 無動・無反応　3 拒絶・拒食　4 その他（　　　）
	Ⅵ　意識障害 　1 意識混濁　2 （夜間）せん妄　3 もうろう　4 その他（　　　）
	Ⅶ　知能障害 　A 精神遅滞　1 軽度　2 中等度　3 重度 　B 認知症　1 全体的　2 まだら（島状）　3 仮性　4 その他（　　　）
	Ⅷ　人格の病的状態 　A 人格障害　1 妄想性　2 衝動性　3 演技性　4 回避性　5 その他（　　　） 　B 残遺性人格変化　1 欠陥状態　2 無関心　3 無為　4 その他（　　　）
	Ⅸ　その他 　A 性心理的障害　1 フェティシズム　2 サド・マゾヒズム　3 小児愛　4 その他（　　　） 　B 薬物依存　1 覚醒剤　2 有機溶剤　3 睡眠薬　4 その他（　　　） 　C アルコール症 　D その他（　　　）

入院外医療が困難な理由	
	Ⅰ　医療上の問題　1 問題行動（　　　） 　2 病状不安定　3 身体的合併症管理　4 服薬管理　5 その他（　　　）
	Ⅱ　その他の問題　1 家族の受入が困難　2 日常生活に指導を要する　3 住居確保が困難　4 その他（　　　）

医学的総合判定		概算医療費	
判　　　定　　　　　　見込期間		1　今回診療日以降1か月間	2　第2か月目以降6か月目まで
1　要入院医療　…………（　　）			
2　要入院外医療…………（　　）			
3　医療不要		円	円

※発行取扱者

上記のとおり診療を（1 要する　2 要しない）ものと認めます。
　　福祉事務所長　殿
　　　　　　　　　　　　　令和　　年　　月　　日
　　　　　　　指定医療機関の所在地及び名称
　　　　　　　院　（所）　長　（担当医師）

※福祉事務所嘱託医の意見
※本庁医系職員の意見
※審議会の判定

㊞

第29条の措置入院の要件に該当すると認められた場合の取扱いは裏面によって下さい。
降1か月間」にこの意見書による診療日以降1か月間に要する医療費概算額を「2 第2か月目以降か月目までに要する医療費概算額を記入して下さい。

931

（裏　　面）

（意見書記入要領）

1　「患者の職業」欄は、できるだけ、発病前の職業を記載すること。

2　「生活歴及び現病歴」欄は、性格、特徴等を記載し、他診療所及び他病院での受診歴をも聴取して記載すること。

　　また、継続入院の場合であっても、新たに判明した事実がある場合には記載すること。

3　「初回及び前回入院期間」欄は、他病院での入院歴をも聴取して記載し、入院歴がない場合は記載を要しないこと。

4　「現在の病状または状態像」欄は、一般にこの書類作成までの過去数か月間に認められた病像または状態像を指すものとし、主として最近のそれに重点を置いて、該当する全てのローマ数字、算用数字及びローマ字を〇で囲むこと。

（精神保健及び精神障害者福祉に関する法律第29条の措置入院の要件に該当すると認められた場合の連絡）

　　新たに入院しようとする患者（社会保険又は自費等で入院していた者が引き続き生活保護法により入院しようとする場合を含む。）でこの意見書を提示したものが精神保健及び精神障害者福祉に関する法律第29条の措置入院の要件に該当する病状であると認められるときは、直ちにその旨を福祉事務所に連絡して下さい。

　　また、既に生活保護法により、入院している患者であっても、精神保健及び精神障害者福祉に関する法律第29条の措置入院の要件に該当する病状であると認められるに至ったときは、ただちにその旨福祉事務所に連絡して下さい。

　　（注）　上記の患者については福祉事務所長が都道府県知事又は指定都市市長に対して精神保健及び精神障害者福祉に関する法律第23条の申請を行いますが、その結果については福祉事務所からも必要な事項をお知らせいたします。

様式第17号

保護変更申請書（傷病届）

※指定医療機関名		※発行年月日	
		※受理年月日	

利用者氏名		居住地	
世帯主氏名		現在受けている扶助	生・住・教・医・その他
病状及び理由			

上記のとおり生活保護法による保護の変更を申請します。
　　　　　　　　　　　　　　　　　　　　　　　年　　月　　日
　　　　福祉事務所長　殿
　　　　　　　　　　　　　申請者　住　　所
　　　　　　　　　　　　　　　　　氏　　名
　　　　　　　　　　　　　　　　　利用者との関係

訪問看護要否意見書（新規・継続）

※利用者氏名		※生年月日	年　月　日
主たる病名		訪問看護開始年月日	年　月　日
病状・治療状態（改善の見込み等）			
訪問看護見込期間	か月	訪問看護見込回数（1週当たり）	1　1回　4　4回以上 2　2回　5　その他 3　3回　（週当たり　回）
実施が適当と思われる訪問看護事業者	所在地 名　称		

上記のとおり訪問看護を（1　要する　2　要しない）と認めます。
　　　　福祉事務所長　殿　　　　　　　　　　　　　年　　月　　日
　　　　　　　　　　　　指定医療機関の所在地及び名称
　　　　　　　　　　　　指定医療機関の長又は開設者氏名

※福祉事務所嘱託医意見	1　訪問看護の要否（ア　要する　イ　要しない） 2　訪問看護見込期間（　　　か月） 3　訪問看護見込回数（1週当たり　回（　週当たり　回）） 4　参考意見 　　　　　　　　　　　　　　　　　　　年　　月　　日 　　　　　　　　　　　　　　　嘱託医　　　　　㊞

（注意）　1　※印の欄は福祉事務所で記入します。
　　　　　2　「訪問看護」の部分は、不要なものを──で消してください。

様式第18号の1

給付要否意見書（所要経費概算見積書）

1　治療材料　　　2　移送

※福祉事務所記載欄	※1 新規　2 継続	※受理年月日　　年　　月　　日	※取扱業者名
	※（　　年　　月　　日以降の）（氏名）　　　　　　　　（　歳）に係る 1　治療材料　　2　移送の給付の要否について意見を求めます。 　　　　　　　　　　　　　令和　　年　　月　　日 　　　　　　　　　　　　　　福祉事務所長　　　　　　　　印		

要否意見（医師記載欄）	傷　病　名		傷病の程度及び給付を必要とする理由
	(1) (2) (3)		
	給付内容	治療材料	種類
			使用見込期間　　　　　　　　　　　　　　か月
		移送	種類・区間
			治療に必要な通院頻度　　1か月に　　　　　日
			移送を要する見込期間　　　　　　　　　　か月
	（患者氏名） 　　　　　　　について上記のとおり、給付を（1要する　2要しない） と認めます。 　　　　　　　　　　　　　　　　　　　令和　　年　　月　　日 　　　　　福祉事務所長　殿　　　指定医療機関の所在地及び名称 　　　　　　　　　　　　　　　　　　院（所）長		

所要経費概算見積（取扱業者記載欄）	治療材料	給付方法	種　類	品　名（商品名）	単価	数量	金　額	※発行取扱者
		購　入						
		合　計						
		貸与・修理						
		合　計						
	（治療材料） 　　　　　　　について、上記のとおり概算見積します。 　　　　福祉事務所長　殿　　　令和　　年　　月　　日 　　　　　　　　　　　　　取扱業者の所在地及び名称							

※福祉事務所整理欄	（移送費概算額等を記載）
※嘱託医意見	印　　　印

（記載注意）　※印欄は福祉事務所で記入するので、記載しないこと。

様式第18号の1の2

給付要否意見書（柔道整復）

※福祉事務所記載欄	※ 1 新規 2 継続	※受理年月日　　　年　月　日	※指定施術者名
	※（　年　月　日以降の）（氏名）＿＿＿＿＿＿（　歳）に係る施術の給付の要否について意見を求めます。 　　　　　　　　　　　令和　年　月　日 　　　　　　　　　　　　福祉事務所長　　　　印		

要否意見（柔道整復師記載欄）	傷病名（部位）	初検年月日	転帰（継続の場合）	傷病の程度及び給付を必要とする理由
	(1)	年　月　日	治癒・中止・継続	
	(2)	年　月　日	治癒・中止・継続	
	(3)	年　月　日	治癒・中止・継続	
	(4)	年　月　日	治癒・中止・継続	
	(5)	年　月　日	治癒・中止・継続	
	(6)	年　月　日	治癒・中止・継続	

療養（治癒）見込期間		概算見積額（初検時又は4か月目以降）					
か月又は	日間	1月目	円	2月目	円	3月目	円

（患者氏名）
＿＿＿＿＿＿について、上記のとおり給付を（1要する　2要しない）と認めます。

　　　　　　　　　　　　　　令和　年　月　日
　　福祉事務所長　殿　　　指定施術機関の所在地及び名称
　　　　　　　　　　　　　　　　院（所）長

※発行取扱者

医師同意	（注）脱臼又は骨折（応急手当を除く）の場合のみ同意が必要
※嘱託医意見	

　　　　　　　　　　　　　　　　　　　　　　　印　　印

（記載注意）
1　転帰「（継続の場合）」欄は、3か月を超えて施術を継続する場合に該当するものを○で囲むこと。
2　「療養（治癒）見込期間」及び「概算見積額」欄は、初検時（3か月を超えて療養を必要とする場合は4か月目以降）の療養（治療）見込期間及び概算見積額を記載すること。
3　「医師同意」欄は、施術者が同意を得た指定医療機関名、医師名、所在地及び同意年月日を記載したものでも差し支えないこと。
4　※印欄は福祉事務所で記入するので、記載しないこと。

Ⅱ　生活保護法関係通知　第4章　医療扶助運営要領

様式第18号の1の3

給付要否意見書（あん摩・マッサージ、はり・きゅう）

<table>
<tr><td rowspan="20">※福祉事務所記載欄</td><td colspan="6">※　1　新規　　2　継続　　　　※受理年月日　　　年　月　日</td><td rowspan="20">※指定施術者名</td></tr>
<tr><td colspan="6">※（　年　月　日以降の）（氏名）　　　　（　歳）に係る施術の給付の要否について意見を求めます。
　　　　　　　　　　　　　　令和　年　月　日
　　　　　　　　　　　　　　　福祉事務所長　　　　　　　印</td></tr>
<tr><td rowspan="8">要

否

意

見
（施術者記載欄）</td><td>傷病名（部位）</td><td>初検年月日</td><td colspan="2">転帰（継続の場合）</td><td colspan="2">傷病の程度及び給付を必要とする理由</td></tr>
<tr><td>(1)</td><td>年　月　日</td><td colspan="2">治癒・中止・継続</td><td colspan="2"></td></tr>
<tr><td>(2)</td><td>年　月　日</td><td colspan="2">治癒・中止・継続</td><td colspan="2"></td></tr>
<tr><td>(3)</td><td>年　月　日</td><td colspan="2">治癒・中止・継続</td><td colspan="2"></td></tr>
<tr><td>(4)</td><td>年　月　日</td><td colspan="2">治癒・中止・継続</td><td colspan="2"></td></tr>
<tr><td>(5)</td><td>年　月　日</td><td colspan="2">治癒・中止・継続</td><td colspan="2"></td></tr>
<tr><td>(6)</td><td>年　月　日</td><td colspan="2">治癒・中止・継続</td><td colspan="2"></td></tr>
<tr><td colspan="2">療養（治癒）見込期間</td><td colspan="4">概算見積額（初検時又は7か月目以降）</td></tr>
<tr><td colspan="6">　か月又は　　　　日間　　｜1月目　　円｜2月目　　円｜3月目　　円｜
　　　　　　　　　　　　　｜4月目　　円｜5月目　　円｜6月目　　円｜</td><td rowspan="3">※発行取扱者名</td></tr>
<tr><td colspan="2">往療が必要な場合その理由</td><td colspan="4"></td></tr>
<tr><td colspan="6">（患者氏名）
　　　　　　　　について、上記のとおり給付を（1要する　2要しない）と認めます。

　　　　　　　　　　　　　　令和　年　月　日
　福祉事務所長　殿　　　指定施術機関（施術者）の所在地及び名称</td></tr>
<tr><td rowspan="5">医師同意</td><td colspan="2">同意年月日</td><td colspan="4">年　月　日</td></tr>
<tr><td colspan="2">指定医療機関名</td><td colspan="4"></td></tr>
<tr><td colspan="2">所　在　地</td><td colspan="4"></td></tr>
<tr><td colspan="2">医　師　氏　名</td><td colspan="4"></td></tr>
<tr><td colspan="2">注意事項等</td><td colspan="4">（施術に当たって注意すべき事項等があれば記載してください）（任意）</td></tr>
</table>

生活保護法による医療扶助運営要領について

※嘱託医意見		
	印	印

（記載注意）
1　施術を行う場合は、事前に医師の同意を得ること。
2　転帰「(継続の場合)」欄は、6か月を超えて施術を継続する場合に該当するものを○で囲むこと。
3　「療養（治癒）見込期間」及び「概算見積額」欄は、初検時（6か月を超えて療養を必要とする場合は7か月目以降）の療養（治療）見込期間及び概算見積額を記載すること。
4　※印欄は福祉事務所で記入するので、記載しないこと。

様式第18号の2

　　　　　生活保護法による医療扶助のはり・きゅう受療連絡票

　次の者については、はり・きゅうを受療することを承認したのでご連絡いたします。
　なお、下記期間中に病状の変化等により当該疾病についての医療が必要となりました時には、当福祉事務所（　　　　）へ直ちにご連絡下さい。
　その旨を、当方より施術者へ通知します。

氏　　名　＿＿＿＿＿＿＿＿＿＿＿＿＿＿＿＿＿＿＿＿＿＿

承認期間　　年　　月　　日から　　　　　　年　　月　　日まで

傷病名　＿＿＿＿＿＿＿＿＿＿＿＿＿＿＿＿＿＿＿＿＿＿

　　　　　　　　　　　令和　　年　　月　　日
　　　　　　　　　　　　福祉事務所長　　　　㊞

（指定医療機関名）

　　　　　　院（所）長殿

Ⅱ　生活保護法関係通知　第4章　医療扶助運営要領

様式第19号

※発行年月日	年　月　日	初　検　料　請　求　書		
※受理年月日	年　月　日			
			令和　年　月　日	
福祉事務所長　殿				
		指定施術者	住　所	
			氏　名	
下記のとおり請求します。				
この券による初検年月日	年　月　日	※受診者氏名		（　歳）
請求額	初　検　料	円	（初検等の部位）	
	〃	円		
	〃	円		
	合　　計	円	※社会保険等負担額　　　円	差引額　　　円

（注意）
1　給付要否意見書（柔道整復）又は給付要否意見書（あん摩・マッサージ、はり・きゅう）を提示した患者で、（1新規）のものは、新規に生活保護法による保護の申請をしている世帯の者ですから、初検料は患者から徴収して下さい。
　　（2継続）のものは、現在、生活保護法による保護を受けている世帯の者ですから、初検料を患者から徴収しないで下さい。
　　なお、患者に後日施術券が交付された場合は、その施術券（施術報酬請求明細書）で請求して下さい。
　　また、この場合、初検料等の徴収額がその施術券に記載されている「本人支払額」欄の金額を超過している場合には、その超過額を患者に返して下さい。
2　患者が初検だけをうけた場合は、施術券は発行されませんので、この請求書によって直接福祉事務所長に請求して下さい。ただし、新規申請の場合には、保護の決定を受けたものに限ります。
3　※印の欄は福祉事務所で記入します。

様式第20号・第21号・第22号の1・第22号の2　削除

様式第23号

生活保護法医療券・調剤券（　　年　　月分）		
公費負担者番号		有効期間 　日から　日まで
受給者番号		単独・併用別　単独・併用
氏　　名	（男・女）明・大・昭・平・令　　年　月　日生	
居　住　地		
指定医療機関名		
傷病名	(1) (2) (3)	診療別　入院　歯科　入院外　調剤　訪問看護
		本人支払額　　　　円
地区担当員名　　　取扱担当者名 　　　　　　　　　福祉事務所長　印		
備考	社　会　保　険	あり（健・共）　なし
	感染症の予防及び感染症の患者に対する医療に関する法律第37条の2	あり　　　　　なし
	そ　の　他	

備考　1　この用紙は、A列4番白色紙黒色刷りとすること。
　　　2　「指定医療機関名」欄に指定訪問看護事業者の名称を記入する場合には、訪問看護ステーションの名称も併せて記入すること。

様式第23号の1の(1)・1の(2)・2の(1)・2の(2)・第23号の3から様式第23号の6まで　　削除

様式第23号の7

訪問看護に係る利用料請求書

(　　年　　月分・訪問回数　　回)

	基本利用料以外の利用料	単位	単価	金　　額	摘　　要
訪問看護に係る利用料明細書		回	円	円	
	合　計　金　額	請　　　求		※　決　　　定	
		円		円	

請求書	(利用者氏名) ＿＿＿＿＿に係る上記明細書による訪問看護に係る利用料を請求します。 　　令和　　年　　月　　日 　　　　福祉事務所長　殿　　　　住　所 　　　　　　　　　　　　　　　　事業者名

(注)　1　※印の欄は、福祉事務所で記入します。
　　　2　摘要欄には利用料の内容が分かるように具体的に記入してください。
　　　3　「訪問看護」の部分は、不要なものを――で消してください。

様式第23号の8

生活保護法医療券（医科入院定額支払用）				
1単独　2併用　1単給　2併給				（令和　　年　　月分）
公費負担者番号				有　効　期　間	日から 日まで
公費負担医療の受給者番号				指定医療機関名	
氏　名	(男・女)明・大・昭・平・令　年生			居　　住　　地	
傷病名	(1) (2) (3)			本人支払額	当　月　額　　　　円
^	^			^	合　計　額 （令和 年 月 〜 年 月）　　円
地区担当員　㊞　　取扱担当者　㊞ 　　　　　　　　　福祉事務所長　㊞				
備考	社　　会　　保　　険				あり（健・共）　　なし
^	感染症の予防及び感染症の患者に対する医療に関する法律第37条の2				あり　　　　　　　なし
^	そ　　の　　他				

備考　この用紙は、A列4番白色紙黒色刷りとすること。

様式第24号　削除

様式第25号

治療材料券・治療材料費請求明細書

	地区担当員印		取扱担当者印	

生活保護法治療材料券

交付番号				
	この券の有効期限	年　月　日まで	1　単　給 2　併　給	
受給者氏名	（　歳）男・女	居住地		
取扱業者		所在地		
種　　類		金　額		
給付方法	購入・貸与（　月〜　月）・修理（修理方法：　　　）			

福祉事務所長印

治療材料費請求明細書

種　　類	数量	単　価	金　額	摘　要
		円	円	
計				
※社保負担（健・共）	有・無　　割		円	
※他　法　負　担	有・無　　割		円	
※本　人　支　払　額			円	
差引請求（支払）金額			円	

請求者氏名及び住所

注　1　本人支払額は物品納入と同時に徴収してください。
　　2　治療材料費は福祉事務所へ請求してください。
　　3　治療材料費請求明細書のうち取扱業者が記載する所要経費の金額は店頭販売価格を記載してください。

様式第26号の1

(表　面)
あん摩・マッサージ
(　年　　月分)　　　(地区担当員印)　　　　(取扱担当者印)

生活保護法施術券	交付番号		この券の有効期間		日から　　　日まで		1 単給 2 併給	※福祉事務所長㊞
	患者氏名	(　歳) 男女		居住地				
	指定施術者名			傷病名（部位）				
施術費給付請求明細書	初回施術年月日		年　月　日	実日数	日	転帰	治癒・中止	
	①マッサージ		躯幹 右上肢 左上肢 右下肢 左下肢	円× 円× 円× 円× 円×	回＝ 回＝ 回＝ 回＝ 回＝	円 円 円 円 円	摘　　要	
	②温罨法（加算）			円×	回＝	円		
	③温罨法・電気光線器具（加算）			円×	回＝	円		
	④変形徒手矯正術		右上肢 左上肢 右下肢 左下肢	円× 円× 円× 円×	回＝ 回＝ 回＝ 回＝	円 円 円 円		
	⑤往　療　料　4kmまで 　　　　　　　4km超			円× 円×	回＝ 回＝	円 円		
	⑥施術報告書交付料 （前回支給：　年　月分）			円×	回＝	円		
	施術日 通院○ 往療◎	月	1 2 3 4 5 6 7 8 9 10 11 12 13 14 15 16 17 18 19 20 21 22 23 24 25 26 27 28 29 30 31					
							請　求	※決定
	⑦　合　計　金　額　（①＋②＋③＋④＋⑤＋⑥）						円	円
	※　⑧　社　保　負　担（健・共）			有・無		割	円	円
	※　⑨　本　人　支　払　額						円	
	⑩　差引請求（支払）金額　（⑦－⑧－⑨）						円	円
請求書	＿＿＿（患者氏名）＿＿＿にかかる上記明細書による施術料を請求します。 　　　　令和　　年　　月　　日 　　　福祉事務所長　殿　　　指定施術者　住所 　　　　　　　　　　　　　　　　　　　　氏名							

(裏　　面)

(あん摩)
指定施術者へのお知らせ
1　患者の本人支払額は、施術報酬請求明細書左側下欄の「本人支払額」欄記入の金額ですから窓口で徴収して下さい。
2　施術券の有効期間の延長を必要と認めたときは、ただちに福祉事務所に連絡のうえ補正をうけて下さい。この場合連絡がないと減額されることがありますから注意して下さい。
3　施術券の「傷病名（部位）」欄に記入された傷病名（部位）以外の傷病（部位）が発生し、これについての施術を要するときは、請求明細書の「摘要」欄にその傷病（部位）名又は往療を必要とした理由等を記入して下さい。この場合記入がないと減額されることがありますから注意して下さい。
4　施術券の所定事項及び明細書の「本人支払額」「社保負担」欄に必要事項の記入のないもの及び施術券に福祉事務所長印のないものは無効ですから福祉事務所に返送して下さい。
5　「初回施術年月日」欄には費用負担関係の如何にかかわらず、その傷病（部位）についての初回施術年月日を記入して下さい。
6　施術報酬請求明細書について下記事由に相当する場合は、返戻されることがありますから注意して下さい。
　(1)　請求者の氏名の記入もれ
　(2)　初回施術年月日の記入もれ
　(3)　往療距離の記入もれ
　(4)　その他記載不備

(記入上の注意)　※印の欄には記入しないで下さい。
患者へのお知らせ
1　併給の場合で、別に保護変更決定通知書を交付しないときは、本券をもってこれに代えます。
2　この施術券で施術を受けることのできる期間は施術券の「この券の有効期間」欄に記入された日数です。
3　あなたが直接支払う額は表面「本人支払額」欄に記入された金額ですから窓口で支払って下さい。なお、本人支払額が支払われていない場合には保護の変更、停止又は廃止が行なわれることもあります。
4　施術者及び福祉事務所長の指示、指導に従って療養に専念して下さい。
5　施術が終ったとき、又は施術を中止したときは、すみやかにその旨を福祉事務所に届け出て下さい。
6　施術券は他人に譲ったり又は使用させてはいけません。

生活保護法による医療扶助運営要領について

様式第26号の2

生活保護法施術券

施術券及び施術報酬請求明細書（柔道整復）
（令和　年　月分）

地区担当員印	
取扱担当者印	
福祉事務所長印	
交付番号	
この券の有効期間	日から　　日まで
給付区分	1. 単給　2. 併給
氏名	1 男　2 女
生年月日	明・大・昭・平・令　年　月　日
住所	
指定施術者名	
傷病名（部位）	

施術報酬請求明細書

	負傷名	負傷年月日	初検年月日	施術開始年月日	施術終了年月日	実日数	転帰
(1)		・　・	・　・	・　・	・　・		治癒・中止・転医
(2)		・　・	・　・	・　・	・　・		治癒・中止・転医
(3)		・　・	・　・	・　・	・　・		治癒・中止・転医
(4)		・　・	・　・	・　・	・　・		治癒・中止・転医
(5)		・　・	・　・	・　・	・　・		治癒・中止・転医

負傷の原因・業務災害通勤災害又は第三者行為外の原因による

経過

請求区分　新規・継続

施術日　1 2 3 4 5 6 7 8 9 10 11 12 13 14 15 16 17 18 19 20 21 22 23 24 25 26 27 28 29 30 31

項目	円	項目	円
初検料		初検時相談支援料	
往療料　km　回		金属副子等加算　回	
施術情報提供料		明細書発行体制加算	
加算（休日・深夜・時間外）		再検料	
加算（夜間・難路・暴風雨雪）回		柔道整復運動後療料　回	
計	円		

整復料・固定料・施療料　(1)　円　(2)　円　(3)　円　(4)　円　(5)　円　計　円

部位	逓減%	逓減開始 月 日	後療料 回 円	冷罨法料 回 円	温罨法料 回 円	電療料 回 円	計 円	多部位	長期 円	計 円
(1)	100	──						──		
(2)	100	──						──		
(3)	60/100							0.6		
(4)	60/100							0.6		

摘要

	合計	─		円
	※社保負担（健・共）有・無　割	─		円
金属副子等加算日	1回目　日　2回目　日　3回目　日	本人支払額	※	円
柔道整復運動後療料加算日	日　日　日　日	差引請求（支払）金額	─	円
明細書発行体制加算　加算日	日	決定金額	※	円

施術証明欄

上記のとおり施術したことを証明します。

令和　年　月　日

所在地 〒
施術所名称
電話
指定施術者　氏名

備考　この用紙は、日本工業規格A列4番とすること。（※は福祉事務所使用欄）

（裏　　面）

（柔道整復）
■指定施術者へのお知らせ
1　患者の本人支払額は、施術報酬請求明細書右側下欄の「本人支払額」欄記入の金額ですから窓口で徴収してください。
2　施術券の有効期間の延長を必要と認めたときは、ただちに福祉事務所に連絡のうえ補正をうけてください。この場合連絡がないと減額されることがありますから注意してください。
3　施術券の「傷病名（部位）」欄に記入された傷病名（部位）以外の傷病（部位）が発生し、これについての施術を要するときは、この場合記入がないと減額されることがありますから注意してください。請求明細書の「摘要」欄にその傷病（部位）名を記入しておいてください。
4　施術券の所定事項及び明細書の「本人支払額」「社保負担」欄に必要事項の記入のないもの及び施術券に福祉事務所長印のないものは無効ですから、福祉事務所に返送してください。
5　「初検年月日」欄には、費用負担関係の如何にかかわらず、その傷病（部位）についての初検年月日を記入してください。
6　「負傷の原因」欄には、3部位目を所定料金の100分の60に相当する金額により算定することとなる場合には、すべての負傷名にかかる具体的な負傷の原因を記載してください。
7　「施術日」欄には、施術を行った日を○で囲んでください。
8　「往療料」欄には、往療した患家までの直線距離（km）、回数及び往療料を記載し、夜間、難路又は暴風雨雪加算を算定する場合は、該当する文字を○で囲んで加算額を記載してください。
　　また、「摘要」欄に次の事項を記載してください。
　(1)　歩行困難等真にやむを得ない理由
　(2)　暴風雨雪加算を算定した場合は、当該往療を行った日時
　(3)　難路加算を算定した場合は、当該往療を行った日時及び難路の経路
　(4)　片道16kmを超える往療料を算定した場合は、往療を必要とする絶対的な理由
9　脱臼又は骨折の施術に同意した医師の氏名と同意日を「摘要」欄に記載してください。
10　施術報酬請求明細書について下記事由に該当する場合は、返戻されることがありますから注意してください。
　(1)　請求者の氏名の記入もれ
　(2)　初検年月日の記入もれ
　(3)　往療距離の記入もれ
　(4)　その他記載不備
（記入上の注意）※印の欄には記入しないでください。

■患者へのお知らせ
1 併給の場合で、別に保護変更決定通知書を交付しないときは、本券をもってこれに代えます。
2 この施術券で施術を受けることのできる期間は施術券の「この券の有効期間」欄に記入された日数です。
3 あなたが直接支払う額は、表面右側下欄の「本人支払額」欄に記入された金額ですから窓口で支払ってください。
　なお、本人支払額が支払われていない場合には保護の変更、停止又は廃止が行われることもあります。
4 施術者及び福祉事務所長の指示、指導に従って療養に専念してください。
5 施術が終ったとき、又は施術を中止したときは、すみやかにその旨を福祉事務所に届け出てください。
6 施術券は、他人に譲ったり又は使用させてはいけません。

II 生活保護法関係通知 第4章 医療扶助運営要領

様式第26号の3

（表　面）

施術券及び施術報酬請求明細書（はり・きゅう）

（　　年　　月分）　　（地区担当員印）　　（取扱担当者印）　　（福祉事務所長印）

生活保護法施術券	交付番号		有効期間　　日から　　日まで		施術開始日　　年　　月	1 単給 2 併給
	患者氏名		（　歳）	男 女	居住地	
	傷病名	1 神経痛　2 リウマチ　3 頸腕症候群 4 五十肩　5 腰痛症　6 頸椎捻挫後遺症 7 その他（　　　　　　　　　　）			はり・きゅう師氏名	

施術報酬請求明細書（はり・きゅう）

	○初回施術 年 月 日	年 月 日	実日数	日	既施術回数	回	転帰	治癒・中止
施術報酬請求明細書	①初　検　料 　1 はり　2 きゅう　3 はりきゅう併用					円	摘　要	
	②施術料	はり			円× 　回＝ 　円			
		きゅう			円× 　回＝ 　円			
		はり、きゅう併用			円× 　回＝ 　円			
		電療料 1 電気針　2 電気温灸器　3 電気光線器具			円× 　回＝ 　円			
	③往療料　　4kmまで 　　　　　　4km超				円× 　回＝ 　円 円× 　回＝ 　円			
	④施術報告書交付料 　　（前回支給：　　年　　月分）				円× 　回＝ 　円			
	施術日 通院 往療◎	月　1 2 3 4 5 6 7 8 9 10 11 12 13 14 15 16 17 18 19 20 21 22 23 24 25 26 27 28 29 30 31						
	⑤合計金額（①＋②＋③＋④）				請　　　　求　　　円		※決　　定　　　円	
	※⑥社保負担（健・共） 　　　　有・無　　　割				円		円	
	※⑦本人支払額　　　　円				円		円	
	⑧差引請求（支払）金額 　　（⑤－⑥－⑦）				円		円	

請求書	＿＿＿（患者氏名）＿＿＿にかかる上記明細書による施術料を請求します。 　　　　　　　　　令和　　年　　月　　日 　　福祉事務所長　殿　　　　住　所 　　　　　　　　　　　　　　はり・きゅう師 　　　　　　　　　　　　　　氏　名
委任状	上記の金額の受領を　　　師会（理事）長（氏名）　　　に委任します。 　　　　　令和　　年　　月　　日 　　　　　　　　　　（はり・きゅう師名） 　　　　　　　　　　　氏　名

（裏　　面）

はり・きゅう師へのお知らせ
1　患者の本人支払額は、施術報酬請求明細書左側下欄の「本人支払額」欄記入の金額ですから窓口で徴収して下さい。
2　施術券の有効期間の延長を必要と認めたときは、ただちに福祉事務所に連絡のうえ補正をうけて下さい。この場合連絡がないと減額されることがありますから注意して下さい。
3　施術券の所定事項及び請求明細書の「本人支払額」、「社保負担」欄に必要事項の記入のないもの及び施術券に福祉事務所長印のないものは無効ですから福祉事務所に返送して下さい。
4　「初回施術年月日」欄には、費用負担関係の如何にかかわらず、その傷病についての初回施術年月日を記入して下さい。また「①初検料」の施術内容欄には、該当する項目を〇で囲んで下さい。
5　「摘要」欄には往療を必要とした理由等を付記して下さい。
6　施術報酬請求明細書について下記事由に該当する場合は、返戻されることがありますから注意して下さい。
　(1)　請求書の氏名の記入もれ
　(2)　初回施術年月日、既施術回数の記入もれ
　(3)　往療距離記入もれ
　(4)　その他
（記入上の注意）
　※印の欄には記入しないで下さい。

患者へのお知らせ
1　併給の場合で、別に保護変更決定通知書を交付しないときは、本券をもってこれに代えます。
2　この施術券で施術を受けることのできる期間は施術券の「有効期間」欄に記入された日数です。
3　あなたが直接支払う額は、表面「本人支払額」欄に記入された金額ですから窓口で支払って下さい。なお、本人支払額が支払われていない場合には、保護の変更、停止又は廃止が行なわれることもあります。
4　施術者および福祉事務所長の指示、指導に従って療養に専念して下さい。
5　施術を受けている期間は、その疾病については、指定医療機関の医療を受けることはできませんから注意して下さい。
6　施術が終ったとき、又は施術を中止したときは、すみやかにその旨を福祉事務所長に届け出て下さい。
7　施術券は、他人に譲ったり又は使用させてはいけません。

様式第27号から様式第33号まで　削除

様式第34号から様式第36号まで　削除

様式第37号

　　　　　　　　　診　療　依　頼　書（入院外）

次の者については、後日、医療券を送付しますので、よろしく診療方依頼します。

なお、入院の必要が認められる場合はご連絡下さい。

住所　_____

氏名　_____（　　歳）男・女

　　　令和　　年　　月　　日

　　　　　　　　　　　院（所）長　殿

　　　　　　　　　　　福祉事務所長　　　　㊞

様式第38号　削除

別紙第1号
　　　　医療係等の行なうべき職務内容
1　都道府県、指定都市及び中核市の本庁関係（中核市にあっては(1)のウを除く。）
 (1) 医療係
　　ア　医療扶助運営台帳、実施書類および手続書類の作成、整備および保存
　　イ　様式等の公示
　　ウ　医療扶助の事務監査
　　エ　管内福祉事務所および町村の医療扶助運営体制の整備および実施に関する必要事項についての助言および連絡調整
　　オ　関係機関との連絡調整
　　カ　医療扶助関係統計分析
　　キ　医療機関等の指定
　　ク　指定医療機関に対する指導および検査
　　ケ　施術者組合との協定締結
　　コ　医療扶助審議会の運営（医療扶助審議会を設置している場合）
　　サ　健康保険法等による診療報酬に係る承認等
　　シ　社会保険診療報酬支払基金との契約締結および連絡調整
　　ス　診療報酬の知事決定
　　セ　その他医療扶助の実施に関する事項
 (2) 医系職員
　　ア　福祉事務所嘱託医の設置および活動についての技術的な助言
　　イ　医療扶助各給付の要否につき本庁に対する技術的助言の求めがあった場合の技術的検討
　　ウ　その他医療扶助運営上必要な技術的検討
2　福祉事務所関係
 (1) 査察指導員
　　ア　管内医療扶助の現状把握と問題点の分析
　　イ　地区担当員の指導とその効果の確認
　　ウ　指定医療機関、管内町村等に対する連絡調整の総括
 (2) 地区担当員
　　ア　医療扶助の要否判定並びに医療扶助の開始、変更、停止及び廃止に係る調査等の事務
　　イ　入院外の患者を訪問して行う通院指導及び生活指導
　　ウ　入院患者を訪問して行う生活指導
　　エ　医療扶助受給世帯に対する一般的生活指導
　　オ　アからエまでの事務を行うのに必要な各給付要否意見書等並びに診療報酬明細書及び訪問看護療養費明細書の検討
　　カ　指定医療機関、管内町村等との連絡調整
 (3) 嘱託医
　　ア　医療扶助に関する各申請書及び各給付要否意見書等の内容検討

イ　要保護者についての調査、指導又は検診
　　　ウ　診療報酬明細書及び訪問看護療養費明細書の内容検討
　　　エ　医療扶助以外の扶助についての専門的判断及び必要な助言指導
　(4)　医療事務担当者
　　　ア　地区担当員、嘱託医等がその職務を行なう際これに協力し、問題点の検討資料を整備する等の事務
　　　イ　医療機関、管内町村等に対する一般的事項についての連絡
　　　ウ　診療報酬請求明細書等の検討
　　　エ　医療券等の発行事務。ただし、福祉事務所の事務処理の実態に応じその必要がないと認められる場合は、この限りでない。
　　　オ　医療扶助の電子資格確認に係る事務

別紙第2号
　　　　他法関係
(1)　母体保護法関係
　　福祉事務所長は、要保護者が医療扶助によって人工妊娠中絶又は不妊手術を受けようとするときは、それらの診療を行なうべき母体保護法による指定医師（同時に法による指定医療機関であるもの）と連絡をとり、当該人工妊娠中絶又は不妊手術が、母体保護法によって認められるものであるかどうかを保護申請書若しくは傷病届の検討調査又は医療要否意見書の検討の過程において確認すること。
(2)　感染症の予防及び感染症の患者に対する医療に関する法律関係
　　感染症の予防及び感染症の患者に対する医療に関する法律（以下「感染症法」という。）における一類感染症、二類感染症若しくは指定感染症（政令により同法第19条又は第20条が準用されるものに限る。以下同じ。）の患者又は新感染症の所見がある者については、同法に基づき次の各号に掲げる施策が講じられるものであるから、福祉事務所長は、要保護者がこれに該当する場合には、当該要保護者に対し公費負担の申請を指導すること。
　　特に、エに掲げる結核に係る医療については、医療扶助で医療に係る費用の100分の5を支給する必要があることからも、保健所との連携を図り、公費負担の申請・承認状況について適宜確認するなどにより、施策の活用に遺漏がないよう努めること。
　　なお、これらの施策に該当しないものについては、一般の例により十分に調査を行った上で、医療扶助を適用して差し支えないこと。
　　　ア　感染症法第19条若しくは第20条（これらの規定を第26条において準用する場合を含む。）又は第46条の規定により入院の勧告又は入院の措置が実施された一類感染症、二類感染症若しくは指定感染症の患者又は新感染症の所見がある者が感染症指定医療機関において受ける医療に要する費用の負担
　　　イ　アの患者等に対する感染症法第42条の規定に基づく療養費の支給
　　　ウ　アの患者等に対する感染症法第21条（第26条において準用される場合を含む。）又は第47条に規定する移送
　　　エ　感染症法第37条の2の規定により結核患者が結核指定医療機関において受ける医療

に要する費用の100分の95の負担
(3) ハンセン病問題の解決の促進に関する法律
　国立ハンセン病療養所(以下、この項において「療養所」という。)の入所者に関しては、ハンセン病問題の解決の促進に関する法律によって療養所において医療が提供されるものであることから、福祉事務所長は、要保護者が療養所に再入所した場合には医療扶助は適用されないものであること。
　なお、療養所の入所者が他病を併発して医療を要する場合には、当該医療は同所によって提供されるので医療扶助の適用の余地はないものであること。また、当該入所者の出身世帯の医療扶助関係事務は、生活保護関係事務職員に併任されたハンセン病対策関係事務職員が引き続き行うものであること。
(4) 原子爆弾被爆者に対する援護に関する法律関係
　原子爆弾の被爆者に対しては、次の各号のとおり、原子爆弾被爆者に対する援護に関する法律によって医療の給付又は医療費の支給が行なわれるものであるから、福祉事務所長は、要保護者がこれに該当すると思われるときは、同法による指定医療機関又は被爆者一般疾病医療機関及び保健所又は都道府県衛生部(局)(広島市又は長崎市に居住する要保護者については、当該市の衛生課)と連絡をとり、当該要保護者が同法による医療の給付又は医療費の支給を受けるよう配意すること。ただし、次の各号に該当しない場合は、医療扶助を適用して差しつかえないこと。
　ア　原子爆弾の傷害作用に起因する負傷又は疾病(以下「原爆症」という。)に関しては、同法第10条第1項の規定により医療の給付が行われるものであること。
　　なお、その者が原爆症以外の一定の傷病を併発した場合には、当該傷病についても同法により医療費の負担が行われるものであること。
　イ　被爆者については、原爆症以外の傷病(遺伝性疾病、先天性疾病、被爆時以前にかかった精神疾患及びC_1、C_2のう歯を除く。以下この項において同じ。)に関しても、同法第18条第1項の規定により医療費の負担が行われるものであること。
(5) 麻薬及び向精神薬取締法関係
　麻薬、大麻若しくはあへんの慢性中毒者(以下「麻薬中毒者」という。)の治療に関しては、麻薬及び向精神薬取締法によって措置すべきものであるから、福祉事務所長は、要保護者が麻薬中毒者またはその疑いのある者であるため医療を受けさせようとするときは、各都道府県薬務主管課に連絡をとり、麻薬中毒者医療施設において医療を受けさせること。
　なお、麻薬及び向精神薬取締法による措置入院者が麻薬中毒以外の疾病(以下「合併症」という。)を治療する必要がある場合におけるその合併症に対する医療費については、原則として麻薬及び向精神薬取締法により負担されるものであるが、当該措置入院者が現に入院している麻薬中毒者医療施設以外の医療機関で医療を受けた場合における医療費については、同法では負担されないものであること。ただし、措置入院者が入院している麻薬中毒者医療施設において、その者の合併症に対する治療を行なうことができない場合で、当該施設が適当な医師を嘱託し、又は都道府県知事が他の適当な麻薬中毒者医療施設に転院させる等の方法により合併症の治療を行なうことを認める場合における医療費については、同法により負担されるものであること。

(6) 社会保険関係
　ア　福祉事務所長は、医療扶助によって医療を受けようとする要保護者が社会保険の被保険者又は被扶養者であると思われるときは、地方社会保険事務局、社会保険事務所、健康保険組合、市町村、国民健康保険組合、保険医療機関等と連絡をとり、次の各号の事項を、保護申請書若しくは傷病届の検討、調査の過程において確認すること。
　　(ア)　当該要保護者が、健康保険、各種共済組合、国民健康保険、船員保険又は労働者災害補償保険の給付を受けることができるものであるかどうか。
　　(イ)　当該社会保険の保険者
　　(ウ)　当該社会保険の当該要保護者に対する給付率及び給付期間
　　(エ)　当該傷病に対する医療が、当該社会保険の給付の範囲内のものであるかどうか。
　　(オ)　当該社会保険による給付を受けるために患者が必要とする一部負担金
　　(カ)　当該社会保険による高額療養費支給制度又は高額医療・高額介護合算制度が当該要保護者に適用されているかどうか。
　イ　福祉事務所長は高額療養費支給制度又は高額医療・高額介護合算制度の適用により保護を要しなくなる者については、保護の申請を却下し、又は保護を廃止することとなるが、その場合は、この措置が要保護者の利益となることを十分説明するとともに、高額療養費支給制度又は高額医療・高額介護合算制度の適用が償還払いにより行われるときは、その間生活に困窮する場合が生ずることも考えられるので、他法、他施策の活用あっせん等の援助について十分配慮すること。
(7) 国民健康保険法及び高齢者の医療の確保に関する法律関係
　社会保険関係のうち、国民健康保険法及び高齢者の医療の確保に関する法律関係は、次によって取り扱うこと。
　ア　法による保護を受けた世帯の世帯員は、その世帯が保護を受けなくなるまでは、保護を停止されている間を除き、市町村又は特別区の行なう国民健康保険及び後期高齢者医療広域連合が行う後期高齢者医療の被保険者となることはできないから、市町村、特別区又は広域連合の区域内に住所を有する者に係る保護の開始、停止又は廃止の処分が行なわれたときは、その旨を市町村、特別区又は広域連合の長に連絡すること。
　　この場合、「保護」とは、法第11条第1項に規定する扶助をいい、施設事務費のみの対象となるもの（昭和38年4月1日社発第246号本職通知「生活保護法による保護の実施要領について」第10の2の(6)のウの(ア)に該当するものを除く。）は含まれないものであること。
　イ　国民健康保険法第6条第6号及び高齢者の医療の確保に関する法律第51条の規定により同法の適用を除外されている世帯で、本人支払額が国民健康保険料又は後期高齢者医療の保険料相当額等（国民健康保険法又は後期高齢者医療の適用を受けた場合の保険料及び自己負担額並びに医療扶助の対象とならない治療材料及び医師が往診する際の交通費）を上回るに至った世帯については、生活保護法による保護を廃止して国民健康保険又は後期高齢者医療に加入させること。
　ウ　国民健康保険加入世帯又は加入し得る世帯から新規に医療扶助の申請があった場合は、イに準じて保護開始時の要否判定を行うこと。

エ 国民健康保険における被保険者の資格及び療養の給付に関する経過措置は、次のとおりであるから留意されたいこと。
　(ア) 国民健康保険法の施行（昭和34年1月1日）の際、国民健康保険を行なっている市町村の被保険者であって、国民健康保険法施行の際、現に療養の給付を受けている者が、次のいずれかに該当するときは、当該療養の給付事由たる疾病又は負傷及びこれによって発した疾病に関しては、被保険者資格の喪失後も、国民健康保険法施行の際における従前の例による療養の給付が行なわれるものであること。この場合の給付期間は、当該療養の給付を開始した日から起算して、国民健康保険法施行の際における従前の例により療養の給付を行なうべき期間であること。（国保法施行法第5条第3項）
　　a 当該市町村が、国民健康保険法施行と同時に、被保険者の資格に関して国民健康保険法の取扱いに切り替えたため、被保険者資格を喪失したとき。
　　b 当該市町村が、昭和36年3月31日までの間に被保険者の資格に関して国民健康保険法の取扱いに切り替えたため、国民健康保険法施行前から引き続き有していた被保険者資格を喪失したとき。
　　c 当該市町村が、昭和36年4月1日から、被保険者の資格に関して国民健康保険法の取扱いによることとなったため、国民健康保険法施行前から引き続き有していた被保険者資格を喪失したとき。
　(イ) 被保険者の資格に関して国民健康保険法の取扱いによるときは、生活保護法関係はすべて国民健康保険法第6条第6号によるものであるから、条例により同号に該当しない者についてまで被保険者の資格が失われることのないよう特に留意すること。
(8) 社会福祉関係
　福祉事務所長は、医療扶助によって医療を受けようとする要保護者が社会福祉関係の各種給付を受けることができる者であると思われるときは、福祉事務所社会福祉関係係（課）、本庁社会福祉担当課、市町村社会福祉協議会、自立支援医療等を担当する指定医療機関等と連絡をとり、次の各号の事項を保護申請書若しくは傷病届の検討、調査又は各給付要否意見書の検討の過程において確認すること。
　ア 当該要保護者が自立支援医療等によって医療等の給付を受けることができるものであるかどうか。
　イ 当該傷病に対する医療が、自立支援医療等による給付の範囲内のものであるかどうか。
　ウ 当該要保護者が、生活福祉資金制度によって貸付けを受けることを適当とするものであるかどうか。
(9) 行刑機関、警察官署等との関係
　行刑機関、警察官署等に拘束されている者が発病した場合には、これに対する医療は、原則として、刑事行政の一環として措置されるべきものであるが、法定の事由に基づきこれが釈放される場合には、あらかじめ福祉事務所長と行刑機関との間で連絡をとり、行刑機関等から釈放すべき理由を記載した手続書類の提出を受けたうえ、一般の手続きを進行させるものとすること。

⑽　学校保健安全法関係
　学校保健安全法第24条の規定に基づき、地方公共団体が設置する義務教育諸学校の要保護及び準要保護児童又は生徒が次に掲げる疾病にかかり同法第14条の規定による治療の指示を受けたときは、地方公共団体は当該児童又は生徒の保護者（学校教育法第16条に規定する保護者をいう。）に対して、その疾病の治療のための医療に要する費用についてこれを援助するものとされているが、同法による援助と医療扶助との関係は次の各号によって取扱うものであること。
１　トラコーマ及び結膜炎
２　白癬、疥癬及び膿痂疹
３　中耳炎
４　慢性副鼻腔炎及びアデノイド
５　う歯
６　寄生虫病（虫卵保有を含む。）
　ア　学校保健安全法第24条の規定による要保護児童生徒に対する医療費の援助（同条第１号に該当する者に対する医療費の援助をいう。）は法第４条第２項に規定する「他の法律に定める扶助」にあたるので、法第15条の規定による医療扶助に優先して行なわれるものであること。したがって、後記ウに該当する場合を除いて、学校保健安全法第24条により援助を行なうべきものについては、同法による援助を行なうものであること。
　イ　地方公共団体は、学校保健安全法第24条の規定により医療費の援助を行なうについては、あらかじめ十分な具体的援助計画を立て、費用の不足等により疾病の治癒前に援助が打ち切られるようなことがないようにすべきは当然であるが、それでもなお、予測し得ない事情により予算の不足を生じ、援助を打ち切らざるを得ないような場合を生じたときは、すみやかに学校保健安全法による医療費の援助に要する予算の追加又は更正等の措置を講ずるものとされているので、保護の実施機関は地方公共団体と密接な連絡をとり、予算の不足等を理由として、要保護児童生徒と準要保護児童生徒に対する援助とを差別的に取り扱うこと等のないよう学校保健安全法による援助の予算の執行等について十分留意すること。なお、予算上又は取扱い上適切な措置がとられていない場合は、保護の実施機関は地方公共団体に対して必要な申し入れを行ない、適切な運用の行なわれるよう配意するとともに、地方公共団体から援助の予算を費消し、その追加、更正の措置が不可能なため現に行なっている治療を打ち切らざるを得ない旨の連絡を受けたときは、保護の実施機関は当該児童生徒の治療が中断されることのないよう、医療扶助を要するものについて、すみやかに医療扶助決定手続に従い、保護の申請及び決定の措置を講ずること。
　ウ　学校保健安全法第24条の規定に基づく、同法施行令第８条に定める前記疾病は比較的軽症のものが多いと予想されるが、入院を要するごとき重症のものであって、保護の実施機関が入院を必要と認めた要保護児童生徒に係る入院時以降における医療費又はすでに医療費の援助をはじめた疾病が同法施行令第８条に定める疾病に該当しなくなった場合の医療費については、前記アにかかわらず、地方公共団体は保護の実施機関と連絡をとり、法による医療扶助の申請を行なうよう措置するものと

されているので取扱上齟齬の生じないよう留意すること。
　エ　前記ア、イ及びウの取扱いを適切に行なうため、都道府県（指定都市又は中核市）民生部（局）は、常時都道府県（指定都市又は中核市）教育委員会と密接な連絡をとり、学校保健安全法第24条による援助の予算措置及び同法第25条による国の補助、地方公共団体の具体的援助計画並びに援助の実施状況等をそれぞれ保護の実施機関に対して通知するとともに、援助計画の変更、予算の追加、更正等についても適切な連絡指導を行なうこと。
(11)　難病の患者に対する医療等に関する法律関係
　ア　福祉事務所長は、生活保護法による医療扶助の申請があった場合において、当該要保護者が、難病の患者に対する医療等に関する法律（平成26年法律第50号）第5条に規定する特定医療費（以下「特定医療費」という。）の対象となる医療を必要とする指定難病の患者であると思われるときは、直ちに難病指定医による診断を受けるよう指導すること。ただし、現に特定医療費の支給認定を受けているものについては所定の手続により医療扶助の要否を決定すること。
　イ　特定医療費の支給認定に係る申請（以下「特定医療費申請」という。）に要する診断書（臨床調査個人票）の作成及び手続協力のための費用については、5000円以内の額を、医療機関の請求に基づき、福祉事務所払いの医療扶助費として支払って差し支えないこと。なお、診断書（臨床調査個人票）の添付書類における、複写フィルムや電磁的記録媒体（CD－R等）にかかる費用については、添付書類ごとにそれぞれ1000円以内の額を医療機関の請求に基づき、福祉事務所払いの医療扶助費として支払って差し支えないこと。
　ウ　難病指定医による診断後、特定医療費の支給認定の申請手続を行うよう指導すること。その際、所定の申請書に診断書（臨床調査個人票）、住民票、生活保護受給者であることを証明する書類等を添付して、都道府県特定医療費担当課に対して提出させること。
　エ　特定医療費申請が行われ、都道府県特定医療費担当課において、軽症であることを理由に却下された者については、指定難病に係る医療費が軽症高額該当基準に該当する場合（指定難病に係る医療費（指定難病の発病月以降のものに限る。）が3万3330円を超えた月数が申請月の属する月以前の12月以内に3月以上ある場合）には、都道府県特定医療費担当課に対し、医療費を証明する書類を添付して再申請させること。
　　なお、医療費の証明方法については、申請者が作成した医療費申告書とともに、医療費の額を証明する領収書又は実施機関が診療報酬明細書等により確認した医療費を証明する書面等を添付して証明を行うが、要保護者に対して診療報酬明細書等を交付する場合には、「診療報酬明細書等の被保険者への開示について」（平成9年8月15日社援保第151号厚生省社会・援護局長通知）における取扱いに留意すること。また、当該特定医療費申請前に難病の医療費助成に係る支給認定を受けたことのある者については、都道府県特定医療費担当課から医療受給者証とともに、自己負担上限額管理票が交付されていることから、当該支給認定期間に係る医療費については、これにより証明が行われること。
　オ　要保護者が特定医療費申請を行った場合で、福祉事務所長の交付した医療要否意見

書等があるときは、その意見書に特定医療費の申請をしたこと及び所要の医療費概算額のみを記入して、福祉事務所長に提出するよう指導すること。
カ　申請を行った要保護者に関する特定医療費の支給認定については、都道府県特定医療費担当課から次の資料をもって申請者に通知があるので、認定結果について申請者である当該要保護者に確認の上、当該資料の写し及び医療要否意見書等を審査し、医療扶助の要否を決定すること。
なお、特定医療費の支給認定却下通知を受けた者については、特に当該要保護者の病状について慎重に審査し、必要なときは指定医療機関に照会したうえ、医療扶助の要否を決定すること。
(ｱ)　特定医療費の支給認定が行われたとき
医療受給者証（及び診断書）
(ｲ)　特定医療費の支給認定が却下されたとき
却下通知書（及び診断書）
キ　福祉事務所長は、特定医療費に係る支給認定を受けた被保護者に対して、特定医療費の支給認定の有効期間においては、特定医療費の支給対象となる医療について、医療扶助を行わないものであること。なお、支給認定が行われた被保護者に特定医療費の対象とならない併発疾病のある場合には、医療要否意見書の「主要症状」欄には難病に関する病状を記載することは必要ないものであること。

別紙第3号
　　　治療指針・使用基準関係
指定医療機関（医療保護施設を含む。以下同じ。）が医療を担当する場合における診療方針は国民健康保険法第40条第1項の規定により準用される保険医療機関及び保険医療養担当規則第2章保険医の診療方針並びに保険薬局及び保険薬剤師療養担当規則第8条調剤の一般的方針又は老人保健法第30条第1項の規定に基づく老人保健法の規定による医療の取扱い及び担当に関する基準第2章保険医による医療の担当及び第30条調剤の一般方針によるが、特に次のものに留意すること。
　性病の治療
　昭和38年6月7日保発第11号　厚生省保険局長、公衆衛生局長連名通知による「性病の治療指針」
　結核の治療
　昭和38年6月7日保発第12号　厚生省保険局長通知による「結核の治療指針」　昭和61年3月7日厚生省告示第28号による「結核医療の基準」
　高血圧の治療
　昭和36年10月27日保発第73号　厚生省保険局長通知による「高血圧の治療指針」
　慢性胃炎、胃潰瘍及び十二指腸潰瘍の治療
　昭和30年8月3日保発第45号　厚生省保険局長通知による「社会保険における慢性胃炎、胃十二指腸潰瘍の治療指針」
　精神科の治療
　昭和36年10月27日保発第73号　厚生省保険局長通知による「精神科の治療指針」

抗生物質製剤による治療
　昭和37年9月24日保発第42号　厚生省保険局長通知による「抗生物質の使用基準」
　副腎皮質ホルモン、副腎皮質刺戟ホルモン及び性腺刺戟ホルモンによる治療
　昭和37年9月24日保発第42号　厚生省保険局長通知による「副腎皮質ホルモン、副腎皮質刺戟ホルモン及び性腺刺戟ホルモンの使用基準」
歯槽膿漏症の治療
　昭和42年7月17日保発第26号　厚生省保険局長通知による「歯槽膿漏症の治療指針」
歯科診療における抗生物質製剤による治療
　昭和37年9月24日保発第42号　厚生省保険局長通知による「歯科領域における抗生物質の使用基準」

別紙第4号の1
　　　　協定書案
　生活保護法による指定施術機関が同法に基づいて患者の施術を行なうについて、都道府県知事（指定都市又は中核市の市長）（以下「甲」という。）と都道府県（指定都市又は中核市）施術組合会（理事）長（以下「乙」という。）との間に下記の通り協定を締結する。
第1条　乙は、生活保護法による指定施術者である会員（以下「会員」という。）をして指定医療機関医療担当規程第13条の規定に基づき患者の施術を担当させるときは、同担当規程に定めるところによるのほか本協定によるものとする。
第2条　施術料金は別紙のとおりとする。
第3条　甲は、施術内容および施術料金請求の適否を調査するため必要があると認めたときは、乙または会員に対して必要と認める事項の報告を命じ、または当該職員に、当該会員について、実地にその設備若しくは施術録その他の帳簿書類を検査させることができる。
第4条　甲は、乙がこの協定による義務を履行せず、施術等について著しい支障を来たし、または来たすおそれがあると認めるときは、いつでもこの協定を解除することができるものとする。
第5条　この協定の有効期間は、令和　年　月　日から令和　年　月　日までとする。
第6条　この協定の終了1か月前までに協定当事者の何れか一方より何等の意志表示をしないときは、終期の翌月において向う1か年間協定を更新したものとみなす。
　前記協定の確実を証するため本書2通を作成し双方記名捺印のうえ各1通を所持するものとする。
　　　令和　年　月　日
　　　　　　　都道府県知事（指定都市又は中核市の市長）氏　名　㊞
　　　　　都道府県（指定都市又は中核市）施術組合会（理事）長氏　名　㊞

別紙第4号の2
　　　　あん摩・マッサージの施術料金の算定方法
　あん摩・マッサージの施術に係る費用の額は、次に定める額により算定するものとする。

Ⅱ　生活保護法関係通知　第4章　医療扶助運営要領

1　施術
　(1)　マッサージを行った場合
　　　　1局所1回につき　　450円
　　　　2局所1回につき　　900円
　　　　3局所1回につき　1350円
　　　　4局所1回につき　1800円
　　　　5局所1回につき　2250円
　(2)　温罨法を(1)と併施した場合　1回につき180円加算
　(3)　変形徒手矯正術を(1)と併施した場合　1肢1回につき470円加算
　　注(1)　マッサージの「1局所につき」とは、上肢の左右、下肢の左右及び頭より尾頭までの躯幹をそれぞれ1局所として、全身を5局所とするものである。
　　　(2)　温罨法と併せて、施術効果を促進するため、あん摩・マッサージの業務の範囲内において人の健康に危害を及ぼすおそれのない電気光線器具を使用した場合にあっては、300円とするものである。
　　　(3)　変形徒手矯正術に係る医師の同意書の有効期間は1月以内とし、医療上1月を超える場合は、改めて同意書の添付を必要とするものである。
　　　(4)　変形徒手矯正術と温罨法との併施は認められない。
2　往療
　患者1人1回につき2300円
　(1)　往療距離が片道4キロメートルを超えた場合は、2550円とする。
　(2)　2戸以上の患家に対して引き続いて往療した場合の往療順位第2位以下の患家に対する往療距離の計算は、当該施術所の所在地を起点とせず、それぞれ先順位の患家の所在地を起点とする。
　(3)　片道16キロメートルを超える場合の往療料は往療を必要とする絶対的な理由がある場合以外は認められないこと。
　(4)　往療料は、歩行困難等、真に安静を必要とするやむを得ない理由等により通所して治療を受けることが困難な場合に、患者の求めに応じて患家に赴き施術を行った場合に支給できること。
　(5)　往療料は、治療上真に必要があると認められる場合（定期的・計画的に行う場合を含む。）に支給できること。治療上真に必要があると認められない場合、単に患家の求めに応じた場合又は患家の求めによらず定期的・計画的に行う場合については、往療料は支給できないこと。
3　施術報告書交付料　480円
　注　施術報告書交付料を支給する施術費給付請求明細書には、施術者より記入を受けた施術報告書の写しを添付する取扱いとすること。
　　また、一連の施術において既に施術報告書交付料が支給されている場合は、直前の当該支給に係る施術の年月を記入する取扱いとすること。
4　実施上の留意事項
　その他実施にあたっての細目については、国民健康保険の例によること。

別紙第4号の3
　　柔道整復師の施術料金の算定方法
　柔道整復師の施術に係る費用の額は、次に定める額により算定するものとする。
1　初検、往療及び再検

初　　　検　　　料	1,550円
初 検 時 相 談 支 援 料	100円
往　　　療　　　料	2,300円
再　　　検　　　料	410円

注(1)　当該施術所が表示する施術時間以外の時間（休日を除く。）又は休日において初検を行った場合は、それぞれ所定金額に540円又は1560円を加算する。ただし、午後10時から午前6時までの間にあっての加算金額は3120円とする。
　(2)　初検時相談支援料は、初検時において、患者に対し、施術に伴う日常生活等で留意すべき事項等をきめ細やかに説明し、その旨施術録に記載した場合に算定する。
　(3)　往療距離が片道4キロメートルを超えた場合は、2,550円とする。
　(4)　夜間、難路又は暴風雨時若しくは暴風雪時の往療については、所定金額（注(3)による金額を含む。）のそれぞれ100分の100に相当する金額を加算する。
　(5)　2戸以上の患家に対して引き続いて往療した場合の往療順位第2位以下の患家に対する往療距離の計算は、当該施術所の所在地を起点とせず、それぞれ先順位の患家の所在地を起点とする。
　(6)　片道16キロメートルを超える場合の往療料は往療を必要とする絶対的な理由がある場合以外は認められないこと。
　(7)　往療料は、下肢の骨折又は不全骨折、股関節脱臼、腰部捻挫等による歩行困難等真に安静を必要とするやむを得ない理由により患家の求めに応じて患家に赴き施術を行った場合に算定できるものであり、単に患者の希望のみにより又は定期的若しくは計画的に患家に赴いて施術を行った場合には算定できないこと。
　(8)　再検料の算定は、初回後療日に限る。
2　骨折

骨　　　　　　　折	整　復　料	後　療　料
1　鎖　　　　　　　骨	5,500円	
2　肋　　　　　　　骨	5,500円	
3　上　　腕　　　　骨	11,800円	
4　前　　腕　　　　骨	11,800円	850円
5　大　　腿　　　　骨	11,800円	
6　下　　腿　　　　骨	11,800円	
7　手 根 骨 ・ 足 根 骨	5,500円	
8　中手骨、中足骨、指（手、足）骨	5,500円	

注(1)　関節骨折又は脱臼骨折は、骨折の部に準ずる。

(2) 医師により後療を依頼された場合で、拘縮が2関節以上に及ぶ場合の後療料は1090円とする。
3 不全骨折

不全骨折	固定料	後療料
1 鎖骨、胸骨、肋骨	4,100円	
2 骨盤	9,500円	
3 上腕骨、前腕骨	7,300円	
4 大腿骨	9,500円	720円
5 下腿骨	7,300円	
6 膝蓋骨	7,300円	
7 手根骨、足根骨、中手骨、中足骨、指(手、足)骨	3,900円	

注 医師により後療を依頼された場合で、拘縮が2関節以上に及ぶ場合の後療料は960円とする。

4 脱臼

脱臼	整復料	後療料
1 顎関節	2,600円	
2 肩関節	8,200円	
3 肘関節	3,900円	720円
4 股関節	9,300円	
5 膝関節	3,900円	
6 手関節、足関節、指(手、足)関節	3,900円	

注 脱臼の際、不全骨折を伴った場合は、脱臼の部に準ずる。

5 打撲及び捻挫

打撲及び捻挫	施療料	後療料
1 打撲	760円	505円
2 捻挫		

注(1) 不全脱臼は捻挫の部に準ずる。
 (2) 施術料は、次に掲げる部位を単位として算定する。
   (打撲の部分)
   頭部、顔面部、頸部、胸部、背部(肩部を含む)、上腕部、肘部、前腕部、手根・中手部、指部、腰臀部、大腿部、膝部、下腿部、足根・中足部、趾部
   (捻挫の部分)
   頸部、肩関節、肘関節、手関節、中手指・指関節、腰部、股関節、膝関節、足関節、中足趾・趾関節

備考
1 後療において強直緩解等のため、温罨法を併施した場合には、1回につき75円を、また施術効果を促進するため、柔道整復の業務の範囲内において人の健康に危害を及ぼす

おそれのない電気光線器具を使用した場合には電療料として、1回につき33円を加算する。但し、いずれの場合であっても、骨折又は不全骨折の場合にあってはその受傷の日から起算して7日間、脱臼、打撲、不全脱臼又は捻挫の場合にあってはその受傷の日から起算して5日間については、当該加算を行わないものとする。

2　冷罨法を併施した場合（骨折又は不全骨折の場合にあっては、その受傷の日から起算して7日間に限り、脱臼の場合にあっては、その受傷の日から起算して5日間に限り、打撲又は捻挫の場合にあっては、受傷の日又はその翌日の初検の日に限るものとする。）は、1回につき85円を加算する。

3　施術部位が3部位以上の場合は、後療料、温罨法料、冷罨法料及び電療料について3部位目は所定料金の100分の60に相当する額により算定する。なお、4部位目以降に係る費用については、3部位目までの料金に含まれる。

4　初検日を含む月（ただし、初検の日が月の16日以降の場合にあっては、当該月の翌月）から起算して5か月を超える月における施術（骨折又は不全骨折に係るものを除く。）については、後療料、温罨法料、冷罨法料及び電療料について所定料金（備考3により算定されたものを含む。）の100分の80に相当する額により算定する。

5　初検日を含む月（ただし、初検の日が月の16日以降の場合にあっては、当該月の翌月）から起算して5か月を超えて、継続して3部位以上の施術（骨折又は不全骨折に係るものを含む。）を行った場合は、備考3及び備考4による方法に代えて、あらかじめ都道府県知事に届け出た施術所において施術を行う柔道整復師に限り、施術部位数に関係なく、後療料、温罨法料、冷罨法料及び電療料として、1回につき1200円を算定する。

6　骨折、脱臼の整復又は不全骨折の固定に当たり、特に施療上金属副子、合成樹脂副子又は副木・厚紙副子（以下「金属副子等」という。）を必要とし、これを使用した場合は、整復料又は固定料に1000円を加算する。

　なお、金属副子等の交換が必要となった場合は、2回まで後療料に1000円を加算できることとする。

7　骨折、不全骨折又は脱臼に係る施術を行った後、運動機能の回復を目的とした各種運動を行った場合に柔道整復運動後療料として算定できる。

(1) 負傷の日から15日間を除き、1週間に1回程度、1か月（歴月）に5回を限度とし、後療時に算定できる。

(2) 当該負傷の日が月の15日以前の場合及び前月から施術を継続している者で、当該月の16日以降に後療が行われない場合には、当該月について2回を限度に算定できる。

(3) 部位、回数に関係なく1日320円とし、20分程度、柔道整復の一環としての運動による後療を実施した場合に算定できる。

8　骨折、不全骨折又は脱臼に係る応急施術を行った後に、指定医療機関に対して施術の状況を示す文書を添えて患者の紹介を行った場合は、施術情報提供料として1000円を算定する。

9　患者から本人支払額の支払いを受けるときは明細書を無償で交付する施術所である旨をあらかじめ地方厚生（支）局長に届け出た施術所において、明細書を無償で交付する旨を施術所内に掲示し、明細書を無償で患者に交付した場合は、令和4年10月1日以降の施術分から、明細書発行体制加算として、月1回に限り、13円を算定する。

Ⅱ　生活保護法関係通知　第4章　医療扶助運営要領

実施上の留意事項
　その他実施にあたっての細目については、国民健康保険の例によること。

別紙第4号の4
　　　はり・きゅうの施術料金の算定方法
1　施術
　(1)　初検料
　　①　1術（はり又はきゅうのいずれか一方）の場合
　　　1950円
　　②　2術（はり、きゅう併用）の場合
　　　2230円
　(2)　施術料
　　①　1術（はり又はきゅうのいずれか一方）の場合
　　　1回につき　1610円
　　②　2術（はり、きゅう併用）の場合
　　　1回につき　1770円
　　注　はり又はきゅうと併せて、施術効果を促進するため、それぞれ、はり又はきゅうの業務の範囲内において人の健康に危害を及ぼすおそれのない電気針、電気温灸器又は電気光線器具を使用した場合は、電療料として1回につき100円を加算する。
2　往療
　患者1人1回につき2300円
　　注(1)　往療距離が片道4キロメートルを超えた場合は、2550円とする。
　　　(2)　2戸以上の患家に対して引き続いて往療した場合の往療順位第2位以下の患家に対する往療距離の計算は、当該施術所の所在地を起点とせず、それぞれ先順位の患家の所在地を起点とする。
　　　(3)　片道16キロメートルを超える場合の往療料は往療を必要とする絶対的な理由がある場合以外は認められないこと。
　　　(4)　往療料は、歩行困難等、真に安静を必要とするやむを得ない理由等により通所して治療を受けることが困難な場合に、患家の求めに応じて患家に赴き施術を行った場合に支給できること。
　　　(5)　往療料は、治療上真に必要があると認められる場合（定期的・計画的に行う場合を含む。）に支給できること。治療上真に必要があると認められない場合、単に患家の求めに応じた場合又は患家の求めによらず定期的・計画的に行う場合については、往療料は支給できないこと。
3　施術報告書交付料　480円
　　注　施術報告書交付料を支給する施術費給付請求明細書には、施術者より記入を受けた施術報告書の写しを添付する取扱いとすること。
　　　また、一連の施術において既に施術報告書交付料が支給されている場合は、直前の当該支給に係る施術の年月を記入する取扱いとすること。

4　実施上の留意事項
　　その他実施にあたっての細目については、国民健康保険の例によること。

〔参　考〕
　　〇「生活保護法による医療扶助運営要領について」の一部改正について
　　　（通知）（抄）

> 令和6年6月6日　社援発0606第5号
> 各都道府県知事・各市市長・各特別区区長・各福祉事
> 務所を設置する町村の長宛　厚生労働省社会・援護局
> 長通知

　生活保護の医療扶助については、「生活保護法による医療扶助運営要領について」（昭和36年9月30日社発第727号厚生省社会局長通知）により取り扱われているところであるが、今般、本通知を別添新旧対照表のとおり改正し、令和6年6月1日以降（別紙第4号の2の改正（1の(1)の注及び(2)並びに2に係る部分に限る。）、別紙第4号の3の改正（備考の4及び9に係る部分に限る。）及び別紙第4号の4の改正（1の(2)の注2及び(3)並びに2に係る部分に限る。）にあっては、令和6年10月1日以降）の施術分から適用することとしたので、了知の上、その取扱いに遺漏のなきを期されたい。

〔別　添〕
〇「生活保護法による医療扶助運営要領について」（昭和36年9月30日厚生省社会局長通知　社発第727号）
　※令和6年6月1日施術分より適用。ただし、点線囲み部分は令和6年10月1日施術分より適用

改正後	改正前
第1～8　（略）	第1～8　（略）
様式第1号～第37号　（略）	様式第1号～第37号　（略）
別紙第1号～第4号の1　（略）	別紙第1号～第4号の1　（略）
別紙第4号の2	**別紙第4号の2**
あん摩・マッサージの施術料金の算定方法	あん摩・マッサージの施術料金の算定方法
あん摩・マッサージ師の施術に係る費用の額は、次に定める額により算定するものとする。	あん摩・マッサージ師の施術に係る費用の額は、次に定める額により算定するものとする。
1　施術	1　施術
(1)　（略）	(1)　（略）
注　特別地域の患家で施術を行った場合は、特別地域加算として1回につき250円を加算する。なお、片道16キロメートルを超える場合の特別地域加算は、往療を必要とする絶対的な理由がある場合以外は認められないこと。	（新設）

(2) 訪問施術料 ① 訪問施術料1 　1局所1回につき　2750円 　2局所1回につき　3200円 　3局所1回につき　3650円 　4局所1回につき　4100円 　5局所1回につき　4550円 ② 訪問施術料2 　1局所1回につき　1600円 　2局所1回につき　2050円 　3局所1回につき　2500円 　4局所1回につき　2950円 　5局所1回につき　3400円 ③ 訪問施術料3 （3人〜9人の場合） 　1局所1回につき　　910円 　2局所1回につき　1360円 　3局所1回につき　1810円 　4局所1回につき　2260円 　5局所1回につき　2710円 （10人以上の場合） 　1局所1回につき　　600円 　2局所1回につき　1050円 　3局所1回につき　1500円 　4局所1回につき　1950円 　5局所1回につき　2400円 注1　特別地域の患家で施術を行った場合は、特別地域加算として1回につき250円を加算する。 注2　片道16キロメートルを超える場合の訪問施術料及び特別地域加算は、訪問施術を必要とする絶対的な理由がある場合以外は認められないこと。 (3) 温罨法を(1)又は(2)と併施した場合　1回につき180円加算 (4) 変形徒手矯正術を(1)又は(2)と併施した場合　1肢1回につき470円加算 　注(1)〜(4)　（略）	(新設) (2) 温罨法を(1)と併施した場合　1回につき180円加算 (3) 変形徒手矯正術を(1)と併施した場合　1肢1回につき470円加算 　注(1)〜(4)　（略）
2　往療 　患者1人1回につき2300円 　（削る） (1) 2戸以上の患家に対して引き続いて	2　往療 　患者1人1回につき2300円 (1) 往療距離が片道4キロメートルを超えた場合は、2550円とする。 (2) 2戸以上の患家に対して引き続いて

往療した場合の往療順位第2位以下の患家に対する往療距離の計算は、当該施術所の所在地を起点とせず、それぞれ先順位の患者の所在地を起点とする。 (2) 片道16キロメートルを超える場合の往療料は往療を必要とする絶対的な理由がある場合以外は認められないこと。 (3) 往療料は、歩行困難等、真に安静を必要とするやむを得ない理由等が突発的に発生したことにより通所して治療を受けることが困難な場合に、患家の求めに応じて患家に赴き施術を行った場合に支給できること。 (4) 往療料は、治療上真に必要があると認められる場合に支給できること。治療上真に必要があると認められない場合又は単に患家の求めに応じた場合については、往療料は支給できないこと。 (5) 往療料は、その突発的に発生した往療を行った日の翌日から起算して14日以内については、往療料は支給できないこと。 (6) 定期的ないし計画的な訪問施術を行っている期間において突発的に発生した往療については、訪問施術料は支給せず、施術料及び往診料を支給する。ただし、当該患者が当該往療の後も引き続き、通所して治療を受けることが困難な状況で、患家の求めに応じて患家に赴き定期的ないし計画的に行う施術については、訪問施術料の支給対象とする。	往療した場合の往療順位第2位以下の患家に対する往療距離の計算は、当該施術所の所在地を起点とせず、それぞれ先順位の患者の所在地を起点とする。 (3) 片道16キロメートルを超える場合の往療料は往療を必要とする絶対的な理由がある場合以外は認められないこと。 (4) 往療料は、歩行困難等、真に安静を必要とするやむを得ない理由等により通所して治療を受けることが困難な場合に、患家の求めに応じて患家に赴き施術を行った場合に支給できること。 (5) 往療料は、治療上真に必要があると認められる場合（定期的・計画的に行う場合を含む。）に支給できること。治療上真に必要があると認められない場合、単に患家の求めに応じた場合又は患家の求めによらず定期的・計画的に行う場合については、往療料は支給できないこと。 （新設） （新設）

3・4　（略）

別紙第4号の3

　　　柔道整復師の施術料金の算定方法

　柔道整復師の施術に係る費用の額は、次に定める額により算定するものとする。

1～5　（略）

備考

1～3　（略）

4　初検日を含む月（ただし、初検の日が月の16日以降の場合にあっては、当該月の翌月）から起算して5か月を超える月における施術（骨折又は不完全骨折に係るものを除く。）については、後療料、温罨法料、冷罨法料及び電療料について所定料金（備考3により算定されたものを含む。）の100分の75に相当する額により算定する。

　　ただし、初検月を含む月（ただし、初検の日が月の16日以降の場合にあっては、当該月の翌月）以降の連続する5か月以上の期間において1月につき10回以上の施術（骨折又は不完全骨折に係るものを除く。）を行っていた場合は、当該連続する5か月の翌月以降に行う施術（骨折又は不完全骨折に係るものを除く。）については、後療料、温罨法料、冷罨法料及び電療料について、所定金額（備考3により算定されたものを含む。）の100分の50に相当する額により算定する。この場合において、所定料金の100分の50に相当する額と、所定料金の100分の75に相当する額との差額の範囲内に限り、所定料金の100分の50に相当する額により算定した額を超える金額の支払いを受けることができる。

5～8　（略）

9　患者から本人支払額の支払を受けるときは明細書を有償で交付する施術所である旨をあらかじめ地方厚生（支）局長に届け出た施術所以外の施術所において、明細書を無償で交付する旨を施術所に掲示し、明細書を無償で患者に交付した場合は、令和6年10月1日以降の施術分から、明細書発行体制加算として、月1回に限り10円を算定する。

別紙第4号の4
　　　　はり・きゅうの施術料金の算定方法
1　施術
　(1)　（略）
　(2)　施術料

1～3　（略）

4　初検日を含む月（ただし、初検の日が月の16日以降の場合にあっては、当該月の翌月）から起算して5か月を超える月における施術（骨折又は不完全骨折に係るものを除く。）については、後療料、温罨法料、冷罨法料及び電療料について所定料金（備考3により算定されたものを含む。）の100分の80に相当する額により算定する。

5～8　（略）

9　患者から本人支払額の支払を受けるときは明細書を無償で交付する施術所である旨をあらかじめ地方厚生（支）局長に届け出た施術所において、明細書を無償で交付する旨を施術所に掲示し、明細書を無償で患者に交付した場合は、令和4年10月1日以降の施術分から、明細書発行体制加算として、月1回に限り13円を算定する。

別紙第4号の4
　　　　はり・きゅうの施術料金の算定方法
1　施術
　(1)　（略）
　(2)　施術料

①・② （略） 　　注1　はり又はきゅうと併せて、施術効果を促進するため、それぞれ、はり又はきゅうの業務の範囲内において人の健康に危害を及ぼすおそれのない電気針、電気温灸器又は電気光線器具を使用した場合は、電療料として1回につき100円を加算する。 　　注2　特別地域の患家で施術を行った場合は、特別地域加算として1回につき250円を加算する。なお、片道16キロメートルを超える場合の特別地域加算は、往療を必要とする絶対的な理由がある場合以外は認められないこと。	①・② （略） 　　注　はり又はきゅうと併せて、施術効果を促進するため、それぞれ、はり又はきゅうの業務の範囲内において人の健康に危害を及ぼすおそれのない電気針、電気温灸器又は電気光線器具を使用した場合は、電療料として1回につき100円を加算する。 （新設）
(3) 訪問施術料 　訪問施術料1 　　① 1術（はり又はきゅうのいずれか一方）の場合 　　　1回につき　3910円 　　② 2術（はり、きゅう併用）の場合 　　　1回につき　4070円 　訪問施術料2 　　① 1術（はり又はきゅうのいずれか一方）の場合 　　　1回につき　2760円 　　② 2術（はり、きゅう併用）の場合 　　　1回につき　2920円 　訪問施術料3 　（3人～9人の場合） 　　① 1術（はり又はきゅうのいずれか一方）の場合 　　　1回につき　2070円 　　② 2術（はり、きゅう併用）の場合 　　　1回につき　2230円 　（10人以上の場合） 　　① 1術（はり又はきゅうのいずれか一方）の場合 　　　1回につき　1760円 　　② 2術（はり、きゅう併用）の場合 　　　1回につき　1920円 　注1　はり又はきゅうと併せて、施術	（新設）

効果を促進するため、それぞれ、はり又はきゅうの業務の範囲内において人の健康に危害を及ぼす恐れのない電気針、電気温灸器又は電気光線器具を使用した場合は、電療料として1回につき100円を加算する。
注2　特別地域の患家で施術を行った場合は、特別地域加算として1回につき250円を加算する。
注3　片道16キロメートルを超える場合の訪問施術料及び特別地域加算は、訪問施術を必要とする絶対的な理由がある場合以外は認められないこと。

2　往療
　患者1人1回につき2300円
　　（削る）

　注(1)　2戸以上の患家に対して引き続いて往療した場合の往療順位第2位以下の患家に対する往療距離の計算は、当該施術所の所在地を起点とせず、それぞれ先順位の患家の所在地を起点とする。
　(2)　片道16キロメートルを超える場合の往療料は往療を必要とする絶対的な理由がある場合以外は認められないこと。
　(3)　往療料は、歩行困難等、真に安静を必要とするやむを得ない理由等が突発的に発生したことにより通所して治療を受けることが困難な場合に、患家の求めに応じて患家に赴き施術を行った場合に支給できること。
　(4)　往療料は、治療上真に必要があると認められる場合に支給できること。治療上真に必要があると認められない場合又は単に患家の求めに応じた場合については、往療料は支給できないこと。

2　往療
　患者1人1回につき2300円
　注(1)　往療距離が片道4キロメートルを超えた場合は、2550円とする。
　(2)　2戸以上の患家に対して引き続いて往療した場合の往療順位第2位以下の患家に対する往療距離の計算は、当該施術所の所在地を起点とせず、それぞれ先順位の患家の所在地を起点とする。
　(3)　片道16キロメートルを超える場合の往療料は往療を必要とする絶対的な理由がある場合以外は認められないこと。
　(4)　往療料は、歩行困難等、真に安静を必要とするやむを得ない理由等により通所して治療を受けることが困難な場合に、患家の求めに応じて患家に赴き施術を行った場合に支給できること。
　(5)　往療料は、治療上真に必要があると認められる場合（定期的・計画的に行う場合を含む。）に支給できること。治療上真に必要があると認められない場合、単に患家の求めに応じた場合又は患家の求めによらず定期的・計画的に行う場合については、往療料は支給で

(5) 往療料は、その突発的に発生した往療を行った日の翌日から起算して14日以内については、往療料は支給できないこと。 (6) 定期的ないし計画的な訪問施術を行っている期間において突発的に発生した往療については、訪問施術料は支給せず、施術料及び往診料を支給する。ただし、当該患者が当該往療の後も引き続き、通所して治療を受けることが困難な状況で、患家の求めに応じて患家に赴き定期的ないし計画的に行う施術については、訪問施術料の支給対象とする。	きないこと。 （新設） （新設）
3・4　（略）	3・4　（略）

○生活保護法による医療扶助運営要領に関する疑義について

> 昭和48年5月1日　社保第87号
> 各都道府県・各指定都市民生主管部（局）長宛　厚生
> 省社会局保護課長通知

〔改正経過〕

第1次改正	昭和49年4月1日社保第61号	第2次改正	昭和50年4月14日社保第67号
第3次改正	昭和51年3月31日社保第52号	第4次改正	昭和52年3月31日社保第53号
第5次改正	昭和53年3月31日社保第49号	第6次改正	昭和54年3月31日社保第27号
第7次改正	昭和57年3月31日社保第36号	第8次改正	昭和58年1月31日社保第11号
第9次改正	昭和59年2月29日社保第22号	第10次改正	昭和60年2月28日社保第21号
第11次改正	昭和60年3月30日社保第34号	第12次改正	昭和62年3月28日社保第31号
第13次改正	昭和63年8月3日社保第77号	第14次改正	平成5年3月31日社援保第65号
第15次改正	平成7年4月1日社援保第88号	第16次改正	平成7年7月20日社援保第169号
第17次改正	平成8年3月18日社援保第52号	第18次改正	平成9年2月28日社援保第28号
第19次改正	平成9年8月28日社援保第155号	第20次改正	平成10年3月31日社援保第13号
第21次改正	平成10年12月25日社援保第48号	第22次改正	平成11年3月31日社援保第16号
第23次改正	平成12年3月31日社援保第14号	第24次改正	平成13年3月22日社援保発第13号
第25次改正	平成14年3月25日社援保発第0325001号	第26次改正	平成15年3月28日社援保発第0328001号
第27次改正	平成17年3月31日社援保発第0331005号	第28次改正	平成18年3月31日社援保発第0331001号
第29次改正	平成18年9月29日社援保発第0929002号	第30次改正	平成19年3月29日社援保発第0329001号
第31次改正	平成21年3月30日社援保発第0330004号	第32次改正	平成22年3月12日社援保0312第1号
第33次改正	平成25年3月29日社援保発0329第4号	第34次改正	平成26年4月25日社援保0425第10号
第35次改正	平成28年3月31日社援保発0331第6号	第36次改正	平成30年9月28日社援保0928第4号
第37次改正	平成31年3月29日社援保発0329第8号	第38次改正	令和2年3月30日社援保0330第4号

　　注　本通知は、平成13年3月27日社援保発第19号により、地方自治法第245条の9第1項及び第3項の規定に基づく処理基準とされている。

　医療扶助運営要領の解釈と運用上、その取扱いに疑義を生じていた事項について、今般次のとおり取り扱うこととしたので、了知されたい。
1　医療扶助に関する審議会（以下、「医療扶助審議会」という。）の審議事項について
　（問1）　医療扶助審議会の審議事項のうち、「医療扶助の適正実施に関して参考意見を述べること等その他必要と認められるもの」としては、どのようなものが考えられるか。
　（答）　医療扶助の決定実施その他の保護の決定実施に当たっての医学的判断等を必要とする事項で、ケースにより福祉事務所及び都道府県本庁（指定都市及び中核市にあっては市本庁とする。9において同じ）において審査の結果、なお疑義があると思われる事項はすべて医療扶助審議会の審議事項となしうるものと考えられる。そのほか、例えば、県外委託、非指定医療機関に対する委託（委託継続）の可否及び療養指導あるいは就労指導について医学的見地からも判断を要するものについて諮問することや医療扶助の適正実施に関して参考意見を求めること等が考えられる。
2　市部福祉事務所における診療依頼書の交付
　（問2）　市町村合併により区域が広大となった市部福祉事務所において、医療扶助以

外の扶助を受けている者から保護変更申請書（傷病届）が市役所の支所、出張所長を経由して提出されたときは、患者の早期治療を確保するため、支所、出張所長が直ちに診療依頼書（入院外）を交付して医療を受けさせることとしてよいか。
　（答）　お見込みのとおり取り扱って差しつかえない。
3　医療要否意見書等の発行について
　（問3）　医療要否意見書等を発行する場合の指定医療機関の選定にあたって「なお、要保護者の希望を参考とすること」としているが、その趣旨は何か。
　（答）　指定医療機関の選定にあたっては、医療扶助運営要領第3の1の(3)のオの(ア)から(オ)に定める選定の標準により行なうものであるが、この選定の標準をみたす範囲内で、参考として要保護者の希望を聞くこととしている。
　　すなわち、その指定医療機関の選定は、あくまでも保護の実施機関の権限であることを明らかにするとともに、保護の実施に支障のない限り、患者の医師に対する信頼、その他心理的作用の及ぼす諸効果をあわせ考慮すべきこととしたものであり、したがって、このなお書の運用にあたっては、保護の実施に支障の生ずることのないよう慎重な取扱いが必要である。
　（問4）　医療要否意見書用紙の「転帰」欄には、治ゆ、中止、死亡のみで転医という事項がないが、転医の場合の記載方法はどうすればよいか。
　（答）　いわゆる転医の場合には、「中止」として取り扱い、さらに、「福祉事務所への連絡事項」欄に「転医」と記載させることとされたい。
4　各給付要否意見書の検討および受理について
　（問5）　本県においては、精神病入院要否の検討は、現段階において諸般の事情から、福祉事務所に精神科業務委託医を配置せず、本庁に複数の精神科嘱託医を配置し、精神病入院要否意見書を全件本庁協議させ本庁において検討することとしている。入院継続要否の検討を効率的に行なうことが実際必要であるので、年2回一定時期に要否意見書の提出を求めこれを検討することとしてよいか。なお、この取扱いについては、本庁精神科嘱託医、医療扶助審議会精神部会委員により一定時期において集中検討が可能であり、医療機関の協力も得られるものである。
　（答）　新規入院時（転入院を含む。）を除き、お見込みのとおり取り扱って差しつかえない。なお、この取扱いを行なうにあたっては、機械的審査とならないよう慎重に取り扱うこと。
5　医療扶助の決定の際の留意事項について
　（問6）　患者が県外の指定医療機関に入院を希望した場合その医療機関でなければ疾病の治療を行ない難いと認められる等の特別の事由がある場合以外は、これを認めないこととしてよいか。
　（答）　指定医療機関の選定にあたっては、医療扶助運営要領第3の1の(3)のオに定める標準により行なうものであり、この場合当該要保護者の希望を参考とし、福祉事務所長がその委託先を決定するものであるが、患者の希望する指定医療機関が遠隔

地にあるため、交通費を必要とし、または必要な調査および指導を行なううえに支障をきたし、しかもその医療機関以外の近隣の指定医療機関でも十分医療の目的を果たせるような場合には、患者の希望のみによって医療機関を選定することは適当ではない。

なお、県境に居住地をもつ要保護者の場合は、県内の指定医療機関に委託するよりも、県外の指定医療機関に委託した方が適当である場合もあるので、この取扱いは機械的に県外入院を認めない趣旨であると解してはならない。

6　削除
　（問7）　削除
7　保護の決定に際しての国民健康保険法との関係について
　（問8）　国民健康保険の被保険者が法による保護を受けるに至った場合は、その世帯が保護を受けなくなるまでは、保護を停止されている間を除き国民健康保険の被保険者となることができない（国民健康保険法第6条第6号）ことになっているが、保護開始後も誤って引き続き保険給付（医療）を受けていたことが保護開始後数か月を経て判明した場合、数か月遡及して医療扶助を適用することは認められるか。
　（答）　客観的に保護開始時に医療の必要性が明白である場合は、そのときに遡り、医療扶助を適用して差しつかえない。

　　なお、国民健康保険の被保険者に法による保護を開始したときは、福祉事務所長は、直ちにその旨を保険者（市町村若しくは特別区又は国民健康保険組合）に連絡を行なうべきこととされており（医療扶助運営要領別紙第2号(8)のア）設問のような事例の発生を防止するため、この規定の励行に努められたい。
8　医療扶助の変更に関する決定について
　（問9）　入院中の患者が転院を必要とする場合は、どのような手続きを行なったらよいか。
　（答）　現に入院中の患者が他の指定医療機関に転院を要する事由が生じた場合は、あらかじめ現に入院中の指定医療機関から、転院を必要とする理由、転院をさせようとする医療機関名等につき連絡を求め、その結果必要止むを得ない理由があると認められるときは、転院を認めるべきである。この場合、転院先医療機関から、医療要否意見書等の提出を求め、あらためて入院承認期間を設定したうえ医療扶助の変更決定を行なうことになる。
9　医療券の発行について
　（問10）　非指定医療機関に入院中に保護の申請が行なわれ実態調査中に手術を行なったため転院不能の状態となっている場合等、やむを得ない事由があると判断したものについては、非指定医療機関での診療を認めてよいと思うがどうか。
　（答）　お見込みのとおりである。この場合、保護の申請時において既に非指定医療機関に入院していることが判明しているわけであるから、申請者等に医療扶助の趣旨を説明し、可能な限り指定医療機関への転院を指導しておくべきであることはいうまでもないが、やむを得ない理由があって、設問のようなケースが生じた場合は、

生活保護法による医療扶助運営要領に関する疑義について

単に非指定医療機関であるというのみで保護の申請を却下すべきではなく、保護を要する以上、転院可能な時期が到来するまでの間について、当該非指定医療機関への入院を認めざるを得ない。

なお、福祉事務所長が非指定医療機関に患者を委託するに当たり、疑義のある場合は、都道府県本庁に技術的な助言を求めるなど慎重に検討し、その結果委託が認められたときは、法第52条の診療方針に基づく医療を委託するものであることを当該医療機関に説明の上依頼する必要があり、この依頼の了承（契約）の上で患者に対する医療を委託することになる。この場合、当該医療機関の診療報酬は、医療券を発行した福祉事務所長あてに請求させるものとし、福祉事務所長が審査の上、直接支払うこととして取り扱うが、この審査については、福祉事務所長に代わり都道府県本庁が行っても差し支えないものである。

(問11) 医療扶助により6月に装着する予定で5月に義歯を作成した後、未装着のまま当該患者が来院しなかった場合には、1か月程度待ったうえで請求する取扱いとなっているが、この際の請求は、義歯製作月の5月分医療券によるのか、それとも6月分以降の医療券の交付を受け、それによって請求するのか。

(答) 製作年月日である5月分の医療券によって請求させることとされたい。

なお、義歯製作に係る費用を除き、すでに5月診療分の請求を行なっている場合は、当該医療券による請求ができないこととなるので、義歯製作分の医療費については、指定医療機関から直接福祉事務所に請求させることとし、福祉事務所払の医療費として取扱って差しつかえない。

10 医療扶助継続要否について

(問12) 結核、精神疾患入院以外の長期慢性疾病についても、医療扶助運営要領第3の3の(1)において、福祉事務所長は、嘱託医の意見により4か月以上6か月以内の期間ごとに発行する医療要否意見書によって医療扶助の継続要否を検討することとしてよいとされているが、この取扱いにあたって、本庁において対象傷病名を示し、県下統一的に実施することとしてよいか。

(答) 結核、精神疾患以外の長期慢性疾病についてこの取扱いが認められるのは、嘱託医が個々の事例について医療要否意見書、知事決定済明細書等および主治医意見、地区担当員の病状等実態調査の結果を総合して検討した結果に基づき適当と認めたものに限るべきである。

たとえば、胃・十二指腸潰瘍、肝硬変、血液および造血臓器の疾患、循環器疾患、腎炎およびネフローゼ、中枢神経系疾患、糖尿病、内分泌疾患、ロイマチス等を主病とするものについては、お見込みのとおり取り扱うこととして差しつかえない。

(問12の2) 医療扶助運営要領第3の1の(3)のウの(エ)に該当する者について、医療扶助継続の要否を検討する場合は、第2月分の医療券を発行する前にあらかじめ医療扶助運営要領第3の1の(3)のアに定めるところに準じて発行した医療要否意見書によることとなると思うがどうか。

(答) お見込みのとおりである。

なお、その者がさらに引き続き３か月を超えて医療を必要とするときは、医療扶助運営要領第３の３の(1)のただし書の例によること。
11 一般診療に関する診療方針および診療報酬並びに指定医療機関の請求について
(問13) 「生活保護法第52条第２項の規定による診療方針及び診療報酬」（昭和34年５月６日厚生省告示第125号、最終改正昭和48年３月13日厚生省告示第39号）においては、「歯科の歯冠修復及び欠損補綴の取扱において、歯科材料として金を使用することは、行なわない。」とあるが、その「金」とはどのようなものをさすのか。
(答) 設問の告示において、「金」というのは、金位14カラット以上の金合金をさすものであり、これを使用することは認められないが、それ以下のもの、つまり、金銀パラジウム合金の使用は認められるものである。
(問14) 生活保護法第49条による指定医療機関が行なう診療報酬の請求に関し、次の２点について教示されたい。
　　１　請求権の時効について
　　２　消滅時効の起算点について
(答) 次により取り扱われたい。
　１　民法第166条第１項の規定により時効年限は５年である。
　２　時効の起算点は民法第166条第１項の規定によることとなるが、診療報酬の請求は各月に行なった医療につき所定の診療報酬請求書および診療報酬明細書を作成し、これをまとめて、支払基金等に提出して行なうこととされているので、時効は、その費用が請求できることを知ったときをもって起算点とするものであり、したがって医療券の発行遅延等の理由により請求できることを知りえない場合を除き、通常の場合は診療日の属する月の翌月１日である。
(問15) 診療を行なったが当該医療費が少額ですみ、本人支払額などがあるために、医療扶助による診療報酬の請求を行なわないときの医療券は、直接福祉事務所へ返戻させるべきか。
(答) お見込みのとおり福祉事務所に返戻させるべきものである。
12 治療材料の給付について
(問16) 収尿器、ストーマ装具及び尿中糖半定量検査用試験紙等の消耗的治療材料を半永久的に取替えて使用を継続しなければならないと判断される場合の給付要否の検討の取扱いについて示されたい。
(答) 設問の治療材料の給付については、６か月以内の期間ごと（尿中糖半定量検査用試験紙の給付については、３か月以内の期間ごと）に給付要否意見書の提出を求め、保護の実施機関において給付継続要否を検討することとして差しつかえない。
(問17) 治療材料に関し、次の２点について教示されたい。
　１　治療材料の給付に際し、医療扶助運営要領第３の６の(3)のアの(ｳ)により給付するに当たっての判断基準を示されたい。
　２　眼鏡については、「治療等の一環としてそれを必要とする真にやむを得ないと認められるときに限ること」とされているが、日常生活に著しい支障があると認

められるときも含まれると解してよいか。
- （答） 1　当該材料の給付によらなければ生命を維持することが困難である場合又は生命の維持に直接関係はないが、症状等の改善を図るうえで他に代わるべき方法がない場合に認められるべきであり、単なる日常生活の利便、慰安用用途等を理由としての給付は適当でない。
  2　2については、お見込みのとおりである。
- （問18）　遠近両用眼鏡については、治療等の一環としてそれを必要とする真にやむを得ない事由が認められる場合には、治療材料として給付することができることとされているが、費用の算定方法について示されたい。
- （答）　障害者の日常生活及び社会生活を総合的に支援するための法律の規定に基づく「補装具の種目、購入又は修理に要する費用の額の算定等に関する基準」（平成18年9月厚生労働省告示第528号）の別表における交付基準の矯正眼鏡2個分の価格から修理基準の枠交換（1個分）の価格を除いた額を限度とし、必要最小限度の実費を認定すること。
- （問19）　供血のため必要な血液検査料を支給することはできないか。
- （答）　輸血のための検査料は、輸血料の算定基礎に計上されているので、重ねて支給することは認められない。
  なお、輸血を目的として血液検査を行なったが、受血者と供血予定者の血液型が不適合等であったため又は輸血の必要がなくなったため輸血を行なわなかった場合で、血液検査料を請求されたときは、福祉事務所払の医療費として計上し、支給することとして差しつかえない。
  （注）
  　　平成6年3月16日厚生省告示第54号「健康保険法の規定による療養に要する費用の額の算定方法（点数表）」の別表第1第2章第10部第2節輸血料区分K920参照

13　施術の給付について
- （問20）　医療扶助運営要領様式第18号の1の2及び様式第18号の1の3の施術の給付要否意見書の「医師同意」欄には、施術の給付にあたり、医師の同意意見を記載させることとしているが、施術のどの場合に記載させることとするのか教示されたい。
- （答）　施術の給付が認められるのは、柔道整復、あん摩、マッサージ、はり及びきゅうであって、治療上不可欠と認められる場合に限られるものであるので、当該給付の要否判定を行うための判断材料としての見地及び医師の意見に基づき適正な治療を給付する必要があるとの患者保護の見地からは、一部の場合を除き、当然医師の意見が必要である。
  以上の趣旨から、医療扶助の一環として施術を給付する場合の手続きについて本法独自のものを定めているものである。
  したがって、施術の種類ごとに医師の同意の必要性の有無を示せば、次のとおりである。

1　柔道整復　打撲又は捻挫の患部に手当する場合及び脱臼又は骨折の患部に応急手当をする場合は医師の同意は不要。ただし、応急手当以外の脱臼又は骨折の患部に手当をする場合は医師の同意が必要。
　　　2　あん摩・マッサージ　施術を行う場合はすべて医師の同意が必要
　　　3　はり・きゅう　施術を行う場合はすべて医師の同意が必要
(問20の2)　柔道整復については、打撲又は捻挫の患部に手当する場合や脱臼又は骨折の患部に応急手当をする場合は医師の同意は不要とされているが、医師の同意の必要性を判断するため、被保護者に事前に指定医療機関を受診させることとしてよいか。
(答)　被保護者から柔道整復による施術の給付申請があった場合には、福祉事務所は、施術の給付要否意見書に必要事項を記載の上、指定施術機関において給付要否意見書の所要事項の記入を受けさせ、必要に応じて、医師の同意を求めるべきである。設問の場合、指定施術機関での施術を希望する被保護者に対して、合理的理由なく、事前に指定医療機関を受診するよう求めることは適当ではない。
(問21)　柔道整復師が患者の骨折に対する施術を行なうにあたって医師の同意を得たが、その後骨折部位に症状の変化を生じたときは、当初の同意のみで施術を継続してよいか。もし再度医師の同意を要するとすれば、柔道整復師から電話などにより医師の同意を求めることで足りるか、教示されたい。
(答)　設問のように当初の患者の症状がその後変化して柔道整復師の施術を続行することが危険であると認められるときは、積極的に再診断を求めるべきであって、当初の同意のみで施術を継続することは適当ではない。したがって、かかる場合に設問の後段のような方法で医師の同意を得ることは好ましくない。
(問22)　あん摩・マッサージ及びはり・きゅうの施術の給付に際し、給付要否意見書により医師の同意を求めることに代え、当該施術の要否に関する診断書をもって足りる取扱いとされている趣旨を教示されたい。
(答)　健康保険の取扱いにおいては、療養費支給申請書に添付するはり・きゅうおよびマッサージの施術に係る医師の同意書について、病名、症状および発病年月日の明記された診断書であって要否の判断ができるものに限り、これを当該同意書に代えて差しつかえないこととされた（昭和42年9月18日保発第32号保険局長通知）ことにかんがみ、本法においても同様の取扱いができる途を開いたものである。
　　なお、医師の同意書又は診断書については、記名押印にかえて当該医師の署名を用いることも差しつかえない（平成16年10月1日保医発第1001002号厚生労働省保険局医療課長通知）こととされていることから、本法上の取扱いにおいても、この改正の趣旨に則した取扱いとすることとしたものである。
(問23)　あん摩・マッサージの施術給付の承認判定上の明確な基準を示されたい。
(答)　あん摩・マッサージは、あん摩・マッサージの施術を受けようとする患者の症状が投薬その他の治療によって効果がなく、あん摩・マッサージの施術が絶対不可欠である場合に限り認められるものである。単なる肩こり又は慰安のためにする施術は認められないものである。

(問24) 施術（柔道整復、あん摩・マッサージ、はり・きゅう）料の支払いは、福祉事務所長が審査のうえこれを行なうことになっているが、審査の結果適当でないと思われる場合は、減額査定ができるか。できるとすればその法的根拠を示されたい。また、審査要綱といったものはないのか。

(答) 前段については、生活保護法による保護の基準（昭和38年4月厚生省告示第158号）別表第4に基づく都道府県知事又は指定都市若しくは中核市の市長と施術師組合との協定条項によるものである。

後段の審査要綱については、現在のところ、前記の協定条項のほかには、特に定められていない。

14 削除

(問25) 削除

15 移送の給付について

(問26) 削除

(問26の2) 外泊に伴う移送の給付が、精神疾患以外の入院患者について認められる場合を具体的に教示されたい。

(答) 例えば、脳血管障害後遺症の患者が、医学的機能回復訓練を行った結果、家庭等における日常生活動作の障害がどの程度改善されたか等治療効果を判定するため、当該患者を一時外泊させる場合が考えられる。

したがって、家庭の事情等による外泊の場合には認められないものであること。

(問26の3) 削除

(問26の4) 医療扶助運営要領第3の9の(3)のイにいう「移送に要する交通費等が確実に確認できる場合」とは、どのような場合か。

(答) 医療要否意見書を例にとれば、当該治療に必要な通院頻度や移送の手段など移送に要する交通費等を確認するために必要な事項が「福祉事務所への連絡事項」欄に記載されているような場合が考えられる。

(問26の5) 削除

16 診療報酬の審査および支払

(問27) 削除

17 他法活用上の留意事項について

(問28) 感染症の予防及び感染症の患者に対する医療に関する法律による結核医療の公費負担申請のため、医療機関が診断書の作成及び申請手続きの代行を行った場合の費用の取扱いはどのようになるのか。

(答) 結核医療の診断書作成料及び申請代行の費用については、診療報酬上算定可能とされている。

ただし、健康保険の被扶養者に係る申請代行費用は診療報酬の対象外であることから、当該費用については、診療報酬上の点数を上限として福祉事務所払いの医療扶助費として支払って差し支えない。

(問28の2) 難病の患者に対する医療等に関する法律（平成26年法律第50号）に基づき、特定医療費の申請を行った後、支給認定が行われるまでの間の医療費について

医療扶助による給付を行っていた場合について、当該医療費に関する福祉事務所の対応について教示されたい。

(答)　特定医療費については、支給認定が行われた場合、申請時点に遡って支給が行われる。このため、福祉事務所は支給認定が行われた被保護者に対して、都道府県難病部局から遡及して、金銭給付が行われた後、法第63条の規定に基づいて返還させることとなる。

　なお、当該被保護者に対して、遡及による特定医療費の給付について代理申請及び代理受領について十分な説明を行い、その実施について同意を得、委任状を徴収することを条件として、遡及給付について福祉事務所が被保護者の代理として都道府県難病部局から直接受領することが可能である。

　また、児童福祉法に基づく小児慢性特定疾病医療費の給付に関する対応についても、これに準じること。

(問29)　障害者の日常生活及び社会生活を総合的に支援するための法律第5条第22項に規定する自立支援医療のうち、障害者の日常生活及び社会生活を総合的に支援するための法律施行令第1条第3号の精神通院医療の支給認定申請に要する「診断書料」等の請求はどのような様式を用いて行なったらよいか。

(答)　福祉事務所に対する医療機関の請求の様式については、特に定められていないが、施行細則準則に定める「検診料請求書」(様式第20号) に準じて請求書を作成のうえ請求を行なわせることとされたい。

18　調剤券の発行について

(問30)　医薬分業化の推進に伴い、最近処方せんの発行を行う指定医療機関が増加しているが、郡部福祉事務所の場合管轄区域が広いこともあって、患者の早期治療という観点から、指定薬局より医療機関名、公費負担者番号、患者名及び受給者番号等の連絡等が受けられる場合には、給付券交付処理簿により資格確認のうえ当該指定薬局に調剤券を発行することとしてよろしいか。

(答)　お見込みのとおり発行することとして差しつかえない。

19　後発医薬品の給付について

(問31)　医師又は歯科医師 (以下「医師等」という。) が一般名処方をしているにもかかわらず、先発医薬品が給付された場合、法第50条第2項に基づく指定医療機関 (指定薬局も含む) に対する指導の対象としてよろしいか。また、この際の診療報酬についてはどのように取り扱えばよろしいか。

(答)　設問の場合であっても、後発医薬品の在庫がない場合や後発医薬品が先発医薬品より高額である場合、薬剤師による疑義照会の結果、先発医薬品を給付することが適当であるとして、先発医薬品を給付している場合が考えられるため、ただちに同指導の対象としてはならない。対象となるかの判断に当たっては、調剤録等の閲覧による薬剤師の疑義照会の状況確認や後発医薬品の在庫の状況確認を適切に行うこと。その確認の結果、不適切な調剤があったことが確認された場合は、同指導の対象として差し支えなく、当該指定医療機関から診療報酬を返納させること。

(問32)　処方医が一般名処方又は銘柄名処方であって後発医薬品への変更を可とする

生活保護法による医療扶助運営要領に関する疑義について

処方を行ったが、薬剤師による疑義照会を受けた結果、先発医薬品の使用が必要であると判断した場合、どのように取り扱うよう指導すればよろしいか。
(答)　疑義照会の結果に基づき、先発医薬品が調剤されることとなるため、指定医療機関である病院又は診療所においては当該内容を適切に診療録に反映するよう指導すること。なお、この場合、処方医は改めて処方箋を交付する必要はない。
　　また、指定薬局においては、先発医薬品の調剤に至った事情（疑義照会の内容及びその結果調剤した先発医薬品の情報）を処方箋及び調剤録（薬剤師法第28条ただし書きの場合を除く。）に記入しなければならない。

(問33)　医療扶助運営要領第3の5の(2)のイに基づき、先発医薬品への処方の変更を希望する患者に対して福祉事務所が説明した後も、なお当該処方の変更を求める患者がいた場合、どのように取り扱うべきか。
(答)　処方医との再相談や同行受診等の対応を行い、その結果に応じ適切な対応を行うこと。

(問34)　後発医薬品の使用について十分説明しているにも関わらず、同意しない被保護者について、法第27条に基づく指導指示の対象としてよろしいか。
(答)　法第34条第3項により、指定医療機関である病院・診療所及び薬局において、医師による医学的知見に基づき後発医薬品の使用が可能と認められる場合には、原則として後発医薬品が給付されるものであり、患者の同意の有無により処方が変更されるものではないことから、設問の場合において、被保護者に対して法第27条に基づく指導指示を行う必要はない。

(問35)　被保護者である患者本人が先発医薬品の薬剤費（10割相当分）を負担すると申し出た場合、これを認めることは可能か。
(答)　医療扶助においては、一連の診療行為（療養の給付）が対象となっており、診察、処方、調剤等を別々に給付することは予定していない。したがって、診察及び処方が医療扶助によって給付されている場合、調剤のみを切り離して自己負担とすることは、認められない。

(問36)　医療扶助運営要領第3の5の(2)のアの(ウ)に基づき、処方医に連絡が取れず、福祉事務所に確認する必要が生じた場合の具体的取扱い如何。
(答)　設問の場合、福祉事務所において、処方医が休診である等、医師と連絡が取れない事情を確認した上で、先発医薬品の給付を行うこと。また、初回調剤時に、夜間や休日等、福祉事務所にも連絡が取れない場合には、事後的に福祉事務所に報告することとして、先発医薬品を調剤しても差し支えない。なお、これらの対応を行った場合は、速やかに（遅くとも次回受診時までに）薬剤師から処方医に、処方の内容について確認すること。
　　なお、これらの確認作業について、様式等は示さないので、電話等で適宜実施していただいて構わない。

(問37)　医薬品の承認に係るルールが整備される以前に製造されたため先発医薬品に分類されないが、価格差のある後発医薬品は存在するいわゆる「準先発品」につい

て、対応する後発医薬品を生活保護法第34条第3項に定める後発医薬品として取り扱うべきか。
(答)　「準先発品」については、後発医薬品の使用促進を目的とする一般名処方加算の対象となるものであり、こうした医療保険制度との整合性の観点から、これに対応する後発医薬品は生活保護法制度上の後発医薬品として取り扱うものとする。

第2節　一般通知等

1　運営体制関係

○医療扶助運営体制の強化について

> 昭和42年6月1日　社保第117号
> 各都道府県知事・各指定都市市長宛　厚生省社会局長通知

〔改正経過〕
　第1次改正　平成8年3月18日社援保第50号　　　第2次改正　平成12年3月31日社援第824号
　第3次改正　平成17年3月31日社援発第0331014号

　　注　本通知は、平成13年3月27日社援発第518号により、地方自治法第245条の9第1項及び第3項の規定に基づく処理基準とされている。

　標記については、本年4月1日社保第69号本職通知「生活保護法による医療扶助運営要領の一部改正について」により、福祉事務所における医療扶助運営体制の強化を図ったところであるが、今般次のとおり医療扶助受給世帯に対する具体的な指導方法を定めたので、今後、医療扶助の運営にあたっては、保護の実施要領及び医療扶助運営要領に定めるところによるほか、次により適正な実施を確保するよう特段の配意を煩わしたい。

1　実態調査
　(1)　地区担当員は、医療扶助開始後おおむね3か月を経過するまでの間に当該医療扶助を受けている者(以下「患者」という。)の主治医を訪問して患者及び家族の指導上必要な事項についての意見を聞くとともに、患者及び家族を訪問してその実態を十分に把握すること。以後、病状に応じおおむね3か月（結核及び精神疾患の入院患者についてはおおむね6か月）の範囲内において定める期間ごとに患者及び家族を訪問して引続き実態の把握を行なうとともに、必要に応じ主治医の意見を聞くこと。
　(2)　地区担当員が(1)により主治医から意見を聞く事項は、次に掲げるものとするが、これ以外に当該患者に関し必要な事項については、査察指導員及び嘱託医に協議すること。
　　　なお、この場合には、主治医に対して過重な負担をかけることのないよう特に留意すること。
　　ア　病状
　　イ　治癒の見込期間（入院の場合にあっては、退院の見込及び退院後の医療の要否）
　　ウ　現に行なっている療養上の指示及び患者の受療態度
　　エ　当該患者及び家族に関し、福祉事務所に対する意見要望
　　オ　入院外患者にあっては、就労の可能性及びその程度
　(3)　地区担当員が(1)により患者及び家族を訪問して実態を把握する事項は、次に掲げる

ものとするが、これ以外に当該患者及び家族に関し必要な事項については、査察指導員及び嘱託医に協議すること。
　　ア　当該患者の病状
　　イ　当該患者の日常生活及び療養態度
　　ウ　当該患者の受療状況
　　エ　入院外患者にあっては就労の状況
　　オ　福祉事務所又は指定医療機関に対する要望
　　カ　当該患者の家庭環境
　2　指導
　(1)　地区担当員が1により患者及び家族を訪問する際には、次により指導すること。
　　ア　主治医の療養上の指示に従っていない患者については、これに従うよう十分指導を行なうこと。
　　イ　家族について問題のある場合は、家族についての不安の除去等当該患者が療養に専念できるよう必要な指導を行なうこと。
　　ウ　退院可能な患者については、就労の援助、社会福祉施設への入所等必要な措置を行ない、退院後なお入院外医療を要すると認められるものについては、必要な指導を行なうこと。
　　エ　入院外患者であって入院を必要とすると認められるものについては、嘱託医に協議し必要な指導を行なうこと。
　　オ　入院外患者であって就労の可能性があると認められるものについては、主治医、査察指導員と十分協議のうえ、必要な就労指導を行なうこと。
　(2)　主治医の意見、訪問結果等から医療扶助の継続について疑義があると認められる場合その他特に必要があると認められる場合には、福祉事務所長、査察指導員嘱託医及び当該患者を担当する地区担当員の間において、その取扱いにつき、個別に検討を行なうこと。この場合、当該地区担当員は、当該患者に係る各給付要否意見書及び診療報酬明細書を検討のうえ、その意見を付するものとし、また医療事務担当者は、必要な連絡、資料の整備等を担当するものとすること。
　(3)　(2)により検討の結果、継続して医療扶助の適用が必要と認められたものについては、(1)により指導を行ない、また、医療扶助の継続につき疑義があると認められたものについては、必要に応じ都道府県知事、指定都市市長又は中核市市長に技術的助言を求めたうえ、生活保護法第27条第1項の規定に基づく指導若しくは指示を行ない、又は同法第28条の規定による検診命令を行うこと。
　3　関係機関との連絡調整
　　福祉事務所長は、1により地区担当員が主治医の意見を聞く際には事前に連絡をとるほか、平素から地元医師会等と連絡を密にし、生活保護法の主旨及び取扱い手続等を周知徹底し、もって医療扶助事務が円滑適正に遂行されるよう特に配意すること。
　4　この通知の取扱い
　(1)　この通知に定める取扱いは、この通知施行日以降において医療扶助を開始した患者について適用すること。
　(2)　(削除)

○医療扶助における長期入院患者の実態把握について

（昭和45年4月1日　社保第72号
　各都道府県・各指定都市民生主管部（局）長宛　厚生
　省社会局保護課長通知）

〔改正経過〕

第1次改正	昭和45年6月10日社保第126号	第2次改正	昭和51年8月7日社保第135号
第3次改正	昭和63年8月3日社保第77号	第4次改正	平成7年4月1日社援第88号
第5次改正	平成7年7月20日社援第169号	第6次改正	平成12年3月31日社援保第14号
第7次改正	平成14年3月20日社援発第0320002号	第8次改正	平成17年3月31日社援発第0331005号
第9次改正	平成19年3月29日社援発第0329002号	第10次改正	平成24年3月30日社援発0330第5号

注　本通知は、平成13年3月27日社援保発第19号により、地方自治法第245条の9第1項及び第3項の規定に基づく処理基準とされている。

　医療扶助の運営については、昭和42年6月1日社保第117号社会局長通知「医療扶助運営体制の強化について」の趣旨に基づき、その充実強化に努められているところであるが、全国的にみると、とくに長期入院患者の有する社会的需要、出身世帯との関係、他法措置との関係等処遇充実の基礎となる実態の把握が十分行なわれているとは未だ認め難い現状である。
　このような事情にかんがみ、昨年、昭和44年3月26日社保第67号本職通知「医療扶助による長期入院患者の実態把握について」により、長期入院患者の実態につき報告を願ったところであるが、その報告を検討した結果、長期入院患者の実態を常時把握することが適切な医療扶助を行なう上で重要であることが確認し得たので、今後その実態把握を恒常的に行なうこととし、別紙のとおり「長期入院患者実態把握実施要領」を定めたので、以後、この要領に基づいて長期入院患者の実態を適確に把握し、当該患者に対する積極的かつ適切な処遇の確保に努められたい。
　なお、この業務を行なうにあたっては、とくに次の点を考慮し、適正な実施を図るよう格段の配慮を煩わしたい。
1　本業務は、指定医療機関が行なう診療内容に関与する趣旨のものではなく、医療扶助による長期入院患者の有する社会的需要等の実態を把握し、実態に即応した適切な処遇を講ずることを目的とするものであること。
2　本業務を実施するにあたっては、指定医療機関に対して生活保護制度の趣旨を正しく説明して協力を求めるとともに、個別ケースの取り扱いにあたっては、主治医の意見を十分尊重すること。

3 病状上退院可能であることが明らかとなった者については、すみやかに退院するよう取計らうとともに種々の理由で退院がさまたげられている者については、その阻害要因を検討し、所要の援護措置を講ずること。

例えば、本人および家族等に対し必要な助言指導を行なうこと。

また、公営住宅への入居、社会福祉施設への入所を適当とする者に対しては、これが優先入居または入所について積極的に斡旋または働きかけを行なう等個々のケースについて退院阻害要因の解消を図るよう配慮すること。

別　紙
　　　　長期入院患者実態把握実施要領
1　目的
　長期入院患者の状況を把握し、実態に即した適切な措置を講ずることにより、これら患者の処遇の充実を図ることを目的とする。
2　対象
　医療扶助による入院患者であって、その入院期間が180日を超える（他法又は自費による入院期間を含む。以下同じ。）者とする。
3　検討時期
　入院期間が180日を超えた時点とする。
4　実施主体
　福祉事務所及び都道府県（指定都市及び中核市を含む。以下同じ。）本庁生活保護主管課（以下「本庁」という。）とする。
5　実施方法
　(1)　準備作業
　　地区担当員は、入院継続180日を超えた時点及び180日を超えて引き続き入院を必要と認められた者については、その後6か月を経過した時点ごとに様式1に準じ実態把握対象者名簿を整備し、当該患者に係る直近の要否意見書及び過去6か月分の診療報酬明細書等を準備すること。
　(2)　書面検討
　　ア　嘱託医は、(1)により準備された要否意見書及び診療報酬明細書等に基づき、当該患者にかかわる今後の処遇方針を定めるうえにおいて①医療扶助による入院継続の必要があるもの　②入院継続の必要性について主治医等の意見を聞く必要があるものに分類するための検討を行なうこと。

　　　なお、精神疾患による入院患者について、嘱託医による検討が困難である場合は、精神科業務委託医師又は本庁精神科嘱託医が検討すること。
　　イ　嘱託医から意見を聴取した結果について、実態把握対象者名簿に記入すること。
　(3)　実地検討
　　ア　主治医等との連絡
　　　(ア)　地区担当員は、「実態把握対象者名簿」に登載された患者のうち(2)ア②に該当する者について様式2に準じ調査票を準備するとともに、主治医又は退院支援を

担う者(退院調整部門の看護師又は社会福祉士等。以下「主治医等」という。)と連絡をとり、当該患者の処遇上必要な事項について意見を聞くこと。なお、必要に応じて福祉事務所嘱託医又は精神科業務委託医師の同行訪問を求めること。
　(イ)　主治医等の意見を聞いた結果、入院の必要がないことが明らかとなったものについてはその旨を、入院継続を要するものについては、主治医等の見解をそれぞれ実態把握対象者名簿及び調査票に記入すること。
　イ　地区担当員による実態把握
　　主治医等の意見を聞いた結果、医療扶助による入院継続を要しないことが明らかになったものについて、地区担当員はすみやかに、当該患者及び家族を訪問し、実態を把握するものとし、退院に伴い必要な措置の状況等を実態把握対象者名簿及び調査票に記入すること。
　ウ　退院に伴う措置等
　　イによる実態把握の結果に基づき、当該患者の退院を阻害している要因の解消を図り、実態に即した方法により、適切な退院指導を行なうこと。
　　なお、この場合、退院に伴い必要な措置、例えば本法による家賃、敷金、介護料等の認定、施設入所、感染症の予防及び感染症の患者に対する医療に関する法律(結核に係るもの。)、精神保健及び精神障害者福祉に関する法律等他法への移替措置、介護を要する者に対するホームヘルパーの派遣等関連制度の活用、円滑な家族関係の回復についての指導等を当該患者の実態に即した方法により積極的に行なうこと。
(4)　措置状況の確認
　福祉事務所長は、実態把握対象者の状況及び検討経過、措置結果等について管内の状況を常時把握しておくこと。
6　結果の報告
(1)　福祉事務所長は、毎年3月31日現在における実態把握対象者名簿に登載されたものの状況を別紙様式3により本庁に情報提供願いたいこと。
(2)　本庁は、(1)の結果をとりまとめ、別紙様式3により毎年4月末までに本職あて情報提供願いたいこと。
7　福祉事務所に対する指導等
　本庁は、管内福祉事務所の指導監査時等において、実態把握対象者の状況、措置結果等について確認するとともに、適切な指導及び援助を行うこと。

様式1

実 態 把 握 対 象 者 名 簿

作 成 年 月 日　　　　　．　　　．　　　福祉事務所

番号	①新規・継続の区分[前回調査年月日]	②地区名・ケース番号・患者氏名	③医療機関名 ④主な傷病名	⑤入院年月日 ⑥入院期間	⑦書類検討（嘱託医協議）実地検討の要否	⑧実地検討（主治医等からの意見聴取）医療扶助の入院の要否・退院阻害要因	⑨患者・家族の状況（患者や家族の意向、住居の状況等）	⑩退院に伴って要する措置・退院後の需要等	⑪退院年月日
1	1. 新規 2. 継続 [前回調査年月日] 年　月　日	(地区名) (ケース番号) (患者氏名) （　　歳）	(医療機関名) (主な傷病名)	(入院年月日) 年　月　日 年　か月	(検討年月日： 年　月　日) (実地検討の要否) 1. 要 2. 否 [理由]	(訪問年月日： 年　月　日) (医療扶助の入院の要否) 1. 要　2. 否 3. 他法による入院 (退院を阻害している要因)	(患者・家族への確認日) 年　月　日 (患者等の意向、住居の状況等)	(退院に伴って要する措置・退院後の需要等)	(退院年月日) 年　月　日
2	1. 新規 2. 継続 [前回調査年月日] 年　月　日	(地区名) (ケース番号) (患者氏名) （　　歳）	(医療機関名) (主な傷病名)	(入院年月日) 年　月　日 年　か月	(検討年月日： 年　月　日) (実地検討の要否) 1. 要 2. 否 [理由]	(訪問年月日： 年　月　日) (医療扶助の入院の要否) 1. 要　2. 否 3. 他法による入院 (退院を阻害している要因)	(患者・家族への確認日) 年　月　日 (患者等の意向、住居の状況等)	(退院に伴って要する措置・退院後の需要等)	(退院年月日) 年　月　日
3	1. 新規 2. 継続 [前回調査年月日] 年　月　日	(地区名) (ケース番号) (患者氏名) （　　歳）	(医療機関名) (主な傷病名)	(入院年月日) 年　月　日 年　か月	(検討年月日： 年　月　日) (実地検討の要否) 1. 要 2. 否 [理由]	(訪問年月日： 年　月　日) (医療扶助の入院の要否) 1. 要　2. 否 3. 他法による入院 (退院を阻害している要因)	(患者・家族への確認日) 年　月　日 (患者等の意向、住居の状況等)	(退院に伴って要する措置・退院後の需要等)	(退院年月日) 年　月　日

※「①新規・継続の区分」、「⑦書類検討」の「実地検討の要否」、「⑧実地検討」の「医療扶助の入院の要否」欄は、該当するものに○印を付すこと。

医療扶助における長期入院患者の実態把握について

様式2

調査票

地区担当員名：

1．患者氏名			（　　歳）男/女	2．住所				
3．主な傷病名	(1)	(3)	4．初診日	(1)	(3)	5．入院年月日	年　月　日	
	(2)	(4)		(2)	(4)	6．入院期間	年　か月	

主治医等からの意見聴取結果

7．訪問年月日	年　月　日　（前回調査年月日：　年　月　日）	
8．医療機関名	9．主治医又は退院支援を担う者の氏名	（職名：　　　　）
10．日常的に行われている医療行為その他特記すべき病状等		
11．看護職員による看護提供の状況	(1) 定時の観察のみで対応　(2) 定時以外に1日1回～数回の観察及び処遇が必要 (3) 頻回の観察及び処遇が必要　(4) 24時間観察及び処遇が必要（理由：　　　）	
12．退院に係る問題点、課題等	(1) 患者の医学的状態が安定しない（　　　　　　　　） (2) 医療的状態は安定しており退院が可能 　ア　退院の日程は決定しており、退院待ちの状態 　イ　退院先は決定しているが、退院の日程が決定していない 　　a　自宅の受け入れ状況の調整中のため 　　b　介護施設等に受け入れが決定しているが、日程が未定のため 　　c　その他 　ウ　退院先も退院日程も決定していない 　　d　他の病院への転院が適切と考えられるが受け入れ先がない 　　e　介護施設、福祉施設等への入所が適切と考えられるが受け入れ先がない 　　f　退院に当たって導入する介護・福祉サービスの調整ができていない 　　g　適切な退院先がわからない 　　h　今後の療養に関する患者・家族の希望が決定していない 　　i　今後の療養に関する本人の希望と家族の希望が一致しないため 　　j　その他	
13．予想される退院先	(1) 自宅　(2) 有料老人ホーム、サービス付き高齢者向け住宅、グループホーム等の施設 (3) 特別養護老人ホーム、介護老人保健施設等の介護施設又は障害者施設 (4) その他（　　　　　　　　）	
14．総合判定	(1) 入院医療の必要性がある	ア　入院見込み期間（　年　月頃まで入院を要する）　イ　未定
	(2) 入院医療の必要性がない	ア　通院要　イ　通院不要　ウ　介護要　エ　介護不要
	(3) 他法による入院	ア　感染症の予防及び感染症の患者に対する医療に関する法律（結核に係るもの） イ　精神保健及び精神障害者福祉に関する法律

患者及び家族の状況

15．身よりの有無	(1) 有（　人）　(2) 無　16．患者・家族（　　　）への確認年月日　年　月　日	
17．退院にあたり障害のないもの	帰来先	(1) 自宅　(2) 扶養義務者宅　(3) 施設（　　）　(4) その他（　　）
18．退院にあたり障害のあるもの	(1) 住居なし	
	(2) 住居あり	ア　住居が狭い又は老朽化している イ　家族が患者の引取を拒む ウ　患者が退院を嫌う エ　その他（　　　　　　）
19．患者等への調査の結果予想される退院先	(1) 「13」欄の退院先と同じ　(2) 「13」欄の退院先とは異なる（退院先：　　）	
20．退院に伴って要する措置・退院後の需要等		

※「9」欄は、意見聴取した主治医又は退院支援を担う者の氏名を記入すること。また、職名欄には医師、看護師、社会福祉士、精神保健福祉士等と記入すること。
※「11」～「15」、「17」、「19」欄は、該当する事項に〇印を付すこと。
※「患者及び家族の状況」欄は、「14．総合判定」が「(2)入院医療の必要性がない」とされた者についてのみ調査し、その結果を記入すること。

様式3

1 書類検討及び措置状況

		(1)書類検討患者総数（入院一八〇日を超えた患者数）	(2)(1)のうち主治医等と意見調整を行ったもの	(3)(2)の結果医療扶助の必要がないとされた者の結果医療扶助による入院 a (a＝b＋c)	(4) (3)のうち措置状況						(5)(3)のうち未措置の患者数
					退院又は移替え等						
					小計 b	居宅保護	施設入所 A	他法への移替		その他	
								結核に関する法律（結核の患者に対する医療及び感染症の予防及び感染症の患者に対する医療に関する法律に係るもの。）	精神保健及び精神障害者福祉に関する法律		c
計											
今回報告に係る状況	小計										
	結核										
	精神疾患										
	その他の疾病										
前回報告分中未措置となっていた者	小計										
	結核										
	精神疾患										
	その他の疾病										

2 施設の種類別入所状況（再掲）

		計（＝1のA）	今回報告分	前回未措置分
施設の種類	計			

○「医療扶助における長期入院患者の実態把握について」の一部改正について

(平成19年3月29日　社援保発第0329002号)
(各都道府県・各指定都市・各中核市民生主管部(局)長)
(宛　厚生労働省社会・援護局保護課長通知)

　今般、「医療扶助における長期入院患者の実態把握について」(昭和45年4月1日社保第72号厚生省社会局保護課長通知)の一部を下記のとおり改正し、平成19年4月1日から適用することとしたので、了知の上、医療扶助の実施に遺漏なきを期されたい。
　なお、本通知による実態把握の実施にあたっては、別添「「医療扶助における長期入院患者の実態把握について」に基づく実態把握の実施方法及び結果の報告に係る留意事項」に記載した事項に留意するよう管内実施機関に周知願いたい。

記

1　略
別　添
　　「医療扶助における長期入院患者の実態把握について」に基づく実態把握
　　の実施方法及び結果の報告に係る留意事項
1　「5　実施方法」の(2)の「書面検討」については、入院期間が180日を超えた者の全数について行うこと。
　そのため、様式3の「書類検討総数」については、入院期間が180日を超えた全患者数が記載されるものであること。
2　嘱託医の書面検討は、診療内容の適否や医療扶助の給付の要否自体の確認を目的とする通常の要否意見書の審査とは異なり、退院の可能性について主治医への確認が必要かどうかの検討を行うものであること。したがって、給付要否意見書及び診療報酬明細書の内容等から、明らかに入院医療の必要性が認められる者以外は、入院医療の必要性について主治医の意見を聴取する対象となること。
3　「5　実施方法」(4)アの主治医との意見調整にあたっては、患者の病状から入院医療が必要か否か、その他の退院阻害要因の有無について意見を聞くこととなる。
　そのため、調査時点においては、受入先となる適当な施設がないなど、病状以外の要因により退院が困難であったとしても、受入条件が整えば退院可能な者については「医療扶助による入院の必要性がないとされた者」として計上すること。

○医療扶助における長期外来患者の実態把握について

> 昭和46年4月1日　社保第59号
> 各都道府県・各指定都市民生主管部(局)長宛　厚生省
> 社会局保護課長通知

〔改正経過〕

第1次改正	昭和51年8月7日社保第135号	第2次改正	平成7年4月1日社援保第88号
第3次改正	平成12年3月31日社援保第14号	第4次改正	平成14年3月20日社援保発第0320002号
第5次改正	平成17年3月31日社援保発第0331005号	第6次改正	平成30年3月30日社援保発0330第9号

　　　注　本通知は、平成13年3月27日社援保発第19号により、地方自治法第245条の9第1項及び第3項の規定に基づく処理基準とされている。

　医療扶助の運営については、昭和42年6月1日社保第117号厚生省社会局長通知「医療扶助運営体制の強化について」の趣旨に基づき、その充実強化を図ってきたところであるが、全国的にみると、とくに長期にわたって入院し、若しくは外来医療を受療している患者について、処遇充実の基礎となる実態の把握が十分行なわれているとは認め難い現状である。

　このような事情にかんがみ、長期入院患者については、昭和45年4月1日社保第72号本職通知「生活保護法による医療扶助受給者の実態把握について」をもって長期入院患者実態把握実施要領を示したところであるが、今回、長期外来患者についても、別紙のとおり「長期外来患者実態把握実施要領」を定め、以後この要領に基づいて長期外来患者の的確な実態把握と適切な処遇の確保を図ることとしたので、了知のうえ管下実施機関に対して指導の徹底に努められたい。

　なお、この業務を行なうにあたっては、とくに次の点を考慮し、適正な実施を図るよう格段の配意を煩わしたい。

1　本業務は、指定医療機関が行なう診療内容に関与する趣旨のものではなく、医療扶助による長期外来患者の実態を把握し、主治医の意見を尊重しつつ実態に即応した適切な処遇を講ずることを目的とするものであること。
2　指導台帳に登載された者について所要の措置を講ずるにあたっては、次の点に留意すること。
(1)　患者に対する療養指導、家庭看護についての具体的指導のほか、居住環境の改善、被服及び寝具等の衛生、食事の採り方等について指導を要すると認められる者については、必要に応じ、保健師との連携を考慮する等世帯の実情に即した適切な処遇が講じられるよう配意すること。

(2) 治療と稼働が両立できると認められる者については、適切な治療を確保するとともに、病状の程度、治療見込期間等を勘案し、稼働能力に応じた就労指導を行なうこと。

なお、必要に応じ、検診命令及び就労先確保についての援助等を行なうこと。
(3) 病状からみて入院治療が適当と認められるものについては、主治医と十分連絡をとり入院等の措置を行なうとともに、入院を阻害する要因がある場合は、その阻害要因を検討し、所要の援護措置を講ずること。

別 紙
　　　　長期外来患者実態把握実施要領
1 目的
　長期外来患者の状況を把握し、実態に即した適切な措置を講ずることにより、これら患者の処遇の充実を図るとともに適正な保護の実施を確保することを目的とする。
2 対象
　医療扶助による外来患者であって、同一疾病により、1年以上（他法又は自費による外来受療期間を含む。以下同じ。）継続して受療している者とする。
3 検討時期
　受療期間が1年を経過した後、昭和42年6月1日社保第117号厚生省社会局長通知「医療扶助運営体制の強化について」（以下「局長通知」という。）1の(1)の規定による直近の訪問を行なった時点とする。
4 実施方法
(1) 処遇方針の決定
　　ア　地区担当員、嘱託医（又は精神科業務委託医師）及び査察指導員は、訪問所見及び当該患者にかかる直近の要否意見書及び過去の診療報酬明細書等の基礎資料に基づき当該患者にかかる処遇方針を検討のうえ具体的処遇内容を決定すること。
　　イ　処遇方針が決定された者には、今後の措置、指導又は援助の内容を勘案し、おおむね次の標準により整理区分すること。
　　　(ア) 従来どおり医療扶助による外来治療の継続を必要とし、とくに指導等を要しない者
　　　(イ) 外来治療の継続を必要とし、かつ、受療に関する指導、援助等の措置を要する者
　　　(ウ) 入院治療を適当とする者
(2) 台帳の整備
　　(1)のアに基づく処遇方針が決定された者のうち(1)のイの(イ)及び(ウ)に該当する者については、その者の指導及び措置の内容並びに結果等を具体的に記載した「長期外来患者指導台帳」（別紙様式1）を整備すること。
(3) 指導及び措置
　　(2)による台帳に登載された者については、(1)のアによる処遇方針が効果的に実現されるよう訪問指導等局長通知2の(1)に定める所要の措置を講ずること。

なお、介護等の世話を要すると認められるものについては、患者の状態及び家族の状態等を十分把握したうえ、家族への指導を行なうとともに、ホームヘルパーの派遣等の関連制度の活用を考慮すること。
(4) 指導及び措置状況の確認
　福祉事務所長は、必要に応じ、経過観察のための会議を行ない、所要の処理（処遇方針の変更、指導台帳からの除外整理等）を行なうこと。
(5) 台帳未登載の者の取扱い
　(2)による台帳に登載されなかった者については、事情変更等があった場合、速やかに当該台帳に登載し、所要の指導等を行なうこと。
5　結果の報告
(1)　福祉事務所長は、都道府県（指定都市及び中核市を含む。以下同じ。）本庁（以下「本庁」という。）より、別途依頼があった場合に台帳に登載されたものの状況を別紙様式2により本庁に情報提供願いたいこと。
(2)　本庁は、厚生労働省社会・援護局保護課より別途依頼があった場合に(1)の結果をとりまとめ、別紙様式2により厚生労働省社会・援護局保護課あて情報提供願いたいこと。
6　福祉事務所に対する指導等
　本庁は、必要に応じて、管内福祉事務所の指導監査時等において、台帳の状況、指導及び措置結果等について確認するとともに、適切な指導及び援助を行うこと。

別紙様式1

長 期 外 来 患 者 指 導 台 帳

福祉事務所＿＿＿＿＿＿

地区名及びケース番号	患者氏名	傷病名	初診年月日	外来受療期間	処遇方針区分		指導及び措置				今後の処遇方針	摘要
					要指導	要入院	具体的内容	経過観察状況	結果			
	（　歳）	(1) (2) (3)		年 か月			(1) (2) (3)					
	（　歳）	(1) (2) (3)										
	（　歳）											
	（　歳）											

[記入上の注意]

1 「処遇方針区分」欄は、長期外来患者実態把握実施要領4の(1)のイの(イ)―要指導、(ロ)―要入院のいずれかに該当する区分に○印を記入すること。

2 「指導及び措置」の「具体的内容」欄は、処遇方針区分に基づく、次のような具体的内容を記入すること。
具体例 (1)受療についての要指導事項 (2)家族の問題等についての要指導事項 (3)介護等の要援護事項 (4)稼働に関する要指導事項

3 「経過観察状況」欄は、長期外来患者実態把握実施要領4の(4)に基づく経過観察のための会議の結果等も記入すること。

995

別紙様式2

長期外来患者処遇方針決定状況及び指導等の状況

	長期外来患者実態把握実施要領4の(1)に基づき処遇方針が決定された者							指導及び措置した結果の状況				
	総数	台帳に登録された者の状況										
		総数	外来治療の継続を必要とし、援助等の指導、措置を要する者			従来継続来院指導を要しており外来治療を適当としない者		患者関係者の指導	就労	その他	入院
			療養態度の指導を要するもの	家族等の要する間のもあるの世話問題のる指導	入院治療を要するもの	介護を要し家族等と立ちて療き働く者が稼の他	その他		療養態度の指導をした者	患者関係者の指導回復療養上生活に行家庭を必要とした族の	就労指導援助し就労した者	その他の指導援助をした結果中に至らしめたそ者の他	入院連絡準備措置をした者 入院中にて置措つい者がらとのした
計												
結核												
精神疾患												
その他の疾病												

〔記入上の注意〕

1 「外来治療の継続を必要とし、かつ、受療に関する指導、援助等の措置を要する者」欄は、最も優先して指導を要する処遇方針区分欄に計上すること。
2 「指導及び措置した結果の状況」欄中「その他の指導援助をした者」とは、例示すれば、家屋等の衛生について指導をした者、単身老齢患者等で民生委員又は近隣の配慮を求めた者等である。

○医療扶助における長期入院患者への対応について

令和4年2月16日　社援保発0216第1号
各都道府県・各市区町村民生主管部(局)長宛　厚生労働省社会・援護局保護課長通知

　生活保護法の医療扶助の実施については、保護の実施要領及び医療扶助運営要領に定めるところによるほか、「医療扶助運営体制の強化について」(昭和42年6月1日社保第117号厚生省社会局長通知)や「医療扶助における長期入院患者の実態把握について」(昭和45年4月1日社保第72号厚生省社会局保護課長通知)等により、その適正実施をお願いしているところである。
　今般、医療扶助の長期入院患者に対する取組状況を対象に、財務省の予算執行調査が行われ、患者本人や家族、主治医等の訪問による病状等の把握の取組の徹底や、主治医からの意見聴取の際、積極的に嘱託医等の同行を求めることなど、その対応が不十分であるとの指摘がされたところ。
　これらの指摘については、これまでも、長期入院患者については、上記の通知等において対応をお願いしてきていることであり、改めて各通知の該当箇所について、整理したので、各都道府県におかれては、管内保護の実施機関に対し周知するとともに、取組の徹底をお願いする。
　また、別添にて、長期入院患者の地域移行に係る取組の好事例を紹介するため、都道府県及び管内保護の実施機関における取組の参考とされたい。

記

1　患者や家族、主治医等の訪問による病状等の把握について
　長期入院患者への対応については、以下のとおり各種通知において取組をお願いしている。
　まず、生活保護の実施においては、要保護者の生活状況等を把握し、援助方針に反映させることや、これに基づく自立を助長するための指導を行うことを目的として、世帯の状況に応じ、訪問を行うこととしており、「生活保護法による保護の実施要領について」(昭和38年4月1日社発第246号社会・援護局長通知)において、「入院している患者については、少なくとも1年に1回以上、本人及び担当主治医等に面接して、その病状等を確認すること」等としている。
　これに加えて、医療扶助においては、医療扶助の適正実施の確保を目的とする「医療扶助運営体制の強化について」(昭和42年6月1日社保第117号社会・援護局長通知)や、長期入院患者の的確な実態把握と適切な処遇の確保を目的とする「医療扶助における長期入院患者の実態把握について」(昭和45年4月1日社保第72号保護課長通知)別

紙「長期入院患者実態把握実施要領」により、医療扶助を受けている者及び長期入院患者について、一定期間が経過した時期や入院期間が長期に及んだ時期等に、主治医又は患者及び家族への訪問による実態調査及びその結果に基づく指導等を行うこととしている。しかし、今般の財務省の予算執行調査（以下単に「調査」という）では、これらの通知を踏まえた必要な患者及び家族への訪問による実態把握、及び、必要に応じた主治医からの病状等に係る意見聴取が徹底されていない旨を指摘されたところである。そのため、当該通知の趣旨を踏まえ、改めて、主治医又は患者及び家族等への的確な訪問活動と実態把握に努められたい。
2 　主治医等との意見調整の実施と嘱託医等の同行について

長期入院患者に係る入院継続の必要性を判断するにあたっては、1に記載の患者や家族等の適切な訪問による実態の把握が前提のもと、「長期入院患者実態把握実施要領」により、まず嘱託医により、①医療扶助による入院継続の必要があるもの②入院継続の必要性について主治医等の意見を聞く必要があるものに分類する検討を行い、②については、主治医又は退院支援を担う者（退院調整部門の看護師又は社会福祉士等。以下「主治医等」という。）と連絡をとり、当該患者の処遇上必要な事項について意見を聞くこととされている。しかし、今回の調査では、嘱託医との検討の結果、主治医等に入院継続の必要性の可否について聞く必要があるとされた者について、意見聴取が行われていないという回答や、嘱託医による判断自体も行っていないとの回答も一部見受けられたとのことであり、当該通知の趣旨を踏まえ、改めて、嘱託医による検討及び主治医等からの意見聴取について、確実に実施されたい。

また調査では、関係通知において主治医等の訪問時には、必要に応じて福祉事務所嘱託医又は精神科業務委託医師の同行訪問を求めることとされているが、その割合は非常に低いという結果も出ているところである。主治医等の訪問時には、当該患者の処遇上必要な事項について意見を聴取することになるが、その内容の理解等には医学的な専門知識を有している必要がある場合が想定される。そのため、地区担当員が主治医等を訪問する際には、福祉事務所嘱託医又は精神科業務委託医師の同行訪問について、積極的に検討されたい。
3 　関連する活用可能な補助金等

長期入院患者について、入院継続の必要性について主治医等の意見を聴取する際に同行することを目的とした、福祉事務所嘱託医又は精神科業務委託医師の委嘱又は委託に係る費用については、「生活困窮者就労準備支援事業費等補助金」の中の「生活保護適正実施推進事業」のうち「医療扶助適正化等事業」中、「医療扶助の適正実施の更なる推進」の「精神障害者等の退院促進」（※）の活用が可能であるため、検討されたい。
（※）　「生活困窮者自立相談支援事業等の実施について」（平成27年7月27日社援発0727第2号）別紙「生活困窮者自立相談支援事業等実施要綱」別添22「生活保護適正実施推進事業実施要領」3(2)エ(ウ)
4 　その他の留意事項等
(1)　福祉事務所長は、地区担当員が主治医の意見を聞く際には事前に連絡をとるほか、

平素から地元医師会等と連絡を密にし、生活保護法の主旨及び取扱い手続等を周知徹底し、もって医療扶助事務が円滑適正に遂行されるよう特に配意すること。
(2) 長期入院患者の実態把握に係る業務は、指定医療機関が行なう診療内容に関与する趣旨のものではなく、医療扶助による長期入院患者の有する社会的需要等の実態を把握し、実態に即応した適切な処遇を講ずることを目的とするものであること。
(3) 長期入院患者の実態把握に係る業務を実施するにあたっては、指定医療機関に対して生活保護制度の趣旨を正しく説明して協力を求めるとともに、個別ケースの取り扱いにあたっては、主治医の意見を十分尊重すること。
(4) 福祉事務所長は、長期入院患者の実態把握対象者の状況及び検討経過、措置結果等について管内の状況を常時把握しておくこと。

以上

別添　略

◯医療扶助における業務委託医の活用について

> 平成2年3月31日　社保第59号
> 各都道府県知事・各指定都市市長宛　厚生省社会局長通知

〔改正経過〕
　　第1次改正　平成8年3月18日社援保第50号　　第2次改正　平成10年12月25日社援第3077号
　　第3次改正　平成12年3月31日社援第814号

　近年、医療扶助の適用に当たっての要否判定や医療扶助受給者の処遇の面で、より専門的判断を必要とする事例が増加しているところである。
　このような状況に鑑み、今般、福祉事務所に必要に応じ、嘱託医が標榜していない診療所を標榜する医師及び歯科医師に業務を委託することができる取扱いとしたので了知のうえ、管下実施機関における実施体制の確保等その指導について十分配慮願いたい。
　なお、これに伴い、昭和44年4月5日社保第85号本職通知「医療扶助による精神病患者の処遇の適正化について」は廃止する。
1　嘱託医が標榜していない診療所を標榜する医師及び歯科医師（以下「業務委託医」という。）に対する業務の委託
　　福祉事務所は、必要に応じて業務委託医に医療扶助に関する各申請書及び各給付要否意見書等の内容検討、診療報酬明細書及び施設療養費明細書の内容検討、指定医療機関の訪問に関する業務を委託することができるものとすること。
2　実施方法
　(1)　福祉事務所において適当な業務委託医が得られない場合は、都道府県本庁（指定都市及び中核市にあっては市本庁とする。以下同じ。）の嘱託医又は医療扶助に関する審議会（以下、「医療扶助審議会」という。）を設置している都道府県本庁においては、医療扶助審議会の委員である医師又は歯科医師に本業務を委託することとして差し支えないこと。この方法によってなお業務委託を行うことが困難なときは、問題ケースについて県（市）本庁に技術的な助言を求めること。
　(2)　同一の業務委託医に対し、2以上の福祉事務所が業務を委託することとしても差し支えないものであること。
3　実施上の留意点
　　通知の趣旨に従い新たに業務委託をするに当たっては、福祉事務所嘱託医に意見を求めるとともに、本庁医師の関係等について十分考慮し、医療扶助の円滑な運営を期すること。
4　財政措置
　　本通知に基づく措置を実施するために必要な財政措置については、所要の額を生活保護運営対策事業費等補助金中に計上し、その交付について別途通知される予定であること。

○精神科病院に対する指導監督等の徹底について（抄）

平成10年3月3日　障第113号・健政発第232号・医薬発第176号・社援第491号
各都道府県知事・各指定都市市長宛　厚生省大臣官房障害保健福祉部長・健康政策・医薬安全・社会・援護局長連名通知

〔改正経過〕
　第1次改正　平成12年3月29日障第218号・健政発第363号・医薬発第338号・社援第764号
　第2次改正　平成12年3月31日社援第824号
　第3次改正　平成13年8月6日障発第335号
　第4次改正　平成18年9月29日医政発第0929012号・社援発第0929001号
　第5次改正　平成18年12月22日障発第1222003号
　第6次改正　平成20年5月26日障発第0526003号
　第7次改正　平成25年4月26日障発第0426発第6号
　第8次改正　平成26年3月11日障発0311第6号
　第9次改正　令和元年5月7日障発0507第4号
　第10次改正　令和3年1月13日障発0113第1号

　精神科病院に対する指導監督等については、従来から適正な実施をお願いしているところであるが、最近、精神科病院における不祥事が相次いで発生し、精神科病院に対する国民の不信を招き、今後の精神保健福祉施策の推進を阻害しかねない事態となっている。
　今般、精神科病院に対する指導監督等について見直しを行い、下記のとおりまとめたので、今後の指導監督等の実施に当たっては遺憾なきよう留意されたい。
　また、本通知（2(4)から(6)まで、3(3)ア(ｱ)第3段落（法第19条の8に規定する指定病院である場合の措置に係る部分）及びオ、5並びに別紙様式1から3までを除く。）は、地方自治法（昭和22年法律第67号）第245条の9第1項及び第3項に規定する都道府県及び指定都市が法定受託事務を処理するに当たりよるべき基準であることを申し添える。
　なお、昭和31年6月8日衛発第357号厚生省公衆衛生・医務局長連名通知、昭和43年3月25日衛発第230号公衆衛生局長通知、昭和45年3月14日衛発第170号公衆衛生・医務局長連名通知、昭和59年6月22日衛発第425号・医発第583号・社保第62号厚生省公衆衛生・医務・社会局長連名通知、昭和59年6月22日社保第63号社会局長通知及び平成元年5月9日健医精発第22号精神保健課長通知は廃止する。

記

1～5　略
6　生活保護指定医療機関に対する指導の強化徹底等について
　(1)　一般指導等の活用について
　　　生活保護の指定医療機関に対する指導は、昭和36年9月30日付社発第727号社会局長通知に基づき行われているところであるが、一般指導、個別指導の機会を活用し、特に精神科病院に対しては、被保護者の適切な処遇の確保及び向上、自立助長並びに

適正な医療の給付が行われるよう、生活保護制度の趣旨、医療扶助の事務取扱方法、適切な入院患者日用品費等の管理などについて周知徹底を図ること。
(2) 患者委託に当たっての留意事項について
　保護の実施機関は、都道府県（市）衛生主管部局と連携を密にして、医療監視や実地指導の結果を参考にしながら、管下指定医療機関の状況について実態の把握に努め、医療従事者が著しく不足している場合又は使用許可病床を著しく超過して患者を収容している場合には、医療扶助による患者委託は他の指定医療機関に対して行うこと。
7・8　略
別記様式1～3　略

○生活保護指定医療機関たる精神病院に対する指導の徹底等について

（平成12年3月29日　社援第765号
各中核市市長宛　厚生省社会・援護局長通知）

　精神病院に対する指導監督等については、従来から適正な実施をお願いしているところであるが、今般、精神障害者の人権に配意した適正な精神医療の確保や社会復帰の一層の促進を図るため、厚生省大臣官房障害保健福祉部長、厚生省健康政策局長、厚生省医薬安全局長、厚生省社会・援護局長の連名通知をもって各都道府県知事、指定都市市長あてに、精神病院に対する指導監督等の徹底について通知されたところである。
　このうち、生活保護に関する部分については、中核市の区域内について、貴職の権限に属するので、別添〔精神病院に対する指導監督等の徹底について（平成10年3月3日障第113号・健政発第231号・医薬発第176号・社援第491号）〕の6について関係都道府県との連携を密にしつつ、指導の遺漏なきよう取り扱われたい。
別添　略

○生活保護法による委託入院患者の適切な処遇の確保について

平成13年3月7日　社援保発第9号
各都道府県・各指定都市・各中核市民生主管部(局)
長宛　厚生労働省社会・援護局保護課長通知

　生活保護法に基づき指定医療機関に委託している入院患者の処遇については、地区担当員が定期的に病院訪問を行い、本人及び主治医との面接により患者の病状や治療の状況等を把握するなど、積極的に医療扶助の実施に関わることにより、被保護入院患者の適切な処遇の確保を図ることとしている。

　今般、被保護者が入院する精神病院において、不適切な患者処遇等が行われていた疑いがあり、そうした患者の多くが、身寄りのない被保護入院患者であると指摘されている。本件については、関係部局等と連携して事実関係を確認中であるが、事実であるか否かにかかわらず、他の指定医療機関に入院中の被保護者やその家族に不安が生じることのないよう努めていく必要がある。

　ついては、福祉事務所においては、精神病院に入院している被保護患者について、定期訪問の時期を前倒しする等早期に病院訪問を行い、本人及び主治医との面接により、あらためて患者の病状、治療の状況及び療養環境等を把握し、なお一層適切な患者処遇が図られるようお願いする。また、訪問の結果、問題が認められた場合には、都道府県市本庁に対してその旨情報提供し、都道府県市本庁においては、精神保健福祉、国民健康保険及び老人保健主管部局並びに地方社会保険事務局等関係機関と連携の上、適宜、個別指導等を行い、指定医療機関における医療扶助が適切に実施されるよう配慮されたい。なお、特に重大な問題が認められた事案については、本職に情報提供願いたい。

　また、精神保健福祉関係においても、今回の事案を踏まえた内容の通知が発出されているので了知されるとともに、今後さらに関係部局等との連携を図り、同様の事案の再発防止に努められたい。

　なお、本通知は、技術的助言・勧告として行うものである。

○生活保護法による医療扶助の適正な運営について

> 昭和60年9月30日　社保第99号
> 各都道府県・各指定都市民生主管部(局)長宛　厚生省
> 社会局保護課長通知

　医療扶助の適正な運営については、従来から種々御配慮願っているところであるが、今般別添のとおり厚生省保険局長等より入院医療費について適正化対策が示されたことに伴い、生活保護においても下記により医療扶助の適正な運営を推進することとしたので、医療保険主管課と十分連絡をとり、その実施について格段の努力をお願いしたい。

記

1　指定医療機関に対する個別指導の実施について
　今年度の個別指導の実施に当たっては、重点対象病院に留意しつつ個別指導対象医療機関を選定することとし、また、個別指導に際しては医療保険主管課と連携を密にして必要な指導を行い、個別指導の結果についても相互に情報交換を行なうよう努めること。
　なお、今回の措置は、いわゆるチェーン病院等を重点対象とするものであるが、生活保護法による医療扶助の適正化の観点から、被保護者が入院患者に占める割合の高い病院等で重点的な指導が必要と認められるその他の病院についても、積極的に個別指導を行なうよう配慮すること。

2　診療報酬明細書の審査・点検について
　診療報酬明細書の審査・点検に当たっては、重点対象病院の入院医療費に特に重点を置いて実施すること。
　また、管下福祉事務所に対して重点対象病院を教示し、当該、病院の診療報酬明細書については重点的に点検を行うよう指導すること。

別　添
　　　入院医療費の適正化について

> 昭和60年7月8日　保発第76号
> 各都道府県知事宛　厚生省保険局長通知

　医療費適正化対策の推進については従来から御配慮願っているところであるが、入院医療費の最近の動向等に鑑がみ、当面、下記の対策を総合的に推進することにより、その適正化対策を一層推進することとしたので、関係方面に対する指導の周知徹底に特段の御配慮を願いたい。

記

1 適正化対策の重点的推進について
　適正化対策の推進については、重点的に実施するものとし、次のような保険医療機関及び療養取扱機関の中から対象医療機関（以下「重点対象病院」という。）を選定し、優先順位をつけて行うこと。
 (1) 複数の医療機関を開設する開設者に係る病院（開設者が個人又は医療法人であるいわゆるチェーン病院をいい、特別養護老人ホームを併設するか、又は実質的に特別養護老人ホームを系統化しているいわゆる老人病院又は精神病院を含む。）
 (2) 許可病床を上回る入院患者を有する医療機関
2 個別指導の実施について
　今年度の個別指導の実施に当たっては、重点対象病院のうちから優先的に選定すること。
3 共同指導の実施について
 (1) 今年度の国と都道府県との共同指導の実施については、先般通知したところであるが、その具体的実施に当たっては病院について重点的に実施する方針であるので、共同指導の対象の事前協議に当たってはこの点に配慮すること。
 (2) 共同指導の対象は、重点対象病院のうちから、例えば1件当たり点数の著しく高いもの、在院日数の非常に長いもの等について選定するものとすること。
4 診療報酬明細書の審査の強化について
 (1) 社会保険診療報酬支払基金及び国民健康保険団体連合会（以下「支払基金等」という。）における診療報酬明細書の審査に当たっても、入院医療費に重点をおいて実施するよう指導すること。
 (2) この場合において、重点対象病院の診療報酬明細書については、支払基金等で実施している重点審査の対象とし、その審査結果については、別途集計させるよう指導すること。
5 保険者における診療報酬明細書の点検の強化について
　各保険者に対しても、今回の医療費適正化対策の基本的な考え方の周知徹底を図り、重点対象病院の診療報酬明細書については、特に点検を強化するよう指導すること。

○生活保護法による医療扶助の適正な運営について

(平成12年12月14日　社援第2700号
各都道府県知事・各指定都市市長・各中核市市長宛
厚生省社会・援護局長通知)

　生活保護法による医療扶助については、昭和36年9月30日社発第727号本職通知「生活保護法による医療扶助運営要領について」、昭和42年6月1日社保第117号本職通知「医療扶助運営体制の強化について」等により、その適正な運営について、お願いをしているところである。

　しかしながら、近年、被保護者の8割が医療扶助を受給し、保護の開始理由の6割が傷病である等生活保護制度における医療扶助の重要性が一段と高まっており、また、本年4月から介護保険法が施行されたことに伴い、従来、社会的な要因等により入院を余儀なくされていた者について、介護施策の活用による自立が図られることとなったこと、同じく本年4月から診療報酬明細書の様式が変更されたことにより、当該診療報酬明細書の資格審査を行う必要性が生じたこと等の制度変更に伴い、医療扶助に対する適正な運営の確保が一層求められている。

　そのため、医療扶助の適正な運営について、あらためてお示しすることとしたので、了知の上、一層の充実を図るよう配慮されたい。
　なお、本通知は技術的助言・勧告として行うものであることを念のため申し添える。

記

1　医療扶助受給者等の病状及び受診状況の把握と助言指導

　福祉事務所においては、レセプト情報の活用により医療扶助受給者(以下「受給者」という。)の状況を確認し、さらに、受給者に対する訪問面接、主治医との面接、指定医療機関や保健所等関係機関との連携により、当該者の受診の状況や治療の必要性等を常時的確に把握し、その結果に基づいて適切な処遇方針を設定した上、就労又は療養の助言・指導を行うこと。また、受給者についての病状の把握に併せて、当該患者の介護の必要性についても把握し、必要に応じて介護施策への円滑な移行がなされるよう配慮すること。さらに、受給者以外の被保護者について、受診の必要性があると考えられるにもかかわらず受診していない場合は、受診についての指導等を行うこと。

　また、受給者に対する訪問面接の結果や主治医から聴取した意見等から判断して、受診の状況について疑義があると認められる場合については、地区担当員のみの判断によることなく、査察指導員及び嘱託医を含めた協議により、その取扱いについて個別に検討を行うこと。さらに、必要に応じて、都道府県・市本庁(以下「本庁」という。)に対して技術的な助言を求め、適切な処遇の確保を図ること。その結果、通常の指導によっては適切な受診等の改善が見られない場合については、生活保護法(以下「法」と

いう。）第27条第１項の規定に基づく指導若しくは指示、又は、法第28条の規定による検診命令等を行うことにより、必要かつ適切な受診が行われるよう配意すること。

なお、受給者の病状把握を行う際には、必要に応じて、嘱託医、保健婦等との同行訪問を行い、効果的な指導が行えるよう配意すること。

2 医療関係情報の指導援助への活用及びレセプト点検の徹底
(1) 受給者の病状把握と指導援助への活用

福祉事務所においては、個別ケースごとに直近６か月程度のレセプトを整理することとし、レセプトに記載された診療日数、診療内容及び請求点数等を点検することにより、個々の受給者の病状及び受診状況等の把握に努め、その結果に基づいて適切な処遇方針を設定した上、就労又は療養の助言・指導を行うこと。

また、本庁においては、診療報酬の知事決定に係るレセプト点検において把握された情報を福祉事務所に適宜提供し、福祉事務所における病状等の把握に協力すること。

(2) レセプト点検の徹底及び審査体制の整備

レセプト点検は、受給者の処遇方針の確立や助言指導を行う上で重要な判断材料となるだけでなく、医療費（公費）の適正な支出のために欠かせないものであることから、本庁及び福祉事務所において、効率的かつ効果的に点検を実施する必要がある。

① 資格審査

平成12年４月から、生活保護法による医療扶助のみにより医療の給付を受ける者に係る指定医療機関が行う診療報酬、調剤報酬、施設療養費又は（老人）訪問看護療養費の請求について、他制度と同様、「療養の給付、老人医療及び公費負担医療に関する費用の請求に関する省令」（昭和51年８月２日厚生省令第36号）等で定められた省令レセプトにより行うこととされたところである。このため、支払基金から送付された省令レセプトについて、当該レセプトが、福祉事務所が発行した医療券、調剤券（以下「医療券等」という。）に基づく有効なレセプトであるか否かを審査（資格審査）が必要となった。当該審査は、レセプト自体の有効性を確認する基礎的かつ重要なものであるので、その実施に万全を期されたい。

② 内容点検

レセプトに記載された診療日数、診療内容及び請求点数等を点検することにより、診療実日数と入院日数の不一致、受給者の状況や受給期間により算定できない項目の算定誤り又は請求点数の誤り（固定点数、計算誤り等）等がないか否かについて確認すること。

③ 縦覧点検

内容点検により特異な診療傾向が認められる指定医療機関、連続月あるいは一定期間内に重複算定できない診療内容、単月ではその適否が判断できない診療内容等に係るレセプトについて、受給者別に、概ね３か月以上の必要な期間にわたってレセプトを縦覧し、点検すること。

④ 審査・点検体制の整備等

　　　　前記審査・点検を行うため、本庁においては、技術吏員とその他の職員が一体となって審査・点検業務を実施できる体制を整えること。また、福祉事務所においても、医療扶助担当者及び地区担当員だけでなく、嘱託医等との連携を図るなどして、実施の効果をあげられる体制を整備すること。
　　　　また、本庁は、福祉事務所における前記点検の実施状況について監査指導の際に重点的に確認すること。
　(3) 医療関連情報のデータベース化とその活用
　　　　個々の被保護者の生活実態等の分析・把握や被保護者に関する情報の効率的な管理等生活保護の適正な運営にとって、被保護者情報のデータベース化は大変有効である。
　　　　特に、医療券の発行に関する情報、社会保険等他法給付に関する情報等医療扶助の関連情報とその他の被保護者情報を一体的に管理することは、医療扶助受給者の状況を効率的に把握し、より一層適切な助言指導を行うことができるほか、医療券の発行事務の軽減に資することとなる。さらに、その情報を本庁と福祉事務所において共有することにより、適切なレセプトの資格審査を実施する体制が整えられることとなる。なお、このことは介護券の発行においても同様である。
　　　　さらに、毎月のレセプトから診療日数、診療内容及び受診医療機関名等の医療情報をデータベース化し、被保護者ごとの受診状況や指定医療機関ごとの診療の状況が把握できる仕組みを整えることは、迅速かつ的確に被保護者に対する助言指導を行うことができる上、毎月の医療費の額及び診療日数等の通知等を行うことができる等医療扶助の適正な実施に効果的である。
　　　　以上のようなことから、本庁及び福祉事務所において、被保護者情報のデータベース化の実施について、適宜、取り組むこと。
3　長期入院患者の退院促進、頻回受診者に対する指導等
　(1) 長期入院患者の退院促進
　　　　長期入院患者については、入院治療の必要性、出身世帯との関係、他法措置との関係等処遇を決定する上で基礎となる患者の状況等を常時的確に把握した上、嘱託医や主治医の意見を踏まえ、当該患者に対する適切な処遇の確保に努めること。
　　　　また、長期入院患者の多くが精神障害者及び要介護老人等であることから、精神障害者については、その病状に応じて精神障害者社会復帰施設の活用のほか、救護施設等の利用を検討すること、また、要介護老人等については、積極的に介護保険法による要介護認定を受けさせた上、介護が必要な者については、介護サービスを利用させることにより、患者の状態に合った適切な処遇の確保に努めること。
　　　　なお、長期入院患者との面接に際しては、受診の状況等についても確認し、適切な受療の確保が図られるよう努めること。
　(2) 長期外来患者に対する適切な指導
　　　　長期にわたって外来での受診を続けている患者については、入院の必要性、治療の継続の要否等について、嘱託医や主治医との協議により確認した上、当該患者に対し

て適切な助言指導を行うこと。
　なお、長期外来患者との面接に際しては、受診の内容等についても確認し、適切な受療の確保が図られるよう努めること。
(3) 頻回受診者等に対する指導
　医療扶助における外来患者について、レセプト点検等により診療日数を把握した上、嘱託医や主治医との協議により必要な診療の程度（受診回数）を確認し、診療日数が過度に多い者に対して、適正な受診について助言指導を行うこと。
4　指定医療機関による適正な医療扶助の実施
(1) 医療扶助による適正な処遇の確保
　指定医療機関に対しては、受給者に対する適切な処遇がなされるよう、講習会等の一般指導や個別指導の機会を活用して、生活保護制度の趣旨目的、医療扶助の事務取扱方法及び関連する社会福祉施策や他の公費負担制度等の活用について説明を行い、十分な理解を図ること。
(2) 診療方針に基づく診療及び診療報酬の適正な請求の徹底
　レセプトの審査・点検において、繰り返し請求上の誤りをおかしたり、法の診療方針を理解していないために診療方針に認められていない診療を行っている等の事例が認められる指定医療機関に対しては、診療報酬請求の過誤原因の是正や診療方針の徹底に努めるよう指導すること。
(3) 指定医療機関に対する指導・検査
　本庁においては、指定医療機関について、医療法の規定に基づき許可を受け、届出若しくは通知をし、又は承認を受けた病床数に対して医療従事者が著しく不足している場合や当該病床数を著しく超過して患者を収容している場合等医療扶助を担当させるにふさわしくないと認められる場合については、法第50条第2項に基づく指導を行い、さらに、必要に応じて、法第54条に基づき立入検査を行った上、適切な行政措置を講ずること。また、福祉事務所においては、原則としてその状態が解消されるまでの間、当該指定医療機関に対する患者委託を控えること。
　なお、本庁においては、指定医療機関に対する個別指導、立入検査等に際して、保険及び衛生担当部（局）並びに地方社会保険事務局との連絡、連携を密にし、必要な指導等を行うこと。
5　ケースワーカー等に対する研修の推進
　医療扶助の適正な運営のため、技術吏員、嘱託医その他医学及びレセプト点検の知識や経験を有する者並びに保健所職員等他法の活用を図る上で有効な知識を有する者を講師として、基本的な医療の知識、レセプトの見方や点検のポイント、疾病別の処遇上の留意点及び他法他施策の活用のポイント等についての研修を行い、本庁及び福祉事務所職員の資質の向上に努めること。

○頻回受診者に対する適正受診指導について

> 平成14年3月22日　社援保発第0322001号
> 各都道府県・各指定都市・各中核市民生主管部(局)長　宛
> 厚生労働省社会・援護局保護課長通知

〔改正経過〕
第1次改正　平成17年3月31日社援発第0331005号　　第2次改正　平成28年3月31日社援発0331第11号
第3次改正　平成30年6月1日社援発0601第1号　　第4次改正　令和元年5月27日社援発0527第1号
第5次改正　令和2年3月30日社援発0330第5号

　頻回受診者に対する適正受診指導については、平成12年12月14日社援保第73号本職通知「医療扶助の適正実施について(頻回受診)」により、都道府県、指定都市及び中核市本庁(以下「本庁」という。)並びに福祉事務所において実施されているところであるが、今般、より一層効率的かつ効果的な実施を図るため、別紙のとおり「頻回受診者に対する適正受診指導要綱」を定め、平成14年4月1日より適用することとしたので、ご了知の上、管内実施機関に対して周知徹底を図られたい。
　また、経済・財政再生計画改革工程表2018改訂版(平成30年12月20日策定)において、「頻回受診等に係る適正受診指導を徹底する」こととされており、そのKPIとして頻回受診者に対する適正受診指導による改善者数割合を「2021年度において2017年度比2割以上の改善(64.7%)」とされたところであるので、この点にも留意されたい。
　なお、この通知は、別紙「頻回受診者に対する適正受診指導要綱」の7を除き、地方自治法(昭和22年法律第67号)第245条の9第1項及び第3項の規定に基づく処理基準とする。
　また、これに伴い、平成12年12月14日社援保第73号本職通知「医療扶助の適正実施について(頻回受診)」は廃止する。
(別　紙)
　　　　頻回受診者に対する適正受診指導要綱
1　趣旨目的
　　医療扶助による外来患者について、通院日数が治療に必要な範囲を超えて過度に多い者(以下「頻回受診者」という。)について、主治医訪問等により適正な受診回数を把握した上で、適正受診に関する指導援助を行い、これら患者の支援の充実を図るとともに適正な保護の実施を確保することを目的とするものである。
2　頻回受診の指導対象者の把握方法
(1)　受診状況把握対象者の選定と通院台帳への記載
　　　福祉事務所においては、頻回受診の指導対象者を把握するため、受診状況の把握を

行う月(以下「把握月」という。)を設定する。把握月については、1年のうち、例えば6月、9月、12月、3月等、少なくとも6月を含めた4月設定すること。なお、必要に応じて、把握月を4月以上設定して差し支えない。

把握月のレセプト(連名簿を含む。)により、同一傷病について、同一月内に同一診療科目を15日以上受診している者を抽出し、そのうち、把握月の通院日数と把握月の前月及び前々月の通院日数の合計が40日以上になる者(以下「受診状況把握対象者」という。)について、別紙1を参考にして通院台帳を作成し、必要事項(氏名、医療機関名、通院回数等)を記載すること。なお、この場合、通院台帳は世帯ごとに作成すること。

  (注) 体制が整わない自治体においては、平成30年度末までの間は従来の対象者を受診状況把握対象者として差し支えない。その場合は、従来の「頻回受診者に対する適正受診指導要綱」に基づき適正受診指導等を実施すること。

(2) 頻回受診者指導台帳の作成

受診状況把握対象者について、別紙2を参考にして頻回受診者指導台帳(以下「指導台帳」という。)を作成し、必要事項を記載すること。

(3) 事前嘱託医協議

受診状況把握対象者について、頻回受診と認められるか否か、嘱託医に協議し、その協議の結果を指導台帳に記載すること。また、主治医訪問を行う場合には、その際の留意点(聴取ポイント等)及び嘱託医の同行訪問の必要性についても嘱託医と十分協議すること。

(4) 主治医訪問

事前嘱託医協議において主治医訪問の必要性があると判断された者については、速やかに主治医訪問を行い、適正受診日数等を聴取すること。また、聴取した内容は指導台帳に記載すること。

(5) 嘱託医協議

主治医から聴取した意見等をもとに、頻回受診と認められるか否かを嘱託医と協議すること。

(6) 頻回受診の指導対象者(頻回受診者)

受診状況把握対象者のうち、初診月である者及び短期的・集中的な治療を行う者を除き、治療にあたった医師や嘱託医が必要以上の受診と認めた者を頻回受診の指導対象者(以下「頻回受診者」という。)とする。

(7) 通院台帳及び指導台帳の決裁並びに援助方針の見直し

頻回受診者と判断された者について、通院台帳及び指導台帳を決裁に付すとともに、援助方針の見直し(援助方針として「適正受診指導」等を記載)を行うこと。

3 頻回受診者に対する指導
(1) 指導方法

指導台帳の決裁終了後、速やかに次の区分に応じて訪問指導を行うこと。

ア 受診回数の見直し等について指導する必要がある者

(ア) 注射を打ってもらうと気分がいいなど、いわゆる慰安目的で受診していると認められる者
(イ) 一般科へ受診している者のうち、精神疾患や認知機能に課題があるなどの精神的要因による頻回受診が考えられる者
(ウ) 医師の指示が理解できていないこと等による頻回受診が考えられる者
(エ) その他の者
イ 入院治療が適当である者
(2) 保健師等の同行訪問
　福祉事務所は保健所や市町村等と連携を密にし、保健師等の円滑な派遣など、有機的な連携体制の確立を図るとともに、必要な事項を適宜情報提供すること。
　また、保健師等に対して、対象者の受診状況や世帯状況等に関する十分な事前説明を行うとともに、対象者に係るプライバシーの保護に十分留意させること。
4　改善状況の確認
(1) 方法
　指導を行った月の翌月に医療機関へ前月の受診状況を電話等により確認し、聴取した通院日数は通院台帳に記載すること。
　なお、療養態度等直接主治医に確認する必要がある者の場合については、主治医訪問を行い、主治医から意見を聴取すること。
　また、患者本人に適正受診の必要性を自覚させるため、前月の受診状況を福祉事務所へ書面により毎月報告させること。
(2) 改善された者への対応
　改善された者とは、指導後の把握月において適正受診日数以下となった者であり、この間の通院日数は(1)により確認の上、通院台帳に記載すること。改善が認められた場合は、指導台帳から削除すること。
(3) 改善されていない者への対応
　改善されていない者に対しては、必要な指導を行うとともに、当初の指導から6か月を経過しても改善が見られない場合は、改善されない理由を分析し、今後の援助方針を検討すること。
　また、必要に応じ、法第28条の規定に基づく検診命令等を行った上、法第27条第1項の規定に基づく指導若しくは指示を行うこと。
　なお、これに従わない場合には、福祉事務所は所定の手続を経た上で、法第62条第4項に基づき保護の変更、停止又は廃止を検討すること。
5　頻回受診適正化計画の策定
　頻回受診者の適正受診指導の実施等にあたっては、別紙5に基づき、福祉事務所を設置する地方自治体ごとに実施にかかる計画を策定すること。なお、計画については、毎年度4月末までに策定するものとし、策定にあたっては、これまでの取組や取組による改善実績を踏まえ、毎年度見直しを行うこと。
　ただし、前年度2月審査分レセプトまでの指導台帳の記載人数から、主治医訪問等の

結果、指導対象外となった者を除いた人数が5人未満である自治体においては、計画の策定は要しないこと。

また、都道府県本庁は管内の地方自治体の策定状況について、別紙6により毎年5月末までに厚生労働省社会・援護局保護課あて情報提供すること。

6　報告
(1)　本庁への情報提供

福祉事務所長は、指導台帳に登載されている者のうち、前年度（毎年4月診療分から翌年3月診療分まで）において頻回受診が改善された者（指導台帳で削除された者）の状況を毎年7月15日までに別紙3―1及び別紙3―2により本庁あて情報提供すること。

（注）　従来の対象者を受診状況把握対象者としている自治体においては、体制が整備されるまでの間は、従前の様式で情報提供すること。

(2)　厚生労働省への情報提供

本庁は、上記の結果をとりまとめ、別紙4―1、別紙4―2及び別紙4―3により毎年7月末日までに厚生労働省社会・援護局保護課あて情報提供すること。

（注）　従来の対象者を受診状況把握対象者としている自治体分については、従来の様式で情報提供すること。

7　本庁の福祉事務所に対する指導監査

本庁は、福祉事務所に対する生活保護法施行事務監査において、頻回受診者に対する指導援助の状況を確認すること。

なお、当該適正受診指導が未実施である福祉事務所、又は実施方法に問題のある福祉事務所に対しては、適切に実施できない背景として、どのような問題があるかなど、原因をよく踏まえた上で、適切な指導・助言を行うこと。

8　その他

具体的な事務処理方法等については、本要綱に定めるもののほか、別添「頻回受診者に対する適正受診指導のためのガイドライン」を定めるものとする。

Ⅱ 生活保護法関係通知 第4章 医療扶助運営要領

別紙1

通 院 台 帳

ケース番号：

年度	続柄	氏名	医療機関名	月別通院回数												備考
				4	5	6	7	8	9	10	11	12	1	2	3	
			・	( )	( )	( )	( )	( )	( )	( )	( )	( )	( )	( )	( )	
			・	( )	( )	( )	( )	( )	( )	( )	( )	( )	( )	( )	( )	
			・	( )	( )	( )	( )	( )	( )	( )	( )	( )	( )	( )	( )	
			・	( )	( )	( )	( )	( )	( )	( )	( )	( )	( )	( )	( )	
			・	( )	( )	( )	( )	( )	( )	( )	( )	( )	( )	( )	( )	
			・	( )	( )	( )	( )	( )	( )	( )	( )	( )	( )	( )	( )	
			・	( )	( )	( )	( )	( )	( )	( )	( )	( )	( )	( )	( )	

(注) 1 「月別通院回数」欄には、レセプト又は連名簿の通院日数を記入すること。
2 頻回受診者に対して指導を行っている場合には、4の(1)により、医療機関に確認した通院日数を、上段（ ）内に記入すること。
3 医療機関の変更があった場合は、「医療機関名」欄に変更後の医療機関名を記入するとともに、（ ）内に変更年月日を記入すること。

頻回受診者に対する適正受診指導について

別紙2

頻回受診者指導台帳

地区担当員名：

ケース番号	氏名	年齢	医療機関名及び主治医氏名	主たる傷病名	事前嘱託医協議結果	主治医からの主な聴取内容	適正受診日数	嘱託医協議結果	援助方針	備考
					1. 頻回受診である 2. 判断がつかない 3. 頻回受診ではない （理由）	1. 頻回受診である 2. 頻回受診ではない （理由）	日	1. 頻回受診である 2. 頻回受診ではない （特記事項）		
					1. 頻回受診である 2. 判断がつかない 3. 頻回受診ではない （理由）	1. 頻回受診である 2. 頻回受診ではない （理由）	日	1. 頻回受診である 2. 頻回受診ではない （特記事項）		
					1. 頻回受診である 2. 判断がつかない 3. 頻回受診ではない （理由）	1. 頻回受診である 2. 頻回受診ではない （理由）	日	1. 頻回受診である 2. 頻回受診ではない （特記事項）		
					1. 頻回受診である 2. 判断がつかない 3. 頻回受診ではない （理由）	1. 頻回受診である 2. 頻回受診ではない （理由）	日	1. 頻回受診である 2. 頻回受診ではない （特記事項）		

(注)
1 「事前嘱託医協議結果」欄については、該当するものに○を付すとともに、その理由を記入すること。
2 「主治医からの主な聴取内容」欄については、該当するものに○を付すとともに、その理由を記入すること。また、主治医が適正（必要）と考える受診日数を記入すること。
3 「嘱託医協議結果」欄については、該当するものに○を付すとともに、特記事項があれば記入すること。
4 「援助方針」欄については、決定した援助方針を具体的に記入すること。
5 「備考」欄には、指導後の把握月において適正受診日数以下となった者（指導効果が認められた者）については、斜線を引き削除するとともに、「備考」欄に「改善」と記入すること。
6 頻回受診に改善された年月日と「改善」と記入すること。入院、治ゆによる通院の終了、保護の停廃止等により、指導が実施できなくなった者については、斜線を引き削除するとともに、「備考」欄に削除した年月日と「除外」と記入すること。

Ⅱ 生活保護法関係通知 第4章 医療扶助運営要領

(別紙2 記載例)

地区担当員名：

頻 回 受 診 者 指 導 台 帳

ケース番号	氏名	年齢	医療機関名及び主治医氏名	主たる傷病名	事前嘱託医協議結果	主治医からの主な聴取内容	適正受診日数	嘱託医協議結果	援助方針	備考
					1. 頻回受診である 2. 判断がつかない 3. 頻回受診ではない （理由）×××××	1. 頻回受診である 2. 頻回受診ではない （理由）×××××		1. 頻回受診である 2. 頻回受診ではない （特記事項）×××		
					1. 頻回受診である 2. 判断がつかない 3. 頻回受診ではない （理由）×××××	1. 頻回受診である 2. 頻回受診ではない （理由）×××××		1. 頻回受診である 2. 頻回受診ではない （特記事項）×××		
					1. 頻回受診である 2. 判断がつかない 3. 頻回受診ではない （理由）×××××	1. 頻回受診である 2. 頻回受診ではない （理由）×××××		1. 頻回受診である 2. 頻回受診ではない （特記事項）×××		
					1. 頻回受診である 2. 判断がつかない 3. 頻回受診ではない （理由）×××××	1. 頻回受診である 2. 頻回受診ではない （理由）×××××	日	1. 頻回受診である 2. 頻回受診ではない （特記事項）×××		
改善された者					1. 頻回受診である 2. 判断がつかない 3. 頻回受診ではない （理由）×××××	1. 頻回受診である 2. 頻回受診ではない （理由）×××××	日	1. 頻回受診である 2. 頻回受診ではない （特記事項）×××		令和年月日〇〇〇

(注)
1 「事前嘱託医協議結果」欄については、該当するものに○を付すとともに、その理由を記入すること。
2 「主治医からの主な聴取内容」欄については、該当するものに○を付するとともに、その理由を記入するとともに、主治医が適正（必要）と考える受診日数を記入すること。
3 「嘱託医協議結果」欄については、決定した援助方針を具体的に記入するとともに、特記事項があれば記入すること。
4 「援助方針」欄については、決定した援助方針を具体的に記入すること。
5 頻回受診が改善された者（指導後の把握月において適正受診日数以下となった者）については、斜線を引き削除するとともに、「備考」欄に削除した年月日と「改善」と記入すること。
6 頻回受診が改善されていない者のうち、入院、治ゆによる通院の終了、保護の停廃止等により、指導が実施できなくなった者については、斜線を引き削除するとともに、「備考」欄に削除した年月日と「除外」と記入すること。

1016

頻回受診者に対する適正受診指導について

別紙3－1

令和　　年度　頻回受診者に対する適正受診指導結果について

(福祉事務所)　　　名

1　総括表

受診状況把握対象者数（指導台帳の記載人数）	事前嘱託医協議の結果、指導対象外となった者	主治医訪問等の結果、指導対象外となった者	やむを得ない理由（※）により指導が実施できない者	指導対象者数	指導実施者数	うち改善された者（「2 受診指導結果」の記載人数）
(　)	(　)	(　)	(　)	(　)	(　)	(　)

※　指導を行う前に指導対象者が入院した場合、治ゆにより指導対象者が通院を終了した場合、指導対象者が保護廃止となった場合等である。

(注)　指導台帳の主たる傷病名が筋骨格系・結合組織の疾患に係る者の数を、（　　）内に内数で記載すること。
　　　受診状況把握対象者数（指導台帳の記載人数）のうち、改善等により指導台帳から削除された者については、削除された年度においてのみ計上する。

2　受診指導結果

	氏名	医療機関名	適正受診指導に伴う効果					備考
			頻回受診者の判断材料となった把握月の通院日数 A	適正受診日数以下となった把握月の通院日数 B	差 A－B	当該年度中に改善された月数（効果月数）C	効果日数（A－B）×C	
1								
2								
3								
4								
5								
6								
計								
1人当たり平均								

(注)　指導台帳に登録されている者のうち、前年度において頻回受診が改善された者（指導台帳で削除された者）の状況を記入すること。

3　1のうち、前々年度以前の指導実施者で改善されなかった者

前々年度以前の指導実施者のうち前々年度において改善されなかった者	やむを得ない理由（※）により指導が実施できない者	指導対象者数	指導実施者数	うち改善された者

※　指導を行う前に指導対象者が入院した場合、治ゆにより指導対象者が通院を終了した場合、指導対象者が保護廃止となった場合等である。

Ⅱ　生活保護法関係通知　第4章　医療扶助運営要領

別紙3－2

令和　年度　頻回受診者に対する適正受診指導結果について（6月抽出分）

(福祉事務所)　　　名

1　総括表

受診状況把握対象者数（指導台帳の記載人数）	事前嘱託医協議の結果、指導対象外となった者	主治医訪問等の結果、指導対象外となった者	やむを得ない理由（※）により指導が実施できない者	指導対象者数	指導実施者数	うち改善された者（「2　受診指導結果」の記載人数）
(　　)	(　　)	(　　)	(　　)	(　　)	(　　)	(　　)

※　指導を行う前に指導対象者が入院した場合、治ゆにより指導対象者が通院を終了した場合、指導対象者が保護廃止となった場合等である。
(注)　指導台帳の主たる傷病名が筋骨格系・結合組織の疾患に係る者の数を、(　　)内に内数で記載すること。
　　　受診状況把握対象者数（指導台帳の記載人数）のうち、改善等により指導台帳から削除された者については、削除された年度においてのみ計上する。

2　受診指導結果

	氏名	医療機関名	適正受診指導に伴う効果				備考
			頻回受診者の判断材料となった把握月の通院日数 A	適正受診日数以下となった把握月の通院日数 B	差 A－B	当該年度中に改善された月数（効果月数） C	効果日数 (A－B)×C	
1								
2								
3								
4								
5								
6								
計								
1人当たり平均								

(注)　指導台帳に登録されている者のうち、前年度において頻回受診が改善された者（指導台帳で削除された者）の状況を記入すること。

頻回受診者に対する適正受診指導について

別紙3 (各福祉事務所→本庁) の記載例

【ケース1】
　6月に20日通院するとともに、4月、5月、6月の通院日数の合計が45日であった者が、9月に指導を受け、把握月である12月の通院日数が適正受診日数 (10日) どおりとなった場合。

【ケース2】
　6月に16日通院するとともに、4月、5月、6月の通院日数の合計が42日であった者が、9月に指導を受け、10月と11月の通院日数は適正受診日数 (12日) どおりであったが、把握月である12月に15日通院し、翌年1月以降の通院日数が適正受診日数以下となった場合。

<別紙3　2受診指導結果>

	氏名	医療機関名	適正受診指導に伴う効果					備考
			頻回受診者の判断材料となった把握月の通院日数 A	適正受診日数以下となった把握月の通院日数 B	差 A－B	当該年度中に改善された月数 (効果月数) C	効果日数 (A－B)×C	
1	ケース1	○○病院	20日	10日	10日	6か月	60日	
2	ケース2	△△病院	16日	10日	6日	5か月	30日	
	計					11か月	90日	
	1人あたり平均					5.5か月	45日	

<参考>通院台帳の記載状況

年度	月別通院回数											備考
		4	5	6	7	8	9	10	11	12	1	2	3	

ケース1:
- ←頻回受診の判断材料となった3か月間→ (4,5,6月): 12, 13, 20
- 9月: 指導
- ←当該年中に改善された期間→ (10月以降)
- 7,8,9月: 20, 20, 20
- 10,11,12月: (10)10, (10)10, (10)10
- 把握: 6月, 9月, 12月

ケース2:
- ←頻回受診の判断材料となった3か月間→ (4,5,6月): 12, 14, 16
- 9月: 指導
- ←当該年中に改善された期間→ (10,11月)
- ←当該年中に改善された期間→ (1,2,3月)
- 7,8,9月: 18, 15, 15
- 10,11,12月: (12)12, (12)12, (15)15
- 1,2,3月: (11)11, (11)11, (10)10
- 把握: 6月, 9月, 12月, 3月

別紙4－1

令和　年度　頻回受診者に対する適正受診指導結果について

(都道府県・市)　名

福祉事務所名	受診状況把握対象者数 A		事前嘱託医協議の結果、指導対象外となった者 B		主治医助言等の結果、指導対象外となった者 C		やむを得ない理由(※)により指導が実施できない者 D		指導対象者数 E=A-B-C-D		指導実施者数 F		うち改善された者 G		1人当たり平均効果月数(効果月数計) H	1人当たり平均効果日数(効果日数計) I	1人当たり効果月・1人当たり効果日数 I/H	備考
	人数	うち筋骨格系・結合組織	人数	うち筋骨格系・結合組織	人数	うち筋骨格系・結合組織	人数	うち筋骨格系・結合組織	人数	うち筋骨格系・結合組織	人数	うち筋骨格系・結合組織	人数	うち筋骨格系・結合組織				
															( )	( )	( )	
															( )	( )	( )	
															( )	( )	( )	
															( )	( )	( )	
															( )	( )	( )	
計															－	－	－	
															( )	( )	( )	

※ 指導を行う前に指導対象者が入院した場合、治ゆにより指導対象者が通院を終了した場合、指導対象者が保護廃止となった場合、指導対象者の保護廃止となった場合等である。

(注)「1人当たり平均効果月数(効果月数計)」HJ欄及び「1人当たり平均効果日数(効果日数計)」IJ欄は、別紙3の各福祉事務所の1人当たり平均日数(括弧内は別紙3の各福祉事務所の計欄)と一致すること。

頻回受診者に対する適正受診指導について

別紙4-2

令和　　年度　頻回受診者に対する適正受診指導結果について（6月抽出分）

(都道府県・市)　　　名

福祉事務所名	受診状況把握対象者数	事前嘱託医協議の結果、指導対象外となった者 A		主治医訪問等の結果、指導対象外となった者 B		やむを得ない理由(※)により指導の実施できない者 C		指導対象者数 E=A-B-C-D		指導実施者数 F		うち改善された者				備考
												G		1人当たり平均効果月数(効果月数計) H	1人当たり平均効果日数(効果日数計) I	1人当たり効果月・1人当たり効果日数 I/H
		人数	うち筋骨格系・結合組織	人数	うち筋骨格系・結合組織	人数	うち筋骨格系・結合組織	人数	うち筋骨格系・結合組織	人数	うち筋骨格系・結合組織	人数	うち筋骨格系・結合組織			
												( )	( )	( )		
												( )	( )	( )		
												( )	( )	( )		
												( )	( )	( )		
計												( )	( )	( )	-	-

※ 指導を行う前に指導対象者が入院した場合、治ゆにより指導対象者が通院を終了した場合、指導対象者が保護廃止となった場合等である。

(注)「1人当たり平均効果月数（効果月数計）HJ」欄及び「1人当たり平均効果日数（効果日数計）IJ」欄は、別紙3の各福祉事務所の1人当たり平均欄（括弧内は別紙3の各福祉事務所の計欄）と一致すること。

別紙4-3

令和　年度　頻回受診者に対する適正受診指導結果について

（都道府県・市）　名

福祉事務所名	前々年度の指導実施者のうち前々年度において改善されたかった者		事前嘱託医協議の結果、指導対象外となった者		主治医訪問等の結果、指導対象外となった者		やむを得ない理由（※）により指導が実施できない者		指導対象者数		指導実施者数		うち改善された者		備考
	A		B		C		C		A−D		E		F		
	人数	うち筋骨格系・結合組織	人数	うち筋骨格系・結合組織	人数	うち筋骨格系・結合組織	人数	うち筋骨格系・結合組織	人数	うち筋骨格系・結合組織	人数	うち筋骨格系・結合組織	人数	うち筋骨格系・結合組織	
計															

※　指導を行う前に指導対象者が入院した場合、治ゆにより指導対象者が通院を終了した場合、指導対象者が保護廃止となった場合等である。

頻回受診者に対する適正受診指導について

別紙5

令和　　年度頻回受診適正化計画

自治体名	○○市
策定年月日	××年××月××日

取組の現状（前年度実績）	
受診状況把握対象者数（A）	○○人
適正受診指導対象者数（B）	○○人
改善者数（C）	○○人
改善者割合（C／B）	○○%

（参考）過去の改善者割合	
○○年度	○○%
○○年度	○○%
○○年度	○○%

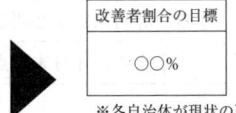

改善者割合の目標
○○%

※各自治体が現状の取組における実績を踏まえて設定。

※「改善者数」については、前年度2月審査分レセプトまでの実績による。

前年度の状況		今年度の取組等		
取組	評価	適正化への課題	課題に対する取組事項	対応のスケジュール
① 家庭訪問時にCWが指導を実施。	一定の改善に結び付いているものの、本人の意識改善に繋がっていないケースや、精神疾患等により指導に苦慮するケースがある。	① 家庭訪問時に指導を行っているが、本人の意識改善に繋がっていないケースがある。	未改善が3か月以上続いているケースについては、SVとCWによる訪問を実施。また、家庭訪問を行わない月はTELにより指導を行う。	SVとCWの訪問については、家庭訪問時より順次実施。TELによる指導については、4月以降順次実施。
② CWが主治医訪問を実施。	通常のケースワークに手間取られ、主治医訪問が遅れがちである。また、一部、主治医と嘱託医の間で意見が一致しないケースがある。	② 精神疾患等、指導が難しい患者に対する指導が効果を上げていない。	保健師と連携した指導を検討。	4月中に保健師と同行訪問について調整。5月以降順次実施。
③		③ 通常のケースワークに手間取られ、主治医訪問が遅れがちである。	主治医訪問のスケジュールについて、SVが把握し、遅れがある場合はフォローを行う。	順次実施。
④		④ 医療扶助の決定にあたり、被保護者の病状に疑いがあるケースがある。	病状に疑いがあるケースについては、検診命令を実施。	順次、嘱託医に協議し、必要に応じて検診命令を実施。

別紙6

　　　　　　　　令和　　年度頻回受診適正化計画の策定状況について
都道府県・市　名　_____

1　管内自治体の策定率

管内自治体数			
	うち、計画策定が必要な自治体数(A)		
		うち、4月末時点で策定を終えている自治体数(B)	
			策定率(B／A)

2　4月末時点で策定を終えていない自治体名

別　添
　　　　　頻回受診者に対する適正受診指導のためのガイドライン
1　趣旨
　　医療扶助受給者の自立助長を図るため、療養指導は不可欠であり、特に、過度な受診を行っていると判断された者については、それぞれの患者の病状等から判断して適切な受診について患者本人及び主治医を含めて検討した上で必要な指導援助を行うことが極めて重要である。
　　今般、診療傾向について医療保険の患者と比較・分析したところ、医療扶助受給者は、国民健康保険等の患者に比べて1か月当たりの通院日数が相対的に多い傾向にあるとの結果が出たことから、本事業のなお一層の効率的かつ効果的な実施を図るため、新たに頻回受診の指標を定めるとともに、頻回受診者に対する指導方法などの事務手続を示すこととしたものである。
　　各都道府県市本庁（以下「本庁」という。）及び福祉事務所においては、本ガイドラインを参考にするとともに、地域の実情に即したより適切な方法を工夫するなどし、医療扶助受給者の適切な援助が図られるよう必要な指導援助を行うこととされたい。
2　頻回受診の指導対象者の把握方法
(1)　受診状況把握対象者の選定と通院台帳
　　次の方法により頻回受診の指導対象者（以下「頻回受診者」という。）の選定を行い、当該頻回受診者について別紙1を参考として作成した通院台帳に必要事項（氏名、医療機関名、通院回数等）を記載すること。

なお、この場合、通院台帳は世帯ごとに作成すること。
　ア　単独分患者（生活保護法（以下「法」という。）による医療扶助のみにより医療給付を受ける者）
　　　把握月のレセプトにより、同一傷病について、同一月内に同一診療科目を15日以上受診している者を抽出し、そのうち、把握月の通院日数と把握月の前月及び前々月の通院日数の合計が40日以上になる者（以下「受診状況把握対象者」という。）
　イ　社会保険等との併用分患者
　　　連名簿により、同一傷病について、同一月内に同一診療科目を15日以上受診している者を抽出し、そのうち、把握月の通院日数と把握月の前月及び前々月の通院日数の合計が40日以上になる者（以下「受診状況把握対象者」という。）
＜留意点＞
　・　把握月については、1年のうち、少なくとも4月設定すること。その際、6月は必ず把握月に含めること。なお、必要に応じて、把握月を4か月以上設定して差し支えない。
　　　（例：2月、4月、6月、8月、10月、12月を把握月に設定。）
　・　一医療機関において、複数の診療科があるような場合については、レセプトの記載内容等を嘱託医に確認し、受診状況把握対象者に該当するか確認すること。
　・　医療機関の変更があった場合でも、同一傷病について、同一月内に同一診療科目を15日以上受診していれば、受診状況把握対象者として、通院台帳に記載するとともに、通院台帳の医療機関名を変更すること。
(2) 頻回受診者指導台帳の作成
　(1)に該当する者を別紙2を参考として作成した頻回受診者指導台帳（以下「指導台帳」という。）に記載すること。
(3) 事前嘱託医協議
　受診状況把握対象者と判定された者については、まず、直近レセプト及び医療要否意見書等を検討資料として嘱託医と協議し、その協議結果により、以下のとおり取扱うこと。
　ア　頻回受診とは認められない者
　　　通院日数が当該患者の傷病及び治療内容からみて妥当と判断される場合は、指導台帳に嘱託医との協議結果を記載し、主治医訪問は行わない。
　イ　頻回受診と認められる者及び頻回受診か否かの判断がつかない者
　　　主治医訪問を行う際の留意点（聴取ポイント等）及び嘱託医の同行訪問の必要性について嘱託医と十分協議し、その協議結果を指導台帳及び別紙3を参考として作成した主治医訪問調査票に記載すること。
(4) 主治医訪問
　主治医訪問調査票を作成した上で、速やかに主治医訪問を行い、適正受診日数等を聴取すること。また、聴取した内容は主治医訪問調査票及び指導台帳に記載すること。
　なお、主治医訪問に当たっては、調査日時を事前に医療機関に連絡し了解を得てお

くなど、診療の妨げにならないよう十分配慮するとともに、調査事項のポイントを押さえ要領よく行うこと。
＜調査事項＞

調査事項	内　　容
1　現在の状況	・症状はどうか。「変わらない」、「やや悪化」及び「おおいに悪化」の場合、その理由は何か。 ・本人に原因がある場合、具体的には何であるのか（考えられるのか）。
2　主にどのような治療を行うために通院しているのか	・頻回となっている治療内容は何か。また、それに対応する傷病名は何か。
3　療養態度	・療養態度が悪い場合、具体的にどのような態度をとっているか。 ・喫煙、飲酒、飲食、入浴等の禁止、通院回数等主治医の療養上の指示事項は何か。また、それが守られているのか。
4　通院見込み期間	・現在の状況、治療内容等からみて、どのくらい通院することになるのか。
5　適正受診日数	・主治医が適正と考える通院日数はどのくらいか。また、それが守られているか。
6　その他	・他の診療科への受診、検査及び入院の必要はないか。家族の協力・理解は得られているか。

(5) 嘱託医協議

主治医から聴取した意見等をもとに、頻回受診と認められるか否かを嘱託医と協議すること。

ア　嘱託医と主治医の意見が一致した場合
　(ｱ)　頻回受診と認められる者
　　　指導台帳に嘱託医との協議結果を記載するとともに、嘱託医と指導方針を相談の上、具体的な援助方針を記載する。
　(ｲ)　頻回受診と認められない者
　　　指導台帳に嘱託医との協議結果を記載する。
イ　嘱託医と主治医の意見が一致しなかった場合
　　嘱託医は、電話連絡、訪問その他適宜の方法により、当該医療機関（主治医）からさらに具体的に意見を聴取し、主治医との意見の調整を図ること。
　　なお、必要に応じ、本庁に技術的な助言を求めること。
　　また、これらによってもなお、意見が一致しない場合には、本庁において例えば医療扶助審議会を開催するなどして、最終的な判断を行うこと。なお、事前に当該者に対して公的医療機関での検診を命じ、その結果（必要と判断された受診日数等）を参考とすること。

(6) 頻回受診者

医療扶助による外来患者（歯科除く。）であって、同一傷病について、同一月内に同一診療科目を15日以上受診している者のうち、初診月である者及び短期的・集中的

な治療を行う者を除き、治療にあたった医師や嘱託医が必要以上の受診と認めた者を頻回受診者とする。具体的には、以下の(3)から(7)の手続により、頻回受診者を選定する。
(7) 通院台帳及び指導台帳の決裁並びに援助方針の見直し
　通院台帳及び指導台帳を、適宜主治医訪問指導票を添付し決裁に付すとともに、援助方針の見直し（援助方針として「適正受診指導」等を記載）を行うこと。
3 頻回受診者に対する指導
(1) 指導方法
　指導台帳の決裁終了後、速やかに、次の区分に応じて訪問指導を行うこと。
　ア 受診回数の見直し等について指導する必要がある者
　　(ｱ) 注射を打ってもらうと気分がいいなど、いわゆる慰安目的で受診していると認められる者
　　　治療上必要はないが注射を打ってもらうと気分がいいなど、いわゆる慰安目的で通院していると認められる者については、まず、このような診療は生活保護制度（医療扶助）において認められないことをはっきり伝え、今後の治療方針について主治医と十分協議するよう指導すること。
　　　また、主治医には、患者に対して、今後の治療方針等を説明するよう依頼すること。
　　(ｲ) 一般科へ受診している者のうち、精神疾患や認知機能に課題があるなどの精神的要因による頻回受診が考えられる者
　　　慰安目的で一般科へ通院している患者の中には、精神疾患や認知症などの精神的な要因での頻回受診も考えられることから、場合によっては精神科への受療も検討する必要がある。
　　(ｳ) 医師の指示が理解できていないこと等による頻回受診が考えられる者
　　　医師の指示が理解できていないこと等による頻回受診については、その原因を究明し、適切な指導をすることとし、状況によっては医療機関の受診に保健師等が同行し、医師と連携しながら頻回受診の改善を図ることなどを検討すること。
　　(ｴ) その他の者
　　　上記以外の原因による頻回が考えられる場合は、実態を十分把握した上、関係機関と連携し必要と考えられる適切な指導を行うこと。
　イ 入院治療が適当である者
　　主治医と十分連絡をとり入院措置を行うこと。
　　なお、入院を阻害する要因がある場合には、その阻害要因を検討し、所要の援助を行うこと。
(2) 保健師等の同行訪問
　訪問指導に当たっては、保健師等と連携し指導することが重要であることから、福祉事務所は保健所や市町村等と連携を密にし、保健師等の円滑な派遣など、有機的な連携体制の確立を図るとともに、必要な事項を適宜情報提供すること。

また、保健師等に対して、頻回受診者の受診状況や世帯状況等に関する十分な事前説明を行うとともに、頻回受診者に係るプライバシーの保護に十分留意させること。
(3) 頻回受診者訪問指導票の作成
　客観的、効果的な指導ができるよう、指導内容等が個別に確認できる頻回受診者訪問指導票を別紙4を参考として作成すること。
4　改善状況の確認
(1) 方法
　指導の結果、受診回数等が改善されたかどうかの判断は、最終的にはレセプトにより確認することとなるが、指導を行った月のレセプトが福祉事務所に返戻されるのは、指導を行った月から概ね3か月後であるため、福祉事務所においては、迅速に受診状況（診療科名、通院日数等）を把握するため、指導を行った月の翌月に医療機関へ電話等により確認し、聴取した通院日数は通院台帳に記載すること。
　なお、療養態度等直接主治医に確認する必要がある者の場合については、主治医訪問を行い、主治医から意見を聴取すること。
　また、頻回受診者本人に適正受診の必要性を自覚させるため、前月の受診状況を福祉事務所へ書面（通院日、医療機関（診療科）名）により毎月報告させること。
(2) 改善された者への対応
　改善された者とは、指導後の把握月において適正受診日数以下となった者であり、この間の通院日数は、(1)により確認の上、通院台帳に記載すること。改善が認められた場合は、指導台帳から削除すること。
(3) 改善されていない者への対応
　改善されていない者に対しては、適宜指導を行うとともに、当初の指導から6か月を経過しても改善が見られない場合は、改善されない理由を分析し、今後の方針を検討すること。
　また、必要に応じ、法第28条の規定に基づく検診命令等を行った上、法第27条第1項の規定に基づく指導若しくは指示を行うこと。
　なお、これに従わない場合には、福祉事務所は所定の手続を経た上で、法第62条第4項に基づき保護の変更、停止又は廃止を検討すること。
　また、保護の停止又は廃止の適用に当たっては、頻回受診者は医療そのものの給付が受けられなくなること、また単に医療を必要とする被保護者のみでなく、それ以外の世帯員も医療を受けられなくなることなどを十分考慮し、指導援助の的確性の確認、今後の指導方針等を具体的に検討すること。

頻回受診者に対する適正受診指導について

別紙1

ケース番号：

通 院 台 帳

年度	続柄	氏名	医療機関名	月別通院回数												備考
				4	5	6	7	8	9	10	11	12	1	2	3	
			・ ・ （ ）	( )	( )	( )	( )	( )	( )	( )	( )	( )	( )	( )	( )	
			・ ・ （ ）	( )	( )	( )	( )	( )	( )	( )	( )	( )	( )	( )	( )	
			・ ・ （ ）	( )	( )	( )	( )	( )	( )	( )	( )	( )	( )	( )	( )	
			・ ・ （ ）	( )	( )	( )	( )	( )	( )	( )	( )	( )	( )	( )	( )	
			・ ・ （ ）	( )	( )	( )	( )	( )	( )	( )	( )	( )	( )	( )	( )	

（注）
1 「月別通院回数」欄には、レセプト又は連名簿等の通院日数を記入すること。
2 頻回受診者に対して指導を行っている場合には、4の(1)により、医療機関に確認した通院日数を、上段（ ）内に記入すること。
3 医療機関の変更があった場合は、「医療機関名」欄に変更後の医療機関名を記入するとともに、（ ）内に変更年月日を記入すること。

別紙2

頻 回 受 診 者 指 導 台 帳

地区担当員名：

ケース番号	氏名	年齢	医療機関名及び主治医氏名	主たる傷病名	事前嘱託医協議結果	主治医からの主な聴取内容		嘱託医協議結果	援助方針	備考
							適正受診日数			
					1．頻回受診である 2．判断がつかない 3．頻回受診ではない （理由）	1．頻回受診である 2．頻回受診ではない （理由）	日	1．頻回受診である 2．頻回受診ではない （特記事項）		
					1．頻回受診である 2．判断がつかない 3．頻回受診ではない （理由）	1．頻回受診である 2．頻回受診ではない （理由）	日	1．頻回受診である 2．頻回受診ではない （特記事項）		
					1．頻回受診である 2．判断がつかない 3．頻回受診ではない （理由）	1．頻回受診である 2．頻回受診ではない （理由）	日	1．頻回受診である 2．頻回受診ではない （特記事項）		
					1．頻回受診である 2．判断がつかない 3．頻回受診ではない （理由）	1．頻回受診である 2．頻回受診ではない （理由）	日	1．頻回受診である 2．頻回受診ではない （特記事項）		

（注）
1 「事前嘱託医協議結果」欄については、該当するものに○を付すとともに、その理由を記入すること。
2 「主な主治医からの聴取内容」欄については、該当するものに○を付するとともに、その理由を記入すること。また、主治医が適正（必要）と考える受診日数を記入すること。
3 「嘱託医協議結果」欄については、決定した援助方針を具体的に記入するとともに、特記事項があれば記入すること。
4 「援助方針」欄については、決定した援助方針を具体的に記入すること。
5 頻回受診が改善された者（指導後の把握月において適正受診日数以下となった者）については、保護の停止等により、指導が実施できなくなった者について、「備考」欄に削除した年月日と「改善」と記入するとともに、入院、治ゆによる通院の終了、「備考」欄に削除した年月日と「除外」と記入すること。
6 頻回受診が改善されていない者のうち、入院、治ゆによる通院の終了、「備考」欄に削除した年月日と「除外」と記入するとともに、斜線を引き削除を実施した者については、斜線を引き削除すること。

別紙3

主治医訪問調査票

（主治医訪問前に記入しておく事項）

ケース番号	患者名 （ 歳） 男 女	医療機関名（主治医氏名）	担当者
（事前嘱託医協議結果） 1．主治医訪問を行う際の留意点（聴取ポイント等） 2．嘱託医の同行訪問の必要性　　有　・　無			

（主治医訪問時に記入する事項）

| 訪問調査日 | 年　月　日 |

傷病名と初診年月日	通院状況 （直近3か月）	適正受診日数
1.＿＿＿＿＿＿＿＿＿＿（　年　月　日） 2.＿＿＿＿＿＿＿＿＿＿（　．　．　） 3.＿＿＿＿＿＿＿＿＿＿（　．　．　） 4.＿＿＿＿＿＿＿＿＿＿（　．　．　）	月：　回 月：　回 月：　回	週に　日程度

現在の状況
- □全治
- □おおいに回復中
- □やや回復中
- □変わらない -----┐
- □やや悪化 ------┤
- □おおいに悪化 --┘

→この場合の理由
- □病質による
- □本人に原因
　（具体的に　　　　　　　　　　　）
- □その他
　（　　　　　　　　　　　　　　　）

主にどのような治療を行うために通院しているのか （頻回となっている治療内容）　　　（対応する傷病名） 1.＿＿＿＿＿＿＿＿＿＿　　　　＿＿＿＿＿＿＿＿＿＿ 2.＿＿＿＿＿＿＿＿＿＿　　　　＿＿＿＿＿＿＿＿＿＿ 3.＿＿＿＿＿＿＿＿＿＿　　　　＿＿＿＿＿＿＿＿＿＿	通院見込み期間 （程度・以内・以下）

療養態度
□良い　□普通　□悪い
　　　　（具体的に　　　　）

療養上の指示事項
- □あり ----------→ □指示を理解している
　（具体的に　　　）　　□守られている
- □なし　　　　　　　□守られていない
　　　　　　　　　　　□指示が理解できていない

その他
- □　　　　　科の診療が必要
- □　　　　　の検査が必要
- □入院を要する

家族の協力や理解
- □あり
- □なし

主治医意見（通院状況と適正受診日数に差がある場合はその理由も記載すること）

嘱託医意見（　　月　　日）

別紙4

頻回受診者訪問指導票

ケース番号	患者名　　　　　男 　　　　（　歳）女	医療機関名（主治医氏名）	担当者

（事前に記入する事項）

家族の状況

名　　　前	続柄	生年月日	職　　業	住　　　　居
				1　自宅 2　借家 3　アパート 4　その他 　（　　　　　）

現在の状況

現 在 の 病 名	
治療状況・内容	
現 在 の 状 況	

主治医の意見

嘱託医の意見

指導内容

☐　受診回数の見直し等について指導する必要がある。
　　☐　治療方針について主治医との協議を要する（慰安目的で受診している者）
　　☐　精神科への受療の検討を要する（精神的要因により頻回受診している者）
　　☐　医療機関の受診に保健師等の同行を要する（医師の指示が理解できていない者）
　　☐　その他
☐　入院治療が適当である。

具体的な内容

(訪問指導時に記入する事項)

訪問指導日：　　　年　　月　　日

患者の頻回受診に対する認識　　□　あり　　　□　なし

患者及び家族の意見（頻回受診となった理由等）

```
[                                              ]
```

＜保健師等が同行した場合＞

保健師等の氏名：＿＿＿＿＿＿＿＿＿＿

保健師等の主な指導内容

- □　本人の一般状況
  - （具体的内容）

- □　日常生活状況等
  - （具体的内容）

- □　疾病の予防指導
  - （具体的内容）

- □　家庭での療養方法
  - （具体的内容）

- □　健康相談
  - （具体的内容）

- □　家族への支援要請
  - （具体的内容）

- □　その他
  - （具体的内容）

特記すべき事項

○180日を超えて入院している患者の取扱いについて

> 平成14年3月27日　社援発第0327028号
> 各都道府県知事・各指定都市市長・各中核市市長宛
> 厚生労働省社会・援護局長通知

〔改正経過〕

第1次改正	平成14年9月30日社援発0930002号	第2次改正	平成17年3月31日社援発0331014号
第3次改正	平成18年9月29日社援発0929011号	第4次改正	平成20年4月1日社援発第0401006号
第5次改正	平成21年3月27日社援発第0327023号	第6次改正	平成27年4月14日社援発0414第10号
第7次改正	平成30年3月30日社援発0330第43号	第8次改正	令和元年5月27日社援発0527第1号
第9次改正	令和2年12月28日社援発1228第1号		

　平成14年度の診療報酬改定において、入院医療の必要性は低いが、患者側の事情により長期にわたり入院している患者の退院促進及び医療保険と介護保険の機能分化の促進を図るため、療養病棟等に180日を超えて入院している患者（健康保険法第63条第2項の規定に基づき厚生労働大臣の定める療養（平成6年厚生省告示第236号）第12号に規定する厚生労働大臣が定める状態等にある者（以下「厚生労働大臣が定める状態等にある者」という。）を除く。）に係る入院基本料等が特定療養費化することとされたことに伴い、被保護入院患者について下記のとおり取り扱うこととしたので、了知の上、管内の実施機関及び関係機関に周知されたい。
　なお、具体的な取扱いについては、別紙「対象病棟に180日を超えて入院している患者に対する医療扶助の取扱い」によられたい。
　また、この通知は、地方自治法（昭和22年法律第67号）第245条の9第1項及び第3項の規定に基づく処理基準とする。

記

1　基本的対応
　通算対象入院料（一般病棟入院基本料（特別入院基本料及び後期高齢者特定入院基本料を含む。）、特定機能病院入院基本料（一般病棟の場合に限る。）及び専門病院入院基本料をいう。）を算定する病棟（以下「対象病棟」という。）に180日を超えて入院している患者であって、厚生労働大臣が定める状態等にある者に該当しない者については、入院基本料等が保険外併用療養費化され、保険外併用療養費として支給される額を超える部分は患者負担とされることから、医療扶助受給者については、速やかに退院後の受入先を確保し、180日を経過するまでに退院するよう指導すること。
2　例外的対応
　上記1において、いかなる方法によっても退院後の受入先が確保できない者であって、真にやむを得ないと判断されるものについては、退院後の受入先が確保されるまでの間、当該被保護入院患者に係る入院基本料等相当額を医療扶助により支給して差し支えないこと。
　ただし、本取扱いは、真にやむを得ない者に対する例外的なものであることから、厳正に取り扱うこと。

（別　紙）
　　　　対象病棟に180日を超えて入院している患者に対する医療扶助の取扱い
1　受入先の確保に係る事務手続
（1）退院後の受入先の確認・把握
　　福祉事務所においては、対象病棟に被保護者が入院した場合又は対象病棟の入院患者が被保護者となった場合には、常に退院後の受入先について確認・把握しておくこと。また、入院中に受入先が消滅した場合には、入院診療計画又は医療要否意見書等により退院見込みを確認した上、被保護入院患者に対して受入先の確保について指導するとともに必要な援助を行うこと。
（2）退院後の受入先の確保
　　対象病棟の被保護入院患者について、入院期間が180日を超えた時点において厚生労働大臣が定める状態等にある者に該当しない、又は該当する見込みがないことを医療機関から確認した場合には、速やかに、別紙1の台帳を整備した上、次の①から④までにより受入先を確保するよう被保護入院患者に指導し、必要な援助を行うこと。
　　なお、受入先が複数（＜例＞①と③、③について複数施設など）ある場合の選択については、被保護入院患者本人の意思を十分尊重すること。ただし、受入先が、次の①から④までのいずれか一つしかない場合について、それを拒否することは認められないものであること。
　　また、受入先が確保できた場合、180日を経過するまでに退院するよう被保護入院患者に対して指導するとともに必要な援助を行うこと。
①　介護保険による訪問介護等を利用することによる在宅生活の可能性の有無を確認すること。
　　なお、住居がない者が新たに住居を確保する場合であって、当該地域の住宅事情により、生活保護法による保護の基準（昭和38年厚生省告示第158号）別表第3の2の厚生労働大臣が定める額のうち、世帯人員別の住宅扶助（家賃・間代等）の限度額によっては住居が確保できない場合については、生活保護法による保護の実施要領について（昭和38年4月1日社発第246号厚生省社会・援護局通知）第7の4の(1)のオに定める特別基準額の範囲内において必要な家賃、間代等を認定して差し支えないこと。
②　介護保険によるサービスの対象者については、介護保険施設への入所の可能性を確認すること。また、その時点で満床の場合には、入所のための申込手続を行っておくこと。なお、少なくとも、当該福祉事務所管内に所在するすべての施設について確認すること。また、入所の可能性の確認に当たっては、在宅介護支援センター又は指定居宅介護支援事業者等を活用すること。
③　②以外の救護施設、養護老人ホームなどの社会福祉施設等への入所の可能性を確認すること。また、その時点で満床の場合には、入所のための申込手続を行っておくこと。なお、少なくとも、当該福祉事務所管内に所在するすべての施設について

確認すること。
　　④　扶養義務者による引取り扶養の可能性の有無を確認すること。
　　　　なお、扶養義務者がいたとしても、過去の生活歴等から特別な事情があり明らかに扶養できない場合、扶養を求めることにより明らかに当該被保護入院患者の自立を阻害することになると認められる場合又は扶養義務者等が正当と認められる理由により扶養を拒否する場合については、この限りでないこと。
　(3)　医療扶助の例外的給付
　　(2)の①から④によっても、なお受入先が確保できない場合、2によること。
2　医療扶助の例外的給付の手続き
　　上記1の(2)の①から④までのすべてを行っても、なお退院後の受入先が確保できない場合については、次に定める方法により、当該被保護入院患者に係る入院基本料等相当額を医療扶助により支給して差し支えないこと。
　　ただし、本取扱いは、真にやむを得ない者に対し、例外的に給付するものであることから、以下の取扱いを厳正に行う必要があること。
　(1)　台帳の整備
　　別紙2を参考にして対象者全員について給付管理台帳を整備し、決裁に付すこと。
　(2)　例外的給付の内容（対象）及び方法
　　①　特別基準の設定
　　　「保険外併用療養費の算定の対象とならない部分（入院基本料等の所定点数の15％に相当するものとして特別に徴収される料金部分。以下「特別料金分」という。）」について、次のア及びイを確認した場合において、特別基準の設定があったものとして取り扱って差し支えないこと。
　　　ア　「厚生労働大臣が定める状態等にある者」に該当するかどうかの確認
　　　　　主治医訪問を行い、当該被保護入院患者が「厚生労働大臣が定める状態にある者」に該当するかどうかを確認すること。また、「厚生労働大臣が定める状態にある者」に該当しない場合には、医療機関に対し、当該被保護入院患者の入院基本料等相当額について「特別料金分」を診療報酬請求するよう指導するとともに、被保護入院患者にその旨を説明すること。
　　　イ　受入先の状況の確認
　　　　　1の(2)の①から④までの可能性について被保護入院患者本人又は関係機関に確認し、確認した事項を台帳に記載すること。
　　②　医療機関に対する連絡
　　　　福祉事務所においては、当該被保護入院患者について特別基準を設定した場合、速やかに、医療機関に対し、その旨の連絡を行うとともに、入院基本料等相当額のうち、「保険外併用療養費（保険給付対象部分）」については社会保険診療報酬支払基金に対して診療報酬請求し、「特別料金分」については別紙3により直接福祉事務所に請求するよう指導すること。
　　　　また、当該被保護入院患者が「厚生労働大臣が定める状態等にある者」に該当す

るようになった場合には、速やかに福祉事務所に連絡するよう併せて指導すること。
③ 例外的給付の対象となる入院基本料等相当額
　例外的給付の対象となる入院基本料等相当額の上限（以下「上限額」という。）は、当該被保護入院患者が現に入院している対象病棟について、入院期間が180日を超えない期間において健康保険法第76条第2項の規定により算定される入院基本料等とすること。
　なお、当該入院基本料等相当額については、真にやむを得ないと判断された被保護入院患者に対し、あくまで例外的に給付されるものであることから、保護開始時の要否判定には用いない（生活保護法による保護の実施要領について（昭和36年4月1日厚生省発社第123号厚生事務次官通知）第10（保護の決定）の「当該世帯につき認定した最低生活費」の対象としない）こと。
④ 例外的給付の支払い
　医療機関から福祉事務所に対して別紙3により「特別料金分」が請求された場合、福祉事務所においては、例外的給付に係る診療報酬請求書の「保険外併用療養費（保険給付対象部分）」と「特別料金分」の合計が上限額を超えていないかを確認した後、「特別料金分」を医療機関に支払うこと。なお、「保険外併用療養費（保険給付対象部分）」が適正に請求されているかどうかについては、当該月の診療報酬明細書が福祉事務所に送付されてきた時点で確認すること。
(3) 被保護入院患者に対する連絡
　被保護入院患者に対し、本来入院基本料等相当額が医療扶助の対象とならないこと及び退院後の受入先が確保できるまでの間（「厚生労働大臣が定める状態等にある者」に該当することとなった場合を除く。）、例外的に入院基本料等相当額が医療扶助により給付される旨説明するとともに、受入先が確保できた場合には、速やかに報告するよう指導すること。
3　報告
(1) 都道府県市本庁への情報提供
　福祉事務所長は、都道府県（指定都市及び中核市含む。）本庁（以下「本庁」という。）より別途依頼があった場合に前年度における例外的給付の状況を別紙4及び別紙5に別紙2の写しを添付して本庁あて情報提供すること。
(2) 厚生労働省への情報提供
　本庁は、厚生労働省社会・援護局保護課より別途依頼があった場合に上記の結果を取りまとめ、別途定める様式により、厚生労働省社会・援護局保護課あて情報提供すること。
4　本庁の福祉事務所に対する指導監査
　本庁は、必要に応じて、福祉事務所に対する生活保護法施行事務監査において、当該給付の状況を確認するとともに、適切な指導及び援助を行うこと。

別紙1

生活保護法による医療扶助における例外的給付対象者台帳

ケース番号／患者氏名：　　／

年齢	主たる傷病名	入院日	受け入れ先の状況		備考
		年　月　日	受入先	確認内容及び年月日	
			① 在　宅	在宅生活ができない理由	
			② 介護保険施設への入所	施設名(種別)・入所状況	
				施設名(種別)・入所状況	
			③ 社会福祉施設(②を除く。)への入所	施設名(種別)・入所状況	
			④ 扶　養	扶養義務者の状況	

180日を超えて入院している患者の取扱いについて

(別紙1 記載例)

生活保護法による医療扶助における例外的給付対象者台帳

ケース番号／患者氏名：　　／

年齢	主たる傷病名	入院日	受け入れ先の状況			備考
		年　月　日		確認内容及び年月日		
			① 在　宅	H14.1.18 在宅生活ができない理由 保証人が居ないため住居の確保困難。	H14.2.24 同左	H14.3.14 同左	H14.4.21 同左
			② 介護保険施設への入所 施設名（種別）・入所状況	H14.4.20 △△△△（介福）満床	H14.2.10 同左	H14.3.23 同左	H14.4.5 同左
			施設名（種別）・入所状況	H14.4.20 ○○○○（介老）満床	H14.2.13 同左	H14.3.1 同左	H14.4.9 同左
			③ 社会福祉施設（②を除く。）への入所 施設名（種別）・入所状況	H14.1.22 □□□□（身障）満床	H14.2.29 同左	H14.3.16 同左	H14.4.9 同左
			④ 扶　養 扶養義務者の状況	H14.1.20 主の長男：自活で精一杯のため引き取り扶養できない。			

1039

II 生活保護法関係通知 第4章 医療扶助運営要領

別紙2

生活保護法による医療扶助における例外的給付管理台帳

地区担当員名：

ケース番号	氏名	医療機関名及び担当主治医氏名	主たる傷病名	入院日	受入先の確認及び給付月				退院の状況		備考
									退院日	区分	
				年 月 日	①・②・③・④ 年 月	①・②・③・④ 年 月	①・②・③・④ 年 月	①・②・③・④ 年 月	年 月 日	①・② ③・④	
				年 月 日	①・②・③・④ 年 月	①・②・③・④ 年 月	①・②・③・④ 年 月	①・②・③・④ 年 月	年 月 日	①・② ③・④	
				年 月 日	①・②・③・④ 年 月	①・②・③・④ 年 月	①・②・③・④ 年 月	①・②・③・④ 年 月	年 月 日	①・② ③・④	
				年 月 日	①・②・③・④ 年 月	①・②・③・④ 年 月	①・②・③・④ 年 月	①・②・③・④ 年 月	年 月 日	①・② ③・④	
				年 月 日	①・②・③・④ 年 月	①・②・③・④ 年 月	①・②・③・④ 年 月	①・②・③・④ 年 月	年 月 日	①・② ③・④	
				年 月 日	①・②・③・④ 年 月	①・②・③・④ 年 月	①・②・③・④ 年 月	①・②・③・④ 年 月	年 月 日	①・② ③・④	
				年 月 日	①・②・③・④ 年 月	①・②・③・④ 年 月	①・②・③・④ 年 月	①・②・③・④ 年 月	年 月 日	①・② ③・④	
				年 月 日	①・②・③・④ 年 月	①・②・③・④ 年 月	①・②・③・④ 年 月	①・②・③・④ 年 月	年 月 日	①・② ③・④	

(注) 受入先の確認及び給付月欄については、1の(2)の①から④（①在宅、②介護保険施設、③社会福祉施設等、④引き取り扶養）のうち確認した事項に○を付すこと。
また、退院の状況の区分欄については、1の(2)の①から④のうち該当する受入先に○を付すこと。

別紙3

長期入院患者に係る診療報酬請求書（　　年　　月分）

公費負担者番号						有　効　期　間	日から 日まで
受給者番号						単独・併用別	単独・併用
氏　　　名			（男・女）明・大・昭・平・令　　年　　月　　日生				
居　住　地							

① 基準となる入院基本料等	② 保険外併用療養費（保険給付対象部分）	③ 特別料金分 （①-②の範囲内）	④ 本人支払額	⑤ 差引請求額 （③-④）
円	円	円	円	円

- 入院基本料等の基本点数（以下「基本点数」という。）×入院日数×10円＝①
- ｛基本点数－（基本点数×控除率※）｝ ×入院日数×10円＝②
  <small>小数点以下第一位を四捨五入</small>

  ※ 控除率は、平成14年度は5％、15年度は10％、16年度以降は15％となる。

（氏名）＿＿＿＿＿＿に係る上記による診療報酬を請求します。

令和　　年　　月　　日

　　　福祉事務所長　殿

　　　　　　　　　　　　住　　所
　　　　　　　　　　　　病　院　長

備考　この用紙は、A列4番白色紙黒色刷りとすること。

別紙4

生活保護法による医療扶助における例外的給付の状況について（福祉事務所別）

（福祉事務所　　　　　）

対象患者名	医療機関名	給付状況		当該年度給付総額	退院先区分	備考
		前年度継続	新規開始		①・② ③・④	
		前年度継続	新規開始		①・② ③・④	
		前年度継続	新規開始		①・② ③・④	
		前年度継続	新規開始		①・② ③・④	
		前年度継続	新規開始		①・② ③・④	
		前年度継続	新規開始		①・② ③・④	
計						

（注）給付状況欄は、いずれかを○で囲むこと。
　　　退院先区分欄について、1の(2)の①から④のうち該当する受入先に○を付すこと。

180日を超えて入院している患者の取扱いについて

別紙5

生活保護法による医療扶助における例外的給付の状況について（医療機関別）

（福祉事務所名　　　　　　）

医療機関名	当該年度給付件数					当該年度給付総額	備考
	前年度継続 A	新規開始 B	退院 C	合計 D=A+B-C			
計							

○指定医療機関に対する指導等について

> 平成23年3月8日　社援保発0308第1号
> 各都道府県・各指定都市・各中核市民生主管部(局)長
> 宛　厚生労働省社会・援護局保護課長通知

　生活保護法（昭和25年5月4日法律第144号）による医療扶助につきましては、平素格段のご高配を賜り、厚く御礼を申し上げます。
　さて、生活保護法に基づく指定医療機関に対する指導については、被保護者に対する医療扶助が適正かつ効果的に行われるよう、福祉事務所と指定医療機関の相互理解と協力を確保することを主眼として行われるものですが、平成23年度からの電子レセプトの本格運用等を踏まえ、下記のとおり実施することとしましたので、周知徹底に特段のご配慮をお願いします。追って、各自治体における指定医療機関の指導の実態について調査をする予定です。
　なお、本通知については、㈳日本医師会とは協議済みであることを申し添えます。

記

1　個別指導の対象指定医療機関については、従来からの選定ルールに加え、社会保険診療報酬支払基金から提供される被保護者に係る診療報酬請求データ又は電子レセプトの分析結果等（以下「電子レセプトの分析結果等」という。）を活用して得られる指定医療機関の特徴（例えば請求全体に占める被保護者に関する請求割合が高い、被保護者以外と比較して被保護者のレセプト1件当たりの点数が高い、被保護者の県外受診の割合が高い等）を総合的に勘案し、個別に内容審査をした上で選定を行うこと。
　　なお、被保護者や医療機関関係者等から重要な通報があった場合には、当該情報に関わる指定医療機関の選定を原則優先すること。
2　指定医療機関医療担当規程（昭和25年8月23日厚生省告示第222号）第6条に基づき、指定医療機関は、被保護者に投薬等を行うに当たっては、後発医薬品の使用を考慮するよう努めることとしている。電子レセプトの分析結果等に基づき、被保護者に係る後発医薬品の処方実績が他の医療機関と比較し相当程度低調な場合等には、具体的な処方実績のデータを踏まえ、使用が低調な理由について、当該指定医療機関から意見聴取するとともに、医療扶助における後発医薬品の使用促進の実施に協力を求めること。
3　他の社会保険医療を担当する地方厚生局又は国民健康保険担当部署と定期的に指導状況について情報交換し、連携を図ること。

○生活保護法の医療扶助の適正な運営について

（平成23年 3 月31日　社援保発0331第 5 号
各都道府県・各指定都市・各中核市民生主管部（局）長
宛　厚生労働省社会・援護局保護課長通知）

　生活保護法の医療扶助については、平素から格段の御高配を賜り、厚く御礼申し上げます。
　近年、生活保護受給者が急増する中において、生活保護受給者の不適切な受診行動や医療扶助に関する生活保護費の不正受給については、制度に対する国民の信頼を揺るがす極めて深刻な問題であり、厳正な対応が必要です。
　このため、本年 4 月から電子化された診療報酬明細書（以下、「電子レセプト」という）が本格運用されること等にかんがみ、先般の「指定医療機関に対する指導等について」（平成23年 3 月 8 日付社援保0308第 1 号）に加え、下記の対策を総合的に推進することにより、医療扶助費の適正な支給対策を一層推進することとしましたので、管下福祉事務所等に対する周知徹底に特段の御配慮をお願いします。

記

1　医療関連情報の指導援助への活用及びレセプト点検の徹底
　　福祉事務所においては、電子レセプトの活用により、診療日数、診療内容及び受診医療機関名等の医療関連情報を効率的に管理することができるようになることから、個々の被保護者の病状及び受診状況等を的確に把握することに努め、必要かつ適切な受診が行われるよう被保護者に対する助言・指導を行うこと。
　　また、資格点検における医療券の有効性をはじめ、医療扶助受給資格の有無については、電子レセプトと医療券の発行に関する情報との突合を徹底するとともに、連続月あるいは一定期間内のレセプトに対し診療内容を点検する縦覧点検においては、当該被保護者ごとのレセプト抽出（紐付け）等が効率的に実施できることから、対象となる全てのレセプトについて縦覧点検を実施するなど本庁及び福祉事務所において、実効性のある適正な点検体制を整えること。
2　向精神薬等における適正受診の徹底
　　福祉事務所においては、電子レセプトの活用等により、被保護者が同一薬を複数の医療機関から重複して処方されていないか確認を徹底するとともに、向精神薬の処方については、処方した診療科名、処方量・種類等について的確に実態把握を行うこと。さらに、その情報を本庁と福祉事務所において共有することにより、連携した対応が図られるよう努めること。
　　不適切と認められる事例を把握した上で、適正受診に向けた改善指導を実施するためには主治医等医療機関の協力が不可欠であることから、「生活保護受給者による向精神薬の営利目的所持について」（平成22年 7 月27日付社援保発0727第 1 号）を踏まえ、必

要に応じて、本庁から管内医療機関に対し、向精神薬の処方に関する協力依頼を行うとともに、複数の医療機関から重複して向精神薬を処方されている場合や、定められた用量を超えた処方がされていると認められる場合には、主治医等への確認や医療機関と協力して適正受診指導の徹底を図ること。

また、レセプト点検については、従前のレセプト点検においても、同一疾病で複数の医療機関に受診している重複受診の点検を依頼していたところであるが、複数の医療機関から向精神薬を重複して処方されている不適切な事案が判明したことを踏まえ、向精神薬等の重複処方の観点からも点検を実施すること。

3 後発医薬品の使用促進

後発医薬品の使用促進については、「生活保護の医療扶助における後発医薬品に関する取扱いについて」(平成20年4月30日付社援保発第0430001号)を踏まえ取り扱うこととしているが、福祉事務所においては、電子レセプトの活用により、後発医薬品のある先発医薬品を使用している被保護者を的確に把握すること。

その上で、後発医薬品のある先発医薬品を長期間漫然と、又は多品目にわたり使用している被保護者に対しては、個別に面談を行い、必要に応じて差額通知(当該患者が実際に使用している先発医薬品を後発医薬品に切り替えた場合の医療費削減額を記載した通知)を用いて具体的な助言を実施するなど、後発医薬品の使用に関する被保護者の理解が得られるよう、取組を講じること。

○柔道整復師の施術に係る医療扶助の適正な支給について

> 平成23年3月31日　社援保発0331第7号
> 各都道府県・各指定都市・各中核市民生主管部(局)長宛　厚生労働省社会・援護局保護課長通知

生活保護法の医療扶助については、平素から格段の御高配を賜り、厚く御礼申し上げます。

今般、会計検査院が行った実地検査において、保険給付における柔道整復の療養費が、十分な点検及び審査が行われないまま不適切に支給されている事態があり、改善を図るべきとの指摘を受けたところです(別添参照)。

生活保護法の医療扶助においては、従前より必要最小限度の施術を原則とする給付方針に基づき実施しているところですが、今回の会計検査院の指摘を踏まえ、以下の点に御留

意いただき、一層適正な処理にあたられるようお願いします。
　　　　　　　　　　　　　記
1　給付要否意見書及び施術報酬明細書の点検について
　　福祉事務所は、給付要否意見書及び施術報酬明細書において、①給付範囲が適正であるか等の確認、②施術券の有効期間や固定点数の誤り等の事務点検並びに③「柔道整復師の施術料金の算定方法」（昭和33年９月30日付保発第64号）、「柔道整復師の施術に係る療養費の算定基準の実施上の留意事項等について」（平成11年10月20日保険発第138号）及び施術団体との協定等による施術料金の算定ルールに基づき、適正に施術報酬が請求されているか等の内容点検を徹底すること。
　　実施体制については、上記点検が困難又は効果が不十分な場合には、都道府県、指定都市及び中核市本庁又は福祉事務所において柔道整復師の有資格者等専門家を雇い上げるなど、効果的・効率的な取組を実施すること。
2　被保護者に対する施術給付方針等の周知について
　　福祉事務所は、被保護者に対し、柔道整復に係る施術を受療する場合、①支給対象は急性又は亜急性の外傷性の骨折、脱臼、打撲及び捻挫であり、内科的原因による疾患は含まれないこと、②単なる肩こり、筋肉疲労に対する施術は、支給対象外であること、③柔道整復の治療を完了して単にあんま（指圧及びマッサージを含む。）のみの治療を必要とする患者に対する施術は支給対象外であること、④往療料については、歩行困難等、真にやむを得ない理由により通所が困難な者に限ること、等について周知を図ること。
3　被保護者に対する重点的な病状調査の実施
　　福祉事務所は、長期又は頻度が高い施術が実施されている被保護者には、重点的に病状調査を実施すること。今般の会計検査院からの指摘を踏まえ、長期又は頻度が高い施術の例としては、①１か月に10回以上施術を受けている、②１か月に３部位以上の施術を受けている、③３か月を超えて施術を受けている、④③のうち当初の部位が治癒した後に別の部位の施術を受けている、若しくは同一部位について一度治癒した後に別の負傷原因により再度施術を受けている場合などが考えられること。
　　なお、施術に関する医療扶助の決定にあたり疑義があると思われる場合は、必要に応じて「生活保護法による保護の実施要領について」（昭和38年４月１日社発第246号）第11の４により被保護者に対して検診を命ずること。
別添　略

○医療扶助における転院を行う場合の対応及び頻回転院患者の実態把握について

> 平成26年8月20日　社援保発0820第1号
> 各都道府県・各指定都市・各中核市民生主管部(局)長宛　厚生労働省社会・援護局保護課長通知

〔改正経過〕
第1次改正　平成29年3月31日社援保発0331第5号

　生活保護法の医療扶助については、「生活保護法による医療扶助運営要領について」（昭和36年9月30日社発第727号社会局長通知）等により、その適正な運営についてお願いしているところである。
　入院患者の転院については、入院中の指定医療機関から、転院を必要とする理由等につき連絡を求め、必要やむを得ない理由がある場合に、転院先医療機関から医療要否意見書等の提出を求める等した上で医療扶助の変更決定を行うこととしているが、会計検査院等から、転院の必要性の判断が不十分なまま患者が転院し、転院の都度、同種の診療報酬が算定されているなどの事態が発生していたとの指摘があったところである。
　そのため、入院患者が転院を行う場合の対応及び頻回転院患者の実態把握について下記のとおり定めたので、了知の上、管内の福祉事務所及び関係機関に対し周知徹底を図られたい。
　なお、本通知は、地方自治法（昭和22年法律第67号）第245条の9第1項及び第3項の規定に基づく処理基準とする。

記

第1　転院を行う場合の対応
　　入院中の生活保護受給者が治療の必要上、転院の必要が生じた場合は、次のとおり対応すること。
　　なお、福祉事務所は、2及び3において転院の必要性や診療内容について医学的判断に疑義がある場合には、必要に応じて、都道府県、指定都市及び中核市（以下「都道府県等」という。）本庁生活保護主管課（以下「本庁」という。）に対し技術的な助言を求めること。都道府県等本庁は、福祉事務所から助言を求められた場合において、必要に応じて医療扶助審議会に諮ること。
1　転院を必要とする理由の連絡
　　あらかじめ指定医療機関に対し、転院が必要となった場合、福祉事務所に連絡するように周知をすること。転院に当たっては、福祉事務所は現に入院している指定医療機関に対し、転院を必要とする理由、転院先予定医療機関等につき、別添の参考様式により原則として転院前に連絡を求めること。

2 転院の必要性にかかる検討等
　1の連絡を受けた場合は、転院の必要性について嘱託医等に協議しつつ、検討すること。検討の結果、必要やむを得ない理由があると認められるときは、転院先医療機関から医療要否意見書等の提出を求め、改めて入院承認期間を設定した上、医療扶助の変更決定を行うこと。
　また、転院の必要性を検討した結果、転院を要しないと判断した場合は、入院中の指定医療機関及び本人に対しその旨を伝え、入院を要しないと判断した場合は、退院に伴う必要な支援を行うこと。
　なお、検討に当たり必要がある場合には主治医への確認を行うこと。
3 レセプト点検の実施
　転院が行われた場合、福祉事務所は、レセプト点検等により転院先の指定医療機関で行われた検査等、適切な医療が行われているか検討を行うこと。なお、検討に当たり必要がある場合には主治医への確認を行うこと。
4 個別指導の実施
　1から3までを実施した結果、必要と認める場合は当該指定医療機関に対し、個別指導を行うこと。この場合において、個別指導の対象の選定のための参考基準として、医療扶助運営要領第6の1の(3)のイの(ｱ)のdに「指定医療機関の特徴（例えば請求全体に占める被保護者に関する請求割合が高い、被保護者以外と比較して被保護者の診療報酬明細書（調剤報酬明細書を含む。）の1件あたりの平均請求点数が高い、被保護者の県外受診の割合が高い等）を総合的に勘案し、個別に内容審査をした上で個別指導が必要と認められる指定医療機関」が定められているので、留意願いたいこと。

第2 頻回転院患者の実態把握
　頻回転院患者の実態を把握し、不必要な転院等を是正するため、別紙のとおり対応すること。

（別　紙）
頻回転院患者実態把握実施要領
1 目的
　医療扶助による入院患者について、短期間に転院を繰り返し行っている者について、主治医訪問等により、当該患者の状態を確認するとともに、適切な支援を確保することを目的とする。
2 対象者
　各年度における医療扶助による入院患者であって、当該年度中に90日間連続して入院している者であって、その間に2回以上の転院があった者とする。
3 実施主体
　福祉事務所及び都道府県等本庁とする。
4 実施方法
（1）準備作業

地区担当員は、2の対象に該当した時点において、様式1に準じ実態把握対象者名簿を整備し、直近の転院について、転院前に嘱託医に協議する等、転院の必要性の検討が行われていないケースについては、書面検討のため、当該患者の入院に係る要否意見書及び入院期間中の診療報酬明細書等を準備すること。
(2) 書面検討
　ア　嘱託医は、(1)により準備された要否意見書及び診療報酬明細書等に基づき、当該患者の今後の援助方針を定める上において、①入院中の医療機関における入院継続が適切であるもの、②入院の必要性のないもの、③入院中の医療機関における入院継続の必要性について、主治医の意見を聞く必要があるものに分類するための検討を行うこと。
　　　なお、嘱託医が標榜していない診療科の診療が行われているなど、当該嘱託医による検討が困難である場合は、業務委託医師又は本庁嘱託医が検討すること。
　イ　嘱託医から意見を聴取した結果について、実態把握対象者名簿に記入すること。
　ウ　地区担当員による実態把握
　　　嘱託医の意見を聞いた結果、入院の必要性のないものについては、速やかに当該患者及び家族を訪問し、実態を把握すること。
　　　なお、退院に伴う必要な措置の状況等については、実態把握対象者名簿及び調査票に記入すること。
　エ　退院に伴う措置等
　　　ウによる実態把握の結果に基づき、退院のために必要な措置を行うこと。また、当該患者の退院を阻害している要因の解消を図り、実態に即した方法により、適切な退院指導を行うこと。
　　　なお、退院に伴い必要な措置、例えば本法による家賃、敷金、介護料等の認定、施設入所、感染症の予防及び感染症の患者に対する医療に関する法律（結核に係るもの）、精神保健及び精神障害者福祉に関する法律等他法への移替措置、介護を要する者に対するホームヘルパーの派遣等関連制度の活用、円滑な家族関係の回復についての指導等を当該患者の実態に即した方法により積極的に行うこと。
(3) 実地検討
　ア　主治医との連絡
　　(ｱ)　地区担当員は、実態把握対象者名簿に登載された患者のうち(2)ア③に該当する者について様式2に準じ調査票を準備するとともに、主治医と連絡をとり、当該患者の支援において必要な事項について意見を聞くこと。なお、必要に応じて福祉事務所嘱託医等と同行訪問すること。
　　(ｲ)　主治医の意見を聞いた結果、他の医療機関への転院が適切であること又は転院の必要性のないことが明らかとなったものについてはその旨を、入院中の医療機関において入院継続を要するものについては、主治医の見解をそれぞれ実態把握対象者名簿及び調査票に記入すること。
　イ　地区担当員による実態把握

主治医の意見を聞いた結果、過去の診療歴から他の医療機関における診療が望ましいものについては、転院先の調整を行うこと。また、入院の必要性のないものについては、速やかに当該患者及び家族を訪問し、実態を把握すること。
なお、転院又は退院に伴う必要な措置の状況等については、実態把握対象者名簿及び調査票に記入すること。
ウ　転院・退院に伴う措置等
イによる実態把握の結果に基づき、転院や退院のために必要な措置を行うこと。また、当該患者の退院を阻害している要因の解消を図り、実態に即した方法により、適切な退院指導を行うこと。
なお、退院の場合、退院に伴い必要な措置、例えば本法による家賃、敷金、介護料等の認定、施設入所、感染症の予防及び感染症の患者に対する医療に関する法律（結核に係るもの）、精神保健及び精神障害者福祉に関する法律等他法への移替措置、介護を要する者に対するホームヘルパーの派遣等関連制度の活用、円滑な家族関係の回復についての指導等を当該患者の実態に即した方法により積極的に行うこと。
(4)　実態把握対象者名簿掲載者が転院を行った場合
実態把握対象者名簿掲載者が転院前の事前検討が行われないまま、再度転院を行った場合には、(1)から(3)までの手順により、対応を行うこと。
(5)　措置状況の確認
福祉事務所長は、実態把握対象者の状況及び検討経過、措置結果等について管内の状況を常時把握しておくこと。
5　結果の報告
(1)　福祉事務所長は、各年度ごとに３月31日現在における実態把握対象者名簿に登載されたものの状況及び当該年度の前年度の情報提供における別紙様式第３の(5)及び(8)に該当する者の当該年度における措置の状況を別紙様式３により本庁に情報提供願いたいこと。
(2)　都道府県等本庁は、(1)の結果をとりまとめ、別紙様式３により当該年度の翌年度の４月末までに本職あて情報提供願いたいこと。
6　福祉事務所に対する指導等
都道府県等本庁は、管内福祉事務所の指導監査等において、実態把握対象者の状況、措置結果等について確認するとともに、適切な指導及び援助を行うこと。
7　その他
本実施要領により、頻回転院患者とされた者については、「医療扶助における長期入院患者の実態把握について」（昭和45年社保第72号社会局保護課長通知）に定める長期入院患者に関するものとして対応する必要はないこと。

Ⅱ 生活保護法関係通知 第4章 医療扶助運営要領

様式1

実態把握対象者名簿

作成　　．　．　　　　　　　　　　　　　　　　　　　　　　　　　　　　　　　　　　福祉事務所

番号	①転院歴(医療機関名、転院事前検討の有無、事後の場合の理由、入院日、退院日、入院期間、実地検討の要否)	②地区名・ケース番号・患者氏名	③医療機関名 ④主な傷病名	⑤入院年月日 ⑥入院期間	⑦書類検討(嘱託医協議)	⑧実地検討(主治医等からの意見聴取、医療扶助の入院の要否・退院阻害要因)	⑨患者・家族への意向、家族の意向、住居の状況等	⑩退院に伴って要する措置・退院後の需要等	⑫退院年月日
1	1. 新規 2. 継続 [前回調査年月日] 年　月　日 ⑪医療機関名 （現入院先まで転院歴）	(地区名) (ケース番号)	(医療機関名) (主な傷病名)	(入院年月日) 年　月　日 年　か月	(検討年月日：年　月　日) (実地検討の要否) 1. 要　2. 否 [理由]	(訪問年月日：年　月　日) (医療扶助の入院の要否) 1. 要　2. 否 1. 他法による入院 3. 他法による入院、退院を阻害している要因	(患者・家族への確認年月日) (患者等の意向、住居の状況等)	(退院に伴って要する措置・退院後の需要等)	年　月　日
	転院事前検討の有無		事後の場合の理由	入院日	退院日	入院期間(日数)		転院を行った理由	
2	1. 新規 2. 継続 [前回調査年月日] 年　月　日 ⑪医療機関名 （現入院先まで転院歴）	(地区名) (ケース番号)	(医療機関名) (主な傷病名)	(入院年月日) 年　月　日 年　か月	(検討年月日：年　月　日) (実地検討の要否) 1. 要　2. 否 [理由]	(訪問年月日：年　月　日) (医療扶助の入院の要否) 1. 要　2. 否 1. 他法による入院 3. 他法による入院、退院を阻害している要因	(患者・家族への確認年月日) (患者等の意向、住居の状況等)	(退院に伴って要する措置・退院後の需要等)	年　月　日
	転院事前検討の有無		事後の場合の理由	入院日	退院日	入院期間(日数)		転院を行った理由	

転院を行う場合の対応及び頻回転院患者の実態把握について

		(地区名)	(医療機関名)	(入院年月日)	(検討年月日：年 月 日) (実地検討の要否) 1. 要 2. 否 [理由]	(訪問年月日：年 月 日) (医療扶助の入院の要否) 1. 要 2. 否 3. 他法による入院 (退院を阻害している要因)	(患者・家族へ の確認日 年 月 日) (患者等の意 向、住居の状況 等)	(退院に伴って 要する措置・退 院後の需要等)	(退院年 月日) 年 月 日
1. 新規			(ケース番号)						
2. 継続			(主な傷病名)						
[前回調査年月日]				年　月　か月					
年　月　日									
3	①	医療機関名	転院事前検討の有無	事後の場合の理由	入院日	退院日	入院期間(日数)	転院を行った理由	
	(現入院 転院 先まで)								

※ 「①新規・継続の区分」、「⑦書類検討」の「実地検討の要否」、「⑧実地検討」の「医療扶助の入院の要否」欄は、該当するものに○印を付すこと。

Ⅱ 生活保護法関係通知 第4章 医療扶助運営要領

様式2

調査票

地区担当員名：

1．患者氏名	（　　歳）男　女	2．住所			
3．主な傷病名	(1)　　　　(3)	4．初診日	(1)　　　　(3)	5．入院年月日	年　月　日
	(2)　　　　(4)		(2)　　　　(4)	6．入院期間	年　か月

7 過去入院歴	(1)医療機関名	(2)入院年月日	(3)退院年月日	(4)入院期間	(5)転院理由

主治医等からの意見聴取結果	8．訪問年月日	年　月　日（前回調査年月日：　　年　月　日）		
	9．医療機関名		10．主治医又は退院支援を担う者の氏名　　　（職名：　　　）	
	11．日常的に行われている医療行為その他特記すべき病状等			
	12．看護職員による看護提供の状況	(1) 定時の観察のみで対応　(2) 定時以外に1日1回～数回の観察及び処遇が必要 (3) 頻回の観察及び処遇が必要　(4) 24時間観察及び処遇が必要（理由：　　）		
	13．退院に係る問題点、課題等	(1) 患者の医学的状態が安定しない（　　　　　　　　　　　　　　） (2) 医療的状態は安定しており退院が可能 　ア　退院の日程は決定しており、退院待ちの状態 　イ　退院先は決定しているが、退院の日程が決定していない 　　a　自宅の受け入れ状況の調整中のため 　　b　介護施設等に受け入れが決定しているが、日程が未定のため 　　c　その他 　ウ　退院先も退院日程も決定していない 　　d　他の病院への転院が適切と考えられるが受け入れ先がない 　　e　介護施設、福祉施設等への入所が適切と考えられるが受け入れ先がない 　　f　退院に当たって導入する介護・福祉サービスの調整ができていない 　　g　適切な退院先がわからない 　　h　今後の療養に関する患者・家族の希望が決定していない 　　i　今後の療養に関する本人の希望と家族の希望が一致しないため 　　j　その他（　　　　　　　　　　　　　　　　　　　　）		
	14．予想される退院先	(1) 自宅　(2) 有料老人ホーム、サービス付き高齢者向け住宅、グループホーム等の施設 (3) 特別養護老人ホーム、介護老人保健施設等の介護施設又は障害者施設 (4) その他（　　　　　　　　　　　　　　　　　　　　）		
	15．総合判定	(1) 入院医療の必要性がある　ア　入院見込み期間（　年　月頃まで入院を要する）　イ　未定 (2) 入院医療の必要性がない　ア　通院要　イ　通院不要　ウ　介護要　エ　介護不要 (3) 他法による入院　ア　感染症の予防及び感染症の患者に対する医療に関する法律（結核に係るもの） 　　　　　　　　　イ　精神保健及び精神障害者福祉に関する法律		

患者及び家族の状況	16．身よりの有無	(1) 有（　人）　(2) 無	17．患者・家族への確認年月日	年　月　日
	18．退院にあたり障害のないもの	帰来先	(1) 自宅　(2) 扶養義務者宅　(3) 施設（　　　　） (4) その他（　　　　　　）	
	19．退院にあたり障害のあるもの	(1) 住居なし		
		(2) 住居あり	ア　住居が狭い又は老朽化している イ　家族が患者の引取を拒む ウ　患者が退院を嫌う エ　その他（　　　　　　　）	
	20．患者等への調査の結果予想される退院先	(1)「13」欄の退院先と同じ (2)「13」欄の退院先とは異なる（退院先：　　　　　　　）		
	21．退院に伴って要する措置・退院後の需要等			

※「10」欄は、意見聴取した主治医又は退院支援を担う者の氏名を記入すること。また、職名欄には医師、看護師、社会福祉士、精神保健福祉士等と記入すること。
※「12」～「16」、「18」～「20」欄は、該当する事項に○印を付すこと。
※「患者及び家族の状況」欄は、「15．総合判定」が「(2) 入院医療の必要性がない」とされた者についてのみ調査し、その結果を記入すること。

転院を行う場合の対応及び頻回転院患者の実態把握について

様式3

1 書類検討及び措置状況

	(1) 書類検討総数（以上転院があった者でその間2回九十日間連続して入院している者）	(2) 直近の転院が事前になかった者について、転院事由発生の書面連絡が適切中であるかに入院継続の必要性が無いとさ面検討の結果 (a+b+c)	(3) (2)の結果、明らかに入院の必要性がないとされた者面検討の結果 a	(4) (2)の結果、主治医等への書面検討による書面検討の結 b	(5) (4)のうち未措置の患者数	(6) (2)の結果、主治医等と意見調整を行う必要があるとされた者面検討の結果 (d+j)	(7) (6)のうち主治医等と意見調整を行った者 d	(8) (7)の結果入院継続が適切であるとされた者 e	(9) (7)の結果他の医療機関への転院の必要性があるとされた者 f	(10) (9)のうち未措置の患者数	(11) (7)の結果、医療扶助による入院の必要性がないとされた者 (h+i) g	(12) (11)のうち措置状況 小計 居宅保護 施設入所 A 他法への移替え その他 h	(13) (11)のうち未措置の患者数 i	(14) (6)のうち主治医等と意見調整を行っていない者 j
計														
今回報告分に係る状況														
前回報告分中未措置となっていた者														

※(1)については機械的に抽出するもの。

【参考】
(1) 実施要領2に該当する者
(2) 実施要領4(1)に該当する者
(3) 実施要領4(2)アで①に分類された者
(4) 実施要領4(2)アで②に分類された者
(6) 実施要領4(2)アで③に分類された者
(7) 実施要領4(3)ア(ア)を行った者
(8) 実施要領4(3)ア(イ)のうち「入院中の医療機関において入院継続を要する」とされた者
(9) 実施要領4(3)ア(イ)のうち「他の医療機関への転院の必要性がある」とされた者
(11) 実施要領4(3)ア(イ)のうち「医療扶助による入院の必要性がない」とされた者

2 施設の種類別入所状況（再掲）

		計（=1のA）	今回報告分	前回未措置分
施設の種類	計			

(参考様式)

転院事由発生連絡票

次の者については、これまで入院治療を行ってきましたが、下記のとおり転院の必要性が生じたため、連絡いたします。

転院事由発生日	
氏名	
現在入院中の医療機関名	
傷病名又は部位	(1) (2) (3)
傷病の程度	
転院が必要と認めた理由	
転院先予定医療機関(ある場合)	
その他連絡事項	

連絡票記載者：＿＿＿＿＿＿＿＿＿＿＿

○レセプト点検の適切な実施等について

平成27年3月31日　社援保発0331第16号
各都道府県・各指定都市・各中核市民生主管部(局)長　宛
厚生労働省社会・援護局保護課長通知

　レセプト点検の実施については、「生活保護法による医療扶助の適正な運営について」（平成12年12月14日社援第2700号厚生省社会・援護局長通知）等により、その適正な運営について、お願いしているところである。
　また、生活保護等版レセプト管理システム（以下「電子レセプトシステム」という。）については、レセプト点検の効果的・効率的な実施に資するため、これまでに抽出機能や分析機能の追加等を行っている。
　各自治体においては、電子レセプトシステムを活用する等、レセプト点検に取り組まれているが、一部では、取組状況や過誤調整率が低調な自治体も見受けられるところである。
　このため、下記により、電子レセプトシステムの活用によるレセプト点検の精度の向上及び平準化を行い、また、網羅性の向上を図ることとしたので、管内福祉事務所及び関係機関に対し周知徹底を図られたい。

記

1　レセプト点検の取組状況について
　電子レセプトシステムについては、昨年、活用状況について調査を行ったところ、ほぼ全ての自治体から、「点検時間・抽出時間の短縮により業務が効率化された」「早期改善に繋がった」との回答があった。また、電子レセプトシステムにおいては、頻回受診、重複処方、長期入院等のリストを作成する機能を備えており、多くの自治体において、適正受診指導等に活用されている。
　自治体によっては、さらに電子レセプトシステムを活用し、医療扶助の適正化等に取り組んでいる事例も見られるので、別添1の活用事例を参考とし、電子レセプトの更なる活用に努められたい。

2　レセプト点検の適切な実施について
　過誤調整率については、平成25年度の全国平均で0.88％（うち内容点検0.29％）であるが、各自治体別では大きくバラツキが見られる。
　レセプト点検（内容点検）における点検項目については、再審査請求事例を分析し、散見された事項から、電子レセプトシステム上に点検ルール群を設定しており（別添2参照）、過誤調整率が全国平均を下回るなど、低率な自治体においては、点検ルール群により、再審査の必要性が認められるレセプトを抽出・把握し、適切なレセプト点検を行うこと。
　また、レセプト点検においては、上記1の活用事例を参考とすること。

3　その他

(1) 紙レセプトの点検について
　電子レセプトシステムは、社会保険診療報酬支払基金から受領しているレセプトの形態が紙レセプトである場合、長期入院患者のリスト等、データ抽出の対象外となる。このため、紙レセプトの点検については、別途、適切に対応すること。
(2) 電子レセプトシステムの基本マスタ等の更新
　電子レセプトシステムの適切な実施のためには、基本マスタやバージョンアッププログラムの更新を確実に行う必要がある。更新が不十分な場合、画像生成に不具合が生じるなど、適切な審査が行われなくなることから、更新作業については、適宜、実施すること。

(別添1)

電子レセプトシステム活用事例

	活用事例		電子レセプトシステムによる対象レセプトの抽出方法
1	第三者加害行為の確認	第三者の不法行為等により生じた医療扶助等の給付について、該当レセプトを抽出。損害賠償請求等が適切に行われているかを確認する。	方法①（第三者行為レセの抽出）「閲覧・点検―抽出条件指定―」画面の「特記事項」から「10：第三」を指定し、「抽出」を選択。方法②（外傷レセの抽出）「閲覧・点検―期間指定」画面の「処理選択」を「レセ　第三者行為対象者」として、「開始」を選択。
2	通院実績の確認	医療扶助における移送の給付における通院証明書について、レセプト上の通院日数と突合し、適正な給付が行われているかを確認する。	「閲覧・点検―抽出条件指定―」画面の「基本項目1」から確認を行うケースのケース番号等を入力し、「抽出」を選択。
3	健康管理支援への活用	糖尿病により医療機関を受診している者に対し、重症化予防等の健康管理支援を実施する。	「閲覧・点検―抽出条件指定―」画面の「傷病コード」から、「コード種別(V)」を「傷病コード(119)」とし、一覧から「04　02　糖尿病」について、「→(6)」を選び、「抽出」を選択。
4	時間外等受診の確認	時間外等の受診について、医療機関が表示する診療時間内に受診が可能であるか確認する。	「閲覧・点検―抽出条件指定―」画面の「診療識別」から、「12：再診」「123：再診（時間外）」等を指定し、「抽出」を選択。
5	往診料等の算定に関する確認	往診料は、定期的ないし計画的な診療を算定できず、在宅患者訪問診療料は、継続的な診療の必要のない者や通院が可能な者に対して安易に算定してはならないとされている。また、同一建物居住者の場合については、報酬単位が下がる。	「閲覧・点検―抽出条件指定―」画面の「診療行為」から、「往診料」「在宅患者訪問診療料」等により絞り込みを行い、「抽出」を選択。

レセプト点検の適切な実施等について

		往診料等が算定されているケースについて、適切な算定となっているか確認する。	
6	過剰な検査と疑われるケースの確認	同一の検査が短期間に複数回行われているレセプトを抽出し、主治医等に確認を行う。	「閲覧・点検―抽出条件指定―」画面の「診療識別」から、「60：検査」を指定し、「抽出」を選択。
7	重複算定できない医学管理料の確認	同一月に算定できない医学管理料（特定疾患療養管理料、ウイルス疾患指導料、小児特定疾患カウンセリング等）が重複算定されていないか確認を行う。	「閲覧・点検―抽出条件指定―」画面の「診療行為」から、特定の医学管理料により絞り込みを行い、「抽出」を選択。
8	ケースワークへの活用	家庭訪問等の際に、当該被保護者のレセプトを確認し、訪問時の体調や、服薬状況の確認等に活用する。	「閲覧・点検―抽出条件指定―」画面の「基本項目1」から当該被保護者のケース番号等を入力し、「抽出」を選択。
9	特別養護老人ホーム等における給付の確認	特別養護老人ホーム等においては、配置医師による初診料、再診料等は算定できない取扱いとなっており、不適切な算定が行われていないか確認を行う。	「閲覧・点検―抽出条件指定―」画面の「基本項目1」から特別養護老人ホーム等に入所する被保護者のケース番号等を入力し、「抽出」を選択。
10	治験に対する給付の確認	保険外併用療養である治験にかかる診療については、原則として医療扶助の給付対象ではないため、不適切な給付が行われていないか確認を行う。	方法①（治験レセの抽出）「閲覧・点検―抽出条件指定―」画面の「特記事項」から「11：薬治」「12：器治」を指定し、「抽出」を選択。 方法②（治験レセ以外で、治験に関する診療の可能性のレセプトの抽出）「閲覧・点検―抽出条件指定―」画面の「診療行為」から、「治験」により絞り込みを行い、「抽出」を選択。
11	傷病手当金の支給に関する確認	傷病手当金意見書交付料が算定されているレセプトを確認し、傷病手当金が適切に収入認定されているか確認を行う。	「閲覧・点検―抽出条件指定―」画面の「診療行為」から、傷病手当金意見書交付料により絞り込みを行い、「抽出」を選択。
12	入院患者の他医療機関受診の場合の入院基本料の確認	入院中の患者が他医療機関を受診した場合、入院料が30％（又は15％）控除された点数により算定される取扱いとなっており、適切な算定が行われているか確認を行う。	「閲覧・点検―突合条件指定―」画面から、抽出期間を設定し、「左表示」を「医科入院」、「右表示」を「医科入院外」と「調剤」に指定し、「開始」を選択。
13	医科と施術の給付に関する確認	指定医療機関の医療の給付が行われている期間は、その疾病にかかるはり・きゅうは、給付の対象とはならない取扱いとなっており、当該給付が適切なものであるか確認を行う。	「閲覧・点検―抽出条件指定―」画面の「基本項目1」からはり・きゅうの給付を受けた被保護者のケース番号等を入力し、「抽出」を選択。

別添2　略

○生活保護法の医療扶助における向精神薬の重複処方の適正化等について

> 平成28年3月31日　社援保発0331第12号
> 各都道府県・各指定都市・各中核市民生主管部(局)長
> 宛　厚生労働省社会・援護局保護課長通知

　生活保護法（昭和25年法律第144号）の医療扶助における向精神薬の重複処方にかかる適正受診指導については、「生活保護法の医療扶助の適正な運営について」（平成23年3月31日社援保発0331第5号保護課長通知）等により実施されている。
　先般来、生活保護受給者による向精神薬の転売事案が報告されており、医療扶助の給付と精神通院医療（障害者の日常生活及び社会生活を総合的に支援するための法律（平成17年11月7日法律第123号）第58条に基づく自立支援医療のうち精神通院医療をいう。以下同じ。）の給付の間で向精神薬の重複処方がなされていたことが判明している。
　また、精神通院医療の活用については、「生活保護制度における他法他施策の適正な活用について」（平成18年9月29日社援保発第0929003号・社援指発第0929001号厚生労働省社会・援護局保護課・総務課指導監査室長連名通知）により実施されているが、他法他施策の優先活用の不徹底となっている事案が散見されているところである。
　これらを踏まえ、下記のとおり対応を定めるので、了知の上、管内の実施機関及び関係機関に周知されたい。
　なお、本通知については、厚生労働省社会・援護局障害保健福祉部精神・障害保健課と協議済みであることを申し添える。

記

1　医療扶助の給付と精神通院医療の給付の間における向精神薬の重複処方への対応について
　(1)　対象者の把握等
　　　福祉事務所は、生活保護等版レセプト管理システムを活用し、診療報酬明細書（以下「レセプト」という。）のうち、麻薬及び向精神薬取締法（昭和28年法律第14号）第50条の9に定める第1種向精神薬の記載があるレセプトを抽出・把握する。
　(2)　精神通院医療の支給認定の有無の確認
　　　福祉事務所は、(1)で把握されたレセプトに係る生活保護受給者について、生活保護基幹システムを活用する等により、精神通院医療の支給認定の有無について確認を行う。
　(3)　都道府県等自立支援医療担当部局への照会
　　　福祉事務所は、(2)で精神通院医療の支給認定を受けていることが確認された生活保護受給者について、生活保護法第29条第1項第1号に基づき、都道府県又は指定都市

の自立支援医療担当部局に対し、(1)の抽出を行った当月分の精神通院医療において向精神薬が処方されていないかについて照会を行う。
 (4) 精神通院医療において向精神薬の処方があった者への対応
　　(3)の照会の結果、医療扶助の給付と精神通院医療の給付の間において向精神薬の重複処方があったことが判明した生活保護受給者に関し、福祉事務所は、医療扶助における向精神薬の処方について、嘱託医への協議及び主治医等への確認を行い、不適切な処方であったことが判明した場合は、当該生活保護受給者に対し、適正受診指導を行うとともに、必要に応じ、適正受診指導の結果等について医療機関に対して情報提供を行う。
 (5) 確認の頻度
　　年1回以上の確認を行うこと。
2　精神通院医療の優先活用の徹底について
 (1) 対象者の把握等
　　福祉事務所は、生活保護等版レセプト管理システムを活用し、レセプトのうち、精神科デイ・ケア、精神科ナイト・ケア及び精神科デイ・ナイト・ケアの記載があるレセプトを抽出・把握する。
 (2) 精神通院医療の支給認定の有無の確認
　　福祉事務所は、(1)で把握されたレセプトに係る生活保護受給者について、生活保護基幹システムを活用する等により、精神通院医療の支給認定の有無について確認を行う。
 (3) 精神通院医療の優先活用の検討
　　福祉事務所は、(2)において、精神通院医療の支給認定を受けていることが確認された生活保護受給者に対し、精神通院医療により受診するよう指示する。一方、精神通院医療の支給認定を受けていないことが確認された生活保護受給者について、福祉事務所は、精神通院医療の適用の可能性について、嘱託医への協議及び主治医等への確認を行い、精神通院医療の適用の可能性がある者に対しては、直ちに適用に向けた申請指導を行う。
 (4) 確認の頻度
　　おおむね3か月ごとを目安に上記の確認を行うこと。
3　その他
　　社会保険診療報酬支払基金から受領しているレセプトが紙レセプトである場合は、生活保護等版レセプト管理システムにより抽出することができないことから、別途、紙レセプトにおける確認を徹底すること。

○生活保護の医療扶助における後発医薬品の使用促進について

平成30年9月28日　社援保発0928第6号
各都道府県・各指定都市・各中核市民生主管部(局)長宛　厚生労働省社会・援護局保護課長通知

〔改正経過〕

第1次改正　令和元年5月27日社援保発0527第1号

　後発医薬品は、先発医薬品と品質、有効性及び安全性が同等であるものとして厚生労働大臣が製造販売の承認を行っている医薬品である。

　後発医薬品は、一般的に開発費用が安く抑えられていることから、先発医薬品に比べて薬価が低くなっており、政府においては、患者負担の軽減や医療保険財政の改善の観点等から後発医薬品の使用促進を行っている。

　生活保護の医療扶助においても、従来から、「生活保護の医療扶助における後発医薬品に関する取扱いについて」（平成25年5月16日社援保発0516第1号厚生労働省社会・援護局保護課長通知）等により、後発医薬品の使用促進に努めてきたところであるが、生活困窮者等の自立を促進するための生活困窮者自立支援法等の一部を改正する法律（平成30年法律第44号。以下「改正法」という。）の一部が平成30年10月1日から施行され、後発医薬品の使用が原則化されることとなる。

　これに伴い、医療扶助における後発医薬品の使用に係る運用方法ついては、「生活保護法による医療扶助運営要領について」（昭和36年9月30日社発第727号厚生労働省社会局長通知）及び「生活保護法による医療扶助運営要領に関する疑義について」（昭和48年5月1日社保第87号厚生省社会局保護課長通知）を改正し、お示ししたところであるが、引き続き、後発医薬品の使用促進を図る必要があることから、下記の取組について、管内福祉事務所及び関係機関に対し周知徹底を図られたい。

　なお、本通知の施行をもって、「生活保護の医療扶助における後発医薬品に関する取扱いについて」（平成25年5月16日社援保発0516第1号厚生労働省社会・援護局保護課長通知）については廃止する。

記

1　後発医薬品の使用促進について
　(1)　国全体の取組
　　　後発医薬品（ジェネリック医薬品）の普及は、患者の負担軽減及び医療保険財政の改善に資すること等から、厚生労働省では、「後発医薬品のさらなる使用促進のためのロードマップ」を策定し、後発医薬品の使用促進に取り組んでいる。
　　　さらに、累次の診療報酬改定において、引き続き後発医薬品の使用促進のための環境整備を行っているところである。
　(2)　今般の法改正について
　　　行政や各医療保険者など国全体で後発医薬品の使用促進に取り組んでいる中、生活保護制度においては、平成25年の法改正により、医療機関等の関係者が生活保護受給

者に対し、後発医薬品の使用を促すことを法律上明確化したこと等により、着実に使用促進を進めてきた。

しかしながら、後発医薬品の使用をさらに促進するため、今般、改正法により、医師又は歯科医師が医学的知見に基づき後発医薬品を使用することができると認めた場合に、後発医薬品の使用を原則とすることとした。これにより、患者の希望のみを理由として先発医薬品が使用されることはなくなるため、先発医薬品の使用を希望する者に対し、先発医薬品を一旦調剤した上で、福祉事務所から服薬指導を含む健康管理指導の対象とすることにより後発医薬品の使用を促進するという、従来の取組は不要となる。ただし、医療機関や薬局に対し、在庫の確保などの後発医薬品使用促進の要請を行うことや、被保護者に対し制度について説明し、周知徹底を図ること等、後発医薬品の使用促進の取組は引き続き必要である。

(3) 経済・財政再生計画改革工程表の策定について

なお、政府においては、「経済財政運営と改革の基本方針2015」(骨太の方針2015)に盛り込まれた「経済・財政再生計画」を着実に実行するため、主要歳出分野ごとにＫＰＩを設定した改革工程表を平成27年12月に策定し、平成29年12月には当該工程表を改訂したところである。

後発医薬品については、「経済財政運営と改革の基本方針2017」(骨太の方針2017)において、2020年(平成32年)9月までに、医療全体での後発医薬品の使用割合を80％とする目標を掲げており、これを踏まえ、改革工程表においては、生活保護における後発医薬品の使用割合について、2018年度(平成30年度)までに80％とする目標を設定したところである。

2 生活保護受給者に対する周知

福祉事務所は、生活保護受給者に対して、リーフレットの送付や、家庭訪問の際に改めて説明する等により、後発医薬品は先発医薬品と同じ成分を同じ量含む医薬品であり、品質及び有効性、安全性が同等であることを厳正に審査したものであることや、医師または歯科医師により後発医薬品の使用が可能であると判断された場合は、原則として後発医薬品が調剤されることとなったことについて周知徹底を図ること。

なお、周知に当たっては、現に医療扶助が適用されているか否かにかかわらず広く行うこと。

3 指定医療機関及び指定薬局に対する取組

(1) 基本的な考え方

ア 後発医薬品は、先発医薬品と品質、有効性及び安全性が同等であると認められた医薬品であり、国全体で後発医薬品の使用促進に取り組んでいる。

イ 生活保護制度においては、処方医が一般名処方を行っている場合又は銘柄名処方であって後発医薬品への変更を不可としていない場合には、後発医薬品を使用することとする((2)のイの場合を除く。)。

(2) 指定薬局に対する取組

生活保護法の指定を受けている薬局(以下「指定薬局」という。)に対して、リーフレットの送付や、訪問して説明する等により、本取扱い及び以下の事項について理

解、協力を求めるとともに、当該福祉事務所における生活保護受給者に対する本取組の周知の状況についても説明すること。
 ア 指定薬局は、一般名処方による処方せん又は銘柄名処方であって後発医薬品への変更を不可としていない処方せんが発行された生活保護受給者に対して、後発医薬品を調剤することとする（イの場合を除く。）。
 イ ただし、一般名処方による処方せん又は銘柄名処方であって後発医薬品への変更を不可としていない処方せんが発行された生活保護受給者に対して、その時点で後発医薬品の在庫がない場合や、薬剤師による処方医への疑義照会により、先発医薬品を調剤することとなった場合等はこの限りでないこと。なお、指定薬局の在庫の都合によりやむを得ず先発医薬品を調剤した場合は、以後は、後発医薬品を調剤できるよう体制整備に努めるものとすること。
　　こうした場合には、指定薬局は別添１の様式を参考に、先発医薬品を調剤した事情等を記録すること。
 ウ 指定薬局は、上記イで記録した先発医薬品を調剤した事情等について、定期的に福祉事務所へ送付すること。なお、平成26年度診療報酬改定により、一般名処方が行われた医薬品について後発医薬品を調剤しなかった場合は、その理由について、「患者の意向」、「保険薬局の備蓄」、「後発医薬品なし」又は「その他」から最も当てはまる理由を調剤報酬明細書の摘要欄に記載することとされていることから、福祉事務所においてこれを確認し、先発医薬品を調剤した事情等について把握することは差し支えなく、当該情報については、生活保護等版電子レセプト管理システムによる把握が可能であるので、使用促進の取組に積極的に活用すること。
　　この場合、指定薬局による別添１の福祉事務所への送付は必要ないこと。
　　なお、薬剤師法（昭和35年法律第146号）第24条に基づく疑義照会の結果、先発医薬品が調剤された場合は、上記の「その他」に分類される点に留意されたい。
(3) 指定医療機関に対する取組
　　生活保護法（昭和25年法律第144号。以下「法」という。）の指定を受けている病院、診療所（以下「指定医療機関」という。）に対して、リーフレットの送付や、訪問して説明する等により、本取扱いについて理解を求めるとともに、福祉事務所における生活保護受給者に対する本取組の周知の状況についても説明すること。
　　なお、従来から、院内処方における後発医薬品の数量シェアが別に定める割合に満たない指定医療機関に対して、一般指導や個別訪問等により、その使用促進の要請を実施することとしていたが、これについても引き続き実施すること。
(4) 後発医薬品使用促進計画の策定
　　後発医薬品の使用割合が一定以下である都道府県、市及び福祉事務所を設置する町村（以下「都道府県等」という。）においては、取組を計画的に進めるため、別添２の様式例を参考として、後発医薬品の使用促進が低調である原因の分析や、対応方針の検討を行い、後発医薬品使用促進計画の策定を行うこと。
 ア 原因分析については、３の(2)のウに定める先発医薬品を調剤した事情を活用する等、実態把握を行った上で対応すること。

イ　対応方針については、関係機関への説明方法を明記するとともに、都道府県の本庁（以下「都道府県本庁」という。）において、管内自治体（指定都市及び中核市を除く。）の策定した後発医薬品使用促進計画を確認し、必要に応じて助言を行うこと。
　ウ　後発医薬品使用促進計画については、定期的に取組の結果を確認し、適宜計画の見直しを行うこと。
　エ　後発医薬品の使用促進について、都道府県等の取組状況を踏まえ、一定の基準を満たす都道府県等に対しては、医療扶助適正化等事業の補助に際し取組の評価を行うものであること。
　オ　後発医薬品使用促進計画の策定を行うものとする後発医薬品の使用割合の水準、自治体ごとの使用割合及びエに定める評価の基準については、別に定めるとともに、自治体における後発医薬品の使用促進に係る取組事例について情報提供を行うので、参考とされたい。
　カ　計画については、毎年度見直すこととし、直近の使用割合をもとに、取組とその効果の状況を踏まえ、必要な見直しを行うこと。
　キ　計画の進捗状況の把握については、生活保護等版電子レセプト管理システムを活用して、任意の月の使用割合を算出することが可能であるので、取組に関する進捗状況の管理に活用すること。
　ク　毎年度の計画については、各年度4月末までに策定するとともに、策定後、各自治体において適宜公表すること。
　ケ　都道府県本庁は管内自治体の策定状況について、別紙により毎年5月末までに厚生労働省社会・援護局保護課あて情報提供すること。
4　留意事項
(1)　都道府県等本庁は、本取組について、地域の職能団体に対し、説明を行い、協力を依頼すること。また、その際、要請の計画について予め協議することが望ましい。なお、管内自治体（指定都市及び中核市を除く。）については、必要に応じて都道府県等本庁と連携すること。
(2)　国全体での後発医薬品の使用促進においては、各都道府県で後発医薬品安心使用促進協議会（以下「都道府県協議会」という。）が設置されており、指定医療機関及び指定薬局や職能団体への説明については、都道府県協議会の場の活用が可能であること。
(3)　生活保護適正実施推進事業にかかる国庫補助金では、後発医薬品の使用促進など医療扶助の適正実施に係る取組を推進するため医療扶助相談・指導員を配置できるようにしているところであり、また、平成25年度より、地方交付税において、福祉事務所における健康面に関して専門的に対応できる体制を強化できるようにしていること。
(4)　後発医薬品は、医師又は歯科医師が医学的知見に基づき使用が可能と認めた場合に使用されるものであり、被保護者の同意の有無により処方が変更されるものではないため、法第27条に基づく指導指示の対象とはなり得ないこと。
別添2・別紙　略

(別添1) 様式例

生活保護受給者への先発医薬品の調剤状況

調剤を行った月日　令和　年　月調剤分

処方医が後発医薬品への変更を不可としていない（一般名処方を含む）場合に、先発医薬品を調剤した事情等

No	受給者氏名	生年月日	公費負担者番号	受給者番号	処方の品名：処方医の指示により処方Bとの種類別医薬銘柄（A薬名）	1 のため在庫がなかった後発医薬品	2 処方点に基づき薬剤師が医師に疑義照会を行い、処方医の判断で先発医薬品を調剤した（薬剤師法第24条）	3 後発医薬品より先発医薬品が安価又は同額のため先発医薬品で調剤した	4 品名調剤した先発医薬品
1			1　2						
2			1　2						
3			1　2						
4			1　2						
5			1　2						
6			1　2						
7			1　2						
8			1　2						
9			1　2						
10			1　2						

薬局名（住所）　　　　　　　　　　　　　　　連絡先

○医療扶助における向精神薬の重複処方の適正化に係る取組の徹底について（依頼）

```
令和4年12月9日　社援保発1209第1号
各都道府県・各市区町村民生主管部（局）長宛　厚生労
働省社会・援護局保護課長通知
```

　生活保護法（昭和25年法律第144号。以下「法」という。）の医療扶助における向精神薬の重複処方の適正化に係る取組については、「生活保護法の医療扶助の適正な運営について」（平成23年3月31日付け社援保発0331第5号厚生労働省社会・援護局保護課長通知）等により適正受診指導等が実施されている。

　先般、生活保護受給者が複数の医療機関から大量の向精神薬の処方を受け、それらを転売目的で所持していたとして、麻薬及び向精神薬取締法（昭和28年法律第14号）違反の疑いで逮捕されるという事案が発生した。今回の事案は、国民の最低限度の生活を保障することを目的とする生活保護制度に対する国民の信頼を揺るがす極めて深刻な問題であり、厳正な対応が必要である。

　これまでも、医療扶助における向精神薬の重複処方については、各福祉事務所等において、主治医等の協力をいただきつつ、適正受診に向けた指導等を行ってきた。一方で、今回の事案では、生活保護受給者が、医療機関及び薬局（以下「医療機関等」という。）を次々と変えて受診していたため、福祉事務所から医療機関等に対して、重複処方についての注意喚起を十分に行うことができなかったほか、福祉事務所閉庁時に医療券及び調剤券を持たずに医療機関等を受診することが多く、医療機関等が予め福祉事務所に医療券及び調剤券の発行の有無を確認できない状態が多かったという、福祉事務所と医療機関等との連携における課題が見受けられた。

　これを踏まえ、医療扶助における向精神薬の重複処方の適正化について、取組における留意点を以下のとおり示すので、これを踏まえ、改めて適正受診指導等の取組を徹底するよう、管内福祉事務所等に対して周知されたい。

記
向精神薬の重複処方への対応について

(1)　向精神薬の処方状況に係る実態把握

　　福祉事務所は、「生活保護法の医療扶助の適正な運営について」（平成23年3月31日付け社援保発0331第5号厚生労働省社会・援護局保護課長通知）を参照の上、診療報酬明細書の活用等により、被保護者が同一成分の向精神薬を複数の医療機関等から重複して処方されていないかの確認、及び、向精神薬の処方についてはその実態把握を徹底すること。

(2) 医療扶助の給付と精神通院医療の給付の間における重複処方の確認

福祉事務所は、「生活保護法の医療扶助における向精神薬の重複処方の適正化等について」（平成28年3月31日付け社援保発0331第12号厚生労働省社会・援護局保護課長通知）に基づいて、医療扶助において向精神薬の処方をされている者については、精神通院医療の支給認定の有無や、精神通院医療における向精神薬の処方状況を確認し、不適切な処方であったことが判明した場合については、適正受診指導を行う対応を徹底すること。

(3) 適正受診指導等の徹底

福祉事務所は、(1)で把握された被保護者について、嘱託医への協議及び主治医等への確認を行い、不適切と認められた事例について、主治医等への確認や医療機関等と協力し、適正受診指導等の徹底を図ること。その際、以下の点に留意すること。

① 処方されている薬剤の総量や頻度が顕著に多い等の状況を確認した場合は、必要以上の服薬が本人の健康状況へ悪影響を及ぼす可能性があることや、転売等の犯罪行為に繋がり得ることも踏まえ、速やかに嘱託医協議や主治医等への確認を行うこと。

その上で、不適切な服薬状況が確認された場合には、適正受診指導や服薬指導・服薬管理を行うこと。

② ①により被保護者への適正受診指導等を行った上で、それでもなお不適切な重複処方が改善されない場合は、必要に応じ、法第28条の規定に基づく検診命令等を行った上で、法第27条第1項に基づく指導若しくは指示を行うこと。

なお、これに従わない場合には、福祉事務所は所定の手続を経た上で、法第62条第3項に基づき保護の変更、停止又は廃止の処分を検討すること。

③ 医療扶助の給付を委託していない医療機関・薬局での受診や向精神薬の重複処方を確認した場合、速やかに当該被保護者に対して適正受診を指導することに加え、当該被保護者が受診した医療機関・薬局に対しても当該被保護者への向精神薬の処方に関する注意喚起をすること。合わせて、当該被保護者が受診した際には、かかりつけ医の受診を促すとともに、向精神薬を処方する際には、被保護者から他の医療機関・薬局での処方状況を聴取した上で、投与日数や投与量に注意を払ってもらうよう協力依頼を行うこと。

また、福祉事務所閉庁時の受診が特に多いと認められる場合、速やかにその内容を入念に確認し、適正受診指導を徹底すること。その上で改善が認められない場合は、被保護者に翌開庁日以降の受診を促すなどの協力を、医療機関・薬局に求めること。

④ ①及び③の取組の実施に当たっては、嘱託医や薬剤師（本庁又は福祉事務所に配置されている場合）等と連携の上、必要に応じて当該嘱託医や薬剤師に対し家庭訪問や医療機関等への訪問等への同行等の協力を仰ぐこと。

○生活保護の医療扶助における医薬品の適正使用の推進について

> 令和5年3月14日　社援保発0314第1号
> 各都道府県・各市区町村民生主管部(局)長宛　厚生労働省社会・援護局保護課長通知

　生活保護法（昭和25年法律第144号）の医療扶助については、「生活保護法による医療扶助運営要領について」（昭和36年9月30日社発第727号社会局長通知）等により、その適正な運営についてお願いしているところである。

　今後、医療扶助の更なる適正な運営に向けては、重複投薬の是正を始め、医薬品の適正使用を推進することが重要である。一方、医療扶助では、主に向精神薬の重複投薬に着目した取組は行ってきているものの、向精神薬以外の重複投薬の是正や多剤投与の適正化に着目した取組は広く実施されていない。

　また、複数疾患を有する患者では、併存疾患を治療するための医薬品の多剤服用等によって、薬物有害事象の発生や医薬品の飲み残し等につながっているとの指摘があり、医療保険では保険者等による医療機関及び薬局と連携した医薬品の適正使用に関する取組が進められている。

　このような状況を踏まえ、今般、下記のとおり対応を定めるので、了知の上、管内実施機関及び関係機関に周知されたい。

1　趣旨目的

　医療扶助における外来患者について、重複投薬や不適切な複数種類の医薬品の投与がみられる者（以下「重複・多剤投与者」という。）について、医師や薬剤師等医療関係者と連携して医薬品の適正使用に関する指導援助を行い、これら患者の支援の充実を図るとともに適正な保護の実施を確保することを目的とする。

　なお、多剤投与の指導対象者を選定するためのスクリーニングは一律の基準を用いて行うが、複数種類の医薬品の投与の適否については一概に判断できないため、一律に一定種類以上の医薬品の投与を是正することを目的とした取組は適当ではないことに留意が必要である。

2　重複・多剤投与の指導対象者の把握方法

(1)　処方内容等把握対象者の選定

　　福祉事務所においては、重複・多剤投与の指導対象者を選定するため、生活保護等版レセプト管理システムを活用し、診療報酬明細書（以下「レセプト」という。）から、以下のア及びイの基準に該当する者を抽出する。そのうち、施設入所者及び薬剤師による訪問薬剤管理指導・居宅療養管理指導の利用者を除いた者について、それぞ

れ処方内容や受診状況等(以下「処方内容等」という。)を把握する。
　処方内容等を把握する月については、1年のうち2月以上設定すること。
　ア　重複投薬者
　　同一月内に同一成分の医薬品(向精神薬を除く。)を2つ以上の医療機関から処方されている者とする。
　イ　多剤投与者
　　同一月内に15種類以上の医薬品の投与を受けている者とする。
(2) 重複・多剤投与者の指導台帳の作成
　処方内容等把握対象者について、別紙1―1及び別紙2―1を参考にして重複・多剤投与者の指導台帳(以下「指導台帳」という。)をそれぞれ作成し、必要事項を記載すること。
(3) 嘱託医や薬剤師等との協議
　処方内容等把握対象者について、レセプトや医療要否意見書等から処方内容と受診状況の全体を把握する。また、複数種類の医薬品の投与の適否については一概に判断できない点に留意しつつ、服薬状況等の情報も踏まえ、重複・多剤投与の指導対象とするか否かを嘱託医や薬剤師等と協議し、その協議の結果を指導台帳に記載する。
　なお、協議の結果、指導対象者を確定するために主治医訪問の必要性があると判断された者については、主治医訪問を行い、主治医から意見を聴取するほか、必要に応じて対象者に対する個別訪問等により確認した服薬状況や薬局薬剤師から聴取した情報等も踏まえて指導対象とするか否かを嘱託医や薬剤師等と協議すること。
　多剤投与の指導対象とすべきと判断した者については、個々の抱える問題を踏まえ、適正な処方種類数の目安の設定や指導内容等を協議し、その内容を指導台帳に記載すること。
(4) 重複・多剤投与の指導対象者
　処方状況等把握対象者のうち、2(3)の協議により指導すべきと判断した者を重複・多剤投与の指導対象者とする。
(5) 指導台帳の決裁及び援助方針の見直し
　重複・多剤投与の指導対象者と判断された者について、指導台帳を決裁に付すとともに、援助方針の見直しを行うこと。
3　重複・多剤投与者に対する指導
(1) 実施体制
　指導に当たっては、医師や薬剤師等医療関係者と連携し指導することが重要となるため、福祉事務所は、地域の実情に応じて、庁内の関係部局、地域の医療機関・薬局や医師会・薬剤師会等の関係機関との連携体制の構築を含め、実施体制の確立を図ること。
　また、指導にあたる薬剤師等に対して、対象者の世帯状況等に関する十分な事前説明を行うとともに、対象者に係るプライバシーの保護に十分留意させること。
(2) 指導方法

ア　重複投薬者
　　　指導台帳の決裁終了後、重複投薬者については、速やかに適正受診指導を行うこと。また、重複投薬の指導対象者のうち、処方されている薬剤の総量や頻度が顕著に多い場合は、本人へ指導した上、当該対象者が受診した医療機関・薬局に対して、投与日数や投与量に注意を払ってもらうよう協力要請を行うこと。
　イ　多剤投与者
　　　指導台帳の決裁終了後、多剤投与者については、2(3)で協議した内容に沿って指導を行うとともに、必要に応じ、指導の結果等について医療機関・薬局に対して情報提供を行うこと。
　　　多剤投与者に対する指導内容としては、例えば以下が考えられる。
　　・服薬管理方法の見直し等が必要な者に対する薬の管理方法・服薬の工夫に関する助言、お薬手帳の活用方法の助言、服薬に関する医療機関・薬局への相談勧奨
　　・不適切な受診行動がみられた者に対する適正受診指導
　　・指導対象者への薬剤通知や普及啓発パンフレットの送付
　　　また、多剤投与の指導対象者のうち、処方内容の調整が必要と考えられる場合は、医療機関・薬局に対して協力要請するとともに、本人に対して医療機関・薬局への相談勧奨を行い、必要に応じて同行すること。
　　　なお、重複・多剤投与の指導対象者が頻回受診指導の対象者と重複する場合は、一体的に指導すること。
4　改善状況の確認
　(1)　方法
　　　指導の結果、受診行動や処方種類数等が改善されたかどうかについては、翌月のレセプトにより確認すること。
　(2)　改善された者への対応
　　　改善された者とは、指導の翌月のレセプトにおいて、重複投薬者では不適切な受診が是正された者、多剤投与者では2(3)の協議により設定された適正な処方種類数の目安以下となった者である。改善が認められた場合は、指導台帳から削除するが、薬剤の減薬や変更等による健康影響がないか経過観察を行うこと。
　(3)　改善されていない者への対応
　　　改善されていない者については、設定された適正な処方種類数の目安、指導内容等を嘱託医や薬剤師等と再度協議し、必要な指導を行うとともに、当初の指導から6か月を経過しても改善が見られない場合は、改善されない理由を分析し、今後の援助方針を検討すること。
　　　また、頻回受診指導の対象者と重複する者で改善されていない者については、「頻回受診者に対する適正受診指導について」(平成14年3月22日付け社援保発第0322001号厚生労働省社会・援護局保護課長通知)に基づく頻回受診者に対する適正受診指導における対応方針に沿って一体的に対応すること。
5　報告

(1) 本庁への情報提供

　福祉事務所長は、指導台帳に登載されている者のうち、前年度（毎年4月診療分から翌年3月診療分まで）における重複・多剤投与者に対する指導結果の状況を、別紙1—2及び別紙2—2により毎年6月末までに本庁あて情報提供すること。

(2) 厚生労働省への情報提供

　本庁は、上記の結果を取りまとめ、別紙1—3及び別紙2—3により毎年7月末日までに厚生労働省社会・援護局保護課保護事業室宛て情報提供すること。

6　本庁の福祉事務所に対する指導監査

　本庁は、福祉事務所に対する生活保護法施行事務監査において、重複・多剤投与者に対する指導援助の状況を確認すること。

　なお、当該指導が未実施である福祉事務所、又は実施方法に問題のある福祉事務所に対しては、適切に実施できない背景として、どのような問題があるかなど、原因を踏まえた上で、適切な指導・助言を行うこと。

生活保護の医療扶助における医薬品の適正使用の推進について

別紙1－1　処方内容等把握対象者における重複投薬者の指導台帳

地区担当者名：

ケース番号	氏名	年齢	受診医療機関	重複投薬等把握対象者されている医薬品							嘱託医や薬剤師等協議結果	主治医からの主な聴取内容	援助方針	備考
				医薬品名	使用量	点数	回数	使用量×回数	点数×回数					
										1 重複投薬の指導対象である 2 重複投薬の指導対象ではない （特記事項）			
										1 重複投薬の指導対象である 2 重複投薬の指導対象ではない （特記事項）			
										1 重複投薬の指導対象である 2 重複投薬の指導対象ではない （特記事項）			
										1 重複投薬の指導対象である 2 重複投薬の指導対象ではない （特記事項）			
										1 重複投薬の指導対象である 2 重複投薬の指導対象ではない （特記事項）			

別紙1-2

○○年度　重複投薬者に対する服薬指導結果について

（福祉事務所　　　　　名）

処方内容等把握対象者数（指導台帳の記載人数）	嘱託医や薬剤師等協議の結果、指導対象外となった者（適切な受診であった者）	やむを得ない理由※1により指導が実施できない者	指導対象者数	指導実施者数	うち改善された者	備考※2

※1　指導を行う前に指導対象者が入院した場合、治ゆにより指導対象者が通院を終了した場合、指導対象者が保護廃止となった場合等である。

※2　通知に示された基準以外の方法で抽出している場合はその具体的な方法を記載する。

（注）処方内容等把握対象者数（指導台帳の記載人数）のうち、改善等により指導台帳から削除された者については、削除された年度においてのみ計上する。

別紙1-3

○○年度　重複投薬者に対する指導結果について

（都道府県・市　　　　　名）

福祉事務所名	処方内容等把握対象者数	嘱託医や薬剤師等の協議の結果、指導対象外となった者（適切な受診であった者）	やむを得ない理由※1により指導が実施できない者	指導対象者数	指導実施者数	うち改善された者	備考※2
計							

※1　指導を行う前に指導対象者が入院した場合、治ゆにより指導対象者が通院を終了した場合、指導対象者が保護廃止となった場合等である。

※2　通知に示された基準以外の方法で抽出している場合はその具体的な方法を記載する。

別紙2−1　処方内容等把握対象者における多剤投与の指導台帳

地区担当者名：

ケース番号	氏名	年齢	把握月	処方種類数	処方内容	受診状況			服薬状況等	嘱託医や薬剤師等協議結果	適正処方の種類数目安	指導内容	主治医からの主な聴取内容	援助方針	備考
						医療機関数	薬局数								
										1 多剤投与対象の指導対象である 2 多剤投与対象の指導対象ではない （特記事項）					
										1 多剤投与対象の指導対象である 2 多剤投与対象の指導対象ではない （特記事項）					
										1 多剤投与対象の指導対象である 2 多剤投与対象の指導対象ではない （特記事項）					
										1 多剤投与対象の指導対象である 2 多剤投与対象の指導対象ではない （特記事項）					
										1 多剤投与対象の指導対象である 2 多剤投与対象の指導対象ではない （特記事項）					

II 生活保護法関係通知 第4章 医療扶助運営要領

別紙2-2　　　　　　　　　　　　○○年度　多剤投与者に対する服薬指導結果について

(福祉事務所)　　　　名

処方内容等把握対象者数（指導台帳の記載人数)	嘱託医や薬剤師等協議の結果、指導対象外となった者	やむを得ない理由※1により指導が実施できない者	指導対象者数	指導実施者数	うち改善された者※2		改善された調剤費※4	備考※5
					人数	改善された処方種類数※3		

※1　指導を行う前に指導対象者が入院した場合、治ゆにより指導対象者が通院を終了した場合等である。
※2　適正な処方種類数の目安以下となった者である。
※3　指導により処方種類月から改善された処方種類数を記載する。
※4　指導により改善された処方に係る薬剤費を記載する。
※5　通知に示された基準以外の方法で抽出している場合はその具体的な方法を記載する。
(注)　処方状況等把握対象者数（指導台帳の記載人数）のうち、改善された場合等については、指導対象者から削除された年度において、削除された年度における指導台帳から削除された者については、指導台帳の記載人数）のみを計上する。

別紙2-3　　　　　　　　　　　　○○年度　多剤投与者に対する指導結果について

(都道府県・市)　　　　名

福祉事務所名	処方内容等把握対象者数	嘱託医や薬剤師等との協議の結果、指導対象外となった者（適切な処方である者）	やむを得ない理由※1により指導が実施できない者	指導対象者数	指導実施者数	うち改善された者※2		改善された調剤費※4	備考※5
						人数	改善された処方種類数※3		
計									

※1　指導を行う前に指導対象者が入院した場合、治ゆにより指導対象者が通院を終了した場合等である。
※2　適正な処方種類数の目安以下から改善された処方種類数を記載する。
※3　指導により改善された処方に係る薬剤費を記載する。
※4　指導により改善された処方に係る薬剤費を記載する。
※5　通知に示された基準以外の方法で抽出している場合はその具体的な方法を記載する。

○生活保護法による委託入院患者の適切な処遇の確保について

〔令和5年5月8日　社援保発0508第1号
各都道府県・各指定都市・各中核市民生主管部(局)長
宛　厚生労働省社会・援護局保護課長通知〕

　生活保護法に基づき指定医療機関に委託している入院患者の処遇については、地区担当員が定期的に病院訪問を行い、本人及び主治医等との面接により患者の病状や治療の状況等を把握するなど、積極的に医療扶助の実施に関わることにより、被保護入院患者の適切な処遇の確保を図ることとしている。

　令和5年4月25日、被保護者が入院する精神科病院において、病院内に勤務する看護師が入院患者に対する虐待（暴行）行為を行ったことや、病院管理者が院内で虐待行為が行われたことを把握できず、適切な対応を取ることができなかったことを処分理由として、東京都から当該精神科病院に対し、虐待行為の速やかな再発防止に向けて、具体的な対策を講じること等を内容とする精神保健及び精神障害者福祉に関する法律及び医療法に基づく改善命令が出された。

　そのため、他の指定医療機関に入院中の被保護者やその家族にも不安が生じることのないよう努めていく必要がある。

　については、福祉事務所においては、精神科病院に入院している被保護患者について、定期訪問の時期を前倒しする等早期に病院訪問を行い、本人及び主治医等との面接により、あらためて患者の病状、治療の状況及び療養環境等を把握し、なお一層適切な患者処遇が図られるようお願いする。また、訪問の結果、問題が認められた場合には、都道府県市本庁に対してその旨情報提供し、都道府県市本庁においては、精神保健福祉、国民健康保険及び後期高齢者医療主管部局並びに地方厚生局等関係機関と連携の上、適宜、個別指導等を行い、指定医療機関における医療扶助が適切に実施されるよう配慮されたい。なお、特に重大な問題が認められた事案については、本職に情報提供願いたい。

　また、今般の虐待事案について、令和5年2月17日、当局障害保健福祉部精神・障害保健課から各都道府県及び指定都市の精神保健福祉主管部（局）に対し、精神科病院における虐待が疑われる事案に対する指導監督の実施についての事務連絡が発出されているので了知されるとともに、今後さらに関係部局等との連携を図り、同様の事案の再発防止に努められたい。

○医療扶助における治療材料（眼鏡）の給付に係る取組の徹底について（依頼）

令和5年5月31日　社援保発0531第1号
各都道府県・各市区町村民生主管部（局）長宛　厚生労働省社会・援護局保護課長通知

　生活保護法（昭和25年法律第144号。以下「法」という。）の医療扶助における治療材料の給付については、「生活保護法による医療扶助運営要領について」（昭和36年9月30日付け社発第727号厚生省社会局長通知）（以下「医療扶助運営要領」という。）等に基づき実施されている。
　先般、生活保護受給者に対する眼鏡の給付について、取扱業者における店頭販売価格よりも高く、医療扶助の限度額に近い額で、福祉事務所に治療材料費用が請求されるという不適切な事案が発生した。
　これまでも、医療扶助における眼鏡の給付に当たっては、医療扶助運営要領において、要保護者より提出のあった給付要否意見書（治療材料）の記載に疑問がある場合には、記載した取扱業者に照会することとし、所要経費が適当でないと認められる場合には他の取扱業者にも照会して適正な給付を行うこととしており、全国会議の機会においてもこうした取扱いを周知したところである。
　一方で、今回の事案では、取扱業者が一般の販売価格より高い価格で請求し、過大な請求額のまま眼鏡の給付が行われ、取扱業者が示す価格が適当であるか否かを確認するといった運用方法に課題があったと考えられる。
　これを踏まえ、医療扶助における眼鏡の給付に当たって、取組における留意点を下記のとおり示すので、改めて、適切な運用を徹底するよう、管内福祉事務所等に対して周知されたい。

記

治療材料（眼鏡）の適正な給付への対応について
(1)　現行の治療材料（眼鏡）の給付における取扱いの徹底
　　治療材料（眼鏡）の給付に当たっては、福祉事務所は、医療扶助運営要領に基づき、被保護者から提出のあった「給付要否意見書（治療材料）」（以下「要否意見書」という。）の記載に疑問がある場合には、それぞれの記載者に照会し、所要経費が適当でないと認められる場合には他の取扱業者に照会して適正な給付を行うこととされている。
　　全国会議の機会においてもこうした取扱いを周知したところであるが、改めて、本取扱いを徹底すること。
(2)　要保護者に対する「店頭販売価格」の記載に係る周知及び取扱業者に対する確認

医療扶助における治療材料(眼鏡)の給付に係る取組の徹底について(依頼)

　福祉事務所は、医療扶助運営要領に基づき、治療材料(眼鏡)の給付につき申請があった場合、必要事項を記載した「要否意見書」を要保護者に交付し、すみやかに指定医療機関及び取扱業者において所要事項の記入を受け、福祉事務所に提出するよう指導することとされている。

　今回の事案を受け、福祉事務所は、上記に基づき要保護者に対して「要否意見書」を交付する際、取扱業者が記載する所要経費の金額は「店頭販売価格」を記載するものであること、また、原則として、取扱業者から「店頭販売価格」の分かる見積書(所要経費の内訳が分かるもの等)を「要否意見書」に添付し、福祉事務所に提出することについて、周知を行うこと。

　また、福祉事務所は、要保護者より「要否意見書」の提出があった場合、取扱業者が記載した所要経費が「店頭販売価格」となっているか等を要保護者に確認すること。なお、要保護者からの「店頭販売価格」であることの確認が困難である場合等には、必要に応じて、取扱業者に照会を行い、当該所要経費が適当な価格であることを確認すること。

2 実施手続関係

○災害のため診療報酬請求明細書関係書類等を喪失した場合の取扱について

> 昭和34年10月16日 社発第554号
> 各都道府県知事・各指定都市市長宛 厚生省社会局長通知

〔改正経過〕
第1次改正 平成12年3月31日社援第814号

標記については、下記により取り扱われたく通知する。

記

1 医療券等を喪失した指定医療機関等は、その旨を保護の実施機関に連絡し、当該月分に係る医療券等の再発行の手続をとること。
　保護の実施機関は、上の事実を確認のうえその旨を欄外に朱記した医療券等を再発行すること。
2 診療録等の診療記録を喪失した指定医療機関は、保護の実施機関等と連絡のうえ当該月に診療を行なった被保護患者について個々に診療内容を調査するとともに、前月分の診療報酬請求明細書等確実な基礎に基づいて請求書を作成し、保護の実施機関へ提出すること。
　保護の実施機関は、指定医療機関より提出された請求書について、その請求内容が確実な基礎にもとづいて算出されたものであることを確認したうえ、支払基金へ送付すること。
3 前記2により取り扱うことが事実上できない場合においては、当該指定医療機関は、保護の実施機関等と連絡のうえ前3か月間における診療報酬実績の平均月割額をもととして、当該月の診療報酬請求額を算出し、これにもとづき請求書を作成し保護の実施機関へ提出すること。
　保護の実施機関は、指定医療機関より提出された請求書について、診療報酬請求額の算出が正確であることを確認したうえ支払基金へ送付すること。

○保護変更申請書（傷病届）による医療扶助の取扱いについて

> 昭和47年12月1日　社保第194号
> 各都道府県・各指定都市民生主管部(局)長宛　厚生省
> 社会局保護課長通知

　標記については、医療扶助運営要領の定めるところにより、適正、かつ、円滑な実施を期しているところであるが、今般これが取扱いについて、下記に定めるように、示された要件が満たされたときは、医療要否意見書の提出を求めることなく期間を限って医療券を発行して差しつかえないこととしたので、了知のうえ、管下実施機関の指導および指定医療機関に対する趣旨の徹底により適正な実施を確保されたい。

記

　現行取扱いのうち、入院外医療扶助の併給開始又は変更申請の場合で明白に医療の必要があると認められるときは、医療要否意見書の提出を求めることなく、直ちに所要の手続きを完了したうえ、必要な医療券を発行することとしているところである。また、入院外医療扶助の診療継続を必要とする場合は、医療要否意見書の提出を求めたうえ、所要の手続きをとることとしている。

　したがって、現行取扱いでは、傷病届により入院外医療を開始したもので、開始月（月末開始の場合は、翌月を含む。）において転帰をみず、翌月以降診療継続を必要とするときは、開始月の翌月分の医療券を発行する前にあらかじめ医療要否意見書の提出を求め、翌月以降における医療の要否を検討することとして取扱ってきたところである。

　今回の改正は医療扶助の決定に当たり、事前に医療の要否・程度を検討する原則に変更はないが、傷病届により医療が開始されたものの今後の取扱いに当たっては、医療開始後翌々月末までに限り、医療要否意見書の提出を求めることなく必要な医療券を発行して差しつかえないこととしたものである。

　この取扱いの変更により、保護の実施機関および指定医療機関における事務処理の簡素化並びに被保護患者の受診の便が図られることに留意のうえ、的確な事務処理を行なうよう、実施機関に対して指導されたい。

　また、この取扱いの円滑な実施を図るため、次の事項についてあらかじめ指定医療機関等関係機関と十分連絡をとること。
1　傷病届により開始したものに係る翌月以降の医療要否の確認について
　　被保護者からの届出励行、地区担当員による実態把握および指定医療機関からの連絡等により、翌月以降分の医療券を発行するまでに、各月毎に医療要否を確認すること。この場合において医療の要否・程度の把握について必要があるときは、医療要否意見書の提出を求めること。

(1) 被保護者からの転帰・病状などの届出については、傷病届に基づき医療券を発行する際に、十分教示すること。(医療扶助運営要領第3の2の(5)のオ)

なお、従来より被保護者が医療券を提出せず受診することは、急迫した状況にある場合を除き、認められないので、あらためて指定医療機関に対し、あらかじめ十分この旨を伝達し、協力を求めるほか、保護の申請時、訪問時等においてもあらかじめ被保護者に対し、十分この旨を教示すること。

(2) 指定医療機関との連絡は、指定医療機関の協力が得られる場合、連絡票(医療券を指定医療機関に直接送付する方式のときに、医療券の受領書中に、翌月継続医療の要否等必要最少限の事項を簡潔に記載させる方法等)等の採用により、翌月分の医療券を発行するまでに翌月における医療要否について連絡を受け、または、委託患者について、所要の確認を行なうこと。

(3) 地区担当員による病状その他の実態把握においては、患者・家族または主治医を訪問して医療継続の要否・程度その他保護の決定実施上参考となる事項を把握し、療養態度・稼働能力活用等について十分検討することによって、慢然と医療を受ける等不適当なものの防止に努めること。(医療扶助運営要領第3の3の(2))

なお、医療扶助患者の増大傾向と、手厚い援護を必要とする者の増加がみられることにかんがみ、他法他施策の活用を図るほか、実施機関の医療扶助を運営するにあたっては、査察指導機能の充実による訪問計画の改善、地区担当員による受療状況等実態の把握確認などが効率的に行なわれるよう創意工夫を図ること。

2 傷病届による開始後3か月を超えて医療扶助の継続を必要とするものの取扱いについて

傷病届による開始後3か月を超えて医療扶助の継続を必要とするものについては、4か月目以降の医療券を発行する時期すなわち、医療開始後翌々月の月末までに、医療要否意見書の提出を求めるとともに、地区担当員の実態把握結果等に基づき、症状経過、現在の病状、今後の治療見通しにつき、嘱託医による医療要否の技術的検討を行なったうえ、医療継続の要否を決定すること。この場合において必要があると認められるときは、医療要否意見書に検査結果等の記入を求めること。

○併給入院外患者に係る医療要否意見書の徴取期間の延長の取扱いについて

〔昭和49年4月1日　社保第60号
各都道府県・各指定都市民生主管部(局)長宛　厚生省
社会局保護課長通知〕

標記については、医療扶助運営要領（昭和36年9月30日社発第727号）の一部が昭和49年4月1日社保第59号をもって改正されたことに伴い、同日付で実施されることになったが、その実施については、次の事項に留意のうえ、遺憾のないよう取り扱われたい。

1　趣旨

　今回の改正は、指定医療機関及び保護の実施機関における事務処理の簡素化並びに被保護患者の受診の便宜を考慮し実施するものであるが、とくに、指定医療機関に対して改正の趣旨の徹底を図ることは勿論のこと、医療扶助事務が煩雑であるという理由で指定を受けていない医療機関に対してもその趣旨を説明し、指定促進の一助とするものであること。

2　実施上の留意事項

(1)　今回の改正は、併給入院外患者に係る医療の要否の検討に関し、他の方法で要否を確認できる場合に翌々月までの間に限り医療要否意見書の提出を求めることなく医療券を発行できることとされていたものを、医療開始後第6月までの間に延長したものであり、医療要否意見書の検討以外の方法によって、医療の要否の検討（医療継続の確認）ができる場合に行なわれる措置であることは従来と同様であること。

(2)　翌月以降の医療の要否の確認については、「保護変更申請書（傷病届）による医療扶助の取扱いについて（昭和47年12月1日社保第194号各都道府県、指定都市民生主管部（局）長あて厚生省社会局保護課長通知）」の1の(1)から(3)によること。ただし、同通知の1の(2)の連絡票の採用に当たっては、指定医療機関の協力が得られることを条件とし、極力、指定医療機関の事務が増加することのないようにすること。

　なお、医療の要否、程度の把握について必要がある場合は、医療要否意見書の提出を求めること。

(3)　医療開始後6か月を超えて医療扶助の継続を必要とする者の第7月以降の医療の要否の検討に当たっては、地区担当員の実態把握結果等に基づき、過去の症状、現在の病状、今後の治療、見通しにつき、重点的に審査することとし、この場合において必要があると認められるときは、医療要否意見書に検査結果等の記入を求めること。

○生活保護法による医療券等の記載要領について

> 平成11年8月27日　社援保第41号
> 各都道府県・各指定都市・各中核市民生主管部(局)長
> 宛　厚生省社会・援護局保護課長通知

〔改正経過〕

第1次改正	平成18年3月31日社援発第0331001号	第2次改正	平成28年3月31日社援発0331第7号
第3次改正	平成31年3月29日社援保0329第9号	第4次改正	令和元年5月27日社援保0527第1号

　今般、平成11年8月27日社援第2087号厚生省社会・援護局長通知をもって「生活保護法による医療扶助運営要領について」(昭和36年9月30日厚生省社会局長通達)の一部が改正されたことに伴い、生活保護法による医療券又は調剤券(以下「医療券等」という。)の記載要領を別紙のとおり定め、平成12年4月1日から適用することとしたので、生活保護法による医療扶助の取扱いに遺憾のないよう関係機関に周知徹底を図られたい。
　なお、平成6年10月14日社援保第205本職通知「生活保護法による医療券・診療報酬明細書等の記載要領について」は、平成12年4月1日をもって廃止する。
(別　紙)
　　　生活保護法による医療券等の記載要領
1　医療券の作成
　(1)　「医療券・調剤券」の調剤券の文字を抹消すること。
　(2)　診療年月「令和　年　月分」欄には、被保護者が診療を受ける年月を記載すること。この場合、医療券は暦月を単位として発行するものであることに留意すること。
　(3)　「公費負担者番号」欄には、医療券発行福祉事務所の所定の番号8桁を記載すること。
　(4)　「受給者番号」欄には、受給者区分6桁、検証番号1桁、計7桁の算用数字を組み合わせたものとすること。番号については、被保護者ごとに固定化することとし、月ごとに変更する必要はない。また、「生活保護法による医療扶助の適正な運営について」(平成12年12月14日社援第2700号厚生省社会・援護局長通知)に基づく資格審査の実施について万全を期すこと。
　　　検証番号は、「保険者番号等の設定について」(昭和51年8月7日保発第45号、庁保発第34号厚生省保険局長・公衆衛生局長・薬務局長・社会局長・児童家庭局長・援護局長・社会保険庁医療保険部長通知)により設定すること。
　(5)　「有効期間」欄には、診療の給付が月の中途を始期又は終期とする場合は、それにより有効期間を記載すること。
　(6)　「氏名」欄には、被保護者の姓名を記載すること。
　　　なお、電子計算機により医療券を作成する場合で例外的に漢字を読み替えたカタカナを使用するときは、姓と名の間にスペースをとること。

(7) 「男・女」欄は、該当する文字を○で囲むこと。
　　なお、被保護者本人から戸籍上の性別を記載してほしくない旨の申し出があり、やむを得ない理由があると保護の実施機関が判断した場合は、欄外又は裏面を含む医療券全体として、戸籍上の性別が指定医療機関で容易に確認できるよう配慮すれば、性別の表記方法を工夫しても差し支えない。
(8) 「明・大・昭・平・令　年生」欄は、該当する元号を○で囲み、生まれた年を記載すること。
　　なお、1歳に満たない者（ただし、社会保険等他法給付のある患者については6歳に満たない者）についてのみ生まれた月を次の例により記載すること。
　　例（平成26年2月生まれの場合）
　　　　　　明・大・昭・㊢・令26年2月生
(9) 「居住地」欄には、被保護者の居住地を記載すること。
(10) 「指定医療機関名」欄には、被保護者を委託する指定医療機関名を記載すること。
(11) 「傷病名」欄には、医療要否意見書等記載の傷病名（歯科の場合は、「傷病名又は部位」）を記載し、傷病届により医療券を発行するときは、「備考」欄に被保護者の症状を記載すること。
　　なお、被保険者の資格喪失後における継続療養の給付期間中に発生した傷病については、社会保険の給付は行われないので、その傷病名及びその旨を「備考」欄に記載すること。
(12) 「診療別」欄は、該当する文字を○で囲むこと。
(13) 「本人支払額」欄は、福祉事務所長が医療券を発行する際に記載すること。
　　なお、本人支払額を記載する場合においては、当該本人支払額に10円未満の端数があるときはこれを切捨てるものとし、本人支払額がない場合はその欄に斜線を引くこと。
(14) 「地区担当者名」欄には、医療券作成後内容点検を行った地区担当員名を記載すること。
(15) 「取扱担当者名」欄には、医療券交付事務取扱責任者名（医療事務担当者名）を記載すること。
(16) 「福祉事務所長印」欄には、医療券発行福祉事務所の名称を記載した上所長印を押印すること。
(17) 「社会保険（健は健康保険、共は共済組合を示す。）、結核予防法第34条」の欄は、該当する文字を○で囲むとともに、「その他」の欄には、前記以外の他法の名称及び傷病名を記載すること。

2　調剤券の作成
(1) 「医療券・調剤券」の医療券の文字を抹消すること。
(2) 「指定医療機関名」欄には、調剤を委託する指定薬局名を記載し、その下に処方せんを発行した医療機関名を括弧書きで記載すること。
(3) 前記のほか、医療券の記載要領の(2)から(9)まで及び(12)から(17)までと同様であること。

○生活保護法による医療扶助における医療券等様式（診療報酬等請求様式）の変更に伴う留意事項等について

> 平成11年8月27日　社援保第42号
> 各都道府県・各指定都市・各中核市民生主管部(局)長
> 宛　厚生省社会・援護局保護課長通知

　今般、平成11年8月27日社援第2087号厚生省社会・援護局長通知をもって「生活保護法による医療扶助運営要領について」（昭和36年9月30日厚生省社会局長通知）等の一部が改正され、生活保護法による医療扶助における医療券又は調剤券（以下「医療券等」という。）の様式が平成12年4月から変更されることとなったので、別紙事項に留意の上、指定医療機関に対する周知及び指導を行う等医療扶助の運営に遺憾のなきを期されたい。

（別　紙）
1　指定医療機関に対する周知及び指導について
　　指定医療機関に対し、次の事項に留意の上、周知及び指導を行われたいこと。
　　なお、指定医療機関における医療券等の保管期間については、管下福祉事務所におけるレセプトの点検期間を考慮し、各都道府県市において定めることとされたいこと。
（1）有効な医療券等の確認
　　被保護者の診療又は調剤の給付に当たって医療券等を確認するとともに、医療券等を有しない被保護者であって緊急を要する場合には、診療後速やかに福祉事務所に連絡し、医療券等を受領の上で、診療報酬等を請求すること。
（2）医療券等からレセプトへの必要事項の転記
　　医療券等からレセプトへ必要事項を転記すること。
　　この場合、特に公費負担医療の受給者番号欄については、毎月異なる受給者番号を転記することとなるので、福祉事務所が交付する医療券等の受給者番号を確認し、正確に転記すること。
（3）医療券等の保管及び処分
　　医療券等は、福祉事務所における支払済レセプトの点検により疑義が生じ、資格確認等の照会を行う場合に必要となることから、福祉事務所における確認作業が終了するまでの間、保管すること。
　　また、福祉事務所における確認作業終了後は指定医療機関の責任の下、処分すること。
2　レセプト点検等の徹底について
　　次の事項に留意の上、レセプト点検等を徹底されたいこと。
（1）福祉事務所においては、レセプト審査の際、現在行われている審査に加えて、レセ

プトが交付した医療券等に基づく請求であること及び指定医療機関における医療券等からレセプトへの転記が正確であることについて、医療券交付処理簿とレセプトとの照合により確認すること。
(2) 都道府県市本庁においては、管下福祉事務所に対する指導監査の際、医療券交付処理簿とレセプトとの照合状況について確認すること。

○保険者番号等の設定について(抄)

> 昭和51年8月7日　保発第45号・庁保発第34号
> 各都道府県知事・各政令市市長・各特別区区長宛　厚生省保険・公衆衛生・薬務・社会・児童家庭・援護局長・社会保険庁医療保険部長連名通知

〔改正経過〕

第1次改正	昭和52年10月1日保発第46号
第2次改正	昭和54年7月12日保発第39号
第3次改正	昭和58年1月31日保発第8号・衛発第59号・庁保発第2号
第4次改正	昭和59年9月22日保発第90号・健医発第340号・庁保発第23号
第5次改正	昭和60年2月26日保発第20号・健医発第213号・庁保発第2号
第6次改正	平成元年2月16日保発第7号・老健発第8号・庁保発第3号
第7次改正	平成元年7月31日保発第65号・老健発第50号・健医発第934号
第8次改正	平成5年3月31日保発第30号・社援更第104号
第9次改正	平成8年6月24日健医発第782号・老健発第162号・保発第72号・庁保発第22号
第10次改正	平成11年3月29日健医発第508号・老発第170号・保発第65号
第11次改正	平成11年3月30日老発第183号・保発第68号・庁保発第8号
第12次改正	平成18年9月29日保発第0929004号
第13次改正	平成19年3月30日保発第0330004号
第14次改正	平成20年3月31日保発第0331012号
第15次改正	平成20年9月30日保発第0930002号
第16次改正	平成21年12月28日保発1228第4号
第17次改正	平成24年2月29日保発0229第8号
第18次改正	平成24年3月30日保発0330第3号
第19次改正	平成26年12月24日保発1224第4号
第20次改正	平成28年10月31日保発1031第1号
第21次改正	平成30年11月26日保発1126第3号
第22次改正	令和3年3月31日保発0331第4号

先般、療養の給付及び公費負担医療に関する費用の請求に関する省令(昭和51年8月2日厚生省令第36号)が、公布され、診療報酬請求書、診療報酬明細書等に保険者番号、公費負担者番号、公費負担医療の受給者番号又は医療機関コード若しくは薬局コード(以下「保険者番号等」という。)を記載することとされたことに伴い、これら保険者番号等を設定することが必要となったが、これが取扱いについて別添「保険者番号、市町村・公費負担者番号、老人医療・公費負担医療の受給者番号並びに医療機関コード及び薬局コード設定要領」(以下「要領」という。)に基づき、次のとおり定めたので、これが周知徹底を図り、その実施に遺憾なきを期されたい。

記
1　略
2　公費負担者番号の設定について
　　公費負担者番号の設定については以下によるものとする。
(1)　略
(2)　生活保護法による医療扶助（第15条関係）
　　福祉事務所ごとに、定めるものとし、具体的な番号の設定については、別途通知するものであること。
(3)～(25)　略
3～5　略
別添　略

○診療報酬請求事務の簡素化に伴う留意事項について

　　　　　　昭和51年8月7日　　社保第135号
　　　　　　各都道府県・各指定都市民生主管部(局)長宛　厚生省
　　　　　　社会局保護課長通知

〔改正経過〕
　　　　第1次改正　昭和62年4月1日社保第35号

　社会保険と公費負担医療及び2以上の公費負担医療が組合せで行われる場合の診療報酬請求事務の簡素化及び日本鉄道共済組合に対する診療報酬請求の審査及び支払の委託に伴う取扱いについては、本年8月7日付保発第44号、庁保発第33号「療養の給付及び公費負担医療に関する費用の請求に関する省令等の施行について」、同保発第45号、庁保発第34号「保険者番号等の設定等について」厚生省保険局長、同公衆衛生局長、同薬務局長、同社会局長、同児童家庭局長、同援護局長及び社会保険庁医療保険部連名通知及び本年8月7日付社保第133号「生活保護法による医療扶助運営要領の一部改正について」厚生省社会局長通知により都道府県知事（指定都市市長）あて通知されたところであるが、これに伴う診療（調剤）報酬請求に係る公費負担者番号を別紙1のとおり設定し、関係通知を別紙2及び別紙3のとおり改正するので、下記事項に留意のうえ、診療報酬請求事務の簡素化に伴う医療扶助の運営に遺憾のないよう関係機関に周知徹底を図られたい。

記
第1　診療（調剤）報酬請求事務に係る公費負担者番号の設定について
　　診療の給付及び公費負担医療に関する費用の請求に関する省令（昭和51年厚生省令第

36号)により、改正後の診療(調剤)報酬明細書(以下本通知において「明細書」という。)には、公費負担者番号を記載することとされたことに伴い、今後医療(調剤)券、診療(調剤)報酬明細書及び併用分医療券、調剤券に記載される公費負担番号は別紙のとおり設定したので、この番号によるとともに、今後新たに保護の実施機関が設置された場合及び名称の変更等の場合については、貴職において設定し、関係機関に連絡すること。

第2 医療機関コード及び薬局コードの設定について

療養の給付及び公費負担医療に関する費用の請求に関する省令(昭和51年厚生省令第36号)により、改正後の診療(調剤)報酬請求書及び明細書に医療機関コード及び薬局コード(以下単に「医療機関コード」という。)を記載することとされたことに伴い、医療機関コードの設定に当たっては、次の事項に留意し関係機関と連絡調整し、指定医療機関等の指導に遺憾のないよう配慮すること。

1 既に指定医療機関等の指定を受けている医療機関に係る医療機関コードの設定については、都道府県支払基金事務所で作成した医療機関コード一覧表に基づき行うこと。

2 1の場合において前記医療機関コード一覧表に記載されていない医療機関に係る医療機関コードについては、支払基金等関係機関と連絡調整のうえ設定すること。

3 1及び2により設定した医療機関コードの指定医療機関等に対する通知に係る事務は、すべて支払基金において行うこととなっているので、同基金と連絡調整すること。

4 新たに生活保護の指定医療機関等の指定を行う場合の医療機関コードの設定及び指定医療機関への通知は貴職において支払基金等関係機関と連絡調整のうえ行うこと。

この場合、生活保護で指定を行う医療機関等の多くは社会保険の指定を受けているので、医療機関コードを設定する前に、都道府県保険課(部)と連絡調整のうえ行うこと。

第3 連名簿に係る知事決定について

1 社会保険等との併用分患者については、明細書に代えて連名簿が作成されること及び日本鉄道共済組合を新たに審査及び支払機関として委託することとなったことに伴い、診療報酬額の知事決定に伴う審査についての「診療報酬の知事決定に伴う審査について」(昭和44年7月9日社保第166号本職通知)を別紙2のとおり改めることとした。

2 これによる知事決定は、次により取扱うこととされたいこと。

(1) 診療報酬の知事決定は、被保護者の本人支払額との関係等本法独自の事項及び診療内容について行うこととされており、診療報酬請求額の適否については事前に支払基金審査委員会及び日本鉄道共済組合に設置される医療に関する審査機関の審査を経ているので、連名簿によって知事決定を行うものであること。

(2) 知事決定に当たっては、いたずらに機械的な処理をすることなく日数と決定点数の関係等連名簿において審査可能なものは極力実施するとともに、生活保護の実施

機関においても知事決定済連名簿の確認事務を行うよう指導すること。
(3) 審査の結果、問題があると認められる場合は、支払基金に照会するなどの決定に遺憾のないよう措置をすること。

第4 医療扶助受給者の実態把握について
1 社会保険等との併用分患者については、明細書に代えて連名簿が保護の実施機関に送付されてくることに伴い「生活保護法による医療扶助受給者の実態把握について」（昭和45年4月1日社保第72号本職通知）（昭和46年4月1日社保第59号本職通知）をそれぞれ別紙3のとおり改めることとしたこと。
2 連名簿に基づく当該通知における長期入院及び長期外来患者の実態把握については、社会保険事務所等に明細書の内容を照会して行うことが望ましいことではあるが、要否意見書、患者家族の実態調査及び主治医訪問の結果等をもとに連名簿を参考として行っても差しつかえないこと。

第5 その他
1 生活保護法による医療扶助と他の公費負担医療が組合せで行われる場合の明細書は結核予防法に基づく医療に関する給付を除き保護の実施機関に送付されることとなったが、これが明細書について他の公費負担医療の照会に対応できるよう整理保管すること。
2 併用分医療券・調剤券については指定医療機関で保管することとなるが、公費負担者番号等の誤記により、その資格の確認を必要とする事例が生じることも予測されるので、保護の実施機関において連名簿の審査が終了するまでの間は、指定医療機関等で保管するよう指導すること。
3 従来、医療（調剤）券、診療（調剤）報酬明細書の裏面に記載していた指定医療機関等及び被保護者患者へのお知らせの欄を指定医療機関等においてもすでに周知されていることでもあるので、今回の改正とともに削除することとしたが、本人支払額等のように生活保護法における独自の取扱いがあるので指定医療機関等の指導に際しては、これらの取扱いの趣旨を徹底させるとともに、新たに被保護者となった者に医療券等を発行する場合には、その取扱いについて十分説明すること。
4 処方せんは、保険医療機関及び保険医療養担当規則（昭和33年厚生省令第15号）第23条に規定する様式によることとされたところであるが、単独分医療券について7桁を超える交付番号を設定する保護の実施機関については、当該処方せんの「公費負担医療の受給者番号」欄を取り繕って記載するよう指定医療機関を指導すること。

別紙1～3 略

○生活保護法による医療扶助における診療報酬請求方式の一部改正について

> 平成13年3月22日　社援保発第14号
> 各都道府県・各指定都市・各中核市民生主管部(局)長
> 宛　厚生労働省社会・援護局保護課長通知

　平成13年3月22日社援発第474号厚生労働省社会・援護局長通知「「生活保護法による医療扶助運営要領について」の一部改正について」(以下「改正通知」という。)により、医療法の一部を改正する法律(平成9年法律第125号)による改正前の医療法(昭和23年法律第205号)第4条の規定による承認を受けていた病院(以下「旧総合病院」という。)について、生活保護法による医療扶助における診療報酬請求の方式が改正されることとなった。

　ついては、下記の点に留意の上、医療扶助の適正な運営に遺憾なきを期されたい。

　なお、3については、社会保険診療報酬支払基金と協議済であるので、念のため申し添える。

　おって、本通知は技術的助言・勧告として行うものである。

記

1　改正事項

　「生活保護法による医療扶助運営要領について」(昭和36年9月30日社発第737号厚生省社会局長通知)(以下「運営要領」という。)第3の4の(6)において、医療扶助受給者のうち他法併用のない者が、旧総合病院において互いに関連のない傷病について複数の診療科で診療を受ける場合、歯科にかかるものを除き、従来1枚の診療報酬明細書(以下「レセプト」という。)に各診療科分の明細をまとめて記載することとしていた部分が削除されたこと。

　このため、今後の旧総合病院におけるレセプトの記載については、療養の給付、老人医療及び公費負担医療に関する費用の請求に関する省令(昭和51年厚生省令第36号)に定めるレセプトの記載要領である「診療報酬明細書等の記載要領等について」(昭和51年8月7日厚生省保険局医療課長・歯科医療管理官通知)に準拠し、他法における取扱いと同様、外来において、2以上の診療科にわたって診療を受けた場合には、診療科ごと別個にレセプトを記載することとされたい。

2　留意事項

(1)　医療要否意見書及び医療券の取扱い

　今回の改正において、医療要否意見書及び医療券の取扱いは何ら変更されていないため、引き続き、医療要否意見書及び医療券は、医科と歯科の別を除き、医療機関単位で発行すること。

　また、旧総合病院において入院外治療を受けている者が、月の中途に当該治療と直

接関連しない傷病により新たに同じ病院の他の診療科で入院外治療を受けようとする場合、運営要領第3の2の(3)の各号の一に該当する場合を除き、保護の変更は必要なく、また、運営要領第3の1の(3)のウの各号の一に該当する場合、医療要否意見書を別途提出させる必要はないこと。なお、運営要領第3の2の(5)のキにより医療券の補正を行う必要があること。
(2) レセプト点検における留意点
　福祉事務所においては、レセプト点検に当たっては、特に医療券（(1)により補正を加えた場合は補正後の医療券）に基づく適正な診療報酬請求であるかの点検及び基本診察料の重複の有無等の点検について徹底されたいこと。
3　適用時期
　本取扱いは、平成13年4月の診療に係る診療報酬請求から適用されること。
　なお、平成13年3月以前の診療であって、平成13年5月以降に診療報酬請求を行うものについても、本取扱いによることとして差しつかえないこと。

○生活保護法の医療扶助におけるＣＳＶ情報によるレセプトの保存について

> 平成22年3月31日　社援保発0331第2号
> 各都道府県・各指定都市・各中核市民生主管部(局)長宛
> 厚生労働省社会・援護局保護課長通知

　生活保護法の医療扶助における診療報酬明細書等については、「診療報酬の知事決定に伴う審査について」（昭和44年7月9日社保第166号）に基づき、福祉事務所が保管することとされていますが、今般、「療養の給付及び公費負担医療に関する費用の請求に関する省令」（昭和51年厚生省令第36号）及び「保険医療機関又は保険薬局に係る光ディスク等を用いた費用の請求等に関する取扱いについて」（平成20年2月20日保総発第0220001号）を踏まえ、標記について下記のとおり取り扱うこととしましたので、各福祉事務所に周知の上、保護の実施に遺漏のないよう配慮していただきたい。
　なお、本通知は、地方自治法（昭和22年法律第67号）第245条の9第1項及び第3項の規定による処理基準としたので申し添えます。

記
　　　　レセプトが光ディスク等又はオンラインによりＣＳＶ情報として提出された場合の原本性確保について（基準）
1　診療（調剤）報酬明細書情報（以下「ＣＳＶ情報」という。）を原本として保存する場合
(1)　各レセプトの診療時点における基本マスタとの突合により、当該ＣＳＶ情報からレ

セプトの記載内容を確認できるようにしておくこと。また、十分な耐久性を有する媒体を使用し、保存期間中は紙による出力が可能な状態であること。
 (2) レセプト保存に係るシステム管理責任者を置くとともに、運用管理規程を作成すること。
 (3) 保存されているＣＳＶ情報について、特定の役職員以外の者がアクセスできないようパスワードを設けるなど適切な措置を講じること。また、故意又は過失による虚偽入力、書換え又は消去ができないよう管理上の措置を講じること。
 (4) バックアップのため、ＣＳＶ情報の複製（コピー）を行う場合には、当該ＣＳＶ情報が保存されている媒体とは異なる媒体に複製（コピー）である旨を明示したうえで保存すること。
2　ＣＳＶ情報をレセプト画像に変換し、原本として保存する場合
 (1) ＣＳＶ情報をレセプト画像に変換し、原本として保存する場合には、レセプト画像が保存された媒体に、ＣＳＶ情報より作成したものである旨を明示し、収録の完了したＣＳＶ情報を原本として取り扱わないこと。
 (2) その他レセプト画像の取扱については、1のＣＳＶ情報の取扱いと同様とすること。
3　1及び2による原本を紙に出力し、原本として保存する場合
 (1) 原本として保存されているＣＳＶ情報又はレセプト画像を紙に出力し、原本として保存する場合には、システム管理責任者の承認を得るとともに、出力後の処理状況及び履歴を適正に管理するなど原本が複数存在しないようにすること。
 (2) (1)による紙への出力は、1枚に限り行うとともに、出力後の紙に修正が加えられた場合には、修正が加えられた紙を新たな原本として取り扱うこと。
 (3) 原本として保存されているＣＳＶ情報又はレセプト画像を、再審査請求のために紙に出力する場合は、(1)と(2)の取扱いに準ずること。

○医療扶助における移送の給付決定に関する審査等について

平成20年4月4日　社援保発第0404001号
各都道府県・各指定都市・各中核市民生主管部(局)長　宛
厚生労働省社会・援護局保護課長通知

〔改正経過〕

第1次改正　平成22年3月12日社援保発0312第1号　　第2次改正　平成25年3月29日社援保発0329第5号
第3次改正　令和3年1月7日社援保発0107第1号

　医療扶助の移送費については、今般、「生活保護法による医療扶助運営要領の一部改正について」（平成20年4月1日社援発第0401005号）により、その取扱いが示されたところであるが、その給付決定に関する事務手続き等について下記のとおり定めたので、各福祉事務所に周知の上、保護の実施に遺漏のないよう配慮されたい。
　なお、本通知は、地方自治法（昭和22年法律第67号）第245条の9第1項及び第3項の規定による処理基準としたので申し添える。

記

1　趣旨・考え方

　医療扶助の移送については、生活保護法による保護の基準（昭和38年4月1日厚生省告示第158号）において「移送に必要な最小限度の額」とされていたところ、各自治体においてその取扱いが必ずしも統一されていなかったことから、今般、給付方針、給付範囲等の基準とともに審査等の手続きについても明確化を図ることとする。
　移送の給付の必要性については、診察、治療等に係る医療扶助の給付の必要性とは別途の観点から判断する事項（移送の必要性、交通手段の妥当性等）があり、また同一の病態にある当該地域の他の患者との均衡を失しないよう福祉事務所において責任をもって審査する必要がある。
　移送の給付の範囲は、生活保護法による医療扶助運営要領について（昭和36年9月30日社発第727号厚生省社会局長通知）第3の9の(2)給付の範囲（以下、単に「移送の給付範囲」という）のアからクまでに掲げる場合において給付を行うものであるが、このうち、アからエまでの場合には、医療扶助独自の給付であることから、より根拠のある形での審査等が福祉事務所に求められることとなる。
　また、オからクまでの場合には、国民健康保険の例に該当するかどうかを検討した上で支給することとなる。
　いずれの場合においても、不必要な給付は論外であるが、支給する場合であっても受給者間での不公平が生じないようにするほか、経済的かつ合理的な経路による必要な最小限度の範囲で支給するなど、国民の目線に立った運用が肝要である。

2　基本的な手続きの流れ

　移送の給付は、原則として、被保護者からの事前の申請に基づき行われるものであ

り、その基本的な手続きの流れは、別紙1のとおりである。申請に当たっては「生活保護法による医療扶助運営要領について」（昭和36年9月30日社発第727号厚生省社会局長通知。以下「医療扶助運営要領」という。）に定める様式第12号を利用すること。
3 給付手続き
　被保護者から申請のあった移送の給付について、その内容を検討した結果、移送の給付範囲のアからクまでに該当するときは、以下の事項について十分な検討を行った上で、給付を決定すること。
　給付の決定に当たっては、移送により医療扶助に基づく適切な療養を受けることを指示すること。
　ア　移送の給付範囲のアに該当する場合
　　(ｱ)　給付対象となる医療機関の適否
　　　　受診する医療機関について、被保護者の病状・障害等を勘案し、徒歩や自転車等で通院できる範囲内に適当な医療機関がないか検討すること。
　　　　また、受診医療機関の範囲は、原則として、要保護者の居住地等に比較的近距離に所在する医療機関に限ることとされていることから、当該医療機関での対応が困難な場合には、特に、その必要性について十分な検討を行うこと。
　　　　必要な医療の提供が可能な医療機関のうち要保護者の居住地等に比較的近距離に所在する医療機関であるかについて、嘱託医協議、主治医訪問等により調査を行い、一般世帯の通院の状況も参考に判断すること。それに加え、嘱託医及び主治医以外の医師の意見（以下「セカンドオピニオン」という。）を得るため、福祉事務所が指定する医療機関で検診を受けさせる検診命令（以下単に「検診命令」という。）を適宜活用すること。
　　(ｲ)　給付対象となる交通機関の適否
　　　　移送の際に利用する交通機関については、電車・バスのほか、医療機関が運行する病院バスなど、一般の運送事業者以外の交通手段の有無についても確認を行った上で、経済的かつ合理的な経路・方法により通院が可能な交通機関を、福祉事務所において決定すること。
　　(ｳ)　給付対象となる通院日数、通院頻度の適否
　　　　移送の給付との関係で通院日数、通院頻度に疑義がある場合には、嘱託医協議、主治医訪問等により調査を行うこと。それに加え、セカンドオピニオンを得るための検診命令を適宜活用すること。
　イ　移送の給付範囲のイに該当する場合
　　(ｱ)　給付対象となる医療機関の適否
　　　　必要な医療の提供が可能な医療機関のうち要保護者の居住地等に比較的近距離に所在する医療機関に限ることとされていることから、当該医療機関での対応が困難な場合には、特に、その必要性について十分な検討を行うこと。
　　　　受診する医療機関への通院が移送の給付の対象となるかについては、嘱託医協議、主治医訪問等により調査を行い、一般世帯の通院状況も参考に判断すること。

それに加え、セカンドオピニオンを得るための検診命令を適宜活用すること。
(イ) 給付対象となる交通機関の適否
　　一般世帯の通院手段と被保護者の病状・障害等の状況等に照らして判断することが基本となる。タクシー等の利用については、病状・障害等の状況からタクシー等を必要とする真にやむを得ない理由があるか検討を行うこと。
　　地域の実態料金や複数事業者の見積り等を踏まえ、経済的かつ合理的な経路及び方法となっているか確認すること。
(ウ) 給付対象となる通院日数、通院頻度の適否
　　移送の給付との関係で通院日数、通院頻度に疑義がある場合には、嘱託医協議、主治医訪問等により調査を行うこと。それに加え、セカンドオピニオンを得るための検診命令を適宜活用すること。
(エ) 費用の適否
　　複数の受診科目において治療を必要とする場合については、その必要性を確認するとともに、同一医療機関における同日での受診の可否など、最も経済的な方法での受診についても併せて検討を行うこと。
　　また、介護料金等について、介護保険法、障害者の日常生活及び社会生活を総合的に支援するための法律等により通院等の介助に係るサービスが活用できる場合は、当該介護サービスの活用を図ること。
4　給付決定の際の被保護者への説明
　事前申請の場合には、対象となる被保護者に対して、以下の点について、周知徹底を図ること。また、給付に際しては、通院する医療機関において必要事項の記載を受けた通院証明書を事後的に福祉事務所に提出させるよう指示すること。
ア　移送の給付については、福祉事務所が経済的かつ合理的な経路・手段として認めたものに限り給付を行うものであり、福祉事務所が認めた以外の経路・手段を用いたことにより余分にかかる交通費については、給付の対象と認められないこと。
　　また、休日・夜間等における急病等の場合を除き、事前に申請のなかったものは、給付の対象とならないこと。
イ　給付の対象となる範囲は、療養に必要な最小限度の日数に限られるものであり、容体の急変などやむを得ない理由がある場合を除き、当該日数を超えた受診にかかった交通費については、移送費の給付対象として認められないこと。
ウ　タクシー等の利用を認めた場合については、タクシー等を利用した際に領収書（レシート）をもらうとともに、後日、福祉事務所に領収書（レシート）を提出すること。領収書（レシート）の無いものについては給付対象として認められないこと。
エ　タクシー等の利用について、受診している時間の待機料については原則として給付対象とはならないこと。
5　通院実績等の確認
(1)　通院証明書の提出及び確認
　　被保護者から事後的に通院証明書を提出させ、移送の給付対象とした日数と差異が

ないか、レセプトに記載された日数と差異がないか確認すること。それにより、通院日数が移送の給付対象とした日数より過小であった場合については、乗車券又は費用の返還等必要な措置を講じること。

なお、過払いが生じた場合については、「生活保護法による保護の実施要領について」（昭和38年4月1日社発第246号厚生省社会局長通知）<u>第10の2の(8)</u>の取扱いにより返還対象となる金額について次回支給月以後の収入充当額として計上するか生活保護法（昭和25年法律第144号）第63条の規定に基づく返還措置を講ずること。

(2) 移送の所要金額の確認

移送に要した費用については、領収書（レシート）によりその金額を確認すること。特にタクシー等による移送の場合、1回当たりの所要金額が、通院先までの距離等に照らして妥当な金額であるか、往復時のそれぞれの料金や複数回の平均所要額と比較して著しく高額な金額となっていないか確認を行い、著しく高額なものについては、正当な理由が認められる場合を除き、通院先までの一般的な金額や平均所要額により移送費の給付を行って差し支えないこと。ただし、不正受給に該当する場合又はそれが疑われる場合については、速やかに関係先調査を実施し、不正受給を行ったケースに対しては生活保護法第78条に基づく費用徴収、特に悪質なケースについては告発を検討するなど、厳正な対応を行うこと。

また、手書きの領収書など提出書類に疑義がある場合については、必要に応じて運送業者へ確認するなどの点検を行うこと。

6 給付内容の内部点検

(1) 通院の必要性

移送を給付したケースについては、医療機関や交通機関の選定、通院日数、費用等の妥当性について、要否意見書等で病状等に変化があった場合には、その都度に検証を行うこと。

また、要否意見書等により、病状等に変化がないと確認される場合であっても、医療扶助運営要領第3の3の(1)に基づき、医療扶助継続の要否を検討する際には、移送の給付内容の適否についても併せて点検を行うこと。

(2) 費用の妥当性

介護車両による移送を行っているケースについては、運送業者の選定（料金の妥当性）について、少なくとも6か月ごとに点検を行うこと。

なお、点検に当たっては、タクシー等による移送を行っているケースについては別紙2の点検表を、介護車両や福祉自動車等による移送を行っているケースについては別紙3の点検表を参考にして組織的な点検を行うこと。

また、点検により問題があった場合については、速やかに是正措置を講じること。

7 その他

本通知については、医療扶助における移送の給付決定に関する審査等の取扱いを定めたものであり、診察、治療等、移送以外の医療扶助全体の取扱いを規定したものではないことに留意されたい。

II 生活保護法関係通知 第4章 医療扶助運営要領

別紙1
【移送費の給付決定に関する決定事務のフローチャート】

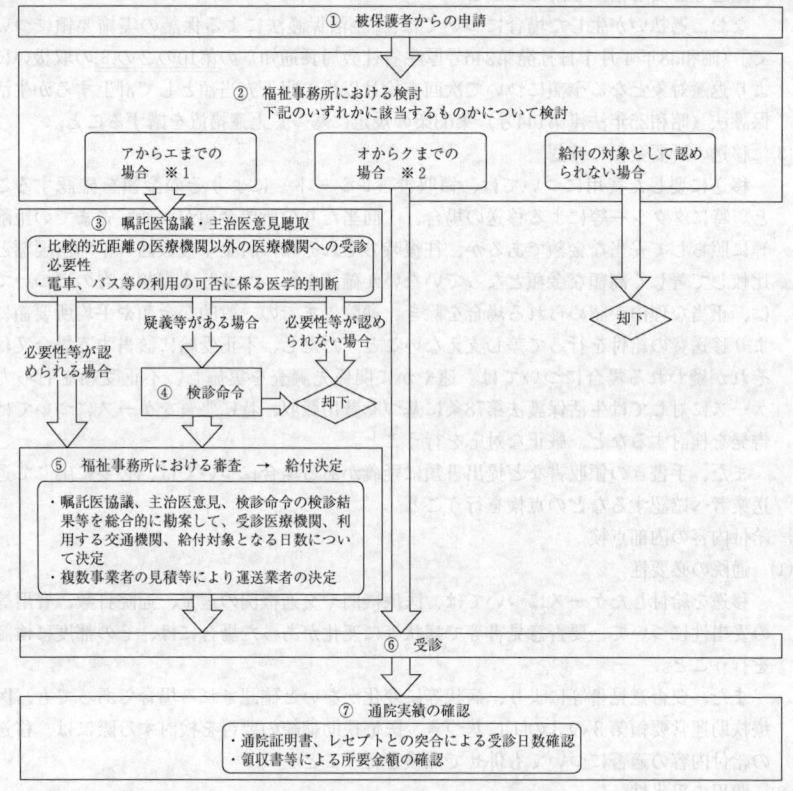

（※1）
- ア 医療機関に電車・バス等により受診する場合で、当該受診に係る交通費が必要な場合
- イ 被保護者の傷病、障害等の状態により、電車・バス等の利用が著しく困難な者が医療機関に受診する際の交通費が必要な場合
- ウ 検診命令により検診を受ける際に交通費が必要となる場合
- エ 医師の往診等に係る交通費又は燃料費が必要となる場合

（※2）
- オ 負傷した患者が災害現場等から医療機関に緊急搬送される場合
- カ 離島等で疾病にかかり、又は負傷し、その症状が重篤であり、かつ、傷病が発生した場所の付近の医療機関では必要な治療が不可能であるか又は著しく困難であるため、必要な医療の提供を受けられる最寄りの医療機関に移送を行う場合
- キ 移動困難な患者であって、患者の症状からみて、当該医療機関の設備等では十分な診療ができず、医師の指示により転院する場合
- ク 移植手術を行うために、臓器等の摘出を行う医師等の派遣及び摘出臓器等の搬送に交通費又は搬送代が必要な場合（ただし、国内搬送に限る。）

別紙2

通院移送費（タクシー）点検表

　　　　　　　　　　　　　　　　　　　　　　　　　　　　　　　　福祉事務所

ケースNo.		被保護者名		年齢		担当者名	

医療機関名		点検対象月	年　　月分
病名			
移送経路			
給付日数	日	給付金額	円

1　医療機関の選定

(1) 通院先は、要保護者の居住地等に比較的近距離に所在する医療機関となっているか。　□はい　□いいえ

(2) (1)で「いいえ」の場合
　　その医療機関に通う必要性について検討されているか。　□はい　□いいえ※

　　当該医療機関に通う必要性は　[　　　　　　　]　のため

(3) 複数の医療機関に通院していないか。　□はい　□いいえ

(4) (3)で「いいえ」の場合
　　複数の医療機関に通う必要性について検討されているか。　□はい　□いいえ※

　　複数医療機関に通う必要性は　[　　　　　　　]　のため

2　タクシー移送の必要性

(1) タクシー移送の必要性について検討されているか。　□はい　□いいえ※

(2) 嘱託医協議、主治医意見聴取、検診命令等が必要に応じて行われているか。　□はい　□いいえ※

　　タクシー移送を必要とする理由は　[　　　　　　　]　により一般交通機関での通院が困難なため

　　※身障手帳等、必要性を証明するものの有無　□有　□申請中　□無

3　通院日数

(1) 通院日数の妥当性について検討が行われているか。　□はい　□いいえ※
　　検討方法　□主治医調査　□嘱託医協議　□給付要否意見書（意見書記載の範囲内）
　　　（複数選択可）

4　給付金額及び領収書の精査

(1) 領収書の日付は通院証明書の日付（通院日）と一致しているか。　□はい　□いいえ

(2) 通院先から見て1回当たりの料金は妥当か。　□はい　□いいえ※

(3) 身障施策（タクシー料金の割引等）の活用は検討されているか。　□はい　□いいえ※

別紙3

通院移送費(介護車両)点検表

_____ 福祉事務所

ケースNo.		被保護者名		年齢		担当者名	

医療機関名		点検対象月	年　　月分
病名			
移送経路			
給付日数	日	給付金額	円

1　医療機関の選定

(1) 通院先は、要保護者の居住地等に比較的近距離に所在する医療機関となっているか。　　□はい　□いいえ

(2) (1)で「いいえ」の場合
　　その医療機関に通う必要性について検討されているか。　□はい　□いいえ※
　　当該医療機関に通う必要性は [　　　　　] のため

(3) 複数の医療機関に通院していないか。　□はい　□いいえ
(4) (3)で「いいえ」の場合
　　複数の医療機関に通う必要性について検討されているか。　□はい　□いいえ※
　　複数医療機関に通う必要性は [　　　　　] のため

2　介護車両移送の必要性等

(1) 介護車両移送の必要性について検討されているか。　□はい　□いいえ※
(2) 嘱託医協議、主治医意見聴取、検診命令等が必要に応じて行われているか。　□はい　□いいえ※
　　介護車両移送を必要とする理由は [　　　　　] により通院に際し介助が必要なため
　　※身障手帳等、必要性を証明するものの有無　□有　□申請中　□無
(3) 介護保険又は障害者施策による通院介助の活用について検討されているか　□はい　□いいえ※
(4) 他の運送事業者との料金比較など、運送事業者の選定が適切に行われているか　□はい　□いいえ※

3　通院日数

(1) 通院日数の妥当性について検討が行われているか。　□はい　□いいえ※
　　検討方法　□主治医調査　□嘱託医協議　□給付要否意見書(意見書記載の範囲内)
　　(複数選択可)

4　給付金額及び領収書の精査

(1) 領収書の日付は通院証明書の日付(通院日)と一致しているか。　□はい　□いいえ
(2) 通院先から見て1回当たりの料金は妥当か。　□はい　□いいえ※
(3) 身障施策(タクシー料金の割引等)の活用は検討されているか。　□はい　□いいえ※

○生活保護法による医療扶助の特別基準の取扱いについて

> 平成22年3月30日　社援保発0330第1号
> 各都道府県・各指定都市・各中核市民生主管部(局)長　宛
> 厚生労働省社会・援護局保護課長通知

　生活保護法による医療扶助における指定医療機関の診療方針及び診療報酬については、国民健康保険の診療方針及び診療報酬の例によっており、この例により難い療養等について、原則として給付の対象としないが、「生活保護法による保護の基準」(昭和38年厚生省告示第158号) 第2号の規定により、「要保護者に特別の事由があって、前項の規定によりがたいときは、厚生労働大臣が特別の基準を定める」とされ、例外的に給付を行うことが可能となっている。
　この特別基準の設定の手続きについては、「生活保護法による医療扶助運営要領について」(昭和36年9月30日社発第727号厚生省社会局長通知) の第2の2の(7)に規定しているところであるが、今般、下記のとおり特別基準の設定の手続き等を定めたので通知する。

記

1　対象となり得る治療等の範囲
　(1)　国民健康保険、健康保険の診療における取扱い等により難い場合
　(2)　医療扶助運営要領第3の6の(3)のアの(ｱ)に掲げる以外の治療材料が2万5000円を超える場合
2　特別基準の設定の判断基準
　次に掲げるいずれの要件にも該当すること。
　(1)　上記1の(1)の場合
　　ア　生命の維持に直接関係があると認められること
　　イ　他に代替できる治療法等がないこと
　　ウ　研究(試験)的に用いられているものではないこと
　(2)　上記1の(2)の場合
　　生命の維持に直接関係がなくても、日常生活を維持していくためには、その方法以外に方法がないもの
3　特別基準の設定の手続
　(1)　各福祉事務所での対応
　　ア　特別基準の設定が必要であると思慮される場合には、当該治療法等における主治医の意見を聴取するとともに、検診命令により主治医以外の専門医からの意見を聴取するものとする。
　　　なお、治療材料の費用が2万5000円以内の場合には、必要に応じて都道府県(指定都市・中核市を含む。以下同じ) 本庁の嘱託医等から意見を聴取した上で給付すること。

イ 意見聴取の結果、特別基準の設定が必要であると思慮される場合には、次の書類を添付し、都道府県知事（市長）あてに下記資料の提出をするものとする。
　(ア) 保護台帳その他世帯の概況が分かる資料
　(イ) 保護決定調書
　(ウ) ケース記録（保護開始日と特別基準設定申請に関係ある部分）
　(エ) 実施機関の意見（特別基準の設定を必要とする理由等）
　(オ) 主治医の意見書・診断書及び診療に係る診療報酬明細書、主治医以外の専門医による意見書・診断書、その他患者の病状について、上記2の(1)のアからウまで又は(2)に該当するか否か判断を行うために必要な資料
　(カ) 当該療養等に要する費用が分かる資料
　(キ) 医療要否意見書
　(ク) 治療材料の場合は治療材料のパンフレット等その概要が書かれている書類等
(2) 都道府県本庁での対応
　都道府県本庁は福祉事務所から上記3の(1)の資料の提出を受けた際には、当該資料の他に、嘱託医等の意見を添付し、特別基準の設定を必要とする理由を付して厚生労働大臣あて情報提供を行うものとする。
(3) 厚生労働省での対応
　必要に応じて、当該疾病に関する学会有識者の意見を求めた上で、特別基準の設定を行うものとする。

○未承認薬・適応外薬に関する医療扶助特別基準の取扱いについて

（平成23年3月31日　社援保発0331第13号
各都道府県・各指定都市・各中核市民生主管部（局）長宛　厚生労働省社会・援護局保護課長通知）

〔改正経過〕
　第1次改正　令和元年5月27日社援保発0527第1号　第2次改正　令和3年1月7日社援保発0107第1号

　生活保護の医療扶助においては、国民健康保険における保険外併用療養費に係る療養について、原則として給付の対象としないが、「生活保護法による保護の基準」（昭和38年厚生省告示第158号）第2号の規定により、「要保護者に特別の事由があって、前項の規定によりがたいときは、厚生労働大臣が特別の基準を定める」とされ、例外的に給付を行うことが可能となっている。
　この特別基準の設定の手続きについては、「生活保護法による医療扶助運営要領について」（昭和36年9月30日社発第727号厚生省社会局長通知）の第2の2の(7)に規定しているところであるが、今般、下記のとおり未承認薬・適応外薬（欧米では使用が認められているが、国内では承認されていない医薬品や適応をいう。以下同じ。）に関する特別基準の

未承認薬・適応外薬に関する医療扶助特別基準の取扱いについて

設定の手続き等を定めたので通知する。
　また、これに伴い、「未承認薬に関する医療扶助特別基準の取扱いについて」（平成20年3月12日社援保発第0312001号）は廃止する。

記

1　対象となり得る未承認薬・適応外薬の範囲
　　「医療上の必要性の高い未承認薬・適応外薬検討会議」（別添1参照）において、医療上の必要性が高いと判断された未承認薬・適応外薬
2　特別基準の設定の判断基準
　　次に掲げるいずれの要件にも該当すること。
(1)　未承認薬・適応外薬の投与が無ければ、生命の維持に直接影響があると認められること
(2)　他に代替できる医薬品が無い、又は代替する医薬品では効果が得られないこと
(3)　未承認薬・適応外薬の取扱いについて、主治医の責任の下に適切な管理がなされるものであること
3　特別基準の設定の手続き
(1)　各福祉事務所での対応
　ア　特別基準の設定が必要であると思慮される場合には、未承認薬・適応外薬の投与に係る主治医の意見を聴取するとともに、検診命令により主治医以外の専門医からの意見を聴取するものとする。
　イ　意見聴取の結果、特別基準の設定が必要であると思慮される場合には、次の書類を添付し、都道府県知事（市長）あてに下記資料の提出をするものとする。
　　(ｱ)　保護台帳その他世帯の概況が分かる資料
　　(ｲ)　保護決定調書
　　(ｳ)　ケース記録（保護開始日と特別基準設定申請に関係ある部分）
　　(ｴ)　実施機関の意見（特別基準の設定を必要とする理由等）
　　(ｵ)　主治医の意見書・診断書及び診療に係る診療報酬明細書、主治医以外の専門医による意見書・診断書、その他患者の病状について、上記2の(1)から(3)までに該当するか否か判断を行うために必要な資料
　　(ｶ)　未承認薬・適応外薬について適切な管理を行う旨の主治医の誓約書
　　　（別添2「誓約書（例）」参照）
　　(ｷ)　未承認薬・適応外薬の投与に要する費用が分かる資料
　　(ｸ)　医療要否意見書
(2)　都道府県本庁での対応
　　都道府県本庁は福祉事務所から上記3の(1)の資料の提出を受けた際には、当該資料の他に、嘱託医等の意見を添付し、特別基準の設定を必要とする理由を付して厚生労働大臣あて情報提供を行うものとする。
(3)　厚生労働省での対応
　　必要に応じて、当該疾病に関する学会有識者の意見を求めた上で、特別基準の設定を行うものとする。
別添1　略

別添2

誓約書（例）

令和　年　月　日

厚生労働大臣　殿

医療機関名

医　師　名

1　医師の責任
　※　今般の特別基準の設定に係る医薬品等は、医師の責任の下に使用されるものである旨の記載をすること。

2　他の患者への使用及び販売・譲渡
　※　生活保護の特別基準については、当該患者個人に対する投与のみについて特別にその費用を給付するものであるため、今回の特別基準により他の患者への使用及び販売・譲渡はしない旨の記載をすること。

3 診療方針及び診療報酬関係

○国立病院等の文書料の取扱い等について(抄)

> 昭和47年4月18日 社保第71号
> 各都道府県・各指定都市民生主管部(局)長宛 厚生省
> 社会局保護課長通知

注 昭和63年8月3日社保第77号改正現在

 標記について、今般、当省医務局長から別添1（文書料の取扱いについて）、保険局医療課長および歯科医療管理官から別添2（診療報酬点数表等の一部改正等に関する留意事項について）並びに保険局医療課長から別添3（療養の給付に関する疑義解釈について）のとおり通知されたので了知のうえ、生活保護法による医療扶助の取扱いに遺憾のないよう関係機関に周知徹底を図られたい。
 なお、通知の要点および留意事項は次のとおりである。
1 通知の要点
 (1) 別添1については、健康保険法の規定による療養に要する費用の額の算定方法（昭和33年6月厚生省告示第177号）の一部が改正されたことに伴い、結核予防法第34条の公費負担の申請手続等に要する診断書および証明書料等が改正されたことについて示されたこと。
 (2)・(3) 略
2 通知に伴う留意事項
 別添1については、次の事項について留意すること。
 (1) 精神保健法第32条の公費負担の申請に伴う意見書料は、結核予防法第34条の公費負担申請の診断書料に準じて算定した額以内の額が、福祉事務所に請求することができることになっていること（「精神保健法第32条に規定する通院医療費の公費負担申請に要する意見書料の取扱い」（昭和40年12月10日社保第478号保護課長通知）参照）
 (2) 検診命令による検診結果を生活保護法施行細則準則に定める様式以外の書面により作成する必要があると認められる場合の取扱いは、保護の実施要領に定めるところによること。
 (3) 生活保護法による保護につき必要な診断書、証明書等は、指定医療機関医療担当規定（昭和25年厚生省告示第222号）第6条の規定により、無償で交付されるものであるが、それ以外に被保護者が診断書および証明書等を必要とするときは極力無料又は低額で交付されるよう国立病院等の指定医療機関との調整を図ること。
別添 略

○国立療養所における診療費の取扱いについて

（昭和47年5月22日　社保第92号
各都道府県知事・各指定都市市長宛　厚生省社会局長
通知）

標記について、今般、当省医務局長から別添のとおり通知があったので、了知のうえ関係機関に対し、周知徹底を図られたい。
なお、通知の要点は次のとおりである。
生活保護法による医療扶助および身体障害者福祉法による更生医療等の患者で国立療養所において、昭和43年5月1日以前から引き続き入所治療を受けている者についても昭和47年4月1日以降は、診療報酬の割引の特例措置が廃止されたこと。

別添
国立療養所における診療費の取扱いについて

（昭和47年4月1日　医発第643号
厚生省社会局長宛　厚生省医務局長通知）

注　昭和49年3月26日医発第311号改正現在

国立療養所における診療費の取扱いについては、昭和43年5月1日特別会計制度への移行を契機として、割引廃止及び基準看護、基準給食及び基準寝具設備加算実施の措置をとってきたところであるが、一部患者に対し経過的に行なっている割引の取扱いを昭和47年4月1日から別紙1「国立療養所入所費等取扱細則」のとおり改正することとしたので通知する。

別紙1
国立療養所入所費等取扱細則

第1条　療養所における治療又は健康診断等に要する費用（以下「診療費」という。）は、健康保険法の規定による療養に要する費用の額の算定方法（昭和33年6月厚生省告示第177号、以下「点数表」という。）により算出するものとする。
2　らい患者の療養については無料とする。
第2条　療養所長は、患者が次の各号の一に該当する場合は、第1条第1項の規定にかかわらず、軽費又は無料とすることができる。
一　教育又は研究のために治療を行なう場合
二　法令による保護を受けることができない者で診療費の支払いが困難であることを市町村長等が証明した場合
三　その他国立療養所課長が定める場合
第3条　点数表に定めのないものについては、療養所長が別に定めるところによる。

○生活保護法による医療扶助のはり・きゅうの給付について

> 昭和48年4月1日　社保第63号
> 各都道府県・各指定都市民生主管部(局)長宛　厚生省
> 社会局保護課長通知

〔改正経過〕

第1次改正　昭和50年4月14日社　保　第67号　　　第2次改正　昭和56年7月1日社保第80号の1
第3次改正　平成7年4月1日社援保第88号　　　　　第4次改正　平成8年7月23日社援保第159号
第5次改正　平成14年6月24日社援保発第0624001号

　　注　本通知は、平成13年3月27日社援保発第19号により、地方自治法第245条の9第1項及び
　　　　第3項の規定に基づく処理基準とされている。

　医療扶助運営要領(昭和36年9月30日社発第727号)の一部が昭和48年4月1日社保第62号をもって改正され、同日付で適用されることになったが、生活保護法による医療扶助のはり・きゅうについては、次に示す事項に留意のうえ、遺憾のないよう取り扱われたく通知する。
1　対象疾病
　　はり・きゅうの対象疾病は、指定医療機関による医療の給付を受けても所期の治療効果が得られないものまたはいままで受けた治療の経過からみて治療効果があらわれていないと判断されるもの(慢性病で適当な治療手段のないもの)であるが、おおむね次のようなものであること。
　　神経痛、ロイマチス、腰痛症、頸腕症候群、五十肩、頸椎捻挫後遺症、その他慢性的な疼痛を主症とする疾患等
2　一般医療との併用禁止
　　指定医療機関の医療の給付が行なわれている期間は、その疾病に係る施術(はり・きゅう)は医療扶助の給付の対象とはならないものであるので、次の事項に留意のうえ実施すること。
(1)　福祉事務所長は、医療扶助のはり・きゅうを承認した場合、対象疾病について当該患者を委託していた指定医療機関に対し、その旨を「生活保護法による医療扶助のはり・きゅう受療連絡書(運営要領様式第18号の2)」により直ちに連絡すること。
(2)　福祉事務所長は、当該患者に対し、はり、きゅうの給付が行なわれている期間はその疾病に係る一般医療を受けられない旨を周知徹底すること。
3　医師の同意
　　医療扶助によるはり・きゅうの給付は、給付要否意見書(はり・きゅう)の「医師意見」欄に指定医療機関の医師の同意の記入を受けたうえで実施すること。

なお、給付要否意見書（はり・きゅう）の記入は、原則として、医師の同意の記入を受けてから、はり・きゅう師の記入を受けさせるものとすること。
4　施術料金の算定方法および施術期間、回数
(1)　はり・きゅうの施術料金の算定方法については、医療扶助運営要領別紙第5号協定書（はり・きゅう）案の別紙3はり・きゅうの施術料金の算定方法によること。
(2)　はり・きゅうの施術期間、回数については、前記(1)の協定書（はり・きゅう）案の別紙2はり・きゅう給付の施術方針の5によること。
5　削除
6　はり・きゅう給付の継続
　初療の日から6か月を経過したものについては、引き続き、当該施術を必要とする旨の医師の同意があり、治療効果が認められ、さらに継続の必要があるもの等真にやむをえないことが判断しうるものに限り、給付の継続を認めて差し支えないこと。
7　はり・きゅう師の登録
　都道府県本庁（指定都市又は中核市にあっては市本庁とする。）は、医療扶助によるはり・きゅう師の登録簿（運営要領様式第1号指定機関名簿に準じ作成し、氏名及び住所並びに施術所の名称、所在地及び管理者名が登載されたものとすること。）を整備し、当該登録簿に登載されたはり・きゅう師の氏名等を福祉事務所に周知徹底を図ること。
8　給付実施状況の報告
　昭和48年度の医療扶助によるはり・きゅうの給付実施状況は、4月から7月までの状況を8月末日までに、8月から昭和49年3月までの状況を昭和49年4月末日までに別紙様式により報告されたいこと。
9　協定締結結果の報告
　都道府県（指定都市）本庁は、はり・きゅう師団体と協定を締結した場合は協定締結団体の団体名、締結年月日および団体傘下登録会員数（昭和48年8月1日現在）を昭和48年8月末日までに報告されたいこと。
10　その他
　はり・きゅうの給付は、通常緊急性に乏しいと考えられることから、必ず事前に承認を与えるものとすること。したがって、被保護者に対し、事後の申請は認められない旨予め周知徹底を図ること。

別紙様式

生活保護法による医療扶助のはり・きゅう実施状況

(県名　　　)

	給付件数			継続給付期間		給付金額（円）	主な給付対象疾病名
	1 術（はり又はきゅう）	2 術（はり・きゅう併施）	合計	3か月以内のもの（件数）	6か月以内のもの（件数）		
市部							
郡部							
合計							

(注) 1　給付件数は、施術料の支払の対象となった施術料給付請求明細書の数とすること。

　　 2　継続給付期間の件数は、初療から受療終了までを1件として数えること。

○生活保護法による医療扶助における施術の給付について

> 平成13年12月13日　社援保発第58号
> 各都道府県・各指定都市・各中核市民生主管部(局)長宛　厚生労働省社会・援護局保護課長通知

　標記について、生活保護法による医療扶助において生活保護受給者が生活保護の指定施術機関又ははり・きゅう師において柔道整復、あん摩・マッサージ及びはり・きゅうの給付を受けた場合の取扱いについては、昭和36年9月30日付社発第727号「生活保護法による医療扶助運営要領について」及び昭和48年5月1日付社保第87号「生活保護法による医療扶助運営要領に関する疑義について」により取り扱っていただいているところであります。

　しかしながら、先般、一部の福祉事務所において、医師の同意が不要である場合についても被保護者に対して事前の医療機関への受診を求める誤った取扱いがなされていたことから、あらためて、管内の実施機関に対し、施術（柔道整復、あん摩・マッサージ及びはり・きゅう）の取扱いについて再確認していただくよう周知徹底をお願いいたします。また、生活保護受給者に対しても、保護開始時にその取扱いを説明するなどし、医療扶助の実施に遺憾なきを期されたい。

○生活保護法による医療扶助の診療報酬のうち血
漿交換療法に関する取り扱いについて

> 昭和61年1月25日　社保第13号
> 各都道府県・各指定都市民生主管部(局)長宛　厚生省
> 社会局保護課長通知

　生活保護法による医療扶助の診療報酬に係る疑義解釈は健康保険法の例によっているところであるが、昭和60年10月1日保険発第94号厚生省保険局医療課長通知(以下「医療課長通知」という。)をもって取り扱いが示された「悪性関節リウマチ」及び「全身性エリテマトーデス」に対する血漿交換療法については、生活保護法の医療扶助では下記により取り扱うこととしたので了知されたい。

記

1　医療課長通知をもって改正された昭和59年2月13日保険発第7号の第1の9(1)エ及びオ中「都道府県知事によって特定疾患医療受給者と認められた者」とあるのは、「都道府県知事によって特定疾患医療受給者と認められた者と同等と認められる者」と読替えて取り扱うこと。
2　前記「同等と認められる者」の判断は、第一次的には指定医療機関によって行われることになるので、福祉事務所は当該疾病に対する血漿交換療法の適否を事前に要否意見書等により確認の上、医療券を発行すること。

○外来慢性維持透析患者に係る食事加算の廃止について

> 平成14年3月29日　事務連絡
> 各都道府県・各指定都市・各中核市生活保護担当課医療扶助担当係長宛　厚生労働省社会・援護局保護課医療係長

　標記については、平成14年3月8日に「健康保険法の規定による療養に要する費用の額の算定方法の一部を改正する件」（平成14年3月厚生労働省告示第71号）及び「老人保健法の規定による医療に要する費用の額の算定に関する基準の一部を改正する件」（平成14年3月厚生労働省告示第72号）が公布され、平成14年4月1日より適用されることとされたところである。

　今般、被保護患者について食事加算廃止に伴う取扱いを下記のとおりお示しするので、了知の上、その実施に遺憾なきを期されたい。

記

1　療養の一環として行われた食事が提供された場合

　療養の一環としての食事に係る費用は、透析に係る点数の中で包括的に評価することとされたため、療養の一環として行われた食事が提供された場合には、患者の自己負担は生じないものである。（例）入院外の血液透析：1960点（食事に係る費用を含む。）

2　療養の一環として行われた食事以外の食事が提供された場合

　「診療報酬点数表（平成6年3月厚生省告示第54号）及び老人診療報酬点数表（平成6年3月厚生省告示第72号）の一部改正に伴う実施上の留意事項について（通知）」（平成14年3月8日保医発第0308001号厚生労働省保険局医療課長・厚生労働省保険局歯科医療管理官連名通知）の第9部処置の処置料J038の(13)により、医療機関は療養の一環として行われた食事以外の食事を提供した場合には、患者から実費を徴収することができることとされている。

　被保護者の食事に係る費用については、居宅基準生活費の第1類として支給していることから、被保護者が療養の一環として行われる食事以外の食事の提供を受けた場合には、居宅基準生活費により対応することとなるものである。

　ただし、居宅基準生活費（第Ⅰ類）が支給されていない被保護者については、提供を受けた食事の実費相当分を生活扶助費により福祉事務所払いすることとして差し支えない。

4　医療費の審査及び支払関係

○生活保護法の一部を改正する法律等の施行について

〔昭和28年3月31日　社乙発第49号
各都道府県知事宛　厚生省社会局長通知〕

〔改正経過〕

第1次改正	昭和29年4月28日社　発　第353号	第2次改正	昭和41年1月21日児　発　第28号
第3次改正	昭和48年3月19日社　保　第54号	第4次改正	昭和51年10月28日社　保　第175号
第5次改正	昭和52年10月1日児　発　第642号	第6次改正	昭和60年5月20日社　保　第54号
第7次改正	昭和63年7月9日社　保　第70号	第8次改正	平成4年3月24日社　保　第94号
第9次改正	平成6年10月14日社援保第203号	第10次改正	平成7年4月1日社援企第54号・児発第365号
第11次改正	平成8年3月28日社援保第75号	第12次改正	平成9年8月27日社援保第154号
第13次改正	平成11年3月3日社　援　第509号	第14次改正	平成28年3月31日社援発0331第11号
第15次改正	令和元年5月27日社援発0527第1号		

　注　本通知は、平成13年3月27日社援発第518号により、地方自治法第245条の9第1項及び第3項の規定に基づく処理基準とされている。

　今般生活保護法第53条が改正され、これに関し本日別途発社第42号をもって、事務次官より通知されたところであるが、都道府県及び市町村において診療報酬の審査及び支払に関する事務を支払基金へ委託する場合は下記事項を十分了知のうえ関係機関に周知徹底せしめ遺憾のないよう格段の配慮を煩わしたい。

　なお、本件については、地方自治庁、社会保険診療報酬支払基金、当省保険局、公衆衛生局とそれぞれ打合ずみであるから念のため申し添える。

記

㈠　診療（調剤）報酬の審査及び支払に関する事務の委託契約
　1　都道府県知事（指定都市及び中核市の市長を含む。以下同じ。）が診療（調剤）報酬の審査及び支払に関する事務を支払基金へ委託する場合は都道府県社会保険診療報酬支払基金幹事長と別紙契約書案(1)及び別紙覚書案(1)により、それぞれ契約書及び覚書を交換すること。
　2　市（保健所を設置する市を含む。以下同じ。）区町村長が診療（調剤）報酬の支払に関する事務を支払基金へ委託する場合はそれぞれ都道府県社会保険診療報酬支払基金幹事長と別紙契約書案(2)及び別紙覚書案(2)によりそれぞれ契約書及び覚書を交換すること。

㈡　診療（調剤）報酬の請求、審査及び支払
　1　指定医療機関は、毎月の診療（調剤）報酬請求書（以下「請求書」という。）及び診療（調剤）報酬明細書（以下「明細書」という。）を翌月10日までに当該指定医療機関の所在する都道府県の区域内におかれた社会保険診療報酬支払基金の従たる事務所（以下「支払基金事務所」という。）に対し、送付すること。
　2　支払基金事務所は前項により請求書及び明細書の提出があったときは迅速にその内容を審査し、その月の翌月10日までに審議結果による支払額を算出したのちその明細書又は連名簿（社会保険等との併用分患者について別紙様式2により明細書に代えて作成される。）（以下「明細書等」という。）を医療（調剤）券を発行した福祉事務所等を包括する都道府県の知事に提出するとともに、指定医療機関に対する診療報酬の支払を開始し、その月の翌月21日までにはこれを完了すること。
　　なお、この場合支払基金事務所は審査を完了したものについて、別紙様式1による「診療報酬等請求内訳書（以下「内訳書」という。）」等を作成し、明細書等に添付して都道府県知事に提出すること（内訳書は自県分、他府県分別及び総合計について作成し、内訳書表題の次にそれぞれ「自県計」、「他府県計」又は「総合計」の文字を印字すること。）。
　3　都道府県知事は支払基金から内訳書及び明細書等の提出があったときはその審査結果の内容を慎重に点検し、誤があるものについては、所要の査定を行なったうえ内訳書及び明細書等に決定月日及び責任者を明らかにした決定印を捺印のうえ、その月の17日までに当該支払基金事務所へ送付すること。
　4　支払基金事務所は前項によって都道府県知事が決定を行なった結果、医療機関に対して支払った診療報酬額に過誤を生じたときは、その過誤額は当該医療機関に対し翌月分の診療報酬を支払う際に、その支払額により差引又は加算して調整すること。
　5　保護を決定した実施機関等と、その決定によって被保護者等が診療を受けている医療機関とが、その所在する都道府県を異にする場合の審査決定支払精算の期日は前各項に準じて速やかに行なうこと。
㈢　医療扶助費等の概算交付及び精算
　1　支払基金事務所は、指定医療機関の診療報酬を支払うため必要と認められる医療扶助費等の概算交付を、医療（調剤）券を発行した実施機関を管理する都道府県知事及び市町村長に対し毎月20日までに請求すること。
　2　都道府県知事及び市町村長は支払基金事務所より概算交付の請求を受けたときは、その月の診療報酬を支払うため必要と認められる額を、支払基金事務所に対して、必ずその月の末日までに交付すること。
　3　支払基金事務所が指定医療機関に対する診療報酬の支払を完了したときは、それぞれ医療扶助費等の概算交付を受けた都道府県知事、市町村長に対して、支払を行なった明細書等を添付した精算書を、直ちに送付すること。
　4　都道府県知事及び市町村長は支払基金事務所から送付された明細書等を、医療（調剤）券を発行した福祉事務所等に送付すること。

㈣ 診療(調剤)報酬の審査及び支払のための事務費
　1　診療(調剤)報酬の審査及び支払のための事務費は、明細書等1件につき別に定める事務費算定の基礎となる1件当たりの金額とする。
　2　支払基金事務所は、指定医療機関より提出された請求書及び明細書について審査及び支払の事務を完了したときは、審査及び支払のための事務費又は支払のための事務費をその医療(調剤)券を発行した福祉事務所等を包括する都道府県又は市区町村の長に対し請求すること。
　3　都道府県知事又は市区町村長は、前項の請求を受けたときは、請求のあった日から10日以内に支払基金事務所に対して事務費の支払を行なうこと。
㈤ 実施時期　略

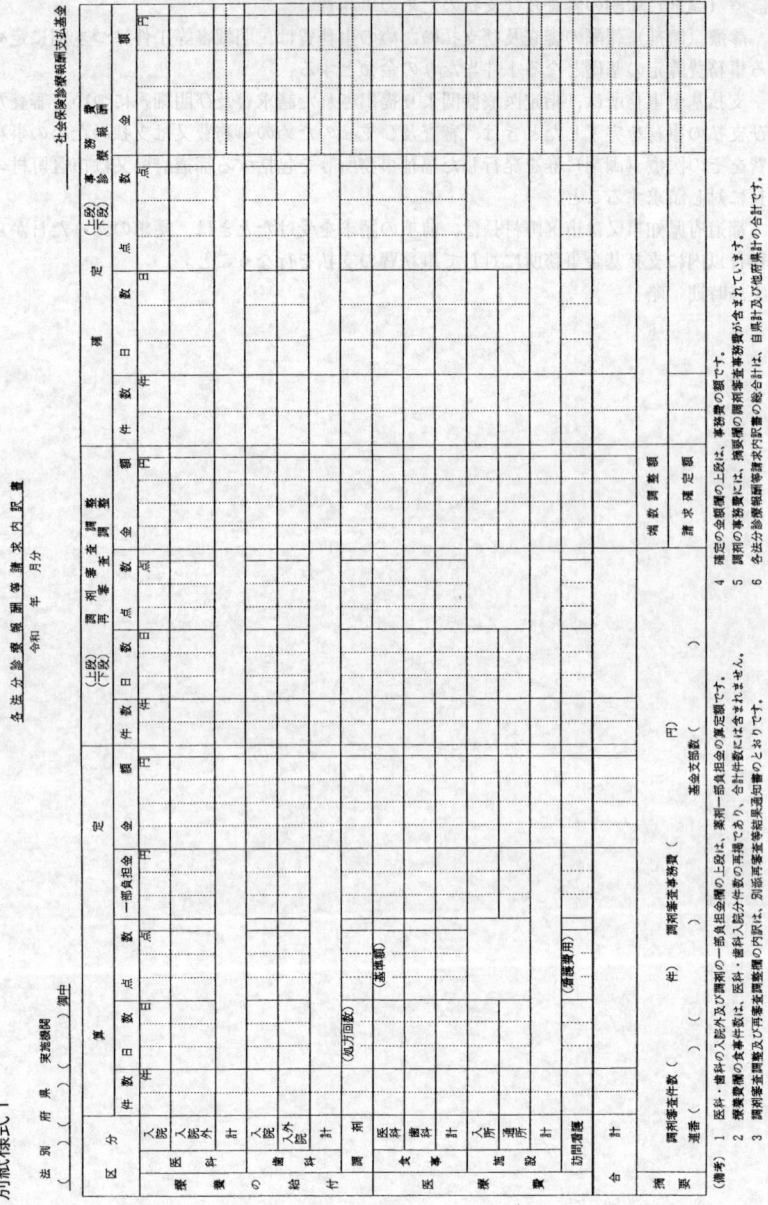

生活保護法の一部を改正する法律等の施行について

別紙様式2

契約書案(1)（都道府県知事（指定都市又は中核市の市長）との契約書）

　生活保護法、身体障害者福祉法、児童福祉法若しくは母子保健法により指定された医療機関及び医療保護施設又は昭和49年5月14日厚生省発児第128号厚生事務次官通知「小児慢性特定疾患治療研究事業について」の第5に規定する医療機関（以下単に「医療機関」という。）が前記法律又は通知に基づく医療を担当した場合の診療（調剤）報酬の審査及び支払に関する事務について、○○都（道府県）知事（指定都市又は中核市の市長）（以下「甲」という。）と○○社会保険診療報酬支払基金幹事長（以下「乙」という。）との間に左の通り契約を締結する。

第1条　乙は、甲の要請に応じて毎月医療機関に対して支払うべき費用（以下「診療報酬」という。）について関係法令及びこれに基づく通知等の定めるところによって迅速適正な審査及び支払に関する事務を引き受けるものとする。

第2条　乙は、医療機関から所定の期日までに提出された診療報酬請求書についてその内容を審査し、診療報酬明細書（社会保険等との併用分患者については、診療報酬明細書に代えて乙において作成する連名簿。以下第4条において同じ。）をその月の翌月10日までに甲へ提出するものとする。

第3条　乙は、前条の審査を終了したときは、直ちに当該医療機関に対し診療報酬の支払を開始し、その月の翌月21日までには完了するものとする。

第4条　甲は、第2条の規定により診療報酬明細書の提出を受けたときは、審査結果を検討してその決定を行ったうえ、その月の17日までに乙に送付するものとする。

第5条　甲は、乙が第3条の規定に基づいて医療機関に支払う診療報酬のおおむね1か月半分に相当すると認められる額を、毎月必ずその月の末日までに乙に対して概算交付を行なうものとする。

第6条　乙は、第3条の規定によって支払を完了したときは、直ちに精算書を作成し、甲へ送付するものとする。

第7条　甲が第4条によって決定を行なった結果、乙が医療機関に対して支払った診療報酬に過誤を生じたときは、その過誤額は乙が翌月の精算において整理を行なうものとする。

第8条　甲は、社会保険診療報酬支払基金法第19条の規定による事務費として、別に定める事務費算定の基礎となる1件当りの金額（ただし、病院、診療所分にかかる関係市町村分については別に定める病院、診療所の事務費算定の基礎となる1件当りの金額の半額、薬局分のうち審査委員会における審査の申出を行ったものにかかる関係市町村分については別に定める病院、診療所の事務費算定の基礎となる1件当りの金額から別に定める薬局の事務費算定の基礎となる1件当りの金額（審査委員会における審査の申出を行わないものに関する額）を差し引いた差額）に毎月診療報酬の精算の基礎となった診療件数又は調剤件数を乗じて得た金額を乙に支払うものとする。

第9条　甲は、乙に対する帳簿書類を閲覧し、説明を求め及び報告を徴することができる。

第10条　この契約の当事者のいずれか一方がこの契約による義務を履行せず、事業進行に

著しく支障をきたし、又はきたすおそれがあると認めるときは、相手方は、3か月間の予告期間をもって、この契約を解除することができるものとする。
第11条　この契約の有効期間は、　　年　月　日から　　年　月　日までとする。
第12条　この契約の有効期間の終了1か月前までに契約当事者のいずれか一方より何等の意思表示をしないときは、終期の翌日において向う1か年間順次契約を更新したものとみなす。
　右契約の確実を証するため本書2通を作成し、双方署名捺印のうえ各1通を所持するものとする。

　　　年　月　日
　　　　　　　都道府県知事（指定都市又は中核市の市長）
　　　　　　　　　　　　　　　　　　氏　名　㊞
　　　　　　　都道府県社会保険診療報酬支払基金
　　　　　　　　　　幹事長　　氏　名　㊞

　覚書案(1)（都道府県知事（指定都市又は中核市の市長）との覚書）
　　年　月　日付をもって都道府県知事（指定都市又は中核市の市長）（以下「甲」という。）と都道府県社会保険診療報酬支払基金幹事長（以下「乙」という。）との間において締結した診療報酬の審査及び支払に関する事務の契約の履行に関し、下記の通り覚書を交換し相互にこれを遵守するものとする。
　　　　記
1　乙は、毎月20日までにその月の診療報酬を支払うために必要な額の概算交付を甲に対して請求するものとする。
2　甲が、乙に対して概算交付する額は、契約書第5条の規定にかかわらず、その月の診療報酬を支払うため必要とする額でなければならない。
3　乙は、審査及び支払に関する事務を終了したときは、診療報酬請求内訳書を作成し、診療報酬明細書又は連名簿にこれを添付して甲に提出するものとする。
4　契約書第8条の事務費算定の基礎となる1件当たりの金額は、政府の管掌する健康保険等の診療報酬請求書の審査及び支払事務に関し、政府と社会保険診療報酬支払基金との間で契約した病院、診療所分及び薬局分にかかる事務費算定の基礎となる1件当たりの金額によるものとする。
5　甲は、乙から契約書第8条による事務費の請求があったときは、請求のあった日から10日以内に乙に対して支払うものとする。
6　乙は、甲から審査及び支払の内容について説明を求められたときは、直ちに説明のできるよう常にその内容をつまびらかにしておくものとする。

　　　年　月　日
　　　　　　　都道府県知事（指定都市又は中核市の市長）
　　　　　　　　　　　　　　　　　　氏　名　㊞

都道府県社会保険診療報酬支払基金
幹事長　氏　名　㊞

契約書案(2)（市（保健所を設置する市を含む。）（区）町村長との契約書）

生活保護法又は身体障害者福祉法（保健所を設置する市においては、「生活保護法、身体障害者福祉法又は母子保健法」）により指定された医療機関及び医療保護施設（以下「医療機関」という。）が、これらの法律に基づく医療を担当した場合の診療（調剤）報酬の支払に関する事務について市（区）町村長（以下「甲」という。）と都道府県社会保険診療報酬支払基金幹事長（以下「乙」という。）との間に、左の通り契約を締結する。

第1条　乙は、甲の要請に応じて毎月医療機関に対して支払うべき費用（以下「診療報酬」という。）につき関係法令及びこれに基づく通知等の定めるところによって支払に関する事務を引受けるものとする。

第2条　乙は、審査を終了した診療報酬請求書につき、その月の翌月21日までに当該医療機関に対し、診療報酬の支払を完了するものとする。

第3条　甲は、乙が前条の規定に基づいて医療機関に支払う診療報酬のおおむね1か月半分に相当すると認められる額を毎月必ずその月の末日までに乙に対して概算交付を行なうものとする。

第4条　乙は、第2条の規定によって支払を完了したときは、直ちに精算書を作成し甲へ送付するものとする。

第5条　乙は、都道府県知事が診療報酬額を決定した結果、乙が指定医療機関に対して支払った診療報酬に過誤を生じたときは、その過誤額は乙が翌月の精算において整理を行なうものとする。

第6条　甲は、社会保険診療報酬支払基金法第19条の規定による事務費として、病院又は診療所に関するものについては別に定める病院、診療所の事務費算定の基礎となる1件当りの金額の半額に毎月診療報酬の精算の基礎となった診療件数を乗じて得た金額を、薬局に関するものについては別に定める薬局の事務費算定の基礎となる1件当りの金額（審査委員会における審査の申出を行わないものに関する額）に調剤件数を乗じて得た金額をそれぞれ乙に支払うものとする。

第7条　甲は、乙に関する帳簿書類を閲覧し、説明を求め及び報告を徴することができる。

第8条　この契約の当事者のいずれか一方がこの契約による義務を履行せず、事業進行に著しく支障をきたし、又はきたすおそれがあると認めるときは、相手方は3か月間の予告期間をもって、この契約を解除することができるものとする。

第9条　この契約の有効期間は、昭和　　年　　月　　日から昭和　　年　　月　　日までとする。

第10条　この契約の有効期間の終了1か月前までに契約当事者のいずれか一方より何等の意思表示をしないときは、終期の翌日において向う1か年間順次契約を更新したものと

みなす。
　右契約の確実を証するため本書2通を作成し、双方署名捺印のうえ各1通を所持するものとする。
　　　昭和　　年　　月　　日
　　　　　　　　　　　　　　　市（区）町村長　氏　名　㊞
　　　　　　　　　　　　　　　都道府県社会保険診療報酬支払基金
　　　　　　　　　　　　　　　　　　　　幹事長　氏　名　㊞

　　　覚書案(2)（市（区）町村長との覚書）
　昭和　　年　　月　　日付をもって市（区）町村長（以下「甲」という。）と都道府県社会保険診療支払基金幹事長（以下「乙」という。）との間において締結した診療報酬の支払事務に関する契約の履行に関し、下記の通り覚書を交換し相互にこれを遵守するものとする。
　　　　　　　　　　　　　　　記
1　乙は、毎月20日までにその月の診療報酬を支払うために必要な額の概算交付を、甲に対して請求するものとする。
2　甲が、乙に対して概算交付する額は契約書第3条の規定にかかわらず、その月の診療報酬を支払うため必要とする額でなければならない。
3　乙は、支払に関する事務を終了したときは、診療報酬請求内訳書を作成し、診療報酬明細書又は連名簿にこれを添付して甲に提出するものとする。
4　契約書第6条の病院、診療所及び薬局に関する事務費算定の基礎となる1件当たりの金額は、政府の管掌する健康保険等の診療報酬請求書の審査及び支払事務に関し、政府と社会保険診療報酬支払基金との間で契約した病院、診療所分及び薬局分にかかる事務費算定の基礎となる1件当たりの金額によるものとする。
5　甲は、乙から契約書第6条による事務費の請求があったときは、請求のあった日から10日以内に乙に対して支払うものとする。
6　乙は、甲から支払の内容について説明を求められたときは直ちに説明のできるよう、常にその内容をつまびらかにしておくものとする。
　　　昭和　　年　　月　　日
　　　　　　　　　　　　　　　市（区）町村長　氏　名　㊞
　　　　　　　　　　　　　　　都道府県社会保険診療報酬支払基金
　　　　　　　　　　　　　　　　　　　　幹事長　氏　名　㊞

○診療報酬の知事決定に伴う審査について

```
昭和44年7月9日    社保第166号
各都道府県・各指定都市民生主管部(局)長宛  厚生省
社会局保護課長通知
```

〔改正経過〕

　　　第1次改正　昭和51年8月7日社保第135号　　　第2次改正　昭和55年3月31日社保第45号
　　　第3次改正　昭和62年4月1日社保第34号　　　　第4次改正　平成12年3月31日社援保第14号

　　注　本通知は、平成13年3月27日社援保発第19号により、地方自治法第245条の9第1項及び
　　　第3項の規定に基づく処理基準とされている。

　生活保護法による医療扶助の実施については、目下、全面的にその刷新合理化を図るよう検討中であるが、特に標記審査の状況については、未だ十分とはいい難い点があり、一部の県においては、支払基金の審査に依存し、診療報酬の決定に際し必要な検討を行なっていないむきも認められるところである。
　医療扶助の適正な実施を図るためには、積極的な福祉事務所活動の推進と併せ診療報酬を適確に審査し支払うべき額を正しく決定するとともに、さらに、当該審査の結果を福祉事務所及び指定医療機関に対する指導面に反映してこれが指導の実効を期するためすみやかにこれが是正を図る必要がある。
　ついては、「生活保護法による医療扶助運営要領について」(昭和36年9月30日社発第727号厚生省社会局長通知)第5による診療報酬の知事審査を強化推進することを主旨として別添「診療報酬の知事決定に伴う審査要領」を定めたので、下記の事項に留意のうえ、審査の適正な実施に努められたい。

記

1　診療報酬の決定にあたっては、支払基金で審査の終了した診療報酬明細書（社会保険等との併用分患者については連名簿）（以下「明細書等」という。）につき、その内容を十分検討し必要に応じ支払基金に連絡し再審査せしめる等の措置を行ない、これが決定に適正を期すること。
2　診療報酬の審査結果の推移を常時検討し、その結果固定点数の誤り、診療欄の記載事項の不備及び計算誤り等を内容とする支払基金の責に属する過誤が認められた場合は、支払基金の審査の精度向上について申入れを行なう等必要な措置を講ずること。
3　明細書等の検討を行なった結果、繰返し傾向的に請求上の誤りをおかしたり本法の診療方針を理解していないために診療方針に認められていない診療を行なっている等の事例が認められる医療機関については、重点的に「指定医療機関に対する指導」を実施するものとし、診療方針の徹底と診療報酬請求の過誤原因の是正に努めること。
4　明細書等の検討を行なった結果、医療扶助の決定実施、医療券の発行事務等に問題が

存すると認められる場合は、福祉事務所に対し必要な指導を行なうこと。
5　従前、知事決定の終った明細書等につき、決定年月日及び決定印を押印する取扱いとなっていたところであるが、その実態にかんがみ業務の簡素化とその余力を審査の充実に向ける趣旨でこれを改め、「生活保護診療報酬請求内訳書」に当該決定年月日及び決定印を押印することをもってたりることとしたこと。
6　技術吏員が支払基金審査委員会委員である場合、当該審査委員として審査を行なった部分については、知事の審査決定業務のうち、技術的部分を省略して差し支えないこと。
7　この業務は、技術吏員中心の業務であると受け取られ、とかく事務的審査が消極的であるむきもあるが、最近における過誤の状況をみると診療内容に関するもののほか他法との調整を要するもの等、事務吏員が審査を行なうことにより発見できる過誤も相当数認められるので、別添「診療報酬の知事決定に伴う審査要領」に定めるところを基準とし、特に事務的審査についてその充実を図るよう努めること。

別　添
　　　診療報酬の知事決定に伴う審査要領
　生活保護法による指定医療機関に対する診療報酬支払の適正を期するため、次に定めるところを標準とし、診療報酬請求の適否につき審査のうえ支払うべき診療報酬の額を決定すること。
1　審査対象
　　この審査は、支払基金において審査を完了し送付のあった診療報酬明細書及び連名簿（以下「明細書等」という。）全部について行なうものとすること。
2　審査実施月
　　この審査は、毎月行なうものとすること。ただし、他の業務との関連から毎月全件について審査することが困難である場合は、4半期に1回（5月、8月、11月、2月）全件について当該審査を実施することとし、それ以外の月は、審査可能な範囲で実施して差しつかえないこと。
3　審査の主眼点
　　この審査は、被保護者の本人支払額との関係等本法独自の事項及び診療内容について行なうものとすること。
4　審査事項
　　審査は次に掲げる事項を標準として、行なうものとすること。ただし、都道府県の実情に応じ審査範囲を拡大して差しつかえないこと。
　(1)　社会保険等他法適用状況と本法で支払うべき額との関係
　(2)　本人支払額と本法で支払うべき額との関係
　(3)　請求点数の誤り（固定点数、計算誤り等）について
　(4)　初診年月日と初診料、再診料、内科加算等の関連について
　(5)　患者の年齢と乳幼児加算、慢性疾患指導料等特定疾患に対する加算の関連について
　(6)　診療の具体的方法と本法における診療方針、診療報酬（保険医療養担当規定等を含

む。）との関連（点数表の解釈の誤り等）について
  (7) 傷病名と診療内容との関連について
  (8) その他の事項について
5 審査の実施手順
 (1) 受付及び確認
   支払基金において審査を完了し送付のあった明細書等と請求内訳書について照合及び確認を行なうこと。
 (2) 明細書等の分類
   (1)により照合確認を完了した明細書等について実施機関別、入院、入院外、歯科、調剤別に区分整理すること。
 (3) 審査に伴い必要となる点数表、治療指針、療養担当規則、指定医療機関名簿等の書類を準備すること。
 (4) 審査過程において①疑義があるもの　②過誤が明白なもの　③記載内容が不備であるもの等の事由が生じた場合は、その内容に応じ、指定医療機関、実施機関、支払基金に照会し、その結果に基づき所要の措置を講ずること。
6 審査結果の取扱い
 (1) 次に掲げるもの（診療内容の適否に疑義があったもの）については、具体的にその理由を付し支払基金等に対して再審査を求めること。
  ア　診療の具体的方法と本法の診療方針及び診療報酬との関連（点数表の解釈等）について疑義が生じたもの
  イ　傷病名と診療内容との関連について疑義が生じたもの
  ウ　その他再審査を要すると認められるもの
 (2) おおむね次に掲げる事項のように過誤が明白であるものについては、支払基金にその理由を連絡のうえ知事が変更して差しつかえないものであること。
  ア　単なる請求点数誤りがあるもの
  イ　社会保険等他法負担分及び本人支払額について誤りがあるもの
  ウ　その他過誤が明白であるもの
 (3) おおむね次に掲げる事項のように記載内容が不備であるもの及び記載内容に疑義があるものについては可能な限り指定医療機関、実施機関等に照会し確認のうえ補正、訂正等所要の措置を講ずること。
  ア　社会保険等他法負担の有無
  イ　本人支払額が決定点数の3割以上であるもの
  ウ　入院患者であって外泊期間が相当長期にわたっているもの
  エ　その他記載内容につき疑義があるもの
 (4) 過誤調整、返還措置を講ずる必要があると認められるときは、その責任が指定医療機関、実施機関のいずれに存するかを明らかにしたうえで所要の措置を講ずるよう留意すること。
7 診療報酬額の決定

審査の結果にもとづき過誤等を調整し知事による決定を行ない、その結果について支払基金に通知すること。
8 明細書等の送付
知事決定を終えた明細書等は遅滞なく、医療券を発行した実施機関に送付し保管せしめること。
9 審査結果の活用
審査の結果生じた問題点を整理し、その結果を実施機関及び指定医療機関に対する指導のうえに反映するよう配意すること。

○生活保護法による医療扶助の診療報酬明細書の点検について

> 平成12年12月14日　社援保第72号
> 各都道府県・各指定都市・各中核市民生主管部(局)長　宛
> 厚生省社会・援護局保護課長通知

〔改正経過〕

　　第1次改正　令和4年5月31日社援保発0531第1号

　標記については、昭和58年3月31日社保第46号本職通知「生活保護法による医療扶助の診療報酬明細書の点検について」により、都道府県、指定都市及び中核市本庁(以下「本庁」という。)並びに福祉事務所において実施されているところであるが、本年4月から診療報酬明細書の様式が変更されたこと等に伴い、より一層効率的かつ効果的な点検事務を行い、被保護患者の適切な処遇の確保及び診療報酬の適正な支払を図ることが重要となる。

　今般、事務処理の参考としていただくため、次のとおり「診療報酬明細書等の点検事務処理要領」をあらためてお示しすることとしたので、了知の上、よろしくお取り計らい願いたい。

　なお、本通知は技術的助言・勧告として行うものであることを念のため申し添える。

　また、これに伴い、昭和58年3月31日社保第46号本職通知「生活保護法による医療扶助の診療報酬明細書の点検について」は廃止する。

別　紙

　　　　診療報酬明細書等の点検事務処理要領

第1　目的

　診療報酬明細書、調剤報酬明細書等(以下「レセプト」という。)の点検を行うことにより、生活保護法(以下「法」という。)による医療扶助費の適正な支出を図るとともに、被保護患者の適切な処遇の確保を図ることを目的とするものである。

第2　レセプトの点検

　次に定めるところを標準としてレセプトを点検すること。

1　資格審査

　(1)　趣旨目的

　　平成12年4月から、法による医療扶助のみにより医療の給付を受ける者に係る指定医療機関が行う診療報酬、調剤報酬、施設療養費又は(老人)訪問看護療養費の請求について、他制度と同様、「療養の給付、老人医療及び公費負担医療に関する費用の請求に関する省令」(昭和51年8月2日厚生省令第36号)等で定められた省令レセプトにより行うこととされたところである。このため、診療報酬支払基金(以下「支払基金」という。)から送付された省令レセプトについて、当該レセプトが、福祉事務所が発行した医療券、調剤券(以下「医療券等」という。)に基づ

く有効なレセプトであるか否かを審査（資格審査）するものであること。
　(2) 実施方法等
　　　当該審査は、レセプトの有効性自体を問う極めて基礎的かつ重要なものであるため、支払基金の審査が終了した全てのレセプトについて、福祉事務所において医療券交付処理簿との照合を行うことにより、診療月、受給者名、指定医療機関名及び診療別等が医療券と一致するか否か及び指定医療機関における医療券等の公費負担者番号、受給者番号、氏名及び本人支払額等の記載内容のレセプトへの転記が正確であるか否かを確認すること。なお、本庁においては、管内福祉事務所に対する指導監査の際、その実施状況について確認すること。
　　　また、診療報酬の知事決定は、医療扶助費の適正な支出のため、本来、資格審査及び内容点検を経て行われるべきものであることから、本庁と福祉事務所において資格審査を行うために必要な医療券等の発行に関する情報を共有できる体制を整備することが望ましい。しかしながら、こうした体制が整備できるまでの間については、知事決定を行った後、福祉事務所において資格審査を実施することを認めることとしたこと。
２　内容点検
　(1) 単月点検
　　① 趣旨目的
　　　　全てのレセプトについて、その内容の点検を行うこと。
　　　　本庁は、診療報酬の決定権者としての立場から、また、福祉事務所は、診療報酬を負担することとなるため、いわば保険者としての立場から積極的に点検を行う必要がある。よって、本庁と福祉事務所は相互に連携を図り、それぞれの立場を十分踏まえるとともに、徒に本庁と福祉事務所で重複した点検事務を行うことなく効率的かつ効果的に点検が行えるような体制を整えること。
　　② 実施方法
　　　ア　診療報酬、調剤報酬等の算定方法、算定点数の点検
　　　　　次の事項について点検を行うこと。
　　　　(ｱ) 診療実日数
　　　　　・入院外の場合、診療実日数と通院日数が一致しているか。
　　　　　・入院の場合、診療実日数と入院日数が一致しているか。
　　　　(ｲ) 初診料
　　　　　・診療開始日が前月以前であるのに初診料が算定されていないか。
　　　　　・診療継続中の他の疾病が発生したのに初診料が算定されていないか。
　　　　(ｳ) 再診料
　　　　　・内科再診料が算定されている場合、処置料（一般処置を除く。）、手術・麻酔料、理学療法及び精神特殊療法料のいずれかが算定されていないか。
　　　　　・入院中の患者が同一病院で治療を受けた場合に再診料が算定されていないか。

・他法で入院中の患者が他法の対象外疾患で診療を受けた場合に再診料が算定されていないか。
(エ) 乳幼児加算
・乳幼児加算が算定されている場合は、年齢要件を満たしているか。
(オ) 指導料
・対象外疾病について算定されていないか。
・診療開始日から1か月を経過しないうちに算定されていないか。
・同一病院の2以上の診療科でそれぞれ算定されていないか。
(カ) 入院料
・給食を行わなかった場合に給食料が算定されていないか。
・特別食加算の対象疾病か。
・入院基本料と入院期間との関係はどうか。
(キ) 調剤レセプト
・調剤月日は調剤券の有効期間内であるか。
・調剤月日は処方箋の有効期間内であるか。
　なお、リフィル処方箋による2回目以降の調剤については、原則として、前回の調剤日を起点とし、当該調剤に係る投薬期間を経過する日を次回調剤予定日とし、その前後7日を有効期間とする。
イ　重複請求の点検
(ア) 同一指定医療機関から、同一人について同月分のレセプトが2枚以上重複して請求されているもの。
(イ) 旧総合病院において、同一疾病で2科以上にわたって初診料が算定されているもの、診療継続中に他の疾病が発生したのに初診料が算定されているもの等診療報酬が重複して請求されているもの。
ウ　重複受診の点検
　同一人について、2以上の指定医療機関からの同一又は類似の疾病による同月分のレセプトがあるもの、同一人について多数の指定医療機関から同月分のレセプトがあるもの等療養上の指導が必要であると考えられるもの。
エ　診療報酬明細書と調剤報酬明細書の突合
　同一人について、同一月に診療報酬の請求と調剤報酬の請求があるもので、調剤報酬の請求に見合う診療報酬（処方せん料）が算定されていないもの、診療月と調剤月との間に時期的な隔たりがあるもの等相互の関係において誤り又は疑義があるもの。
(2) 縦覧点検等
① 趣旨目的
　複数月のレセプトを審査することにより、単月のレセプトの点検では確認できない項目等について、点検・確認するものであること。
② 実施方法

福祉事務所において、単月点検により特異な診療傾向が認められる指定医療機関、連続月あるいは一定期間内に重複算定できない診療内容、単月ではその適否が判断できない診療内容等に係るレセプトについて、受給者別に、概ね3か月以上の必要な期間にわたってレセプトを縦覧し、点検すること。なお、点検にあたっては、法による医療の給付であることから、診療内容が過剰でないか、漫然と長期にわたる診療がなされていないか等についても点検すること。
(3) 過誤調整
前記(1)及び(2)の点検の結果、請求内容等に疑義が生じた場合、必要に応じて指定医療機関等に照会の上、過誤調整をすべきものについては、所要の措置を講ずること。
3 医療扶助受給者の病状把握と指導援助への活用
(1) 趣旨目的
レセプトの点検は、診療報酬の支払の適正を期するだけでなく、医療扶助受給者（以下「受給者」という。）の処遇方針を決定する上で重要な判断材料となる病状把握に資することから、主治医・嘱託医との連携を図り、受給者に対する指導援助に積極的に活用すること。
(2) 実施方法
福祉事務所においては、個別ケース毎に直近6か月程度のレセプトを整理することとし、レセプトに記載された診療日数や診療内容等を確認することにより、個々の受給者の病状及び受診状況等の把握に努めること。その結果、医療扶助の実施につき疑義のあるものについては、受給者に対する訪問面接や主治医からの意見聴取等を行った上、適切な処遇方針の設定を行い、就労又は療養の助言指導を行うこと。なお、点検、訪問面接及び助言指導を行うにあたっては、受給者の病状等に応じて、適切かつ計画的に実施すること。
また、本庁においては、診療報酬の知事決定に係るレセプト点検において把握された情報を福祉事務所に適宜提供し、福祉事務所における病状等の把握に協力すること。

5　指定医療機関関係

○生活保護法の一部改正に伴う指定医療機関の指定事務に係る留意事項等について

> 平成26年4月25日　社援保発0425第11号
> 各都道府県・各指定都市・各中核市民生主管部(局)長
> 宛　厚生労働省社会・援護局保護課長通知

〔改正経過〕
第1次改正　平成28年3月31日社援保発0331第8号　　第2次改正　平成31年4月26日社援保発0426第1号
第3次改正　令和元年5月27日社援保発0527第1号　　第4次改正　令和3年1月7日社援保発0107第1号

　生活保護法の一部を改正する法律（平成25年法律第104号。以下「改正法」という。）については、平成25年12月13日に公布され、生活保護法施行令（昭和25年政令第148号。以下「施行令」という。）及び生活保護法施行規則（昭和25年厚生省令第21号。以下「規則」という。）並びに「生活保護法による医療扶助運営要領について」（昭和36年9月30日社発第727号厚生省社会局長通知）等についても所要の改正を行い、平成26年7月1日より施行することとしている。
　今般、生活保護法（昭和25年法律第144号。以下「法」といい、改正前の法を「旧法」、改正後の法を「新法」という。）、施行令及び規則を踏まえ、指定医療機関の指定事務に関する留意事項等について下記のとおり整理したので、御了知の上、関係機関とも連携を図りながら、その実施に遺漏なきを期されたい。

記

1　改正法における指定医療機関制度の見直し
　　旧法では、法による医療扶助のための医療を担当する病院若しくは診療所、薬局又は訪問看護事業者等（以下「指定医療機関」という。）の指定及び指定取消しについて、健康保険等他の医療制度に比べ、具体的な要件が規定されておらず、不適正な医療機関への対応が十分行われる環境にあるとは言いがたい状況にある。
　　このため、新法では、健康保険の取扱い等を参考に、指定医療機関制度についても見直しを行っているが、その内容は主に次のとおりである。
　(1)　指定医療機関の指定要件及び指定取消要件の明確化
　　　ア　指定の要件
　　　　　新法第49条の2第2項各号（欠格事由）のいずれかに該当するときは、厚生労働大臣又は都道府県知事（指定都市市長及び中核市市長を含む。以下同じ。）は指定

医療機関の指定をしてはならないものとしたこと。また、同条第3項各号（指定除外要件）のいずれかに該当するときは、厚生労働大臣又は都道府県知事は指定医療機関の指定をしないことができるものとしたこと。
　（欠格事由の例）
　　・当該申請に係る医療機関が健康保険法に規定する保険医療機関又は保険薬局ではないとき。
　　・開設者が、禁錮以上の刑に処せられ、その執行を終わり、又は執行を受けることがなくなるまでの者であるとき。
　　・開設者が、指定医療機関の指定を取り消され、その取消しの日から起算して5年を経過しないものであるとき。
　　・開設者が、指定の取消しの処分に係る通知があった日から当該処分をする日までの間に指定の辞退の申出をした者で、当該申出の日から起算して5年を経過しないものであるとき。
　（指定除外要件の例）
　　・被保護者の医療について、その内容の適切さを欠くおそれがあるとして重ねて指導を受けたものであるとき。
　イ　指定の取消要件
　　指定医療機関が、新法第51条第2項各号のいずれかに該当するときは、厚生労働大臣又は都道府県知事は、その指定を取り消し、又は期間を定めてその指定の全部若しくは一部の効力を停止することができるものとしたこと。
　（取消要件の例）
　　・指定医療機関が、健康保険法に規定する保険医療機関又は保険薬局でなくなったとき。
　　・指定医療機関の開設者が、禁錮以上の刑に処せられたとき。
　　・指定医療機関の診療報酬の請求に関し不正があったとき。
　　・指定医療機関が、不正の手段により指定医療機関の指定を受けたとき。
(2)　指定医療機関の指定の有効期間（指定の更新制）の導入
　ア　指定医療機関の指定の更新
　　指定医療機関の指定は、6年ごとにその更新を受けなければ、その期間の経過によってその効力を失うものとしたこと。（新法第49条の3第1項関係）
　イ　指定の更新申請のみなし
　　指定医療機関のうち、指定医療機関の指定を受けた日から、おおむね当該開設者である医師等若しくは薬剤師のみが診療や調剤しているもの又はその配偶者等のみが診療若しくは調剤に従事しているものについては、その指定の効力を失う日前6月から同日前3月までの間に別段の申し出がないときは、更新の申請があったものとみなすものとしたこと。（新法第49条の3第4項関係）
(3)　不適切な事案等への対応の強化

ア　指定医療機関又は保険医療機関の指定取消しがなされた場合の対応
　　　法による指定医療機関又は健康保険法による保険医療機関のいずれかの指定が取り消された際に、両制度間で関連性を持たせて対応できるものとしたこと。
　　・都道府県知事は、法による指定医療機関の指定を取り消した場合であって、保険医療機関の指定取消要件に該当すると疑うに足りる事実があるときは、厚生労働大臣に通知しなければならないものとしたこと。（新法第83条の2関係）
　　・健康保険法による保険医療機関の指定が取り消された場合は、法の指定医療機関の指定を取り消すことができるものとしたこと。（新法第51条第2項第1号関係）
　　イ　過去の不正事案への対応
　　　旧法では対象となっていない指定医療機関の開設者であった者等についても、都道府県知事又は厚生労働大臣は、必要と認める事項の報告若しくは診療録等の提出等を命じ、又は当該職員に、実地に検査等させることができるものとしたこと。（新法第54条関係）
　　ウ　不正利得の徴収金
　　　偽りその他不正な手段により医療の給付に要する費用の支払を受けた指定医療機関があるときは、都道府県知事又は市町村長は、当該指定医療機関から、その返還させるべき額のほか、100分の40を乗じて得た額以下の金額を徴収することができるものとしたこと。（新法第78条第2項関係）
　　エ　指定医療機関への指導体制の強化
　　　指定医療機関に対する指導等の実施に当たっては、都道府県知事が指定した指定医療機関等については、一義的には指定権者である都道府県知事が行うべきものであるが、一部の指定医療機関における不適切な事案に効率的・効果的に対処できるよう、都道府県知事が指定した指定医療機関への報告等について、被保護者の利益を保護する緊急の必要があると厚生労働大臣が判断した場合には、厚生労働大臣も実施できるものとしたこと。（新法第84条の4関係）
2　新法の施行に伴う指定事務に係る留意事項
(1)　指定医療機関に対する新法の内容の周知徹底
　　都道府県（指定都市及び中核市を含む。以下同じ。）は、管内の指定医療機関に対して、上記1に掲げる指定医療機関制度の見直しに関する事項及びアからウまでに掲げる施行に伴う経過措置に関する事項についてあらかじめ周知を行うとともに、円滑な施行が図られるよう協力を求めること。
　　ア　旧法の指定を受けている指定医療機関は、施行日において新法第49条による指定を受けたものとみなされるものとしたこと。（改正法附則第5条第1項関係）
　　イ　新法の施行（平成26年7月1日）の際、新法の規定による指定医療機関の指定があったものとみなされた指定は、施行日から1年以内に指定医療機関の申請をしなければ、当該期間の経過によって効力を失うものとしたこと（平成27年7月1日付

で失効する)。(改正法附則第5条第2項関係)
　ウ　新法の施行(平成26年7月1日)の際、新法の規定による指定医療機関の指定があったものとみなされた指定に係る施行日以後の最初の更新は、施行日から6年を経過する日までではなく、施行日から健康保険法第68条第1項の規定により同法第63条第3項第1号の指定の効力が失われる日の前日までの期間を経過する日までに行うものとしたこと。ただし、施行日から1年以内に当該前日が到来する場合にあっては、当該前日から6年を経過する日までに行うものとしたこと。
　　また、指定訪問看護事業者等の最初の指定の更新については、健康保険法による指定を受けている訪問看護事業者(介護保険法による指定を受けているものを除く。)にあっては、施行日から6年を経過する日までに行うものとしたこと。
　　さらに、上記以外の訪問看護事業者等にあっては、介護保険法の指定の有効期間の満了日までに行うものとすること。ただし、当該日が施行日から1年以内に到来する場合にあっては、当該日から6年を経過する日までに行うものとしたこと。
　　(改正法附則第5条第3項関係)
(2)　指定医療機関に対する指定申請書類の送付
　　改正後の規則第10条第2項において、指定を受けようとする医療機関の開設者は、病院等の名称及び所在地、健康保険法に規定する保険医療機関等である旨、新法に規定する指定の欠格事由に該当しないことの誓約等の事項を記載した申請書又は書類を都道府県知事に提出することとしている。
　　そのため、都道府県は、指定の申請が円滑に行われるよう、別添1の様式例を参考に改正後の規則第10条第2項に規定する申請書又は誓約書等の様式を作成し、管内の指定医療機関に対し上記(1)の周知と併せ、送付すること。
(3)　改正法附則第5条第2項の規定による申請状況の確認
　　都道府県は、施行日より改正法附則第5条第2項の規定に係る申請を受理することとなるが、常時、管内の指定医療機関からの当該申請の受理状況を管理し、必要に応じて、当該申請がなされていない指定医療機関に対して申請手続の進捗状況の確認等を行うこと。
(4)　改正法附則第5条第2項の規定による申請に基づく指定の審査等
　ア　都道府県は、受理した申請について、申請書又は誓約書等の記載内容について審査し、新法第49条の規定による指定を行うことが適当と判断される場合には、新法の施行の日付(平成26年7月1日)で指定を行ったことを通知すること。
　イ　併せて、改正法附則第5条第3項の規定により、最初の指定の更新については、その指定を受けたものとみなされた日(施行日)から6年を経過する日までではなく、(1)のウのとおり更新の申請を行う必要があることを通知すること。
　ウ　ア及びイの通知については、別添2の様式例を参考にする等して作成した文書により行うこと。
　エ　なお、アの指定については、新法第55条の3第1項第1号の規定による告示は不

3 その他の留意事項
(1) 旧法による指定を受けている医師又は歯科医師
　旧法による指定を受けている医師又は歯科医師（いわゆる往診医師・歯科医師）は、施行日において、診療所を開設しているものとみなして新法第49条による指定を受けたものとみなして、改正法附則第5条第2項及び第3項の規定を適用するものとする。（改正法附則第5条第4項）
　したがって、当該医師又は歯科医師に係る施行に伴う指定事務については、上記2の(2)から(4)までと同様の取扱いとすること。
(2) 新法による新規の指定の申請
　新法による新規の指定を受けようとする者は、新法の規定の例により、施行日前においてもその申請をすることができるものであること。（改正法附則第8条関係）
　この場合においては、指定の最初の更新に係る改正法附則第5条第3項の規定による経過措置は適用されないため、指定日については、施行日以降の日付における当該医療機関の希望する日を参考にしながら決定すること。

指定医療機関の指定事務に係る留意事項等について

別添1 様式例（申請書）

生活保護法指定医療機関　指定・指定更新　申請書

名　　　　称	（フリガナ）		医療機関コード	
所　在　地	〒　－　　　　　　TEL（　）　－			
開設者の氏名、生年月日、住所（法人の場合は、「氏名（名称）」欄に法人の名称及び代表者の職・氏名を記載し、「住所（所在地）」欄に主たる事務所の所在地を記載）	氏名（名称等）	（フリガナ）		
	生年月日	年　　月　　日		
	住所（所在地）	〒　－		
管理者の氏名、生年月日及び住所	氏名	（フリガナ）	生年月日	年　月　日
	住所	〒　－		
診　療　科　名				
健康保険法による指定	有 ・ 指定申請中	有効期間	年　月　日から 　年　月　日まで	
生活保護法第49条の3第4項において規定する診療所又は薬局の該当の有無	有 ・ 無			
現に受けている生活保護法による指定の有効期間満了日	年　月　日　（更新の場合のみ記載）			

　上記のとおり指定を申請します。
　　令和　年　月　日
　　（申請先）
　　○　○　知　事（市　長）　　　〒　－
　　　　　　　　　　　　　　　　　住　所
　　　　　　　　　申請者（開設者）
　　　　　　　　　　　　　　　　　　　　TEL（　）　－
　　　　　　　　　　　　　　　　　氏　名

Ⅱ　生活保護法関係通知　第4章　医療扶助運営要領

注意事項
1　この書類は、都道府県知事（市長）に直接に、又は所在地を管轄する福祉事務所を経由して提出してください。
2　貴機関が新たに指定された場合には、県（市）告示により公示するほか、指定通知書により通知します。
3　更新申請の場合、指定の有効期間の満了日までに、申請に対する通知がなされないときは、従前の指定は、指定の有効期間の満了後もその通知がされるまでの間は、なおその効力を有します。

記載要領
1　標題の「指定・指定更新」の部分は、指定、指定更新のいずれかを○で囲んでください。
2　「名称」は医療法による開設許可証等に記載されている名称を記載してください。
3　「医療機関コード」は保険医療機関番号を記載してください。
4　開設者が法人の場合、「氏名（名称等）」に法人の名称及び代表者の職・氏名を記載し、「住所（所在地）」に法人の主たる事務所の所在地を記載してください。
　※開設者が法人の場合、生年月日については記載の必要はありません。
5　「診療科名」は、標榜する診療科名を記載してください。診療科名が複数ある場合には、主たる診療科を最初に記載してください。
　※薬局の場合、「診療科名」は記載の必要はありません。
6　「健康保険法による指定」は、申請時点における健康保険法による指定の「有」・「指定申請中」のいずれかを○で囲み、「有」の場合は健康保険法による指定の有効期間を記載してください。また、「指定申請中」の場合は、健康保険法による指定の申請を行った日を記載してください。
　※健康保険法の指定を受けていない場合には、生活保護法の指定は受けられません。
　※訪問看護ステーションのうち、介護保険法の指定を受けることにより、健康保険法の指定を受けたとみなされるものについては、「健康保険法による指定」の「有効期間」には、介護保険法の指定の有効期間を記載してください。
7　「現に受けている生活保護法による指定の有効期間満了日」については、生活保護法第49条の3第1項に基づき指定の更新を受けようとする場合に、記載してください。
8　「生活保護法第49条の3第4項において規定する診療所又は薬局」とは、以下のいずれかに該当するものです。
　①　医師、歯科医師又は薬剤師の開設する指定医療機関であって、その指定を受けた日からおおむね引き続き当該開設者である医師、歯科医師若しくは薬剤師のみが診療若しくは調剤に従事しているもの
　②　医師、歯科医師又は薬剤師の開設する指定医療機関であって、その指定を受けた日からおおむね引き続き当該開設者である医師、歯科医師若しくは薬剤師及びその者と同一の世帯に属する配偶者、直系血族若しくは兄弟姉妹である医師、歯科医師若しくは薬剤師のみが診療若しくは調剤に従事しているもの
9　申請者（開設者）の署名は、法人の場合は、名称、代表者の職・氏名及び主たる事務所の所在地を記載してください。

別添1 様式例（誓約書）

> 生活保護法第49条の2第2項第2号から第9号までに該当しない旨の誓約書
>
> ○○知事殿　　　　　　　　　　　　　　　　　　年　月　日
>
> 下欄に掲げる生活保護法第49条の2第2項第2号から第9号までの規定に該当しないことを誓約します。
>
> 　　　　　住　　所
> 　　　　　氏名又は名称

（誓約項目）
生活保護法第49条の2第2項第2号から第9号までの規定関係

1　第2項第2号関係
　　開設者が、禁錮以上の刑に処せられ、その執行を終わり、又は執行を受けることがなくなるまでの者であること。

2　第2項第3号関係
　　開設者が、生活保護法その他国民の保健医療若しくは福祉に関する法律で政令で定めるものの規定（※）により罰金の刑に処せられ、その執行を終わり、又は執行を受けることがなくなるまでの者であること。

　　※　その他国民の保健医療若しくは福祉に関する法律で政令で定めるものの規定
　　　1　児童福祉法（昭和22年法律第164号）
　　　2　あん摩マッサージ指圧師、はり師、きゅう師等に関する法律（昭和22年法律第217号）
　　　3　栄養士法（昭和22年法律第245号）
　　　4　医師法（昭和23年法律第201号）
　　　5　歯科医師法（昭和23年法律第202号）
　　　6　保健師助産師看護師法（昭和23年法律第203号）
　　　7　歯科衛生士法（昭和23年法律第204号）
　　　8　医療法（昭和23年法律第205号）
　　　9　身体障害者福祉法（昭和24年法律第283号）
　　　10　精神保健及び精神障害者福祉に関する法律（昭和25年法律第123号）
　　　11　社会福祉法（昭和26年法律第45号）
　　　12　医薬品、医療機器等の品質、有効性及び安全性の確保等に関する法律（昭和35年法律第145号）
　　　13　薬剤師法（昭和35年法律第146号）
　　　14　老人福祉法（昭和38年法律第133号）
　　　15　理学療法士及び作業療法士法（昭和40年法律第137号）
　　　16　柔道整復師法（昭和45年法律第19号）
　　　17　社会福祉士及び介護福祉士法（昭和62年法律第30号）

18 義肢装具士法(昭和62年法律第61号)
19 介護保険法(平成9年法律第123号)
20 精神保健福祉士法(平成9年法律第131号)
21 言語聴覚士法(平成9年法律第132号)
22 障害者の日常生活及び社会生活を総合的に支援するための法律(平成17年法律第123号)
23 高齢者虐待の防止、高齢者の養護者に対する支援等に関する法律(平成17年法律第124号)
24 就学前の子どもに関する教育、保育等の総合的な提供の推進に関する法律(平成18年法律第77号)
25 障害者虐待の防止、障害者の養護者に対する支援等に関する法律(平成23年法律第79号)
26 子ども・子育て支援法(平成24年法律第65号)
27 再生医療等の安全性の確保等に関する法律(平成25年法律第85号)
28 国家戦略特別区域法(平成25年法律第107号。第12条の4第15項及び第17項から第19項までの規定に限る。)
29 難病の患者に対する医療等に関する法律(平成26年法律第50号)
30 公認心理師法(平成27年法律第68号)

3 第2項第4号関係

都道府県知事が当該指定の取消しの処分の理由となった事実その他当該事実に関して開設者が有していた責任の程度を確認した結果、開設者が当該指定の取消しの理由となった事実について組織的に関与していると認められない場合を除き、開設者が、生活保護法の規定により指定医療機関の指定を取り消され、その取消しの日から起算して5年を経過しない者であること(取消しの処分に係る行政手続法(平成5年法律第88号)第15条の規定による通知があった日前60日以内に当該指定を取り消された病院若しくは診療所、薬局又は訪問看護事業者等の管理者であった者が当該取消しの日から起算して5年を経過しないものを含む。)。

4 第2項第5号関係

開設者が、生活保護法の規定による指定の取消しの処分に係る行政手続法(平成5年法律第88号)第15条の規定による通知があった日から当該処分をする日又は処分をしないことを決定する日までの間に第51条第1項の規定による指定の辞退の申出をした者(当該指定の辞退について相当の理由がある者を除く。)で、当該申出の日から起算して5年を経過しないものであること。

5 第2項第6号関係

開設者が、生活保護法の規定による検査が行われた日から聴聞決定予定日(当該検査の結果に基づき生活保護法の規定による指定の取消しの処分に係る聴聞を行うか否かの決定をすることが見込まれる日として都道府県知事が当該開設者に当該検査が行われた日から10日以内に、検査日から起算して60日以内の特定の日を通知した場合における当該特定の日をいう。)までの間に生活保護法の規定による指定の辞退の申出をした者(当該指定の辞退について相当の理由がある者を除く。)で、当該申出の日から起算して5年を経過しないものであること。

6 第2項第7号関係

第5号に規定する期間内に生活保護法の規定による指定の辞退の申出があった場合において、開設者(当該指定の辞退について相当の理由がある者を除く。)が、

同号の通知の日前60日以内に当該申出に係る病院若しくは診療所、薬局又は訪問看護事業者等の管理者であった者で、当該申出の日から起算して5年を経過しないものであること。

7　第2項第8号関係

開設者が、指定の申請前5年以内に被保護者の医療に関し不正又は著しく不当な行為をしたものであること。

8　第2項第9号関係

当該申請に係る病院若しくは診療所、薬局又は訪問看護事業者等の管理者が第2号から前号までのいずれかに該当すること。

別添2　様式例（通知）

〇〇〇〇〇〇〇〇号
平成〇〇年〇月〇日

〇〇〇〇〇〇病院
　（開設者）　　　殿

〇〇県知事

生活保護法の一部を改正する法律附則第5条第2項の規定による申請に基づく指定について

平成〇年〇月〇日付けであった生活保護法の一部を改正する法律（平成25年法律第104号）附則第5条第2項の規定による申請について下記のとおり指定したので、通知する。

記

1　指定医療機関名　　〇〇〇〇〇〇病院
2　指　定　日　　　　平成26年7月1日
3　指定の有効期間　　平成〇年〇月〇日（貴保険医療機関（保険薬局）の指定有効期間の満了日）まで

○生活保護法の一部改正に伴う指定助産機関及び指定施術機関の指定事務に係る留意事項等について

> 平成26年4月25日　社援保発0425第9号
> 各都道府県・各指定都市・各中核市民生主管部(局)長
> 宛　厚生労働省社会・援護局保護課長通知

〔改正経過〕

　第1次改正　平成28年3月31日社援保発0331第9号　　第2次改正　令和元年5月27日社援保発0527第1号
　第3次改正　令和3年1月7日社援保発0107第1号

　生活保護法の一部を改正する法律（平成25年法律第104号。以下「改正法」という。）については、平成25年12月13日に公布され、生活保護法施行令（昭和25年政令第148号。以下「施行令」という。）及び生活保護法施行規則（昭和25年厚生省令第21号。以下「規則」という。）並びに「生活保護法による医療扶助運営要領について」（昭和36年9月30日社発第727号厚生省社会局長通知。以下「運営要領」という。）等についても所要の改正を行い、平成26年7月1日より施行することとしている。
　今般、生活保護法（昭和25年法律第144号。以下「法」といい、改正前の法を「旧法」、改正後の法を「新法」という。）、施行令及び規則を踏まえ、指定助産機関及び指定施術機関の指定事務に関する留意事項等について下記のとおり整理したので、御了知の上、関係団体等に周知し協力するとともに、関係機関とも連携を図りながら、その実施に遺漏なきを期されたい。

記

1　改正法における指定助産機関制度及び指定施術機関制度の見直し
　　旧法では、法による出産扶助のための助産を担当する助産師（以下「指定助産機関」という。）又は法による医療扶助のための施術を担当するあん摩マッサージ指圧師、はり師、きゅう師若しくは柔道整復師（以下「指定施術機関」という。）の指定及び指定取消しについて、具体的な要件が規定されておらず、不適正な助産機関や施術機関への対応が十分行われる環境にあるとは言いがたい状況にある。
　　このため、新法では、医療機関の指定制度に係る規定を準用し、指定助産機関制度及び指定施術機関制度についても見直しを行っているが、その内容は主に次のとおりである。
(1)　指定助産機関又は指定施術機関の指定要件及び指定取消要件の明確化
　　ア　指定の要件
　　　　新法第55条第2項において読み替えて準用する新法第49条の2第2項各号（欠格事由）（第1号、第4号ただし書、第7号及び第9号を除く。）のいずれかに該当するときは、都道府県知事（指定都市市長及び中核市市長を含む。以下同じ。）は指

定助産機関又は指定施術機関の指定をしてはならないものとしたこと。また、新法第55条第2項において読み替えて準用する新法第49条の2第3項各号（指定除外要件）のいずれかに該当するときは、都道府県知事は指定助産機関又は指定施術機関の指定をしないことができるものとしたこと。

（欠格事由の例）
- 申請者が、禁錮以上の刑に処せられ、その執行を終わり、又は執行を受けることがなくなるまでの者であるとき。
- 申請者が、指定助産機関又は指定施術機関の指定を取り消され、その取消しの日から起算して5年を経過しない者であるとき。
- 申請者が、指定の取消しの処分に係る通知があった日から当該処分をする日までの間に指定の辞退の申出をした者で、当該申出の日から起算して5年を経過しない者であるとき。

（指定除外要件の例）
- 被保護者の助産又は施術について、その内容の適切さを欠くおそれがあるとして重ねて指導を受けたものであるとき。

イ　指定の取消要件

指定助産機関又は指定施術機関が、新法第55条第2項において読み替えて準用する新法第51条第2項各号（第4号、第6号ただし書及び第10号を除く。）のいずれかに該当するときは、都道府県知事は、その指定を取り消し、又は期間を定めてその指定の全部若しくは一部の効力を停止することができるものとしたこと。

（取消要件の例）
- 指定助産機関又は指定施術機関が、禁錮以上の刑に処せられたとき。
- 指定助産機関又は指定施術機関が、不正の手段により指定助産機関又は指定施術機関の指定を受けたとき。

(2) 不適切な事案等への対応の強化

ア　過去の不正事案への対応

旧法では対象となっていない指定助産機関又は指定施術機関であった者についても、都道府県知事は、必要と認める事項の報告若しくは助産録等の提出を命じ、又は当該職員に、実地に検査等させることができるものとしたこと。（新法第55条第2項において読み替えて準用する新法第54条関係）

イ　不正利得の徴収金

偽りその他不正な手段により助産又は施術の給付に要する費用の支払を受けた指定助産機関又は指定施術機関があるときは、都道府県知事又は市町村長は、当該指定助産機関又は指定施術機関から、その返還させるべき額のほか、100分の40を乗じて得た額以下の金額を徴収することができるものとしたこと。（新法第78条第2項関係）

ウ　指定助産機関及び指定施術機関への指導体制の強化

指定助産機関及び指定施術機関に対する指導等の実施に当たっては、都道府県知

事が指定した指定助産機関又は指定施術機関については、一義的には指定権者である都道府県知事が行うべきものであるが、一部の指定助産機関又は指定施術機関における不適切な事案に効率的・効果的に対処できるよう、都道府県知事が指定した指定助産機関又は指定施術機関への報告等について、被保護者の利益を保護する緊急の必要があると厚生労働大臣が判断した場合には、厚生労働大臣も実施できるものとしたこと。(新法第55条第2項において読み替えて準用する新法第84条の4関係)

2 改正法の施行に伴う指定事務に係る留意事項
(1) 指定助産機関及び指定施術機関に対する新法の内容の周知徹底
都道府県(指定都市市長及び中核市市長を含む。以下同じ。)は、管内の指定助産機関及び指定施術機関に対して、上記1に掲げる指定助産機関制度及び指定施術機関制度の見直しに関する事項並びに下記に掲げる施行に伴う指定事務に関する事項についてあらかじめ周知を行うとともに、円滑な施行が図られるよう協力を求めること。

ア 新法による医療扶助のための施術を担当させる施術機関については、あん摩マッサージ指圧師及び柔道整復師に加え、はり師及びきゅう師についても、都道府県知事が指定するものとしたこと。(新法第55条第1項関係)

イ 旧法の指定を受けている助産師、あん摩マッサージ指圧師及び柔道整復師は、施行日において新法第55条第1項の規定による指定を受けたものとみなされるものとしたこと。(改正法附則第7条関係)
また、指定助産機関及び指定施術機関については、施行日から1年以内の申請や6年毎の更新は要しないものであること。

ウ 一方、旧法では運営要領の規定により施術(はり・きゅう)を担当するはり師及びきゅう師として登録されている者が、施行日後においても新法の規定による施術(はり・きゅう)を引き続き担う場合には、新たに新法第55条第1項の規定による指定を受ける必要があること。

エ また、法改正に伴い運営要領についても見直しを行い、「協定書(はり・きゅう)」は他の施術(あん摩マッサージ指圧、柔道整復)の協定書と統合し、「はり・きゅう給付の担当規程」及び「はり・きゅう給付の施術方針」は廃止することとしている。

オ 改正法による新規の指定の申請を受けようとする者(はり師及びきゅう師が上記ウにより指定を申請する場合も含む。)は、新法の規定の例により、施行日前においてもその申請をすることができるものとしたこと。(改正法附則第8条関係)

(2) はり師及びきゅう師に対する指定申請書類の送付
改正後の規則第10条の8において、指定の申請を受けようとする助産師又は施術者(はり師及びきゅう師が上記(1)のウにより指定を申請する場合も含む。)は、氏名、生年月日及び住所、新法に規定する指定の欠格事由に該当しないことの誓約等の事項を記載した申請書又は書類を都道府県知事に提出することとしている。
そのため、都道府県は、特に上記(1)のウに記載しているはり師及びきゅう師に係る

指定の申請が円滑に行われるよう、別添の様式例を参考に改正後の規則第10条の8の規定する申請書又は誓約書等の様式を作成し、運営要領の規定による「はり・きゅう師登録簿」に登録されている管内のはり師及びきゅう師に対し上記(1)の周知と併せ、送付すること。
(3) はり師及びきゅう師に係る新法第55条第1項の規定による指定状況の確認等
　ア　都道府県は、上記(1)のウに記載している管内のはり師及びきゅう師に係る指定の状況について、常時、管理すること。
　イ　特に、当該施術を担当するはり師又はきゅう師が施行日において改正法の規定による指定を受けていない場合には、施行日前より継続して行われている施術（はり・きゅう）を行うことはできないので、当該施術が中断されることのないよう十分注意すること。
　　このため、施行日前より継続して行われている施術を担当するはり師又はきゅう師に対しては、改正法附則第8条の規定による施行日前の申請を促し、必要に応じて、申請手続の進捗状況の確認等を行うこと。
　ウ　なお、改正法第55条の3第1号の規定による告示について、上記(1)のウによる指定をしたときは必要であるが、(1)のイによる指定をしたときは不要であること。

別添様式例(申請書)

生活保護法指定　助産機関・施術機関　指定申請書

氏　　　　　名	(フリガナ)		
生　年　月　日	年　　　月　　　日		
住　　　　　所	〒　　— 　　　　　　　TEL(　)　—		
開設している(勤務している) 助産所又は施術所の名称	名 称	(フリガナ)	
開設している(勤務している) 助産所又は施術所の所在地	所 在 地	〒　　— 　　　　　TEL(　)　—	
業　務　の　種　類	助産・あん摩マッサージ指圧・はり・きゅう・柔道整復		

上記のとおり申請します。
　令和　　年　　月　　日
　　(申請先)
　　○　○　知　事（市　長）　　〒　　—
　　　　　　　　　　　　　　　　住　所

　　　　　　　　　　申請者
　　　　　　　　　　　　　　　　　　TEL(　)　—
　　　　　　　　　　氏　名

注意事項
　1　この書類は、都道府県知事（市長）に直接に、又は所在地を管轄する福祉事務所を経由して提出してください。
　2　免許証の写しを添付してください。
　3　貴機関が指定された場合には、県（市）告示により公示するほか、指定通知書により通知します。

記載要領
　1　「氏名」は、当該指定申請を行う助産師又は施術者の氏名を記載してください。
　2　「生年月日」は、当該指定申請を行う助産師又は施術者の生年月日を記載してください。
　3　「住所」は、当該指定申請を行う助産師又は施術者の住所を記載してください。
　4　「業務の種類」は、該当するものを○で囲んでください。

別添様式例（誓約書）

```
　　　　生活保護法第55条第2項において準用する同法第49条の2第2項各号
　　　　（第1号、第4号ただし書、第7号及び第9号を除く。）に該当しない
　　　　旨の誓約書

　　○　○　知　事　殿

　　　　　　　　　　　　　　　　　　　　　　　　　　　　　年　　月　　日

　　　下欄に掲げる生活保護法第55条第2項において準用する同法第49条の2第2項各
　　号（第1号、第4号ただし書、第7号及び第9号を除く。）の規定に該当しないこ
　　とを誓約します。


　　　　　　　　　　　　住所（所在地）
　　　　　　　　　　　　氏　　　　名
```

（誓約項目）
　生活保護法第55条第2項において準用する同法第49条の2第2項各号（第1号、第4号ただし書、第7号及び第9号を除く。）の規定関係

1　第2項第2号関係
　指定を受けようとする助産師又は施術者（以下「申請者」という。）が、禁錮以上の刑に処せられ、その執行を終わり、又は執行を受けることがなくなった日を経過しない者であること。

2　第2項第3号関係
　申請者が、生活保護法その他国民の保健医療若しくは福祉に関する法律で政令で定めるものの規定（※）により罰金の刑に処せられ、その執行を終わり、又は執行を受けることがなくなるまでの者であること。

※　その他国民の保健医療若しくは福祉に関する法律で政令で定めるものの規定
1　児童福祉法（昭和22年法律第164号）
2　あん摩マッサージ指圧師、はり師、きゅう師等に関する法律（昭和22年法律第217号）
3　栄養士法（昭和22年法律第245号）
4　医師法（昭和23年法律第201号）
5　歯科医師法（昭和23年法律第202号）
6　保健師助産師看護師法（昭和23年法律第203号）
7　歯科衛生士法（昭和23年法律第204号）
8　医療法（昭和23年法律第205号）
9　身体障害者福祉法（昭和24年法律第283号）
10　精神保健及び精神障害者福祉に関する法律（昭和25年法律第123号）
11　社会福祉法（昭和26年法律第45号）
12　医薬品、医療機器等の品質、有効性及び安全性の確保等に関する法律（昭和35年法律第145号）
13　薬剤師法（昭和35年法律第146号）

            14　老人福祉法（昭和38年法律第133号）
            15　理学療法士及び作業療法士法（昭和40年法律第137号）
            16　柔道整復師法（昭和45年法律第19号）
            17　社会福祉士及び介護福祉士法（昭和62年法律第30号）
            18　義肢装具士法（昭和62年法律第61号）
            19　介護保険法（平成9年法律第123号）
            20　精神保健福祉士法（平成9年法律第131号）
            21　言語聴覚士法（平成9年法律第132号）
            22　障害者の日常生活及び社会生活を総合的に支援するための法律（平成17年法律第123号）
            23　高齢者虐待の防止、高齢者の養護者に対する支援等に関する法律（平成17年法律第124号）
            24　就学前の子どもに関する教育、保育等の総合的な提供の推進に関する法律（平成18年法律第77号）
            25　障害者虐待の防止、障害者の養護者に対する支援等に関する法律（平成23年法律第79号）
            26　子ども・子育て支援法（平成24年法律第65号）
            27　再生医療等の安全性の確保等に関する法律（平成25年法律第85号）
            28　国家戦略特別区域法（平成25年法律第107号。第12条の4第15項及び第17項から第19項までの規定に限る。）
            29　難病の患者に対する医療等に関する法律（平成26年法律第50号）
            30　公認心理師法（平成27年法律第68号）
    3　第2項第4号関係
        申請者が、生活保護法の規定により指定医療機関の指定を取り消され、その取消しの日から起算して5年を経過しない者であること。
    4　第2項第5号関係
        申請者が、生活保護法の規定による指定の取消しの処分に係る行政手続法（平成5年法律第88号）第15条の規定による通知があった日から当該処分をする日又は処分をしないことを決定する日までの間に生活保護法の規定による指定の辞退の申出をした者（当該指定の辞退について相当の理由がある者を除く。）で、当該申出の日から起算して5年を経過しないものであること。
    5　第2項第6号関係
        申請者が、生活保護法の規定による検査が行われた日から聴聞決定予定日（当該検査の結果に基づき生活保護法の規定による指定の取消しの処分に係る聴聞を行うか否かの決定をすることが見込まれる日として都道府県知事が当該申請者に当該検査が行われた日から10日以内に、検査日から起算して60日以内の特定の日を通知した場合における当該特定の日をいう。）までの間に生活保護法の規定による指定の辞退の申出をした者（当該指定の辞退について相当の理由がある者を除く。）で、当該申出の日から起算して5年を経過しないものであること。
    6　第2項第8号関係
        申請者が、指定の申請前5年以内に被保護者の助産又は施術に関し不正又は著しく不当な行為をした者であること。

6　他法との関係

○精神衛生法等の一部を改正する法律等の施行に
　伴う生活保護運営上の留意事項について

> 昭和63年8月3日　社保第77号
> 各都道府県・各指定都市民生主管部(局)長宛　厚生省
> 社会局保護課長通知

〔改正経過〕
　第1次改正　平成8年3月18日社援保第52号

　昭和63年7月1日から精神衛生法等の一部を改正する法律等が施行されたことに伴い、その取扱いについては、昭和63年7月1日社保第66号厚生省社会局長通知「生活保護法による医療扶助運営要領等の一部改正について（昭和38年9月30日社発第727号）」により通知されたところであるが、更に下記の事項に留意の上、関係機関に周知方よろしくお取り計らい願いたい。
　なお、この件については、厚生省保健医療局精神保健課と協議済みであるので念のため申し添える。

記

1　措置入院の申請後措置不要となった場合の取扱いについて
　　今回の精神衛生法に伴い、指定医が診察する際の「精神衛生鑑定書」が「措置入院に関する診断書」に変更され、医学的総合判断として措置入院の要・不要のみの記載となり、入院の要否についての記載欄がなくなったことから、措置入院が非該当となった要保護者については、一般の精神病院入院の取扱いと同様、新たな指定医療機関から精神病入院要否意見書を徴し（ただし、継続入院の場合で入院承認期間がある者についてはこの限りでない。）、医療扶助による入院の要否を決定すること。
2　医療扶助審議会における精神病入院要否の判定等について
　　今般の精神衛生法の改正に伴い、新たに各都道府県に精神医療審査会が設置され、精神障害者の入院要否の判定及び処遇に関する審査が行われることとなったので、次により医療扶助審議会の審議事項について所要の調整を行うものであること。
(1)　医療扶助審議会での審議について
　　医療扶助審議会は、福祉事務所長から精神病入院の要否について疑義があるとされ、都道府県知事（指定都市及び中核市の市長を含む。(2)において同じ。）に対する協議が行われたもので、かつ、協議の結果なお疑義のあるものを審議するものとされたこと。
(2)　医療保護入院で入院している要保護者の入院要否判定について
　　医療保護入院で入院している要保護者については、定期的な入院の要否判定は精神

医療審査会で行われるものであるため、その結果を踏まえ、福祉事務所長又は都道府県知事が判断を行うものであること。
　従って、原則として医療扶助審議会の審議の対象としない。ただし、直近の精神医療審査会での審査後に要保護の病状の改善が明らかに認められ、かつ、次の精神医療審査会の審査までに相当の期間を有する場合は、入院の要否について指定医療機関の意見を聴いた上で、医療扶助審議会の審議の対象としても差し支えないこと。
3　これまでに通知している本職通知中「精神衛生法」を「精神保健法」に改める。
4　昭和51年9月25日社保第159号本職通知「精神障害者措置入院制度の適正な運用について」は廃止する。

○児童福祉法の一部を改正する法律〔第16次改正〕
　等の施行について（抄）

> 昭和33年7月9日　厚生省発児第84号
> 各都道府県知事・各指定都市市長・各政令市市長宛
> 厚生事務次官通知

　児童福祉法の一部を改正する法律は昭和33年5月1日法律第120号をもって公布即日施行され、これに伴う児童福祉法施行規則の一部を改正する省令（昭和33年7月9日厚生省令第21号）も公布施行されたが、これが運用に関しては、特に次の事項に留意し、もってこの法律等の所期の目的を達成するよう努められたく命により通知する。

記

第1　未熟児の養育に関する事項
　1～3　略
　4　養育医療の給付に関する事項
　(1)　養育医療の給付の対象は、法第21条の4の規定により「養育のため病院又は診療所に収容することを必要とする未熟児」に限られているものであること。
　(2)　給付は、指定養育医療機関において受ける養育医療の給付を原則とし、費用の支給は、これを特に補充するために例外的に認められるものであるので、真にやむを得ない事由がある場合に限ること。
　(3)　指定養育医療機関は、未熟児の医療の特殊性にかんがみ、必要な設備と未熟児の取扱に十分の知識経験を有する職員を有するものでなければならないので、指定にあたっては、十分この点を考慮すること。また、未熟児を遠隔の医療機関に収容する場合の困難性を考慮して指定養育医療機関の配置が適正なものとなるよう配意されたいこと。
　(4)　養育医療の給付又は費用の支給を受けることができる未熟児が社会保険各法の被保険者等である場合は、それぞれ社会保険各法の適用があること。
　　　生活保護法（昭和25年法律第144号）による医療扶助の適用に関しては、保護の補足性の原則（同法第4条）に従い、養育医療の給付を優先して行うものであること。
　(5)　養育医療の給付又は費用の支給に要する費用は、これらの措置を行う都道府県又は保健所を設置する市が支弁することとなるが（法第50条第5号の2、法第51条第2項第3号）、この支弁した費用については、児童福祉法施行令（以下「令」という。）第15条の定めるところにより、国庫はその10分の8を負担するものであること。（法第53条）
第2　略

○児童福祉法第21条の16に基づく療育の給付と生活保護法の医療扶助との調整について

（昭和35年8月13日　厚生省発児第869号
各都道府県知事宛　厚生省児童局長通知）

標記について、別紙甲号千葉県知事の照会に対し、別紙乙号の通り回答したから通知する。

（別紙甲号）
　　児童福祉法第21条の16に基づく療育の給付と生活保護法の医療扶助との調整について

（昭和35年6月27日　予第196号
厚生省児童局長宛　千葉県知事照会）

　この事について疑義がありますから照会いたします。
問㈠　被保護世帯の児童にかかる療育給付の申請があったが、現に適用中の児童の年間所要見込額を満たす程度の予算があるに過ぎない場合は新規適用は不可能であり、これを却下し生活保護法の医療扶助の適用をうける様指導することが適当であると考えるが、生活の保護の補足性の原理との関係はさしつかえないか。
問㈡　被保護世帯に属する学齢前の児童と一般世帯に属する学齢中の児童の2例中、予算上、いづれか1例のみ療育給付の決定を行いうる場合、児童福祉法の趣旨から、学齢中の児童を決定すべきであると思われるがいかが。
問㈢　被保護世帯に属する児童で比較的短期間内で入院治療出来る見込の例と一般世帯に属する児童で、長期間入院治療を必要とする見込みの例との場合、予算上いづれか1例についてのみ、療育給付の決定を行いうるときは、療育給付の趣旨から、長期間入院治療を必要とする児童を決定すべきであると思うがさしつかえないか。

（別紙乙号）

（昭和35年8月13日　児発第869号
千葉県知事宛　厚生省児童局長回答）

　昭和35年6月27日予第196号をもって照会のあった標記の件について、次の通り回答する。
　なお、本件については社会局と協議済である。

児童福祉法に基づく療育の給付と生活保護法の医療扶助との調整について

記

1 問㈠について

　児童福祉法第21条の16の規定は、療育の給付を都道府県知事が行なう権限を規定したに止まり、これをすべての骨関節結核児童に対し給付すべきことを義務づける趣旨ではないので、予算上新たな療育の給付が不可能な場合において給付未適用児童に生活保護法による医療扶助を適用することは、保護の補足性の原理に牴触しないものと解する。

2 問㈡について

　お見込みのとおりである。

3 問㈢について

　お見込みのとおりである。

　なお、それぞれの場合について被保護世帯の児童とその他の児童とを差別する趣旨でないことに留意し、被保護世帯の児童に対し療育の給付を行なわないことを決定したときは、その旨を理由を附して申請者に通知するとともに、申請者の居住地を管轄する保護の実施機関に連絡されたい。

○小児慢性特定疾病医療費と生活保護の医療扶助の取扱いについて

> 平成28年3月31日　事務連絡
> 各都道府県・各指定都市・各中核市生活保護・小児慢性特定疾病対策担当課宛　厚生労働省社会・援護局保護・健康局難病対策課

日ごろから厚生労働行政の推進に御理解、御協力をいただき、厚く御礼申し上げます。
標記について、下記のとおり整理しましたので関係機関への周知方お願いいたします。

記

小児慢性特定疾病医療費の支給認定を受けた児童等及び児童福祉法施行規則（昭和23年厚生省令第11号）第7条の2に規定する医療費支給認定基準世帯員（以下「小児慢性特定疾病児童等及び医療費支給認定基準世帯員」という。）が生活保護開始となる場合、当該医療費支給認定に係る医療費支給認定保護者の小児慢性特定疾病医療費の所得区分については、申請又は都道府県、指定都市及び中核市（以下「都道府県等」という。）の職権により変更認定を行い、生活保護開始日以降、「生活保護」として取り扱うことを基本とすること。

小児慢性特定疾病児童等及び医療費支給認定基準世帯員である生活保護受給者が生活保護廃止となる場合、当該医療費支給認定に係る医療費支給認定保護者の小児慢性特定疾病医療費の所得区分については、申請又は都道府県等の職権により、所得区分「生活保護」から変更認定を行い、生活保護廃止日以降、新しい所得区分（「低所得Ⅰ」、「低所得者Ⅱ」等）として取り扱うことを基本とすること。

また、医療機関での患者の自己負担額は、小児慢性特定疾病の医療受給者証の自己負担上限額に沿った額となるため、福祉事務所においては、小児慢性特定疾病児童等及び医療費支給認定基準世帯員が生活保護開始となる場合及び生活保護廃止となる場合には、各都道府県等の小児慢性特定疾病対策担当課あてに情報提供いただくよう御協力願いたい。

小児慢性特定疾病医療費と生活保護の医療扶助の取扱いについて

○小児慢性特定疾病児童等及び医療費支給認定基準世帯員が生活保護開始となった場合

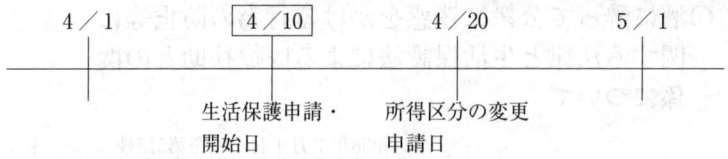

※生活保護開始日（4/10）から所得区分を「生活保護」とする。

○小児慢性特定疾病児童等及び医療費支給認定基準世帯員である生活保護受給者が生活保護廃止となる場合

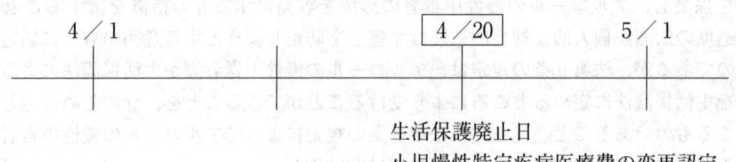

※生活保護廃止日（4/20）から、小児慢性特定疾病医療費においても所得区分「生活保護」を変更認定し、変更認定日以降新しい所得区分とする。

○酒に酔って公衆に迷惑をかける行為の防止等に関する法律と生活保護法による医療扶助との関係について

(昭和36年7月1日　社発第515号)
(各都道府県知事宛　厚生省社会局長通知)

　第38回通常国会において、酒に酔って公衆に迷惑をかける行為の防止等に関する法律（以下「法」という。）が成立し、昭和36年6月1日法律第103号をもって公布され、本年7月1日から施行されたが、生活保護法による医療扶助との関係について次の点に留意のうえ、事務処理に遺漏のないようされたい。

　なお、参考のため法を送付する。

　法は、公共の場所若しくは乗物における酩酊者の行為を規制し、または救護を要する酩酊者を保護し、アルコールの慢性中毒者の診療を容易にする等の措置を講ずることにより、過度の飲酒が個人的、社会的に及ぼす害悪を防止しようとする意図のもとに制定されたものであるが、法第9条の規定は、アルコールの慢性中毒者等が生活保護法による医療扶助を生活保護法に定めるところにより受けることができることを、念のため規定したにとどまるものであること。従って、法第9条の規定によってアルコールの慢性中毒者等に関する医療扶助の特例が定められたものではないこと。

参考1・2　略

○警察官署等において拘束後釈放された者に対する生活保護法による医療扶助の適用について

（昭和38年10月7日　社保第73号
各都道府県・各指定都市民生主管部（局）長宛　厚生省
社会局保護課長通知）

標記について別紙1北海道民生部長の照会に対し、別紙2のとおり回答したから、了知のうえ、各関係機関に周知せしめられたい。

別紙1

警察官署等において拘束後釈放された者に対する生活保護法による医療扶助の適用について

（昭和38年9月5日　38社第2094号
厚生省社会局保護課長宛　北海道民生部長照会）

医療扶助運営要領（昭和36年9月30日社発第727号厚生省社会局長通達）第3の3の(10)において行刑機関、警察官署等に拘束されている者が発病した場合の医療の取扱いが示されていますが、この場合、その者の身柄が直接、間接に警察官等の監視下におかれている場合であってもそれが決定上の釈放であれば一般の手続きによって医療扶助を適用して差支えないものと解してよろしいかこの点ご教示ねがいます。

別紙2

警察官署等において拘束後釈放された者に対する生活保護法による医療扶助の適用について（回答）

（昭和38年10月7日　社保第73号
北海道民生部長宛　厚生省社会局保護課長回答）

昭和38年9月5日38社第2094号をもって照会のあった標記の件について、次のとおり回答する。

行刑機関、警察官署等に拘束されていた者が発病した場合については、その者について事実上警察官等の監視が行われている場合であっても、法定の事由により釈放されたもの（勾留の執行を停止された場合を含む。）であることが確認されたときは、お見込みのとおり一般の手続によって医療扶助を適用して差支えない。

なお、この件について次の通知によって示された取扱いは、すでに昭和33年7月3日社発第242号厚生省社会局長通知「生活保護法による医療扶助運営要領について」の趣旨に従い改めたものであり、現行の医療扶助運営要領もこれによっているので申し添える。

Ⅱ　生活保護法関係通知　第4章　医療扶助運営要領

1　昭和25年7月26日社発第972号「警察官署等に留置された者に対する生活保護法による医療扶助の適用に関する件」
2　昭和26年9月15日社乙発第131号「警察官署等において留置後に釈放された者に対する生活保護法による医療扶助の適用について」
3　昭和27年4月11日社発第339号「警察官署等において留置後釈放された者に対する生活保護法による医療扶助の適用に関する疑義について」

○ハンセン病療養所入所者関係世帯に対する生活保護法の適用について

> 平成8年11月11日　社援保第218号・健医発第1279号
> 各都道府県知事・各指定都市市長・各中核市市長宛
> 厚生省社会・援護・保健医療局長連名通知

　標記の件については、昭和28年10月23日社発第725号厚生省社会局長・公衆衛生局長通知「らい患者関係世帯の世帯員に対する生活保護法の適用について」により実施されてきたところであるが、今般、らい予防法の廃止に関する法律（平成8年法律第28号）が本年4月1日をもって施行されたことに伴い、前記通知を平成8年3月31日をもって廃止し、その取扱いについて別紙のとおり定めたので、了知の上、保護の実施に遺憾なきを期されたい。
　なお、当該取扱いについては、従来と相違ないことを念の為申し添える。
　（別　紙）
1　生活保護法による保護の決定及び実施に関する事務の委任について
　　生活保護法（以下「法」という。）による保護の実施機関は、原則として法による保護の決定に関する事務を管下の福祉事務所に委任することとされているが、入所者関係世帯の世帯員については、既に法による保護を受けている者を除き、これに対する保護の決定及び実施に関する事務は例外的に委任せず、都道府県知事若しくは市区長等自身において直接これを行って差し支えないものとすること。
2　関係職員の併任の措置について
　　法による保護の実施機関が前記1の要領により、入所者関係世帯の世帯員に対する保護の決定及び実施に関する事務を都道府県知事若しくは市区長等自身において直接行う場合において、これを補助する職員として、従来から都道府県におけるハンセン病対策の執行を補助する職員であって、生活保護事務の執行を補助していた職員については、引き続き、当該職員をして保護の事務を行わせるものとすること。
3　保護の実施について
　　入所者関係世帯の世帯員に対する前記1及び2の要領による保護の実施については、秘密の保持の見地から、世帯訪問の回数を保護の適正な実施に支障のない範囲において少なくし、また、当該保護者の委任状に基づき、当該職員が保護金品を受領して直接被保護者に送付する等の措置をとって差し支えないものとすること。

○ハンセン病問題の解決の促進に関する法律等の施行について(抄)

平成21年4月1日　厚生労働省発健第0401032号
各都道府県知事宛　厚生労働事務次官通知

　ハンセン病問題の解決の促進に関する法律(以下「法」という。)は、平成20年法律第82号をもって公布され、これに伴い、ハンセン病問題の解決の促進に関する法律第19条に規定する援護に関する政令(以下「令」という。)が、平成21年政令第22号をもって、ハンセン病問題の解決の促進に関する法律施行規則(以下「規則」という。)が、平成21年厚生労働省令第75号をもって、厚生労働省設置法第16条第9項の規定による国立ハンセン病療養所の利用に関する省令(以下「利用省令」という。)が、平成21年厚生労働省令第85号をもって、ハンセン病問題の解決の促進に関する法律第2条第2項の規定に基づき厚生労働大臣が定めるハンセン病療養所(以下「厚生労働大臣が定めるハンセン病療養所告示」という。)が、平成21年厚生労働省告示第236号をもって、ハンセン病問題の解決の促進に関する法律第8条第1項の規定に基づき厚生労働大臣が定める者(以下「厚生労働大臣が定める者告示」という。)が、平成21年厚生労働省告示第237号をもって、国立ハンセン病療養所等死没者改葬費支給規程(以下「死没者改葬費支給規程」という。)が、平成21年厚生労働省告示第238号をもって、国立高度専門医療センター及び国立ハンセン病療養所入院入所規程等の一部を改正する件が、平成21年厚生労働省告示第239号をもって公布され、いずれも平成21年4月1日から施行することとされたところである。その制定の趣旨及び主な内容は、下記のとおりであるので、十分御了知の上、貴管下市町村、関係団体、関係機関等に周知徹底を図るとともに、その施行に遺憾なきを期されたい。
　なお、参考までに、本件に関する各国立ハンセン病療養所長あて通知の写しを添付する。

記

第1～第5　略
第6　親族に対する援護に関する事項
　1　親族に対する援護の実施
　　　入所者の親族に対する援護については、廃止法第6条に基づき行われていたところであるが、法においても引き続き行うものとしたこと。また、その対象、種類及び範囲については、従前と同一とし、その内容については、以下のとおりとしたこと。
　(1)　援護は、入所者等の親族のうち、当該入所者等が入所しなかったならば、主としてその者の収入によって生計を維持し、又はその者と生計を共にしていると認められる者に対して行われるものとしたこと。(法第19条第1項関係)
　(2)　援護の種類は、生活援助、教育援助、住宅援助、出産援助、生業援助及び葬祭援

助の 6 種類としたこと。(法第19条第 4 項及び令第 1 条関係)
  (3) 援護の範囲は、葬祭援助を除く前記援助について、生活保護法(昭和25年法律第144号)に基づくこれに相当する援助の範囲と同一としたこと。なお、葬祭援助については、生活保護法第18条第 2 項に規定する葬祭扶助の範囲に相当する援護の範囲が設けられていないこと以外は、同法に基づく葬祭扶助の範囲と同一としたこと。(法第19条第 4 項及び令第 1 条関係)
 2 都道府県の支弁
  都道府県は、援護に要する費用を支弁しなければならないこと。(法第20条関係)
 3 費用の徴収
  (1) 都道府県知事は、援護を行った場合において、その援護を受けた者に対して、民法(明治29年法律第89号)の規定により扶養の義務を履行しなければならない者(入所者を除く。)があるときは、その義務の範囲内において、その者からその援護の実施に要した費用の全部又は一部を徴収することができること。(法第21条第 1 項関係)
  (2) 生活保護法第77条第 2 項及び第 3 項の規定は、(1)の場合に準用すること。(法第21条第 2 項関係)
 4 国庫の負担
  国庫は、令で定めるところにより、2 の規定により都道府県が支弁する費用の全部を負担すること。(法第22条及び令第 4 条関係)
 5 公課及び差押えの禁止
  租税その他の公課は、援護として支給される金品を標準として、課することができないこと。また、援護として支給される金品は、既に支給を受けたものであるとないとにかかわらず、差し押さえることができないこと。(法第23条関係)
 6 援護の実施に関する留意事項
  (1) 援護の実施に当たっては、この制度の趣旨にかんがみ、入所者等に関する秘密の保持について細心の注意を払うこと。
  (2) 具体的な援護の決定及び実施に関する事務は、従来どおり都道府県衛生部局において直接これを処理することとし、保健所長にこれを委任しないこと。
第 7 、第 8 略
参考 略

○ハンセン病問題の解決の促進に関する法律等の施行について(抄)

〔平成21年4月1日　健発第0401007号
　各都道府県知事宛　厚生労働省健康局長通知〕

　ハンセン病問題の解決の促進に関する法律(平成20年法律第82号。以下「法」という。)及び関係政省令等の施行については平成21年4月1日厚生労働省発健第0401032号厚生労働省事務次官通知により通知したところであるが、その細部に関しては、下記の事項に留意の上、適切に対応されたい。
　なお、参考までに、本件に関する各国立ハンセン病療養所長あて通知の写しを添付する。

記

第1　国立ハンセン病療養所における入所者に対する措置に関する事項
　　法第7条は、国立ハンセン病療養所において、その入所者に対して必要な療養を行うことを規定しているが、これは、国立ハンセン病療養所以外での医療の提供を妨げる趣旨ではなく、国の責任において、入所者に対する医療を提供すべきことを明確にする趣旨を明らかにしたものであり、国立ハンセン病療養所で提供できない医療について、外部の医療機関との委託により実施する委託治療の実施を含む趣旨であること。
　　なお、委託治療の実施に当たっては地域の各医療機関の理解と協力が不可欠であることから、貴職におかれては、管下地域医療機関の協力について特段の御配慮をお願いする。
第2　親族に対する援護に関する事項
　1　援護の対象
　　　援護の対象に該当するか否かを認定するに当たっては、入所者の入所期間が長期にわたっていること等にかんがみ、これを柔軟に行うこと。特に、法による廃止前のらい予防法の廃止に関する法律(平成8年法律第28号)に基づく援護を受けている者については、原則として該当するものとして取り扱うこと。
　2　援護の要否及び程度
　　(1)　援護の要否及び程度は、世帯を単位として定め、これにより難いときのみ、個人を単位として定めることができることとしたこと。なお、この場合の世帯とは、生計を一にしていれば足り、必ずしも居住地を同一にしていることを要しないこと。
　　(2)　援護の要否及び程度は、生活保護法(昭和25年法律第144号)による保護の基準(一般基準及び特別基準の全てを含む。)の例により決定すること。
　3　援護の実施及び方法
　　(1)　援護は、要援護者、その扶養義務者又はその他の同居の親族の申請に基づいて開

始するものとすること。なお、本制度による援護は生活保護法に基づく保護とは異なり、職権による開始は行わないことに留意されたい。
(2) 援護は、生活援助として行われる衣料、寝具の支給及び移送等について現物給付を適当とする場合を除き、原則として金銭給付によること。また、援護金品は、前記のような一時的給付並びに生業援助、出産援助及び葬祭援助等により一時的金銭給付を行う場合を除き、原則として1か月分に相当する金額を前渡しすること。
(3) 援護金品は、援護を受ける者又はその者が属する世帯の世帯主若しくはこれに準ずる者に交付することとしたこと。したがって、援護金品を、入所者に交付することは認められないこと。

第3・第4 略
参考 略

○健康保険法等の一部を改正する法律等の施行に伴う医療扶助運営上の留意事項について

> 昭和59年9月28日　社保第106号
> 各都道府県・各指定都市民生主管部(局)長宛　厚生省
> 社会局保護課長通知

　健康保険法等の一部を改正する法律等が昭和59年10月1日から施行されることに伴い、生活保護法による医療扶助の運営については、厚生省社会局長通知「生活保護法第52条第2項の規定による診療方針及び診療報酬の一部を改正する件について」(昭和59年9月28日社保第103号)及び「生活保護法による医療扶助運営要領についての一部改正について」(昭和59年9月28日社保第104号)をもってその取扱いの基本的事項が明らかにされたところであるが、更に下記事項に留意の上、貴管下福祉事務所及び関係各医療機関その他に対し周知徹底を図り、その取扱いに遺憾のないよう配意されたい。

記

1　被用者保険本人に係る一部負担金について
(1)　被用者保険本人に係る一部負担金については、今回の改正によりその療養の給付に要する費用の1割を一部負担金として支払うこととなるが、この一部負担金についての医療扶助は、従来の被用者保険の被扶養者である被保護者に関して行われてきた取扱いと同様、併用医療券を発行して行うものであること。
　　したがって、指定医療機関等からのこの一部負担金に係る費用の請求は、「療養の給付、老人医療及び公費負担医療に関する費用の請求に関する省令」(昭和51年8月2日厚生省令第36号)による併用分の診療報酬明細書で行われ、社会保険診療報酬支払基金では連名簿が作成されること。
(2)　被用者保険本人に係る一部負担金については、健康保険法第55条等による資格喪失後の継続給付を受けている者についても適用されること。
　　したがって、この一部負担金についての医療扶助の取扱いは(1)と同様であること。
2　特定療養費について
　　次に掲げるものについては、従来の保険給付とは異なる特定療養費が支給され、特定承認保険医療機関等は療養に要した費用から当該支給額を控除した額を被保険者から徴収してよいこととなったが、生活保護の医療扶助には特定療養費に係る診療方針及び診療報酬は適用されず、従来どおりの診療方針及び診療報酬が適用されるものであること。
(1)　特別の病室の提供又は前歯部の鋳造歯冠修復若しくは歯冠継続歯に使用する金合金若しくは白金加金の支給
(2)　特定承認保険医療機関に係る療養

3 特別審査委員会について
　厚生大臣の定める診療報酬請求書について審査を行うための特別審査委員会が社会保険診療報酬支払基金の主たる事務所に設けられ、医療扶助の診療報酬の審査についても適用されることとなったが、これが厚生大臣の定める診療報酬請求書については次に掲げる診療報酬明細書に係る診療報酬請求書であること。
(1) 診療報酬明細書（歯科診療以外の診療に係るものに限る。(2)において同じ。）のうち合計点数が55万点以上のもの
(2) 診療報酬明細書の全件数のうち漢方製剤の処方及び調剤を含む診療報酬明細書の件数が過半数を占める医療機関における合計点数が5000点以上の診療明細書
(3) 歯科診療に係る診療報酬明細書のうち合計点数が20万点以上のもの
　なお、特別審査委員会に係る生活保護法施行令第3条及び生活保護法施行規則第17条第2項の改正については、健康保険法等の一部を改正する法律の施行に伴う関係政令の整備に関する政令（昭和59年政令第268号）及び健康保険法施行規則等の一部を改正する省令（昭和59年厚生省令第49号）によりそれぞれ行われたところである。

4 国民健康保険における退職者医療制度の対象者について
(1) 退職者医療制度の対象者は、次に掲げる者とされたこと。
　ア 退職被保険者
　　市町村が行う国民健康保険の被保険者（老人保健法の規定による医療を受けることができる者を除く。）のうち、厚生年金保険法等被用者年金保険の各法令に基づく老齢又は退職を支給事由とする年金給付を受けることができる者であって、これらの法令の規定による被保険者等であった期間が20年（その期間が20年未満で当該年金たる給付を受けることができる者にあっては、政令で定める期間）以上であるか、又は40歳に達した月以降の年金保険の被保険者等であった期間が10年以上であるもの。ただし、当該年金たる給付の支給がその者の年齢を事由として全額につき停止されている者を除く。
　イ 退職被保険者の被扶養者
　　市町村が行う国民健康保険の被保険者（老人保健法の規定による医療を受けることができる者を除く。）のうち、退職被保険者の直系尊属、配偶者（届出をしていないが事実上婚姻関係と同様の事情にある者を含む。）、子、孫、弟妹等であって、退職被保険者と同一の世帯に属し、主として退職被保険者により生計を維持するもの。
(2) 退職被保険者及びその被扶養者（以下「退職被保険者等」という。）に係る一部負担金の割合は、次のとおりとされたこと。
　ア 退職被保険者　　　　　　　　　　　　10分の2
　イ 退職被保険者の被扶養者
　　(ｱ) 入院外　　　　　　　　　　　　　　10分の3
　　(ｲ) 入　院　　　　　　　　　　　　　　10分の2

(3) したがって、厚生年金保険法等被用者保険の老齢年金等を受けることができる要保護者については、退職者医療制度の対象となる者であるか否かを確認の上、保護の要否判定を行う必要があること。
5 その他
　本人支払額に10円未満の端数がある場合、その本人支払額の医療券への記入に当たっては10円未満の端数は切捨てることとしたこと。
　なお、保護の要否判定等における本人支払額の決定は、10円未満の端数処理は行わないものであることに留意すること。

○麻薬取締法による措置入院者にかかる措置費の取扱いについて

（昭和39年7月30日　薬発第534号
　各都道府県知事宛　厚生省薬務局長通知）

　麻薬取締法により麻薬中毒者を入院措置した場合、その者が麻薬中毒以外の疾病を併発したときは、次によって取り扱うようにされたい。
1　麻薬取締法により措置入院中の者について、麻薬中毒以外の疾病（以下「合併症」という。）を治療する必要がある場合におけるその合併症に対する医療費は、原則として麻薬取締法により負担するものであるが、当該措置入院者が現に入院している麻薬中毒者医療施設以外の医療機関で医療を受けた場合における医療費については、同法で負担することはできないものであること。ただし、措置入院者を収容している麻薬中毒者医療施設において、その者の合併症に対する治療を行なうことができない場合において、当該麻薬中毒者医療施設が適当な医師を嘱託し、又は都道府県知事が他の適当な麻薬中毒者医療施設に転院させる等の方法により合併症の治療を行なうことを認める場合における医療費は、同法により負担するものであること。
2　措置入院者の合併症の医療費については、1により麻薬取締法で負担されるので、これについて生活保護法による医療扶助は適用されないこととなるが、入院中の生活費については、同法の要件に該当する限り保護（生活扶助）が適用されるものであるので留意されたいこと。

○特定疾患治療研究事業と生活保護法との適用の調整について

(昭和48年6月19日　社保第111号)
(各都道府県・各指定都市民生主管部(局)長宛　厚生省)
(社会局保護課長通知)

〔改正経過〕
　　第1次改正　平成10年5月13日社援保第21号

　　注　本通知は、平成13年3月27日社援保発第19号により、地方自治法第245条の9第1項及び第3項の規定に基づく処理基準とされている。

　昭和48年度における特定疾患治療研究事業の実施については、昭和48年4月17日衛発第242号厚生省公衆衛生局長通知「特定疾患治療研究事業について」をもって通知されたところであるが、これが実施に伴う特定疾患治療研究事業、国民健康保険法及び生活保護法との適用の調整については、下記の取扱いによることとしたので、了知のうえ、管下実施機関を指導されたい。
　なお、これが実施にあたっては、関係機関の間で十分な連絡調整を図り、いやしくも生活保護法による医療扶助と特定疾患治療研究事業による医療費の支給及び国民健康保険法による保険給付との間に間隙の生ずることのないよう特段のご指導を願いたい。

記

1　特定疾患患者が被用者保険の被扶養者となっている場合であって、医療扶助に係る本人支払額（出産扶助、生業扶助若しくは葬祭扶助の単給の者又はこれらの扶助の併給の者については、当該世帯が要する医療費のうち医療扶助相当額、4を除き以下同じ。）が、医療扶助の給付対象で保険給付の対象とはならない治療材料費、医師の往診に要する移送費、出産扶助、生業扶助又は葬祭扶助の扶助費相当額、保護を廃止された場合の当該世帯における医療費の自己負担額及び特定疾患治療研究事業の自己負担額を合算した額（以下「費用」という。）を上回る世帯については、保護を廃止し、特定疾患治療研究事業の対象者とすること。
2　特定疾患患者が生活保護を受けているため国民健康保険の適用除外となっている場合であって、医療扶助に係る本人支払額が国民健康保険の保険料相当額及び費用を合算した額を上回る世帯については、保護を廃止し、当該世帯員を国民健康保険の被保険者とするとともに、当該特定疾患患者を特定疾患治療研究事業の対象患者とすること。
3　前記以外の世帯については、生活保護を継続すること。
4　1又は2により保護を廃止する世帯については、医療扶助に係る本人支払額がなくなる等当該保護廃止処分が当該世帯の利益となるものであることを十分説明し、保護の廃止に当ること。

Ⅱ　生活保護法関係通知　第4章　医療扶助運営要領

○難病の患者に対する医療等に関する法律施行令第1条等の規定が適用される要保護者（境界層該当者）に対する保護の実施機関における取扱いについて

```
┌ 平成26年12月12日　　社援保発1212第2号
│ 各都道府県・各指定都市・各中核市民生主管部(局)長
└ 宛　厚生労働省社会・援護局保護課長通知
```

〔改正経過〕

第1次改正　令和元年5月27日社援保発0527第1号

　難病の患者に対する医療等に関する法律施行令（平成26年政令第358号。以下「施行令」という。）第1条第1項第4号イ、同項第5号及び同項第7号、難病の患者に対する医療等に関する法律施行規則（平成26年厚生労働省令第121号）第7条、第9条及び第10条、難病の患者に対する医療等に関する法律第5条第2項第2号の厚生労働大臣が定める額（平成26年厚生労働省告示第426号）及び難病の患者に対する医療等に関する法律第5条第2項第3号の厚生労働大臣が定める額（平成26年厚生労働省告示第427号）の規定が適用される要保護者（以下「境界層該当者」という。）については、難病の患者に対する医療等に関する法律（平成26年法律第50号）により、特定医療費の支給を受ける者（以下「特定医療利用者」という。）が生活保護の受給の対象者となる場合には、生活保護の適用対象でなくなるまで特定医療費、食事療養費標準負担額（以下「食費の実費負担額」）及び生活療養費標準負担額（以下「生活費の実費負担額」という。）について減額し又は免除する措置が取られることとなっている。

　この措置に関する保護の実施機関における具体的な取扱いは、下記のとおりであるので、管内実施機関に対し周知方お願いしたい。

　なお、本通知は、地方自治法（昭和22年法律第67号）第245条の9第1項及び第3項の規定による処理基準としたので申し添える。

　また、本通知については、健康局疾病対策課と協議済みであることを申し添える。

記

1　基本的な取扱い

(1) 負担軽減措置の対象者及び内容について

　　次表の左欄に掲げる者については、右欄の負担軽減措置がなされることとされているため、保護を要しないこと。

　　なお、負担上限月額については、施行令第1条の規定による減免を受けている場合にあっては、これらの規定を適用した後の負担上限月額とする。

難病法施行令の規定が適用される要保護者に対する取扱い

対象者	内容
○特定医療利用者 ア 特定医療の利用に係る負担上限月額を「5000円」、「2500円」又は「0円」としたならば、保護を必要としない状態となる者。 イ 特定医療に係る負担上限月額を「0円」とした上で、更に食費の実費負担額を「0円」としたならば、保護を必要としない状態となる者（入院の場合に限る）。 　なお、医療保険等の自己負担額の減額措置をまず適用するものであること。 ウ 特定医療に係る負担上限月額を「0円」とした上で、更に生活費の実費負担額を「0円」としたならば、保護を必要としない状態となる者（入院の場合に限る）。 　なお、医療保険等の自己負担額の減額措置をまず適用するものであること。	ア　特定医療利用者が保護を必要としなくなるまで、負担上限月額が「5000円」、「2500円」又は「0円」まで減額される。[特定医療費の軽減措置] イ　特定医療利用者の負担上限月額を「0円」としても生活保護対象者となる場合で、食費の実費負担額を「0円」としたならば、保護を必要としない状態となる者について、食費の実費負担額が免除される。[食費負担の減免措置] ウ　特定医療利用者の負担上限月額を「0円」としても生活保護対象者となる場合で、生活費の実費負担額を「0円」としたならば、保護を必要としない状態となる者について、生活費の実費負担額が免除される。[生活費負担の減免措置]

(2)　負担軽減措置及び減免措置適用の優先順位について

　　　負担軽減措置を適用する優先順位については、健康局疾病対策課長通知により、特定医療費の軽減措置、次に食費負担の減免措置又は生活費負担の減免措置の順に講ずるものとされている。

2　境界層対象者に対する証明書の交付

　　　境界層該当者に対する負担軽減措置は都道府県の難病施策担当部局がその手続を行うものであるが、福祉事務所長は保護の申請に応じ、保護開始時の要否判定を行った結果、当該申請者が境界層該当者であることが明らかになった場合又は保護を受けている者が境界層該当者に該当する場合、別添の証明書を境界層該当者に交付するものとし、その際、都道府県の難病施策担当部局に対する負担軽減措置の申請に当たっては、当該証明書を添えて提出するよう教示すること。

3 具体的な事務手続

(1) 要否判定の手続

ア 境界層該当者に対する負担軽減措置を受けようとする特定医療利用者から生活保護の申請があった場合等において、福祉事務所は都道府県の難病施策担当部局に対し、特定医療利用者が自己負担上限額管理票を所有する場合には、当該管理票を確認するとともに、特定医療利用者に係る概算自己負担額、食費及び生活費の実費負担額の情報提供を求めるものとする。

イ 福祉事務所においては、当該申請者の世帯に係る生活保護基準額に上記アの額を最低生活費とした上で、当該世帯の収入との比較によって保護の要否判定を行い、負担軽減措置の実施によって保護を必要としない状態となるかどうかを判断する。

具体的には、保護を要さないために必要となる減免後の負担上限月額が０円になるまで、利用するサービスに応じ、以下の順番で負担上限月額、食費及び生活費の実費負担額を減じる。

① 特定医療（食費負担及び生活費負担の減免措置を除く。）に係る負担上限月額を「5000円」、「2500円」、「０円」の順に置き換える。

② 特定医療（食費負担及び生活費負担の減免措置を除く。）に係る負担上限月額が「０円」となった者について、食費負担に係る負担上限月額を「０円」に置き換える。

③ 特定医療（生活費負担の減免措置を除く。）に係る負担上限月額が「０円」となった者について、生活費負担に係る負担上限月額を「０円」に置き換える。

(2) 境界層該当者証明書の発行

境界層該当者証明書には以下の事項を記載すること。（別添様式参照）

ア 却下に係る申請日又は保護廃止日

当該者に係る処分が却下の場合、却下に係る申請日を、保護廃止の場合には、保護廃止日を記載する。

イ 保護を要しない理由

① 特定医療に係る負担上限月額を減額すれば、保護を要しなくなる場合

証明書に「特定医療費負担減額相当」であること及び保護を必要としなくなる負担上限月額を記載する。具体的には、「5000円」、「2500円」、「０円」のいずれかを記載する。

② 特定医療に係る負担上限月額を「０円」に置き換えることに加え、食費及び生活費の実費負担の免除により、保護を要しなくなる場合

証明書に「特定医療食事療養費免除対象」又は「特定医療生活療養費免除対象」と記載する。

(別 添)

境界層該当証明書
（指定難病の患者に係る特定医療費）

住　　所
氏　　名　　　　　　（　　年　　月　　日生）

　上記の者及びその世帯員は、世帯の収入が最低生活費を上回るため、生活保護が（申請却下・廃止）となりましたが、（却下に係る申請日・廃止日）及び保護を要しない理由は、下記のとおりであることを証明します。

記

(1) 却下に係る申請日・廃止日
　　　令和　　年　　月　　日
(2) 保護を要しない理由
　1　特定医療の負担上限月額の減額を要する場合
　　　「特定医療費負担減額相当」であるため、負担上限月額を　　　円に減額することにより、保護を要しないため。
　2　特定医療費負担減額相当、食費実費負担の免除を要する場合
　　　「特定医療食事療養費免除対象」であるため、負担上限月額を０円にするとともに、食費の実費負担を免除することにより、保護を要しないため。
　3　特定医療費負担減額相当、生活費実費負担の免除を要する場合
　　　「特定医療生活費療養費免除対象」であるため、負担上限月額を０円にするとともに、生活費の実費負担額を免除することにより、保護を要しないため。

　　　　　　　　　　　　　　　　令和　　年　　月　　日
　　　　　　　　　　　　　　　　○○福祉事務所長

○生活保護法による医療扶助と母体保護法との関係について

> 〔平成8年9月25日　社援保第186号・児発第830号
> 各都道府県知事・各政令市市長・各中核市市長・各特
> 別区区長宛　厚生省社会・援護・児童家庭局長連名通知〕

　　注　本通知は、平成13年3月27日社援発第518号により、地方自治法第245条の9第1項及び第3項の規定に基づく処理基準とされている。

　標記の件については、今般その取扱に関する通知を下記の通り一括整理したから今後これによって処理されたい。なお、本通知の実施に伴い、厚生省社会局長・公衆衛生局長連名通知昭和29年11月17日社発第904号「生活保護法による医療扶助と公衆衛生法規との関係について」の「第1　生活保護法と優生保護法との関係について」を削る。

記

1　経済的理由により母体の健康を著しく害するおそれの認定について
　　母体保護法第14条第1項第1号に掲げる経済的理由により母体の健康を著しく害するおそれの認定は、一切母体保護法による指定医師に委ねられているのであるが、疑わしいときは、指定医師が関係者から証明書又はこれに代わるべき事実を証する書面等を徴することは差し支えないとされているので、福祉事務所及び民生委員は、指定医師から右の証明書等を求められた場合にあっては、これに協力すること。
2　人工妊娠中絶手術に対する医療扶助の適用について
　(1)　困窮のため人工妊娠中絶の手術の費用の全部又は一部を負担することができない者には、生活保護法の医療扶助が適用されること。
　　　この場合において、医療扶助の要否及び程度の決定その他の手続等については、一般の取り扱いによって厳正に実施すること。
　　　なお、この場合には、本人に交付する医療券に、母体保護法第14条の規定による人工妊娠中絶の手術を行う旨を記載すること。
　(2)　前記(1)の場合において医療扶助による人工妊娠中絶を担当する医師は、生活保護法による指定医療機関たる病院若しくは診療所に所属する医師又は指定医療機関として指定された医師であると同時に、母体保護法による指定医師であることを要すること。
　(3)　なお、母体保護法第14条第1項第1号に掲げる経済的理由により人工妊娠中絶を受けることのできる者の範囲と、手術について生活保護法による医療扶助が適用される者の範囲とは、必ずしも一致するものではないから、人工妊娠中絶手術を受けることのできる者の全部に直ちに医療扶助を適用することのないよう留意すること。
3　不妊手術に対する医療扶助の適用について
　　生活困窮者が母体保護法第3条の不妊手術を受けようとする場合の取り扱いは、前記2に準じて処理すること。

○特定老人保健施設に入所し施設療養に相当する
　サービスを受ける者に対する生活保護法による
　医療扶助の実施について

　　　　　　　　　　　　　　　　平成12年5月15日　社援第1084号
　　　　　　　　　　　　　　　　各都道府県知事・各指定都市市長・各中核市市長宛
　　　　　　　　　　　　　　　　厚生省社会・援護局長通知

　介護保険法及び介護保険法施行法の施行に伴う関係政令の整備等に関する政令（平成11年政令第262号）第12条及び介護保険法等の施行に伴う厚生省関係省令の整備等に関する省令（平成11年厚生省令第91号）附則第16条の規定により、介護保険法（平成9年法律第123号）の施行の際、特定老人保健施設に入所している医療扶助受給者等が、引き続き当該施設に入所している間は、その者に対して生活保護法（昭和25年法律第144号）第34条第1項ただし書きの規定による医療扶助が行われることとなり、平成12年4月1日をもって施行されたが、これについては下記のとおり取り扱うものであるので、関係者に対して周知徹底を図るとともに、遺憾のないよう御配慮願いたい。

　　　　　　　　　　　　　　　　　記
1　本措置の対象となるのは、介護保険法施行の際現に介護保険法施行法（平成9年法律第124号）第26条第1項に規定する特定老人保健施設に入所し、当該入所について生活保護法第34条の規定による医療扶助を受けており又は施行後に保護を要する状態となった者（以下「医療扶助受給者等」という。）であって、介護保険法第41条第4項に規定する要介護被保険者でないものであり、施行日以降引き続き当該施設に入所し、当該施設から介護保険法施行法による改正前の老人保健法（以下「旧老人保健法」という。）に規定する施設療養に相当するサービス（以下「施設療養相当サービス」という。）を受けている間のみ対象となるものであること。
2　本措置の対象となる者が特定老人保健施設から受ける施設療養相当サービスに係る医療扶助費の額は、介護保険法及び介護保険法施行法の施行に伴う関係政令の整備等に関する政令第12条第2項の規定に基づき厚生大臣が定める額（平成12年4月20日厚生省告示第221号）に規定する額（以下「標準額」という。）を標準として市町村長（特別区の区長を含む。以下同じ。）が定めることとされたこと。
3　本措置の趣旨が、介護保険法施行の際、旧老人保健法に基づく施設療養が必要と認められて入所している者について、引き続き施設療養相当サービスを受けることが必要と認められる場合に特定老人保健施設の利用を認めることにあること、また特定老人保健施設においても、介護保険施設サービスの提供について介護保険法の諸規定、介護老人保健施設の人員、施設及び設備並びに運営に関する基準（平成11年3月31日厚生省令第

40号）等を通じ、運営の適正に係る規定が整備されていることにかんがみ、その者に係る医療扶助費の請求については、以下に示す手続により、受領委任の取扱いを認めて差し支えないこと。

4 受領委任形式を認める際の手続き
(1) 本措置の対象者に係る医療扶助費の受取りについて、受領委任形式を取ることを希望する特定老人保健施設は、あらかじめ文書をもって当該対象者の保護の実施責任を負う福祉事務所の長（以下「福祉事務所長」という。）にその旨を申し出、以下の事項を遵守する旨の契約を締結しなければならないものであること。
　ア 特定老人保健施設は、関係法令及び通達を遵守し、本措置の対象者の心身の状況等に応じて適切な施設療養相当サービスを提供すること。
　イ 特定老人保健施設は、本措置の対象者から受領委任形式による医療扶助費の支給に係る施設療養相当サービスを提供することを求められた場合、その者の提出する医療券によって、医療扶助費を受領する資格があることを確認しなければならないこと。
　ウ 特定老人保健施設は、本措置の対象者に係る医療扶助費について、標準額を標準として算定した額を福祉事務所長に請求するとともに、医療券に本人支払額が記載されている場合には、当該対象者からその額の支払いを受けるものであること。
　エ 特定老人保健施設は、本措置の対象者が次の各号のいずれかに該当する場合には、遅滞なく意見を附してその旨を福祉事務所長に通知しなければならないこと。
　　(ｱ) 退所が可能と認められたとき。
　　(ｲ) 闘争、泥酔又は著しい不行跡によって疾病にかかり、又は負傷したと認められたとき。
　　(ｳ) 正当な理由なしに施設療養相当サービスに関する特定老人保健施設の指示に従わないとき。
　　(ｴ) 偽りその他不正の行為によって医療扶助費の支給を受け、又は受けようとしたとき。
　オ 特定老人保健施設は、医療扶助費の支給に関し、福祉事務所長が必要であると認めて指導又は監査を行い、帳簿及び書類を閲覧し、説明を求め、又は報告を徴する場合には、これに応じなければならないこと。
(2) 都道府県知事、指定都市及び中核市市長（以下「都道府県知事等」という。）は、福祉事務所長から(1)の申出の受理及び契約について委任を受けたときは、当該福祉事務所長に代わってこれらを行うものとすること。
(3) 都道府県知事等は、(2)により契約を締結した特定老人保健施設に対して、当該福祉事務所に係る医療扶助受給対象者に関する受領委任の取扱いを行うことができるものとすること。
(4) (1)の契約の有効期間は、1年を超えない範囲とし、期間満了1か月前までに特定老人保健施設から更新の申し出があったときは、当該施設に入所する本措置の対象者の状況に応じ、さらに1年を超えない範囲で更新することも可能であること。

(5) 都道府県知事等及び福祉事務所長は、契約中の遵守事項に違反した特定老人保健施設については受領委任の取扱いを中止するものとすること。
5 その他
老人医療との併用分患者である本措置の対象者については、原則、老人医療においても受領委任の取扱いにより医療費の支給が行われることとなっているので、留意されたいこと。

○特定老人保健施設に入所し施設療養に相当する
　サービスを受ける者に対する生活保護法による
　医療扶助の実施について

平成12年5月15日　社援保第30号
各都道府県・各指定都市・各中核市民生主管部(局)長
宛　厚生省社会・援護局保護課長通知

〔改正経過〕
第1次改正　令和元年5月27日社援保発0527第1号　第2次改正　令和3年1月7日社援保発0107第1号

標記については、平成12年5月15日社援第1084号(以下「局長通知」という。)をもって厚生省社会・援護局長から各都道府県知事、指定都市及び中核市市長あて通知されたところであるが、その具体的な取扱いについて下記のとおり定めたので、関係者に対し周知徹底を図るとともに、遺憾のないよう御配慮願いたい。

記

1　受領委任契約の締結
(1) 局長通知4の(1)による契約(以下「受領委任契約」という。)を締結しようとする特定老人保健施設は、様式第1号による申出書に老人保健施設開設許可書の写しを添えて、医療扶助受給者の実施責任を負う福祉事務所の長(以下「福祉事務所長」という。)に提出しなければならないこと。ただし、局長通知4の(2)により都道府県知事、指定都市及び中核市市長(以下「都道府県知事等」という。)が、福祉事務所長から局長通知4の(1)の申し出の受理及び契約について委任を受けている場合は、都道府県知事等に提出すること。
(2) 都道府県知事等又は福祉事務所長は、特定老人保健施設から前記の申出書が提出され、受領委任契約を締結するときは、様式第2号による書面をもって当該特定老人保健施設に通知すること。
2　医療券の交付
福祉事務所長は、受領委任契約を締結した特定老人保健施設から施設療養に相当するサービス(以下「施設療養相当サービス」という。)を受ける医療扶助受給者(以下

「特定受給者」という。）に対し様式第3号による医療券（以下「医療券」という。）を発行すること。

　なお、医療券の記載については、平成11年8月27日社援保第41号本職通知「生活保護法による医療券等の記載要領について」を参考にされたいこと。

　また、医療券は、暦月を単位として発行すること。

3　医療扶助費の支給

(1)　特定老人保健施設は、施設療養相当サービスの提供に係る医療扶助費の支給を申請する場合、医療扶助費の支給申請書に医療券を添え、各月分をまとめて福祉事務所に提出するものとし、原則として翌月10日までに提出すること。

　なお、医療扶助費の支給申請書は、平成12年3月31日老健第74号厚生省老人保健福祉局老人保健課長通知「特定老人保健施設に入所している者が施設療養に相当するサービスを受ける場合における医療費の取扱いについて」の様式第3号を参考とすること。また、この場合の記載要領については、同通知の別記によることとされたいこと。

(2)　福祉事務所長は、特定老人保健施設から前記の申請書が提出されたときは、請求内容を審査の上、特定老人保健施設に対して直接金銭を給付すること。

4　福祉事務所の指導援助等

(1)　特定受給者は、介護制度の要介護認定において介護保険施設サービスを必要としないと判定されたものであり、その中には、在宅での生活が可能となった者もいると考えられることから、福祉事務所長は、そうした者について、昭和45年4月1日社保第72号本職通知「生活保護法による医療扶助受給者の実態把握について」による長期入院患者の実態把握の例により把握し、在宅での安定した生活がおくれるよう必要な指導援助を行い、居宅生活への移行を推進すること。

(2)　特定受給者であって、継続して特定老人保健施設に入所するものについては、前回の要介護認定から6か月を経過する毎に要介護認定を受けさせ、当該者の要介護状態を確認すること。ただし、前回の要介護認定から状態が変化したと思われる場合については、その都度、要介護認定を受けさせること。その上で、当該者が要介護認定で介護要となった場合には、介護保険制度による介護サービスを速やかに利用できるよう、配意すること。

特定老人保健施設で施設療養相当サービスを受ける者への医療扶助の実施について

様式第1号

特定老人保健施設の入所者に係る医療扶助費の受領委任の取扱いに係る申出書

施設コード

特定老人保健施設の所在地及び名称	
開設者の住所及び氏名（法人であるときはその名称及び主たる事務所の所在地）	
開設許可年月日	
遵守事項	1 特定老人保健施設は、関係法令及び通達を遵守し、特に応じて適切な施設療養に相当するサービスを提供すること。 2 特定老人保健施設は、その者が施設療養費の支給に係る医療扶助の申請にあたって、医療扶助費を受給する資格があることを確認しなければならないこと。 3 特定老人保健施設は、特定老人保健施設に係る医療扶助費の額について、介護保険法及び介護保険法施行令の規定に関する関係政令の定める額（平成11年政令第262号）に基づき厚生大臣が定める額（平成12年4月20日厚生省告示第221号）により算定した額を福祉事務所長に請求するものであること。また、医療券に本人支払額が記載されている場合には、当該対象者からの支払いを受けるとともに、その額が次の各号のいずれかに該当する場合は速やかに特定老人保健施設の入所者に通知しなければならないこと。 4 特定老人保健施設長が可能と認められたとき。 　イ 円滑な意見を附した退所が可能と認められたとき。 　ロ 苦情、泥酔又は著しい不行跡によって疾病にかかり、又は負傷したとき。 　ハ 正当な理由なしに施設療養相当サービスに関する特定老人保健施設の指示に従わないとき。 5 特定老人保健施設は、偽りその他不正の行為によって医療扶助費の支給を受け、又は受けようとしたとき、福祉事務所長が必要があると認めて指導又は監査を行い、帳簿及び書類を閲覧し、説明を求め、又は報告を徴する書類の提出を命じた場合には、これに応じなければならないこと。
受領委任の取扱いを開始しようとする年月日	
受領委任の取扱いをしようとする受領期間	
申出前年間における受領委任の取扱いの中止	有・無 中止　年　月　日

令和　　年　　月　　日

当該都道府県知事

福祉事務所長　　　　　　殿

特定老人保健施設開設者

様式第2号

特定老人保健施設の入所者に係る医療扶助費の受委任の取扱いについて

施設コード

特定老人保健施設の所在地及び名称	
開設者の住所及び氏名（法人であるときはその名称及び主たる事務所の所在地）	
開　設　許　可　年　月　日	
遵　　守　　事　　項	1　特定老人保健施設は、関係法令及び通達を遵守し、特定老人保健施設の入所者の心身の状況等に応じて適切な施設療養サービスを提供するとともに、特定老人保健施設は、請求書による医療券の提出によって、医療扶助費を受けることの確認しなければならないこと。 2　特定老人保健施設は、その者のある者の医療扶助を受ける資格があることを確認しなければならないこと。 3　介護保険法の規定に基づき特定老人保健施設の入所者の入所に伴う特定老人保健施設の施行について、介護保険法及び平成11年政令第262号）第12条第2項の規定により厚生大臣が定める額（平成12年4月20日厚生省告示第221号）により算定した額を福祉事務所長に請求するものとし、医療券に本人支払額が記載されている場合には、当該対象者からその支払を受けること。 4　特定老人保健施設は、次の各号のいずれかに該当する場合は遅滞なく意見を附してその旨を福祉事務所長に通知しなければならないこと。 　イ　国民が可能と認められたとき。 　ロ　正当な理由なく退所し、泥酔又は著しい不行跡によって疾病にかかり、又は負傷したと認められたとき、又は特定老人保健施設の指示に従わないとき。 　ハ　その他不正の行為によって医療扶助費の支給を受け又は受けようとしたとき。 5　特定老人保健施設は、医療扶助費の支給に関し、福祉事務所長が必要であると認めて指導又は監査を行い、帳簿及び書類を閲覧し、説明を求め、又は報告を徴する場合には、これに応じなければならないこと。
受領委任の取扱い開始年月日	令和　　年　　月　　日

　　　　　令和　　年　　月　　日付けで申出のあった表記の件については、これを承知したので通知します。

福祉事務所長　　　　　　　㊞

特定老人保健施設で施設療養相当サービスを受ける者への医療扶助の実施について

様式第3号

生活保護法医療券・施設療養相当サービス費請求書（　　年　　月分）			
生活保護法医療券（施設療養相当サービス）			
交 付 番 号		有 効 期 間	日から 日まで
氏　　　名	(男・女)明・大・昭・平・令　　年　月　日生	単独・併用別	単独・併用
施 設 名			
傷 病 名	(1) (2) (3)	本人支払額	円
地区担当員名　　　　　　取扱担当者名 　　　　　　　　　　　福祉事務所長　　　　　　　印			
備 考			

施設療養相当サービス費請求書				
①総 費 用	②老保負担分	③その他負担分	④本人支払額	差引請求額 (①-②-③-④)
円	円	円	円	円

（受給者氏名）

_____　に係る上記による施設療養に相当するサービス費を請求します。

令和　　年　　月　　日

　　　　福祉事務所長　殿

　　　　　　　　　　　　　　　住　　所
　　　　　　　　　　　　　　　施設開設者

（注）施設療養に相当するサービス費は福祉事務所へ直接請求して下さい。

●厚生労働大臣の定める評価療養、患者申出療養及び選定療養

(平成 18 年 9 月 12 日)
(厚生労働省告示第495号)

〔一部改正経過〕
第1次	平成19年3月30日厚労告第100号		第2次	平成20年3月19日厚労告第98号
第3次	平成24年3月26日厚労告第156号		第4次	平成26年11月21日厚労告第422号
第5次	平成28年3月4日厚労告第60号		第6次	平成28年10月14日厚労告第366号
第7次	令和2年3月27日厚労告第105号		第8次	令和6年3月27日厚労告第122号

注 未適用分については〔参考〕として1181頁以降に収載（令和6年10月1日適用分）

　健康保険法等の一部を改正する法律（平成18年法律第83号）の施行に伴い、**厚生労働大臣の定める評価療養及び選定療養**を次のように定め、平成18年10月1日から適用し、厚生労働大臣の定める選定療養（平成18年厚生労働省告示第105号）は、平成18年9月30日限り廃止する。

厚生労働大臣の定める評価療養、患者申出療養及び選定療養

第1条　健康保険法（大正11年法律第70号）第63条第2項第3号及び高齢者の医療の確保に関する法律（昭和57年法律第80号。以下「高齢者医療確保法」という。）第64条第2項第3号に規定する評価療養は、次の各号に掲げるものとする。

一　別に厚生労働大臣が定める先進医療（先進医療ごとに別に厚生労働大臣が定める施設基準に適合する病院又は診療所において行われるものに限る。）

二　医薬品、医療機器等の品質、有効性及び安全性の確保等に関する法律（昭和35年法律第145号。以下「医薬品医療機器等法」という。）第2条第17項に規定する治験（人体に直接使用される薬物に係るものに限る。）に係る診療

三　医薬品医療機器等法第2条第17項に規定する治験（機械器具等に係るものに限る。）に係る診療

三の二　医薬品医療機器等法第2条第17項に規定する治験（加工細胞等（医薬品、医療機器等の品質、有効性及び安全性の確保等に関する法律施行規則（昭和36年厚生省令第1号）第275条の2の加工細胞等をいう。）に係るものに限る。）に係る診療

四　医薬品医療機器等法第14条第1項又は第19条の2第1項の規定による承認を受けた者が製造販売した当該承認に係る医薬品（人体に直接使用されるものに限り、別に厚生労働大臣が定めるものを除く。）の投与（別に厚生労働大臣が定める施設基準に適合する病院若しくは診療所又は薬局において当該承認を受けた日から起算して90日以内に行われるものに限る。）

五　医薬品医療機器等法第23条の2の5第1項又は第23条の2の17第1項の規定による承認を受けた者が製造販売した当該承認に係る医療機器又は体外診断用医薬品（別に

厚生労働大臣が定めるものを除く。）の使用又は支給（別に厚生労働大臣が定める施設基準に適合する病院若しくは診療所又は薬局において保険適用を希望した日から起算して240日以内（当該医療機器又は体外診断用医薬品を活用する技術の評価に当たって、当該技術と類似する他の技術の評価、当該技術を用いた医療の提供の方法その他の当該技術に関連する事項と一体的な検討が必要と認められる技術（以下「評価に当たって他の事項と一体的な検討を要する技術」という。）を活用した医療機器又は体外診断用医薬品の使用又は支給にあっては、保険適用を希望した日から起算して2年以内）に行われるものに限り、第8号に掲げるプログラム医療機器の使用又は支給を除く。）

五の二　医薬品医療機器等法第23条の25第1項又は第23条の37第1項の規定による承認を受けた者が製造販売した当該承認に係る再生医療等製品（別に厚生労働大臣が定めるものを除く。）の使用又は支給（別に厚生労働大臣が定める施設基準に適合する病院若しくは診療所又は薬局において保険適用を希望した日から起算して240日以内（評価に当たって他の事項と一体的な検討を要する技術を活用した再生医療等製品の使用又は支給にあっては、保険適用を希望した日から起算して2年以内）に行われるものに限る。）

六　使用薬剤の薬価（薬価基準）（平成20年厚生労働省告示第60号）に収載されている医薬品（別に厚生労働大臣が定めるものに限る。）の投与であって、医薬品医療機器等法第14条第1項又は第19条の2第1項の規定による承認に係る用法、用量、効能又は効果と異なる用法、用量、効能又は効果に係るもの（別に厚生労働大臣が定める条件及び期間の範囲内で行われるものに限る。）

七　医薬品医療機器等法第23条の2の5第1項又は第23条の2の17第1項の規定による承認を受けた者が製造販売した当該承認に係る医療機器（別に厚生労働大臣が定めるものに限る。）の使用又は支給であって、当該承認に係る使用目的、効果又は使用方法と異なる使用目的、効果又は使用方法に係るもの（別に厚生労働大臣が定める条件及び期間の範囲内で行われるものに限る。）

七の二　医薬品医療機器等法第23条の25第1項又は第23条の37第1項の規定による承認を受けた者が製造販売した当該承認に係る再生医療等製品（別に厚生労働大臣が定めるものに限る。）の使用又は支給であって、当該承認に係る用法、用量、使用方法、効能、効果又は性能と異なる用法、用量、使用方法、効能、効果又は性能に係るもの（別に厚生労働大臣が定める条件及び期間の範囲内で行われるものに限る。）

八　医薬品医療機器等法第23条の2の5第1項又は第23条の2の17第1項の規定による承認を受けた者が製造販売した当該承認に係るプログラム医療機器の使用又は支給（次の各号に掲げるプログラム医療機器の区分に応じ、それぞれ当該各号に掲げる条件及び期間の範囲内で行われるものに限る。）

　イ　医薬品医療機器等法第23条の2の5第1項若しくは第23条の2の17第1項の規定による承認（医薬品医療機器等法第23条の2の5第1項又は第23条の2の17第1項の規定による承認を受けた後に、改めて承認を受ける場合（使用目的、効果又は使

用方法が変更される場合に限る。）における当該承認に限る。以下「医療機器承認」という。）又は同法第23条の2第5第15項（第23条の2の17第5項において準用する場合を含む。）の規定により承認を受けた事項の一部を変更しようとする場合（使用目的、効果又は使用方法を変更しようとする場合に限る。）における承認（以下「医療機器一部変更承認」という。）を受けようとする、又は受けた者が製造販売した当該医療機器承認又は医療機器一部変更承認に係るプログラム医療機器（保険適用を希望するものに限る。）であって、評価療養としてその使用又は支給を行うことが適当と認められるものとして別に厚生労働大臣が定めるもの (1)の条件及び(2)の期間
- (1) 別に厚生労働大臣が定める施設基準に適合する病院若しくは診療所又は薬局におけるプログラム医療機器の使用又は支給に係る別に厚生労働大臣が定める条件
- (2) 保険適用を希望した日から起算して240日以内（評価に当たって他の事項と一体的な検討を要する技術を活用したプログラム医療機器にあっては、保険適用を希望した日から起算して2年以内）であって別に厚生労働大臣が定める期間

ロ 現に保険適用されているプログラム医療機器のうち、使用成績を踏まえた再評価（当該プログラム医療機器における保険適用されていない範囲における使用又は支給に係る有効性に関するものに限る。）に係る申請を行い、又は行おうとするものであって、評価療養としてその使用又は支給を行うことが適当と認められるものとして別に厚生労働大臣が定めるもの (1)の条件及び(2)の期間
- (1) 別に厚生労働大臣が定める条件
- (2) 当該申請を行った日から起算して240日以内（評価に当たって他の事項と一体的な検討を要する技術を活用したプログラム医療機器にあっては、保険適用を希望した日から起算して2年以内）であって別に厚生労働大臣が定める期間

第1条の2　健康保険法第63条第2項第4号及び高齢者医療確保法第64条第2項第4号に規定する患者申出療養は、別に厚生労働大臣が定める患者申出療養（別に厚生労働大臣が定める施設基準に適合する病院又は診療所であって、当該療養を適切に実施できるものとして厚生労働大臣に個別に認められたものにおいて行われるものに限る。）とする。

第2条　健康保険法第63条第2項第5号及び高齢者医療確保法第64条第2項第5号に規定する選定療養は、次の各号に掲げるものとする。
一　特別の療養環境の提供
二　予約に基づく診察
三　保険医療機関が表示する診療時間以外の時間における診察
四　病床数が200以上の病院について受けた初診（他の病院又は診療所からの文書による紹介がある場合及び緊急その他やむを得ない事情がある場合に受けたものを除く。）
五　病床数が200以上の病院について受けた再診（当該病院が他の病院（病床数が200未満のものに限る。）又は診療所に対して文書による紹介を行う旨の申出を行っていない場合及び緊急その他やむを得ない事情がある場合に受けたものを除く。）

厚生労働大臣の定める評価療養、患者申出療養及び選定療養

六　診療報酬の算定方法（平成20年厚生労働省告示第59号）に規定する回数を超えて受けた診療であって別に厚生労働大臣が定めるもの
七　別に厚生労働大臣が定める方法により計算した入院期間が180日を超えた日以後の入院及びその療養に伴う世話その他の看護（別に厚生労働大臣が定める状態等にある者の入院及びその療養に伴う世話その他の看護を除く。）
八　前歯部の金属歯冠修復に使用する金合金又は白金加金の支給
九　金属床による総義歯の提供
十　う蝕（しょく）に罹患している患者（う蝕多発傾向を有しないものに限る。）であって継続的な指導管理を要するものに対する指導管理
十一　白内障に罹患している患者に対する水晶体再建に使用する眼鏡装用率の軽減効果を有する多焦点眼内レンズの支給
十二　主として患者が操作等を行うプログラム医療機器であって、保険適用期間の終了後において患者の希望に基づき使用することが適当と認められるものの使用
十三　間歇（けつ）スキャン式持続血糖測定器の使用（診療報酬の算定方法に掲げる療養としての使用を除く。）
十四　医療上必要があると認められない、患者の都合による精子の凍結又は融解
　　附　則（第8次改正）抄
この告示は、令和6年6月1日から適用する。ただし、第2条〔中略〕の規定は、令和6年10月1日から適用する。

〔参　考〕
　　◉厚生労働大臣の定める評価療養、患者申出療養及び選定療養等の一部を改正する告示（抄）

$\begin{pmatrix}令和6年3月27日\\厚生労働省告示第122号\end{pmatrix}$

（厚生労働大臣の定める評価療養、患者申出療養及び選定療養の一部改正）
第2条　厚生労働大臣の定める評価療養、患者申出療養及び選定療養〔平成18年厚生労働省告示第495号〕の一部を次の表のように改正する。

（傍線部分は改正部分）

改　正　後	改　正　前
第2条　健康保険法第63条第2項第5号及び高齢者医療確保法第64条第2項第5号に規定する選定療養は、次の各号に掲げるものとする。 一〜十四　（略） <u>十五　保険薬局及び保険薬剤師療養担</u>	第2条　健康保険法第63条第2項第5号及び高齢者医療確保法第64条第2項第5号に規定する選定療養は、次の各号に掲げるものとする。 一〜十四　（略） （新設）

当規則（昭和32年厚生省令第16号。以下「薬担規則」という。）第7条の2に規定する後発医薬品のある薬担規則第7条の2に規定する新医薬品等（昭和42年9月30日以前の薬事法の規定による製造の承認（以下この号において「旧承認」という。）に係る医薬品であって、当該医薬品とその有効成分、分量、用法、用量、効能及び効果が同一性を有するものとして、医薬品医療機器等法第14条又は第19条の2の規定による製造販売の承認（旧承認を含む。）がなされたものがあるものを含む。）であって別に厚生労働大臣が定めるものの処方等又は調剤（別に厚生労働大臣が定める場合を除く。）	

附　則　抄

　この告示は、令和6年6月1日から適用する。ただし、第2条〔中略〕の規定は、令和6年10月1日から適用する。

●保険外併用療養費に係る厚生労働大臣が定める医薬品等

(平成18年9月12日)
(厚生労働省告示第498号)

〔一部改正経過〕

第1次	平成20年3月19日厚労告第99号	第2次	平成22年3月26日厚労告第107号
第3次	平成22年8月30日厚労告第333号	第4次	平成24年3月26日厚労告第158号
第5次	平成25年1月18日厚労告第6号	第6次	平成26年3月26日厚労告第109号
第7次	平成26年11月21日厚労告第424号	第8次	平成26年12月22日厚労告第481号
第9次	平成28年3月4日厚労告第59号	第10次	平成28年6月24日厚労告第265号
第11次	令和2年8月21日厚労告第295号	第12次	令和2年12月25日厚労告第397号
第13次	令和3年7月30日厚労告第292号	第14次	令和6年3月29日厚労告第171号
第15次	令和6年3月27日厚労告第123号による改正		

注　未適用分については〔参考〕として1190頁以降に収載
（令和6年10月1日適用分）

　健康保険法等の一部を改正する法律（平成18年法律第83号）の施行に伴い、保険外併用療養費に係る厚生労働大臣が定める医薬品等を次のように定め、平成18年10月1日から適用し、選定療養及び特定療養費に係る厚生労働大臣が定める医薬品等（平成14年厚生労働省告示第88号）は、平成18年9月30日限り廃止する。

保険外併用療養費に係る厚生労働大臣が定める医薬品等

一　厚生労働大臣の定める評価療養、患者申出療養及び選定療養（平成18年厚生労働省告示第495号。以下「告示」という。）第1条第4号に規定する別に厚生労働大臣が定める医薬品
　イ　使用薬剤の薬価（薬価基準）（平成20年厚生労働省告示第60号。以下「薬価基準」という。）に収載されている医薬品
　ロ　医薬品、医療機器等の品質、有効性及び安全性の確保等に関する法律（昭和35年法律第145号。以下「医薬品医療機器等法」という。）第14条第1項又は第19条の2第1項の規定による承認を受けた者が薬価基準への収載を希望している医薬品（当該承認に係る医薬品に限る。）以外の医薬品
二　告示第1条第4号に規定する別に厚生労働大臣が定める施設基準
　イ　病院及び診療所にあっては、告示第1条第4号に規定する医薬品の投与を行うにつき必要な薬剤師が配置されており、かつ、当該医薬品の投与を行うにつき必要な医薬品情報の収集及び伝達を行うための専用施設を有していること。
　ロ　薬局にあっては、診療報酬の算定方法（平成20年厚生労働省告示第59号）別表第3調剤報酬点数表第1節に規定する調剤基本料の注5の規定に基づく届出を行った薬局であって、イに規定する基準に適合している病院又は診療所において健康保険の診療に従事している医師又は歯科医師から交付された処方箋に基づき告示第1条第4号に規定する医薬品を投与するものであること。

三　告示第1条第5号に規定する別に厚生労働大臣が定める医療機器又は体外診断用医薬品
　　イ　保険適用されている医療機器又は体外診断用医薬品
　　ロ　医薬品医療機器等法第23条の2の5第1項又は第23条の2の17第1項の規定による承認を受けた者が保険適用を希望している医療機器又は体外診断用医薬品（当該承認に係る医療機器又は体外診断用医薬品に限る。）以外の医療機器又は体外診断用医薬品
四　告示第1条第5号に規定する別に厚生労働大臣が定める施設基準
　　イ　病院及び診療所にあっては、告示第1条第5号に規定する医療機器又は体外診断用医薬品の使用又は支給を行うにつき必要な体制が整備されていること。
　　ロ　薬局にあっては、診療報酬の算定方法別表第3調剤報酬点数表第1節に規定する調剤基本料の注5の規定に基づく届出を行った薬局であって、イに規定する基準に適合している病院又は診療所において健康保険の診療に従事している医師又は歯科医師から交付された処方箋に基づき告示第1条第5号に規定する医療機器又は体外診断用医薬品を支給するものであること。
四の二　告示第1条第5号の2に規定する別に厚生労働大臣が定める再生医療等製品
　　イ　保険適用されている再生医療等製品
　　ロ　医薬品医療機器等法第23条の25第1項又は第23条の37第1項の規定による承認を受けた者が保険適用を希望している再生医療等製品（当該承認に係る再生医療等製品に限る。）以外の再生医療等製品
四の三　告示第1条第5号の2に規定する別に厚生労働大臣が定める施設基準
　　イ　病院及び診療所にあっては、告示第1条第5号の2に規定する再生医療等製品の使用又は支給を行うにつき必要な体制が整備されていること。
　　ロ　薬局にあっては、診療報酬の算定方法別表第3調剤報酬点数表第1節に規定する調剤基本料の注5の規定に基づく届出を行った薬局であって、イに規定する基準に適合している病院又は診療所において健康保険の診療に従事している医師又は歯科医師から交付された処方箋に基づき告示第1条第5号の2に規定する再生医療等製品を投与又は支給するものであること。
五　告示第1条第6号に規定する別に厚生労働大臣が定める医薬品
　　イ　医薬品医療機器等法第14条第15項（同法第19条の2第5項において準用する場合を含む。）の規定による承認事項（用法、用量、効能又は効果に限る。）の一部変更の承認（以下「医薬品一部変更承認」という。）の申請（申請書に添付しなければならない資料について、当該申請に係る事項が医学薬学上公知であると認められる場合その他資料の添付を必要としない合理的理由がある場合において、申請者が依頼して実施された臨床試験の試験成績に関する資料の添付を省略して行われるものに限る。）を行うことが適当と認められるものとして薬事審議会（厚生労働省設置法（平成11年法律第97号）第11条に規定する薬事審議会をいう。第7号の2イ及び第7号の5イにおいて同じ。）が事前の評価を開始した医薬品（当該評価が終了したものを除く。）
　　ロ　医薬品一部変更承認の申請（申請書に添付しなければならない資料について、当該

申請に係る事項が医学薬学上公知であると認められる場合その他資料の添付を必要としない合理的理由がある場合において、申請者が依頼して実施された臨床試験の試験成績に関する資料の添付を省略して行われるものに限る。)が受理された医薬品（イの評価が終了したものを除く。)
六　告示第1条第6号に規定する別に厚生労働大臣が定める条件
　イ　前号イに規定する医薬品の投与にあっては、当該評価が開始された際に付された条件に従うこと。
　ロ　前号ロに規定する医薬品の投与にあっては、当該申請に係る用法、用量、効能又は効果に従うこと。
七　告示第1条第6号に規定する別に厚生労働大臣が定める期間
　イ　第5号イに規定する医薬品の投与にあっては、当該評価が開始された日から6月
　ロ　第5号ロに規定する医薬品の投与にあっては、当該申請が受理された日から2年（当該期間内に当該申請に対する処分があったとき又は当該申請の取下げがあったときは、当該処分又は取下げがあった日までの期間）
七の二　告示第1条第7号に規定する別に厚生労働大臣が定める医療機器
　イ　保険適用されている医療機器であって、医薬品医療機器等法第23条の2の5第15項（同法第23条の2の17第5項において準用する場合を含む。）の規定による承認事項（使用目的、効果又は使用方法に限る。）の一部変更の承認（以下この号及び第7号の4において「医療機器一部変更承認」という。）の申請（申請書に添付しなければならない資料について、当該申請に係る事項が医学薬学上公知であると認められる場合その他資料の添付を必要としない合理的理由がある場合において、申請者が依頼して実施された臨床試験の試験成績に関する資料の添付を省略して行われるものに限る。）を行うことが適当と認められるものとして薬事審議会が事前の評価を開始したもの
　ロ　保険適用されている医療機器であって、医療機器一部変更承認の申請（申請書に添付しなければならない資料について、当該申請に係る事項が医学薬学上公知であると認められる場合その他資料の添付を必要としない合理的理由がある場合において、申請者が依頼して実施された臨床試験の試験成績に関する資料の添付を省略して行われるものに限る。）が受理されたもの
七の三　告示第1条第7号に規定する別に厚生労働大臣が定める条件
　イ　前号イに規定する医療機器の使用又は支給にあっては、当該評価が開始された際に付された条件に従うこと。
　ロ　前号ロに規定する医療機器の使用又は支給にあっては、当該申請に係る使用目的、効果又は使用方法に従うこと。
七の四　告示第1条第7号に規定する別に厚生労働大臣が定める期間
　イ　第7号の2のイに規定する医療機器の使用又は支給にあっては、当該評価が開始された日から6月（当該期間内に医療機器一部変更承認の申請が受理されたときは、当該申請が受理された日までの期間）

ロ　第7号の2ロに規定する医療機器の使用又は支給にあっては、当該申請が受理された日から2年（当該期間内に当該申請に対する処分があったとき又は当該申請の取下げがあったときは、当該処分又は取下げがあった日までの期間）

七の五　告示第1条第7号の2に規定する別に厚生労働大臣が定める再生医療等製品
　イ　保険適用されている再生医療等製品であって、医薬品医療機器等法第23条の25第11項（同法第23条の37第5項において準用する場合を含む。）の規定による承認事項（用法、用量、使用方法、効能、効果又は性能に限る。）の一部変更の承認（以下「再生医療等製品一部変更承認」という。）の申請（申請書に添付しなければならない資料について、当該申請に係る事項が医学薬学上公知であると認められる場合その他資料の添付を必要としない合理的理由がある場合において、申請者が依頼して実施された臨床試験の試験成績に関する資料の添付を省略して行われるものに限る。）を行うことが適当と認められるものとして薬事審議会が事前の評価を開始したもの
　ロ　保険適用されている再生医療等製品であって、再生医療等製品一部変更承認の申請（申請書に添付しなければならない資料について、当該申請に係る事項が医学薬学上公知であると認められる場合その他資料の添付を必要としない合理的理由がある場合において、申請者が依頼して実施された臨床試験の試験成績に関する資料の添付を省略して行われるものに限る。）が受理されたもの

七の六　告示第1条第7号の2に規定する別に厚生労働大臣が定める条件
　イ　前号イに規定する再生医療等製品の使用又は支給にあっては、当該評価が開始された際に付された条件に従うこと。
　ロ　前号ロに規定する再生医療等製品の使用又は支給にあっては、当該申請に係る用法、用量、使用方法、効能、効果又は性能に従うこと。

七の七　告示第1条第7号の2に規定する別に厚生労働大臣が定める期間
　イ　第7号の5イに規定する再生医療等製品の使用又は支給にあっては、当該評価が開始された日から6月（当該期間内に再生医療等製品一部変更承認の申請が受理されたときは、当該申請が受理された日までの期間）
　ロ　第7号の5ロに規定する再生医療等製品の使用又は支給にあっては、当該申請が受理された日から2年（当該期間内に当該申請に対する処分があったとき又は当該申請の取下げがあったときは、当該処分又は取下げがあった日までの期間）

七の八　告示第1条第8号イに規定する別に厚生労働大臣が定めるプログラム医療機器
　イ　医薬品医療機器等法第23条の2の5第1項若しくは第23条の2の17第1項の規定による承認（医薬品医療機器等法第23条の2の5第1項又は第23条の2の17第1項の規定による承認を受けた後に、改めて承認を受ける場合（使用目的、効果又は使用方法が変更される場合に限る。）における当該承認に限る。以下「医療機器承認」という。）又は同法第23条の2の5第15項（第23条の2の17第5項において準用する場合を含む。）の規定により承認を受けた事項の一部を変更しようとする場合（使用目的、効果又は使用方法を変更しようとする場合に限る。）における承認（以下「医療機器一部変更承認」という。）の申請前のもの

ロ　医療機器承認又は医療機器一部変更承認の申請を現に行っているもの
　ハ　医療機器承認又は医療機器一部変更承認を受けた者が製造販売した当該医療機器承認又は医療機器一部変更承認に係るプログラム医療機器であって、現に保険適用されておらず、保険適用を希望しているもの
七の九　告示第1条第8号ロに規定する別に厚生労働大臣が定めるプログラム医療機器
　イ　現に保険適用されており、使用成績を踏まえた再評価（保険適用されていない範囲における使用又は支給に係る有効性に関するものに限る。以下「使用成績を踏まえた再評価」という。）に係る申請前のもの
　ロ　現に保険適用されており、使用成績を踏まえた再評価に係る申請を現に行っているもの
七の十　告示第1条第8号イ(1)に規定する別に厚生労働大臣が定める施設基準
　イ　病院及び診療所にあっては、告示第1条第8号イに規定するプログラム医療機器の使用又は支給を行うにつき必要な体制が整備されていること。
　ロ　薬局にあっては、イに規定する基準に適合している病院又は診療所において健康保険の診療に従事している医師又は歯科医師から交付された処方箋に基づき告示第1条第8号イに規定するプログラム医療機器を支給するものであること。
七の十一　告示第1条第8号イ(1)に規定する別に厚生労働大臣が定める条件
　　第7号の8ロに規定するプログラム医療機器の使用又は支給にあっては、当該医療機器承認又は医療機器一部変更承認の申請に係る使用目的、効果又は使用方法に従うこと。
七の十二　告示第1条第8号ロ(1)に規定する別に厚生労働大臣が定める条件
　　第7号の9イに規定するプログラム医療機器の使用又は支給にあっては、当該再評価のための申請に係る権利の取得の際に付された条件に従うこと。
七の十三　告示第1条第8号イ(2)に規定する別に厚生労働大臣が定める期間
　イ　第7号の8イに規定するプログラム医療機器の使用又は支給にあっては、当該医療機器承認又は医療機器一部変更承認及び保険適用のための準備に必要と認められる期間
　ロ　第7号の8ロに規定するプログラム医療機器の使用又は支給にあっては、当該申請が受理された日から2年（当該期間内に当該申請に対する処分があったとき又は当該申請の取下げがあったときは、当該処分又は取下げがあった日までの期間）
　ハ　第7号の8ハに規定するプログラム医療機器の使用または支給にあっては、保険適用を希望した日から起算して240日（評価に当たって他の事項と一体的な検討を要する技術を活用したプログラム医療機器にあっては、保険適用を希望した日から起算して2年）
七の十四　告示第1条第8号ロ(2)に規定する別に厚生労働大臣が定める期間
　イ　第7号の9イに規定するプログラム医療機器の使用又は支給にあっては、当該プログラム医療機器に係る再評価のための準備に必要と認められる期間
　ロ　第7号の9ロに規定するプログラム医療機器の使用または支給にあっては、当該プ

ログラム医療機器に係る再評価の申請を行った日から起算して240日（評価に当たって他の事項と一体的な検討を要する技術を活用したプログラム医療機器にあっては、保険適用を希望した日から起算して2年）

七の十五 告示第2条第6号に規定する別に厚生労働大臣が定めるもの
　イ　診療報酬の算定方法別表第1医科診療報酬点数表（以下「医科点数表」という。）区分番号D009の3に掲げる癌胎児性抗原（CEA）(同告示別表第2歯科診療報酬点数表（以下「歯科点数表」という。）第2章第3部検査通則第5号においてその例による場合を含む。）
　ロ　医科点数表区分番号D009の2に掲げるα―フェトプロテイン（AFP）（歯科点数表第2章第3部検査通則第5号においてその例による場合を含む。）
　ハ　医科点数表区分番号D009の9に掲げる前立腺特異抗原（PSA）（歯科点数表第2章第3部検査通則第5号においてその例による場合を含む。）
　ニ　医科点数表区分番号D009の9に掲げるCA19―9（歯科点数表第2章第3部検査通則第5号においてその例による場合を含む。）
　ホ　医科点数表区分番号H000に掲げる心大血管疾患リハビリテーション料
　ヘ　医科点数表区分番号H001に掲げる脳血管疾患等リハビリテーション料
　ト　医科点数表区分番号H001―2に掲げる廃用症候群リハビリテーション料
　チ　医科点数表区分番号H002に掲げる運動器リハビリテーション料
　リ　医科点数表区分番号H003に掲げる呼吸器リハビリテーション料
　ヌ　医科点数表区分番号I008―2に掲げる精神科ショート・ケア
　ル　医科点数表区分番号I009に掲げる精神科デイ・ケア
　ヲ　医科点数表区分番号I010に掲げる精神科ナイト・ケア
　ワ　医科点数表区分番号I010―2に掲げる精神科デイ・ナイト・ケア
　カ　歯科点数表区分番号H000に掲げる脳血管疾患等リハビリテーション料
　ヨ　歯科点数表区分番号H000―3に掲げる廃用症候群リハビリテーション料
八　告示第2条第7号に規定する別に厚生労働大臣が定める入院期間の計算方法
　イ　病院又は診療所を退院した後、同一の疾病又は負傷により、当該病院若しくは診療所又は他の病院若しくは診療所に入院した場合（当該疾病又は負傷が治癒し、又はこれに準ずる状態になった後に入院した場合を除く。）にあっては、これらの病院又は診療所において通算対象入院料（医科点数表又は歯科点数表に規定する一般病棟入院基本料（特別入院基本料、月平均夜勤時間超過減算、特定入院基本料及び夜勤時間特別入院基本料を含み、医科点数表に規定する一般病棟入院基本料の注11の規定により算定する場合（歯科点数表第1章第2部第1節通則1の規定により医科点数表の例により算定する場合を含む。）を除く。）、特定機能病院入院基本料（一般病棟の場合に限る。）及び専門病院入院基本料をいう。以下同じ。）を算定していた期間を通算する。
　ロ　イの場合以外の場合にあっては、現に入院している病院又は診療所において通算対象入院料を算定していた期間を通算する。
九　告示第2条第7号に規定する別に厚生労働大臣が定める状態等にある者

イ　通算対象入院料を算定する病棟又は診療所に入院している患者以外の患者
ロ　医科点数表第1章第2部第2節に規定する難病患者等入院診療加算を算定する患者
ハ　医科点数表第1章第2部第2節及び歯科点数表第1章第2部第2節に規定する重症者等療養環境特別加算を算定する患者
ニ　重度の肢体不自由者（平成20年10月1日以降においては、脳卒中の後遺症の患者及び認知症の患者を除く。）、脊髄損傷等の重度障害者（平成20年10月1日以降においては、脳卒中の後遺症の患者及び認知症の患者を除く。）、重度の意識障害者、筋ジストロフィー患者、難病患者等
ホ　悪性新生物に対する腫瘍用薬（重篤な副作用を有するものに限る。）を投与している状態にある患者
ヘ　悪性新生物に対する放射線治療を実施している状態にある患者
ト　ドレーン法又は胸腔若しくは腹腔の洗浄を実施している状態にある患者
チ　人工呼吸器を使用している状態にある患者
リ　人工腎臓又は血漿交換療法を実施している状態にある患者
ヌ　全身麻酔その他これに準ずる麻酔を用いる手術を実施し、当該疾病に係る治療を継続している状態（当該手術を実施した日から起算して30日までの間に限る。）にある患者
ル　15歳未満の患者
ヲ　児童福祉法（昭和22年法律第164号）第19条の3第3項に規定する医療費支給認定に係る小児慢性特定疾病児童等（同法第6条の2第2項に規定する小児慢性特定疾病児童等をいう。）又は障害者の日常生活及び社会生活を総合的に支援するための法律施行令（平成18年政令第10号）第1条の2第1号の育成医療の給付を受けている患者
ワ　ロからヌまでに掲げる状態に準ずる状態にある患者
十　保険外併用療養費に係る療養についての費用の額の算定方法（平成18年厚生労働省告示第496号）別表第2に規定する180日を超えた日以後の入院に係る別に厚生労働大臣が定める点数
　　通算対象入院料の基本点数
十一　健康保険法（大正11年法律第70号）第63条第2項第4号及び高齢者の医療の確保に関する法律（昭和57年法律第80号）第64条第2項第4号に規定する患者申出療養の申出に係る書類等
(1)　健康保険法第63条第2項第4号及び高齢者の医療の確保に関する法律第64条第2項第4号の申出（以下単に「申出」という。）は、厚生労働大臣に対し、次に掲げる事項を記載した申出書を提出することによって行うこと。
　　イ　申出に係る者（以下「患者」という。）の氏名、生年月日及び住所又は居所
　　ロ　申出に係る療養の名称
　　ハ　ロの療養について申出を行う理由
(2)　(1)の申出書には、次に掲げる書類を添付すること。
　　イ　被保険者証の写し

ロ　患者が未成年者又は成年被後見人である場合にあっては、その法定代理人の同意書
　　ハ　申出に係る療養を行う医療法（昭和23年法律第205号）第4条の3に規定する臨床研究中核病院（保険医療機関であるものに限る。以下単に「臨床研究中核病院」という。）の開設者の意見書
　　ニ　申出に係る療養を行う保険医療機関において診療に従事する保険医が、患者に対し申出に係る療養の内容及び費用に関して説明を行い、その同意を得たことを証する書類
　　ホ　患者がハ及びニの書類の確認を行ったことを証する書類
　(3)　(2)ハの意見書には、臨床研究中核病院の開設者及び(2)ニの説明を行った保険医の氏名を記載すること。
　　　　附　則（第15次改正）
この告示は、令和6年6月1日から適用する。ただし、第2条の規定は、令和6年10月1日から適用する。

〔参　考〕
　　◉保険外併用療養費に係る厚生労働大臣が定める医薬品等の一部を改正する告示（抄）

　　　　　　　　　　　　　　　　　　　　　　〔令和 6 年 3 月27日〕
　　　　　　　　　　　　　　　　　　　　　　〔厚生労働省告示第123号〕

　（保険外併用療養費に係る厚生労働大臣が定める医薬品等の一部改正）
第2条　保険外併用療養費に係る厚生労働大臣が定める医薬品等〔平成18年厚生労働省告示第498号〕の一部を次の表のように改正する。

　　　　　　　　　　　　　　　　　　　　　　　（傍線部分は改正部分）

改　正　後	改　正　前
九の二　告示第2条第15号に規定する別に厚生労働大臣が定める医薬品 　イ　告示第2条第15号に規定する新医薬品等（以下単に「先発医薬品」という。）に係る告示第2条第15号に規定する後発医薬品（以下単に「後発医薬品」という。）が初めて薬価基準に収載された日の属する月の翌月の初日から起算して5年を経過した先発医薬品（バイオ医薬品を除く。）	（新設）

ロ　先発医薬品に係る後発医薬品が初めて薬価基準に収載された日の属する月の翌月の初日から起算して5年を経過しない先発医薬品であって、当該先発医薬品に係る後発医薬品の数量を、当該先発医薬品に係る後発医薬品の数量に当該先発医薬品の数量を加えて得た数で除して得た数が100分の50以上であるもの（バイオ医薬品を除く。）

九の三　告示第2条第15号に規定する別に厚生労働大臣が定める場合　　　　　　　　（新設）
　イ　医療上必要があると認められる場合
　ロ　病院若しくは診療所又は薬局において後発医薬品を提供することが困難な場合
　ハ　先発医薬品の薬価が後発医薬品の薬価以下の場合

九の四　保険外併用療養費に係る療養についての費用の額の算定方法（平成18年厚生労働省告示第496号）別表第2に規定する診療報酬の算定方法に掲げる別に厚生労働大臣が定める点数　　（新設）
　イ　別表第1区分番号C200に掲げる薬剤
　ロ　別表第1区分番号F200に掲げる薬剤
　ハ　別表第1区分番号G100に掲げる薬剤
　ニ　別表第2区分番号F200に掲げる薬剤
　ホ　別表第2区分番号G100に掲げる薬剤
　ヘ　別表第3区分番号20に掲げる使用薬剤料

十　保険外併用療養費に係る療養についての費用の額の算定方法別表第2に規｜十　保険外併用療養費に係る療養についての費用の額の算定方法（平成18年厚

定する180日を超えた日以後の入院に係る別に厚生労働大臣が定める点数 （略）	生労働省告示第496号）別表第2に規定する180日を超えた日以後の入院に係る別に厚生労働大臣が定める点数 （略）

附　則

　この告示は、令和6年6月1日から適用する。ただし、第2条の規定は、令和6年10月1日から適用する。

○高額療養費等の生活保護法における取扱いについて

```
┌平成29年10月5日　社援保発1005第1号　┐
│各都道府県・各指定都市・各中核市民生主管部（局）長│
└　宛　厚生労働省社会・援護局保護課長通知　　　┘
```

〔改正経過〕
　第1次改正　令和6年5月31日社援保発0531第1号

　医療保険制度改革に関する社会保障審議会医療保険部会における議論の結果を踏まえ、入院時生活療養費の見直しを実施し、健康保険法施行規則等の一部を改正する省令（平成29年厚生労働省令第69号）及び健康保険の食事療養標準負担額及び生活療養標準負担額及び後期高齢者医療の食事療養標準負担額及び生活療養標準負担額の一部を改正する告示（平成29年厚生労働省告示第239号）が公布され、平成29年10月1日より施行することとされたところである。

　今回の改正により、福祉事務所における事務処理方式は変わらないものであるが、生活療養標準負担額の減額対象者に、食費及び居住費について1食100円、1日0円に減額されたとすれば生活保護法の規定による保護を必要としない状態となる者（以下「境界層該当者」）が追加されることとなることから、生活保護の運用に当たっても、医療扶助費の決定や保護の要否判定における医療費所要額の算定等の取扱いについて、下記の事項に留意の上、遺憾なきを期されたい。

　また、本通知の施行に伴い、「高額療養費等及び老人医療の高額医療費等の生活保護法における取扱いについて」（平成18年9月29日社援保発第0929001号厚生労働省社会・援護局保護課長通知）は廃止する。

　なお、本通知については、厚生労働省保険局と協議済みであるので念のため申し添える。

記

第1　高額療養費制度等と生活保護法との関係等について
　1　高額療養費制度等と生活保護法との関係等
　(1)　70歳未満の被用者保険加入の被保護者の取扱い
　　　被用者保険の被保険者又はその被扶養者であって70歳未満である被保護者（以下「70歳未満の被用者保険加入の被保護者」という。）が被用者保険と医療扶助の併用にて療養の給付を受けた場合の高額療養費等の取扱いは次によるものであること。
　　　なお、この場合、高額療養費の支給は保険医療機関である生活保護法指定医療機関に直接支払う、いわゆる現物給付の形で行われるため、患者負担又は医療扶助を行った上で償還払いを受ける取扱いは必要ないものであること（(2)において同

じ。)。
　また、その保護の程度により医療費本人負担が生じるときは、以下に掲げる自己負担額が、その負担上限額となること。
　ア　高額療養費の支給要件及び支給額
　　70歳未満の被用者保険加入の被保護者については、市区町村民税の非課税者等の区分が適用されることから、自己負担限度額はレセプト単位で3万5400円であること。したがって、被保険者又はその被扶養者が同一の月にそれぞれ一の医療機関等について受けた療養（食事療養及び生活療養を除く。以下同じ。）に係る一部負担金等の額が3万5400円を超える場合に被用者保険より当該一部負担金等の額から3万5400円を控除した額が高額療養費として支給されること。
　　なお、(3)のア又はウによる多数該当及び世帯合算の措置については70歳未満の被用者保険加入の被保護者は適用とならないものであること。
　　また、同一の月にそれぞれ一の医療機関等において受けた療養であっても、医科と歯科の療養、外来と入院の療養は、それぞれ別個の医療機関において受けた療養と見なされるので留意願いたいこと（イ及び(2)ア、イ、(3)、(4)においても同じ。)。
　イ　特定疾病にかかる高額療養費
　　厚生労働大臣の定める特定疾病（人工腎臓を実施している慢性腎不全、血漿分画製剤を投与している先天性血液凝固第Ⅷ因子障害又は先天性血液凝固第Ⅸ因子障害、及び抗ウイルス剤を投与している後天性免疫不全症候群（HIV感染を含み、厚生労働大臣が定める者に係るものに限る。)) に係る療養について保険者の認定を受けた場合に関しては、自己負担限度額はレセプト単位で1万円であること。したがって、被保険者又はその被扶養者が同一の月にそれぞれ一の医療機関等について受けた当該療養に係る一部自己負担金等の額が1万円を超える場合に被用者保険より当該一部負担金等の額から1万円を控除した額が高額療養費として支給されること。
　ウ　食事療養標準負担額
　　食事療養標準負担額については、被保護者に対する特段の定めはなく、(3)のエによるものであること。
　エ　生活療養標準負担額
　　生活療養標準負担額については、被保護者に対する特段の定めはなく、(3)のオによるものであること。
(2)　70歳以上の被用者保険加入の被保護者の取扱い
　被用者保険の被保険者又はその被扶養者であって70歳以上である被保護者が被用者保険と医療扶助の併用にて療養の給付を受けた場合の高額療養費等の取扱いは、次によるものであること。
　また、その保護の程度により医療費本人負担が生じるときは、以下に掲げる自己負担額が、その負担上限額となること。

ア　高額療養費の支給要件及び支給額

　70歳以上の被用者保険加入の被保護者については、自己負担限度額はレセプト単位で入院療養にあっては1万5000円、外来療養にあっては8000円であること。したがって、被保険者又はその被扶養者が同一の月にそれぞれ一の医療機関等について受けた療養に係る一部負担金等の額が入院療養にあっては1万5000円、外来療養にあっては8000円を超える場合に、被用者保険より当該一部負担金等の額から1万5000円又は8000円を控除した額が高額療養費として支給されること。

　なお、(4)のア又はウによる多数該当及び世帯合算の措置については70歳以上の被用者保険加入の被保護者は適用とならないものであること。

イ　特定疾病の取扱い

　対象疾病及び自己負担限度額とも1の(1)のイと同じであること。

ウ　食事療養標準負担額

　食事療養標準負担額については、被保護者に対する特段の定めはなく、(4)のエによるものであること。

エ　生活療養標準負担額

　生活療養標準負担額については、被保護者についての特段の定めはなく(4)のオによるものであること。

(3) 被保護者以外の70歳未満の公的医療保険加入者の取扱い

　被保護者以外の被用者保険の被保険者及びその被扶養者並びに国民健康保険の被保険者であって70歳未満のものに対する高額療養費等の取扱いは、おおむね次のとおりであること。

ア　高額療養費の支給要件及び支給額

　高額療養費は、被保険者又はその被扶養者が同一の月にそれぞれ一の医療機関等で受けた療養に係る一部負担金等の額が自己負担限度額を超える場合に支給され、その額は当該一部自己負担金の額から当該自己負担限度額を控除した額であること。

年収約1,160万円以上	252,600円 + （医療費 − 842,000円）× 1／100 <140,100円>
年収約770～約1,160万円	167,400円 + （医療費 − 558,000円）× 1／100 <93,000円>
年収約370～約770万円	80,100円 + （医療費 − 267,000円）× 1／100 <44,400円>
年収約370万円まで	57,600円 <44,400円>
低所得者（※1）	35,400円 <24,600円>

※1 市町村民税非課税者、又は要保護者である被保険者等であって自己負担限度額を3万5400円（多数該当の場合2万4600円）とする高額療養費の支給の特例を受けるとともに、かつ食事療養標準負担額が1食あたり230円（過去の1年の入院期間が90日を超える場合は180円）に、又は生活療養標準負担額が食費分1食あたり230円、居住費分1日当たり370円（難病患者等の場合0円）に減額されれば、保護を要しないもの

※2 ＜　＞内は多数該当者（療養のあった月以前の12月以内に既に3回以上高額療養費の支給を受け4回目の支給に該当）の場合

イ　特定疾病に係る高額療養費
　　対象疾病及び自己負担限度額とも(1)のイと同じであること。

ウ　高額療養費の世帯合算
　　同一世帯で同一月内に2万1000円以上の自己負担が複数あるときは、世帯合算の対象となり、これらの自己負担額を合算した額が、その自己負担限度額を超えた場合に、その超えた額が高額療養費として支給される。

エ　食事療養標準負担額

一般		1食当たり490円
低所得者 （住民税非課税世帯）	過去1年の入院期間が90日以下の者	1食当たり230円
	過去1年の入院期間が90日を超える者	1食あたり180円

オ　生活療養標準負担額

区分	食費 （1食当たり）	居住費（1日当たり）		
		医療区分Ⅰ	医療区分Ⅱ・Ⅲ	難病患者
一般	490円 （450円※1）	370円	370円	0円
低所得者 （住民税非課税世帯）	230円	370円	370円	0円
境界層該当者（※2） （健康保険法施行規則第62条の3第6号）	110円	0円	0円	0円

※1　入院時生活療養費（Ⅱ）が算定される場合
※2　境界層該当者とは、生活療養標準負担額が食費分1食あたり110円、居住費分1日当たり0円に減額されれば保護を要しないもの

(4)　被保護者以外の70歳以上の公的医療保険加入者等の取扱い

高額療養費等の生活保護法における取扱いについて

　被保護者以外の被用者保険の被保険者及びその被扶養者並びに国民健康保険及び後期高齢者医療制度の被保険者であって70歳以上のものに対する高額療養費等の取扱いは、おおむね次のとおりであること。
ア　高額療養費の支給要件及び支給額
　　高額療養費は、被保険者又はその被扶養者が同一の月にそれぞれ一の医療機関等で受けた療養に係る自己負担金等の額が自己負担限度額を超える場合に支給され、その額は当該自己負担額から当該自己負担限度額を控除した額であること。

区分	外来	入院
現役並み所得者 （年収約1,160万円以上）	252,600円＋（医療費－842,000円）×1／100 ＜140,100円＞	
現役並み所得者 （年収約770～ 約1,160万円）	167,400円＋（医療費－558,000円）×1／100 ＜93,000円＞	
現役並み所得者 （年収約370～ 約770万円）	80,100円＋（医療費－267,000円）×1／100 ＜44,400円＞	
一般 （年収約156～ 約370万円）	18,000円 （年間上限 144,000円）	57,600円 ＜44,400円＞
低所得者Ⅱ　※1	8,000円	24,600円
低所得者Ⅰ　※2	8,000円	15,000円

※1　市町村民税非課税者の世帯、又は、要保護者であって高額療養費の自己負担限度額を入院療養にあっては2万4600円、外来療養にあっては8000円とする特例を受け、かつ、食事療養標準負担額が1食あたり230円（過去の1年の入院期間が90日を超える場合は180円）に、又は生活療養標準負担額が食費分1食あたり230円、居住費分1日当たり370円（難病患者等の場合0円）に減額されれば保護を要しないもの
※2　市町村民税非課税者のうち、所得が一定の基準（年金収入80万円等）にみたないものの世帯、又は、要保護者であって、高額医療費の自己負担限度額を入院療養にあっては1万5000円、外来療養にあっては8000円とする特例を受け、かつ、食事療養標準負担額が1食あたり110円に、又は生活療養標準負担額が食費分1食当たり140円（医療区分Ⅱ・Ⅲの場合、110円）、居住費分1日当たり370円（難病患者等の場合0円）に減額されれば保護を要しないもの
※3　＜　＞内は多数該当（療養のあった月以前の12月以内に既に3回以上高額療

養費の支給を受け4回目の支給に該当）の場合
　　イ　特定疾病の取扱い
　　　　対象疾病及び世帯負担限度額とも(2)のイと同じであること。
　　ウ　高額療養費の世帯合算
　　　　同一世帯で同一月内に2万1000円以上の自己負担が複数あるときは、世帯合算の対象となり、これらの自己負担額を合算した額が、その自己負担限度額を超えた場合に、その超えた額が高額療養費として支給される。
　　エ　食事療養標準負担額

現役並み所得者及び一般		1食　490円
低所得者Ⅱ	過去1年の入院期間が90日以下のもの	230円
	過去1年の入院期間が90日を超えるもの	180円
低所得者Ⅰ		110円

　　オ　生活療養標準負担額

区分	食費 （1食当たり）	居住費（1日当たり）		
		医療区分Ⅰ	医療区分Ⅱ・Ⅲ	難病患者
現役並み所得者及び一般	490円 （450円※1）	370円	370円	0円
低所得者Ⅱ	230円	370円	370円	0円
低所得者Ⅰ	140円 （110円※2）	370円	370円	0円
境界層該当者（※3） （健康保険法施行規則第62条の3第6号又は高齢者医療確保法施行規則第40条第6号）	110円	0円	0円	0円

　　※1　入院時生活療養費（Ⅱ）が算定される場合
　　※2　医療区分Ⅱ・Ⅲ及び難病患者等における食費分1食あたり110円
　　※3　境界層該当者とは、生活療養標準負担額が食費分1食あたり110円、居住費分1日当たり0円に減額されれば保護を要しないもの
　第2　生活保護運用上の留意点
　　1　保護の要否判定に当たっての留意点
　　　　保護の申請を行った者又は保護継続中の者について要否判定を行う際、最低生活費

のうち医療費所要額(食事療養標準負担額及び生活療養標準負担額を含む。以下同じ。)の算定については、第1の1の(3)及び(4)に掲げるものを用いるが、いずれも低所得者の特例があったものとして行い、これにより算定した医療費所要額に収入充当額が満たない場合に生活保護が適用となること。

なお、被用者保険において被扶養者として認定されている者であって、扶養関係にある被保険者と同居しない者が保護を申請した場合、要否判定における最低生活費のうち医療費所要額の算定については、当該被保険者の所得区分に応じた自己負担限度額等を用いることとなる。

しかし、当該被扶養者が高額療養費の低所得者の特例が適用されれば保護を要しない状況になる場合は、保護の要否判定により保護否となるため、第3の低所得者の特例措置の取扱いのとおり、必要な手続きを行うこと。

2 保護の程度の決定にあたっての留意点

1の要否判定により保護が開始された者に対する高額療養費の取扱いは、第1の(1)及び(2)により行うが、食事療養標準負担額及び生活療養標準負担額について、低所得者としての減額対象となる場合は、市町村民税非課税証明書等必要書類を添付の上、別途保険者において減額認定の手続が必要であるので、福祉事務所は適宜指導援助の配慮を願いたいこと。

第3 低所得者の特例措置の取扱い

要保護者であるが、高額療養費および食事療養標準負担額又は生活療養標準負担額の低所得者の特例が適用されることで保護を必要としない状態に至る者については、以下により特例措置の取扱いを受けることで、生活保護法による保護を必要としないものであるので、十分了知されたいこと。

なお、低所得者の特例によらなくとも要保護状態とならない場合は、単なる保護の申請却下又は廃止となり、また、要保護者が低所得者に該当するとしても要保護状態となる場合については、保護の開始又は継続となるものであるので、この措置の対象とはならないこと。

1 福祉事務所における手続

保護の申請者又は被保護者が要否判定により、この特例措置によって保護を要しないことが判明し、これにより当該保護の申請を却下し、又は保護を廃止する場合、保護申請却下通知書又は保護廃止決定通知書の決定理由欄に、以下の区分に従い記載を行った上で通知する必要があること。

また、必要に応じ、福祉事務所において、通知書の原本証明について協力願いたいこと。

(1) 70歳未満の被用者保険の加入者(被保険者と同じ世帯に属さない被扶養者を含む。(2)において同じ。)又は70歳未満の国民健康保険の被保険者であって、高額療養費の自己負担限度額及び食事療養標準負担額若しくは生活療養標準負担額の減額を受ける場合

ア　自己負担限度額が3万5400円に減額され、かつ、食事療養標準負担額が1食あたり230円（過去1年の入院期間が90日を超える場合にあっては、1食当たり180円）又は生活療養標準負担額が食費分1食あたり230円及び居住費分1日当たり370円（難病患者等の場合0円）に減額されれば保護を要しない者の場合
　　　・　被用者保険の加入者に対しては「限度額適用・標準負担減額認定該当(C)」
　　　・　国民健康保険の被保険者に対しては「国保特例高額療養費・標準負担額減額該当」
　　　イ　65歳以上70歳未満の被用者保険の加入者又は国民健康保険の被保険者であって、健康保険法施行規則第62条の3第6号に規定される低所得に該当し、生活療養標準負担額における食費1食あたり110円及び居住費分1日当たり0円に減額されれば保護を要しない者の場合、「限度額適用・標準負担減額認定該当（境）」
　(2)　70歳以上の被用者保険の加入者又は70歳以上の国民健康保険の被保険者又は後期高齢者医療制度の被保険者であって、高額療養費の自己負担限度額及び食事療養標準負担額若しくは生活療養標準負担額の減額を受ける場合
　　　ア　自己負担限度額が2万4600円に減額され、かつ、食事療養標準負担額が1食あたり230円（過去1年の入院期間が90日を超える場合にあっては、1食当たり180円）又は生活療養標準負担額が食費分1食あたり230円及び居住費分1日当たり370円（難病患者等の場合0円）に減額されれば保護を要しない者の場合「限度額適用・標準負担減額認定該当（Ⅱ）」
　　　イ　外来自己負担限度額が8000円に減額されれば保護を要しない者の場合「限度額適用・標準負担減額認定該当（Ⅱ）」
　　　ウ　自己負担限度額が1万5000円に減額され、かつ、食事療養標準負担額が1食あたり110円又は生活療養標準負担額が食費分1食あたり140円（医療区分Ⅱ・Ⅲの場合110円）及び居住費分1日当たり370円（難病患者等の場合0円）に減額されれば保護を要しない者の場合「限度額適用・標準負担減額認定該当（Ⅰ）」
　　　エ　70歳以上の被用者保険の加入者又は70歳以上の国民健康保険の被保険者で健康保険法施行規則第62条の3第3号に規定される低所得Ⅰに該当する場合、又は後期高齢者医療制度の被保険者で高齢者の医療の確保に関する法律施行規則第40条第6号に該当する場合で、生活療養標準負担額における食費1食あたり110円及び居住費分1日当たり0円に減額されれば保護を要しない者の場合、「限度額適用・標準負担額減額認定該当（境）」
　　　なお、アからエまでの1日の食事療養標準負担額又は生活療養標準負担額のうち食事の提供に係るものの額は、3食に相当する額を限度額とする。
　2　特例措置の申請手続
　　　各特例措置による減額認定を受ける場合は、当該特例措置の対象となる要保護者の加入する医療保険の保険者あての申請書に、1により記載を行った通知書の原本又はその写しに福祉事務所長等が原本証明を行ったものを添えて提出する必要があるこ

高額療養費等の生活保護法における取扱いについて

と。このため、申請手続が円滑に行えるよう配慮願いたいこと。
　また、高額療養費支給制度において、費用の支給が償還払いとされているものについては、申請から支給まで一定の期間を要することから、この間に生活に困窮することのないよう、各種公的貸付金等の活用に関する助言、手続に当たっても援助等について配慮願いたいこと。

第5章 介護扶助運営要領

第1節 基本通知

○介護保険法施行法による生活保護法の一部改正
　等について

> 平成11年11月16日　社援第2702号
> 各都道府県知事・各指定都市市長・各中核市市長宛
> 厚生省社会・援護局長通知

　介護保険制度の創設にあわせ、介護保険法施行法（平成9年法律第124号。以下「施行法」という。）において、保護の種類に介護扶助を加える等生活保護法（昭和25年法律第144号。以下「法」という。）の一部改正等を行うとともに、その実施のための細則等を定めるために、介護保険法及び介護保険法施行法の施行のための関係政令の整備等に関する政令（平成11年政令第262号。以下「整備政令」という。）による生活保護法施行令（昭和25年政令第148号。以下「令」という。）の一部改正及び介護保険法等の施行のための厚生省関係省令の整備等に関する省令（平成11年厚生省令第91号。以下「整備省令」という。）による生活保護法施行規則（昭和25年厚生省令第21号。以下「規則」という。）の一部改正等を行ったところである。

　今回の改正は、生活保護法が施行された昭和25年以来初めて保護の種類を追加するものであるが、今般、介護扶助の創設の趣旨、生活保護法の一部改正等の内容及び施行に当たっての留意事項を下記のとおり通知するので、保護の実施機関にあっては、改正後の生活保護法、生活保護法施行令及び生活保護法施行規則の内容はもとより介護保険関係法令の内容についても十分に理解し、関係者に対しその周知徹底を図るとともに、適切な指導を行い、保護の決定及び実施に支障が生じることなく、適切に生活保護の事務が実施されるよう遺憾のなきを期されたい。

記

第1　介護扶助の創設の趣旨

　　介護扶助の創設の趣旨は、介護保険制度が創設されることにより、保険給付の対象となる介護サービスに係る介護需要の充足が国民に権利として保障されることとなること

及び当該介護需要は従前生活困窮者についても老人福祉の措置又は医療扶助により充足されていたことにかんがみ、介護保険制度下において要保護者の当該介護需要が充足されるよう、生活保護制度において、介護保険の給付の対象となる介護サービスに係る介護需要を最低限度の生活需要と位置付け、保護の対象とするものである。

第2　改正の内容
1　施行法による法の一部改正等について
　平成9年12月17日に公布された施行法において、介護保険制度の創設に伴い介護扶助を創設することを内容とする法の一部改正が行われたところである。
　その具体的な内容は次のとおりである。
　⑴　介護扶助の創設（法第11条第1項に追加）
　　介護保険の保険給付の対象となる介護サービスに係る介護需要を、医療に係る需要と同様に一つのまとまった需要としてとらえ、保護の種類として介護扶助を創設すること。
　⑵　介護扶助の対象者（法第15条の2の新設）
　　介護扶助の対象者を、困窮のため最低限度の生活を維持することのできない要介護者及び要支援者（介護保険法第7条第3項及び第4項に規定する要介護者及び要支援者をいう。）とすること。
　　このことにより、介護扶助の対象者には、40歳以上65歳未満の者であって、医療保険未加入のため第2号被保険者となれない場合も含まれる。
　⑶　介護扶助の対象となる事項の範囲（法第15条の2の新設）
　　介護扶助の対象となる事項を、介護保険の給付対象となるサービスと基本的には同一の事項とするため、次のものとすること。
　　①　居宅介護（居宅介護支援計画に基づき行うものに限定）
　　　居宅介護の範囲は、介護保険の居宅介護サービス費の支給対象となるサービスである訪問介護、訪問入浴介護、訪問看護、訪問リハビリテーション、居宅療養管理指導、通所介護、通所リハビリテーション、短期入所生活介護、短期入所療養介護、痴呆対応型共同生活介護、特定施設入所者生活介護及び福祉用具貸与に加え、これらに相当するサービスとして、介護保険法第62条に規定する市町村特別給付に係るサービスのうち介護扶助に必要であると認められるもの、居宅介護支援計画を作成するサービス並びに介護保険法第42条第1項第3号に該当する場合に提供されるサービスとする。
　　②　福祉用具
　　　福祉用具の範囲は、介護保険の居宅介護福祉用具購入費の支給対象となるサービスとする。
　　③　住宅改修
　　　住宅改修の範囲は、介護保険の居宅介護住宅改修費の支給対象となるサービスとする。
　　④　施設介護

施設介護の範囲は、施設介護サービス費の支給対象となる介護福祉施設サービス、介護保健施設サービス及び介護療養施設サービスとする。
⑤ 移送
歩行が不能又は著しく困難であり、保険給付により送迎が行われない場合に、入所、通所等のために必要不可欠な交通機関を利用することをいう。
なお、被保護者が介護保険の被保険者であって保険給付を受けることができる場合には、法第4条第1項に規定する補足性の原理により、保険給付が優先し、自己負担部分が生活保護の対象となる。

(4) 介護老人福祉施設に収容されている者に対する保護の実施責任（法第19条第3項の改正）

特別養護老人ホームに収容されている被保護者に対する保護については、法第84条の3の規定により、当該被保護者に対する保護の実施機関を当該被保護者に収容前の居住地又は現在地により定めることとされてきたところである。

今回の改正により、被保護者に対する施設介護を介護老人福祉施設に委託する場合においても、法第30条第1項ただし書きの収容保護が行われているものとみなして、当該被保護者に対する保護の実施機関を当該被保護者の委託前の居住地又は現在地により定めることとすること。

(5) 介護施設における生活扶助の方法（法第31条への追加）

指定介護機関の指定を受けている介護施設に入所する者に係る生活扶助の方法については、病院又は診療所に入院する者の日常生活費に係る生活扶助と同様、生活扶助の方法の原則どおり居宅保護とし、被保護者に対し保護金品を交付することとすること。

ただし、被保護者に対して交付することが適当でないときその他保護の目的を達するために必要があるときは、介護施設の長又は管理者に対してこれを交付することができることとすること。

(6) 介護扶助の方法（法第34条の2の新設）

介護サービスは、医療サービスと同様に、その性質上介護サービスそのものを保障することが重要であることから、現物給付によることとすること。ただし、これによることができないとき、これによることが適当でないとき、その他保護の目的を達するために必要があるときは金銭給付によって行うことができることとすること。この場合において、介護扶助のための保護金品は、被保護者に対して交付することとすること。

また、居宅介護及び施設介護に係る現物給付は、指定介護機関に委託して行うこととすること。ただし、急迫した事情その他やむを得ない事情がある場合には、被保護者は、指定介護機関以外の介護機関から介護サービスを受けることができることとすること。

(7) 現物給付を担当する指定介護機関の指定（法第54条の2の新設）

現物給付の担当機関が提供する介護サービスが保護の内容となることから、その

介護サービスの提供の適正な実施を確保するため、国の開設した介護老人福祉施設、介護老人保健施設又は介護療養型医療施設についてはその主務大臣の同意を得て厚生大臣が、その他の介護老人福祉施設、介護老人保健施設若しくは介護療養型医療施設又はその事業として居宅介護を行う者若しくはその事業として居宅支援計画を作成する者についてはその開設者又は本人の同意を得て都道府県知事が、介護扶助の現物給付を担当させる機関を指定することとすること。

　ただし、特別養護老人ホームについては、その性格にかんがみ、介護保険法に規定する指定介護老人福祉施設の指定があったときは、上記の指定を受けたものとみなすこととすること。この場合において、指定を受けたものとみなされた特別養護老人ホームについては、介護保険における指定の辞退があったとき又は指定の取消しがあったときは、当該指定の効力を失うこととすること。

(8)　指定介護機関の遵守すべき義務等（法第54条の2の新設）

　指定を受けた介護機関の義務、指定の辞退及び取消し、介護の方針及び介護の報酬、介護扶助に要する費用の審査及び支払い並びに報告の徴収及び立入検査に関する事項について、指定医療機関に関する規定を準用することとすること。

　ただし、介護の方針及び介護の報酬に係る規定については国民健康保険ではなく介護保険の例によることとすること。また、介護扶助に要する費用の審査については社会保険診療報酬支払基金法に定める審査委員会等ではなく介護保険法に定める介護給付費審査委員会が、介護扶助に要する費用の支払については社会保険診療報酬支払基金等ではなく国民健康保険団体連合会がそれぞれ担当することとすること。

(9)　罰則（法第85条及び第86条第1項の改正）

　不実の申請その他不正な手段により保護を受け又は他人に保護を受けさせた者に対する罰金額を5万円から30万円に引き上げること。

　また、指定医療機関に対する報告命令に対し報告を怠り若しくは虚偽の報告をした場合又は立入検査を拒み、妨げ、若しくは、忌避した者に対する罰金額を5万円から30万円に引き上げること。さらに、この規定を指定介護機関についても適用することとすること。

(10)　病院、診療所等についての経過措置（施行法第55条）

　施行法の施行の際（以下単に「施行の際」という。）現に指定医療機関の指定を受けている医療機関のうち施行法の施行の日（以下「施行日」という。）において施行法第4条の規定により介護保険法第41条第1項本文の規定による指定居宅サービス事業者の指定があったものとみなされたものについて、施行日において法第54条の2第1項の規定による指定介護機関の指定があったものとみなすこととすること。

(11)　特別養護老人ホームについての経過措置（施行法第56条及び第57条）

　施行日において特別養護老人ホームに入所し老人福祉法上の措置を受けている者に対する保護については、当該者が施行日以後においても当該特別養護老人ホーム

に引き続き入所している間は、当該者を生活保護法の規定により入所しているものとみなして、その管理する福祉事務所の所管区域内に当該者の入所前の居住地又は現在地を有する保護の実施機関が行うこととすること。

また、施行の際現に存在する特別養護老人ホームについては、施行日に指定介護機関の指定があったものとみなすこととすること。

(12) 施行日前の準備行為（施行法第17条）

介護扶助の施行のために必要な準備行為は、施行法第17条の規定に基づいて行うことができるものであること。

(13) 施行期日

介護保険法の施行の日（平成12年4月1日）

2 整備政令による令の一部改正等について

平成11年9月3日に公布された整備政令において、令の一部改正及び施行法第19条の規定に基づく指定介護機関に係る経過措置の整備が行われたところである。

その具体的な内容は次のとおりである。

(1) 指定医療機関の範囲の見直し（整備政令第7条中、令第3条の改正関係）

法第49条において、指定医療機関の指定を受ける対象となるものとして、病院又は診療所に準ずるものを政令で定めることとしている。現行では、健康保険制度下における指定訪問看護事業者及び老人保健制度下における指定老人訪問看護事業者を政令で定めているところである。

介護保険制度の創設及び関係制度の整備により、老人保健制度上指定老人訪問看護事業者が廃止されることに伴い、政令上同事業者を削除した。そして、同事業者の多くは、介護保険法上の指定を受けて訪問看護事業を行う居宅サービス事業者となるものと考えられるが、ここで、介護保険法第41条第1項に規定する指定居宅サービス事業者が訪問看護を実施する場合には、基本的には介護保険の基準の範囲内で介護保険が適用されるものの、例外的に介護保険給付に加えて医療保険を適用して同サービスが提供される場合がある。法第52条（法第54条の2第4項において準用する場合を含む。）の規定により、医療扶助及び介護扶助の水準は原則として社会保険の水準に準ずることとしていることから、介護保険の水準を超えて医療保険により提供される訪問看護については医療扶助で対応することとなるため、介護保険法第41条第1項本文の指定を受けている指定居宅サービス事業者（訪問看護を行う者に限る。）を令第3条に追加することとするものである。

(2) 生活保護法の技術的読替規定の整備（整備政令第7条中、令第5条の創設）

施行法第54条の規定による改正後の法第54条の2第4項の規定に基づき、介護機関に準用される医療機関の規定に関する読み替えを規定すること。

したがって、法第50条から法第54条までの規定については、令第5条に規定する表により読み替えを行った上で介護機関又は指定介護機関に適用されるものであること。

(3) 指定医療機関の範囲から指定老人訪問看護事業者を削除すること（(1)参照）に伴

う経過措置（整備政令第8条関係）

指定老人訪問看護事業者から現に医療扶助により訪問看護を受けている被保護者が要介護状態でないと判断された場合において、老人保健制度に準じて引き続き医療扶助により訪問看護を行なうため、当該指定老人訪問看護事業者に係る指定医療機関の指定の効力を存続させること。

(4) 指定介護機関のみなし指定に関する経過措置（整備政令第9条関係）

介護保険の施行の際現に医療扶助の指定医療機関である老人訪問看護事業者又は老人保健施設が、施行法の規定により介護保険の指定機関とみなされた場合には、施行日に介護扶助の指定介護機関の指定があったものとみなすこと。

介護保険制度においては、施行法第4条の規定により保険医療機関若しくは保険薬局の指定を受けている病院・診療所若しくは薬局又は特定承認保険医療機関を、施行法第5条の規定により指定老人訪問看護事業者を、施行法第7条の規定により特別養護老人ホームを及び第8条の規定により老人保健施設をそれぞれ、介護保険法上の指定又は開設の許可があったものとみなすこととしている。ところが、生活保護制度においては、施行法第55条の規定により保険医療機関若しくは保険薬局の指定を受けている病院・診療所若しくは薬局又は特定承認保険医療機関の承認を受けている病院・診療所を及び施行法第57条の規定により特別養護老人ホームを、生活保護法上の指定又は開設の許可があったものとみなすこととしており、指定老人訪問看護事業者及び老人保健施設については指定又は開設の許可があったものとみなす旨の規定が設けられていない。このため、整備政令において、施行法第19条の規定に基づき、施行法第5条の規定により指定老人訪問看護事業者を及び施行法第8条の規定により老人保健施設を介護保険法上の指定又は開設の許可があったものとみなすことに相当するものとして、施行の際現に指定医療機関の指定を受けている指定老人訪問看護事業者及び老人保健施設について、施行日に生活保護法上の指定介護機関の指定を受けたものとみなすこととする旨規定したものである。

なお、本件みなし規定については、保険医療機関若しくは保険薬局の指定を受けている病院・診療所若しくは薬局又は特定承認保険医療機関及び指定老人訪問看護事業者が、今般の介護保険創設に伴う医療保険制度、老人保健制度等の見直しの中で生活保護制度の指定医療機関としても同制度の指定介護機関としても機能を果たすことができるものであるのに対して、老人保健施設については、介護保険制度の施行後においては、生活保護制度の指定医療機関としての機能は有さなくなり、指定介護機関としてその機能を果たすことができることに限られることに留意されたい。

(5) みなし指定の取消し等に関する経過措置（整備政令第10条及び第11条関係）

施行法第55条及び第57条並びに整備政令第9条の規定により指定介護機関の指定があったものとみなされたものについて、みなし指定の取消し等に関する次の経過措置を定めたこと。

① みなし指定に係る医療扶助の指定医療機関（病院、診療所、薬局及び老人訪問

看護事業者に限る。）が、介護保険制度の施行前にした行為により指定医療機関の指定を取り消されたときは、みなし指定の効力を失うこととすること。
② みなし指定に係る医療扶助の指定医療機関である老人保健施設が、介護保険制度の施行前に指定医療機関の取消し事由に該当したときは、介護保険制度の施行後において、指定介護機関の指定を取り消すことができることとすること。
③ 介護保険制度の施行前にみなし指定に係る医療扶助の指定医療機関である老人保健施設に対して行われた報告命令（介護保険制度の施行後に報告の期限が到来するものに限る。）は、指定介護機関に対する命令とみなすこととすること。
(6) 老人保健施設に入所する被保護者であって要介護状態でないものに係る経過措置（整備政令第12条関係）

介護保険制度の指定機関とみなされる老人保健施設において医療扶助を受ける被保護者（これに準ずる者として厚生省令で定める者を含む。）が、要介護状態でなかった場合であって、引き続き当該老人保健施設に入所する場合においては、引き続き金銭給付による医療扶助を行なうことができることとし、その報酬の額は厚生大臣が定めることとすること。

これは、介護老人保健施設は、病院又は診療所に準ずるものとして指定医療機関の指定対象とはならないため、老人保健施設において医療扶助を受ける被保護者が要介護状態でなかった場合であって引き続き当該老人保健施設に入所するときは、現物給付により医療扶助を行うこともできず、介護扶助の対象ともならないことから、施行法第26条の規定に対応するものとして、当該者に対して金銭給付による医療扶助を行うことを規定するものである。

3 整備省令による規則の一部改正等について

平成11年11月1日に公布された整備省令において、規則の一部改正その他介護扶助の申請、指定介護機関の指定の申請等に係る規定の整備が行われたところである。

その具体的な内容は次のとおりである。

(1) 介護扶助の申請の際の添付書類の追加（規則第2条第2項の新設）

介護扶助の居宅介護は、生活保護法第15条の2第1項第1号において居宅介護支援計画に基づき行うものに限るとされていることから、生活保護の申請に際して、同計画の写しを添付することを義務付けること。

ただし、介護保険の被保険者以外の者については、原則として申請後に居宅介護支援計画が作成されることから、この限りでないこととすること。

(2) 立入検査に携行すべき証票の様式に係る規定の整備（規則第9条の改正）

指定介護機関への立入検査に携行すべき身分を示す証票の様式に係る規定について、指定医療機関と同様に、所要の規定の整備を行うこと。

(3) 指定医療機関の指定の申請手続きに係る規定の整備（規則第10条の改正）

令第3条に定める指定医療機関の指定の対象範囲が整備政令第7条により改正されたことから、指定医療機関の申請手続きに係る規定について、指定老人訪問看護事業者を指定居宅サービス事業者に改める等の整備を行うこと。

(4) 指定介護機関の指定の申請手続きに係る規定の創設（規則第10条の2の新設）
指定介護機関の指定の申請手続きを定めること。
(5) 指定介護機関の指定に当たっての保護の実施機関の意見聴取の手続きに係る規定の整備（規則第11条の改正）
指定介護機関の指定に当たり、指定医療機関の指定と同様に保護の実施機関の意見聴取を行うこととし、所要の規定の整備を行うこと。
(6) 指定介護機関の指定に当たっての都道府県知事による告示の手続きに係る規定の整備（規則第12条の改正）
指定介護機関の指定に当たり、指定医療機関の指定と同様に都道府県知事が告示することとし、所要の規定の整備を行うもの。
(7) 指定介護機関の指定を受けた事業者による標示に係る規定の整備（規則第13条の改正）
指定介護機関の指定を受けた介護機関について、指定医療機関と同様に標示を行うよう、所要の規定の整備を行うもの。
(8) 指定介護機関がその事業又は施設を休止又は廃止した場合等の届出の手続きに係る規定の整備（規則第14条の改正）
指定介護機関がその事業又は施設を休止又は廃止した場合等の届出の手続きについて、指定医療機関と同様に、所要の規定の整備を行うもの。
また、令第3条に定める指定医療機関の指定の対象範囲が整備政令第7条により改正されたことから、指定医療機関の申請手続きに係る規定について、指定老人訪問看護事業を指定居宅サービス事業に改める等の整備を行うもの。
(9) 指定介護機関がその指定を辞退する場合の届出の手続きに係る規定の整備（規則第15条の改正）
指定介護機関がその指定を辞退する場合の届出の手続きについて、指定医療機関と同様に、所要の規定の整備を行うもの。
(10) 指定介護機関の指定の辞退又は取消しがあった場合の告示の手続きに係る規定の整備（規則第16条の改正）
指定介護機関の指定の辞退又は取消しがあった場合の告示の手続きについて、指定医療機関と同様に、所要の規定の整備を行うこと。
(11) 指定医療機関の指定等に係る様式の整備（規則中各様式の改正及び様式第3号の2の創設）
① 令第3条に定める指定医療機関の指定の対象範囲が整備政令第7条により改正されたこと及び指定介護機関の指定等に係る手続きを指定医療機関の指定等の手続き同様にすることに伴い様式の整備を行うもの。
② 指定介護機関の指定申請に係る様式を新たに創設するもの。
(12) 様式の改正に伴う経過措置（整備省令附則第15条）
① 施行の際現に交付されている改正前の規則に規定する様式による立入調査のための証票を改正後の規則に規定する様式による証票とみなすこととするもの。

② 施行の際現にある改正前の規則に規定する様式による用紙を、施行後当分の間は取り繕って使用することができることとするもの。

⒀ 整備政令第12条第1項に規定する厚生省令で定める者を定める件（整備省令附則第16条。第2の6参照）

施行の際現に特定老人保健施設に入所し医療扶助を受給している者について施行日後においても金銭給付の医療扶助を受給することができることとする整備政令第12条第1項の規定による経過措置の対象者として、整備政令の規定により医療扶助を受給している者に準ずるものとして厚生省令で定めることとされている者を、施行の際現に特定老人保健施設に入所している者であって施行後に保護を必要とする状態となるものと定めるもの。

第3 施行に当たっての留意事項
1 平成11年度における準備事務の実施について

介護扶助の創設は平成12年度であり、介護扶助の実施に係る事務は平成12年度から行われることとなるが、介護扶助の創設のために必要な手続き等の準備事務については、介護保険法施行法第17条の規定に基づき、平成11年度中に行っていただくこととなる。これについては、別に通知をするので、この通知によりとり行われたい。

2 制度の周知について

介護扶助の円滑かつ適切な実施に当たっては、市町村、管内福祉事務所、介護事業を行う事業者、被保護者、民生委員等関係者の協力を確保することが必要であることから、その周知の徹底を図られたい。

3 関係機関との連携について

介護扶助の実施に当たっては、介護保険制度についての十分な理解と介護保険制度との調整が必要であることから、保護の実施機関等に対し介護保険制度についての十分な理解を求めるとともに、介護機関の指定及び指定後の指導、介護保険制度に係る被保護者の需要の把握や保険料の適切な納付の確保等に当たり、介護保険担当部局等との密接な連携を図られたい。

4 指定介護機関の十分な確保について

介護保険制度は、要介護者本人の自らの意思で自由にサービスを選択することが制度創設の趣旨の一つである。被保険者である被保護者についても、生活保護の趣旨、目的に反しない限り、この趣旨が最大限尊重されるべきである。

要保護者のサービス事業者の選択権を尊重しつつ、介護扶助を適切に実施するためには、生活保護に理解を有する指定介護機関を十分確保することが重要であるので、特にケアマネジメントを行う居宅介護支援事業者については、居宅介護に係る介護扶助を実施する際のその役割の重要性にかんがみ、十分な数の指定事業者の確保に努められたい。

5 長期入院患者等の処遇の見直しについて

介護保険制度は、社会的入院の解消がその創設の趣旨の一つであり、被保護者のうち、単身で身寄りがないなど社会的入院を余儀なくされている長期入院患者や現に在

宅で要介護又は要支援の状態にあるものについては、介護保険制度の導入によりその被保険者となることから、身体及び精神の状況に応じて適切に保険給付を受け、介護サービスを利用すべきものである。

このため、これらの被保護者が、保険給付を適切に受給できるよう、要介護認定の申請を指導するとともに、必要に応じ処遇の見直しを行われたい。

○生活保護法による介護扶助の運営要領について

> 平成12年3月31日　社援第825号
> 各都道府県知事・各指定都市市長・各中核市市長宛
> 厚生省社会・援護局長通知

〔改正経過〕

第1次改正	平成12年5月30日社援発第1299号	第2次改正	平成13年3月29日社援発第551号
第3次改正	平成13年12月27日社援発第2264号	第4次改正	平成14年3月27日社援発第0327001号
第5次改正	平成16年3月31日社援発第0331005号	第6次改正	平成17年6月29日社援発第0629032号
第7次改正	平成17年9月30日社援発第0930001号	第8次改正	平成18年3月31日社援発第0331011号
第9次改正	平成18年9月29日社援発第0929009号	第10次改正	平成18年11月2日社援発第1102007号
第11次改正	平成19年3月29日社援発第0329012号	第12次改正	平成21年3月30日社援発第0330036号
第13次改正	平成22年3月30日社援発0330第21号	第14次改正	平成24年3月30日社援発0330第52号
第15次改正	平成25年3月29日社援発0329第64号	第16次改正	平成25年5月16日社援発0516第6号
第17次改正	平成26年4月25日社援発0425第13号	第18次改正	平成27年3月31日社援発0331第9号
第19次改正	平成28年3月31日社援発0331第12号	第20次改正	平成29年3月31日社援発0331第7号
第21次改正	平成30年3月31日社援発0330第44号	第22次改正	令和元年5月27日社援発0527第1号
第23次改正	令和2年9月30日社援発0930第4号	第24次改正	令和6年3月29日社援発0329第48号

　　注　本通知は、平成13年3月27日社援発第518号により、地方自治法第245条の9第1項及び第3項の規定に基づく処理基準とされている。

　生活保護法（昭和25年法律第144号）第15条の2に規定する介護扶助の運営要領を次のとおり定めたので、生活保護に関する法令、告示及び通知に基づくほか、この運営要領により介護扶助の実施に万全を期されたい。

　　　介護扶助運営要領
第1　介護扶助運営方針
　この運営要領は、生活保護法（以下「法」という。）による介護扶助の適正な実施を図るため、都道府県知事（指定都市及び中核市の市長を含む。以下同じ。）の行う介護機関の指定、介護の報酬の決定等の事務並びに保護の実施機関の行う介護扶助の決定及び実施に関する事務の処理の要領を示したものであって、都道府県知事及び保護の実施機関は、介護扶助に関する事務の実施に際して、生活保護に関する法令、告示及び通知に基づくほか、この運営要領によって事務を処理し、もって適正かつ円滑な実施を期すること。
　1　要保護者に対する助言・指導
　　介護保険制度は、社会連帯の理念に基づき、利用者の選択により保健・医療・福祉にわたる介護サービスを総合的に利用することを保障する社会保険制度であり、被保護者についても被保険者とし、介護扶助とあいまって保険給付の対象となる介護サービスの利用を権利として保障するものである。
　　このため、在宅又は入院若しくは入所中で現に介護サービスを利用している要保護者、要介護若しくは要支援の状態にある者又は基本チェックリストに該当する者で

あって、介護サービスの利用により生活の向上を図ることができると思われる要保護者に対しては、その利用を勧めること。
　また、運用に当たっては、法の趣旨から一定の制約と福祉事務所の関与が必要であるとともに、要介護認定を受けて居宅介護支援計画を作成することが必要であるなど医療扶助と利用の仕組みが大きく異なることから、利用の手続きについて適切な助言・指導を行うこと。
2　関係機関等との連携
　介護扶助の円滑かつ適切な実施については、保護の実施機関や被保護者はもとより、都道府県の介護保険担当部局、都道府県・市町村自立支援給付等担当部局、市町村、指定介護機関、国民健康保険団体連合会（以下「国保連」という。）、民生委員、介護支援専門員（ケアマネジャー）等の関係機関が、この制度趣旨を十分に理解して事務を実施することが、その目的を達成するために不可欠であるので、関係機関等との密接な連携を図り、その協力が得られる体制を確保すること。
(1)　指定介護機関
　指定介護機関に対し、指定介護機関介護担当規程（平成12年3月厚生省告示第191号）に規定する福祉事務所への協力義務について周知するとともに、福祉事務所への協力を要請すること。
(2)　民生委員
　民生委員協議会等を通じて、介護扶助制度について十分な理解を求め、要保護者に対する周知について協力を得ること。
(3)　市町村及び国民健康保険団体連合会
　介護保険者である市町村（広域連合及び一部事務組合を含む。以下同じ。）及び審査・支払機関である国保連に対して、次の保険者事務が円滑に行われるよう協力すること。
　ア　介護保険料の賦課及び高額介護サービス費等の支給に関して被保護者に適用される所得区分の適用のための情報提供
　イ　救護施設入所者の介護保険適用除外のための情報提供
　また、市町村に対し、福祉事務所が被保険者以外の者に係る介護扶助のための要介護状態等の審査判定を委託して行うことについて協力を要請すること。
(4)　都道府県介護保険担当部局
　都道府県介護保険担当部局に対して、生活保護の指定介護機関に係る指定に関し、次の依頼を行い、必要な協力を得ること。
　ア　都道府県又は市町村の介護保険担当部局は、介護保険の指定又は開設許可の申請があった介護機関に対して、以下の事項について周知すること。
　　(ア)　介護保険法の規定による指定又は開設許可があったときは、生活保護法第54条の2第2項の規定により、当該介護機関は、生活保護の指定介護機関として指定を受けたものとしてみなされること。
　　(イ)　地域密着型介護老人福祉施設及び介護老人福祉施設を除く介護機関が、生活

保護の介護機関に係る指定を不要とする場合には、介護保険法の指定又は開設許可申請の際、生活保護の介護機関に係る指定を不要とする旨と併せて、当該介護機関の名称及び所在地、開設者及び管理者の氏名及び住所並びに当該申出に係る施設又は事業所において行う事業の種類を記載した申出書を当該介護機関の所在地を所管する都道府県（指定都市及び中核市を含む。）の生活保護担当部局（国の開設した介護老人保健施設又は介護医療院にあっては、当該施設の所在地を管轄する地方厚生局長）に提出すること。

　　イ　生活保護の指定介護機関の指定の状況把握等のために、介護保険の指定又は開設許可を行った介護機関（市町村が指定した地域密着型サービス事業者、地域密着型介護予防サービス事業者及び第1号事業のサービスを実施する者（以下「第1号事業サービス実施者」という。）を含む。）に関する情報を提供すること。

(5) 都道府県・市町村自立支援給付等担当部局

　障害者の日常生活及び社会生活を総合的に支援するための法律の自立支援給付及び地域生活支援事業（以下「自立支援給付等」という。）による障害福祉サービス等の決定自体は障害者自立支援給付等担当部局が行うものであるが、介護扶助と自立支援給付等との適用関係にあたり、障害福祉サービスを受けるための身体障害者手帳の取得、自立支援給付等の適用関係に関する障害者自立支援給付等担当部局への照会及び協議並びに自立支援給付等の支給決定等を受けるための申請等、障害者自立支援給付等担当部局との連携が不可欠であることから、その協力が得られる体制を確保すること。

(6) 介護支援専門員（ケアマネジャー）

　介護扶助と自立支援給付等との適用関係について、要保護者の居宅サービス計画等を作成する介護支援専門員に対しても周知を行うことは、適用関係事務を適切に行うとともに、適切な居宅サービス計画等を策定するためには有効であるため、介護扶助と自立支援給付等との適用関係について正しく理解してもらうよう適切に周知を行うこと。

第2　介護扶助運営体制

介護扶助関係事務を円滑かつ適切に実施できるよう、次の運営体制を標準として、その事務処理体制を整備すること。

1　都道府県、指定都市及び中核市の本庁関係

(1) 介護係等

　都道府県本庁（指定都市及び中核市にあっては市本庁とする。イを除き以下同じ。）主管課に、可能な限り専任で介護扶助事務を担当する介護係又は介護扶助事務主任者（以下「介護係等」という。）を置くこと。

　介護係等の行うべき事務は、おおむね次のとおりであるが、医療係、技術吏員及び介護保険担当部局と密接な連携を図り、介護扶助の実施に遺漏のないよう留意すること。

ア 管内福祉事務所の介護扶助運営体制の整備及び実施に関する必要事項の助言及び連絡調整
イ 介護扶助の事務監査(都道府県及び指定都市本庁に限る。)
ウ 指定介護機関の指定
エ 指定介護機関の指定に関する告示並びに管内福祉事務所、審査・支払機関及び指定居宅介護支援事業者、指定介護予防支援事業者及び第1号介護予防支援を実施する者に対する通知
オ 指定介護機関に対する指導及び検査
カ 国保連との契約締結及び連絡調整
キ 都道府県知事による介護の報酬の決定
ク 介護扶助関係統計分析
ケ その他介護扶助の実施に関する事項
(2) 医系職員
　医系職員(医師等、医療に関する専門的な知識を有する職員をいう。以下同じ。)の行うべき主な事務は次のとおりである。
ア 介護機関の指定・取消に当たっての医学的判断
イ 介護扶助の給付の要否につき本庁に対する協議があった場合の医学的判断
ウ その他介護扶助運営上必要な医学的判断
(3) 手続き書類及び運営台帳
　都道府県本庁においては、次に掲げる書類を整備すること。
ア 生活保護法施行規則(昭和25年厚生省令第22号。以下「規則」という。)第10条の6に規定する指定介護機関指定申請書及び第14条、第15条に規定する変更等届出書
イ 指定介護機関名簿(福祉事務所別、サービスの種類別)(様式第1号)
ウ 指定申請書(変更届書、休止・廃止届書、再開届書、処分届書、指定辞退届書)受理簿(様式第2号)
2 福祉事務所関係
(1) 査察指導員
　査察指導員は、次の業務を行い、介護扶助の現状を常に把握するとともに、査察指導について計画を策定するなど計画的に実施し、地区担当員、嘱託医等との組織的連携に努める等介護扶助適正実施の推進を図ること。
ア 管内の介護扶助の現状把握と問題点分析
イ 地区担当員の指導とその効果の確認
ウ 指定介護機関、介護保険者等に対する連絡調整の統括
エ 地区担当員等が記載する自立支援給付等該当可能性確認台帳について、記載に関する指導及び当該台帳の管理
(2) 地区担当員

地区担当員は、査察指導員、嘱託医等との組織的な連携のもとに次の事務にあたること。
ア　65歳以上の被保険者である被保護者に対する介護保険料納付に係る指導
イ　40歳以上65歳未満の介護保険の被保険者でない要保護者（以下「被保険者以外の者」という。）に係る要介護状態等の審査判定の市町村への委託業務
ウ　要保護者に対する指定介護機関の紹介その他指定介護機関の選択に関わる相談に応じる業務
エ　介護扶助の要否判定、程度の決定
オ　被保険者以外の者に係る介護扶助適用に関して、介護扶助事務担当者と連携し、他法他施策の適用関係の確認及び自立支援給付等該当可能性確認台帳への記載
カ　介護施設を訪問して行う生活指導
キ　居宅介護支援計画又は介護予防支援計画等に基づくサービス提供実績の確認
ク　介護報酬請求明細書の内容検討
ケ　指定介護機関、介護保険者、障害者自立支援給付等担当部局、介護支援専門員等との連絡調整
(3)　嘱託医
嘱託医は、査察指導員、地区担当員等からの要請に基づき、次の事項について、専門的判断及び必要な助言指導を行なうこと。
ア　40歳以上65歳未満の要保護者が特定疾病に該当するか否かの判断
イ　要保護者についての調査、指導又は検診
ウ　長期入院患者の介護扶助への移行の適否についての療養上の検討
エ　その他介護扶助に関する医学的判断
(4)　介護扶助事務担当者
介護扶助事務担当者は、介護扶助の円滑な実施を図るため必要な次の事務を処理すること。
ア　介護券の発行事務
イ　介護給付費公費受給者別一覧表と介護券交付処理簿との照合
ウ　地区担当員と連携し、被保険者以外の者に係る介護扶助適用に関する自立支援給付等該当可能性確認台帳への記載及び管理
エ　被保険者である被保護者（第2号被保険者については、現に介護サービスを受給する被保護者に限る。）及び救護施設入所者に関する市町村への連絡事務
オ　被保険者以外の介護扶助受給者に関する国保連への連絡事務
(5)　介護券交付処理簿等及び手続書類
福祉事務所においては、介護券交付処理簿及び被保険者以外の者に関する自立支援給付等該当可能性確認台帳を作成するほか、次に掲げる手続書類用紙を印刷し、常備すること。

ア　介護券（様式第3号）
　　　イ　被保護者情報連絡表（保険者用）（様式第4号の1）
　　　ウ　介護扶助受給者情報連絡表（保険者用）（様式第4号の2）
　　　エ　被保護者異動連絡票（国保連用）（様式第5号）
　　　オ　被保護者異動訂正連絡票（国保連用）（様式第6号）
　　(6)　本省に対する情報提供
　　　　保護の実施機関は、介護保険の介護の方針及び介護の報酬により難いものについては、介護扶助の特別基準の設定につき情報提供すること。なお、その際には次の事項に関する書類を添付すること。
　　　ア　特別基準を必要とする理由
　　　イ　特別基準の申請額およびこれが最低限度の額であることを証する書類
　　　ウ　関係専門医等の意見
　　　エ　その他アに関連して参考となる資料
　　(7)　都道府県本庁に対する技術的助言の求め
　　　　福祉事務所長は、都道府県知事に対し、次の点について必要に応じて連絡し又は技術的な助言を求めること。
　　　ア　介護機関等の指定に関する事項
　　　イ　介護扶助の要否の判定又は保護の決定実施上の判断に関し疑義があると福祉事務所長が認めた事項
　　　ウ　他法他施策関係について必要とされる事項
　　　エ　その他特に求められた事項
第3　被保険者である被保護者等に関する市町村への連絡
　1　基本的考え方
　　　介護保険制度においては、被保護者について最も低い段階の介護保険料及び高額介護サービス費等に係る自己負担上限額が適用されることとされている。
　　　そこで、扶助額の適正な決定や被保護者による介護サービスの適切な利用、さらには保護の目的を達成する等のためには、保険者において、被保護者である被保険者を適切に把握する必要があり、この把握に遺漏のないよう、福祉事務所において65歳以上の被保険者である被保護者、40歳以上65歳未満の被保険者である被保護者（現に介護サービスを利用する者に限る。）及び介護保険の適用除外者に関する市町村への連絡事務を一括して行う必要があるものである。
　2　被保険者である被保護者に係る情報提供
　　(1)　65歳以上の被保険者である被保護者に係る情報提供
　　　ア　福祉事務所は、毎年度当初、被保護者情報連絡表により、次に掲げる者についてそれぞれの保険者へ情報提供を行うこと。
　　　　(ｱ)　4月1日現在の被保護者のうち65歳以上の者
　　　　(ｲ)　当該年度において65歳に到達する被保護者

イ　福祉事務所は、アによる情報提供のほか、65歳以上の者について保護の開始、停止又は廃止の処分（4月1日付けの処分を除く。）を行ったときは、任意の様式により、それぞれの保険者へ随時情報提供を行うこと。

(2)　介護扶助の開始、停止又は廃止に伴う介護扶助受給者に係る情報提供について

　　福祉事務所は、65歳以上の被保険者である被保護者及び40歳以上65歳未満の被保険者である被保護者について介護扶助の開始、停止又は廃止の処分を行ったときは、様式第4号の2の介護扶助受給者情報連絡表により保険者へ情報提供を行うこと。

3　適用除外施設入所者に係る情報提供

　福祉事務所は、別に定めるところにより、介護保険の適用除外者（救護施設入所者）に係る情報提供を行うこと。

第4　要介護認定等及び居宅介護支援計画等の作成について

1　基本的考え方

　介護扶助については、介護保険制度の保険給付の対象となる介護サービスと同等のサービスを、介護保険制度とあいまって、要保護者に対し保障するものである。

　そこで、要保護者は、原則的には、介護保険制度の被保険者として介護保険法及び関係法令の規定に基づき要介護認定、要支援認定又は基本チェックリストによる確認（以下「要介護認定等」という。）を受け、要介護状態、要支援状態又は基本チェックリストに該当する状態（以下「要介護状態等」という。）に応じ介護保険給付及び介護扶助を受けることとなる。

　また、介護保険制度の被保険者でない40歳以上65歳未満の要保護者で介護保険法施行令（平成10年政令第412号）第2条各号の特定疾病により要介護状態又は要支援状態にあるものについては、自立支援給付等の活用が可能な場合は、その優先的な活用を図った上で、なお介護サービスの利用が必要不可欠であると認められる場合において、介護扶助の要否判定に当たり被保険者と同様に要介護状態又は要支援状態の審査判定を受け、要介護状態又は要支援状態に応じ介護扶助を受けることとするものである。

　なお、介護扶助の居宅介護の範囲は、居宅介護支援計画に基づいて行うものに限られており、介護予防の範囲は、介護予防支援計画に基づいて行うものに限られており、また、介護予防・日常生活支援は、介護予防支援計画又は介護予防ケアマネジメントに基づいて行うものに限られていることから、被保険者については介護保険法の規定に基づき、被保険者でない者については介護扶助として、介護扶助の指定介護機関である居宅介護支援事業者、介護予防支援事業者又は第1号介護予防支援を実施する者（以下「居宅介護支援事業者等」という。）から居宅介護支援計画、介護予防支援計画、介護予防ケアマネジメントに基づくプラン又は介護予防ケアマネジメントの内容がわかるもの（以下「居宅介護支援計画等」という。）の策定を受け、当該計画に基づき介護扶助の指定介護機関から居宅介護、介護予防又は介護予防・日常生活支援（以下「居宅介護等」という。）を受けることとなる。

2 要介護認定等
(1) 介護保険の被保険者である要保護者
　ア　65歳以上の者
　　　介護保険法の規定に基づき、被保険者として要介護認定等を受けるものである。
　　　したがって、保護の実施機関においては、介護扶助を必要とすると認める場合においては、適切に要介護認定等が行われるよう、要保護者に対して助言及び指導を行われたい。
　イ　40歳以上65歳未満で特定疾病により要介護状態又は要支援状態にあるもの
　　　65歳以上の者と同様に、被保険者として要介護認定又は要支援認定を受けるものである。なお、要介護認定又は要支援認定に当たり特定疾病の該当性については、主治医の意見書の記載内容に基づき、市町村等に置かれる介護認定審査会が確認するものである。
　　　したがって、保護の実施機関においては、アと同様に、要保護者に対して助言及び指導を行われたい。
　ウ　主治医の意見書について
　　(ｱ)　文書料
　　　　要介護認定等（基本チェックリストに該当する者を除く。）に必要な主治医の意見書の記載に係る経費は、介護保険の保険者が負担する。
　　(ｲ)　診察及び検査に要する費用
　　　　意見書は、主治医が、それまでの診療等によって得られている情報に基づいて記載するものである。
　　　　ただし、主治医がいない場合には、保険者の指定する医師が診断を行い、意見書を記載することとされていることから、その際に必要な診察及び検査に係る費用又は医療保険の自己負担分については、医療扶助を適用して差し支えない。なお、本人の主訴等がないため、医療保険及び医療扶助の対象とならない場合には、初診料相当分及び検査費用について保険者が負担することとされているので留意すること。
(2) 介護保険の被保険者でない要保護者
　ア　概要
　　　介護保険制度の被保険者でないことから、要介護認定又は要支援認定については、介護扶助の要否判定の一環として生活保護制度で独自に行うこととなる。この場合の要介護状態等（基本チェックリストに該当する者を除く。イにおいて同じ。）の判定区分、継続期間、療養上の留意事項等について、被保険者とそれ以外の者との間で統一を図る等のため、市町村に設置される介護認定審査会に審査判定を委託して行う。
　イ　要介護状態等の審査判定の町村への委託等
　　　郡部福祉事務所（都道府県介護認定審査会が設置される都道府県の福祉事務所

を除く。）においては、介護扶助の実施のための要介護状態等の審査判定について、別に定めるところにより、その所管区域内の町村長（要介護認定等業務を行う広域連合の長又は一部事務組合の管理者を含む。）と委託契約を締結するとともに、覚書を交わすこと。

市町村福祉事務所においては、その設置する介護認定審査会に、介護扶助の実施のための要介護状態等の審査判定を依頼して行うこと。
　ウ　主治医の意見書について
　　町村長等との委託契約を締結するに当たり、主治医の意見書記載に係る費用については、介護保険の額の例によること。また、診察及び検査費用の取扱いについては、(1)のウの(イ)（なお書きを除く。）と同様であること。

　　なお、主治医意見書の徴収を町村長等へ委託せず、福祉事務所において検診命令により行い、意見書記載に係る費用について当該医師に直接支払うことも福祉事務所の判断により可能である。この場合の基準額については「障害認定に係るもの」として、「生活保護法による保護の実施要領について」（昭和38年4月社発第246号本職通知）の第11の4の(5)の規定に基づき、当該規定のかっこ書きに定める金額の範囲内で特別基準の設定があったものとして必要な額を認定して差し支えない。
(3)　長期入院患者等の処遇の見直しについて
　　介護保険制度は、社会的入院の解消がその創設の趣旨の一つであるが、医療扶助を受けている長期入院患者等のうち、単身で身寄りがないなど社会的入院を余儀なくされている要保護者については、介護保険及び介護扶助の導入によって、身体及び精神の状況に応じた適切な介護サービスが提供される体制が確保されることとなる。

　　このため、医療扶助を受けている長期入院患者等について、主治医訪問や嘱託医協議を行うことにより、療養の継続の必要性、介護扶助への移行の適否等について検討し、介護扶助がその身体及び精神状況に照らし適当と判断される場合には、要介護認定等を受けるよう指導すること。
3　居宅介護支援計画等について
(1)　共通事項
　　居宅介護等に係る介護扶助の申請は、居宅介護支援計画等の写しを添付して行うこととされている（ただし、被保険者以外の者については、申請時における居宅介護支援計画等の添付は要しない。）が、この居宅介護支援計画等は、原則として本法による指定介護機関の指定を受けた居宅介護支援事業者等が作成した介護保険法に規定する居宅サービス計画、介護予防サービス計画、介護予防ケアマネジメントに基づくプラン又は介護予防ケアマネジメントの内容がわかるもの（以下「居宅サービス計画等」という。）であること。

　　なお、小規模多機能型居宅介護及び介護予防小規模多機能型居宅介護を利用する場合には、当該事業者の職員である介護支援専門員が居宅サービス計画等を作成することとされているが、その場合、当該計画を居宅介護支援計画等として取扱うも

のであること。
(2) 被保険者
ア 被保険者に対し、介護サービスを受けようとする場合は、居宅介護支援計画等の作成に先立って、担当する福祉事務所に相談するよう指導すること。
イ 居宅介護支援計画等の作成を行っていない要保護者が介護扶助を申請する場合には、福祉事務所は指定居宅介護支援事業者等の一覧を提示し、要保護者の意思により選択して作成するよう助言すること。
ウ 申請者が非指定介護機関による居宅介護支援計画等の作成を希望する場合には、計画を作成し又は変更したときは直ちに福祉事務所に連絡すること及び連絡がなかった場合には介護扶助の決定が行われない場合があり得ることを十分周知すること。
エ 要保護者が、既に非指定介護機関において居宅介護支援計画等の作成を受けている場合には、介護扶助の決定に当たり当該計画の介護扶助の基準該当性を審査し、不適切な場合は再度計画を作成するよう指示すること。ただし、保険給付が償還払いとなる場合を除き、非指定介護機関であることを理由として居宅介護支援事業者等の変更を指導する必要はないこと。
オ 介護扶助の申請は、要保護者が居宅介護支援計画等の写しを提出して行うことが原則であるが、要保護者が希望する場合、及び要保護者からの提出を待っては保護の迅速かつ的確な決定に支障が生ずるおそれがある場合には、別に定めるところにより、本人の同意を得たうえで、直接指定居宅介護支援事業者等から居宅介護支援計画等の写しの交付を求めることとして差し支えないこと。
(3) 被保険者以外の者
ア 被保険者以外の者については、管内の指定居宅介護支援事業者等の一覧を要保護者に提示し、要保護者本人の意思により指定居宅介護支援事業者等を選択させた上で、介護券を発行し、居宅介護支援計画等の作成を委託して行うこと。
イ 居宅介護支援計画作成等に係る報酬については、介護保険の居宅介護サービス計画費、介護予防サービス計画費又は介護予防ケアマネジメントに係る報酬の例によることとし、国保連へ審査支払いを委託して行うものであること。
ウ 被保険者以外の者の介護扶助については、自立支援給付等の活用が可能であり、その優先的な活用を図った上で、なお必要とする介護サービスがある場合に行われるものであることから、居宅介護支援計画等の作成に当たっては、要保護者が自立支援給付等において利用するサービスの種類及び利用額等につき、自立支援給付等担当部局及び障害者の日常生活及び社会生活を総合的に支援するための法律による指定相談支援事業者と連携して把握するとともに、指定居宅介護支援事業者等に対して情報提供を行うこと。

第5 介護扶助実施方式
1 介護扶助の申請
介護扶助を申請する場合には、保護申請書の一般的記載事項のほか、介護保険の被

保険者たる資格の有無、その他参考事項を記載したうえ、第4の3に規定する居宅介護支援計画等の写し（被保険者が居宅介護等を申請する場合に限る。）を添付し、福祉事務所長に提出させること。
2　介護扶助の決定
　要保護者から介護扶助の申請を受けた場合において、その決定に当たっては、第2に規定する介護扶助運営体制に則って事務手続及び体制を整備した上で、以下の点に留意すること。
(1) 決定の際の留意事項
　　ア　居宅介護等に係る介護扶助の程度は、介護保険法に定める居宅介護サービス費等区分支給限度基準額、介護予防サービス費等区分支給限度基準額又は介護予防・生活支援サービスにおける支給限度額（以下「居宅介護サービス費等区分支給限度基準額等」という。）の範囲内であること。したがって、居宅介護サービス費等区分支給限度基準額等を超える介護サービスについては、全額自己負担となることから利用を止めるよう指導すべきであること。
　　イ　介護扶助の適用すべき期日は、原則として、保護申請書または保護変更申請書の提出のあった日以降において介護扶助を適用する必要があると認められた日とすること。
　　ウ　特定施設入居者生活介護、認知症対応型共同生活介護、地域密着型特定施設入居者生活介護、介護予防特定施設入居者介護及び介護予防認知症対応型共同生活介護については、入居に係る利用料が住宅扶助により入居できる額に限られるものであるので留意すること。
　　エ　他市町村の地域密着型サービス等（居宅介護のうちの定期巡回・随時対応型訪問介護看護、夜間対応型訪問介護、地域密着型通所介護、認知症対応型通所介護、小規模多機能型居宅介護、認知症対応型共同生活介護、地域密着型特定施設入居者生活介護及び看護小規模多機能型居宅介護、介護予防のうちの介護予防認知症対応型通所介護、介護予防小規模多機能型居宅介護及び介護予防認知症対応型共同生活介護、施設介護のうちの地域密着型介護老人福祉施設入所者生活介護並びに介護予防・生活支援サービスをいう。）の介護保険被保険者の利用は、当該地域密着型サービス等を行う事業者について、当該被保護者を被保険者とする市町村の指定を受けている場合に限られるものであるので留意すること。ただし、住所地特例により他市町村の特定地域密着型サービス等（居宅介護のうちの定期巡回・随時対応型訪問介護看護、夜間対応型訪問介護、地域密着型通所介護、認知症対応型通所介護、小規模多機能型居宅介護及び看護小規模多機能型居宅介護、介護予防のうちの介護予防認知症対応型通所介護及び介護予防小規模多機能型居宅介護並びに介護予防・生活支援サービスをいう。）を利用する場合は、当該サービス事業者が住所地特例対象施設の所在する市町村の指定を受けていることでサービス利用が可能であること。なお、その際の介護の報酬の額については、住所地特例対象施設の所在する市町村が定める報酬単位によること。

また、被保険者以外の者についても被保険者に準じた範囲とするものであること。
(2) 他法他施策との関係
(介護保険の被保険者)
　介護保険の被保険者に係る介護扶助(法第15条の2第1項に規定する居宅介護のうち、居宅療養管理指導、特定施設入居者生活介護、認知症対応型共同生活介護及び地域密着型特定施設入居者生活介護並びに法第15条の2第5項に規定する介護予防のうち、介護予防居宅療養管理指導、介護予防特定施設入居者生活介護及び介護予防認知症対応型共同生活介護を除く。以下同じ。)と障害者の日常生活及び社会生活を総合的に支援するための法律の自立支援給付のうち介護給付費等(障害者の日常生活及び社会生活を総合的に支援するための法律第19条第1項に規定する介護給付費等をいう。以下同じ。)との適用関係については、同法第7条及び「障害者の日常生活及び社会生活を総合的に支援するための法律に基づく自立支援給付と介護保険制度との適用関係等について」(平成19年3月28日障企発第0328002号・障障発第0328002号厚生労働省社会・援護局障害保健福祉部企画課長、障害福祉課長連名通知)の規定による介護保険給付と介護給付費等との適用関係と同様に、介護保険給付及び介護扶助が介護給付費等に優先する。
　ただし、介護保険制度における居宅介護サービスのうち、訪問看護、訪問リハビリテーション及び通所リハビリテーション(医療機関により行われるものに限る。)並びに介護予防サービスのうち、介護予防訪問看護、介護予防訪問リハビリテーション及び介護予防通所リハビリテーション(医療機関により行われるものに限る。)に係る自己負担相当額について、自立支援医療(更生医療)の給付を受けることができる場合は、自立支援医療(更生医療)が介護扶助に優先して給付されることに留意すること。
(介護保険の被保険者ではない要保護者)
　ア　基本的な考え方
　　要保護者の介護につき、介護扶助に優先して活用されるべき他法他施策による給付の有無を調査確認し、優先活用が可能な他法他施策があると判断される場合は当該要保護者に対して他法他施策による給付を活用すべきことを指導するとともに、当該他法他施策の運営実施を管理する機関に連絡して、当該要保護者に対する処遇が適正かつ円滑に行われるよう配意すること。
　イ　自立支援給付等との適用関係における留意点
　　被保険者以外の者は、介護保険法施行令第2条各号に規定する特定疾病により、要介護、要支援状態にあるものとして、介護扶助の適用対象となるが、他法他施策の活用、特に自立支援給付等と介護扶助との適用関係においては、自立支援給付等が介護扶助に優先することから、福祉事務所においては、介護扶助の決定に際して以下の点について留意すること。
　　(ｱ)　要保護者が身体障害者手帳を取得していない場合

身体障害の場合、自立支援給付等を受けるためには身体障害者手帳の取得が必要となることから、身体障害者手帳を取得していない者については、まず手帳の取得の可否を判断する必要があるので、下記のいずれかの方法により、判断を行うこと。
　a　要保護者の病状調査票等に基づき、その病状を把握し、身体障害者手帳の取得が可能と考えられる障害を有していると見込まれる場合は、障害担当課へ照会を行うこと
　b　病状調査等が未実施の場合は、要保護者の主治医に対して病状調査を行い、当該要保護者の病状等に関する照会を行うこと
　上記の照会を行った上で、身体障害者手帳の取得が可能であれば、自立支援給付等の優先適用について検討すること。
(イ)　要保護者が身体障害者手帳を取得している場合
　自立支援給付等の優先適用について検討すること。
(ウ)　要保護者が身体障害でない場合
　初老期における認知症等ではあるが、要保護者が身体障害でない場合は、個々の病状を病状調査等により把握した上で自立支援給付等の優先適用について検討すること。なお、脳血管疾患等脳に関する特定疾病については、器質性精神障害により、精神障害に該当することもあるので、その観点からの自立支援給付等の適用も検討すること。
　また、特定疾病になる以前から、既に障害支援区分認定を受け、障害福祉サービスを利用している者が特定疾病に罹患した場合にあっては、障害支援区分の認定を再度行うことにより、特定疾病を罹患したことに伴い必要となる障害福祉サービスを受けることが可能となる場合がある点に留意し、可能となる場合には自立支援給付等の優先適用を検討すること。
　身体障害者手帳の取得の可否、自立支援給付等の適用の可否に関する障害者自立支援給付等担当部局への照会及び協議並びに自立支援給付等の支給決定等を受けるための申請等、障害者自立支援給付等担当部局との連携が不可欠であることから、この点についても留意した上で適切な執行に努めること。
　現在は自立支援給付等を活用せず、その一方で、介護扶助が継続されているケースについても、上記(2)イ(ア)〜(ウ)までを参考に自立支援給付等を適用することができる場合は優先的に適用すること。
　なお、上記継続ケースへの自立支援給付等の優先適用に当たっては、指定介護機関等と連携して要保護者に係る居宅サービス計画等のサービス給付の内容を主体的に把握し、次表「介護扶助（生活保護法）による介護サービスと自立支援給付（障害者の日常生活及び社会生活を総合的に支援するための法律）による障害福祉サービス等との対応関係表」を参考の上、介護サービスに対応する障害福祉サービスがある場合は、障害福祉サービスの活用が可能であるかについて必ず検討を行い、活用可能な障害福祉サービスについては優先的に活用し、一律に介護扶助を適用することのないよう、留意すること。

○介護扶助(生活保護法)による介護サービスと自立支援給付(障害者の日常生活及び社会生活を総合的に支援するための法律)による障害福祉サービス等との対応関係表
1　在宅の要介護者への介護給付

介護扶助による介護サービス		介護サービス内容	介護サービスと同等の自立支援給付による障害福祉サービス等	障害福祉サービス等の利用可能となる状態
(居宅サービス)				
訪問サービス	訪問介護	居宅要介護者が、介護福祉士・養成研修修了者から受ける、入浴・排せつ・食事等の介護、調理・洗濯・掃除等の家事、生活等に関する相談と助言その他必要な日常生活上の世話	居宅介護(ホームヘルプ)重度訪問介護	居宅介護は障害支援区分が1以上の障害者等(身体障害、知的障害、精神障害、難病等対象者)が対象となる。重度訪問介護は障害支援区分が4以上であって、「二肢以上に麻痺等があること」等の要件を満たす肢体不自由者又は重度の知的障害者しくは精神障害により行動上著しい困難を有する障害者であって常時介護を要する者が対象となる。
	訪問入浴介護	居宅要介護者が、浴槽を提供されて受ける入浴の介護	地域生活支援事業の訪問入浴サービス(市町村事業)	本事業を実施している場合は、当該市町村が定める要件に該当する者は原則対象となる。
	訪問リハビリテーション	居宅要介護者(主治医が、病状が安定期にあり居宅で心身の機能の維持回復を図り日常生活の自立を助けるための理学療法・作業療法その他リハビリテーションを必要とすると認めた人)が受ける訪問のリハビリテーション(医療機関/介護老人保健施設・介護医療院)	自立訓練(機能訓練)	身体障害者又は難病等対象者であって、利用希望者は原則対象となる。
通	通所介護	居宅要介護者が、特別養護老人ホーム・養護老人ホーム・老人福祉センター・老人デイサービスセンター等の施設に通って受ける入浴・排せつ・食事等の介護、生活等に関す	生活介護	生活介護は、地域や入所施設において、安定した生活を営むため、常時介護等の支援が必要な者であって、 ① 障害支援区分が区分3(障害者支援施設等に入所する場合は区分4)以上である者 ② 年齢が50歳以上の場合

1225

所サービス		る相談と助言、健康状態の確認その他必要な日常生活上の世話と機能訓練		は、障害支援区分が区分2（障害者支援施設等に入所する場合は区分3）以上である者等が対象となる。
	通所リハビリテーション	居宅要介護者（主治医が、病状が安定期にあり介護老人保健施設・介護医療院・病院・診療所で心身の機能の維持回復を図り日常生活の自立を図るために理学療法・作業療法その他リハビリテーションを必要とすると認めた人）が施設に通って受けるリハビリテーション	自立訓練（機能訓練・生活訓練）	■ 機能訓練　身体障害者又は難病等対象者であって、利用希望者は原則対象となる。 ■ 生活訓練　知的障害又は精神障害を有する者であって、利用希望者は原則対象となる。
短期入所サービス	短期入所生活介護	居宅要介護者が、特別養護老人ホーム・養護老人ホーム等の施設や老人短期入所施設に短期間入所して受ける、入浴・排せつ・食事等の介護その他の日常生活上の世話と機能訓練	短期入所（ショートステイ）（福祉型）	短期入所は、居宅においてその介護を行う者の疾病その他の理由により、障害者支援施設等への短期間の入所が必要な者で、 ■ 福祉型（障害者支援施設等において実施可能） ・障害支援区分1以上である障害者 ・障害児の障害の程度に応じて厚生労働大臣が定める区分における区分1以上に該当する障害児 が対象となる。
	短期入所療養介護	居宅要介護者（病状が安定期にあり、介護老人保健施設・介護医療院・医療療養病床・診療所に短期間入所し、看護、医学的管理下の介護と機能訓練その他の医療を必要とする人）が受ける看護その他の必要な医療と日常生活上の世話	短期入所（ショートステイ）（医療型）	居宅においてその介護を行う者の疾病その他の理由により、障害者支援施設等への短期間の入所が必要な者で、 ■ 医療型（病院、診療所、介護老人保健施設・介護医療院において実施可能） ・遷延性意識障害児・者、筋萎縮性側索硬化症等の運動ニューロン疾患を有する者及び重症心身障害児・者等 が対象となる。
				日常生活用具給付等事業によ

福祉用具	福祉用具貸与	居宅要介護者に対する日常生活上の便宜を図る用具や機能訓練のための用具で日常生活の自立を助けるもの（福祉用具）（厚生労働大臣が定めるもの）の福祉用具相談専門員による貸与	地域生活支援事業（日常生活用具等給付費）	る給付については、事業の実施主体である市町村において、告示で定められた用具の要件、用途及び形状を給付するのが適当であるかどうか判断し、支給決定を行うものである。
	特定福祉用具販売	福祉用具のうち、貸与になじまない入浴や排せつのための用具（厚生労働大臣が定めるもの）の福祉用具相談専門員による販売	地域生活支援事業（日常生活用具等給付費）補装具費	日常生活用具給付等事業は同上。 補装具費の支給については、身体の欠損又は損なわれた身体機能を補完・代替することによって日常生活や社会参加を支援することを目的としており、実施主体である市町村において必要に応じ適合判定などを更生相談所に依頼し、最終的に支給決定を行うものである。
（地域密着型サービス）				
定期巡回・随時対応型訪問介護看護		次のいずれかに該当するもの。 一　居宅要介護者に定期的な巡回又は通報により、居宅で介護福祉士等が入浴・排せつ・食事等の介護、その他の日常生活上の世話を行うとともに看護師等が療養上の世話又は必要な診療の補助を行うもの。 二　居宅要介護者に定期的な巡回又は通報により、訪問看護を行う事業所と連携しつつ、居宅で介護福祉士等が入浴・排せつ・食事等の介護、その他の日常生活上の世話を行うもの。	居宅介護（ホームヘルプ）	居宅介護は障害支援区分が1以上の障害者等（身体障害、知的障害、精神障害、難病等対象者）が対象となる。
夜間対応型訪問介護		居宅要介護者が、夜間の定期的な巡回又は通報により、居宅で介護福祉士、養成研修修了者から受ける入浴・排せつ・食事等の介護、生活等に関する相談と助言その他必要な日常生活上の世話	居宅介護（ホームヘルプ）	居宅介護は障害支援区分が1以上の障害者等（身体障害、知的障害、精神障害、難病等対象者）が対象となる。
		居宅要介護者が、特別養護老人ホーム・養護老人ホーム・		生活介護は、地域や入所施設において、安定した生活を営むため、常時介護等の支援が必要な者であって、 ①　障害支援区分が区分3

地域密着型通所介護	老人福祉センター・老人デイサービスセンター等の施設に通って受ける入浴・排せつ・食事等の介護、生活等に関する相談と助言、健康状態の確認その他必要な日常生活上の世話と機能訓練	生活介護	（障害者支援施設等に入所する場合は区分4）以上である者 ② 年齢が50歳以上の場合は、障害支援区分が区分2（障害者支援施設等に入所する場合は区分3）以上である者 等が対象となる。
認知症対応型通所介護【認知症専用デイサービス】	認知症の居宅要介護者が、できるだけ居宅で能力に応じ自立した日常生活を営めるように、老人デイサービス事業を行う施設又は老人デイサービスセンターに通い、その施設で受ける入浴・排せつ・食事等の介護、生活等に関する相談と助言、健康状態の確認その他必要な日常生活上の世話と機能訓練	生活介護	生活介護は、地域や入所施設において、安定した生活を営むため、常時介護等の支援が必要な者であって、 ① 障害支援区分が区分3（障害者支援施設等に入所する場合は区分4）以上である者 ② 年齢が50歳以上の場合は、障害支援区分が区分2（障害者支援施設等に入所する場合は区分3）以上である者 等が対象となる。
小規模多機能型居宅介護	居宅要介護者が、心身の状況や環境等に応じ、その者の選択に基づいて、居宅又は機能訓練と日常生活上の世話を適切に行うことができるサービス拠点に通所又は短期間宿泊して受ける入浴・排せつ・食事等の介護、調理・洗濯・掃除等の家事、生活等に関する相談と助言、健康状態の確認その他必要な日常生活上の世話と機能訓練	居宅介護（ホームヘルプ） 生活介護 短期入所（ショートステイ）	居宅介護は「訪問介護」参照 生活介護は「通所介護」参照 短期入所は「短期入所生活介護」参照
地域密着型介護老人福祉施設入所者生活介護【小規模（定員29人以下）介護老人福祉施設】	地域密着型介護老人福祉施設（入所定員29人以下の特別養護老人ホーム）に入所する要介護者が、地域密着型施設サービス計画に基づいて受ける入浴・排せつ・食事等の介護その他の日常生活上の世話、機能訓練、健康管理及び療養上の世話	生活介護	生活介護は、地域や入所施設において、安定した生活を営むため、常時介護等の支援が必要な者であって、 ① 障害支援区分が区分3（障害者支援施設等に入所する場合は区分4）以上である者 ② 年齢が50歳以上の場合は、障害支援区分が区分2（障害者支援施設等に入所する場合は区分3）以上である者 等が対象となる。
	居宅要介護者が、訪問介護、訪問入浴介護、訪問看護、訪		

看護小規模多機能型居宅介護	問リハビリテーション、居宅療養管理指導、通所介護、通所リハビリテーション、短期入所生活介護、短期入所療養介護、定期巡回・随時対応型訪問介護看護、夜間対応型訪問介護、認知症対応型通所介護又は小規模多機能型居宅介護を2種類以上組み合わせることにより受けるサービスのうち、訪問看護及び小規模多機能型居宅介護の組合せその他一体的に受けることが特に効果的かつ効率的なサービスの組合せによるもの。	居宅介護（ホームヘルプ）生活介護短期入所（ショートステイ）	居宅介護は「訪問介護」参照 生活介護は「通所介護」参照 短期入所は「短期入所生活介護」参照
(居宅要介護者へのその他の給付)			
居宅介護支援	居宅サービス・地域密着型サービス等を適切に利用できるように、心身の状況・環境・本人や家族の希望等を勘案し、利用する在宅サービス等の種類や内容・担当者・本人や家族の生活に対する意向・総合的な援助方針・健康上や生活上の問題点と解決すべき課題・目標と達成時期・提供する日時・留意事項・負担額の計画を作成し、サービス提供確保のため事業者等と連絡調整等を行うとともに、必要な場合は施設への紹介等を行う	障害福祉サービスを利用するための計画作成のため、事業者等と連絡調整を行う場合は、計画相談支援。※介護サービスを利用する場合は、居宅介護支援。	―
住宅改修	手すり等の取付け・段差の解消・滑りの防止と移動の円滑化等のための床又は通路面の材料の変更・引き戸等への扉の取替え・洋式便器等への便器の取替えやこれらの住宅改修に付帯して必要となる住宅改修	地域生活支援事業（日常生活用具等給付費）	日常生活用具給付等事業による給付については、事業の実施主体である市町村において、告示で定められた用具の要件、用途及び形状を給付するのが適当であるかどうか判断し、支給決定を行うものである。

2 要支援者への予防給付

介護扶助による介護サービス	介護サービス内容	介護サービスと同等の自立支援給付による障害福祉サービス等	障害福祉サービス等の利用可能となる状態
(介護予防サービス)			

訪問サービス	介護予防訪問入浴介護	居宅要支援者が、疾病その他やむを得ない理由により入浴の介護が必要な場合、介護予防サービス計画で定める期間にわたり、居宅で浴槽を提供されて受ける入浴の介護	地域生活支援事業の訪問入浴サービス（市町村事業）	本事業を実施している場合は、当該市町村が定める要件に該当する者は原則対象となる。
	介護予防訪問リハビリテーション	居宅要支援者（主治の医師が、病状が安定期にあり居宅で心身の機能の維持回復と日常生活上の自立を図るために診療に基づく計画的な医学的管理の下における理学療法、作業療法その他リハビリテーションを必要とすると認めた人）が、介護予防サービス計画で定める期間にわたり居宅で受ける訪問のリハビリテーション（医療機関／介護老人保健施設・介護医療院）	自立訓練（機能訓練・生活訓練）	■ 機能訓練 　身体障害者又は難病等対象者であって、利用希望者は原則対象となる。 ■ 生活訓練 　知的障害又は精神障害を有する者であって、利用希望者は原則対象となる。
通所サービス	介護予防通所リハビリテーション	居宅要支援者（主治の医師が、病状が安定期にあり心身の機能の維持回復と日常生活上の自立を図るために診療に基づく計画的な医学的管理の下における理学療法・作業療法その他リハビリテーションを必要とすると認めた人）が介護老人保健施設・介護医療院・病院・診療所に通い、介護予防サービス計画で定める期間にわたり受ける必要なリハビリテーション	自立訓練（機能訓練・生活訓練）	■ 機能訓練 　身体障害者又は難病等対象者であって、利用希望者は原則対象となる。 ■ 生活訓練 　知的障害又は精神障害を有する者であって、利用希望者は原則対象となる。
短期入所サービス	介護予防短期入所生活介護	居宅要支援者が特別養護老人ホーム等の施設や老人短期入所施設に短期入所し、介護予防サービス計画で定める期間にわたり受ける入浴・排せつ・食事等の介護その他の日常生活上の支援と機能訓練	短期入所（ショートステイ）（福祉型）	短期入所は、居宅においてその介護を行う者の疾病その他の理由により、障害者支援施設等への短期間の入所が必要な者で、 ■ 福祉型（障害者支援施設等において実施可能） ・障害支援区分1以上である障害者 ・障害児の障害の程度に応じて厚生労働大臣が定める区分における区分1以上に該当する障害児 が対象となる。
		居宅要支援者（病状が安定期にあり看護・医学的管理の下		居宅においてその介護を行う者の疾病その他の理由により、障害者支援施設等への短

	介護予防短期入所療養介護	における介護と機能訓練その他の医療を必要とする人）が、介護老人保健施設・介護医療院・療養病床・診療所に短期入所し、介護予防サービス計画で定める期間にわたり受ける看護、医学的管理下の介護と機能訓練等の必要な医療と日常生活上の支援	短期入所（ショートステイ）（医療型）	期間の入所が必要な者で、 ■ 医療型（病院、診療所、介護老人保健施設・介護医療院において実施可能） ・遷延性意識障害児・者、筋萎縮性側索硬化症等の運動ニューロン疾患を有する者及び重症心身障害児・者等が対象となる。
福祉用具	介護予防福祉用具貸与	居宅要支援者に対する、福祉用具のうち介護予防に資するもの（厚生労働大臣が定めるもの）の福祉用具専門相談員による貸与	地域生活支援事業 （日常生活用具給付等事業）	日常生活用具給付等事業による給付については、事業の実施主体である市町村において、告示で定められた用具の要件、用途及び形状を給付するのが適当であるかどうか判断し、支給決定を行うものである。
	特定介護予防福祉用具販売	居宅要支援者に対する、特定介護予防福祉用具（福祉用具のうち介護予防に資する入浴・排せつのための用具等で厚生労働大臣が定めるもの）の福祉用具専門相談員による販売	地域生活支援事業 （日常生活用具給付等事業） 補装具費	日常生活用具給付等事業は同上。 補装具費の支給については、身体の欠損又は損なわれた身体機能を補完・代替することによって日常生活や社会参加を支援することを目的としており、実施主体である市町村において必要に応じ適合判定などを更生相談所に依頼し、最終的に支給決定を行うものである。
（地域密着型介護予防サービス）			
	介護予防認知症対応型通所介護【認知症高齢者専用デイサービス】	認知症の居宅要支援者が、可能な限りその居宅で自立した日常生活を営むことができるように、老人デイサービス事業を行う施設又は老人デイサービスセンターに通い、介護予防サービス計画で定める期間にわたり、その施設で受ける入浴・排せつ・食事等の介護、生活等に関する相談と助言、健康状態の確認その他必要な日常生活上の支援及び機能訓練	生活介護	生活介護は、地域や入所施設において、安定した生活を営むため、常時介護等の支援が必要な者であって、 ① 障害支援区分が区分3（障害者支援施設等に入所する場合は区分4）以上である者 ② 年齢が50歳以上の場合は、障害支援区分が区分2（障害者支援施設等に入所する場合は区分3）以上である者 等が対象となる。
		居宅要支援者が、心身の状況や置かれている環境等に応		短期入所は、居宅においてその介護を行う者の疾病その他の理由により、障害者支援施

介護予防小規模多機能型居宅介護	じ、その者の選択に基づいて、居宅又はサービスの拠点に通所又は短期間宿泊により、自立した日常生活を営むことができるように、その拠点で介護予防を目的として受ける入浴・排せつ・食事等の介護、調理・洗濯・掃除等の家事、生活等に関する相談と助言、健康状態の確認その他必要な日常生活上の支援及び機能訓練	(場合によっては) 短期入所 (福祉型)	設等への短期間の入所が必要な者で、 ■ 福祉型(障害者支援施設等において実施可能) ・障害支援区分1以上である障害者 ・障害児の障害の程度に応じて厚生労働大臣が定める区分における区分1以上に該当する障害児 を対象としている。
(要支援者へのその他の給付)			
介護予防支援	介護予防サービス・地域密着型介護予防サービス、その他の介護予防に資する保健医療サービスや福祉サービスを適切に利用できるように、地域包括支援センターの保健師その他介護予防支援に関する知識をもつ者が、居宅要支援者の心身の状況・環境・本人や家族の希望等を勘案し、利用する介護予防サービス等の種類や内容・担当者・本人や家族の生活に対する意向・総合的な援助方針・健康上や生活上の問題点と解決すべき課題・目標と達成時期・提供する日時・留意事項・負担額の計画を作成し、サービス提供確保のため事業者等と連絡調整等を行う	障害福祉サービスを利用するための計画作成のため、事業者等と連絡調整を行う場合は、計画相談支援。 ※介護予防サービスを利用する場合は、介護予防支援。	―
住宅改修	手すりの取付け・段差の解消・滑りの防止と移動の円滑化等のための床又は通路面の材料の変更・引き戸等への扉の取替え・洋式便器等への便器の取替えやこれらの住宅改修に付帯して必要となる住宅改修	地域生活支援事業 (日常生活用具給付等事業)	日常生活用具給付等事業による給付については、事業の実施主体である市町村において、告示で定められた用具の要件、用途及び形状を給付するのが適当であるかどうか判断し、支給決定を行うものである。

3 要支援認定を受けた者への給付

介護扶助による介護サービス	介護サービス内容	介護サービスと同等の自立支援給付による障害福祉サービス等	障害福祉サービス等の利用可能となる状態
(介護予防・生活支援サービス)			

訪問型サービス	要支援者等に対し、掃除、洗濯等の日常生活上の支援を提供	居宅介護	居宅介護は障害支援区分が1以上の障害者等（身体障害、知的障害、精神障害、難病等対象者）が対象となる。
通所型サービス	要支援者等に対し、機能訓練や集いの場など日常生活上の支援を提供	生活介護	生活介護は、地域や入所施設において、安定した生活を営むため、常時介護等の支援が必要な者であって、 ① 障害支援区分が区分3（障害者支援施設等に入所する場合は区分4）以上である者 ② 年齢が50歳以上の場合は、障害支援区分が区分2（障害者支援施設等に入所する場合は区分3）以上である者 等が対象となる。
（要支援認定を受けた者へのその他の給付）			
介護予防ケアマネジメント	要支援者等に対し、総合事業によるサービス等が適切に提供できるようケアマネジメントを行う	障害福祉サービスを利用するための計画作成のため、事業者等と連絡調整を行う場合は、計画相談支援 ※介護サービスを利用する場合は、介護予防ケアマネジメント	―

※この表は介護サービスと同等の内容のサービスが提供される障害福祉サービス等について周知を行うものであり、該当するサービスがあったとしても必ず障害福祉サービス等が利用できるものでないことに留意すること。

　上記の確認に当たっては、「生活保護制度における他法他施策の適正な活用について」（平成22年3月24日付け社援保発0324第1号）別紙様式（別紙様式2－1、2－2）を参考にして自立支援給付等該当可能性確認台帳の整備を行い、組織的な取組の推進を図ること。

　その他、都道府県、指定都市及び中核市の本庁における介護係は、福祉事務所における査察指導員、地区担当員、介護扶助事務担当者及び居宅サービス計画等を作成する介護支援専門員（以下「ケアマネジャー」という。）に対して適用関係に関する周知を行うことも重要であり、そのための担当職員、ケアマネジャー

ウ　適用関係の例外
　　　　上記ア、イにおいて述べたとおり介護扶助と自立支援給付等との適用関係については自立支援給付等が介護扶助に優先して適用することとなっているが、
　　　(1)　給付を受けられる最大限まで障害者施策を活用しても、要保護者が必要とするサービス量のすべてを賄うことができないために、同内容の介護サービスにより、その不足分を補う場合
　　　(2)　障害者施策のうち活用できる全ての種類のサービスについて最大限（本人が必要とする水準まで）活用している場合において、障害者施策では提供されない内容の介護サービスを利用する場合
　　　については、介護扶助の適用は可能なので留意すること。
　　　エ　居宅介護等の支給限度額についての留意点
　　　　被保険者以外の者の介護扶助（居宅介護及び介護予防）の給付に係る給付上限額は、介護保険法に定める支給限度額から自立支援給付等の給付額を控除した額とする。
　　　　ただし、常時介護を要し、その介護の必要性が著しく高い障害者などの場合で、介護扶助の支給限度額から自立支援給付等の給付額を控除した額の範囲内では、必要な量の介護サービス（自立支援給付等によるサービスには同等の内容のものがない介護サービス（訪問看護等））を確保できないと認められるときは、例外的に、介護扶助の支給限度額の範囲内を上限として、介護扶助により必要最小限度のサービス給付を行うことは差し支えない。
　　　　なお、介護予防・生活支援サービスにおける支給限度額についても上記に準じて取り扱うこと。
　(3)　本人支払額の決定
　　本人支払額は、次により決定すること。
　　　ア　要保護者が介護扶助のみ又は介護扶助及び医療扶助の適用を受けるものである場合には、保護の実施要領についての通知の定めるところにより当該要保護者の属する世帯の収入充当額から当該世帯の医療費及び介護費を除く最低生活費を差し引いた額をもって介護費又は医療費の本人支払額とすること。
　　　イ　世帯で介護扶助と医療扶助を併せて受給する場合の本人支払額は、当該世帯が介護保険の被保険者である場合には、居宅介護等は月額1万5000円、施設介護は月額1万5000円及び施設入所日数に日額300円を乗じて得た額の合計額を上限として、また、介護保険の被保険者以外の世帯である場合には、介護費の全額を上限として、まず介護費に充当し、当該上限額を超える額について医療扶助運営要領第3の2の(2)に定めるところにより医療費に充当すること。
　　　　ただし、介護扶助と併用で、次表の左欄に掲げる介護保険優先の公費負担医療等が適用となる者については、上記の上限額とその公費負担医療等の負担分を除いた自己負担額のうちいずれか低い額を上限額とすること。

公費負担医療等	対象サービス	負担割合
障害者の日常生活及び社会生活を総合的に支援するための法律（精神通院医療）	訪問看護、介護予防訪問看護	100%
障害者の日常生活及び社会生活を総合的に支援するための法律（更生医療）	訪問看護、医療機関による訪問リハビリテーション、医療機関による通所リハビリテーション、介護予防訪問看護、医療機関による介護予防訪問リハビリテーション、医療機関による介護予防通所リハビリテーション及び介護医療院サービス（食費及び居住費を除く。）	100%
原爆被爆者援護法（一般疾病医療費の給付）	訪問看護、訪問リハビリテーション、居宅療養管理指導、通所リハビリテーション、短期入所療養介護（食費及び居住費を除く。）、介護予防訪問看護、介護予防訪問リハビリテーション、介護予防居宅療養管理指導、介護予防通所リハビリテーション、介護予防短期入所療養介護（食費及び居住費を除く。）、介護保健施設サービス（食費及び居住費を除く。）及び介護医療院サービス（食費及び居住費を除く。）	100%
被爆体験者精神影響等調査研究事業	訪問看護、訪問リハビリテーション、居宅療養管理指導、通所リハビリテーション、短期入所療養介護（食費及び居住費を除く。）、介護予防訪問看護、介護予防訪問リハビリテーション、介護予防通所リハビリテーション、介護予防居宅療養管理指導、介護予防短期入所療養介護（食費及び居住費を除く。）、介護保健施設サービス（食費及び居住費を除く。）及び介護医療院サービス（食費及び居住費を除く。）	100%
難病の患者に対する医療等に関する法律（難病医療費助成）	訪問看護、介護予防訪問看護、医療機関及び介護医療院の訪問リハビリテーション、医療機関及び介護医療院の介護予防訪問リハビリテーション、居宅療養管理指導、介護予防居宅療養管理指導及び介護医療院サービス（食費及び居住費を除く。）	100%

原爆被爆者の訪問介護利用者負担に対する助成事業	訪問介護、第1号訪問事業（従前の介護予防訪問介護に相当する事業のみ）	100%
原爆被爆者の介護保険等利用者負担に対する助成事業	通所介護、短期入所生活介護（食費及び居住費を除く。）、地域密着型通所介護、認知症対応型通所介護、介護予防認知症対応型通所介護、介護予防短期入所生活介護（食費及び居住費を除く。）、介護老人福祉施設（食費及び居住費を除く。）、地域密着型介護老人福祉施設（食費及び居住費を除く。）、小規模多機能型居宅介護、介護予防小規模多機能型居宅介護、定期巡回・随時対応型訪問介護看護、看護小規模多機能型居宅介護、第1号通所事業（従前の介護予防通所介護に相当する事業のみ）	100%

　　ウ　施設介護以外の本人支払額については、まず、居宅介護等に充当するものとし、以下福祉用具又は介護予防福祉用具（以下「福祉用具等」という。）、住宅改修又は介護予防住宅改修（以下「住宅改修等」という。）、移送の各給付の順に充当するものとすること。

　　エ　施設介護の本人支払額については、まず、（被保険者である場合には月額1万5000円を限度として）施設介護費（食費及び居住費を除く。）に充当し、これを超える額を食費、居住費の順に充当すること。

　(4)　介護扶助の変更に関する決定

　　　福祉事務所長は、現に介護扶助を受けている者が次に該当すると認められたときは、介護扶助の変更に関する決定（保護の変更の決定）を行うこと。

　　ア　本人支払額を変更すべきことを確認したとき。

　　イ　指定介護機関を変更すべきことを確認したとき。

　　ウ　居宅介護から施設介護に、又は施設介護から居宅介護に変更すべきことを確認したとき。

　　エ　居宅介護、施設介護、介護予防又は介護予防・生活支援サービス間で、サービスを変更すべきことを確認したとき。

　　オ　障害者の日常生活及び社会生活を総合的に支援するための法律等他法が適用されたことにより介護扶助の基準額を変更すべきことを確認したとき。

　　カ　福祉用具等、住宅改修等若しくは移送の給付を必要とすることを確認したとき、又はこれらの給付につき変更すべきことを確認したとき。

　(5)　月の中途で保護を開始又は廃止した場合の取り扱い

　　　月の中途で保護が開始又は廃止された場合、介護の報酬が1日又は1回単位とされているサービスについては、保護適用期間中について介護扶助を決定することとし、介護券に有効期間を記載すること。

また、介護の報酬が月単位とされているサービス（福祉用具貸与等）については、開始日からその月の末日まで又は廃止月の初日から廃止日までの日数に応じて日割りにより介護扶助を決定すること。
　なお、居宅介護支援計画等作成に係る介護扶助費（被保険者以外の場合に限る。）については日割りは行わないものとする。
(6) 被保護者に対する通知
　福祉事務所長は、要保護者について介護扶助の開始、変更、停止又は廃止（他法他施策の活用に伴い保護を変更、停止又は廃止する場合を含む。）に関する決定をしたときは、一般の例に従い、保護決定通知書又は保護停止、廃止決定通知書により、申請者又は被保護者に対して通知すること。
　なお、被保険者以外の者に係る保護決定通知には、その決定理由欄に、当該決定の前提となった要介護状態又は要支援状態の区分を記載すること。
(7) 介護券の発行
　介護扶助は、福祉用具等、住宅改修等、指定事業者以外により提供される介護予防・生活支援サービス及び移送を除き、介護券を発行して行うものとすること。
　福祉事務所は、介護扶助を決定した指定介護機関へ介護券を送付すること。
　介護券の種類は、生活保護単独又は介護保険若しくは他の公費負担医療等との併用の別、介護サービスの種類を問わず1種類とすること。
　ア　介護券の発行単位
　　介護券は暦月を単位として発行するものとし、介護の給付が月の中途を始期又は終期とする場合は、それによる有効期間を記載した介護券を発行するものとすること。
　イ　介護券の有効性
　　介護券は、福祉事務所において所要事項を記載し、福祉事務所長印を押したものをもって有効とするものであること。
　　介護券の修正は、福祉事務所において当該介護券の記載事項について所要の訂正を行い、福祉事務所長印を当該訂正箇所に押したものをもって有効とすること。
　ウ　介護機関に対する委託
　　介護扶助は、原則として、居宅介護支援計画等に記載されている指定介護機関について介護券を発行すること。
　　居宅サービス事業者、介護予防サービス事業者及び介護予防・生活支援サービス事業者は、事業者と要保護者の居住地との距離等を考慮し、特段の理由がない限り、別途交通費が必要となる居宅サービス事業者、介護予防サービス事業者及び介護予防・生活支援サービス事業者の利用は認められないものである。
　エ　介護券の作成
　　介護券の各欄には福祉事務所長が介護券を発行する際に所要事項を記入すること。なお、本人支払額がない場合にはその欄に斜線を引くこと。

オ　介護券の送付

介護券は指定介護機関に直接送付すること。なお、介護券の取扱いに関し、指定介護機関に対して以下の点を指導すること。

(ア)　有効な介護券の確認

被保護者への介護サービスの提供にあたっては、有効な介護券であるかを確認すること。

(イ)　本人支払額の徴収

指定介護機関は、第6の2による場合を除くほか、介護券の送付のあった被保護者から、介護券に記載されている本人支払額以上の利用者負担を徴収しないこと。

(ウ)　介護券から介護給付費明細書への正確な転記

国保連及び都道府県市本庁における審査支払い並びに福祉事務所における介護券交付処理簿と介護給付費公費受給者別一覧表との照合が円滑に行われるよう、介護券から介護給付費明細書に必要事項を正確に転記すること。

(エ)　介護券の保管及び処分

福祉事務所において介護給付費公費受給者別一覧表を点検する際、指定介護機関に対して、介護券を交付したものについての請求であるか否かの確認が必要となることが予想されることから、指定介護機関は、福祉事務所における確認作業までの間、介護券を保管し、確認終了後は指定介護機関の責任の下、処分すること。

なお、指定介護機関における介護券の保管期間については、管内福祉事務所におけるレセプトの点検期間を考慮し、各都道府県市において定めることとする。

(8)　基準該当事業者及び離島等における相当サービスの取扱い

ア　基準該当居宅サービス若しくは基準該当介護予防サービス又は基準該当居宅介護支援若しくは基準該当介護予防支援

基準該当事業者は、介護扶助を委託する指定介護機関の指定対象とならないが、当該地域において指定介護機関を利用することが困難な場合など、やむを得ないと認められる場合には介護扶助を適用して差し支えないこと。

イ　離島等における相当サービス

指定介護機関に委託することが困難な場合には、非指定介護機関に対する委託とするか又は金銭給付によること。

(9)　被保護者異動連絡票及び被保護者異動訂正連絡票の作成及び送付

ア　被保険者以外の被保護者に係る介護の報酬の審査及び支払業務について国保連に委託した場合で当該被保護者について次に掲げる異動があったときには、その都度、別に定めるところにより被保護者異動連絡票を作成し、国保連へ送付すること。

(ア)　介護扶助の開始（広域連合又は福祉事務所を複数設置する市の区域内におけ

　　　　る転居により、保護の実施機関が替わったことに伴う開始を除く。）
　　　(イ)　様式第5号に記載する事項に変更を生じたとき。
　　　(ウ)　介護扶助の廃止（広域連合又は福祉事務所を複数設置する市の区域における転居により、保護の実施機関が替わったことに伴う廃止を除く。）又は介護保険の被保険者資格を取得したとき。
　　イ　アの被保護者異動連絡票の記載に誤りがあった場合には、被保護者異動連絡票の再発行ではなく、別に定めるところにより、被保護者異動訂正連絡票を作成し、国保連に送付すること。
　3　福祉用具等
　　(1)　福祉用具等の給付方針
　　　ア　原則として指定特定福祉用具販売事業者又は指定特定介護予防販売事業者から購入する福祉用具であること。
　　　イ　福祉用具等の種目は、厚生労働大臣が定める特定福祉用具販売に係る特定福祉用具の種目及び厚生労働大臣が定める特定介護予防福祉用具販売に係る特定介護予防福祉用具の種目（平成11年3月厚生省告示第94号）に規定する種類の福祉用具であること。
　　　ウ　介護保険の被保険者以外の者にあっては、障害者の日常生活及び社会生活を総合的に支援するための法律（平成17年法律第123号）第77条第1項第2号の規定に基づく日常生活上の便宜を図るための用具の給付又は貸与を受けることができない場合であること。
　　(2)　費用
　　　福祉用具等の費用は、当該被保護者の保険者たる市町村（被保険者以外の者については居住する市町村）における、介護保険法に規定する居宅介護福祉用具購入費支給限度基準額又は介護予防福祉用具購入費支給限度基準額（以下「限度額」という。）の範囲内において必要な最小限度の額とすること。
　　(3)　福祉用具等の給付方法
　　　ア　被保護者の申請に基づき、購入予定の福祉用具が(1)の対象か否かをカタログ等により種目を確認のうえ、給付を決定し、原則として金銭給付の方法により支給すること。また、購入後、領収書等により購入を確認すること。
　　　イ　介護保険の被保険者については、領収書等により保険給付の申請をするよう指導し、償還払いによる保険給付があったときはこれを法第63条の規定により返還させること。
　　　ウ　居宅介護福祉用具購入費支給限度基準額及び介護予防福祉用具購入費支給限度基準額の管理期間は4月から翌年の3月までの1年間とされており、同一種目で用途及び機能が異なる場合、破損した場合並びに介護の程度が著しく高くなった場合を除いて、同一種目について支給することができないなどにより、福祉事務所において給付実績を記録、管理し、管理期間において限度額を超えないよう留意する必要があることから、給付実績の記録方法等につき配慮されたいこと。

なお、やむを得ない理由により、限度額を超えて給付が必要と認められる場合には、特別基準の設定について厚生労働大臣に情報提供すること。
4 住宅改修等
(1) 住宅改修等の範囲
　　住宅改修等の範囲は、厚生労働大臣の定める居宅介護住宅改修費等の支給に係る住宅改修の種類（平成11年3月厚生省告示第95号）に規定する種類の住宅改修であること。
(2) 住宅改修等の程度
　　住宅改修等の程度は、当該被保護者の保険者たる市町村（被保険者以外の者については居住する市町村）における介護保険法に規定する居宅介護住宅改修費支給限度基準額又は介護予防住宅改修費支給限度基準額の範囲内において必要最小限度の額とすること。なお、これにより難い場合には、特別基準の設定について厚生労働大臣に情報提供すること。
(3) 住宅改修等の給付方法
　ア　被保護者の申請に基づき、着工予定の住宅改修の費用が(1)の対象か否かを工事費見積書により確認のうえ、給付を決定し、原則として金銭給付の方法により支給すること。また、完成後、領収書等により住宅改修が行われたことを確認すること。
　イ　介護保険の被保険者については、介護保険の事前申請が必要な場合には、事前申請手続きを行った上で介護扶助の申請を行うものであること。また、改修が行われた後、領収書等により保険給付の申請手続きをするよう指導し、償還払いによる保険給付があったときにはこれを法第63条の規定により返還させること。
　ウ　居宅介護住宅改修費支給限度基準額及び介護予防住宅改修費支給限度基準額の管理は、介護保険の例により行うものであるが、転居した場合又は介護の必要の程度が著しく高くなった場合を除いて、改めて給付は行われないなどにより、福祉事務所において給付実績を記録、管理し、限度額を超えないよう留意する必要があることから、給付実績の記録方法等につき配慮されたいこと。
5 指定事業者以外から提供される介護予防・生活支援サービス
　　指定事業者以外から提供される介護予防・生活支援サービスについては、介護予防ケアマネジメント又はこれに基づくプランに基づく介護予防・生活支援サービス事業者がサービスを提供し、利用者負担額については、領収書等に基づき、福祉事務所が被保護者に対して介護扶助の給付を行うこと。なお、この場合、被保護者の金銭払いにかかる負担の観点から、代理納付によることが望ましい。
6 移送
　　移送費の支給は、次のいずれかに該当する場合に行うものとし、その費用は最小限度の実費とすること。なお、エについては、なるべく現物給付の方法によって行うこと。
　ア　訪問介護、訪問入浴介護、訪問看護、訪問リハビリテーション、通所介護、通

所リハビリテーション、福祉用具貸与、定期巡回・随時対応型訪問介護看護、夜間対応型訪問介護、地域密着型通所介護、認知症対応型通所介護、小規模多機能型居宅介護、看護小規模多機能型居宅介護、介護予防訪問介護、介護予防訪問入浴介護、介護予防訪問看護、介護予防訪問リハビリテーション、介護予防通所介護、介護予防通所リハビリテーション、介護予防福祉用具貸与、介護予防認知症対応型通所介護、介護予防小規模多機能型居宅介護、第１号訪問事業及び第１号通所事業の利用に伴う交通費又は送迎費（要保護者の居宅が当該事業所の通常の事業の実施地域以外である事業者により行われる場合であって、近隣に適当な事業者がない等真にやむを得ないと認められる場合に限る。）
　イ　短期入所生活介護、短期入所療養介護、介護予防短期入所生活介護及び介護予防短期入所療養介護の利用に伴う送迎費
　ウ　居宅療養管理指導及び介護予防居宅療養管理指導のための交通費
　エ　介護施設へ入所、退所に伴う移送のための交通費
第６　介護扶助指定介護機関
　１　指定介護機関の指定の際の留意事項
　(1)　都道府県知事は、法第54条の２第１項の規定による指定介護機関の指定に当たっては、管内の事業者について、その事業所毎に次の基準により行うこと。
　ア　法による介護扶助のための居宅介護等若しくは居宅介護支援計画等の作成、福祉用具若しくは介護予防福祉用具の給付又は施設介護を担当する機関は、申請のあったもののうち、法第54条の２第５項において準用する法第49条の２第２項第２号から第９号までのいずれにも該当せず、介護保険法（平成９年法律第123号）第41条第１項本文、第42条の２第１項本文、第46条第１項、第48条第１項第１号、第53条第１項本文、第54条の２第１項本文、第58条第１項若しくは第115条の45の３第１項の規定による指定又は同法第94条第１項の規定による許可を受けているものであって、介護扶助のための介護について理解を有していると認められるものについて指定するものとすること。
　イ　指定介護機関介護担当規程及び「生活保護法第54条の２第５項において準用する同法第52条第２項の規定による介護の方針及び介護の報酬を定める件」(平成12年４月厚生省告示第214号。以下「介護方針告示」という。)に従って、適切に介護サービスを提供できると認められることを条件として指定を行うものであること。
　ウ　法第54条の２第５項において準用する法第49条の２第３項の規定に該当する介護機関については、指定しないことができるものであること。
　(2)　法別表第２の第１欄に掲げる介護機関の種類に応じ、それぞれ同表の第２欄に掲げる指定又は許可があったときは、当該介護機関は、法第54条の２第１項の指定を受けたものとみなされるものであること。ただし、当該介護機関（地域密着型介護老人福祉施設及び介護老人福祉施設を除く。）が、あらかじめ、別段の申出をしたときはこの限りでないこと。

2 選定サービスの取扱
　指定介護機関は、「指定居宅サービス等の人員、設備及び運営に関する基準」（平成11年厚生省令第37号）第48条第3項第2号に規定する特別な浴槽水等の提供その他の介護サービスの提供において利用者の選定により提供される特別なサービス（以下「選定サービス」という。）については、介護方針告示に掲げるものを除くほか、被保護者の選択に基づき提供し、当該選定サービスに係る費用を被保護者から徴収することができるものであること。
　なお、被保護者がこれらの選定サービスの提供を受ける場合においては、保護の実施機関は、第5の5により移送費を支給する場合を除くほか、当該選定サービスに係る費用について生活扶助若しくは介護扶助の加算を行い又は収入認定除外を行ってはならないこと。
3 その他
(1) 要保護者のサービス事業者の選択権を尊重しつつ、介護扶助を適切に実施するためには、生活保護に理解を有する指定介護機関を十分確保することが重要であるため、介護保険担当部局と十分に連携の上、法による指定を受けていない介護機関に対して説明会を開催したり、指定申請書を送付し申請を要請するなど、制度の周知及びその確保に努められたいこと。
　特にケアマネジメントを行う居宅介護支援事業者等については、居宅介護等に係る介護扶助を実施する際のその役割の重要性にかんがみ、十分な数の指定事業者確保に努めること。
　また、介護保険法による指定又は開設許可があったことにより指定介護機関の指定を受けたものとみなされた介護機関に対しては、指定介護機関介護担当規程及び介護方針告示に従って、適切に介護サービスを提供するよう十分に周知すること。
(2) 介護保険法による指定又は開設許可があった介護機関については、別段の申出がない限り、指定介護機関の指定を受けたものとみなされることから、介護保険部局と連携し、介護保険法による指定又は開設許可の状況が都道府県（指定都市及び中核市を含む。）の生活保護担当部局に情報提供されるよう体制を整備するとともに、指定介護機関名簿の更新を行うこと。
(3) 都道府県知事が、本法による指定介護機関の指定を行ったとき（法第54条の2第2項により指定を受けたものとみなされる場合を含む。）は、当該都道府県の生活保護担当部局は、介護保険担当部局を通じ、その旨国保連へ通知すること。
　指定都市又は中核市にあっては、指定介護機関の指定が行われたときは、当該介護機関所在地を所管する都道府県の生活保護担当部局へその旨通知すること。
(4) 地域密着型サービス等を行う介護機関については、介護保険と異なり、事業所の所在地を管轄する都道府県知事の指定のみを受けるものであること。
　なお、被保護者に係る居宅介護等の委託の範囲については、第5の2(1)エによるものであるので、事業者に対して介護扶助における指定とサービス提供との関係について、指定手続き等の際に十分に説明すること。

(5) 保険者からの委託、補助（助成）又は保険者による直接実施による介護予防・生活支援サービス事業者については、介護機関の指定は行わないこと。
第7 介護の報酬の審査及び支払
1 介護の報酬の審査及び支払
   (1) 審査、支払機関
       介護の報酬の審査機関は、国保連に設けられた介護給付費等審査委員会（以下単に「審査委員会」という。）とし、支払機関は国保連とする。
   (2) 委託契約
       審査及び支払に関する事務の委託につき、都道府県知事及び市町村長は国保連理事長と別に定めるところにより契約を締結し、覚書を交換すること。
   (3) 審査及び支払の事務処理
       都道府県知事及び市町村長は、国保連から送付された介護給付費等請求額通知書及び介護給付費公費受給者別一覧表を、介護券を発行した福祉事務所に送付すること。
2 介護の報酬の決定
   (1) 都道府県知事は、国保連における審査の終了した明細書等について検討し、介護の報酬の額を決定することができるものである。ただし、介護の報酬の額の適否について審査委員会の審査を経ることになっているので、都道府県知事における介護の報酬の額の決定の際には、特に、被保護者の本人支払額との関係等介護扶助における特異な点につき審査を行ったうえで、介護の報酬の額を決定すれば良いこと。
   (2) 都道府県知事は介護の報酬の額の決定に際して、減額査定を行った場合には査定内容を記録した審査録を作成すること。また、国保連の再審査に附されたものについては、再審査の結果を確認すること。
3 審査及び決定に関する注意事項
   介護の報酬の額について過誤払いがあったときは、国保連に通知し、翌月以降において支払うべき介護の報酬の額からこれを控除するよう措置すること。この場合、当該返還額について都道府県知事の決定手続を行うこと。
   ただし、過誤払いがあった当該介護機関に翌月以降において控除すべき介護の報酬がない場合は、これを返還させるよう措置すること。
第8 指導及び検査
1 指定介護機関に対する指導
   (1) 目的
       指定介護機関に対する指導は、被保護者の処遇の向上と自立助長に資するため、法による介護の給付が適正に行われるよう制度の趣旨、介護扶助に関する事務取扱等の周知徹底を図ることを目的とすること。
   (2) 対象
       指導は、すべての指定介護機関とすること。
   (3) 内容及び方法

指導の形態は、一般指導と個別指導の2種類とすること。
ア　一般指導
　　一般指導は、法並びにこれに基づく命令、告示及び通知に定める事項について、その周知徹底を図るため、講習会、懇談、広報、文書等の方法により行うものとすること。
イ　個別指導
　㈎　個別指導は、被保護者の処遇が効果的に行われるよう福祉事務所と指定介護機関相互の協力体制を確保することを主眼として、被保護者の介護サービスの給付に関する事務及び給付状況等について介護記録その他の帳簿書類等を閲覧し、懇談指導を行うものとすること。
　　　なお、個別指導を行った上、特に必要があると認められるときは、被保護者についてその介護サービスの受給状況等を調査することができるものとすること。
　㈏　個別指導は原則として実地に行うものとすること。ただし、新たに介護扶助を行う指定介護機関のうち実地に指導を行うことを要さないものについては、複数の指定介護機関の管理者又はその他の関係者を一定の場所に集合させて行っても差し支えない。また、前年度の個別指導の結果を踏まえ、実地に指導を行うことを要さない指定介護機関のうち引き続き指導の必要があるものについては、書面の提出を受けた上で、指定介護機関の管理者又はその他の関係者を一定の場所に集合させて行って差し支えないこと。
(4)　実施上の留意点
ア　指導の実施に際しては、極力、指定介護機関の業務に支障のない日時を選び、実施の日時、場所等を対象の指定介護機関に文書で通知するものとすること。
　　なお、この場合関係団体との連絡調整を行い運営の円滑を期すること。
イ　実施時期の決定に当たっては、極力、介護保険担当部局等の行う指導の計画等と調整を図ること。
2　指定介護機関に対する検査
(1)　目的
　　指定介護機関に対する検査は、被保護者に係る介護サービスの内容及び介護の報酬の請求の適否を調査して介護の方針を徹底させ、介護扶助の適正な実施を図ることを目的とすること。
(2)　対象
　　検査は、個別指導の結果、検査を行う必要があると認められる指定介護機関及び個別指導を受けることを拒否する指定介護機関とすること。ただし、上記以外の指定介護機関であって、介護サービスの内容又は介護の報酬の請求に不正又は不当があると疑うに足りる理由があって直ちに検査を行う必要がある場合は、この限りでないこと。
(3)　内容及び方法

検査は、被保護者に係る介護サービスの内容及び介護の報酬の請求の適否について、介護給付費公費受給者別一覧表等と、介護記録その他の帳簿書類の照合、設備等の調査により実地に行うものとすること。
　なお、必要に応じ要介護者等についての調査を合わせて行うこととすること。
(4) 実施上の留意点
　ア　検査の実施に際しては、極力、指定介護機関の業務に支障のない日時を選び、実施の日時、場所等を対象の指定介護機関に文書で通知するものとすること。
　なお、この場合関係団体との連絡調整を行い運営の円滑を期すること。
　イ　実施時期の決定に当たっては介護保険担当部局等の行う監査の計画等の調整を図るものとすること。
3　検査後の措置
(1) 行政上の措置
　行政上の措置は、介護サービスの内容又は報酬の請求の不正又は不当の程度に応じて、指定取消、指定の全部又は一部の効力停止、戒告、注意とする。
(2) 聴聞等
　検査の結果、当該指定介護機関が指定の取消又は期間を定めてその指定の全部若しくは一部の効力停止の処分に該当すると認められる場合には、検査後、指定の取消等の処分予定者に対して、行政手続法（平成5年法律第88号）の規定に基づき聴聞又は弁明の機会の付与を行わなければならないこと。
(3) 経済上の措置
　ア　都道府県知事は、検査の結果、介護サービス及び介護の報酬の請求に関し不正又は不当の事実が認められ、これに係る返還金が生じた場合には、すみやかに国保連に連絡し、当該指定介護機関に支払う予定の介護の報酬の額からこれを控除させるよう措置すること。ただし、当該介護機関に翌月以降において控除すべき介護の報酬がない場合は、これを保護の実施機関に直接返還させるよう措置すること。
　イ　不正又は不当な介護サービス及び介護の報酬の請求があったが、未だその介護の報酬の支払いが行われていないときは、都道府県知事は、すみやかに国保連に連絡し、当該指定介護機関に支払うべき介護の報酬の額からこれを控除させるよう措置すること。
　ウ　指定の取消しの処分を行った場合、又は期間を定めてその指定の全部若しくは一部の効力停止の処分を行った場合には、原則として、法第78条第2項の規定により返還額に100分の40を乗じて得た額も保護の実施機関に支払わせるよう措置すること。
(4) 行政上の措置の公表等
　都道府県知事は、検査の結果、指定の取消を行ったときには、法第55条の3の規定に基づきすみやかにその旨を告示するとともに、その介護機関の事業活動区域を所管する保護の実施機関及び国保連に情報提供を行うこと。

第9 施行期日
1 この通知は、平成12年4月1日から施行する。
2 平成11年11月16日社援第2703号本職通知「平成11年度における介護扶助の施行準備事務の実施について」は廃止する。ただし、同通知に基づいて調製された各様式等は、当分の間、これを取り繕って使用して差し支えない。

　　　附　則（第8次改正）
1 介護保険法等の一部を改正する法律（平成17年法律第77号、以下「改正法」という。）附則第18条第1項の規定により介護予防に係る介護扶助を行わない保護の実施機関においては、その期間における要支援者に対する介護扶助は要介護者とみなして行うものであること。
2 改正法附則第20条により要介護者とみなされた者については、介護保険の被保険者となった場合を除き、平成20年3月31日までの間、介護扶助の居宅介護等の対象者となるが、介護扶助による介護サービスは、生活保護法の原則どおり「最低限度の生活の需要を満たすに十分なものであって、且つ、これをこえない」ものである必要があるため、居宅介護支援事業者等に対して居宅介護支援計画等の作成において留意することを十分に周知するとともに、福祉事務所において介護サービスの必要性を十分に審査したうえ、介護扶助の決定を行うこと。
3 改正前の本通知に基づいて調製された各様式等は、当分の間、これを取り繕って使用して差し支えない。

生活保護法による介護扶助の運営要領について

様式第1号

指定介護機関名簿

指定番号	介護機関等コード	指定年月日	施設(事業所)の名称	施設(事業所)の所在地	施設(事業)の種類	開設者			管理者			指定の根拠	備考
						氏名(名称等)	住所(所在地)	生年月日	氏名	住所	生年月日		
		年月日						年月日			年月日		

(注意)
1 「指定年月日」は、当該指定介護機関が初めて生活保護法による指定を受けた年月日を記載。
2 開設者が法人の場合、「氏名(名称等)」に法人の名称及び代表者の職・氏名を記載し、「住所(所在地)」に法人の主たる事務所の所在地を記載。
※開設者が法人の場合、生年月日については記載は不要。
3 「指定の根拠」は「生活保護法第54条の2第1項又は旧法第54条の2第1項」、「生活保護法第54条の2第2項」のいずれかを記載。

様式第2号

指定申請書(変更届書、休止・廃止届書、再開届書、処分届書、指定辞退届書)受理簿

受理番号	受理年月日	申請者氏名(届出者名)	名称	所在地	指定(変更等)年月日	辞退年月日	指定番号	備考

Ⅱ 生活保護法関係通知 第5章 介護扶助運営要領

様式第3号

生活保護法介護券（　年　月分）

公費負担者番号							有効期間	日から　　　　　　日まで
受給者番号							単独・併用別	単独・併用
保険者番号							被保険者番号	

（フリガナ）氏　名		生年月日　1. 明・2. 大・3. 昭　　年　月　日生	性別　1. 男　2. 女
要介護状態等区分	基本チェックリスト該当・要支援1・2・要介護1・2・3・4・5		
認定有効期間	令和　年　月　日から	令和　年　月　日まで	
居住地			
指定居宅介護支援事業者・指定介護予防支援事業者・地域包括支援センター名	事業所番号		
指定介護機関名	事業所番号		

居宅介護 介護予防 介護予防・日常 生活支援	□訪問介護 □訪問入浴介護 □福祉用具貸与 □訪問看護 □訪問リハ □通所介護 □通所リハ □居宅療養管理指導 □短期入所生活介護 □短期入所療養介護 □認知症対応型共同生活介護 □特定施設入居者生活介護 □定期巡回・随時対応型訪問介護看護 □夜間対応型訪問介護 □地域密着型通所介護 □認知症対応型通所介護 □小規模多機能型居宅介護 □地域密着型特定施設入所者生活介護	居宅介護 介護予防 介護予防・日常生活支援	□看護小規模多機能型居宅介護 □第一号訪問事業 □第一号通所事業 □第一号生活支援事業
		施設介護	□介護老人福祉施設 □介護老人保健施設 □介護医療院 □地域密着型介護老人福祉施設
		居宅介護支援 介護予防支援 介護予防・日常生活支援	□居宅介護支援 □介護予防支援 □介護予防ケアマネジメント
		本人支払額	円

地区担当員名　　　　　　取扱担当者名

　　　　　　　　　　　　　　　　　　　　　　福祉事務所長　印

備考	介護保険	あり	なし
	その他		

備考　この用紙は、A列4番白色紙黒色刷りとすること。

様式第4号の1　　　　　　　被保護者情報連絡表（保険者用）

（令和　年　月　日現在）

番号	氏名	住所	生年月日	年齢	被保険者番号※	保護開始、停止、廃止年月日※	備考

(注) 1　4月1日現在の被保護者のうち65歳以上の者及び当該年度において65歳に到達する者を記入する。
　　 2　※は市町村記入欄。
　　 3　「保護開始、停止、廃止年月日」欄は、4月以降の保護の実施機関からの連絡に基づき市町村が記入するための欄。

様式第4号の2

介護扶助受給者情報連絡表（保護者用）　　（令和　年　月　日現在）

番号	氏名	住所	生年月日	年齢	被保険者番号※	介護扶助開始、停止、廃止年月日	備考

（注）1　65歳以上の介護扶助受給者及び40歳以上65歳未満の被保険者である介護扶助受給者を記入する。
　　　2　※は市町村記入欄。
　　　3　「介護扶助の開始、停止、廃止年月日」欄は、開始、停止又は廃止の別が明確にわかるよう記載すること。

生活保護法による介護扶助の運営要領について

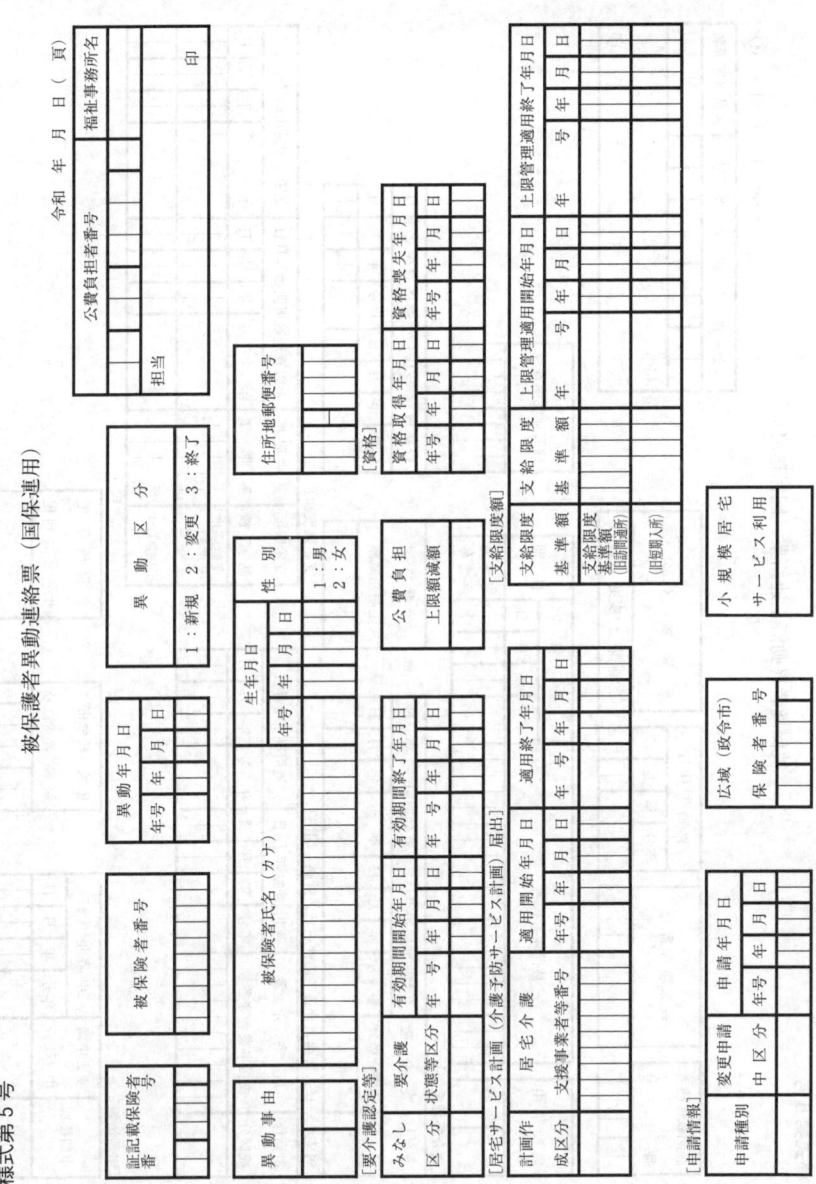

II 生活保護法関係通知 第5章 介護扶助運営要領

様式第6号

被保険者異動訂正連絡票（国保連用）

令和　年　月　日（頁）

福祉事務所名　　　　　　印

公費負担者番号								
担当

[証記載保険者番号]

| 被保険者番号 | | | | | | | | | | |

[異動年月日]

| 年号 | 年 | 月 | 日 |

[異動区分]

1：新規　2：変更　3：終了

被保険者氏名（カナ）

[異動事由]

[要介護認定等]

- みなし区分
- 要介護状態等区分
- 有効期間開始年月日　年号　年　月　日
- 有効期間終了年月日　年号　年　月　日

住所地郵便番号

生年月日　年号　年　月　日

性別　1：男　2：女

[資格]

- 資格取得年月日　年号　年　月　日
- 資格喪失年月日　年号　年　月　日

公費負担上限額減額

[居宅サービス計画（介護予防サービス計画）届出]

- 居宅介護支援事業者等番号
- 適用開始年月日　年号　年　月　日
- 適用終了年月日　年号　年　月　日

[支給限度額]

- 支給限度基準額
- 支給限度基準額減額（旧措置入所）
- 上限管理適用開始年月日　年号　年　月　日
- 上限管理適用終了年月日　年号　年　月　日

広域（政令市）保険者番号

小規模居宅サービス利用

[申請情報]

- 申請種別
- 申請年月日　年号　年　月　日
- 変更申請区分

○生活保護法による介護扶助の運営要領に関する疑義について

平成13年3月29日　社援保発第22号
各都道府県・各指定都市・各中核市民生主管部（局）長宛　厚生労働省社会・援護局保護課長通知

〔改正経過〕

第1次改正	平成13年9月11日社援保第47号	第2次改正	平成15年3月28日社援保発第0328002号
第3次改正	平成16年3月31日社援保発第0331003号	第4次改正	平成17年9月30日社援保発第0930001号
第5次改正	平成18年3月31日社援保発第0331002号	第6次改正	平成21年3月30日社援保発第0330003号
第7次改正	平成22年3月12日社援保発0312第6号	第8次改正	平成23年3月31日社援保発0331第6号
第9次改正	平成24年3月30日社援保発0330第6号	第10次改正	平成27年3月31日社援保発0331第18号
第11次改正	平成29年3月31日社援保発0331第7号	第12次改正	平成30年3月30日社援保発0330第10号

　介護扶助の運営要領の解釈と運用上、その取り扱いに疑義を生じている事項について、今般、別紙のとおり整理したので、了知されたい。
　なお、この通知は、地方自治法（昭和22年法律第67号）第245条の9第1項及び第3項の規定に基づく処理基準とする。
（別　紙）
第1　被保険者である被保護者に関する市町村への連絡
　問1　介護扶助運営要領第3の2の(1)のアの情報提供の対象者には、保護停止中の者も含まれることとなるのか。
　答　65歳以上の被保険者に係る情報提供は、当該被保護者について第1段階の保険料が適切に賦課されるために行うものである。
　　また、被保護者とは、保護の決定処分を受けた者で、保護が廃止されていない者をいうため、保護停止中の者は、65歳以上の被保険者に係る情報提供の対象に含めることとなる。
　問2　介護扶助運営要領第3の2の(2)の情報提供の対象者には、介護保険による介護サービスを利用する被保護者であって、収入が介護費を上回るために、結果的に介護扶助の知事決定は行われないが、高額介護サービス費、高額介護予防サービス費又は高額介護予防・生活支援サービス費（市町村が実施する場合のみ。以下同じ。以下「高額介護サービス費等」という。）を現物給付化するために全額本人支払額の介護券が便宜的に発行する必要のある者も含めることとなるのか。
　答　被保護者である要介護（支援）又は基本チェックリスト該当被保険者の高額介護サービス費等を現物給付化するため、当該者についても保険者に情報提供する必要がある。
　問3　介護扶助運営要領第3の2の(2)の情報提供対象者は、本人が保険者に対して居住費及び食費の負担限度額の認定の申請をしなくとも、利用者負担第1段階の額が適用されることとなるのか。

答　高額介護サービス費等については、介護保険法施行令第22条の2第8項の規定により、被保護者であることをもって自己負担額のうち1万5000円を超える部分について現物給付化がなされるが、居住費及び食費の負担限度額については、被保護者であっても、別途負担限度額認定の申請が必要となる。
第2　要介護認定等及び居宅介護支援計画等作成について
　問4　生活保護の開始によって、第2号被保険者の資格を喪失した被保険者以外の者については、介護扶助運営要領第4の2の(2)の規定にかかわらず、保護開始前の保険者による要介護認定又は要支援認定（以下「要介護認定等」という。）の結果及び有効期間に基づいて、介護扶助の決定を行って差し支えないか。また、この場合の有効期間の始期及び終期はそれぞれいつか。
　答　前段については、お見込みのとおり取り扱って差し支えない。
　　また、有効期間の始期及び終期については、他市町村から転入してきた被保険者が転入先の市町村において適用される有効期間の考え方に準じて、介護扶助の開始日を始期とし、介護扶助の開始日から6か月間（月の中途に介護扶助を開始した場合には、介護扶助の開始日の属する月の翌月の初日から6か月間）を満了した日を終期とする。
　　ただし、保護開始前の保険者の認定結果の有効期間が、認定審査会の意見に基づいて3か月間から12か月間（月の中途の申請の場合には、3か月間から12か月間に申請日から申請日の属する月の末日までの期間を加えた期間）の認定を受けていた場合には、有効期間の終期は介護扶助の開始日から3か月間から12か月間（月の中途に介護扶助を開始した場合には、介護扶助の開始日の属する月の翌月の初日から3か月間から12か月間）を満了した日とする。
　問5　65歳以上の救護施設入所者が、施設から引き続き介護保険施設へ入所する場合、救護施設が介護保険の適用除外施設であることから、当該入所者に係る要介護状態等について、被保険者以外の者と同様、市町村に設置される介護認定審査会に審査判定を委託又は依頼するのか。
　答　委託等は行わない。
　　介護保険の適用除外施設に入所する者であっても、3か月以内に退所する予定であれば、当該適用除外施設所在地の市町村（保険者）による要介護認定を受けることが出来ることとされている。
　　なお、40歳以上65歳未満の救護施設入所者については、退所後、医療保険に加入することが見込まれる場合を除いては、被保険者以外の者として市町村に設置される介護認定審査会に審査判定を委託する必要がある。
　問6　郡部福祉事務所の所管区域内の町村が、地方自治法第252条の14の規定により、所管区域外の市に保険者業務である要介護認定事務等の委託を行っている場合、介護扶助運営要領第4の2の(2)の規定にかかわらず、所管区域外の市長と委託契約を締結することとなるのか。
　答　介護扶助運営要領第4の2の(2)の規定は、被保険者以外の被保護者であっても、当該地域における被保険者と同じ保険者により要介護認定等を受けることにより要介

生活保護法による介護扶助の運営要領に関する疑義について

状態及び要支援状態（以下「要介護状態等」という。）の判定区分、継続期間、療養上の留意事項等について、被保険者と被保険者以外の者との間で統一を図ることを目的としたものであるから、当該所管区域外の市長と委託契約を締結することが望ましい。

問7　要介護状態等の審査判定の委託先である広域連合及び一部事務組合が、要介護状態等の審査判定のうち認定調査を行っていないため、別途に認定調査について契約を結ばなければならない場合又は被保険者が所管区域外の介護保険施設に入所しているため、所管区域外において認定調査を行う必要がある場合については、直接郡部福祉事務所長が指定居宅介護支援事業者又は介護保険施設の長と認定調査に係る契約を行うことは可能か。

答　被保険者以外の者に係る要介護認定等に係る認定調査については、要介護状態等の判定区分等について被保険者と統一を図るため、介護保険と同様の取扱いとすることが適当である。

　介護保険においては、
1　新規申請に係る認定調査に関しては、市町村が行うことが原則であるが、指定市町村事務受託法人に委託できる
2　要介護認定等の変更及び更新に係る認定調査に関しては、厚生労働省令で定める事業者若しくは施設又は介護支援専門員に委託することができる
3　被保険者が遠隔地に居所を有するときは、認定調査を他の市町村に嘱託することができる

こととされているところであり、原則として福祉事務所長はこれらの者に委託して認定調査を行うものである。

　ただし、これらの者に委託できない等特別の事情がある場合にあっては、設問のような取扱いもやむを得ない。

問8　被保険者以外の者に係る要介護状態等の審査判定のうち認定調査について指定居宅介護支援事業者又は介護保険施設に委託する場合、委託先は生活保護の指定介護機関でなければならないのか。

答　認定調査の委託は、介護扶助による介護を委託するものではないので、必ずしも生活保護の指定介護機関である必要はない。

問9　保険者は、必要がある場合にはケアプランを作成する指定居宅介護支援事業者又は指定介護予防支援事業者に対し、被保険者の同意を得た上で、要介護認定等に係る調査内容、介護認定審査会による判定結果・意見及び主治医意見書を、第1号介護予防支援事業者に対し、基本チェックリストの実施結果を提示することとされているが、保護の実施機関が被保険者以外の者について、生活保護における指定を受けた居宅介護支援事業者、指定介護予防支援事業者又は第1号介護予防支援を実施する者（以下「居宅介護支援事業者等」という。）に対し同様のことを行う場合、本人からの同意を得る必要があるか。

答　同意を得る必要はない。
　なお、(介護予防)小規模多機能型居宅介護事業者がケアプランを作成する場合も同

様である。

問10　保険者による要介護認定の有効期間が更新認定された場合又は有効期間が経過した後に新たに認定を受ける場合、あらためて保護の変更申請書を提出する必要があるか。

答　不要である。

問11　介護扶助運営要領第4の2の(2)のウの規定に基づき、被保険者以外の者について生活保護法第28条に基づく検診命令を行う場合、検診を行う医療機関は生活保護の指定を受けた医療機関でなければならないか。

答　検診を行う医療機関は必ずしも指定医療機関に限定されるものではないが、法の趣旨の了知等の観点から指定医療機関であることが望ましい。

第3　介護扶助実施方式

問12　介護扶助運営要領第5の1において、被保険者である被保護者が居宅介護、介護予防又は介護予防・生活支援サービス（以下「居宅介護等」という。）の申請を行う場合には居宅介護支援計画、介護予防支援計画、介護予防ケアマネジメントに基づくプラン又は介護予防ケアマネジメントの内容がわかるもの（以下「居宅介護支援計画等」という。）の写しを添付することが義務付けられているが、被保険者以外の者について居宅介護支援計画等の添付が義務付けられていない理由如何。

答　被保険者は、居宅介護サービス計画費、介護予防サービス計画費又は介護予防ケアマネジメントに係る報酬（以下「居宅介護サービス計画費等」という。）が保険者から10割給付されるため、介護扶助の申請の要件として居宅介護支援計画等の写しの添付を義務付けている。

　一方、被保険者以外の者は、保険者から居宅介護サービス計画費等の保険給付がなされないため、仮に居宅介護支援計画等の写しの添付を介護扶助の申請要件とした場合、要保護者に対し過重の負担を与えることとなるため、居宅介護支援計画等の添付を要さず、申請できることとしている。

　したがって、被保険者以外の者について申請時に居宅介護支援計画等の添付を要しないこととしているのは、あくまで申請要件としての添付が不要という意味であり、介護扶助の決定に際し必要としないという意味ではないので留意すること。

問13　介護扶助運営要領第5の2の(1)において、居宅介護等に係る介護扶助の程度は、介護保険法に定める居宅介護サービス費等区分支給限度基準額、介護予防サービス費等区分支給限度基準額又は介護予防・生活支援サービスにおける支給限度額（以下「居宅介護サービス費等区分支給限度基準額等」という。）の範囲内とされているが、市町村（保険者）が条例により厚生労働大臣が定める居宅介護サービス費等区分支給限度基準額等を超える額を当該市町村の居宅介護サービス費等区分支給限度基準額等とした場合、介護扶助はどちらの額の範囲内で行うこととなるのか。

答　介護扶助の程度は介護保険の例によることとされており、介護保険法において、当該市町村の条例により居宅介護サービス費等区分支給限度基準額等が定められることとされていることから、市町村（保険者）が定める居宅介護サービス費等区分支給限度基準額等が介護扶助の程度となる。

問14　やむを得ない理由により、要介護認定等の結果を待たずに介護扶助の決定を行った場合で、要介護認定等が当初見込んだ要介護状態等区分よりも低く認定された場合や要介護認定等を行っている間に申請者が死亡した場合、実際の要介護状態等区分を超えた部分について法第80条の規定により返還を免除することとして差し支えないか。

答　差し支えない。
　　また、「やむを得ない理由」に該当するのは、おおむね次のとおりである。
　① 従前同居人からの介護を受けていたため、要介護認定等の申請を行わずにいたが、介護を行う同居人に病気等の介護が行えない事由が生じ、急遽事業者による介護サービスが必要となった場合
　② 要介護認定等の決定が通常想定される事務処理期間（1か月間）を著しく超えていて、かつその認定の結果を待っていては著しく要介護（支援）者の身体の状況が悪化すると思われる場合
　③ その他すみやかに介護扶助を行う必要があると実施機関が認めた場合

問15　被保険者以外の者が、月の中途に被保険者資格を取得した場合、当該月の居宅介護サービス計画費等については、保険者から全額保険給付されることとなるが、併せて介護扶助を行う必要がある場合はないか。

答　被保険者資格取得前の居宅介護サービス又は介護予防サービスに係る給付管理業務は、保護の実施機関（公費負担者）から居宅介護支援事業者等へ委託されたものであるため、それに対する報酬は介護扶助により保護の実施機関が支払う必要がある。

問16　月の中途に居宅介護支援事業者等が変更された場合、変更前の居宅介護支援事業者等に対しても介護扶助により報酬を支払う必要があるか。

答　同一月に複数の居宅介護支援事業者等を利用した場合、介護保険の例により、変更前の居宅介護支援事業者等には、居宅介護支援に係る報酬が支払われないこととなる。

問17　月の中途に要介護状態等区分が変更された場合、別途に変更後の要介護状態等区分を記載した介護券を発行することとなるのか。

答　報酬請求においては、当該サービスを提供した時点の要介護状態等区分に応じた費用を算定するものとされているので、月の中途に要介護状態等区分が変更された場合、保護の実施機関は、要介護状態等区分変更前に発行した介護券の有効期間を変更日の前日までに修正するとともに、別途に変更後の「要介護状態等区分」を記載した介護券を発行することとなる。
　　ただし、要介護状態等区分に応じて報酬が変わらない介護サービス（訪問介護、訪問入浴介護、訪問看護、訪問リハビリテーション、居宅療養管理指導、夜間対応型訪問介護、介護予防訪問介護、介護予防訪問入浴介護、介護予防訪問看護、介護予防訪問リハビリテーション及び介護予防居宅療養管理指導）の介護券については、この限りではない。

問18　月の中途に被保険者以外の者が被保険者資格を取得した場合、指定居宅サービス事業者等に対し、あらためて介護券を発行することとなるのか。

答　お見込みのとおり。
　　　被保険者以外の者が被保険者資格を取得した場合、事業者は被保険者資格取得前に提供した介護サービスの単位数が、資格取得後の区分支給限度基準額に含まれないよう、資格取得後に提供した介護サービスの単位数とは別の介護給付費明細書で国民健康保険団体連合会（以下「国保連」という。）に請求することとなる。
　　　したがって、保護の実施機関は、被保険者資格取得前に発行した介護券の「有効期間」を修正し、別途、新たな「被保険者番号」、「受給者番号」、「単独・併用別」を記載した介護券を発行する。
　　　なお、この場合、1人について、同一月に複数の介護券を発行することとなるが、資格取得前後では別々の公費受給者とみなし、それぞれ異なる受給者番号を付することとなる。

問19　医療券の本人支払額は、10円未満の端数があるときにはこれを切り捨てることとされているが、介護券の本人支払額も同様に10円未満の端数を切り捨てることはできないか。

答　介護報酬が1円未満の端数を切り捨てることとされているので、介護券の本人支払額には1円単位まで記載することとなる。
　　　よって、10円未満の端数を切り捨てることは認められないものである。

問20　基準該当事業者に対する扶助費の支払いについて、介護券を発行することにより国保連へ審査支払を委託することとして差し支えないか。

答　委託することはできない。

問21　介護保険の被保険者である被保護者が非指定介護機関を利用した場合で、高額介護サービス費等の支給に係る申請は、本人が直接保険者に対して行う必要があるのか。

答　本人が直接保険者に高額介護サービス費等の支給を申請する必要がある。
　　　国保連は、保護の実施機関が事業者又は被保護者に対して直接支払う介護扶助費を、高額介護サービス費等として振り替えることはできないので、振り替えられない残りの高額介護サービス費等について被保険者本人から保険者へ直接申請するよう指導すること。

問22　福祉用具購入及び介護予防福祉用具購入（以下「福祉用具購入等」という。）並びに住宅改修及び介護予防住宅改修（以下「住宅改修等」という。）の給付方法については、介護扶助運営要領第5の3の(3)及び4の(3)において、「原則として」金銭給付とされているが、場合によっては現物給付化することも可能であるか。また、福祉用具購入等及び住宅改修等に係る保険給付について、保護の実施機関が被保険者の代理として、保険者から直接受領することは可能であるか。

答　福祉用具購入等及び住宅改修等の給付方法については、原則として、金銭給付としているが、以下のような場合については、現物給付化を行って差し支えないこと。
　　① 介護扶助受給者が、介護保険の被保険者以外の者である場合
　　② 当該介護扶助受給者が加入する保険者が、福祉用具購入等及び住宅改修等に係る保険給付を現物給付化している場合

③ その他金銭給付によらなくとも、適正に償還金を法第63条の規定により返還させることができる場合

　また、後段については、当該介護扶助受給者が加入する保険者において対応可能であれば、当該受給者に対して保険給付の代理申請及び代理受領について十分な説明を行い、その実施について同意を得、委任状を徴収することを条件として取り扱って差し支えない。

問23　通院介助に伴うヘルパーの交通費は、訪問介護の介護報酬に含まれていないため、別途、利用者から徴収される場合があるが、当該費用について介護扶助運営要領第5の5のアの移送費として支給して差し支えないか。

答　通院介助に伴うヘルパーの交通費は、「通院に伴う移送のための交通費」であるので、医療扶助運営要領第3の9の(2)により医療扶助の移送費として支給すること。

問23—2　新高額障害福祉サービス等給付費の対象として生活保護世帯も含まれるが、当該給付費は、償還払いの形式により給付されるものである。このため、被保護者へ償還払いがされるまでの間の介護費について、介護扶助による給付を行った場合、当該新高額障害福祉サービス等給付費に関する福祉事務所の対応について教示されたい。

答　新高額障害福祉サービス等給付費が被保護者へ償還払いで支払われた場合、福祉事務所は被保護者に対して、償還払いが行われた後、生活保護法第63条の規定に基づいて返還させることとなる。

　なお、当該被保護者に対して、新高額障害福祉サービス等給付費の福祉事務所による代理申請及び代理受領の実施について十分な説明を行い、同意を得、委任状を徴取することを条件として、福祉事務所が障害福祉担当部局より直接当該給付費を受領することが可能である。

第4　介護扶助指定介護機関

問24　介護扶助運営要領第5の2の(1)のウの「入居に係る利用料が住宅扶助により入居できる額」とは具体的にどの額をいうのか。

答　「入居に係る利用料」とは、家賃、管理費（家賃相当の利用料をいう。）及び入居に際し支払う必要がある保証金（敷金等に相当するものに限る。）のことを言い、「生活保護法による保護の実施要領について」（昭和38年4月1日社発第246号厚生省社会局長通知）第7の4の(1)のオ、カの規定の例によるものとすること。

問25　介護扶助運営要領第6の3の(3)において、介護扶助の指定介護機関の指定を行った場合、その旨を都道府県の介護保険担当部局を通じて国保連へ通知することとされているが、厚生労働大臣が介護扶助の指定介護機関の指定を行った場合についても、都道府県が介護保険担当部局を通じて通知することとなるのか。

答　介護扶助の指定情報については、国保連のシステム上の理由から、指定権者にかかわらず、その指定介護機関の所在地を所管する都道府県が介護保険担当部局を通じて国保連に介護保険本体の「指定事業者情報」に含めて情報提供を行う必要がある。

　したがって、厚生労働大臣が指定を行った場合についても、その指定介護機関の所在地を所管する都道府県が介護保険担当部局を通じて国保連へ通知することとなる。

第2節　一般通知等

○指定居宅介護支援事業者等への情報提供及び居宅介護支援計画等の写しの交付を求める際の手続きについて

> 平成12年3月13日　社援保第10号
> 各都道府県・各指定都市・各中核市民生主管部(局)長宛　厚生省社会・援護局保護課長通知

〔改正経過〕

第1次改正　平成18年3月31日社援発第0331002号　　第2次改正　平成27年3月31日社援保0331第9号
第3次改正　令和元年5月27日社援発0527第1号　　第4次改正　令和3年1月7日社援保0107第1号

　介護扶助の円滑かつ適切な実施のため、今般、保護の実施機関が指定居宅介護支援事業者、指定介護予防支援事業者及び第1号介護予防支援を実施する者へ被保護者等に関する情報を提供する際の必要な手続きについて次のように定めたので、その取り扱いに遺憾のないよう関係機関に周知徹底を図られたい。

1　趣旨

　介護扶助の決定は、毎月、要保護者から居宅介護支援計画、介護予防支援計画又は介護予防ケアマネジメントに基づくプラン（以下「計画」という。）の写しの提出を求め、これにより、行うことが原則であるが、介護扶助の円滑かつ適切な実施のため、要保護者が希望する場合及び要保護者からの提出を待っては保護の迅速な決定に支障が生ずるおそれがある場合には、福祉事務所が本人の同意を得たうえで、直接指定居宅介護支援事業者、指定介護予防支援事業者又は第1号介護予防支援を実施する者（以下「指定居宅介護支援事業者等」という。）からの計画の写しの交付を求めるとともに、指定居宅介護支援事業者等に対し、介護扶助のための介護の方針及び介護の報酬に照らし適切な計画を作成するよう理解と協力を求めることとするものである。

　なお、介護予防ケアマネジメントにおいて、プランが作成されない場合については、介護予防ケアマネジメントの内容がわかるものの提出を求めることとし、この場合、利用するサービスに変更が生じた場合に提出を求め、毎月提出を求める必要はない。

2　対象者

　介護扶助の居宅介護、介護予防又は介護予防・生活支援サービスを現に受けている者又は申請中の者（4の(2)により同意が得られた場合に限る。）。

3 提出先
　生活保護の指定居宅介護支援事業者等
4 手続き
(1) 被保護者異動連絡表
　　指定居宅介護支援事業者等への対象者の通知は、別紙様式第1号によること。
　　なお、指定介護予防支援事業者への通知については、様式（別紙を含む。）中の「居宅サービス計画」を「介護予防サービス計画」とし、第1号介護予防支援を実施する者への通知については、「居宅サービス計画」を「介護予防ケアマネジメントに基づくプラン（又は介護予防ケアマネジメントの内容がわかるもの）」とすること。
(2) 本人からの同意
　　介護保険の被保険者に対する計画の作成等は、介護扶助として行われるものではないことから、情報提供及び収集については、個人情報保護の観点から本人の同意が条件であること。
　　同意書の様式は、別紙様式第2号及び様式第3号によること。なお、様式第2号は、福祉事務所が要保護者に関する情報を指定居宅介護支援事業者等へ情報提供することに対する同意書であり、様式第3号は、指定居宅介護支援事業者等が、福祉事務所に対し計画の写しを直接福祉事務所へ送付するに際し、居宅介護支援事業者等の守秘義務を解除するための同意書であることから、双方の同意書が必要であること。
　　被保険者以外の者については、介護扶助の委託として計画の作成を依頼するものであることから、本通知による手続きは必ずしも必要ではないが、被保険者の場合と同様に同意を得ることが望ましいこと。
　　なお、同意を得る要保護者が要支援者である場合には、様式第2号及び第3号中の「居宅サービス計画」を「介護予防サービス計画」と、様式第2号中の「居宅介護支援事業者」を「介護予防支援事業者」とし、基本チェックリストに該当する者である場合には、様式第2号及び第3号中の「居宅サービス計画」を「介護予防ケアマネジメントに基づくプラン（又は介護予防ケアマネジメントの内容がわかるもの）」とし、様式第2号中の「居宅介護支援事業者」を「第1号介護予防支援を実施する者」とすること。
5 その他
　要保護者が、非指定介護機関である居宅介護支援事業者等を利用する場合及び、指定居宅介護支援事業者等への情報提供等について同意しない場合には、当該要保護者に対し、計画を作成したとき、変更したときには遅滞なく福祉事務所に提示すること、提示がなかった場合には介護扶助の決定を行うことができず、介護券を発行することができないことを十分周知すること。

様式第1号

番　　号
日　　付

○○（指定居宅介護支援事業者）　　　殿

○○福祉事務所長

被保護者異動連絡表の送付について

　別紙「被保護者異動連絡表」に掲げる方は、生活保護法による介護扶助を受給中または申請中の方で貴事業所に居宅サービス計画の作成を依頼中または依頼される予定の方です。
　これらの方の居宅サービス計画作成に当たっては、生活保護法の趣旨並びに介護扶助の介護の方針及び介護の報酬を踏まえて作成いただくとともに、毎月の居宅サービス計画を作成したとき及び月中途で変更したときには、その都度、居宅サービス計画の写しを当福祉事務所あて送付いただきますようお願いいたします。
　なお、当福祉事務所が貴事業所から居宅サービス計画の写しの交付を受けることについては、別添のとおり本人の同意を得ております。

指定居宅介護支援事業者等への情報提供等の手続きについて

別紙

○○福祉事務所

被保護者異動連絡表

氏名	年齢	住所	被保険者番号	新規、継続の別	中止事由の異動内容※	異動年月日	備考
				1 保護申請中 2 保護継続	1 保護却下・停・廃止 2 施設入所		
				1 保護申請中 2 保護継続	1 保護却下・停・廃止 2 施設入所		
				1 保護申請中 2 保護継続	1 保護却下・停・廃止 2 施設入所		
				1 保護申請中 2 保護継続	1 保護却下・停・廃止 2 施設入所		
				1 保護申請中 2 保護継続	1 保護却下・停・廃止 2 施設入所		
				1 保護申請中 2 保護継続	1 保護却下・停・廃止 2 施設入所		
				1 保護申請中 2 保護継続	1 保護却下・停・廃止 2 施設入所		
				1 保護申請中 2 保護継続	1 保護却下・停・廃止 2 施設入所		

(注) ※欄の中止事由に該当する方については、今後居宅サービス計画の写しの送付は不要です。

様式第2号

同 意 書

　介護扶助の決定に必要があるときは、私が居宅サービス計画の作成を依頼している居宅介護支援事業者に対し、私の居宅サービス計画の内容に関する報告を求めることに同意します。

　　令和　　年　　月　　日

　　　　　　　　　　　　　　　　　　　　　　　住所
　　　　　　　　　　　　　　　　　　　　　　　氏名

　　○○福祉事務所長　　　殿

様式第3号

同 意 書

　生活保護法による介護扶助の申請・受給に必要なため、私の居宅サービス計画の写しを○○福祉事務所長に対し交付することに同意します。

　　令和　　年　　月　　日

　　　　　　　　　　　　　　　　　　　　　　　住所
　　　　　　　　　　　　　　　　　　　　　　　氏名　　　　　　　　　㊞

　　○○（指定居宅介護支援事業者）　　殿

○介護保険の被保険者以外の者に係る要介護状態等の審査判定の委託について

> 平成12年3月31日　社援保第20号
> 各都道府県・各指定都市・各中核市民生主管部(局)長
> 宛　厚生省社会・援護局保護課長通知

〔改正経過〕
　第1次改正　平成18年3月31日社援発第0331002号　　第2次改正　平成20年4月1日社援発第0401001号
　第3次改正　令和元年5月27日社援発0527第1号

　今般、「生活保護法による介護扶助の運営要領について」(平成12年3月31日社援第825号。以下「介護扶助運営要領」という。)が発出されたところであるが、介護保険の被保険者以外の者(40歳以上65歳未満の者であって、医療保険未加入のため第2号被保険者となれない要保護者をいう。以下同じ。)に係る介護扶助の実施に当たり、自ら介護認定審査会を持たない都道府県の設置する郡部福祉事務所においては、介護扶助運営要領第4の2の(2)のイにより、介護保険の被保険者以外の者に係る要介護状態等に関する審査判定を町村等に委託する必要がある。
　このため、別紙のとおり、委託契約書例を示すので、町村長等と委託契約を締結するに当たってこれを参考にされたい。

〔別　紙〕

　　　　　　　　　　　　　　　　　　　　　　　（福祉事務所長→町村長）
　　　契約書例
　生活保護法に基づく介護扶助の実施のための要介護状態等の審査判定に関する契約書
　生活保護法（昭和25年法律第144号）に基づく介護扶助の実施のため、○○福祉事務所長（以下「甲」という。）と○○町（村）長（以下「乙」という。）、○○町（村）長（以下「丙」という。）、○○町（村）長（以下「丁」という。）、○○町（村）長（以下「戊」という。）との間に、要保護者の要介護状態等の審査判定の委託に関して次のとおり契約を締結する。
（信義誠実の原則）
第1条　甲及び乙、丙、丁、戊（以下「乙等」という。）は、信義に従い誠実にこの契約を履行するものとする。
（委託業務）
第2条　甲は、管内の要保護者の心身の状況に関する次の事項についての審査及び判定を乙等に委託するものとする。
　一　要介護状態（介護保険法（平成9年法律第123号）第7条第1項に規定する要介護状態をいう。以下同じ。）に該当すること、その該当する要介護状態区分及びその要

介護状態の原因である身体上又は精神上の障害が特定疾病(同条第3項に規定する特定疾病をいう。以下同じ。)によって生じたものであること。
二　要支援状態(介護保険法第7条第2項に規定する要支援状態をいう。以下同じ。)に該当すること及びその要支援状態の原因である身体上又は精神上の障害が特定疾病(同条第3項に規定する特定疾病をいう。以下同じ。)によって生じたものであること。
三　有効期間(前各号のいずれかに該当する状態が継続すると見込まれる期間をいう。)
2　甲は、前項に規定する審査及び判定を乙等に委託するに当たっては、当該委託に係る要保護者に関する次の事項を乙等に通知するものとする。
一　氏名、性別、生年月日及び住所
二　現に介護保険法による要介護認定若しくは要支援認定又はこの契約に基づく審査判定を受けている場合には、その旨及び当該要介護認定等の有効期間満了の日
三　主治の医師があるときは、当該医師の氏名並びに当該医師が現に病院若しくは診療所を開設し、若しくは管理し又は病院若しくは診療所に勤務するものであるときは当該病院又は診療所の名称及び所在地
三　認定調査票(介護保険法の例により、当該委託に係る要保護者に面接し、その心身の状況、その置かれている環境、病状及び当該者が現に受けている医療の状況について調査した結果を記載した書面)
四　主治医の意見書
(　)は、認定調査及び主治医の意見書徴収を委託しない場合
(受託者の義務)
第3条　乙等は、甲から委託があったときは、介護保険法の例により前条第1項に規定する事項に関し審査及び判定を行い、その結果を甲の定める期日までに甲に通知するものとする。
2　乙等は、必要があると認めるときは次に掲げる事項について、甲に通知するものとする。
一　当該委託に係る要保護者の要介護状態等の軽減若しくは悪化防止のために必要な療養及び家事に係る援助に関する事項
二　居宅介護若しくは介護予防又は施設介護の適切かつ有効な利用等に関し当該委託に係る要保護者が留意すべき事項
(再委託の禁止)
第4条　乙等は、次項に定める場合の他、受託業務の全部又は一部を第三者に再委託してはならない。
2　乙等は、必要がある場合には、新規認定の申請においては前条の審査及び判定に必要な認定調査(介護保険法第27条第2項の例により、当該委託に係る要保護者に面接し、その心身の状況、その置かれている環境、病状及び当該者が現に受けている医療の状況について調査することをいう。以下同じ。)を指定市町村事務受託法人(介護保険法第

24条の2に規定する指定市町村事務受託法人をいう。以下同じ。)に、更新及び変更認定の申請においては指定市町村事務受託法人又は指定居宅介護支援事業者、地域密着型介護老人福祉施設、介護保険施設（介護保険法第28条第5項に規定する指定居宅介護支援事業者、地域密着型介護老人福祉施設、介護保険施設その他の厚生労働省令で定める事業者若しくは施設をいう。以下「指定居宅介護支援事業者等」という。）に限り再委託することができる。

（秘密の保持）

第5条　乙等及びこの契約に基づき受託業務に従事する乙等の職員は、業務上知り得た当該委託に係る要保護者及びその家族の秘密を漏らしてはならない。また、乙等が前条第2項の規定により認定調査を指定市町村事務受託法人又は指定居宅介護支援事業者等に再委託する場合も当該再委託する事業者との委託契約において同様の措置を講じなければならない。

（認定調査の甲の立ち会い）

第6条　乙等は、当該委託に係る要保護者について認定調査を行うに当たり、甲に対し甲の職員が立ち会うことを求めることができる。

2　前項の規定は、第4条第2項の規定に基づき認定調査を指定市町村事務受託法人又は指定居宅介護支援事業者等に再委託する場合も同様とする。

（規定違反について）

第7条　甲は、乙等に第1条から第5条までの規定違反があった場合には、第9条の規定にかかわらず、直ちに当該契約を解除できるものとする。

（委託料）

第8条　第1条に定める審査判定に要した費用は甲の負担とする。

2　甲は、当該委託に係る要保護者の審査及び判定1回につき、次に定めるところにより算定される額を乙等に支払うものとする。

　　　　委　　託　　料　　　　　　　円
　　　　　注　状態の維持・改善可能性の審査判定を行う場合、通常の委託料とは別の設定をしても差し支えない。

　　　　⎡主 治 医 意 見 書 料　　　　　円⎤
　　　　⎣認定調査に要した費用　　　　　円⎦

（自由解除の制限に関する規定）

第9条　この契約の当事者のいずれか一方がこの契約による義務を履行せず、事業進行に著しく支障を来し、又は来すおそれがあると認めるときは、3か月の予告期間をもって、この契約を解除することができるものとする。

（疑義の解決）

第10条　本契約に定める事項その他業務上の必要な事項について疑義が生じた場合は、甲と乙等が協議して解決するものとする。

（契約期間）

第11条　この契約の有効期限は、令和〇年〇月〇日から令和〇年〇月〇日までとする。

（契約期間の自動更新）
第12条　この契約の有効期限の終了1か月前までに契約当事者のいずれか一方より何らの意志表示もないときには、終期の翌日においてむこう1か年順次契約を更新したものとみなす。

　　右契約の確実を証するため、本書○通を作成し甲、乙、丙、丁及び戊署名捺印のうえ、甲及び乙等が各1通を所持するものとする。

　　　令和○年○月○日

委託者	（甲）○○福祉事務所長	氏	名	（印）
受託者	（乙）町（村）長	氏	名	（印）
	（丙）町（村）長	氏	名	（印）
	（丁）町（村）長	氏	名	（印）
	（戊）町（村）長	氏	名	（印）

　　　覚書例

1　甲は、契約書第2条第2項に規定する通知は、介護保険法に定める各種様式をもって行うこととする。

2　乙等は、契約書第3条の審査及び判定が終了したときは、介護保険法に準じた審査判定結果通知書を作成して甲に提出するものとする。

3　乙等は、契約書第2条第2項の通知を受領した日から○○日以内に甲に審査判定の結果を回答しなければならない。ただし、当該委託に係る要保護者の心身の状況の調査に日時を要する特別な理由がある場合には、当該委託のあった日から○○日以内に、甲に対し、当該審査判定の結果に係る回答に要する期間及びその理由を通知しなければならない。

4　甲は、乙等から契約書第8条による委託料の請求があったときは○○日以内に乙等に対して支払うものとする。

○生活保護法による介護券の記載要領及び留意点について

> 平成12年3月13日　社援保第11号
> 各都道府県・各指定都市・各中核市民生主管部(局)長宛　厚生省社会・援護局保護課長通知

〔改正経過〕

第1次改正	平成12年5月30日社援保第36号	第2次改正	平成18年3月31日社援保発第0331002号
第3次改正	平成19年3月29日社援保発第0329003号	第4次改正	平成27年3月31日社援保発0331第8号
第5次改正	平成28年3月31日社援保発0331第15号		

今般、生活保護法による介護券の記載要領を別紙のとおり定めたので、特に下記の点に留意のうえ、介護扶助の取扱いに遺憾のないよう関係機関に周知徹底を図られたい。

記

1 受給者番号

介護券等の「受給者番号」欄に記入する受給者番号の付し方については下記に留意すること。

(1) レセプトの「公費受給者番号」欄にあわせ、受給者区分6桁、検証番号1桁、計7桁の算用数字を組み合わせたものとすること。

(2) 「受給者番号」欄には、受給者区分6桁、検証番号1桁、計7桁の算用数字を組み合わせたものとすること。番号については、被保護者ごとに固定化することとし、月ごとに変更する必要はない。また、「介護扶助の適正化について」(平成23年3月31日社援保発0331第14号厚生労働省社会・援護局保護課長通知) に基づく介護券交付処理簿と介護給付費公費受給者別一覧表との照合の実施について万全を期すこと。

(3) 医療扶助が同時に提供される場合には医療扶助における受給者番号と共通番号とすること。

2 被保険者以外の者に係る被保険者番号

福祉事務所が替わる場合であっても市内異動(広域連合が介護保険の保険者となり、介護保険の保険者番号が設定されている場合においては、その構成市町村の異動を含む。)の場合には、引き続き従前の被保険者番号を引き継ぐこと。

なお、当該市の本庁が一括して番号を払い出すこととしても差し支えない。

3 介護給付費公費受給者別一覧表等による審査

福祉事務所においては、「交付した介護券に基づく請求であるか」、「指定介護機関における介護券からレセプトへの転記が正確であるか」等についての確認が必要となるが、これらの確認方法については、福祉事務所が介護券等の作成にあわせて記載する介

護券交付処理簿及び公費の対象となるサービス実績が把握できる介護給付費公費受給者別一覧表との照合により行うこと。

（別　紙）
　　　　生活保護法による介護券の記載要領
第1　介護券の記載要領
　1　介護サービス受給年月
　　　被保護者が介護サービスを受ける年月を記載すること。この場合、介護券は暦月を1単位として発行するものであることに留意すること。
　2　公費負担者番号
　　　介護券発行福祉事務所の所定の番号8桁を記載すること。
　　　なお、医療扶助の公費負担者番号と同一のものを使用することとしても差し支えないこと。
　3　有効期間
　　　当該月のうち、介護扶助を適用する期間を記入すること。
　4　受給者番号
　　　レセプトの「公費受給者番号」欄にあわせ、受給者区分6桁、検証番号1桁、計7桁の算用数字を組み合わせたものとすること。
　　　また、検証番号の設定については、「保険者番号の設定について」（昭和51年8月7日保発第45号、庁保発第34号厚生省保険局長・公衆衛生局長・薬務局長・社会局長・児童家庭局長・援護局長・社会保険庁医療保険部長通知）によること。
　5　単独・併用の別
　　　生活保護単独又は介護保険若しくは公費負担医療との併用の別を記入すること。
　6　保険者番号
　　ア　介護保険被保険者の場合
　　　　被保険者証に記載の介護保険保険者番号を記入すること。
　　イ　被保険者以外の者の場合
　　　　居住地の市町村の介護保険保険者番号（被保護者が広域連合の構成市町村に居住する場合又は政令市に居住する場合には、広域連合の構成市町村の市町村番号又は政令市の行政区番号）を記入すること。なお、介護保険施設に入所中の者については、入所前の居住地又は現住地の市町村の介護保険者番号を記載すること。
　7　被保険者番号
　　ア　介護保険被保険者の場合
　　　　被保険者証に記載の被保険者番号を記入すること。
　　イ　被保険者以外の者の場合
　　　　福祉事務所が冒頭の1桁を英字の「H」とする固定番号を付番すること。また、県内での番号重複を避けるため2桁目から4桁目は福祉事務所コードの機関番号とすること。

（例）東京都千代田区福祉事務所

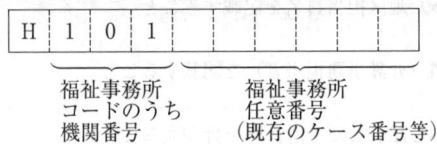

福祉事務所コードのうち機関番号　　福祉事務所任意番号（既存のケース番号等）

8　氏名

被保護者の姓名を記載すること。

9　生年月日

該当する元号の番号を○で囲み、生まれた年月日を記載すること。

10　性別

該当する番号を○で囲むこと。

11　要介護状態等区分、認定有効期間

該当する要介護状態区分、要支援状態区分又は基本チェックリストに該当する状態であること及び認定有効期間を記載すること。この場合、被保険者については被保険者証から転記し、被保険者以外の者については委託した要介護認定等の結果を記載すること。

12　居住地

被保護者の居住地を記載すること。なお、介護保険施設に入所中の者については、入所前の居住地又は現住地を記載すること。

13　指定居宅介護支援事業者・指定介護予防支援事業者・地域包括支援センター名

当該被保護者に対して居宅サービス計画を作成した指定居宅介護支援事業者（又は小規模多機能型居宅介護事業者）、介護予防サービス計画を作成した指定介護予防支援事業者（又は介護予防小規模多機能型居宅介護事業者）又は介護予防ケアマネジメントに基づくプラン若しくは介護予防ケアマネジメントの内容がわかるものを作成した第1号介護予防支援を実施する者の名称及び事業所番号を記載すること。

14　指定介護機関名

介護扶助の委託を決定した指定介護機関の名称及び事業所番号を記載すること。

15　サービス欄

介護扶助の委託を決定したサービスに「✓」を記載すること。

居宅介護、介護予防又は介護予防・日常生活支援については、「居宅介護」、「介護予防」又は「介護予防・日常生活支援」のうち不要なものを取消線により消すこととするが、「居宅介護」、「介護予防」又は「介護予防・日常生活支援」のうち該当するものを記載することとしても差し支えないこと。

16　本人支払額欄

本人支払額が生ずる場合に記載すること。本人支払額がない場合はその欄に斜線を引くこと。

17 地区担当員名
　　介護券作成後内容点検を行った地区担当員名を記載すること。
18 取扱担当者名
　　介護券交付事務取扱責任者名（介護事務担当者）を記載すること。
19 福祉事務所長印
　　介護券発行福祉事務所の名称を記載した上所長印を押印すること。
20 備考
　　「介護保険」の欄は、あり・なしのいずれかを○で囲むとともに、「その他」の欄には、前記以外の他法他施策の名称を記載すること。
第2 介護券の発行単位
　介護券の発行単位は、サービスの種類毎を原則とするが、便宜的に1事業者につき1枚の介護券としても差し支えない。ただし、この場合においても本人支払額の記載はサービスの種類毎に分けて記載すること。

○生活保護法第54条の2第4項において準用する
　同法第52条第2項の規定による介護の方針及び
　介護の報酬を定める件の施行について

　　　　　　　　　　　［平成12年5月30日　社援第1299号
　　　　　　　　　　　　各都道府県知事・各指定都市市長・各中核市市長宛
　　　　　　　　　　　　厚生省社会・援護局長通知］

　生活保護法（昭和25年法律第144号。以下「法」という。）に規定する介護扶助の運営については、介護扶助運営要領（平成12年3月31日社援第825号本職通知。以下「運営要領」という。）の定めるところにより行われているところであるが、今般、「生活保護法第54条の2第4項において準用する同法第52条第2項の規定による介護の方針及び介護の報酬を定める件」（平成12年厚生省告示第214号。以下「介護方針告示」という。）が公布され、本年4月1日から適用されることとなった。
　介護方針告示の概要及び留意事項は次のとおりであるので、関係機関及び指定介護機関に周知を図り、施行に遺憾なきを期されたい。
　なお、運営要領の一部を別紙のとおり改正し、本年4月1日から適用する。
1　本告示の概要
　　法第54条の2第4項において準用する同法第52条第2項の規定に基づき、「指定居宅サービス等の人員、設備及び運営に関する基準」（平成11年厚生省令第37号）第48条第3項第2号に規定する特別な浴槽水等の提供その他の介護サービスの提供において利用者の選定により提供される特別なサービス（以下「選定サービス」という。）のうち、指定介護機関が介護扶助に係る介護サービスとして行うことのできないものを定めたものであること。
2　留意事項
　　指定介護機関は、選定サービスについては、介護方針告示に掲げるものを除くほか、被保護者の選択に基づき被保護者の負担により提供することができるものであること。
　　なお、被保護者がこれらの選定サービスの提供を受ける場合においては、保護の実施機関は、運営要領第5の5により移送費を支給する場合を除くほか、当該選定サービスに係る費用について生活扶助若しくは介護扶助の加算を行い又は収入認定除外を行ってはならないこと。
別紙　略

○公費負担医療等に関する費用に関して国民健康保険団体連合会が行う審査支払に係る委託契約について

> 平成12年4月20日　老介第3号
> 各都道府県介護保険担当主管課(室)長宛　厚生省老人
> 保健福祉局介護保険課長通知

〔改正経過〕

第1次改正	平成19年3月30日老介発第0330001号
第2次改正	平成20年3月28日老介発第0328002号
第3次改正	平成24年3月29日老介発0329第1号（平成24年4月27日老介発0427第1号・老高発0427第1号・老振発0427第1号・老老発0427第1号により一部改正）
第4次改正	平成25年3月27日老介発0327第1号・老老発0327第1号
第5次改正	平成26年9月24日老介発0924第1号・老老発0924第1号
第6次改正	平成26年12月24日老介発1224第2号・老老発1224第1号
第7次改正	平成27年4月1日老介発0401第9号
第8次改正	平成30年3月9日老介発0309第1号

　介護給付費及び公費負担医療等に関する費用の請求に関する省令（平成12年厚生省令第20号。以下「請求省令」という。）が本年3月7日に公布されたところであるが、請求省令第1条第2項各号に掲げる公費負担医療等で、介護給付費と併せて請求が行われるものについては、その審査及び支払い事務を国民健康保険団体連合会（以下「連合会」という。）が当該公費負担医療等に関する費用の負担者の委託を受けて行うことが必要とされるので、下記の点に留意の上、貴管下連合会に対して、別紙1契約書例により、公費負担医療等に関する費用の負担者と公費負担医療等に関する審査及び支払委託契約を締結するよう指導方よろしくお願いする。
　なお、契約書例については、契約の有効期間の始期を平成12年4月1日からとしており、また、市町村と連合会の介護給付費の審査支払業務の委託契約は当該審査支払業務の委託書を受理した日の月分の介護給付費から審査支払の対象となるものであることから、平成12年4月中に本委託契約を締結することにより、平成12年4月分の公費負担医療等に関する費用について連合会の審査支払業務の対象となるものであるので、平成12年4月中に委託契約を締結するよう、連合会に対する指導及び管下市町村との調整をお願いする。

記

1　都道府県と市町村の間における連合会との審査支払契約締結に係る委任について
　　別紙1契約書例においては、契約書に署名押印する都道府県知事は、別表1に定める公費負担医療等の種類に応じて、その管下の、
　(1)　別表2に掲げる市町村長
　　（身体障害者福祉法に定める更生医療の支払権者たる、指定都市及び中核市の市長を除く市町村長（特別区の区長を含む。以下同じ。））

(2) 別表3に掲げる市町村長
　　（生活保護法に定める介護扶助の支払権者たる、指定都市・中核市を除く福祉事務所設置市町村長）
(3) 別表4に掲げる市長
　　（結核予防法に定める適正医療及び従業禁止・命令入所医療の審査支払権者たる、指定都市・中核市を除く保健所設置市長）
(4) 別表5に掲げる市町村長
　　（訪問介護に係る低所得者特別対策の審査支払権者たる管下の市町村長）
から、上記の市町村長が所管する公費負担医療等に関する費用の審査及び支払事務に関する連合会との契約の締結について、別途委任を受けていることを前提としているものであること。
2　指定都市の市長の連合会との審査及び支払事務の契約について
　指定都市の市長については、別表1の左欄第1項から第4項に掲げる費用（身体障害者福祉法の更生医療、精神保健及び精神障害者福祉法の通院医療、生活保護法の介護扶助並びに結核予防法の適正医療及び従業禁止・命令入所医療）に関して都道府県知事に委任を行わず、別途本契約事例に準じて、これらの費用の審査及び支払に関して連合会と契約を締結するものであること。
3　中核市の市長の連合会との審査及び支払事務の契約について
　中核市の市長については、別表1の左欄第1項、3項及び第4項に掲げる費用（身体障害者福祉法の更生医療、生活保護法の介護扶助並びに結核予防法の適正医療及び従業禁止・命令入所医療）に関して都道府県知事に委任を行わず、別途本契約事例に準じて、これらの費用の審査及び支払に関して連合会と契約を締結するものであること。
4　契約書締結の際の覚書の交換について
　契約書を締結する際は、別紙2の覚書を交換するものであること。
5　原子爆弾被爆者に対する援護に関する法律に規定する一般疾病医療費の給付に関する連合会との審査支払契約の締結について
　請求省令第1条第5号に規定する原子爆弾被爆者に対する援護に関する法律（平成6年法律第117号）第18条に規定する一般疾病医療費の支給に係る厚生大臣と連合会の契約については、別紙3のように定めることとし、当該審査支払契約の締結については、別途、原子爆弾被爆者に対する援護に関する法律所管課より、連絡が行われるものであること。

別紙1
　　　契約書例
　介護給付費及び公費負担医療等に関する費用等の請求に関する省令（平成12年厚生省令第20号。以下「請求省令」という。）第1条第2項（第5号を除く。）に規定する公費負担医療等に関する費用の審査及び支払に関して、〇〇都（道府県）知事並びに別表2、別表3、別表4及び別表5に掲げる市町村長（以下「甲」という。）と国民健康保険団体連合

会(以下「乙」という。)の間に、次のとおり契約を締結する。
第1条　乙は、別表1左欄に掲げる公費負担医療等に関して、同表の中欄に掲げる委託を行う者の区分に応じて、同表の右欄に掲げる事務を引き受けるものとする。
第2条　乙は、公費負担医療等を担当する機関(以下「公費負担医療等担当機関」という。)から請求省令第3条第1項に定める期日までに請求が行われた事項についてその内容を審査し、審査が終わった日の属する月の翌月の原則として末日までに公費負担医療等担当機関に対して報酬(別表左欄に掲げる公費負担医療等の費用に関して公費負担医療等担当機関に支払うべき費用をいう。以下同じ。)の支払いを完了するものとする。
第3条　乙は、第2条に規定する審査が終了したときは、甲に対して所定の書類を添えて、請求の審査が終わった日の属する月の翌月の原則として○○日までに公費負担医療等担当機関に対する報酬の払込みを請求するものとする。
2　前項の請求を受けた甲は、審査が終了した日の属する月の翌月の原則として○○日までに当該報酬の支払いに要する額を乙に払い込まなければならないものとする。

　　(第3条に代えて次の条文を定めることができる。)
　第3条　甲は、別表1左欄第○項、第○項及び第○項の費用に関し、乙の請求に基づいて第2条の規定に基づいて公費負担医療等担当機関に支払う報酬の概ね1か月半分に相当すると認められる額を、審査が終わった日の属する月の原則として○日までに乙に対して概算交付を行うものとする。
　第4条　乙は、第2条の規定によって支払いを完了したときは、審査が終わった日の属する月の翌月の原則として○日まで精算書のほか所定の書類を作成し、甲へ送付し、精算を完了するものとする。

第4条　乙は、別表1左欄に掲げる公費負担医療等に関する費用の審査を終了したときは、審査の終了した日の属する月の翌月の原則として○日までに所定の書類を添えて○○都(道府県)知事(別表1左欄第9項に掲げる費用については、市町村長とする。次項及び次条において同じ。)に審査結果について報告するものとする。
2　○○都(道府県)知事が前項の規定により乙より報告を受けたときは、審査結果を検討して報酬の額の決定を行った上、その月の原則として○日までに乙に通知するものとする。
第5条　○○都(道府県)知事が前条第1項の規定によって決定を行った結果乙が公費負担医療等担当機関に対して支払った報酬に過誤を生じたときは、その過誤額は、乙が翌月以降において整理を行うものとする。
第6条　甲は、乙の審査及び支払事務の執行に要する費用に充てるため、審査した請求明細書(これに相当する電子情報又は記録事項を含む。)1件につき95円を乗じて得た額を審査が終わった日の属する月の翌月の原則として○○日までに乙に支払うものとする。

　　ただし、別表1第1項及び第3項に掲げる費用については、報酬の審査を委託する都道府県知事と支払を委託する同表第1項及び第3項中欄ロに掲げる市町村長が各々半額ずつ支払うものとする。

第7条　甲は、乙に対して、帳簿書類の閲覧及び説明を求め、並びに報告を徴することができる。
第8条　この契約の当事者のいずれか一方においてこの契約による義務を履行せず、事業遂行に著しく支障を来し、又は来すおそれがあると認めるときは、対応する相手方は、3か月間の予告期間をもって、この契約を解除することができる。
第9条　この契約の有効期間は平成12年4月1日から平成13年3月31日までとする。
第10条　この契約の有効期間の終了1か月前までに、契約当事者のいずれか一方より何らかの意思表示をしないときは、終期の翌日において向こう1か年間順次契約を更新したものとみなす。
　以上の契約の確定を証するため、本書2通を作成し、双方署名押印のうえ各1通を所持するものとする。
　なお、○○都（道府県）知事は、別表2、別表3、別表4及び別表5に掲げる市町村長から、本契約に関する委任を受けているものであること。

　　　平成　年　月　日
　　　　　　　　○○都（道府県）知事　　　　氏　　名　　印
　　　　　　　　○○都（道府県）国民健康保険団体連合会
　　　　　　　　　　　　　　理事長　　　　氏　　名　　印

別表1（第1条関係）

公費負担医療等の種類	委託を行う者	委託事務の範囲
1　障害者の日常生活及び社会生活を総合的に支援するための法律（平成17年法律第123号）第58条第1項の自立支援医療の給付（障害者の日常生活及び社会生活を総合的に支援するための法律施行令（平成18年政令第10号）第1条第2号に規定する更正医療に係るものに限る。）	イ　都道府県知事 ロ　指定都市及び中核市を除く市町村長（特別区の区長を含む。以下同じ。）	イにあっては、報酬の審査とし、ロにあっては、報酬の支払とする。
2　障害者の日常生活及び社会生活を総合的に支援するための法律第58条第1項の自立支援医療の給付（障害者の日常生活及び社会生活を総合的に支援するための法律施行令第1条第3号に規定する精神通院医療に係るものに限る。）	都道府県知事	報酬の審査及び支払

3　生活保護法（昭和25年法律第144号）第15条の2（中国残留邦人等の円滑な帰国の促進並びに永住帰国した中国残留邦人等及び特定配偶者の自立の支援に関する法律（平成6年法律第30号）第14条第4項（中国残留邦人等の円滑な帰国の促進及び永住帰国後の自立の支援に関する法律の一部を改正する法律（平成19年法律第127号）附則第4条第2項において準用する場合を含む。）においてその例による場合を含む。）の介護扶助又は介護支援給付	イ　都道府県知事 ロ　指定都市・中核市を除く福祉事務所設置市町村長	イにあっては、ロに掲げる市町村長以外の市町村に係る報酬の審査及び支払とし、ロにあっては、報酬の支払とする。
4　感染症の予防及び感染症の患者に対する医療に関する法律（平成10年法律第114号）第37条の2第1項の規定により費用の負担が行われる医療に関する給付	イ　都道府県知事 ロ　指定都市・中核市を除く保健所設置市長	イにあっては、ロに掲げる市以外の市町村に係る報酬の審査及び支払とし、ロにあっては、報酬の審査及び支払とする。
5　難病の患者に対する医療等に関する法律（平成26年法律第50号）第5条第1項の特定医療費の支給	都道府県知事	報酬の審査及び支払
6　昭和48年4月17日衛発第242号厚生省公衆衛生局長通知「特定疾患治療研究事業について」による治療研究に係る医療の給付	都道府県知事	報酬の審査及び支払
7　平成元年7月24日健医発第896号厚生省保健医療局長通知「先天性血液凝固因子障害等治療研究事業について」による治	都道府県知事	報酬の審査及び支払

	療研究に係る医療の給付	
8　平成12年3月17日健医発第475号厚生省保健医療局長通知「原爆被爆者の訪問介護利用者負担に対する助成事業について」による介護の給付	都道府県知事	報酬の審査及び支払
9　平成12年3月17日健医発第476号厚生省保健医療局長通知「原爆被爆者の介護保険等利用者負担に対する助成事業について」による介護の給付	都道府県知事	報酬の審査及び支払
10　介護給付費及び公費負担医療等に関する費用等の請求に関する省令第1条第2項第6号の規定に基づき厚生労働大臣が定める医療又は介護に関する給付（平成12年厚生省告示第56号）第8号において厚生労働大臣が定める指定訪問介護に係る介護の給付	市町村長	報酬の審査及び支払

別表2　（指定都市・中核市を除く市町村長（特別区の区長を含む。））
　　　○○市長
　　　○○町長
　　　○○村長

別表3　（指定都市・中核市を除く福祉事務所設置市町村長（特別区の区長を含む。））
　　　○○市長
　　　○○町長
　　　○○村長

別表4　（指定都市・中核市を除く保健所設置市長（特別区の区長を含む。））
　　　○○市長
　　　○○市長

別表5 　　（市町村長（特別区の区長を含む。））
　　　○○市長
　　　○○町長
　　　○○村長

別紙2
　　　　覚　書　例
　平成　　年　　月　　日付をもって○○都（道府県）知事並びに別表2、別表3、別表4及び別表5に掲げる市町村長（以下「甲」という。）と国民健康保険団体連合会（以下「乙」という。）との間において締結した報酬の審査及び支払事務に関する契約の実施に関し次のとおり覚書を交換し、相互にこれを遵守するものとする。
　　　　　　　　　　　　　　　　記
　乙は、契約書第2条の規定による審査が終了したときは、介護給付費等請求額通知書（様式第1号）及び介護予防・日常生活支援総合事業費等請求額通知書（様式第1号の2）並びに介護給付費公費受給者別一覧表（様式第2号）及び介護予防・日常生活支援総合事業費公費受給者別一覧表（様式第2号の2）を作成して甲（契約書別表2及び別表3に掲げる市町村長を除く。）に提出するものとする。
　　　平成　　年　　月　　日
　　　　　　　○○都（道府県）知事　　　　氏　名　　　　　　　　印
　　　　　　　○○都（道府県）国民健康保険団体連合会
　　　　　　　　　　　　　　　　理事長　　氏　名　　　　　　　　印

公費負担医療等に関する費用に関する審査支払に係る委託契約について

様式第1

国保連合会→公費負担者

介護給付費等請求額通知書（公費負担者分）

年　月　審査分

公費負担者番号		
公費負担者名		

款	項	種　類	通常分				再審査・過誤			負担額	公費分本人負担額
			件数	実日数	公費対象単位数	公費対象金額	件　数	公費対象単位数	公費対象調整額		
合　計											
累　計											

	請求額	累計
審査支払手数料		

年　月　日　貫

Ⅱ 生活保護法関係通知 第5章 介護扶助運営要領

様式第1号の2
国保連合会→公費負担者

介護予防・日常生活支援総合事業費等請求額通知書（公費負担者分）

平成 年 月 審査分

平成 年 月 日 頁

公費負担者番号
公費負担者名

種類	項	件数	実日数	通常分 公費対象単位数	公費対象金額	件数	再審査・過誤 公費対象単位数	公費対象調整額	負担額	公費分本人負担額
款										
合計										
累計										

審査支払手数料 | 請求額 | 累計

公費負担医療等に関する費用に関する審査支払に係る委託契約について

様式第2

国保連合会→公費負担者

介護給付費公費受給者別一覧表

年　月審査分　　　　　　　年　月　日

公費負担者番号										
公費負担者名										
受給者番号	サービス提供年月	事業所番号 事業所名	サービス種類名 サービス項目名	日数 回数	公費対象単位数	公費負担金額	公費分本人負担額	保険者番号 保険者名	被保険者番号	
合　計										

1283

Ⅱ 生活保護法関係通知 第5章 介護扶助運営要領

様式第2号の2
国保連合会→公費負担者

介護予防・日常生活支援総合事業費公費受給者別一覧表

平成 年 月審査分

平成 年 月 日

公費負担者番号									
公費負担者名									

受給者番号	サービス提供年月	事業所番号 事業所名	サービス種類名	サービス項目名	日数 回数	公費対象単位数	公費負担金額	公費分本人負担額	証記載保険者番号 保険者名	被保険者番号 者番号

合計

公費負担医療等に関する費用に関する審査支払に係る委託契約について

別紙3

契約書

　原子爆弾被爆者に対する援護に関する法律の規定による被爆者一般疾病医療機関が厚生大臣に提出する介護給付費請求書の内容の審査事務及び一般疾病医療費に相当する額の支払い事務に関し、厚生大臣（以下「甲」という。）と○○県国民健康保険団体連合会（以下「乙」という。）との間に、次のとおり、契約を締結する。

　なお、本契約での審査支払い対象となる介護サービス及びその額については、別紙によるものとする。

第1条　乙は、甲の申請に応じ、被爆者一般疾病医療機関（以下「医療機関」という。）に対して支払うべき一般疾病医療費に相当する額の内容の審査及び支払いに関する事務を引き受けるものとする。

第2条　乙は、医療機関から所定の期日までに提出された介護給付費請求書についてその内容を審査し、審査した月の翌月の10日までに、所定の書類を添えて、審査結果の報告を甲にするものとする。

第3条　乙は、前条の規定による審査を終了したときは、医療機関に対して支払うべき一般疾病医療費に相当する額の支払を甲に請求し、甲は、前条の規定により報告を受けた審査結果を検討して、一般疾病医療費に相当する額の決定を行ったうえ、乙に通知するとともに、その月の20日までにその額の支払を乙にするものとする。

第4条　乙は、前条の規定により甲より一般疾病医療費に相当する額の支払を受けたときは、その月の末日までに医療機関に対してその額の支払を完了するものとする。

第5条　甲が第3条の規定により決定を行った後、乙が医療機関に支払った一般疾病医療費に相当する額に過誤を生じたときは、その過誤額は、乙が翌月以降において整理を行うものとする。

第6条　甲は、乙の審査及び支払事務の執行に要する費用に充てるため、乙が、審査した介護給付費明細書（これに相当する電子情報又は記録事項を含む。）1件につき95円（うち消費税額4円52銭）を乗じて得た金額を審査した月の翌月20日までに、乙に支払うものとする。

第7条　甲は、乙の関係帳簿書類を閲覧し、または乙の職員に対して必要な説明を求め、もしくは報告を徴することができるものとする。

第8条　この契約の当事者の一方において、相手方がこの契約による義務を履行しないためその業務の遂行に著しい支障をきたし、またはきたす恐れがあると認めるときは、相手方は、この契約を解除することができるものとする。

第9条　この契約の有効期間は、平成12年4月1日から平成13年3月31日までとする。

第10条　この契約の有効期間満了前1月までに契約当事者のいずれか一方から契約更新に関する意思表示をしないときは、この契約は、その有効期間満了の後引き続き順次契約を更新されるものとする。

　上記契約の確実を証するため契約書2通を作成し、双方署名押印の上、各1通を所持するものとする。

Ⅱ　生活保護法関係通知　第５章　介護扶助運営要領

平成12年　　月　　日

　　　　　　　　　　　　　　　厚　生　大　臣　　丹　羽　雄　哉　　印
　　　　　　　　　　　　　　　〇〇〇県国民健康保険団体連合会
　　　　　　　　　　　　　　　　　　理事長　　　　　　　　　　　印

（別紙）
　　　　　一般疾病医療費の審査支払い対象となる介護サービス及びその額
１　原爆被爆者が介護保険法第40条第１号に掲げる居宅介護サービス費の支給に係る以下の指定居宅サービスを受けた場合に、当該原爆被爆者が当該指定居宅サービスについてなお負担すべき額
　（居宅介護サービス費用基準額の100分の10に相当する額）
　(1)　訪問看護
　(2)　訪問リハビリテーション
　(3)　通所リハビリテーション
　(4)　短期入所療養介護
　(5)　居宅療養管理指導
２　原爆被爆者が介護保険法第40条第９号に掲げる施設介護サービス費の支給に係る以下の指定施設サービス等を受けた場合に、当該原爆被爆者が当該指定施設サービス等についてなお負担すべき額
　（施設サービス費用基準額から施設介護サービス費を控除して得た額）
　(1)　介護老人保健施設サービス
　(2)　指定介護療養医療施設サービス
　(3)　介護医療院サービス
３　原爆被爆者が介護保険法第52条第１号に掲げる介護予防サービス費の支給に係る以下の指定介護予防サービスを受けた場合に、当該原爆被爆者が当該指定介護予防サービスについてなお負担すべき額
　（介護予防サービス費用基準額の100分の10に相当する額）
　(1)　介護予防訪問看護
　(2)　介護予防訪問リハビリテーション
　(3)　介護予防通所リハビリテーション
　(4)　介護予防短期入所療養介護
　(5)　介護予防居宅療養管理指導

公費負担医療等に関する費用に関する審査支払に係る委託契約について

覚 書

　平成　年　月　日付をもって、厚生大臣（以下「甲」という。）と○○県国民健康保険団体連合会（以下「乙」という。）との間において締結した審査及び支払事務に関する契約の実施に関し、次のとおり覚書を交換し、相互にこれを遵守するものとする。

記

　乙は、契約書第2条の規定による審査が終了したときは、介護給付費等請求額通知書（様式第1号）及び介護給付費公費受給者別一覧表（様式第2号）を作成して甲に提出するものとする。

　平成　年　月　日
　　　　　　　　　厚　生　大　臣　　　　　　　　　　　　印
　　　　　　　　　○○都（道府県）国民健康保険団体連合会
　　　　　　　　　　　　　　理事長　　　　　　　　　　　印

また、『石綿による健康被害の救済に関する法律』の施行に伴い、石綿健康被害救済制度による審査支払契約についても平成18年6月20日付国保中発第283号にて「石綿による健康被害の救済に関する法律による医療費の支給にかかる審査支払契約の締結等について」が独立行政法人環境再生保全機構（以下、「環境再生保全機構」という。）より国保中央会へ提供された。各連合会は、環境再生保全機構との契約締結を行うこととなる。

介護給付費併用分契約書例
　　　　契約書
　石綿による健康被害の救済に関する法律（以下「法」という。）の規定による介護老人保健施設等が、独立行政法人環境再生保全機構理事長に提出する介護給付費請求書の内容の審査事務及び医療費に相当する額の支払事務に関し、独立行政法人環境再生保全機構（以下「甲」という。）と○○○国民健康保険団体連合会（以下「乙」という。）との間に次のとおり契約を締結する。
　なお、本契約での審査支払い対象となる介護サービス及びその額については、別紙によるものとする。
第1条　乙は、甲の要請に応じ、環境省関係石綿による健康被害の救済に関する法律施行規則第10条第4号に規定する介護老人保健施設及び指定介護療養型医療施設並びに第5号に規定する指定居宅サービス事業者及び指定介護予防サービス事業者（以下「介護老人保健施設等」という。）に対して支払うべき法第12条に規定する医療費（以下「医療費」という。）に相当する額の内容の審査及び支払に関する事務を引き受けるものとする。
第2条　乙は、介護老人保健施設等から所定の期日までに提出された介護給付費請求書についてその内容を審査し、審査した月の翌月の10日までに、所定の書類を添えて、審査結果の報告を甲にするものとする。
第3条　乙は、前条の規定による審査を終了したときは、介護老人保健施設等に対して支払うべき医療費に相当する額の支払を甲に請求し、甲は前条の規定により報告を受けた審査結果を検討して医療費に相当する額の決定を行ったうえ乙に通知するとともに審査した月の翌月の20日までにその額の支払を乙にするものとする。
第4条　乙は、前条の規定により甲より医療費に相当する額の支払を受けたときは、その月の末日までに介護老人保健施設等に対してその額の支払を完了するものとする。
第5条　甲が第3条の規定により決定を行った後、乙が介護老人保健施設等に対して支払った医療費に相当する額に過誤を生じたときは、その過誤額は、乙が翌月以降において整理を行うものとする。
第6条　甲は、乙の審査及び支払事務の執行に要する費用に充てるため、乙が審査した介護給付費明細書（これに相当する電子情報又は記録事項を含む。）1件につき95円を乗じて得た金額を審査した月の翌月の20日までに、乙に支払うものとする。
第7条　甲は、乙の関係帳簿書類を閲覧し、又は乙の職員に対して必要な説明を求め、若

しくは報告を徴することができるものとする。
第8条　乙は、第1条に規定する業務の範囲で個人情報（特定の個人を識別できる情報をいう。）を取得する場合には、甲の指示に従うものとする。
2　乙は、この契約の履行により取得した個人情報を第三者に提供し、開示し、又は漏えいしてはならない。
3　乙は、この契約の履行により取得した個人情報については、この契約の目的の範囲内でのみ使用し、複製又は改変が必要な場合には、事前に甲から書面による確認を得るものとする。
4　乙は、この契約の履行により取得した個人情報については、当該個人情報の管理に必要な措置を講ずるものとし、必要な措置の細目について、事前に甲から書面による確認を得るものとする。
5　乙は、個人情報の漏えい等の事案が発生した場合には速やかに甲に報告し、甲の指示に従うものとする。
6　この契約が終了したときは、乙は速やかに当該個人情報を復元又は判読が不可能な方法により確実に廃棄し、その旨を書面により甲に報告するものとする。
第9条　この契約の当事者のいずれか一方が、この契約による義務を履行せず、事業の進行に著しく支障を来し、又は来すおそれがあると認めるときは、相手方は、3か月の予告期間を設けて、この契約を解除することができる。
第10条　この契約の有効期間は、平成18年　月　日から、平成19年3月31日までとする。
第11条　この契約の有効期間の終了1か月前までに、契約当事者のいずれか一方より何らの意思表示をしないときは、終期の翌日において向う1か年間順次契約を更新したものとみなす。

　　　　上記契約の確実を証するため、本書2通を作成し、双方署名押印のうえ、各1通を所持するものとする。

平成　年　月　日
　　　　　　　　　　甲
　　　　　　　　　　　独立行政法人環境再生保全機構
　　　　　　　　　　　　理事長

　　　　　　　　　　乙
　　　　　　　　　　　〇〇〇国民健康保険団体連合会
　　　　　　　　　　　　理事長

別紙
　　　　石綿による健康被害の救済に関する法律第12条に規定する医療費の審査支
　　　　払い対象となる介護サービス及びその額
1　被認定者が介護保険法第40条第1号に掲げる居宅介護サービス費の支給に係る以下の指定居宅サービスを受けた場合に、当該被認定者が当該指定居宅サービスについてなお負担すべき額
　（居宅介護サービス費用基準額の100分の10に相当する額）
　(1)　訪問看護
　(2)　訪問リハビリテーション
　(3)　通所リハビリテーション
　(4)　短期入所療養介護
　(5)　居宅療養管理指導
2　被認定者が介護保険法第40条第9号に掲げる施設介護サービス費の支給に係る以下の指定施設サービス等を受けた場合に、当該被認定者が当該指定施設サービス等についてなお負担すべき額
　（施設サービス費用基準額から施設介護サービス費を控除して得た額）
　(1)　介護保健施設サービス（緊急時施設療養費に限る）
　(2)　介護療養施設サービス
3　被認定者が介護保険法第52条第1号に掲げる介護予防サービス費の支給に係る以下の指定介護予防サービスを受けた場合に、当該被認定者が当該指定介護予防サービスについてなお負担すべき額
　（介護予防サービス費用基準額の100分の10に相当する額）
　(1)　介護予防訪問看護
　(2)　介護予防訪問リハビリテーション
　(3)　介護予防通所リハビリテーション
　(4)　介護予防短期入所療養介護
　(5)　介護予防居宅療養管理指導

介護給付費併用分覚書例

　　　覚書

　平成　年　月　日付をもって独立行政法人環境再生保全機構理事長（以下「甲」という。）及び○○○国民健康保険団体連合会理事長（以下「乙」という。）との間において締結した審査及び支払事務に関する契約の実施に関し、次のとおり覚書を交換し、相互にこれを遵守するものとする。

　　　　　　　　　　　　　記

　乙は、契約書第2条の規定による審査が終了したときは、次の書類を作成して甲に提出するものとする。
　　1　介護給付費審査支払手数料請求書（別紙様式4）
　　2　介護給付費等請求額通知書（公費負担者分）（別紙様式5）
　　3　介護給付費公費受給者別一覧表（別紙様式6）

平成　年　月　日

　　　　　　　　甲
　　　　　　　　　独立行政法人環境再生保全機構
　　　　　　　　　　理事長
　　　　　　　　乙
　　　　　　　　　○○○国民健康保険団体連合会
　　　　　　　　　　理事長

Ⅱ 生活保護法関係通知 第5章 介護扶助運営要領

様式4

請　求　書

<u>金　　　　　　　　　　　円</u>

　ただし、平成18年　　月分、石綿による健康被害の救済に関する法律に基づく介護給付費及び審査支払手数料

区　分	件　　数	金　　額	摘　要
介護給付費			
手　数　料			

上記のとおり請求します。
　平成　年　月　日

　　　　　　　　　　　　　　　　　　　　　　○○○国民健康保険団体連合会
　　　　　　　　　　　　　　　　　　　　　　　理事長

独立行政法人環境再生保全機構
　理事長　　　　　　殿

銀　行	支　店　名	種別	口座番号	口座名義

公費負担医療等に関する費用に関する審査支払に係る委託契約について

様式5

国保連合会 → 公費負担者

介護給付費等請求額通知書（公費負担者分）
　　　　　年　月　日　審査分

公費負担番号	6614101			
公費負担者	独立行政法人環境再生保全機構			

款	項			

種類	通常分				再審査・過誤			XXXX国民健康保険団体連合会 年 月 日 負担額	
	件数	実日数	公費対象単位数	公費対象金額	件数	公費対象単位数	公費対象調整額	負担額	公費分本人負担額
高額介護サービス費									
合計									
累計									

請求額	
審査支払手数料	
累計	

Ⅱ 生活保護法関係通知 第5章 介護扶助運営要領

様式6

国保連合会 → 公費負担者

介護給付費公費受給者別一覧表

年 月審査分

XXXX国民健康保険団体連合会

年 月 日 頁

公費負担者番号	66141011				
公費負担者名	独立行政法人環境再生保全機構				

受給者番号	サービス提供年月	サービス種類名	事業所番号	事業所名	サービス項目名	日数回数	公費対象単位数	公費負担金額	公費分本人負担額	保険者番号	保険者名	被保険者番号
合計												

被保護者異動連絡票及び被保護者異動訂正連絡票に係る記載要領について

○生活保護法の規定により国保連に対し介護報酬の支払等について委託する場合における被保護者異動連絡票及び被保護者異動訂正連絡票に係る記載要領について

(平成12年4月28日　社援保第27号)
(各都道府県知事・各指定都市市長・各中核市市長宛)
(厚生省社会・援護局保護課長通知)

〔改正経過〕

第1次改正	平成13年12月27日社援発第62号	第2次改正	平成18年3月31日社援発第0331002号
第3次改正	平成27年3月31日社援発0331第10号	第4次改正	平成28年3月31日社援発0331第14号
第5次改正	平成29年3月31日社援発0331第8号	第6次改正	平成30年3月30日社援発0330第11号

　　注　本通知は、平成13年3月27日社援保発第19号により、地方自治法第245条の9第1項及び第3項の規定に基づく処理基準とされている。

　今般、被保護者異動連絡票及び被保護者異動訂正連絡票の留意事項及び記載要領を下記の通り定めたので、介護扶助の取り扱いに遺憾のないよう関係機関に周知徹底を図られたい。

記

1　作成及び送付について
　(1)　被保護者異動連絡票
　　ア　40歳以上65歳未満の要介護又は要支援の状態にある被保険者ではない被保護者に係る介護報酬の審査・支払業務について国民健康保険団体連合会（以下「国保連」という。）に委託するときに発行する被保護者異動連絡票（以下「異動連絡票」という。）は、異動（月中途において要介護状態等区分の変更を申請し、当該申請月内に判定結果が得られない場合における当該申請を含む。以下同じ。）があった日の属する月の翌月の3日までに国保連に到着するよう送付すること。
　　イ　異動連絡票は、2の(8)の異動区分に応じ、別表に示す事項を記載すること。
　　ウ　同一月内に2回以上の異動があった場合においては、同一の項目について2回以上の異動がない限り、これらの異動による変更内容を1枚の異動連絡票に記入すること。
　　　　この場合において、異動年月日は、当該月における最初の異動年月日を記載すること。
　　エ　同一月内に、同一の項目について2回以上異動がある場合には、それぞれの異動ごとに異動連絡票を作成すること。
　(2)　被保護者異動訂正連絡票
　　ア　異動連絡票の記載に誤りがあった場合に発行する被保護者異動訂正連絡票（以下「訂正連絡票」という。）は、訂正を行った日の属する月の翌月の3日までに、国保連へ送付すること。

イ　訂正連絡票には、「公費負担者番号」、「福祉事務所名」、「担当者」、「証記載保険者番号」、「被保険者番号」、「異動年月日」、「訂正区分」、「訂正年月日」及び「広域連合（政令市）保険者番号」（別表の（注３）の場合に限る。）を記載するほか、修正又は削除する項目について記載すること。
　　ウ　同一の被保護者に係る複数の異動連絡票について記載の誤りがあった場合には、それぞれの異動連絡票について、訂正連絡票を作成すること。
２　各記載事項
　(1)　公費負担者番号
　　異動連絡票又は訂正連絡票（以下「連絡票」という。）を発行する福祉事務所について、介護券における公費負担者番号と同じ８桁の番号を記載すること。
　(2)　福祉事務所名
　　連絡票を発行する福祉事務所名を記載すること。
　(3)　担当者
　　連絡票を送付する事務取扱責任者（介護扶助事務担当者）を記載し、押印すること。
　(4)　証記載保険者番号
　　ア　在宅サービスの受給者については、居住地の市町村の介護保険保険者番号を記入すること。ただし、被保護者が広域連合の構成市町村に居住する場合又は政令市に居住する場合には、広域連合の構成市町村の市町村番号又は政令市の行政区番号を記載すること。
　　イ　介護保険施設に入所中の者については、入所前の居住地又は現在地の市町村について、アの例により記載すること。
　(5)　被保険者番号
　　介護券に記載する被保険者番号を記載すること。
　　なお、被保険者番号の取り扱いについては、「生活保護法による介護券の記載要領及び留意点について」（平成12年３月13日社援保第11号）の２の例によること。
　(6)　年号
　　該当する元号を記載すること。
　(7)　異動年月日
　　受給者について異動の生じた日付を記載すること。
　(8)　異動区分（異動連絡票の場合）
　　異動区分は次によることとし、該当する番号を○で囲むこと。
　　ア　新規
　　　介護扶助を開始した場合をいう。
　　　ただし、広域連合又は福祉事務所を複数設置する市の区域内における転居により、保護の実施機関が替わったことに伴う介護扶助の開始を除く。
　　イ　変更
　　　ア及びウに該当する場合を除き、異動連絡票に記載する事項に変更を生じた場合をいう。

ウ　終了

　　介護扶助を廃止した場合又は介護保険の被保険者資格を取得した場合をいう。
　　ただし、広域連合の管内における転居により保護の実施機関が替わったことに伴う廃止を除く。

(9)　訂正区分（異動訂正連絡票の場合）

エ　修正

　　異動連絡票に記載した事項に誤りがあり、これを修正する場合をいう。

オ　削除

　　異動連絡票に記載した事項に誤りがあり、これを抹消する場合をいう。

(10)　異動事由

　　次の区分により、該当する番号を記載すること。
　　01：資格取得（(8)の新規の場合をいう。）　02：資格喪失（(8)の終了の場合をいう。）　03：広域連合の管内における市町村間異動又は政令市における区間異動　04：合併による新規　99：その他異動

(11)　被保護者氏名（カナ）

　　被保護者の姓名をカタカナで左詰めに記載すること。また、濁点や半濁点は1マスを使い、姓と名の間は1マスあけること。

(12)　生年月日

　　生まれた日付を記載すること。

(13)　性別

　　該当する番号を○で囲むこと。

［資格］

(14)　資格取得年月日及び資格喪失年月日

　　(10)の資格取得又は資格喪失の日付を記載すること。

［要介護認定等］

(15)　みなし区分

　　「1」と記載すること。

(16)　要介護状態等区分

　　該当する要介護等の状態区分の番号を記載すること。

　　　01：非該当　　12：要支援1　　13：要支援2　　21：要介護1
　　　22：要介護2　23：要介護3　　24：要介護4　　25：要介護5

(17)　有効期間開始年月日及び有効期間終了年月日

　　市町村等に委託した要介護状態等の審査判定結果の有効期間開始年月日及び有効期間終了年月日を記載すること。ただし、「有効期間開始年月日」は、(14)の「資格取得年月日」以降の日付とすること。
　　なお、第2号被保険者である要介護被保険者から介護扶助の申請があった場合で、介護保険による要介護認定等結果及び有効期間に基づき介護扶助の決定を行ったこと

により介護保険の被保険者資格を喪失したときは、「有効期間開始年月日」には介護扶助の開始日を記載し、「有効期間終了年月日」には当該要介護認定等有効期間終了年月日を記載すること。
(18) 公費負担上限額減額
「2」と記載すること。
［居宅サービス計画（介護予防サービス計画・介護予防ケアマネジメント）届出］
(19) 計画作成区分
要介護者の場合は「1」を、要支援者の場合は「3」を記載すること。
(20) 居宅介護支援事業所等番号
要介護者の場合は、居宅介護支援計画を作成した居宅介護支援事業所、小規模多機能型居宅介護事業所（短期利用を除く。）又は看護小規模多機能型居宅介護事業所（短期利用を除く。）の事業所番号を、要支援者の場合は、介護予防支援計画を作成した介護予防支援事業所又は介護予防小規模多機能型居宅介護事業所（短期利用を除く。）の事業所番号を記載すること。
(21) 適用開始年月日及び適用終了年月日
(17)の「有効期間開始年月日」及び(17)の「有効期間終了年月日」を記載すること。
［支給限度額］
(22) 支給限度基準額
介護保険による要介護状態等区分別の支給限度基準額に相当する点数又は日数を記載すること。
(23) 上限管理適用開始年月日及び上限管理適用終了年月日
居宅介護サービス（訪問介護、訪問入浴介護、訪問看護、訪問リハビリテーション、通所介護、通所リハビリテーション、短期入所生活介護、短期入所療養介護、特定施設入居者生活介護（短期利用に限る。）、福祉用具貸与、定期巡回・随時対応型訪問介護看護、夜間対応型訪問介護、地域密着型通所介護、認知症対応型通所介護、小規模多機能型居宅介護、認知症対応型共同生活介護（短期利用に限る。）、地域密着型特定施設入居者生活介護（短期利用に限る。）、看護小規模多機能型居宅介護をいう。）、介護予防サービス（介護予防訪問介護、介護予防訪問入浴介護、介護予防訪問看護、介護予防訪問リハビリテーション、介護予防通所介護、介護予防通所リハビリテーション、介護予防短期入所生活介護、介護予防短期入所療養介護、介護予防福祉用具貸与、介護予防認知症対応型通所介護、介護予防小規模多機能型居宅介護、介護予防認知症対応型生活介護（短期利用に限る。）をいう。）及び介護予防・日常生活支援総合事業のサービス（訪問型サービス（みなし）、訪問型サービス（独自）、訪問型サービス（独自／定率）、訪問型サービス（独自／定額）、通所型サービス（みなし）、通所型サービス（独自）、通所型サービス（独自／定率）、通所型サービス（独自／定額）、その他の生活支援サービス（配食／定率）、その他の生活支援サービス（配食／定額）、その他の生活支援サービス（見守り／定率）、その他の生活支援サービス（見守り／定額）、その他の生活支援サービス（その他／定率）、その他の生活支

援サービス（その他／定額））については、「上限管理適用開始年月日」には⑰の「有効期間開始年月日」の属する月の初日を、「上限管理適用期間終了年月日」には⑰の「有効期間終了年月日」を記載すること。

　ただし、前回の要介護認定等の終了年月日以前に、月中途に要介護状態等区分が変更される場合（変更申請及び職権による変更に限り、かつ、旧訪問通所系サービスについては、前回よりも下がる場合に限る。）には、「上限管理適用開始年月日」には⑰の「有効期間開始年月日」の属する月の翌月の初日を、「上限管理適用期間終了年月日」に⑰の「有効期間終了年月日」を記載すること。

［申請情報］
⑷ 申請種別
　　［要介護認定等］の有効期間の項目に異動があった場合、該当する申請等の種別の番号を記載すること。
　　1：新規申請　　2：更新申請　　3：変更申請　　4：職権
⑸ 変更申請中区分
　　「1」と記載すること。
　　ただし、被保護者が要介護状態区分の変更を申請し、当該申請月内に介護扶助の変更決定を行うことができない場合には、「2」を記載し、決定月には「3」を記載すること。
⑹ 申請年月日
　　被保護者が要介護状態等区分の変更を申請した日付を記載すること。
⑺ 広域連合（政令市）保険者番号
　　被保護者が広域連合（介護保険者の保険者であって、介護保険の保険者番号が付与されたものに限る。）の構成市町村に居住する場合又は政令市に居住する場合は、当該広域連合又は政令市の保険者番号を記載すること。なお、介護保険施設に入所中の者については、入所前の居住地又は現在地が上記の要件を満たす場合において、記載すること。
⑻ 住所地郵便番号
　　在宅サービスの受給者については、居住地の郵便番号を記入すること。介護施設に入所中の者については、施設所在地の郵便番号を記入すること。

Ⅱ　生活保護法関係通知　第5章　介護扶助運営要領

別　表

項目名	異動区分		
	新規	変更	終了
(1)　公　費　負　担　者　番　号	○	○	○
(2)　福　祉　事　務　所　名	○	○	○
(3)　担　　　　　当　　　　　者	○	○	○
(4)　証　記　載　保　険　者　番　号	○	○	○
(5)　被　保　険　者　番　号	○	○	○
(6)　異　　動　　年　　月　　日	○	○	○
(7)　異　　　動　　　区　　　分	○	○	○
(8)　異　　　動　　　事　　　由	○	○	○
(9)　被　保　護　者　氏　名（カナ）	○		
(10)　生　　　年　　　月　　　日	○		
(11)　性　　　　　　　　　　　別	○		
(12)　資　格　取　得　年　月　日	○		
(13)　資　格　喪　失　年　月　日			○
(14)　み　　　な　　　し　　　区　　　分	○		
(15)　要　介　護　状　態　等　区　分	○		
(16)　有　効　期　間　開　始　年　月　日	○		
(17)　有　効　期　間　終　了　年　月　日	○		
(18)　公　費　負　担　上　限　額　減　額	○		
(19)　計　　画　　作　　成　　区　　分	△		
(20)　居　宅　介　護　支　援　事　業　所　等　番　号	△		
(21)　適　　用　　開　　始　　年　　月　　日	△		
(22)　適　　用　　終　　了　　年　　月　　日	△		
(23)　支　　給　　限　　度　　基　　準　　額	○		
(24)　上　限　管　理　適　用　開　始　年　月　日	○		
(25)　上　限　管　理　適　用　終　了　年　月　日	○		
(26)　申　　　請　　　種　　　別	○		
(27)　変　　更　　申　　請　　中　　区　　分	○		
(28)　申　　　請　　　年　　　月　　　日	○		
(29)　広　域　連　合（政　令　市）保　険　者　番　号	△	△	△
(30)　住　所　地　郵　便　番　号	□	□	□

(注1)　○は必須項目、△は以下の条件で必須項目、□は努力義務。

(注2)　居宅介護又は介護予防を利用する受給者の場合、新規区分において、「計画作成区分」、「居宅介護支援事業所等番号」、「適用開始年月日」及び「適用終了年月日」は必須項目となる。

(注3)　被保護者が広域連合（介護保険の保険者であって、介護保険の保険者番号が付与されたものに限る。）の構成市町村に居住する場合又は政令市に居住する場合（介護保険施設入所中の者については、入所前の居住地又は現在地がその要件を満たす場合）、新規、変更及び終了の区分それぞれにおいて、「広域連合（政令市）保険者番号」は必須項目となる。

〔参考〕

○介護保険の適用除外者に係る情報提供について

> 平成12年3月28日　障障第10号・社援保第12号
> 各都道府県・各指定都市・各中核市民生主管(部)局長宛
> 厚生省大臣官房障害保健福祉部障害福祉・社会・援護局保護課長連名通知

〔改正経過〕

　　第1次改正　令和元年5月8日社援保発0508第1号・障障発0508第1号

　平成12年4月1日より施行される介護保険法（平成9年法律第123号）においては、原則として65歳以上の者はその住所地の市町村の第1号被保険者となるものであるが、例外的に身体障害者療護施設その他の施設（以下「適用除外施設」という。）の入所者については、介護保険法施行法（平成9年法律第124号。以下「施行法」という。）第11条第1項及び介護保険法施行規則（平成11年厚生省令第36号。以下「施行規則」という。）第170条の規定により、当分の間、介護保険の被保険者とならないこととなる。

　したがって、各市町村の介護保険担当部局においては、保険料の適正な賦課等のために、当該市町村に住所を有する65歳以上の者であって、施行法第11条第1項及び施行規則第170条の規定により介護保険の被保険者とならないもの（以下「適用除外者」という。）を的確に把握する必要がある。

　しかしながら、この適用除外者に関する情報は、市町村の介護保険担当部局だけでその全てを把握することが困難であり、施設入所の措置等を行っている都道府県又は市町村の担当部局（以下「措置部局」という。）からの情報提供が必要となる場合がある。また、措置部局において、適用除外者に対し、介護保険の被保険者とならないこと等について周知をしていただく必要があると考えている。

　このため、貴職におかれては、下記に従って当該情報提供等について御協力をいただくとともに、管下の市町村及び適用除外施設に対し周知方お願いする。

　なお、40歳以上65歳未満の者については、当該者が加入している医療保険者において介護保険の第2号被保険者としての把握・管理を行う必要があるため、入所者に対し、医療保険者への届け出等が必要であること、当該届け出等についての照会は医療保険者に対して行うことの周知方お願いする。また、医療保険者から措置部局や適用除外施設に対して、入所者に係る照会等があった場合には、当該照会等に対して必要な協力をいただくとともに、管下の市町村及び適用除外施設に対し周知方お願いする。

　なお、本通知については厚生省介護保険制度施行準備室と協議済みであることを申し添える。

第1 適用除外者の範囲及び措置部局

　適用除外者は、施行法第11条第1項及び施行規則第170条により、以下のとおり規定されている。措置部局は、1については各市町村の障害者福祉担当部局、2及び3については各都道府県、指定都市又は中核市の障害者福祉担当部局、4及び6については各福祉事務所である（5については、本通知の対象外であり、別途関係局から通知される予定である）。

1　身体障害者福祉法（昭和24年法律第283号）第18条第4項第3号の規定により同法第30条に規定する身体障害者療護施設に入所しているもの
2　児童福祉法（昭和22年法律第164号）第43条の4に規定する重症心身障害児施設に入所しているもの
3　児童福祉法第27条第2項の厚生大臣が指定する医療機関（当該指定に係る治療等を行う病棟に限る。）に入院しているもの
4　心身障害者福祉協会法（昭和45年法律第44号）第17条第1項第1号に規定する福祉施設に入所しているもの
5　国立及び国立以外のハンセン病療養所に入所しているもの
6　生活保護法（昭和25年法律第144号）第38条第1項第1号に規定する救護施設に入所しているもの

第2 措置部局による適用除外者に係る情報の提供について

1　介護保険法施行前の当初の情報提供について

　措置部局は、平成12年4月1日現在で65歳以上である入所者について、以下の表に従い、①～⑦の情報を、表の情報提供先の市町村介護保険担当部局に提供するものとする。

情報提供先	情報提供時期
当該者の住所地	直ちに

① 氏名
② 生年月日
③ 性別
④ 住所
⑤ 適用除外施設の名称
⑥ 適用除外施設の所在地
⑦ 適用除外施設の種類

2　1の情報提供後、平成12年3月31日までの情報提供について

　措置部局は、1の情報提供を行った後、平成12年3月31日までの間に、4月1日時点で65歳以上であるものについて、以下の表の情報提供の契機が生じるごとに、①～⑧の情報を、表の情報提供先の市町村介護保険担当部局に提供するものとする。

介護保険の適用除外者に係る情報提供について

情報提供の契機	情報提供先	情報提供時期	⑧の情報提供の理由
(イ) 4月1日時点で65歳以上である者が施設に入所したとき	入所後の住所地	施設入所後、直ちに	入所
(ロ) 4月1日時点で65歳以上である者が施設を退所したとき	退所前の住所地	施設退所後、直ちに	退所
(ハ) 施設入所中に異なる市町村間で住所異動があったとき	異動先の住所地	住所異動後、直ちに	転入

※ 施設入所後に住所を施設所在地に異動する場合には、まず(イ)の情報提供をおこなったあと、改めて住所異動後に(ハ)の情報提供を行う。

　ただし、施設入所時点の住所と4月1日時点の住所が異なることが明らかな場合については、(イ)の情報提供を、入所時点の住所ではなく4月1日時点の住所（の予定地）のみに行うことも可能とする。

① 氏名
② 生年月日
③ 性別
④ 住所
⑤ 適用除外施設の名称
⑥ 適用除外施設の所在地
⑦ 適用除外施設の種類
⑧ 情報提供の理由

3　平成12年4月1日以降の情報提供について

　措置部局は、以下の表の情報提供の契機が生じるごとに、①〜⑨の情報を、表の情報提供先の市町村介護保険担当部局に提供するものとする。

情報提供の契機	情報提供先	情報提供時期	⑨の情報提供の理由
(イ) 65歳以上の者が施設に入所したとき	入所後の住所地	施設入所後、直ちに	入所

(ロ) 施設入所者が65歳に到達したとき	65歳到達時の住所地	65歳到達の1箇月前まで	65歳到達
(ハ) 適用除外者の施設入所中に異なる市町村間で住所異動があったとき	異動先の住所地	住所異動後、直ちに	転入
(ニ) 適用除外者が施設を退所したとき	退所前の住所地	施設退所後、直ちに	退所

※ 施設入所後に住所を施設所在地に異動する場合には、まず(イ)の情報提供をおこなったあと、改めて住所異動後に(ハ)の情報提供を行う。

① 氏名
② 生年月日
③ 性別
④ 住所
⑤ 適用除外施設の名称
⑥ 適用除外施設の所在地
⑦ 適用除外施設の種類
⑧ 入所、65歳到達、転入又は退所の年月日
⑨ 情報提供の理由

4 情報提供に使用する様式について
　市町村の介護保険担当部局への情報提供に際しては、原則として別紙1の様式を使用するものとする。

5 適用除外施設からの情報提供について
　適用除外者が異なる市町村間で住所異動をした場合については、措置部局だけでは情報を把握しきれない場合も想定されるので、適用除外施設は施設入所者の住民票の異動の状況を把握するよう努めるとともに、把握した場合には、措置部局に対して適切に情報提供を行うものとすること。

第3 適用除外者等に対する介護保険制度に関する説明等
1 適用除外者等に対する説明
　措置部局は、直接又は適用除外施設を通じ、適用除外者又は保護者に対して、以下の事項について説明を行うものとする。なお、必要に応じて、別紙2の説明書を活用されたい。
(1) 当該施設に入所している間は、介護保険法が適用されないため、介護保険の被保険者とはならず、介護保険料を納める必要がないこと。
(2) 65歳以上の者及び介護保険の被保険者証の交付を受けている40歳以上65歳未満の者については、当該施設に入所する場合に、施行規則第32条の規定に基づき、入所前の住所地市町村の介護保険担当部局に対し、入所の日から14日以内に被保険者資

格の喪失の届け出を行うことが必要であること。
(3) 65歳以上の者が当該施設を退所する場合（他の適用除外施設に入院又は入所する場合を除く）、施行規則第171条の規定に基づき、退所後の住所地市町村の介護保険担当部局に対し、退所の日から14日以内に介護保険の第１号被保険者の資格の取得の届け出を行うことが必要であること。
(4) 40歳以上65歳未満の者については、当該者が加入している医療保険者において介護保険の第２号被保険者としての把握・管理を行う必要があるため、医療保険者への届け出等が必要であること。当該届け出等についての照会は医療保険者に対して行うこと。
2 適用除外者の届け出に係る便宜
(1) 措置部局は、適用除外者の第３の１(2)の届け出について、適用除外施設に対し、届け出が必要であることの周知等必要な便宜を図るよう協力を依頼するものとする。
(2) 措置部局又は適用除外施設は、過去に適用除外施設に入所していたが住所地市町村の介護保険担当部局において適用除外者である旨を把握できていなかった者が、退所後、住所地市町村に対して過去適用除外者であったことを証明するための文書を求めてきたときには、入所期間等を明らかにした証明書（原則として別紙３の様式を使用）を当該者に対し交付するものとする。

別紙１

適用除外施設入所者情報連絡票

⑤適用除外施設の名称		⑦適用除外施設の種類	
⑥適用除外施設の所在地		電話番号	

①氏名	②生年月日	③性別	④住所	⑧情報提供理由発生年月日	⑨情報提供の理由※

※欄の記入例：施設入所、施設退所、転入、65歳到達

別紙2

介護保険における適用除外制度について

　介護保険制度においては、原則として40歳以上の方が被保険者となりますが、当施設（病棟）に入所されている方については、介護保険の被保険者とならないこととなっております。したがって、当施設（病棟）に入所されている65歳以上の方については、通常であれば支払うこととなる介護保険料を支払う必要がありません。ただし、当施設（病棟）に入所されている方についての情報を市町村が正しく把握していない場合には、誤って介護保険料が年金から天引きされてしまう等の問題が生ずることが考えられます。したがって、市町村が情報を正しく把握するために、当施設（病棟）に入所されている方におかれては、次の場合に必要な届け出を市町村に対して行う必要があります。

　まず、65歳以上の方が当施設（病棟）に入所される場合には、入所時に住民票がある市町村に対し、介護保険の適用を受けなくなった旨の届け出を行う法的な義務があります。なお、40歳以上65歳未満の方でも、介護保険の被保険者証の交付を既に受けておられる方については、この届け出を行う必要があります。

　また、65歳以上の方が当施設（病棟）を退所されるときにも、退所時に住民票がある市町村に対し、介護保険の適用を受けることとなった旨の届け出を行う法的な義務があります。この届け出をしない場合、退所後に必要な介護保険の給付が速やかに受けられない場合があります。

　なお、当施設（病棟）に入所されている方の住民票がある市町村に対する必要な情報提供は、当施設においても行うこととしております。つきましては、当施設（病棟）に入所中に住民票を移される場合には、その旨を教えて下さるよう、お願いいたします。

　その他、40歳以上65歳未満の方については、加入されている医療保険者において、介護保険の被保険者としての把握・管理を行うこととなっておりますので、加入されている医療保険者に対する届け出などが必要となります。この手続きについては、それぞれ加入されている医療保険者に照会いただくようお願いいたします。なお、当施設（病棟）に入所されている方について医療保険者から当施設に対して照会があった場合には原則としてそれに応ずることとしております。

　ご協力とご理解をお願いいたします。

別紙3

介護保険適用除外施設　入所証明書

令和　年　月　日

○○　○○　様

措置部局
又は
○○施設長

次の者が下記の施設に下記の期間入所していたことを証明します。

入所年月日	令和　　年　　月　　日
退所年月日	令和　　年　　月　　日

対象者	フリガナ			
	氏　名		生年月日	明・大・昭　年　月　日
			性　別	男　・　女

施設	名　称	
	所在地	〒
	電話番号	

○境界層該当者の取扱いについて

> 平成17年9月21日　社援保発第0921001号
> 各都道府県・各指定都市・各中核市民生主管部(局)長
> 宛　厚生労働省社会・援護局保護課長通知

〔改正経過〕

第1次改正	平成18年3月31日社援保発第0331002号	第2次改正	平成24年3月30日社援保発0330第7号
第3次改正	平成26年12月12日社援保発1212第1号	第4次改正	平成27年4月10日社援保発0410第1号
第5次改正	平成29年8月10日社援保発0810第2号	第6次改正	平成31年3月29日社援保発0329第2号
第7次改正	令和元年5月27日社援保発0527第1号	第8次改正	令和3年7月27日社援保発0727第1号
第9次改正	令和6年3月29日社援保発0329第5号		

　介護保険法施行令（平成10年政令第412号）第22条の2の2第7項第2号又は第8項の規定が適用される要保護者、同令第29条の2の2第7項第2号又は第8項の規定が適用される要保護者、同令第38条第1項第1号イ(2)若しくはニ、同項第2号ロ、同項第3号ロ、同項第4号ロ、同項第5号ロ、同項第6号ロ、同項第7号ロ、同項第8号ロ、同項第9号ロ、同項第10号ロ、同項第11号ロ若しくは同項第12号ロ又は同令第39条第1項第1号イ(2)若しくはニ、同項第2号ロ、同項第3号ロ、同項第4号ロ、同項第5号ロ、同項第6号ロ、同項第7号ロ、同項第8号ロ、同項第9号ロ、同項第10号ロ、同項第11号ロ、同項第12号ロ若しくは同項第13号ロの規定が適用される要保護者、介護保険法施行規則（平成11年厚生省令第36号）第83条の5第2号及び第97条の3第2号に掲げる要保護者、同規則第113条第4号に規定する要保護者及び同規則第172条の2において準用する同規則第83条の5第2号に掲げる要保護者（以下「境界層該当者」という。）の取扱いについては、今般、「介護保険制度における利用者負担等の事務処理の取扱いについて」（令和3年7月5日付け老介発0705第1号老健局介護保険計画課長通知）により都道府県及び市町村あて示されたところであるが、福祉事務所における具体的な取扱いを下記のとおり定め、平成17年10月1日より施行することとしたので、よろしくお取り計らい願いたい。

　なお、本通知は地方自治法（昭和22年法律第67号）第245条の9第1項及び第3項の規定に基づく処理基準とし、施行に伴い、「境界層該当者の取扱いについて」（平成12年7月14日社援保第44号各都道府県・指定都市・中核市民生主管部（局）長宛本職通知）は廃止する。

　また、本通知については、老健局介護保険計画課と協議済みであることを申し添える。

記

1　基本的な取扱い
　(1)　境界層該当者と境界層該当措置について
　　　以下の各号に掲げる者については、保険者により、次表で定める区分に応じた境界

境界層該当者の取扱いについて

層措置がなされることとされているため、保護を要しないこと。
ア　要保護者であって、給付額減額等の記載（介護保険法（平成9年法律第123号）第69条第1項に規定する給付額減額等の記載をいう。）を受けないとしたならば保護を必要としない状態となるもの
イ　その属する世帯の世帯主及び全ての世帯員が特定介護サービス（介護保険法第51条の3第1項に規定する特定介護サービスをいう。以下同じ。）又は特定介護予防サービス（介護保険法第61条の3第1項に規定する特定介護予防サービスをいう。以下同じ。）を受ける日の属する月において要保護者である者であって、当該特定介護サービス又は当該特定介護予防サービスに係る居住費の負担限度額（介護保険法第51条の3第2項第2号に規定する居住費の負担限度額をいう。以下同じ。）又は滞在費の負担限度額（介護保険法第61条の3第2項第2号に規定する滞在費の負担限度額をいう。以下同じ。）について、ユニット型個室を利用するときには1日につき「1310円」又は「820円」が、ユニット型個室的多床室を利用するときには1日につき「1310円」又は「490円」が、従来型個室（介護福祉施設サービス、地域密着型介護老人福祉施設入所者生活介護、短期入所生活介護及び介護予防短期入所生活介護に限る。以下「従来型個室（特養等）」という。）を利用するときには1日につき「820円」、「420円」又は「320円」が、従来型個室（介護老人保健施設サービス、介護医療院サービス、短期入所療養介護及び介護予防短期入所療養介護に限る。以下「従来型個室（老健・医療院等）」という。）を利用するときには1日につき「1310円」又は「490円」が、多床室を利用する場合には「370円」又は「0円」が適用され、特定入所者介護サービス費（介護保険法第51条の3第1項に規定する特定入所者介護サービス費をいう。以下同じ。）又は特定入所者介護予防サービス費（介護保険法第61条の3第1項に規定する特定入所者介護予防サービス費をいう。以下同じ。）を支給されたとすれば、保護を必要としない状態となるもの
ウ　その属する世帯の世帯主及び全ての世帯員が特定介護サービスを受ける日の属する月において要保護者である者であって、当該特定介護サービスに係る居住費の特定負担限度額（介護保険法施行法（平成9年法律第124号）第13条第5項第2号に規定する居住費の特定負担限度額をいう。以下同じ。）について、ユニット型個室を利用するときには1日につき「1310円」又は「820円」が、ユニット型個室的多床室を利用するときには1日につき「1310円」、「490円」又は「0円」が、従来型個室を利用するときには1日につき「820円」、「420円」、「320円」又は「0円」が、多床室を利用する場合には「370円」又は「0円」が適用され、介護保険法施行法第13条第5項により算定された特定入所者介護サービス費を支給されたとすれば、保護を必要としない状態となるもの
エ　その属する世帯の世帯主及び全ての世帯員が特定介護サービス又は特定介護予防サービスを受ける日の属する月において要保護者である者であって、当該特定介護サービス又は特定介護予防サービスに係る食費の負担限度額（介護保険法第51条の3第2項第1号に規定する食費の負担限度額又は介護保険法第61条の3第2項第1

号に規定する食費の負担限度額をいう。以下同じ。)について1日につき「1360円」、「650円」、「390円」又は「300円」(短期入所生活介護(介護保険法第8条第9項に規定する短期入所生活介護をいう。以下同じ。)若しくは短期入所療養介護(介護保険法第8条第10項に規定する短期入所療養介護をいう。以下同じ。)又は介護予防短期入所生活介護(介護保険法第8条の2第7項に規定する介護予防短期入所生活介護をいう。以下同じ。)若しくは介護予防短期入所療養介護(介護保険法第8条の2第8項に規定する介護予防短期入所療養介護をいう。以下同じ。)を利用する場合にあっては「1300円」、「1000円」、「600円」又は「300円」)が適用され、特定入所者介護サービス費又は特定入所者介護予防サービス費を支給されたとすれば、保護を必要としない状態となるもの

オ　その属する世帯の世帯主及び全ての世帯員が特定介護サービスを受ける日の属する月において要保護者である者であって、特定介護サービスに係る食費の特定負担限度額(介護保険法施行法第13条第5項第1号に規定する食費の特定負担限度額をいう。以下同じ。)について1日につき「650円」、「390円」又は「300円(平成17年厚生労働省告示第417号に規定する300円未満の額にあっては、当該額)」が適用され、介護保険法施行法第13条第5項により算定された特定入所者介護サービス費を支給されたとすれば、保護を必要としない状態となるもの

カ　その属する世帯の世帯主及び全ての世帯員が居宅サービス等(介護保険法施行令第22条の2の2第1項に規定する居宅サービス等をいう。以下同じ。)があった月において要保護者である者であって、利用者負担世帯合算額(介護保険法施行令第22条の2の2第2項に規定する利用者負担世帯合算額をいう。以下同じ。)を「2万4600円」又は「1万5000円」と読み替えて高額介護サービス費(介護保険法第51条に規定する高額介護サービス費をいう。以下同じ。)が適用されたならば保護を必要としない状態となるもの

キ　その属する世帯の世帯主及び全ての世帯員が居宅サービス等があった月において要保護者である者であって、利用者負担世帯合算額を「2万4600円」又は「1万5000円」と読み替えて高額介護予防サービス費(介護保険法第61条に規定する高額介護予防サービス費をいう。以下同じ。)が適用されたならば保護を必要としない状態となるもの

ク　要保護者であって、その者に課される保険料額について、介護保険法施行令第38条第1項第1号イ(2)若しくはニ、同項第2号ロ、同項第3号ロ、同項第4号ロ、同項第5号ロ、同項第6号ロ、同項第7号ロ、同項第8号ロ、同項第9号ロ、同項第10号ロ、同項第11号ロ若しくは同項第12号ロ又は同令第39条第1項第1号イ(2)若しくはニ、同項第2号ロ、同項第3号ロ、同項第4号ロ、同項第5号ロ、同項第6号ロ、同項第7号ロ、同項第8号ロ、同項第9号ロ、同項第10号ロ、同項第11号ロ、同項第12号ロ若しくは同項第13号ロの規定に基づき、より低い標準割合(10分の4.55(同令第38条第11項に基づき減額賦課した場合には、当該減額賦課後の割合)、10分の6.85(同令第38条第12項に基づき減額賦課した場合には、当該減額賦課後の割

合)、10分の6.9（同令第38条第13項に基づき減額賦課した場合には、当該減額賦課後の割合)、10分の9、10分の10、10分の12、10分の13、10分の15、10分の17、10分の19、10分の21若しくは10分の23又は同令第39条第1項第1号から第13号までの規定に基づき市町村が条例で定めた割合（同条第5項から第7項までに基づき減額賦課した場合には、当該減額賦課後の割合))が適用されたならば保護を必要としない状態となるもの

区　分		境　界　層　該　当　措　置	
アに掲げる者	(ア)	給付額減額等の記載が行われない。	
イに掲げる者	(イ)	特定介護サービス又は特定介護予防サービスに係る居住費又は滞在費の負担限度額について保護を必要としなくなるまで、以下の額が段階的に適用される。	
		居室の種類	適用された後の額
		ユニット型個室	1日につき「1310円」又は「820円」
		ユニット型個室的多床室	1日につき「1310円」又は「490円」
		従来型個室（特養等）	1日につき「820円」、「420円」又は「320円」
		従来型個室（老健・医療院等）	1日につき「1310円」又は「490円」
		多　床　室	1日につき「0円」
ウに掲げる者	(ウ)	特定介護サービスに係る居住費の特定負担限度額について保護を必要としなくなるまで、以下の額が段階的に適用される。	
		居室の種類	適用された後の額
		ユニット型個室	1日につき「1310円」又は「820円」
		ユニット型個室的多床室	1日につき「1310円」、「490円」又は「0円」
		従来型個室	1日につき「820円」、「420円」、「320円」又は「0円」
		多　床　室	1日につき「0円」

エに掲げる者	(エ)	特定介護サービス等に係る食費の負担限度額について保護を必要としなくなるまで、以下の額が段階的に適用される。		
		特定介護サービス又は特定介護予防サービスの種類		適用された後の額
		短期入所生活介護若しくは短期入所療養介護又は介護予防短期入所生活介護若しくは介護予防短期入所療養介護		1日につき「1300円」、「1000円」、「600円」又は「300円」
		前の項に掲げる特定介護サービス以外の特定介護サービス		1日につき「1360円」、「650円」、「390円」又は「300円」
オに掲げる者	(オ)	特定介護サービスに係る食費の特定負担限度額が保護を必要としなくなるまで、1日につき「650円」、「390円」又は「300円（平成17年厚生労働省告示第417号に規定する300円未満の額にあっては、当該額）」が段階的に適用される。		
カに掲げる者	(カ)	保護を必要としなくなるまで、利用者負担世帯合算額を「2万4600円」又は「1万5000円」と読み替えて高額介護サービス費が適用される。		
キに掲げる者	(キ)	保護を必要としなくなるまで、利用者負担世帯合算額を「2万4600円」又は「1万5000円」と読み替えて高額介護予防サービス費が適用される。		
クに掲げる者	(ク)	保険料額について、保護を必要としなくなるまで、介護保険法施行令第38条第1項第1号イ(2)若しくはニ、同項第2号ロ、同項第3号ロ、同項第4号ロ、同項第5号ロ、同項第6号ロ、同項第7号ロ、同項第8号ロ、同項第9号ロ、同項第10号ロ、同項第11号ロ若しくは同項第12号ロ又は同令第39条第1項第1号イ(2)若しくはニ、同項第2号ロ、同項第3号ロ、同項第4号ロ、同項第5号ロ、同項第6号ロ、同項第7号ロ、同項第8号ロ、同項第9号ロ、同項第10号ロ、同項第11号ロ、同項第12号ロ若しくは同項第13号ロの規定に基づき、より低い標準割合（10分の4.55（同令第38条第11項に基づき減額賦課した場合には、当該		

| | | 減額賦課後の割合)、10分の6.85（同令第38条第12項に基づき減額賦課した場合には、当該減額賦課後の割合)、10分の6.9（同令第38条第13項に基づき減額賦課した場合には、当該減額賦課後の割合)、10分の9、10分の10、10分の12、10分の13、10分の15、10分の17、10分の19、10分の21若しくは10分の23又は同令第39条第1項第1号から第13号までの規定に基づき市町村が条例で定めた割合（同条第5項から第7項までに基づき減額賦課した場合には、当該減額賦課後の割合)）が適用される。 |

(2) 境界層措置の優先順位について

境界層措置の優先順位については、老健局介護保険計画課により、上表の①(ア)、②(イ)又は(ウ)、③(エ)又は(オ)、④(カ)又は(キ)、⑤(ク)の順に優先して講ずべきものとされていること。

2　境界層該当者に対する証明書等の交付

境界層措置は保険者が行うものであるが、福祉事務所長は、保護の申請に応じ、保護開始時の要否判定を行った結果、境界層該当者であることが明らかになった場合又は保護を受けている者が境界層該当者に該当する場合、別添の証明書及び添付書類（以下「証明書等」という。以下同じ。)を境界層該当者に交付するものとし、その際、保険者に対する境界層該当措置の申請に当たっては当該証明書等を添えて提出するよう教示すること。

3　証明書等の記載

(1) 境界層該当証明書

境界層該当証明書には以下の事項を記載すること。

ア　却下に係る申請日又は保護廃止日

当該者に係る処分が却下の場合には、却下に係る申請日を、保護廃止の場合には、保護廃止日を記載すること。

イ　保護を要しない理由

境界層該当措置により何円以上の減額がなされれば、保護を要さないかを記載すること。

(2) 添付書類

境界層措置は、表中の(1)～(5)の順で講ぜられることとなるので、証明書に記載された額から、その額が0円以下になるまで、以下の(ア)～(ケ)に掲げる額のうち境界層措置がなされる以前に自己負担していた額を(ア)～(ケ)の順に減じることとし、その減じた額を表中の(1)～(5)の「減額される自己負担（月額）」にそれぞれ記載すること。

なお、施設入所者に係る居住費(イ)・(ウ)は、入所中又は入所を予定している居室の種類により算定すること。

また、短期入所生活介護、短期入所療養介護、介護予防短期入所生活介護又は介護

予防短期入所療養介護を利用する者についての滞在費及び食費（(イ)〜(キ)）は、利用日数を居宅サービス計画又は介護予防サービス計画（介護保険法第8条第24項に規定する居宅サービス計画及び介護保険法第8条の2第16項に規定する介護予防サービス計画をいう。以下「ケアプラン」という。）における利用計画回数とし、滞在費(イ)に係る居室の種類を直近のケアプランにおいて利用が計画されている居室の種類（複数の種類の居室の利用が計画されている場合には、利用計画回数が最も多い居室の種類）として算定すること。

したがって、表中の「減額される自己負担（月額）合計」には、証明書に記載された額以上の額であって、境界層措置により減額可能な必要最小限の額を記載することとなる。

ア 多床室を利用する場合

(ア) 介護サービス費合計額（介護保険法施行令第22条の2の2第1項に規定する介護サービス費合計額をいう。以下同じ。）の3割の額から介護サービス費合計額の1割の額（介護サービス費合計額の1割の額が4万4400円以上の場合には4万4400円）を減じて得た額

(イ) 居住費等の基準費用額（介護保険法第51条の3第2項第2号に規定する居住費の基準費用額又は介護保険法第61条の3第2項第2号に規定する滞在費の基準費用額をいう。以下同じ。）又は特定基準費用額（介護保険法施行法第13条第5項第2号に規定する居住費の特定基準費用額をいう。以下同じ。）にその月の日数を乗じた額から居住費等の負担限度額又は特定負担限度額の「370円」にその月の日数を乗じた額を減じて得た額

(ウ) 居住費等の負担限度額又は特定負担限度額の「370円」にその月の日数を乗じた額

(エ) 食費の基準費用額（介護保険法第51条の3第2項第1号に規定する食費の基準費用額又は同法第61条の3第2項第1号に規定する滞在費の基準費用額をいう。以下同じ。）又は特定基準費用額（介護保険法施行法第13条第5項第1号に規定する食費の特定基準費用額をいう。以下同じ。）の「1445円」にその月の日数を乗じた額から食費の負担限度額の「1360円」（短期入所生活介護若しくは短期入所療養介護又は介護予防短期入所生活介護若しくは介護予防短期入所療養介護を利用する場合にあっては「1300円」。）又は特定負担限度額の「650円」にその月の日数を乗じた額を減じて得た額

(オ) 食費の負担限度額の「1360円」（短期入所生活介護若しくは短期入所療養介護又は介護予防短期入所生活介護若しくは介護予防短期入所療養介護を利用する場合にあっては「1300円」。）にその月の日数を乗じた額から負担限度額の「650円」（短期入所生活介護若しくは短期入所療養介護又は介護予防短期入所生活介護若しくは介護予防短期入所療養介護を利用する場合にあっては「1000円」。）にその月の日数を乗じた額を減じて得た額又は特定負担限度額の「650円」にその月の日数を乗じた額から特定負担限度額の「390円」にその月の日数を乗じた額

境界層該当者の取扱いについて

を減じて得た額

(カ) 食費の負担限度額の「650円」(短期入所生活介護若しくは短期入所療養介護又は介護予防短期入所生活介護若しくは介護予防短期入所療養介護を利用する場合にあっては「1000円」。)にその月の日数を乗じた額から負担限度額の「390円」(短期入所生活介護若しくは短期入所療養介護又は介護予防短期入所生活介護若しくは介護予防短期入所療養介護を利用する場合にあっては「600円」。)にその月の日数を乗じた額を減じて得た額又は特定負担限度額の「390円」にその月の日数を乗じた額から特定負担限度額の「300円(平成17年厚生労働省告示第417号に規定する300円未満の額にあっては、当該額)」にその月の日数を乗じた額を減じて得た額

(キ) 食費の負担限度額の「390円」(短期入所生活介護若しくは短期入所療養介護又は介護予防短期入所生活介護若しくは介護予防短期入所療養介護を利用する場合にあっては「600円」。)にその月の日数を乗じた額から負担限度額の「300円」にその月の日数を乗じた額を減じて得た額

(ク) 利用者負担世帯合算額の「4万4400円」から「2万4600円」を減じて得た額

(ケ) 利用者負担世帯合算額の「2万4600円」から「1万5000円」を減じて得た額

(コ) 基準額に標準割合の「24／10」を乗じた額から基準額に標準割合の「23／10」を乗じた額を減じて得た額

(サ) 基準額に標準割合の「23／10」を乗じた額から基準額に標準割合の「21／10」を乗じた額を減じて得た額

(シ) 基準額に標準割合の「21／10」を乗じた額から基準額に標準割合の「19／10」を乗じた額を減じて得た額

(ス) 基準額に標準割合の「19／10」を乗じた額から基準額に標準割合の「17／10」を乗じた額を減じて得た額

(セ) 基準額に標準割合の「17／10」を乗じた額から基準額に標準割合の「15／10」を乗じた額を減じて得た額

(ソ) 基準額に標準割合の「15／10」を乗じた額から基準額に標準割合の「13／10」を乗じた額を減じて得た額

(タ) 基準額に標準割合の「13／10」を乗じた額から基準額に標準割合の「12／10」を乗じた額を減じて得た額

(チ) 基準額に標準割合の「12／10」を乗じた額から基準額に標準割合の「10／10」を乗じた額を減じて得た額

(ツ) 基準額に標準割合の「10／10」を乗じた額から基準額に標準割合の「9／10」を乗じた額を減じて得た額

(テ) 基準額に標準割合の「9／10」を乗じた額から基準額に標準割合の「6.9／10(介護保険法施行令第38条第13項に基づき減額賦課した場合には、当該減額賦課後の割合)」を乗じた額を減じて得た額

(ト) 基準額に標準割合の「6.9／10(同令第38条第13項に基づき減額賦課した場合

には、当該減額賦課後の割合)」を乗じた額から基準額に標準割合の「6.85／10 (同令第38条第12項に基づき減額賦課した場合には、当該減額賦課後の割合)」を乗じた額を減じて得た額
(ケ) 基準額に標準割合の「6.85／10 (同令第38条第12項に基づき減額賦課した場合には、当該減額賦課後の割合)」を乗じた額から基準額に標準割合の「4.55／10 (同令第38条第11項に基づき減額賦課した場合には、当該減額賦課後の割合)」を乗じた額を減じて得た額

※(コ)～(ナ)については、介護保険料の標準割合が介護保険法施行令第38条による場合である。

イ ユニット型個室を利用する場合
アにおける(イ)・(ウ)の部分について、次の①、②の順に減額される。
① 居住費等の基準費用額又は特定基準費用額の「2006円」にその月の日数を乗じた額から居住費等の負担限度額又は特定負担限度額の「1310円」にその月の日数を乗じた額を減じて得た額
② 居住費等の負担限度額又は特定負担限度額の「1310円」にその月の日数を乗じた額から居住費等の負担限度額又は特定負担限度額の「820円」にその月の日数を乗じた額を減じて得た額

ウ ユニット型個室的多床室を利用する場合
アにおける(イ)・(ウ)の部分について、次の①から③ (③については旧措置入所者のみ) の順に減額される。
① 居住費等の基準費用額又は特定基準費用額の「1668円」にその月の日数を乗じた額から居住費等の負担限度額又は特定負担限度額の「1310円」にその月の日数を乗じた額を減じて得た額
② 居住費等の負担限度額又は特定負担限度額の「1310円」にその月の日数を乗じた額から居住費等の負担限度額又は特定負担限度額の「490円」にその月の日数を乗じた額を減じて得た額
③ 居住費の特定負担限度額の「490円」にその月の日数を乗じた額を減じて得た額

エ 従来型個室 (特養等) を利用する場合
アにおける(イ)・(ウ)の部分について、次の①から④ (④については旧措置入所者のみ) の順に減額される。
① 居住費等の基準費用額又は特定基準費用額の「1171円」にその月の日数を乗じた額から居住費等の負担限度額又は特定負担限度額の「820円」にその月の日数を乗じた額を減じて得た額
② 居住費等の負担限度額又は特定負担限度額の「820円」にその月の日数を乗じた額から居住費等の負担限度額又は特定負担限度額の「420円」にその月の日数を乗じた額を減じて得た額
③ 居住費等の負担限度額又は特定負担限度額の「420円」にその月の日数を乗じ

た額から居住費等の負担限度額又は特定負担限度額の「320円」にその月の日数を乗じた額を減じて得た額
④ 居住費の特定負担限度額の「320円」にその月の日数を乗じた額を減じて得た額
オ 従来型個室（老健・医療院等）を利用する場合
アにおける(イ)・(ウ)の部分について、次の①、②の順に減額される。
① 居住費等の基準費用額又は特定基準費用額の「1668円」にその月の日数を乗じた額から居住費等の負担限度額又は特定負担限度額の「1310円」にその月の日数を乗じた額を減じて得た額
② 居住費等の負担限度額又は特定負担限度額の「1310円」にその月の日数を乗じた額から居住費等の負担限度額又は特定負担限度額の「490円」にその月の日数を乗じた額を減じて得た額

4 境界層該当者に対する保護廃止の際の留意点
　1の各号に該当することにより保護を廃止する場合は、生活保護法による介護扶助が現物給付であるのに対し、高額介護サービス費の支給が償還払により行われることなどから、生活福祉資金の療養・介護資金等の融資制度を含めた他法他施策の活用あっせん等によりその円滑な移行について十分配慮すること。

〇多床室を利用する場合の減額措置（保険料段階が9段階の場合）　略
〇多床室以外の居室の居住費等の（特定）負担限度額の取扱い　略

（別　添）
　　　　　　　　境　界　層　該　当　証　明　書
　　　　　　住　　所
　　　　　　氏　　名　　　　　　　（　年　月　日生）
　上記の者及びその世帯員は、世帯の収入が最低生活費を上回るため、生活保護が（申請却下・廃止）となりましたが、（却下に係る申請日・廃止日）及び保護を要しない理由は、下記のとおりであることを証明します。
　　　　　　　　　　　　　　　記
(1) 却下に係る申請日・廃止日
　　　令和　　年　　月　　日
(2) 保護を要しない理由
　　境界層該当措置による　　　　円以上の減額を受けることにより、保護を要しないため。
　　　　　　　　　　　　　令和　　年　　月　　日
　　　　　　　　　　　　　　　　　〇〇福祉事務所長

添付書類

	境界層該当措置の内容	減額される自己負担(月額)
(1)	給付額減額等の記載が行われない。	

(2)	特定介護サービス又は特定介護予防サービスに係る居住費等の負担限度額について保護を必要としなくなるまで、以下の額が段階的に適用される。
	
	    | 居室の種類 | 適用された後の額 |
	    | ユニット型個室 | 1日につき「1310円」又は「820円」 |
	    | ユニット型個室的多床室 | 1日につき「1310円」又は「490円」 |
	    | 従来型個室（特養等） | 1日につき「820円」、「420円」又は「320円」 |
	    | 従来型個室（老健・医療院等） | 1日につき「1310円」又は「490円」 |
	    | 多床室 | 1日につき「370円」又は「0円」 |
	
	【旧措置入所者の場合】
	特定介護サービスに係る居住費等の特定負担限度額について保護を必要としなくなるまで、以下の額が段階的に適用される。
	
	    | 居室の種類 | 適用された後の額 |
	    | ユニット型個室 | 1日につき「1310円」又は「820円」 |
	    | ユニット型個室的多床室 | 1日につき「1310円」、「490円」又は「0円」 |
	    | 従来型個室 | 1日につき「820円」、「420円」、「320円」又は「0円」 |
	    | 多床室 | 1日につき「370円」又は「0円」 |	

(3)	特定介護サービス又は特定介護予防サービスに係る食費の負担限度額について保護を必要としなくなるまで、以下の額が段階的に適用される。
	
	    | 特定介護サービス又は特定介護予防サービスの種類 | 適用された後の額 |
	    | 短期入所生活介護若しくは短期入所療養介護又は介護予防短期入所生活介護若しくは介護予防短期入所療養介護 | 1日につき「1300円」、「1000円」、「600円」又は「300円」 |	

	前の項に掲げる特定介護サービス以外の特定介護サービス	1日につき「1360円」、「650円」、「390円」又は「300円」	
	【旧措置入所者の場合】　特定介護サービスに係る食費の特定負担限度額が保護を必要としなくなるまで、1日につき「650円」、「390円」又は「300円」（平成17年厚生労働省告示第417号に規定する300円未満の額にあっては、当該額）」が段階的に適用される。		
(4)	利用者負担世帯合算額を「2万4600円」又は「1万5000円」と読み替えて高額介護サービス費又は高額介護予防サービス費が適用される。		
(5)	保険料額が、保護を必要としなくなるまで、市町村が条例で定めるより低い標準割合を乗じて得た額に減額される。		
減額される自己負担（月額）の合計額			

注 (2)については、金額の記載の他に、算定に使用した居室の種類及び境界層措置により適用されることとなる居住費等の負担限度額の段階を「減額される自己負担（月額）」欄に記載すること。

(3)については、金額の記載の他に、境界層措置により適用されることとなる食費の負担限度額の段階を「減額される自己負担（月額）」欄に記載すること。

○生活保護制度における介護保険施設の個室等の利用等に係る取扱いについて

> 平成17年9月30日　社援保発第0930002号
> 各都道府県・各指定都市・各中核市民生主管部(局)長宛　厚生労働省社会・援護局保護課長通知

〔改正経過〕

　　第1次改正　平成18年3月31日社援保発第0331002号

　「介護保険法等の一部を改正する法律」(平成17年法律第77号)が平成17年10月1日に一部施行されることに伴い、介護保険施設における居住に要する費用(以下、居住費という。)が施設介護サービス費の対象から除外され、「ユニット型個室」「ユニット型準個室」「従来型個室」及び「多床室」の居室の種類ごとに施設介護サービス費が定められるとともに小規模生活単位型特別養護老人ホーム以外の施設においても利用者から居住に要する費用について、施設と利用者との契約により定められた額により支払いを受けることができることとされ、また、食事の提供に要する費用(以下、食費という。)についても、施設介護サービス費における基本食事サービス費が廃止され、施設と利用者との契約により定められた食費の支払いを受けることとされたところである。

　一方、被保護者を含めた低所得者については、居住費及び食費について基準費用額及び負担限度額を定め、介護保険施設の入所者並びに短期入所生活介護及び短期入所療養介護の利用者に対する特定入所者介護サービス費又は特定入所者支援サービス費が支給されることにより、被保護者については、負担限度額の範囲内で滞在に要する費用(以下、滞在費という。)及び食費を負担することとされたところである。

　ついては、下記のとおり生活保護制度における取扱いを定め、平成17年10月1日から適用することとしたので、了知の上、その取扱いに遺漏なきを期されたい。

　なお、この通知は、地方自治法(昭和22年法律第67号)第245条の9第1項及び第3項の規定に基づく処理基準とする。

　また、「生活保護制度における小規模生活単位型特別養護老人ホーム等の取扱いについて(通知)」(平成15年3月31日社援保発第0331002号各都道府県・指定都市・中核市民生主管部(局)長宛本職通知)は廃止する。

記

1　介護保険施設の個室等の利用等に係る基本的な取扱いについて

　　生活保護制度における対応としては、当面は介護保険施設(地域密着型介護老人福祉施設を含む。以下同じ。)の居室のうち、多床室が大半を占めると考えられること並びに「ユニット型個室」、「ユニット型準個室」及び「従来型個室」(以下、個室等という。)の

利用については居住費の負担が求められることから、被保護者の個室等の利用については、当面、(1)に規定する「利用を認める場合」に該当する場合に限定することとする。
(1) 利用を認める場合
　ア　居住費の利用者負担分について、保護費で対応しなくても入所が可能な場合については、入所を認めて差し支えないこと。
　　なお、保護費で対応しなくても入所が可能な場合とは、以下の場合が想定されるものであること。
　　(ア)　介護保険における経過措置により居住費についての取扱いが多床室と同様の取扱いとされる場合
　　(イ)　自治体の単独事業等により居住費の利用者負担分が免除される場合
　　(ウ)　施設側が利用者の収入の状況等にかんがみ、利用者から居住費の徴収を行わない場合
　イ　既に介護保険施設に入所し、個室等(「特別な居室」、「特別な療養室」及び「特別な病室」を除く。以下において同じ。)を利用している者が諸般の事情により要保護状態になった場合及び被保護者が入所中の介護保険施設の居室が個室等に改築・改修された場合については、原則としては転所等の指導を行うこととするが、転所等が行われるまでの間については、入所を認めて差し支えないこと。
　　なお、この場合、介護扶助による居住費の給付については、(2)により取扱うこと。
　ウ　前記ア及びイには該当しないが、介護保険施設の個室等の利用について真にやむを得ない特別な事由があると判断される場合については、厚生労働大臣に対し、特別基準の設定について情報提供すること。
(2) 介護扶助における居住費の給付額及び給付方法
　ア　介護保険の被保険者については、介護保険における居住費の負担限度額(居室の種類により概ね月額1万円から2万5000円)の範囲内の額において特別基準の設定があったものとして福祉事務所払いの介護扶助費として給付して差し支えないこととする。
　イ　介護保険の被保険者以外の者については、介護保険における居住費の基準費用額(居室の種類により概ね月額3万5000円から6万円)の範囲内の額において特別基準の設定があったものとして福祉事務所払いの介護扶助費として給付して差し支えないこととする。
(3) 多床室を利用する介護保険施設入所者に係る居住費の取扱いについて
　介護保険の被保険者については、居住費の全額が介護保険の特定入所者介護サービス費により支給されるため、介護扶助による対応を要しないが、介護保険の被保険者以外の者については、介護保険における居住費の基準費用額の範囲内の額における居住費の入所者負担の全額について介護扶助費として給付することとし、国保連を通じて審査・支払を行う。
2　介護保険施設入所者に係る食費の取扱いについて

介護保険施設における被保護者に係る食費については、特定入所者介護サービス費が支給された後には、従来どおり日額300円（月額概ね1万円）を負担することとなるため、被保険者の場合はその日額300円（食費の額が日額300円未満の場合は、その額）について、被保険者以外の者の場合は特定入所者介護サービス費の基準費用額の範囲内での食費の入所者負担の全額について介護扶助費として給付することとし、国保連を通じて審査・支払を行う。
3　短期入所生活介護等における個室等の利用及び食費に係る基本的対応について
(1)　滞在費について

　　短期入所生活介護、短期入所療養介護、介護予防短期入所生活介護及び介護予防短期入所療養介護（以下、ショートステイという。）についても、個室等を利用する場合には、滞在費の負担が利用者に求められるところである。

　　ショートステイについては、基本的に居宅がある者が短期間利用するものであり、利用中に要保護状態になることや、利用中に施設の改築・改修が行われることは想定されないことから、被保護者の利用に係る滞在費について、保護費では対応しないこととする。

　　ただし、介護保険の被保険者以外の者については、ショートステイを利用した場合の滞在費について、介護保険の特定入所者介護（予防）サービス費相当額を福祉事務所払いの介護扶助費として給付するものとする。
(2)　食費について

　　居宅がある者の食費については、生活扶助費に含まれていることから、従来どおり、ショートステイの利用に係る食費について保護費では対応しないこととする。

　　ただし、介護保険の被保険者以外の者については、介護保険の特定入所者介護（予防）サービス費相当額を福祉事務所払いの介護扶助費として給付するものとする。
4　事務手続等について
(1)　都道府県・市本庁における事務手続等
　ア　関係機関等に対する周知

　　　生活保護制度における介護保険施設の個室等の利用及びショートステイにおける個室の利用に係る取扱いについて、事業者説明会等を通じ、指定居宅介護支援事業者、指定地域包括支援センター、指定地域密着型介護老人福祉施設、指定介護老人福祉施設、指定介護老人保健施設、指定介護療養型医療施設、指定短期入所生活介護事業者、指定短期入所療養介護事業者、指定介護予防短期入所生活介護事業者及び指定介護予防短期入所療養介護事業者に対し、周知・徹底を図ること。

　　　特に、指定居宅介護支援事業者及び指定地域包括支援センターに対しては、居宅介護支援計画又は介護予防支援計画の作成の際、被保護者の取扱いに留意する旨、指導すること。
　イ　施設整備等の状況把握

　　　施設整備等の状況について、介護保険担当部局から情報を収集するとともに、必要に応じて、福祉事務所等に情報提供を行うこと。

(2) 福祉事務所における事務手続等
　被保護者から、介護保険施設等の個室等の利用について、相談等があった場合については、以下のとおり取り扱うこと。
ア　被保護者が介護保険施設等の個室等の利用を希望する場合
　(ア)　被保護者に対する説明
　　　介護保険施設の個室等の利用については、通常、居住費の負担が必要となることから、被保護者の利用は、原則として、居住費の利用者負担について保護費で対応せずとも入所が可能な場合に限定される旨、また、ショートステイの利用については、介護保険の特定入所者介護サービス費（相当額）又は特定入所者介護予防サービス費（相当額）を給付された後の滞在費及び食費は被保護者の負担となる旨を事前に説明すること。
　(イ)　指定介護施設等との連絡・調整
　　　指定介護施設に対して、居住費の額について確認するとともに、居住費について免除ができないか調整を行うこと。
　　　また、併せて、その他の利用者負担免除の有無について確認すること。
　(ウ)　利用の承認等
　　　前記(イ)の調整等の結果、1の(1)のアに該当する場合については、介護保険施設の個室等の利用を認めるとともに、必要な指導・援助を行い、1の(1)のアに該当しない場合については、介護保険施設の個室等の利用は原則として認められない旨を被保護者に連絡するとともに、居宅介護サービスやその他の介護施設サービス等の利用について、必要な指導・援助を行うこと。
イ　被保護者が入所中の介護保険施設の居室が個室等に改築・改修される場合
　(ア)　施設整備状況の把握
　　　被保護者が入所する介護保険施設の改築・改修予定等を適宜把握しておくこと。
　(イ)　居宅介護支援事業者及び指定介護施設との連絡・調整
　　　居室が個室等に改築・改修される予定の介護保険施設に被保護者が入所していた場合、居宅介護支援事業者及び指定介護施設に対して、被保護者には原則、転所等の指導を行う必要がある旨を連絡するとともに、4の(2)のアの(イ)と同様、居住費の額及びその利用者負担分の免除について確認・調整を行うこと。
　(ウ)　被保護者に対する指導等
　　　被保護者の心身の状況、周辺の介護機関の状況等を把握するとともに、被保護者に対して、原則、転所等の指導を行うこと。転所等が行われるまでの間については、居住費について1の(2)により必要な額を認定すること。
　　　ただし、この場合であっても、当該施設内で比較して高額な居住費が必要となる居室を選択して利用させるなど、一般の低所得者との均衡を失するような取扱がなされないよう、施設全体の居住費額を確認し、必要に応じて施設と調整を行うこと。

ウ　介護保険施設の個室等を利用中の者が要保護状態となった場合
　　(ｱ)　保護の要否の判定
　　　　介護保険施設の個室等（特別な居室等を除く。）の利用中に保護の申請を行った者について要否判定を行う際、最低生活費のうち居住費所要額の算定については、1の(2)に掲げるものを用いること。
　　(ｲ)　居宅介護支援事業者及び指定介護施設との連絡・調整
　　　　4の(2)のイの(ｲ)と同様、居住費の額及びその利用者負担分の免除について確認・調整を行うこと。
　　(ｳ)　被保護者に対する指導等
　　　　4の(2)のイの(ｳ)と同様に取り扱うこと。
(3)　特別基準の設定に係る事務手続等
　ア　特別基準の設定に当たっての検討
　　　特別基準の設定に当たっては、次に掲げる資料等を基に、設定の必要性を判断すること。
　　(ｱ)　本人の心身の状況や家族の状況に関する資料
　　(ｲ)　周辺施設の状況など他の指定介護機関の利用の可能性に関する資料
　　(ｳ)　居住費の額の設定根拠など金額の妥当性に関する資料
　　(ｴ)　居住費免除の可能性に関する資料
　　(ｵ)　扶養義務者等他からの援助の可能性に関する資料
　イ　厚生労働大臣への情報提供
　　　前記アによる検討の結果、特別基準の設定の必要性があると判断された場合については、その理由書とともに、前記アの検討に用いた資料を添付し、厚生労働大臣に対し、特別基準の設定について情報提供をすること。
5　境界層該当証明との関係について
　「境界層該当者の取扱いについて」(平成17年9月21日社援保発第0921001号本職通知）による境界層該当証明に係る要否判定においては、本通知に定める居住費及び食費の取扱いは適用しないものとし、境界層措置を行ったとしても要保護となる場合には、本通知に定めるところによることとする。

○介護扶助と障害者の日常生活及び社会生活を総合的に支援するための法律に基づく自立支援給付との適用関係等について

```
平成19年3月29日　社援保発第0329004号
各都道府県・各指定都市・各中核市民生主管部(局)長
宛　厚生労働省社会・援護局保護課長通知
```

〔改正経過〕

第1次改正　平成25年3月29日社援保発0329第3号

　生活保護法（昭和25年法律第144号。以下「法」という。）による介護扶助と障害者の日常生活及び社会生活を総合的に支援するための法律（平成17年法律第123号）に基づく自立支援給付との適用関係及び生活扶助の障害者加算他人介護料（以下「他人介護料」という。）の取扱いについて、下記のとおり整理したので、了知の上、管内実施機関に対して周知し、保護の実施に遺漏なきを期されたい。

　なお、本通知は地方自治法（昭和22年法律第67号）第245条の9第1項及び第3項の規定に基づく処理基準とするものであること。本通知の施行に伴い、「介護扶助と障害者施策との適用関係等について」(平成12年3月31日社援保第18号厚生省社会・援護局保護課長通知）は廃止する。

記

第1　介護扶助と自立支援給付との適用関係
　1　介護保険の被保険者に係る介護扶助と自立支援給付との適用関係
　　介護保険の被保険者に係る介護扶助（法第15条の2第1項に規定する居宅介護（居宅療養管理指導、特定施設入居者生活介護、認知症対応型共同生活介護及び地域密着型特定施設入居者生活介護を除く。）及び法第15条の2第1項第5号に規定する介護予防（介護予防居宅療養管理指導、介護予防特定施設入居者生活介護及び介護予防認知症対応型共同生活介護を除く。）に係るものに限る。以下同じ。）と自立支援給付のうち介護給付費等（障害者の日常生活及び社会生活を総合的に支援するための法律第19条第1項に規定する介護給付費等をいう。以下同じ。）との適用関係については、障害者の日常生活及び社会生活を総合的に支援するための法律第7条の規定及び「障害者の日常生活及び社会生活を総合的に支援するための法律に基づく自立支援給付と介護保険制度との適用関係等について」(平成19年3月28日障企発第0328002号・障障発第0328002号厚生労働省社会・援護局障害保健福祉部企画課長、障害福祉課長連名通知）の規定に基づく介護保険給付と介護給付費等との適用関係と同様、介護保険給付及び介護扶助が介護給付費等に優先するものであること。

ただし、介護保険制度における居宅介護サービスのうち訪問看護、訪問リハビリテーション及び通所リハビリテーション（医療機関により行われるものに限る。）並びに介護予防サービスのうち、介護予防訪問看護、介護予防訪問リハビリテーション及び介護予防通所リハビリテーション（医療機関により行われるものに限る。）に係るものの自己負担相当額については、自立支援医療（更生医療）の給付を受けることができる場合には、自立支援医療（更生医療）が介護扶助に優先して給付されることとなるので留意すること。
2 40歳以上65歳未満の医療保険未加入者であって、介護保険法施行令（平成10年政令第412号）第2条各号の特定疾病により要介護又は要支援の状態にある被保護者（以下「被保険者以外の者」という。）に係る介護扶助と介護給付費等及び障害者の日常生活及び社会生活を総合的に支援するための法律による地域生活支援事業の一環として実施される訪問入浴サービス事業（以下「訪問入浴サービス事業」という。）との適用関係
 (1) 基本的な考え方
　被保険者以外の者に係る介護扶助と介護給付費等及び訪問入浴サービス事業との適用関係については、生活保護制度における補足性の原理により、介護給付費等及び訪問入浴サービス事業が介護扶助に優先されるものであること。
　したがって、介護扶助の給付は、要介護（要支援）状態に応じた介護サービスに係る支給限度基準額（以下「支給限度額」という。）を限度として、介護給付費等及び訪問入浴サービス事業で賄うことができない不足分について行うものであること。
 (2) 介護給付費等の受給及び訪問入浴サービス事業の利用が可能な者に係る介護扶助給付上限額の算定について
　ア　被保険者以外の者であって、介護給付費等の受給及び訪問入浴サービス事業の利用が可能な者から介護扶助の申請があった場合、介護給付費等の受給状況及び訪問入浴サービス事業の利用状況を確認するとともに、サービスの利用に係る申請が行われていない場合については、利用申請を行うよう指導すること。
　イ　介護給付費等の支給決定を受けて利用する障害福祉サービスについて、
　　①相当するサービスが介護保険給付により利用可能なものであるか、
　　②障害者固有のサービス等であるか
　　について、市町村の介護給付費等の支給決定事務担当部署等と連携した上で、把握すること。
　ウ　当該者に係る支給限度額から、次に掲げる各号の合計額を控除した額を、介護扶助の給付上限額とすること。
　　①上記イの①に該当するサービスに係る介護給付費等の額
　　②訪問入浴サービス事業を利用した場合は、それぞれ以下に掲げる額
　　　要介護者　1回当たり　　1万2500円
　　　要支援者　1回当たり　　　 8540円

(3) 介護扶助の決定にあたっての留意事項
　ア　上記(2)により算定した給付上限額の範囲において介護扶助の申請が行われた場合であっても、介護扶助として申請のあったサービスについて、介護給付費等により利用が可能と判断される場合には、介護給付費等の支給決定事務担当及び居宅介護支援事業者等との調整を行った上で、介護給付費等の活用を図ること。
　イ　常時介護を要し、その介護の必要性が著しく高い障害者などに係る介護扶助の決定にあたり、上記(2)のウの算定方法によっては、介護給付費等の対象とならない訪問看護等について、必要なサービス量が確保できないと認められる場合については、上記(2)のウの算定方法によらず、介護扶助の支給限度額の範囲内を上限として、必要最小限度のサービスについて介護扶助により給付を行って差し支えないこと。
3　介護扶助による福祉用具貸与及び介護予防福祉用具貸与と障害者自立支援法による補装具費支給制度及び地域生活支援事業における日常生活用具給付等事業との適用関係について
　被保険者以外の者に係る福祉用具貸与及び介護予防福祉用具貸与と補装具費及び日常生活用具給付等事業の適用関係については、2の(1)の取扱いと同様、補装具費支給制度及び日常生活用具給付事業が介護扶助に優先されるものであること。
第2　他人介護料の算定の考え方について
　1　基本的取扱い
　　他人介護料の算定は、在宅の被保険者が、介護保険給付、介護扶助及び介護給付費等によるサービスを利用可能限度まで利用し、それでもなお、介護需要が満たされない場合において、家族以外の者から介護を受けることを支援するために行うものであること。
　　そのため、次のいずれかに該当する場合には、他人介護料を算定してはならないこと。
　(1)　要介護認定、障害程度区分の認定を受けていない場合
　(2)　上記の認定は受けているが、介護保険給付、介護扶助、介護給付費等により活用可能なサービスを最大限利用していない場合
　2　夜間の取扱いについて
　　夜間（早朝、深夜を含む。以下同じ。）における他人介護料の取扱いについては、夜間対応型訪問介護など、介護保険給付又は介護給付費等により夜間におけるサービスが提供されている地域においては、当該サービスの活用を図るものとし、当該サービスの利用により夜間の介護需要を満たすことができると認められる場合には、算定を行わないこと。

○介護扶助の適正化について

> 平成23年3月31日　社援保発0331第14号
> 各都道府県・各指定都市・各中核市民生主管部(局)長　宛
> 厚生労働省社会・援護局保護課長通知

　平素から福祉行政の推進に御尽力を賜り、御礼申し上げます。
　介護扶助については、平成12年度の制度創設以降、受給者数、扶助額とも年々増加傾向にありますが、その中で実際には介護サービスを提供していないにもかかわらず、提供したとして介護報酬を請求している等の不正受給が発生していること等から、不正受給対策の徹底等介護扶助の適正化に取り組むことが喫緊の課題となっています。
　このため、介護保険の被保険者ではない生活保護受給者（40歳以上65歳未満）を対象に介護扶助の適正化推進事業として下記の取組をお示しするので、御了知の上、一層の実施を図るよう管内実施機関に対し周知徹底いただくよう、御協力をお願いします。
　なお、本通知は、地方自治法（昭和22年法律第67号）第245条の4第1項の規定による技術的助言として行うものであるので、念のため申し添えます。

記

1　居宅サービス計画（ケアプラン）の確認
　　各福祉事務所において、実際に居宅サービス計画の作成経験のある介護支援専門員（ケアマネジャー）資格所有者を雇用する等を通じて、利用者の意向を十分把握した上でサービス提供の検討が行われているかどうか等の確認を行い、不正又は不適切な介護サービス提供がなされていないか確認すること。
2　介護券交付処理簿と介護給付費公費受給者別一覧表との照合
　　国民健康保険団体連合会から各福祉事務所に送付される「介護給付費公費受給者別一覧表」と各福祉事務所が発行する介護券の交付内容との照合を行うため、各福祉事務所に備え置くこととなっている「介護券交付処理簿」と「介護給付費公費受給者別一覧表」の照合を行い、不正又は過誤の介護報酬請求がないか確認を行うこと。
3　医療扶助給付情報との照合
　　各福祉事務所において、医療券の交付を管理する「給付券交付処理簿」及びケース記録を通じて把握した医療扶助給付情報と「介護給付費公費受給者一覧表」との照合を行い、不正又は過誤の介護報酬請求がないか確認を行うこと。
　　具体的には、医療扶助給付情報において、入院中と確認された者については、当該入院期間中に居宅介護事業者等による介護サービスの介護報酬請求が重複してなされていないか確認を行うこと。

○生活保護法の一部改正に伴う指定介護機関の指定事務に係る留意事項等について

> 平成26年4月25日　社援保発0425第15号
> 各都道府県・各指定都市・各中核市民生主管部(局)長
> 宛　厚生労働省社会・援護局保護課長通知

〔改正経過〕
第1次改正　令和元年5月27日社援保発0527第1号　第2次改正　令和3年1月7日社援保発0107第1号

　生活保護法の一部を改正する法律（平成25年法律第104号）については、平成25年12月13日に公布され、生活保護法施行令（昭和25年政令第148号。以下「施行令」という。）及び生活保護法施行規則（昭和25年厚生省令第21号。以下「規則」という。）並びに「生活保護法による介護扶助の運営要領について」（平成12年3月31日社援第825号厚生省社会・援護局長通知。以下、「運営要領」という。）についても所要の改正を行い、平成26年7月1日より施行することとしている。
　今般、生活保護法（昭和25年法律第144号。以下「法」といい、改正前の法を「旧法」、改正後の法を「新法」という。）、施行令及び規則を踏まえ、指定介護機関の指定事務に関する留意事項等を下記のとおり整理したので、御了知の上、関係機関とも連携を図りながら、その実施に遺漏なきを期されたい。
　なお、当通知については、当省老健局高齢者支援課、振興課及び老人保健課と協議済みであることを申し添える。

記

1　新法における指定介護機関制度等の見直し
　旧法では、法による介護扶助を担当する介護機関（以下「指定介護機関」という。）の指定及び指定取消しについて、具体的な要件が規定されておらず、不適正な介護機関への対応が十分行われる環境にあるとは言いがたい状況にある。
　このため、新法では、介護保険の取扱い等を参考に指定介護機関制度についても見直しを行っているが、その内容は主に次のとおりである。
(1)　指定介護機関の指定要件及び指定取消要件の明確化
　ア　指定の要件
　　新法第54条の2第4項で読み替えて準用する第49条の2第2項の第1号を除く各号（欠格事由）のいずれかに該当するときは、厚生労働大臣又は都道府県知事（指定都市市長及び中核市市長を含む。以下同じ。）は指定介護機関の指定をしてはならないものとしたこと。また、同条第3項各号（指定除外要件）のいずれかに該当するときは、厚生労働大臣又は都道府県知事は指定介護機関の指定をしないことができるものとしたこと。

（欠格事由の例）
- 申請者又は管理者が、禁錮以上の刑に処せられ、その執行を終わり、又は執行を受けることがなくなるまでの者であるとき。
- 申請者又は管理者が、指定介護機関の指定を取り消され、その取消しの日から起算して5年を経過しない者であるとき。
- 申請者又は管理者が、指定の取消しの処分に係る通知があった日から当該処分をする日までの間に指定の辞退の申出をした者で、当該申出の日から起算して5年を経過しない者であるとき。

（指定除外要件の例）
- 被保護者の介護について、その内容の適切さを欠くおそれがあるとして重ねて指導を受けたものであるとき。

イ 指定の取消要件

指定介護機関が、新法第54条の2第4項で読み替えて準用する第51条第2項各号のいずれかに該当するときは、厚生労働大臣又は都道府県知事は、その指定を取り消し、又は期間を定めてその指定の全部若しくは一部の効力を停止することができるものとしたこと。

（取消要件の例）
- 指定介護機関の申請者又は管理者が、禁錮以上の刑に処せられたとき。
- 指定介護機関の介護報酬の請求に関し不正があったとき。
- 指定介護機関が、不正の手段により指定介護機関の指定を受けたとき。

(2) 介護保険法の指定又は開設許可があったときの指定介護機関のみなし指定

ア 介護機関について、新法別表第2の上欄に掲げる介護機関の種類に応じ、それぞれ同表の中欄に掲げる指定又は許可があったときは、その介護機関は、新法第54条の2第1項の指定を受けたものとみなされるものとする。ただし、当該介護機関（地域密着型介護老人福祉施設及び介護老人福祉施設を除く。）が、あらかじめ、別段の申出をしたときはこの限りでないとしたこと。（新法第54条の2第2項関係）

イ 新法第54条の2第2項の規定により同条第1項の指定を受けたものとみなされた指定介護機関が、新法別表第2の下欄に掲げる場合（介護保険法の規定による事業の廃止があったとき、指定の取消しがあったとき、又は指定の効力が失われたとき）は、その効力を失うものとしたこと。（新法第54条の2第3項関係）

(3) 不適切な事案等への対応の強化

ア 過去の不正事案への対応

旧法では対象となっていない指定介護機関の開設者であった者についても、厚生労働大臣又は都道府県知事は、必要と認める事項の報告若しくはサービス等の提供の記録、帳簿書類その他の物件の提出若しくは提示を命じ、又は当該職員に、実地に検査等させることができるものとしたこと。（新法第54条の2第4項で読み替えて準用する第54条関係）

イ　不正利得の徴収金
　　偽りその他不正な手段により介護の給付に要する費用の支弁を受けた指定介護機関があるときは、都道府県知事又は市町村長は、当該介護機関から、その返還させるべき額のほか、100分の40を乗じて得た額以下の金額を徴収することができるものとしたこと。(新法第78条第2項関係)
　ウ　指定介護機関への指導体制の強化
　　指定介護機関に対する指導等の実施に当たっては、都道府県知事が指定した指定介護機関については、一義的には指定権者である都道府県知事が行うべきものであるが、一部の指定介護機関における不適切な事案に効率的・効果的に対処できるよう、都道府県知事が指定した指定介護機関への報告等について、被保護者の利益を保護する緊急の必要があると厚生労働大臣が判断した場合には、厚生労働大臣も実施できるものとしたこと。(新法第54条の2第4項において読み替えて準用する新法第84条の4関係)
2　介護保険法の指定又は開設許可があったときの指定介護機関のみなし指定に係る留意事項
　上記1(2)のとおり、新法第54条の2第2項の規定により、介護保険法の指定又は開設許可があった介護機関については、別段の申出がない限り、指定介護機関の指定を受けたものとみなされるものとしているが、都道府県、指定都市及び中核市の生活保護担当部局は、介護保険担当部局と連携を図り、必要な協力を得られるよう体制を整備すること。
(1)　都道府県の生活保護担当部局
　　都道府県の生活保護担当部局は、都道府県の介護保険担当部局に対して、次の依頼を行い、必要な協力を得ること。
　　なお、下記ア(イ)における介護機関からの申出書の提出に当たっては、当該介護機関から都道府県の生活保護担当部局へ直接送付する方法や、都道府県又は市町村の介護保険担当部局や市町村の生活保護担当部局を経由して都道府県の生活保護担当部局へ送付する方法等が考えられるが、いずれの方法にせよ都道府県の介護保険担当部局と十分に調整すること。
　ア　都道府県及び管内の市町村(指定都市、中核市を除く。)の介護保険担当部局において、介護保険の指定又は開設許可の申請があった介護機関に対して、別紙様式例を参考に作成した書面により、以下の事項について周知すること。
　　(ア)　介護保険法の規定による指定又は開設許可があったときは、生活保護法第54条の2第2項の規定により、当該介護機関は、生活保護の指定介護機関として指定を受けたものとしてみなされること。
　　(イ)　地域密着型介護老人福祉施設又は介護老人福祉施設を除く介護機関が、生活保護の指定を不要とする場合には、介護保険法の指定又は開設許可申請の際、生活保護の指定を不要とする旨と併せて、当該介護機関の名称及び所在地、開設者及び管理者の氏名及び住所並びに当該申出に係る施設又は事業所において行う事業

の種類を記載した申出書を当該介護機関の所在地を所管する都道府県の生活保護担当部局（国の開設した介護老人保健施設にあっては、当該施設の所在地を管轄する地方厚生局長）に、生活保護担当部局と介護保険担当部局が協議し定めた所定の方法により、提出すること。
　　イ　生活保護の指定介護機関の指定の状況把握等のために、介護保険の指定又は開設許可を行った介護機関（市町村が指定した地域密着型サービス事業者及び地域密着型介護予防サービス事業者を含む。）に関する情報について、生活保護担当部局と介護保険担当部局が協議し定めた所定の方法により、都道府県の生活保護担当部局に提供すること。
(2)　指定都市及び中核市の生活保護担当部局
　　指定都市及び中核市の生活保護担当部局は、それぞれ市の介護保険担当部局に対して、次の依頼を行い、必要な協力を得ること。
　　なお、下記ア(イ)における介護機関からの申出書の提出に当たっては、当該介護機関から指定都市又は中核市の生活保護担当部局へ直接送付する方法や、介護保険担当部局を経由して生活保護担当部局へ送付する方法等も考えられるが、いずれの方法にせよ介護保険担当部局と十分に調整すること。
　　ア　介護保険担当部局において、介護保険の指定又は開設許可の申請があった介護機関に対して、別紙様式例を参考に作成した書面により、以下の事項について周知すること。
　　　(ア)　介護保険法の規定による指定又は開設許可があったときは、生活保護法第54条の2第2項の規定により、当該介護機関は、生活保護の指定介護機関として指定を受けたものとしてみなされること。
　　　(イ)　地域密着型介護老人福祉施設又は介護老人福祉施設を除く介護機関が、生活保護の指定を不要とする場合には、介護保険法の指定又は開設許可申請の際、生活保護の指定を不要とする旨と併せて、当該介護機関の名称及び所在地、開設者及び管理者の氏名及び住所並びに当該申出に係る施設又は事業所において行う事業の種類を記載した申出書を当該介護機関の所在地を所管する指定都市又は中核市の生活保護担当部局（国の開設した介護老人保健施設にあっては、当該施設の所在地を管轄する地方厚生局長）に、生活保護担当部局と介護保険担当部局が協議し定めた所定の方法により、提出すること。
　　イ　生活保護の指定介護機関の指定の状況把握等のために、介護保険の指定又は開設許可を行った介護機関に関する情報について、生活保護担当部局と介護保険担当部局が協議し定めた所定の方法により、指定都市又は中核市の生活保護担当部局に提供すること。
(3)　その他
　　ア　都道府県（指定都市及び中核市を含む。以下同じ。）の生活保護担当部局は、新法第54条の2第2項の規定により、指定介護機関の指定を受けたものとみなされた介護機関に対して、一般指導等を通じて、指定介護機関介護担当規程及び介護方針

告示に従って、法による介護サービスを適切に提供するよう十分に周知すること。
　イ　また、当該指定介護機関は、上記1(2)イのとおり介護保険法における事業の廃止等があったときは法による指定の効力も失うものであるが、当該指定介護機関の名称その他規則で定める事項の変更等があったときは、同条第4項の規定により読み替えて準用する第50条の2の規定による変更届等の提出が必要であることに留意すること。
　ウ　都道府県の生活保護担当部局は、介護保険担当部局からの情報提供や変更届等に基づき、指定介護機関名簿を随時更新し、管内の指定介護機関の情報について適切に管理すること。
3　新法の施行に伴う指定事務に係る留意事項
(1)　指定介護機関に対する新法の内容の周知徹底
　　都道府県の生活保護担当部局は、管内の指定介護機関に対して、上記1に掲げる指定介護機関制度等の見直しに関する事項及び下記に掲げる施行に伴う指定事務に関する事項について予め周知を行うとともに、円滑な施行が図られるよう協力を求めること。
　ア　旧法の指定を受けている指定介護機関は、施行日において新法第54条の2第1項の規定による指定を受けたものとみなされるものとしたこと。（改正法附則第6条第1項関係）
　イ　当該指定介護機関は、新法第54条の2第2項の規定による指定を受けたものではないため、当該指定介護機関が新法別表第2の下欄に掲げる場合（介護保険法の規定による事業の廃止があったとき、指定若しくは開設許可の取消しがあったとき、又は指定若しくは開設許可の効力が失われたとき）においても、法による指定の効力は失われないこと。
　ウ　ただし、当該指定介護機関が旧法第54条の2第2項の規定による指定を受けたもの（地域密着型介護老人福祉施設又は介護老人福祉施設）については、新法第54条の2第2項の規定による指定を受けたものとみなされ、当該指定介護機関が新法別表第2の下欄に掲げる場合には、法による指定の効力は失うものであること。（改正法附則第6条第2項関係）
(2)　その他
　ア　上記(1)ア及びウの指定については、新法第55条の3第1項第1号の規定による告示は不要であること。
　イ　新法の規定による指定介護機関は、指定医療機関と異なり、施行日以降1年以内の申請や6年毎の更新は要しないものであること。
　ウ　新法第54条の2第1項の規定による新規の指定を受けようとする者は、新法の規定の例により、施行日前においてもその申請をすることができるものとしたこと。（改正法附則第8条関係）
　　指定日については、施行日以降の日付における当該介護機関の希望する日を参考にしながら決定すること。

Ⅱ　生活保護法関係通知　第5章　介護扶助運営要領

別紙様式例（申出書）
　　　　介護保険法の規定による指定又は開設許可を受けようとする介護事業者の方へ
　生活保護法第54条の2第2項の規定により、介護保険法の規定による指定又は開設許可がなされた場合には、生活保護法の指定介護機関として指定を受けたものとみなされます。
　生活保護法の指定介護機関としての指定が不要な場合（※）には、生活保護法第54条の2第2項ただし書の規定に基づき、別紙の申出書について必要事項を記載のうえ、●●●●●に提出してください。

※　生活保護法の指定を不要とした場合には、生活保護を受けている方に対する介護サービスを行うことができなくなりますので、十分ご注意ください。

（別紙）

　　　　　　　　　　　　　　申　出　書
　生活保護法第54条の2第2項ただし書の規定に基づき、生活保護法第54条の2第2項に係る指定介護機関としての指定を不要とする旨申し出ます。
1　介護機関の名称及び所在地
　　　名　称　_____
　　　所在地　_____
2　介護機関の開設者及び管理者の氏名及び住所
　　・開設者の氏名及び住所
　　　※開設者が法人の場合には、法人名・代表者名及び主たる事務所の所在地を記載してください。
　　　　氏名　_____
　　　　住所　_____
　　・管理者の氏名及び住所
　　　　氏名　_____
　　　　住所　_____
3　当該申出に係る施設又は事業所において行う事業の種類
　　　事業の種類　_____
　令和　　　年　　　月　　　日
　　（申出先）○○知事（市長）
　　　　　　　　　　　　　　　住所
　　　　　　　　申出者（開設者）
　　　　　　　　　　　　　　　氏名

○生活保護法に基づく介護扶助に係る審査請求の取扱いについて

　　　　　　平成14年8月29日　社援保発第0829002号
　　　　　　各都道府県生活保護主管部(局)長宛　厚生労働省社会
　　　　　　・援護局保護課長通知

　標記の件について、別紙2の北海道保健福祉部長からの照会に対して、別紙1のとおり回答したので、了知されたい。

(別紙1)

　　　生活保護法に基づく介護扶助に係る審査請求の取扱いについて

　　　　　　平成14年8月29日　社援保発第0829001号
　　　　　　北海道保健福祉部長宛　厚生労働省社会・援護局保護
　　　　　　課長回答

　平成14年8月20日付け保護第675号をもって照会のあった標記の件について、下記のとおり回答する。

記

　御照会の件については、お見込みのとおりである。
　具体的には、行政不服審査法（昭和37年法律第160号）第27条の規定に基づき、介護保険審査会に対して、介護保険制度の被保険者でない要保護者の介護扶助の決定に際し要否判定の一環として行われた介護認定審査会による要介護認定の妥当性について、鑑定を求めることとなる。
　なお、本件については、老健局介護保険課及び総務省行政管理局企画調整課行政手続室と協議済みであることを申し添える。

(別紙2)

　　　生活保護法に基づく介護扶助に係る審査請求の取扱いについて

　　　　　　平成14年8月20日　保護第675号
　　　　　　厚生労働省社会・援護局保護課長宛　北海道保健福祉
　　　　　　部長照会

　このことについて、次のとおり疑義がありますので、ご教示願います。

記

　介護保険制度の被保険者でない要保護者に係る介護扶助の決定に対する審査請求の審理に当たっては、介護扶助の要否判定の一環として行われた要介護認定の妥当性の判断が不可欠であります。
　裁決は当然のことながら都道府県知事が行うこととなりますが、裁決の前提となる当該判断に当たっては、以下の①及び②を考慮しますと、介護保険給付に関する処分の審査請

求を担当する介護保険審査会の専門的・技術的判断を踏まえて行うことが適切と考えておりますが、そのとおりであるならば、その場合の具体的な方法についてご教示願います。

① 介護保険制度の被保険者でない要保護者の要介護認定については、介護扶助の要否判定の一環として生活保護制度独自で行うこととなるが、「生活保護法による介護扶助の運営要領について」(平成12年3月31日社援第825号厚生省社会・援護局長通知) 第4の2の(2)により、「要介護状態等の判定区分、継続期間、療養上の留意事項等について、被保険者とそれ以外の者との間で統一を図る等のため、市町村に設置される介護認定審査会に審査判定を委託して行う」こととされていること。

② また、介護保険制度の被保険者である要保護者が介護認定審査会の行った要介護認定に不服がある場合は、介護保険法の規定に基づき都道府県に設置される介護保険審査会に対して審査請求をすることとされていること。

第6章　保護施設の運営

○救護施設、更生施設、授産施設及び宿所提供施設の設備及び運営に関する最低基準の施行について

> 昭和41年8月29日　社第190号
> 各都道府県知事・各指定都市市長宛　厚生事務次官通知

　生活保護法(以下「法」という。)第39条の規定に基づき、救護施設、更生施設、授産施設及び宿所提供施設の設備及び運営に関する最低基準(以下「基準」という。)が、別添のとおり昭和41年7月1日厚生省令第18号をもって制定、公布され、同年10月1日から施行されることになったが、本基準は、救護施設、更生施設、授産施設及び宿所提供施設(以下「救護施設等」という。)の設備が整備され、運営が適正に行なわれることを期し、もって施設利用者に対する適切な処遇を確保することを目的とするものであるから、貴管下の救護施設等に対し本基準の普及徹底に努めるとともに、その運用に当たっては、次の事項に留意し、指導監督の万全を期されたい。

1　本基準は、救護施設等がその目的を達成するために必要とする最低の基準を定めたものであるから、救護施設等の設置者に対し、本基準を下まわらないのみでなく、常にその設備及び運営の向上に努めるよう指導されたいこと。
　なお、本基準の施行の際現に本基準を上まわる設備を有し又は運営を行なっている救護施設等については、本基準を理由としてその設備又は運営を低下させることのないよう指導されたいこと。
2　本基準の経過規定は、本基準の施行の際現に存する救護施設等の設備のうち、ただちにその改善を図ることが困難なものについて設けられたものであるから、これらの施設については所定の期間内に本基準に適合するよう計画的な改善整備方を指導するとともに、経過規定の定めのない施設及び運営については、昭和41年10月1日までに本基準に適合するよう指導の徹底を図られたいこと。
3　医療保護施設は、医療法の適用を受けるものであるので、本基準には設備及び運営に関し特に規定しなかったところであるが、本基準の総則の規定の趣旨を十分尊重して運営されるよう指導されたいこと。
4　次に掲げる通知は、昭和41年9月30日限り廃止すること。

- (1) 昭和30年5月18日厚生省発社第72号本職通知「養老施設、救護施設及び更生施設の設備及び運営について」
- (2) 昭和30年1月5日厚生省発社第1号本職通知「授産施設の運営について」
- (3) 昭和32年4月4日厚生省発社第77号本職通知「生活保護法による宿所提供施設の設備及び運営について」

5 4の(2)に掲げる通知の廃止に伴い、法第38条の授産施設以外の授産施設の最低基準は、当分の間本基準に準じて取り扱うこととすること。ただし、基準第23条中「30人以上」を「20人以上」として取り扱うものとすること。

○救護施設、更生施設、授産施設及び宿所提供施設の設備及び運営に関する最低基準の施行について

昭和41年12月15日　社施第335号
各都道府県知事・各指定都市市長宛　厚生省社会局長通知

〔改正経過〕

第1次改正　昭和62年3月9日社　施　第　37　号　　　第2次改正　平成13年3月27日社援発第519号
第3次改正　平成16年1月20日社援発第0120006号　　第4次改正　平成16年4月1日社援発第0401014号
第5次改正　令和3年5月10日社援発0510第6号

生活保護法（以下「法」という。）第39条の規定による救護施設、更生施設、授産施設及び宿所提供施設の設備及び運営に関する最低基準（以下「基準」という。）の施行については、昭和41年8月29日社発第190号厚生事務次官通達により別途通知されたところであるが、基準の運用に当たってはさらに次の事項に留意のうえ、遺憾のないよう取り扱われたく通知する。

なお、救護施設、更生施設、授産施設及び宿所提供施設における被保護者の数と利用者の総数との割合については基準に規定されていないが、当分の間本通知の定めるところにより運用を図られたい。

第1　一般的事項

1　基本方針

基準第2条（基本方針）は、救護施設、更生施設、授産施設及び宿所提供施設（以下「救護施設等」という。）における保護の目的を真に効果あらしめるために、本基準の理念として総括的に規定したものであること。なお、「健全な環境」とは、救護施設等が、敷地の衛生、安全等について定めた建築基準法第19条、第43条及び同法施行令第128条の規定に定める要件を具備するとともに、利用者の生活を健全に維持するために、ばい煙、騒音、振動等による影響、交通の便等を十分考慮して設置され、

かつ、その設備が利用者の身体的、精神的特性に適合していることをいうものであり、「適切な処遇」とは、給食、健康管理、衛生管理、生活指導等の役務の提供や設備の供与が、利用者の身体的精神的特性を考慮して適切に行なわれることをいうものであること。

2 構造設備の一般原則

基準第3条(構造設備の一般原則)は、救護施設等の構造設備の一般原則を定めたものであり、救護施設等の配置、構造及び設備が本基準及び建築基準法等の関係諸規定に従うとともに、日照、採光、換気等について十分考慮されたものとし、もって利用者の保健衛生及び防災の万全を期すべきことを趣旨とするものであること。

3 設備の専用

基準第4条(設備の専用)は、救護施設等に設け又は備えられる設備が必要に応じ直ちに使用できる状態になければならないので、原則としてこれらを当該施設の専用とすべきこととしたものであるが、利用者の処遇に支障がない限度においてこの原則によらなくてもよいこととしたものであること。

4 職員の資格要件

基準第5条(職員の資格要件)は、施設長及び生活指導員についてその有すべき資格を定めたものであるが、このうち「同等以上の能力を有すると認められる者」とは、社会福祉施設等に勤務し又は勤務したことのある者、国又は地方公共団体において社会福祉に関する職務にたずさわったことのある者等であって、その者の実績から施設長にあっては、施設の管理及び法第48条に掲げる職務を遂行する能力を有する者をいい、生活指導員にあっては、利用者の生活の向上を図るために適切な指導を行なう能力を有する者をいうものであること。なお、作業指導員、介護職員及び調理員については特に資格の定めはないが、それぞれの職務を遂行する熱意及び能力を有する者とすること。

5 職員の専従

基準第6条(職員の専従)は、職員の他の職業との兼業を禁止する趣旨のものではないが、利用者の処遇の万全を期するために、救護施設等の職員が、当該施設の職務に当たる時間中は、その職務に専念すべきこととしたものであること。

したがって、救護施設等は、職員の採用及び事務分掌に当たって、この点に留意すべきこと。

なお、ただし書の規定は、直接利用者の処遇に当たる生活指導員、作業指導員、介護職員及び看護師又は準看護師(以下、「直接処遇職員」という。)については適用すべきでなく、また、その他の職員についても、同一敷地内に設置されている他の社会福祉施設に兼ねて勤務する場合等であって、兼務によっても利用者の処遇に支障をきたさない場合でなければならないこと。また、同一施設内における職種間の兼務については、施設長と医師の場合等特別の事情があり、かつ、入所者の処遇に支障をきたさない場合にのみ認められるものであること。

5の2 苦情解決への対応

基準第6条の2(苦情への対応)は、利用者の意向が十分反映された福祉サービス

が提供されるためには、利用者が福祉サービスに関する苦情を自由に申し出ることができる環境を整えるとともに、申し出た苦情が適切に解決される仕組みを整備する必要があり、又その際、苦情が第一義的には利用者の身近な段階で解決されるべきものであることから、救護施設等が苦情解決の仕組みを整備するとともに、都道府県社会福祉協議会に設置される運営適正化委員会が苦情解決に当たって行う調査にできる限り協力することとしたものであること。

なお、事業者が苦情解決に取り組むに当たっての具体的な方法に関する指針については、平成12年6月7日障第452号、社援第1352号、老発第514号、児発第575号大臣官房障害保健福祉部長、社会・援護局長、老人保健福祉局長、児童家庭局長連名通知「社会福祉事業の経営者による福祉サービスに関する苦情解決の仕組みの指針について」により別途通知されているので、留意されたいこと。

5の3 就業環境の整備

基準第6条の3は、雇用の分野における男女の均等な機会及び待遇の確保等に関する法律（昭和47年法律第113号）第11条第1項及び労働施策の総合的な推進並びに労働者の雇用の安定及び職業生活の充実等に関する法律（昭和41年法律第132号）第30条の2第1項の規定に基づき、事業主には、職場におけるセクシュアルハラスメントやパワーハラスメント（以下「職場におけるハラスメント」という。）の防止のための雇用管理上の措置を講じることが義務づけられていることを踏まえ、規定したものである。救護施設等が講ずべき措置の具体的内容及び救護施設等が講じることが望ましい取組については、次のとおりとする。なお、セクシュアルハラスメントについては、上司や同僚に限らず、入所者やその家族等から受けるものも含まれることに留意すること。

(1) 救護施設等が講ずべき措置の具体的内容

救護施設等が講ずべき措置の具体的な内容は、事業主が職場における性的な言動に起因する問題に関して雇用管理上講ずべき措置等についての指針（平成18年厚生労働省告示第615号）及び事業主が職場における優越的な関係を背景とした言動に起因する問題に関して雇用管理上講ずべき措置等についての指針（令和2年厚生労働省告示第5号。以下「パワーハラスメント指針」という。）において規定されているとおりであるが、特に留意されたい内容は以下のとおりである。

ア 救護施設等の方針等の明確化及びその周知・啓発

職場におけるハラスメントの内容及び職場におけるハラスメントを行ってはならない旨の方針を明確化し、従業者に周知・啓発すること。

イ 相談（苦情を含む。以下同じ。）に応じ、適切に対応するために必要な体制の整備

相談に対応する担当者をあらかじめ定めること等により、相談への対応のための窓口をあらかじめ定め、従業者に周知すること。

なお、パワーハラスメント防止のための救護施設等の方針の明確化等の措置義務については、女性の職業生活における活躍の推進に関する法律等の一部を改正する

法律（令和元年法律第24号）附則第3条の規定により読み替えられた労働施策の総合的な推進並びに労働者の雇用の安定及び職業生活の充実等に関する法律第30条の2第1項の規定により、中小企業（資本金が3億円以下又は常時使用する従業員の数が300人以下の企業）は、令和4年4月1日から義務化となり、それまでの間は努力義務とされているが、適切な勤務体制の確保等の観点から、必要な措置を講じるよう努められたい。

(2) 救護施設等が講じることが望ましい取組について

パワーハラスメント指針においては、顧客等からの著しい迷惑行為（カスタマーハラスメント）の防止のために、事業主が雇用管理上の配慮として行うことが望ましい取組の例として、①相談に応じ、適切に対応するために必要な体制の整備、②被害者への配慮のための取組（メンタルヘルス不調への相談対応、行為者に対して1人で対応させない等）及び③被害防止のための取組（マニュアル作成や研修の実施等、業種・業態等の状況に応じた取組）が規定されているので、これらに取り組むことが望ましい。

5の4　業務継続計画の策定等

(1) 基準第6条の4は、救護施設等は、感染症や災害が発生した場合にあっても、入所者が継続して適切な処遇が受けられるよう、処遇を継続的に実施するための、及び非常時の体制で早期の業務再開を図るための計画（以下「業務継続計画」という。）を策定するとともに、当該業務継続計画に従い、従業者に対して、必要な研修及び訓練（シミュレーション）を実施しなければならないこととしたものである。なお、業務継続計画の策定、研修及び訓練の実施については、他の施設等との連携等により行うことも差し支えない。また、感染症や災害が発生した場合には、従業者が連携し取り組むことが求められることから、研修及び訓練の実施にあたっては、全ての従業者が参加できるようにすることが望ましい。

なお、業務継続計画の策定等に係る義務付けの適用に当たっては、令和3年改正省令附則第2条において経過措置を設けており、令和6年3月31日までの間は、努力義務とされている。

(2) 業務継続計画には、以下の項目等を記載すること。なお、各項目の記載内容については、「介護施設・事業所における新型コロナウイルス感染症発生時の業務継続ガイドライン」、「介護施設・事業所における自然災害発生時の業務継続ガイドライン」、「障害福祉サービス事業所等における新型コロナウイルス感染症発生時の業務継続ガイドライン」及び「障害福祉サービス事業所等における自然災害発生時の業務継続ガイドライン」等を参照されたい。また、想定される災害等は地域によって異なるものであることから、項目については実態に応じて設定すること。なお、感染症及び災害の業務継続計画を一体的に策定することを妨げるものではない。

　ア　感染症に係る業務継続計画
　　(ｱ)　平時からの備え（体制構築・整備、感染症防止に向けた取組の実施、備蓄品の確保等）

(イ)　初動対応
　　　(ウ)　感染拡大防止体制の確立（保健所との連携、濃厚接触者への対応、関係者との情報共有等）
　　イ　災害に係る業務継続計画
　　　(ア)　平常時の対応（建物・設備の安全対策、電気・水道等のライフラインが停止した場合の対策、必要品の備蓄等）
　　　(イ)　緊急時の対応（業務継続計画発動基準、対応体制等）
　　　(ウ)　他施設及び地域との連携
　(3)　研修の内容は、感染症及び災害に係る業務継続計画の具体的内容を従業者間に共有するとともに、平常時の対応の必要性や、緊急時の対応にかかる理解の励行を行うものとする。
　　　従業者への教育を組織的に浸透させていくために、定期的（年2回以上）な教育を開催するとともに、新規採用時には別に研修を実施すること。また、研修の実施内容についても記録すること。なお、感染症の業務継続計画に係る研修については、感染症の予防及びまん延の防止のための研修と一体的に実施することも差し支えない。
　(4)　訓練（シミュレーション）においては、感染症や災害が発生した場合において迅速に行動できるよう、業務継続計画に基づき、救護施設等内の役割分担の確認、感染症や災害が発生した場合に実践する支援の演習等を定期的（年2回以上）に実施するものとする。なお、感染症の業務継続計画に係る訓練については、感染症の予防及びまん延の防止のための訓練と一体的に実施することも差し支えない。また、災害の業務継続計画に係る訓練については、非常災害対策に係る訓練と一体的に実施することも差し支えない。
　　　訓練の実施は、机上を含めその実施手法は問わないものの、机上及び実地で実施するものを適切に組み合わせながら実施することが適切である。
6　非常災害対策
　(1)　基準第7条（非常災害対策）は、利用者の身体的精神的特性等にかんがみ、火災等の非常災害に備えて必要な諸設備を整備するとともに、避難、救出訓練を実施する等その対策の万全を期さなければならないこととしたものであること。なお、「消火設備その他の非常災害に際して必要な設備」とは、消防法第17条の規定に基づく消防用設備等（同法第17条の2第1項又は第17条の3第1項の規定が適用される救護施設等にあっては、それぞれの技術上の基準に基づく消防用設備等）及び風水害、地震等の災害に際して必要な設備等をいうものであること。
　(2)　「非常災害に対する具体的計画」とは、消防法施行規則第3条に規定する消防計画及び風水害、地震等の災害に対処するための計画をいうこと。この場合、消防計画の樹立及びこれに基づく消防業務の実施は、消防法により防火管理者を置くべきこととされている救護施設等にあっては、その者に行なわせること。また、防火管理者を置かなくてもよいこととされている救護施設等においても防火管理者又は火

気消防等についての責任者を定め、その者に消防計画の樹立等の業務を行なわせること。

なお、救護施設等における火災の防止等については、昭和48年4月13日社施第59号社会局長、児童家庭局長連名通知「社会福祉施設における火災防止対策の強化について」及び昭和55年1月16日社施第5号社会局施設課長、児童家庭局企画課長連名通知「社会福祉施設における地震防災応急計画の作成について」等により別途通知されているので留意されたいこと。

(3) 基準第7条は、救護施設等が前項に規定する避難、救出その他の訓練の実施に当たって、できるだけ地域住民の参加が得られるよう努めることとしたものであり、日頃から地域住民との密接な連携体制を確保するなど、訓練の実施に協力を得られる体制づくりに努めることが必要である。訓練の実施に当たっては、消防関係者の参加を促し、具体的な指示を仰ぐなど、より実効性のあるものとすること。

7 帳簿の整備

基準第8条(帳簿の整備)は、救護施設等における日々の運営及び財産に関する一切の事実を明らかにするため、次の帳簿を備え付けなければならないこととしたものであること。なお、救護施設等の設置の根拠を示す条例又は定款及び法第46条第1項の規定に基づく管理規程を備え付けるべきことはもちろんであること。

(1) 各施設が備えるべき帳簿

　ア　管理に関する帳簿
　　(ア)　事業日誌
　　(イ)　沿革に関する記録
　　(ウ)　職員の勤務状況、給与等に関する記録
　　(エ)　重要な会議に関する記録
　　(オ)　月間及び年間の事業計画表及び事業実施状況表
　　(カ)　関係官署に対する報告書等の文書綴
　イ　利用者に関する帳簿
　　(ア)　利用者名簿(被保護者とそれ以外の者の別)
　　(イ)　利用者身上調査書(入所施設にあっては入退所証明書を含む。)
　　(ウ)　保護の経過指導票(宿所提供施設にあっては生活相談等の経過に関する記録)
　ウ　会計経理に関する帳簿
　　(ア)　収支予算及び収支決算に関する書類
　　(イ)　金銭の出納に関する帳簿
　　(ウ)　債権債務に関する帳簿
　　(エ)　物品の受払に関する帳簿
　　(オ)　収入支出に関する帳簿
　　(カ)　資産に関する帳簿
　　(キ)　証拠書類綴

(2) 救護施設及び更生施設が備えるべき帳簿
    (ア) 利用者の給食に関する記録
    (イ) 利用者の健康管理に関する記録
  (3) 授産施設が備えるべき帳簿
    (ア) 工賃の支払に関する帳簿
    (イ) 資材の受払に関する帳簿
    (ウ) 製品の受払に関する帳簿
    (エ) 資材の掛買に関する帳簿
    (オ) 製品の掛売に関する帳簿
   なお、社会福祉法人が整備すべき会計に関する帳簿については、昭和28年3月18日社乙発第32号社会局長、児童局長連名通知「社会福祉法人の会計について」、昭和51年1月31日社施第25号社会局長、児童家庭局長連名通知「社会福祉施設を経営する社会福祉法人の経理規程準則の制定について」及び平成12年2月17日社援第310号大臣官房障害保健福祉部長、社会・援護局長、老人保健福祉局長、児童家庭局長連名通知「社会福祉法人会計基準の制定について」により別途通知しているので留意されたいこと。
 8 経理の原則
   救護施設等の運営に伴う収入及び支出は、経営主体である当該地方公共団体又は当該法人の予算に必ず計上し、経理に当たっては、収支の状況を明らかにするとともに、すべて原則として保護費と事務費とを厳密に区分し、原則として保護費を事務費に流用してはならないこと。
第2 規模及び設備に関する事項
 1 施設の規模等
  (1) 救護施設等における施設の規模は、当該施設の効果的な運営及び利用者に対する処遇の適正を期するために、救護施設及び更生施設にあっては常時30人以上（救護施設が設置するサテライト型施設にあっては常時5人以上）、授産施設にあっては常時20人以上、宿所提供施設にあっては常時30人以上が利用し得る規模を有すべきこととしたものであること。なお、法第40条又は第41条の規定により救護施設等を設置し、又は設置の許可を行なう際の取扱定員は、当該施設の有する規模をこえてはならず、また、各施設ごとに定められた最低規模を下ってはならないこと。
  (2) 法第39条に規定する救護施設等における被保護者の数と利用者の総数との割合については、当分の間次により運用を図ることとしたこと。
    ア 救護施設及び更生施設における利用者の総数に占める被保護者の数の割合は、おおむね80パーセント以上とすること。
    イ 授産施設及び宿所提供施設における利用者の総数に占める被保護者の数の割合は、おおむね50パーセント以上とすること。
 2 施設の設備
  (1) 救護施設及び更生施設の建物のうち、居室、静養室、食堂等利用者が日常継続的

に使用する設備を有するものについては、建築基準法第2条第9号の2に規定する耐火建築物又は同条第9号の3に規定する準耐火建築物としなければならないこと。なお、霊安室等利用者が日常生活に継続的に使用することのない設備のみを有する建物であって、主要建物と相当な距離を隔てて設けられるものについては、必ずしも耐火建築物又は準耐火建築物としなくてもよいこと。

(2) 救護施設等の設備は、原則として当該施設の運営上及び利用者の処遇上当然に設けなければならないものであるが、同一敷地内に設置されている他の社会福祉施設等の設備を共用することによって施設の効率的運営が図られる場合にはこれを設けなくてもよいこととしたこと。なお、居室、静養室等利用者の処遇上共用が好ましくない設備は必ずこれを設けること。

(3) 静養室、食堂、便所等面積又は数の定めのない設備については、それぞれの設備のもつ機能を十分に発揮し得る適当な面積又は数を確保するよう配慮されたいこと。

(4) 居室及び静養室の「収納設備等」とは押入れ（これに代わるものとして設置したタンス等を含む。）、床の間、踏込みその他これらに類する設備をいうものであること。

(5) 救護施設及び更生施設の医務室については、医療法第7条第1項の許可を受けるよう指導されたいこと。
なお、医務室について診療所として医療法第7条第1項の許可を得た場合にあっても、対象者は原則として利用者に限られるべきものであること。

(6) 救護施設、更生施設及び宿所提供施設における廊下の幅は、利用者の身体的精神的特性及び非常災害時における迅速な避難、救出の確保を考慮して定められたものであること。なお、「中廊下」とは、廊下の両側に居室、静養室等利用者の日常生活に直接使用する設備のある廊下を意味するものであること。廊下の幅については、基準に定めるほか、建築基準法施行令第119条の規定によられたいこと。

(7) 調理室
食器、調理器具等を消毒する設備、食器、食品等を清潔に保管する設備並びに防虫及び防鼠の設備を設けること。

(8) 汚物処理室
汚物処理室は、他の設備と区別された一定のスペースを有すれば足りるものであること。

(9) 焼却炉、浄化槽その他の汚物処理設備及び便槽を設ける場合は、居室、静養室、食堂及び調理室から相当の距離を隔てて設けること。

(10) (1)から(9)までの規定は、サテライト型施設の設備にも適用すること。

第3 職員の配置に関する事項
(1) 直接処遇職員については、基準第11条第2項及び第19条第2項の定めるところによりそれぞれ必要な総数（保護施設事務費の国庫負担金の算定基礎として示される直接処遇職員の総数が基準に定める総数を上回る場合には、算定基礎として示され

る総数)を確保すること。総数内における各職種の配置については、各施設の実情に応じて定めることとなるが、算定基礎に示される各職種ごとの職員数を参考として、入所者の処遇に支障がないよう必要な配置を行うこと。
- (2) (1)の直接処遇職員の数は、常時勤務する者で確保することが原則であるが、繁忙時に多数の職員を配置すること等により、入所者処遇の向上が図られる場合で、次の条件を満たす場合には、その一部に非常勤職員を充てても差し支えないこと。
  - ア 常勤職員である直接処遇職員の総数が(1)によって算定される総数の8割以上であること。
  - イ いずれの職種においても常勤職員が1名以上配置されていること。
  - ウ 常勤職員に代えて非常勤職員を充てる場合の勤務時間数が常勤職員を充てる場合の勤務時間数を上回ること。
- (3) 直接処遇職員以外の職員については、事務員等基準に規定されていない職種を含め、保護施設事務費の国庫負担金の算定基礎として示される職員数を参考として、施設の実態に応じて入所者の処遇に支障がないよう必要な配置を行うこと。
- (4) 施設内における調理業務を委託する場合には調理員を置かないことができること。なお、調理業務を委託する場合には、別途示すところによること。

第4 処遇に関する事項
1 給食
- (1) 救護施設及び更生施設における給食は、熱量及びたん白質、脂肪等の栄養素の配合に留意し、利用者の身体的状況及び嗜好を考慮して行なうとともに、常に食生活の改善に務めなければならないこと。
- (2) 調理は、あらかじめ作成された献立に従って行なうとともに、その実施の状況を明らかにしておかなければならないこと。
- (3) 調理及び配膳に当たっては、食品衛生法施行規則別表第8の上欄に掲げる事項に留意すること。

2 健康管理
- (1) 救護施設及び更生施設における利用者の健康診断は、血沈、血圧、検便等の必要な諸検査について行なうこと。
- (2) 職員については、労働安全衛生規則第50条又は地方公共団体の実施する方法に従って健康診断を行うこと。
- (3) 調理員については、定期的に検便を行うこと。
- (4) 救護施設等における医療は、保健衛生の一環として施設自体においてこれを行なうものとするが、病状によっては、この原則により難い場合が予想されるので、その施設において診療を行なうことが困難であると認められる場合には、適当な医療機関に入院又は通院させるべきであること。なお、被保護者については、保護の実施機関に連絡のうえ医療扶助の適用を受けることができるものであること。

3 衛生管理
- (1) 水道法の適用されない小規模の水道についても、市営水道、専用水道等の場合と

同様、水質検査、塩素消毒法等衛生上必要な措置を講ずること。
(2) 救護施設等は、常に施設内外の清潔を保つとともに、毎年1回以上大掃除を行なうこと。
(3) 救護施設等は、食中毒及び伝染病の発生を防止するための措置、そ族こん虫の駆除方法、栄養改善の具体的方法等について、必要に応じ保健所の助言、指導を求めるとともに、常に保健所との密接な連絡を保つこと。
(4) 基準第5条第2項に規定する感染症又は食中毒が発生し、又はまん延しないように講ずるべき措置については、具体的には次のアからエまでの取扱いとすること。
　ア　感染症及び食中毒の予防及びまん延の防止のための対策を検討する委員会
　　当該救護施設等における感染症及び食中毒の予防及びまん延の防止のための対策を検討する委員会(以下「感染対策委員会」という。)であり、幅広い職種(例えば、施設長、医師、生活指導員、介護職員、看護師又は准看護師、栄養士等)により構成する。構成メンバーの責務及び役割分担を明確にするとともに、専任の感染対策を担当する者(以下「感染対策担当者」という。)を決めておくことが必要である。感染対策委員会は、入所者の状況など施設の状況に応じ、おおむね3月に1回以上、定期的に開催するとともに、感染症が流行する時期等を勘案して必要に応じ随時開催する必要がある。
　　感染対策委員会は、テレビ電話装置等を活用して行うことができるものとする。この際、個人情報保護委員会「個人情報の保護に関する法律についてのガイドライン」等を遵守すること。
　　なお、感染対策委員会は、運営委員会など施設内の他の委員会と独立して設置・運営することが必要であるが、関係する職種、取り扱う事項等が相互に関係が深いと認められる他の会議体を設置している場合、これと一体的に設置・運営することとして差し支えない。感染対策担当者は看護師であることが望ましい。
　　また、施設外の感染管理等の専門家を委員として積極的に活用することが望ましい。
　イ　感染症及び食中毒の予防及びまん延の防止のための指針
　　救護施設等における「感染症及び食中毒の予防及びまん延の防止のための指針」には、平常時の対策及び発生時の対応を規定する。
　　平常時の対策としては、救護施設等内の衛生管理(環境の整備、排泄物の処理、血液・体液の処理等)、日常の支援にかかる感染対策(標準的な予防策(例えば、血液・体液・分泌液・排泄物(便)などに触れるとき、傷や創傷皮膚に触れるときどのようにするかなどの取り決め)、手洗いの基本、早期発見のための日常の観察項目)等、発生時の対応としては、発生状況の把握、感染拡大の防止、医療機関や保健所、市町村における施設関係課等の関係機関との連携、医療処置、行政への報告等が想定される。また、発生時における施設内の連絡体制や前記の関係機関への連絡体制を整備し、明記しておくことも必要である。
　　なお、それぞれの項目の記載内容の例については、「介護現場における感染対

策の手引き」や「障害福祉サービス施設・事業所職員のための感染対策マニュアル」等を参照されたい。
　ウ　感染症及び食中毒の予防及びまん延の防止のための研修
　　従業者に対する「感染症及び食中毒の予防及びまん延の防止のための研修」の内容は、感染対策の礎的内容等の適切な知識を普及・啓発するとともに、当該施設における指針に基づいた衛生管理の徹底や衛生的な支援の励行を行うものとする。
　　従業者への教育を組織的に浸透させていくためには、当該施設が指針に基づいた研修プログラムを作成し、定期的な教育（年2回以上）を開催するとともに、新規採用時には必ず感染対策研修を実施することが重要である。また、調理や清掃などの業務を委託する場合には、委託を受けて行う者に対しても、施設の指針が周知されるようにする必要がある。
　　また、研修の実施内容についても記録することが必要である。
　　研修の実施は、厚生労働省「障害福祉サービス施設・事業所職員のための感染対策マニュアル」等を活用するなど、施設内職員研修での研修で差し支えない。
　エ　感染症の予防及びまん延の防止のための訓練
　　平時から、実際に感染症が発生した場合を想定し、発生時の対応について、訓練（シミュレーション）を定期的（年2回以上）に行うことが必要である。訓練においては、感染症発生時において迅速に行動できるよう、発生時の対応を定めた指針及び研修内容に基づき、施設内の役割分担の確認や、感染対策をした上での支援の演習などを実施するものとする。
　　訓練の実施は、机上を含めその実施手法は問わないものの、机上及び実地で実施するものを適切に組み合わせながら実施することが適切である。
　　なお、当該義務付けの適用に当たっては、令和3年改正省令附則第3条において経過措置を設けており、令和6年3月31日までの間は、努力義務とされている。
4　生活指導
(1)　基準第16条第1項の規定は、常時必要な指導を行ない得る態勢をとることにより、積極的に利用者の生活の向上及び更生を図ることを趣旨とするものであること。
(2)　生活指導に当たっては、管理規程に従うべきことはもちろんであるが、さらに利用者の年齢、性別、性格、生活歴、身体的精神的特性、利用者の日常生活の状況等を考慮して個別的な処遇方針を定めることが適当であること。
　　また、この指導の結果は、利用者の保護の経過指導票に記録しておくこと。
(3)　生活指導に当たっては、いたずらに利用者を強制し、自由を拘束することのないように配慮すべきこと。
(4)　基準第16条第2項に規定する「機能を回復し又は機能の減退を防止するための訓練又は作業」は、身体的機能の維持、回復を主眼とするものであり、更生施設の作

業指導の目的とは異なるので、その実施に当たっては十分留意しなければならない。
 5　作業指導
　　更生施設における作業指導は、利用者に技能を修得させるためのものであるが、作業指導に当たっては、利用者の身体的又は精神的条件はもちろん、利用者の希望、過去の職歴、適性等を考慮すべきものであること。
第5　各施設の留意すべき事項
 1　救護施設
　　精神上著しく障害があるために日常生活を営むことが困難な者であって、居宅においては保護を行なうことができないか又は保護の目的を達し難いものを対象とした施設については、従来より緊急救護施設として運用してきたところであるが、基準施行後においても、当分の間従来と同様の取扱いをすることとしたので、これが運用に当たっては、救護施設にかかる一般的な基準のほか特に次の点に留意されたいこと。
　(1)　精神病院等と緊密な連携のもとに円滑な運用が図られるようにすること。
　(2)　精神病院等の入院中の者が退院して施設に入所する場合にあっては、当該病院長が入院治療を要しないと認めた者に限るものとすること。
　(3)　職員の配置については、第3（職員の配置に関する事項）に留意するとともに、医師は、精神科又は神経科を主として専攻した者とすること。
　(4)　静養室については、2室程度の個室を設けること。
　(5)　生活指導及び作業指導に当たっては、生活指導員、医師、看護師等の緊密な連携のもとに個別的又は集団的に行ない、指導を通じて利用者が生活への意欲と自信をもち、社会生活に適応できるよう努めること。
　　なお、昭和33年4月30日社発第308号本職通知「緊急救護施設の運営について」は、昭和41年12月15日限り廃止すること。
 2　更生施設
　　更生施設については、従来、第1種更生施設及び第2種更生施設の2種類に区分し、それぞれに応じた基準が設定されていたが、社会情勢の変化により現在においてはこのような区分をする必要がなくなったので、この区分を廃止したこと。したがって、更生施設については、身体上又は精神上の理由により養護及び生活指導を必要とする要保護者を入所させる施設として運用されるものであるから、いわゆる浮浪者についても、更生施設対象者とみなされない者については、他の適当な施設に入所させる等の措置を講ずること。
　　なお、従来より第2種更生施設として浮浪者を対象として運用してきた施設については、利用者の実態を分析して必要な入所分類を図るとともに、施設の種類についても、管内の要保護者の実情等を勘案して、更生施設として存続させるか又は他の適当な施設に転換する等の措置を講ずること。
 3　授産施設
　(1)　経理に当たっては、すべて事業費と事務費とを厳密に区分し、彼此流用してはな

らないこと。
(2) 家庭授産を併設する場合には、当該家庭授産は50人以上の人員が利用できる規模とし、施設授産との取扱定員の区分を明確にすること。また、この場合、施設授産と家庭授産のそれぞれの事業費について、経理を明確に区分すること。
(3) 作業種目については、各地方の社会的、経済的実情に即した永続性のある事業について、利用者の技能の修得、作業能力、工賃等を総合的に勘案して、もっとも効率的な種目を選定すること。
(4) 基準第26条に規定する「事業に必要な経費の額」とは、事業費のうち原材料費、光熱費、運搬費等必要な経費と(5)による徴収額との合計額をいうものであること。
(5) 保護施設事務費の支出の対象とされている利用者以外の利用者については、保護施設事務費に相当する額の範囲内であって、本人の作業収入を十分考慮して、施設授産にあっては作業日数、家庭授産にあっては作業工賃に応じて算出した額を徴収することができること。
(6) 工賃は出来高払を原則とし、事情により固定給を併用することはさしつかえないこと。
(7) 授産施設に対する労働基準法の適用については、昭和26年11月26日社乙発第170号本職通知「授産施設に対する労働基準法等の適用除外について」のとおりであるが、同法の趣旨に則り、利用者の保護には十分な注意と努力が払われなければならないこと。
　特に、作業時間及び作業量が過度にわたることのないよう厳に注意せられたいこと。
(8) 法第38条に規定する授産施設以外の授産施設（以下「社会事業授産施設」という。）については、当分の間法第38条の授産施設に準じて取り扱うものであるが、特に次の点に留意すること。
　ア　社会事業授産施設の利用者は、通常の場合、労働能力、就業時間等に制約のあることが予想されるので、それぞれの状況に応じて適切な指導を行ない、速やかに自立更生を図るよう配慮すること。
　イ　社会事業授産施設は、20人以上が利用し得る規模を有すべきこと。
　ウ　社会事業授産施設の利用者は、被保護者又は要保護者に限定されないので、利用人員総数に占める被保護者の数の割合は、特に定めないものであること。
4　宿所提供施設
　宿所提供施設は、利用者の日常生活を通じて生ずる生活上の問題に関し、相談に応ずる等利用者の生活の向上を促進するよう努めなければならないものであること。
第6　経過規定に関する事項
　基準施行の際現に存する救護施設等については、その設備等に対する基準の適用に当たって一定の経過規定が設けられているが、基準に合致しないものについては、都道府県、指定都市において整備計画を樹立し、できるだけ早急に基準に合致することとなるよう鋭意努力されたいこと。

◯救護施設におけるサテライト型施設の設置運営について

平成16年12月14日　社援発第1214002号
各都道府県知事・各指定都市市長・各中核市市長宛
厚生労働省社会・援護局長通知

　標記について、別紙のとおり「サテライト型施設設置運営要綱」を定めたので、その適切かつ円滑な運営が図られるよう特段の配慮をお願いする。
　なお、当該施設の設置及び運営については、「救護施設、更生施設、授産施設及び宿所提供施設の設備及び運営に関する最低基準」（昭和41年7月1日厚生省令第18号）及び関係通知によるほか、この要綱に定めるところによるのでご留意願いたい。

〔別　紙〕
　　　サテライト型施設設置運営要綱
1　目的
　　近年、精神障害者等社会的入院患者の退院後の受入先等として、救護施設のニーズが高まっていることに鑑み、敷地が狭く増築が困難等の状況にある救護施設について、当該施設の近隣に小規模の救護施設（以下「サテライト型施設」という。）を設置できることとし、これにより、地域の実情に応じた救護施設の施設整備の推進を図り、もって入所を必要とする要保護者の利用に資することを目的とする。
2　設置経営主体
　　サテライト型施設の設置経営主体は、現に救護施設（以下「本体施設」という。）を設置経営している地方公共団体、社会福祉法人等とする。
3　対象施設等
(1)　本体施設は、生活保護法第38条に規定する救護施設とする。
(2)　本体施設とサテライト型施設とをもって、単一の施設とする。
(3)　サテライト型施設は、複数設置できるものとする。
4　定員
　　サテライト型施設の入所定員は、原則として1か所当たり5名以上20名以下とする。
5　職員
(1)　サテライト型施設の職員は、本体施設の勤務体制等との調整を行い、原則として2名の職員を配置することとし、そのうちの1名を実務上の責任者（サテライト型施設担当責任者）とすること。
(2)　必要に応じ、その他の職員（非常勤可）を置くこと。
6　運営
(1)　本体施設の施設長の管理の下に本体施設と一体的に施設運営が行われるものとし、入所者の処遇等に当たっては、本体施設の職員及び設備の活用にも留意すること。

Ⅱ 生活保護法関係通知 第6章 保護施設の運営

(2) 本体施設から援助が得られる等常に適切な対応がとれる場所に設置すること。
(3) 入所者の安全確保に十分留意するとともに、非常時における本体施設との連携体制の確保を図ること。
7 建物の構造及び設備
　サテライト型施設の入所者の処遇に支障がないときは、本体施設との兼用により、事務室、集会室等を設けないことができる。

○生活保護法による保護施設の管理規程について

（昭和32年3月30日　社発第254号）
（各都道府県知事・5大市長宛　厚生省社会局長通知）

〔改正経過〕

　　　第1次改正　昭和38年8月1日社発第525号　　　第2次改正　平成13年3月27日社援発第520号

　　注　本通知は、平成13年3月27日社援発第518号により、地方自治法第245条の9第1項及び第3項の規定に基づく処理基準とされている。

　標記の件に関し、生活保護法第46条は、その制度を各保護施設の設置者に命ずるとともに、その内容についてはこれをその設置者の創意と研究に委ね、その規制については各都道府県知事の後見的監査にまかせているところであるが、現行の管理規程の中には種々不適当と思われる規定も見受けられるので、今後は、管理規程を受理したときは、下記により十分検討を加え、必要あるときは変更命令その他の措置をとるとともに、すでに届出を了しているものについても速やかに適切なる指導をされたい。

記

（管理規程の制定）
第1　管理規程の題名中には管理規程の名称を使用すること。
第2　管理規程は保護施設の設置者が保護施設ごとに制定するものであること。
2　某園規程、某園事務規程、某園内務規程等の数個の規則をあわせてはじめて管理規程の実を備えるごときものが見受けられるが、これは適当ではないこと。
3　保護施設の事務の一部を委託している場合において、受託者が管理規程を制定しているものを見受けるが、これは適法ではないこと。
第3　管理規程には法第46条第1項各号の事項を直接かつ具体的に明示すること。特に施設を利用する者に対する処遇方法、守るべき規律等保護施設の管理上重要な事項を内規その他に委任することは望ましくないこと。
第4　管理規程の制定は原則として当該保護施設が地方公共団体の設置にかかる場合にあっては規則によることとし、社会福祉法人又は日本赤十字社の設置にかかる場合にあっては、定款に別段の定めがないときは理事の過半数をもって決すること。
第5　管理規程の制定にあたっては、文言を十分検討して表現にあやまりのないようにすること。

（事業の目的及び方針）
第6　事業の目的及び方針に関しては人種、信条、性別、社会的身分又は門地により差別し、あるいは宗教上の行為、祝典、儀式又は行事に参加することを強制するがごとき規定を設けてはならないこと。

(職員の定数、区分及び職務内容)
第7　職員の定数、区分及び職務内容については、地方公共団体の条例、規則又は社会福祉法人の定款等によって定められたもののほか、嘱託、臨時職員等の身分によるものも規定すること。
　　なお、職員の区分とは職種の区分であって身分の区分ではないこと。
第8　職務内容は職種ごとに事務内容を明記し、責任の所在が明らかになるように規定すること。
(その施設を利用する者に対する処遇方法)
第9　処遇方法について規定すべき特に必要な事項は次の各号であること。
　1　生活指導に関する事項
　2　救護施設及び更生施設にあっては給食に関する事項
　3　保健衛生に関する事項
　4　医療的処遇に関する事項
　5　施設の課する作業に関する事項
　6　授産施設にあっては作業種目、作業工賃及び作業条件等に関する事項
　7　教養娯楽その他の必要な事項
第10　処遇に関する事項を規定するにあたっては、慈恵的表現を避けるようにすること。
第11　生活指導に関する事項については、施設の長及び生活指導を担当する職員が随時その施設を利用する者に面接の機会を与えるような規定をおくことが望ましいこと。
第12　給食に関する事項については、献立の作成等調理の方針について規定することが望ましいこと。
第13　保健衛生に関する事項については健康診断、入浴及び消毒等について規定すること。
第14　救護施設及び更生施設にあっては、入所者は疾病にあたっては、特定の診療日時に、又は随時に、必要な診療を受けられるべき旨の規定をおくこと。
第15　授産施設における作業工賃は、原則として純利益の全額を出来高払いの方法によって支払うべき旨の規定をおくこと。
第16　作業種目及び必要あるときは作業条件を明示する規定をおくこと。
(その施設を利用する者が守るべき規律)
第17　その施設を利用する者の守るべき規律については、余りに細分して生活のゆとりを失い、又は就床時間を極端に長くとる等通常の日常生活からはなはだしく相違した生活様式を定めるようなことのないようにすること。
第18　内職、手伝い等により入所者が自立又は更生にはげむことは必要なことであると思われるが、これらについて規定するにあたっては施設内の秩序維持はもちろん、健康を害しその他の弊害を生ずるおそれのないよう規制すること。
(施設の課する作業)
第19　救護施設にあっては、入所者の特性からみて原則として作業を課する必要は認められないので、これについて規定する場合は特に慎重に取り扱うこと。

第20　施設が作業を課する場合においては、その作業が処遇上欠くべからざるものであることを要し、当該施設の運営上職員の不足を補充する意味等により作業を課するような規定をおくことは認めがたいこと。

第21　任意に内職、手伝い等に従事することは、施設が入所者に課する作業とは考えられないものであること。

第22　作業を課する場合においてその種類、方法及び時間を定めるにあたっては、画一的に定めることを避け入所者各人の年齢、性及び体力等に応じて処遇上最も効果を挙げるような規定をおくこと。

第23　入所者に作業を課した場合において生じた収益（作業に要した必要経費は除く。）の処分については、原則として入所者の処遇にあてるように規定することが適当であること。

（その他施設管理についての重要事項）

第24　施設の管理について規定すべき重要事項の2、3を例示すれば次のとおりであること。
　1　苦情解決の体制に関する事項
　2　災害対策に関する事項
　3　施設の管理組織に関する事項
　4　入所及び退所に関する事項
　5　経理に関する事項、特に入所者が入所に要する費用の全部又は一部を負担する場合における費用の徴収に関する事項

第25　災害対策に関する事項についての規定は必ず設けるようにすること。
　2　災害対策についての規定には下の事項に特に留意すること。
　　1　施設長は消火、避難、警報その他の防災に関する設備及び火災発生等の虞のある個所の点検をなすべきこと
　　2　所轄消防署との連絡及び避難訓練に関する事項

第26　施設の管理組織に関する事項については、保護施設の規模構造等により、第7による単なる職員の区分及び職務内容の明示によっては当該施設の管理方法が明確でない場合にあっては管理組織に関して規定した条項を設けることが適当であること。

第27　入所及び退所に関する事項については、被保護者の素行、性癖及び経歴を理由として、入所を拒むことができる旨を規定することは適当とは認めがたいこと。

○保護施設通所事業の実施について

平成14年3月29日　社援発第0329030号
各都道府県知事・各指定都市市長・各中核市市長宛
厚生労働省社会・援護局長通知

〔改正経過〕
　第1次改正　平成15年3月25日社援発第0325014号　　第2次改正　平成16年2月24日社援発第0224003号
　第3次改正　平成18年3月31日社援発第0331003号　　第4次改正　平成21年3月27日社援発第0327023号
　第5次改正　平成22年3月29日社援発0329第115号　　第6次改正　令和6年6月24日社援発0624第4号

　今般、精神疾患に係る患者等の社会的入院の解消を図り、被保護者が居宅で継続して自立した生活を送れるよう支援するため、別添のとおり「保護施設通所事業実施要綱」を定め、平成14年4月1日から適用することとしたので、了知の上、事業が円滑に実施されるよう遺漏なきを期されたい。
　また、事業の実施にあたっては、「救護施設、更生施設、授産施設及び宿所提供施設の設備及び運営に関する最低基準」（昭和41年7月1日厚生省令第18号）によるほか、この要綱に定めるところによる。
　これに伴い、「救護施設通所事業実施について」（平成元年7月1日社施第94号厚生省社会局長通知）及び「救護施設退所者等自立生活援助事業の実施について」（平成6年6月24日社援保第134号厚生省社会・援護局長通知）は廃止する。
（別　添）
　　　　　保護施設通所事業実施要綱
1　目的
　　保護施設通所事業（以下、「事業」という。）は、原則として保護施設退所者を、保護施設に通所させて指導訓練等を実施し、又は職員が居宅等へ訪問して生活指導等を実施することで、居宅で継続して自立生活が送れるよう支援するとともに、保護施設からの退所の促進と受入のための有効活用を図ることを目的とする。
2　対象施設
　　生活保護法第38条に規定する救護施設又は更生施設とする。
3　事業の内容
　　施設への通所による生活指導・生活訓練等又は就労指導・職業訓練等の実施（以下、「通所訓練」という。）と、職員による居宅等への訪問による生活指導等の実施（以下、「訪問指導」という。）を一体的に行うものとする。
　　ただし、やむをえない場合は通所訓練のみの実施又は訪問指導のみの実施もできるものとする。
4　実施責任
　(1)　事業期間中の被保護者の措置は、保護施設への入所措置を行った保護の実施機関が

引き続き保護の実施責任を負うものとする。
 (2)　なお、事業終了後、居宅での自立が図られた者については、その居住地を所管する保護の実施機関が保護の実施責任を負うこととなるので、十分な連絡調整を図るものとする。
5　事業の対象者
 (1)　保護施設の退所者で退所後引き続き指導訓練等が必要と認められる者とする。ただし、居宅の被保護者（「生活保護法による保護の実施要領について」（昭和38年4月1日社発第246号厚生省社会局長通知）の第10の2の(6)に定める者を含む。以下同じ。）のうち、自立生活を送る上で種々の問題等を有しているため、生活指導などの支援を要する者も事業定員の5割を限度として対象とすることができるものとする。
 (2)　本事業の趣旨に鑑み、被保護者以外の者も事業対象者とすることができるものとする。ただし、この場合、事業対象者総数に占める被保護者の割合は80％以上とする。
6　事業の期間
 (1)　事業の期間は、1年以内とする。ただし、1年を最長とする一定期間毎に事業の必要性の判断を行い、効果測定等において引き続き支援を行うことが有効と判断された者については、その都度延長することができるものとする。なお、期間を延長した場合の保護の実施責任は、居住地を所管する保護の実施機関が負う。
 (2)　この対象者については、引き続き退所者として扱うこととし、本要綱5(1)のただし書きの範囲内としない。
7　事業の定員
　　事業定員数は、10名以上、かつ実施施設の入所定員数の5割以内の範囲とする。ただし、特別な事情がある場合には、2名を下限とすることができるものとする。
8　職員の配置
 (1)　本事業を実施するにあたっては、定員10名以上の場合、専任の職員配置として直接処遇職員を3名以上配置し、そのうち常勤職員は少なくとも2名以上とする。
 (2)　ただし定員5名以上10名未満の場合については、専任の職員配置として直接処遇職員を2名以上配置し、そのうち常勤職員は少なくとも1名以上とし、定員2名以上5名未満の場合については、専任の直接処遇職員を1名以上配置する。
 (3)　通所訓練、訪問指導それぞれの職員配置については、必要な職員数を置くものとする。
9　事業の実施
 (1)　周知徹底
　　　都道府県知事（指定都市市長及び中核市市長を含む。以下同じ。）は対象施設に対し、本事業の趣旨、内容、手続き等について周知徹底を図り、その理解と協力を得るよう努めるものとする。
 (2)　申請書の提出
　　　実施を希望する施設は、以下の事項を記載した申請書を毎前年度3月15日までに都道府県知事あて提出するものとし、次年度以降は前年度実績見込みも併せて提出する

こと。
　ア　施設の名称
　イ　入所定員と3月1日現在員
　ウ　開始（予定）年月日及び定員
　エ　協議定員
　　　・通所訓練定員
　　　・訪問指導定員
　オ　事業計画
　　　・事業の方針と目標
　　　・訓練、指導等の科目と具体的な内容及び参加定員
　　　・日数、時間などのスケジュール
　カ　配置職員（予定）の状況
　　　・氏名、年齢、性別
　　　・現在の勤務先、勤続年数
　　　・指導員等としての経験年数
　　　・勤務形態（常勤・非常勤別）
　キ　前年度実績見込み（次年度以降）
　　　・訓練、指導等の利用実人員
　　　・実施結果と効果
　　　・目標との比較
(3)　事業者の決定
　　都道府県知事は施設から事業実施にかかる申請書の提出があった場合には、以下の事項等を十分審査した上で事業者の決定を行うものとする。また、決定した翌年度以降は年度毎に事業効果を判定し、事業の継続の適否を決定するものとする。
　　　・事業計画が適切に作成されていること
　　　・配置（予定）職員が適切であり、本事業の配置基準を満たしていること
　　　・前年度決算見込書により適正な決算状況であること
　　　・当該年度の予算書（案）により適正な予算編成であること
　　　・給与規程及び就業規則が適切な内容であること
(4)　事業対象者の選定
　　都道府県知事より事業者として決定を受けた施設は、本事業の実施に当たり事業対象者の選定を行うものとする。なお、事業対象者の選定を行う際には、事業対象者毎に入所措置を行った保護の実施機関と以下の内容について協議・調整を行うものとする。
　　　・氏名、年齢、性別
　　　・選定理由
　　　・施設での入所状況

　　　　・個別支援計画
　　　　・事業内容と目標
　(5)　選定方法の取扱い
　　　事業実施施設が事業対象者を選定するに当たっては、選定のための会議等を設けて、その適否について、判定を行うものとする。
　(6)　通所の措置
　　　保護の実施機関は、事業対象者について事業者からの情報をもとにケース診断会議等において、通所の措置を決定し、事業者に対しその旨通知を行うものとする。
　(7)　事業対象者の効果測定
　　　事業者は、事業期間終了時までに事業対象者に係る事業の効果測定を行い、以下の内容を保護の実施機関に報告するものとする。また、保護の実施機関は当該報告についてケース診断会議等において、通所措置の終了又は延長を決定した後、当該決定内容について事業者に対し通知を行うものとする。
　　　　・事業実績の効果測定（達成度、目標との比較等）
　　　　・終了の場合その理由
　　　　・延長の場合その理由
10　設備等
　　既存の設備等をもって本事業の実施を可能とする。
11　関係機関等との連携
　　事業者は、事業対象者の効果的な自立促進を図るため、保護の実施機関、医療機関等関係機関及び事業対象者の家族と連携を密にするとともに、地域社会の理解と協力を得られるよう配慮するものとする。
12　経理区分及び帳簿の整備
　　本事業に係る経理は、従来の施設会計内で経理を区分して行うものとする。その他事業対象者の名簿、指導台帳、日誌等必要な帳簿は従来のものに準じて整備するものとする。
13　保護施設事務費の支弁方法
　　従来の入所の場合と同様、保護施設事務費は月初日の通所実人員（在籍者）につき支弁するものとする。
　　従って、たまたま月の初日に通所しなかった場合であっても、月初日の在籍者としてその月分の施設事務費を支弁し、また、日割計算は行わないものとする。
　　次のア及びイの算式により算出した合算額をもって、原則として毎月支弁を行うものとする。なお、本人支払額がある場合にはその額を控除した額を保護施設事務費とする。
　　ア　通所訓練
　　　　別に定める施設事務費支弁基準額　×　その月初日の通所訓練実人員
　　イ　訪問指導

　　　　別に定める施設事務費支弁基準額　×　その月初日の訪問指導実人員
14　事業の報告
　　事業の決定を行った都道府県、政令市及び中核市は、別紙様式により毎年6月末日までに厚生労働省社会・援護局保護課あて報告をすること。
15　その他
　　事業者は、保護施設を退所して本事業の対象者となる者がある場合には、当該事業対象者が生活するための住宅を確保するよう協力するものとする。
（別紙様式）

保護施設通所事業報告書

都　道　府　県　名						
施　設　種　類　・　施　設　名						
所　　　在　　　地						
設　置　主　体　・　運　営　主　体						
施　設　定　員						
通　所　事　業　定　員	通所訓練		訪問指導		合　計	
^	名		名		名	
事　業　対　象　者　数	通所訓練		訪問指導		合　計	
^	男性	女性	男性	女性	男性	女性
^	名	名	名	名	名	名

○授産事業の振興対策について

> 〔昭和36年4月4日　厚生省発社第124号〕
> 〔各都道府県知事・各指定都市市長宛　厚生事務次官通知〕

　授産事業の運営については、「授産施設の運営について」（昭和30年1月5日厚生省発社第1号各都道府県知事あて、厚生事務次官通知）による授産施設運営要綱（以下「運営要綱」という。）に基づきこれが健全な運用を図ってきたところであるが、国民生活の著しい向上の反面、依然として相当数の低所得階層が存在する現状にかんがみ、今般、授産事業の振興対策として、次の措置を講ずることとなったから、貴都道府県市においても、これらの措置を有効適切に活用し、授産事業の目的達成のため、遺憾のないよう配意されたい。

　おって、今回の措置に伴い、運営要綱の一部が別紙のように改められ、昭和36年4月1日から適用されることとなったので了知のうえ、貴管下施設に達する指導監督の徹底を期されたい。

1　授産施設利用者等の範囲について
　　授産施設利用の効率化を図るため、利用者及び保護施設事務費支出対象者の範囲を拡大したこと。
2　家庭授産の創設及び運営について
　　授産施設利用対象者のうち、授産施設に通うことが困難であるが、家庭内においては軽易な作業に従事することが可能である者に対し、就労の機会を与え、その自立を助長するため、次により新たに家庭授産（家庭内において作業を行なう授産をいう。以下同じ。）を行なうこととしたこと。
　(1)　運営の方法
　　　家庭授産は、授産施設がその事業内容として施設授産（施設内において作業を行なう授産をいう。）とあわせて行なうものであること。
　(2)　協議
　　　生活保護法による授産施設（以下「保護授産施設」という。）が家庭授産を行なおうとする場合、又は家庭授産の取扱定員を変更する場合は、当分の間、別に定める手続により、事前に当省に協議すること。
3　保護授産施設の設備費に対する国庫補助等の措置について
　(1)　設備費に対する国庫補助
　　(ア)　創設又は拡張に対する国庫補助
　　　　創設又は拡張に対する国庫補助は、保護授産施設利用対象者が多く、その必要度が高いと認められる地域の施設について重点的に行う方針であること。
　　(イ)　老朽設備に対する国庫補助
　　　　建物及び設備が老朽しているため作業能率が著しく低下している現状にある施設

に対しては、その設備の整備に要する費用についても(ア)と同様な方針で補助を行うものであること。
(2) 作業工賃の引上げ
利用者の作業工賃の引き上げを行なうため、作業場の電灯料は保護施設事務費の中に含めて支弁できるよう改善を図ったこと。
別紙　略

○保護施設以外の授産施設に係る施設事務費の取扱いについて

〔昭和38年4月23日　社発第361号
各都道府県知事・各指定都市市長宛　厚生省社会局長
通知〕

　生活保護法による保護施設以外の授産施設の事務費については、従来、公費による負担を行なっていなかったのであるが、保護施設以外の授産施設（昭和30年1月5日厚生省発社第1号厚生事務次官通知をもって示された「授産施設運営要綱」に合致する授産施設に限る。）であって、地方公共団体又は社会福祉法人の設置するものについては、当分の間、これを保護施設たる授産施設に準ずるものとし、当該施設事務費を生活保護費（保護施設事務費）に含めて経理して差しつかえないこととしたので、次の事項を了知のうえ、遺憾のないようにされたい。
1　保護施設以外の授産施設を保護施設たる授産施設に準ずるものとして取扱うのは、施設事務費に関してのみであるから、施設の設置手続、設備費に対する負担、補助等の事項に関しては生活保護法の規定は適用されないものであること。
2　この取扱いによる施設事務費の支出の対象となる者の決定、施設事務費支弁額の決定及びその手続等はすべて保護施設たる授産施設の場合と同様に行なうものであること。
3　この取扱いは、昭和38年4月1日から実施するものであること。

○生活保護法による保護施設の許可等に関する報告について

〔昭和44年5月6日　社施第73号
各都道府県指定都市民生主管部(局)長宛　厚生省社会
局施設・生活課長連名通知〕

　保護施設の認可等の事務については、平素からご配意を煩わしているところであるが、今後、管下保護施設の認可等を行なった場合においては次により報告願いたい。

1　保護施設を設置または認可したとき（様式別紙1）
2　保護施設の種類または名称を変更したとき（様式別紙1）
3　保護施設の設置主体または経営主体を変更したとき（様式別紙1）
4　保護施設の定員を変更したとき（様式別紙1）
5　保護施設を停止または休止したとき（様式別紙2）
6　保護施設を廃止したとき（様式別紙2）

別紙様式1

保護施設設置・認可（変更）報告書

事項	変更前	変更後
施設種類・施設名		
所在地	（電話番号） （最寄り駅）	（電話番号） （最寄り駅）
設置主体・経営主体		
施設長名		
設置・認可（変更）年月日		
事業・認可（変更）年月日		
建物面積	㎡	㎡
構造		
敷地面積	㎡	㎡
摘要		

（注）　設置・認可は「変更前」欄に記入すること。

生活保護法による保護施設の許可等に関する報告について

別紙様式2

保護施設廃止（休止・停止）報告書

施設種類・施設名	
定員	
廃止年月日	
事業（休止・停止）年月日	
被保護者の措置状況	
施設廃止（休止・停止）の理由	

○日常生活支援住居施設に関する厚生労働省令で定める要件等について

(令和2年3月27日　社援発0324第14号)
(各都道府県知事・各指定都市市長・各中核市市長宛)
(厚生労働省社会・援護局長通知)

〔改正経過〕
　　第1次改正　令和6年4月1日社援発0401第45号

　日常生活支援住居施設については、生活困窮者等の自立を促進するための生活困窮者自立支援法等の一部を改正する法律（平成30年法律第44号）第4条による改正後の生活保護法（昭和25年法律第144号）第30条第1項ただし書の規定に基づき、「日常生活支援住居施設に関する厚生労働省令で定める要件等を定める省令」（令和2年厚生労働省令第44号。以下「要件省令」という。）が公布され、令和2年4月1日から施行される。
　要件省令の趣旨及び内容は下記のとおりであるので、ご了知の上、要件省令をあわせて管内市町村（特別区含む。）、関係団体、関係機関に周知を図られたい。

記

第1　総則
　1　認定要件の性格
　　(1)　日常生活支援住居施設の認定要件等については、生活保護法第30条第1項ただし書の規定に基づき、福祉事務所による生活保護受給者に対する日常生活上の支援の実施の委託を受ける施設として、都道府県、地方自治法（昭和22年法律第67号）第252条の19第1項の指定都市（以下「指定都市」という。）及び同法第252条の22第1項の中核市（以下「中核市」という。）が認定するための要件を定めたものであり、日常生活支援住居施設として認定を受けた施設については、この認定要件に従って運営されなければならないものであること。
　　(2)　日常生活支援住居施設を運営しようとする者が満たすべき要件を満たさない場合には、日常生活支援住居施設としての認定が受けられず、また、日常生活支援住居施設を運営する者が当該要件に違反することが明らかとなった場合には、改善に向けた指導や認定の効力の全部若しくは一部の停止又は認定の取消しを行うものであること。
　2　認定の要件（第1条第1項関係）
　　(1)　日常生活支援住居施設については、保護の実施機関が生活保護受給者の支援を委託する施設であるため、事業の安定性や継続性を担保する観点から、自治体が自ら運営する場合を除き、事業を運営する者について法人格を有することを求めるものであること。
　　(2)　日常生活支援住居施設は、無料低額宿泊所であることを前提とする。無料低額宿泊所として適正に運営されていることを担保するため、無料低額宿泊所として経営

の制限又は停止命令を受けている場合については、日常生活支援住居施設としての認定の対象とはならないものであること。
(3) 日常生活支援住居施設については、要件省令の第3章及び第4章に定める基準に従って安定的に運営される必要があり、当該基準に従って将来にわたり適正に事業を運営することができると認められない場合については、認定の対象とはならないものであること。

ただし、日常生活支援住居施設の認定申請時において、当該基準に適合しない事項が確認された場合であっても、当該事項の改善について指導した上で、改善が図られていることが確認できれば、認定を行って差し支えないこと。

なお、多人数居室(家族用居室を除く)や、間仕切り壁が天井まで達していない居室の施設については、経過措置期間終了後には自動的に基準に適合しなくなることから、本則上の基準を満たせるよう改善が図られる場合を除き、認定の対象とはならないものであること。
(4) 過去に日常生活支援住居施設の認定の取消し又は社会福祉法第72条に基づき社会福祉事業を経営することの停止命令を受けてから5年を経過しない場合は認定の対象とはならないこと。

例えば、基準違反で認定の取消しを受けた事業者が、当該違反事項を改善して認可申請を行った場合でも、取消しから5年を経過しない場合は、認定の対象とはならないものであること。

なお、社会福祉法第72条に基づく経営の制限については、現に制限を受けている場合には、第1条第1項第2号に基づき認定の対象にはならないが、申請時点で既に経営の制限の措置が解除され、当該経営の制限の原因となった点が改善されている場合には、経営の制限を受けてから5年を経過しない場合であっても、認定をして差し支えないこと。
3 地域の状況による認定の判断(第1条第2項関係)
(1) 日常生活支援住居施設は、様々な生活課題を抱えるために、他の福祉サービスを活用しても単身での生活が困難であって、他の社会福祉施設等に入所できない者について、日常生活を送る上で必要な支援の提供を委託するものであり、保護の実施機関が、当該日常生活の支援が必要な者について適切な委託先を確保できるようにする必要がある。都道府県知事(指定都市及び中核市においては、当該指定都市又は中核市の長をいう。以下同じ。)においては、事業者からの申請があった場合には、第1条第1項各号の要件を満たしているかをまず判断すること。
(2) その上で、日常生活支援住居施設は、事業者に定員に応じた職員配置等を求め、その人件費等は福祉事務所が生活保護受給者の支援を委託した場合に支払われる委託事務費により賄うものであり、当該地域において、委託対象者について一定の需要が見込まれない場合には、認定を行っても施設の運営及び入所者の支援に支障を来たすおそれがある。このため、第1条第1項各号の要件を満たしている場合であっても、当該地域における日常生活支援が必要な要保護者の分布状況その他の状況

を踏まえ、当該施設の認定の必要性が見込まれない場合は、認定しないことができること。
(3) 「日常生活上の支援が必要な要保護者の分布状況その他の状況からみて認定の必要がない」と認められるかどうかの判断に当たっては、第3条に基づき、施設の所在地の市町村及び当該施設を利用する可能性のある周辺市町村を所管する保護の実施機関における居宅がない要保護者（病院から退院を予定している者や矯正施設からの退所者等で帰来する居宅がない者や、居宅からの退居を求められ転居先が確保できない者も含む）からの生活保護の相談・申請の状況及び当該要保護者に関する生活保護適用後の居宅の確保及び社会福祉施設等への入所の状況を踏まえて判断を行うものであること。
(4) この判断について、例えば、居宅生活への移行ができないまま無料低額宿泊所や簡易宿所等を長期間利用している者や、保護施設等からの適当な退所先の確保が困難な者、当該地域内で利用可能な施設等が無く遠隔地の施設等へ入所せざるを得ない者が一定数いる場合などは、日常生活支援住居施設の必要性が認められると考えられるものであること。
　また、既に無料低額宿泊所として運営している事業所からの認定申請があった場合には、現に当該施設の入居している者の状態も踏まえて判断を行うものであること。
4　認定の申請等（第2条関係）
(1) 日常生活支援住居施設の認定に当たっては、認定を受けようとする施設から申請を行わせるものであること。認定を受けようとする施設が審査等に要する期間等を勘案し、開始予定年月日から認定を受けることができるよう、期間に余裕をもって申請を行うものとする。都道府県知事は、あらかじめ審査等に要する期間等の目途について、施設に伝達等を行っておくことが望ましい。
(2) 申請を行う施設の単位については、同一法人で、同一の建物又は同一敷地内で行う事業については原則として一つの施設として取り扱うものである。
　なお、無料低額宿泊所の一部を日常生活支援住居施設とすることについては、無料低額宿泊所として取り扱う居室と日常生活支援住居施設として取り扱う居室とが明確に区分され、無料低額宿泊所の業務に従事する職員と、日常生活支援住居施設の業務に従事する職員が、それぞれ基準どおり配置されている場合に限り認めて差し支えないこと。
5　市町村長の意見の聴取（第3条関係）
　都道府県知事は、事業者から日常生活支援住居施設の認定の申請があった場合には、第1条第2項の判断を行うため、当該施設の所在する市町村その他要保護者数及び要保護者の置かれた状況からみて、当該施設へ被保護者の入所を委託することが想定される市町村（福祉事務所を設置していない町村にあっては、当該町村を管轄する都道府県を含む。）の長の意見を聴くことができることとしたこと。意見を求められた市町村の長については、当該市町村の要保護者の状況について報告するとともに、

委託の見込み等について意見を述べるものであること。
　なお、この意見聴取については、実施の有無や実施の範囲も含めて認定の申請を受けた都道府県知事の判断によるところであるが、第1条第2項の規定に基づき、認定を行わないと判断する場合については、原則として当該市町村の長の意見を聴取するものであること。
6　認定の辞退（第5条関係）
(1)　日常生活支援住居施設としての運営を希望しなくなった場合、又は基準に従って日常生活支援住居施設を運営できなくなることが見込まれる場合については、3月以上の予告期間を設けて認定を辞退できること。
　　なお、日常生活支援住居施設としての認定辞退後も無料低額宿泊所として運営を継続することは可能であること。
(2)　都道府県知事は、認定辞退の申出があったときは、遅滞なく、当該施設の入所者の保護の実施機関に対し、その旨を通知すること。また、通知を受けた保護の実施機関は、必要に応じて、当該申出のあった施設と協力し、入所者の転所等の支援を行う必要があること。
7　認定の取消し（第6条関係）
　日常生活支援住居施設が、第1条第1項各号に掲げる要件のいずれかに該当しなくなったと認めるときは、認定の取消し又は認定の効力の停止を行うものであること。
　認定の取消し又は認定の効力の停止の処分に当たっては、まず、日常生活支援住居施設の基準を満たさないと認められる点について、その改善を指導した上で、改善が見込まれない場合に行うこととすること。
　ただし、委託事務費の請求に不正があった場合、入所者からの利用料を不正に受領した場合、入所者の生命又は身体の安全に危害を及ぼすおそれがある場合等については、直ちに認定の取消し又は認定の効力の停止を行って差し支えないこと。その際、保護の実施機関は当該施設の入所者の他の施設への転所等の対応を行うこと。
8　日常生活支援住居施設の入所対象者（第7条関係）
(1)　日常生活支援住居施設の入所対象者は、保護の実施機関が、その者の心身の状況等を踏まえ日常生活支援住居施設において支援を行うことが必要と総合的に判断する者としており、保護の実施機関からの依頼等を通じて入所する被保護者については、支援委託の対象者として入所するものであること。
(2)　また、入所を希望する要保護者から日常生活支援住居施設に対して直接入所の申込があった場合には、保護の実施機関において入所対象となるかの判断を行うため、施設は、当該要保護者に対して保護の実施責任を有する保護の実施機関へ相談等を行うよう助言するとともに、保護の実施機関への連絡調整等の支援を行うこととすること。
9　日常生活支援住居施設の支援内容（第8条関係）
　日常生活支援住居施設において行う支援について、入所者との契約に基づき食事の提供等の日常生活上の便宜を供与するほか、入所者それぞれの課題等に応じた個別支

援計画を作成し、当該個別支援計画に基づいて必要な支援を行うこと。
　個々の入所者に対して、どのような支援を提供するかについては、それぞれの入所者の状況に応じて定めるものであるため、列挙した支援内容を一律に提供する必要があるものではないこと。
第2　基本方針（第9条関係）
(1)　生活扶助は、居宅において行うことが原則であることから、日常生活支援住居施設における支援についても、可能な限り、居宅における生活への復帰を念頭に置いて、入所者の能力に応じて、入所者がその自主性を保ち、意欲的に生活を送ることを目指して支援を行うものであること。
(2)　日常生活支援住居施設の入所者について、当該施設以外から提供されるサービス等を活用する場合については、当該サービスが総合的かつ適切に提供されるよう配慮するものであること。
(3)　その場合、入所者による事業者等の選択が公正中立に行われるよう、日常生活支援住居施設は入所者に対して特定の事業者の利用を求めたり、特定の事業者に対して優先的な取扱いを行ったりしてはならないものであること。
第3　人員基準
1　生活支援員（第10条第1項及び第2項関係）
(1)　日常生活支援住居施設には、入所者に対する日常生活上の支援を行う生活支援員を置くものであること。生活支援員とは、入所者に対する相談援助及び個別支援計画に基づく支援業務を行う職員のことであり、専ら食事の調理業務、施設の清掃や修繕等の管理業務を行う職員は含まれないものであること。
(2)　日常生活支援住居施設における生活支援員の員数は、常勤換算方法で、当該施設の入所定員を15で除して得た数以上とすること。
　　なお、当該施設について世帯での入所を前提として世帯用の居室を設けている場合は、1世帯を入所定員1人と読み替えて算定すること。
(3)　生活支援員については、日常生活支援住居施設の入所者の生活サイクルに応じて、1日の活動開始時刻から終了時刻までを基本として、日常生活支援の提供に必要な員数を確保すること。
(4)　この「常勤換算方法」については、次のとおりであること。
　　ア　日常生活支援住居施設の生活支援員の勤務延べ時間数を、当該日常生活支援住居施設において常勤の生活支援員が勤務すべき時間数（1週間に勤務すべき時間数が32時間を下回る場合は32時間を基本とする。）で除することにより、日常生活支援住居施設の従業者の員数を常勤の従業者の員数に換算する方法であること。
　　イ　この場合の勤務延べ時間数は、当該日常生活支援住居施設の生活支援員として従事する職員の勤務時間の延べ数であること。
　　　　例：定員が20名の施設において、当該施設の常勤職員の勤務時間が1週間40時間である場合、当該施設における生活支援員の勤務延べ時間数を、1週間の

間に、40時間×（20÷15）人＝53.3…時間以上確保する必要がある。
（この場合、当該施設において必要な常勤換算職員の必要数は、20÷15（又は53.3…÷40）の1.33…人となる。）
　　ウ　「勤務延べ時間数」は、勤務表上、生活支援員の業務に従事する時間として明確に位置付けられている時間とすること。なお、生活支援員１人につき、勤務延べ時間数に算入することができる時間数は、当該日常生活支援住居施設において常勤の従業者が勤務すべき勤務時間数を上限とし、超過勤務時間については算定できないこと。
　　エ　なお、施設に住み込み等で勤務する職員について、労働基準監督署に届出をして断続的労働に従事する者として許可を得ている場合には、当該職員の勤務時間については、生活支援員の勤務時間として算定できないこと。
　　オ　「常勤」とは、日常生活支援住居施設における勤務時間が、事業者等において定められている常勤の従業者が勤務すべき時間数（１週間に勤務すべき時間数が32時間を下回る場合は32時間を基本とする。）に達していることをいうこと。
２　生活支援提供責任者（第10条第３項～第５項関係）
　(1)　日常生活支援住居施設に配置する生活支援員の中から、個別支援計画の作成及び第16条に規定する業務を行う生活支援提供責任者を選任しなければならないこと。
　(2)　生活支援提供責任者は、施設の入所定員が30人以下の場合は１名以上配置するものとし、定員が31名以上の場合は、31人以上60人以下の場合は２名以上、61人以上90人以下の場合は３名以上など、30を超えて30又はその端数を増すごとに１名を加えた数以上を置かなければならないこと。
　　　世帯での入居を前提としている施設の算定方法は、第３の１(2)と同様であること。
　(3)　また、生活支援提供責任者は、常勤職員として、専ら日常生活支援住居施設の業務に従事しなければならないこと。この「専ら日常生活支援住居施設の業務に従事する」とは、日常生活支援住居施設の職員として勤務する時間帯において、原則として、当該日常生活支援住居施設以外の業務に従事しないことをいうものであること。
３　管理者（第11条関係）
　　日常生活支援住居施設には、日常生活支援住居施設ごとに管理者を置かなければならないこと。この管理者は、無料低額宿泊所の施設長を兼務することとし、当該日常生活支援住居施設の生活支援員及び生活支援提供責任者を兼務しても差し支えないものであること。
４　職員の要件（第12条関係）
　(1)　日常生活支援住居施設の管理者の要件については、無料低額宿泊所の施設長の要件と同一であること。
　(2)　生活支援提供責任者の要件のうち、これらと同等以上の能力を有すると認められるものとは、社会福祉事業及び生活困窮者自立支援法に基づく事業において、入所

者の相談その他の支援業務に従事した年数が5年以上の者とすること。
　なお、新規の認定申請時点において、現に当該施設において個別支援業務に従事している職員であって、当該業務に従事した年数が2年以上の者については、「同等以上の能力を有するもの」として取り扱って差し支えないこと。
(3) 生活支援員の要件については、無料低額宿泊所の職員と同様であること。
第4　設備及び運営に関する基準
1　提供拒否の禁止（第13条関係）
　日常生活支援住居施設においては、保護の実施機関から被保護者の支援について委託の依頼を受けた時は、原則として、これに応じなければならないこと。
　委託の依頼を拒むことができる正当な理由としては、施設の定員や職員体制から入所申込に応じきれない場合、介護や病気の治療等の委託申込者の状態から当該施設では適切な支援が困難である場合等であること。
2　日常生活支援の提供方針（第14条関係）
(1) 日常生活支援の提供は、漫然かつ画一的に提供されることのないよう、個々の入所者の状況等を踏まえて作成した個別支援計画に基づき、個々の心身の状況等に応じて適切に行わなければならないこと。
(2) 日常生活支援住居施設において、自ら適切な支援を提供することが困難と認めた場合や入所者が他の施設等への転所等を希望する場合、保護の実施機関にその旨を伝え、必要な対応について依頼を行うとともに、日常生活支援住居施設については、本人の希望や状況等について引継ぎ等を行うなど必要な支援を行うこと。
3　個別支援計画の作成（第15条関係）
(1) 個別支援計画とは、入所者の生活に対する意向、総合的な支援の方針、生活全般の質を向上させるための課題、日常生活及び社会生活上の支援の目標及びその達成時期、支援を提供する上での留意事項等を記載した書面であること。
　また、個別支援計画は、入所者の心身の状況、その置かれている環境、日常生活全般の状況等の評価を通じて入所者の希望する生活や課題等の把握を行い、できる限り居宅における生活への復帰等を念頭において、入所者が自立した日常生活及び社会生活を営むことができるよう支援する上での適切な支援内容の検討に基づいて立案されるものであること。
(2) 生活支援提供責任者は、当該日常生活支援住居施設以外の保健医療サービス又はその他の福祉サービス等との連携も含めて、個別支援計画の原案を作成し、以下の手順により個別支援計画に基づく支援を実施するものであること。
　　ア　個別支援計画の作成に当たり、保護の実施機関における援助方針との整合性を図る観点から、個別支援計画の内容について保護の実施機関に協議し、同意を得ること。
　　イ　当該個別支援計画の原案の内容について、入所者に対して説明し、文書により当該入所者の同意を得ること。
　　ウ　入所者へ当該個別支援計画を交付するとともに、その写しを保護の実施機関に

エ　当該個別支援計画の実施状況の把握及び個別支援計画の見直すべきかどうかについての検討（当該検討は少なくとも６月に１回以上行われ、必要に応じて個別支援計画の変更を行う必要があること。）を行うこと。
４　生活支援提供責任者の責務（第16条関係）
　　生活支援提供責任者は、個別支援計画の作成のほか、次の業務を担うものであること。
　　ア　入所申込者の入所に際し、当該入所者の心身の状況や福祉サービス等の利用状況等を把握すること。
　　イ　入所者が自立した日常生活及び社会生活を営むことができるよう定期的に検討するとともに、居宅において自立した日常生活及び社会生活を営むことができると認められる入所者に対し、必要な援助を行うこと。
　　ウ　他の従業者に対する技術指導及び助言を行うこと。
５　保護の変更等の届出（第17条関係）
　　生活支援提供責任者は、その施設に入所する被保護者について、就労開始、病院への入退院、死亡や失踪などの状況の変化が生じた場合には、速やかに、保護の実施機関へ届出を行うこと。
６　秘密の保持（第18条関係）
　　生活支援提供責任者は、第15条第５項の規定に基づく担当者会議等において、入所者の個人情報を他の福祉サービス等の担当者と共有するためには、あらかじめ文書により入居者から同意を得る必要があること。
　　なお、この同意は、入居開始時に入所者から包括的な同意を得ておくことで足りるものであること。
７　相談等（第19条関係）
　　生活支援員は、常に入所者の心身の状況の把握に努め、定期的に面談の機会を設けるなどにより、入所者の抱える生活課題などに関する相談に応じ、必要な助言その他の援助を行なうものであること。
８　日常生活及び社会生活上の支援（第20条関係）
　　日常生活支援住居施設が提供する日常生活及び社会生活上の支援は、入所者の生活に対する意向、総合的な支援の方針、生活全般の質を向上させるための課題、日常生活及び社会生活上の支援の目標等を定めた個別支援計画に基づき、提供されるものであること。
９　社会生活上の便宜の供与（第21条関係）
　　日常生活支援住居施設の従業者は、郵便、証明書等の交付申請等、入所者が必要とする手続等について、入所者本人が行うことが困難な場合は、原則としてその都度、その者の同意を得た上で代行しなければならないこととすること。特に金銭に係るものについては書面等をもって事前に同意を得るとともに、代行した後はその都度、本人に確認を得るものとすること。

10 地域との連携（第22条関係）

日常生活支援住居施設は、入所者が地域の中で適切な生活を営むことができるようにするためにも、地域の活動等への参加など地域住民との交流に努めるものであること。

11 利益収受等の禁止（第23条関係）

日常生活支援住居施設においては、入所者が他の福祉サービスを利用する際に、入所者の選択に基づき公正中立に行われるよう、特定のサービスを利用するよう指示等を行うことや、入居者が特定のサービスを利用させることの対価として、金品その他の財産上の利益を収受してはならないものであること。

12 調査への協力（第24条関係）

(1) 日常生活支援住居施設については、当該施設の認定を行う都道府県知事や、入所の委託を行った保護の実施機関から、報告若しくは文書その他の物件の提出若しくは提示の求めがあった場合又は当該従業者からの質問若しくは日常生活支援住居施設の帳簿書類その他の物件の検査の実施について申出があった場合には、これに協力しなければならないものであること。保護の実施機関は、ケースワーカーによる訪問の機会等において、施設の運営状況等を確認すること。

(2) また、その検査等の結果、指導又は助言を受けた場合には、その指導又は助言に従って必要な改善を行わなければならないものであること。

13 会計の区分（第25条関係）

日常生活支援住居施設については、施設毎に経理を区分するとともに、日常生活支援住居施設及び無料低額宿泊所と、その他の事業の会計を区分しなければならないものであること。この場合、無料低額宿泊所と日常生活支援住居施設の運営に関して経理を区分する必要はないものであること。

14 準用（第26条関係）

(1) 日常生活支援住居施設の設備及び運営に関する基準については、この章に規定するもののほか、無料低額宿泊所の設備及び運営に関する基準を準用するものであること。したがって、無料低額宿泊所の設備及び運営に関する基準に違反した場合には、日常生活支援住居施設の基準にも違反するものであること。

(2) なお、無料低額宿泊所の設備及び運営に関する基準（令和元年厚生労働省令第34号）附則第3条に規定する経過措置に該当する施設については、当該経過措置に応じた対応がなされている場合には当該基準に適合する施設として取り扱うことになるが、当該附則に掲げた条件や改善計画の内容を踏まえ、安定的な運営が見込まれるか判断の上、認定を行うこととなること。

また、改善計画に沿って改善が図られない場合においては、当該基準に違反するものとして、無料低額宿泊所として社会福祉事業の経営の制限又は停止命令及び日常生活支援住居施設の認定取消に該当しうるものであること。

○児童福祉法施行規則等の一部を改正する省令等の施行について

> 平成23年9月30日　雇児発0930第7号・社援発0930第4号
> 各都道府県知事・各指定都市市長・各中核市市長・各児童相談所設置市市長宛　厚生労働省雇用均等・児童家庭・社会・援護局長連名通知

　児童福祉法施行規則等の一部を改正する省令（平成23年厚生労働省令第123号。以下「改正省令」という。）が本日公布され、平成23年10月1日から施行されることとされた。これにより、児童福祉法施行規則（昭和23年厚生省令第11号）、児童福祉施設最低基準（昭和23年厚生省令第63号）、救護施設、更生施設、授産施設及び宿所提供施設の設備及び運営に関する最低基準（昭和41年厚生省令第18号）、婦人保護施設の設備及び運営に関する最低基準（平成14年厚生労働省令第49号）、里親が行う養育に関する最低基準（平成14年厚生労働省令第116号）、障害者自立支援法に基づく指定障害者支援施設等の人員、設備及び運営に関する基準（平成18年厚生労働省令第172号）、障害者自立支援法に基づく障害者支援施設の設備及び運営に関する基準（平成18年厚生労働省令第177号）及び児童福祉法に基づく指定知的障害児施設等の人員、設備及び運営に関する基準（平成18年厚生労働省令第178号）の改正が行われ、それぞれ施行されることとされた。また、併せて、児童福祉法施行規則第1条の23の2の規定に基づき厚生労働大臣が定める給付金（平成23年厚生労働省告示第373号）、児童福祉施設最低基準第12条の2の規定に基づき厚生労働大臣が定める給付金（平成23年厚生労働省告示第374号）、救護施設、更生施設、授産施設及び宿所提供施設の設備及び運営に関する最低基準第16条の2の規定に基づき厚生労働大臣が定める給付金（平成23年厚生労働省告示第375号）、婦人保護施設の設備及び運営に関する最低基準第14条の2の規定に基づき厚生労働大臣が定める給付金（平成23年厚生労働省告示第376号）、里親が行う養育に関する最低基準第9条の2の規定に基づき厚生労働大臣が定める給付金（平成23年厚生労働省告示第377号）、障害者自立支援法に基づく指定障害者施設等の人員、設備及び運営に関する基準第38条の2の規定に基づき厚生労働大臣が定める給付金（平成23年厚生労働省告示第378号）、障害者自立支援法に基づく障害者支援施設の設備及び運営に関する基準第33条の2の規定に基づき厚生労働大臣が定める給付金（平成23年厚生労働省告示第379号）及び児童福祉法に基づく指定知的障害児施設等の人員、設備及び運営に関する基準第31条の2の規定に基づき厚生労働大臣が定める給付金（平成23年厚生労働省告示第380号）が制定され、それぞれ同日から施行することとされたところである。

　改正省令による改正及びその関係告示の趣旨及び内容等については、下記のとおりであるので、御了知の上、適切な運用をお願いする。

記

第1　改正の趣旨

　平成23年度における子ども手当の支給等に関する特別措置法（平成23年法律第107号。以下「法」という。）により、中学校修了前の子どもが施設入所等子ども（法第3条第3項第3号に規定する施設入所等子どもをいう。以下同じ。）として児童福祉施設等に入所し、又は小規模住居型児童養育事業者若しくは里親（以下「里親等」という。）に委託されている場合には、当該施設の設置者又は里親等に対して子ども手当を支給することとされた。

　これに伴い、児童福祉法施行規則等の改正及びその関係告示の制定を行うこととし、児童福祉施設等又は里親等が、厚生労働大臣が定める給付金（子ども手当及び児童福祉施設又は里親等にあってはこれに準ずる給付金をいう。以下「子ども手当等」という。）の支給を受けた場合において、その支払を受けた金銭の管理について定めるものである。

　ここで、上記の「これに準ずる給付金」とは、「平成20年度子育て支援対策臨時特例交付金（安心こども基金）の運営について」（平成21年3月5日20文科初第1279号・雇児発第0305005号、文部科学省初等中等教育局長・厚生労働省雇用均等・児童家庭局長通知）等に基づき、児童福祉施設に入所する父母がいない子ども等で子ども手当の支給対象とならないものについて行う子ども手当相当額の特別の支援（以下「特別支援事業」という。）に要する費用（以下「特別支援事業費」という。）をいう。

第2　改正の内容及び留意事項

　小規模住居型児童養育事業者及び里親、知的障害児施設、盲ろうあ児施設、肢体不自由児施設、重症心身障害児施設、乳児院、児童養護施設、情緒障害児短期治療施設及び児童自立支援施設、障害者支援施設、身体障害者更生援護施設、知的障害者援護施設及びのぞみの園、救護施設及び更生施設並びに婦人保護施設は、当該施設の設置者又は里親等が入所中又は委託中の児童（入所者及び利用者を含む。以下同じ。）に係る子ども手当等の支給を受けたとき（施設長が当該児童に係る特別支援事業費の支給を受けたときを含む。）は、子ども手当等として支払を受けた金銭を管理しなければならず、その方法及び留意事項については次に定めるところによる。（児童福祉法施行規則第1条の23の2、児童福祉施設最低基準第12条の2、救護施設、更生施設、授産施設及び宿所提供施設の設備及び運営に関する最低基準第16条の2、婦人保護施設の設備及び運営に関する最低基準第14条の2、里親が行う養育に関する最低基準第9条の2、障害者自立支援法に基づく指定障害者支援施設等の人員、設備及び運営に関する基準第38条の2、障害者自立支援法に基づく障害者支援施設の設備及び運営に関する基準第33条の2及び児童福祉法に基づく指定知的障害児施設等の人員、設備及び運営に関する基準第31条の2）

1　他の財産との区分

(1)　当該児童に係る当該金銭及びこれに準ずるもの（これらの運用により生じた収益を含む。以下「児童に係る金銭」という。）をその他の財産と区分しなければなら

ない。この場合において、児童に係る金銭は、原則として、銀行等において当該児童名義の預貯金の口座を開設してこれに預け入れ、その後においても、他の現金又は預貯金と区分しなければならない。
(2) (1)の「これに準ずるもの」とは、当該児童が入所していた他の施設又は委託されていた他の里親等から引き続いて入所し、又は委託された場合において、従前の施設又は里親等における児童に係る金銭として管理を引き継いだ金銭であって、当該引き続いて入所し、又は委託された後に子ども手当等として支払を受ける金銭等と一体的に管理することとしたものをいう。
(3) また、児童に係る金銭が預け入れられた口座の通帳の施設等内における保管方法、金銭出納手続等必要な事項を定めた管理規程を整備しなければならない。ただし、里親にあっては、この限りでない。なお、通帳等の保管については、適切と認めるときは、当該児童に行わせることができる。
(4) 民法(明治29年法律第89号)第830条第1項において、「無償で子に財産を与える第三者が、親権を行う父又は母にこれを管理させない意思を表示したときは、その財産は、父又は母の管理に属しないものとする」とされているところであり、施設の設置者又は里親等は、(1)による預入をするために児童に係る金銭を当該児童に授与するに当たっては、原則として、同項(同法第869条において準用する場合を含む。以下同じ。)の規定による意思表示を行うものとする。この場合においては、施設長(小規模住居型児童養育事業者にあっては養育者とし、里親にあっては当該里親とする。以下「施設長等」という。)を管理者として指定する。また、当該児童に授与する旨及び施設長等を管理者として指定する旨を記載した書面を、最初に授与する際に、当該児童又は親権を行う父母(未成年後見人を含む。以下同じ。)に交付するものとする。
(5) (4)による民法第830条第1項の意思表示については、施設の設置者又は小規模住居型児童養育事業者が国又は地方公共団体である場合には、子ども手当の請求前に、当該児童に授与する旨の意思表示と併せて行うものとする。
(6) 障害者支援施設、身体障害者更生援護施設、知的障害者援護施設及びのぞみの園、救護施設及び更生施設並びに婦人保護施設にあっては、子どものみで構成する世帯で入所している場合において、当該世帯に子ども手当の支給に係る児童の親権を行う父母が属しているときは、(4)による民法第830条第1項の意思表示を行うことを要しない。
(7) 施設の設置者又は里親等は、当該児童が施設を退所し、又は委託を解除される場合においては、(4)により指定した施設長等を引き続き管理者とするか、又は親権を行う父母若しくは他の適当と認める者に管理者の指定を変更するものとする。ただし、当該児童が引き続き施設入所等子どもとして他の施設に入所し、又は里親等に委託される場合には、当該施設の長又は当該小規模住居型児童養育事業者の養育者若しくは里親に管理者の指定を変更するものとする。
(8) (7)により管理者を変更する場合には、原則として、児童に係る金銭の額及び管理

者の変更の内容を記載した書面を当該児童又は親権を行う父母に交付するものとする。
 (9) 国立施設において特別支援事業に準じて支給された金銭とその収益についても、児童に係る金銭に含めて取り扱うものとする。
2 使途
 (1) 児童に係る金銭を使用する場合には、子ども手当等の支給の趣旨に従って用いなければならない。
 (2) 施設の設置者又は里親等は、措置費で支払うべき費用について、法第25条第1項及び第2項の規定による費用の支払の申出を行わないものとする。
3 帳簿又は記録の整備
 児童に係る金銭の収支の状況を明らかにする帳簿又は記録を整備しなければならない。
4 退所後又は委託解除後の取扱い
 当該児童が退所し、又は委託を解除された場合には、速やかに、児童に係る金銭を当該児童に取得させなければならない。なお、1の(1)による預入をするために児童に係る金銭を当該児童に授与することにより、その時点で当該児童に取得させることが原則である。
第3 施行期日
 改正省令は、平成23年10月1日から施行する。
第4 その他
 (1) 指導監査について
  改正省令による改正及びその関係告示の制定に伴い、各施設等の指導監査においては、子ども手当等として支払を受けた金銭の管理に係る事項が追加されることとなるので、指導監査に係る適切な対応を併せてお願いする。
 (2) 特別支援事業における児童の貯蓄金の管理について
  「平成22年度における施設入所児童等への特別支援事業における対象児童の貯蓄について」(平成23年1月14日雇児発0114第3号厚生労働省雇用均等・児童家庭局長通知)の別紙「特別支援事業の貯蓄に係る管理運営指針」第3条第1項の規定による児童の貯蓄金の管理については、本通知を適用して行うものとする。

○児童福祉法施行規則第1条の23の2の規定に基づき厚生労働大臣が定める給付金の一部を改正する件等の公布について

（平成24年3月31日　雇児発0331第8号・社援発0331第2号
各都道府県知事・各指定都市市長・各中核市市長・各児童相談所設置市市長宛　厚生労働省雇用均等・児童家庭・社会・援護局長連名通知）

　児童福祉法施行規則第1条の23の2の規定に基づき厚生労働大臣が定める給付金の一部を改正する件（平成24年厚生労働省告示第297号）、児童福祉施設最低基準第12条の2の規定に基づき厚生労働大臣が定める給付金の一部を改正する件（平成24年厚生労働省告示第298号）、救護施設、更生施設、授産施設及び宿所提供施設の設備及び運営に関する最低基準第16条の2の規定に基づき厚生労働大臣が定める給付金の一部を改正する件（平成24年厚生労働省告示第299号）、婦人保護施設の設備及び運営に関する最低基準第14条の2の規定に基づき厚生労働大臣が定める給付金の一部を改正する件（平成24年厚生労働省告示第300号）、里親が行う養育に関する最低基準第9条の2の規定に基づき厚生労働大臣が定める給付金の一部を改正する件（平成24年厚生労働省告示第301号）、障害者自立支援法に基づく指定障害者施設等の人員、設備及び運営に関する基準第38条の2の規定に基づき厚生労働大臣が定める給付金の一部を改正する件（平成24年厚生労働省告示第302号）、障害者自立支援法に基づく障害者支援施設の設備及び運営に関する基準第33条の2の規定に基づき厚生労働大臣が定める給付金の一部を改正する件（平成24年厚生労働省告示第303号）及び児童福祉法に基づく指定障害児入所施設等の人員、設備及び運営に関する基準第31条の規定に基づき厚生労働大臣が定める給付金（平成24年厚生労働省告示第305号）（以下「関係告示」という。）並びに児童福祉法に基づく指定知的障害児施設等の人員、設備及び運営に関する基準第31条の2の規定に基づき厚生労働大臣が定める給付金を廃止する件（平成24年厚生労働省告示第304号）が本日付で公布され、平成24年4月1日から適用されることとなったところである。
　関係告示等の内容等については、下記のとおりであるので、ご了知の上、適切な運用をお願いする。

記

第1　改正等の内容
　1　関係告示により、厚生労働大臣が定める給付金として、児童手当が規定されたこと。
　2　児童福祉法に基づく指定知的障害児施設等の人員、設備及び運営に関する基準第31条の2の規定に基づき厚生労働大臣が定める給付金は廃止され、新たに、児童福祉法

に基づく指定障害児入所施設等の人員、設備及び運営に関する基準第31条の規定に基づき厚生労働大臣が定める給付金が定められたこと。
第2　厚生労働大臣が定める給付金の取扱い
　「児童福祉法施行規則等の一部を改正する省令等の施行について」（平成23年9月30日雇児発0930第7号・社援発0930第4号、厚生労働省雇用均等・児童家庭局長、厚生労働省社会・援護局長連名通知）に定める事項については、関係告示による厚生労働大臣が定める給付金に関しても引き続き適用されるものであること。

第7章　指導監査

○生活保護指導職員制度の運営について

（平成10年9月3日　厚生省発社援第233号
　各都道府県知事・各指定都市市長宛　厚生事務次官通知）

〔改正経過〕
　　第1次改正　令和3年5月21日厚生労働省発社援0521第10号

　標記については、昭和43年4月19日厚生省社第193号「生活保護指導職員制度の運営について」により、取り扱ってきたところであるが、今般、地方分権の趣旨にかんがみ見直しを行い、新たに別紙「生活保護指導職員運営要綱」を定め、平成10年4月1日から適用することとしたので、その実施に遺憾のないよう御配意願いたい。
　なお、昭和43年4月19日厚生省社第193号「生活保護指導職員制度の運営について」は廃止する。
別　紙
　　　　生活保護指導職員運営要綱
1　目的
　生活保護制度が、国民の最低生活を保障するというきわめて重要な役割を果たしていることにかんがみ、都道府県及び指定都市の本庁の指導監督体制の整備強化を図り、管下福祉事務所に対する不断の査察指導を通じて真に適正な保護の実施を期するため生活保護指導職員を置くものとする。
2　生活保護指導職員の任務
　管下福祉事務所における生活保護の決定及び実施並びにこれらに附随する事務が、国の方針に従って適正、かつ、効果的、能率的に運営されるようその企画、推進及び指導監督の実務に当たることをその任務とする。
3　生活保護指導職員の指定
　生活保護指導職員は、都道府県及び指定都市の生活保護主管課職員（当該課を兼務する職員を除く。）であって、次に該当する者のうちから、都道府県知事又は指定都市市長が指定するものとする。
(1)　社会福祉法（昭和26年法律第45号）第18条の規定による社会福祉主事の資格を有する者又は社会福祉行政若しくは生活保護行政に相当の経験を有する者で、次のいずれかの職にあるもの
　　ア　課長
　　イ　課長補佐（これに相当する待遇の職員を含む。）（生活保護に関する事項を所掌事務とする課長補佐をいう。）

ウ　庶務係長（生活保護の予算経理に関する事項を所掌事務とする係の係長をいう。）
　　　エ　保護係長及び係員（生活保護に関する事項を所掌事務とする係でオ又はカの係に該当しないものの係長及び係員をいう。）
　　　オ　医療係長及び係員（生活保護のうち主として医療扶助の運営実施に関する事項を所掌事務とする係の係長及び係員をいう。）
　　　カ　指導係長及び係員（生活保護運用に関する事項のうち主として指導監査に関する事項を所掌事務とする係の係長及び係員をいう。）
　(2)　技術吏員（医療扶助の業務に従事する医師をいう。）
4　指定又は取消しの報告
　　生活保護指導職員を指定し又は取り消したときは、速やかにその旨を別紙様式により社会・援護局長に報告するものとする。
5　職員の研修
　　都道府県知事及び指定都市市長は、生活保護指導職員に研修を受ける機会を与えるとともに、その資質の確保及び向上を図るため研修の実施に努めるものとする。

別紙様式

番　　　号
（元号）　年　月　日

厚生労働省社会・援護局長　殿

都道府県知事
指定都市市長

生活保護指導職員の指定（取消し）について（報告）

標記について、別紙のとおり報告する。

別紙

職名	氏名	年齢	所掌事務	新規に指定した者 指定年月日	資格・経験年月	氏名	年齢	指定を取り消した者 所掌事務

(参考) 上記以外の生活保護指導職員及び生活保護関係職員の状況

職名	氏名	年齢	所掌事務	指定年月日	資格・経験年月	指導職員・関係職員の区分

備考	生活保護指導職員　　　　人　　生活保護関係職員　　　　人

(注) 当報告書は生活保護主管課における生活保護関係職員（主として生活保護法施行事務に従事する職員をいい、生活保護指導職員を含む。）全員について作成すること。

○生活保護法施行事務監査の実施について

平成12年10月25日　社援第2393号
各都道府県知事・各指定都市市長宛　厚生省社会・援護局長通知

〔改正経過〕

第１次改正	平成13年３月30日社援発第581号	第２次改正	平成14年３月29日社援発第0329013号
第３次改正	平成17年３月31日社援発第0331008号	第４次改正	平成18年３月31日社援発第0331033号
第５次改正	平成19年３月30日社援発第0330037号	第６次改正	平成20年３月31日社援発第0331034号
第７次改正	平成20年４月30日社援発第0430008号	第８次改正	平成21年３月31日社援発第0331051号
第９次改正	平成22年３月31日社援発0331第14号	第10次改正	平成23年３月31日社援発0331第45号
第11次改正	平成25年４月23日社援発0423第４号	第12次改正	平成27年３月27日社援発0327第１号
第13次改正	平成28年３月29日社援発0329第９号	第14次改正	平成29年３月29日社援発0329第46号
第15次改正	平成30年３月30日社援発0330第55号	第16次改正	平成31年３月29日社援発0329第31号
第17次改正	令和２年３月31日社援発0331第16号	第18次改正	令和３年３月30日社援発0330第23号
第19次改正	令和４年３月30日社援発0330第３号	第20次改正	令和５年３月31日社援発0331第35号
第21次改正	令和６年４月24日社援発0424第６号		

　地方分権の推進を図るための関係法律の整備等に関する法律（平成11年法律第87号）により、生活保護法第23条第１項に基づく事務監査が法定受託事務と位置づけられ、地方自治法第245条の９では、国は、地方公共団体が法定受託事務を処理するに当たりよるべき基準（以下「処理基準」という。）を定めることができることと規定されたところである。

　これに伴い、都道府県知事等が行う生活保護法施行事務監査の事務については、別添のとおり「生活保護法施行事務監査実施要綱」（以下「要綱」という。）を定め、地方自治法第245条の９の規定に基づく処理基準（要綱の２、４の(2)を除く。）として、平成12年４月１日から適用することとしたので通知する。

　なお、本通知の施行に伴い、「生活保護法施行事務監査の実施について」（平成11年３月25日社援第751号厚生省社会・援護局長通知）は廃止する。

〔別　添〕

　　　生活保護法施行事務監査実施要綱

１　監査の目的

　　監査は、市町村及び福祉事務所における生活保護法の施行事務につき、その適否を関係法令及び取扱指針等に照らし個別かつ具体的に検討し、必要な是正改善の措置を講ずるとともに、生活保護行政がより適正かつ効率的に運営できるよう指導・援助するものであること。

２　監査の意義等

(1)　監査は、法的権限に基づいて生活保護行政の運用の状況を監査するものであるが、単に監察的見地から事務の執行又は会計経理の状況を検査し、その適否を調査する等の消極的な機能に止まらず、更に生活保護行政がより効率的に運営されるよう援助・

指導する積極・建設的な機能を果たすべきものであること。
(2) 監査職員は、監査の意義及び目的を十分理解し、その任務が生活保護行政の事務全般にわたる監察・指導であることを十分自覚するとともに、その職務を行うに当たっては、特に次の点に留意すること。
  1 指示又は回答は明確にすること。
  2 公正不偏かつ懇切丁寧を旨とし、謙譲にして、指導援助的な態度をもって監査に臨むこと。
  3 権勢的又は一方的な言動を避け、努めて関係者の理解の下に積極的かつ自発的な協力が得られるよう配意すること。
3 監査の類型及び実施方式
  監査は一般監査及び特別監査とし、別紙「生活保護法施行事務監査事項」に基づき、関係書類を閲覧し関係者からの聴取により行い、効果的な指導監査の実施に努めること。
(1) 一般監査
  ア 一般監査は年間の計画に基づき、原則として全ての福祉事務所に対し、年1回実地に行うこと。
  イ 一般監査においては、保護の決定手続及び方法の適否並びに被保護者の自立助長等個別的援助の適否の検討（以下「ケース検討」という。）を行うものとするが、これらの取扱いが適正かつ効率的に行われるための前提条件となる次に掲げる事項についても十分な検討を行うこと。
    (ｱ) 組織機構と職員の配置状況
    (ｲ) 業務の進行管理等査察指導の状況
    (ｳ) 保護の決定等事務処理の状況
    (ｴ) 訪問調査活動及び援助方針の状況
    (ｵ) 町村並びに民生委員等との連携の状況
    (ｶ) 指定医療機関、社会福祉施設及びその他関係機関との連携状況
    (ｷ) その他必要な事項
  ウ ケース検討においては、福祉事務所の被保護世帯類型、労働力類型等を考慮のうえ、当該福祉事務所の全般的傾向が把握できるケースを選定することとし、その数は全ケース数の概ね1割を目途とすること。
      また、保護の面接相談及び保護の廃止の対応状況その他必要な事項についても、十分な検討を行うこと。
      なお、前年度の監査結果等を踏まえ、特定の問題がある場合には、その問題傾向に応じてケースを選定すること。
(2) 特別監査
    一般監査のほか、必要に応じ、次のような特別監査を行うこと。
  ア 特定の事項に問題がある福祉事務所に対して行う特別な監査
  イ 保護動向等に特異な傾向を示す福祉事務所に対して行う特別な監査

ウ　監査後の状況を確認するための監査
4　監査実施計画の樹立等
　(1)　都道府県及び指定都市は、毎年度当初にその年度の監査の実施計画を樹立する等、計画的に監査を実施すること。
　　　なお、監査の実施計画の策定に当たっては、福祉事務所毎の過去の監査結果、最近の保護動向等を勘案して監査の重点事項を定め、一般監査と特別監査の有機的な連携を図る等により監査の効率的な実施に十分配慮すること。
　(2)　前記(1)によるほか、生活保護適正化等事業の「生活保護特別指導監査事業」による一般指導監査、特別指導及び確認監査の実施についても積極的に取り組むこと。
5　監査の事前準備
　　　監査の実施に当たっては、福祉事務所における保護の実施状況、前年度の監査結果の問題点及びその改善状況等はもとより、保護の動向、当該地域の保護に係る社会的諸条件等を事前に監査班全員で十分に分析検討し、他の福祉事務所との比較等により、問題の所在を予め把握すること。
　　　また、ケース検討を実施する際のケースの選定に当たっては、提出資料における全ケース数と当該福祉事務所の生活保護システムに登録されているケース数に乖離がないか確認すること。
6　監査結果の指示及び措置状況の確認
　(1)　監査の結果については、所長等関係職員の出席を求め、実地に講評及び指示を行うこと。
　　　なお、講評後においては、これらの職員とともに是正改善を要する事項等の研究協議を実施することにより、その問題の所在を明らかにするよう努めること。
　(2)　福祉事務所に対する指示は、前項の検討結果に基づき、監査班全員で十分に分析検討を行った上で、改善を必要とする事項（内容）に止まらず、具体的な改善方策を含め文書により通知すること。
　(3)　監査結果の指示事項に対する是正改善の状況について、期限を付してその結果を示す資料の提出を求めること。また、必要に応じ監査職員を派遣してその改善状況を確認すること。
　(4)　指導台帳の整備
　　　都道府県及び指定都市においては、福祉事務所に対する指導監査の実効性及び継続性を確保するため、前年度監査の是正改善事項を記載した「指導台帳」を整備すること。
7　指導監査結果の報告等
　　　都道府県及び指定都市が実施した各年度の監査結果については、別に定める様式によりこれを提出すること。

別　紙

生活保護法施行事務監査事項

主　眼　事　項	着　　眼　　点
1　実施機関の組織	職員の配置状況 (1)　査察指導員、現業員の不足により生活保護の適正実施に支障を来していないか。 (2)　査察指導員は原則として生活保護業務経験者等で、適切な助言、指導ができる者となっているか。 (3)　現業員の大半が異動すること等によってケースの援助、事務処理等に支障を来していないか。 　　現業員等が社会福祉主事資格を有していない場合は、資格取得に努めているか。 (4)　査察指導員、現業員が生活保護以外の業務を兼務している場合、支障を来していないか。また、査察指導員がケースを直接担当していることはないか。 (5)　現業員の担当地区については、定期的な変更が行われているか。
2　実施方針及び事業計画の状況	実施方針及び事業計画の策定状況 (1)　保護の動向及び雇用情勢など地域の状況について分析を行い、対応すべき課題について整理し、前年度の監査指摘事項などを踏まえ、実施機関の抱える問題点を分析し、その要因を把握しているか。 (2)　実施方針については、所長、課長等及び現業員等関係職員の参加のもとに十分討議し、早急な改善や対応が必要な事項を中心とした実効性のある方針が立てられているか。 　　また、問題を生じている要因の改善に向け取り組む内容が明らかとなるよう、具体的な手順や方法が盛り込まれているか。 (3)　実施方針に基づき、月別にあるいは四半期毎に、職階毎の具体的な取組の内容及び実施時期を明らかにするため事業計画が策定されているか。 (4)　実施方針及び事業計画に基づいて実施した取組の結果及び効果を集約し、実施機関として評価・分析を行い、改善が必要な事項については、次年度の実施方針に反映するなどの措置がとられているか。
3　自主的内部点検等の状況	自主的内部点検及び適正化対策事業の実施及び活用状況 (1)　当面する課題及び指導監査結果に基づく指導事項又は

指示事項を取り入れた自主的内部点検及び適正化対策事業は実施されているか。
(2) 実施した自主的内部点検及び適正化対策事業の結果を集計するとともに、実施結果について、実施機関として評価がされているか。
また、実施方針等に反映されているか。
(3) 自主的内部点検及び適正化対策事業が実施されているにもかかわらず、指導監査等において、依然として、同じ事項が指摘又は指示を受けている場合、その実施方法の適否について検討されているか。

4 査察指導機能の状況

1 現業活動の掌握体制の確保
訪問計画の策定など計画的な訪問のための取組や訪問調査活動の実施について査察指導員が把握でき、かつ必要な助言、指導ができる体制は確保されているか。また、個々のケースを掌握するための査察指導台帳は作成されているか。

2 ケース審査及び助言、指導
(1) ケース審査を適時行うため、訪問調査等の実施後、速やかにケース記録を回付させるよう指導を行っているか。また、必要に応じて査察指導台帳等を活用するなど、ケース記録の回付漏れや回付遅延を未然に防止しているか。
(2) ケースの援助内容について、現業員に必要な助言、指導は適切に行われているか。特に、新任の現業員に対し、実務指導、接遇等について特別な配慮はなされているか。
(3) 現業員に助言、指導した事項、その経過及び結果について、査察指導台帳等に記録されているか。
(4) 現業員に助言、指導した事項についての進行管理は査察指導台帳等の活用により、適切になされているか。
また、査察指導台帳の活用にあたり、進行管理方法の平準化が図られているか。

3 所長、課長等による把握等
査察指導機能に課題がある場合、査察指導員のみに担当させることなく、所長、課長等においても組織の課題を認識の上、査察指導の業務の実施状況を把握し、必要な助言・指導を行っているか。

4 援助困難ケースへの対応
(1) 援助困難ケースに対する指導援助は、担当者任せとなっていないか。
(2) 援助困難ケースについては、査察指導員が同行訪問を行う等により、その実態を把握し、適切な援助を行うよう指導されているか。
(3) 必要に応じ、関係者にケース診断会議等への参加又はケースへの同行訪問を要請しているか。
(4) 関係機関等との連携は、組織的に確保されているか。

5 訪問の進行管理等
(1) ケースの実態に即した援助方針及び訪問計画の策定など、訪問調査活動の実施についての助言、指導は適切になされているか。
　また、ケースの実態の変化に応じて、その見直しに対する助言、指導は適切に行われているか。
(2) 訪問が計画に沿って確実に実施されていないケース等について、必要に応じて査察指導台帳等を活用することにより、査察指導員が定期的に状況を掌握しているか。
(3) (2)で掌握した状況について、現業員に対して必要な指導が行われているか。

6 援助方針の策定
(1) 援助方針は、アセスメント表を作成するなど、訪問調査活動や病状把握等の関係機関調査により把握した生活状況を踏まえ、個々の要保護者の自立に向けた課題を分析し、それらの課題に応じて具体的に策定されているか。
　また、策定した援助方針については、要保護者本人に理解を得るよう説明しているか。
(2) 援助困難なケース等については、関係機関とも連携の上、必要に応じケース診断会議等に諮るなど組織的に検討されているか。
(3) 援助方針は、ケースの生活状況等の変化に即して適切に見直しがされているか（ケースの状況等に変動がない場合であっても年1回以上見直すこと）。
(4) 援助方針が、ケース記録等に明記されているか。また、説明した旨がケース記録等に明記されているか。

5　保護の決定実施の状況	1	適時適切な保護の変更決定に係る進行管理
	(1)	保護の変更決定（一時扶助決定を含む）について、決定漏れや決定遅延の未然防止のため、保護申請書受理簿等が整備され、適切に活用されているか。また、申請書類の保管方法が組織的に統一されているか。
	(2)	申請処理に当たって、職階毎の役割や責任が明確化され、重層的なチェック体制が構築されているか。
	2	実施機関の瑕疵による扶助費の算定誤り、収入認定遅延等の防止
		組織的に保護決定に係る算定誤りや認定漏れ等の不適切な取扱いが発生した要因を分析の上、ケース審査の徹底や進行管理が行われているか。
		また、定期的な内部点検の実施等により、適正な保護決定が行われる体制が構築されているか。
	3	最低生活費の算定及び通知事務
		最低生活費の認定、加算、控除等の決定事務は適正に行われているか。
		また、保護の開始及び変更並びに停止及び廃止が行われた場合には、被保護者に対しその旨を通知するとともに、必要な教示は行われているか。
	4	入院患者、介護施設入所者及び社会福祉施設入所者の加算等の取扱い
		入院患者日用品費等の累積金は、少なくとも12箇月ごとに把握され、加算等の調整が適切に行われているか。
6　訪問調査活動の状況	1	訪問計画の策定
	(1)	実施機関において統一的な訪問基準を策定する場合には、生活状況の把握、保護の要否及び程度の確認、自立助長のための助言指導などについて、訪問調査活動の目的を達成するために考慮されているか。
		なお、個々の被保護世帯への訪問基準の設定に当たっては、訪問基準を画一的に当てはめることなく、稼働能力の活用を図る必要のある者、多様なニーズを抱える高齢者等に着目し、当該世帯への指導援助の必要性が勘案されたものとなっているか。
	(2)	個別のケースに対する訪問計画は、ケースの実態、訪問調査活動の目的に応じて適切なものとなっているか。
		また、ケースの生活状況等の変化に応じて適時適切

な見直しは行われているか。
2 訪問調査活動の実施状況
(1) 訪問は、訪問計画に沿って確実に実施されているか。
　　また、ケースの状況変化を考慮し、必要に応じた随時の訪問が実施されているか。
　　特に、長期間未訪問又は計画に比べ実施回数が少ないケースはないか。
(2) 訪問調査活動の目的に添って必要な指導援助が行われているか。
　　また、多様なニーズを抱える高齢者世帯等に対しては、介護保険制度等による介護サービスの活用など必要な指導援助は行われているか。
(3) 世帯主のみならず、必要に応じて世帯員と面接を行うなど世帯員全員に対し適切な指導援助が行われているか。
(4) 面接すべき者の不在が続く場合には、訪問方法を工夫するなど適切な対応措置はとられているか。
　　また、民生委員、親族等からも、生活状況等の聴取を行うなど、不在理由を確認し、家庭内面接を行うよう努力されているか。
(5) 長期にわたって来所による面接が続き、訪問調査活動の目的が達成されていないケースはないか。
(6) 訪問調査結果は、査察指導員等に速やかに報告されているか。
　　また、早期にケース記録に明確に記録され、その都度決裁されているか。

7 面接相談の体制、保護の開始、廃止の状況
(1) 面接相談
1 面接相談体制の状況
(1) 専任面接相談員の配置や、状況に応じた複数による面接の実施等、面接相談体制は確立されているか。
(2) 査察指導員が、恒常的に面接相談業務を行っていることがないか。
2 面接相談時等における適切な対応と事務処理
(1) 保護の受給要件等制度の趣旨は、「保護のしおり」の活用等により、要保護者に正しく理解されるよう十分説明され、個々のプライバシーに配慮し、相談内容

に応じた懇切丁寧な対応が行われているか。
(2) 面接相談の際に使用している「保護のしおり」や生活保護制度を案内する各地方自治体のホームページの内容について、申請権の侵害につながるおそれのある表現が含まれていないか。
　また、相談者へ交付又は提示する書面等を含めた関係書類に申請権の侵害につながるおそれがあるものはないか。
(3) 生活歴、職歴、病歴、家庭環境、地域との関係等は的確に把握されているか。
(4) 他法他施策活用についての助言は、適切に行われているか。
(5) 手持ち金及び預貯金の保有状況、家賃、負債、水道・電気等のライフラインに係る滞納状況等、いわゆる急迫性の確認は的確に行われているか。
(6) 相談者に対し、「居住地がなければ保護申請できない」、「稼働年齢層は保護申請できない」、「自動車や不動産を処分しなければ申請できない」等の誤った説明を行ったり、扶養が保護の要件であるかのように説明するなど、保護の申請権を侵害するような行為及び申請権を侵害していると疑われるような行為は厳に慎んでいるか。
(7) 相談者に対しては、保護申請の意思を確認しているか。申請の意思が表明された者に対しては、保護申請に当たって事前に関係書類の提出を求めることなく、申請書を交付し、申請手続についての助言は、適切にされているか。
(8) 申請書及び同意書を書面で提出することが困難な申請者に対しては、口頭申請など申請があったことを明らかにするための対応が執られているか。
(9) 相談者の申請意思や急迫状況、相談者からの相談内容やそれに対する助言内容、申請に至らなかった経緯等が確実に面接記録票等に記載され、速やかに所長、課長等への決裁がされているか。
(10) 保護申請書の処理は迅速に行われているか。
(11) 生活困窮者に関する情報が実施機関の窓口につながるよう、生活保護制度の周知や民生委員及び各種相談員との連携、保健福祉・社会保険関係部局、水道・電

		気等の事業者、住宅担当部局等との連絡・連携体制はとられているか。 　また、生活困窮者自立支援制度と連携が図られているか。
(2) 保護の開始	3	保護開始時等における適切な対応と事務処理
	(1)	申請書等を受理した日から1週間以内に訪問し、実地に調査をしているか。
	(2)	保護の申請書、資産申告書（不動産、預貯金、生命保険、自動車等）及び収入申告書（稼働収入、年金等）の内容は、挙証資料等に基づき十分審査されているか。
	(3)	年金、手当、自立支援給付等の他法他施策の活用又は活用の可能性について十分検討されているか。
	(4)	保護の開始は、急迫性がないにも関わらず要保護者の資産及び収入に係る必要な関係先調査をせずに開始していることはないか。また、保護申請処理は、法定期間内（原則14日以内）に行われているか。法定期間を超過する場合はその理由を開始決定通知書に明示しているか。さらに、保護の開始・申請の却下は、要否の判定を適正に行い決定されているか。
	(5)	申請の取下げ 　ア　様式化した「取下げ書」を徴取していないか。もしくは、実施機関が取下げを促すような取扱いとなっていないか。 　イ　要保護者の審査請求権の権利保護の観点から、保護の申請に対する調査の結果等により保護に該当しないことが判明した場合には、不必要な取下げ書を徴取することなく、適正に却下処分を決定の上、申請者に通知しているか。
	(6)	保護の開始時に「保護のしおり」の配布等により、法律に定める権利、義務の周知徹底は図られているか。
	(7)	収入申告の必要性、届出義務について説明を行い理解したことを確認する書面を被保護世帯から徴取しているか。 　なお、高校生のアルバイト収入等の申告義務についても周知されているか。その際、高校生のアルバイト収入については、20歳未満控除等の勤労控除及び高等学校等就学費の支給対象外経費（学習塾費等を含

| | | む。)、就労や早期の保護脱却に資する経費等の収入認定除外について、周知されているか。
(8) 法第63条を適用し、保護を開始する場合は、文書により本人に周知されているか。 |
| --- | --- | --- |
| (3) 保護の廃止 | 4 | 保護廃止時等における適切な対応と事務処理 |

  (1) 要否の判定による廃止

    ア 保護の廃止は、当該世帯における収入の増加、最低生活費の減少等により保護を要しない状態を確実に把握した上で、医療費、介護費用等を含めて適正に要否の判定を行い決定されているか。また、廃止決定の理由は的確か。

    イ 保護の廃止に伴い保護費の過払いがある場合は、返還の処理が行われているか。

    ウ 被保護者が安定した職業に就いたこと等により保護を必要としなくなる場合は、就労自立給付金の申請等について助言するなど、被保護者の申請が確実に行われるよう支援されているか。また、申請があった場合は支給の決定が速やかに行われているか。

  (2) 「辞退届」による廃止

    ア 「辞退届」は、被保護者本人の任意かつ真摯な意思によるものか。また、本来不必要な「辞退届」を一律に徴取していないか。

    イ 最低生活費に満たない部分をどう工面するのか等、被保護者本人から自立の目途を具体的に聴取するなど、廃止により直ちに急迫した状況に陥らないことを確認しているか。

      また、就労自立給付金の対象とならないことを説明しているか。

    ウ 保護の廃止決定の判断は、ケース診断会議等に諮るなど組織的に対応されているか。

    エ 保護の廃止に際し、当該世帯の国民健康保険や国民年金への加入等の諸手続及び急迫状況に陥らないよう再来所・再申請について助言するとともに、必要に応じて自立相談支援機関につないでいるか。

      また、地域の民生委員へ保護廃止の旨を連絡するなどにより、保護廃止後の当該世帯の自立生活を見守る配慮はされているか。

Ⅱ　生活保護法関係通知　第7章　指導監査

	(3) 指導指示違反による廃止 　ア　指導指示内容及び期限の設定については、被保護者本人の保護の目的達成上、必要なもので実現の可能性があるものとなっているか。 　イ　法第27条による指導指示は、文書による指導指示の前に、原則として、口頭により直接当該被保護者に対して確実に行われているか。 　ウ　指導指示違反に対する弁明の機会を設けているか。また、その日時や通知の手続は適切か。 　エ　指導指示に従わない場合において、保護を廃止する前に、保護の停止等について組織的に検討しているか。 　オ　保護の廃止決定の判断及びその手続は、ケース診断会議等に諮るなど組織的に対応されているか。 (4) 生活困窮者自立支援制度との連携 　　保護廃止となる者が、生活困窮者に該当する場合、生活困窮者自立支援法に基づく適切な措置を講じる等、生活困窮者自立支援制度と生活保護制度との相互間で適切に連携がなされているか。
8　経理事務の処理状況	生活保護費の支給事務処理等の適正化 (1) 保護金品等の支給について 　ア　決裁権者等を明確にした事務処理規程等は定められ、事務処理規程どおり運用がなされているか。また、電算システム導入前のものである等、実態と乖離していないか。 　イ　電算システムにおける決裁権者の決裁確認機能はあるか。（無い場合は、代替確認方法） 　ウ　電算システムを運用するうえで、不正アクセスや改ざん防止、暗号化のセキュリティ対策を行うとともに、動作履歴を保存し、誰がいつ、どのような操作を行ったか、追跡可能な記録が残されているか。 　エ　電子決裁について、決裁権者が確認することなくシステム管理者権限を持つ者や経理担当者等が事実上代行していないか。 　オ　システム管理者権限を持つ者が現業員や経理事務担当者を兼ねていないか。 　カ　保護費支給の際、複数職員が確認して支出する体制となっているか。

キ 窓口支給の縮減に適正に取り組んでいるか。特に、生活実態の把握や被保護者に対して対面で指導を行う必要があるため等の不適切な理由に基づき窓口払いとしていないか。

ク 窓口支給における現業員の関与はあるか。関与がある場合、その範囲は適正に定められているか。

ケ 未支給保護金品の管理方法は適正に定められているか。また、金庫等に保管され、管理職員が鍵を管理する等、適切に管理されているか。

コ 前渡資金口座の通帳残高及び現金の残高と出納簿を突合する等、定期的に確認しているか。

サ 介護老人福祉施設入所者等を除き、生活保護受給者本人以外に保護費を交付していないか。

シ 当該被保護世帯主又は世帯員が受領に来所出来ない場合の保護金品の取扱いは適正に定められているか。

ス 保護決定通知書を事前に送付しているか。

セ 被保護者等からの問い合わせ受付体制は適正にとられているか。

(2) 返還金・徴収金について

ア 決裁権者等を明確にした事務処理規程等は定められているか。また、事務処理規程どおり運用がなされているか。

イ 現業員等の事務の範囲及び取扱い手順は適正に定められているか。

ウ 現業員が現金で徴収することがないか。

エ 決定前の返還金・徴収金相当額の預かりを行っていないか。

オ 納付指導等における返還金・徴収金の徴収方法は適正に定められているか。

カ 現金管理及び相互牽制は適正に行われているか。また、金庫等に保管され、管理職員が鍵を管理する等、適切に管理されているか。

キ 被保護者等からの問い合わせ受付体制は適正にとられているか。

ク 実施機関の責めに帰すべき事由を原因とする法第63条の返還金に係る債権について、法第77条の2の規定を適用し、当該返還金を保護金品等から徴収していないか。

	ケ　保護金品等から徴収する場合、単身世帯5,000円、複数人世帯10,000円の目安を遵守しているか。
	(3) 遺留金品の取扱いについて
	ア　決裁権者等を明確にした事務処理規程等は定められているか。
	イ　現業員等の事務の範囲及び取扱い手順は適正に定められているか。
	ウ　現金管理及び相互牽制は適正に行われているか。また、金庫等に保管され、管理職員が鍵を管理する等、適切に管理されているか。
	エ　遺留金品の残高と出納簿を突合する等、定期的に確認しているか。
	オ　被保護者等からの問い合わせ受付体制は適正にとられているか。
9　課税調査（一斉点検）の状況	課税調査の適切な実施
	(1) 前年中に保護を受給した全ケースの世帯員全員（廃止した世帯を含む）について、毎年6月以降、課税資料の閲覧可能な時期に速やかに調査が実施されているか。特に管外市区町村に住民票がある者については、当該市区町村に対しても課税情報の提出について協力を求めているか。
	(2) 未申告の収入が判明した場合、その収入を継続して得ているかを確認し、現在も継続して収入があることが判明した場合、遅くとも8月分の保護費に反映させるよう迅速な認定処理が行われているか。
	また、法第78条適用等の処理は、遅くとも年度内に完結されているか。
	(3) 課税調査の実施漏れや実施の遅れ等を防止するため、査察指導員等による進行管理や全ケースに係る調査結果の点検等、課税調査を的確に行う体制の整備は図られているか。
	また、課税調査結果は、所長、課長等まで決裁されているか。
10　返還金、徴収金等の状況	1　保護費の返還の決定
	(1) 法第63条による返還額の決定は、原則全額返還とし、必要経費の控除及び自立更生のためのやむを得ない用途にあてられたものの免除を含め適切に行われているか。

また、一部又は全部の返還額を免除する場合は、必要に応じケース診断会議等に諮るなど組織的にその必要性を十分検討されているか、さらに、その内容が挙証資料等により明確にされているか。
(2) 年金を遡及して受給した場合、法第63条に基づく返還金については、定期的に支給される年金の受給額の全額が収入認定されることとの公平性を考慮し、真にやむを得ない理由により自立更生費を控除する場合を除き、原則として、全額返還としているか。
(3) 要保護者が資力を有しながらも、資産を直ちに処分することが困難であることなどを理由として保護を開始する場合に、当該資産が最低生活に充当できるようになった場合、概ね1箇月以内を目途に法第63条の決定がなされているか。

2 収入申告内容の確認等の状況
(1) 収入申告内容に疑義がある場合は、説明を求めているか。
また、必要に応じて勤務先等関係先調査が適切に行われているか。
(2) 再三にわたる収入申告書の提出の指示に対して正当な理由もなく従わない場合は、文書指示等の措置が行われているか。

3 不正受給ケースに対する措置
(1) 不正受給については、法第78条により厳正に措置されているか。また、課税調査により判明した場合は、原則として法第78条により措置されているか。
(2) 不正受給の意思の有無の確認に当たっては、世帯主及び世帯員の病状や当該被保護世帯の家庭環境等も考慮した上で、法第78条に基づく費用徴収を適用するか、法第63条に基づく費用返還を適用するかを決定しているか。
(3) 法第78条の決定に当たっては、各種控除を適用せず、必要最小限度の実費を除き、全て徴収の対象と決定されているか。また、事実確認後、概ね1箇月以内を目途に法第78条の決定がなされているか。
(4) 悪質なケースについては、告訴等が行われているか。

4 不正受給等の原因分析及び再発防止対策

(1) 不正受給等の未然防止を図り、適切な指導援助を行う観点から、法第63条及び法第78条適用ケースの発生原因が十分に把握・分析された上で、適切に適用されているか。特に、定期的な訪問調査活動や関係先調査等による世帯の実態把握の方法に問題はないか。また、年金、手当等の受給権の確認が適切に行われていたか等、実施機関として取り組むべき問題点の有無が検討されているか。
(2) 実施機関として取り組むべき問題がある場合、職階毎の再発防止対策等の適切な対応はとられているか。
5 債権管理の状況
法第63条による返還金及び法第77条又は第78条による徴収金の債権管理について、
(1) 債権については、全額の調定を基本としているか。また、一括で返還させることが不可能である場合には、履行延期の特約を行い、計画的に調定し返還させているか。
(2) 被保護者への返還金等の督促及び納入指導は、経理担当と保護担当が連携して行っているか。
(3) 生活保護を廃止した者の返還金等について、引き続き同返還金等の債権について適切な管理が行われているか。
(4) 被保護者（廃止した者を含む）が転出した場合、転出先を把握し引き続き債権管理が行われているか。
(5) 被保護者（廃止した者を含む）が死亡した場合、相続人の有無について調査が行われているか。
　ア　相続人がいる場合は、相続人に対して引き続き債権管理が行われているか。
　イ　相続人に対し、債務の存在を知らせるとともに相続の意思を確認し、債務を相続しない場合は、相続放棄を書面等により確認しているか。
(6) 返還金等が収納されない場合、納入指導や時効中断措置等は行っているか。
(7) 国との国庫負担金の精算にあたっては、収納済額ではなく調定額を支出額から控除するように行われているか。
　　国庫負担額＝（自治体の支出額－（調定額－不納欠損額））×3／4

11	ケース診断会議等の状況	ケース診断会議の活用状況 (1) 援助困難ケースに対する援助方針の策定、法第63条の一部返還免除、法第78条の適用、新規開始及び廃止決定、暴力団員への保護の適用、自動車の保有可否の決定、法第27条による指導指示をする場合等においては、所長、課長等が参画するケース診断会議等に諮るなど速やかな組織的判断が行われているか。 　また、所長、課長等は参画しているか。 (2) ケース診断会議等の検討結果は記録されているか。 　また、その結果等を踏まえ具体的な取組は行われているか。
12	各種調査の状況	
(1)	関係先調査等の状況	1　関係先調査等の徹底 (1) 同意書が、適切に徴取されているか。 (2) 収入、資産等の状況が生活圏内の関係先（金融機関、保険会社、年金事務所等）調査等によって十分に検証・確認されているか。 　また、特に金融機関や生命保険会社への調査に当たっては、所定の様式を使用しているか。 (3) 保護申請前に転居してきた者については、前居住地の関係先照会等は行われているか。 (4) 急迫性がないにも関わらず、保護開始決定後に調査していることはないか。 (5) 病状等について、主治医訪問や嘱託医協議により把握されているか。また、必要に応じ検診命令等は活用されているか。
(2)	年金の状況	2　年金等の受給権の確認 (1) 日本年金機構から送付される「ねんきん定期便」を活用するなど、老齢基礎年金等の受給権について確認されているか。 (2) 一定の障害の状態にある者について、障害基礎年金や労働者災害補償保険の障害（補償）給付等の受給権について確認されているか。 (3) 遺族厚生年金や労働者災害補償保険の遺族（補償）給付等の受給権について確認されているか。 (4) 任意加入により年金受給権が得られる場合、任意加入手続きの支援は行われているか。 (5) 年金受給権を得られる可能性がない場合、脱退手当

Ⅱ 生活保護法関係通知 第7章 指導監査

	金の受給可否を確認し、受給可能であれば請求手続きの支援は行われているか。 (6) 年金生活者支援給付金について、支給状況の把握及び未請求者への請求手続の助言等が行われているか。
13 扶養能力調査の状況	扶養義務履行の指導状況 (1) 扶養義務者の存否については、要保護者の申告により確認し、さらに必要があるときは、戸籍謄本等により確認が行われているか。 (2) 扶養義務者について、職業、収入等につき要保護者その他により聴取する等の方法により、扶養の可能性は調査されているか。 　また、精神的な支援の可能性についても確認されているか。 　なお、要保護者が扶養照会を拒んでいる場合等においては、その理由について特に丁寧に聞き取りを行い、照会の対象となる扶養義務者が「扶養義務履行が期待できない者」に該当するか否かという観点から検討が行われているか。 (3) 重点的扶養能力調査対象者が管内に居住している場合には、実地に調査されているか。 (4) 重点的扶養能力調査対象者が管外に居住する場合には、回答期限を付して照会し、回答がないときに、再照会は行われているか。なお、回答がないときは、その者の居住地を所管する保護の実施機関に調査依頼を行うか、又はその居住地の市町村長に照会は行われているか。 (5) 重点的扶養能力調査対象者に対する扶養能力調査の結果を踏まえ、必要に応じ、家庭裁判所への調停又は審判の申立てについての指導は行われているか。 (6) 重点的扶養能力調査対象者以外の扶養義務者のうち扶養の可能性が期待される者に対する扶養能力調査は適切に行われているか。 (7) 法第77条第1項の規定による費用徴収を行う蓋然性が高いなど、明らかに扶養義務を履行することが可能と認められる扶養義務者が、民法に定める扶養を履行していない場合、要保護者の氏名及び保護の開始の申請があった日を記載した書面を作成し、要保護者に保護の開始の決定をするまでの間に通知がされているか。また、書面

により履行しない理由について報告を求めているか。
(8) 扶養義務者の扶養能力又は扶養の履行状況に変動があったと予想される場合には、速やかに扶養能力の調査が行われ、必要に応じて上記「(7)」の報告を求めた上、再認定等適宜の処理は行われているか。また、重点的扶養能力調査対象者に係る扶養能力及び扶養の履行状況の調査は、年1回程度行われているか。

14 暴力団及び暴力団員であることが疑われる者への対応	暴力団関係者ケースに対する調査、指導の状況 (1) 被保護者又は申請者等の言動から暴力団員ではないかとの疑いが持たれなくても、その経歴などから暴力団親交者との交流の可能性がある場合には、警察等関係機関との連携を十分図り適切に処理されているか。 　特に高齢又は障害・傷病などにより、安易に暴力団員の該当性はないと判断していないか。 (2) 保護を申請した、又は申請しようとする者(以下、「申請者等」という。)が暴力団員である場合には、現業員等のみに任せることなく、ケース診断会議等で受給要件の厳格な審査と指導方針が明確にされ、組織的に取り組まれているか。 (3) 申請者等が暴力団員であることが確認された場合には、急迫状態である場合を除き、既に申請を受理している場合は申請を却下し、相談等の段階である場合には、暴力団を離脱しない限り、申請を行っても却下することとなる旨を説明しているか。 (4) 申請者等が申請時点において暴力団員であったが、暴力団からの離脱を求めた結果、暴力団を離脱した場合には脱退届及び離脱を確認できる書類(絶縁状・破門状等)、誓約書、自立更生計画書等を徴取しているか。 　なお、それらの書類の真偽について疑いがある場合には、警察の暴力団排除担当課に再度情報提供を求めるなどにより確認に努めているか。 (5) 保護受給中に暴力団員であることが判明した場合には、暴力団からの離脱等を指示し、これに従わない場合には、所要の手続を経て保護の廃止をしているか。 (6) 現役暴力団員と生計を同一とする他の世帯員について、当該暴力団員を世帯分離し、真にやむを得ない事情によりその世帯員のみを保護している場合、その事情は現時点において適切か。

		(7) 現役暴力団員、当該暴力団員を世帯分離した生計を同一とする他の世帯員及び元暴力団員について、真にやむを得ない事情で保護を適用している場合、適切に生活実態は把握されているか。
		(8) 警察との連携・協力強化のため、暴力団員の保護状況や、管内の暴力団の状況について、実施機関と警察署との間で円滑な情報交換を行うなどの協議等が行われているか。なお、暴力行為等があった場合には、速やかに警察署へ通報する等の措置は行われているか。
		(9) 保護の開始決定後、本庁への情報提供は速やかに行われているか。
		(10) 元暴力団員については、保護開始（暴力団脱退）後5年間は年1回以上暴力団該当性について警察へ照会を行っているか。
15	自動車保有状況	自動車保有ケースに対する調査、指導の状況
		(1) 自動車の保有状況が、必要に応じて運輸支局等の関係先調査等により的確に把握され、保有要件の審査が適切に行われているか。なお、保有容認に当たっては、任意保険の加入についても検討されているか。
		(2) 保有を認めた場合において、適宜保有要件の検証は適切に行われているか。
		(3) 保有が認められない場合の指導指示は、必要に応じ、文書指示により徹底されているか。
		(4) 処分が行われるまでの間の使用禁止の指導は、適切に行われているか。
		(5) 自動車の処分指導の保留については、概ね6箇月以内に就労により保護から脱却することが確実に見込まれる者であって、保有する自動車の処分価値が小さいと判断される場合に限り、行われているか。 また、処分指導を保留しているケースについて、期限到来後（概ね6箇月経過後に保護から脱却していない場合においても、就労阻害要因がなく、自立支援プログラム又は自立活動確認書により具体的な活動が認められると判断している場合は、保護開始から概ね1年の範囲内）に自立に至らなかった場合には、速やかに処分指導を行っているか。
16	医療扶助の状況	1 医療扶助受給者に対する指導援助及び適正運営の状況
		(1) 電子レセプトを活用して、被保護者ごと又は医療機

関ごとに医療扶助の実態を把握し、その結果をレセプト点検、重複受診（処方）への対応、頻回受診者の適正受診指導、後発医薬品の使用促進、指定医療機関の重点指導等に活用しているか。
(2) 被保護者の病状は、電子レセプトの活用やレセプト点検、主治医訪問、嘱託医協議等により的確に把握され、その結果に基づき就労指導、療養指導等は適切に行われているか。
(3) 継続して医療を必要とするときには、原則、3箇月
（併給入院外患者及び訪問看護の利用者は、6箇月）
ごとに、医療要否意見書等により医療扶助継続の要否は十分検討されているか。
(4) 長期入院患者の実態把握及び指導援助
　ア　長期入院患者については、「実態把握対象者名簿」により、組織的に把握されているか。
　イ　社会的入院を余儀なくされている入院患者のうち、要介護者については、介護施設への入所や介護サービスの活用を図り、精神障害者については、地域生活への移行に向けた支援の施策を活用するなどして、在宅生活への移行が図られるよう必要な指導援助は行われているか。
　ウ　入院患者の退院後の受入先の確保について、必要な指導援助等は行われているか。
(5) 頻回転院患者の実態把握及び指導援助
　ア　頻回転院患者については、実態把握対象者名簿により、組織的に把握されているか。
　イ　転院の必要性については、嘱託医に協議する等検討されているか。
(6) 頻回受診者に対する適正受診指導状況
　ア　頻回受診者指導台帳等は整備されているか。
　イ　頻回受診の判断は主治医訪問や嘱託医協議等によって適切に行われているか。
　ウ　頻回受診の指導に当たっては、保健師の同行訪問を行うなど、適切に実施されているか。
(7) 重複・多剤投与者に対する適正受診指導等の状況
　ア　重複・多剤投与者については、指導台帳により、組織的に把握されているか。
　イ　重複・多剤投与の判断は、嘱託医や薬剤師等との

協議等によって適切に行われているか。
　ウ　重複・多剤投与の指導に当たっては、本人への適正受診指導等が適切に実施されているか。
　　　また、必要に応じて医療機関・薬局への注意喚起や協力要請が実施されているか。
(8)　医療機関の選定は、真に止むを得ない場合を除き、患者の居住地に近い医療機関となっているか。
(9)　同一疾病で、複数の医療機関で受診する重複受診の確認・審査は行われているか。その結果を踏まえ、適正な受診指導は行われているか。
(10)　後発医薬品の原則使用について、被保護者に対して、リーフレット等を用いて説明を行うなど周知徹底を図っているか。

2　レセプトの点検、活用状況
(1)　レセプトは、療養指導等に常時活用できる状態となっているか。
　　　また、病状の把握、療養指導等に際し、現業員、査察指導員、嘱託医等により適時レセプトが活用されているか。
(2)　資格審査、単月点検、縦覧点検について、医療事務の経験がある者等によって、適切な方法により実施されているか。
　　　また、単月点検、縦覧点検を業者委託している場合、仕様書の見直し、競争入札の実施等を行うことなく、安易に同一業者に長期間委託していないか。
(3)　レセプト点検に当たり、診療日数、診療内容、診療点数等に疑義が生じた場合には、嘱託医への協議又は本庁に対し技術的助言を求めているか。
(4)　医療券交付処理簿と電子レセプトの照合は行われているか。

3　移送の給付等の状況
(1)　移送の給付に当たっては、画一的な取扱いによって一律に給付を認めず、被保護者が必要な医療を受けられなくなることのないよう、適切に給付の決定が行われているか。
　　　また、不正受給や過大給付などが発生しないよう所定の手続に則って、個々の事案ごとに十分な検討が行われているか。

(2) 施術、治療材料給付

あん摩、マッサージ等の施術、眼鏡等治療材料の給付は事前に申請させ、適切に行われているか。また、医師の同意が不必要なケースについて、医師の同意をとるよう、指示していないか。

さらに、施術については慰安の目的でないかなど施術を必要とする理由、施術日数、施術回数等の妥当性について嘱託医と協議のほか、必要に応じ施術者への確認や検診命令により把握の上、実施機関が十分検討しているか。

なお、施術の給付についての往療料の算定は、歩行困難など、真に安静を必要とする者等、通所して治療を受けることが困難な場合に限って行われているか。

4 嘱託医等の配置及び活動状況

(1) 嘱託医が週1回程度の所内勤務を行う等、医師による専門的判断を得られる体制は確保されているか。

(2) 精神科などの嘱託医の確保が困難な場合には、必要に応じ業務委託医の活用は検討されているか。

(3) 医療扶助の要否及びケース援助に当たって、嘱託医等の専門的かつ技術的意見は聴取されているか。

5 本庁への技術的助言の要請状況

医療の給付の要否、援助方針の決定に当たって医学的見地からみて疑義のあるものについては、本庁に対し技術的助言を求めているか。

6 他法他施策の活用及び関係機関との連携の状況

(1) 医療扶助の決定に当たり、社会保険等他法が適用されるものであるか否かについての確認はされているか。

(2) 患者の病状等に応じ、障害者の日常生活及び社会生活を総合的に支援するための法律、感染症予防法に基づく結核医療等の活用について、保健所等関係機関との連携は十分図られているか。

特に次の点について、関係機関との連携が図られ、確認はされているか。

ア 精神科受診ケースについて、精神障害者保健福祉手帳申請の可否についての検討は行われているか。

イ 精神科の通院について、精神通院医療適用確認調書を活用するなど、障害者の日常生活及び社会生活

を総合的に支援するための法律第58条の適用について検討は行われているか。
ウ　人工透析医療、ペースメーカー交換術等移植術、人工関節置換術等について、更生医療に係る自立支援給付の優先活用についての検討及び確認台帳の整備は行われているのか。
エ　指定難病患者については、医療費助成制度の適用について検討は行われているか。

17　介護扶助の状況

1　介護扶助受給者等に対する指導援助の状況
(1)　要介護若しくは要支援の状態にある者又は基本チェックリストに該当する者については、レセプト点検、主治医訪問、嘱託医協議等により、要介護認定等の申請が行われるよう指導されているか。
(2)　介護扶助の要否判定、程度は、居宅介護支援計画又は介護予防支援計画の妥当性を検討の上、適正に決定されているか。
(3)　居宅介護支援計画又は介護予防支援計画に基づくサービス提供実績の確認は的確に行われているか。
2　福祉用具及び住宅改修の給付状況
(1)　介護扶助受給者に対して、福祉用具の購入費及び住宅改修費の全額を支給した場合には、領収書等により保険給付等の申請がなされるよう指導されているか。
(2)　保険者による償還金が支給された場合には、適切に法第63条が適用されているか。
(3)　福祉用具の使用状況を実地に確認しているか。
また、住宅改修前後の状況を実地に比較し、改修効果が確認されているか。
3　他法他施策の活用及び関係機関との連携の状況
40歳以上65歳未満の介護保険法施行令（平成10年政令第412号）第2条各号の特定疾病により要介護又は要支援の状態である医療保険に未加入である者について、障害者の日常生活及び社会生活を総合的に支援するための法律等の他法が介護扶助に優先活用されているかの検討及び確認台帳の整備は行われているか。
また、障害保健福祉関係部局等関係機関との連携は図られているか。
4　本庁への技術的助言の要請状況
介護扶助の給付の要否に当たって疑義のあるものについ

		いては、本庁に対し技術的助言を求めているか。
18	不動産保有の状況	不動産保有状況の把握等 (1) 不動産については、「資産（不動産）保有台帳（一覧）」を整備し組織的に把握されているか。 　特に、処分価値が大きいと認められる不動産については、評価替えの時点に併せて評価額は的確に把握されているか。 (2) 要保護世帯向け不動産担保型生活資金制度の活用など、資産活用についての指導又は指示は適切に行われているか。
19	組織的運営管理の状況	1　理事者等の現状認識 (1) 理事者及び所長、課長等は、管内の保護動向、地域的特性、実施体制及び前年度指導監査結果等を踏まえ、実施機関の抱えている問題点の現状を十分掌握しているか。 (2) 所長、課長等は、実施機関の抱えている特別な問題点等の要因の分析を行い、具体的な改善計画の策定等、その対応措置を講じているか。 (3) 所長、課長等は、個別ケースの問題から実施機関全体として取り組むべき問題について把握し、その対応策を講じているか。 　ア　開始・廃止ケースの状況及び問題を抱える開始・廃止ケースの有無について把握し、実施機関全体として取り組むべき問題の有無を把握しているか。 　イ　法第63条及び法第78条適用ケースの発生原因を分析し、実施機関全体として取り組むべき問題の有無を把握しているか。 　ウ　その他、特に問題を抱えるケースについて、実施機関全体の問題として把握し、取り組んでいるか。 　エ　問題解決のために必要な職員研修を実施し、あるいは、自主的内部点検や適正化対策事業等を実施する等、その対応策を講じているか。 (4) 理事者及び所長、課長等は、職場環境の改善及び職員の士気高揚に努めているか。 2　実施機関の規模に応じた適切な組織運営 (1) 小規模な実施機関において、査察指導員任せにならないよう、保護の適正運営が組織的かつ継続的に確保される体制は整備されているか。

	また、他の実施機関等と共同し、実務を中心とした研修やケース事例の研究協議会など、実施水準の維持向上のために努力がされているか。
	(2) 大規模実施機関において、組織運営の一体性が確保されるよう、役付会議や係会議の定期開催、査察指導マニュアル及び補助簿の整備、各種委員会の組織などの工夫がされているか。
	3 ケース記録等事務処理の管理状況
	(1) ケース記録など個人情報資料については、秘密が厳守されるよう慎重な配慮のもとに取り扱われているか。
	(2) 関係先照会等にかかる決裁文書等の処理について、内容審査、点検等の管理は適正に行われているか。
	(3) ケース台帳は適正に管理され、一定頻度で保管状況が確認されているか。
	4 職員による不祥事件の再発防止について
	過去において職員による不祥事件の発生した実施機関については、その発生要因及び背景を分析した上で、職階毎の再発防止策が適切に策定され、かつ確実に実施されているか。
	また、他の実施機関においても、職員による同様の不祥事件が発生しないよう再発防止策の情報共有を通じて未然防止策が徹底されているか。
	5 通知改訂等に基づいた適切な運営
	通知の改正等により運用上の取扱いに変更があった際に、事務処理が適切に反映されているか。
20 個別具体的な指導援助の状況	1 権利、義務の周知徹底
	(1) 保護受給中の被保護者に対しては、少なくとも年1回以上、被保護者の権利、義務について、「保護のしおり」を配布する等の方法により適時適切な指導は行われているか。
	(2) 世帯員で新たに稼働年齢層（高校生等未成年を含む）となった者がいる場合については、当該世帯への訪問時等に改めて収入申告の必要性、届出義務について説明を行い、理解したことを確認する書面を当該世帯員から徴取しているか。
	なお、高校生のアルバイト収入等の申告義務についても周知されているか。その際、高校生のアルバイト

収入については、20歳未満控除等の勤労控除及び高等学校等就学費の支給対象外経費（学習塾費等を含む。）、就労や早期の保護脱却に資する経費等の収入認定除外について、周知されているか。
(3) 世帯員に小学校から高校までの児童生徒がいる被保護世帯に対して、学習支援費の申請漏れがないよう日頃のケースワーク等において、特段の配慮を行っているか。
(4) 日頃のケースワークにおいて、冷房器具等の購入の意向を確認し、必要に応じて、購入に向けた家計管理の助言指導を行うとともに、社会福祉協議会の生活福祉資金貸付の利用を紹介し貸付手続きを支援するよう配慮しているか。あわせて電気料金等の滞納やそのおそれのある者に対しても、日頃のケースワークにおいて家計支援に係る必要な助言指導を行っているか。
2 資産及び収入の把握
(1) 資産の把握
ア 資産申告書については、少なくとも12箇月ごとに徴取されているか。
イ 開始時に把握した資産及び保護受給中に申告された資産（不動産、預貯金、生命保険等）の状況は、必要に応じて、関係先調査等が実施されているか。
さらに、法改正により調査範囲等が変更された同意書を徴取し直しているか。
(2) 収入の把握
就労可能と判断された被保護者については、収入の有無にかかわらず毎月（収入が安定している場合は3箇月ごと）、就労困難と判断された被保護者については少なくとも12箇月ごとに収入申告書は徴取されているか。
ア 稼働収入の把握
(ｱ) 収入申告書は、毎月徴取されているか。その際、給与証明書等挙証資料は添付されているか。
(ｲ) 収入申告書及び給与証明書等挙証資料の内容審査（稼働日数、給与額等）は、適切に行われているか。また、必要に応じて事業主等の関係先調査は行われているか。
イ 稼働収入以外（年金、保険金、補償金、仕送り

等）の収入の把握
　　(ｱ)　収入申告書は適切に徴取されているか。必要に応じ、年金改定通知書（写）等挙証資料は添付されているか。
　　(ｲ)　年金、保険金等の受給権の有無及び受給金額は、必要に応じ、年金事務所、保険会社等の関係先調査等により確認されているか。
　　(ｳ)　仕送り額等は、的確に把握されているか。
3　他法他施策の活用
　身体障害者手帳及び精神障害者保健福祉手帳の取得、介護扶助又は医療扶助について自立支援給付等の優先活用の可能性など他法他施策の活用について検討されているか。
4　就労阻害要因の把握
(1)　就労阻害要因が的確に把握され、就労意欲の助長、生活習慣の形成等、必要な指導援助は適切に行われているか。
(2)　傷病を理由に就労していない者の傷病の程度、就労の可否等については、直近のレセプトの活用、主治医訪問、嘱託医協議、必要に応じ検診命令等により的確に、年1回以上は把握されているか。
(3)　育児中の母親に対する就労指導は、地域における保育所の設置状況や入所条件等を総合的に勘案し、適切に行われているか。
5　個別具体的な指導援助の充実
(1)　稼働年齢層の者のいるケースに対する指導援助の状況
　ア　稼働能力を活用しているか否かについては、
　　①　稼働能力
　　②　稼働能力を活用する意思
　　③　稼働能力を活用する就労の場
　があるか否かにより判断し、必要に応じケース診断会議や稼働能力判定会議等により組織的に検討されているか。
　イ　就労可能と判断された被保護者であって、集中的な支援が効果的と思われる者に対しては、「自立活動確認書」が徴取されているか。
　ウ　就労・求職状況管理台帳は整備されているか。

　　　　また、対象者には、求職活動状況・収入申告書を毎月提出させ内容を把握し、必要な指導は行われているか。
　エ　就労に関する個別支援プログラムを積極的に活用するなど、自立に向けた適切な指導援助が行われているか。
　オ　早期に就労による保護脱却が可能と実施機関が判断する者で、求職活動が支給要件を満たしている者に対しては、就労活動促進費が支給されているか。
　カ　自立援助のため、公共職業安定所等関係機関との組織的連携は十分行われているか。
　　　　また、求人情報等の収集提供、必要に応じた公共職業安定所等への同行訪問等の援助が行われているか。
　キ　稼働能力及び地域の賃金水準等からみて、就労の日数や時間、収入が少ない者に対し、勤務先調査又は課税調査が行われているか。
　　　　また、地域の有効求人倍率や求人情報等を踏まえ、稼働能力を有している者の年齢、資格、生活歴、職歴等を総合的に勘案し、稼働能力が十分活用されていない場合には、転職を含む増収指導が行われているか。
　ク　技能修得費の適用についての検討が、必要に応じて行われているか。
　　　　また、支給に当たっては、趣旨目的についての十分な説明を行うとともに、修得状況を把握し、適切な助言指導が行われているか。
　ケ　稼働能力の活用の指導指示は、必要に応じ、文書指示により徹底されているか。
　　　　また、指導指示に従わない場合には、保護の停・廃止等の措置は適切に行われているか。
　コ　被保護者に対し、検診命令に従わない場合において、必要があると認められるときは、保護の申請が却下され、又は保護の変更、停止若しくは廃止されることを伝えているか。
　サ　就職の確定した被保護者に対して、就職支度費の適用についての検討が必要に応じて行われているか。

シ 安定した職業に就いたこと等により保護費を必要としなくなったと認めた者に対して、就労自立給付金が支給されているか。
(2) 高齢者、障害者世帯など要援護世帯に対する指導援助の状況
　ア 高齢者、障害者等世帯について、介護保険制度及び障害者の日常生活及び社会生活を総合的に支援するための法律等による各種サービスの活用が図られているか。
　イ 個別支援プログラムを活用するなど、自立に向けた適切な指導援助は行われているか。
　ウ 年金等の受給の可否等について検討し、関係機関に対して協力を求めているか。
　エ 扶養義務者に対して、ケースとの日常の交流等について協力依頼は行われているか。
(3) 母子世帯等に対する指導援助の状況
　ア 個別支援プログラムを活用するなど、自立に向けた適切な指導援助は行われているか。
　イ 母親の養育態度、子の就学状況等に問題のある世帯に対し、適切な指導援助は行われているか。
　ウ 子の進路について事前に聴取するとともに、学校等関係機関との連携、進路選択時や進学後（就職後）に利用可能な支援制度等の周知を図るなど適切な指導援助は行われているか。
　エ 特定教育訓練施設への入学が確実に見込まれる者又は安定した職業に確実に就くと見込まれる者等に対しては、進学・就職準備給付金の申請等について助言するなど、被保護者の申請が確実に行われるよう支援されているか。
　　また、申請があった場合は支給の決定が速やかに行われているか。
　オ 児童扶養手当等、他法他施策の活用についての指導は、適切に行われているか。
(4) 多重債務問題等に関する指導援助の状況
　債務整理等の支援に関する個別支援プログラムを活用するなど、自立に向けた適切な指導援助は図られているか。
(5) 関係機関との連携及び社会資源等の活用状況
　ア 関係部局との情報交換、連絡調整等は緊密に行わ

れているか。
　　イ　民生委員、保健所、町村役場、各種相談員、医療機関、介護機関、学校等関係機関との連携、近隣住民との協力等による支援体制等幅広い社会資源の活用が行われているか。
　　　　また、必要に応じ、関係者にケースへの同行訪問を要請しているか。
　　ウ　介護保険料、公営住宅家賃、学校給食費の未納について、関係部局と連携を図り納付状況を把握するとともに、滞納しているケースについては、被保護者に対し適切な納付指導を行うか、代理納付の手続きをとることにより改善は図られているか。
　6　ホームレス等に対する保護の適用状況
　(1)　ホームレスに対する保護の適用に当たっては、居住地がないことや稼働能力があることのみをもって保護の要件に欠けるものではないことに留意し、実施されているか。
　(2)　直ちに居宅生活を送ることが困難とされ、保護施設や日常生活支援住居施設等において保護されたホームレスについて、その状況に応じて各種福祉施設等への入所は検討されているか。
　(3)　施設入所中の被保護者については、その状況に応じて訪問調査活動を行い生活実態を把握するとともに、居宅生活への円滑な移行に向けて、施設職員や民生委員等関係機関との連携を図り、日常生活訓練、就業の機会の確保等の必要な支援は行われているか。
　(4)　日常生活支援住居施設等に起居する被保護者については、少なくとも1年に2回以上家庭訪問するよう訪問計画を策定し、定期的な訪問調査活動を行い、利用料金、金銭管理、居室の状況等も含めた生活実態を把握するとともに、自立に向けた必要な指導援助は行われているか。
　　　　また、被保護者の生活状況が劣悪であると認められた時には、転居指導を行うとともに、必要な支援は行われているか。
　(5)　「生活保護における不適切な受診誘導の防止等について」（平成27年8月7日社援保発0807第1号厚生労働省社会・援護局保護課長通知）を踏まえ、必要な支

21 入所の状況	援は行われているか。 1　適正な入所措置事務の確保 (1)　措置台帳等諸帳簿は整備され、適正に入所措置事務が行われているか。 (2)　入所措置について、より必要性の高い者を優先して措置されているか。 2　入所措置後の適正な援助 (1)　入所措置後の継続の要否について見直しは行われているか。 　　また、措置変更事由が生じた場合の措置換えは適正に行われているか。 (2)　入所措置後、年1回以上は訪問調査を行い、更生状況等の確認は適切に行われているか。 　　また、その状況は記録として残されているか。 (3)　死亡等による入所措置解除について、速やかにその手続きは行われているか。 　　また、遺留金品の処分については、関係職員立会いのもとに適切に行われているか。 3　入所者本人支払額の決定 　　入所者本人支払額の決定事務は適正に行われているか。

○生活保護法施行事務監査の実施結果報告について

> 平成12年10月25日　社援監第19号
> 各都道府県・各指定都市民生主管部(局)長宛　厚生省
> 社会・援護局監査指導課長通知

〔改正経過〕

第１次改正	平成13年３月30日社援監発第７号	第２次改正	平成14年３月29日社援監発第0329001号
第３次改正	平成15年３月28日社援監発第0328002号	第４次改正	平成16年３月29日社援保発第0329003号
第５次改正	平成17年３月28日社援指発第0328002号	第６次改正	平成18年３月31日社援指発第0331003号
第７次改正	平成19年６月18日社援指発第0618002号	第８次改正	平成20年７月10日社援自発第0710002号
第９次改正	平成21年８月21日社援自発0821第１号	第10次改正	平成22年３月29日社援自発0329第１号
第11次改正	平成23年４月４日社援自発0404第１号	第12次改正	平成24年４月13日社援自発0413第２号
第13次改正	平成26年２月13日社援自発0213第１号	第14次改正	平成26年７月25日社援自発0725第１号
第15次改正	平成27年３月27日社援自発0327第１号	第16次改正	平成28年３月29日社援自発0329第４号
第17次改正	平成29年３月29日社援自発0329第１号	第18次改正	平成30年３月30日社援自発0330第２号
第19次改正	平成31年４月11日社援自発0411第１号	第20次改正	令和２年３月31日社援自発0331第２号
第21次改正	令和３年３月30日社援自発0330第１号	第22次改正	令和４年３月29日社援自発0329第１号
第23次改正	令和５年３月30日社援自発0329第２号	第24次改正	令和６年４月24日社援自発0424第１号

　生活保護法施行事務監査の実施については、平成12年10月25日社援第2393号厚生省社会援護局長通知により示されているところであるが、標記については、別紙「生活保護法施行事務監査の実施結果報告」により作成の上、毎年度６月末日を期限として当職あて提出されたい。

　なお、本通知は、地方自治法第245条の９に規定する処理基準とする。

　おって、「生活保護法施行事務監査並びに指定医療機関に対する指導等の実施結果報告について」（平成12年３月31日社援監第７号　厚生省社会・援護局監査指導課長通知）は廃止する。

令和6年度生活保護法施行事務監査の実施結果報告

	頁
別 紙	
(目次)	
1 実施機関別指導監査の実績	
(1) 指導監査の状況	
ア 生活保護法施行事務監査の実施状況	1419
イ 生活保護特別指導監査事業の実施状況	1420
(2) 主眼事項・着眼点別指摘の状況	1421
2 法第63条及び法第78条の適用状況	
(1) 法第63条の適用状況	1422
(2) 法第78条の適用状況	1423
3 保護の相談、申請、開始、廃止の状況	1431

都道府県・指定都市名：

生活保護法施行事務監査の実施結果報告について

1 実施機関別指導監査の実績（令和6年度）

(1) 指導監査の状況

ア 生活保護法施行事務監査の実施状況

管内実施機関数	一般監査を実施した実施機関数	①一般監査 監査班の編成				監査人員数（嘱託医系職員の参画を含む）	監査実施日数	延監査職員数	②特別監査（平成12年10月25日社援第2393号 3(2)ア・イ）特別実施機関数（した）	監査班の編成				監査人員数（嘱託医系職員の参画を含む）	監査実施日数	延監査職員数	③確認監査（平成12年10月25日社援第2393号 3(2)ウ）確認監査実施機関数（した）	監査班の編成				監査人員数（嘱託医系職員の参画を含む）	監査実施日数	延監査職員数
		班長（課長（管理職）級）	嘱託医系職員	その他						班長（課長（管理職）級）	嘱託医系職員	その他						班長（課長（管理職）級）	嘱託医系職員	その他				
人		人	人	人	人	回	日	人		人	人	人	人	回	日	人		人	人	人	人	回	日	人
郡部計																								
市部計																								
合計																								

（注）1 「班長」欄には、班長が課長級（「課長」以外の職名も含む）である場合と、その他の職員である場合に分け、それぞれの合計数を記入すること。
（「班長」欄の合計は当該監査を実施した実施機関数と一致する）
2 「嘱託医を含む医系職員の参画」欄には、当該職員が監査に参加した実施機関数の合計を記入すること。
3 「監査人員数」欄には、各実施機関の監査に参加した人数の合計を記入すること。
4 「監査実施日数」欄には、各実施機関の監査に要した日数の合計を記入すること。
5 「延監査職員数」欄には、各実施機関の監査において参加した職員数の延べ人数の合計を記入すること。
6 「監査を実施した実施機関」には厚生労働省が監査を実施していない実施機関分は必ず記入しないこと。
7 「管内実施機関数」について、特別指導監査を実施しているときくとも必ず記入すること。

Ⅱ 生活保護法関係通知 第7章 指導監査

1 生活保護特別指導監査事業の実施状況（平成27年7月27日社援発0727第2号 別添25 3(1)イ）

		①一般指導監査								②特別指導								③確認監査							
	一般指導監査実施機関数	監査班の編成				監査人員数	監査実施実日数	延監査職員数	特別指導を実施した実施機関数	監査班の編成				監査人員数	監査実施実日数	延監査職員数	確認監査を実施した実施機関数	監査班の編成				監査人員数	監査実施実日数	延監査職員数
		班長（課長（管理職）級）	嘱託医系職員の参画を含む	その他						班長（課長（管理職）級）	嘱託医系職員の参画を含む	その他						班長（課長（管理職）級）	嘱託医系職員の参画を含む	その他			
		人	人	人	人	回	日	人		人	人	人	人	回	日	人		人	人	人	人	回	日	人
管内実施機関数																								
郡部計																								
市部計																								
合計																								

（注）1 「班長」欄には、班長が課長級（「課長」以外の職名も含む）である場合と、その他の職員である場合に分け、それぞれ合計数を記入すること。
（「班長」欄の合計は当該監査を実施した実施機関数と一致する）
2 「嘱託医を含む医系職員の参画」欄には、当該職員が監査に参加した人数の合計を記入すること。
3 「監査人員数」欄には、各実施機関の監査に参加した実施機関数の合計を記入すること。
4 「監査実施実日数」欄には、各実施機関の監査に要した日数の合計を記入すること。
5 「延監査職員数」欄には、各実施機関の監査において監査に参加した職員数の延べ人数の合計を記入すること。
6 「監査を実施した実施機関数」には厚生労働省が監査を実施した実施機関分は含めないこと。
7 「管内実施機関数」については、特別指導監査を実施していなくとも必ず記入すること。

生活保護法施行事務監査の実施結果報告について

(2) 主眼事項・着眼点別指摘の状況（令和6年度）

主眼事項	指摘事項	事務監査通知上の項目 着眼点	指摘実施機関数 (b+c) a 都道府県 b 市部 c
1	実施機関の組織	(1)〜(5)	
2	実施与計画及び事業計画の状況	(1)〜(4)	
3	自主的内部点検等の状況	(1)〜(3)	
4	査察指導機能の状況	4	
	1 現業活動の支援体制の確保	1	
	2 ケース審査及び助言、指導	2(1)〜(4)	
	3 所員、課長等による把握等	3	
	4 援助困難ケースへの対応	4(1)〜(4)	
	5 訪問の進行管理等	5(1)〜(3)	
	6 援助方針の策定	6(1)〜(4)	
5	保護の決定実施の状況		
	1 適宜適切な保護の変更決定に係る進行管理	1(1)〜(2)	
	2 実施機関の裁量による扶助費の算定誤り、収入認定運営の防止	2	
	3 最低生活費の算定及び通知事務	3	
	4 入院患者、介護施設入所者及び社会福祉施設入所者の加算等の取扱い	4	
6	訪問調査活動の策定		
	1 訪問計画の策定	1(1)〜(2)	
	2 訪問調査活動の実施状況、格上の状況	2(1)〜(6)	
7	面接相談の体制、保護の開始	(1)	
	1 面接相談		
	2 面接相談時における適切な対応と事務処理	(2)	
	3 保護の開始	3(1)〜(8)	
8	保護の廃止、停止の状況		
	1 保護廃止	(3) 4(1)〜(4)	
	2 保護廃止時における適切な対応と事務処理		
	3 経理事務の処理状況	8 (1)	
	1 保護費等の支給について		
	2 保護金・敷設金について	(2)	
	3 遺留金品の取扱いについて	(3)	
9	課税調査（一斉点検）の状況	9 (1)〜(3)	
10	返還金、徴収金等の状況	10	
	1 保護費の返還の決定	1(1)〜(3)	
	2 収入申告等の確認の状況	2(1)〜(2)	
	3 不正受給ケースに対する再発防止対策	3(1)〜(3)	
	4 不正受給等の原因分析及び再発防止対策	4(1)〜(5)	
	5 債権管理	5(1)〜(7)	

主眼事項	指摘事項	事務監査通知上の項目 着眼点	指摘実施機関数 (b+c) a 都道府県 b 市部 c
11	ケース診断会議等の状況	(1)〜(2)	
12	各種調査の状況		
	1 関係先調査等の徹底	(1)	
	2 年金等の受給権の確認	1(1)〜(5)	
13	扶養能力調査の状況	(2) 2(1)〜(6)	
14	暴力団員及び第三者加害であることが疑われる者への対応	(1)〜(8)	
		(1)〜(10)	
15	自動車保有の状況	(1)〜(5)	
16	医療扶助の状況	1(1)〜(10)	
	1 医療扶助の実施者に対する指導援助及び適正運営		
	2 レセプトの点検	2(1)〜(4)	
	3 移送費の給付等の状況	3(1)〜(2)	
	4 嘱託医等の配置及び活動状況	4(1)〜(5)	
	5 本庁への技術的助言の要請状況	5	
	6 他法施策の活用及び関係機関との連携の状況	6(1)〜(2)	
17	介護扶助の状況		
	1 介護扶助実施者等に対する指導援助の状況	1(1)〜(3)	
	2 福祉用具の活用及び住宅改修の給付の状況	2(1)〜(3)	
	3 他法施策の活用及び住宅改修の給付の状況	3	
	4 本庁への技術的助言の要請状況	4	
18	不動産保有の状況	(1)〜(2)	
19	組織の運営管理等の状況		
	1 理事者等の現状認識	1(1)〜(4)	
	2 実施機関の組織に応じた適切な組織運営	2(1)〜(2)	
	3 ケース記録等の管理の状況	3(1)〜(3)	
	4 職員による不祥事件等の再発防止について	4	
	5 通知区分等に基づく適切な運営	5	
20	個別具体的な指導援助の状況		
	1 稼働、就労の現状認識	1(1)〜(4)	
	2 資産等の現状の把握	2(1)〜(2)	
	3 救済保護要因の活用	3	
	4 個別世帯の指導援助の充実	4(1)〜(3)	
	5 ホームレス等に対する保護の適用状況	5(1)〜(5)	
21	入所の状況		
	1 適正な入所措置の確保	1(1)〜(4)	
	2 入所措置に係る援助	2(1)〜(2)	
	3 入所者本人意向の決定	3	

（注）
1 指摘実施機関数は、実施機関の実数を記入すること。
2 特別指導監査を実施において指摘しても含めて計上すること。
3 厚生労働省が監査した実施機関分は含めないこと。

2 法第63条及び法第78条の適用状況

(1) 法第63条の適用状況（令和6年度）

	適用件数		全額返還		一部返還			内訳		0円返還		備考
	件数	うち法第78条の2適用件数	返還対象額（返還決定額）	返還済額	件数	返還対象額（要返還額）	返還免除額（自立更生経費）	返還決定額	返還済額	件数	返還対象額（免除額）	
	件	件	円	円	件	円	円	円	円	件	円	
部	①各種年金の遡及受給											
	②保険の解約返戻金											
	③資産売却											
部	④交通事故等の補償金											
	⑤扶助費算定誤り											
市部	⑥介護保険償還金											
	⑦雇用保険給付金											
部	⑧入院給付金											
合	⑨高額療養費償還金											
計	⑩その他											
	計											

(注) 1 「理由別」欄には、①各種年金の遡及受給、②保険の解約返戻金、③資産売却、④交通事故等の補償金、⑤扶助費算定誤り、⑥介護保険償還金、⑦雇用保険給付金、⑧入院給付金、⑨高額療養費償還金、⑩その他、に区分し記入すること。

2 「適用件数」の数は、全額返還の件数、一部返還の件数、0円返還の件数の合計と一致する。

3 「返還対象額」は「生活保護費の費用返還及び費用徴収決定の取扱いについて」（平成24年7月23日社援保発0723第1号厚生労働省社会・援護局保護課長通知）の「別添1」の「要返還額」と一致すること。

4 一部返還の返還決定額の金額は、返還対象額（要返還額）から返還免除額・援護局保護課長通知）の「別添1」の「認定控除額」を控除した金額と一致する。また、全額返還の返還済未額は左欄の返還対象額、一部返還の返還済額は左欄の返還決定額の金額を、それぞれ超えることはない。

5 年金生活者支援給付金は、「⑩その他」欄に計上すること。

生活保護法施行事務監査の実施結果報告について

(2)-ア　法第78条の適用状況（郡部）

実施機関名	ケース番号	世帯構成類型	保護開始年月日	不正受給期間		不正受給月数	収入を得た者		発見の契機		不正の内容				時効消滅金額	必要経費	措置状況				告訴・告発等			
				開始	終了		続柄	年齢	種類	具体的内容	種類	具体的内容	暴力団関係	ケース診断会議	不正受給金額		徴収決定額	加算金の徴収		行政措置	告訴	告発	検挙	その他
																		上乗率	加算金額				被疑届	

合計　法第78条適用件数

(注) 1　本年度において不正事実が確認されたものについて不正の内容別に1件ごとに記入すること。
2　「世帯構成」欄には、「単身者」「2人以上」の別を記入すること。
3　「発見の契機」欄の「種類」欄には、① 住民等からの通報・投書、② 関係機関からの通報・照会、③ 監査及び検査指摘、④ 課税調査による発見、⑤ 実施機関による発見、⑥ その他のうちいずれか1つを記入すること。

II 生活保護法関係通知　第7章　指導監査

4　「発見の契機」及び「不正の内容」の各々の「具体的内容」欄には、不正受給金額が10万円以上のもののみについて記入すること。
　ただし、「不正の内容」の「種類」の「その他」が「その他」（I、K、N）の場合、10万円未満のものについても、必ずその内容を「具体的内容」欄に記入すること。

5　「不正の内容」の「種類」欄には、次の表の中の記号（A、B、C、・・・）の中からいずれか1つ記入すること。

稼働収入関係		稼働収入以外の収入関係（過少申告を含む）		扶助費の不正		その他	
A	稼働収入の無申告	C	労災補償金等の無申告	F	預貯金等の無申告	J	住宅扶助	L	重複受給
B	稼働収入の過少申告	D	任意保険金等の無申告	G	資産収入の無申告	K	その他（移送費等）	M	世帯員の増減、転居、無届
		E	各種年金及び福祉各法に基づく給付の無申告	H	交通事故の補償に係る収入の無申告			N	その他
				I	その他				

6　「不正の内容」の「暴力団関係」欄には、現役暴力団員であることが確認された場合に「○」を記入すること。

7　ケース診断会議を行った場合は、「ケース診断会議」欄に「○」を記入すること。

8　「措置状況」の「不正受給金額」欄には、実際の収入額と申告済みの収入額との差額を記入すること。
　ただし、不正受給金額が支弁総額を超える場合は、支弁総額を記入すること。

9　「措置状況」の「必要経費」欄には、【不正受給金額－一時扶助消滅金額】の額と一致する。一致しない場合は、確認すること。
　　　　　　　　　　　　　　　　　　　　　　　　　　　　　　実際の必要経費額と申告済みの必要経費額との差額を記入すること。

10　「措置状況」の「徴収決定額」欄には、不正受給金額－一時扶助消滅金額の額と一致する。一致しない場合は、確認すること。

11　「措置状況」の「加算金の徴収」欄には、徴収金に、返還させるべき額に100分の40を乗じた額以下の金額を上乗せした場合、上乗率を記入すること。なお、「上乗率」欄には、上乗率（0.4以下）のみを記入すること。

12　「措置状況」の「行政措置」欄には、「1　廃止、2　停止、3　変更、4　変更なし」のうちいずれか一つを記入すること。

13　「告訴・告発等」欄には、該当する場合は「有」を記入すること。

1424

生活保護法施行事務監査の実施結果報告について

(2)—ア 法第78条の適用状況（市部）

実施機関名	ケース番号	世帯類型	世帯構成	保護開始年月日	不正受給期間		不正受給月数	収入を得た者			発見の契機			不正の内容						措置状況								
					開始	終了		続柄	年齢	種類	種類	具体的内容		具体的内容	暴力団関係	ケース診断会議	不正受給金額	時効消滅金額	必要経費	徴収決定額	加算金の徴収		行政措置	告訴・告発等				
																					上乗率	加算金額		告訴	告発	被害届	検挙	その他

合計　　　　　　　　　　　　　　　　　　　　　　　　　　　　　　　法第78条適用件数

(注) 1 本年度において不正事実が確認されたものについて不正の内容別に1件ごとに記入すること。
2 「世帯構成」欄には、「単身者」「2人以上」の別を記入すること。
3 「発見の契機」の「種類」欄には、① 住民等からの通報・投書、② 関係機関からの通報・照会、③ 監査及び検査指摘、④ 課税調査による発見、⑤ 実施機関による発見、⑥ その他のうちいずれか1つを記入すること。

4 「発見の契機」及び「不正の内容」の各々の「具体的内容」欄には、不正受給金額が10万円以上のもののみについて記入すること。ただし、「不正の内容」の「種類」が「その他（I、K、N）」の場合は、10万円未満のものについても、必ずその内容を「具体的内容」欄に記入すること。
5 「不正の内容」の「種類」欄には、次の表の中の記号（A、B、C、・・・）の中からいずれか1つ記入すること。

稼働収入関係		稼働収入以外の収入関係（過少申告を含む）		扶助費の不正		その他	
A	稼働収入の無申告	F	預貯金等の無申告	J	住宅扶助	L	重複受給
B	稼働収入の過少申告	G	資産収入の無申告	K	その他（移送費等）	M	世帯員の増減、転居、無届
C	労災補償金等の無申告	H	交通事故の補償に係る収入の無申告			N	その他
D	任意保険金等の無申告	I	その他				
E	各種年金及び福祉各法に基づく給付の無申告						

6 「不正の内容」の「暴力団関係」欄には、現役暴力団員であることが確認された場合に「○」を記入すること。
7 ケース診断会議を行った場合は、「ケース診断会議」欄に「○」を記入すること。
8 「措置状況」の「不正受給金額」欄には、実際の収入額と申告済みの収入額との差額を記入すること。ただし、不正受給金額が支弁総額を超える場合、支弁総額を記入すること。
9 「措置状況」の「必要経費」欄には、実際の必要経費額と申告済みの必要経費額との差額を記入すること。
10 「措置状況」の「徴収決定額」欄は、**[不正受給金額－一時効消滅金額－必要経費]** の額と一致する。一致しない場合は、確認すること。
11 「措置状況」の「加算金額」欄には、徴収金に、徴収金額に100分の40を乗じた額以下の額を上乗せした場合、上乗率を記入すること。なお、上乗率には、上乗率（0.4以下）のみを記入すること。
12 「措置状況」の「行政措置」欄には、「1 廃止、2 停止、3 変更、4 変更なし」のうちいずれか1つを記入すること。
13 「告訴・告発等」欄には、該当する場合は「有」を記入すること。

生活保護法施行事務監査の実施結果報告について

(2)—ア 法第78条の適用状況（記入例）

実施機関名	ケース番号	世帯類型	世帯構成	保護開始年月日	不正受給期間 開始	不正受給期間 終了	年齢	続柄	月数	収入を得た者	発見の契機 種類	発見の契機 具体的内容	不正の内容 種類	不正の内容 具体的内容	暴力団関係	ケース診断会議	不正受給金額	時効消滅金額	必要経費	措置状況 徴収決定額	加算金 上乗率	加算金 加算金額	行政措置	告訴・告発 告訴	告訴・告発 告発	被害届等 検挙等	その他
○○福祉事務所	9901234	その他	2人以上	H20.5.1	H28.6.1	R2.7.1	50	妻	42	①	A	知人からの通報		28年6月1日より38か月間○○会社で稼働していたが、収入は無として申告していた。			6,500,000	140,000	550,000	5,810,000			0		3		有
××福祉事務所	9900056	高齢	2人以上	H22.12.1	H29.2.1	R2.6.24	41	主	67	④	E	課税調査		29年2月より老齢年金を受給していたが、無申告だった。			380,000	0	0	380,000			0		3		
××福祉事務所	9900056	高齢	2人以上	H22.12.1	H29.1.5	R2.6.25	42	妻	66	④	A	課税調査		29年1月より(株)○○で稼働していたが、無申告であった。			1,000,000	0	0	1,000,000			0		3		
△△福祉事務所	9907654	傷病者	単身者	H22.11.16	H25.11.16	R2.6.26	80	主	48	②	G	警察からの情報提供		所有する証券の配当を受け取っていたが、無申告だった。	○		1,500,000	0	0	1,500,000	0.40	600,000	1			有	
△△福祉事務所	9907655	傷病者	単身者	H22.11.16	H29.11.16	R2.6.27	32	主	49	④	B	課税調査					5,000	0	0	5,000			0		3		

1427

Ⅱ 生活保護法関係通知 第7章 指導監査

△△福祉事務所	9907656	傷病者 単身	H22.11.16 H28.11.16 R2.6.28	44 主50 ⑤	実施機関による発見 G	生命保険解約返戻金の無申告収入があった。	100,000	0	100,000	0	3
△△福祉事務所	9907657	傷病者 単身	H22.11.16 H27.11.16 R2.6.29	56 主51 ⑤	実施機関による発見 I	遺産相続による収入の未申告があった。	2,000,000	0	2,000,000	0	3
△△福祉事務所	9907658	傷病者 単身	H22.11.16 H29.11.16 R2.6.30	32 主52 ⑤	実施機関による発見 D	入院給付金による収入の未申告があった。	100,000	0	100,000	0	3
合計				法第78条適用件数 8			11,585,000	140,000 550,000	10,895,000	600,000	2 0 1 0 0

(注) 1 本年度において不正事実が確認されたものについて不正の内容別に1件ごとに記入すること。

生活保護法施行事務監査の実施結果報告について

2 「世帯構成」欄には、「単身者」「2人以上」の別を記入すること。
3 「発見の契機」の「種類」欄には、① 住民等からの通報・投書、② 関係機関からの通報・照会、③ 監査及び検査指摘、④ 課税調査による発見、⑤ 実施機関による発見、⑥ その他 のうちいずれか1つを記入すること。
4 「発見の契機」及び「不正の内容」の各々の「具体的内容」欄には、不正受給金額が10万円以上のもののみについて記入すること。
 ただし、「不正の内容」の「種類」が「その他」の場合（I、K、N）の場合は、10万円未満のものについても、必ずその内容を「具体的内容」欄に記入すること。
5 「不正の内容」の「種類」欄には、次の表の中の記号（A、B、C、・・・）の中からいずれか1つ記入すること。

稼働収入関係		稼働収入以外の収入関係（過少申告等を含む）		扶助費の不正		その他	
A	稼働収入の無申告	C	労災補償金等の無申告	J	住宅扶助	L	重複受給
B	稼働収入の過少申告	D	任意保険金等の無申告	K	その他（移送費等）	M	世帯員の増減、転居、無届
		E	各種年金及び福祉各法に基づく給付の無申告			N	その他
		F	預貯金等の無申告				
		G	資産収入の無申告				
		H	交通事故の補償に係る収入の無申告				
		I	その他				

6 「不正の内容」の「暴力団関係」欄には、現役暴力団員であることが確認された場合に「○」を記入すること。
7 ケース診断会議を行った場合は、「ケース診断会議」欄に「○」を記入すること。
8 「措置状況」の「不正受給金額」欄には、実際の収入額と申告済みの収入額との差額を記入すること。
 ただし、不正受給金額が支弁総額を超える場合は、支弁総額を記入すること。
9 「措置状況」の「必要経費」欄には、実際の必要経費額と申告済みの必要経費額との差額を記入すること。
10 「措置状況」の「徴収決定額」は、【不正受給金額－時効消滅金額－必要経費】の額と一致する。一致しない場合は、確認すること。
11 「措置状況」の「加算金の徴収」の「徴収金」欄に、徴収金をさせるべき額に100分の40を乗じた額以下の金額を上乗せした場合、上乗率を記入すること。なお、「上乗率」欄は、上乗率（0.4以下）のみを記入すること。
12 「措置状況」の「行政措置」欄には、「1 廃止、2 停止、3 変更、4 変更なし」のうちいずれか1つを記入すること。
13 「告訴・告発等」欄には、該当する場合は「有」を記入すること。

1429

Ⅱ　生活保護法関係通知　第7章　指導監査

(2)-イ　法第78条の種類別適用状況集計表
(ア) 発見の契機

発見の契機		件数
通報投書	1 住民等からの通報・投書	
	2 関係機関からの通報・照会	
照会調査等	3 監査及び検査指摘	
	4 課税調査による発見	
	5 実施機関による発見	
その他	6 その他	
合　計		件

(イ) 不正の内容

不正の内容			件数
稼働収入関係	A	稼働収入の無申告	
	B	稼働収入の過少申告	
稼働収入以外の収入関係	C	労災補償金等の無申告	
	D	任意保険金等の無申告	
	E	各種年金及び福祉各法に基づく給付の無申告	
	F	預貯金等の無申告	
	G	資産収入の無申告	
	H	交通事故の補償に係る収入の無申告	
	I	その他	
扶助費の不正	J	住宅扶助	
	K	その他（移送費等）	
その他	L	重複受給	
	M	世帯員の増減、転居、無届	
	N	その他	
合　計			件

(ウ) 行政措置

行政措置		件数
1	廃止	
2	停止	
3	変更	
4	変更なし	
合　計		件

(エ) 不正受給金額、徴収決定額

不正受給金額	円
徴収決定額	円

(オ) 告訴・告発等

告訴・告発等	件数
告訴	件
告発	件
検挙	件
被害届	件
その他	件

(注)　1　「発見の契機」、「不正の内容」、「行政措置」それぞれの種類別の合計は一致すること。
　　　2　(イ)において、一事例につき、不正の内容が重複する場合には主たる項目1つに計上すること。

生活保護法施行事務監査の実施結果報告について

3 保護の相談、申請、開始、廃止の状況（令和6年度）

管内実施機関数	面接相談		保護の相談・開始等の状況					割合		同意書の徴取状況		廃止ケース数
	延件数	実件数	申請ケース数	開始ケース数		却下ケース数	取下げケース数	申請／相談	開始／申請	申請ケース数のうち同意書徴取件数	F／B	
				職権保護除く	うち申請から14日以内に開始した件数							
		A 件	B ケース	C ケース		D ケース	E ケース	B／A	C／B	F	F／B	ケース
郡部計												
市部計												
合 計												

（注）1 申請ケース数、開始ケース数、却下ケース数、取下げケース数、廃止ケース数については、それぞれ生活保護業務データシステム月別概要第6表の「申請件数(2)」欄、「保護開始」欄、「決定(5)」欄、「申請却下件数(4)」欄、「申請取下げ件数(3)」欄、「保護廃止（決定(9)）」欄の件数を年度分合計して記入すること。

2 開始ケース数の「職権保護」の欄には、月別概要第6表の「保護開始」欄の「職権保護（再掲）(7)」欄の件数を合計し、「職権保護除く」の欄にはこれらの件数を除いた件数を合計すること（「職権保護除く」は別掲である。）。

3 「面接相談」については、生活保護に係る相談（①生活保護の相談・申請・受給などの生活保護支援事業などの訴え、又は②経済的に困窮している旨の訴え、があったもの）の件数を合計すること。生活困窮者自立相談支援事業に関する相談件数を包括して受ける総合相談窓口体制の自治体については、相談内容から判断して生活保護に関する相談回数のみを合計上すること。
また、「実件数」欄には、同じ相談者又は同一の世帯員として生活保護事務所で実施した面接相談件数を記載すること。

4 郡部の面接相談には、郡部福祉事務所で実施した面接相談件数を記載すること。

○「延件数」の計上例：同じ相談者又は同一の世帯員から、年度内において4月に2回、5月に3回、8月に1回相談を受けた場合
→「延件数」：6（年度内に相談を受けた全ての回数を数える）

○厚生労働省による都道府県・指定都市に対する生活保護法施行事務監査にかかる資料の提出について

平成12年10月25日　社援監第18号
各都道府県・各指定都市民生主管部(局)長宛　厚生省社会・援護局監査指導課長通知

〔改正経過〕

第1次改正	平成13年3月30日社援監発第6号	第2次改正	平成14年3月29日社援監発第0329002号
第3次改正	平成15年3月28日社援監発第0328001号	第4次改正	平成16年3月29日社援保発第0329002号
第5次改正	平成17年3月28日社援指発第0328001号	第6次改正	平成18年3月31日社援指発第0331002号
第7次改正	平成19年6月18日社援指発第0618001号	第8次改正	平成20年6月12日社援自発第0612001号
第9次改正	平成21年5月21日社援自発第0521001号	第10次改正	平成22年3月29日社援自発0329第2号
第11次改正	平成23年4月4日社援自発0404第2号	第12次改正	平成24年4月13日社援自発0413第1号
第13次改正	平成25年4月10日社援自発0410第2号	第14次改正	平成26年4月18日社援自発0418第1号
第15次改正	平成27年3月27日社援自発0327第2号	第16次改正	平成28年3月29日社援自発0329第3号
第17次改正	平成29年3月29日社援自発0329第2号	第18次改正	平成30年3月30日社援自発0330第1号
第19次改正	平成31年4月3日社援自発0403第1号	第20次改正	令和2年3月31日社援自発0331第3号
第21次改正	令和3年3月30日社援自発0330第2号	第22次改正	令和4年3月29日社援自発0329第2号
第23次改正	令和5年3月30日社援自発0329第1号	第24次改正	令和6年4月24日社援自発0424第2号

　生活保護法施行事務監査並びに指定医療機関に対する指導及び検査の実施については、平成12年10月25日社援第2393号厚生省社会援護局長通知及び昭和36年9月30日社発第727号医療扶助運営要領により示されているところであるが、標記については、別紙「生活保護法施行事務監査資料」により作成の上、原則、監査期日3週間前までに当職あて提出されたい。
　また、提出資料のうち、若干の調査時点に相違がある程度の既存の資料がある場合について、調査時期を明記の上、これにかえて差し支えないので念のため申し添える。
　なお、本通知は、地方自治法第245条の9に規定する処理基準とする。
　おって、「厚生省による都道府県・指定都市に対する生活保護法施行事務監査にかかる資料の提出について」(平成12年3月31日社援監第5号厚生省社会・援護局監査指導課長通知)は廃止する。

都道府県・指定都市に対する生活保護法施行事務監査にかかる資料の提出について

令和6年度生活保護法施行事務監査資料

頁

1 都道府県・指定都市本庁関係
1 管内地図、管内実施機関数 …………………………………………… 1437
2 管内の概況
 (1) 地域的特色 ………………………………………………………… 1438
 (2) 最近の社会経済情勢 ……………………………………………… 1438
 (3) 日常生活支援住居施設、委託を受けない無料低額宿泊所、サービス付き高齢者向け住宅、有料老人ホーム及びそれらの類似施設並びに第38条施設の状況について（施設数、定員、入居・入所中の被保護者数、所管部局） ……………………………………………………………………… 1438
 (4) ホームレスの状況及びホームレス対策について ………………… 1438
3 保護動向
 (1) 過去3年間の年度別推移及び直近月の状況 ……………………… 1439
 (2) 世帯類型別被保護世帯数の年次推移 …………………………… 1439
 (3) 実施機関別過去3年間の年度別推移及び直近月の状況 ………… 1440
 (4) 実施機関別世帯類型別被保護世帯数の推移（監査直近月及び過去3年間） ……………………………………………………………… 1442
 (5) 保護率の高い実施機関及びその要因 …………………………… 1445
 (6) 被保護世帯数の増加率のもっとも高い実施機関及びその要因 … 1445
 (7) 被保護世帯数の減少率のもっとも高い実施機関及びその要因 … 1445
4 都道府県本庁の実施体制組織図 ……………………………………… 1446
5 本庁・実施機関の実施体制
 (1) 本庁の実施体制 …………………………………………………… 1447
 (2) 実施機関の実施体制等 …………………………………………… 1449
6 監査の実施状況 ………………………………………………………… 1456
7 生活保護費の支給等事務処理の適正化について
 (1) 保護金品の支給について ………………………………………… 1460

Ⅱ　生活保護法関係通知　第7章　指導監査

- (2) 返還金・徴収金について ……1460
- (3) 遺留金品の取扱いについて ……1460
- (4) 生活保護費の支給方法 ……1461
- 8　債権管理の状況について ……1462
- 9　訪問調査・援助方針の状況 ……1464
  - (1) 訪問活動の状況 ……1465
  - (2) 訪問が低調な実施機関への指導状況 ……1465
  - (3) 実施機関に対する「援助方針」の指導状況 ……1466
- 10　相談、申請、開始時の状況 ……1466
  - (1) 保護の相談、申請、開始、廃止の状況 ……1467
  - (2) 保護の開始に係る指導状況 ……1467
  - (3) 申請／相談の比率が低い実施機関 ……1468
  - (4) 開始／申請の比率が高い実施機関 ……1468
  - (5) 取下げ／申請の比率が高い実施機関 ……1469
- 11　開始時関係先調査 ……1469
  - (1) 開始時の関係先調査の実施状況 ……1469
  - (2) 「年金加入状況管理進行表」の管内実施機関の整備・活用状況 ……1470
- 12　課税調査の実施状況 ……1471
- 13　暴力団員及び暴力団員であることが疑われる者への対応状況 ……1472
  - (1) 総括表 ……1473
  - (2) 暴力団員の個別状況 ……1474
  - (3) 現役暴力団員から世帯分離した家族の個別状況 ……1476
- 14　自動車保有状況 ……1476
  - (1) 実施機関別自動車保有状況 ……1476
  - (2) 本庁の指導方針及び指導状況 ……1477
- 15　医療扶助の「実態把握対象者名簿」の管内実施機関の整備・活用状況 ……1477

都道府県・指定都市に対する生活保護法施行事務監査にかかる資料の提出について

(2) 本庁の指導状況 …… 1477
(3) レセプトの審査方法等の状況 …… 1477
(4) 過誤調整の状況 …… 1479
16 介護扶助の運営状況 …… 1480
(1) 「自立支援給付等該当可能性確認台帳」の管内実施機関の整備・活用状況 …… 1480
(2) 本庁の指導等の状況 …… 1480
17 指定介護機関の指導等の状況 …… 1480
(1) 管内指定介護機関の指導の状況 …… 1480
(2) 管内指定介護機関の検査の状況 …… 1480
(3) 関係部局（介護部局）との連携状況 …… 1481
18 不動産保有の状況 …… 1481
(1) 「資産（不動産）保有台帳（一覧）」の管内実施機関の整備・活用状況 …… 1481
(2) 要保護世帯向け不動産担保型生活資金の実施状況 …… 1482
19 研修会等の実施計画 …… 1484
20 添付資料 〔関係項目 3〕
(1) 保護の動向を分析した資料 〔関係項目 3〕
(2) 監査実施要領、監査実施計画、実施方針、重点事項（注：今年度変更点に下線を引くこと。）
(3) 前年度及び直近の指導省監査台帳（本年度厚生労働省実施監査実施機関及び被保護世帯数の上位3実施機関分）
(4) 令和5年度監査復命資料（令和6年度厚生労働省監査実施機関分）
    （該当がない場合には、被保護世帯数が最も多い実施機関）
(5) 令和5年度監査実施状況一覧表、令和6年度監査予定表
(6) 令和6年厚生労働省監査実施機関（該当がない場合には、被保護世帯数が最も多い実施機関）に対する実施方針等
    事前ヒアリング結果 〔関係項目 6(1)〕
(7) 令和5年度厚生労働省監査結果通知及び是正改善報告（該当がない場合には、被保護世帯数が最も多い実施機関に対する、令和6年度本庁監査結果通知及び是正改善報告
(8) 令和6年度厚生労働省監査結果通知及び是正改善報告（該当がない場合には、被保護世帯数が最も多い実施機関に対する、令和5年度本庁監査結果通知及び是正改善報告

(9) 本庁が示す取扱要領等（査察指導台帳、査察指導マニュアル、訪問基準表、面接相談パンフレット、課税調査実施手順、暴力団関係者の取扱、自動車の取扱等）［関係項目6、10、12、13、14］

都道府県・指定都市に対する生活保護法施行事務監査にかかる資料の提出について

1 管内地図（略図）、管内実施機関数

(例)

（令和　年　月　日現在）

	計	郡部	市部（町村・再掲）
管内実施機関数	17	5	12 (2)

(例) ○○県（　市　）

管内面積	km²
管内世帯数	世帯
管内人口	人
被保護世帯数	世帯
被保護人員	人
保護率	‰

(例) ○○福祉事務所

管内面積	km²
管内世帯数	世帯
管内人口	人
被保護世帯数	世帯
被保護人員	人
保護率	‰

(注) 各実施機関の名称、管内面積、管内世帯数、管内人口、被保護世帯数、被保護人員及び保護率（小数点第1位まで。）について3(3)と整合性のとれた数値を記載すること。

Ⅱ　生活保護法関係通知　第7章　指導監査

2　管内の概況
(1)　地域的特色（地形、交通網、産業構造などの状況を簡潔に記載すること）
(2)　最近の社会経済情勢（事業所閉鎖等、生活保護行政への影響など）及び大企業・地場産業について
(3)　日常生活支援住居施設、委託を受けない無料低額宿泊所、サービス付き高齢者向け住宅、有料老人ホーム及びそれらの類似施設並びに第38条保護施設の状況について（施設数、定員、入居・入所中の被保護者数、所管部局）

施設	日常生活支援住居施設		委託を受けない無料低額宿泊所		サービス付き高齢者向け住宅		有料老人ホーム		類似施設		第38条保護施設	
	箇所	人	箇所	人	箇所	人	箇所	人	箇所	人	箇所	人
数												
定員												
入居・入所者数												
の被保護者数												
所管部局												

(注)　入居・入所中の被保護者数については、数字を把握していない場合は「―」と記入すること。

(4)　ホームレスの状況（過去3年間の推移）及びホームレス対策について（所管課、保護担当課との連携状況等）

調査時期	令和3年度	令和4年度	令和5年度
	年　月	年　月	年　月
ホームレス数	人	人	人
対策			

・主な指標

65歳以上人口比率（％）	有効求人倍率（倍）	離婚率（‰）	1人あたり県（市）民所得（単位：千円）	産業別就業者割合		
				第1次産業		％
				第2次産業		％
				第3次産業		％
年　月	年　月	年	年度			年

(注)　1　65歳以上人口比率は小数点第1位まで計上すること。
　　　2　有効求人倍率は季節調整値を小数点第2位まで計上すること。
　　　3　離婚率は小数点第2位まで計上すること。
　　　4　県（市）民所得は内閣府の県民経済計算による数値を計上すること。
　　　5　産業別就業者割合は、直近の国勢調査による割合（小数点第1位まで）を計上すること。分類不能は含めない。

都道府県・指定都市に対する生活保護法施行事務監査にかかる資料の提出について

3 保護動向
(1) 過去3年間の年度別推移及び直近月の状況
ア 年度別推移状況

		令和3年度	令和4年度	令和5年度	年月日（直近月）
被保護世帯数					
	（対前年度比％）	―			
中核市〇〇市（再掲）					
	（対前年度比％）	―			
被保護人員（人）	（対前年度比）				
		―			
中核市〇〇市（再掲）					
	（対前年度比％）	―			
管内人口					
	（対前年度比％）	―			
管内世帯数					
	（対前年度比％）	―			
保護率（‰）					

（注） 年度別被保護世帯数、被保護人員については、被保護者調査による数値（年度平均）を計上すること。
直近月における対前年度比（％）は令和5年度との比を表記すること。

イ 過去3年間の保護動向の状況について

(2) 世帯類型別被保護世帯数の年次推移

区分	高齢者世帯		母子世帯		障害者世帯		傷病者世帯		その他の世帯		合計	
	世帯数	対前年度割合	世帯数	対前年度割合	世帯数	対前年度割合	世帯数	対前年度割合	世帯数	対前年度割合	世帯数	対前年度割合
令和3年度		―		―		―		―		―		―
令和4年度												
令和5年度												

（注） 世帯類型別被保護世帯数は停止世帯を除いた数値を記入すること。

Ⅱ 生活保護法関係通知 第7章 指導監査

(3) 実施機関別過去3年間の年度別推移及び直近月(直近月とは、原則として監査実施月の2か月以内とする。以下同じ。)の状況
   ア 被保護世帯数、被保護人員、保護率

区分	被保護世帯数					被保護人員					保護率			
年度 実施機関名	令和3年度	令和4年度 A	令和5年度 B	B/A (%)	年月日 (直近月) C	C/A (%)	令和3年度	令和4年度 A	令和5年度 B	B/A (%)	年月日 (直近月) C	C/A (%)	令和3年度	令和4年度	令和5年度	年月日 (直近月)
郡部計																
市部計																
総計																

(注) 1 年度別被保護世帯数、被保護人員については、被保護者調査による数値(年度平均)を計上すること。
    2 市町村合併等により実施機関の管轄地域に変更があった場合、変更以前の年度については現在の実施機関の管轄地域に合わせた数値を計上すること。
    3 実施機関の鑑査資料との整合性に注意して計上すること。

都道府県・指定都市に対する生活保護法施行事務監査にかかる資料の提出について

イ 管内世帯数、管内人口

区分 実施機関名	管内世帯数							管内人口					
年度	令和3年度	令和4年度 A	令和5年度 B	B／A (%)	年 月 日 (直近月) C	C	C／A (%)	令和3年度	令和4年度 A	令和5年度 B	B／A (%)	年 月 日 (直近月) C	C／A (%)
郡部計													
市部計													
総計													

1441

Ⅱ　生活保護法関係通知　第7章　指導監査

(4) 実施機関別世帯類型別被保護世帯数の推移（監査直近月及び過去3年間）

区分	被保護世帯数（停止世帯除く）						高齢者世帯						母子世帯					
実施機関名	令和3年度	令和4年度	令和5年度	年月日（直近月）			令和3年度	令和4年度(A)	令和5年度(B)	B/A（％）	年月日（直近月）(C)	C/A（％）	令和3年度	令和4年度(A)	令和5年度(B)	B/A（％）	年月日（直近月）(C)	C/A（％）
郡部計																		
市部計																		
総計																		

(注)　1　世帯類型別被保護世帯数は停止世帯を除いた数値を記入すること。
　　　2　市町村合併等により実施機関の管轄地域に変更があった場合、変更以前の年度については現在の実施機関の管轄地域に合わせた数値を計上すること。
　　　3　実施機関の監査資料との整合性に注意して計上すること。

都道府県・指定都市に対する生活保護法施行事務監査にかかる資料の提出について

区分	障害者世帯						その他世帯						傷病者世帯					
実施機関名	令和3年度	令和4年度(A)	令和5年度(B)	B／A(％)	年月日(直近月)(C)	C／A(％)	令和3年度	令和4年度(A)	令和5年度(B)	B／A(％)	年月日(直近月)(C)	C／A(％)	令和3年度	令和4年度(A)	令和5年度(B)	B／A(％)	年月日(直近月)(C)	C／A(％)
郡部計																		
市部計																		
総計																		

1443

区分 / 実施機関名	構成比 高齢者世帯				母子世帯				障害者世帯				傷病者世帯				その他世帯			
	令和3年度	令和4年度	令和5年度	年　月　日（直近月）	令和3年度	令和4年度	令和5年度	年　月　日（直近月）	令和3年度	令和4年度	令和5年度	年　月　日（直近月）	令和3年度	令和4年度	令和5年度	年　月　日（直近月）	令和3年度	令和4年度	令和5年度	年　月　日（直近月）
郡部計																				
市部計																				
総計																				

都道府県・指定都市に対する生活保護法施行事務監査にかかる資料の提出について

(5) 保護率の高い実施機関（上位3実施機関）及びその要因

実施機関名	保護率 (‰)	被保護世帯数	都道府県・指定都市本庁で分析した要因
①			
②			
③			

(6) 被保護世帯数の増加率（B／A）のもっとも高い実施機関及びその要因

実施機関名	増加率 (%)	被保護世帯数	都道府県・指定都市本庁で分析した要因

(7) 被保護世帯数の減少率（B／A）のもっとも高い実施機関及びその要因

実施機関名	減少率 (%)	被保護世帯数	都道府県・指定都市本庁で分析した要因

4 都道府県・指定都市本庁の実施体制組織図（既存資料でも可）

（例）

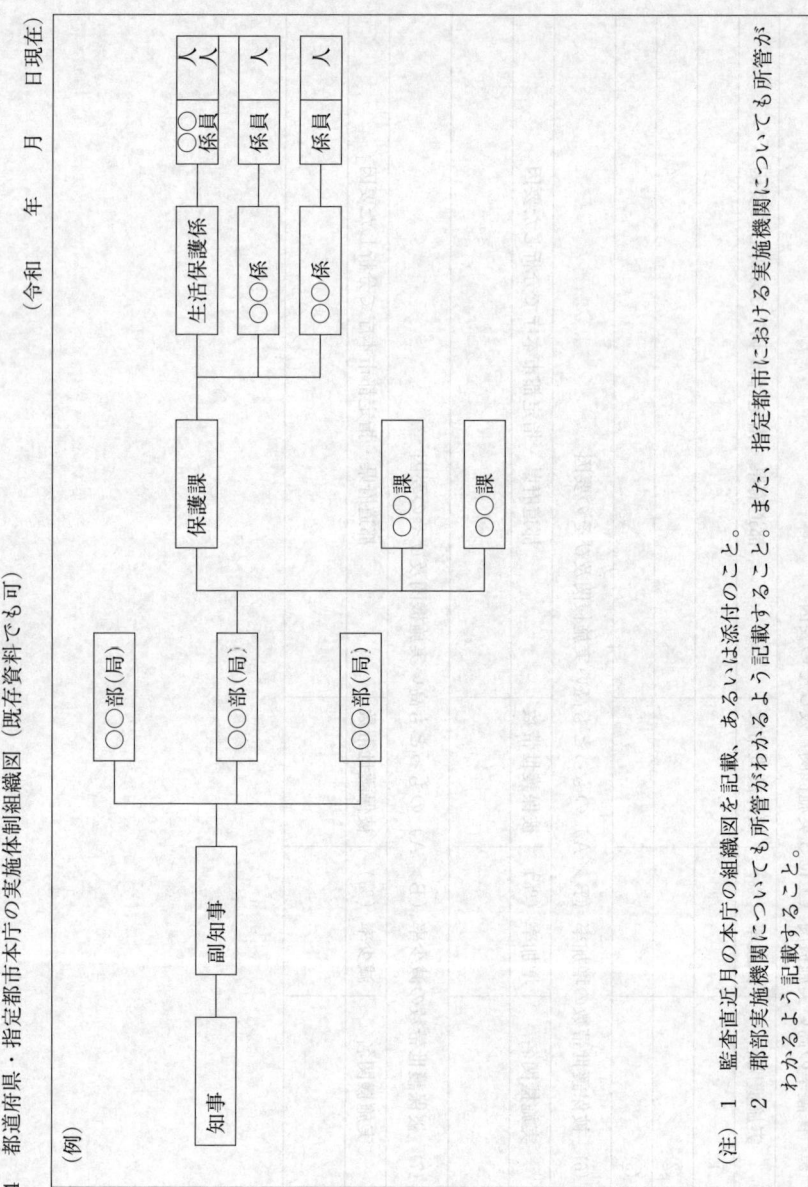

（令和　年　月　日現在）

(注) 1 監査直近月の本庁の組織図を記載、あるいは添付のこと。
2 部課実施機関についても所管がわかるよう記載すること。また、指定都市における実施機関についても所管がわかるよう記載すること。

都道府県・指定都市に対する生活保護法施行事務監査にかかる資料の提出について

5 本庁・実施機関の実施体制
(1) 本庁の実施体制

(令和　年　月　日現在)

所属	職名	氏名	現職	過去の職歴			監査職員	生活保護指導職員	生活保護関係職員	福祉職	担当事務	前職等
			経験年数	本庁生活保護業務経験年数	実施機関生活保護業務経験年数	その他社会福祉業務経験年数						
				※プルダウンで選択								
計	－	－	人	－	－	－	人	人	人	人	－	－

(注) 1 「生活保護業務経験年数」の欄には、生活保護経験年数を含めない過去の現業員、現職経験年数を含めた場合はその所掌事務を含めて記載すること、本庁指導職員、査察指導員、本庁指導職員業務の経験年数を選択すること（経験が無い場合には0年とすること）。
2 「担当事務」の欄には、生活保護関係事務以外の所掌事務がある場合はその所掌事務を含めて記載すること。
3 「生活保護関係職員（監査に参加する職員）」、「監査職員」、「生活保護指導職員」及び「福祉職」の欄には、それぞれ○印を記載すること。なお、「生活保護関係職員」、「生活保護指導職員」の欄については、生活保護指導職員（平成10年9月3日厚生省発社援第233号「生活保護指導職員制度の運営について」による指定又は取り消しの報告を行っているものについて○印を記載すること。
4 ①「前職等」欄には、職員の前職を記載すること。再任用職員及び非常勤職員（任期付短時間職員、会計年度任用職員）は、勤務時間、職歴、資格等を記載すること。
　②医系職員が他の部署を兼務している場合は、兼務部署名を記載すること。嘱託医は、一般、精神科、歯科、歯科の別及び勤務形態を記入すること。
　③国庫補助を受けている場合（予定を含む）は、「国庫補助事業名」を記載すること。
5 監査時点において、休職等職員がいる場合には、「前職等」欄にその旨を記載すること。

Ⅱ 生活保護法関係通知 第7章 指導監査

【記載例】
(1) 本庁の実施体制

(令和 年 月 日現在)

所属	職名	氏名	現職 経験年数	過去の職歴 本庁生活保護業務経験年数	過去の職歴 実施機関業務経験年数 ※プルダウンで選択	過去の職歴 その他社会福祉業務経験年数	生活保護関係職員	監査職員	生活保護指導職員	福祉職	担当事務	前職等
○○部	部長	○○ ○○	1年未満	0年	3年〜5年未満	5年以上					部内総括	○○部長
○○部	次長	○○ ○○									部長補佐、重要事項の調査・企画	○○次長
○○課	課長										生活保護の実施に関する事項	○○課長
○○課	課長補佐						○		○		保護の実施要否に関する事項	○○係長
	医系職員										医療扶助、介護扶助に関する事項	○○部と兼任（前職：○○センター）
○○係	係長						○		○		保護費用担当金に関する事項	○○課主査
	主事							○			保護施設に関する事項	○○課
	嘱託医							○		○	医療扶助・指定医療機関に関する事項	○○病院（一般）　週○回○曜日○時間程度
○○係	係長							○			施行事務監査に関する事項	○○係長
	主事						○				調査事務に関する事項	新規採用
	主事（再任用）	○○ ○○									指定介護機関に関する事項	○○課長補佐　週○日9：00〜17：00
	非常勤										レセプト点検	○○日事務資格有り医療扶助適正化事業
	非常勤	○○ ○○									健康管理支援に関する事項	○○保健師の許有り週○日9：00〜17：00 医療扶助適正化事業
計			13				7人	4人	3人	2人		

(注)
1 「生活保護業務経験年数」の欄は、「生活保護関係事務」には、生活保護関係職員、「監査職員」、「生活保護指導職員」及び「福祉職」の欄については、生活保護指導職員運営要綱（平成10年9月3日厚生省発社援第23号「生活保護指導職員制度の運営について」）による指定又は取り消しの報告を行っているものについて○印を記載すること。
   「担当事務」欄には、その者が担当する事務を記載すること。なお、「生活保護関係職員」欄には、「監査職員」、「生活保護指導職員」及び「福祉職」の欄については、生活保護指導職員運営要綱（平成10年9月3日厚生省発社援第23号「生活保護指導職員制度の運営について」）による指定又は取り消しの報告を行っているものについて○印を記載すること。
2 「担当事務」欄には、その者が担当する事務を記載すること。
3 「前職等」欄には、職員の前職を記載すること。兼務部署名を記載すること。嘱託医は、一般、精神科、歯科の別及び勤務形態を記入すること。
   ② 生活保護関係職員等が他の部署を兼務している場合は、兼務部署名を記載すること。
   ③ 国庫補助を受けている場合（予定を含む）は、「国庫補助等事業名」を記載すること。
4 「前職等」欄には、「前職等」欄にその旨を記載すること。
5 監査時点において、休職中職員がいる場合には、「前職等」欄にその旨を記載すること。

都道府県・指定都市に対する生活保護法施行事務監査にかかる資料の提出について

5(2) 実施機関の実施体制等
ア 査察指導員、現業員等の配置状況
〈郡部〉

監査直近月（令和　年　月　日時点）

実施機関名	調査時点	被保護世帯数	査察指導員 標準数 A	査察指導員 現員 B	うち査察指導専任職員	うち休職等職員	過不足人員 B-A (+/-)	現業経験年数1年未満の者の数	社会福祉主事であるの者の数	社会福祉士の資格取得予定者の数	現業員 標準数 C	面接相談員 D	地区担当員 E	うち現業専任職員	うち休職等職員	過不足人員 D+E-C (+/-)	現業経験年数1年未満の者の数	社会福祉主事であるの者の数	社会福祉士の資格取得予定者の数	現員(R5.4.1) 標準数	現員(R4.4.1) 標準数	嘱託医 勤務日数(直近3か月平均)	所内 精神 一般	所外 精神 一般
	6年4月	世帯	人	人	人	人	人	人	人	人	人	人	人	人	人	人	人	人	人	人／	人／	日	日	日
	監査直近月																			／	／			
	6年4月																			／	／			
	監査直近月																			／	／			
	6年4月																			／	／			
	監査直近月																			／	／			
	6年4月																			／	／			
	監査直近月																			／	／			
	6年4月																			／	／			
	監査直近月																			／	／			
郡部 計	6年4月																			／	／			
	監査直近月																			／	／			

(注) 1 「査察指導員」の「標準数」欄は、現業員の標準数を7で除して得た数とし、現業員の係長は含めない。
査察指導員の兼務に生活保護の係長を含めること。
2 「現業員」の「標準数」欄は以下の①又は②のいずれか少ない方の数を計上すること。
① 社会福祉法第16条に基づく数（1：都道府県の設置する事務所にあっては、被保護世帯数が390以下であるときは、6とし、被保護世帯数が65を増すごとにこれに1を加えた数、2：市の設置する事務所にあっては、被保護世帯数が240以下であるときは、3とし、被保護世帯数が80を増すごとに1を加えた数、3：町村の設置する事務所にあっては、被保護世帯数が160以下であるときは、2とし、被保護世帯数が80を増すごとに、これに1を加えた数。）
② 被保護世帯数を基に、郡部実施機関の場合は65、市部の場合は80で除して得た数（端数は小数点以下第1位を四捨五入した数）
3 「査察指導員」の「現員及び「現員」の「現員」欄及び「面接相談員D」欄、「地区担当員E」欄には、病気休職、育児休職等)を含め、か
つ、「うち休職等職員」欄に内数を計上すること。なお、休職等職員に常勤の代替職員がついた場合の算定方法は、休職職員と代替職員とを二重に計上せ
ず、端数は小数点以下第1位を四捨五入した数とし、1未満は1とすること。

Ⅱ 生活保護法関係通知 第7章 指導監査

ず、いずれか片方のみを計上すること。非常勤の代替職員については、「現員」又は「休業員」として計上しないこと。
（例）育児休職中の常勤の地区担当員1名に対し、常勤の育児休代替職員1名がついている場合、地区担当員の数は1名と数え、「うち休職等職員」は0名と数える。
（例）育児休職中の常勤の地区担当員1名に対し、非常勤の育児代替職員1名がついている場合、地区担当員の数は1名と数え、「うち休職等職員」も1名と数える。

4 「現業員」の「面接相談員」及び「地区担当員」欄は、任期付短時間職員、再任用短時間職員、会計年度任用職員を除いた人数を計上すること。また、兼務している場合は、主たる業務で計上し、同一の職員を両方の欄には計上しないこと。

5 「社会福祉主事でない者の数」の「うち資格取得予定者の数」欄は、当該年度において社会福祉主事資格認定通信課程等を受講中である者の数を計上すること。

6 嘱託医の状況の「勤務日数」欄は、監査直前3か月当たり平均勤務日数（1日2時間の場合であっても1日と計上する）を計上すること。

7 「過不足人員」欄には、1名未充足の場合は、「1」、未充足数の場合は、「−」欄に「1」、等をそれぞれ計上し、計の欄は、それぞれ別々に計上すること。

〈市部〉

監査直近月（令和　年　月　日時点）

実施機関名	調査時点	被保護世帯数	査察指導員 標準数 A	査察指導員 現員 うち査察指導専任 B	査察指導員 過不足人員 B−A	査察指導員 現業経験のない者の数	査察指導員 社会福祉主事でない者の数	査察指導員 うち資格取得予定者の数	面接相談員 標準数 C	現業員 地区担当員 面接相談員 D	現業員 地区担当員 うち保護専任 E	現業員 地区担当員 うち休職等職員	過不足人員 D+E−C	現業員 経験年数1年未満の者の数	現業員 社会福祉主事でない者の数	現業員 うち資格取得予定者の数	社会福祉士の資格を有する者の数 (R5.4.1) 現員	(R5.4.1) 標準数	(R4.1) 現員	(R4.1) 標準数	嘱託医 勤務日数(直近3か月平均) 内 一般	内 精神	外 一般	外 精神
		世帯	人	人	人	人	人	人	人	人	人	人	人	人	人	人	人	人	人	人	日	日	日	日
	6年4月																							
	監査直近月																							
	6年4月																							
	監査直近月																							
	6年4月																							
	監査直近月																							
	6年4月																							
	監査直近月																							

都道府県・指定都市に対する生活保護法施行事務監査にかかる資料の提出について

市	部	計			
			標準数		
		6年4月			
		監査直近月			

(注)
1 「査察指導員」の「標準数」欄は、現業員の標準数を7で除して得た数とし、端数は小数点以下第1位を四捨五入すること。ただし、1未満は1とすること。査察指導員の兼務に生活保護の係長は含めない。

2 「現業員」の「標準数」欄は以下の①又は②のいずれか少ない方の数を計上すること（ただし、1未満は1と計上すること）。
① 社会福祉法第16条に基づく数（1：都道府県の設置する事務所にあっては、被保護世帯数が390以下であるときは、6とし、被保護世帯数が65を増すごとに1を加えた数、2：市の設置する事務所にあっては、被保護世帯数が240以下であるときは、3とし、被保護世帯数が80を増すごとに1を加えた数、3：町村の設置する事務所にあっては、被保護世帯数が160以下であるときは、2とし、被保護世帯数が80を増すごとに、これに1を加えた数）。
② 被保護世帯数を基に、部臨実施機関の場合は65、市部の場合は80で除して得た数（端数は小数点以下第1位を四捨五入）。

3 「査察指導員」の「現員B」欄及び「現業員」の「現員」欄・「面接相談員DJ」欄には、「休職等職員（例：病気休職、育児休職等）」を含めた数を計上すること。「地区担当員D」欄の「現業員」欄には、休職等職員と代替職員とを二重に計上せず、いずれか片方のみ数を計上すること。なお、休職等職員の代替職員がついている場合の算定方法は、「現員」又は「現業員」として計上しないこと。「うち休職等職員」の地区担当員の数は1名と数え、「うち休職等職員」も1名と数える。
（例）育児休職中の常勤の地区担当員1名に対し、非常勤の育休代替職員1名がついている場合、地区担当員の数は1名と数え、「うち休職等職員」も1名と数える。
（例）育児休職中の常勤の地区担当員1名に対し、非常勤の育休代替職員1名がついている場合…

4 「現員」の「面接相談員」及び「地区担当員」欄は、主たる業務で計上し、同一の職員を両方の欄には計上しないこと。会計年度任用職員、再任用短時間職員、任期付短時間の欄には計上しないこと。

5 「社会福祉主事でない者の数」の「うち資格取得予定者の数」欄は、当該年度において社会福祉主事資格認定通信課程等を受講中である者の数を計上すること。

6 「現員」の「勤務日数」欄は、監査直近前3か月当たり平均勤務日数（1日2時間の場合であっても1日と計上する）を計上すること。「＋」欄には「1」、不足日数の場合は「0」「1」等をそれぞれ計上し、計の欄は、それぞれ別々に計上すること。

7 嘱託医の状況の「過不足人員」欄には、1名未足されれば「－」とすること。

II 生活保護法関係通知 第7章 指導監査

〈総括表〉

監査直近月（令和 年 月 日時点）

このページは縦向きの複雑な表を含む。以下は読み取れた本文の注記部分である。

（注）
1 「査察指導員」欄の「標準数」欄は、現業員の標準数の係長は含めない。
「現業員」の「標準数」欄は以下の①又は②のいずれか少ない方の数を計上すること。端数は小数点以下第1位を四捨五入すること。ただし、1未満は1とすること。
① 社会福祉法第16条に基づく数（1：都道府県の設置する事務所にあっては、被保護世帯数が390以下であるときは、6とし、被保護世帯数が65を増すごとに1を加えた数。2：市の設置する事務所にあっては、被保護世帯数が240以下であるときは、3とし、被保護世帯数が80を増すごとに1を加えた数。3：町村の設置する事務所にあっては、被保護世帯数が160以下であるときは、2とし、被保護世帯数が80を増すごとに、これに1を加えた数）
② 被保護世帯数を基に、都部実施機関の場合は65、市部の場合は80で除して得た数（端数は小数点以下第1位を四捨五入）
2 「査察指導員」の「現員」及び「現業員」の「現員B」欄及び「面接相談員DJ」欄、「地区担当員EJ」欄、「うち休職等職員」欄に内数で計上すること。なお、休職等職員の算定方法は、「休職等職員」（例：病気休職、育児休職等）「うち休職等職員のみを計上すること。なお、育児休業中の代替職員、常勤の代替職員が配置されている場合、「現員」又は「現員」欄として計上しないこと。

（例）育児休業中の常勤の地区担当員1名に対し、非常勤の育休代替職員1名がついている場合、地区担当員の数は1名と数え、「うち休職等職員」も1名と数える。
（例）育児休業中の常勤の地区担当員1名に対し、非常勤の育休代替職員1名と常勤の代替職員1名がついている場合、地区担当員の数は0名と数え、「うち休職等職員」は0名と数える。

3 「現業員」の「面接相談員」及び「地区担当員」欄は、主たる業務で計上し、重複計上はしないこと。
4 「査察指導員」「面接相談員」「地区担当員」欄は、任期付短時間職員、再任用短時間職員、会計年度任用職員を含め、当該年度において社会福祉主事資格認定通信課程等を受講中である者の数を計上すること。
5 「社会福祉主事でない者の数」の「うち資格取得予定者の数」欄は、当該年度において社会福祉主事資格認定通信課程等を受講中である者の数を計上すること。
6 嘱託医の状況の「勤務日数」欄は、監査直近月前3か月当たり平均勤務日数（1日2時間の場合であっても1日と計上する）を計上すること。
7 「過不足人員」欄は、1名未充足の場合は、「−」欄に「1」、充足数の場合は、「＋」欄に「1」等をそれぞれ計上し、計の欄は、それぞれ別々に計上すること。

都道府県・指定都市に対する生活保護法施行事務監査にかかる資料の提出について

イ 査察指導員及び現業員の兼務状況

実施機関名	査察指導員					現業員				
	標準数（監査直近月）	現員	専任者数	兼務者数	兼務内容	標準数（監査直近月）	現員	専任者数	兼務者数	兼務内容

(注) 1 査察指導員又は現業員に兼務がある場合に作成し、兼務がない場合は実施機関名の欄に「兼務なし」と記載すること。
2 社会福祉法第17条に記載されている業務以外に従事している者について記載すること。
3 兼務している者が複数いる場合、それぞれ兼務内容を記載すること。
4 「標準数」及び「現員」「専任者数」については、必ず5(2)アと一致した数値を記載すること。

1453

Ⅱ 生活保護法関係通知 第7章 指導監査

ウ 非常勤職員等の配置状況

実施機関名	非常勤職員等名称	配置人員	業務内容	業務形態	勤務時間等	補助対象

(注) 1 「業務形態」の欄には、非常勤職員（任期付短時間職員、再任用短時間職員、会計年度任用職員）、業務委託、派遣等の業務形態を記載すること。
2 「補助対象」の欄には、国庫補助を受けている場合（予定を含む）は国庫補助事業名を記載すること。

都道府県・指定都市に対する生活保護法施行事務監査にかかる資料の提出について

ウ 非常勤職員等の配置状況

【記載例】

実施機関名	非常勤職員等名称	配置人員	業務内容	業務形態	勤務時間等	補助対象
○○福祉事務所	面接相談員	1	生活保護の面接相談業務	会計年度任用職員	9:00～17:00（週5日）	体制整備強化事業
	就労支援員	2	就労支援事業における就労相談・支援業務	会計年度任用職員	10:00～17:00（週5日）	被保護者就労支援事業
□□福祉事務所	年金調査員	1	年金受給権の調査に関すること	業務委託	9:00～15:45（週3日）	収入資産状況把握等充実事業
	健康管理支援員	1	健康管理支援に関すること	再任用短時間職員	9:00～15:45（週3日）	医療扶助適正化事業のうち健康管理支援事業の円滑な実施に向けた準備

(注) 1 「業務形態」の欄には、非常勤職員（任期付短時間職員、再任用短時間職員、会計年度任用職員）、会計年度任用職員、業務委託、派遣等の業務形態を記載すること。
    2 「補助対象」の欄には、国庫補助を受けている場合（予定を含む）は国庫補助事業名を記載すること。

6 監査の実施状況
※ 令和6年度監査・事業監査の実施状況について記載すること(予定も含む。)
(1) 「実施方針・事業計画」の指導状況
 ア 実施方針、事業計画の策定依頼日、提出時期
 イ 実施方針とヒアリングの実施状況 → 全部、一部、なし 一部の場合の参加実施機関名（　　　）
 ウ 実施方針とヒアリングの実施者、実施方法
(2) 監査体制等（標準的な事例を記載すること）
 ア 標準的な監査班の体制
   班　　長：
   班　　員：
   監査日数：
 イ 役割分担（個々の監査班員の役割を記載すること）
 ウ 課長等指導職員の長（管理職）の参画
  ・事前検討 → 全部、一部、なし 一部の場合の参加実施機関名（　　　）
                                 「一部」又は「なし」の場合はその理由（　　　）
  ・監査 → 全部、一部、なし 一部の場合の参加実施機関名（　　　）
                         「一部」又は「なし」の場合はその理由（　　　）
  ・事後検討 → 全部、一部、なし 一部の場合の参加実施機関名（　　　）
                             「一部」又は「なし」の場合はその理由（　　　）
(3) 組織運営ヒアリングの状況（標準的な事例を記載すること）
 ア ヒアリング実施者、実施時間
 イ 具体的な実施方法
(4) 事項別検討の状況　ア 保護の面接相談　イ 保護の廃止の対応状況
                    ウ その他（　　　）

都道府県・指定都市に対する生活保護法施行事務監査にかかる資料の提出について

(5) 査察指導体制の指導状況(標準的な例を記載すること)
　ア ヒアリング実施者、実施時間
　イ 具体的な実施方法
(6) 一時扶助等の保護変更に係る申請書等の文書管理
　ア 管内実施機関における実施状況
　イ 未実施の実施機関に対する指導状況
(7) 扶養能力調査の実施状況、指導状況
　ア 管内実施機関に対する指導方法
　イ 管内実施機関に対する指導状況
(8) ケース内検討の状況　ア 抽出ケースの実施機関への通知日　概ね（　）日前
　　　　　　　　　　　　イ 1日のケース検討件数(標準的な例)
　　　　　　　　　　　　　　[監査班員1人あたり]
　　　　　　　　　　　　　　(　)ケース×[監査班員](　)人×[日数](　)日＝(　)ケース
(9) 事前検討及び事後検討の実施
　ア 事前検討の実施状況
　　　開　　　催　　　者：
　　　参　　　加　　　者：
　　　所要時間の目安：
　　　検　討　内　容：
　イ 事後検討の実施状況
　　　開　　　催　　　者：
　　　参　　　加　　　者：
　　　所要時間の目安：
　　　内　　　　　容：
　ウ 結果通知の発出
　　　監査終了後、概ね（　）か月以内
　エ 是正改善状況の確認
　　　結果通知の発出後、概ね（　）か月以内
　　　確認方法：

Ⅱ 生活保護法関係通知 第7章 指導監査

【 記 載 例 】

6 監査の実施状況
※ 令和6年度監査の実施状況について記載すること（予定も含む。）
(1)「実施方針・事業計画」の指導状況
　ア 実施方針、事業計画の策定依頼日、提出時期
　イ 実施方針ヒアリングの実施状況 → 年度初めに管内実施機関へ策定依頼を局周知（4月中旬締め切り）
　ウ 実施方針ヒアリングの実施方法 　　全、一部、なし 　　一部の場合の参加実施機関名（　　　　）
 　　　　　　　　　　　　　　　　→ 木行職員（課長、係長等）が管内の実施機関に出向いてヒアリング
　　　　　　　　　　　　　　　　　（1箇所につき半日程度（実施機関側（所長、課長、SV等）））
(2) 監査体制等（標準的な監査班の体制を記載すること）
　ア 標準的な監査班の体制
　　　班　　　　長：課長
　　　班　　　　員：5名〔課長1名、係長1名、主査（監査担当）1名、主査（医療扶助担当）1名、主事（経理担当）〕
　　　監査日数：5日
　イ 役割分担（個々の監査班員の役割等を記載すること）
　　　課長　　　　　　：組織運営ヒアリング、事項別検討、講評
　　　係長　　　　　　：組織運営ヒアリング、事項別検討、廃止（辞退届の提出による廃止、指導指示違反）、ケース検討
　　　主査（監査担当）：事項別検討（面接相談、廃止以外）、ケース検討
　　　主事（医療扶助担当）：事項別検討（医療扶助）、ケース検討
　　　主事（経理担当）：事項別検討（経理事務）、ケース検討

	1日目	2日目	3日目	4日目	5日目
課長	組織運営ヒアリング	組織運営ヒアリング	昨年度指摘の改善状況	市長との面談	監査のまとめ
係長	組織運営ヒアリング	組織運営ヒアリング	事項別検討	ケース検討	
主査（監査担当）	事項別検討	事項別検討	事項別検討	ケース検討	
主事（医療扶助担当）	事項別検討	ケース検討	ケース検討	ケース検討	
主事（経理担当）	事項別検討	ケース検討	ケース検討	ケース検討	講評

　ウ 課長等指導職員（管理職）の参画
　　・事前検討　　　　　　全、一部、なし 　　一部の場合の参加実施機関名（　　　　　）
　　　　　　　　　　　　　　　　　　　　　　「一部」又は「なし」の場合はその理由
　　　　　　　　　　　　　　　　　　　　　　（　　　　　　　　　　　　　　　　）
　　・監査　　　　→　　全、一部、なし 　　一部の場合の参加実施機関名（○○市福祉事務所）
　　　　　　　　　　　　　　　　　　　　　　「一部」又は「なし」の場合はその理由
　　　　　　　　　　　　　　　　　　　　　　（他の所管業務との兼ね合いで、課長の監査への参加は管内の保護動向に影響の大きい実施機関のみとしているため。）
　　・事後検討　　　→　　全、一部、なし 　　一部の場合の参加実施機関名（　　　　　）
　　　　　　　　　　　　　　　　　　　　　　「一部」又は「なし」の場合はその理由
　　　　　　　　　　　　　　　　　　　　　　（　　　　　　　　　　　　　　　　）
(3) 組織運営ヒアリングの状況（標準的な例を記載すること）
　ア ヒアリング実施者、実施時間 → 課長、係長、主査の3名で概ね1日かけて実施

都道府県・指定都市に対する生活保護法施行事務監査にかかる資料の提出について

(4) 具体的な実施方法
監査の主眼事項及び着眼点に沿った形で作成したヒアリングシートを用いて実施し、「組織的な運営管理の推進」、「実施機関の実情に応じた重点的な指導の徹底」部分は監査班長(課長)がヒアリングを担当し、その他を係長等が分担してヒアリングを実施している。

(5) 事項別検討の状況
ア 保護の面接相談
㋐ その他（63条・78条適用ケース、申請取下げの対応状況、自動車保有ケース、暴力団ケース）
㋑ 保護の廃止の対応状況
イ 具体的な実施方法（標準的な事例を記載すること）
係長が組織運営ヒアリング終了後に2時間程度実施

(6) 査察指導体制の指導の指導状況
ア ヒアリング等実施方法
査察指導台帳等の現物を確認しながら、助言等の進行管理方法やケースワーカーへの指示内容をどのように行っているか等を査察指導員にヒアリングして確認。
イ 具体的な実施方法
査察指導台帳等の現物を確認し、助言等の進行管理方法やケースワーカーへの指示内容に対する措置結果の把握をどのように行っているか等を査察指導員にヒアリングして確認。

(7) 一時扶助等を申請書等に係る文書管理
ア 管内実施機関における現物を確認しながら、申請受理簿等による管理状況、未処理文書の保管状況等について、査察指導員にヒアリングして確認。
イ 未実施の実施機関に対する指導状況
管理簿等による実支実施の管理状況、年度指導の実施状況・指導状況

(8) 扶養能力調査の実施状況
ア 具体的な実施方法
扶養資料により扶養調査の実施状況等を監査にて実施の確認のうえ、実施状況を確認

(9) 管内実施機関に対する指導状況
ア 必要とされる扶養能力調査の実施状況を指導するとともに、要保護者が扶養照会を拒んでいる場合等においては、その理由について聞き取り等を実施し、扶養義務履行が期待出来ない者と判断された場合には、検討経過を保護台帳、ケース記録等に適切に記載するよう指導している。
イ ケース検討の状況
抽出ケースの実施状況の実施機関への通知方法（標準的な例）
ア 1日のケース検討数（4）ケース×（3）日＝（36）ケース
[監査班員1人あたり]（4）ケース×[監査員数]（3）人×[日数]（3）日＝（36）ケース
イ 事前検討及び事後検討の実施状況
ア 事前検討の実施状況
開催者：監査2日前
参加者：課長、補佐、係長、監査担当職員
所要時間の目安：概ね2時間
検討内容：前年度監査復命資料、監査実施結果資料、是正改善報告、指導台帳、今年度監査資料等を用い、問題の所在等を予め把握する。
イ 事後検討の実施状況
開催者：監査終了2週間以内
参加者：課長、補佐、係長、監査担当職員
所要時間の目安：概ね2時間
内容：監査でヒアリング調整、ケース検討票、事項別検討票を用い、各担当ごとに報告を行う。また、通知内容についての検討も行う。
ウ 結果通知の発出
監査終了後、概ね（1）か月以内
エ 是正改善状況の確認
是正改善通知の発出後、概ね（1）か月以内
確認方法：監査班にて検査実施後、課長会議にて決裁

Ⅱ　生活保護法関係通知　第7章　指導監査

7　生活保護費の支給等事務処理の適正化について

「現業員等による生活保護費の詐取等の不正防止等について」（平成21年3月9日社援保発第0309001号厚生労働省社会・援護局保護課長通知）に基づき、(1)及び(2)の事項について、各実施機関における実施状況と本庁の指導監査等を通じて確認するにあたり、本庁の監査手法及び指導状況を記載すること。

また、(3)の事項についても指導監査等を通じて確認している場合には、その監査手法及び指導状況を記載すること。

お、指導監査等で確認していない場合には、その理由を記載すること。

(1) 保護金品の支給について

(注)　「(1)保護金品の支給について」は、既存の資料（監査時のチェックシート等）があればこれに替えて差し支えない。

(2) 返還金・徴収金について

(注)　「(2)返還金・徴収金について」は、既存の資料（監査時のチェックシート等）があればこれに替えて差し支えない。

(3) 遺留金品の取扱いについて

(注)　「(3)遺留金品の取扱いについて」は、既存の資料（監査時のチェックシート等）があればこれに替えて差し支えない。

都道府県・指定都市に対する生活保護法施行事務監査にかかる資料の提出について

(4) 生活保護費の支給方法

令和5年4月定例支給分

実施機関名	計	口座払い 件	割合 %	病院・施設払い(口座払いに限る)等 件	割合 %	窓口払い 件	割合 %
(記入例)A福祉事務所	1,076	958	89.0%	23	2.1%	95	8.8%
部 計							
(記入例)B福祉事務所	2,180	1,920	88.1%	58	2.7%	202	9.3%
部 計							
市 部 計							
合 計							

令和6年4月定例支給分

実施機関名	計	口座払い 件	割合 %	病院・施設払い(口座払いに限る)等 件	割合 %	窓口払い 件	割合 %
(記入例)A福祉事務所	1,085	977	90.0%	26	2.4%	82	7.6%
部 計							
(記入例)B福祉事務所	2,140	1,947	91.0%	55	2.6%	138	6.4%
部 計							
市 部 計							
合 計							

監査直近月(令和6年　月定例支給分)

実施機関名	計	口座払い 件	割合 %	病院・施設払い(口座払いに限る)等 件	割合 %	窓口払い 件	割合 %	内訳 新規開始のため 件	口座作成不可・口座利用不能のため 件	現金書留のため 件	その他 件
(記入例)A福祉事務所	1,062	995	93.7%	25	2.4%	42	4.0%	5	16	1	20
部 計											
(記入例)B福祉事務所	2,173	2,017	92.8%	52	2.4%	104	4.8%	28	21	1	54
部 計											
市 部 計											
合 計											

「その他」の理由の内容

(記入例)
・生活実態把握・指導のため(9件)
・稼働指導のため(11件)

(記入例)
・返還金等の回収のため(32件)
・収入申告書、資産申告徴取のため(2件)
・通帳紛失のため(1件)

(注) 1　上記入例を参考に記載すること。
    2　監査直近月の窓口払い欄の内訳欄の「その他」に件数を計上した場合は、「その他」の理由の内訳」欄に具体的な理由と件数を記入すること。

Ⅱ 生活保護法関係通知 第7章 指導監査

8 債権管理の状況について

「生活保護費国庫負担金の精算に係る適正な返還金等の債権管理について」(平成22年10月6日社援保発1006第1号厚生労働省社会・援護局保護課長通知)に基づき、(1)から(6)までの事項について、各実施機関における実施状況を本庁の指導監査等を通じて確認するにあたり、本庁の監査手法及び指導状況を、該当している方にチェックすること。

している していない

(1) 債権管理台帳等の有無を確認しているか。　□・□

(2) 債権について、全額調定を基本とし、全額を一括で返還できない場合は、履行延期の特約を行い、分割調定を実施する等、適切に債権管理しているか。　□・□

(3) 債権管理台帳等において、以下の項目の整備状況を確認しているか。
　(ア) 返還金、徴収金の決定年月日　□・□
　(イ) 調定年月日　□・□
　(ウ) 納入年月日　□・□
　(エ) 分割調定の状況　□・□
　(オ) 督促の状況　□・□
　(カ) 催告、納付指導の状況　□・□
　(キ) 不納欠損の状況　□・□

(4) 被保護者であった債務者について
　(ア) 被保護者であった債務者の債権管理状況について確認しているか。　□・□
　(イ) 転出により廃止になった債務者の居住地の把握状況について確認しているか。　□・□
　(ウ) 居住地が不明(失踪を含む)の場合、居住地調査の状況を確認しているか。　□・□
　(エ) 調査の結果はケース記録に残されているか確認しているか。　□・□

債務者が死亡した場合について
　(オ) 相続人がおり、債務を承認する場合、相続人に対しての債権管理状況について確認しているか。　□・□
　(カ) 相続人がおり、債務を承認しない場合、相続放棄の事実確認についての確認をしているか。　□・□

都道府県・指定都市に対する生活保護法施行事務監査にかかる資料の提出について

(キ) 相続人が「いない」・「不明」の場合、相続人調査の状況について確認しているか。
(ク) 確認の結果はケース記録に残されているか確認しているか。
(ケ) 債務者への返還金等の督促及び納入指導について、経理担当と保護担当の連携状況について確認しているか。
(6) 不納欠損の保護費国庫負担金精算にあたっての計上について
国庫負担金の精算にあたり、債権について、適切に納入の指導や時効中断措置等が行われ、適切な処理を行った上で不納欠損となったものを計上しているか。

1463

II 生活保護法関係通知 第7章 指導監査

9 訪問調査・援助方針の状況（令和5年度）
(1) 訪問活動の状況（4月1日現在）

実施機関名	年度	訪問基準の状況						訪問活動の状況								
		年12回	年6回	年4回	年3回	年2回	年1回	計	訪問延件数				計画に対する訪問実施率 B'/A	計画に対する家庭内面接実施率 B''/A	電話等による生活状況等の聴取を実施した件数	訪問延日数（実績） C	過去1年間の延地区担当員数 D	地区担当員1人当たり1月間訪問実績	
									計画 A	実績 B	うち家庭内面接を実施した件数(B')	うち家SV同行（再掲）						訪問件数 DB/D・C/D	訪問日数
		件/%	件/%	件/%	件/%	件/%	件/%	件/%	件	件	件	件	%	%	件	日	人	件	日
	3																		
	4																		
	5																		
	3																		
	4																		
	5																		
	3																		
	4																		
	5																		
郡部計	3																		
	4																		
	5																		
	3																		
	4																		
	5																		

都道府県・指定都市に対する生活保護法施行事務監査にかかる資料の提出について

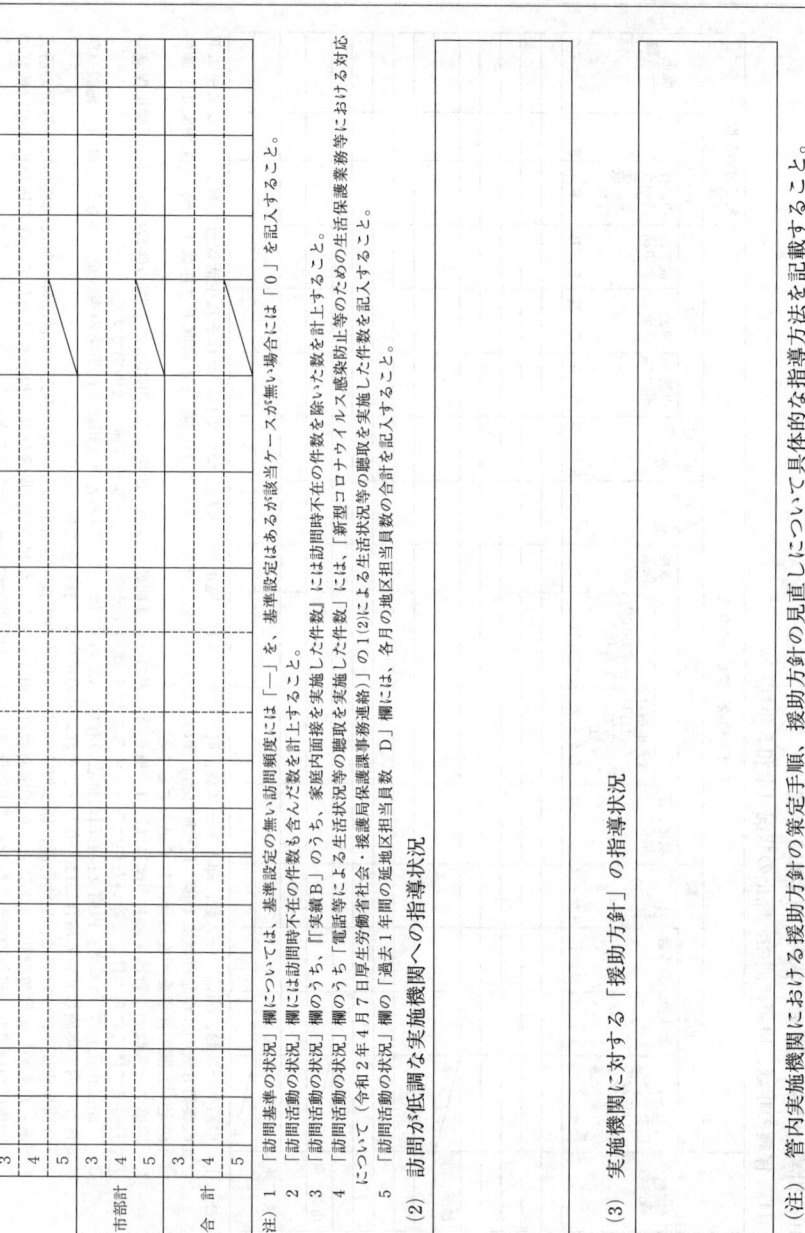

(注) 1 「訪問基準の状況」欄については、基準設定の無い訪問頻度には「-」を、基準設定はあるが該当ケースが無い場合には「0」を記入すること。
2 「訪問活動の状況」欄には訪問時不在の件数も含んだ数を計上すること。
3 「訪問活動の状況」欄のうち、「実績B」のうち、家庭内面接を実施した件数)には訪問時不在の件数を除いた数を計上すること。
4 「訪問活動の状況」欄のうち、「電話等による状況等の聴取を実施した件数」には、「新型コロナウイルス感染防止等のための生活保護業務等における対応について(令和2年4月7日厚生労働省社会・援護局保護課事務連絡)」の1(2)による生活状況等の聴取を実施した件数を記入すること。
5 「訪問活動の状況」欄の「過去1年間の延地区担当員数 DJ欄には、各月の地区担当員数の合計を記入すること。

(2) 訪問が低調な実施機関への指導状況

(3) 実施機関に対する「援助方針」の指導状況

(注) 管内実施機関における援助方針の策定手順、援助方針の見直しについて具体的な指導方法を記載すること。

10 相談、申請、開始時の状況（令和5年度）

(1) 保護の相談、申請、開始、廃止の状況（令和5年度）

実施機関名	面接相談			保護の相談・開始等の状況								同意書の徴取状況		廃止ケース数
	実件数	(参考)困窮支援窓口の併設の有無をプルダウンで選択	申請ケース数	開始ケース数			却下ケース数	取下げケース数	割合			申請件数のうち同意書徴取件数		
				職権保護を除く	うち申請日から14日以内に開始した件数	法定期間内処理状況			申請／相談	開始／申請	取下げ／申請			
	延件数													
	A 件		B ケース	C ケース	D ケース	(D/C)	ケース	E ケース	B/A	C/B	E/B	F	F/B	ケース
郡部 計														
市部 計														
合計	有													
	無													

(注) 1 申請ケース数、開始ケース数、却下ケース数、取下げケース数、廃止ケース数については、それぞれ生活保護業務データシステム月別概要第6表の「申請件数(2)」欄、「保護開始」欄の「決定(5)」欄、「申請却下件数(3)」欄、「申請取下げ件数(4)」欄、「保護廃止」欄の「ケース(9)」欄の件数を年度分合計して記入すること。

2 開始ケース数の「職権保護」の欄にはこれらのうちの件数を除いた件数を計上すること（「職権保護除く」と「職権保護」は別掲である。）。開始ケース数の「職権保護」の欄には月別概要第6表の「保護開始（7）」欄の「保護開始」欄の「職権保護（再掲）」欄の件数を計上し、「職権保護除く」欄にはこれらの件数を除いた件数を計上すること。

3 「面接相談」の「(参考)困窮支援窓口の併設の有無」については「有」を、それ以外の場合は「無」を選択すること。

4 「面接相談」については「有」を、それ以外の場合は「無」を選択すること。生活困窮者自立相談支援事業などの生活保護以外の相談を包括して受ける総合相談窓口体制（隣接含む）内で実施している場合は「有」を、生活困窮者自立相談支援事業を一体もしくは同一施設（隣があったもの）の件数を計上すること。生活困窮者自立相談支援事業などの生活保護以外の相談・申請をしたい旨の訴え、又は②経済的に困窮している旨の訴えがあったもの）の件数を計上すること。生活困窮者自立相談支援事業などの生活保護以外の相談も包括して受ける総合相談窓口体制の自治体については、相談内容から判断して生活保護に関する相談件数のみを計上すること。

都道府県・指定都市に対する生活保護法施行事務監査にかかる資料の提出について

また、［実件数］欄には、同じ相談者又は同一の世帯員から複数回相談を受けた場合においても、1件と計上すること。

5 郡部の面接相談には、郡部福祉事務所で実施した面接相談件数を記載すること。

○「延件数」の計上例：同じ相談者又は同一の世帯員から、年度内において4月に2回、5月に3回、8月に1回相談を受けた場合
→「延件数」：6（年度内に相談を受けた全ての回数を数える）

(2) 保護の開始に係る指導状況

・法定期間内処理が低調な実施機関に対して指導しているか　（している □　・　していない □）

※具体的な指導状況

・14日以内に開始の比率が低い実施機関（市部）［下位3実施機関］　都道府県・指定都市本庁で分析した要因（　　　　□　・　　　　□　）

実施機関名	14日以内に開始の比率（％）
①	
②	
③	

・法定期間内処理について14日以内に「通知」していることを確認しているか　（　□　・　□　）
・決定後、支給日まで長期間空かないようになっていることを確認しているか　（　□　・　□　）

(3) 申請／相談の比率が低い実施機関（市部）［下位3実施機関］　都道府県・指定都市本庁で分析した要因

実施機関名	申請／相談（％）
①	
②	
③	

(4) 開始／申請の比率が高い実施機関（市部）［上位3実施機関］

実施機関名	開始／申請（％）	都道府県・指定都市本庁で分析した要因
①		
②		
③		

(5) 取下げ／申請の比率が高い実施機関（市部）［上位3実施機関］

実施機関名	取下げ／申請（％）	都道府県・指定都市本庁で分析した要因
①		
②		
③		

都道府県・指定都市に対する生活保護法施行事務監査にかかる資料の提出について

11 開始時関係先調査（令和5年度）
(1) 開始時の関係先調査の実施状況

実施機関名	調査延件数の実数 A（右のものB①の合計B実調査ケース延1）	関係先調査の実施状況 調査件数内訳								関係先調査の結果			
		年金・生命保険等に関する調査①	生命保険等に関する調査②	預貯金調査銀行等金融機関に関する調査③	課税・非課税関係調査等税務調査以外④	雇用先に関する調査⑤	収入①〜⑤以外に関する資産調査⑥	求職状況に関する調査⑦	健康状態に関する調査⑧	合計B	申請却下	取下げ	収入認定
		件	件	件	件	件	件	件	件	件	ケース	ケース	ケース
	ケース												
都部計													
市部計													
合計													

（注）1 「調査延件数内訳」欄は、①欄と⑤欄に各1件と記入すること。例えば、同一ケースについて3か所の金融機関に預貯金調査をし、税務関係及び雇用先関係各1か所に調査した場合には、③の欄に3件、①欄の結果」欄は実ケース数を記入すること。また、預貯金について1回しか1つの銀行に、5ケースを同時に調査した場合には、5件と記入すること。関係先調査の結果」欄は実ケース数を記入すること。
2 ⑥欄には、固定資産に関する調査、失業給付に関する調査、労災保険給付に関する調査等の①〜⑤以外の資産・収入に関する調査を記入すること（内数なので、10.1表の申請件数以内の数となる）。
3 「A」は10.1表の申請件数のうち、実際に調査を行ったケース数を記入すること。
4 年金手帳、銀行預金通帳、生命保険証書等の写しの提示又はこれらの添付によるケース数は含めないこと。
5 「健康状態に関する調査」欄については、法第28条第1項第1号に定める「健康状態」に関する調査を実施した場合に計上すること（平成23年3月31日社援保発0331第3号）に基づく「年金加入状況」照会については、管内実施機関の状況及び本庁における指導状況等を記入すること。

(2) 「年金制度進行表」の管内不動産等の資産の活用・活用状況
管内実施機関の状況及び本庁における指導状況等を記載すること。

12 課税調査の実施状況（令和5年度）

福祉事務所名	調査実施月	調査対象者数 (a)	突合結果の決裁権者の確認	SV等一覧表の作成	調査実施者数 (b)	調査未実施数				調査率 b／a	調査結果 (c)+(d)+(e)=(b)				「問題あり」についての処理		備考
						計	15歳以下	住民票が管外	廃止・その他		問題なし (c)	回答なし (d)	問題あり (e)		継続して収入があった件数のうち8月分までの保護費に反映した件数	年度内未処理件数	
													78条適用件数	その他			
（記入例） A福祉事務所	6	210	全て実施済	全て実施済	210	0	0	0	0	100.0%	0	0	0	0	0	0	③63条適用：年金額の改定通知の写しを徴取していたが、認定額を変更しなかったために問題が生じたものであった（1件）。
部署計																	
市部計																	
合　計	ー																

（注）
1　上記記入例を参考に記載すること。
2　「調査対象者数」欄には、調査対象期間（課税期間）において生活保護を受給していた者全員の数を記入すること。
　　また、「調査対象者数(a)」は、調査実施数(b)と調査未実施数の計の合計と一致する。
3　「一覧表の作成」欄は、調査対象全てについて一覧表を作成している場合は「全て」、問題有りケースについてのみ作成している場合は「一部」、全く作成していない場合は「無し」と記入すること。
4　「SV等による確認」欄について
5　「調査結果」欄について
　ア　「回答なし」欄は、税務調査を依頼し、回答を得ることができなかった件数について記入すること。
　イ　「78条適用件数」欄は、調査結果で問題のあったもののうち、年度内に78条処理をした件数について記入すること。
　ウ　「その他」欄は、調査結果で問題のあったもののうち、年度内に「78条適用」以外の処理をした件数について記入すること。（税情報と収入申告額との突合作業が78条、63条の適用等）を実施した件数について記入すること。また起案はしたが年度内に決裁できなかった件数を記入すること。
　エ　「年度内未了」欄は、調査結果で問題のあったもののうち、年度内に全く処理をしなかった件数について記入すること。
6　「継続して収入があった件数」は、調査時点において継続して収入している件数（企業年金等の1年を単位とする給付で分割認定するものを除く。）を記入し、「8月までの保護費に反映した件数」は、当該時点から8月までの保護費に反映した件数を記入すること。
7　次の場合、「備考」欄の「その他」欄の「その他の内訳」に件数とその理由等を記入すること。
　①　調査未実施数欄の「その他」件数がある場合には、その内訳を記入。
　②　調査結果欄の「その他」件数がある場合には、その内訳を記入。
　③　「年度内処理未了」件数がある場合には、その理由を記入。
　④　継続して収入があったものについて、当該収入を8月分までの保護費に反映していない場合には、その理由を記入。

13 暴力団員及び暴力団員であることが疑われる者への対応状況

(1) 総括表

区分	令和5年度該当世帯数	監査直近月世帯数（年月日）	警察等の関係機関との連携状況（具体的に記入）	本庁から実施機関への指導状況（具体的に記入）
① 暴力団員				
② 暴力団からの離脱者のうち、離脱確認時等から5年以内の者				【例】 ・通知等 ・監査時の指導状況 ・研修等
③ その他、暴力団員であることが疑われる者				
現役暴力団員から世帯分離した家族				

(注) 1 下段には該当世帯数（令和5年度の実世帯数、監査直近月までの累計実世帯数）、上段には該当世帯数のうち実施機関から警察官署への照会をした世帯数を記載すること。
2 都道府県・指定都市本庁で暴力団関係者の取扱いに関するマニュアル等を作成している場合は添付すること。
3 「離脱確認時等」とは、保護開始時と暴力団からの離脱確認のいずれか遅い時点を指す。
4 「その他、暴力団員であることが疑われる者」とは、生活歴や態度、生活状況等から暴力団員であることが疑われた者を指す。

Ⅱ 生活保護法関係通知 第7章 指導監査

(2) 暴力団員の個別状況　　　　　　　　　　　　　　　　　（令和　年　月　日現在）

実施機関名					ケース番号				訪問基準		
世帯員構成	続柄	（年齢）（　歳）	職業等		開始年月日						
					開始理由	（急迫性の判断理由）					

訪問調査活動の状況（直近1年分）※計画欄には訪問予定月に○印、実施欄には実施日をそれぞれ記入すること	月	4	5	6	7	8	9	10	11	12	1	2	3	計
	計画													
	実施													
	通院日数													

生活歴等	

警察等との連携	①警察への照会状況（直近） 照会時期：　年　月 照会先：　　　　警察署 回答状況：有（　年　月）　無 ②回答内容等の詳細	現在の指導状況	援助方針（稼働年齢層にある世帯員を含む）
			ケース診断会議の開催状況　有（　年　月）　無
疾病等の状況	ア　入院中 イ　通院中（就労不可） ウ　通院中（就労可能） エ　病状把握中（検診命令等） オ　就労指導中 カ　その他 主治医訪問の有無 　　有（　年　月）　無 嘱託医協議の有無 　　有（　年　月）　無 病状について		指導状況（稼働年齢層にある世帯員を含む）
			（参考）三点セットの徴取
			・脱退を証する書類（絶縁状等）　　　1　徴取済み　　2　未徴取
			・自立更生計画書　　　　　　　　　1　徴取済み　　2　未徴取
			・誓約書　　　　　　　　　　　　　1　徴取済み　　2　未徴取
当該ケースのケース援助に関する本庁の指導状況			

（注）1　本表は、前ページ13(1)で「暴力団員」として「監査直近月世帯数」欄に記載したケースについて作成すること。
　　　2　「訪問調査活動の状況」欄は、監査前1年間の訪問状況を記載すること。また、通院日数の「計」欄は月平均日数を計上すること。
　　　3　警察等との連携の「②回答内容等の詳細」欄は、組名・身分等の組活動の状況に関する警察からの回答の詳細のほか、警察への照会に至った経緯等についても必要に応じて記載すること。
　　　　また、過去に当該ケースについて警察照会したことがある場合は、回答年月と結果を記入すること。
　　　4　「現在の指導状況」欄中の「指導状況」については、今後の指導の考え方についても記載すること。
　　　5　「当該ケースのケース援助に関する本庁の指導状況」欄は、都道府県・指定都市本庁監査のケース検討等において指導を行っている場合、その内容を記載すること。

都道府県・指定都市に対する生活保護法施行事務監査にかかる資料の提出について

(3) 現役暴力団員から世帯分離した家族の個別状況　　　　（令和　年　月　日現在）

実施機関名				ケース番号		訪問基準	
世帯員構成	続柄	（年齢） （　　歳）	職業等	開始年月日			
				生活歴等			

訪問調査活動の状況 （直近1年分） ※計画欄には訪問予定月に○印、実施欄には実施日を記入すること	月	4	5	6	7	8	9	10	11	12	1	2	3	計
	計画													
	実施													

世帯分離の理由	世帯分離年月日　　平成　年　月　日

保護を継続する理由	

分離した団員の暴力状況	

現在の生活実態	

警察等との連携	警察への分離した暴力団員の状況照会の有無 ①有（　年　月）　無 　　　　　　　　　　警察署】 ②組活動の状況 　　（組名・身分等）	現在の指導状況	援助方針（稼働年齢層にある世帯員を含む）
			ケース診断会議の開催状況　有（　年　月）　無 指導状況（稼働年齢層にある世帯員を含む）

当該ケースのケース援助に関する本庁の指導状況	

(注) 1　本表は、13(1)で「現役暴力団員から世帯分離した家族」として「監査直近月世帯数」欄に記載したケースについて作成すること。
　　 2　「訪問調査活動の状況」欄は、監査前1年間の訪問状況を記載すること。
　　 3　「現在の指導状況」欄中の「指導状況」については、今後の指導の考え方についても記載すること。
　　 4　「当該ケースのケース援助に関する本庁の指導状況」欄は、都道府県・指定都市本庁監査のケース検討等において指導を行っている場合、その内容を記載すること。

14 自動車保有状況
(1) 実施機関別自動車保有状況
<都道府県・指定都市＞

実施機関名	令和4年度末					令和5年度末					監査直近月（令和　年　月　日）				
	容認	処分保留	否認	計	総ケース数	容認	処分保留	否認	計	総ケース数	容認	処分保留	否認	計	総ケース数
	件／％	件／％	件／％	件／％		件／％	件／％	件／％	件／％		件／％	件／％	件／％	件／％	
部 計															
部 計															
事 業 用															
公共交通機関が利用困難な場合等の通勤用															
障害者の通院等															
公共交通機関が利用困難な場合等の通院等															

(注) 1 都道府県・指定都市本庁で自動車の取扱いに関するマニュアル等を作成している場合は添付すること。
　　 2 上記記入例を参考に記載すること。
　　 3 「総ケース数」欄には、「各年度末」及び「監査直近月」時点の生活保護受給ケースの総数を記入すること。

都道府県・指定都市に対する生活保護法施行事務監査にかかる資料の提出について

14 自動車保有状況

(1) 実施機関別自動車保有状況

<市部>

実施機関名	令和4年度末 容認 件/%	処分保留 件/%	否認 件/%	計 件/%	総ケース数	令和5年度末 容認 件/%	処分保留 件/%	否認 件/%	計 件/%	総ケース数	監査直近月(令和 年 月 日) 容認 件/%	処分保留 件/%	否認 件/%	計 件/%	総ケース数
市部計															
事業用															
公共交通機関が利用困難な場合等の通勤用															
障害者の通院等															
公共交通機関が利用困難な場合等の通院等															

(注) 1 都道府県・指定都市本庁で自動車の取扱いに関するマニュアル等を作成している場合は添付すること。
2 上記記入例を参考に記載すること。
3 「総ケース数」欄には、「各年度末」及び「監査直近月」時点の生活保護受給ケースの総数を記入すること。

1475

II　生活保護法関係通知　第7章　指導監査

<総括表>

実施機関名	令和4年度末					令和5年度末					監査直近月（令和　年　月　日）				
	容認	処分保留	否認	計	総ケース数	容認	処分保留	否認	計	総ケース数	容認	処分保留	否認	計	総ケース数
	件/%	件/%	件/%	件/%		件/%	件/%	件/%	件/%		件/%	件/%	件/%	件/%	
都　部															
計															
市　部															
計															
合　計															
事　業　用															
公共交通機関が利用困難な場合等の通勤用															
障害者の通院等															
公共交通機関が利用困難な場合等の通院等															

(注) 1　都道府県・指定都市本庁で自動車の取扱いに関するマニュアル等を作成している場合は添付すること。
　　 2　「総ケース数」欄には、「各年度末」及び「監査直近月」時点の生活保護受給ケースの総数を記入すること。

(2) 本庁の指導方針及び指導状況

＊処分指導を保留しているケース、保有否認ケースの処分指導、保有容認ケースの要件確認について、本庁が監査する際の指導方針及び指導状況について記載すること。

都道府県・指定都市に対する生活保護法施行事務監査にかかる資料の提出について

15 医療扶助の運営状況
(1) [医療扶助における長期入院患者の実態把握について](昭和45年4月1日社保第72号)及び[医療扶助における転院を行う場合の対応及び頻回転院患者の実態把握について](平成26年8月20日社援保発0820第1号)に基づく「実態把握対象者名簿」の活用状況
※管内実施機関の状況及び管内実施機関の整備・活用状況
※管内実施機関の状況及び本庁における指導状況を記載すること。

(2) 本庁の指導状況
※当該名簿や調査票の整備について、本庁が監査する際の指導方針及び指導状況を記載すること。

(3) レセプトの審査方法等の状況（令和5年度）

	レセプト総枚数 A	内容点検対象枚数（単月）B	点検内容		点検実施率	
			資格審査 C	内容点検	C/A	D/B
				単月 D 枚 縦覧 枚	%	%
郡部計	枚	枚	枚	枚 枚		
市部計						
総計						

(注) 1 中核市を有する都道府県においては、それぞれの中核市ごとに本表を作成すること。
2 レセプト枚数は、支払月が年度内（4月～翌年3月）のものを計上すること。
3 レセプト総枚数は、支払基金による審査済みの全てのレセプト数（連名簿に記載される件数を含む）を計上すること。
4 「内容点検（単月）対象枚数B」欄は、レセプト総枚数Aから連名簿分及び資格点検による返戻分を除いたレセプト枚数を計上すること。

1477

(郡部内訳)

実施機関名	レセプト総枚数 A	内容点検(単月)対象枚数 B	点検内容			点検実施率	
			資格審査 C	単月 D	縦覧	C／A	D／B
	枚	枚	枚	枚	枚	％	％
計							

(市部内訳)

実施機関名	レセプト総枚数 A	内容点検(単月)対象枚数 B	点検内容			点検実施率	
			資格審査 C	単月 D	縦覧	C／A	D／B
	枚	枚	枚	枚	枚	％	％
計							

都道府県・指定都市に対する生活保護法施行事務監査にかかる資料の提出について

(4) 過誤調整の状況（令和5年度）

実施機関名		支払基金審査結果（算定額）A	過誤調整（調剤合む）B	過誤調整の内訳							B／A
		請求確定額		本庁審査				実施機関			
				資格	内容	小計	資格	内容	小計	その他（ ）	
	件数 (枚)										
	金額 (円)										
	単価 (円)										
	件数 (枚)										
	金額 (円)										
	単価 (円)										
	件数 (枚)										
	金額 (円)										
	単価 (円)										
	件数 (枚)										
	金額 (円)										
	単価 (円)										
	件数 (枚)										
	金額 (円)										
	単価 (円)										
	件数 (枚)										
	金額 (円)										
	単価 (円)										
	件数 (枚)										
	金額 (円)										
	単価 (円)										
	件数 (枚)										
	金額 (円)										
	単価 (円)										
	件数 (枚)										
	金額 (円)										
	単価 (円)										
合計	件数 (枚)										
	金額 (円)										
	単価 (円)										

(注) 1 中核市を有する都道府県においては、それぞれの中核市ごとに本表を作成すること。
2 ［過誤調整］欄には、再審査請求を行ったもののうち、減額又は増額されたものの件数及び金額を計上すること。
3 ［その他］の（ ）内には、内訳の主たるものを記入すること。
4 本表ではマイナス標記は用いず、正の数にて計上すること。

1479

Ⅱ 生活保護法関係通知 第7章 指導監査

16 介護扶助の運営状況

(1) 「生活保護制度における他法他施策の適正な活用について」(平成22年3月24日社援保発0324第1号)に基づく「自立支援給付等該当可能性確認台帳」の管内実施機関の整備・活用状況
※自立支援給付等の適用状況及び本庁における指導状況を記載すること。

(2) 本庁の指導状況
※自立支援給付等の適用について、査察指導員、地区担当員、介護扶助事務担当者及び介護支援専門員等に対する周知方法について記載すること。

17 指定介護機関の指導等の状況

(1) 管内指定介護機関の指導の状況

区 分	個　　　別					指　　　導			一　　般		指　　導
	生保指定介護機関数 (各年4月1日) A	計画数 B	実施数 C	計画率 (B/A) %	実施率 (C/B) %	回　数			延指導介護機関数		指導内容
令和5年度							回			か所	
令和6年度							回			か所	

(注) 1 中核市を有する都道府県においては、それぞれの中核市ごとに本表を作成すること。
　　 2 指定介護機関の指定基準及び運定する際の添付する書類(要綱等)がある場合は添付すること。
　　 3 一般指導の内容等については、講習会、広報、文書等の方法及び実施年月日を記載すること。

(2) 管内指定介護機関の検査の状況

区 分	検査年月日	指定介護機関名	検査の内容・結果	処　　分			返　還　措　置	
				注意	勧告	取消	件　数	金　額 (円)
令和5年度								
令和6年度								

(注) 1 中核市を有する都道府県においては、それぞれの中核市ごとに本表を作成すること。
　　 2 令和6年度については、監査時点までに実施した検査について記載すること。
　　 3 処分欄は該当するものに○印を付すこと。
　　 4 その他参考となる資料がある場合は添付すること。

(3) 関係部局(介護部局)との連携状況

18 不動産保有の状況

(1) 「年金制度及び不動産等の資産の活用の徹底について」(平成23年3月31日社援保発0331第3号)に基づく「資産(不動産)保有台帳(一覧)」の管内実施機関の整備・活用状況
 管内実施機関の状況及び本庁の指導状況を記載すること。

(2) 要保護世帯向け不動産担保型生活資金の実施状況

令和6年度

(監査直近月　　年　　月　　日)

実施機関名	対象世帯数 (a＋b＋c)			処理結果等		未決定世帯数	未決定について、個々の世帯の現状と今後の処理見込み
	繰越	新規申請 (年齢割達含む)	合計	貸付決定 (a)	非該当 (廃止含む) (b)	(c)	
郡部計							

市					
部					
計					
計					

(注)「繰越」は平成21年7月28日厚生労働省発社援0728第9号「生活福祉資金の貸付けについて」(別紙)第4の4(2)による世帯のうち、令和5年4月1日現在において未決定の世帯数とする。

19 研修会等の実施計画(令和6年度)

研修会等の名称	対象者	参加(予定)人員	内容	開催月	日数	備考

(注) 以下の要領に従って記載すること。
1 国が実施する研修会等については、記載しないこと。
2 すでに開催済の研修会等については、「参加人数」、「開催月」、「日数」の欄にその実績を記載すること。
3 「内容」欄は、研修の教科、内容、講義名等について具体的に記載すること。
4 前年度にも実施したものは備考欄に「継続」と記載すること。

都道府県・指定都市に対する生活保護法施行事務監査にかかる資料の提出について

【記載例】

研修会等の名称	対象者	参加人員（予定）	内容	開催月	日数	備考
○○県新任ケースワーカー研修会	新任現業員	45	・生活保護制度について ・ケースワークについて	5月	2	継続
○○県ケースワーカー研修会	現業員（2年目以上）	100	・他法他施策について	7月	3	継続
○○県新任査察指導員研修会	新任の係長、査察指導員	20	・査察指導に必要な実務 ・自立支援プログラムについて ・職場コミュニケーション（講義）	5月	2	継続
○○県査察指導員研修会	係長、査察指導員	30	・自立支援プログラムについて（意欲喚起）	6月	3	継続
○○県自立支援プログラム研修会	係長、査察指導員	(30)	・母子家庭における就労支援（講演）	10月	1	

（注）以下の要領に従って記載すること。
1　国が実施する研修会等については、記載しないこと。
2　すでに開催済の研修会等については、「参加人数」の欄にその実績を記載すること。
3　「内容」欄は、研修会の教科、内容、講義名等について具体的に記載すること。
4　前年度にも実施したものは備考欄に「継続」と記載すること。

1483

20 添付資料
(1) 保護の動向を分析した資料〔関係項目3〕
(2) 監査実施要領、監査実施計画、実施方針、重点事項（注：今年度変更点に下線を引くこと。）
(3) 前年度及び直近の指導省復命帳（本年度厚生労働省監査実施機関及び保護世帯数の上位3実施機関分）
(4) 令和5年度監査復命資料（令和6年度厚生労働省監査実施機関分）
    （該当がない場合には、被保護世帯数が最も多い実施機関）
(5) 令和5年度監査実施状況一覧表、令和6年度監査予定表
(6) 令和5年厚生労働省監査実施機関（該当がない場合には、被保護世帯数が最も多い実施機関）に対する実施方針等事前ヒアリング結果〔関係項目6(1)〕
(7) 令和5年度厚生労働省監査実施結果通知及び是正改善報告（該当がない場合には、被保護世帯数が最も多い実施機関）に対する、令和6年度本庁監査結果通知及び是正改善報告
(8) 令和6年度厚生労働省監査実施機関（該当がない場合には、被保護世帯数が最も多い実施機関）に対する、令和5年度本庁監査結果通知及び是正改善報告
(9) 本庁が示す取扱要領等（査察指導台帳、訪問基準表、面接相談パンフレット、課税調査実施手順、暴力団関係者の取扱、自動車の取扱等）〔関係項目6、10、12、13、14〕

都道府県・指定都市に対する生活保護法施行事務監査にかかる資料の提出について

令和6年度生活保護法施行事務監査資料

実施機関関係

		頁
1	管内地図	1489
2	管内の保護動向	
(1)	概況	1490
(2)	過去3年間の年度別推移及び直近月の状況	1490
(3)	世帯類型別被保護世帯数（直近月の状況及び過去3年間の推移）	1491
(4)	主な指標	1491
3	実施機関の組織	
(1)	実施機関の組織図	1492
(2)	査察指導員、現業員の配置状況の年次推移	1493
4	実施機関の職員配置状況	1494
5	保護の決定の決裁権者等	1496
6	生活保護業務実施方針及び事業計画の策定について	
(1)	策定担当者	1496
(2)	策定時期	1496
(3)	決裁の有無	1496
(4)	現業員への周知方法	1497
(5)	生活保護業務実施方針及び事業計画の策定手順	1497
7	自主的内部点検の実施状況	1498
8	査察指導の状況	
(1)	査察指導マニュアルの有無	1498
(2)	査察指導台帳の有無	1498
(3)	訪問調査活動の進行管理の状況	1498
(4)	援助方針の見直しの状況	1498

1485

Ⅱ 生活保護法関係通知 第7章 指導監査

(5) 収入申告及び資産申告書聴取状況の管理 …………1498
9 保護の決定実施の状況
(1) 保護内容の変更に係る申請書等の文書管理についての進行管理の状況 …………1498
(2) 扶助費算定誤り（処理漏れを含む）を未然防止・早期発見するための組織的な取組状況 …………1499
10 訪問調査活動の状況
(1) 訪問基準別構成割合及び月平均家庭訪問等件数 …………1499
(2) 過去1年間の月別家庭訪問等件数 …………1500
11 面接相談の体制、保護の開始・廃止の状況
(1) 面接相談の体制 …………1501
(2) 保護の開始・廃止等の年度別推移 …………1501
(3) 保護の開始・廃止の状況の内訳 …………1502
12 各種調査等の状況
(1) 同意書徴取の状況 …………1503
(2) 関係先調査の状況 …………1503
(3) 年金加入状況管理進行表の活用状況 …………1503
(4) 年金生活者支援給付金の支給状況 …………1504
13 扶養能力調査の状況 …………1507
14 経理事務の処理状況
(1) 支給日 …………1507
(2) 支給方法 …………1507
(3) 保護金品の支給手続事務の流れ …………1510
(4) 生活保護費の支給等事務処理の適正化について …………1511
(5) 経理事務等の不祥事に係る未然防止策 …………1512
15 課税調査（一斉点検）の状況 …………1512
16 返還金、徴収金の状況
(1) 過去3年間の法第63条、77条、78条適用状況 …………1513

都道府県・指定都市に対する生活保護法施行事務監査にかかる資料の提出について

(2) 法第63条適用の内容 …… 1513
(3) 法第78条適用の内容 …… 1515
　　（令和5年度生活保護法施行事務監査の実施結果報告　2(2)－ア　法第78条の適用状況）
(4) 債権管理の状況等 …… 1516
17　ケース診断会議等 …… 1517
18　暴力団員及び暴力団員であることが疑われる者への対応状況
　(1) 総括表 …… 1518
　(2) 暴力団員の個別状況 …… 1519
　(3) 現役暴力団員から世帯分離した家族の個別状況 …… 1520
19　自動車保有状況
　(1) 総括表 …… 1521
　(2) 個別表 …… 1522
20　医療扶助の運営状況
　(1) 嘱託医の勤務状況及び活動状況 …… 1523
　(2) 「実態把握対象者名簿（長期入院）」等の管理、対象者の把握及び進行管理の方法 …… 1523
　(3) 「実態把握対象者名簿（頻回転院）」等の管理、対象者の把握及び進行管理の方法 …… 1524
　(4) レセプト点検実施状況 …… 1524
　(5) 過誤調整の状況 …… 1525
21　介護扶助の運営状況 …… 1525
22　不動産保有の状況
　(1) 資産（不動産）保有台帳について …… 1526
　(2) 要保護世帯向け不動産担保型生活資金の実施状況 …… 1526
23　添付資料
　(1) 保護の決定等に関する専決規定 …… 1527
　(2) 支所等がある場合の生活保護業務の規定、業務内容の分かる資料
　(3) 相談者、受給者用の生活保護のしおり、リーフレット等

1487

(4) 査察指導マニュアル、査察指導台帳及び訪問計画表の様式
(5) 令和5、6年度の生活保護業務実施方針及び事業計画
(6) 訪問基準表
(7) ケース診断会議開催要綱
(8) 経理事務等について、不祥事の防止対策マニュアル等
(9) 関係先調査実施方法、調査先リスト
(10) 所内研修等の開催実績とその概要一覧(監査直近1年分)

都道府県・指定都市に対する生活保護法施行事務監査にかかる資料の提出について

1 管内地図（略図）

実施機関関係

（例）
（令和　年　月　日　現在）

○○福祉事務所	
管内面積	km²
管内世帯数	世帯
管内人口	人
被保護世帯数	世帯
被保護人員	人
保護率	‰

（例）

地区名	地区	地区	地区	地区	地区	地区	地区
地区人口	人	人	人	人	人	人	人
被保護世帯数	世帯	世帯	世帯	世帯	世帯	世帯	世帯
被保護人員	人	人	人	人	人	人	人
保護率	‰	‰	‰	‰	‰	‰	‰
平均所要時間	分	分	分	分	分	分	分
移動方法							
地区担当者名							

（注）実施機関の位置及び管内における民生区等の担当地区ごとの地区名、地区人口、被保護世帯数、被保護人員、保護率、実施機関からの平均所要時間、主たる移動方法、地区担当員名のほか公共交通機関の主要駅及び路線、公共職業安定所所在地、公営住宅等宅地等参考となるべき事項を記載すること。

2 管内の保護動向

(1) 概況

ア 過去からの保護動向について（平成以降の状況を具体的に記載すること）
イ 地域的特色について（地形、交通網、産業構造などの状況を簡潔に記載すること）
ウ 最近の社会経済情勢（事業所閉鎖等、生活保護行政への影響など）及び大企業・地場産業について
エ 日常生活支援住居施設、委託を受けない無料低額宿泊所、サービス付き高齢者向け住宅、有料老人ホーム及びそれぞれの類似施設並びに第38条保護施設の状況について（施設数、定員、入居・入所中の被保護者数、所管部局）

施設	日常生活支援住居施設		委託を受けない無料低額宿泊所		サービス付き高齢者向け住宅		有料老人ホーム		類似施設		第38条保護施設	
	箇所		箇所		箇所		箇所		箇所		箇所	
定　員		人		人		人		人		人		人
入居・入所中の被保護者数		人		人		人		人		人		人
所管部局												

(2) 過去3年間の年度別推移及び直近月（直近月とは、原則として監査実施月の2か月以内とする。以下同じ。）の状況

	令和3年度	令和4年度 (A)	令和5年度 (B)	B／A (%)	年　月　日 (直近月) (C)	C／A (%)
管内世帯数						
被保護世帯数						
管内人口						
被保護人員						
保護率（‰）						

（注）都道府県・指定都市本庁の監査資料との整合性に注意して計上すること。

都道府県・指定都市に対する生活保護法施行事務監査にかかる資料の提出について

(3) 世帯類型別被保護世帯数（直近月の状況及び過去3年間の推移）

	令和3年度	令和4年度(A)	令和5年度(B)	B／A(%)	年月日（直近月）(C)	C／A(%)	直近月構成比(%)
	世帯数	世帯数	世帯数		世帯数		
高齢者世帯							
母子世帯							
障害者世帯							
傷病者世帯							
その他の世帯							
計							

(注) 世帯類型別被保護世帯数は停止世帯を除いた数値を記入すること。

(4) 主な指標

65歳以上の人口比率(%)	有効求人倍率（職安名）(倍)	離婚率(‰)	1人当たり市民所得（千円）	産業別就業者割合		
				1次 %	2次 %	3次 %
年 月	年 月	年	年度	年		

(注) 1 65歳人口比率は小数点第1位まで記載すること。
2 有効求人倍率は季節調整値を小数点第2位まで記載すること。
3 離婚率は小数点第2位まで記載すること。
4 産業別就業者割合は直近の国勢調査による割合を記載すること（ただし、分類不能は含めない）。
5 1人当たり市民所得は都道府県及び指定都市管内の実施機関は記載不要。

3　実施機関の組織

(1)　実施機関の組織図

（令和　　年　　月　　日現在）

（例）

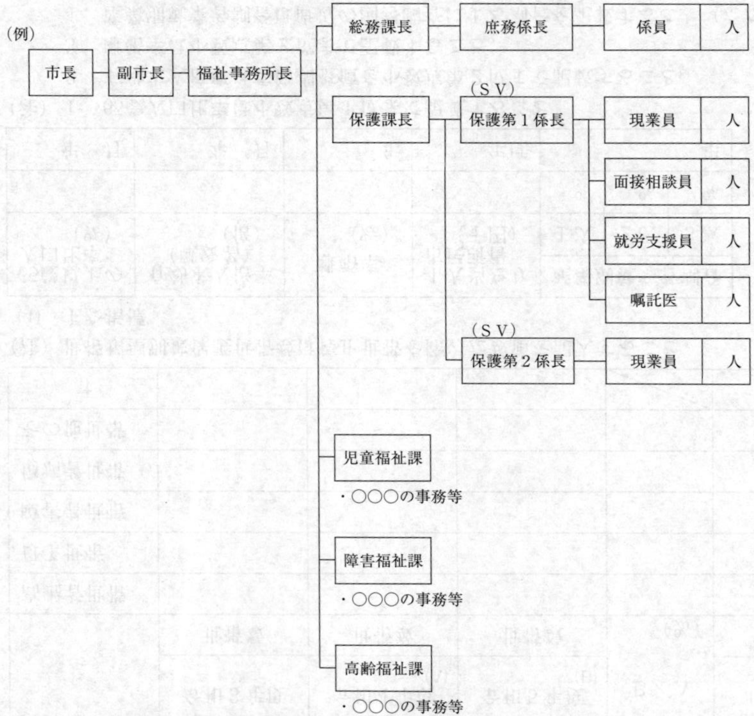

現業員の経験等

生活保護業務経験年数		社会福祉主事資格保有の状況	
～１年 １年～３年 ３年～	人 人 人	有 無	人 人

社会福祉主事無資格者への対応状況

ア　人事ローテーション　：　年
イ　地区担当替え　：　年
ウ　昇任試験制度の有無　：　有　・　無
エ　福祉職採用の有無　：　有　・　無

（注）１　「(1)実施機関」の組織図は実施機関（福祉関係部局）を中心とした組織構成について記載すること。
２　生活保護関係業務に関する支所、出張所がある場合、これを含めて記載すること。
３　現業員の経験等の「生活保護業務経験年数」は、現職の経験年数と過去の経験年数を合わせること。

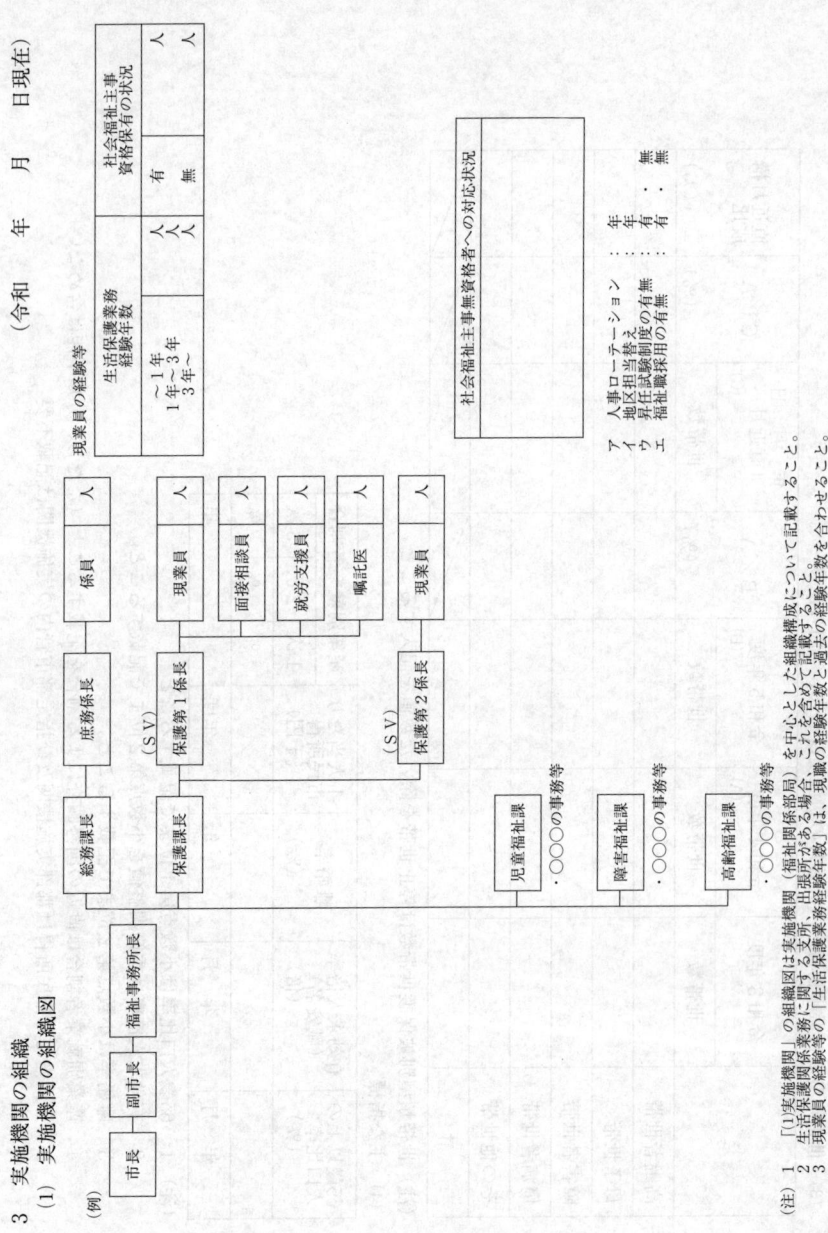

都道府県・指定都市に対する生活保護法施行事務監査にかかる資料の提出について

(2) 査察指導員、現業員の配置状況の年次推移

		4.4.1	5.4.1	6.4.1	○.○.○ (本年度監査直近月)
査察指導員	標　準　数　A				
	現　員　数　B				
	うち休職等職員				
	過　不　足　数 (B−A)				
現業員	標　準　数　C				
	現　員　数　D				
	うち休職等職員				
	過　不　足　数 (D−C)				

(注) 1 査察指導員の「標準数」欄は現業員の標準数を7で除して得た数とし、端数は小数点以下第1位を四捨五入すること。ただし、1未満は1とすること。

2 現業員の「標準数」欄は以下の①又は②のいずれか少ない方の数を計上すること（ただし、1未満は1と計上すること）。
　① 社会福祉法第16条に基づく数（1：都道府県の設置する事務所にあっては、被保護世帯数の数が390以下である　　　ときは、6とし、被保護世帯数の数が65を増すごとに1を加えた数、2：市の設置する事務所にあっては、3とし、被保護世帯数が80を増すごとに1を加えた数、3：町村の設置する事務所にあっては、被保護世帯数が240以下であるときは、2とし、被保護世帯数が80を増すごとに1を加えた数）
　② 被保護世帯数を基に、郡部実施機関の場合は65、市部の場合は80で除して得た数（端数は小数点以下第1位を四捨五入）。

3 「査察指導員」の「現業員」及び「現業員D」の「うち休職等職員」欄に内数を計上すること。なお、「うち休職等職員」欄には、病気休職、育児休職等」を含め、休職等職員と代替職員とを二重に計上せず、いずれか片方のみを計上すること。非常勤の代替職員のみを計上すること。地区担当方法は、「現員」として計上しないこと。（例）育児休職中の地区担当員1名に対し、常勤の育休代替職員1名がついている場合、常勤の代替職員の数は1名と数える（2名とは数えない）。

4 「現員」欄は、任期付短時間職員、再任用短時間職員、会計年度任用職員を除くこと。

1493

II 生活保護法関係通知 第7章 指導監査

4 実施機関の職員配置状況

(令和 年 月 日現在)

所属	職名	氏名	担当事務	担当ケース数及経験年数	現職経験年数	過去の職歴			資格の有無			前職等
						生活保護業務経験年数	その他の社会福祉業務経験年数		社会福祉主事	社会福祉士	福祉職	
			ケース		※プルダウンで選択							
小計		人				―	―					
小計		人				―	―					
小計		人				―	―					
合計		人				―	―					

(注) 1 本表は生活保護事務関係を所掌している課、係のみについて記載すること。
2 「担当ケース数」欄は、担当世帯数を計上するとともに、担当世帯等の特定ケースのみ担当する場合は「前職等」欄にその旨を特記すること。
3 「現職経験年数」欄は、当該実施機関における現職経験年数(当該実施機関の配属中に役職等の変更があった場合の変更前の前職の経験年数を含む)を選択すること。入院、入所実施機関や高齢者世帯等のみ担当する場合は「前職等」欄にその旨を特記すること。
4 「生活保護業務経験年数」欄は、現職経験年数を含めない過去の現業員、査察指導員の経験年数を選択すること(経験が無い場合には「0年」を選択すること)。
5 生活保護業務以外の事務を担当している者については、その内容を「前職等」欄に記載すること。
6 一般職や福祉職ではなく、福祉職等で採用された職員については、「福祉職」欄に「○」を付けること。
7 「社会福祉主事」の資格の取得に向けた今年度の取り組み状況を、社会福祉法第15条第1項及び第2号の所属についてのみ記載すること。また同欄が「無」となっている職員については、資格の取得に向けた今年度の取り組み状況を「前職等」欄に記載すること。
8 「前職等」欄には、職員の前職を記載すること。生活保護業務に携わっている再任用職員(任期付短時間職員、会計年度任用職員)は、勤務時間、業歴、資格等も記載すること。派遣職員、委託業務を行う者(レセプト点検含む)等についても記載すること。医系職員等が他の部署を兼務している場合は、兼務部署名も記載すること。嘱託医は、一般、精神科、歯科の別及び勤務形態を記入すること。
9 国庫補助を受けている場合(予定を含む)については、「前職等」欄に「国庫補助事業」を記載すること。

都道府県・指定都市に対する生活保護法施行事務監査にかかる資料の提出について

4 実施機関の職員配置状況

【記入例】　　　　　　　　　　　　　　　　　　　　　　　　（令和　年　月　日現在）

所属	職名	氏名	担当事務	担当ケース数経験年数（現職）	過去の職歴 生活保護業務経験年数	過去の職歴 その他社会福祉業務経験年数	資格の有無 社会福祉主事	資格の有無 社会福祉士	福祉職	前職等
総務課	部長	○○ ○○		ケース	※プルダウンで選択					（○○次長）
総務課	所長	○○ ○○		1年未満	0年	3年〜5年未満	―	―		（○○課長）
総務課	課長	○○ ○○		1年未満	0年	3年〜5年未満	―	―		（○○課長）
庶務係	係長	○○ ○○	○○○に関すること	1年〜3年未満	1年未満	1年未満	―	―		（○○課○○係長）
庶務係	主事	○○ ○○	○○○に関すること	1年未満	0年	1年未満	―	―		新規採用
小計		5人								
保護1係	課長	○○ ○○	○○○に関すること	1年〜3年未満	―	5年以上	有	―		（○○課長補佐）
保護1係	係長	○○ ○○	面接相談に関すること	1年〜3年未満	1年〜3年未満	3年〜5年未満	有	―		（○○課○○係主任主事）、実施機関コーディネーター
保護1係	主任主事	○○ ○○	○○○に関すること	1年〜3年未満	1年未満	1年未満	有	―	○	（○○課○○係主任主事）
保護1係	主任主事	○○ ○○	○○○に関すること	○○ケース	1年〜3年未満	1年未満	無	―		（○○課○○係）、主事資格通信課程受講中
保護1係	主事	○○ ○○	○○○に関すること	○○ケース	1年未満	1年未満	無	―		保育所入所事務を兼務、主事資格通信課程受講中
小計		5人								
保護2係	係長	○○ ○○	○○○に関すること	―	5年以上	3年〜5年未満	有	―		（○○課○○係主任主事）
保護2係	主任主事	○○ ○○	○○○に関すること	○○ケース	1年未満	1年〜3年未満	有	―		（○○課○○係）、主事資格通信課程受講中
保護2係	主事	○○ ○○	○○○に関すること	○○ケース	0年	1年未満	有	―	○	新規採用
	嘱託医	○○ ○○		1年未満	1年未満	1年未満	―	有		○○病院（精神科）医院長　○曜日　○時〜○時

Ⅱ 生活保護法関係通知 第7章 指導監査

非常勤職員	担当ケース数	レセプト点検	1年～3年未満	1年未満	1年未満	週○日9:00～17:00 資格有り 医療扶助適正化事業
○○ ○○	5人		—	—	—	
小計	10人		—	—	—	—
合計			—	—	—	—

(注) 1 本表は生活保護事務関係を所掌している課、係のみについて記載すること。
2 「担当ケース数」欄は、担当世帯数を計上することとし、入院・入所ケースや高齢者世帯等の特定ケースのみ担当する場合は「前職等」欄にその旨を特記すること。
3 「現職経験年数」欄は、当該実施機関における現職経験年数を記載すること。
4 「生活保護業務経験年数」欄は、現職経験年数を含めた過去の査察指導員、現業員（当該実施機関の配属中に役職等の変更があった場合の前職分は含まない）を選択すること（経験が無い場合には「0年」を選択すること）。
5 生活保護業務以外の事務を担当している者については、その内容を「前職等」欄に記載すること。
6 一般職ではなく、福祉職で採用された職員については、「福祉職」欄に「○」を付けること。
7 「社会福祉主事の資格の有無」欄は、社会福祉法第15条第1項第2号及び第2号の所員についてのみ記載すること。また同欄が「無」となっている職員については、資格の取得に向けた今年度の取り組み状況を「前職等」欄に記載すること。
8 「前職等」欄には、職員の前職を記載すること。委託業務に携わっている再任用職員及び非常勤職員（任期付短時間職員、会計年度任用職員）、レセプト点検について記入すること。医系職員等の勤務形態を記載している場合は、業務部署名も記載すること（予定を含む）。
9 国庫補助を受けている者（予定を含む）については、「前職等」欄に「国庫補助事業名」を記載すること。

5 保護の決定の決裁権者等
（決裁権者ごとの決裁権限とその根拠又は規定に関する規定を添付すること。）

6 生活保護業務実施方針及び事業計画の策定について
(1) 策定担当者：
(2) 策定時期：
(3) 決裁の有無：有（決裁権者：　　　　　）・無
(4) 現業員への周知方法

都道府県・指定都市に対する生活保護法施行事務監査にかかる資料の提出について

(5) 生活保護業務実施方針及び事業計画の策定手順
※平成17年3月29日社援保発第0329001号厚生労働省社会・援護局保護課長通知「保護の実施機関における生活保護業務の実施方針の策定について」に沿って記載すること。

7 自主的内部点検の実施状況

年度	事業名	実施(予定)月	点検結果(効果)	補助対象	備考
5年度	・ケアマネージャーとの連携強化事業 ・他WOとの相互点検事業	令和○年○月 令和○年□月	・被保護者のケアプラン点検件数 ○○件 ・○○WOより2名を招き、面接相談、辞退廃止等について、事項別検討を実施 検討ケース数 ○○件		○
6年度					

(注) 1 本表には、前年度及び本年度内に各実施機関が実施中に各実施機関が実施(予定)する「自主的内部点検」(保護の実施機関における生活保護業務の自主的内部点検の実施について(昭和47年3月25日社監第23号厚生省社会局生活保護監査参事官通知))について記載すること。
2 前年度に引き続いて本年度に実施する事業は、備考欄に「○印」を付すこと。
3 「点検結果(効果)」欄には、点検対象件数、調査等を実施した件数、結果(扶助費の増・減、保護の廃止等)について、具体的、詳細に記載すること。
4 「補助対象」欄には、国庫補助を受けている場合(予定を含む)は○印を記載すること。

1497

8 査察指導の状況
(1) 査察指導マニュアルの有無： 有 ・ 無
(2) 査察指導台帳の有無： 有 ・ 無
 (実施機関において、実際に使用している様式を添付すること。)
(3) 訪問調査活動の進行管理の状況
 ア 訪問調査の進行管理方法

 イ 長期未訪問の未然防止策、把握方法

(4) 援助方針の見直しの状況

(注) 援助方針の策定手順及び見直しの進行管理について具体的にどのように行っているか記載すること。
(5) 収入申告書及び資産申告書徴取状況の管理

(注) 収入申告書及び資産申告書徴取の管理を具体的にどのように行っているか記載すること。
9 保護の決定実施の状況
 保護決定内容の変更に係る申請書等の文書管理についての進行管理の状況（フローチャートを記載すること。）

【記載例】

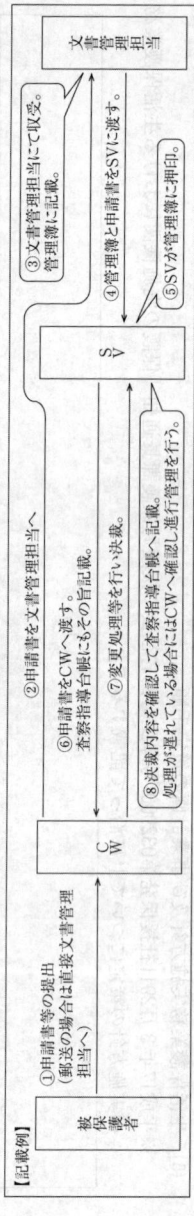

①申請書等の提出
（郵送の場合は直接文書管理担当へ）
②申請書を文書管理担当へ
③文書管理担当にて収受、管理簿に記載。
④管理簿と申請書をSVに渡す。
⑤SVが管理簿に押印
⑥申請書をCWへ渡す。査察指導台帳にその旨記載。
⑦変更処理等を行い決裁。
⑧決裁内容を確認して査察指導台帳へ記載。処理が遅れている場合にはCWへ確認し進行管理を行う。

都道府県・指定都市に対する生活保護法施行事務監査にかかる資料の提出について

(注) 1 記入例を参考にして記入すること。
    2 既存の資料があればこれに替えて差し支えない。
    3 「文書管理(処理)規程」がある場合には、添付すること。
 (2) 扶助費算定誤り(処理漏れを含む)を未然防止・早期発見するための組織的な取組状況

(注) 未然防止のための組織的なケース審査体制(CW同士、SVによる事前チェック、ベテランCWや係を跨ぐ決裁回付など)、早期発見のための組織内への周知徹底(定例の研修会や会議など)及び早期発見のための定期的な一斉ケース点検など、具体的な組織的取組を記載すること。

10 訪問調査活動の状況
 (1) 訪問基準別構成割合及び月平均家庭訪問状況

監査直近月 (令和 年 月 日現在)

区分	訪問基準別家庭訪問世帯数						1〜⑥の合計	地区担当現業員1人当たり1か月平均家庭訪問回数 b (訪問実績÷12÷現業員(名))	1世帯当たり年間平均家庭訪問回数 (訪問実績÷世帯数(a))	地区担当現業員1人当たりの1か月平均家庭訪問日数
	Aケース (年 回)①	Bケース (年 回)②	Cケース (年 回)③	Dケース (年 回)④	Eケース (年 回)⑤	Fケース (年 回)⑥	a			
世帯数 (直近月)	(%)	(%)	(%)	(%)	(%)	(%)				

(注) 1 「世帯数」欄は、監査直近月の状況について計上することとし、上段( )内には構成割合を記載すること。
    2 「b」の「訪問実績」は、下記「(2)過去1年間の月別家庭訪問等件数」の実績を引用すること。
    3 「地区担当現業員1人当たりの1か月平均家庭訪問日数」欄は家庭訪問について、1日1回でも訪問した場合は時間を問わず1日として計上すること。

1499

(2) 過去1年間の月別家庭訪問等件数（計画と実績）

区 分	○月	○月	○月	○月	○月	○月	○月	○月	○月	○月	○月	○月（監査直近月）	合計
計画													
実績													
うち家庭内面接を実施した件数													
うちSV同行訪問件数													

(注) 1 「実績」欄には不在を含めた数を計上すること。
　　 2 「実績」の「うち家庭内面接を実施した件数」欄には不在を除いた数を計上すること。
　　 3 「計画」欄については、当初の訪問計画を翌月以降に変更した場合、当該計画が二重計上されないよう、どちらかに計上すること。

都道府県・指定都市に対する生活保護法施行事務監査にかかる資料の提出について

11 面接相談の体制、保護の開始・廃止の状況
(1) 面接相談の体制
　次の該当する事項を○で囲み、イ、ウについては具体的に記載すること。
　ア　専任面接員が担当
　イ　現業員が交代で担当
　ウ　その他（　　　　　　　　　　　　　　　　　　）

(2) 保護の開始・廃止等の年度別推移

区分	面接相談件数		申請ケース数 (A)	開始ケース数			却下ケース数	取下ケース数 (E)	申請/相談 B／A (%)	開始/申請 C／B (%)	取下/申請 E／B (%)	廃止ケース数
	延件数	実件数 (B)		職権保護除く (C)	うち申請日から14日以内に開始した件数 (D)	法定期間内処理状況 D／C (%)	職権保護					
令和4年度												
令和5年度												
令和6年度（4月から6月まで）												

(注) 1　申請ケース数、開始ケース数、却下ケース数、取下げケース数、廃止ケース数については、それぞれ生活保護業務データシステム月別概要第6表の「申請件数(2)」欄、「保護開始」欄の「決定(9)」欄、「申請却下件数(4)」欄、「申請取下げ件数(3)」欄、「保護廃止」欄の「決定(9)」欄の件数を年度分合計して記入すること。
　　　開始ケース数の「職権保護」の欄には、月別概要第6表の「保護開始」欄の「職権保護（再掲）(7)」欄の件数を計上し、「保護廃止」欄の「職権保護〈く〉」の欄にはこれらの件数を除いた件数を計上すること。（「職権保護〈く〉」は別掲である。）
　　2　面接相談件数については、生活保護にかかる相談（①生活保護相談・申請をしたい旨の訴え、又は②経済的に困窮している旨の訴えなどの生活困窮者自立相談支援事業などの生活保護以外の相談を包括して受ける総合相談窓口体制の自治体においても、相談内容から判断して生活保護に関する相談件数のみを計上すること。「実件数」は同一の世帯員から複数回相談を受けた場合においても、1件として申請率を正確に把握するため、同じ相談者又は同一世帯員には下欄に記載を受けた場合）：6（年度内に具体的な取組がある場合には下欄に記載）を受けた場合）：6（年度内に具体的な取組がある場合には下欄に記載
　　　　（参考）「延件数」の計上例：同じ相談者又は同一の世帯員から、年度内において4月に2回、5月に3回、8月に1回相談を受けた場合
　　　　→「延件数」：6　（年度内に具体的な取組がある場合には下欄に記載）

※生活困窮者自立支援制度との連携に係る具体的な取組がある場合には下欄に記載
面接時の取組：
廃止時の取組：

Ⅱ　生活保護法関係通知　第7章　指導監査

(3) 保護の開始・廃止の状況の内訳（令和5年度）

世帯数	傷病による		要介護状態	働いていた者の死亡	働いていた者の離別	失業		働きによる収入の減少	老齢による収入の減少	事業不振・倒産	その他の働きによる収入の減少	社会保障給付金の減少・喪失	貯金等の減少・喪失	仕送りの減少・喪失	ケース移管	その他	「その他」の理由の内訳
	総数	世帯主の傷病	世帯員の傷病				定年・自己都合	勤務先都合（解雇等）										①葬祭扶助単給　件 ②〇〇〇〇　件 ③〇〇〇〇　件 ④〇〇〇〇　件 ⑤〇〇〇〇　件

開始理由別

世帯数	死亡		失踪	働きによる収入の増加・取得	働き手の転入	社会保障給付金の増加	仕送り等の増加	親類縁者等の引取り	施設入所	医療費の他法負担	ケース移管	その他	「その他」の理由の内訳
	総数	世帯主	世帯員											①指導指示違反 （内訳） 自動車処分指導指示違反　件 就労指導指示違反　件 ②逮捕・拘留等　件 ③葬祭扶助単給　件 ④保護費のやり繰りによって生じた預貯金　件 ⑤〇〇〇〇　件（辞退届有　件）

廃止理由別

（辞退再掲）

（注）
1　本表は「職権保護」の件数は除くこと。
2　「開始理由別」及び「廃止理由別」欄については、該当する理由欄に優先して計上し、「その他」欄については、「その他」の理由の内訳欄の各左側の理由欄に該当する場合は、極力減らすこと。
3　「開始理由別」及び「廃止理由別」欄については、2つ以上の理由に該当する場合、各左側の理由欄を優先して計上すること。
4　「開始理由別」及び「廃止理由別」欄の「その他」に計上する場合、理由及び件数を記載すること。
5　廃止した世帯のうち、辞退届が提出されるものの「その他」については、内訳についても（その他）欄にも括弧書きで辞退届が提出されたものの件数を計上すること。
6　「指導指示違反」による廃止については、「①指導指示違反」に分類し、内訳には、その内容の内訳を記載すること。

1502

都道府県・指定都市に対する生活保護法施行事務監査にかかる資料の提出について

12 各種調査等の状況（令和5年度）

(1) 同意書徴取の状況

申請世帯数	うち同意書を徴取した世帯数	開始世帯数

（注）「職権保護」を除いた件数（世帯数）を計上すること。

(2) 関係調査の状況

<table>
<tr><th rowspan="3">区分</th><th rowspan="3">調査先延
件数及び
世帯数</th><th colspan="8">調査別内訳</th></tr>
<tr><th>年金・手当関係</th><th>生命保険・
簡易保険関係
等</th><th>銀行等の
預貯金調査関係</th><th>税務関係
（課税調査
（一斉点検）
以外の調査）</th><th>雇用先関係</th><th>①〜⑤以外の
資産・収入に
関する調査</th><th>求職状況に関
する調査</th><th>健康状態に関
する調査</th></tr>
<tr><th>①</th><th>②</th><th>③</th><th>④</th><th>⑤</th><th>⑥</th><th>⑦</th><th>⑧</th></tr>
<tr><td>実績 調査先延件数（実数）</td><td></td><td></td><td></td><td></td><td></td><td></td><td></td><td></td></tr>
<tr><td>申請世帯数 結果 申請 却下</td><td></td><td></td><td></td><td></td><td></td><td></td><td></td><td></td></tr>
<tr><td>取下げ</td><td></td><td></td><td></td><td></td><td></td><td></td><td></td><td></td></tr>
<tr><td>収入認定</td><td></td><td></td><td></td><td></td><td></td><td></td><td></td><td></td></tr>
</table>

（注）
1 「申請世帯数」欄は申請を受理した世帯のうち調査を行ったものについて計上すること。
 「実績」欄の上段は調査を実施した件数を計上し、下段は調査をした実世帯数を計上すること。（例えば、同一世帯について、3か所の金融機関に預貯金を調査した場合は、「銀行等の預貯金調査関係」欄の上段は3件、下段は1件と計上すること。
 なお、①〜⑤以外の資産・収入に関する調査」欄は、その他による調査件数には含めないこと。
2 「①〜⑤以外の資産・収入に関する調査」欄は、生命保険証書等の提示又はその添付による調査、固定資産に関する調査、失業等給付に関する調査、労災保険給付に関する調査等を行った世帯について計上すること。
3 「結果」欄は、実世帯数を計上すること。
4 「年金・手当関係」欄は、年金額改定の調査は計上しないこと。
5 「税務関係」欄については、実施機関が実施する課税調査（一斉点検）以外に課税調査をした場合に計上すること。
6 「健康状態に関する調査」欄については、法第29条第1項第1号に定める「健康状態」に関する調査を実施した場合に計上すること。
7 年金加入状況管理進行表の活用状況について状況について記載すること。

(3) 年金加入状況管理進行表の活用状況

(4) 年金生活者支援給付金の支給状況

年金生活者支援給付金の支給状況の把握の有無、未請求者への請求手続の助言の有無等について記載すること。

13 扶養能力調査の状況（令和5年度開始ケース）

開始世帯			世帯
扶養義務者数（実数）	(a)	局第5-1	人
聴取等の方法による扶養の可能性調査数	(b)	局第5-2-(1)	人
直接照会が適当でない又は扶養義務の履行が期待できない者	(c)	課第5の2 問答集問5-1	人
直接照会の実施対象者数	(d)=(b)-(c)=(e)+(k)		人

(注) 1　本表は「職権保護」を除いた件数を計上すること。
2　「聴取等の方法による扶養の可能性調査」欄には「扶養義務者数（延べ数）」のうち要保護者等から扶養の可能性について聴取調査をした数を計上すること。
3　「扶養義務者数（延べ数）」は、被保護者から3親等内について計上すること。

(d)のうち重点的扶養能力調査対象者 (e)=(f)+(g)+(h)			調査対象者数 (i)+(j)	管内居住者数(i)	実地調査件数	管外居住者数(j)	実地調査件数	文書照会件数	未回答件数	再照会件数
①生活保持義務関係の者	(f)	局第5-2-(2)-①								
②①以外の扶養の可能性が期待できる親子関係の者	(g)	局第5-2-(2)-②								
③特別な事情かつ扶養能力があると推測される者	(h)	局第5-2-(2)-③								
計										

(d)のうち重点的扶養能力調査対象者以外の者(k)	局第5-2-(3)	調査対象者数	文書照会等件数

都道府県・指定都市に対する生活保護法施行事務監査にかかる資料の提出について

(a)-(b) 聴取等の方法による扶養の可能性未調査数	人数
計	

(注) 実施機関で事項を設定の上、記載すること。（その他は不可）

(c)の事由 直接照会が適当でない又は扶養義務の履行が期待できない者	人数
1 扶養義務者が高齢（概ね70歳以上）であり、援助が期待できないため	
2 児童あるいは未成年の学生であり、援助が期待できないため	
3 扶養義務者が長期入院中又は社会福祉施設入所中である	
4 DV（夫からの暴力）を受けたり虐待等の経緯がある世帯のため	
5 扶養義務者が生活保護受給中のため	
6 扶養義務者と一定程度（例えば10年程度）音信不通であるため	
7 扶養義務者に借金を重ねているため	
8 扶養義務者と相続をめぐり対立しているため	
9 扶養義務者から縁を切られ、著しい関係不良に陥っているため	
10 主たる生計維持者ではない非稼働者であるため	
計	

(注) 上記以外については、実施機関で事項を設定の上、記載すること。（その他は不可）

【 記 載 例 】

		100世帯
扶養義務者数（延べ数）	(a) 局第5-1	350人
聴取等の方法による扶養の可能性調査数	(b) 局第5-2-(1)	347人
直接照会が適当でない又は扶養義務の履行が期待できない者	(c) 課第5の2 問答集問5-1	78人
直接照会の実施対象者数	(d)=(b)-(c)=(e)+(k)	269人

13 扶養能力調査の状況（令和5年度開始ケース）

| 開始世帯数（実数） |
| 扶養義務者数（延べ数） |
| 聴取等の方法による扶養の可能性調査数 |
| 直接照会が適当でない又は扶養義務の履行が期待できない者 |
| 直接照会の実施対象者数 |

(注) 1 本表は「職権保護」を除いた件数を計上すること。
2 「聴取等の方法による扶養の可能性調査数（延べ数）」欄には「扶養義務者数（延べ数）」のうち要保護者等から扶養の可能性について聴取調査をした数を計上すること。
3 「扶養義務者数（延べ数）」は、被保護者から3親等内について計上すること。

II 生活保護法関係通知　第7章　指導監査

(d)のうち重点的扶養能力調査対象者 (e)=(f)+(g)+(h)		調査対象者数 (i)+(j)	管内居住者数(i)	実地調査件数	管外居住者数(j)	実地調査件数	文書照会件数	未回答件数	再照会件数
① 生活保持義務関係の者 (f)	局第5-2-(2)-①	20	10	2	10	10	10	3	3
② ①以外の扶養の可能性が期待できる親子関係の者 (g)	局第5-2-(2)-②	10	3	0	7	7	7	0	0
③ 特別な事情かつ扶養能力があると推測される者 (h)	局第5-2-(2)-③	0	0	0	0	0	0	0	0
計		30	13	2	17	17	17	3	3

		調査対象者数	文書照会等件数
(d)のうち重点的扶養能力調査対象者以外の者(k)	局第5-2-(3)	239	239

(a)～(b)の事由 聴取等の方法による扶養義務の可能性が不明のため 主が認知症、扶養義務者の所在が不明のため	人数
	3
計	3

(注) 実施機関で事項を設定の上、記載すること。(その他は不可)

(c)の事由 直接照会が適当でない又は扶養義務の履行が期待できない者	人数
1 扶養義務者が高齢（概ね70歳以上）であり、援助が期待できないため	20
2 児童あるいは未成年の学生であり、援助が期待できないため	5
3 扶養義務者が長期入院中又は社会福祉施設入所中である	13
4 DV（夫からの暴力）を受けたり虐待等の経緯がある世帯のため	10
5 扶養義務者が生活保護受給中のため	15
6 扶養義務者と一定程度（例えば10年程度）音信不通である	8
7 扶養義務者に借金を重ねているため	4
8 扶養義務者と相続をめぐり対立しているため	1
9 扶養義務者から縁を切られ、著しい関係不良に陥っているため	1
10 主たる生計維持者ではない非稼働者であるため	1
計	78

(注) 上記以外については、実施機関で事項を設定の上、記載すること。(その他は不可)

都道府県・指定都市に対する生活保護法施行事務監査にかかる資料の提出について

14 経理事務の処理状況
(1) 支給日
・定例支給日　毎月　　　　日　(休日と重なった場合　　　　)
・新規開始ケースの支給日(随時支給)は申請日から概ね　　　　日後
(2) 支給方法

	令和5年4月定例支給分								監査直近月(令和　年　月)定例支給分							
	口座払い	割合	病院・施設払い（口座払いに限る）等	割合	窓口払い	割合	合計		口座払い	割合	病院・施設払い（口座払いに限る）等	割合	窓口払い	割合	合計	
合計	件	％	件	％	件	％	件		件	％	件	％	件	％	件	

	令和6年4月定例支給分								監査直近月(令和　年　月)定例支給分							
	口座払い	割合	病院・施設払い（口座払いに限る）等	割合	窓口払い	割合	合計		口座払い	割合	病院・施設払い（口座払いに限る）等	割合	窓口払い	割合		
	件	％	件	％	件	％	件		件	％	件	％	件	％		

窓口払い支給分における窓口払いの理由別内訳

窓口払い合計件数	新規開始のため	口座作成不可・口座利用不能のため	現金書留のため	その他	「その他」の理由の内訳
件	件	件	件	件	
					‥‥‥

| 件 |
| 件 |
| 件 |
| 件 |

(注) 1 「口座作成不可・口座利用不能のため」については、本人の希望によるものは除くこと。
　　 2 「口座利用不能」とは、障害等のため機械(ATM)の操作ができないものを想定。
　　 3 「その他」については、「『その他』の理由の内訳」欄に内訳と件数を記入すること。

(3) 保護金品の支給手続の事務の流れ
(i) 定例支給
　ア 決定調書の入力から支出負担行為同・支出命令までの流れ(フローチャートを記載すること。)

　イ 窓口払いにおいて、資金前渡口座等に入金された保護費が被保護者の手元に渡るまでの流れ(フローチャートを記載すること。)

1507

Ⅱ　生活保護法関係通知　第7章　指導監査

(注) 1 「(3) 保護金品の支給手続の事務の流れ」は、既存の資料があればこれに替えて差し支えない。
　　 2 「定例支給」とは、「(1) 支給日」の定例支給日での支給事務のことである。
　(3) 定例支給以外の支給手続の事務の流れ
　　ウ　決定調書の入力から支出負担行為同・支出命令までの流れ（フローチャートを記載すること。）

　　エ　窓口払いにおいて、資金前渡口座等に入金された保護費が被保護者の手元に渡るまでの流れ（フローチャートを記載すること。）

(注) 1 「(3) 保護金品の支給手続の事務の流れ」は、既存の資料があればこれに替えて差し支えない。
　　 2 「定例支給以外」とは、「(1) 支給日」の定例支給日以外での支給事務のことである。
【記入例】
(3) 保護金品の支給手続の事務の流れ
　(i) 定例支給
　　ア　決定調書の入力から支出負担行為同・支出命令までの流れ（フローチャートを記載すること。）

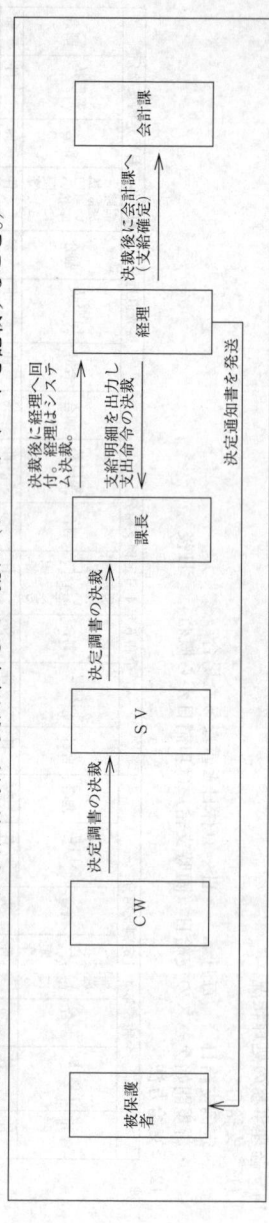

都道府県・指定都市に対する生活保護法施行事務監査にかかる資料の提出について

イ 窓口払いにおいて、資金前渡口座等に入金された保護費が被保護者の手元に渡るまでの流れ（フローチャートを記載すること。）

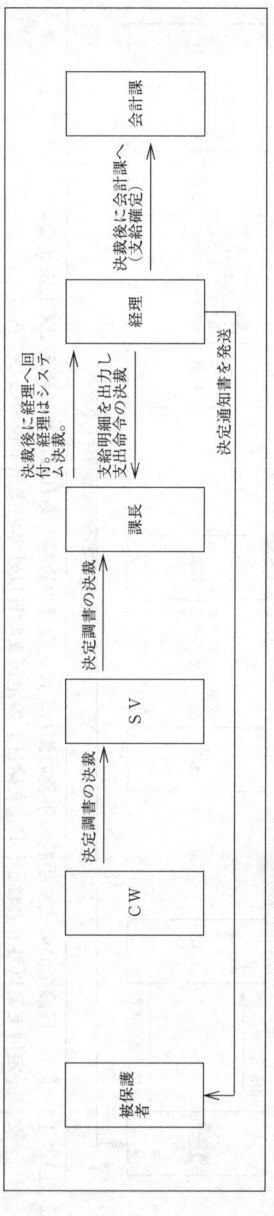

(注) 1 「(3) 保護金品の支給手続の事務の流れ」は、既存の資料があればこれに替えて差し支えない。
2 「定例支給」とは、[(1) 支給日]の定例支給日での支給事務のことである。
(3) 保護金品の支給手続の事務の流れ
(ii) 定例支給以外
ウ 決定調書の入力から支出負担行為同・支出命令までの流れ（フローチャートを記載すること。）

エ 窓口払いにおいて、資金前渡口座等に入金された保護費が被保護者の手元に渡るまでの流れ（フローチャートを記載すること。）

Ⅱ 生活保護法関係通知 第7章 指導監査

```
被保護者 →来所→ CW → SV → 課長 → 経理 → 支払日の午前中 → 会計課 ← 銀行
         本人確認をし、経理窓口へ案内    課長、SVは支   に会計課から受    資金前渡
                                  給日全体の統括  領し、袋詰め
  ←支払行為にCW立会                                      支払日の午前中に保護費を手渡す
                                                      領収書に押印させ保護費を手渡す
```

(注)
1 「(3) 保護金品の支給手続」の事務の流れは、既存の資料があればこれに替えて差し支えない。
2 「定例支給以外」とは、「(1) 支給日」の定例支給日以外での支給事務のことである。
(4) 生活保護費の支給等事務処理の適正化について
 (i) 保護金品等の支給について

	している（ある）	していない（ない）
(ア) 現業員等の事務範囲や決裁権者等を明確にした事務処理規程等は定められているか。また、電算システム導入後には改正しているか等、実態とあっているのを定めているか。	( )	( )
(イ) 電算システムにおける決裁権者の決裁権限はあるか。（無い場合は、代替確認方法を下に記入すること） （代替確認方法：　　　　　　　　　　　　　　　　　）	( )	( )
(ウ) 電算システムを運用するうえで、不正アクセスや改ざん防止、暗号化のセキュリティ対策を行うとともに、動作履歴を保存し、誰がいつ、どのような操作を行ったか、追跡可能な記録が残されているか。	( )	( )
(エ) 電子決裁について、決裁権者が確認することなくシステム管理者権限を持つ者や経理担当者等が事実上代行することがないようにしているか。	( )	( )
(オ) システム管理者権限を持つ者は現業員や経理事務担当者と分けているか。	( ) ( )	( ) ( )
(カ) 保護費支給の際、複数職員が取り組む体制となっているか。	( )	( )
(キ) 窓口支給の縮減に適正に取り組んでいるか。また、本来、現業員が訪問調査により、生活実態を把握して生活状況に応じた指導援助を実施すべきものであるため、指導援助が必要であっても原則口座払いとしているか。	( )	( )
(ク) 窓口支給において現業員は関与しないようにしているか。関与がある場合、その範囲は	( )	( )

1510

都道府県・指定都市に対する生活保護法施行事務監査にかかる資料の提出について

(ヲ) 未支給保護金品の管理方法は適正に定められているか。また、金庫等に保管され、管理職員が鍵を管理する等、適切に管理されているか。
(ニ) 前渡資金口座の通帳残高及び現金の残高と出納簿を突合する等、定期的に確認しているか。
(ワ) 介護老人福祉施設入所者等を除き、生活保護受給者本人に保護費を交付しているか。
(カ) 当該被保護世帯主又は世帯員が受領に来所出来ない場合の保護金品の取扱いは適正に定められているか。
(ヨ) 保護決定通知書を事前に送付しているか。
(タ) 被保護者等からの問合せ受付体制は適正にとられているか。
(ⅱ) 返還金・徴収金について
(ア) 決裁権者等を明確にした事務処理規程等は定められているか。
(イ) 現業員等の事務の範囲及び取扱い手順は適正に定められているか。
(ウ) 現業員が現金で徴収することがないようにしているか。
(エ) 決定前の返還金・徴収金の徴収方法は適正に行われているようにしているか。
(オ) 納付指導における返還金・徴収金の相互牽制は適正に行われているか。
(カ) 現金管理及び現金・徴収金の残高と出納簿を突合する等、適切に管理されているか。また、金庫等に保管され、管理職員が適切に管理されているか。
(キ) 返還金・徴収金の残高と出納簿を突合する等、適切に管理されているか。
(ク) 被保護者等からの問い合わせ受付体制はとられているか、定期的に確認しているか。
(ケ) 実施機関の責めに帰すべき事由を原因とする法第63条の返還金を保護金品から徴収しないようにしているか。
(コ) 第77条の2の規定を適用せず、当該返還金を適用しているか。
(ⅲ) 遺留金品の取扱いについて
(ア) 決裁権者等を明確にした事務処理規程等は定められているか。
(イ) 現業員等の事務の範囲及び取扱い手順は適正に定められているか。
(ウ) 現金管理する等、適切に管理されているか。また、金庫等に保管され、管理職員が適切に管理されているか。
(エ) 遺留金品の残高と出納簿を突合する等、適切に管理されているか、定期的に確認しているか。
(オ) 被保護者等からの問い合わせ受付体制は適正にとられているか。
(5) 経理事務等の不祥事に係る未然防止策(不祥事の防止対策マニュアル等がある場合は添付すること。)

□ □
している(ある)
□ □
していない(ない)

1511

Ⅱ 生活保護法関係通知 第7章 指導監査

15 課税調査（一斉点検）の状況（令和5年度）

ア 調査方法等

調査開始月	
決裁権者	
調査方法（調査の流れを記載すること）	

イ 課税調査の実施状況

調査対象者数	調査実施数	調査未実施数				調査率	調査結果 (c)+(d)+(e)=(b)					「問題あり」での処理		備考
		15歳以下	住民票が省略	廃止	その他	計	b/a	問題なし (c)	回答なし (d)	問題あり			継続して収入があった件数	うち8月までの保護費に反映した件数	
(a)	(b)									78条適用件数	その他	年度内処理未了	計 (e)		

（注）1 調査対象者数(a)は、調査実施数(b)と調査未実施数の計と一致する。
2 「調査結果」欄について
 ①「回答なし」欄は、税情報を調査し、回答の依頼をしたにもかかわらず、回答を得ることができなかった件数について記入すること。
 ②「年度内処理未了」欄は、年度内に決裁できていないため、年度内に決裁することができなかった件数（税情報と収入申告額との突合作業や78条、63条の適用等）を実施しなかった、または起案したが年度内に決裁できなかった件数を記入すること。
3 「継続して収入があった件数」は、調査時点において継続して収入があった件数（企業年金等の1年を単位とする給付で分割認定しないものを除く。）を記入し、「8月までの保護費に反映した件数」は、当該収入を8月分までの保護費に反映した件数を記入すること。
4 次の場合、下記「備考」欄にその理由等を記入（件数の内訳も記載）すること。
 ① 調査を実施していない場合には、その理由を記入。
 ② 調査未実施数欄の「その他」件数がある場合には、その内訳を記入。
 ③ 調査結果欄の「その他」件数がある場合には、その内訳を記入。
 ④ 年度内処理未了件数がある場合には、その理由を記入。
 ⑤ 継続して収入があったものについて、当該収入を8月分までの保護費に反映していない場合には、その理由を記入。

都道府県・指定都市に対する生活保護法施行事務監査にかかる資料の提出について

16 返還金、徴収金の状況

(1) 過去3年間の法第63条、77条、78条適用状況

区分	63条			77条			78条	
	件数	返還対象額	返還決定額	件数	金額		件数	金額
	件	円	円	件	円		件	円
令和3年度								
令和4年度								
令和5年度								

(注) 1 本表には過去3年度分について計上すること。
2 「返還対象額」は「生活保護費の費用返還及び費用徴収決定の取扱いについて」(平成24年7月23日社援保発0723第1号厚生労働省社会・援護局保護課長通知)の「別添1」の「要返還額」とすること。(以下、同じ。)

(2) 法第63条適用の内容(令和5年度)
ア 理由別内訳

適用件数		理由別内訳							
	うち法第78条の2適用件数	全額返還		一部返還				0円返還	
		返還対象額(返還決定額)	返還済額	返還対象額(要返還額)	返還決定額	返還免除額(自立更生経費)	返還済額	件数	返還対象額(免除額)
件	件	件	円	円	件	円	円	円	円	件	円

理由別コード	理由別										
1	各種年金の遡及受給										
2	保険の解約返戻金										
3	資産売却										
4	交通事故の補償金										
5	介護保険償還金										
6	雇用保険給付金										
7	入院給付金										
8	高額療養費償還金										
9	扶助費算定誤り										
	計										

Ⅱ 生活保護法関係通知 第7章 指導監査

(注) 1 「適用件数」、「返還対象額」の合計額及び「返還決定額」の合計額については、必ず16(1)と一致した数値を記載すること。
 2 「理由別」欄は、表記の理由以外のものがあれば適宜、設定において追加して記載すること。
 3 「その他」欄は記載しないこと。ただし、実施機関以外による誤払の場合以外は、別添内訳書付表料添付の上、実施機関の瑕疵に当たっては、記載に当たっては、記載は可。
 4 扶助費算定誤り(未認定)については、その内訳を含めて記載すること。なお、「申告遅延の類」ではあり、また、処理漏れの理由コードを付すること。
 5 「理由別コード」欄は、表記の理由の件数に対応する1～9のコードを付すること。
 6 適用件数の返還の金額は、一部返還の件数、0円返還の件数と一致すること。
 7 一部返還の返還決定額は、返還対象額(要返還)から返還免除額(「生活保護費の費用返還及び費用徴収決定の「認定控除額」)を控除した金額と一致する。(平成24年7月23日社援保発0723第1号厚生労働省社会・援護局保護課長通知)の「別添1」の「返還対象額(要返還額)の金額を、一部返還の返還済額は左欄の返還決定額の金額を、それぞれ超えることはない。

1 63条適用ケース表

理由別コード	ケース番号	開始年月	世帯類型 世帯構成	63条返還費用 最低生活 収入超過額 扶助費内訳 (医療扶助費等)	資力発生 時期 ケース 診察会議	返還命令 通知年月 日	内容	受領額	控除額等	控除額等 の内訳	収入認定額 (要保護額) 控除額等)	福祉事務 所支弁額	返還対象額 (要返還額)	認定控除 (自立更 生費等)額	自立更 生費等の 内訳	返還決定額	返還済額	法等77条78 条の2条の2 の適用の有無・ 停止等	備考 (保護 の停止 中止等)
				円				円	円		円	円	円	円		円	円	
4	(記入例)	H31.4.1	母子世帯 (主)○歳 (子)○歳	162,710 63,000 99,710 (15,930)	R4.6.5 R5.6.26	R5.6.27	令和○年○月 ○日に交通事故 に遭い、示談金 受領月より加 害者より示談金 額の補償金受 領	500,000	8,150	診断書料 3,150 通院費 5,000	491,850	550,000	491,850	10,000	壊れた 自転車の 代替 品購入 費 10,000	481,850	150,000		
1	H30.5.14	R2.5.14	高齢者世帯 (主)○歳	104,960 54,050 50,910 (165,090)	R2.5.14 R5.7.17	R5.7.31	令和○年○月 ○日に老齢年金 を遡及受給(平 成○年○月分)	1,081,000	0		1,081,000	1,200,000	1,081,000	0		1,081,000	1,081,000	有	
9	R2.4.1		高齢者世帯 (主)○歳	124,310 64,000 60,310 (42,220)	R4.6.3 R5.10.24	R5.10.26	令和○年○月 ○日に□□の申告 があったが、 処理が遅れ、 令和○年○月 変更漏れが発 覚(令和○年 月分)	150,000			150,000	300,000	150,000	0		150,000	150,000		

(注) 1 本表には、前年度中に法第63条を適用した以下のケースを記載すること。
 (1) ①課税調査で無申告又は過少申告であった収入超過が見られたケース、②全額返還免除したケース、③一部返還免除したケース、④全額返還額が100万円以上のケース
 (2) 「備考」欄については、法第63条適用中に保護が廃止となった場合、保護の停止・廃止となったコードを記載すること。
 3 「理由別コード」欄は、ア 理由内訳欄に対応したコードを記載すること。
 4 「返還対象額」は「生活保護費の費用返還及び費用徴収決定の取扱いについて」(平成24年7月23日社援保発0723第1号厚生労働省社会・援護局保護課長通知)の「別添1」の「要返還額」とすること。

都道府県・指定都市に対する生活保護法施行事務監査にかかる資料の提出について

(3) 法第78条適用の内容(令和5年度)

理　　由　　別	適用件数(件)	費用徴収決定額(円)	徴収済額(円)
稼働収入の無申告			
稼働収入の過少申告			
労災補償金等の無申告			
任意保険金等の無申告			
各種年金及び福祉各法に基づく給付の無申告			
預貯金等の無申告			
資産収入の無申告			
交通事故の補償に係る収入の無申告			
計			

(注) 1 「適用件数」、「費用徴収決定額」については、必ず16(1)と一致した数値を記載すること。
2 「理由別」欄は、表記理由以外のものがあれば適宜、実施機関において設定し、「その他」と記載しないこと。
3 令和5年度生活保護法施行事務監査の実施結果報告2(2)ー7法第78条の適用状況を添付すること。

Ⅱ 生活保護法関係通知 第7章 指導監査

(4) 債権管理の状況について

(1) 債権管理に係る要綱・マニュアル等は整備しているか。（実施機関において、整備しているか。要綱・マニュアル等を添付すること。）

(2) 債権について、全額調定を基本とし、全額調定できない場合は、履行延期の特約を行い、分割調定を実施する等、適切に債権管理しているか。

(3) 債権管理簿等は整備しているか。

(3)で「している」を回答した場合には（3-1）を、「していない」を回答した場合には（3-2）を回答すること。

(3-1) 債権管理簿等により以下の項目は整備しているか。
　(ｱ) 返還金、徴収金等の決定年月日
　(ｲ) 調定年月日
　(ｳ) 納入年月日
　(ｴ) 分割調定の状況
　(ｵ) 督促の状況
　(ｶ) 催告、納付指導の状況
　(ｷ) 不納欠損の状況

(3-2) 債権管理簿等を整備していない場合の債権管理方法

(4) 被保護者であった債務者について債権管理を実施しているか。

(4)で「している」を回答した場合、以下も回答すること。
　(ｱ) 転出により廃止になった債務者について居住地を把握しているか。
　(ｲ) 居住地が不明（失踪を含む）の場合、居住地調査を実施しているか。
　(ｳ) 調査の結果は記録に残すようにしているか。

死亡により廃止になった債務者について
　(ｴ) 相続人がおり、債務を承認する場合、相続人に対しての債権管理を実施しているか。
　(ｵ) 相続人がおり、債務を承認しない場合、相続放棄の事実確認を実施しているか。
　(ｶ) 相続人が「いない」・「不明」の場合、相続人調査を実施しているか。
　(ｷ) 確認の結果は記録に残すようにしているか。

都道府県・指定都市に対する生活保護法施行事務監査にかかる資料の提出について

(5) 債務者への返還金等の督促及び納入指導は、経理担当と保護担当が連携して行うようにしているか。　□　□　（　・　・　）

(6) 不納欠損の保護費国庫負担金精算についてについての計上について、
国庫負担金の精算にあたり、償還について、適切に納入の指導や時効中断措置等が行われ、適切な処理を行った上で不納欠損となったものを計上しているか。　□　□　（　・　・　）

17 ケース診断会議等《開催要綱を添付すること。》

ア 開催状況
（令和5年度）

開催回数	検討数
回	件

（注）検討数については、延件数を計上すること。

ウ 構成員

エ 開催方法等

（注）開催の時期（検討すべき事項があった場合に随時、週1回定期的に開催等）、開催方法（会議方式での開催、幹部職員等との個別の協議等）等について、記載すること。

イ 理由別内訳

	ケース援助に関すること		費用返還に関すること			指導指示に関すること				その他		
	新規開始ケース	援助困難ケース	個別援助	63条返還	自立更生に関すること（再掲）	77条徴収	78条徴収	27条文書指導	就労指導	自動車に関すること	検診命令	自動車の保有要件に関すること	辞退廃止	指示違反による廃止
検討数	件	件	件	件	件	件	件	件	件	件	件	件	件	件

（注）「27条文書指導指示」及び「その他」欄の空欄は、実施機関において設定、記載すること。

1517

Ⅱ 生活保護法関係通知 第7章 指導監査

18 暴力団員及び暴力団員であることが疑われる者への対応状況
(1) 総括表

区　分	令和5年度該当世帯数	監査直近月世帯数 （　年　月　日）	警察等の関係機関との連携状況 （具体的に記入）
① 暴力団員			
② 暴力団からの離脱が確認された者のうち、離脱確認時等から5年以内の者			
③ その他、暴力団員であることが疑われる者			
現役暴力団員から世帯分離した家族			

(注) 1　下段には該当世帯数（令和5年度の実世帯数、監査直近月までの累計実世帯数、上段には該当世帯数のうち実際に警察官署への照会をした世帯数を記載すること。
2　「離脱確認時等」とは、保護開始時と暴力団からの離脱確認時のいずれか遅い時点を指す。
3　「その他、暴力団員であることが疑われる者」とは、生活歴や態度、生活状況等から暴力団員であることが疑われた者を指す。

(2) 暴力団員の個別状況　　　　　　　　　　　　　　　　（令和　年　月　日現在）

実施機関名				ケース番号					訪問基準				
世帯員構成	続柄	（年齢）（　歳）	職業等	開始年月日									
				開始理由	（急迫性の判断理由）								

訪問調査活動の状況（直近1年分）※計画欄には訪問予定月に〇印、実施欄には実施日をそれぞれ記入すること	月	4	5	6	7	8	9	10	11	12	1	2	3	計
	計画													
	実施													
	通院日数													

生活歴等	

警察等との連携	①警察への照会状況（直近）照会時期：　年　月照会先：　　　　　警察署回答状況：有（　年　月）　無	現在の指導状況	援助方針（稼働年齢層にある世帯員を含む）
	②回答内容等の詳細		
			ケース診断会議の開催状況　有（　年　月）　無
疾病等の状況	ア　入院中		指導状況（稼働年齢層にある世帯員を含む）
	イ　通院中（就労不可）		
	ウ　通院中（就労可能）		
	エ　病状把握中（検診命令等）		
	オ　就労指導中		
	カ　その他		
	主治医訪問の有無有（　年　月）　無		
	嘱託医協議の有無有（　年　月）　無		
	病状について		
			（参考）三点セットの徴取
			・脱退を証する書類（絶縁状等）　1　徴取済み　2　未徴取
			・自立更生計画書　1　徴取済み　2　未徴取
			・誓約書　1　徴取済み　2　未徴取

(注)　1　本表は、18(1)で「暴力団員」として「監査直近月世帯数」に記載したケースについて作成すること。
　　　2　「訪問調査活動の状況」欄は、監査前1年間の訪問状況を記載すること。また、通院日数の「計」欄は、月平均日数を計上すること。
　　　3　警察等との連携の「②回答内容等の詳細」欄は、組名・身分等の組活動の状況に関する警察からの回答の詳細のほか、警察への照会に至った経緯等についても必要に応じて記載すること。
　　　　　また、過去に当該ケースについて警察照会したことがある場合は、回答年月と結果を記入すること。
　　　4　「現在の指導状況」欄中の「指導状況」については、今後の指導の考え方についても記載すること。

Ⅱ　生活保護法関係通知　第7章　指導監査

(3) 現役暴力団員から世帯分離した家族の個別状況　　　　　（令和　年　月　日現在）

実施機関名				ケース番号		訪問基準	
世帯員構成	続柄	（年齢）（　歳）	職業等	開始年月日			
				生活歴等			

訪問調査活動の状況（直近1年分）※計画欄には訪問予定月に○印、実施欄には実施日を記入すること	月	4	5	6	7	8	9	10	11	12	1	2	3	計
	計画													
	実施													

世帯分離の理由	
保護を継続する理由	
分離した暴力団員の状況	
現在の実態生活	

警察等との連携	警察への照会の有無 ①有（　年　月）　　無　　　　警察署 ②組活動の状況　　（組名・身分等）	現在の指導状況	援助方針（稼働年齢層にある世帯員を含む）
			ケース診断会議の開催状況　有（　年　月）　無
			指導状況（稼働年齢層にある世帯員を含む）

(注)　1　本表は、18(1)で「現役暴力団員から世帯分離した家族」として「監査直近月世帯数」欄に記載したケースについて作成すること。
　　　2　「訪問調査活動の状況」欄は、監査前1年間の訪問状況を記載すること。
　　　3　「現在の指導状況」欄中の「指導状況」については、今後の指導の考え方についても記載すること。

都道府県・指定都市に対する生活保護法施行事務監査にかかる資料の提出について

19 自動車保有状況
(1) 総括表

実施機関名	令和4年度末					令和5年度末					監査直近月（令和 年 月 日）				
	容認 件／％	処分保留 件／％	否認 件／％	計 件／％	総ケース数	容認 件／％	処分保留 件／％	否認 件／％	計 件／％	総ケース数	容認 件／％	処分保留 件／％	否認 件／％	計 件／％	総ケース数
合　　計															
事　業　用															
公共交通機関が利用困難な場合等の通勤用															
障害者の通院等															
公共交通機関が利用困難な場合等の通院等															

(注) 1 実施機関で自動車の取扱いに関するマニュアル等を作成している場合は添付すること。
　　 2 「総ケース数」欄には「各年度末」及び「監査直近月」時点の生活保護受給ケースの総数を記入すること。

Ⅱ 生活保護法関係通知　第7章　指導監査

(2) 個別表

容認否認処分保留の別	ケース番号 開始年月日	世帯類型 世帯構成	車種	排気量(cc)	年式	車の状況 保管場所	所有、リース、借用の別 所有者	保有開始日 更新日等	一時扶消登録の有無 任意保険加入の有無	要件の確認日 使用目的 維持費の捻出方法	ケース診断会議の開催年月日
容認	No.1111 ○年○月～	高齢者世帯 (主)○歳	トヨタカローラ	1800	平成23年	可動可能 自宅内	所有 所有者	H○.○～		①要件の確認日 令和○年○月○日 ②山間僻地に在住。公共交通機関までの所要時間、本数、低所得世帯の通院実費を勘案し自動車による通院に限り容認した結果、通院可能か検討した結果、通院は限り容認した。③維持費は子が援助。	令和○年○月○日
	No.2345 ○年○月～	その他世帯 (主)○歳	日産マーチ	1200	平成25年	可動可能 自宅内	借用 主の弟	H○.○○.○借用で更新	○	①令和○年○月○日 ②主の通勤用として容認。③維持費は就労収入より捻出。	令和3年5月○日
容認	No.3456 ○年○月～	母子世帯 (主)○歳 (子)○歳	ダイハツムーヴ	660	令和元年	可動可能 県営住宅の駐車場	借用 主の父	R○.○～		①令和○年○月○日 ②子供（身障1級）の病院への通院に使用中（週3回程度）。③維持費は障害者加算より捻出。	令和○年○月○日
否認	No.1234 ○年○月～	母子世帯 (主)○歳 (子)○歳	トヨタカローラワゴン	1800	平成28年	車検切れ 自宅内	所有 主	H○.○～		①令和○年○月○日 ②処分費用積立て (令和○年○月～) 口頭指導	令和○年○月○日
処分保留	No.4567 ○年○月～	傷病世帯 (主)○歳 (妻)○歳	スズキワゴンR	660	平成31年	可動可能 自宅内	所有 主	H○.○～		①令和○年○月○日 ②注持状回復次第の就労の意志あり、車として低いことから、分価値が極めて低いことから処分価値を保留。	令和○年○月○日

(注)
1. 本表には、車を所有している本年度監査直近月の全ケースについて、保有容認、否認、処分保留に区分し、ケース番号順に記載すること。
2. 「車の状況及び保管場所」の欄は、車検の有効の有無について記載すること。また、車検切れ、車検失効の場合は「車検切れ」と記載すること。また、車検修正し、所有者及び使用者の名義が相違する場合は、使用
3. 「所有、リース、借用の別及び所有者」の欄には、上段に所有・リース・借用の別を記載すること。また、下段に、借用の場合には、保護開始前の日となる。
4. 「保有開始日」で記載すること。実際に保有を開始した日を記載すること（したがって、保有開始前から保有している場合には、保護開始前の日となる。
5. 既存の資料があればそれに替えて差し支えない。
6. 「一時扶消登録加入の有無」欄は、一時扶消登録をしている場合には○をすること。
7. 「任意保険加入の有無」欄は、任意保険に加入している場合には○をすること。
8. 「①要件の確認日、②使用目的、③維持費の捻出方法」欄については、処分指導とした事由も記載すること。
9. 「ケース診断会議の開催年月日」欄については、処分指導、処分保留を含む処分状況の詳細を記載し、処分状況について記載すること。当該ケースを対象とした場合を含み診断した場合も含む）の開催

1522

都道府県・指定都市に対する生活保護法施行事務監査にかかる資料の提出について

20 医療扶助の運営状況

(1) 嘱託医の勤務状況及び活動状況（令和　年　月～　年　月）

氏名	本職の状況	勤務日数			医療要否意見書審査状況		被保護世帯に対し訪問した件数	医療扶助受給者総数（監査直近月 令和〇年〇月〇日）	
		所内	所外	日数	入院	入院外			
（記入例） ○○ ○○	内科 （○○病院長）	24時間		3日	枚	枚	件	精神科	○○ 人
（嘱）	精神科 （△△病院長）	12時間		日	枚	枚	件	その他	○○ 人
								計	人

(注)
本表は、監査直近3か月間の合計件数を計上すること。

(2) 「医療扶助における長期入院患者の実態把握について」（昭和45年4月1日社保発第72号）に基づく、「実態把握対象者名簿」等の管理、対象者の把握及び進行管理の方法

ア 実態把握対象者名簿の作成の有無

イ 名簿と調査票、それぞれの管理方法

ウ 新たに180日を超えた者を名簿に登載する手順（対象者の選定・把握や、実地検討の進行管理も含む）

エ 名簿に登載された者がさらに180日を超えた場合に、名簿に登載する手順（対象者の選定・把握や、実地検討の進行管理も含む）

1523

(3) 「医療扶助における転院を行う場合の対応及び頻回転院患者の実態把握について」（平成26年8月20日社援保発0820第1号）に基づく、「実態把握対象名簿」等の管理、対象者の把握及び進行管理の方法

ア 実態把握対象者名簿の作成の有無

イ 名簿と調査票、それぞれの管理方法

(4) レセプト点検実施状況（令和5年度）

点検実施者	レセプト総枚数	内容点検（単月）対象枚数 B	資格 C	点検レセプト枚数 内容点検 単月 D	縦覧	点検（実施）内容
	A					
	枚	枚	枚	枚	枚	
％	—	—				
計	枚	枚	枚	枚	枚	

（注） 1 A欄には、支払基金による審査済みのレセプト数（連名簿に記載される件数を含む。）を計上すること。
2 B欄には、レセプト総枚数Aから連名簿及び資格点検による返戻分を除いたレセプト枚数を計上すること。
3 「点検実施者」欄には、医療事務担当者（嘱託職員等を含む。）、嘱託医、現業員、業者委託等を記載すること。
4 「点検（実施）内容」欄は、実際に実施している具体的な点検内容やその実施方法を記載すること。
5 レセプト枚数は支払月が年度内（4月～翌年3月）のものを計上すること。

都道府県・指定都市に対する生活保護法施行事務監査にかかる資料の提出について

(5) 過誤調整の状況

	資格審査		内容審査		その他（　　）		過誤調整額	支払基金審査結果額
	件数	金額（円）	件数	金額（円）	件数	金額（円）		
減額	件	円	件	円	件	円	円	円
増額								
計								

(注) 1　本表には、点検の結果、過誤調整が必要なものとして本庁あてで過誤調整依頼した結果、減額又は増額した件数、金額を記入すること。
　　 2　「その他の（　）」内には、内訳の主たるものを記入すること。

21　介護扶助の運営状況
○　自立支援給付等該当可能性確認台帳について
(1) 台帳の管理者及び所管する係

(2) 台帳への登載方法
　ア　新規ケース（登載時期、登載する者の選定手順）

　イ　継続ケース（更新時期、更新手順）

1525

22 不動産保有の状況

(1) 資産（不動産）保有台帳について

登載件数	
保有容認件数	
保有否認件数	
要保護世帯向け不動産担保型生活資金対象件数	

(2) 要保護世帯向け不動産担保型生活資金の実施状況

令和6年度

対象世帯数（a＋b＋c）		処理結果等			未決定について、現状と今後の処理見込み
繰越	新規申請（年齢到達含む） 合計	貸付決定 (a)	非該当（廃止含む）(b)	未決定世帯数 (c)	

監査直近月（　年　月　日）

(注) 「繰越」は平成21年7月28日厚生労働省発社援0728第9号「生活福祉資金の貸付けについて」（別紙）第4の4(2)による世帯のうち、令和5年4月1日現在において未決定の世帯数とする。

都道府県・指定都市に対する生活保護法施行事務監査にかかる資料の提出について

23 添付資料
(1) 保護の決定等に関する専決規定
(2) 支所等がある場合の生活保護業務の規定、業務内容の分かる資料
(3) 相談者、受給者用の生活保護のしおり、リーフレット等
(4) 査察指導マニュアル、査察指導合帳及び訪問計画表の様式
(5) 令和5、6年度の生活保護業務実施方針及び事業計画
(6) 訪問基準表
(7) ケース診断会議開催要綱
(8) 経理事務等について、不祥事の防止対策マニュアル等
(9) 関係先調査実施方法、調査先リスト
(10) 所内研修等の開催実績とその概要一覧（監査直近1年分）

1527

○指定医療機関に対する指導及び検査について

> 平成12年10月25日　社援第2394号
> 各都道府県知事・各指定都市市長・各中核市市長宛
> 厚生省社会・援護局長通知

〔改正経過〕

　　第1次改正　平成18年3月31日社援発第0331034号　　第2次改正　平成19年3月30日社援発第0330036号
　　第3次改正　平成25年4月23日社援発0423第5号

　地方分権の推進を図るための関係法律の整備等に関する法律（平成11年法律第87号）により、生活保護法第54条第1項の規定による報告の徴収及び検査が法定受託事務と位置づけられ、地方自治法第245条の9では、国は、地方公共団体が法定受託事務を処理するに当たりよるべき基準（以下「処理基準」という。）を定めることができることと規定されたところである。

　これに伴い、都道府県知事等が行う指定医療機関に対する指導及び検査については、地方自治法第245条の9に基づく処理基準として、別紙のとおり「指定医療機関に対する個別指導の主眼事項及び着眼点」を定め、平成12年4月1日から適用することとしたので通知する。

（別　紙）

　　　　都道府県・指定都市・中核市が行う指定医療機関に対する
　　　　個別指導の主眼事項及び着眼点

主　眼　事　項	着　眼　点
医療扶助受給者に対する適切な処遇の確保	1　医療扶助に対する理解の状況 (1)　生活保護制度の趣旨及び医療扶助に関する事務取扱いが十分理解されているか。 (2)　診療報酬の請求は適切に行われているか。 (3)　障害者の日常生活及び社会生活を総合的に支援するための法律等他法の取扱いについて配慮されているか。 　特に、障害者の日常生活及び社会生活を総合的に支援するための法律第58条適用について理解されているか。また、長期入院患者等に対する精神障害者保健福祉手帳の取得等について配慮されているか。

2 医療扶助受給者に対する適切な処遇確保の状況
(1) 保護の実施機関との協力は、円滑に行われているか。
(2) 医師、看護師等医療従事者は、確保されているか。
(3) 診療録の記載及び保存は、適切に行われているか。
(4) 診療内容からみて、医療要否意見書は適切に記載されているか。
(5) 長期入院、長期外来患者に対する療養指導は、適切に行われているか。
(6) 入院患者日用品費等の取扱いは、適切に行われているか。
　特に、精神科病院に対しては、本来病院において用意し負担すべき内容の経費について入院患者日用品費から支出するようなことはしていないか。
　また、原則として個人ごとに口座を設けて管理し、その収支状況についても個人ごとに整理把握されているか。

○指定医療機関等に対する指導及び検査の実施結果報告について

> 平成26年3月31日　社援保発0331第4号
> 各都道府県・各指定都市・各中核市民生主管部(局)長
> 宛　厚生労働省社会・援護局保護課長通知

〔改正経過〕
　　第1次改正　令和元年5月27日社援保発0527第1号

　指定医療機関等に対する指導及び検査の実施については、「生活保護法による医療扶助運営要領について」(昭和36年9月30日社発第727号厚生省社会局長通知)により示されているところであるが、標記については、別紙「指定医療機関等に対する指導及び検査の実施結果報告書」により作成の上、毎年度5月末日を期限として当職あて提出されたい。
　なお、本通知は、地方自治法第245条の9に規定する処理基準とする。
　また、本通知は、平成26年度実施結果の報告分より施行することとするが、本通知の施行をもって「指定医療機関に対する指導及び検査の実施結果報告について」(平成12年10月25日付社援監第20号厚生省社会・援護局監査指導課長通知)については廃止する。

指定医療機関等に対する指導及び検査の実施結果報告について

(別紙) 指定医療機関等に対する指導及び検査の実施結果報告書

(1) 個別指導の実施状況（指定医療機関）

都道府県指定都市中核市名：

区分	指定医療機関数（令和年4月1日現在）(A)	個別指導実施指定医療機関数 (B)	国との連携		実施率 (B/A)	個別指導を実施した医療機関の委託患者数	国との連携		実地レセプト検討件数	国との連携	
			個別指導を実施する際に、国と連絡調整（相談）を行ったもの	国と共同して個別指導を実施したもの			個別指導を実施する際に、国と連絡調整（相談）を行ったもの	国と共同して個別指導を実施したもの		個別指導を実施する際に、国と連絡調整（相談）を行ったもの	国と共同して個別指導を実施したもの
	機関数	機関数	機関数	機関数	％	人数	人数	人数	件数	件数	件数
指定医療機関 病院											
指定医療機関 診療所											
指定医療機関 計											
指定医療機関 歯科											
指定医療機関 薬局											
指定医療機関 訪問看護ステーション											
指定医療機関 計											
精神病院（再掲）											

注 1 「指定医療機関数」は、本年4月1日現在であること。なお、「歯科」欄の上段には病院、診療所で歯科を併設している医療機関を再掲すること。
2 「国との連携」は、個別指導を行った医療機関に関する事項について、厚生労働省（本省又は地方厚生局）と、連絡調整（相談）等を行ったもの又は共同して個別指導を行ったものの数を記入すること。
3 「個別指導を実施した医療機関の委託患者数」は、個別指導の対象となった指定医療機関への直近時における委託患者数であること。
4 「実地レセプト検討件数」は、実地に指定医療機関で検討した診療（調剤）報酬明細書の件数であること。

(2)−1　個別指導後の措置状況（指定医療機関）　　　　　　　　　　　　　　都道府県指定都市中核市名：

区分	問題を有する指定医療機関数	指導・指示事項に問題を有するものと認められた医療機関数											改善を要するもの				都道府県の過誤調整					指導後の措置	
		①	②	③	④	⑤	⑥	⑦	⑧	⑨	⑩	⑪	指定医療機関数	診療（調剤）報酬調整				減額調整				再指導	要検査
														増額調整									
		機関数	機関数	機関数	機関数	機関数	機関数	機関数	機関数	機関数	機関数	機関数	機関数	レセプト件数	件数	金額	円	レセプト件数	件数	金額	円	機関数	機関数
指定医療機関 病院																							
診療所																							
歯科																							
薬局																							
訪問看護ステーション																							
計																							
精神病院（再掲）																							

注）1　「問題を有する指定医療機関数」は、「(1)個別指導の実施状況（指定医療機関）」における「(1)個別指導実施指定医療機関数(B)」のうち、改善を要するなど問題を有するものと認められた医療機関数を記入すること。

2　「指導・指示事項」欄は、下記の項目について指摘をした医療機関数を記入すること。

※　薬局又は訪問看護ステーションの場合は各事項を準用すること。

※　同一医療機関に対し複数の事項について指摘をした場合は、それぞれの項目ごとに医療機関数を計上すること。

（指導・指示事項項目）
① 生活保護制度の趣旨及び医療扶助に関する事務取扱いが十分理解されていない
② 診療報酬の請求が適切に行われていない
③ 精神保健福祉法等他法との協力関係が円滑に行われていない
④ 保護の実施機関との協力関係が円滑に行われていない
⑤ 医師・看護師等医療従事者が適切に確保されていない
⑥ 診療録の記載及び保存が適切に行われていない
⑦ 診療内容から見て医療要否意見書が適切に記載されていない
⑧ 長期入院・長期外来患者に対する療養指導が適切に行われていない
⑨ 看護給付の取扱いが適切に行われていない
⑩ 入院患者日用品費の取扱いが適切に行われていない
⑪ その他

3　「診療（調剤）報酬の過誤調整」は、個別指導の結果、過誤調整を行った全ての医療機関及び減額して調整したものと減額して調整したもののことにセプト件数、過誤調整額を記入すること。

4　「指導後の措置」は、個別指導の結果「再指導」または「要検査」が必要と認められた医療機関数を記入すること。

指定医療機関等に対する指導及び検査の実施結果報告について

(2)-2 個別指導後の措置状況（生活保護受給者（患者））　　　都道府県指定都市中核市名：

区分	検討					総数	指導を必要とされたものの福祉事務所における措置結果																
	主治医と意見調整されたもの						指導を必要とされたものの福祉事務所における措置														未措置			
	療養態度の指導	家族関係の調整	転医が必要	入院が必要	就労が可能	治療継続の要否再検討	入院継続の要否再検討														その他			
	指導効果のあったもの	調整がすんだもの	指導	指導	指導	指導	措置														指導済	指導	接助	中
	指導中	接助中	接助中	接助中	接助中	医療扶助廃止	通院治療	治療切替え	社会的条件による入院	退院														
	人数	人数	人数	人数	人数	人数	人数	人数	人数	人数	人数	人数	人数	人数	人数	人数	人数	人数	人数	人数	人数	人数	人数	人数
入院																								
入院外																								
計																								

(注) 1 本表は指定医療機関の個別指導に際し、患者の処遇に関して主治医と意見調整を行った結果と、それに基づく福祉事務所における措置結果を記入するものであること。
2 上段には、精神病患者数を再掲すること。
3 措置結果については、翌年3月31日現在の状況を確認のうえ記入すること。

(3) 指定医療機関に対する検査結果

都道府県指定都市中核市名：

検査実施年月日	指定医療機関	科名	検査実施の理由（検査の端緒となった事由）	国との連携		検査結果の概要	検査後の処分				返還措置				備考（効力停止処分を行った場合は、その理由及び内容）
				検査を実施する際に国と連絡調整（相談）等を実施	国と共同して検査を実施		注意	勧告	取消	効力停止	件数		金額		
											返還額の上乗せした件数	件数	上乗せした金額	円	

注） 1 本報告書は、当該年度中に検査が終了した医療機関について記入すること。
2 「検査実施年月日」は、複数回にわたり検査を実施した場合は、全ての検査日を記入すること。
3 「国との連携」は、当該検査の際に、厚生労働省（本省又は地方厚生局）と、連絡調整（相談）等を行った場合又は共同して検査を行った場合は、当該欄に○の印を付すること。
4 「検査後の処分」は該当するものに○の印を付すること。
5 検査の結果「効力停止」処分を行った場合、その理由及び内容を備考欄に記入すること。
6 「返還措置」は、返還措置を講じた件数及び金額（総額）を上段に記入し、そのうち法第78条第2項により40/100を乗じて得た額以下の金額を徴収（上乗せ）することとした件数及びその金額（上乗せ部分の総額）を記入すること。

指定医療機関等に対する指導及び検査の実施結果報告について

都道府県指定都市中核市名：

(4) その他の指定機関の個別指導及び検査の実施状況

区分	指定機関数(令和 年4月1日現在)			個別指導実施状況						検査実施状況			検査後の処分				返還措置			備考
				個別指導実施機関数			報酬の過誤調整又は返還			検査実施機関数			注意	戒告	取消	効力停止	件数		金額	
	助産師施術者	助産所数施術所介護機関数		助産師施術者	助産所数施術所介護機関数		明細書件数	過誤調整・返還金額		助産師施術者	助産所数施術所介護機関数							返還額の上乗せした件数	上乗せした金額	
	人数	か所数		人数	か所数		件数	円		人数	か所数								円	
指定助産機関・施術機関 助産師																				
あん摩師																				
柔道整復師																				
はり師																				
きゅう師																				
計																				
指定介護機関																				

(注) 1 「指定機関数」は、本年4月1日現在であること。なお、平成26年度の報告については、はり師及びきゅう師については、登録簿に記載された施術者を指定機関数として扱うものとする。
2 「助産師施術者数」は、指定助産機関又は指定施術機関である者が勤務している助産所または施術所の数についてこれを把握している場合に記入すること。
3 「明細書件数」は、実地に指定機関で検討した報酬明細書（請求書）の件数であること。
4 「検査後の処分」は、指定助産機関又は施術機関の場合は処分の対象となった者の数、指定介護機関の場合は処分の対象となった事業所等の数を記入すること。
5 「返還措置」は、返還措置を講じた件数及び金額（総額）を上段に記入し、そのうち法第78条第2項により40/100を乗じて得た額以下の金額（上乗せ）することとした件数及びその金額（上乗せ部分の総額）を記入すること。

1535

Ⅱ 生活保護法関係通知 第7章 指導監査

(5) その他

都道府県指定都市中核市名：

区分	指定医療機関					訪問看護ステーション		指定助産機関		指定施術機関		指定介護機関	
	病院	診療所	歯科	薬局									
	機関数	機関数	機関数	機関数		機関数		機関数		機関数		機関数	
	件数(件) 返還金額(円)	件数(件) 返還金額(円)	件数(件) 返還金額(円)	件数(件) 返還金額(円)		件数(件) 返還金額(円)		件数(件) 返還金額(円)		件数(件) 返還金額(円)		
健康保険法の指定取消により、指導検査を実施せずに生活保護法の指定取消を行ったもの													
生活保護法の指定取消又は効力停止を行った際に、法第83条の2の規定による厚生労働大臣（地方厚生局）への通知を行ったもの													
指定取消処分の手続きの間に指定辞退がなされ、指定機関から5年を経過せずに指定の申請がされようとしたが、法第49条の2第2項第5号又は第6号の規定により、指定を行わなかったもの													
改正法の施行日以降、本年度末までに、介護保険法の指定又は開設許可のあった介護機関について、法第54条の2第2項の規定により、指定介護機関の指定があったものとみなしたもの													
改正法の施行日以降、本年度末までに、介護保険法の指定又は開設許可のあった介護機関について、法第54条の2第2項の規定により別段の申出があったもの、当該介護機関より別段の申出があったため、当該介護機関の指定がなかったもの													
改正法の施行日以降に、法第54条の2第2項の規定により、指定介護機関とみなしたものとみなした指定介護機関のうち、介護保険法の指定取消等があったため、同条第3項の規定により指定介護機関の指定の効力が失われたもの													
健康保険法における指導監査によって、指定医療機関からなされた医療扶助に係る自主返還件数と金額													
介護保険法における指導監査によって、指定医療機関からなされた介護扶助に係る自主返還件数と金額													

注）各事項に該当する指定機関数等を記入すること。

○指定介護機関に対する指導及び検査について

> 平成13年3月30日　社援発第588号
> 各都道府県知事・各指定都市市長・各中核市市長宛
> 厚生労働省社会・援護局長通知

〔改正経過〕

第1次改正　平成18年3月31日社援発第0331035号	第2次改正　平成23年3月31日社援発0331第75号
第3次改正　平成25年4月23日社援発0423第6号	

　介護扶助の定着状況を踏まえ、今般、都道府県知事等が行う指定介護機関に対する指導及び検査については、地方自治法第245条の9に基づく処理基準として、別紙のとおり「指定介護機関に対する個別指導の主眼事項及び着眼点」を定め、平成13年4月1日から適用することとしたので通知する。

別　紙

　　　　都道府県・指定都市・中核市が行う指定介護機関
　　　　に対する個別指導の主眼事項及び着眼点

主　眼　事　項	着　　眼　　点
介護扶助受給者に対する適切な処遇の確保	1　介護扶助に対する理解の状況 (1)　生活保護制度の趣旨及び介護扶助に関する事務取扱いは十分理解されているか。 (2)　報酬請求は適切に行われているか。 　　また、報酬請求に係る帳簿及び書類の記載及び保管は、適切に行われているか。 (3)　障害者の日常生活及び社会生活を総合的に支援するための法律などの他法の取扱いについて配慮されているか。 　　特に、40歳以上65歳未満の介護保険法施行令（平成10年政令第412号）第2条各号の特定疾病により要介護又は要支援の状態である医療保険に未加入である者について、障害者の日常生活及び社会生活を総合的に支援するための法律などの他法が介護扶助に優先して活用されているか。 2　介護扶助受給者に対する適切な処遇確保の状況 (1)　福祉事務所との協力は、円滑に行われているか。

(2) ホームヘルパー等介護従事者は、確保されているか。
(3) 要介護者に関する介護記録及び報酬請求に係る帳簿及び書類の記載及び保管は、適切に行われているか。
(4) 特別な居室、療養室等の提供が行われていないか。
(5) 特定施設入居者生活介護、認知症対応型共同生活介護、地域密着型特定施設入居者生活介護、介護予防特定施設入居者介護及び介護予防認知症対応型共同生活介護を行う事業者については、入居にかかる利用料が住宅扶助により入居できる額であるか。
(6) 居宅介護支援計画（ケアプラン）において、生活保護法による指定を受けていない居宅介護サービス事業者を用いていないか。
(7) 介護施設入所者基本生活費の取扱いは、適切に行われているか。
　特に、本来施設において負担すべき内容（おむつ代及びおむつ洗濯代等）の経費について介護施設入所者基本生活費から支出するようなことはしていないか。
　また、原則として個人ごとに口座を設けて管理し、その収支状況についても個人ごとに整理し把握されているか。

○保護の実施機関における生活保護業務の自主的内部点検の実施について

　　　　　昭和47年3月25日　社監第23号
　　　　　各都道府県・各指定都市民生主管部(局)長宛　厚生省
　　　　　社会局生活保護監査参事官通知

　生活保護法の運営については、平素格別の配慮を煩わしているところであるが、最近の生活保護法施行事務監査（以下「監査」という。）の結果によれば、保護の実施機関（以下「実施機関」という。）においては、生活保護運営上の問題点の有無その他平常の業務運営の現状についての認識が必ずしも十分でなく、格別な具体策もないままに経過している等、その運営管理に消極的な傾向がみられるところである。
　そのため、監査結果においても毎年同様の是正改善指示がくりかえされ、いぜんとして問題点が解消されない等の事例が少なくない実態にあるので、今般これが対策として、別紙要綱により、実施機関における自主的な業務の内部点検方式を導入し、積極的な運営管理の推進をはかることとしたので、次の事項に留意のうえ、管下実施機関に対する指導監督の実をあげるよう格段の配慮を願いたい。
1　実施機関が自ら行なう業務の内部点検は、平常の運営管理の過程で当然に行なわれるべきものであるが、前のような実情にかんがみ、この際従来の域を脱して、これと具体的にとりくませる趣旨のものであること。
2　実施機関は、随時又は定期的に業務運営の現状を点検し、問題点の有無とその要因をあきらかにする等、実態を再認識するとともに問題点の是正方策を自ら推進することを平常の業務として定着させることをねらいとするものであること。
3　内部点検事項は、実行可能と考えられる必要最少限度のものを示すにとどめたものであり、逐次内容の充実と範囲の拡大をはかっていくものであること。
4　内部点検事項の設定及びその実施方法は、各実施機関ごとの個別的な特殊事情等を考慮して決定すべきものであり、必要以上の負担となることのないよう十分配慮するとともに、実情にあったものとしなければ、所期の成果を期待し得ないおそれがあるので、十分留意して指導することが必要であること。
5　内部点検の結果把握された問題点の具体的な対策のすすめ方については、随時必要な指導又は援助を積極的に行ない、問題点の確実な解消をはかることが必要であること。

別　紙
　　　　保護の実施機関における生活保護業務の自主的内部点検実施要綱
1　目的
　　保護の実施機関が、自ら生活保護運営上の問題点を的確に把握し、すすんで問題点の是正方策の推進にあたることによって、積極的な運営管理の促進をはかることを目的と

する。
2 実施主体
　各保護の実施機関が自主的に実施するものとする。
3 実施方法
　各実施機関の実情に応じ、最も適切と思われる方法で実施するものとするが、おおむね次に示すところに準拠して、具体的な実施要領を定めて行なうこととする。
(1) 内部点検事項
　　点検事項は次のとおりとすること。
　ア　保護の実施機関ごとの特定事項
　　　監査結果の問題点、その他保護の実施機関がかかえている生活保護運営上の当面の問題点のうち、当該保護の実施機関自身がとりあげる事項を実地に検討して、問題点の所在又はその要因をあきらかにし、それを解消するための具体的な目標を定め、それを確実に実施することによって、生活保護実施水準の段階的向上をはかるものであること。
　イ　保護申請の法定期間内処理
　　　保護申請の処理状況を随時確認するとともに、遅延ケースについてその理由を究明し、必要な是正措置を講ずることによって、要保護者の処遇の充実に資するものであること。
　ウ　保護費に関する経理事務処理
　　　被保護者に対する保護金品の支給及びその他の保護費の事務処理について定期的又は随時に関係帳簿等で照合点検するなど事務処理方式を確立して、経理上の事故発生防止をはかるものであること。
(2) 結果の処理及び事後の指導
　ア　保護の実施機関は、適宜点検結果表を作成する等実施結果をあきらかにするとともに、問題点の有無を検証し、問題がある場合にはその要因を究明して、自ら具体的な対策の推進にあたること。
　イ　都道府県、指定都市本庁は、監査の際に必ず内部点検の状況を確認する等その推進状況を的確に把握するとともに、問題点が認められる場合には、実情に応じ、随時必要な指導を行なうこと。
(3) 実施上の留意点
　ア　内部点検事項の選定及び事項ごとの範囲、内容の程度等については、保護の実施機関ごとの管内事情、保護の動向、実施水準及び監査結果の問題点等を総合的に勘案のうえ決定すること。
　イ　実施時期は、保護の実施機関ごとに、事業実施計画にくみこみ、年度当初にあらかじめ設定する等確実に実行されるように配慮すること。
　ウ　実施上の手順その他具体的な実施方法は、それぞれの実情に応じ、弾力的に行なうこととしてさしつかえないが、内部点検事項の内容、程度等に応じ、適宜責任者を特定する等の方法により、円滑に実施されるよう十分留意すること。

○現業員等による生活保護費の詐取等の不正防止等について

> 平成21年3月9日　社援保発第0309001号
> 各都道府県・各指定都市・各中核市民生主管部(局)長
> 宛　厚生労働省社会・援護局保護課長通知

〔改正経過〕
　　第1次改正　平成28年3月29日社援保発0329第1号　　第2次改正　令和元年5月27日社援保発0527第1号

　保護の実施機関においては、生活保護費の支給等について適正な事務処理が必要不可欠であるが、近年、現業員等による生活保護費の詐取等の不正事案が発生しており、このことは生活保護行政に対する国民の信頼を損なうものであり誠に遺憾である。
　会計検査院の平成19年度決算検査報告においても、実地検査した212福祉事務所のうち43福祉事務所における現業員等による詐取、領得、事務け怠及び亡失（以下、「現業員等による詐取等」という。）の事態について、また、167の福祉事務所において、現業員等による詐取等が発生した上記43福祉事務所と同様の事務処理上の不備が見受けられた旨の指摘がなされており、実施機関における相互けん制等の内部統制を十分機能させることなどによる生活保護費の支給等事務の適正な実施及び不正事案の再発防止について是正改善措置が求められたところである。
　各自治体におかれては、詐取等を行った現業員等に対し懲戒処分等の厳正な措置が講じられているところであるが、今後、現業員等による詐取等が発生した福祉事務所は勿論のこと、現業員等による詐取等が発生していない福祉事務所についても不正事案が発生しないよう、その再発または発生の防止対策を更に徹底する必要がある。
　また、当該詐取等により不適正支出された生活保護費負担金については、その適正な精算を行い返還手続きを講じる必要がある。
　ついては、下記の事項に留意の上、生活保護費の支給等事務の適正な実施とその不正事案の再発等防止対策を講じ生活保護行政の適正な運営に資するよう、実施機関を指導されたい。

記

1　生活保護費の支給等の事務処理の適正化について
(1)　生活保護費及び生活保護法第63条の返還金等に係る詐取及び領得を防止するため、現業員等の事務の範囲、保護金品の支給及び返還金の管理、現業員等の現金の取扱い手順、決裁権者等を明確にした事務処理規程等を整備するよう指導するとともに、生活保護法施行事務監査等において事務処理規程等が遵守されているか及び自主的内部点検が適切に行われているかを確認すること。なお、確認の際は以下の点について特に留意し、組織的な相互点検及び牽制が機能しているか検証すること。
　　・遺留金品や未支給保護金品の管理方法は適切か。

・通帳やキャッシュカード、小切手及び未支給保護金品等は金庫等に保管され、管理職員が鍵を管理する等、適切に管理されているか。
・返還金及び徴収金を現業員が現金で徴収することがないか。
・前途資金口座の通帳残高及び現金の残額と出納簿を突合する等、定期的に確認しているか。
(2) 生活保護費の窓口払いが行われている実施機関については、窓口払いの必要性を検討し、可能な限り縮減を図ること。また、現業員の出納業務への関与の縮減を検討し、事務処理方法の見直しを図るよう指導すること。
(3) 現業員等が、虚偽の保護決定調書を作成し架空の生活保護費の支給手続き等を行い、生活保護費を詐取、領得した事例が発覚したことから、今後このような事例を防止するため、査察指導員等が、被保護世帯の生活指導等の現業活動の把握、課税調査結果、保護決定通知書の送付等の点検など、現業員等の事務処理の審査や業務の進行管理を徹底するよう指導すること。特に、停廃止ケースや失踪等で所在がつかめなくなったケースに対し、支給の停廃止等の処置が正しく行われているかを確認するとともに、被保護者等からの生活保護費、返還金等に関する問い合わせの受付体制の整備を図るよう指導すること。
(4) 生活保護費の支給事務に当たっては、多くの自治体において電算システムを導入し業務の効率化が図られているところである。

しかしながら、一部の自治体において、電算システムの中で支給決定に当たっての決裁機能が組み込まれておらず、担当員の起案したデータが決裁権者の決裁を経ることなく経理システムに流れ、不適切に生活保護費が支給されるといった事案が見受けられた。

また、システム管理者権限を持つ者が経理担当を兼務していたため、虚偽の会計書類や保護決定調書等を偽造することで多額の保護費を詐取していた事案も発覚したところである。

このような取扱いは、現業員等の詐取等につながる恐れがあり、決裁を経ずに生活保護費の支給手続きを行うことは決してあってはならないものである。

生活保護費の支給事務においては、決裁権者は担当員の起案内容について十分な審査を行い、自らの決裁を経た上で、適切に支給されるよう徹底するとともに、電算システムを導入している実施機関においては、支給決定に当たっての決裁機能を活用するなどの方法により、決裁権者が電算システム上で内容確認を行った上で支出を行うよう指導すること。

なお、指導にあたっては特に以下の点について留意すること。
・事務処理規程が電算システム導入前のものである等、実態と乖離していないか。
・電子決裁について、決裁権者が確認することなくシステム管理者権限を持つ者や経理担当者等が事実上代行していないか。
・システム管理者権限を持つ者が現業員や経理事務担当者を兼ねていないか。

・保護費支給の際、複数職員が確認することなく支出される体制となっていないか。
(5) 電算システムを運用するうえで、不正アクセスや改ざん防止、暗号化等のセキュリティ対策を行うとともに、動作履歴(以下、「ログ」という。)を保存し、誰がいつ、どのような操作を行ったか、追跡可能な記録が残されているかを確認すること。
また、確認にあたっては、以下の点及び電算システム等から出力される個人情報等の取扱いについても検証し、情報漏えい等を未然に防止する情報管理体制の整備を図るよう指導すること。
・電算システムのデータ及びログについて定期的にバックアップを行う等、不測の事態への対策がなされているか。
・電算システムの操作権限について、職務上必要な権限のみを付与するとともに、異動等が生じた際は速やかに権限を変更・削除しているか。特に、同一のアカウントを複数の職員が使い回すことのないよう確認すること。
・外部記憶装置にデータ等をバックアップする際には、必要に応じて暗号化等の処理を行う等、記録媒体が適切に管理されているか。

2 現業員等による詐取等不正事案の把握及び指導監査時の確認について
(1) 現業員等による詐取等不正事案が発生した場合は、直ちに別添1により厚生労働省へ報告すること。
(2) 上記(1)に係る事案については、その後の処置状況が確定次第、速やかに別添2により厚生労働省へ報告すること。
(3) 各実施機関における上記1の実施状況を指導監査等を通じ確認し、履行状況が不十分な場合は改善のための必要な技術的助言を行うこと。

3 現業員等の詐取等に係る生活保護費国庫負担金の精算について
生活保護費国庫負担金の精算については、(1)又は(2)により行うこととなるので、管内実施機関に対して周知すること。
(1) 現業員等による詐取、領得事案に係る精算の方法について
現業員等の個人的な詐取、領得事案に係る国庫負担金の精算については、「生活保護費等の国庫負担について」(平成26年3月24日厚生労働省発社援0324第2号厚生労働事務次官通知。以下「交付要綱」という。)の16により事業実績報告の訂正を行うこと。
ただし、実施機関の組織的な関与が認められる詐取、領得事案については、「補助金等に係る予算の執行の適正化に関する法律」(昭和30年8月27日法律第179号)第17条第1項を適用し交付決定の取消を行う。
(2) 現業員等による事務け怠、亡失事案に係る精算の方法について
事務け怠、亡失事案に係る国庫負担金の精算については、交付要綱の別紙様式8の別紙1「生活扶助費等国庫負担金精算書」、別紙2「医療扶助費等国庫負担金精算書」及び別紙3「介護扶助費等国庫負担金精算書」の「返納金、徴収金、その他の収入」欄に、国庫負担金の精算時において、当該年度分として一括計上し精算すること。
なお、当該精算額については、不納欠損額には計上しないこと。

Ⅱ 生活保護法関係通知 第7章 指導監査

(別添1)

生活保護に係る<u>不正事案報告書</u>(1)

福祉事務所名			作成年月日：令和　年　月　日		
不正行為者氏名		官職名			
不正行為者の所属部署名		在職期間	令和　年　月　日〜　年　月　日		
不正行為金額	円	不正行為期間	令和　年　月　日〜令和　年　月　日		
不正行為に係る事実の詳細					
不正行為の発生原因 （具体的、詳細に）					
都道府県・指定都市（本庁）への報告年月日			令和　年　月　日		

上記記入欄は適宜変更して、具体的かつ詳細に記述すること。

報告書(1)記入要領

1　この報告書は、現業員等に係る不正事案について作成すること。
　　不正事案とは、生活保護業務に関連して、現業員等が生活保護費を詐取・領得した場合、事務け怠（懲戒処分を受けたものに限る。）をした場合、及び生活保護費の亡失をした場合を指す。
2　在職期間については、不正行為を行った部署における在職期間を記入すること。
3　不正行為金額については、不正行為が複数回ある場合は、別添により不正行為一覧表を別に作成の上、提出すること。
4　不正行為に係る事実の詳細については、本件不正行為の手段、方法を含め具体的に記入すること。
　　また、本件不正行為の証跡が明らかになる関係書類を提出すること。
5　不正行為の発生原因については、福祉事務所における業務上の欠陥がどのようなところにあったのかを含め具体的に記入すること。（業務のフローチャート図を添付し、どこに業務上の欠陥があったのか図示すること。また、正規の業務の取り扱いと不正行為発生時に行っていた業務の取り扱いと対比をさせ問題点を明記すること。）
6　都道府県、指定都市への報告については、本件不正行為について当該福祉事務所から報告を行った日付を記入すること。

(別添2)

生活保護に係る不正事案報告書(2)

福祉事務所名				作成年月日：令和　　年　　月　　日			
不正行為者氏名			官職名				
不正行為者の所属部署名			在職期間	令和　　年　　月　　日～　　年　　月　　日			
不正行為金額		円	不正行為期間	令和　　年　　月　　日～令和　　年　　月　　日			
不正行為に係る事実の詳細							
不正行為の発生原因（具体的、詳細に）							
都道府県・指定都市（本庁）への報告年月日				令和　　年　　月　　日			
不正行為発覚後の処置（損害額の確定方法等）							
	不正行為金額に係る国庫負担金の精算処理状況（予定を含む）						
	実施機関が講じた再発防止策の概要（具体的、詳細に）						
懲戒処分等、刑事・民事訴訟について							
	懲戒処分等	有・無	処分内容				
	刑事訴訟	有・無	訴訟内容				
	民事訴訟	有・無	訴訟内容				
備　考							

上記記入欄は適宜変更して、具体的かつ詳細に記述すること。

報告書(2)記入要領

1　この報告書は、現業員等に係る不正事案について作成すること。
　不正事案とは、生活保護業務に関連して、現業員等が生活保護費を詐取・領得した場合、事務け怠（懲戒処分を受けたものに限る。）をした場合、及び生活保護費の亡失をした場合を指す。

2 在職期間については、不正行為を行った部署における在職期間を記入すること。
3 不正行為金額については、不正行為が複数回ある場合は、別添により不正行為一覧表を別に作成の上、提出すること。
4 不正行為に係る事実の詳細については、本件不正行為の手段、方法を含め具体的に記入すること。
  また、本件不正行為の証拠が明らかになる関係書類を提出すること。
5 不正行為の発生原因については、福祉事務所における業務上の欠陥がどのようなところにあったのかを含め具体的に記入すること。(業務のフローチャート図を添付し、どこに業務上の欠陥があったのか図示すること。また、正規の業務の取り扱いと不正行為発生時に行っていた業務の取り扱いと対比をさせ問題点を明記すること。)
6 都道府県、指定都市への報告については、本件不正行為について当該福祉事務所から報告を行った日付を記入すること。
7 不正行為発覚後の処置については、不正行為により生じた損害額の確定等について、以下の点に留意のうえ記入すること。
 (1) 不正行為金額に係る国庫負担金の精算処理状況については、「生活保護費等の国庫負担について」(平成20年3月31日厚生労働省発社援第0331012号 厚生労働事務次官通知)の別紙様式8「生活保護費等国庫負担金にかかる事業実績報告書について」の別紙1「生活保護費等国庫負担金精算書」における精算の方法について記入すること。
 (2) 実施機関が講じた再発防止策については、不正行為時と再発防止策を講じた後の業務の流れ図を作成し、改善された点もあわせて記入すること。(図表可)
8 懲戒処分等、刑事・民事訴訟については、その有無・内容について記入すること。

○生活保護法による保護施設に対する指導監査について

（平成12年10月25日　社援第2395号
各都道府県知事・各指定都市市長・各中核市市長宛
厚生省社会・援護局長通知）

〔改正経過〕
第1次改正	平成14年3月28日社援発第0328016号	第2次改正	平成15年3月28日社援発第0328017号
第3次改正	平成16年1月20日社援発第0120008号	第4次改正	平成16年3月12日社援発第0312019号
第5次改正	平成17年3月28日社援発第0328030号	第6次改正	平成19年3月28日社援発第0328007号
第7次改正	平成20年4月1日社援発第0401007号	第8次改正	平成23年9月30日社援発0930第6号
第9次改正	平成24年3月26日社援発0326第3号	第10次改正	令和2年6月29日社援発0629第1号

　地方分権の推進を図るための関係法律の整備等に関する法律（平成11年法律第87号）により、生活保護法第44条第1項に基づく保護施設に対する指導監査が、法定受託事務と位置づけられ、地方自治法第245条の9では、国は、地方公共団体が法定受託事務を処理するに当たりよるべき基準（以下「処理基準」という。）を定めることができることと規定されたところである。

　これに伴い、都道府県知事等が行う保護施設監査の事務については、地方自治法第245条の9に基づく処理基準として、別添のとおり「生活保護法保護施設指導監査要綱」を定め、平成12年4月1日から適用することとしたので通知する。

　なお、本通知の施行に伴い、「生活保護法による保護施設に対する指導監査について」（平成12年3月31日社援第872号厚生省社会・援護局長通知）は廃止する。

別　添
　　　生活保護法保護施設指導監査要綱
1　指導監査の目的
　　保護施設に対する指導監査は、生活保護法第44条第1項の規定に基づき、関係法令、通知による事業運営、施設運営についての指導事項について監査を行うとともに、運営全般について助言、一般監査指導を行うことによって、適正な事業運営及び施設運営を図るものであること。
2　指導監査方法等
(1)　指導監査は、「一般監査」と「特別監査」とし、都道府県、指定都市及び中核市（以下「都道府県等」という。）において定める「保護施設指導監査事項」に基づき、関係書類を閲覧し関係者からの聴取により行い、効果的な指導監査の実施に努めること。
　　ア　一般監査

一般監査は、原則として全ての保護施設に対し、年1回実地監査を行うなど、計画的に実施すること。ただし、前年度における実地監査の結果、特に重大な運営上の問題点がない施設については、実地監査を2年に1回、適正な施設運営が概ね確保されていると認められる施設については、実地監査を3年に1回として差し支えないこと。
　　イ　特別監査
　　　特別監査は、次のいずれかに該当する場合に行うものとし、改善が図られるまで重点的かつ継続的に特別監査を実施すること。
　　　(ｱ)　事業運営及び施設運営に不正又は著しい不当があったことを疑うに足りる理由があるとき
　　　(ｲ)　最低基準に違反があると疑うに足りる理由があるとき
　　　(ｳ)　指導監査における問題点の是正改善がみられないとき
　　　(ｴ)　正当な理由がなく、一般監査を拒否したとき
　(2)　指導監査計画等
　　ア　一般監査
　　　保護施設に対する一般監査の実施に当たっては、監査方針、実施時期及び具体的方法等について実施計画を策定するなど、計画的に実施すること。
　　　なお、実施計画を策定するなど、指導監査の実施につき検討する場合には、前年度の指導監査の結果等を勘案して当該年度の重点事項を定め、その効果的実施について十分留意すること。
　　イ　特別監査
　　　特別監査は、不正又は著しい不当、最低基準違反等の問題を有する保護施設を対象として随時実施すること。
　(3)　指導監査の連携
　　施設と法人の運営は相互に密接な関係を有するものであることから、施設監査は法人監査における指摘事項を把握した上で実施することが望ましいこと。
　　また、指導監査を実施するに当たり、後記(4)エの「準備すべき書類等」に関し、施設監査と法人監査において重複する資料がある場合などは、施設及び法人に、新たに過度な事務負担が生じることがないように配慮すること。
　(4)　指導監査の実施通知
　　都道府県等は、指導監査の対象となる保護施設を決定したときは、あらかじめ次に掲げる事項を文書により、当該保護施設に通知するものとする。
　　ア　指導監査の根拠規定
　　イ　指導監査の日時及び場所
　　ウ　監査担当者
　　エ　準備すべき書類等
3　指導監査後の措置
　(1)　指導監査結果の通知等

指導監査の終了後は、施設長等関係職員の出席を求め、指導監査の結果及び改善を要すると認められた事項について講評及び指示を行うものとし、後日文書によって指導の通知を行うものとする。
(2) 改善報告書の提出
文書で指示した事項については、期限を附して具体的改善措置状況を示す資料の提出を求めること。
また、必要に応じ監査担当者を派遣してその改善状況を確認すること。
(3) 改善命令等
上記(1)の指導監査結果通知の事項について、改善措置が講じられない場合は、個々の内容に応じ、生活保護法第45条の規定に基づき改善命令等所要の措置を講ずること。
4 指導監査結果の報告等
都道府県等が実施した各年度の監査結果については、別に定める様式によりこれを提出すること。

○生活保護法による保護施設に対する指導監査事項について

> 平成24年3月26日　社援発0326第4号
> 各都道府県知事・各指定都市市長・各中核市市長宛
> 厚生労働省社会・援護局長通知

〔改正経過〕
　　第1次改正　平成29年3月31日社援発0331第16号

　地域の自主性及び自立性を高めるための改革の推進を図るための関係法律の整備に関する法律（平成23年法律第105号）により、生活保護法第39条が改正され、保護施設の設備及び運営については、平成24年4月1日から都道府県等が条例で基準を定めることとされたところである。

　これに伴い、保護施設に対する指導監査については、「生活保護法による保護施設に対する指導監査について」（平成12年10月25日社援第2395号厚生省社会・援護局長通知）において、都道府県等が定めた保護施設指導監査事項に基づき実施することとしたところであるので、都道府県等が当該指導監査事項を定めるに当たっては、別添「保護施設指導監査事項」を参考にされるようお願いする。

　なお、この通知は、地方自治法（昭和22年法律第67号）第245条の4第1項の規定に基づく技術的な助言であることを申し添える。

生活保護法による保護施設に対する指導監査事項について

〔別　添〕

保護施設指導監査事項

主眼事項	着眼点
第1　適切な入所者処遇の確保	施設の処遇について、個人の尊厳の保持を旨とし、入所者の意向、希望等を尊重するよう配慮がなされているか。 　施設の管理の都合により、入所者の生活を不当に制限していないか。
1　入所者処遇の充実	(1) 処遇計画は、適切に策定されているか。 　ア　処遇計画は、日常生活動作能力、心理状態、家族関係及び所内生活態度等についての定期的調査結果及び入所者本人等の希望に基づいて策定されているか。 　　また、処遇計画は、入所後、適切な時期に、ケース会議の検討結果等を踏まえた上で策定され、必要に応じて見直しが行われているか。 　イ　処遇計画は医師、理学療法士等の専門的なアドバイスを得て策定され、かつその実践に努めているか。 　ウ　入所者の処遇記録等は整備されているか。 　エ　身体拘束や権利侵害等が行われていないか。 (2) 機能訓練は、必要な者に対して適切に行われているか。 (3) 適切な給食を提供するよう努めているか。 　ア　必要な栄養所要量が確保されているか。 　イ　嗜好調査、残食（菜）調査、検食等が適切になされており、その結果等を献立に反映するなど、工夫がなされているか。 　ウ　検食は、適切な時間に行われているか。（原則として食事前となっているか。） 　　また、各職種職員の交替により実施されているか。 　エ　入所者の身体状態に合わせた調理内容になっているか。 　オ　食事の時間は、家庭生活に近い時間となっているか。 　　（特に夕食時間は早くても17時以降となっているか。） 　カ　保存食は、一定期間（2週間）適切な方法（冷凍保存）で保管されているか。 　　また、原材料についてもすべて保存されているか。 　キ　食器類の衛生管理に努めているか。 　ク　給食関係者の検便は適切に実施されているか。 (4) 適切な入浴等の確保がなされているか。 　入所者の入浴又は清拭（しき）は、1週間に少なくとも2回以上行われているか。特に、入浴日が行事日・祝日等に当たった場合、代替日を設けるなど週2回の入浴等が確保され

	ているか。
	(5) 入所者の状態に応じた排泄及びおむつ交換が適切に行われているか。
	排泄の自立についてその努力がなされているか。トイレ等は入所者の特性に応じた工夫がなされているか。
	また、換気、保温及び入所者のプライバシーの確保に配慮がなされているか。
	(6) 衛生的な被服及び寝具が確保されるよう努めているか。
	起床後着替えもせず寝巻きのままとなっていないか。
	(7) 医学的管理は、適切に行われているか。
	ア　定期の健康診断、衛生管理及び感染症等に対する対策は適切に行われているか。
	感染症等の予防対策は、適切に行われているか。
	特にインフルエンザ対策、腸管出血性大腸菌感染症対策、レジオネラ症対策等については、その発生及びまん延を防止するための措置について、別途通知等に基づき、適切な措置を講じているか。
	イ　施設の種別、入所定員の規模別に応じて、必要な医師、嘱託医がおかれているか。（必要な日数、時間が確保されているか。）また、個々の入所者の身体状態・症状等に応じて、医師、嘱託医による必要な医学的管理が行われ、看護師等への指示が適切に行われているか。
	ウ　急病等の場合の緊急連絡体制が整備されているか。
	また、医療機関との長期的な協力体制が確立されているか。
	(8) レクリエーションの実施等が適切になされているか。
	(9) 家族との連携に積極的に努めているか。
	また、入所者や家族からの相談に応じる体制がとられているか。相談に対して適切な助言、援助が行われているか。
	(10) 居宅生活への移行が期待できる者や通所事業の実施に当たっては、実施機関及び家族との連携を図るなど適切に対応されているか。
	(11) 苦情を受け付けるための窓口を設置するなど苦情解決に適切に対応しているか。
	(12) 実施機関との連携が図られているか。
	入所者の入退所及び処遇計画策定の際に、必要に応じ実施機関との連携を図っているか。
	(13) 子どもに係る給付金として支払を受けた金銭の管理が適切に行われているか。
2　入所者の生活	施設設備等生活環境は、適切に確保されているか。

	環境等の確保	ア　入所者が安全・快適に生活できる広さ、構造、設備となっているか。 　　また、障害に応じた配慮がなされているか。 イ　居室等が設備及び運営基準にあった構造になっているか。 ウ　居室等の清掃、衛生管理、保温、換気、採光及び照明は適切になされているか。 エ　各居室、便所等必要な場所にカーテン等が設置され、入所者のプライバシーが守られるよう配慮されているか。 オ　居室、便所等必要な場所にナースコールが設置され、円滑に作動するか。
3	自立、自活等への支援援助	入所者個々の状況等を考慮し、施設種別ごとの特性に応じた自立、自活等への援助が行われているか。 (1) 救護・更生施設関係 　ア　機能を回復し又は機能の減退を防止するための訓練や作業は、入所者の状況に即した自立支援のための計画が作成され適切に実施されているか。 　イ　施設からの退所が可能な者について、保護の実施機関と調整の上、他法他施策の活用が検討されているか。 　ウ　入所者の個別の状況の変化等について、保護の実施機関に随時連絡が行われているか。 (2) 授産施設関係 　ア　利用者ごとの自立支援のための計画と実施方法を組織的に検討し、適切に実施されているか。 　イ　作業環境、安全管理は適切に行われているか。 　ウ　作業の内容、作業時間は入所者の身体的状況等を勘案した適正なものとなっているか。また、作業能力評価が適切に行われ、必要に応じ授産科目の見直し等が行われているか。 　エ　利用者の作業記録が適切に記録されているか。 　オ　授産事業に係る収入・支出は、授産事業会計により適正に処理されているか。 　カ　工賃の支払いは適正に行われているか。
第2	社会福祉施設運営の適正実施の確保	健全な環境のもとで、社会福祉事業に関する熱意及び能力を有する職員による適切な運営を行うよう努めているか。
1	施設の運営管理体制の確立	(1) 入所定員及び居室の定員を遵守しているか。 (2) 必要な諸規程は、整備されているか。 　　管理規程、経理規程等必要な規程が整備され、当該規程に基づいた適切な運用がなされているか。

	(3) 施設運営に必要な帳簿は整備されているか。 (4) 直接処遇職員等は、配置基準に基づく必要な職員が確保されているか。 　ア　通所事業等を実施する施設にあっては、指導員等の加配が行われているか。 　イ　各種加算に見合う職員が配置されているか。 (5) 施設の職員は、専ら当該施設の職務に従事しているか。 (6) 施設長に適任者が配置されているか。 　ア　施設長の資格要件は満たされているか。 　イ　施設長は専任者が確保されているか。 　　　施設長がやむなく他の役職を兼務している場合は、施設の運営管理に支障が生じないような体制がとられているか。 (7) 生活指導員の資格要件は満たされているか。 (8) 育児休業、産休等代替職員は確保されているか。 (9) 施設設備は、適正に整備されているか。 　　また、建物、設備の維持管理は適切に行われているか。 (10) 運営費は適正に運用され、また弾力運用も別途通知に基づき適正に行われているか。 (11) 施設設備を地域に開放し、地域との連携が深められているか。 (12) その他の施設運営に関する事項 　ア　施設運営に関する自主的内部点検が行われているか。 　イ　市町村、保健所、医療機関、社会福祉協議会等との連携は、適切に行われているか。
2　必要な職員の確保と職員処遇の充実	(1) 適切な給与水準の確保 　ア　給与水準は、施設所在地の地方公共団体等の給与水準を勘案する等妥当なものとなっているか。 　イ　施設長等施設の幹部職員の給与が、当該施設の給与水準に比較して極めて高額となっていないか。 　ウ　給与規程に初任給格付基準表、前歴換算表、標準職務表が整備され、給与格付、昇格、昇給、各種諸手当の支給は適正に行われているか。 　　　また、非常勤職員等に対する雇用契約、賃金の支払い等が適正に行われているか。 (2) 労働時間の短縮等労働条件の改善に努めているか。 　ア　労働基準法等関係法規は、遵守されているか。 　イ　週40時間の労働時間が守られているか。 　ウ　各種休暇等の取扱いは、適切に行われているか。 　エ　夜勤、宿日直の取扱いは、適切に行われているか。 　オ　介護員等の夜間勤務を行う者について、長時間勤務の解

		消について努力しているか。 カ 職員への健康管理は、適正に実施されているか。 なお、前年度又は当該年度において、労働基準法等関係法令に基づく立入検査が行われている場合は、当該事項の監査を省略して差し支えない。 (3) 業務体制の確立と業務省力化の推進のための努力がなされているか。 　ア 職員の所掌業務が明確にされ、それが有機的に機能しているか。 　イ 専門職員、非常勤職員等各種の職員の組み合わせによるなど効率的な業務体制を確立するよう努めているか。 　ウ 介護機器、業務省力化機器の導入及び業務の外部委託の推進等による業務の省力化に努めているか。 (4) 職員研修等資質向上対策について、その推進に努めているか。 　ア 施設内研修及び外部研修への参加が計画的に行われているか。 　イ 介護福祉士等の資格取得について配慮しているか。 (5) 職員の確保及び定着化について積極的に取り組んでいるか。 　ア 職員の計画的な採用に努めているか。 　　また、養成施設に対する働きかけは積極的に行われているか。 　イ 労働条件の改善等に配慮し、定着促進及び離職防止に努めているか。 　ウ 職員に対するレクリエーションの実施など士気高揚策の充実に努めているか。
	3 防災対策の充実強化	防災対策について、その充実強化に努めているか。 　ア 消防法令に基づくスプリンクラー、屋内消火栓、非常通報装置、防災カーテン、寝具等の設備が整備され、また、これらの設備について専門業者により定期的に点検が行われているか。 　イ 非常時の際の連絡・避難体制及び地域の協力体制は、確保されているか。例えば、風水害の場合、「避難準備・高齢者等避難開始」、「避難勧告」及び「避難指示（緊急）」等の緊急度合に応じた複数の避難先が確保されているか。 　ウ 非常食等の必要な物資が確保されているか。 　エ 救護施設等が定める非常災害に対する具体的な計画（以下、「非常災害対策計画」という。）が作成されているか。 　　また、非常災害対策計画は、火災に対処するための計画

のみではなく、火災、水害・土砂災害、地震等の地域の実情も鑑みた災害にも対処できるものであるか（必ずしも災害ごとに別の計画として策定する必要はない。）。

オ 非常災害対策計画には、以下の項目が盛り込まれているか。また、実際に災害が起こった際にも利用者の安全が確保できる実効性のあるものであるか（施設が所在する都道府県等で防災計画の指針等が示されている場合には、当該指針等を参考の上、実効性の高い非常災害対策計画が策定されているか。）。

【具体的な項目例】
・救護施設等の立地条件（地形　等）
・災害に関する情報の入手方法（「避難準備情報」等の情報の入手方法の確認等）
・災害時の連絡先及び通信手段の確認（自治体、家族、職員等）
・避難を開始する時期、判断基準（「避難準備情報発令」時等）
・避難場所（市町村が設置する避難場所、施設内の安全なスペース　等）
・避難経路（避難場所までのルート（複数）、所要時間等）
・避難方法（利用者ごとの避難方法（車いす、徒歩等）等）
・災害時の人員体制、指揮系統（災害時の参集方法、役割分担、避難に必要な職員数　等）
・関係機関との連携体制

カ 非常災害対策計画の内容を職員間で十分共有しているか。
　また、関係機関と避難場所や災害時の連絡体制等必要な事項について認識を共有しているか。

キ 火災、地震その他の災害が発生した場合を想定した消火訓練及び避難訓練は、消防機関に消防計画を届出の上、それぞれの施設ごとに定められた回数以上適切に実施され、そのうち１回は夜間訓練又は夜間を想定した訓練が実施されているか。

ク 避難訓練を実施し、非常災害対策計画の内容を検証し、見直しを行っているか。
　なお、前年度又は当該年度において、消防法関係法令に基づく立入検査が行われている場合は、当該事項の監査を省略して差し支えない。

○生活保護法による保護施設指導監査の実施について

平成13年3月30日　社援監発第8号
各都道府県・各指定都市・各中核市民生主管部(局)長　宛
厚生労働省社会・援護局監査指導課長通知

〔改正経過〕

第1次改正　平成14年3月28日社援監発第0328001号　第2次改正　平成15年3月27日社援監発第0327001号
第3次改正　平成16年3月12日社援保発第0312002号　第4次改正　平成25年3月25日社援保発0325第1号

　標記については、「生活保護法による保護施設に対する指導監査について」(平成12年10月25日社援第2395号厚生省社会・援護局長通知)により示されているところであるが、都道府県、指定都市及び中核市(以下「都道府県等」という。)の設置する保護施設の監査及びこれに伴う指導に関しては、地方厚生局長が行うこととされたことに伴い、保護施設に対する指導監査に係る関係資料並びに都道府県等が実施した各年度の監査結果の提出については、下記によることとされたい。

　なお、本通知は、下記2(2)において示す別紙様式2を除き、地方自治法(昭和22年法律第67号)第245号の9に規定する処理基準とする。

　おって、「生活保護法保護施設指導監査の実施について(通知)」(平成12年10月25日社援監第22号　厚生省社会・援護局監査指導課長通知)は廃止する。

記

1　地方厚生局が実施する保護施設に対する指導監査について
　　指導監査対象施設及び指導監査期日については、地方厚生局が都道府県等と調整のうえ、決定するものとする。
2　指導監査に係る関係資料の作成について
　　保護施設の指導監査に係る関係資料については、次により作成のうえ管轄の地方厚生局あて提出されたい。
(1)　保護施設指導監査資料(都道府県・指定都市・中核市本庁関係)
　ア　提出様式　別紙様式1
　イ　提出期限　毎年度6月末日又は地方厚生局が指定した期日
(2)　保護施設指導監査資料(施設関係)
　ア　提出対象　上記1により決定した指導監査対象施設
　イ　提出様式　別紙様式2
　ウ　提出期限　地方厚生局が指定した期日
3　保護施設等監査実施状況報告書
　　都道府県等が実施した各年度の保護施設に対する監査結果については、別紙様式3により作成し、毎年度6月末日までに管轄の地方厚生局あて提出されたい。

別紙様式1～3　略

○日常生活支援住居施設の認定要件に関する指導検査要綱及び指導検査事項について

令和2年11月5日　社援発1105第8号
各都道府県・各指定都市・各中核市民生主管部(局)長
宛　厚生労働省社会・援護局長通知

　日常生活支援住居施設については、生活困窮者等の自立を促進するための生活困窮者自立支援法等の一部を改正する法律（平成30年法律第44号）第4条による改正後の生活保護法（昭和25年法律第144号）第30条第1項ただし書及び第84条の規定に基づき、「日常生活支援住居施設に関する厚生労働省令で定める要件等を定める省令」（令和2年厚生労働省令第44号。以下「要件省令」という。）を制定し、認定の要件、支援の提供方針、人員並びに設備及び運営の基準、個別支援計画の作成義務等の日常生活支援住居施設の運営にかかる規定を設けたところである。

　令和2年度以降、各都道府県、指定都市及び中核市（以下「都道府県等」という。）において、要件省令に基づき日常生活支援住居施設の認定及び日常生活支援住居施設に対する指導検査の事務を実施するに当たり、地方自治法（昭和22年法律第67号）第245条の9に基づく処理基準として別添1のとおり「日常生活支援住居施設の認定要件に関する指導検査要綱」を、同法第245条の4第1項に基づく技術的な助言として別添2のとおり「日常生活支援住居施設指導検査事項」を定めたので、管内の日常生活支援住居施設に対する適切な指導を行われたい。

別添1
　　　日常生活支援住居施設の認定要件に関する指導検査要綱
1　指導検査等の目的
　　日常生活支援住居施設に対する指導検査は、生活保護法第30条第1項ただし書及び第84条の規定並びに要件省令の規定に基づき、関係法令、通知による事業運営にかかる事項について検査等を行うとともに、運営全般について助言、指導を行うことによって、適正な事業運営を図るものであること。
2　指導検査方法等
　(1)　指導検査は、「一般検査」及び「特別検査」とし、都道府県等において、関係書類を閲覧するとともに関係者からの聴取により行い、効果的な実施に努めること。
　　ア　一般検査
　　　　一般検査は、原則として全ての日常生活支援住居施設に対し、定期的に実地検査を行うなど計画的に実施すること。また、実地検査を行わない年には、適宜、書面による検査を実施すること。

一般検査の実施に当たっては、主に別添2「日常生活支援住居施設指導検査事項」に記載した事項について、実施状況等を確認すること。
　イ　特別検査
　　特別検査は、次のいずれかに該当する場合に行うものとし、改善が図られるまで重点的かつ継続的に特別検査を実施すること。
　　(ｱ)　事業運営に不正又は著しい不当があったことを疑うに足りる理由があるとき
　　(ｲ)　最低基準に違反があると疑うに足りる理由があり、社会福祉法（昭和26年法律第45号）第70条の規定に基づく社会福祉法第68条の2第1項に規定する社会福祉住居施設（無料低額宿泊所）（以下「無料低額宿泊所」という。）としての特別検査と同時に実施するとき
　　(ｳ)　指導検査において指摘された問題点の是正改善がみられないとき
　　(ｴ)　正当な理由がなく、一般検査を拒否したとき
(2)　指導検査計画等
　ア　一般検査の実施に係る計画
　　一般検査の実施に当たっては、実施計画を策定するなど、計画的に実施すること。なお、日常生活支援住居施設は、無料低額宿泊所であることが認定の要件となっていることから、原則として無料低額宿泊所に対する一般検査と一体的に実施する計画とすること。
　　また、都道府県等は保護の実施機関と相互に連携を図り、同日の検査等を行う計画とするなど、可能な限り日常生活支援住居施設の負担軽減を図るよう努めること。
　　さらに、一般検査の実施に当たっては、前年度の検査の結果等を勘案して当該年度の重点事項を定め、効果的な実施について十分留意すること。
　イ　福祉事務所との連携
　　福祉事務所による被保護者の定期訪問等の機会は、特別検査の実施につながる基準に適合しない運営の疑いを発見する契機となるものであり、福祉事務所との連携を図るよう努めること。
3　指導検査後の措置
(1)　指導検査結果の通知等
　　指導検査の終了後は、施設長等の関係職員の出席を求め、指導検査の結果及び改善を要すると認められた事項について講評及び指示を行うものとし、後日文書によって指導の通知を行うものとすること。
(2)　改善報告書の提出等
　　文書で改善を指示した事項については、その内容に応じて期限等を付して具体的な改善措置状況を示す資料の提出を求めること。
　　また、必要に応じて、実地においてその改善状況を確認すること。
(3)　認定の取消等
　　正当な理由なく指導に従わず、改善が図られない場合には、都道府県等は当該施設

に委託をしている福祉事務所に情報を提供するとともに、日常生活支援住居施設としての認定の取消について検討すること。

また、無料低額宿泊所としての事業が停止されるなど、要件省令第1条各号に掲げる日常生活支援住居施設としての要件を明らかに満たさない場合については認定の取消となること。

4 その他の留意点

要件省令第26条に基づき、その例によることとしている無料低額宿泊所の設備及び運営に関する基準については、「無料低額宿泊所の設備及び運営に関する指導指針について」(令和2年3月27日付社援発0325第14号厚生労働省社会・援護局長通知)において示している無料低額宿泊所としての指導検査を行うことで足りること。

また、日常生活支援住居施設の運営形態として、同一の建物において、無料低額宿泊所及び日常生活支援住居施設を運営している場合について、当該無料低額宿泊所及び日常生活支援住居施設とはそれぞれ別に届出が行われることとなり、両者を区分した上で指導検査を実施することが必要であることに留意すること。ただし、指導検査が非効率とならないよう同じ日に実施するなど適宜配慮すること。

別添2

日常生活支援住居施設指導検査事項

主眼事項	着眼点
1 認定要件の確認等	(1) 認定要件等 ① 法人が経営しているものであるか。(要件省令第1条第1号) ② 施設を経営する者が社会福祉法第72条の規定による経営の制限又は停止を命じる処分を受けていないか。(要件省令第1条第2号) ③ 施設を経営する者が要件省令第6条第1項に規定する認定の取消し又は社会福祉法第72条の規定による経営の停止を命ずる処分を受けてから5年を経過している者でないか。(要件省令第1条第4号)
2 基本方針	(1) 基本方針 ① 要件省令第9条に規定する基本方針に沿って運営がなされているか。(要件省令第9条第1項、第2項、第3項、第4項) ② 自己評価や第三者評価等の運営を改善するための取組がなされているか。(要件省令第9条第5項)
3 職員体制等の整備	(1) 人員に関する基準 ① 生活支援員の配置 常勤換算方法で入所定員を15で除して得た数以上を配置し

	ているか。（要件省令第10条第2項） ② 生活支援提供責任者の配置 　　生活支援員のうち次に掲げる員数の生活支援提供責任者を配置しているか。 　ア　入所定員が30人以下　1以上 　イ　入所定員が31人以上　1に入所定員が30を超えて30又はその端数を増すごとに1を加えて得た数以上（要件省令第10条第4項第1号、第2号） 　　また、生活支援提供責任者は常勤職員であって専ら当該日常生活支援住居施設の業務に従事しているか。（要件省令第10条第5項） ③ 管理者の配置 　　専任の管理者が配置されているか。（管理者は無料低額宿泊所の施設長、日常生活支援住居施設の生活支援員及び生活支援提供責任者との兼務可能）（要件省令第11条第1項、第2項、第3項） (3) 管理者及び従業者の資格要件 ① 管理者は、社会福祉法第19条第1項各号のいずれかに該当する者若しくは社会福祉事業等に2年以上従事した者又はこれらと同等以上の能力を有すると認められる者であるか。（要件省令第12条第1項） ② 生活支援提供責任者は、社会福祉法第19条第1項各号のいずれかに該当する者又はこれらと同等以上の能力を有すると認められるものであるか。（要件省令第12条第2項） ③ 生活支援員（日常生活支援住居施設の管理者及び生活支援提供責任者を除く。）が、できる限り社会福祉法第19条第1項各号のいずれかに該当する者とするよう努めているか。（要件省令第12条第3項）
4　個別支援計画の作成等	(1) 提供拒否の禁止 　　日常生活支援住居施設は、保護の実施機関から生活保護法第30条第1項ただし書の規定による入所の委託の依頼を受けたときに、正当な理由がなく拒んでいるケースがないか。（要件省令第13条） (2) 日常生活上の支援の提供方針 ① 日常生活支援住居施設は、個別支援計画に基づき、入所者の心身の状況等に応じて、その者の支援を適切に行うとともに、日常生活及び社会生活上の支援の提供が漫然かつ画一的なものとならず、継続的かつ計画的に適切な支援が行われる

　　　　よう配慮しているか。(要件省令第14条第1項)
　　② 　日常生活支援住居施設における日常生活及び社会生活上の支援の提供に当たっては、懇切丁寧に行うことを旨とし、入所者に対し、支援上必要な事項について、理解しやすいように説明を行っているか。(要件省令第14条第2項)
　　③ 　日常生活支援住居施設は、当該施設の入所者に対する日常生活及び社会生活上の支援の提供に際しては、保護の実施機関その他の都道府県又は市町村の関係機関、相談等の支援を行う保健医療サービス又は福祉サービスを提供する者等との密接な連携に努めているか。(要件省令第14条第3項)
　　④ 　日常生活支援住居施設は、入所者の心身の状況等により、自ら適切な日常生活及び社会生活上の支援を提供することが困難であると認めた場合又は入所者が他の社会福祉施設への入所を希望する場合には、当該入所者の保護の実施機関と協議した上で、当該入所を希望する施設への紹介その他の便宜の供与を行っているか。(要件省令第14条第4項)
　(3) 個別支援計画の作成
　　① 　日常生活支援に係る個別支援計画は生活支援提供責任者が作成しているか。(要件省令第15条第1項)
　　② 　生活支援提供責任者は、個別支援計画の作成に当たり、適切な方法によりアセスメントを行っているか。(要件省令第15条第2項)
　　　※ 　アセスメントとは、入所者の心身の状況、置かれている環境、日常生活全般の状況等の評価を通じて入所者の希望する生活や課題等の把握を行うこと。
　　③ 　生活支援提供責任者は、アセスメントに当たり、入所者に面接して行っているか。また、面接の趣旨を十分に説明し、理解を得ているか。(要件省令第15条第3項)
　　④ 　生活支援提供責任者は、アセスメント及び支援内容の検討結果に基づき、以下の事項を記載した個別支援計画の原案を作成しているか。(要件省令第15条第4項)
　　　ア 　入所者の生活に対する意向
　　　イ 　総合的な支援の方針
　　　ウ 　生活全般の質を向上させるための課題
　　　エ 　日常生活及び社会生活上の支援の目標及びその達成時期
　　　オ 　日常生活及び社会生活上の支援を提供する上での留意事項等

		併せて、個別支援計画に記載されている支援内容は、要件省令第14条各項に規定する支援の提供方針に沿っているか。 　また、必要に応じて日常生活及び社会生活上の支援以外の保健医療サービス又はその他の福祉サービス等との連携を含めて個別支援計画の原案に位置付けるよう努めているか。 ⑤　生活支援提供責任者は、必要に応じて担当者会議を開催し、個別支援計画原案の内容について関係者に説明を行い、サービス担当者から専門的な見地に基づいた意見を求めているか。（要件省令第15条第5項） ※　担当者会議とは、生活支援提供責任者が個別支援計画作成のために個別支援計画の原案に位置付けた福祉サービス等の担当者を招集して行う会議のこと。 ⑥　生活支援提供責任者は、個別支援計画の内容について、あらかじめ、被保護者の保護の実施機関に協議し、同意を得ているか。（要件省令第15条第6項） ⑦　生活支援提供責任者は、個別支援計画の内容について入所者に対して説明し、文書により入所者の同意を得ているか。（要件省令第15条第7項） ⑧　生活支援提供責任者は、個別支援計画を作成した際には、個別支援計画を入所者に交付しているか。（要件省令第15条第8項） ⑨　生活支援提供責任者は、個別支援計画を作成した際には、その写しを被保護者の保護の実施機関に対し遅滞なく提出しているか。（要件省令第15条第9項） ⑩　生活支援提供責任者は、個別支援計画の作成後、モニタリングを行っているか、また、少なくとも6か月に1回以上、個別支援計画の見直しを行い、必要に応じて個別支援計画の変更を行っているか。（要件省令第15条第10項） ※　モニタリングとは、個別支援計画の実施状況の把握（入所者についての継続的なアセスメントを含む。）のこと。 ⑪　生活支援提供責任者は、モニタリングに当たっては、定期的に入所者に面接して実施しているか、また、モニタリングの結果を記録しているか。（要件省令第15条第11項） ⑫　個別支援計画の変更に当たっては、②から⑩に準じて行っているか。（要件省令第15条第12項）
5　入居者に対する適切なサービ	(1)　生活支援提供責任者の責務 ①　生活支援提供責任者は、入所申込者の入所に際し、現に利	

ス提供及び適切な運営の確保	用している福祉サービス事業を行う者等に対する照会等により、その者の心身の状況、他の福祉サービス等の利用状況等を把握しているか。（要件省令第16条第1号） ② 生活支援提供責任者は、入所者が自立した日常生活及び社会生活を営むことができるよう定期的に検討し、自立した日常生活及び社会生活を営むことができると認められる入所者に対し、退所に向けた援助を行うなど必要な援助を行っているか。（要件省令第16条第2号） ③ 生活支援提供責任者は、他の従業者に対する技術指導及び助言を行っているか。（要件省令第16条第3号） (2) 保護の変更等の届出 　生活支援提供責任者は、入所する被保護者について、生活保護法に基づく保護の変更、停止又は廃止を必要とする事由が生じたときは、速やかに、保護の実施機関に届け出ているか。 （要件省令第17条） (3) 秘密保持 　施設の個人情報保護規程等において、生活支援提供責任者は、担当者会議等において入所者の個人情報を用いる場合又は(1)の①により入所申込者の個人情報を取得する場合は、あらかじめ、文書により当該入所者又は入所申込者の同意を得ることを定め、当該個人情報保護規程等を適切に運用しているか。 （要件省令第18条） (4) 相談等 　生活支援員は入所者の状態等から、常にその心身の状況、その置かれている環境等の的確な把握に努め、入所者に対し、その相談に適切に応じ、必要な助言その他の援助を行っていることが確認できるか。（要件省令第19条） (5) 日常生活及び社会生活上の支援 　日常生活支援住居施設は、個別支援計画に基づき、入所者の状況に応じて、家事等、服薬管理等の健康管理、日常生活に係る金銭管理、社会との交流の促進その他に係る日常生活及び社会生活上の支援について、適切にプログラムを組むなどにより対応していることが確認できるか。（要件省令第20条） (6) 社会生活上の便宜の供与等 　日常生活支援住居施設の従業者は、入所者本人が日常生活及び社会生活を営む上で必要な行政機関に対する手続等を行うことが困難である場合は、当該入所者の同意を得て代わって行なっているか。また、手続等を行うに当たっては、保護の実施

機関と連携しているか。(要件省令第21条第1項、第2項)
(7) 地域との連携
　　日常生活支援住居施設は、地域行事への参加や施設のスペースを活用した活動等により地域住民又はその自発的な活動等との連携及び協力を行う等地域との交流に努めているか。(要件省令第22条)
(8) 事業者等からの利益収受等の禁止
　① 個別支援計画において、福祉サービス等の事業の活用を位置づける場合に、地域におけるサービスの整備状況にかかわらず、当該計画に特定の事業者に偏った福祉サービス等が位置付けられていないか(要件省令第23条第1項、第2項)
　② 財務諸表等において、特定の福祉サービス等の事業を行う者等によるサービスを利用させることの対償として、福祉サービス等の事業を行う者等から金品その他の財産上の利益を収受していることなどが疑われるような収入が確認されないか。(要件省令第23条第3項)
(9) 調査への協力等
　　日常生活支援住居施設は、社会福祉法第83条に規定する運営適正化委員会が同法第85条の規定により行う調査又はあっせんにできる限り協力しているか。(要件省令第24条第3項)
(10) 会計の区分
　　日常生活支援住居施設を経営する者は、日常生活支援住居施設ごとに経理を区分し、日常生活支援住居施設における支援に係る会計をその他の事業の会計と区分しているか。(要件省令第25条)

○生活保護特別指導監査事業について

> 平成17年3月31日　事務連絡
> 各都道府県・各指定都市民生主管部(局)生活保護担当課・係長宛　厚生労働省社会・援護局総務課指導監査室生活保護監査係長

　生活保護行政の運営につきましては、平素格別のご配慮を賜り厚く御礼申し上げます。
　さて、標記事業については、平成17年3月31日社援発第0331021号通知「セーフティネット支援対策等事業の実施について」を定め、平成17年4月1日より適用することとしたところでありますが、本通知別添2生活保護適正実施推進事業実施要領4(1)ウ「ケース指導台帳」の様式については、別紙を参考のうえ作成するようお願いいたします。

生活保護特別指導監査事業について

(別 紙)
ケース指導台帳（参考例）

地区番号	担当員名							一般指導監査	特別指導・確認監査		措置結果
ケース番号	世帯主氏名							(担当者　　月　日　)	(担当者　　月　日　)	(担当者　　月　日　) (担当者　　月　日　)	
保護の決定状況	最低生活費　円	扶助充当額　円	収入額　円	就業・無職	医療扶助　有・無	備考		改善事項			1 指導援助中 2 措置不要 3 措置済 〔廃止 停止 保護費減 保護費増〕 保護費に変動なし（　　　円）
世帯員の状況	続柄	性別	年齢	職業			主	処遇方針			
地区番号	担当員名										
ケース番号	世帯主氏名										
保護の決定状況	最低生活費　円	扶助充当額　円	収入額　円	就業・無職	医療扶助　有・無	備考		改善事項			1 指導援助中 2 措置不要 3 措置済 〔廃止 停止 保護費減 保護費増〕 保護費に変動なし（　　　円）
世帯員の状況	続柄	性別	年齢	職業			主	処遇方針			

(注)
1 この台帳は、一般指導監査、特別指導及び確認監査時の指導内容、問題点、措置状況等を整理記録することにより、指導、監査の効果的実施を確保するために活用するものであること。
2 「改善事項」欄には、一般指導監査時において指導指示した内容及びその後の指導等における当該内容の改善の状況等を記入すること。
3 「処遇方針」欄には、一般指導監査時において自立助長が期待できるケースについて設定した処遇方針及びその後の指導等における当該方針の進捗状況等を記入すること。
4 台帳は、この様式を参考のうえ、実情に応じて定めて差し支えないこと。

○医療扶助の適正実施に関する指導監査等について

> 令和6年3月29日　社援保発0329第2号
> 各都道府県・各指定都市・各中核市民生主管部(局)長
> 宛　厚生労働省社会・援護局保護課長通知

　平素より生活保護行政の推進に御尽力を賜り、御礼申し上げます。
　標記について、下記のとおり行うこととしたので、御了知いただき、医療扶助の運営について一層適正な処理にあたられるよう御協力をお願いします。

記

1　令和6年度の地方厚生局における指導監査について
　(1)　自立支援医療の適用状況に関する監査
　　　令和6年度においても自立支援医療の適用状況に着目した監査を実施するが、監査内容については、以下の通りとする。
　　①　都道府県・指定都市・中核市本庁（以下「都道府県等本庁」という。）においては、別紙様式1「自立支援医療制度の活用徹底に関する取組状況」を作成し、地方厚生局が指定する日を期限として、地方厚生局あて提出すること。なお、作成にあたっては、令和5年度の状況を記載し、令和6年度に改善や見直しがあったものについては、併せてその旨を記載すること。
　　②　監査当日は、提出された資料を基に「生活保護制度における他法他施策の適正な活用について」（平成22年3月24日社援保発0324第1号本職通知）に示す「自立支援医療適用確認台帳」の整備状況等についてヒアリングを行う。
　(2)　頻回受診に係る適正受診指導対象者の状況に関する監査
　　　令和6年度においても頻回受診に係る適正受診指導に着目した監査を実施することとし、監査内容については、以下の通りとする。
　　①　都道府県・指定都市・中核市本庁（以下「都道府県等本庁」という。）においては、別紙様式2「頻回受診者に対する適正受診指導に関する取組状況」を作成し、地方厚生局が指定する日を期限として、地方厚生局あて提出すること。
　　　なお、令和4年度実績（改善者割合の全国平均）により記載すべき項目は分かれているが、作成に当たっては、記載時点での状況等を記載すること。
　　②　監査当日は、提出された資料を基に、「頻回受診者に対する適正受診指導について」（平成14年3月22日社援保発第0322001号厚生労働省社会・援護局保護課長通知）に示す適正受診指導の状況についてヒアリングを行う。
　(3)　重複・多剤投与者に対する指導等の実施状況に関する監査
　　　令和6年度においても「重複・多剤投薬に係る適正受診指導対象者の状況に関する監査」は、課長通知「生活保護の医療扶助における医薬品の適正使用の推進につい

て」(令和5年3月14日付け社援保発0314第1号厚生労働省社会・援護局保護課長通知)に沿った重複・多剤投与に係る適正受診指導に着目した監査を実施する。
(4) 複数の医療機関から向精神薬の投薬を受けている者の状況に関する監査
　令和6年度においても複数の医療機関から向精神薬の投薬を受けている者の状況に着目した監査を実施するが、監査方法については、以下の通りとする。
① 都道府県等本庁においては、令和6年1月基金審査分のレセプト(紙レセプト分を含み、連名簿分を除く。)のうち、「同一月に複数の医療機関から向精神薬の投薬を受けている者」の台帳(別紙様式3)を作成し、令和6年5月末日を期限として当職あて提出すること。
　なお、当職あてに提出する台帳(別紙様式3)は、「是正改善措置状況」については記入する必要がないこと。
② また、地方厚生局が指定する日を期限として、各都道府県等本庁が保有する別紙様式3、別紙様式4及び別紙様式5を記入の上、地方厚生局あて提出すること。なお、別紙様式5の作成にあたっては、令和5年度の状況を記載し、令和6年度に改善や見直しがあったものについては、併せてその旨を記載すること。
③ 監査当日は、提出された資料を基に、「是正改善措置状況」及び「向精神薬の重複投薬等における適正受診の徹底に関する取組状況」の内容についてヒアリングを行う。
④ なお、ヒアリングの際には、「医療扶助における向精神薬の重複処方の適正化に係る取組の徹底について(依頼)」(令和4年12月9日社援保発1209第1号厚生労働省社会・援護局保護課長通知)を周知するとともに、令和6年度の向精神薬の重複処方の適正化に係る指導の取組方針について聴取する。
　※ 聴取の結果、特段取組方針の考え方等の理解が不十分な場合は、当該通知に沿った取組を促す。
(5) 指定医療機関に対する指導等の実施状況に関する監査
　令和6年度においても都道府県等本庁の指定医療機関に対する指導等の実施状況に着目した監査を実施するが、監査方法については、以下の通りとする。
① 都道府県等本庁においては、別紙様式6「指定医療機関への指導等の状況」を作成し、地方厚生局が指定する日を期限として、地方厚生局あて提出すること。
　なお、作成にあたっては、記載時点での状況等を記載すること。
② 監査当日は、提出された資料を基に、「生活保護法による医療扶助運営要領について」(昭和36年9月30日社発第727号厚生省社会局長通知)に則り、適切に指定医療機関に対する指導等が実施されているか等についてヒアリングを行う。
2　複数の医療機関から向精神薬の投薬を受けている者の状況の報告について
　上記1(4)①にて、当職あて提出した台帳(別紙様式3)に掲載された全ての者の令和7年3月末現在までの改善状況について、別紙様式7に記入の上、令和7年6月末日まで当職あて提出するようお願いする。
別紙様式1～7　略

第8章　外国人保護

○生活に困窮する外国人に対する生活保護の措置について

（昭和29年5月8日　社発第382号）
（各都道府県知事宛　厚生省社会局長通知）

注　令和6年4月24日社援発0424第13号改正現在

　生活に困窮する外国人に対する生活保護の措置については、貴職におかれても遺漏なきを期しておられることと存ずるが、今般その取扱要領並びに手続を下記のとおり整理したので、了知のうえ、その実施に万全を期せられたい。

記

一　生活保護法（以下単に「法」という。）第1条により、外国人は法の適用対象とならないのであるが、当分の間、生活に困窮する外国人に対しては一般国民に対する生活保護の決定実施の取扱に準じて下の手続により必要と認める保護を行うこと。
　　但し、保護の申請者又はその世帯員が急迫した状況にあるために、下の各号に規定する手続を履行する暇がない場合には、とりあえず法第19条第2項或は法第19条第6項の規定に準じて保護を実施し、しかる後下の手続を行って差し支えないこと。
　(1)　生活に困窮する外国人で保護を受けようとするものは、出入国管理及び難民認定法（昭和26年政令第319号。以下「入管法」という。）に基づく在留カード又は日本国との平和条約に基づき日本の国籍を離脱した者等の出入国管理に関する特例法（平成3年法律第71号。以下「入管特例法」という。）に基づく特別永住者証明書に記載された当該生活困窮者の住居地を管轄する保護の実施機関に対し、申請者及び保護を必要とする者の国籍を明記した保護の申請書を提出するとともに有効なる在留カード又は特別永住者証明書を呈示すること。
　(2)　保護の実施機関は前号の申請書の提出及び在留カード又は特別永住者証明書の呈示があったときには申請書記載内容と在留カード又は特別永住者証明書の記載内容とを照合して、申請書記載事項の確認を行うこと。
　(3)　前号の確認が得られた外国人が要保護状態にあると認めた場合には、保護の実施機関はすみやかに、その申請書の写並びに申請者及び保護を必要とする者の在留カード又は特別永住者証明書の番号を明記した書面を添えて都道府県知事に報告すること。
　(4)　保護の実施機関より報告をうけた都道府県知事は当該要保護者が、その属する国の代表部若しくは領事館（支部又は支所のある場合にはその支部又は支所）又はそれらの斡旋による団体等から必要な保護又は援護を受けることができないことを確認し、

生活に困窮する外国人に対する生活保護の措置について

その結果を保護の実施機関に通知すること。
二　生活に困窮する外国人が朝鮮人及び台湾人である場合には前記一(3)及び(4)の手続は、当分の間これを必要としないこと。
三　保護を受けた外国人が安定した職業に就いたこと等により保護を必要としなくなった場合には、当該外国人に対して法第55条の4第1項の規定に準じて就労自立給付金を支給すること。
四　保護を受けた外国人（18歳に達する日以後の最初の3月31日までの間にある者及び生活保護法施行規則（昭和25年厚生省令第21号）第18条の7に規定する者に準ずるものに限る。）が法第55条の5第1項各号のいずれかに該当する場合には、当該外国人に対して同項の規定の取扱いに準じて進学・就職準備給付金を支給すること。
五　本通知の運用指針は次の通りであるので、これが取扱について遺憾のないよう配意されたいこと。
問1　通知一(1)に生活に困窮する外国人が保護を受けようとするときは、有効なる在留カード又は特別永住者証明書を呈示しなければならないとあるが、外国人がこの呈示をしない場合若しくは実施機関の行う保護の措置に関する事務に外国人が協力しない場合には如何にすべきか。
（答）外国人の保護は法を準用して行うのであるから、実施機関としては保護を申請した外国人並びに保護を必要とする外国人について、当然一般国民に対する場合と同じく保護決定に必要な種々の調査をしなければならない。而るに外国人については一般国民の場合と異り、その生活実態、家族構成、稼働状況、収入状況等についての的確な把握が困難であるので申請者若しくは保護を必要とする者の協力を特に必要とする。従って、申請にもとづく種々の調査の際申請者若しくは保護を必要とする者が実施機関の必要とする協力を行わないため、或は当該外国人の身分関係、居住関係を明確にする有効なる在留カード又は特別永住者証明書を呈示しないために、実施機関が当該外国人についての生活実態の客観的事実が把握できないような場合には、実施機関としては、適正な保護事務の執行ができないので、申請者若しくは保護を必要とする者が急迫な状況にあって放置することができない場合でない限り、申請却下の措置をとるべきである。一方かかる場合には実施機関は必要とあれば治安当局に連絡し、在留外国人の公正な管理事務に協力すべきである。
問2　外国人が集団で保護を申請してきたときの取扱如何。
（答）外国人が集団で保護を申請してきたときには、一般国民の集団申請に対する取扱と同様に取り扱うべきであるが、問1の答で明記したように所定の手続を経ない保護の申請、或は多人数の圧迫にもとづく保護の要請等によって申請者若しくは保護を必要とする者が実施機関の行う保護の措置の事務に協力しない場合には、一切かかる保護の申請には応ずべきではない。
問3　生活に困窮する外国人が保護の申請を、福祉事務所を設置しない町村の長を経由してなした場合、町村長は如何に処理すべきか。
（答）町村長を経由して提出された申請書については、町村長は法第24条第6項の規定を

準用して当該申請書及びその他の必要書類を実施機関に送付しなければならないのであるが、その際、保護を必要とする者が外国人であること及び当該外国人の在留カード又は特別永住者証明書の番号を明記した書面を添付しなければならない。
問4　生活に困窮する外国人の子弟については、特別の教育というものが考えられるが、これらについては如何に対処すべきか。
（答）通知によっても明確なとおり、外国人に対する保護の措置は、法に準じて実施することになっているのであるから、生活に困窮する外国人の子弟のみが教育基本法に規定する日本国民の義務教育に準ずる教育以外の特別の教育を受けることを認めることはできない。従って学校教育法第1条に規定する小学校、中学校以外の各種の学校において受ける教育については教育扶助の適用を認めることはできない。又特定の学校において通学費を必要としながら受ける外国人のための教育については、その通学費及び特定の教育のために必要な教育費を教育扶助の内容として認めることはできない。
問5　通知二において終戦前より国内に在留する朝鮮人、台湾人について特例を設けた理由。
（答）終戦前より国内に在留する朝鮮人、台湾人は従来日本の国籍を有していたのであり、講和条約の発効によって始めて日本国籍を喪失したわけである。従って、講和条約発効前においては日本国民として法の適用を受けていた点、条約発効後においても従来のまま日本に在留する者多く、生活困窮者の人口に対する割合も著しく高い点、或は、種々の外交問題が解決していない以上、外交機関より救済を求めることが現在のところ全く不可能である点等よりして、かかる朝鮮人、台湾人の保護については、一般外国人と同様に複雑な手続を経ることは何らの実益も期待できないので、特にその取扱を一般外国人と異にし、保護の措置に関する手続を簡素化したものである。
問6　法の準用による保護並びに就労自立給付金及び進学・就職準備給付金の支給（以下「保護等」という。）は、国民に対する法の適用による保護等と如何なる相違があるか。
（答）外国人に対する保護等は、これを法律上の権利として保障したものではなく、単に一方的な行政措置によって行っているものである。従って生活に困窮する外国人は、法を準用した措置により利益を受けるのであるが、権利としてこれらの保護等の措置を請求することはできない。日本国民の場合には、法による保護等を法律上の権利として保障しているのであるから、保護等を受ける権利が侵害された場合にはこれを排除する途（不服申立の制度）が開かれているのであるが、外国人の場合には不服の申立をすることはできないわけである。
　なお、保護等の内容等については、別段取扱上の差等をつけるべきではない。
問7　生活に困窮する外国人が入院した場合において、法による取扱に準じて認定した居住地と在留カード又は特別永住者証明書に記載されている住居地とが異なるときは、いかにすべきか。
（答）外国人に対する保護の実施責任は、在留カード又は特別永住者証明書に記載されている住居地により定められるから、設問の場合は、在留カード又は特別永住者証明書に

記載されている住居地によるべきものである。
問8　法による取扱に準じて認定すれば居住地がない場合であっても、入管法及び入管特例法においては、住居地があるものとされるが、外国人の保護については、法第73条第1号に準じた費用の負担は行われないものであるか。
（答）保護の実施責任は、在留カード又は特別永住者証明書に記載されている住居地によるから、費用の負担について、法第73条第1号に準じた取扱は、あり得ないものである。
問9　養護老人ホームに収容された外国人が保護を要する場合、保護の実施責任は老人福祉法による措置の実施責任と一致すると解して差しつかえないか。
（答）老人福祉法による措置の実施責任は居住地又は現在地（養護老人ホーム又は特別養護老人ホームへ収容される場合は、収容前の居住地又は現在地）によるが、困窮外国人に対する保護の実施責任は在留カード又は特別永住者証明書に記載されている住居地を管轄する保護の実施機関が負うことになるので、保護の実施責任と措置の実施責任は一致しないことがある。

○「生活に困窮する外国人に対する生活保護の措置について」の一部改正等について

平成24年7月4日　社援発0704第4号
各都道府県・各指定都市・各中核市民生主管部（局）長　宛　厚生労働省社会・援護局長通知

　出入国管理及び難民認定法及び日本国との平和条約に基づき日本の国籍を離脱した者等の出入国管理に関する特例法の一部を改正する等の法律（平成21年法律第79号。以下「改正法」という。）の施行により、平成24年7月9日から新たな在留管理制度が導入される。新たな在留管理制度においては、外国人登録法（外国人登録証明書）が廃止され、新たに出入国管理及び難民認定法（昭和26年政令第319号）に基づく在留カード及び日本国との平和条約に基づき日本の国籍を離脱した者等の出入国管理に関する特例法（平成3年法律第71号）に基づく特別永住者証明書が導入されることから、「生活に困窮する外国人に対する生活保護の措置について」（昭和29年5月8日社発第382号厚生省社会局長通知）を別紙のとおり改正し、平成24年7月9日から適用することとしたので、御了知の上、その取扱いに遺漏のないよう配意されたい。
　改正後の通知の適用については、中長期在留者が所持する外国人登録証明書は在留カードとみなし、特別永住者が所持する外国人登録証明書は特別永住者証明書とみなす。
　なお、外国人登録証明書が在留カードとみなされる期間は改正法附則第15条第2項各号に定める期間とし、特別永住者証明書とみなされる期間は改正法附則第28条第2項各号に定める期間とする。
別紙　略

○外国人保護の取扱いについて

> 昭和41年1月6日　社保第3号
> 各都道府県・各指定都市・各民生主管部(局)長宛　厚生省社会局保護課長通知

　今般、「日本国に居住する大韓民国国民の法的地位及び待遇に関する日本国と大韓民国の間の協定」(昭和40年条約第28号)が批准され、昭和41年1月17日から効力を生ずることとなったが、同協定及び同協定についての合意議事録の内容のうち生活保護に関する部分は別紙のとおりであるから了知されたい。
　なお、同協定が発効になっても、生活に困窮する外国人に対する生活保護の取扱いは、従来と何ら変らないものであり、次の点に留意され取扱いに遺憾なきを期せられたい。
1　前記協定に基づき日本国で永住することを許可された大韓民国国民に対する生活保護に関しては昭和29年5月8日社発第382号各都道府県知事あて厚生省社会局長通達「生活に困窮する外国人に対する生活保護の措置について」により取扱うものであること。
2　前記協定に基づき日本国で永住することを許可された大韓民国国民以外の外国人についても従前どおり、上記社会局長通達により取扱うものであること。

別　紙
　　　日本国に居住する大韓民国国民の法的地位及び待遇に関する日本国と大韓民国との間の協定（抄）

〔昭和40年　条約第28号〕

　日本国及び大韓民国は、
　多年の間日本国に居住している大韓民国国民が日本国の社会と特別な関係を有するに至っていることを考慮し、
　これらの大韓民国国民が日本国の社会秩序の下で安定した生活を営むことができるようにすることが、両国間及び両国民間の友好関係の増進に寄与することを認めて、次のとおり協定した。
第1条
1　日本国政府は、次のいずれかに該当する大韓民国国民が、この協定の実施のため日本国政府の定める手続に従い、この協定の効力発生の日から5年以内に永住許可の申請をしたときは、日本国で永住することを許可する。
　(a)　1945年8月15日以前から申請の時まで引き続き日本国に居住している者
　(b)　(a)に該当する者の直系卑属として1945年8月16日以後この協定の効力発生の日から5年以内に日本国で出生し、その後申請の時まで引き続き日本国に居住している者

2　日本国政府は、1の規定に従い日本国で永住することを許可されている者の子として この協定の効力発生の日から5年を経過した後に日本国で出生した大韓民国国民が、この協定の実施のため日本国政府の定める手続に従い、その出生の日から60日以内に永住許可の申請をしたときは、日本国で永住することを許可する。

3　1(b)に該当する者でこの協定の効力発生の日から40箇月を経過した後に出生したものの永住許可の申請期限は、1の規定にかかわらず、その出生の日から60日までとする。

4　前記の申請及び許可については、手数料は徴収されない。

〔中略〕

第4条

日本国政府は、次に掲げる事項について妥当な考慮を払うものとする。

(a)　第1条の規定に従い日本国で永住することを許可されている大韓民国国民に対する日本国における教育、生活保護及び国民健康保険に関する事項

〔以下略〕

日本国に居住する大韓民国国民の法的地位及び待遇に関する日本国と大韓民国との間の協定についての合意された議事録（抄）

日本国政府代表及び大韓民国政府代表は、本日署名された日本国に居住する大韓民国国民の法的地位及び待遇に関する日本国と大韓民国との間の協定に関し次の了解に到達した。

〔前略〕

第4条に関し、

2　日本国政府は、協定第1条の規定に従い日本国で永住することを許可されている大韓民国国民に対する生活保護については、当分の間従前どおりとする。

〔以下略〕

○中国からの一時帰国者に対する生活保護法上の取扱いについて

昭和49年4月16日　社保第75号
各都道府県・各指定都市民生主管部(局)長宛　厚生省
社会局保護課長通知

　日中国交正常化に伴い、中国からの一時帰国者に対する援護措置（昭和48年10月31日援発第1130号厚生省援護局長通知。別添写参照。以下「援護措置」という。）が実施されているが、昭和49年度においても当該援護措置を受け又は自費によって相当数の一時帰国（いわゆる里帰り）者が予定されているところである。
　ついては、これら一時帰国者が帰国後本邦に在留する期間においての生活保護法の適用又はこれに準じた措置の取扱いについては、昭和29年5月8日社発第382号厚生省社会局長通知「生活に困窮する外国人に対する生活保護の措置について」（以下「通知」という。）及び下記事項に留意のうえ、それが取扱いについて遺憾のないよう配意されたい。

記

1　本邦に在留する期間において生活に困窮する者については、日本の国籍を有する者については生活保護法を適用し、日本の国籍を有しない者については通知により生活保護法による保護に準じた措置を行うこと。
　なお、同一の住居に居住し、同一世帯員として認定される一時帰国者について、日本国籍の有無により実施責任が異なることが生じないよう、たとえば、一時帰国者のうち母親が日本国籍で、その子が中国国籍である場合に、当該子につき外国人登録法により登録された居住地により定まる実施責任と、当該母親の実施責任が異なる事態が生じたようなときがこれに当たるわけであるが、このようなときは、外国人登録機関と十分連絡をとり、当該外国人登録が適正であるかどうかを確認すること。
2　中国からの一時帰国者については、援護措置を受けて帰国した者であるか否かを問わず、当分の間、通知の1の(3)及び(4)に定める手続は省略して差しつかえないこと。

別添
　　　中国からの一時帰国者に対する援護について

昭和48年10月31日　援発第1130号
各都道府県知事宛　厚生省援護局長通知

　日中国交正常化に伴い、終戦前から中国に居住する日本人（元日本人を含む。）で、終戦後はじめて墓参、親族訪問等の目的をもって本邦に一時帰国（いわゆる里帰り）を希望する者が、増加しており、しかもその大部分が帰国の旅費を負担することが困難な実情にあることにかんがみ、今般、これ等の者に対しては国が帰国旅費を負担することとし、その一時帰国を促進することとなったので、本制度の趣旨を理解され、下記事項に御留意のうえ、本件の実施について格別の御配意を煩らわしたく通知する。

中国からの一時帰国者に対する生活保護法上の取扱いについて

記

1 一時帰国者に対する援護は、別添「中国からの一時帰国者に対する援護実施要領」（以下「実施要領」という。）により行なうものであること。
2 一時帰国者に対する帰国旅費は、中国の居住地から出境地までの旅費については、当局から本人に直接送金するものであり、出境地（香港、天津等）から本邦までの航空運賃又は船運賃は当局から直接航空会社又は船舶会社に支払うものであること。
　（注）　現在中国からの帰国のルートは、香港を経由するのが一般的であるが、天津附近居住者については天津から便船（貨物船で不定期）を利用して帰国することも可能である。
3 一時帰国者が本邦に到着する日時については、情報入手次第当局から関係都道府県に連絡するから、在日親族に対する連絡、本邦の到着地（空港又は港）における出迎え等については、引揚者の場合に準じて配意願いたいこと。
4 本制度については、在日親族に対して周知せしめるとともに、一時帰国希望者に対しては在日親族を通じて周知させるよう指導願いたいこと。
5 この制度の実施前にすでに自費で一時帰国し、本制度の実施後中国に帰る者についても、本制度による援護を行なうこととし、実施要領に定める申請に基づき、中国渡航の旅費を国費で負担するものであること。

〔別添〕
　　　中国からの一時帰国者に対する援護実施要領
第1　趣旨
　終戦前から中国に居住する日本人で、終戦後はじめて墓参、親族訪問等の目的をもって本邦に一時帰国を希望する者に対し、国が経済的援助を行ない一時帰国の実現を図ることとする。
第2　要領
　1　援護の対象となる者
　　援護の対象となる者は次のとおりである。
　(1)　終戦前（昭和20年9月2日前をいう。）から引き続き中国に居住している日本婦人（終戦後中国人と婚姻したこと等により日本の国籍を失った元日本婦人を含む。）で、終戦後はじめて本邦へ墓参、親族訪問等の目的で一時帰国する者（以下「一時帰国者」という。）
　(2)　一時帰国者が同伴する18歳未満の子
　(3)　一時帰国者が介護を要する場合、その介護者1名
　(4)　以上のほか厚生省援護局長が一時帰国者に準ずる者として取り扱うことを適当と認めたもの
　2　援護の内容
　　中国の居住地から日本の落着先まで及び日本の落着先から中国の居住地までの一時帰国に必要な往復の旅費（鉄道運賃、航空運賃、食事代、宿泊料、荷物運賃、電報料）を国費で負担する。
　3　援護の申請手続

(1) 一時帰国希望者の親族等は、「一時帰国往復旅費支給申請書」（別紙様式第1）に、次に掲げる書類を添付して居住地の都道府県引揚援護業務担当課に提出すること。
　ア　一時帰国希望者の、一時帰国に要する往復旅費を支弁できない旨の申立書（一時帰国希望者からの通信文の写）
　イ　在日親族等の、一時帰国に要する往復旅費を支弁できない旨の申立書及びその事実を証する民生委員又は市区町村長の証明書（別紙様式第2）
　ウ　一時帰国希望者の戸籍の謄本又は抄本（一時帰国希望者が元日本人の場合は、除籍の謄本又は抄本）
　エ　一時帰国希望者が介護者を同伴することを希望する場合は、その理由を記載した本人の通信文の写
(2) 都道府県は、前記の申請書を受理したときは、その記載内容を十分審査し、事実に相違ないと認めたときは副申証明のうえ、すみやかに厚生省援護局庶務課に進達すること。
(3) 援護局庶務課においては、申請書類を審査し、帰国旅費を国庫負担することを決定したときは、都道府県を通じ在日親族等にその旨通知する。なお、この通知の際、別紙様式第3の一時帰国希望者あての通知書を同封するから、在日親族等はすみやかに一時帰国希望者あてに、この通知書を送付すること。この通知書は、一時帰国に際し国の援護を受けるために必要であるので、一時帰国の際には必ず所持し、在中国日本国大使館又は在香港日本国総領事館に提示するよう指導すること。
4　送金方法
(1) 在日親族等から一時帰国往復旅費の支給が認可された旨の通知を受けた一時帰国希望者は、本邦へ一時帰国するための渡航手続きを行ない（本要領第2の5参照）、中国当局から出境の許可があり次第、直接厚生省援護局庶務課（東京都千代田区霞ケ関1－2－2）に電報で出境許可の有効期間、出発日時を通知すること。
(2) 厚生省援護局庶務課は、一時帰国者から出発日時等について電報をうけたときは、一時帰国希望者の居住地出発に間に合うよう居住地から出境地までの帰国旅費を電報で送金するものであること。
(3) 出境地から本邦までの航空運賃又は船運賃は、厚生省から直接航空会社又は船会社に支払うものであること。
(4) 本邦に一時帰国した後、再び中国に帰る場合は、一時帰国者は別紙様式第4の「中国再渡航届」を都道府県を経由して厚生省援護局庶務課に提出すること。
　前記の届出があったときは、厚生省援護局庶務課は再び中国に渡航するために必要な旅費を、日本出発前に一時帰国者あてに送金するものであること。
(5) 本制度の発足後、本制度によらないで帰国した者については、帰国後本制度による旅費の支給について申請があっても認めないものであること。
5　一時帰国のための渡航申請手続
　一時帰国者及び一時帰国者に同伴する者（介護者を含む。以下同じ。）の本邦への

中国からの一時帰国者に対する生活保護法上の取扱いについて

渡航手続は、次のとおり行なうものであること。
(1) 日本の国籍を有する者は、直接在中国日本国大使館（北京市朝陽門外三里屯外交人員弁公楼1—71）に次の申請書類を送ること。
　ア　帰国のための渡航書発給申請書（用紙は在中国日本国大使館から郵送してもらうこと。）　　　　　　　　　　　　　　　　　　　　　　　　　　　　　　1通
　イ　戸籍の謄本又は抄本（発行から6か月以内のもの）又はすでに法務省民事局から「国籍証明書」の発給をうけた者については同証明書　　　　　　　　　1通
　ウ　日本を出国したときから申請時までの経緯を記載した書面（書式は自由）
　　　　　　　　　　　　　　　　　　　　　　　　　　　　　　　　　　　　1通
　エ　一時帰国に関し、在日親族等から本人が受取った通信文（申請者が本人に間違いないことが確認できる内容のもの）　　　　　　　　　　　　　　　　　1通
　オ　写真（6か月以内に撮影したもの）　　　　　　　　　　　　　　　　　2葉
(2) 在中国日本国大使館は、(1)の申請にもとづき一時帰国希望者に「帰国のための渡航書」を交付する。
(3) 一時帰国希望者に同伴する者で中国の国籍を有する者は、在中国日本国大使館に対し、日本入国のための査証申請を行なうものであるが、手続方法及び提出する申請書類については、同館に照会されたいこと。
　　なお、申請書類のうち在日親族等から送付する必要のあるものは、次のとおりであること。
　ア　日本人の父又は母の戸籍の謄本又は抄本（発行から6か月以内のもの）
　　　　　　　　　　　　　　　　　　　　　　　　　　　　　　　　　　　　1通
　イ　在日親族等が身元保証を行なうものであることが確認できる内容の通信文
　　　　　　　　　　　　　　　　　　　　　　　　　　　　　　　　　　　　1通
(4) 元日本人で中国の国籍を有する者は、前記(3)と同様在中国日本国大使館に対し査証の発給申請を行なうこと。
　　なお、申請書類のうち、在日親族等から通付する必要のあるものは、次のとおりであること。
　ア　本人の除籍の謄本又は抄本　　　　　　　　　　　　　　　　　　　　1通
　イ　在日親族等が身元保証を行なうものであることが確認できる内容の通信文
　　　　　　　　　　　　　　　　　　　　　　　　　　　　　　　　　　　　1通

別紙様式　略

○難民等に対する生活保護の措置について

　　　　　　　　　　　昭和57年1月4日　社保第2号
　　　　　　　　　　　各都道府県知事・各指定都市市長宛　厚生省社会局長
　　　　　　　　　　　通知

　難民の地位に関する条約（昭和56年条約第21号）及び難民の地位に関する議定書（昭和57年条約第1号）が批准され、本年1月1日から発効したこと及び出入国管理令の一部が改正され（改正により「出入国管理及び難民認定法」に改題。以下「入管法」という。）、同日から施行されたことに伴い、難民等に対する生活保護の措置については下記のように取扱うこととしたので、遺憾のないようにされたい。また、難民条約第23条は、同条約及び前記議定書に規定する難民に対し公的扶助に関し日本国民に対すると同一の待遇を与えることを義務付けているが、難民に対する下記1本文による措置は難民条約第23条の義務をも履行するものであるので、併せて貴管下実施機関に対し周知せしめられたい。

　　　　　　　　　　　　　　　　　記

1　入管法第61条の2第1項の規定に基づき難民の認定を受けている者については、昭和29年5月8日社発第382号当職通知「生活に困窮する外国人に対する生活保護の措置について」により取扱うこと。ただし、定住促進センター又は一時収容施設に入所中の難民については、国又は国連難民高等弁務官から当面の生活に必要な各種の援護措置が講じられることにかんがみ、これらの施設に入所している間は、これらの者に対し保護を行う必要がないものであること。

2　入管法第61条の2第1項の規定に基づく難民の認定は受けていないが入管法第18条の2第1項の規定に基づき一時庇護のための上陸の許可を受けている者については、出入国管理及び難民認定法施行規則（昭和56年外務省令第54号）第18条第4項第2号の規定に基づき住居として指定された施設において当面の生活に必要な各種の援護措置が講じられることにかんがみ、これらの者に対し保護を行う必要がないものであること。

○生活保護に係る外国人からの不服申立ての取扱いについて

```
平成13年10月15日　社援保発第51号
各都道府県・各指定都市・各中核市民生主管部(局)長
宛　厚生労働省社会・援護局保護課長通知
```

　標記の件に関して、別紙2の大阪市健康福祉局長からの照会に対して、別紙1のとおり回答したので、了知されたい。

（別紙1）
　　　生活保護に係る外国人からの不服申立ての取扱いについて

```
平成13年10月15日　社援保発第50号
大阪市健康福祉局長宛　厚生労働省社会・援護局保護
課長回答
```

　平成13年10月12日付け大健福第3156号をもって照会のあった標記の件について、下記のとおり回答する。

記

　外国人に対する保護は、生活保護法（昭和25年法律第144号）第1条の規定により日本国民に限定されている保護の対象を、同法を準用し、予算措置として永住者、定住者等に拡大しているものである。
　一方、行政不服審査法（昭和37年法律第160号）に規定する処分とは、公権力の主体たる国又は公共団体が行う行為のうち、その行為によって、直接国民の権利義務を形成し、又はその範囲を確定することが法律上認められているものをいい、公権力の行使に当たる事実行為で継続的性質を有するものを含むものとされていることから、法律上の権利として保障されていない外国人に対する保護に関する決定は、当該処分に該当しないこととなる。
　よって、生活保護に係る外国人からの不服申立てについては、処分性を欠くものとして、これを却下すべきである。
　なお、外国人に対する保護に関する決定に際しては、行政不服審査法第57条第1項の規定の趣旨から、不服申立てをすることができる旨等の教示をすることは適当でない。

（別紙2）
　　　生活保護に係る外国籍の被保護者からの不服申立ての取扱いについて

```
平成13年10月12日　大健福第3156号
厚生労働省社会・援護局保護課長宛　大阪市健康福祉
局長照会
```

　標記の件について、下記のとおり従来の取扱いに疑義が生じたので、今後の参考とする

ため、改めて厚生労働省の見解をお伺いしたい。

記

　この度、本市が行った外国籍の被保護者からの保護変更申請を却下する決定に対して、当該外国籍の被保護者から不服申し立てがなされ、大阪府において認容の裁決が出されたところである。

　従来、外国人から生活保護に係る不服申立てがなされた場合、「生活保護法関係の不服申立ての取扱いに係る質疑応答について」(昭和38年5月28日付け社保第40号厚生省社会局保護課課長通知)にあるように、外国人については不服申立てができないため、当該不服申立ては却下すべきものと考えてきたが、この場合の取扱い如何。

○生活保護に係る外国籍の方からの不服申立ての取扱いについて

（平成22年10月22日　社援保発1022第1号
各都道府県・各指定都市・各中核市民生主管部(局)長　宛
厚生労働省社会・援護局保護課長通知）

〔改正経過〕

第1次改正　令和3年1月7日社援保発0107第1号

　標記の件に関して、これまで「生活保護に係る外国人からの不服申立ての取扱いについて」（平成13年10月15日社援保発第51号厚生労働省社会・援護局保護課長通知）において、外国籍の方に対する保護は、生活保護法（昭和25年法律第144号）第1条の規定により日本国民に限定されている保護の対象を、同法を準用し予算措置として永住者、定住者等に拡大しているものであり、法律上の権利として保障されていない生活保護に係る外国人からの不服申立てについては、処分性を欠くものとして、これを却下すべきであると示しています。

　一方、外国籍の方からの生活保護申請却下処分に係る審査請求に対する裁決取消請求事件について、平成22年9月30日大分地方裁判所は、外国籍であることを理由に却下裁決をした県知事の判断は、生活保護法及び行政不服審査法（昭和37年法律第160号）に反し、違法であると判決しました。

　今般、同判決を受け、生活保護に係る外国籍の方からの不服申立てについて、これまでの取扱いを改め、下記のとおりとしますので、当該外国籍の方に対し丁寧に説明する等適切に対応するようお願いします。

記

　生活保護法の適用を求めて保護申請がされた場合、当該申請に対する処分庁の決定は同法に基づく処分であり、当該申請をした方が外国籍の方であっても、同法に基づき不服申立てをすることができる旨等の教示をすべきである。その場合の処分通知については、別添を参照されたい。

　また、裁決庁は、上記の却下処分に対する不服申立てについては、外国籍であることを理由とした棄却裁決をされたい。

別添

```
発    第    号
           年 月 日
                              福祉事務所長    印
        殿
```

保護申請却下通知書

　AA年BB月CC日付で申請された生活保護法による保護については、下記の理由で保護できないから却下します。
　なお、この決定に不服があるときは、この決定があったことを知った日の翌日から起算して3か月以内に、知事に対し審査請求することができます（なお、決定があったことを知った日の翌日から起算して3か月以内であっても、決定があった日の翌日から起算して1年を経過すると審査請求をすることができなくなります。）。
　また、この審査請求に対する裁決を経た場合に限り、その審査請求に対する裁決があったことを知った日の翌日から起算して6か月以内に、市を被告として（訴訟において市を代表する者は市長となります。）この決定の取消しの訴えを提起することができます（なお、裁決があったことを知った日の翌日から起算して6か月以内であっても、裁決があった日の翌日から起算して1年を経過すると決定の取消しの訴えを提起することができなくなります。）。ただし、次の①から③までのいずれかに該当するときは、審査請求に対する裁決を経ないでこの決定の取消しの訴えを提起することができます。①審査請求をした日の翌日から起算して50日（50日以内に行政不服審査法第43条第3項の規定により通知を受けた場合は70日）を経過しても裁決がないとき。②決定、決定の執行又は手続の続行により生ずる著しい損害を避けるため緊急の必要があるとき。③その他裁決を経ないことにつき正当な理由があるとき。
　なお、「生活に困窮する外国人に対する生活保護の措置について」（昭和29年5月8日社発第382号厚生省社会局長通知）に基づく措置については、別紙のとおり通知します。

記

1　却下の理由
　　本件申請は、生活保護法第1条に規定する「国民」による申請ではないため、生活保護法上の要件を満たさない。

2　この通知が申請書受理後14日を経過した事由

※下線部が加筆修正部分

生活保護に係る外国籍の方からの不服申立ての取扱いについて

> 支給の場合

（別紙）

　AA年BB月CC日付で申請された「生活に困窮する外国人に対する生活保護の措置について」（昭和29年5月8日社発第382号厚生省社会局長通知）に基づく生活保護の措置を、以下のとおり決定します。

1　保護の種類及び程度
　　イ　種類　　　　　　　　　　扶助
　　ロ　程度　　　　　　　　　　　円
　　ハ　介護扶助自己負担額　　　　円
　　ニ　医療扶助自己負担額　　　　円

2　保護の開始時期　　　　　　年　　月　　日

3　保護の方法

4　保護を決定した理由

5　扶助金の支給日及び支給場所

（備考）
　扶助金を受け取るときにはこの通知書が必要ですから、忘れないように持参してください。

> 却下の場合

（別紙）

　AA年BB月CC日付で申請された「生活に困窮する外国人に対する生活保護の措置について」（昭和29年5月8日社発第382号厚生省社会局長通知）に基づく生活保護の措置については、以下の理由で保護できないから却下します。
（却下の理由）

○外国人からの生活保護の申請に関する取扱いについて

> 平成23年8月17日　社援保発0817第1号
> 各都道府県・各指定都市・各中核市民生主管部(局)長宛　厚生労働省社会・援護局保護課長通知

　生活に困窮する外国人からの生活保護の申請に関する取扱いについては、「生活に困窮する外国人に対する生活保護の措置について(昭和29年5月8日社発第382号厚生省社会局長通知。以下「通知」という。)」により、生活保護法(昭和25年法律第144号)による保護に準じた取扱いをすることとしています。

　一方、出入国管理及び難民認定法(昭和26年政令第319号。以下「法」という。)第5条第1項第3号により、「貧困者、放浪者等で生活上国又は地方公共団体の負担となるおそれのある者」は本邦に上陸することができないとし、また、出入国管理及び難民認定法施行規則(昭和56年法務省令第54号。以下「法施行規則」という。)別表第三により、法別表第二の在留資格をもって本邦に上陸しようとする外国人に対しては、その在留資格に応じて、「在留中の一切の経費を支弁することができることを証する文書」等の生計維持能力を有することを立証するための資料を地方入国管理局に提出することを義務づけています。

　今般、法務省から各地方入国管理局に対して、本邦に上陸しようとする外国人に関する法第5条第1項第3号への該当性について、下記のとおり一層厳正に審査を行うように通知されました。

　これを受け、生活保護の実施機関においても、入国後間もなく生活に困窮する外国人からの生活保護の申請に当たっては、当該者が在留資格の取得の際に地方入国管理局に対して提出した立証資料(当該者に係る雇用予定証明書等の入国在留中の一切の経費を支弁することができることを証する文書、当該者以外の者が経費を支弁する場合にはその収入を証する文書、本邦に在留する身元保証人の身元保証書その他の生計維持能力を有することを証する資料)の提出を求めることとします。また、当該者が理由なく上記資料の提出を拒む場合は、通知問1により、当該者が急迫な状態であって放置することができない場合を除き、申請を却下しても差し支えありません。

　なお、入国後しばらく経過した後に生活保護の申請をする外国人については、この限りではないこととします。

　ついては、本通知の趣旨を理解し、管内実施機関に周知徹底いただくとともに、適切な実施に当たるようお願いします。

　なお、本通知の内容については、法務省と協議済みであることを申し添えます。

記

　本邦に入国しようとする外国人について、今般、法務省から地方入国管理局に対して発出された通知の概要は以下のとおりである。

生活困窮外国人に対する生活保護措置における領事館等への確認手続について

　本邦に入国しようとする外国人の上陸に当たっては、申請書及び法施行規則第三に規定する立証資料により、法第5条第1項第3号に該当しないこと、つまり、法第7条第1項第4号の上陸のための条件に適合することを一層厳正に審査すること。
　具体的には、以下のとおり。
(1) 身元保証人や扶養者が無職である場合等、法第5条第1項第3号に該当するおそれがある案件については、身元保証人等の保証能力や、申請人の自活能力等について慎重に審査すること。
(2) 身元保証人が申請人の滞在中の一切の経費を支弁しようとする場合は、以下の点を確認すること。
　① 身元保証人に当該経費支弁に必要な収入（公的扶助は含まれない）又は資産があること。
　② 身元保証人と申請人が、身元保証人が保証することとしている内容を遵守する合理的な理由が認められる関係にあること。
(3) 申請人が本邦において就労することにより本邦在留中の一切の経費を支弁しようとする場合は、以下の点を確認すること。
　① 就職予定先の企業等が発行する「雇用予定証明書」等により、申請人が生計維持能力を有するか否かについて。
　② 「雇用予定証明書」等の内容に疑義があると認められる場合は、その内容の信憑性について。

参考　略

○生活に困窮する外国人に対する生活保護の措置における地方公共団体から領事館等への確認の手続について

　　　　　　　　　平成31年3月29日　事務連絡
　　　　　　　各都道府県・各指定都市・各中核市生活保護担当課宛
　　　　　　　　厚生労働省社会・援護局保護課

　日頃より、生活保護行政の適正な運営に御尽力いただき、厚く御礼申し上げます。
　生活に困窮する外国人に対する生活保護の措置については、「生活に困窮する外国人に対する生活保護の措置について」（昭和29年5月8日付け社発第382号厚生省社会局長通

知)(以下「局長通知」という。)一の(4)により、都道府県知事は、保護の実施機関が要保護状態にあると認めた外国人が、その属する国の代表部若しくは領事館(支部又は支所のある場合にはその支部又は支所)又はそれらの斡旋による団体等(以下「領事館等」という。)から必要な保護又は援護を受けることができるか否かを確認し、その結果を保護の実施機関に通知する取扱いとしているところです。

現在、領事館等への確認については、適切に行っていない地方公共団体がある一方で、確認を行っても回答が全くない領事館等もあるところです。

今般、「「平成30年の地方からの提案等に関する対応方針」(平成30年12月25日閣議決定)」において、領事館等への確認の手続については、適正な事務実施や事務負担の軽減を図る観点から、必要な措置を講ずることとされました。(別紙)

領事館等への確認の手続は、生存権保障の責任が第一義的にはその者の属する国家が負うべきであるところ、その可否を確認するものであり、行政措置として外国人に生活保護の決定実施の取扱いに準じて必要と認める保護を行う前提となる重要な手続であるため、保護の実施機関においては、局長通知の取扱いを適正に行っていただくとともに、領事館等からの過去の回答の有無等を踏まえて確認の頻度等について適切にご判断いただくようお願いいたします。

については、本事務連絡の趣旨を承知いただき、管内実施機関に周知いただくようお願いいたします。

別　紙

　　「平成30年の地方からの提案等に関する対応方針」(平成30年12月25日閣議決定)(抄)

6　義務付け・枠付けの見直し等

【厚生労働省】

(36)　外国人に対する生活保護の適正な実施のための措置

生活に困窮する外国人に対する生活保護の措置における地方公共団体から領事館等への確認の手続については、適正な事務実施や事務負担の軽減を図る観点から、当該手続に関する実態把握を行い、2018年中に結論を得る。その結果に基づいて必要な措置を講ずる。

第9章　就労・進学支援

○生活保護法による就労自立給付金の支給について

> 平成26年4月25日　社援発0425第3号
> 各都道府県知事・各指定都市市長・各中核市市長宛
> 厚生労働省社会・援護局長通知

〔改正経過〕
　第1次改正　平成30年9月4日社援発0904第6号
　注　令和6年6月18日社援発0618第5号による改正は未適用につき〔参考〕として1593頁以降に収載（令和6年10月1日適用）

　生活保護法（昭和25年法律第144号。以下「法」という。）は、生活に困窮する国民に対し、最低限度の生活を保障するとともに、自立を助長することを目的としている。
　この度、生活保護法の一部を改正する法律（平成25年法律第104号。以下「改正法」という。）が、平成26年7月1日から施行されることに伴い、生活保護受給者の就労による自立の促進を図ることを目的として、安定した職業に就いたこと等により、保護を必要としなくなった者に対して、就労自立給付金を支給する制度が創設されることとなったので、本制度の適正かつ有効な実施を図られたく通知する。
　なお、本通知は、地方自治法（昭和22年法律第67号）第245条の9第1項及び第3項の規定による処理基準としたので申し添える。

記

1　趣旨
　　生活保護から脱却すると、税・社会保険料等の負担が生じるため、こうした点を踏まえ、生活保護を脱却するためのインセンティブを強化するとともに、脱却直後の不安定な生活を支え、再度保護に至ることを防止することが重要である。そのため、被保護者の就労による自立の促進を目的に、安定した職業に就いたこと等により保護を必要としなくなった者に対して就労自立給付金（以下「給付金」という。）を支給する制度を創設するものであること。
2　給付金の周知について
　　保護の実施機関は、就労支援を実施する被保護者を中心に給付金の周知に努め、就労による保護脱却を働きかけること。
　　特に、「就労可能な被保護者の就労・自立支援の基本方針について」（平成25年5月16

日付け社援発0516第18号当職通知）に基づき、同方針に基づく支援が効果的と思われる者に対しては、保護脱却に至るまで切れ目なく集中的な支援を行い、被保護者の就労による自立を促すことにしており、自立活動確認書を作成する場合など被保護者との面談の機会をとらえて、求職活動を促す就労活動促進費の活用等、就労に向けた切れ目のない支援や給付金の支給を受けられる仕組みについても十分に説明を行い、早期の保護脱却が図られるよう働きかけること。

なお、支援に当たっては、本人の意思を尊重した就労支援を行い、給付金の支給が可能であることをもって保護からの脱却を強制することがないよう留意すること。

3 支給機関

給付金の支給機関は、都道府県知事、市長及び福祉事務所を設置する町村長とすること。

4 支給要件及び支給方法

被保護者であって、(1)から(4)までのいずれかの事由に該当することにより、保護を必要としなくなったと支給機関が認めた場合に、当該被保護者の申請に基づき、7に定める算定方法に基づき算定した給付金を、世帯を単位として一括して支給すること。なお、以上の(1)から(4)までの場合における就業の形態は問わないものであること。（法第55条の4関係）

(1) 世帯員が、安定した職業（おおむね6月以上雇用されることが見込まれ、かつ、最低限度の生活を維持するために必要な収入を得ることができると認められるものをいう。以下において同じ。）に就いたこと。

(2) 世帯員が事業を開始し、おおむね6月以上当該世帯が最低限度の生活を維持するために必要な収入を得ることができると認められること。

(3) 就労による収入を得ている被保護世帯において、就労収入が増加することにより、おおむね6月以上当該世帯が最低限度の生活を維持することができると認められること。

(4) 就労による収入を得ておらず、それ以外の収入を得ている被保護世帯において、当該世帯に属する世帯員が職業（安定した職業を除く。）に就き、就労収入を得ることにより、おおむね6月以上当該世帯が最低限度の生活を維持することができると認められること。

5 給付金の性格等

(1) 給付金は、被保護者が就労により生活保護の受給を受けずに、自らの力で社会生活に適応した生活を営むことができるよう、自立を促進するという目的のために支給するものであり、法における保護金品とは異なるものであること。

(2) 給付金は、安定した職業に就いたこと等により、保護を必要としなくなったと認められる被保護者に対して支給するものであること。そのため、申請は、被保護者が保護の廃止の直前に行うものとし、その支給は、保護の廃止決定時又は廃止後速やかに行うものとすること。ただし、事後において明らかとなった収入を認定したために遡って保護の廃止を決定する場合等、やむを得ない事由があると認めたときはこの限りでないこと。

なお、給付金は保護廃止後の生活に充てることを目的とするものであるから、保護廃止の際の要否判定の対象となる収入ではないことに留意すること。
　(3)　給付金は、就労自立に役立てられるべきものであることから、支給を受ける権利は譲り渡すことができないものであること。(法第59条関係)
　(4)　給付金の支給を受ける権利は、2年を経過したときは、時効によって消滅するものであること。(法第76条の3関係)
　(5)　給付金の支給を受けた日から起算して3年を経過しない被保護者については、保護を必要としなくなったと認められた場合であっても、支給しないこと。
　　　ただし、被保護者が給付金支給の際に就労していた会社等の倒産や事業の廃止などやむを得ない事由(疾病等自己都合による場合を除く。)があると認めたときはこの限りでないこと。
　(6)　給付金は、所得税法(昭和40年法律第33号)第34条第1項に規定する一時所得に該当するものであることから、支給の決定の通知に当たってはその旨を教示すること。
6　申請による支給の決定
　(1)　支給機関は、氏名及び住所又は居所、保護を必要としなくなった事由等を記載した申請書により支給の申請があったときは、支給要件に該当するかどうかを判断した上で、支給の金額及び方法を決定し、書面をもって通知する。各種書面の様式の標準は、「生活保護法施行細則準則について」(平成12年3月31日付け社援第871号厚生省社会・援護局長通知)を参照されたい。
　　　なお、当該申請書を作成することができない特別の事情があるときは、この限りでなく、申請者の口頭による陳述を聴取し、必要な措置を採ることで申請書の受理に代えることとすること。
　(2)　支給機関は、安定した職業に就いたこと等により保護を必要としなくなる場合は、給付金の申請等について助言するなど、被保護者の申請が確実に行われるよう支援すること。
　(3)　支給の決定の通知は、速やかに行うものとし、標準処理期間は、申請のあった日から起算して14日以内とすること。ただし、就労収入の状況の調査に時間を要する等特別な事由がある場合には、これを30日以内に行うこととすること。
　　　なお、この場合には、決定を通知する書面にその理由を明示すること。
7　給付金の算定方法
　　給付金の支給額は、算定対象期間((1))における各月の就労収入額((2))に対し、10％を乗じて算定した額(1円未満の端数を切り捨て。以下同じ。)に単身世帯は2万円、複数世帯は3万円を加えた額と、上限額((3))とのいずれか低い額とすること。
　　なお、支給対象世帯において、2人以上の世帯員が就労に伴う収入を得ている場合には、それぞれの者について算定した額を合算し、合算した額と、上限額とのいずれか低い額を支給額とすること。
　(1)　算定対象期間
　　　保護を必要としなくなったと認めた日が属する月(保護を必要としなくなったと認められた日が月の初日である場合、その前月)から起算して前6月(当該期間中に法

第26条の規定に基づき月の初日から末日までの期間にわたって保護を停止した場合は、当該期間を含まない6月）を算定対象期間とすること。ただし、法第27条第1項の指導又は指示に従わず、又は法第28条第1項の報告をしないなどにより保護を停止した期間については、算定対象期間に含むものであること。
　(2)　就労収入額
　　　給付金の支給対象世帯の世帯員について、保護の実施機関が、「生活保護法による保護の実施要領について」（昭和36年4月1日付け厚生省発社第123号厚生事務次官通知）第8によって収入として認定した就労による収入額（以下「収入充当額」という。）とすること。
　(3)　支給額の上限額
　　　単身世帯は10万円、複数世帯は15万円とすること。
8　報告
　　支給機関は、給付金の支給決定を適切に行う等（11において不正受給の徴収金を徴収する場合を含む。）のために必要があるときは、被保護者若しくは被保護者であった者又はこれらの者の雇主その他の関係人に、安定した職業に就いた事実や就労収入の額等必要な事項の報告を求めることができること。（法第55条の6関係）
9　不服申立て
　(1)　市町村長がした給付金の支給に関する処分（市町村長が給付金の支給に関する事務の全部又は一部を福祉事務所長等その管理に属する行政庁に委任した場合の当該事務に関する処分を含む。）についての審査請求は、都道府県知事に対して行われるものであること。
　　　また、都道府県知事が給付金の支給に関する事務の全部又は一部を福祉事務所等その管理に属する行政庁に委任した場合の当該事務に関する処分についての審査請求は都道府県知事に、都道府県知事の給付金の支給に関する処分についての審査請求は厚生労働大臣に対して行われるものであること。（法第64条関係）
　(2)　都道府県知事は、審査請求があったときは、50日以内に当該審査請求に対する裁決をしなければならないこと。
　　　また、都道府県知事の裁決に不服のある者は、厚生労働大臣に対して再審査請求をすることができること。この場合においては、70日以内に当該再審査請求に対する裁決をすること。
　　　なお、支給機関が実施した処分の取消しの訴えは、当該処分に関する裁決を経た後でなければ提起できないものであること。（法第65条第1項、第66条及び第69条関係）
10　費用負担
　(1)　都道府県及び市町村は給付金の支給（支給の委託を受けて行うものを含む。）に要する費用（以下「就労自立給付費」という。）を支弁するものであること。
　(2)　都道府県は、次の場合において市町村が支弁した就労自立給付費の4分の1を負担するものであること。

① 居住地がないか、又は明らかでない被保護者に支弁したとき。
② 宿所提供施設又は児童福祉法（昭和22年法律第164号）第38条に規定する母子生活支援施設にある被保護者につきこれらの施設の所在する市町村が支弁したとき。
(3) 国は、市町村及び都道府県が支弁した就労自立給付費の4分の3を負担するものであること。（法第70条第5号、第71条第5号、第73条第3号及び第4号並びに第75条第2号関係）

11 不正受給への対応について
　不正受給への対応については、「生活保護行政を適正に運営するための手引きについて」（平成18年3月30日付け社援保発第0330001号厚生労働省社会・援護局保護課長通知）のⅣの3費用徴収方法を参照されたい。（法第78条第3項並びに第78条の2第2項及び第3項関係）

12 罰則
(1) 偽りその他不正な手段により給付金の支給を受け、又は他人をして受けさせた者は、3年以下の懲役又は100万円以下の罰金に処するものであること。ただし、刑法（明治40年法律第45号）に正条があるときには、刑法によるものであること。（法第85条第2項関係）
(2) 8の報告を怠り、又は虚偽の報告をした者は30万円以下の罰金に処するものであること。（法第86条関係）

13 附則
(1) 平成26年7月1日（改正法施行期日）から給付金の支給を開始すること。支給機関は、施行日前においても支給要件に該当する者に対して遅延なく支給できるよう、被保護者に対する周知など支給に必要な準備を行うこと。（改正法附則第1条及び第10条関係）
(2) 平成30年10月より前に保護を必要としなくなった世帯が、平成30年10月以降に給付金を申請する場合は、従前の例により、算定対象期間（7(1)）における各月の就労収入額（7(2)）に対し、その各月に応じた算定率を乗じて算定した額と、上限額（7(3)）とのいずれか低い額を支給すること。
(3) (2)の場合における各月に応じた算定率は、保護の廃止に至った就労の収入認定開始月を起算点とし、1月目から3月目までは30％、4月目から6月目までは27％、7月目から9月目までは18％、10月目以後は12％とする。
(4) なお、平成25年12月以前から就労収入の認定を開始している場合は、平成26年1月に就労収入の認定を開始したものとして(2)及び(3)の算定を行うものとすること。

〔参　考〕
　　○「生活保護法による就労自立給付金の支給について」の一部改正について

　　　　　　　　令和6年6月18日　社援発0618第5号
　　　　　　　　各都道府県知事・各指定都市市長・各中核市市長宛
　　　　　　　　厚生労働省社会・援護局長通知

生活保護受給者の就労による自立の促進を図ることを目的として、安定した職業に就い

Ⅱ　生活保護法関係通知　第9章　就労・進学支援

たこと等により保護を必要としなくなった者に対しては、「生活保護法による就労自立給付金の支給について」（平成26年4月25日付け社援発0425第3号厚生労働省社会・援護局長通知）に基づき就労自立給付金を支給していただいているところである。

就労自立給付金の算定方法については、社会保障審議会生活困窮者自立支援及び生活保護部会における最終報告書（令和5年12月27日）において、「被保護者の就労の実態を踏まえ、就労による自立に向けた後押しとして、就労自立給付金の支給額の算定方法について、早期に保護が廃止された場合の最低給付額を引き上げるなどの就労期間に応じてメリハリを付ける見直しを行う方向で検討していくことが必要である」との指摘がされていた。

そのため、今般、生活保護法施行規則第18条の5の規定に基づき厚生労働大臣が定める算定方法（平成26年厚生労働大臣告示第224号）の一部が改正されたところである（告示日令和6年6月18日、適用期日令和6年10月1日）。

ついては、「生活保護法による就労自立給付金の支給について」（平成26年4月25日付け社援発0425第3号厚生労働省社会・援護局長通知）を別添のとおり改正し、令和6年10月1日から適用することとしたので、御了知の上、生活保護受給者への積極的な周知など、その取扱いに遺漏のないよう配慮されたい。

〔別　添〕

「生活保護法による就労自立給付金の支給について」（平成26年4月25日付け社援発0425第3号厚生労働省社会・援護局長通知）

改正後	現行
社援発0425第3号 平成26年4月25日 各　都道府県知事 　　指定都市市長　殿 　　中核市市長 厚生労働省社会・援護局長 ○生活保護法による就労自立給付金の支給について 　生活保護法（昭和25年法律第144号。以下「法」という。）は、生活に困窮する国民に対し、最低限度の生活を保障するとともに、自立を助長することを目的としている。 　この度、生活保護法の一部を改正する法律（平成25年法律第104号。以下「改正法」という。）が、平成26年7月1日から施行されることに伴い、生活保護受給者の就労による自立の促進を図ることを目的として、安定した職業に就いたこと等により、保護を必要としなくなった者に対して、就労自立給付金を支給する制度が創設されることとなったので、本制度の適正かつ有効な実施を図られたく通知する。 　なお、本通知は、地方自治法（昭和22年法律第67号）第245条の9第1項及び第3項の規定による処理基準としたので申し添える。	社援発0425第3号 平成26年4月25日 各　都道府県知事 　　指定都市市長　殿 　　中核市市長 厚生労働省社会・援護局長 ○生活保護法による就労自立給付金の支給について 　生活保護法（昭和25年法律第144号。以下「法」という。）は、生活に困窮する国民に対し、最低限度の生活を保障するとともに、自立を助長することを目的としている。 　この度、生活保護法の一部を改正する法律（平成25年法律第104号。以下「改正法」という。）が、平成26年7月1日から施行されることに伴い、生活保護受給者の就労による自立の促進を図ることを目的として、安定した職業に就いたこと等により、保護を必要としなくなった者に対して、就労自立給付金を支給する制度が創設されることとなったので、本制度の適正かつ有効な実施を図られたく通知する。 　なお、本通知は、地方自治法（昭和22年法律第67号）第245条の9第1項及び第3項の規定による処理基準としたので申し添える。

記

1～6　（略）

7　給付金の算定方法

給付金の支給額は、算定対象期間（⑴）における各月の就労収入額（⑵）に対し、10%を乗じて算定した額（1円未満の端数を切り捨て。以下同じ。）に基礎額（⑶）を加えた額又は上限額（⑷）とのいずれか低い額とすること。ただし、この額が下限額（⑸）を下回る場合は、下限額とすること。

なお、支給対象世帯において、2人以上の世帯員が就労に伴う収入を得ている場合には、それぞれの者について算定した額を合算し、合算した額と、上限額とのいずれか低い額を支給額とすること。

⑴・⑵　（略）

⑶　基礎額

5万円（単身世帯にあっては4万円）から、算定対象期間において最初に就労収入があった月の翌月から廃止月までの月数に7500円を乗じて得た額を減じて得た額

月数別基礎額

月数	1月	2月	3月	4月	5月	6月
単身世帯	40,000円	32,500円	25,000円	17,500円	10,000円	2,500円
複数世帯	50,000円	42,500円	35,000円	27,500円	20,000円	12,500円

⑷　支給額の上限額

単身世帯は10万円、複数世帯は15万円とすること。

⑸　支給額の下限額

単身世帯は2万円、複数世帯は3万円とすること。

8～12　（略）

13　附則

⑴～⑷　（略）

⑸　令和6年10月より前に保護を必要としなくなった世帯が、令和6年10月以降に給付金を申請する場合は、従前の例により、算定対象期間（7⑴）における各月の就労収入額（7⑵）に対し、10%を乗じて算定した額に単身世帯は2万円、複数世帯は3万円を加えた額と、上限額（7⑷）とのいずれか低い額を支給すること。

記

1～6　（略）

7　給付金の算定方法

給付金の支給額は、算定対象期間（⑴）における各月の就労収入額（⑵）に対し、10%を乗じて算定した額（1円未満の端数を切り捨て。以下同じ。）に単身世帯は2万円、複数世帯は3万円を加えた額と、上限額（⑶）とのいずれか低い額とすること。

なお、支給対象世帯において、2人以上の世帯員が就労に伴う収入を得ている場合には、それぞれの者について算定した額を合算し、合算した額と、上限額とのいずれか低い額を支給額とすること。

⑴・⑵　（略）

（新設）

⑶　支給額の上限額

単身世帯は10万円、複数世帯は15万円とすること。

（新設）

8～12　（略）

13　附則

⑴～⑷　（略）

（新設）

○生活保護法による就労自立給付金の取扱いについて

> 平成26年4月25日　社援保発0425第7号
> 各都道府県・各指定都市・各中核市民生主管部(局)長宛　厚生労働省社会・援護局保護課長通知

〔改正経過〕
　　第1次改正　平成30年9月4日社援保発0904第3号
　　注　令和6年6月18日社援保発0618第1号による改正は未適用につき〔参考〕として1599頁以降に収載（令和6年10月1日適用）

　今般、生活保護法（昭和25年法律第144号。以下「法」という。）の一部改正により、平成26年7月1日から生活保護受給者の就労による自立の促進を図ることを目的として就労自立給付金（以下「給付金」という。）が創設されることとなり、「生活保護法による就労自立給付金の支給について」（平成26年4月25日付け社援発0425第3号厚生労働省社会・援護局長通知。以下「局長通知」という。）が示されたところであるが、支給に当たっての取扱いについて次のとおり定めることとしたので、了知の上、取扱いについて遺漏のないよう配慮されたい。
　また、本通知は、地方自治法（昭和22年法律第67号）第245条の9第1項及び第3項の規定による処理基準であることを申し添える。
第1　支給要件について
　問1　局長通知4(3)又は(4)に該当する場合については、収入額に占める就労収入の額が少ない場合でも給付金の支給対象となるか。
　答　就労収入の金額の多寡にかかわらず、おおむね6月以上最低限度の生活を維持するために必要な収入を得ることができると認められれば支給対象となる。
　問2　保護を必要としなくなった要因が、世帯員の転出等による基準額の変更（減額）のみを原因としている場合には、支給対象としないということでよいか。
　答　お見込みのとおりである。
　問3　保護施設等への入所者について、保護を必要としなくなった要因が、保護施設等からの退所による基準額の変更（減額）のみを原因としている場合には、支給対象にしないということでよいか。
　答　保護施設等に入所中に開始した就労によって居宅における最低生活費は上回っているが、その超過額が保護施設事務費に満たないために、その者を被保護者と継続してみなしている場合で、当該退所が施設入所の目的を達したことによる場合に限り、退所による基準額の変更によって保護廃止となる場合も支給対象として扱って差し支えない。
　問4　保護の辞退の申出があり廃止となった場合は、保護を必要としなくなったものとして支給対象となるか。
　答　支給対象とならない。
　問5　給付金の支給は世帯ごととされていることから、高等学校等を卒業した者が就職

して世帯から独立する場合は支給対象とならないものとして解してよいか。
答　お見込みのとおりである。生活保護制度においては、保護は世帯を単位として適用され、原則として脱却についても世帯単位で促すものであること、また、当該給付金を支給すると仮定した場合の未成年者の世帯からの独立は、当該未成年者がその単身生活を維持するのに必要な知識等を十分に獲得していないまま、不安定な独立を促す可能性もあることから、支給しないこととする。

第2　申請による支給の決定について
問1　生活保護法施行規則（昭和25年厚生省令第21号）第18条の4第2項の「就労自立給付金の支給の決定に必要な書類」とは、申請書のほか具体的にどのようなものがあるか。
答　就労による収入の状況が確認できる収入申告書のほか、被雇用者であれば、賃金、労働時間、労働契約の期間、就業の場所、従事すべき業務内容等の労働契約に係る契約書（これらの事項を証明できる書類を含む）、事業を営む者であれば、売上げ等の収入金額や仕入れや必要経費に関する事項を記録した帳簿等、局長通知4に規定する者に該当することを確認するために必要な書類が該当する。
　なお、既に提出されている書類で確認ができる場合には、重ねて提出を求める必要はない。一方、給付金受給後3年以内に再支給の申請をする場合には、やむを得ない事由に該当することが確認できる書類の提出は必要となる。
問2　給付金の申請及び支給は、福祉事務所を設置していない町村長を経由して行うことはできるか。
答　当該町村長を通じて行うことはできない。
問3　局長通知6(1)による申請に対し、給付金の支給に関する処分が行われないことについて、申請者が不服申し立てを行う場合の支給根拠は、行政不服審査法（昭和37年法律第160号）第7条の不作為の不服申し立てによるものと解してよいか。
答　お見込みのとおり。この場合、申請のあった日から30日以内に支給の決定の通知がないときには、申請者は行政不服審査法第2条第2項の「不作為」に当たるとして不服申立ができるものであることから、速やかな決定の通知をされたい。

第3　給付金の算定方法について
問1　賞与等の就労収入も算定対象となるか。
答　賞与等の収入であっても、本人の就労収入であるため、算定対象期間に保護の実施機関が「生活保護法による保護の実施要領について」（昭和36年4月1日付け厚生省発社第123号厚生事務次官通知）第8によって収入として認定したもの（以下「収入充当額」という。）であれば、対象となる。
問2　算定対象期間内に、①転職があった場合や、②就労に伴う収入源が1つから2つ以上に変動した場合については、どのように算定すればよいか。
答　①　算定対象期間内にA社からB社への転職があった場合においては、算定対象期間の算定は、転職前のA社の収入認定開始月を起算点とした算定率を用いることとする。
　　②　算定対象期間内に、C社における就労収入に加えて、新たにD社における就労

収入を得ることとなった場合については、2以上の収入を得ることになった月以降は収入充当額を合算した上で、C社の収入認定開始月を起算点とした算定率を用いて算定することとする。
問3　他の実施機関の管内で保護を受けていた者が転入し、その後、安定した職業に就いたこと等により保護廃止となった場合であって、算定対象期間に他の実施機関で収入認定した期間も含まれている場合、どのように算定すればよいか。
答　算定対象期間内に、転居等により実施機関が変わった場合については、転居後の保護の実施機関を支給機関とする。その場合、他の実施機関で収入として認定した額も含む算定対象期間の収入充当額に基づき給付金の額を算定し、支給することとする。

第4　再支給の制限について
問1　給付金の支給を受けた世帯の世帯員が、単身で再度保護を受け、その後に保護を脱却した場合、給付金を受けた日から3年以内である場合には対象とならないと考えてよいか。
答　お見込みのとおりである。
問2　①給付金の支給を受けた世帯の世帯員が、給付金の支給を受けていない者と同一世帯で保護を受けるに至った場合や、②給付金の支給を受けた世帯の世帯員が、給付金の支給を受けていない世帯に転入した場合であって、当該世帯が就労により保護を脱却した場合、給付金を受けた日から3年以内である場合には、当該世帯は支給対象とならないと考えてよいか。
答　お見込みのとおりである。
問3　局長通知5(5)にいうやむを得ない事由とは具体的にどのような場合か。
答　雇用保険の「特定受給資格者」（倒産や解雇等による離職）、「特定理由離職者」（雇い止めなどによる離職者に限り、正当な理由のある自己都合により離職した者を除く。）に該当する場合が「やむを得ない場合」として考えられる。
問4　やむを得ない事由については、何をもって証明してもらうのか。
答　公的な機関等が発行する証明書等によることとし、例えば、「特定受給資格者」や「特定理由離職者」の証明は、ハローワークが交付する雇用保険の受給資格者証によることが考えられる。

第5　その他
問1　給付金は、地方自治法施行令（昭和22年政令第16号）第161条第1項第10号の「生活扶助費、生業扶助費その他これらに類する経費」に含まれると考えてよいか。
答　お見込みのとおりである。
問2　局長通知5(4)の給付金の支給を受ける権利に係る時効の起算点は、給付金の支給が可能となったとき、すなわち保護の廃止日という理解でよいか。
答　お見込みのとおりである。
問3　給付金の支給を受けた者に不正に給付金を受給しようとする意思がなかったことが立証される場合で、やむを得ない理由により給付金の返還金が生じる場合等には、どの根拠法に基づき返還させることとなるのか。

答　民法（明治29年法律第89号）第703条の規定に基づく不当利得返還請求をしていただくことになる。

問4　保護費支給後に収入申告等により就労による収入充当額が異なることがわかった場合、給付金の算定に当たっての収入充当額は、当該月の正規の金額で計算するのか。

答　お見込みのとおりである。

問5　保護の要件に該当しない者が、不実の申請やその他不正な手段により保護を受けたことにより、不正な給付金の支給を受けた場合には、給付金も保護費とともに法第78条第3項の規定に基づく返還となるのか。

答　お見込みのとおりである。

問6　就労収入の未申告又は過少申告等により法第78条第1項の規定に基づき保護金品の一部返還を求める場合、実際の就労収入に基づき給付金を算定した結果、給付金の追加支給が生じる場合がある。このような場合の取扱いはどうするか。

答　実際の就労収入に基づき算定した結果、給付金の追加支給が生じる場合については、本来、本人が得られる給付金の額であることから、追加支給することとする。

〔参　考〕

○「生活保護法による就労自立給付金の取扱いについて」の一部改正について

令和6年6月18日　社援保発0618第1号
各都道府県・各指定都市・各中核市民政主管部（局）長　宛　厚生労働省社会・援護局保護課長通知

生活保護受給者の就労による自立の促進を図ることを目的として、安定した職業に就いたこと等により保護を必要としなくなった者に対して支給する就労自立給付金については、「生活保護法による就労自立給付金の取扱いについて」（平成26年4月25日付け社援発0425第7号厚生労働省社会・援護局保護課長通知）に基づき、その取扱いを定めていたところである。今般、一部を別添のとおり改正し、令和6年10月1日から適用することとしたので、御了知の上、その取扱いに遺漏のないよう配慮されたい。

［別　添］

「生活保護法による就労自立給付金の取扱いについて」（平成26年4月25日付け社援発0425第7号厚生労働省社会・援護局保護課長通知）

改正	現行
社援保発0425第7号 平成26年4月25日 （最終改正：令和6年6月18日） 　　都道府県 各　指定都市　民生主管部（局）長　殿 　　中核市 　　　　厚生労働省社会・援護局保護課長 生活保護法による就労自立給付金の取扱いについて 　今般、生活保護法（昭和25年法律第144号）	社援保発0425第7号 平成26年4月25日 　　都道府県 各　指定都市　民生主管部（局）長　殿 　　中核市 　　　　厚生労働省社会・援護局保護課長 生活保護法による就労自立給付金の取扱いについて 　今般、生活保護法（昭和25年法律第144号。

Ⅱ　生活保護法関係通知　第9章　就労・進学支援

以下「法」という。）の一部改正により、平成26年7月1日から生活保護受給者の就労による自立の促進を図ることを目的として就労自立給付金（以下「給付金」という。）が創設されることとなり、「生活保護法による就労自立給付金の支給について」（平成26年4月25日付け社援発0425第3号厚生労働省社会・援護局長通知。以下「局長通知」という。）が示されたところであるが、支給に当たっての取扱いについて次のとおり定めることとしたので、了知の上、取扱いについて遺漏のないよう配慮されたい。

また、本通知は、地方自治法（昭和22年法律第67号）第245条の9第1項及び第3項の規定による処理基準であることを申し添える。

記

第1・第2　（略）
第3　給付金の算定方法について
　問1　（略）
　問2　算定対象期間内に、①転職があった場合や、②就労に伴う収入源が1つから2つ以上に変動した場合については、どのように算定すればよいか。
　答①　算定対象期間内にA社からB社への転職があった場合においては、算定対象期間中最初にA社からの就労収入があった月から廃止月までの月数を基とした基礎額により算定することとする。
　　②　算定対象期間内に、C社における就労収入に加えて、新たにD社における就労収入を得ることとなった場合については、2以上の収入を得ることになった月以降は収入充当額を合算した上で、算定対象期間中最初にC社からの就労収入があった月から廃止月までの月数を基とした基礎額により算定することとする。
　問3　（略）
第4・第5　（略）

以下「法」という。）の一部改正により、平成26年7月1日から生活保護受給者の就労による自立の促進を図ることを目的として就労自立給付金（以下「給付金」という。）が創設されることとなり、「生活保護法による就労自立給付金の支給について」（平成26年4月25日付け社援発0425第3号厚生労働省社会・援護局長通知。以下「局長通知」という。）が示されたところであるが、支給に当たっての取扱いについて次のとおり定めることとしたので、了知の上、取扱いについて遺漏のないよう配慮されたい。

また、本通知は、地方自治法（昭和22年法律第67号）第245条の9第1項及び第3項の規定による処理基準であることを申し添える。

記

第1・第2　（略）
第3　給付金の算定方法について
　問1　（略）
　問2　算定対象期間内に、①転職があった場合や、②就労に伴う収入源が1つから2つ以上に変動した場合については、どのように算定すればよいか。
　答①　算定対象期間内にA社からB社への転職があった場合においては、算定対象期間の算定は、転職前のA社の収入認定開始月を起算点とした算定率を用いることとする。
　　②　算定対象期間内に、C社における就労収入に加えて、新たにD社における就労収入を得ることとなった場合については、2以上の収入を得ることになった月以降は収入充当額を合算した上で、C社の収入認定開始月を起算点とした算定率を用いて算定することとする。
　問3　（略）
第4・第5　（略）

○被保護者就労支援事業の実施について

```
平成27年3月31日　社援保発0331第20号
各都道府県・各指定都市・各中核市民生主管部(局)長
宛　厚生労働省社会・援護局保護課長通知
```

〔改正経過〕
　　第1次改正　平成27年4月9日社援保発0409第2号

　今般、生活保護法の一部を改正する法律(平成25年法律第104号。以下「改正法」という。)の一部が本年4月1日から施行されることに伴い、被保護者の就労の支援に関する問題につき、被保護者からの相談に応じ、必要な情報の提供及び助言を行う事業(以下「被保護者就労支援事業」という。)が創設されることになった。
　ついては、事業実施に当たって留意すべき事項等を下記のとおり定めることとしたので、了知の上、取扱いについて遺漏のないよう配慮されたい。
　なお、本通知は地方自治法(昭和22年法律第67号)第245条の4第1項の規定による技術的助言として行うものであることを申し添える。

記

1　基本的事項
　(1)　被保護者の自立については、身体や精神の健康を回復・維持し、自分で自分の健康管理を行うなど日常生活において自立した生活を送る「日常生活自立」、社会的なつながりを回復・維持し、地域社会の一員として充実した生活を送る「社会生活自立」、就労により経済的に自立する「経済的自立」の3つの概念が含まれる。特に就労は、単に経済的自立のみならず、日常生活自立や社会生活自立にもつながるものであり、福祉事務所において就労に向けた支援に取組むことが必要である。
　　　被保護者の状態は、早期に就労による自立が見込まれる者から、現時点では直ちに就労に結びつくことが難しい者まで多様であることから、就労支援に当たっては、被保護者自らの希望を尊重し支援を行っていくことが必要である。このため、支援を行うに当たっては、あらかじめ自立に向けた取組について、本人に説明し、同意を得て支援することが重要である。
　(2)　また、生活保護を受給する高齢者世帯が増加していることから、高齢者になる手前の者に対して早期に支援し自立を促進していくことが重要となってきている。
　　　しかしながら、被保護者は、職歴や学歴等において、求人と求職におけるミスマッチにより就労につながりにくいことに加え、特に、高齢者になる手前の40～50歳代の者については、年齢が阻害要因となり、就労に結びつきにくいという課題がある。
　　　こうした雇用のミスマッチを解消していくためには、地域において行政機関や関係団体等が協働しながら就労体験の場を含め、本人の特性に合う就労の場を開拓していくことが有効である。

Ⅱ　生活保護法関係通知　第9章　就労・進学支援

(3) なお、本事業の対象者であって、「就労可能な被保護者の就労・自立支援の基本方針について」（平成25年5月16日付け社援発0516第18号厚生労働省社会・援護局長通知。以下「基本方針」という。）に基づく支援が効果的と思われる者については、自立活動確認書を作成し、保護開始直後から保護脱却に至るまで、切れ目なく集中的な支援を行うことになるので留意されたい。

2　就労支援について

(1) 就労支援の流れ

① アセスメント

アセスメントとは、対象者の課題を把握し、その背景や要因を分析し、課題に応じた適切な支援の方向を見定めることである。

アセスメントでは、就労意欲の確認、就労していくに当たっての悩みや阻害要因の聴取などにより、対象者の現状を把握し、その過程において、対象者の自己理解（自分の性格、職業志向性、働くことの意義・価値観、職歴や職業希望を踏まえ、職業選択や将来のキャリア形成を考えること）や職業理解（職業、職務内容、賃金事情等労働市場全般の情報を知ること）を促進することが必要である。そのため、労働市場の現状及び職業情報の提供を行うとともに、対象者の自己理解と職業理解を通じた包括的な職業選択及び将来のキャリア形成に向けて、キャリアコンサルティング等必要な支援を行うこと。また、アセスメントを通じて、本人の置かれている状況や取り巻く環境について理解を深め、信頼関係を築いていくこと。なお、アセスメントは、課題だけでなく、本人の強みにも着目しながら実施していくこと。

ア　現状の把握

稼働能力があっても、就労が実現していない対象者については、これまでのケース記録や面談等を通じて、傷病、障害、年齢、学歴、職歴、世帯員の育児・介護の必要性等本人が置かれている状況や取り巻く環境等、自立を阻害する要因について的確に現状を把握し、就労の実現に向けて支援することが重要である。

イ　自己理解への支援

対象者の中には、自分の職業能力を適切に把握していないために就労に結びつかないこともあるため、自らを省みる機会を設けることが重要である。

また、「履歴書」や「職務経歴書」を書くことは、対象者が自身の現状や将来の希望を自ら明確化する効果もあることにも留意し、的確な支援を行うこと。なお、本人の希望と就労可能な仕事との間に齟齬がある場合には、その所在を本人と共有し、その解決に向けた支援を行うこと。

ウ　職業理解への支援

就労支援は就労させることだけでなく、職場に定着し、継続して自立した生活を送れるようにすることも視野に入れ行うことが必要である。そのためには、本人同意の下、本人の能力や労働市場等取り巻く環境を理解させるためのキャリアコンサルティングや、本人の希望を尊重した支援を行うことが必要である。

なお、本人の希望を尊重した就労活動を行っても就労の目途が立たない場合に

は、職種や就労場所を広げるなどの助言をすること。
② 個別シートの作成及び見直し
　支援を行うに当たっては、あらかじめ自立に向けた取組について、本人に説明し、同意を得て支援することが重要である。
　そのため、アセスメントの結果、生活課題、本人の希望する職業や働き方への課題、目標が設定できたら、対象者ごとに、本人の状態に応じた目標や支援内容を個別シートに記載すること等により明確にしておくこと。なお、個別シートの様式については、基本方針に基づく自立活動確認書を参考にすること。
　また、基本方針に基づき支援する対象者であり、自立活動確認書が組織的に共有されている場合には、それをもって個別シートを作成したものとして取り扱って差し支えない。
　なお、支援開始後は、定期的に対象者との面談の機会を設けて、取組が計画どおりに行われているか、対象者がどのような状況にあるかなどを確認する機会をもつことが重要である。このため、あらかじめ、状況を確認する時期を決めておくとともに、その結果、必要に応じ、支援内容を見直すこと。
③ 求職活動の支援
　ア 履歴書・職務経歴書の作成、面接の受け方指導
　　履歴書、職務経歴書の作成は、対象者のこれまでの経験を振り返る、就労に当たっての希望や意欲を再確認する、どういう能力があるかを再発見できる等、様々な効果がある。このため、履歴書等の作成指導を通じて、本人の経験や意欲を対象者と一緒に振り返り、必要な助言を行うとともに、面接の受け方などの指導を行うこと。
　イ ハローワークへの同行等
　　自主的な求職活動により就労が可能な場合については、支援開始当初にハローワークを有効利用できるよう同行し、利用方法や適職探しについて助言すること。
④ 支援の評価
　対象者とともに、実施されてきた就労支援や目標の達成状況を振り返り、支援内容や目標の見直し、新しい課題に対する支援の再検討をすること。
　また、評価を踏まえて、「生活保護受給者等就労自立促進事業の実施について」（平成25年３月29日付け雇児発0329第30号・社援発0329第77号厚生労働省雇用均等・児童家庭局長・社会・援護局長連名通知）に基づく生活保護受給者等就労自立促進事業や被保護者就労準備支援事業、他の自立支援プログラムへの参加がより対象者に適した支援であると判断した場合は、対象者の同意を得て、当該プログラムへの参加を促すこと。
　なお、基本方針に基づく支援の対象者である場合には、活動開始から一定期間経過後に行われる評価をもって替えても差し支えない。
(2) 個別求人開拓
　職業紹介や個別求人開拓を行う場合は、求人と求職のマッチングが円滑に行われる

よう対象者の希望や特性に合った事業者を紹介又は開拓すること。

　その際、対象者のみならず雇用主の希望を聞きつつ、その理解が得られるよう調整していくことが重要である。関係団体等とも連携しながら、日頃から求人情報を収集し、求人見込みがありそうな企業や社会福祉法人等の民間事業者がある場合は、当該事業者のニーズ等の把握に努めることが必要である。求人を出してもらうよう働きかける場合においては、当該事業者にどのようなメリットが考えられるかを伝えるとともに、業務の切り分けなどについての助言や、本人を雇用するに当たってどのような点に配慮すべきかを継続的に助言していくこと。

　なお、地方自治体が、無料職業紹介を行う際は、職業安定法（昭和22年法律第141号）に基づく無料職業紹介事業の届出を行うことが必要（本事業を委託により実施する場合にあっては、委託先事業者が同法に基づく無料職業紹介事業の許可を受けることが必要）であるので留意すること。

(3) 定着支援

　就労支援に当たっては、職場に定着するための支援等のフォローアップも重要である。就労後、短期間のうちに離職する者も見られることから、職場の状況確認などの声かけや見守りが、対象者の就労や生活の安定につながる有効な対応であることを認識し、定着支援を行うこと。

3　稼働能力判定

　就労支援の実施に当たって、稼働能力や適正職種の検討、就労支援プログラムの選定等を行う際には、必要に応じて、複数の専門的な知見を有する者で構成する稼働能力判定会議等を開催し、助言を求めること。

4　就労支援連携体制の構築

　被保護者は、職歴や学歴等において、求人と求職におけるミスマッチが生じることで就労につながりにくく、加えて、高齢者になる手前の者については、年齢が阻害要因となり就労に結びつきにくいという課題がある。こうした雇用のミスマッチを解消していくためには、地域において行政機関や関係団体等が協働しながら、就労体験の場を含め、本人の特性に合う就労の場を開拓し、求人と求職を丁寧にマッチングしていくことが有効である。

　そのため、都道府県、市区町村（町村については福祉事務所を設置している町村に限る。以下同じ。）において、ハローワーク等の行政機関、社会福祉法人、特定非営利活動法人、関係団体、企業等が参画し協議する場を設定するなど就労支援の連携体制を構築することが必要であり、以下の取組を行うものとする。

　また、小規模自治体等、十分な実施体制がとれない場合は、複数の自治体による共同設置等の広域的な実施も可能とする。

　なお、地域において、趣旨や目的が同様の就労支援に関する協議会等が開催されている場合には、既存の枠組みの活用や、協議事項の追加等により一体的に実施するなど、地域の実情に応じて効果的な方法により実施して差し支えない。

(1) 市区町村における就労支援連携体制構築

地域においては、中小規模の事業所を中心に、ハローワークに求人を出すまでではないが、一時的に人手が必要である仕事や、1日4時間など短時間の求人のために求職者が集まらないような仕事など、潜在的な求人ニーズがあると考えられ、こうした需要を掘り起こしていくことが重要である。

また、被保護者の就労ニーズに応じた求人を開拓する（例えば、1人8時間の仕事を2人で4時間ずつの業務に切り分けるなどして新たな仕事を作り出す等）ことなども重要である。

① 目的

地域において行政機関や関係団体が協働し、就労支援の連携体制を構築し、雇用情勢や生活保護動向、社会資源等の情報を共有し、一般就労のみならず、就労体験等の場も含めた就労の場の確保を行う。

② 主な連携内容

ア 地域の雇用情勢、生活保護動向、社会資源等についての情報の共有
イ 地域の被保護者に対する就労支援の方向性を共有
ウ 中間的就労等、新たな就労の場の開拓を検討
エ 就労の場の掘り起こしについて協力要請等

(2) 都道府県における就労支援連携体制構築

① 目的

被保護者の就労の場を確保するため、都道府県の設置する福祉事務所の管内における連携体制を構築するとともに、都道府県内の自治体における連携体制の構築を推進するため、都道府県内全域で活動する関係団体等の調整や自治体の後方支援を実施する。

② 主な連携内容

ア 福祉事務所管内における連携

都道府県が設置する福祉事務所管内については、(1)と同様

イ 広域的な連携

(ｱ) 都道府県内自治体間における地域の求人情報の共有、好事例や課題の把握、集約と管内自治体への情報提供を通じたノウハウの蓄積、助言

(ｲ) 都道府県内を活動範囲とする関係団体への協力要請等

5 事業の評価及び検証

就労支援を効果的・効率的に実施し、事業の質を向上させるためには、定期的に就労支援の実施状況や目標の達成状況を評価、検証し、的確に見直していくことが重要である。また、就労支援は、本事業だけでなく、他の就労支援事業との連携を図りつつ行うことが効果的である。

このため、事業主体は、本事業を含めた就労支援事業に係る計画を策定するとともに、計画期間の終了後に計画達成状況を評価、検証するなど、政策循環の仕組みを導入し効果的に機能させること。

6 本事業の実施に係る職員の配置について

(1) 配置の目安について

本事業の実施に当たっては、「就労支援員の増配置について」（平成22年9月14日付け社援発0914第7号厚生労働省社会・援護局長通知）を参考とし、実施主体における被保護者の数その他地域の実情に応じて、2及び4の支援等を専任で行う職員（以下「就労支援員」という。）を配置するものとする。

なお、被保護者の数その他の状況により、他の職種と兼務するなど、地域の実情に応じた対応を行うことも可能とする。

(2) 就労支援のための職員の要件について

就労支援員は、キャリアコンサルタントや産業カウンセラー等の資格を有する者やハローワークOB等の就労支援業務に従事した経験のある者など、被保護者への就労支援を適切に行うことができる者であることが望ましい。

7　他の就労支援事業との関係

就労支援には、被保護者就労支援事業によるもののほかに、自治体とハローワークがチームとして支援する「生活保護受給者等就労自立促進事業」の利用、被保護者就労準備支援事業、生活困窮者自立支援法（平成25年法律第105号）に基づく認定就労訓練事業による就労・訓練の場を活用した就労支援等がある。基本方針に基づく自立活動確認書の作成や本事業の支援の評価により、これらの支援を行うことが効果的であると考えられる場合には、以下の点に留意の上、関係機関と連携し活用を図ること。

(1) 自治体とハローワークがチームとして支援する「生活保護受給者等就労自立促進事業」との連携

就労に向けた準備が一定程度整っており、個別の支援により早期の就労が可能な者については、自治体とハローワークが一体的に行う「生活保護受給者等就労自立促進事業」を活用することが考えられる。この場合、就労支援員は、「生活保護受給者等就労自立促進事業の実施について」に基づき、当該事業の対象者の選定、ハローワークへの支援要請、支援期間中はハローワーク担当者とで構成される就労支援チームへの参加等、継続的な支援を行うこと。

(2) 就労訓練事業による就労・訓練の場を活用した就労支援

一般就労に就くに当たって、本人の状況に応じた柔軟な働き方をする必要がある者については、被保護者についても生活困窮者自立支援法に基づく認定就労訓練事業（いわゆる「中間的就労」）の利用が可能である。

被保護者が認定就労訓練事業を利用する場合には、当該被保護者が被保護者就労支援事業の対象となっていることを要件とし、認定就労訓練事業所利用についてのあっせんや、利用状況の把握等については、基本的には、就労支援員又はケースワーカーにおいて実施すること。

また、雇用契約を締結した上で支援付きの就労を行う形態（雇用型）の認定就労訓練事業の利用についてあっせんを行う行為は、職業安定法上の職業紹介に該当するため、職業安定法に基づく届出等を行う必要があることに留意すること。

8　生活困窮者自立支援制度との連携

就労等により生活保護から脱却した者に対しては、保護の実施機関は本人の意向を確認しつつ、必要に応じて自立相談支援事業の利用につなぐなど、本人への継続的な支援

の観点から生活困窮者自立支援制度と一体的・連続的な支援が行えるよう配慮すること。
9 個人情報
　本事業における支援に当たっては、被保護者の生活保護受給履歴など生活全般にわたる様々な個人情報を取扱うこととなるので、本事業における個人情報の取扱いについては、個人情報保護法の規定や、各地方自治体の「個人情報保護条例」に基づいて適切に対応するとともに、事業に関わる全ての職員に徹底すること。
10 事業実施に当たっての留意事項
　(1) 本事業の実施に当たっては、自立支援プログラムに位置づけて実施すること。
　(2) 本事業を委託する場合には、委託先との連携を図ること。ただし、本事業のうち、2(1)④及び3については、委託できないこと。また、就労支援員が支援を行うに当たっては、査察指導員やケースワーカー等と連携し、組織的な対応を行うこと。

○被保護者就労準備支援事業(一般事業分)の実施について

> 平成27年4月9日 社援保発0409第1号
> 各都道府県・各指定都市・各中核市民生主管部(局)長
> 宛 厚生労働省社会・援護局保護課長通知

〔改正経過〕
第1次改正 平成28年3月31日社援保発0331第16号　　第2次改正 平成29年3月29日社援保発0329第1号
第3次改正 平成30年3月29日社援保発0329第1号　　第4次改正 平成31年3月29日社援保発0329第5号
第5次改正 令和元年5月27日社援保発0527第1号

　稼働能力を有する被保護者については、その能力に応じて就労することが必要であり、これまでも自立支援プログラム等を活用して積極的に支援を実施いただいているところである。
　この度、生活保護法の一部を改正する法律(平成25年法律第104号。以下「改正法」という。)の一部が本年4月1日から施行され、被保護者就労支援事業が創設されたことに併せて、就労意欲が低い者や基本的な生活習慣に課題を有する者等の支援を充実させるため、これまで実施してきた就労意欲喚起支援事業等を再編し、生活困窮者自立支援法に基づく就労準備支援事業に相当する事業として被保護者就労準備支援事業を実施することとした。
　ついては、本事業(一般事業分)の実施に当たって必要な基本的事項を下記のとおり定めることとしたので、了知の上、関係部局と連携し、積極的に推進されたい。
　なお、本通知は地方自治法(昭和22年法律第67号)第245条の4第1項の規定による技術的助言として行うものであることを申し添える。

記

1　基本的事項
(1)　生活保護は、生活に困窮する者が、その利用しうる能力その他あらゆるものを、その最低限度の生活の維持のために活用することを要件として行われており、稼働能力を有するものに対しては適切な就労支援を行い、その自立を助長することが必要である。また、就労は、本人にとって、経済的な自立に資するのみならず、社会参加や自己実現、知識・技能の習得の機会であるなど、日常生活における自立や社会生活における自立に当たっての被保護者の課題を解消するということにもつながるものである。
(2)　他方、被保護者は、長期にわたる失職を経験していたり就労経験が乏しい場合や、就労に向けて生活習慣の改善や社会参加に必要な能力の形成が必要である場合、自尊感情や自己有用感を失い、就労意欲が乏しい場合など多様で複合的な課題を抱え、直ちに求職活動を行うことが困難である場合も少なくない。このような被保護者に対し

て就労支援を行うに当たっては、課題やその背景要因をしっかりと把握した上で、まずはその課題の解消を図るという姿勢が不可欠である。

また、被保護者が就労に関して抱えている課題は一様ではないため、個々の状況を踏まえたきめ細かな支援を行うとともに、本人が自らの意思で自立に向けて取組を行うよう、支援を行うに当たっては、主体性を引き出すことに意を用いることが必要である。

(3) このため、就労に向けた日常生活習慣の形成や基礎技能の修得等の準備を要する被保護者について、被保護者就労準備支援事業を行うものである。なお、事業の効率的・効果的な運営の観点から、本事業の実施に当たっては、地域の実情に応じて、生活困窮者自立支援法に基づく就労準備支援事業との一体的実施や広域実施に努めること。

2 対象者

就労に向けた複合的な課題を抱え、直ちに就職することが困難な被保護者であって、生活習慣の形成・改善を行い、社会参加に必要な基礎技能等を習得することにより就労が見込まれる者のうち、本事業への参加を希望する者。

例えば、以下のような者が該当するものと考えられる。

・ 決まった時間に起床・就寝できない等、生活習慣の形成・改善が必要である
・ 他者との関わりに不安を抱えており、コミュニケーション能力などの社会参加に必要な能力の形成・改善が必要である
・ 自尊感情や自己有用感を必ずしも十分持てていない
・ 就労の意思が希薄である
・ 長期間にわたってひきこもりの生活を送っている等、就労経験、社会経験が乏しい
・ 求職活動が一定期間奏功しておらず、その背景として生活習慣や社会参加に向けた課題があると思われる　等

3 事業内容

以下の(1)～(3)の支援について、対象の状態や課題に応じて、効果的と考えられる支援メニューを企画・立案し、計画的かつ一貫して実施すること。

(1) 日常生活自立に関する支援

適切な生活習慣の形成を促すことを目的とし、以下に掲げるような支援を実施する。

(支援例)

　　・ 対象者への電話、自宅訪問等による起床や定時通所の促し
　　・ うがい、手洗いや規則正しい起床・就寝、バランスのとれた食事の摂取などに関する助言・指導
　　・ 適切な身だしなみに関する助言・指導　等

(2) 社会生活自立に関する支援

社会的能力の形成を促すことを目的とし、以下に掲げるような支援を実施する。

(支援例)

- 対象者が不安やストレスを感じる場面や状況の把握、対応方法に関する助言
- 朝礼、終礼の実施（1日の振り返り）
- 挨拶の励行等、基本的なコミュニケーション能力の形成
- 地域の事業所での職場見学
- 地域のイベント等の準備手伝い等の地域活動への参加　等

(3) 就労自立に関する支援

一般就労に向けた技法や知識の習得等を促すことを目的とし、以下に掲げるような支援を実施する。

（支援例）
- 実施主体が運営する飲食店や地域の協力事業所等における就労体験
- 模擬面接の実施
- 履歴書の作成訓練
- ビジネスマナー講習の実施
- キャリア・コンサルティングを通じた本人の適性確認
- 基礎技能・基礎能力の習得に必要な訓練　等

4　就労準備支援のための職員の配置

(1) 配置人数

原則として、1名以上の支援員（以下「被保護者就労準備支援担当者」という。）を置く。（常勤・専従である必要はない）

(2) 要件

被保護者就労準備支援担当者は、キャリアコンサルタント、産業カウンセラー等の資格を有する者や就労支援業務に従事している者（従事していた者も含む。）など、被保護者への就労準備支援を適切に行うことができる者であること。

5　実施方法

(1) 事業の実施に当たっては、業務の全て又は一部を委託により実施することが可能である。

(2) 本事業は、各事業実施主体が、それぞれの地域の実情に応じて、創意工夫により、3の事業内容に掲げる支援について効果的と考えられる支援メニューを企画して実施するものであり、支援メニューが特定されているものではないが、一般的には以下のような実施方法がある。

- 通所による方式：セミナーやワークショップ等を実施するほか、地域の協力事業所等において就労体験を実施するもの
- 合宿による方式：被保護者就労準備支援担当者等の支援者が対象者と寝食を共にしながら支援を行うもの

なお、合宿方式の場合は、宿泊自体が訓練の一部であることから、宿泊場所の提供に係る費用は、事業実施者が負担する（自治体からの委託を受けて民間事業者が実施する場合は、宿泊費用に相当する額は委託費に含まれるものである。）。ただし、食費については、生活扶助費が給付されているものであり、対象者から徴収するものとす

ること。
(3) 多様で効果的なメニューを用意するため、被保護者就労準備支援担当者が自ら実施するほか、外部講師によるセミナーの開催や、地域の協力事業所における就労体験の実施など、地域の社会資源を積極的に活用することが望ましい。
(4) 自治体によっては、ニーズが少なかったりマンパワーが不足している地域もあるなど、個別にその置かれている実情が異なる状況を踏まえ、そうした実情に応じて柔軟に事業を実施する観点から、複数の自治体が共同で事業を実施するなど広域による事業の実施や、就労体験の中で、日常生活自立、社会生活自立及び就労自立に向けた取組を一括して実施することが考えられる。

また、地域資源の偏在や支援手法の蓄積が不足している地域もあるなど、個別にその置かれている実情が異なることを踏まえ、既存の地域資源を活用した実施体制の整備の観点から、障害福祉サービスと連携した事業の実施など多様な地域資源の活用による実施や、生活困窮者自立支援法に基づく就労準備支援事業との一体的な実施なども考えられる。

6 支援の実施について
(1) 被保護者就労準備支援シート作成
① 支援に当たっては、個人ごとに、被保護者就労準備支援シート（以下「個別シート」という。）を作成すること。個別シートの様式は、別紙1の計画書及び別紙2の評価書を参考に作成すること。
② 計画書については、本人の状況や課題を、日常生活自立・社会生活自立・就労自立の各面で把握・分析し、それぞれについて目標設定をした上で、具体的な支援内容を検討すること。自立に向けては、本人が主体的に取組むことが不可欠であることから、これらの内容については、本人と相談の上作成すること。
③ 評価書については、個別の支援内容について、支援実施後の自己評価（本人）、評価（被保護者就労準備支援担当者）を原則1か月ごとに行い、その結果を記録し、それらを踏まえ、必要に応じて、計画書の見直しを行うこと。
④ 本事業における就労体験は、雇用契約を伴わないものであることから、計画書においては、以下のことを留意事項として記載し、対象者にわかりやすく説明すること。
　ア 所定の作業日、作業時間に作業に従事するか否かは、対象者の自由であること。また、所定の作業量について、所定の量を行うか否かについても、対象者の自由であること。
　イ 作業時間の延長や作業日以外の日における作業指示が行われないこと。
　ウ 所定の作業時間内における受注量の増加等に応じた、能率を上げるための作業の強制が行われないこと。
　エ 欠席・遅刻・早退に対する手当の減額制裁がないこと（実作業時間に応じた手当を支給する場合においては、作業しなかった時間分以上の減額をすることがないこと。）

オ　作業量の割当、作業時間の指定、作業の遂行に関する指揮命令違反に対する手当等の減額等の制裁がないこと。
(2) 就労体験についての留意点
① 就労体験に関する基本的事項
ア　就労体験は、事業所において、実習等の形態により軽易な作業に従事するものであり、雇用契約を伴わないものであるが、個別の就労の状態によっては労働者性ありと判断される場合があるので、そのようなことがないように留意すること。
イ　就労体験の開始時において、対象者と就労体験先の事業所（就労体験先が地域の協力事業所である場合には、被保護者就労準備支援担当者）との間で、本人の自発的意思に基づき、就労内容や条件等を示した文書による確認書を取り交わすこととし、書面上、非雇用である旨の理解と合意を明確化すること。
ウ　就労体験においては、一般就労を行っている他の就業者と同じ場所で行うことも可能である。その場合は、作業内容、作業場所、作業シフト等の管理において、就労体験を行う者であることが分かるよう区別する等の対応（座席図に明記する、研修生と明記された名札を付ける等）が必要であること。
エ　就労体験の協力企業に対して協力謝金や保険の加入に関する費用を被保護者就労準備支援事業費から支出することは可能であること。
② 安全衛生・災害補償面の配慮
　安全衛生面、災害補償面については、就労体験についても、事業所において、一般労働者の取扱いも踏まえて次のような適切な配慮を行う必要があること。
例）・就労体験を行う者について、労働基準法（昭和34年法律第49号）第62条に規定する危険有害業務等の危険な作業に就かせないこと。
　　・就労体験を行う者について、労災保険に代わる保険制度への加入その他の災害補償のための措置を講ずること。
③ 工賃等の支払い
ア　就労体験については最低賃金の適用はないが、工賃、報奨金等の形で一定金額を支払うことは、対象者の就労へのインセンティブを高める上でも重要である。
　なお、工賃等や交通費は、被保護者就労準備支援事業費から支出することはできないこと。
イ　上記の工賃等を支払う場合には、労働者に支払う賃金と異なり、欠席・遅刻・早退に対する減額制裁をすることはできないほか、就労実績に応じた差を付けることはできないこと（就労内容や実作業時間に応じ、個別に額を設定して支給することは可能）。
ウ　なお、工賃等が支払われた場合については、「生活保護法による保護の実施要領について」（昭和36年4月1日付け厚生省発社第123号厚生事務次官通知）第8に基づき、就労に伴う収入として認定し、一定額は認定から控除されることとなるため、保護の実施機関においては、対象者の収入に関して申告を行わせるよう

あらかじめ説明すること。
④ 不利益な措置の禁止等
　ア　工賃等に限らず、就労体験への参加実績が低いことや通所の状況が芳しくないこと等を理由として、事業所内で不利益な措置を講ずることは認められないこと。
　イ　ただし、対象者が就労体験に関連して法令違反により罰則の適用を受ける場合、事業所に損害を与える等、社会通念上問題がある行為を行ったと認められる場合等には、保護の実施機関との協議を経て、対象者の就労体験の実施に係る契約を解除することは認められること。
⑤ 被保護者就労準備支援担当者の関与
　ア　被保護者就労準備支援担当者は対象者との間の信頼関係を構築しつつ、自尊感情や自己有用感の回復を図りながら、継続して支援に当たるとともに、就労体験先での出来事によって対象者が再び傷つき、状況が悪化することのないよう、きめの細かい配慮が必要である。
　　　また、対象者や就労体験先の担当者から実施状況について聴取することなど、就労体験中の対象者の状態の変化を見逃さず、必要に応じて支援の方針や内容を絶えず見直すなどきめ細かな配慮を行うことが重要である。
　　　そのため、本事業の対象者が、就労体験を行う場合には、適宜、被保護者就労準備支援担当者も同行し、就労体験の実施状況を確認することが必要である。対象者の受け入れ状況などから、すべてのケースについて就労体験を行う際に同行することが困難な場合であっても、対象者や就労体験先の担当者から実施状況について聴取することなどにより、可能な限り状況把握に努めるとともに、きめ細かな配慮を行うことが必要である。
　イ　被保護者就労準備支援担当者は、対象者が就労体験を開始する前に、プライバシーに十分に配慮した上で、対象者の状態や対応する際の留意点を就労体験先の担当者と共有しておくこと。また、被保護者就労準備支援担当者は、この担当者を通じて、就労体験先の他の職員にも、対象者に対する支援に関して理解が得られるよう協力を求めるものであること。
(3) 他の就労支援との連携
　① 就職活動支援
　　　支援により一般就労に向けた準備が一定程度整ったと判断される者については、「被保護者就労支援事業の実施について」（平成27年3月31日付け厚生労働省社会・援護局保護課長通知）に基づく被保護者就労支援事業等において支援することが考えられる。ただし、引き続き同じ被保護者就労準備支援担当者が就職活動の支援も行った方がよいと考えられる場合は、被保護者就労準備支援事業として引き続き、就労支援員等の関係者と連携しつつ、対象者の状況に応じた仕事探しやハローワークへの同行支援等を行って差し支えない。
　② 就職後の職場定着支援

　　　　就職して本事業の利用を終了した者については、就労支援員やケースワーカーが職場定着支援を含め、継続的に支援を行うが、対象者が就労を継続できるよう、被保護者就労準備支援担当者においても、必要に応じて、関係者と連携し、適宜、必要な支援を行うことは差し支えない。
7　実施期間
　　対象者に対する支援は、原則として１年を基本とした期間で行うものとする。ただし、保護の実施機関の判断により、改めて本事業を利用することが適当と判断されたときは、１年の利用期間を終えてからの事業の再利用が可能である。
　　また、支援の結果、就職をした場合には、原則として、本事業の利用は終了することとなるが、保護の実施機関が当該事業への継続した参加が適当と判断した場合には引き続き支援を継続して差し支えない。
8　広域による事業の実施について
　　自治体によっては対象となる被保護者が少なかったり、事業に利用できる社会資源が限られていたりといった事情により、事業実施が難しい場合がある。そのため、単独での事業実施が困難な場合は都道府県を含めた関係自治体とよく調整し、複数の自治体が共同で広域的に実施することを検討すべきである。
　　また、広域で事業を実施する場合、次の(1)から(4)に留意すること。
(1)　協定について
　　参加自治体に求められる事項や事務処理の方法等を定めた協定について、参加自治体間で締結した上で、事業を実施することが適切である。このため、以下のような内容について実施自治体間で協議した上で、協定書を作成すること。
　①　参加自治体、事業の実施範囲
　　　多数の自治体や面積が大きい自治体が参加する場合、事業の実施範囲が広くなるとかえって効果的な実施が難しいことがあるので、生活圏を考慮して複数の地域に分けて実施することが適切な場合がある。
　②　各種契約の締結主体
　　　社会福祉法人等への委託によって事業を実施する場合など、事業の実施にあたっては契約を行うことになるが、これらの事務においては「代表となる自治体が単独で行い、他の自治体が代表の自治体に決められた費用を支払う。」または「参加自治体がそれぞれ契約を締結し、費用を支払う。」などの方法がある。
　③　支援の実施人数の定員
　　　各自治体が対象者の決定をするにあたり、特定の自治体への偏りを防ぐ観点から、必要に応じて自治体ごとに支援の実施人数について、被保護者数等に応じて定員を定めること。
　　　ただし、支援を要する者に対して適切な支援が行えるようにするため、他自治体の状況等によっては、定員を超えて支援が実施できる等、柔軟に活用できることが好ましい。
　④　事業費の負担割合

被保護者数による按分、実際の利用者数による按分、または双方を組み合わせた方法等が考えられる。
　　⑤　協議会の開催
　　　　広域実施に参加する都道府県及び市区町村については、定期的に協議会等により、事業の目標設定、実施状況の確認、ケース支援の検討等について意見交換や情報共有を行うことが考えられる。
　　　　また、必要に応じて、ハローワークの担当者や、地域内の経済団体等の関係団体等にも出席を求めた上で、事業実施に向けて必要なことを協議されたい。
(2)　被保護者就労準備支援推進員について
　　広域実施による効率的・効果的な取組を推進することを目的として、被保護者就労準備支援推進員を広域による事業実施を行う自治体に配置し、被保護者就労準備支援事業における都道府県内等の地域資源の開拓や支援方法の調査・研究を行い、広域実施による効率的・効果的な取組を促進されたい。
　①　主な業務
　　　ア　都道府県内における地域の社会資源等の分析、開拓
　　　　　自治体における対象者のニーズ、各地の雇用状況や産業構造等を把握し、具体的にどのような地域資源を活用できるか分析する。
　　　　　分析結果を踏まえて、県内の経済団体や社会福祉法人等に対して、協力要請を行うなどして支援対象者が就労体験等に利用できる地域資源を開拓する。
　　　イ　支援方法の調査・研究
　　　　　地域属性等を踏まえた支援方法を調査・研究し、効果的な支援方法を提案する。
　　　ウ　支援効果の分析
　　　　　支援によって被保護者にどのような効果が生じているか地域毎に分析、比較する。
　　　エ　協議会の開催調整
　　　　　協議会の開催計画、協議事項の設定、参加自治体の実施状況の整理等、協議会の開催や検討に当たって必要な調整や提案を行う。
　②　配置人数
　　　被保護者就労準備支援推進員を配置する場合、広域実施地域ごとに１名を目処に配置すること。
　③　要件
　　　就労支援や社会福祉に対して十分な知識や経験を持ち、事業実施地域の特性に詳しく、広域実施による効率的・効果的な取組を適切に推進できる者であること。
(3)　広域実施における各自治体の役割
　　広域での実施をするにあたり、都道府県や市区町村について、以下のような役割がある。
　①　都道府県

対象者が少なかったり、社会資源が限られるといった事情により、単独での事業実施が難しいと考えられる自治体がある場合、会議などにおいて、管内の市区町村に対して、広域実施を積極的に提案するとともに、参加を希望する自治体とともに実施要綱や協定書を策定するなど、広域実施に向けて必要な調整等を実施する。

また、広域実施が開始した後は、都道府県が設置する福祉事務所として他の市区町村と同様の役割を担うとともに、被保護者就労準備支援推進員と協力し、協議会への参加等を通じて自治体間の調整に努める。

② 市区町村

協議会における支援の実施状況や課題の報告など、広域実施をする上で必要な連携について、都道府県と協力して実施する。また、被保護者就労準備支援推進員が業務を実施する上で必要な情報を提供する。

なお、都道府県から広域実施の提案がない場合でも、広域実施が有効と考えられる場合は、市区町村から都道府県や他の自治体に対して提案されたい。

(4) 就労準備支援事業との連携

生活困窮者自立支援法に基づく就労準備支援事業の広域実施を促進するに当たっても、当該取組の実施により、被保護者就労準備支援事業との一体的な広域実施の促進に取り組むことは差し支えない。

9 個人情報

本事業における支援に当たっては、被保護者の生活保護受給履歴など生活全般にわたる様々な個人情報を取扱うこととなるので、本事業における個人情報の取扱いについては、個人情報保護法の規定や各地方自治体の「個人情報保護条例」に基づいて、適切に対応するとともに、事業に関わる全ての職員に徹底すること。

10 留意事項

(1) 本事業の実施に当たっては、自立支援プログラムに位置づけて実施すること。

(2) 本事業を委託する場合には、委託先との連携を図ること。

(3) 保護の実施機関は、支援の実施状況や、対象者の状態を定期的に把握し、必要に応じて支援の方針や内容を見直すこと。

なお、対象者の状況を踏まえて、被保護者就労支援事業や「生活保護受給者等就労自立促進事業の実施について」（平成25年3月29日付け雇児発0329第30号・社援発0329第77号厚生労働省雇用均等・児童家庭・社会援護局長連名通知）に基づく生活保護受給者等就労自立促進事業等、他の自立支援プログラムへの参加が、より本人に適した支援であると判断した場合は、本人の同意を得て、当該プログラムへの参加を促すこと。

(4) 広域による事業を実施する場合、支援対象者に対して、居住している市区町村以外の自治体で支援を実施する場合など、移動距離が長くなることもあるため、熱心かつ誠実に努力している場合は、一時扶助費の移送費の支給を検討すること。

(5) 生活困窮者自立支援制度における就労準備支援事業従事者養成研修については、被保護者就労準備支援担当者も受講可能とすることから、資質の向上のためにも受講されたい。

被保護者就労準備支援事業（一般事業分）の実施について

（別紙1）

被保護者就労準備支援シート【計画書】

作成日	
事業所	
担当者	

氏名（ふりがな）				
性別	□男性　□女性　□（　　　）			
生年月日	□昭和　□平成　□令和　　年　　月　　日（　　歳）			
職歴				
就労に対する本人の意向				

本人が希望する就労内容　※本人記載欄

最終的な目標設定及び支援方針　※本人と担当者で調整の上

支援開始時の本人の状況と課題
①日常生活自立：
②社会生活自立：
③就労自立：

	長期目標	短期目標	期間	支援内容	備考
①日常生活自立					
②社会生活自立					
③就労自立					

本人同意欄

※計画内容については、月次の評価により、適宜見直しを行う。

【留意事項】
①所定の作業日、作業時間に、作業に従事するか否かは、対象者の自由であること。また、所定の作業量について、所定の量を行うか否かについても、対象者の自由であること。
②作業時間の延長や、作業日以外の日における作業指示は行われないこと。
③所定の作業時間内における受注量の増加等に応じた、能率を上げるための作業の強制が行われないこと。
④欠席・遅刻・早退に対する手当の減額制裁がないこと（実作業時間に応じた手当を支給する場合においては、作業しなかった時間分以上の減額をすることがないこと）。
⑤作業量の割当、作業時間の指定、作業の遂行に関する指揮命令違反に対する手当等の減額等の制裁がないこと。

II 生活保護法関係通知 第9章 就労・進学支援

(別紙2)

被保護者就労準備支援シート【評価書】

作成日	
事業所	
担当者	

氏名（ふりがな）	
性別	□男性 □女性 □（　　　　）
生年月日	□昭和 □平成 □令和　年　月　日（　　歳）

被保護者就労準備支援プラン		
支援実施期間・支援の内容（当初の目安） ※計画書に沿って事前に記載	自己評価 （本人記載）	評価 （本人と担当者で調整の上）
（□月□日～□月□日）（以下、1か月ごとに記載） ○支援内容 ・開始時間・終了時間 ・社会参加活動等の内容 ・就労体験の内容 ・就労に付随する講習等の内容		
（□月□日～□月□日）（以下、1か月ごとに記載） ○支援内容 ・開始時間・終了時間 ・社会参加活動等の内容 ・就労体験の内容 ・就労に付随する講習等の内容		
（□月□日～□月□日）（以下、1か月ごとに記載） ○支援内容 ・開始時間・終了時間 ・社会参加活動等の内容 ・就労体験の内容 ・就労に付随する講習等の内容		
（□月□日～□月□日）（以下、1か月ごとに記載） ○支援内容 ・開始時間・終了時間 ・社会参加活動等の内容 ・就労体験の内容 ・就労に付随する講習等の内容		
（□月□日～□月□日）（以下、1か月ごとに記載） ○支援内容 ・開始時間・終了時間 ・社会参加活動等の内容 ・就労体験の内容 ・就労に付随する講習等の内容		
（□月□日～□月□日）（以下、1か月ごとに記載） ○支援内容 ・開始時間・終了時間 ・社会参加活動等の内容 ・就労体験の内容 ・就労に付随する講習等の内容		

○被保護者就労準備支援事業及び就労準備支援事業における生活困窮者等の就農訓練事業の実施について

(平成28年3月31日　社援保発0331第18号・社援地発0331第1号
各都道府県・各指定都市・各中核市生活保護制度担当部(局)・生活困窮者自立支援制度担当部(局)長宛　厚生労働省社会・援護局保護・地域福祉課長連名通知)

〔改正経過〕
　　第1次改正　平成30年3月29日社援保発0329第4号・社援地発0329第2号

　就労意欲や生活能力・稼働能力が低いなど、就労に向けた課題を抱える生活困窮者等に対しては、就労意欲の喚起や一般就労に向けて日常生活習慣の改善を計画的かつ一貫して行う事業として、平成27年4月より被保護者就労準備支援事業及び就労準備支援事業を実施いただいているところである。
　このたび、生活困窮者等に対して、農業への従事、農業法人や農産物の加工・販売等を行う事業者への就労支援や農作業を通じて、心身の健康づくりや社会参加への支援を行う就農訓練事業を被保護者就労準備支援事業及び就労準備支援事業の一事業として、別添のとおり行うこととしたので、了知の上、関係部局と連携し、積極的に推進されたい。
　また、都道府県におかれては、管内の福祉事務所設置市町村に周知していただくようお願いする。
　なお、本通知は地方自治法(昭和22年法律第67号)第245条の4第1項の規定による技術的助言として行うものであることを申し添える。

別添1
　　被保護者就労準備支援事業(生活困窮者等の就農訓練事業分)の実施について
1　基本的事項
　被保護者の中には、長期間、労働市場から離れているため、就労意欲が低下し、就業体験などの段階的な支援が必要な者や、自尊感情や自己有用感を失っているなど複合的な課題を抱えている者もいる。
　一方で、就労は、被保護者にとって、経済的な自立に資するのみならず、社会参加や自己実現、知識・技能の習得の機会であるなど、日常生活における自立や社会生活における自立にもつながる営みとして被保護者の課題を解消するということにもつながるものである。
　その際、被保護者が農業に従事することは、自然の中で作業を行うなどにより、心身の回復や自己有用感・就労意欲の向上につながるなどの効果があるとされているだけでなく、農業分野における人材の確保にも資するものと考えられる。

こうしたことも踏まえて、NPO法人、農業法人等民間団体との連携により農業体験や研修を通じて就農（農業法人への就職や農産物の販売等を含む。）を含めた就労支援や社会参加促進を支援する生活困窮者等の就農訓練事業を被保護者就労準備支援事業の一事業として実施することとした。

2　対象者

就労意欲や生活能力・稼働能力が低いなど、就労に向けた課題を抱える被保護者であって、日常生活習慣、基礎技能等を習得することにより就労が見込まれる者のうち、本事業への参加を希望する者。

3　事業内容

「被保護者就労準備支援事業（一般事業分）の実施について」（平成27年4月9日付け社援発0409第1号社会・援護局保護課長通知）（以下「課長通知」という。）の「3　事業内容」に定める支援を、以下の(1)及び(2)に掲げる事業の実施を通じて行うものとする。また、概ね年間を通じて取り組むことができる訓練計画を作成し、実施するとともに、被保護者の相談や基本的な体調管理を行える体制を整えておくこと。

(1)　基礎的研修

農業に関する基本的な知識を身につけるため、以下に掲げるような支援を実施する。

（支援例）
・短期の農作業・農業体験
・作物の知識に関する研修
・農業機械の操作方法・メンテナンスに関する研修
・地域住民との交流
・支援対象者に対する生活相談・個別相談　等

(2)　専門技術研修

農業に関する必要な技術等（加工・販売に関するものを含む。）を取得させるための研修を実施する。

(3)　就農実地訓練

農業を含めた就労支援や以下に掲げるような支援を実施する。

（支援例）
・継続した農作業の実施
・農業法人等での農作業に関する実習
・加工・販売を含めた農業に関する就労体験の実施
・支援対象者に対する生活相談・個別相談　等

4　就労準備支援のための職員の配置

支援に当たっては、課長通知5(1)の被保護者就労準備支援担当者として、就農訓練事業担当者を配置する。就農訓練事業担当者は、訓練期間中に支援対象者と信頼関係を構築し、支援対象者が継続して就農訓練に参加できるよう配慮すること。

5　実施方法

被保護者就労準備支援事業等における生活困窮者等の就農訓練事業の実施について

(1) 農地の確保・利用に関しては、市町村の農業担当や市町村に設置されている農業委員会に問い合わせること。
　　ただし、農地の確保等に関して協力者がいる場合には、その限りでない。
(2) 一時の農作物収穫の手伝いのみといった「体験」だけではなく、概ね年間を通じて農業に関する訓練を実施すること。
6　生活困窮者に係る就農訓練事業との連携
　　対象者の安定的な確保、事業の効率的運営の観点から、本事業の実施に当たっては、地域の実情に応じて生活困窮者に係る就農訓練事業との一体的実施に努めること。
7　留意事項
　　この通知に定めるもののほか、課長通知4、6(1)、7、8、9及び11については、本事業に適用するものとすること。
　　本通知は、農林水産省を通じて地方農政局等にも周知する予定であるので了知いただきたい。

別添2
　　　　就労準備支援事業における生活困窮者等の就農訓練事業の実施について
1　基本的事項
　　生活困窮者の中には、長期間、労働市場から離れているため、就労意欲が低下し、就業体験などの段階的な支援が必要な者や、自尊感情や自己有用感を失っているなど複合的な課題を抱えている者もいる。
　　一方で、就労は、生活困窮者にとって、経済的な自立に資するのみならず、社会参加や自己実現、知識・技能の習得の機会であり、ひいては地域社会の基盤強化に寄与し、日常生活における自立や社会生活における自立にもつながる営みとして生活困窮者の課題を解消するということにもつながるものである。
　　その際、生活困窮者が農業に従事することは、自然の中で作業を行うなどにより、心身の回復や自己有用感・就労意欲の向上につながるなどの効果があるとされているだけでなく、農業分野における人材の確保にも資するものと考えられる。
　　こうしたことも踏まえ、NPO法人、農業法人等民間団体との連携により農業体験や研修を通じて就農（農業法人への就職や農産物の販売等を含む。）を含めた就労支援や社会参加促進を支援する生活困窮者等の就農訓練事業を就労準備支援事業の一事業として実施することとした。
2　対象者
　　就労意欲が著しく希薄である等の理由により、就労準備支援事業の利用期間である1年を超えない支援が必要と見込まれる者のうち、本事業への参加を希望する者。
3　事業内容
　　事業の実施に当たっては、「生活困窮者自立相談支援事業等の実施について」（平成27年7月27日社援発0727第2号）を実施することとするが、それらの支援に以下の(1)及び(2)に掲げる事業の実施を通じて行うものとする。また、概ね年間を通じて取り組むこと

ができる農業に関する訓練計画を作成し、実施すること。
(1) 基礎的研修
　農業に関する基本的な知識を身につけるため、以下に掲げるような支援を実施する。
　（支援例）
　　・短期の農作業・農業体験
　　・作物の知識に関する研修
　　・農業機械の操作方法・メンテナンスに関する研修
　　・地域住民との交流
　　・支援対象者に対する生活相談・個別相談　等
(2) 専門技術研修
　農業に関する必要な技術等（加工・販売に関するものを含む。）を取得させるための研修を実施する。
(3) 就農実地訓練
　農業を含めた就労支援や以下に掲げるような支援を実施する。
　（支援例）
　　・継続した農作業の実施
　　・農業法人等での農作業に関する実習
　　・加工・販売を含めた農業に関する就労体験の実施
　　・支援対象者に対する生活相談・個別相談　等
4　配置職員
　支援に当たっては、就農訓練事業担当者を配置する。就農訓練事業担当者は、訓練期間中に支援対象者と信頼関係を構築し、支援対象者が継続して就農訓練に参加できるよう配慮すること。
5　実施方法
(1) 農地の確保・利用に関しては、市町村の農業担当や市町村に設置されている農業委員会に問い合わせること。
　ただし、農地の確保等に関して協力者がいる場合には、その限りでない。
(2) 一時の農作物収穫の手伝いのみといった「体験」だけではなく、概ね年間を通じて農業に関する訓練を実施すること。
6　生活保護受給者に係る就農訓練事業との連携
　対象者の安定的な確保、事業の効率的運営の観点から、本事業の実施に当たっては、地域の実情に応じて生活保護受給者に係る被保護者就労準備等支援事業における就農訓練事業との一体的実施に努めること。
7　留意事項
　本通知は、農林水産省を通じて地方農政局等にも周知する予定であるので了知いただきたい。

○被保護者就労準備支援事業及び就労準備支援事業における福祉専門職との連携支援事業の実施について

平成29年3月27日　社援保発0327第1号・社援地発0327第2号
各都道府県・各指定都市・各中核市生活保護制度・生活困窮者自立支援制度担当部(局)長宛　厚生労働省社会・援護局保護・地域福祉課長連名通知

〔改正経過〕
　第1次改正　平成30年3月29日社援保発0329第5号・社援地発0329第3号

　就労意欲や生活能力・稼働能力が低いなど、就労に向けた課題を抱える被保護者及び生活困窮者（以下「生活困窮者等」という。）に対しては、就労意欲の喚起や一般就労に向けて日常生活習慣の改善を計画的かつ一貫して行う事業として、平成27年4月より被保護者就労準備支援事業及び生活困窮者自立支援法（平成25年法律第105号）に基づく就労準備支援事業（以下単に「就労準備支援事業」という。）を実施いただいているところである。
　このたび、生活困窮者等に対して、障害者等への就労支援のノウハウを活用し、早期に一般就労や次のステージ（ハローワーク等による支援）へ移行できるよう支援を行う「福祉専門職との連携支援事業」を被保護者就労準備支援事業及び就労準備支援事業の一事業として、別紙のとおり行うこととしたので、了知の上、関係部局と連携し、積極的に推進されたい。
　また、都道府県におかれては、管内の福祉事務所設置市区町村（指定都市・中核市を除く。）に周知していただくようお願いする。
　なお、本通知は地方自治法（昭和22年法律第67号）第245条の4第1項の規定による技術的助言として行うものであることを申し添える。
別　紙
　　福祉専門職との連携支援事業実施要領
1　基本的事項
　生活困窮者等の中には、就労意欲の低下、自尊感情や自己有用感を失っているなど複合的な課題を抱え、就業体験などの段階的支援が必要な者や、直ちに就職することが困難な者が存在している。こうした状況の者については、これまでも被保護者就労準備支援事業及び就労準備支援事業において、就労に向けた準備としての基礎能力を培うための支援を実施しているところである。
　一方で、日常生活における課題を持ち、事業への継続的な参加が困難な者など、従来の支援では一般就労につなげることが困難であった生活困窮者等もあり、そのような者に対しては、福祉に関する専門的な知見に基づき、それぞれの対象者の有する課題や特性に応じた助言や指導が有用であると考えられることから、障害者等への就労支援のノ

ウハウを活用することで、より効果的な支援が図れると見込まれるところである。
　こうしたことを踏まえて、従前の被保護者就労準備支援事業（一般事業）及び就労準備支援事業に加えて、障害者等への就労支援により培ったアセスメント技術などのノウハウを持った支援者（以下「福祉専門職」という。）の知識や技術を生活困窮者等への就労準備支援に活用し、より効果的な支援体制を構築する事業を実施することとした。
2　対象者
　①　被保護者就労準備支援事業
　　　「被保護者就労準備支援事業（一般事業分）の実施について」（平成27年4月9日付け社援保発0409第1号社会・援護局保護課長通知）（以下「課長通知」という。）の「2　対象者」に定める者
　②　就労準備支援事業
　　　生活困窮者自立支援法施行規則第4条各号のいずれかに該当する者であって、かつ就労準備支援事業の利用期間である1年を超えない範囲での支援が必要と見込まれる者のうち、就労意欲が極端に低い者や社会との関わりに極度の不安を抱える者である等、本事業の利用が適切であると見込まれる者
　　上記①、②のうち、障害者等に対する就労支援のノウハウを活用することで就労が見込まれる者に対しては、本事業の利用が効果的な支援になると考えられる。
3　事業内容
　①　被保護者就労準備支援事業
　　　課長通知の「3　事業内容」に定める支援を、福祉専門職は被保護者就労準備支援担当者と連携して行うこと。
　②　就労準備支援事業
　　　「生活困窮者自立相談支援事業等の実施について」（平成27年7月27日社援発0727第2号）の「（別添3）就労準備支援事業実施要領」（以下「実施要領」という。）に定める支援を、福祉専門職は就労準備支援担当者と連携して行うこと。
　　なお、支援の実施に当たっては、特に次のア及びイについて配慮すること。
　　ア　対象者に対する適切なアセスメント
　　　　対象者が解決すべき課題の把握・分析、課題解決に向けた支援計画（被保護者就労準備支援シート又は就労準備支援プログラム）の作成、支援内容の評価、評価を踏まえた支援計画の変更　等
　　イ　支援におけるバックアップ
　　　　被保護者就労準備支援担当者又は就労準備支援担当者に対する専門的な知見に基づく技術的な指導・助言、対象者が継続して就労準備支援を受けられるように心身の健康状態の把握や信頼関係の構築　等
4　就労準備支援のための職員の配置
　(1)　配置人数
　　　支援に当たっては、被保護者就労準備支援担当者又は就労準備支援担当者に加え、原則として対象となる生活困窮者等の数を15で除した数以上（小数点以下切り上げ）

被保護者就労準備支援事業等における福祉専門職との連携支援事業の実施について

の福祉専門職を置くこと。

　なお、課長通知又は実施要領に基づく事業と、本事業の対象者を明確に区別できる場合には、本事業の対象となる生活困窮者等の数で算定すること。
(2) 要件

　福祉専門職は、社会福祉士、精神保健福祉士、臨床心理士等の資格を有している者や就労移行支援事業所等において障害者等に対する就労支援等に従事している者（従事していた者含む。）など、障害者等への就労支援のノウハウを活用し、生活困窮者等への就労準備支援を適切に実施できる者であること。

5　留意事項
(1) 課長通知又は実施要領に基づく事業に加えて、本通知に定める支援体制の整備等を図ること。
(2) その他、課長通知又は実施要領との適用関係については、以下のとおりとなる。
　① 被保護者就労準備支援事業
　　この通知に定めるもののほか、課長通知4、6、7、8、9、10及び11については、本事業に適用するものとすること。
　　なお、課長通知7(2)⑤については、「被保護者就労準備支援担当者」を「被保護者就労準備支援担当者及び福祉専門職」に読み替え適用するものとすること。
　② 就労準備支援事業
　　この通知に定めるもののほか、実施要領に定める内容については、本事業に適用するものとすること。
　　なお、実施要領4(3)については、「就労準備支援担当者」を「就労準備支援担当者及び福祉専門職」に読み替え適用するものとすること。

○地域におけるアウトリーチ支援等推進事業の実施について

> 平成30年3月29日　社援保発0329第3号・社援地発0329第1号
> 各都道府県・各指定都市・各中核市生活保護制度・生活困窮者自立支援制度担当部(局)長宛　厚生労働省社会・援護局保護・地域福祉課長連名通知

　就労意欲や生活能力・稼働能力が低いなど、就労に向けた課題を抱える被保護者及び生活困窮者（以下「生活困窮者等」という。）に対しては、就労意欲の喚起や一般就労に向けて日常生活習慣の改善を計画的かつ一貫して行う事業として、被保護者就労準備支援事業及び生活困窮者自立支援法（平成25年法律第105号）に基づく就労準備支援事業（以下、単に「就労準備支援事業」という。）を実施いただいているところである。

　このたび、被保護者就労準備支援事業及び就労準備支援事業の一事業として、別紙のとおり生活困窮者等に対して、ひきこもりや中高年齢者等のうち、直ちに一般就労を目指すことが難しく、家族や友人、地域住民等との関係が希薄な者を支援するために、訪問支援（アウトリーチ）による早期からの継続的な個別支援を重点的に実施するとともに、地域において対象者が馴染みやすい就労体験先を開拓・マッチングする取組を実施する「地域におけるアウトリーチ支援等推進事業」を行うこととしたので、了知の上、関係部局と連携し、積極的に推進されたい。

　また、都道府県におかれては、管内の福祉事務所設置市区町村（指定都市・中核市を除く。）に周知していただくようお願いする。

　なお、本通知は地方自治法（昭和22年法律第67条）第245条の4第1項の規定による技術的助言として行うものであることを申し添える。

別　紙
　　　地域におけるアウトリーチ支援等推進事業実施要領
1　基本的事項
　生活困窮者等の中には、長期間の失業やひきこもりなど、就労意欲の低下、自尊感情や自己有用感を失っているなど複合的な課題を抱え、就業体験などの段階的支援が必要な者や、直ちに就職することが困難な者が存在している。
　こうした状況の者については、就労意欲の喚起を図るとともに生活リズムの回復を図るなど、これまでも被保護者就労準備支援事業及び就労準備支援事業において、就労に向けた準備としての基礎能力を培うための支援を実施しているところである。
　特に、ひきこもりや中高年齢者等のうち、直ちに一般就労を目指すことが難しく、家族や友人、地域住民等との関係が希薄な者を支援するに当たっては、対象者が継続的に

支援を受けるための手厚い個別支援が重要である。
　こうしたことを踏まえて、従前の被保護者就労準備支援事業（一般事業）及び就労準備支援事業に加えて、訪問支援（アウトリーチ）による早期からの継続的な個別支援を重点的に実施するとともに、地域において対象者が馴染みやすい就労体験先を開拓・マッチングする取組として、「地域におけるアウトリーチ支援等推進事業」（以下「本事業」という。）を新たに実施することとした。
　また、ひきこもり支援については、従前から都道府県や指定都市単位に設置するひきこもり地域支援センターにおいて訪問支援を広域的に実施しているところであるが、これに加えて福祉事務所設置市町村単位で本事業を実施することによって、より住民に身近な市町村でのひきこもり支援を充実・強化し、隙間のない支援を実現することが可能となる。

2　対象者
① 　被保護者就労準備支援事業
　「被保護者就労準備支援事業（一般事業分）の実施について」（平成27年4月9日付け社援保発0409第1号社会・援護局保護課長通知）（以下「課長通知」という。）の「2　対象者」に定める者
② 　就労準備支援事業
　生活困窮者自立支援法施行規則（平成27年厚生労働省令第16号）第4条各号のいずれかに該当する者であって、かつ就労準備支援事業の利用期間である1年を超えない範囲での支援が必要と見込まれる者のうち、就労意欲が極端に低い者や社会との関わりに極度の不安を抱える者である等、本事業の利用が適切であると見込まれる者
　上記①、②のうち、特にひきこもりや中高年齢者等、支援を開始しても継続的な支援につながりにくいと考えられる者については、本事業において手厚い個別支援を実施することが、効果的な支援になると考えられる。

3　事業内容
　本事業は、現行の被保護者就労準備支援事業及び就労準備支援事業の支援内容（※1）に加えて、以下(1)及び(2)の取組を行うものとする。（※2）
(1)　ひきこもりや中高年齢者等に対する訪問支援等
　ひきこもりや中高年齢者等、一度支援につながっても継続的な支援につながりにくい者については、訪問支援によって対象者及びその家族との面談を行いながら生活状況を把握するなど、対象者に寄り添った支援を手厚く実施することで、継続的な支援につながりやすくなるような取組を行う。
(2)　就労体験先の開拓・マッチング
　(1)の訪問支援の実施等により、対象者やその家族からの日常の生活状況等の聞き取りを行う。そのうえで、支援が継続的なものとなるよう、地域の中で対象者にとって身近で馴染みのある環境において支援を実施するため、地域の行事、商店街、企業等を就労体験先として開拓し、対象者と就労体験先をマッチングする取組を行う。

※1
① 被保護者就労準備支援事業
　　課長通知の「3　事業内容」に定める支援
② 就労準備支援事業
　　「生活困窮者自立相談支援事業等の実施について」（平成27年7月27日社援発0727第2号）の「（別添3）就労準備支援事業実施要領」（以下「実施要領」という。）に定める支援

※2　少なくとも(1)の取組を実施する必要がある。

4　実施団体等の考え方
　本事業については、ひきこもり支援や障害者に対する就労支援を担う実施団体等への委託（既に被保護者就労準備支援事業及び就労準備支援事業を実施している場合は、その再委託による実施も可）が実施方法として考えられる。

5　留意事項
(1) 課長通知又は実施要領に基づく事業に加えて、本通知に定める支援体制の整備等を図ること。
(2) その他、課長通知又は実施要領との適用関係については、以下のとおりとなる。
　① 被保護者就労準備支援事業
　　　この通知に定めるもののほか、課長通知4、6、7、8、9、10及び11については、本事業に適用するものとすること。
　② 就労準備支援事業
　　　この通知に定めるもののほか、実施要領に定める内容については、本事業に適用するものとすること。
(3) 都道府県及び指定都市に設置するひきこもり地域支援センターにおいて、市町村のバックアップ機能強化や訪問支援の体制強化を図る事業（以下「ひきこもり対策推進事業」という。）を、平成30年度から実施することとしている。
　本事業は、福祉事務所設置自治体を実施主体とする被保護者就労準備支援事業及び就労準備支援事業において実施するものであり、住民に身近な市町村単位でのひきこもり支援の充実・強化につながる取組であることから、その実施に当たっては、ひきこもり地域支援センターとも連携を図り、ひきこもり対策推進事業を併せて活用することで、効果的な支援につながるものと考えられる。
　そのため、都道府県及び指定都市のひきこもり地域支援センター担当部局とも連携しつつ、本事業の実施方法について検討いただくようお願いしたい。

○就労支援促進計画の策定について

> 平成27年3月31日　社援保発0331第22号
> 各都道府県・各指定都市・各中核市民生主管部(局)長　宛
> 厚生労働省社会・援護局保護課長通知

〔改正経過〕

　　第1次改正　平成28年3月31日社援保発0331第17号　　第2次改正　平成29年3月22日社援保発0322第1号
　　第3次改正　令和2年3月25日社援保発0325第1号

　稼働能力を有する被保護者については、その能力に応じて就労することが必要であり、これまでも自立支援プログラム等を活用して積極的に支援いただいているところである。
　また、就労による自立助長に向けて就労支援に関する事業(就労支援プログラムとして実施するものをいう。以下「事業」という。)を効果的・効率的に実施していくためには、各自治体において定期的に就労支援プログラムの実施状況や目標の達成状況を評価、検証し、事業を的確に見直していくことが重要である。
　また、平成26年8月、総務省が実施した「生活保護に関する実態調査」の結果に基づく総務大臣の勧告(以下「勧告」という。)において、事業の実施効果を検証する上で重要となる事業の対象者等の指標の把握や設定の水準が福祉事務所によって区々となっていることから、事業の効果検証及びその結果に基づく見直しを的確に行うことが困難な状況となっているとの指摘を受けたところである。
　このため、今般、事業の適切な効果検証及び的確な見直しを図る観点から、政策循環の仕組みを導入することとし、各自治体において就労支援促進計画(以下「計画」という。)を策定することとした。自治体における計画策定を推進するため、計画の達成状況など事業効果を検証するための指標の内容、事業効果の検証、検証結果に基づく見直しの手順・方法等について下記のとおり目安を定めたので、御了知の上、管内の福祉事務所に対し周知を図られたい。
　なお、本通知は地方自治法(昭和22年法律第67号)第245条の4第1項の規定による技術的助言として行うものであることを申し添える。

記

1　計画に盛り込む事業
　　計画は、以下の事業を対象として策定を行うものとする。
　(1)　生活保護受給者等就労自立促進事業
　(2)　被保護者就労支援事業
　(3)　被保護者就労準備支援事業
　(4)　その他、上記以外の就労支援
　　注：(4)「その他、上記以外の就労支援」については、次の①～⑥に掲げる事業等により

就労支援を受ける者を計上すること。また、ケースワーカーのみによる就労支援を受ける者は含まないものとすること。
　① 求職者支援制度
　② ①以外でハローワーク等が実施している労働施策
　③ 障害者に対する就労支援事業
　　　障害者の日常生活及び社会生活を総合的に支援するための法律に基づく就労移行支援、就労継続支援など。
　④ 母子家庭向けの就労支援事業
　　　母子及び父子並びに寡婦福祉法に基づく母子家庭就業支援事業等など。
　⑤ 自治体独自の就労支援事業
　　　各自治体が就労支援プログラムに位置づけて独自に実施している就労支援事業。
　⑥ その他の就労支援事業
　　　上記①から④のいずれの項目にも該当しない就労支援事業。
2　計画策定主体及び時期
　福祉事務所設置自治体において毎年度策定する。
3　計画内容
　計画の記載内容は以下のとおりとする。
　なお、策定に当たっては、厚生労働省が別途通知する様式を使用すること。
(1) 現状・課題の把握
　ア　現状
　　　現状として以下の事項について記載すること。
　　① 管内の被保護者数
　　② 被保護者のうち稼働能力を有するとみられる者の数
　　③ 就労支援員の配置数
　　④ 前年度の取組状況
　　　・前年度の目標を踏まえた就労支援（意欲喚起、職場開拓、定着支援等）の取り組み
　　⑤ 上記のほか、就労支援の実施等にあたって参考とする状況など
　イ　課題
　　　アで把握した現状に基づき、関係機関との連携や社会資源の活用状況も踏まえ、被保護者に対する就労支援に係る課題を記載すること。
(2) 取組事項等
　当該年度の取組として以下の事項について記載すること。
　ア　当該年度において実施する就労支援事業等
　　　当該年度において実施する事業名を記載するとともに、上記(1)により把握した現状及び課題を踏まえて取り組むべき事項や改善方策を記載する。
　イ　関係機関との連携方策
　　　「被保護者就労支援事業の実施について」（平成27年3月31日付け社援保発0331

第20号本職通知)4の「就労支援連携体制の構築」に関して、ハローワークや生活困窮者自立支援制度担当部署等との連携方策、地域の社会福祉法人、NPO法人等の各種団体、企業との協力体制の整備について記載する。
(参考例)
・ 生活保護受給者等就労自立促進事業の実施方針等の協議のため、ハローワークと生活困窮者自立支援制度担当部署との連絡会議を○回開催
・ 関係機関の担当者が参画した合同ケース診断会議を○回開催
・ 地域の関係団体に対して、中間的就労等、新たな就労の場の開拓、就労の場の掘り起こしについて協力要請　等

(3) 数値目標の設定

取組事項等について、事後に定量的な評価が実施できるよう、以下の項目ごとに、数値目標を設定する。

ア　目標設定すべき項目

①事業対象者数、②事業参加者数、③事業参加率、④達成者数(就労した者及び就労による収入が増加した者の数)、⑤達成率(就労・増収率)

イ　各項目の設定方法

① 事業対象者数

保護の実施機関が就労可能と判断する被保護者の総数を計上すること。

就労可能と判断する被保護者の計上は、全被保護者数から、傷病や障害等により稼働能力が無いと判断された者、高等学校等に在学中の者、現に就労し稼働能力を十分に活用されていると認められる者を除いて算定される人員数とすること。

また、現に就労している場合であっても、短時間勤務に留まっているなど、その者の能力等に応じて転職や増収に向けた支援が必要な者については事業対象者数に含むものであること。

② 事業参加者数

上記1の(1)から(4)までのいずれかの事業への参加者を計上すること。

事業参加者数については、前年度の実績や課題、当該年度の取組方針等を踏まえて目標とする実人数を計上すること。

被保護者によっては、複数の事業に参加することもあり得るが、その場合は、主たる事業で計上することとし、重複してカウントしないこと。

③ 事業参加率

②の事業参加者数を①の事業対象者数で除したものとする。

④ 達成者数

事業参加者数のうち、就労した者及び増収となった者とし、前年度の実績や課題、当該年度の取組方針等を踏まえて目標とする実人数を計上すること。

⑤ 達成者割合

④の達成者数を②の事業参加者数で除したものとする。

Ⅱ 生活保護法関係通知 第9章 就労・進学支援

4 計画策定に当たっての留意点
　3(2)の取組事項等を踏まえ、必要があると認める時は、ハローワークをはじめ関係機関と連絡調整を行うこと。
5 実績評価及び事業の見直しについて
　就労支援事業等の実績評価のため、就労支援促進計画において設定した数値目標に対する達成状況等をとりまとめ、就労支援事業等の実施状況の評価を実施すること。
(1) 評価指標及び把握すべき項目
　ア　数値目標に対する実績
　　　3(3)において計上した①事業対象者数、②事業参加者数、③事業参加率、④達成者数（就労した者及び就労による収入が増加した者の数）、⑤達成率（就労・増収率）の実績値に加え、⑥就労・増収による生活保護費削減額、⑦生活保護廃止者数、⑧生活保護廃止率の実績について計上すること。
　イ　実績値等の計上方法
　　ア①〜⑤の実績値
　　　ア①〜⑤に掲げた項目については、数値目標に応じた実績値を計上すること（①②④は実人員で計上すること）。
　　　ただし、①の事業対象者数については、計画期間内において、新たに生活保護開始された者であって就労可能と判断された者も含めて計上し、一方、事業対象者となっていた被保護者であって、計画期間内に就労支援事業等に参加することなく、傷病や障害の発生等により稼働能力を失った者、又は何らかの理由により生活保護廃止となった者は除外すること。
　　⑥　就労・増収による生活保護費削減額
　　　就労支援事業等の実施によって就労又は増収したことにより削減された生活保護費の額とすること。
　　⑦　生活保護廃止者
　　　②の事業参加者数のうち、就労又は増収したことにより生活保護廃止となった者の数とする。
　　⑧　生活保護廃止率
　　　⑦の生活保護廃止者数を②の事業参加者数で除したものとする。
　ウ　就労支援事業等へ参加しなかった者の状況
　　　事業対象者のうち、就労支援事業等に参加しなかった者について、以下の状況別に実績を把握すること。
　　　実績については、計画期間終了時の状況について計上することとし、重複してカウントしないこと。
　　①　就労中
　　　十分に稼働能力を活用しておらず転職や増収に向けた取組が必要であるが、現に就労していること等を理由にして就労支援事業等への参加には至っていない者（下記④の者は除く）

② ハローワーク等で求職活動中
　就労支援事業等によらず本人自らハローワーク等での求職活動を行っているために、就労支援事業等への参加に至っていない者（下記④の者は除く）
③ 事業の定員等に空きがない又は福祉事務所において事業を実施していないために就労支援事業等に参加できていない者
④ 援助方針の策定中
　生活歴・職歴等の把握・分析中又は適正職種等を検討中で、これから就労支援事業等への参加の呼びかけを行う予定である者（就労中、求職活動中の者を含む）
⑤ その他
　①～④いずれの項目にも該当しない者の数とする。
(2) 評価の視点
　設定した数値目標に対する達成状況及び就労支援事業等に参加していない者の状況のほか、必要に応じて事業参加者のフォローアップ等を行った上で、以下の評価の視点を参考に、評価を実施すること。
　評価にあたっては、全国の数値等とも比較して、取組状況に不十分な点などがないか検証を行うこと。
　なお、評価については、必要と認める時は、事業担当課のみならず関係部署や外部有識者を参画させて行うこと。
【評価の視点】
・ 事業参加率が十分か
・ 事業の成果が見られるか
・ 就労した者について就労が継続できているか
・ 事業は効果的（費用対効果等）に実施されているか　等
(3) 事業の見直し
　設定した目標値に対する達成状況が不十分な場合、その原因を分析した上で、必要に応じて次年度以降の事業内容等の見直しを行うこと。
6　提出時期
(1) 計画の提出時期
　毎年度各自治体において、計画を策定し、厚生労働省が別途通知する提出期限までに提出すること。
(2) 評価結果の提出時期について
　計画期間終了後、計画の達成状況の評価を行い、厚生労働省が毎年度実施する「就労支援等の状況調査」の回答とあわせて当該調査実施時に示す様式により評価結果を提出すること。

○生活保護法による進学・就職準備給付金の支給について

平成30年6月8日　社援発0608第6号
各都道府県知事・各指定都市市長・各中核市市長宛
厚生労働省社会・援護局長通知

〔改正経過〕
　　第1次改正　令和2年12月28日社援発1228第1号　　第2次改正　令和6年4月24日社援発0424第11号

　生活保護法（昭和25年法律第144号。以下「法」という。）は、生活に困窮する国民に対し、最低限度の生活を保障するとともに、自立を助長することを目的としている。
　法第55条の5第1項に基づき、生活保護世帯の子どもが本人の希望を踏まえた選択に基づく進学又は就職による自立の助長に資する支援を図ることを目的として、進学・就職準備給付金を支給することとなったので、本制度の適正かつ有効な実施を図られたく通知する。
　なお、本通知は、地方自治法（昭和22年法律第67号）第245条の9第1項及び第3項の規定による処理基準としたので申し添える。

記

第1　趣旨

　生活保護世帯の子どもの大学等進学率は、全世帯の進学率と比較して低い状況にある。貧困の連鎖を断ち切り、生活保護世帯の子どもの自立を助長するためには、大学等への進学を支援していくことが有効であると考えられる。平成29年12月15日の「社会保障審議会生活困窮者自立支援及び生活保護部会報告書」においても、生活保護世帯の子どもの大学等への進学支援について、「生活保護費の中から大学等への進学後の費用を貯蓄することは認められておらず、進学直後に必要となる様々な費用を進学前からあらかじめ用意することが困難であるという生活保護世帯特有の事情もある」、「生活保護制度特有の事情が障壁になることがないよう、制度を見直すべき」とされたところである。
　このため、大学等に進学する者に対して進学の際の新生活立ち上げの費用として給付金を支給する制度を創設するものであること。
　さらに、令和5年12月27日の「社会保障審議会生活困窮者自立支援及び生活保護部会報告書」において、生活保護世帯の子どもが、本人の希望を踏まえた選択に基づいて高校卒業後に就職することは自立助長の観点で重要であるが、一方で、就職する際の新生活の立ち上げ費用の支援の仕組みがなく、高校卒業後に大学等に進学する場合に進学準備給付金が支給される仕組み等との均衡を図る観点から、高等学校卒業後に就職する際の、新生活立ち上げを支援するための給付金の支給が必要とされたところである。
　このため、高等学校を卒業後等において、安定した職業に就くこと等により自立する

者に対して就職する際の新生活の立ち上げ費用として給付金を支給する制度を創設するものであること。
　なお、高等学校を卒業後等に就職する際に給付金を支給することとされたことに伴い、同給付金の名称について、「進学・就職準備給付金」と改めるものであること。
第2　支給要件
1　大学等への進学の際の新生活立ち上げ支援にかかる給付金（以下「進学準備給付金」という。）の支給要件（法第55条の5第1項第1号関係）
　(1)の支給対象者が(2)の特定教育訓練施設に確実に入学すると見込まれることを要件として、当該支給対象者の申請に基づき支給するものとすること。
(1)　支給対象者
　　進学準備給付金は、ア又はイに該当する被保護者を対象とする。
　ア　18歳に達する日以後の最初の3月31日までの間にある者（法第55条の5第1項各号列記以外の部分関係）
　イ　18歳に達する日以後の最初の3月31日を経過した者であって、次のいずれかに該当するもの（生活保護法施行規則（昭和25年厚生省令第21号。以下「則」という。）第18条の7第1号及び第2号関係）
　　(ア)　保護の実施機関が、高等学校等（学校教育法（昭和22年法律第26号）第1条に規定する高等学校（以下「高等学校」という。）、中等教育学校（同法第66条に規定する後期課程に限る。）若しくは特別支援学校（同法第76条第2項に規定する高等部に限る。）（いずれも同法第58条第1項（同法第70条第1項及び第82条において準用する場合を含む。）に規定する専攻科及び別科を除く。）又は同法第124条に規定する専修学校若しくは同法第134条第1項に規定する各種学校（高等学校に準ずると認められるものに限る。）をいう。以下同じ。）に就学することが支給対象者の自立を助長することに効果的であるとして、就学しながら保護を受けることができると認めた者（以下「高等学校等就学者」という。）であって当該高等学校等を卒業し若しくは修了した後直ちに特定教育訓練施設に入学しようとするもの（則第18条の7第1号関係）
　　(イ)　高等学校等就学者であった者（災害その他やむを得ない事由により、高等学校等を卒業し又は修了した後直ちに特定教育訓練施設に入学することができなかった者に限る。）であって、当該高等学校等を卒業し又は修了した後1年を経過するまでの間に特定教育訓練施設に入学しようとするもの（則第18条の7第2号関係）
　　　なお、「やむを得ない事由」については、災害のほか本人の傷病や親の看護や介護等、真にやむを得ないと認められる場合をいうものであること。
(2)　特定教育訓練施設
　　支給対象となる進学先の特定教育訓練施設は、アからクまでの施設とする。（則第18条の8関係）
　ア　学校教育法第1条に規定する大学（短期大学を含む。）

イ 学校教育法第124条に規定する専修学校（同法第125条第1項に規定する専門課程に限る。）
ウ 職業能力開発促進法（昭和44年法律第64号）に規定する職業能力開発総合大学校の総合課程、職業能力開発大学校及び職業能力開発短期大学校の専門課程
エ 国立研究開発法人水産研究・教育機構法（平成11年法律第199号）第12条第1項第5号に規定する業務に係る国立研究開発法人水産研究・教育機構の施設（水産大学校）
オ 独立行政法人海技教育機構法（平成11年法律第214号）第11条第1項第1号に規定する業務に係る独立行政法人海技教育機構の施設（海上技術短期大学校及び海技大学校）
カ 高度専門医療に関する研究等を行う国立研究開発法人に関する法律（平成20年法律第93号）第16条第6号に規定する国立高度専門医療研究センターの職員の養成及び研修を目的として看護に関する学理及び技術の教授及び研究並びに研修を行う施設（国立看護大学校）
キ 高等学校及び学校教育法第1条に規定する中等教育学校（同法第66条に規定する後期課程に限る。）（いずれも同法第58条第1項（同法第70条第1項において準用する場合を含む。）に規定する専攻科に限る。）、同法第124条に規定する専修学校（同法第125条第1項に規定する一般課程に限る。）並びに同法第134条第1項に規定する各種学校のうち、支給対象者がこれらを卒業し若しくは修了し、又はこれらにおいて教育を受けることによりその者の収入を増加させ、若しくはその自立を助長することができる見込みがあると認められるもの
　なお、「支給対象者がこれらを卒業し若しくは修了し、又はこれらにおいて教育を受けることによりその者の収入を増加させ、若しくはその自立を助長することのできる見込みがあると認められるもの」は次のすべての要件を満たすものとする。
(ｱ) 修業年限が1年以上であること。
(ｲ) 就学によって生業に就くために必要な技能（例えば、工業、医療、栄養士、調理師、理容師、美容師、保育士、商業経理、和洋裁等）を修得することができる学校であること。
(ｳ) いわゆる予備校等、大学等の入学試験の準備を目的として通学する学校でないこと。
(ｴ) 趣味や日常生活、社会生活に必要な技能習得を目的とする学校（例えば自動車学校、珠算学校等）でないことが明らかなこと。
ク アからキまでに掲げるもののほか、支給対象者が卒業し若しくは修了し、又は教育を受けることによりその者の収入を増加させ、若しくはその自立を助長することのできる見込みがあると認められる教育訓練施設
　なお、「支給対象者がこれらを卒業し若しくは修了し、又はこれらにおいて教育を受けることによりその者の収入を増加させ、又はその自立を助長することの

できる見込みがあると認められる教育訓練施設」については次のすべての要件を満たすものとする。
　(ｱ)　修業年限が1年以上であること。
　(ｲ)　授業時数が年680時間以上であること。
　(ｳ)　就学によって生業に就くために必要な技能を修得することができる教育訓練施設であること。
　(ｴ)　大学等の入学試験の準備を目的として通学する教育訓練施設でないこと。
　(ｵ)　趣味や日常生活、社会生活に必要な技能習得を目的とする教育訓練施設でないことが明らかなこと。
(3)　確実に入学すると見込まれるもの
　法第55条の5第1項第1号に規定する「確実に入学すると見込まれるもの」とは、進学を予定する(2)の特定教育訓練施設に合格し、その特定教育訓練施設の入学手続を開始しているかどうかにより判断すること。
(4)　その他
　進学準備給付金は、特定教育訓練施設への進学に伴い、「生活保護法による保護の実施要領について」(昭和38年4月1日付け社発第246号厚生省社会局長通知)の第1の5に基づき世帯分離となり、又は生活保護世帯と同一の住居に居住しなくなること等により、被保護者ではなくなる者に対して支給するものであること。
2　就職し、自立する際の新生活立ち上げ支援にかかる給付金(以下「就職準備給付金」という。)の支給要件(法第55条の5第1項第2号関係)
　(1)の支給対象者が(2)の安定した職業に確実に就くと見込まれることその他これに準ずる者であることを要件として、当該支給対象者の申請に基づき支給するものとすること。
(1)　支給対象者
　就職準備給付金は、ア又はイに該当する被保護者を対象とする。
　ア　18歳に達する日以後の最初の3月31日までの間にある者(法第55条の5第1項各号列記以外の部分関係)
　イ　18歳に達する日以後の最初の3月31日を経過した者であって、次のいずれかに該当する者(則第18条の7第3号から第6号まで関係)
　　(ｱ)　高等学校等就学者であって、当該高等学校等を卒業し又は修了した後引き続いて(2)に規定する安定した職業に就こうとするもの(これに準ずる者として則第18条の8の3各号に掲げるものを含む。以下(ｲ)から(ｴ)までにおいて同じ。)
　　　(則第18条の7第3号関係)
　　(ｲ)　高等学校等就学者であって、当該高等学校等を卒業し又は修了した後引き続いて就職に必要な知識及び技能の習得(支給機関が被保護者の自立を助長することに効果的であると認めるものに限る。(ｴ)において同じ。)を行い、その後引き続いて(2)に規定する安定した職業に就こうとするもの(則第18条の7第4号関係)

(ウ) 高等学校等就学者であった者（災害その他やむを得ない事由により、当該高等学校等を卒業し又は修了した後引き続いて(2)に規定する安定した職業に就くことができなかった者（これに準ずる者として則第18条の8の3各号に掲げるものとなることができなかった者を含む。(エ)において同じ。）に限る。）であって、当該高等学校等を卒業し又は修了した後1年を経過するまでの間に同条に規定する安定した職業に就こうとするもの（則第18条の7第5号関係）

(エ) 高等学校等就学者であった者（災害その他やむを得ない事由により、当該高等学校等を卒業し又は修了した後引き続いて就職に必要な知識及び技能の習得を行い、その後引き続いて(2)に規定する安定した職業に就くことができなかった者に限る。）であって、当該知識及び技能の習得後1年を経過するまでの間に同条に規定する安定した職業に就こうとするもの（則第18条の7第6号関係）

(2) 安定した職業（法第55条の5第1項第2号関係）

法第55条の5第1項第2号に規定する安定した職業は、おおむね6月以上雇用されることが見込まれ、かつ、最低限度の生活を維持するために必要な収入を得ることができると認められるものとする。

(3) その他これに準ずる者（法第55条の5第1項第2号関係）

法第55条の5第1項第2号に規定するその他これに準ずる者は、ア又はイに該当する被保護者をいう。

ア 事業を確実に開始すると見込まれる者であって、おおむね6月以上最低限度の生活を維持するために必要な収入を得ることができると見込まれるもの（則第18条の8の3第1号関係）

イ 職業（(2)の安定した職業を除く。）に確実に就くと見込まれる者であって、その者が属する被保護世帯において、その者の就労による収入の増加により、おおむね6月以上最低限度の生活を維持するために必要な収入を得ることができると見込まれるもの（則第18条の8の3第2号関係）

(4) 確実に就くと見込まれる者等

法第55条の5第1項第2号に規定する「確実に就くと見込まれる者」、則第18条の8の3第1号に規定する「事業を確実に開始すると見込まれる者」及び同条第2号に規定する「職業（中略）に確実に就くと見込まれる者」とは、就職のための手続を開始しているかどうかにより判断すること。

(5) その他

就職準備給付金は、安定した職業等に就くことにより、被保護者ではなくなる者に対して支給するものであること。

第3 申請による支給の決定

1 進学準備給付金の支給の決定

(1) 給付金の支給を受けようとする支給対象者については、特定教育訓練施設へ進学する者の氏名及び住所又は居所、特定教育訓練施設の名称等を記載した申請書に次

に掲げる書類を添付して支給機関に提出するものとすること。(則第18条の9関係)
　ア　確実に入学すると見込まれるものであることを確認できるものとして、以下のいずれかの書類
　　・入学金を納付したことを証明する書類の写し
　　・入学金延納（進学後に納付すること）を申請した書類の写し
　　・進学先の特待生制度等により入学金等の納付が不要な場合、進学先に提出する誓約書や進学先が発行する入学手続が完了したことを証明する書類等の写し
　イ　進学に伴い転居する場合は、新たに居住する住居の賃貸借契約書の写し等
　ウ　その他、進学先の特定教育訓練施設の概要等が分かる資料等、支給機関が支給決定にあたり必要な書類
　　ただし、上記の書類について、申請時に準備できない場合については、進学する特定教育訓練施設の合格通知書や賃貸借契約時の見積書の写し等を添付した上で、後日、特定教育訓練施設に入学するまでの間にこれらの書類の提出を求めること。
　　なお、当該申請書を作成することができない特別の事情があるときは、申請者の口頭による陳述を聴取し、書面に記載した上でその内容を本人に説明し記名を求め、後日学生証の写しや在学証明書を求めるなど、必要な措置を講ずることで、申請書の提出及び受理に代えることとすること。
(2)　支給機関は、高等学校等を卒業する被保護者について、卒業後の進路について事前に聴取し、特定教育訓練施設へ進学する場合は、進学準備給付金の申請等について助言するなど、支給対象者からの申請が確実に行われるよう支援すること。
(3)　申請は、原則として進学する者が生活保護世帯に属している間に行うものとし、その支給は申請受理後速やかに行うものとすること。ただし、確実に入学すると見込まれる時期が保護の変更・廃止の直前であるなど、やむを得ない事由がある場合は、進学後（保護からの脱却後）の申請を認めること。
(4)　支給機関は、被保護者から支給の申請があったときは、支給要件に該当するかどうかを判断した上で、支給の金額及び方法を決定し、書面をもって通知すること。各種書面の様式の標準は、「生活保護法施行細則準則について」（平成12年３月31日付け社援第871号厚生省社会・援護局長通知。以下「細則準則」という。）を参考とされたい。
(5)　支給の決定の通知は、速やかに行うものとし、標準処理期間は、申請のあった日から14日以内とすること。ただし、進学先等の調査に時間を要する等特別な事由がある場合には、これを30日以内に行うこととすること。
　　なお、この場合には、決定を通知する書面にその理由を明示すること。
2　就職準備給付金の支給の決定
(1)　就職準備給付金の支給を受けようとする支給対象者については、就職する者の氏名及び住所又は居所、就職先等の名称等及びその者又はその者が属する世帯が、おおむね６月以上最低限度の生活を維持するために必要な収入を得ることができると

見込まれる理由を記載した申請書に次に掲げる書類を添付して支給機関に提出するものとすること。(則第18条の9関係)
　ア　就職する見込みであることが確認できるものとして、以下のいずれかの書類とする。
　　・内定通知書、事業主の発行する就職証明書等
　　・個人事業主の場合、個人事業の開業届の写し
　　・その他確実に就職先に就職することを証する書類
　イ　就職に伴い転居する場合は、新たに居住する住居の賃貸借契約書の写し等
(2)　支給機関は、高等学校等を卒業する被保護者について、卒業後の進路について事前に聴取し、就職する場合は、就職準備給付金の申請等について助言するなど、支給対象者からの申請が確実に行われるよう支援すること。
(3)　申請は、原則として就職する者等が生活保護世帯に属している間に行うものとし、その支給は申請受理後速やかに行うものとすること。ただし、確実に安定的な職業に確実に就く等と見込まれる時期が保護の変更・廃止の直前であるなど、やむを得ない事由がある場合は、就職等した後(保護からの脱却後)の申請を認めること。
(4)　支給機関は、被保護者から支給の申請があったときは、支給要件に該当するかどうかを判断した上で、支給の金額及び方法を決定し、書面をもって通知すること。各種書面の様式の標準は、細則準則を参考とされたい。
(5)　支給の決定の通知は、速やかに行うものとし、標準処理期間は、申請のあった日から14日以内とすること。ただし、就職先等の調査に時間を要する等特別な事由がある場合には、これを30日以内に行うこととすること。
　　なお、この場合には、決定を通知する書面にその理由を明示すること。

第4　進学・就職準備給付金の支給額
　進学・就職準備給付金の支給額は、「生活保護法施行規則第18条の規定に基づき厚生労働大臣が定める額」(平成30年厚生労働省告示第244号)に基づき、法第55条の5第1項各号のいずれかに該当する者となることに伴い、転居する者は30万円、その他の者は10万円とすること。なお、就職準備給付金の支給を受けようとする者であって、同告示第2号に該当する者(転居しない者)については、則第18条の8の3第2号のとおり、その者が属する世帯全体が、おおむね6月以上最低限度の生活を維持するために必要な収入を得ることができる場合に限り、支給できるものであること。

第5　進学・就職準備給付金の性格等
1　進学・就職準備給付金は、生活保護世帯の子どもの特定教育訓練施設への進学又は安定した職業等に就くこと等に伴う新生活立ち上げ費用として支給するものであり、法第6条第3項の保護金品とは異なるものであること。また、あくまでも、本人の希望を踏まえた選択を前提とするものであること。
2　進学・就職準備給付金は、租税その他の公課を課せられることがないこと。(法第57条関係)

3 既に支給された進学・就職準備給付金や進学・就職準備給付金を受ける権利は、差し押さえられることがないこと。(法第58条関係)
  4 進学・就職準備給付金は、特定教育訓練施設に進学や安定した職業等に就くこと等に伴う新生活の準備に役立てられるべきものであることから、支給を受ける権利は進学する当事者以外の者に譲り渡すことができないものであって、生活保護世帯に対する保護費とは別に当該進学又は就職する者等に対して支給すべきものであること。(法第59条関係)
  5 進学・就職準備給付金の支給を受ける権利は、2年を経過したときは、時効によって消滅するものであること。(法第76条の3関係)
  6 進学・就職準備給付金は、法第78条の2第2項の規定の対象とはならないことから、同項に基づく法第77条の2又は第78条の徴収金の納入に充てることができないものであること。
  7 進学・就職準備給付金の支給を受けた被保護者については、進学・就職準備給付金を再支給しないこと。(則第18条の11関係)
第6 支給機関
  進学・就職準備給付金の支給機関は、支給対象者に対して保護を実施していた保護の実施機関と同一の都道府県知事、市長及び福祉事務所を設置する町村長とすること。
第7 報告
  支給機関は、進学・就職準備給付金の適切な支給決定等(第11において不正受給の徴収金を徴収する場合を含む。)のために必要があるときは、雇主(被保護者を雇用しようとする者を含む。)若しくは特定教育訓練施設の長その他の関係人に、報告を求めることができること。(法第55条の6関係)
第8 進学・就職準備給付金の周知について
  保護の実施機関は、高校生等の子どものいる世帯を中心に早期から進路の把握に努め、大学等への進学を希望している高校生等に対する進学・就職準備給付金の周知を行い、大学等への進学を希望する者が、経済的な理由で進学を断念することがないようにすること。
  あわせて、独立行政法人日本学生支援機構法(平成15年法律第94号)による貸与金又は給付金、母子及び父子並びに寡婦福祉法(昭和39年法律第129号)による福祉資金の貸付け、生活福祉資金(教育支援資金)等、生活保護受給世帯の子どもが大学等に進学した際に利用可能な支援制度についても、教育担当部局及び社会福祉協議会その他の関係機関と協力して周知を図ること。
  また、生活保護受給世帯の子どもが、本人の希望を踏まえた選択に基づいて高等学校等を卒業した後に就職することも、被保護者の自立の助長の観点から重要であり、就職する際の新生活の立ち上げ費用の支援の仕組みである、就職準備給付金についても、教育担当部局及びその他の関係機関と協力して周知を図ること。
第9 不服申立て
  1 市町村長がした進学・就職準備給付金の支給に関する処分(市町村長が進学・就職

準備給付金の支給に関する事務の全部又は一部を福祉事務所長等その管理に属する行政庁に委任した場合の当該事務に関する処分を含む。）についての審査請求は、都道府県知事に対して行われるものであること。

　また、都道府県知事が進学・就職準備給付金の支給に関する事務の全部又は一部を福祉事務所等その管理に属する行政庁に委任した場合の当該事務に関する処分についての審査請求は都道府県知事に、都道府県知事の進学・就職準備給付金の支給に関する処分についての審査請求は厚生労働大臣に対して行われるものであること。(法第64条関係)

2　都道府県知事は、審査請求があったときは、50日以内（行政不服審査法（平成26年法律第68号）第43条第１項の規定による諮問をする場合は70日以内）に当該審査請求に対する裁決をしなければならないこと。

　また、都道府県知事の裁決に不服のある者は、厚生労働大臣に対して再審査請求をすることができること。この場合においては、70日以内に当該再審査請求に対する裁決をすること。

　なお、支給機関が実施した処分の取消しの訴えは、当該処分に関する審査請求に対する裁決を経た後でなければ提起できないものであること。(法第65条、第66条及び第69条関係)

第10　費用負担

1　都道府県及び市町村は進学・就職準備給付金の支給（支給の委託を受けて行うものを含む。）に要する費用（以下「進学・就職準備給付金費」という。）を支弁するものであること。

2　都道府県は、次の場合において市町村が支弁した進学・就職準備給付金費の４分の１を負担するものであること。

　⑴　居住地がないか、又は明らかでない被保護者に支弁したとき。

　⑵　宿所提供施設又は児童福祉法（昭和22年法律第164号）第38条に規定する母子生活支援施設にある被保護者につきこれらの施設の所在する市町村が支弁したとき。

3　国は、市町村及び都道府県が支弁した進学・就職準備給付金費の４分の３を負担するものであること。(法第70条第５号、第71条第５号、第73条第３号及び第４号並びに第75条第１項第２号関係)

第11　不正受給への対応について

　不正受給に対しては、不正受給額の確定、特に悪質な不正受給に対する徴収金の加算、国税徴収の例による費用徴収等、必要な対応をされたい。

　なお、これらの具体的な対応にあたっては、「生活保護行政を適正に運営するための手引きについて」（平成18年３月30日付け社援保発第0330001号厚生労働省社会・援護局保護課長通知）のⅣの４費用徴収方法を参考とされたい。(法第78条第３項関係)

第12　罰則

1　偽りその他不正な手段により進学・就職準備給付金の支給を受け、又は他人をして受けさせた者は、３年以下の懲役又は100万円以下の罰金に処するものであること。

ただし、刑法(明治40年法律第45号)に正条があるときには、刑法によるものであること。(法第85条第2項関係)
2　第7の報告を怠り、又は虚偽の報告をした者は、30万円以下の罰金に処するものであること。(法第86条関係)
第13　附則
　進学・就職準備給付金の支給に関する規定は、令和6年1月1日から適用するものであること。(生活困窮者自立支援法等の一部を改正する法律(令和6年法律第21号)附則第3条関係)

○生活困窮者等の自立を促進するための生活困窮者自立支援法等の一部を改正する法律の一部施行について（公布日施行分（進学準備給付金関係））

（平成30年6月8日　社援発0608第7号
各都道府県知事・各指定都市市長・各中核市市長宛
厚生労働省社会・援護局長通知）

　生活困窮者等の自立を促進するための生活困窮者自立支援法等の一部を改正する法律（平成30年法律第44号。以下「改正法」という。）については、平成30年6月8日に公布されたところである。このうち、同法による改正後の生活保護法（昭和25年法律第144号。以下「法」という。）第55条の5において創設される進学準備給付金の支給に関する規定については、公布の日から施行し、同条の規定は平成30年1月1日から適用することとしている。

　これに伴い、生活保護法施行令の一部を改正する政令（平成30年政令第185号。以下「改正政令」という。）、生活保護法施行規則及び生活保護法別表第1に規定する厚生労働省令で定める情報を定める省令の一部を改正する省令（平成30年厚生労働省令第72号。以下「改正省令」という。）及び生活保護法施行規則第18条の10の規定に基づき厚生労働大臣が定める額（平成30年厚生労働省告示第244号。以下「告示」という。）が公布され、改正法の公布の日と同日（平成30年6月8日）から施行される。

　今回施行される改正法、改正政令、改正省令及び告示の規定について、その趣旨、主な内容等は下記のとおりであるので、内容を十分御了知の上、管内保護の実施機関をはじめ、関係者、関係団体等に対し、その周知を図るとともに、その運用に遺漏のないようにされたい。

記

第1　改正の趣旨

　　子どもの貧困対策の推進については、子どもの貧困対策の推進に関する法律（平成25年法律第64号）第8条の規定に基づく「子供の貧困対策に関する大綱」（平成26年8月29日閣議決定）において、「子供の将来がその生まれ育った環境によって左右されることのないよう、また、貧困が世代を超えて連鎖することのないよう、必要な環境整備と教育の機会均等を図る子供の貧困対策は極めて重要である」とされており、生活保護制度においても、これまで教育扶助及び高等学校等就学費等の支給を行うことにより、また、未成年者の就労収入にかかる勤労控除や生活保護世帯の高校生の就労収入の収入認定除外の拡充により、生活保護世帯の子どもの自立の助長に取り組んできたところである。

　　こうした取組により生活保護世帯の子どもの高校等への進学率は平成29年4月で93.6％となり、全世帯の高校等進学率（99.0％）に近づいているところであるが、生活

生活困窮者自立支援法等一部改正法の一部施行について（進学準備給付金関係）

　保護世帯の子どもの大学等進学率は、35.3％（平成29年4月）となっており、全世帯の進学率73.0％と比較して著しく低い状況にある。貧困の連鎖を断ち切り、生活保護世帯の子どもの自立を助長するためには、生活保護世帯であることが進学の阻害要因とならないよう、大学等への進学を支援していくことが重要であり、社会保障審議会生活困窮者自立支援及び生活保護部会報告書（平成29年12月15日）においても、「生活保護世帯の子どもの大学等への進学を支援するため、給付型奨学金の拡充等の一般施策の動向も踏まえ、就労か大学進学か選択するに当たって、生活保護制度特有の事情が障壁になることがないよう、制度を見直すべきである。」とされたところである。
　このため、生活保護費の中から大学等への進学後の費用を貯蓄することは認められておらず、進学直後に必要となる様々な費用を進学前からあらかじめ用意することが困難であるという生活保護世帯特有の事情を踏まえ、法第55条の5を新設し、大学等への進学時の新生活の立ち上げに当たって必要となる費用に充てるため、進学準備給付金を給付することとするものである。

第2　改正の内容
1　都道府県知事、市長及び福祉事務所を管理する町村長は、その管理に属する福祉事務所の所管区域内に居住地を有する被保護者（18歳に達する日以後の最初の3月31日までの間にある者その他生活保護法施行規則（昭和25年厚生省令第21号。以下「施行規則」という。）第18条の7で定める者に限る。）であって特定教育訓練施設（施行規則第18条の8に規定する教育訓練施設をいう。）に確実に入学すると見込まれるものに対して、進学準備給付金を支給することとしたこと。（法第55条の5関係）
　また、これと併せて、改正政令により生活保護法施行令（昭和25年政令第148号。以下「施行令」という。）の規定を、改正省令により施行規則の規定を次のとおり改正することとしたこと。
　(1)　改正政令による施行令の改正
　　　就労自立給付金の支給に関する事務の委託について規定する施行令第8条の規定は、進学準備給付金の支給について準用することとしたこと。（施行令第8条の2関係）
　(2)　改正省令による施行規則の改正
　　①　進学準備給付金の支給対象者
　　　　法第55条の5第1項の「その他厚生労働省令で定める者」は、18歳に達する日以後の最初の3月31日を経過した者であって、次に掲げるものとすることとしたこと。（施行規則第18条の7関係）
　　　ア　保護の実施機関が、高等学校等（高等学校、中等教育学校の後期課程若しくは特別支援学校の高等部（いずれも専攻科及び別科を除く。）又は専修学校若しくは各種学校（高等学校に準ずると認められるものに限る。）をいう。）に就学することが被保護者の自立を助長することに効果的であるとして、就学しながら保護を受けることができると認めた者（以下「高等学校等就学者」という。）であって当該高等学校等を卒業し又は修了した後直ちに特定教育訓練施

設に入学しようとするもの（第1号関係）
　　イ　高等学校等就学者であった者（災害その他やむを得ない事由により、高等学校等を卒業し又は修了した後直ちに特定教育訓練施設に入学することができなかった者に限る。）であって、当該高等学校等を卒業し又は修了した後1年を経過するまでの間に特定教育訓練施設に入学しようとするもの（第2号関係）
　②　特定教育訓練施設
　　法第55条の5第1項の規定により厚生労働省令で定めることとされている特定教育訓練施設については、次のとおりとすることとしたこと。（施行規則第18条の8関係）
　　ア　大学（短期大学を含む。）（第1号関係）
　　イ　専修学校（専門課程に限る。）（第2号関係）
　　ウ　職業能力開発総合大学校の総合課程、職業能力開発大学校及び職業能力開発短期大学校の専門課程（第3号関係）
　　エ　水産大学校（第4号関係）
　　オ　海技大学校及び海上技術短期大学校（第5号関係）
　　カ　国立看護大学校（第6号関係）
　　キ　高等学校及び中等教育学校の後期課程（いずれも専攻科に限る。）、専修学校（一般課程に限る。）並びに各種学校のうち、被保護者がこれらを卒業し若しくは修了し、又はこれらにおいて教育を受けることによりその者の収入を増加させ、若しくはその自立を助長することができる見込みがあると認められるもの（第7号関係）
　　ク　アからキまでのほか、被保護者が卒業し若しくは修了し、又は教育を受けることによりその者の収入を増加させ、若しくはその自立を助長することができる見込みがあると認められる教育訓練施設（第8号関係）
　③　進学準備給付金の支給の申請
　　進学準備給付金の支給を受けようとする被保護者は、その氏名及び住所又は居所、入学する特定教育訓練施設の名称その他必要な事項を記載した申請書を進学準備給付金を支給する者に提出しなければならないこととしたこと。ただし、当該申請書を作成することができない特別の事情があると認める場合は、この限りではないこととしたこと。（施行規則第18条の9第1項関係）
　　また、進学準備給付金を支給する者は、当該申請書のほか、進学準備給付金の支給の決定に必要な書類の提出を求めることができることとしたこと。（施行規則第18条の9第2項関係）
　④　進学準備給付金の支給
　　進学準備給付金は、告示において定める額を、被保護者の特定教育訓練施設への入学に伴う保護の変更若しくは廃止の決定前又は当該決定後速やかに支給するものとすることとしたこと。（施行規則第18条の10関係）
　⑤　再支給の制限

生活困窮者自立支援法等一部改正法の一部施行について（進学準備給付金関係）

進学準備給付金の支給を受けた者には、その支給が終了した後に、進学準備給付金を支給しないこととしたこと。（施行規則第18条の11関係）
2 進学準備給付金を標準として租税その他の公課を課せられることがなく、既に給与を受けた保護金品又はこれを受ける権利を差し押えられることがないこととしたこと。（法第57条及び第58条関係）
 また、進学準備給付金の支給を受ける権利は、譲り渡すことができないこととしたこと。（法第59条関係）
3 市町村長がした進学準備給付金の支給に関する処分又は市町村長が進学準備給付金の支給に関する事務の全部又は一部をその管理に属する行政庁に委任した場合における当該事務に関する処分についての審査請求は、都道府県知事に対してするものとし、当該都道府県知事の裁決に不服がある者は、厚生労働大臣に対して再審査請求をすることができることとしたこと。（法第64条から第66条まで関係）
4 都道府県及び市町村は進学準備給付金の支給（委託を受けて行うものを含む。）に要する費用（以下「進学準備給付金費」という。）を支弁しなければならないものとし、都道府県は居住地がないか、又は明らかでない被保護者につき市町村が支弁した進学準備給付金費の4分の1を負担しなければならないこととしたこと。（法第70条、第71条及び第73条関係）
 また、国は市町村及び都道府県が支弁した進学準備給付金費の4分の3を負担しなければならないこととしたこと。（法第75条関係）
5 進学準備給付金の支給を受ける権利は、2年を経過したときは、時効によって消滅することとしたこと。（法第76条の3関係）
6 偽りその他不正な手段により進学準備給付金の支給を受け、又は他人をして受けさせた者があるときは、進学準備給付金費を支弁した都道府県又は市町村の長は、その費用の額の全部又は一部を、その者から徴収するほか、その徴収する額に100分の40を乗じて得た額以下の金額を徴収することができることとしたこと。（法第78条関係）
7 偽りその他不正な手段により進学準備給付金の支給を受け、又は他人をして受けさせた者は、3年以下の懲役又は100万円以下の罰金に処することとしたこと。ただし、刑法に正条があるときは、刑法によることとしたこと。（法第85条関係）
8 都道府県知事、市長又は福祉事務所を管理する町村長は、進学準備給付金の支給に関する情報であって生活保護法別表第1に規定する厚生労働省令で定める情報を定める省令（平成26年厚生労働省令第72号。以下「別表第一省令」という。）第6条第1項第3号で定めるもの（進学準備給付金の額及び支給期間）につき、保護の実施機関又は福祉事務所長から提供の求めがあったときは、速やかに、当該情報を記載し、若しくは記録した書類を閲覧させ、又は資料の提供を行うこととしたこと。（法別表第1の六の項第1号及び別表第一省令第6条第1項第3号関係）

○生活保護法による進学・就職準備給付金の取扱いについて

|平成30年6月8日　社援保発0608第2号|
|各都道府県・各指定都市・各中核市民生主管部(局)長|
|宛　厚生労働省社会・援護局保護課長通知|

〔改正経過〕
　　第1次改正　令和3年1月7日社援保発0107第1号　　第2次改正　令和6年4月24日社援保発0424第2号

　生活保護世帯の子どもへの支援として、平成30年6月8日に大学等への進学の支援を図ることを目的として「進学準備給付金」が創設され、また、令和6年4月24日から、高校生等であって安定した職業に就くことが見込まれるもの等が追加され「進学・就職準備給付金」が創設されたところである。これに伴い、被保護者である高校生等であって安定した職業に就くことが見込まれる者等に対しても、同給付金を支給することとなり、「生活保護法による進学・就職準備給付金の支給について」(平成30年6月8日付け社援発0608第6号厚生労働省社会・援護局長通知。以下「局長通知」という。)が示されたところであるが、支給に当たっての取扱いについて次のとおり定めることとしたので、了知の上、取扱いについて遺漏のないよう配慮されたい。
　また、本通知は、地方自治法(昭和22年法律第67号)第245条の9第1項及び第3項の規定による処理基準であることを申し添える。
第1　支給対象者について
　問1　局長通知第2の1(1)イに規定する「高等学校等就学者であって当該高等学校等を卒業し又は修了した後直ちに特定教育訓練施設に入学しようとするもの」とは、具体的にどのようなものがあるか。
　答　具体的に、以下のような場合が考えられる。
　　・修業年限が3年を超える高等学校等を卒業し又は修了した後直ちに局長通知第2の1(2)で定める支給対象となる教育訓練施設(以下「特定教育訓練施設」という。)に入学しようとするもの
　　・高等学校等への入学が遅れた者が、卒業し又は修了した後直ちに特定教育訓練施設に入学しようとするもの

生活保護法による進学・就職準備給付金の取扱いについて

・高等学校等を留年や休学した結果、18歳となる年度に受験できなかった者が、卒業し又は修了した後直ちに特定教育訓練施設に入学しようとするもの

問2　高等学校等在学中に特定教育訓練施設の入学試験を受験したが合格できなかった者は、局長通知第2の1(1)イ(イ)に規定する「災害その他やむを得ない事由により、高等学校等を卒業し又は修了した後直ちに特定教育訓練施設に入学することができなかった者」に該当するか。

答　やむを得ない事由とは、災害のほか本人の傷病や親の看護や介護等、真にやむを得ないことで受験や入学を延期せざるを得ないと認められる場合であることであり、そのような事由がなく単に入学試験を受験して合格できなかった者は該当しない。

問3　高等学校卒業程度認定試験規則（平成17年文部科学省令第1号）に基づく高等学校卒業程度認定試験を経て特定教育訓練施設に進学する場合は対象となるか。

答　18歳に達する日以後の最初の3月31日までに特定教育訓練施設の入学試験に合格した上で、確実に入学することが見込まれることになった場合には法第55条の5に基づき対象とする。

問4　法第55条の5第1項第2号に規定する「安定した職業」、則第8の3第1号の「事業」、同条第2号の「職業（（中略）安定した職業を除く。）」、則第18条の7の「就職」のそれぞれ意味するところは何か。

答・「安定した職業」とは、おおむね6月以上雇用されることが見込まれ、かつ、最低限度の生活を維持するために必要な収入を得ることができると認められる職業を指す。なお、正規・非正規は問わない（省令18条の8の2）。
・「事業」とは、自営業を指す。
・「職業（安定した職業を除く。）」とは、少額（おおむね6月以上雇用されることが見込まれ、かつ、最低限度の生活を維持するために必要な収入を得ることができる程度ではない）雇用又は自営業を指す。
・「就職」とは、安定した職業、自営、職業（安定した職業を除く。）に就くことを指す。

問5　局長通知第2の2(1)イ(ア)に規定する「高等学校等就学者であって、当該高等学校等を卒業し又は修了した後引き続いて安定した職業に就こうとするもの（これに準ずる者として則第18条の8の3各号に掲げるものを含む。）」とは、具体的にどのようなものがあるか。

答　具体的に、以下のような場合が想定される。

(a) 修業年限が3年を超える高等学校等を卒業し又は修了した後、引き続き安定した職業に就こうとする者

(b) 高等学校等への入学が遅れた者が、卒業し又は修了した後、引き続き安定した職業に就こうとする者

(c) 高等学校等を留年や休学した上で、卒業し又は修了した後、引き続き安定した職業に就こうとする者

なお、「これに準ずる者」とは、(a)から(c)までの前段（修業年限が3年を超える高

等学校等を卒業し又は修了した後等）の者が、卒業し又は修了した後、事業を確実に開始すると見込まれる者であって、おおむね６月以上最低限度の生活を維持するために必要な収入を得ることができると見込まれるものや、本人が職業（安定した職業を除く。）に就くことで本人の就労による収入の増加により、おおむね６月以上最低限度の生活を維持する収入を得ることができると見込まれる者を指す。

問６　局長通知第２の２(1)イ(イ)に規定する「高等学校等就学者であって、当該高等学校等を卒業し又は修了した後引き続いて就職に必要な知識及び技能の習得（支給機関が被保護者の自立を助長することに効果的であると認めるものに限る。）を行い、その後引き続いて安定した職業に就こうとするもの」とは具体的にどのようなものがあるか。

答　「就職に必要な知識及び技能の習得」とは以下のようなものを想定しているが、支給機関において個々に判断されたい。

例　公共職業訓練、求職者支援訓練や職業訓練系の事業（生活保護受給者等就労自立促進事業、被保護者就労支援事業等）等

また、支給機関が被保護者の自立を助長することに効果的であると認めるものについては、技能修得費の支給が認められるケースを参考に、以下のような民間の機関で実施されているものも含まれる。

・自動車運転免許の取得（免許の取得が雇用の条件となっている等、確実に就労するために必要な場合に限る。）

・職場の適応訓練や就労意欲の喚起を目的としたセミナーの受講

問７　局長通知第２の２(1)(ウ)に規定する「高等学校等就学者であった者（災害その他やむを得ない事由により、当該高等学校等を卒業し又は修了した後引き続いて安定した職業に就くことができなかつた者（これに準ずる者として則第18条の８の３各号に掲げるものとなることができなかった者を含む。）に限る。）であって、当該高等学校等を卒業し又は修了した後１年を経過するまでの間に同条に規定する安定した職業に就こうとするもの」とは具体的にどのようなものがあるか。

答　例えば、問５(a)から(c)までの前段に該当する者であり、高等学校等３年の秋時点で就職先の内定を得て高等学校等を卒業したものの、就職までに被災したことにより、引き続いて就職できず、卒業から半年後の10月に就職した場合等が想定される。

問８　高等学校等在学中に就職活動を行ったものの内定等が得られなかった者については、局長通知第２の２(1)(ウ)又は(エ)に規定する「災害その他やむを得ない事由により、当該高等学校等を卒業し又は修了した後引き続いて安定した職業に就くことができなかった者」に該当するか。

答　やむを得ない事由とは、災害のほか本人の傷病や親の看護や介護等、真にやむを得ないことで就職の内定等が得られなかったことによるものであり、そのような事由がなく単に就職活動をしていたが内定等を得られなかった者は該当しない。

問９　局長通知第２の２(1)(エ)に規定する「高等学校等就学者であった者（災害その他やむを得ない事由により、当該高等学校等を卒業し又は修了した後引き続いて就職に必

要な知識及び技能の習得を行い、その後引き続いて安定した職業に就くことができなかった者に限る。）であって、当該知識及び技能の習得後１年を経過するまでの間に安定した職業に就こうとするもの」とは具体的にどのようなものがあるか。

答　高等学校卒業後引き続き第１の問６の答に記載された「就職に必要な知識及び技能の習得」に該当するもの（以下単に「職業訓練」という。）を行い、その後引き続き就職先の内定を得るも、第１の問６答に記載された事由（例えば、自身の傷病等）で就職が１年後となった場合等が想定される。

問10　局長通知第２の２(1)(ｱ)から(ｴ)までに規定する「引き続いて安定した職業に就こうとするもの」や「引き続いて就職に必要な知識及び技能の習得を行い」とは具体的にどのように判断すべきか。

答　場合によっては、就職し働き始める時期や職業訓練等を開始する時期が、高等学校等卒業後、合理的な理由（例えば、高等学校在学中に就職活動を行った結果、３月末に高等学校を卒業後、次年度６月から働き始めることになった場合等）により一定期間空くことが想定される。この場合、高等学校等卒業後又は職業訓練終了後、連続的に（引き続いて）職業訓練や就職に進む見込みである場合には、進学・就職準備給付金を支給するものである。

なお、上記「合理的な理由」については、第１の問８の答にあるとおり、単に就職活動をしていたが内定等を得られなかった場合は、これに当たらないことに留意されたい。

問11　中学校を卒業後に就職する見込みの者や高等学校等を中退して就職する見込みの者についても支給対象となるのか。

答　18歳に達する日以後の最初の３月31日までの間にある者については、中学卒業後に就職する見込みの者や高等学校を中退して就職する見込みの者についても支給対象になる（法第55条の５第１項各号列記以外）。なお、進学・就職準備給付金は、子ども本人の希望を踏まえた選択に基づき、就職して自立する者を支援する観点から支給するものであり、中卒や高等学校等を中退して就職することを推奨するものではないことに留意されたい。

また、高等学校等を中退して就職した場合、当該者が18歳となる年度を超えていた場合には対象とならない。

問12　高等専門学校を卒業後に就職する見込みの者は対象となるのか。

答　当該者については、法第55条の５の対象者に含まれていないため、当該学校の卒業生は支給対象外となる。

問13　進学又は就職する際に、児童福祉法（昭和22年法律第164号）第41条に規定する児童養護施設に入所している児童等に支給される大学進学等自立生活支度費など、各種貸与金や給付金を受けて、その一部を新生活の立ち上げ費用に充てる予定である者も支給対象になるのか。

答　支給対象となる。

問14　進学又は就職する直前の３月末日で保護廃止となる世帯は、進学・就職準備給付

金の支給対象外か。また、進学・就職準備給付金の支給後、同給付金の支給対象者が属する世帯が3月以前に遡及して保護廃止となった場合は、進学・就職準備給付金の取扱いはどうなるのか。
答　進学・就職準備給付金は、局長通知第2の1の(1)及び第2の2の(1)に規定する支給対象者が確実に入学又は職業に就くと見込まれることをもって支給するものであるため、進学又は就職が確実であると見込まれた時点（入学金を納付する等、特定教育訓練施設の入学手続を開始した日等）において保護を受給中であれば、その後当該世帯の保護が廃止された又は廃止となることが見込まれる場合であっても、支給対象となる。また、遡及して保護が廃止された場合は、当該廃止日が特定教育訓練施設への進学が確実であると見込まれた時点等よりも遡るときは、支給決定処分を取り消した上で、進学・就職準備給付金の返還請求をする必要がある。

第2　特定教育訓練施設について
問1　高等専門学校を卒業後に高等専門学校専攻科に進学する場合や大学の3年次に編入学する場合は支給対象となるのか。専攻科また、特別支援学校高等部卒業後に特別支援学校高等部専攻科に進学する場合は対象になるのか。
答　局長通知第2の1(1)イ(ア)で示している進学・就職準備給付金の対象者に、高等専門学校に就学しながら保護を受けることが認められている者は含まれていないことから、高等専門学校を卒業して進学する者は支給対象外となる。
　また、特別支援学校高等部専攻科については、「生活保護法による保護の実施要領について」（昭和38年4月1日付け社発第246号厚生省社会局長通知。以下「実施要領局長通知」という。）第1の3により、就学し卒業することが世帯の自立助長に効果的と認められる場合については、就学しながら保護を受けることができるものとして差し支えないとしていることから、進学・就職準備給付金の支給対象外である。
問2　夜間大学や通信制の大学に進学する場合についても進学・就職準備給付金の対象となるか。
答　夜間大学や通信制の大学に進学する場合について、実施要領局長通知第1の4に基づき、夜間大学等で就学しながら保護を受けることができることとしている場合は、進学・就職準備給付金を支給しない。これ以外の場合で、実施要領局長通知第1の5に基づき世帯分離をして夜間大学等に進学する者又は出身の生活保護世帯と同居せず進学する者であって保護から脱却することとなるものについては進学・就職準備給付金を支給する。
問3　出身世帯の住居から転居して夜間大学や通信制の大学に進学する場合等で、併せて就職もする場合は、進学・就職準備給付金と就職支度費及び移送費（以下「就職支度費等」という。）のいずれを支給することとなるのか。
答　進学と就職が同時に行われる場合については、就学と就職のいずれがその者の進学後の主たる活動と認められるかという観点からいずれを支給すべきか判断する。
　具体的には、パートタイム労働者（同一事業所の一般の労働者より1日の所定労働時間が短い又は1日の所定労働時間が同じでも1週の所定労働日数が少ない労働者）

生活保護法による進学・就職準備給付金の取扱いについて

として就職して学費や生活費を賄いつつ就学する場合は進学に係るものとして進学・就職準備給付金を支給し、フルタイム労働者として就職しつつその余暇の活動として就学する場合については、就職する者として支給し、必要に応じて、就職支度費等を支給するなど、労働時間等を考慮して判断されたい。

問4 防衛大学校や海上保安大学校等、国家公務員として任用された上で入学する教育訓練施設は対象となるか。

答 これらの教育訓練施設においては、国家公務員として採用され、俸給が支給されることから、就職として取り扱うこととし、就職準備給付金の支給は対象外とする。なお、これらの教育訓練施設に入学する場合、就職のため直接必要となる洋服類、履物等の購入費用を要する場合は、就職支度費を基準額の範囲内で支給して差し支えない。

問5 局長通知第2の1(2)キ(イ)で示している、就学によって生業に就くために必要な技能を修得することができる学校であるかの判断について、どのような観点で行えばよいか。

答 当該教育訓練施設における就学の内容が生業に就くために必要とされる程度や、当該教育訓練施設修了者が就学内容を活かした生業についているか等の就職状況等を総合的に勘案して判断されたい。

第3 申請による支給の決定について

問1 局長通知第3の1(3)又は第3の2(3)により、やむを得ない事由により進学後又は就職後に申請した者で、局長通知第3の1(1)アで示されている「確実に入学すると見込まれるものであることを確認できるもの」又は第3の2(1)で示されている「就職する見込みであることが確認できるもの」が準備できない場合、どのような書類等の提出を求めればよいか。

答 進学後又は就職後に申請した者で、入学金を納付したことを証明する書類の写しや内定通知書等を破棄してしまった場合、学生証、在学証明書や社員証の写しを添付させて申請させること。なお、これらの書類を提出させる場合、その有効期限についても確認すること。

問2 局長通知第3の1(1)アからウまでで示されている書類について、支給機関の判断により提出を省略させることは可能か。

答 進学先が現在の居住地から遠距離の場合に、新たに居住する住居の賃貸借契約書の提出を省略させるなど、確実に入学することが見込まれることや進学に伴い転居することが明らかな場合に、支給機関の判断により関係書類の提出を省略させることは可能である。

問3 支給後においては、領収書など挙証資料による使途の確認や、特定教育訓練施設への通学状況又は通勤状況などの確認は必要か。

答 進学・就職準備給付金は進学や就職を支援するため「新生活の立ち上げ費用」として支給されるが、使途を限定せず支給するものであることから、支給後の用途の確認は求めない。

なお、実施要領局長通知第1の5により世帯分離をして進学する者については、「生活保護法による保護の実施要領の取扱いについて」（昭和38年4月1日付け社保第34号厚生省社会局保護課長通知。以下「課長通知」という。）問第1の8より、通学状況を確認した上で、世帯分離の要件を満たしているか少なくとも毎年1回は検討を行うこと。

問4　進学・就職準備給付金は、進学又は就職する者の口座に振り込む必要があるか。また、当該進学者が口座を保有していない場合は、保護世帯の他の被保護者の口座や、当該世帯の構成員とは別の者の口座に、振り込みをして差し支えないか。

答　進学・就職準備給付金の支給対象者は進学又は就職する者であり、進学・就職準備給付金の受給権は譲渡禁止かつ差押禁止であることから、当該進学又は就職者の本人名義の口座に振り込むことが原則である。口座を保有していない場合は、可能な限り窓口払いを縮減するため、口座の開設等を行うよう指導すること。

問5　当初、特定教育訓練施設への入学又は職業に就くことに伴い転居する予定で30万円を支給したが、その後、転居せずに通学又は通勤することにした場合や、自宅から通学又は通勤する予定で10万円を支給したが、その後転居することとした場合など、進学・就職準備給付金の支給後に状況が変化した際は、追加支給や返還の対応は必要か。

答　進学・就職準備給付金を支給した後、当初の予定から転居の有無に変更が生じた場合は、変更決定を行った上、返還等の対応をしていただきたい。ただし、入学又は職業に就いた後以降に居住場所等が変化した場合は、追加支給や返還の対応は不要である。

問6　進学・就職準備給付金の申請及び支給は、福祉事務所を設置していない町村長を経由して行うことはできるか。

答　当該町村長を通じて行うことはできない。

問7　申請行為は必ず必要か。実施機関が進学先や振込口座を把握している場合は、職権にて支給することは可能か。

答　職権による支給はできない。ただし、局長通知第3の1(1)により、申請書を作成することができない特別の事情があるときは、申請者の口頭による陳述を聴取し、書面に記載した上でその内容を本人に説明し記名を求め、後日学生証の写しや在学証明書又は社員証（職員証）の写し等を求めるなど、必要な措置を講ずることで、申請書の提出及び受理に代えることができる。

問8　申請に対し、進学・就職準備給付金の支給に関する処分が行われないことについて、申請者が不服申立てを行う場合の法的根拠は、行政不服審査法（平成26年法律第68号）第3条の「不作為についての審査請求」の不服申立てによるものと解してよいか。

答　お見込みのとおり。この場合、申請のあった日から30日以内に支給（不支給）の決定の通知がないときには、申請者は行政不服審査法第3条の「不作為についての審査請求」に当たるとして審査請求ができるものである。

第4　進学・就職準備給付金の支給額について
　問1　出身世帯の住居から転居して、親族の住居等から通学又は通勤する場合の取扱如何。
　答　親族の住居等から通学又は通勤する場合であっても、出身世帯の住居から転居する場合は30万円を支給する。この場合において、住民基本台帳法（昭和42年法律第81号）第23条の転居届後に住民票の写しを求めること等により転居の有無を確認すること。
　問2　出身世帯の住居と転居先の住居が同一の市区町村内にあっても、30万円を支給することとしてよいか。
　答　出身世帯の住居から転居している場合は、同一の市区町村内であっても、30万円を支給する。この場合において、住民基本台帳法第23条の転居届後に住民票の写しを求めること等により転居の有無を確認すること。
　問3　高校3年生等の単身世帯者が進学又は就職する場合、支給金額はどのようになるのか。
　答　単身世帯者が、進学又は就職に伴い保護廃止になる際は、引き続き同じ住居に住む場合は10万円、転居する場合は30万円を支給する。
　　なお、就職の場合に引き続き同居する場合は、世帯全体での保護廃止となることが必要であることに留意すること。
　問4　出身世帯の住居から転居して自宅外から通学又は通勤する予定だが、転居時期が4月以降である場合、30万円を支給してよいか。
　答　支給金額については、原則、入学した時点の状況又は就職した時点の状況により判断するが、家族の看護や介護等の理由で入学又は職業に就く前に転居できない場合など、支給機関がやむを得ないと判断した場合は、確実に転居することが見込まれることを慎重に確認した上で、30万円を支給して差し支えない。
　問5　入学又は職業に就くことに伴い転居する者で、出身の生活保護世帯の世帯主や他の世帯員も同一の住居に転居する場合の支給額如何。
　答　出身の保護受給世帯の世帯主や他の世帯員も同一の住居に転居する場合でも、支給対象者が転居する場合は30万円を支給する。
第5　その他
　問1　進学・就職準備給付金は、普通地方公共団体の職員への資金前渡ができる経費について定めた、地方自治法施行令（昭和22年政令第16号）第161条第1項第10号の「生活扶助費、生業扶助費その他これらに類する経費」に含まれると考えてよいか。
　答　お見込みのとおりである。
　問2　局長通知第5の5の進学・就職準備給付金の支給を受ける権利に係る時効の起算点は、進学・就職準備給付金の申請が可能となったとき、すなわち法第55条の5第1項各号に規定する確実に入学又は職業に就くと見込まれることとなったときという理解でよいか。
　答　お見込みのとおりである。
　問3　進学・就職準備給付金の支給を受けた者に不正に同給付金を受給しようとする意

思がなかったことが立証される場合で、過誤払い等のやむを得ない理由により同給付金の返還を求める場合には、どの根拠法に基づき返還させることとなるのか。
答　民法（明治29年法律第89号）第703条の規定に基づく不当利得返還請求をしていただくことになる。なお、返還請求に当たっては、原処分を取り消した上で、行うこと。
問４　保護の要件に該当しない者が、不実の申請やその他不正な手段により保護を受け、あわせて不正に進学・就職準備給付金の支給を受けた場合には、同給付金も保護費とともに法第78条第３項の規定に基づく返還対象となるのか。
答　お見込みのとおりである。なお、進学・就職準備給付金の申請者本人が不正な手段により保護を受けていた事実について知らず、申請に基づき同給付金が支給された場合は、民法第703条の規定に基づき不当利得返還請求によって対応することとされたい。
問５　入学後、すぐに退学した場合や就職後すぐに退職した場合、進学・就職準備給付金の返還を求めるのか。
答　不正受給の意図がなく、入学を予定して入学金を納付し、又は就職を予定し、新生活のため必要な物品を購入するなど、所要の手続を行って、準備を進めていたにも関わらず、入学又は就職できなかった場合や一旦入学したが退学又は退職した場合については、返還を求めない取扱いとする。

　なお、入学又は就職を予定していたが実際には入学又は就職をしなかった者については、被保護者であった期間（３月まで）に確実に入学又は就職することが見込まれ、実際に入学金を納付（就職の場合は入社手続き等にかかる手続き）し、新生活のため必要な物品を購入するなどしていた場合は、進学・就職準備給付金の支給要件を充足していることから、支給する対象となる。この場合において、実際には入学又は就職してしない者が、進学・就職準備給付金の受給権が時効を迎えるまでに遡及して申請した場合については、入学又は就職を予定して入学金を納付（就職の場合は入社手続き等にかかる手続き）し、新生活のため必要な物品を購入するなど、所要の手続を行って、進学又は就職準備を進めていた事実を挙証する資料を求めるなど、慎重に判断すること。

　また、一旦入学又は就職した後に退学した者が再度被保護者となった場合や、入学又は就職を予定していたものの入学又は就職しなかった者が引き続き被保護者である場合において、その者が受給した進学・就職準備給付金については、「生活保護法による保護の実施要領について」（昭和36年４月１日厚生省発社第123号厚生事務次官通知）第８の３(3)エに基づき収入として認定しない取扱いとすること。
問６　進学・就職準備給付金は進学又は就職する本人に支給するものであるため、決定に対する審査請求や決定の取消しの訴えができるのも本人のみでよろしいか。
答　お見込みのとおりである。
問７　高等学校等就学者が就職することで、世帯全体が保護の停止となった場合、進学・就職準備給付金の支給有無及び支給時期如何。

答　高等学校等就学者の就職により、課長通知問第10の12の答の1に該当するとして、保護の実施機関が保護の停止の判断を行った場合については、当該期間（停止期間中）は、局長通知第2の2(4)に該当するものではないため、進学・就職準備給付金の支給は行わないこととされたい。

　なお、当該世帯が、課長通知問第10の12の答の2に該当するとして、保護を廃止見込みとなった場合については、当該世帯の高等学校等就学者の生活基盤の確立に向けた自立支援を行う観点から、保護の実施機関が当該世帯について保護廃止の見込みと判断された時点をもって、同給付金を支給することとされたい。

問8　高等学校等就学者が進学・就職準備給付金を受給して新生活を立ち上げた後の支援のため、どのように対応すべきか。

答　法第81条の3において、保護廃止に際しては、生活困窮者自立支援法（平成25年法律第105号）に規定する生活困窮者に該当する場合には同法に基づく事業又は給付金についての情報提供・助言その他適切な措置を講ずるよう努める旨規定されていることも踏まえ、必要に応じて、生活困窮者自立支援制度や自立相談支援機関、その相談支援員を紹介する等、保護廃止時等に必要な情報提供等を行うよう努められたい。

　なお、進学・就職準備給付金を受給した者の出身家族は生活保護世帯であることが多いことも考慮し、同給付金受領後の相談ニーズに、保護の実施機関においても的確に応じ、情報提供や関係機関を紹介する等配慮をお願いする。

○被保護者家計改善支援事業の実施について

> 平成30年３月30日　社援保発0330第12号
> 各都道府県・各指定都市・各中核市生活保護制度担当
> 部(局)長宛　厚生労働省社会・援護局保護課長通知

〔改正経過〕

　　第１次改正　平成31年３月29日社援保発0329第４号

　被保護者の家計管理については、生活保護法（昭和25年法律第144号）第60条において「収入、支出その他生計の状況を適切に把握するとともに支出の節約を図り、その他生活の維持及び向上に努めなければならない」と規定されており、自立支援プログラム等を活用して支援を実施いただいているところである。

　この度、別添のとおり世帯の自立に向けて家計に関する課題を抱える被保護世帯に対する家計管理方法の提案や支援を行うとともに、大学等への進学を検討している高校生等のいる世帯に対する、進学に向けた費用についての相談や助言、各種奨学金制度の案内等を行う被保護者家計改善支援事業を実施することとした。

　ついては、本事業の実施に当たって必要な基本的事項を下記のとおり定めることとしたので、了知の上、関係部局と連携し、積極的に推進されたい。

　なお、本通知は地方自治法（昭和22年法律第67号）第245条の４第１項の規定による技術的助言として行うものであることを申し添える。

別添１

　　　　家計に関する課題を抱える世帯への家計改善支援について

１　基本的事項

　生活保護受給者の家計管理については、平成25年の法の改正において、法第60条において「収入、支出その他生計の状況を適切に把握する」ことを生活上の義務として規定したところであり、自立支援プログラムの一環として支援を行っているところもあると承知している。生活保護受給者を含む生活困窮者については、家計の状況を把握することが難しい方や中長期的な生活設計を立てた上で日々の生活を組み立てることが難しい方が存在することが指摘されており、特に生活保護受給世帯については、就労等により生活保護から脱却した場合に、新たに税・保険料の支払いや、法第37条の２に基づく住宅扶助の代理納付が行われていた場合には家賃の支払いが生じるなど、家計の状況に変化が生じるが、生活保護受給中から家計管理のスキルを身につけ、円滑に安定した家計管理に円滑に移行することにより、保護脱却後に再び生活保護の受給に至ることを防止することが期待される。

こうしたことを踏まえ、生活保護受給者の自立助長の観点から、家計に関する課題を抱えている世帯に対する家計改善支援を実施することとした。
2 対象世帯
　家計に関する課題を抱えており、自立を助長する観点から家計改善支援を実施することが効果的と考えられ、本事業への参加を希望する世帯。
　例えば、以下のような世帯が該当するものと考えられる。
・　過去に家賃、水道光熱費、学校納付金、給食費、保育料、税金の滞納や延滞をしたことがある世帯
・　債務整理を法律専門家に依頼している世帯
・　就労収入が毎月一定でない世帯や児童手当、児童扶養手当等を受給しており月によって収入が異なる世帯
・　過去の職歴や生活歴、生活保護の申請理由等から貯蓄に関する意識が比較的低いと考えられる世帯。特に、かつて生活保護を受けていたことがあり、再度保護に至った世帯
・　生活困窮者自立支援制度の家計改善支援を受けていた世帯が被保護世帯となった場合
・　世帯状況等の変化により、家計の状態も大きく変化した場合　等
3 実施方法
(1) 事業の実施に当たっては、業務の全て又は一部を委託により実施することが可能である。
(2) 支援の実施にあたっては、生活困窮者自立支援法に基づく家計改善支援事業が実施されている場合は、当該事業者との一体的実施に努めること。一体的に実施することが難しい場合は、単独での実施も可能である。相談支援に従事する者は、4で示した事業内容を適切に実施できる者であって、厚生労働省が実施する家計改善支援事業従事者養成研修を修了した者が望ましい。
(3) 本事業の実施に当たっては、自立支援プログラムに位置づけて実施すること。
4 事業内容
　家計に関する課題を抱える世帯に対する支援については、以下の支援を実施すること。
(1) 相談受付（インテーク）
　本事業による支援を希望する者の相談を受け付け、「相談受付・申込表」に必要事項を記入してもらう。
　また、本人が相談受付・申込票に記入できない場合や、本人が進んで記入しようとしない項目は、無理強いせずに、家計改善支援員が記入を手伝ったり、代行したりすることも考えられる。
(2) アセスメント
　生活の状況に関する情報を把握・整理し、家計の状況の「見える化」を図り、相談者が直面している問題や、背景にある解決すべき課題を抽出するため、以下のことを

行う。
　① 相談時家計表の作成
　　　相談時家計表は、本人の世帯の家計収支の状況を1か月単位で具体的に把握し、生活の状況とお金の動きを目に見える形で示すものである。家計表を活用し、収支や滞納、債務等を見える形で示していき、家計の見直しの方向性を検討していく。
　② インテーク・アセスメントシートの活用
　　　アセスメントにおいては、把握すべき情報（収入支出の詳細、就労状況、家族の課題等）について抜け漏れがないようにすること、支援にあたり複数の人が関わる中で情報の共有が円滑に行われるようにすることなどを目的として所定のインテーク・アセスメントシートを活用する。
(3) 家計再生プラン（家計支援計画）の策定
　　アセスメントの結果を踏まえて、相談者の意向と真に解決すべき課題を明確にし、生活を早期に再生させるための目標や支援内容を策定し提案する。この「家計再生プラン」では、家計の再生の具体的な道筋を共有し、家計収支を改善し家計管理能力を高めるために「家計計画表」や「キャッシュフロー表」を作成する。
　　家計再生プランの期間は相談者の状況によって様々であると想定されるが、原則、支援期間を1年間としたうえで、相談者の家計にとって影響が大きいライフイベントを目標に据えて、支援計画を組み立てていく。
(4) 支援の提供
　① 家計管理に関する支援
　　　家計再生プラン等の策定後においても、計画どおり家計収支が改善しているか相談者とともに家計表を定期的に確認し、改善の状況などを振り返る。定期面談は、毎月、あるいは2〜3か月ごとなど、相談者の状況等に応じて個別に設定することとなるが、相談者によっては、支出費目の支払先別に出納管理の支援をしたり、買い物の同行支援が必要なケースなど、状況に応じたより丁寧な支援が必要な場合もある。
　② 滞納（家賃、税金、公共料金など）の解消や各種給付制度等の利用に向けた支援
　　　アセスメント段階で聞き取った相談者の状況や家計の状況、滞納状況などを勘案して、例えば徴収免除や徴収猶予、分割納付などの対応ができないか、自治体の担当部局や事業所などとの調整や申請等の支援を行う。
　　　また、本来受給できるにも関わらず公的制度の各種手当てやそれ以外の給付金や支援金などを申請していない場合、利用のための支援を行う。
　③ 債務整理に関する支援（多重債務者相談窓口との連携等）
　　　多重債務や過剰債務を抱えている者については、各自治体の「多重債務者相談窓口」等と連携して、債務整理の説明を行い、必要に応じて法律専門家への同行など、債務整理の支援を行う。
　④ 貸付けのあっせん
　　　家計の状況から、一時的な資金が必要であり、貸付けによる支援が必要と考えら

れる場合には、貸付けの検討を行う。
(5) モニタリング
　プランが本人の状態に適した内容になっているか、支援が適切に提供されているか、本人が目標に向けて変化しているか等を定期的または随時に、本人との面談や支援提供者と連携して確認する。
(6) プラン評価
　プランの評価は、プラン策定時に定めた期間が終了した場合、もしくはそれ以前に本人の状況に大きな変化があった場合に、設定した目標の達成度や、支援の実施状況、支援の成果等をみるものである。これにより、支援を終結させるか、またはプランを見直して支援を継続するかを判断する。
　このほか実施にあたっては、「生活困窮者自立支援制度に関する手引きの策定について」（平成27年3月6日付け社援地発0306第1号厚生労働省社会・援護局地域福祉課長通知）の別紙「4　家計改善支援事業の手引き（別添4）」を参考にされたい。また、相談時家計表等の各種様式の例も当該手引に掲載されている。
※　なお、本事業による支援は、従来の自立支援プログラム（被保護者金銭管理支援に係る個別支援プログラム）等により実施されていた、生活保護費の分割支給や預貯金通帳の保管等、金品を直接扱うものとは異なるものである。

5　留意事項
　家計に関する課題を抱える世帯に対する家計改善支援の内容については4のとおりだが、生活保護制度特有の事項を踏まえ、以下の点に留意すること。
(1) キャッシュフロー表、家計計画表、家計再生プラン等の作成
　家計表やキャッシュフロー表等を活用することにより、相談者の家計を「見える化」し、家計に関する問題を分かりやすくしたり、生活の再生の目標を具体的に捉えやすくする支援を行うこと。
　またこれらの帳票を活用しながら、家計の現状や見通しを具体的に示しながら、相談者自身の家計に対する理解を深め、本人が自ら家計管理をしていく能力を身に付けられるようにすること。
　更に、必要に応じて医療費の自己負担や社会保険料の発生など保護廃止後の生活を見据えたものを作成すること。
　なお、福祉事務所は、支援の実施状況や、対象世帯の状態を定期的に把握し、必要に応じて支援の方針や内容を見直すこと。
(2) 預貯金
　生活保護費のやりくりによって生じた預貯金については、使用目的が生活保護の趣旨目的に反しないと認められる場合、活用すべき資産には当たらないものとして保有を容認するとしているので、使用目的等を予め調整すること。
(3) 各種給付制度等の利用に向けた支援
　支援を実施する中で活用可能な給付金制度があることが明らかになった場合には、担当ケースワーカーに報告すること。

(4) 各種貸付金

貸付金のうち、当該被保護世帯の自立更生のために当てられる額の償還金については、その他の必要経費として収入認定の対象外となる場合があるので、貸付利用のあっせんの際は担当ケースワーカーに相談すること。

6 家計改善支援機関と福祉事務所・担当ケースワーカーとの連携

本事業を委託によって行う場合や、担当ケースワーカーと別部署において行う場合等には、家計改善支援機関と福祉事務所・担当ケースワーカーは密接な連携を図ること。

(1) 本人が抱えている状況や困窮に至った要因、援助方針や家計再生プランの内容などを共有すること。
(2) 福祉事務所は個人情報の取扱いに留意しつつ、必要に応じて、家計改善支援の実施者に保護費の支給状況を情報提供すること。
(3) 支援対象世帯との面談等の際には、必要に応じて担当ケースワーカーも同席すること。
(4) 就労による収入増が望まれる場合等については、本人の同意を得た上で、被保護者就労支援事業との連携した支援を行うなど、効果的な支援の実施に努めること。

7 個人情報の取扱い

本事業における支援に当たっては、被保護者の収入や支出など様々な個人情報を取扱うこととなるので、本事業における個人情報の取扱いについては、個人情報保護法の規定や各地方自治体の「個人情報保護条例」に基づいて、適切に対応するとともに、事業に関わる全ての職員に徹底すること。

別添2

大学等への進学を検討している高校生等のいる世帯への家計改善支援について

1 基本的事項

大学等に進学する子どもがいる世帯が進学費用等を用意するような場合には、本人のアルバイト代や家計のやりくり等により、受験料等の費用を収入認定から除外し、貯蓄することが認められているほか、進学費用について奨学金や生活福祉資金貸付による教育支援資金の貸付を受けることにより進学費用を工面する場合がある。このような世帯についても、進学前の段階から進学に向けた各種費用についての相談や助言、各種奨学金制度の案内等を行う家計改善支援を行うことにより、子どもの進学や世帯全体の自立を促進することが期待される。

こうしたことを踏まえ、生活保護受給者の自立助長の観点から、大学等への進学を検討している高校生等のいる世帯に対する家計改善支援を実施することとした。

2 対象世帯

大学等への進学に伴い自立が見込まれる子どもがいる被保護世帯。なお、高校3年生だけでなく、1年生、2年生がいる世帯についても積極的に支援の対象としていただきたい。

3 事業内容

大学等への進学費用等に関する相談や助言として、以下に掲げるような支援を必要に応じて実施する。
(1) 希望する進路の把握
　　進学先の学校により必要となる費用、利用可能な奨学金等も変わるため、相談や助言にあたっては希望する進路について、担当ケースワーカーと連携し把握に努める。
　　希望する進路の把握に当たっては、保護者からの間接的な情報のみではなく、大学等への進学を希望する子どもと直接面談等での聞き取りを実施すること。また、希望進路は変更することもあり得ることから、高校等の長期休暇の前後を目途に最新の希望進路を定期的に把握する。
(2) 希望進路への進学に要する費用に関する相談・助言
　　希望する大学等に進学する場合に必要となる入学金や授業料、通学に要する経費等の概算を示すとともに、恵与金やアルバイト収入等の収入認定除外など生活保護制度における進学資金の準備方法について助言する。
　　また、遠方の大学への進学を希望している等の理由により、転居して自宅外から通学することを検討している場合、転居費用や転居後の生活費用等についても概算を示す。
(3) 利用可能な奨学金や貸付制度の紹介等
　　大学等への進学に向け、（独）日本学生支援機構の奨学金のほか、自治体、民間団体、進学希望先の学校等が実施している奨学金や貸付制度について、利用可能な制度を案内するとともに、貸付型の奨学金や貸付金を利用する場合には、将来的な返済額を見据えた利用額を助言すること。また、必要に応じて申請の支援を行う。
(4) 子どもの大学等への進学に伴って変更される出身世帯の保護費に関する説明等
　　子どもが大学等に進学することによって生活保護費に変更が生じることから、それに関する説明を担当ケースワーカーと連携して行う。
(5) 家計改善支援機関による支援
　　進学費用の準備や進学後の家計に不安を抱える者のうち、家計改善の専門的な支援を希望する場合、別添1の3の方法により実施することとし、同4に記載の支援を行う、または当該支援を行っている機関に対象世帯をつなぐ。
(6) その他大学等への進学に当たって必要な支援や相談への対応
　　(1)から(5)までのほか、生活保護世帯の子どもが大学等に進学するに当たり、世帯の家計の課題や進学費用に関する相談に応じ、子どもの進学に向けた支援を実施する。
4　実施方法
(1) 事業の実施に当たっては、業務の全て又は一部を子どもに対する支援を実施している団体等に対する委託により、実施することが可能である。
(2) 支援の実施方法は個別に世帯を訪問する以外に、複数の者にセミナー形式で、生活保護制度における進学資金の準備方法や、利用可能な奨学金や貸付制度の紹介等を行う方法等も考えられるので、状況に応じた支援を実施すること。
5　個人情報の取扱い

本事業における支援に当たっては、被保護者の収入や支出など様々な個人情報を取扱うこととなるので、本事業における個人情報の取扱いについては、個人情報保護法の規定や各地方自治体の「個人情報保護条例」に基づいて、適切に対応するとともに、事業に関わる全ての職員に徹底すること。

6　留意事項
(1)　本事業の実施に当たっては、自立支援プログラムに位置づけて実施すること。
(2)　各種貸付を実施している機関等、支援を提供するにあたって関係する機関とは、支援状況の共有など必要な連携を図ること。また、本事業を委託する場合には、委託先との連携も図ること。
(3)　保護の実施機関は、支援の実施状況や、対象世帯の状態を定期的に把握し、必要に応じて支援の方針や内容を見直すこと。

○居住不安定者等居宅生活移行支援事業の実施について

令和3年3月30日　社援保発0330第4号
各都道府県・各指定都市・各中核市民生主管部(局)長
宛　厚生労働省社会・援護局保護課長通知

　平素より生活困窮者自立支援制度及び生活保護制度の適切な運用にご尽力いただき、厚く御礼申し上げます。
　今般、生活に困窮し、住まいを失った又はそのおそれのある方に対し、居住の確保とその後の安定した住まいを継続的に支援するため、新たに「居住不安定者等居宅生活移行支援事業実施要領」を別紙のとおり定め、令和3年4月1日から適用することといたします。
　なお、「居宅生活移行総合支援事業の実施について」(令和2年3月31日付社援保発0331第4号本職通知)は廃止します。
別　紙
　　居住不安定者等居宅生活移行支援事業実施要領
1　事業概要
　　生活困窮者及び被保護者のうち、居宅生活への移行に際して支援を必要とする者に対して、転居先となる居宅の確保に関する支援、各種契約手続等に関する相談・助言等居宅生活に移行するための支援及び居宅生活移行後に安定した生活を営むための定着支援等を実施する。
2　実施主体
　　都道府県、指定都市、中核市、市(特別区を含む。)及び福祉事務所を設置する町村(以下、「都道府県等」という。)とする。
　　ただし、事業の適切な運営が確保できるものと都道府県等が認める社会福祉協議会、社会福祉法人、一般社団法人、一般財団法人、特定非営利活動法人又は居住支援法人その他の民間団体に本事業の全部又は一部を委託することができる。
3　実施方法
　　事業の実施方法については、以下のいずれかの方法による。
　(1)　直接実施
　　　実施主体において、本事業による支援を行う専門職員を雇い上げ、当該職員が生活困窮者及び被保護者に対して支援を行う。

(2) 委託実施

実施主体と事業者において委託契約を締結し、受託事業者の職員が生活困窮者及び被保護者に対して支援を行う。

なお、委託の方法については、あらかじめ支援対象人数を想定した上で、当該支援の実施に必要と考えられる人件費等を委託費として支払う方法のほか、支援対象者1人あたりの委託単価等を定めた上で、支援の実施にあたって必要な費用を支払う方法でも差し支えないものであること。

(3) 居宅移行支援に対する補助事業の実施

都道府県等が本事業の適切な運営を確保できるものと認める団体に対し、本事業内容に合致する取組を実施する場合に、その事業経費について補助を行う。

4 事業内容

本事業の内容は以下のとおりとする。なお、連携・協力して実施する事業者との関係において、以下の事業内容のうち一部のみ選択的に実施することも差し支えないものであること。

(1) 居宅移行に向けた相談支援

生活困窮者及び被保護者に対して、居宅生活に移行すること及び移行後の転居先となる住宅に関して、希望や意向を聴取するとともに、転居先候補の紹介や不動産業者への同行、契約手続き等に関する助言等の居宅生活の移行に向けた相談支援を行う。

(2) 居宅生活移行後に安定した生活を継続するための定着支援

居宅生活に移行した者に対して、居宅生活を送る上での困りごと等に関する相談や緊急時の連絡への対応を行うほか、定期的な巡回や電話により、食事や洗濯、掃除、ゴミ出し等の生活状況及び公共料金等の支払い状況の確認並びに必要に応じた助言等を実施する。

(3) 入居しやすい住宅の確保等に向けた取組

① 居住支援法人を活用した不動産業者との調整による転居先の開拓、セーフティネット住宅を含む連帯保証人を設けることを入居条件としないなどの生活困窮者等が入居しやすい住宅のリスト化等の転居先候補となる住宅の確保に向けた取組

② 居住支援協議会、地方公共団体の住宅部局、住宅供給公社、宅地建物取引業者、介護サービス事業者等の関係機関との連絡調整体制の構築及び支援を行う専門職員を育成するための研修やアドバイザー派遣の実施等

5 支援対象期間

個々の支援対象者への支援対象期間については、概ね以下の期間を目途とすること。

(1) 居宅移行に向けた相談支援：支援開始から概ね6か月間
(2) 居宅生活移行後の定着支援：転居後1年間

6 事業実施にあたっての留意事項

(1) 居宅生活への移行支援又は居宅生活後の定着支援を行うにあたっては、対象者毎に居宅生活移行又は居宅生活の継続に向けた課題等を把握するとともに、本人の希望、意向等を踏まえた支援計画を作成するなどにより、計画的に支援を実施すること。

なお、居宅生活への移行支援にあたっては、居住の安定確保の観点から、住宅扶助の代理納付や生活困窮者自立支援法における生活困窮者住居確保給付金等の仕組みを有効に活用すること。
(2) 支援の実施にあたっては、適宜、相談支援員及び担当ケースワーカーとのケース会議や生活困窮者自立支援法に基づく支援会議等の活用により包括的支援を行うほか、支援の状況についてこれらの者に対して報告を行うなどにより、連携を密にして支援を行うこと。
(3) 事業者に事業実施を委託又は補助する場合、委託又は補助先の選定に際しては、当該事業者の支援実績等を踏まえて、適切に事業を実施できると認められる事業者を選定することとする。
(4) 無料低額宿泊所を運営する事業者や生活困窮者自立支援法に基づく一時生活支援事業等を受託する事業者に事業の委託等をする場合、当該委託等業務については、無料低額宿泊所の運営に係る管理業務や入居者の状況把握、食事の提供等の業務とは区分して実施される必要があること。
　無料低額宿泊所の職員が、無料低額宿泊所及び一時生活支援事業等に係る業務の提供時間外において居宅生活移行等に向けた支援を実施することを妨げるものではないが、その場合、本事業の委託費等相当分については、利用者から受領する利用料や一時生活支援事業等の算定根拠から除くなど、費用の重複が生じないようにすること。
(5) 本事業による支援対象者について、地域の実情に応じて、保護施設入所者を含めて実施しても差し支えないこと。

7　補助基準額
　実施主体である自治体の人口により、次のとおりとする。

10万人未満	800万円
10万人以上30万人未満	1200万円
30万人以上50万人未満	1600万円
50万人以上100万人未満	2400万円
100万人以上300万人未満	3200万円
300万人以上	4000万円

　ただし、大都市圏等居住が不安定な被保護者や生活困窮者が多い等の事情により、上記によりがたい場合には別途協議に応じる。

8　その他
　この実施要領によりがたい特別な事情がある場合は、個別に協議すること。

○学習支援費の実費支給に関する留意事項について

令和4年12月27日　事務連絡
各都道府県・各市町村民生主管部生活保護担当課宛
厚生労働省社会・援護局保護課

　生活保護行政の推進につきましては、平素から格段の御配慮を賜り厚く御礼申し上げます。
　さて、教育扶助及び生業扶助として支給している学習支援費については、平成30年10月1日から、支給対象をクラブ活動費に特化した上で、月額による定額支給から実際にかかった費用に応じた実費支給にしたところです。
　支給対象となるクラブ活動については、学校で実施するクラブ活動に限定されるものではなく、地域住民や生徒等の保護者が密接に関わって行われる活動や、ボランティアの一環として行われる活動も含めることとしております。
　令和2年度に行った調査において、教育扶助や高等学校等就学費の扶助受給者に対する学習支援費の受給者の割合は、それぞれ、中学生で18.7％、高校生で16.2％であり、一般世帯における部活動の所属状況（平成29年度運動部活動等に関する実態調査（スポーツ庁））が、中学生で91.9％、高等学校で81.0％であることと比して、利用は低調になっております。
　また、有効回答のあった福祉事務所1213か所中、生活保護受給世帯への学習支援費に関する事前の案内（周知）を行っていない福祉事務所が175か所（14.4％）あり、事前の案内（周知）を行っている福祉事務所よりも学習支援費の受給者の割合は、更に低調となっております。
　つきましては、クラブ活動費用の事前給付の手続を簡便かつ円滑に行い、必要な世帯が利用しやすくし、学習支援費の更なる活用を図るため、ご留意いただきたい内容について、改めて下記のとおりお示ししますので、ご了知の上、都道府県におかれては管内保護の実施機関に対し周知方お願いいたします。
　以上、管内保護の実施機関の査察指導員や地区担当員、面接相談員等に対し、本事務連絡の内容が確実に行き届くよう、ご配意をお願いいたします。

記

1　学習支援費の周知について
　　世帯員に小学校から高校までの児童生徒がいる生活保護世帯に対して、保護費の変更決定通知書の送付、窓口への来所及び家庭訪問などの機会を活用し、リーフレット例なども参考にしていただき、改めて学習支援費の支給対象の周知や申請手続等の助言指導

学習支援費の実費支給に関する留意事項について

をお願いいたします。
＜支給対象＞
・クラブ活動にかかる道具類等の物品の購入費用
（具体例）グローブ、バット、サッカーボール、ユニフォーム、柔道着、剣道着、楽器、画材道具一式、絵の具、スケッチブック、競技用アンダーウェアなど
・部費
・クラブ活動に伴う交通費
・大会参加費用（参加費、交通費及び宿泊費を含む。）
・合宿費用（交通費及び宿泊費を含む。）

＜申請手続＞
（事前給付）
・学校等から提供されるパンフレットやクラブ活動の案内等により必要な費用が事前に確認できる場合は、物品等の購入前に必要額を支給することになります。

（事後給付）
・事前に金額がわからない場合などは、クラブ活動に必要な物品等を生活保護世帯が先に購入して領収書等の提出を受けた後に支給することになります。
※領収書の取りにくい交通費や部費などについては、領収書の提出は不要です。
→詳細な学習支援費の給付手続等については、「生活保護問答集について」（平成21年3月31日付け厚生労働省社会・援護局保護課長事務連絡）の問7—80—3（別紙）も参照願います。

2　クラブ活動への参加状況の把握等について
　日頃のケースワークにおいて、クラブ活動への参加状況の把握等、被保護世帯の需要発見に努めるとともに、必要な費用が生じる場合はできる限り事前に福祉事務所に相談するよう助言指導を行うなど、学習支援費の申請が漏れなく行われ、必要な保護がなされるよう配慮いただきますよう、改めてお願いいたします。

（別添1）学習支援費の案内用リーフレットの例　略
（別添2）学習支援費の申し出様式の例　略
（別添3）学習支援費の支給状況等（令和2年度調査結果の概要）　略

別　紙
○　「生活保護問答集について」（平成21年3月31日付厚生労働省社会・援護局保護課長事務連絡）
問7—80—3
　学習支援費の給付手続
　問　学習支援費の給付は、領収書・レシートを確認した上で事後精算による給付（以下「精算給付」という。）とするのか、もしくは、事前給付とするのか。
　答　学習支援費の給付については、あらかじめクラブ活動に要する費用が確認できる場合は、保護変更申請書と併せて、クラブ活動に要する費用が確認できる資料を徴し、

その必要額を確認の上、それぞれの基準額の範囲内において必要な額をできる限り事前に給付することとされたい。

上記の必要額が確認できる資料については、物品に関しては、必要となる額がわかる学校からの購入品目のリスト、チラシ又はカタログ・パンフレット等による確認、交通費に関しては、行き先の交通ルートによる確認が考えられる。

また、必要に応じて、教育委員会等から当該費用にかかる情報を提供してもらうなど、関係機関とも連携の上、当該費用の確認に努められたい。

なお、事前給付後においては、例えば、クラブ活動にかかる道具類等の購入費用や合宿費用など、一般的に領収書・レシートが容易に取得可能と考えられるものについては、事後に領収書・レシートを確認されたいが、交通費や部費など領収書・レシートの取得が比較的困難なものについては、被保護者からの領収書・レシートの提出を不要として差し支えない。

一方、事前に必要額の把握が困難である場合には、精算給付としても差し支えないが、領収書・レシートの取得が比較的困難なものについては、領収書・レシートの確認は要さず、被保護者からの申請のみによって支給することとして差し支えない。

いずれにしても、学習支援費の給付に当たっては、保護の実施機関は日頃の訪問調査や生活相談等を通じて、当該被保護者のクラブ活動の状況の把握に努めるとともに、被保護者に対して、クラブ活動に要する費用が生じる場合は、できる限り事前に相談するよう助言指導されたい。

第10章　自立支援プログラム

○平成17年度における自立支援プログラムの基本方針について

平成17年3月31日　社援発第0331003号
各都道府県知事・各指定都市市長・各中核市市長宛
厚生労働省社会・援護局長通知

　今般、生活保護制度について、経済的な給付に加え、組織的に被保護世帯の自立を支援する制度に転換するため、その具体的実施手段として「自立支援プログラム」の導入を推進していくこととしたので、平成17年度においては、別紙の諸点に留意しつつ、自立支援プログラムによる自立支援に積極的に取り組まれるとともに、都道府県におかれては管内実施機関に周知願いたい。
　なお、本通知は地方自治法（昭和22年法律第67号）第245条の4第1項の規定による技術的助言として行うものであることを申し添える。

（別　紙）
　　　平成17年度における自立支援プログラムの基本方針
第1　自立支援プログラム導入の趣旨
○　今日の被保護世帯は、傷病・障害、精神疾患等による社会的入院、DV、虐待、多重債務、元ホームレス、相談に乗ってくれる人がいないため社会的なきずなが希薄であるなど多様な問題を抱えており、また、保護受給期間が長期にわたる場合も少なくない。
　一方、実施機関においてはこれまでも担当職員が被保護世帯の自立支援に取り組んできたところであるが、被保護世帯の抱える問題の複雑化と被保護世帯数の増加により、担当職員個人の努力や経験等に依存した取組だけでは、十分な支援が行えない状況となっている。
　このような状況を踏まえ、経済的給付を中心とする現在の生活保護制度から、実施機関が組織的に被保護世帯の自立を支援する制度に転換することを目的として、自立支援プログラムの導入を推進していくこととしたものである。
○　自立支援プログラムとは、実施機関が管内の被保護世帯全体の状況を把握した上で、被保護者の状況や自立阻害要因について類型化を図り、それぞれの類型ごとに取り組むべき自立支援の具体的内容及び実施手順等を定め、これに基づき個々の被保護者に必要な支援を組織的に実施するものである。
　個々の担当職員の努力により培われた経験や他の実施機関での取組の事例等を具体的な自立支援の内容や手順等に反映させていくことにより、こうした経験等を組織全体として共有することが可能となり、自立支援の組織的対応や効率化につながるものと考えられる。
　なお、全ての被保護者は、自立に向けて克服すべき何らかの課題を抱えているものと

考えられ、またこうした課題も多様なものと考えられる。このため、自立支援プログラムは、就労による経済的自立（以下「就労自立」という。）のためのプログラムのみならず、身体や精神の健康を回復・維持し、自分で自分の健康・生活管理を行うなど日常生活において自立した生活を送ること（以下「日常生活自立」という。）、及び社会的なつながりを回復・維持し、地域社会の一員として充実した生活を送ること（以下「社会生活自立」という。）を目指すプログラムを幅広く用意し、被保護者の抱える多様な課題に対応できるようにする必要がある。

第2　実施機関における自立支援プログラムの策定の流れ
　1　管内の被保護者の状況把握
　　実施機関においては、管内の被保護世帯全体の状況を概観し、被保護者の状況やその自立阻害要因の状況を把握する必要がある。
　　この際、被保護世帯を年齢別、世帯構成別、自立阻害要因別等に類型化するとともに、必要と考えられる自立支援の方向性を明確化する。
　2　個別支援プログラムの整備
　(1)　個別支援プログラムの整備方針
　　それぞれの類型ごとに明確化された自立支援の方向性について、次のような点を踏まえ、支援の具体的な内容、実施の手順等を定め、個別のプログラム（以下「個別支援プログラム」という。）として整備する。
　　ア　担当職員のこれまでの取組により培われてきた経験
　　イ　他の実施機関における取組の例
　　ウ　支援を実施するに当たって活用できる地域の社会資源（関係行政機関、社会福祉法人等の民間事業者、民生委員等）の状況　等
　(2)　個別支援プログラムの内容
　　地域の被保護者の実態を踏まえ、被保護者の抱える自立に向けての様々な課題に対して必要な自立支援を実施するため、就労自立の支援に関する個別支援プログラムのみならず、社会生活自立の支援及び日常生活自立の支援に関する個別支援プログラムについても適切に整備することにより、多様な対応が可能となるよう配意する。
　(3)　個別支援プログラムの整備方法
　　自立支援プログラムとして活用できる他法他施策（障害者福祉施策、介護保険等高齢者関係施策、母子福祉施策、雇用施策、保健施策等）、関係機関（保健所、精神保健福祉センター、公共職業安定所）その他の地域の社会資源を積極的に活用する。こうした社会資源が存在しない場合には、実施機関等において必要な事業を企画し、実施する。
　　この際、他の実施機関における取組事例等を積極的に参考とするほか、専門的知識を有する者の非常勤職員や嘱託職員等としての雇用、地域の適切な社会資源（民生委員、社会福祉協議会、社会福祉法人、民間事業者等）への外部委託（アウトソーシング）等により、実施体制の充実を積極的に図るとともに、セーフティネッ

ト 支援対策等事業費補助金や生業扶助を積極的に活用する。
3 自立支援プログラムによる支援の手順の策定
自立支援プログラムによる被保護者の支援に当たっての手順（被保護者の実状の把握、個別支援プログラムの選定、被保護者への説明、支援状況の記録、定期的な評価等）を必要に応じて定める。
第3 平成17年度における自立支援プログラムの運用方針
1 平成17年度における自立支援プログラムの策定・運用の目標
自立支援プログラムの策定については、第2に示した流れに基づき実施するものであるが、平成17年度においては特に次の点について留意されたい。
(1) 実施機関は、管内の被保護世帯全体の状況を概観し、被保護者の状況やその自立阻害要因の状況を把握し、その状況を踏まえ優先的に対応が必要と判断される事項、あるいは地域の社会資源等に照らして早期に実施可能な事項から順に、対応する個別支援プログラムを積極的に整備する。
(2) 個別支援プログラムとしては、地方自治体等が開催する講演会やセミナーへの参加、他法他施策を実施する関係機関が開催する無料相談等の利用等も考えられることから、簡便な支援策も含め、被保護者の抱える課題にできるだけ幅広く対応できるよう工夫すること。
(3) 自立支援プログラムの定着に向けて、実施機関がより多くの自立支援の経験を積むことが必要であることから、各実施機関は、既存の他法他施策を活用して幅広い個別支援プログラムを整備した上で、まずはできる限り多くの被保護者が個別支援プログラムに参加することを目標とする。
2 生活保護受給者等就労支援事業
平成17年度当初から実施される生活保護受給者等就労支援事業は、公共職業安定所と実施機関との連携により被保護者の就労支援を行うものであり、全ての実施機関において個別支援プログラム（生活保護受給者等就労支援事業活用プログラム）として活用可能な事業であり、実施機関においては、まず本事業の実施に向け早急かつ優先的に取り組むこと。
3 個別支援プログラムによる支援
実施機関は、準備が整った個別支援プログラムから順次、支援対象者を選定し、その被保護者に対してその内容等を周知するとともに、参加を促していくこととする。
この際、実施機関は、被保護者との信頼関係を築きつつ、被保護者の実状に応じた支援を実施するものとする。
また、定期的又は随時に被保護者への支援状況について把握するとともに、その後の支援方針に反映させることとする。

○社会的な居場所づくり支援事業の実施について

> 平成23年3月31日　社援保発0331第1号
> 各都道府県・各指定都市・各中核市民生主管部(局)長 宛
> 厚生労働省社会・援護局保護課長通知

〔改正経過〕
　　第1次改正　平成24年4月5日社援保発0405第2号　　第2次改正　平成25年5月15日社援保発0515第5号
　　第3次改正　平成27年4月9日社援保発0409第3号　　第4次改正　平成28年3月31日社援保発0331第20号

　「生活保護受給者の社会的な居場所づくりと新しい公共に関する研究会」の報告書において、生活保護世帯の自立支援には、社会から孤立しがちな人に対しては社会とのつながりを結び直す支援を行うこと、また、生活保護世帯の子どもに対しては貧困の連鎖を防止するための学習支援や居場所づくりを行うことが重要であるとともに、こうした支援には、企業、ＮＰＯ、市民等と行政とが協働して実施することの重要性が指摘されている。
　これらを踏まえ、生活保護世帯の社会的な居場所づくりを支援するための事業を、別紙のとおり行うこととしたので、管内福祉事務所に対して周知徹底を図るとともに、本事業を積極的に活用し、自立支援の取組を推進されたい。
　本通知については、平成23年4月1日から適用することとする。
　なお、本通知の施行に伴い、「子どもの健全育成支援事業の実施について（通知）」（平成21年7月9日社援保発0709第2号本職通知）は廃止する。
別　紙
　　　　社会的な居場所づくり支援事業実施要領
1　目的
　　企業、ＮＰＯ、社会福祉法人、市民等と行政とが協働する「新しい公共」により、社会から孤立しがちな生活保護受給者への様々な社会経験の機会の提供を行うなど、生活保護受給者の社会的自立・日常生活自立を支援する取組の推進を図る。
2　対象者
　　社会とのつながりを結び直す必要のある生活保護受給者
3　事業内容
　(1)　民間団体等が実施するグループカウンセリング等への参加により、アルコール依存、ギャンブル依存等の日常生活上の問題を抱える者が自立した日常生活を営めるよう支援する事業
　(2)　精神科病院等退院者に対し、家事・服薬管理の生活指導、地域住民との交流の場の提供、社会福祉施設等における退院後の訓練を行うこと等により、居宅生活継続を支援する事業
4　実施主体
　　都道府県、指定都市、中核市又は市区町村（町村については福祉事務所を設置してい

る町村に限る)
5　事業実施方法
　新たな福祉課題に対応し、多面的で効果的な自立支援を行うには、様々な主体の特質を生かしたきめ細かな支援を行う必要があることから、本事業の実施にあたっては、行政と企業、ＮＰＯ、社会福祉法人、市民等が協働する「新しい公共」による支援を極力検討すること。
　ただし、適当な協働先がないなど、「新しい公共」による実施が困難な場合には、行政による直接実施を妨げない。

○生活保護受給者等就労自立促進事業の実施について

> 平成25年3月29日　雇児発0329第30号・社援発0329第77号
> 各都道府県知事・各指定都市市長・各中核市市長宛
> 厚生労働省雇用均等・児童家庭・社会・援護局長連名通知

　生活保護受給者、児童扶養手当受給者及び住宅支援給付受給者（以下「生活保護受給者等」という。）については、その就労による自立促進を図るため、地方公共団体と都道府県労働局・公共職業安定所との間で、就労支援の目標、相互間の連携方法等を明確にした協定を締結し、効果的・効率的な就労支援を図る「福祉から就労」支援事業を実施しているが、生活保護受給者は、平成23年7月に過去最高を更新して以降、厳しい経済情勢や高齢化等の影響により増加傾向にあり、就労可能な生活保護受給者等の就労を通じた自立支援の充実・強化が求められている。

　こうした中、社会保障制度改革推進法において生活保護制度の見直し等が求められており、また、「社会保障審議会生活困窮者の支援の在り方に関する特別部会報告書」（平成25年1月25日）においても「就労可能な被保護者については、保護開始直後から脱却まで、切れ目なく、就労等を通じて積極的に社会に参加し、自立することができるよう支援することが必要」とされているところである。

　そこで、今般、生活保護受給者等に加え、生活保護の相談・申請段階にある者も対象とした早期の支援の実施、福祉事務所への公共職業安定所の常設窓口の設置や巡回相談の強化等によるワンストップ型の支援体制の整備、公共職業安定所が把握する支援対象者の就労活動に関する福祉事務所等への情報の提供、求職者支援訓練への参加に向けた基礎能力等の習得支援、支援により就労した者に対するフォローアップ等の取組を強化するため、「福祉から就労」支援事業を発展させ、新たに、平成25年4月1日から「生活保護受給者等就労自立促進事業」を実施することとしたところである。

　具体的な事業内容については、別添のとおり「生活保護受給者等就労自立促進事業の実施について」（平成25年3月29日職発0329第21号職業安定局長通知）をもって「生活保護受給者等就労自立促進事業実施要領」が厚生労働省職業安定局長から各都道府県労働局長に通知されたところであるので、貴殿におかれては、別添「生活保護受給者等就労自立促進事業実施要領」に基づき、都道府県労働局・公共職業安定所との十分な連携を図りつつ、関係機関において幅広く情報共有の上、事業の効率的かつ的確な実施に特段の御配慮をお願いする。

　なお、本通知は地方自治法（昭和22年法律第67号）第245条の4第1項の規定による技

術的助言として行うものであることを申し添える。
　また、本事業の実施に伴い、「「福祉から就労」支援事業の実施について」（平成23年4月1日付雇児発0401第20号、社援発0401第27号厚生労働省雇用均等・児童家庭局長、社会・援護局長連名通知）は廃止する。

〔別　添〕
　　　生活保護受給者等就労自立促進事業の実施について

　　　　　　　　　　　〔平成25年3月29日　職発0329第21号
　　　　　　　　　　　　各都道府県労働局長宛　厚生労働省職業安定局長通知〕

〔改正経過〕

第1次改正	平成26年3月31日職発0331第50号	第2次改正	平成27年3月31日職発0331第19号
第3次改正	平成28年3月31日職発0331第43号	第4次改正	平成28年10月19日職発1019第6号
第5次改正	平成29年3月31日職発0331第98号	第6次改正	平成30年3月30日職発0330第16号
第7次改正	平成31年3月28日職発0328第5号	第8次改正	令和2年3月30日職発0330第6号
第9次改正	令和3年3月29日職発0329第2号	第10次改正	令和4年3月31日職発0331第31号
第11次改正	令和5年3月31日職発0331第4号	第12次改正	令和6年3月29日職発0329第32号

　生活保護受給者等に対する就労支援については、都道府県労働局・公共職業安定所（以下「ハローワーク」という。）と地方自治体との協定等に基づく連携を基盤として、生活保護受給者等の就労促進を図る「福祉から就労」支援事業を平成23年度から実施してきたところである。
　しかしながら、生活保護受給者数は平成23年7月に過去最高を更新して以降増加傾向が続き、平成24年12月現在（速報値）で215万人超となっており、稼働能力を有するとみられる被保護世帯の「その他の世帯」数も大幅に増加しており、生活保護受給者の就労による自立を図ることは喫緊の課題である。
　また、平成24年8月に成立した社会保障制度改革推進法に基づき、生活困窮者対策及び生活保護制度の見直しに総合的に取り組むこととされており、さらに、平成25年1月に「社会保障審議会生活困窮者の生活支援の在り方に関する特別部会」の報告書がとりまとめられ、ハローワークと地方自治体とが一体となった就労支援の抜本強化について提言されたところである。
　こうした背景を踏まえ、平成25年度からハローワークと地方自治体が一体となった就労支援を抜本強化するため、「福祉から就労」支援事業を発展させて、さらに、国が行う業務と地方が行う業務を一体的に実施する「一体的実施」の成果を最大限活用しながら、新たに「生活保護受給者等就労自立促進事業」を創設することとした。各都道府県労働局におかれては、別添「生活保護受給者等就労自立促進事業実施要領」に基づき、地方公共団体等とのより一層の十分な連携を図りつつ事業の効果的かつ確実な実施に特段のご配慮をお願いする。
　なお、本事業の実施に伴い、平成23年4月1日付け職発0401第21号「「福祉から就労」支援事業の実施について」を廃止する。

(別添)
生活保護受給者等就労自立促進事業実施要領

目次　　　　　　　　　　　　　　　　　　　　　　　　　　　　　　　　　　頁
- 1 趣旨及び目的…………………………………………………………………1679
- 2 事業の概要
  - (1) 事業の内容………………………………………………………………1680
  - (2) 事業の実施形態…………………………………………………………1680
- 3 事業に係る協定の策定・締結………………………………………………1680
- 4 事業の実施体制
  - (1) 就労支援チームの設置…………………………………………………1681
  - (2) 事業担当責任者の設置…………………………………………………1681
  - (3) ナビゲーターの設置……………………………………………………1682
  - (4) コーディネーターの設置………………………………………………1682
- 5 支援対象者……………………………………………………………………1683
  - (1) 稼働能力を有する者……………………………………………………1683
  - (2) 就労意欲が一定程度ある者……………………………………………1683
  - (3) 就労に当たって著しい阻害要因がない者……………………………1683
  - (4) 事業への参加等に同意している者……………………………………1683
- 6 支援対象者の支援期間………………………………………………………1684
- 7 支援期間の延長………………………………………………………………1684
- 8 支援の方法及び内容…………………………………………………………1684
  - (1) 支援要請…………………………………………………………………1684
  - (2) 支援対象者の選定………………………………………………………1687
  - (3) 支援要請がなされた証明書の交付……………………………………1688
  - (4) 支援プランの策定………………………………………………………1688
  - (5) 支援対象者の誘導………………………………………………………1691
  - (6) 求職受理等………………………………………………………………1691
  - (7) 支援の実施………………………………………………………………1691
  - (8) 求職活動状況等の情報共有……………………………………………1695
  - (9) 他部門、関係機関等との連携…………………………………………1695
  - (10) 個別求人開拓、求人条件緩和、業務の切出し指導等………………1696
- 9 支援対象とならなかった支援候補者等のうち、福祉事務所等が行う就労意欲喚起のための支援が終了した者に対する支援………………………1696
  - (1) 支援の要請………………………………………………………………1696
  - (2) 支援の実施………………………………………………………………1696
- 10 認定就労訓練事業を利用している者の本事業への積極的な誘導………1697
  - (1) 対象者の就労準備状況の見極め………………………………………1697
  - (2) 対象者の誘導……………………………………………………………1697
- 11 支援の終了……………………………………………………………………1697
- 12 就労後一定期間を経た者に対するフォローアップの実施………………1697

(1)　在籍確認……………………………………………………………………1698
　(2)　職場定着指導等……………………………………………………………1698
13　地方公共団体とのワンストップ型の就労支援体制の整備……………………1699
　(1)　常設窓口の設置及び運営…………………………………………………1699
　(2)　巡回相談の実施……………………………………………………………1700
14　住居・生活等に関する相談等支援………………………………………………1701
　(1)　住居・生活等困窮者に対する支援施策に係る相談等…………………1701
　(2)　安定所から地方公共団体等への住居・生活等困窮者の誘導…………1702
　(3)　適切な就職支援窓口への誘導……………………………………………1703
15　事業の実施状況の共有化と報告…………………………………………………1703
16　その他留意事項……………………………………………………………………1703
　(1)　支援の記録と管理…………………………………………………………1703
　(2)　支援候補者の選定基準等…………………………………………………1704
　(3)　就労・体験の場の開拓支援………………………………………………1704
　(4)　プライバシーへの配慮……………………………………………………1704

1　趣旨及び目的

　　生活保護受給者数は世界金融危機以降急増し、平成27年3月にピークを迎えたがその後減少に転じ、以降減少傾向が続いている。
　　生活保護受給世帯のうち、稼働能力を有する層が多く含まれる「その他の世帯」の数も世界金融危機後大きく増加し、近年は高止まりの状態が続いている。
　　また、生活保護受給世帯のうち「高齢者世帯」が半分以上を占めるが、この高齢者世帯にも相当数の就労可能な者が含まれているところである。
　　さらに、住居確保給付金受給者及び生活困窮者自立支援法（平成25年法律第105号）に基づく自立相談支援事業（以下「自立相談支援事業」という。）による支援を受けている生活困窮者（住居確保給付金受給者を除く。以下「生活困窮者」という。）についても、就労支援が有効な者が多く存在しているところである。
　　こうした生活保護受給者、住居確保給付金受給者及び生活困窮者の就労支援ニーズにも対応するため、平成25年度から公共職業安定所（以下「安定所」という。）と地方公共団体が一体となった就労支援を抜本強化するため、地方公共団体との協定に基づく連携を基盤に生活保護受給者等の就労促進を図る「福祉から就労」支援事業を発展させ、「生活保護受給者等就労自立促進事業」（以下「本事業」という。）を実施してきたところである。
　　本事業では、生活保護受給者、住居確保給付金受給者及び生活困窮者だけでなく、児童扶養手当受給者や生活保護の相談段階の者等（以下「生活保護受給者等」という。）も対象として、安定所本所等の施設内での就労支援を実施するほか、地方公共団体に安定所の常設窓口の設置又は地方公共団体等への巡回相談の実施などワンストップ型の支援体制を全国的に整備し、生活保護受給者等について、安定所と地方公共団体が一体となったきめ細やかな就労支援を推進すること、さらには、住居や生活支援の確保に困難

を抱え、生活困窮状態に陥る可能性のある求職者に対して、住居・生活支援に関する相談、住居・生活支援施策に関する制度説明等、住居・生活支援から就労支援までの一貫した支援を行うことにより、生活保護受給者等の就労による自立を促進する。
2　事業の概要
(1)　事業の内容
　　安定所は、地方公共団体の設置する福祉事務所その他の行政機関又は自立相談支援事業を実施する機関（以下「自立相談支援機関」という。）の長から公共職業安定所長（以下「安定所長」という。）に就労支援の要請があった者（以下「支援候補者」という。）、また、このうち、4(1)の生活保護受給者等就労支援チーム（以下「就労支援チーム」という。）が本事業により就労支援をすることが適当であると認めた者（以下「支援対象者」という。）に対し、地方公共団体の設置する福祉事務所その他の行政機関又は自立相談支援機関（以下「福祉事務所等」という。）の職員や関係機関と連携を図りつつ、就労に向けた支援を行う。
　　支援対象者の就労支援に当たっては、就労支援チームが、就労支援プラン（以下「支援プラン」という。）の策定、職業準備プログラムのメニュー（以下「準備メニュー」という。）や就労支援プログラムのメニュー（以下「支援メニュー」という。）の選定等の支援方針の決定を行うとともに、決定された支援方針に基づき、福祉事務所等と安定所が連携して、担当者制を中心とした就労支援を実施する。
　　なお、支援候補者の中には、まもなく本事業における就労支援が必要となることが見込まれるものの、まずは意欲喚起・向上支援等が必要と判断される者もあり、こうした支援候補者（以下「福祉事務所等における就労支援対象者」という。）については、主に福祉事務所等において、生活面での自立等を含めた就労支援が行われるものである。このため、就労支援チームの事業担当責任者は、福祉事務所等と情報の共有を図り、福祉事務所等における支援の進捗状況の確認や助言を適宜行う等により、当該福祉事務所等における就労支援対象者の状況を踏まえつつ円滑に本事業の対象として誘導するよう努めるものとする。
(2)　事業の実施形態
　　本事業では、安定所本所等の施設内で、福祉事務所等から誘導された支援対象者に対し就労支援を実施するほか、支援対象となり得る生活保護被保護世帯の「その他の世帯」数等に応じ、①令和6年1月31日付け職発0131第1号「地域連携就労支援事業の実施について」の別紙1「一体的実施事業実施要領」（以下「一体的実施事業実施要領」という。）に基づく国と地方公共団体の一体的実施のスキームを活用し、福祉事務所等地方公共団体の施設内に安定所の常設窓口（以下「常設窓口」という。）を設置、又は②福祉事務所等への定期的な巡回相談等（以下「巡回相談」という。）を実施することにより、地方公共団体とのワンストップ型の就労支援体制を全国的に整備し、早期支援の開始など地方公共団体との一層の連携強化を図る。
3　事業に係る協定の策定・締結
　　本事業の実施に当たっては、平成28年10月19日付け職発1019第5号、能発1019第6

号、雇児発1019第5号、社援発1019第2号「生活保護受給者等就労自立促進事業協議会設置要領の改正について」の別添「生活保護受給者等就労自立促進事業協議会設置要領」(最終改正令和2年4月24日)(以下「協議会設置要領」という。)に基づき、就労支援の目標や役割分担等について定めた協定を、地方公共団体と都道府県労働局(以下「労働局」という。)・安定所との間で策定・締結する。

4 事業の実施体制
 (1) 就労支援チームの設置
　本事業において、福祉事務所等と安定所の密接な連携による就労支援を実現するため、支援対象者ごとに、別添1「生活保護受給者等就労支援チーム設置要領」及び次のアからウに基づき「生活保護受給者等就労支援チーム」を設置する。
　ア 構成員
　　① 本事業全体の管理・指導等を行う安定所職員(以下「事業担当責任者」という。)
　　② 就職支援ナビゲーター(就労支援分)又は就職支援ナビゲーター(一体支援分)(以下「ナビゲーター」という。)
　　③ 福祉部門担当コーディネーター(以下「コーディネーター」という。)
　　④ その他事業担当責任者等が本事業の実施に際し、参加を求める者
　イ 協力
　　就労支援チームは、事業担当責任者以外の安定所の職員、コーディネーター以外のケースワーカー・就労支援員、母子・父子自立支援プログラム策定員、母子・父子自立支援員、自立相談支援機関に配置される主任相談支援員・相談支援員・就労支援員等その他適当と認められる者に協力を求める。
　ウ 支援内容
　　就労支援チームは、支援候補者との面接等を行い、支援対象者を選定の上、個々の支援対象者の状況に応じて、支援プラン(「特定求職者雇用開発助成金(生活保護受給者等雇用開発コース)」(以下「生開コース」という。)の活用を含む。)の策定、準備メニューの選定、支援メニューの選定等の支援方針の決定を行う。
 (2) 事業担当責任者の設置
　ア 各安定所に、本事業において、就労支援チームの構成員として次の役割を担う事業担当責任者を設置する。
　　① 当該安定所の支援状況の把握
　　② 当該安定所において事業が効率的かつ効果的に遂行されるための関係者に対する必要な助言・指導等
　　③ 事業全体の管理(福祉事務所等における就労支援対象者の本事業への誘導を含む。)
　　④ 就労支援チームによる支援候補者との面接等、支援対象者の選定及び支援方針の決定
　イ 事業担当責任者は、当該安定所の職員の中から適格な者を選任する。
　ウ ナビゲーターが配置されていない等、(3)イによるナビゲーターの巡回相談を行う

ことが困難な安定所においては、事業担当責任者等がナビゲーターの役割を担うものとする。
(3) ナビゲーターの設置
　ア　安定所に、本事業において、就労支援チームの構成員として別添２―１「就職支援ナビゲーター（就労支援分）設置要領」に基づき、次の①から⑨の役割を担うナビゲーターを設置する。
　　　また、福祉事務所等地方公共団体の施設には、本事業において、就労支援チームの構成員として別添２―２「就職支援ナビゲーター（一体支援分）設置要領」に基づき、次の①から⑨の役割を担うナビゲーターを設置する。
　　① 福祉事務所、自立相談支援機関等との連絡調整
　　② 就労支援チームによる支援候補者との面接等
　　③ 支援プラン（生開コースの活用を含む。）の策定
　　④ 準備メニューの選定及び実施
　　⑤ 支援メニューの選定及び実施
　　⑥ 個別求人開拓や求人条件緩和、業務の切出し指導等を含む職業紹介
　　⑦ ⑫による就労後の在籍確認及び事業所訪問を含む職場適応・定着に向けたフォローアップ
　　⑧ 福祉事務所等からの質疑対応
　　⑨ 住居や生活資金の確保に困難を抱え、生活困窮状態に陥るおそれのある求職者に対する住居・生活支援に関する相談、住居・生活支援施策に係る制度説明、住居・生活支援施策担当窓口への誘導
　イ　就職支援ナビゲーター（就労支援分）は、安定所内に設置したブース等において業務を行うほか、福祉事務所、自立相談支援機関等へ出向いての定期的な巡回や、職場適応・定着に向けたフォローアップのための事業所訪問等による業務を行う。また、就職支援ナビゲーター（一体支援分）は、福祉事務所等地方公共団体の施設内に設置した常設窓口において業務を行う。
(4) コーディネーターの設置
　ア　福祉事務所等に、本事業において、就労支援チームの構成員として次の役割を担うコーディネーターを設置する。
　　　なお、コーディネーターは、１名に限らない。
　　① 支援候補者の選定（福祉事務所等における就労支援対象者の就労準備が整った場合に、改めて支援対象者の選定の手続きの対象にすることを含む。）
　　② その者の就労意欲等の確認、就労支援に向けた準備としての働きかけ
　　③ 安定所に対する支援要請
　　④ 就労支援チームによる支援候補者との面接等、支援対象者の選定及び支援方針の決定
　イ　コーディネーターは、次の担当者の中から適格な者が選任される。
　　① 福祉事務所のケースワーカー・査察指導員又は被保護者就労支援事業の就労支援員等

② 地方公共団体の生活保護、ひとり親家庭支援施策、生活困窮者自立支援制度の担当の職員
③ 母子・父子自立支援プログラム策定員、母子・父子自立支援員又は母子家庭等就業・自立支援センター等においてひとり親家庭の就業支援に携わる職員
④ 自立相談支援機関に配置される主任相談支援員、相談支援員又は就労支援員

5 支援対象者

支援対象者は、生活保護受給者等であって、就労支援チームが、次の(1)から(4)のすべての条件を満たして本事業の活用が効果的な者とし、協定に位置づけた目標を踏まえ、積極的な選定を行うこととする。ただし、(1)から(3)の条件については、地域の実情に応じて、安定所と福祉事務所等と協議の上で柔軟に対応しても差し支えないこととする。

なお、必ずしもフルタイムで就労可能な者のみを支援対象とするものではなく、本人が一定程度の就労意欲を有していれば、パートタイムや短期で就労可能な者についても幅広く支援対象者として選定を行うこととする。

(1) 稼働能力を有する者

身体的・精神的側面から判断して、稼働能力を有し、就労が可能な状態にある者を対象とする。

本人から傷病や障害のため就労が困難であるとの申立てがあり、福祉事務所等による病状等の調査が不十分な者や、福祉事務所等が長期的な自立目標を達成するためにはさらに健康状態の回復に努めるべき者と判断した者等は対象としない。

(2) 就労意欲が一定程度ある者

長期間就労の経験がない等の理由により、就労意欲が著しく低い者等については、就労支援の効果が見込めないことから、就労意欲が一定程度ある者を対象とする。

なお、就労意欲が著しく低い者について、国・地方公共団体が行う就労意欲の喚起・向上に係る支援（国・地方公共団体が民間団体に委託して実施する支援を含む。以下「意欲喚起・向上支援」という。）と連携して支援することにより、支援期間内に就労意欲が一定程度醸成されることが見込まれる場合は対象とする。

(3) 就労に当たって著しい阻害要因がない者

就労に当たって著しい阻害要因がない者を対象とする。

なお、家族の介護が常時必要である等の就職に当たって著しい阻害要因がある者であっても、就労活動開始時点において、阻害要因が軽減又は解消され、就労が可能と見込まれる場合は対象とする。

(4) 事業への参加等に同意している者

事業への参加並びに福祉事務所等と安定所の担当者による就労支援チーム内で就労・自立支援に必要な情報の共有に同意している者を対象とする。

なお、同意は別添4－2の個人票A裏面の事業参加申込書に本人の自署により行うものとし、また、候補となる者が未成年の場合は、その保護者の自署による同意を得るものとする。

また、福祉事務所等が各種就業支援策を民間団体に委託している場合、個人票A裏面の事業参加申込書に、当該委託先へも就労・自立支援に必要な情報の共有を行う旨

を記載の上、同意を得るものとする。
　8(1)ア①ただし書きにより、安定所が支援候補者を選定する場合の同意（別添3別紙2の個人票A裏面）についても、同様の取扱いとする。
6　支援対象者の支援期間
　支援対象者の支援期間は、次のアを原則とする期間の範囲内で個々の支援対象者の状況やニーズ等に応じた適切な期間を設定できるものとする。
　ただし、次のイ又はウに該当する場合は、それぞれの項目に掲げる期間の範囲内とすることができる。
　ア　8(1)アのとおり、福祉事務所等から送付等された要請書に記載された要請日（8(1)ア①ただし書きにより、安定所が支援候補者を選定する場合は、別添3の別紙1の支援候補者の選定に係る連絡書の発行日）から6か月後の応当日までの期間
　イ　公共職業訓練、求職者支援訓練又は民間教育訓練講座等の受講修了日から3か月後の応当日までの期間
　ウ　トライアル雇用が終了するまでの期間
　なお、支援期間内に就労に至らないと見込まれる者であって、7に該当するものについては、支援期間を延長することができる。
7　支援期間の延長
　支援期間内に就労に至らないと見込まれる者であって、安定所が行う支援に対して積極的に取り組んでおり、引き続き支援を実施することにより就業の可能性が高くなると就労支援チームが判断するものについては、本人の希望を聴取し、支援期間をさらに3か月延長することができる。
　また、支援プラン作成後に、支援を進める中で、6のイ又はウに該当することになった場合であって、6のアの期間を超えることになった場合も、当該6のイ又は6のウの期間まで延長することができる。
　これらの場合、8(3)イにより、いずれも支援要請期間を延長することに留意すること。
8　支援の方法及び内容
　支援対象者に対する支援は、支援対象者の生活環境、本人の希望、能力、適性等を勘案して、事業担当責任者が中心となって、以下の要領で行う。
(1)　支援要請
　ア　支援要請の手順
　　①　住居確保給付金受給者及び生活困窮者を除く生活保護受給者等
　　　住居確保給付金受給者及び生活困窮者を除く生活保護受給者等に係る就労支援の要請は、福祉事務所その他の行政機関の長から安定所長に対して行われる。当該要請の手順は、コーディネーターが、次により支援候補者として選定した者に関する要請書（別添4－1）及び個人票A（別添4－2。個人票Aは支援候補者ごとに作成する。）を、事業担当責任者に送付等することによって行う。
　　　ただし、安定所は福祉事務所その他の行政機関の長からの要請とは別に、安定所利用者の中から自ら同様の方法で支援候補者を選定することができる。この場

合の具体的な手順は別添3によることとする。
　　なお、安定所自ら支援候補者を選定する場合も生開コースの対象となることに留意すること。
　㈦　コーディネーターは、要請書及び個人票Ａを事業担当責任者に送付する。その際、個人情報及び求職活動状況等に係る情報を、就労支援チームで共有することについて、支援候補者の同意を得た上で行う。
　　なお、福祉事務所その他の行政機関が各種就業支援策を民間団体に委託している場合、個人票Ａ裏面の事業参加申込書に、当該委託先へも就労・自立支援に必要な情報の共有を行う旨を記載の上、同意を得るものとする。
　㈹　要請書及び個人票Ａの受理後、コーディネーター、ナビゲーター及び事業担当責任者は、電話等を利用して支援候補者についての情報交換（本事業による支援の緊要度（就職を急ぐ程度、安定所への期待度）の高さ等の確認を含む。）を行う。
②　住居確保給付金受給者及び生活困窮者
　　就労支援の要請は、自立相談支援機関の長から安定所長に対して行われる。当該要請の手順は、コーディネーターが次により行う。
　㈦　自立相談支援機関は、支援調整会議を開催する。
　㈹　支援調整会議において、住居確保給付金受給者及び生活困窮者が一般就労に向けた準備が一定程度整ったと評価された後、地方公共団体が、本事業の活用について確認し、了承する。
　㈺　コーディネーターは、地方公共団体により本事業の活用について確認と了承がなされた自立支援計画（以下「プラン」という。）の写し（本事業による支援と記載されているもの）とともに、要請書（別添4−1）及び個人票Ａ（別添4−2。個人票Ａは支援対象者ごとに作成する。）を事業担当責任者に送付する。その際、個人情報及び求職活動状況等に係る情報を就労支援チームで共有することについて、支援候補者の同意を得た上で行う。
　　なお、自立相談支援機関が各種就業支援策を民間団体に委託している場合、個人票Ａ裏面の事業参加申込書に、当該委託先へも就労・自立支援に必要な情報の共有を行う旨を記載の上、同意を得るものとする。
　㈻　㈺のプランの写し、要請書及び個人票Ａの受理後、コーディネーター、ナビゲーター及び事業担当責任者は、電話等を利用して支援候補者についての情報交換（本事業による支援の緊要度（就職を急ぐ程度、安定所への期待度）の高さ等の確認を含む。）を行う。
イ　支援要請期間
　　福祉事務所等が安定所に支援を要請し、その要請が有効である期間、即ち支援を要請している期間（以下「支援要請期間」という。）は原則6か月とする。要請が有効でなくなる場合とは、例えば、生活保護受給者にあっては、生活保護が廃止された場合並びに住居確保給付金受給者及び生活困窮者にあっては、支援要請のあった者のプランに記載されたプラン期間を終了した場合等を指す。

支援期間の延長を行う場合は、その延長期間に合わせて支援要請期間も延長する（安定所利用者の中から支援候補者を選定した場合についても同じ）。他方、支援要請期間中に支援期間が終了しても、当初の支援要請期間は短縮されない。
　　　支援要請期間の起算日は、福祉事務所等から送付等された要請書に記載された要請日（支援期間の開始日）とする。
　　　また、安定所利用者の中から支援候補者を選定する場合の支援要請期間の起算日は、別添3に基づき支援候補者の選定に係る連絡書を発行した日（支援期間の開始日）とする。
　　　なお、これらの支援要請期間中（但し、支援開始後3か月を超える場合に限る）に雇用された生活保護受給者（支援要請時に生活保護受給について申請・相談中だった者を含む。）、住居確保給付金受給者及び生活困窮者については、生開コースの対象となる可能性があること。
　ウ　支援要請の際の留意事項
　　①　コーディネーターから事業担当責任者への支援要請を円滑に実施するため、コーディネーター、事業担当責任者及びナビゲーターの所属・氏名・連絡先等、要請書及び個人票Aの送付時期並びにその他の連携体制及び方法について、協議会設置要領に基づく生活保護受給者等就労自立促進事業協議会（以下「協議会」という。）において事前に調整する。
　　　生活保護受給者等については、受給等の開始後早い段階での支援が、就労意欲が減退していないなど支援効果が見込まれることから、こうした早期段階の者を重点的に支援するよう、協議会において事前に調整する。
　　　あわせて、離職して間もない住居確保給付金受給者及び生活困窮者等についても、就労意欲や能力が高いなど早期の就労による自立が見込まれることから、短期・集中的にかつ重点的に支援するよう、協議会において事前に調整する。
　　②　支援要請は、コーディネーターを経由して行うことを原則とするが、これを経由せずに行うことを認める場合は、その範囲や方法等について、あらかじめ、協議会において事前に調整する。
　　③　事業担当責任者、ナビゲーター及びコーディネーターは、支援候補者の就労意欲等に対する評価についての認識が相違することのないよう、日常的に連携を図る。また、地方公共団体から安定所への支援候補者の円滑な送り出しに資するよう、一般就労に向けた準備状況を判断するためのツールである別添6の「生活困窮者の就労準備状況チェックリスト」（以下「チェックリスト」という。）の積極的な活用等により、当該認識の共有化を図る。
　　④　支援候補者が在職者であっても、事業の実施により非正規雇用労働者の常用雇用化や増収の実現に資する場合もあることから、福祉事務所等からの情報提供を受けつつ、本人の実情に即した対応を行う。ただし、在職者の場合は、生開コースの対象とならない場合があることに留意すること。また、生活保護受給者に係る保護が廃止された場合も生開コースの対象とならず、一般的に支給事務は、コーディネーターからの連絡でもって、生活保護の廃止について確認することか

　　　　ら、コーディネーターは、支援候補者に係る保護が廃止された旨速やかに事業担
　　　　当責任者に連絡する。
　　⑤　住居確保給付金受給者又は生活困窮者の場合、安定所の担当者は、自立相談支
　　　援機関からの支援要請を受けて、支援調整会議に参加する。また、必要に応じ、
　　　認定就労訓練事業の利用者に係る支援調整会議に参加し、当該者の就労準備状況
　　　を確認し、就労準備の整った者を本事業による支援に誘導する。
　　　　支援調整会議では、これまでの支援内容の経緯等を十分に提供してもらった上
　　　で、本事業が全体のプランの中でどのような位置付けにあるかを把握する。
　　　　また、支援要請の後も、自立相談支援機関とのチーム支援になるため、求職活
　　　動状況に係るチーム内での情報共有や、住居確保給付金受給者及び生活困窮者に
　　　対する必要な生活支援や指導等を自立相談支援機関で行うこと等、双方の役割に
　　　ついても確認する。
(2)　支援対象者の選定
　　支援対象者は支援候補者から選定し、原則として、次のアからウにより選定する。
　ア　面接の方法
　　　就労支援チームは、支援候補者との面接を安定所又は福祉事務所等で開催し、当
　　該支援候補者の希望、就労意欲等をアンケート、チェックリスト等を活用して聴取
　　する。
　　　なお、面接を行うに当たっては支援候補者の人数等に鑑み、適宜、本事業による
　　就労支援の緊要度が高いと福祉事務所等が判断した支援候補者から順に行う等効率
　　的な実施に努めるものとする。
　イ　ケース会議の開催による支援対象者の選定
　　　面接終了後、就労支援チームはケース会議を開催し、ケース会議に付された支援
　　候補者が、支援対象者として選定する要件を満たすこと等を確認の上、支援対象者
　　を選定する。支援対象者の選定に当たっては、ケース会議出席者の間で協議を尽く
　　した上で、最終的には事業担当責任者の意見を尊重することとする。選定した旨を
　　個人票Ｂ（就労支援用）（別添７）に記載するとともに、支援対象者の住所や氏名
　　等を掲載した名簿（以下「支援対象者名簿」といい、参考様式を別途示す。）を作
　　成する。
　ウ　支援対象者とならない場合の留意事項
　　　ケース会議に付された支援候補者が、支援対象者とすることが困難であると判断
　　された場合、コーディネーター等と連携し、福祉事務所等による支援への引き継ぎ
　　等を的確に行う。
　　　特に、就労意欲が著しく低い者であって、意欲喚起・向上支援と連携した支援を
　　行っても支援期間内に就労意欲向上が見込めない等の理由により支援対象者とする
　　ことが困難であると判断された者については、福祉事務所等がその就労意欲の向上
　　等を図るために実施する、生活保護受給者に対する被保護者就労準備支援事業や生
　　活困窮者自立支援法に基づく就労準備支援事業等（以下「就労準備支援事業等」と
　　いう。）、また、児童扶養手当受給者に対する母子・父子自立支援プログラム策定事

業や母子家庭等就業・自立支援事業の就業支援講習会等事業等の取組みによって就労の意欲等を一定程度高めた上で、再度、支援対象者の選定の手続の対象者とすることを目指して連携のあり方等について福祉事務所等と調整する。

なお、本事業の対象とならなかった支援候補者についても、これらの支援候補者の住所や氏名等を掲載した名簿（「支援候補者名簿」といい、参考様式を別途示す）を作成し、就労準備が整った場合等の本事業への誘導や、生開コースの申請に係る問い合わせに備える。
(3) 支援要請がなされた証明書の交付
　ア　就労支援要請証明書の交付
　　福祉事務所等から本事業による就労支援の要請がなされた生活保護受給者（申請・相談段階の者は除く。）、住居確保給付金受給者及び生活困窮者のうち、生開コースの活用を希望するもの等に対しては、就労支援要請証明書（別添5）を本人に交付するとともに、安定所以外の民間職業紹介事業所等で職業紹介を受ける際も、紛失することのないよう保管し、民間職業紹介事業者等及び紹介を受け採用された事業主に対し、これを提示するよう説明する。

　　安定所利用者の中から支援候補者を選定した場合については、別添3の別紙1の連絡書の写しを本人に手交するものとする。

　　なお、これらの書類を紛失した場合であって、生開コースの活用に必要な場合は、改めて就労支援要請証明書又は連絡書の写しをとり、再交付する。
　イ　支援期間の延長をした場合の取扱い
　　①　住居確保給付金受給者及び生活困窮者を除く生活保護受給者等の場合
　　　　就労支援要請証明書を交付した者について支援期間の延長をした場合には、福祉事務所等から改めて支援要請があったものと見なし、支援期間の変更について記載した就労支援要請証明書を改めて本人に交付する。

　　　　安定所利用者の中から支援候補者を選定した場合については、支援期間の延長をした場合には、別添3の別紙3の連絡書を改めて発行し、その写しを本人に手交する。
　　②　住居確保給付金受給者及び生活困窮者の場合
　　　　自立相談支援機関がプランを延長し、プラン延長後も本事業による支援を継続することが必要と判断する場合は、地方公共団体からプラン期間を延長した再プランの写しの提出をもって改めて支援要請があったものと見なし、支援期間の変更について記載した就労支援要請証明書を改めて本人に交付する。ただし、変更後のプラン期間の末日が支援要請期間内なら再交付は不要とする。
(4) 支援プランの策定
　　安定所や福祉事務所等が行う支援と本人の就労活動の内容を計画的に定める「支援プラン」の策定により、効果的な支援の実施が期待されるなど、支援プランの策定が必要と判断される支援対象者に対して、本人の希望や状況・ニーズ等を踏まえて個別に策定する。様式例については、別添8のとおりである。
　ア　支援プランの期間

支援プランは対象者の状況やニーズ等に合わせて就労までの目標を定め、計画的に就労活動を支援するため、原則として、6か月以内の適切な期間を設定する。ただし、7により、支援期間を状況に応じて延長できるものとし、この場合は必要に応じ延長した期間の支援プランを再度作成する。

イ 集中支援方式による支援プラン

ナビゲーターによる就労支援は、原則として、支援事業による支援を開始した日から6か月の範囲内で実施するが、早期就職が期待できる者については、当面、3か月程度の短期・集中的な支援を行う。この集中的な支援期間内に就職ができなかった等の場合には、必要に応じて、再度就労支援チームによるケース会議等を開催し、その原因を分析の上、支援プランの効果的な見直しを図るなど必要な措置を講じること。

ウ 支援プランの内容

支援プランには、次の①から③に関する事項に重点を置いて記載する。

なお、支援プランの策定に当たっては、支援メニュー等の効果的な活用を図ることとし、特に求職者支援訓練やトライアル雇用、生開コースなど就職実現の効果が高いと考えられるメニューを積極的に活用すること。

① 就労までに解決することが必要と思われる課題

支援対象者との相談の中でその就労を妨げていると考えられる課題（生活能力・就労意欲・職業能力の程度、阻害要因（傷病、家庭環境）、就労時期、就職希望条件（職種、雇用形態）、自己の振り返り、求人に応募するための具体的な準備、その他必要な事項）を把握し記載する。

なお、本欄記載事項については、支援対象者が自らの再就職を妨げている要因として認識し、理解できるよう、支援対象者に対して十分な説明を行うとともに、合意を得る。

② 実施が必要な準備メニュー・支援メニュー

①の内容を踏まえ、職業準備プログラム又は就労支援プログラムの中から、個々の課題を克服するために必要なメニュー等を選定し、支援プランに列記する。

③ 実施計画

②の内容を踏まえ、支援対象者が実施する具体的な事項について支援プラン策定から就労に至るまでの実施時期を入れた計画を策定する。

エ 準備メニュー・支援メニューの選定方法

① ナビゲーターによる担当者制の支援

原則として、全ての支援対象者に対して、ナビゲーターによる担当者制による個別支援を行う。

② 職業準備プログラム

就労意欲の向上及び支援メニューの実施効果向上に資する次の(ア)～(オ)のメニューを指す。各準備メニューの選定は以下に掲げる各メニューの選定基準の他、支援対象者の希望、能力等により判断することとする。選定した準備メ

ニューについては、個人票B（就労支援用）（別添7）にも記載する。
　(ｱ)　職場体験講習
　　　就労経験がない又は失業期間が長い等の理由により、就労や職場環境に対する不安を有する者等に対し、実際の職場環境や業務を体験させ、就労への適応を図る。
　(ｲ)　職業準備セミナー
　　　求職活動の経験や就労経験が乏しい等の理由により、求職活動の知識や自己の職業能力・適性に関する理解が不足している者に対し、求職活動のノウハウや就職に必要な知識・技能を習得させる。
　(ｳ)　個別カウンセリング
　　　就労に関する悩みを有していたり、自信や意欲を喪失しているなど、積極的な求職活動を行うことが困難となっている者に対して個別相談を行い、その心理的な問題の解決を図る。
　(ｴ)　グループワーク
　　　共通の目標や類似の問題を有する者等が複数人いる場合に、会合の場を設け、就労に関する情報、意見交換を行い、各自の問題解決を促す。
　(ｵ)　就労準備支援事業等
　　　就労意欲のみならず生活能力・就労能力が低い等の就労に向けた課題をより多く抱える者に対し、福祉事務所等が実施する就労準備支援事業等を活用し、就労に向けた各自の問題解決を図る。
③　就労支援プログラム
　　原則として全ての支援対象者に対して、キャリアコンサルティングを実施するとともに、必要に応じ、職業能力の開発及び向上等のための就労支援プログラム（次の(ｱ)～(ｳ)のメニューを指す。）のうちいずれかを行う。各支援メニューの選定は、以下に掲げる各メニューの選定の基準の他、支援対象者の希望や能力等により判断することとする。選定した支援メニューについては個人票B（就労支援用）（別添7）にも記載する。
　(ｱ)　トライアル雇用の活用
　　　就労に不安を持つ者であって、トライアル雇用を行うことにより就労に結びつく可能性が高まると考えられる者に対して行う。
　(ｲ)　公的職業訓練への受講あっせん等
　　　対象者の有する技能及び知識等と労働市場の状況を判断して、公共職業訓練や求職者支援訓練を受講することが有効であると考えられる者に対して行う。
　　　特に、支援対象者の中で、就労に必要な基礎的な知識・能力が不足している者、職種のミスマッチの解消のための職業能力の開発が必要な者については、求職者支援制度担当者と協議の上、求職者支援訓練の積極的な活用を促す。
　　　なお、求職者支援訓練を活用する場合は、求職者支援制度による就労支援も活用することができることから、支援対象者に対する就労支援に係る役割分担等を十分に協議した上で行うものとする。

(ウ) 生業扶助等の活用による民間の教育訓練講座の受講勧奨
対象者の有する技能及び知識等と労働市場の状況を判断して、生業扶助等の対象となる民間の教育訓練講座を受講することが就職に有利であると考えられる者に対して行う。
また、職業紹介を円滑に進めるため、上記の職業準備プログラム・就労支援プログラムの他、生開コース等の活用を図る。
(5) 支援対象者の誘導
事業担当責任者は、支援を行うこととした安定所の職員及びナビゲーターに、支援対象者の選定により支援を開始することとした支援対象者の氏名、支援プランに記載された支援の内容その他必要事項を連絡するとともに、コーディネーターに、支援対象者が当該安定所に来所すべき日時を連絡する。
(6) 求職受理等
支援対象者であって、安定所に対する求職申込みをしていない場合は、安定所において求職受理を行う。
(7) 支援の実施
ア ナビゲーターによる就労支援
支援対象者の求職申込みを受け、ナビゲーターは、その希望を十分に聴取した上で早期就労のための計画を策定し、それに沿って予約制も活用し、時間を確保しての就労支援を行うこととし、下記①から⑯に掲げる支援を中心に、個別求人開拓・求人条件緩和、業務の切出し指導等による職業紹介、必要に応じ就労先の事業所を訪問する等による就労後のフォローアップまで、就労支援チーム内で必要な連携を図りながら、一貫した就労支援を個々人ごとにきめ細かく実施することにより、効果的な就労支援を行う。
また、地方公共団体と調整の上、福祉事務所等への巡回相談を積極的に実施するほか、必要に応じ、ナビゲーターが配置されていない安定所の付属施設における巡回訪問による支援を行う。
① 事業の説明
② 管内の求人状況及び雇用情勢の説明
③ 個人票B（就労支援用）（別添7）に基づく支援対象者の状況の再確認
④ 安定所の活用方法の説明（生開コースの活用の有無の確認を含む。）
⑤ 求職活動に当たっての心構えの確立や不安の解消
・ 就労意欲の喚起
・ 労働の意義の理解
・ 自己の能力の把握
⑥ 就労に係る希望・ニーズ（業種、雇用形態、就労時期等）の詳細な把握
⑦ 受講すべきセミナー等の選定
⑧ キャリアコンサルティングによるキャリアの棚卸しの実施
⑨ 履歴書・職務経歴書の作成指導
⑩ 対象者のニーズにあった求人の提示と応募する求人の決定の支援

⑪　応募先企業に関する情報の収集方法の教示
⑫　個別求人開拓や求人条件緩和指導、業務の切出し等によるマッチングと職業紹介（安定所の管轄地域を越えた広域的マッチングを含む）
⑬　特定の求人に応募するための履歴書・職務経歴書の個別添削
⑭　特定の求人に応募するための面接シミュレーション
⑮　応募が不調に終わった場合の理由の特定と今後の対応の検討
⑯　就労後の在籍確認及び職場定着指導等のフォローアップ（生開コースを活用して就職した支援対象者を雇い入れた事業所を訪問することにより実施する定着支援も含む。）

　なお、紹介先については、常用雇用のみではなく、パートタイムや短期の就労を含め、就労・自立することができる職業を幅広く選定し、支援対象者の希望、能力及び適性等を踏まえ、就労・自立が実現できるように考慮する。
　また、ナビゲーターによる支援は、支援対象者が落ち着いた環境で職業相談等の支援を受けられるよう、原則として、安定所内又は別庁舎に設置したブース等において行うほか、福祉事務所等への巡回相談による支援も行うものとする。また、週1回以上の予約制による継続的な支援を基本とする。

イ　選定した職業準備プログラム、就労支援プログラムの実施
　支援プランに記載した、準備メニュー・支援メニューは、以下の方法により実施する。
① 　準備メニューの実施
　(ア)　職場体験講習
　　　別添9―1の「職場体験講習実施要領」によるものとする。
　　　民間団体が実施するコミュニティ・ビジネス等における職場体験講習について、コーディネーターと調整の上、積極的な実施を検討する。
　(イ)　職業準備セミナー
　　　次の(a)から(g)のような内容を用意し、集団による職業指導により、求職活動のノウハウ等を提供する。
　　　また、必要に応じ、複数所、関係機関との共催により実施することや、安定所、関係機関が実施する既存のセミナーを活用することも差し支えない。
　　(a)　一般常識、社会常識、企業が求める人材像等に関すること
　　(b)　自分の興味関心、経験の分析等自己分析方法等に関すること
　　(c)　職務経歴の棚卸しの仕方、アピールポイントの探し方などキャリアプランニングに関すること
　　(d)　労働市場圏内の賃金水準、求人求職の状況等に関すること
　　(e)　履歴書、職務経歴書の書き方や面接の受け方に関すること
　　(f)　求職活動の方法に関すること
　　(g)　その他支援対象者の就労の実現に資するノウハウ、知識及び技能の習得に関すること
　(ウ)　個別カウンセリング

個々の支援対象者の抱える状況に応じ、予約制も活用しながら時間をかけて綿密な相談を行い、支援対象者の就労を妨げている要因の心理的な理由を特定し、その問題の解決を図る。

特に、就労に対する不安や悩みの解消が必要な場合は、職場体験講習等に誘導する。また、就労インセンティブを高めるため、就労による収入増加のモデルケースの提供、将来の生活設計についてのアドバイス、就労により自立したケースの紹介等により、働く喜びについての理解を促し、就労意欲の喚起を図る。

(エ) グループワーク

共通の目標や類似の課題を有する複数人の者を参集し、参加者相互の話し合いやグループ活動を通じて他者との関わりを持つことにより、自尊心の回復、参加者相互の影響力を活用し、各自の問題解決のヒントを与えたり、参加者からの共感や承認等を得ることによって、自己理解及び自己啓発の促進・就労への動機付け、必要な態度の形成等を行う。

例えば、類似した状況(態様(母子家庭の母など)、手当の受給期間、就労意欲の程度、希望職種等)にある対象者について、数人単位のグループ形式により就労経験者などを交えたディスカッション等を実施する。詳細な手順等については、別添9-2の「グループワーク運営要領」によるものとする。

(オ) 就労準備支援事業等

就労意欲のみならず生活能力・就労能力が低い等の就労に向けた課題を多く抱える者について、コーディネーター等と調整の上、福祉事務所等が実施する就労準備支援事業等を活用し、当該事業を通じて、就労に向けた問題解決を図る。

なお、安定所は、協定の策定等の際に、福祉事務所等が実施する事業内容を確認の上、生活保護受給者等の就労支援が効果的に展開できるよう、これらの事業と本事業のそれぞれの特性を活かした効果的な役割分担を調整する。

② 支援メニューの実施

支援メニューのうち、トライアル雇用の活用、公共職業訓練の受講あっせん及び求職者支援訓練の支援指示については、安定所が行う。

また、生業扶助等の活用による民間の教育訓練講座の受講勧奨は、就労支援チームが行う。

(ア) トライアル雇用の活用

支援対象者の求職申込みを受け、トライアル雇用の活用を行う。

トライアル雇用の実施は、平成26年2月7日付け職発0207第5号「トライアル雇用事業の実施について(改正)」による。

なお、支援対象者は就労経験が少ない者が多いと見込まれることから、トライアル雇用期間中も、事業担当責任者又はナビゲーターは、コーディネーターと連携し、トライアル雇用受入事業所を訪問するなど、可能な限り常用雇用に移行できるよう配慮する。

(イ) 公共職業訓練の受講あっせん

支援対象者の求職申込みを受け、求職活動期間のなるべく早期に受講のあっせんを行うよう努める。受講あっせんに当たっては、支援対象者の意思を尊重しつつ、その適性、能力及び職業経験、各訓練コースの内容及び水準、地域の労働力需要等を総合的に勘案し、当該支援対象者にとって就労に結びつく可能性の高いコースを選択する。その際、公共職業訓練科目に関しては都道府県職業能力開発主管部局等と十分連携して情報を収集する。

なお、公共職業訓練の受講指示及び受講推薦の手続きは、昭和56年6月8日付け職発320号、訓発124号別冊2の9「職業訓練受講指示要領」及び昭和61年1月8日付け職発第11号別添「職業訓練受講推薦要領」によることとし、また、訓練受講中及び訓練受講を修了した対象者の取扱いは、令和元年12月19日付け職発1219第6号「訓練業務取扱要領」(以下「訓練業務取扱要領」という。)によるが、訓練担当と連携し、訓練受講中も出席状況、訓練目標の達成状況及び求職活動状況等を把握するとともに、可能な範囲で、あらかじめ出頭日や電話等で連絡を取る日時を決めておく等、支援対象者と接触できる機会を設けること。把握した状況は就労支援チームで共有を図り、生活面での課題や悩みを把握した場合にはコーディネーターにも助言や指導を依頼する等、訓練受講中も状況に応じた適切な支援の継続に努めること。訓練受講修了後に就職が決まっていない対象者については、職業相談等の適切な支援を行う。

(ウ) 求職者支援訓練の支援指示

支援対象者の求職申込みを受け、求職活動期間のなるべく早期に受講に向けたキャリアコンサルティングを実施するとともに、希望コースを選定するよう援助する。

求職者支援訓練の支援指示、訓練受講中及び訓練受講を修了した対象者の取扱いは、平成23年9月1日付け職発0901第4号、能発0901第5号「求職者支援制度の実施について」の別添「求職者支援制度業務取扱要領」及び「訓練業務取扱要領」による。訓練受講中の支援の継続についても(イ)と同様であるが、求職者支援訓練の基礎コースは本事業の支援対象者の受講が見込まれることから特に留意するとともに、指定来所日の訓練担当の面談に合わせてナビゲーターも面談を設定する等、指定来所日も活用した状況の把握及び支援に努めること。

なお、希望コースの選定に当たっては、求職者支援制度担当者と十分に協議を行い受講者の就労状況等を把握するなど、支援対象者が常用雇用に移行できるよう配慮した勧奨を行う。

(エ) 生業扶助等の活用による民間の教育訓練講座の受講勧奨

安定所において対象者の求職申込みを受けた後、就労支援チームは求職活動期間のなるべく早期に受講を勧奨する。また、受講の勧奨に当たっては、対象者の意思を尊重しつつ、その適性、能力及び職業経験、各教育訓練講座の内容

及び水準、地域の労働力需要等を総合的に勘案し、当該対象者にとって就労に結びつく可能性の高いコースを勧奨する。

また、安定所は、講座の受講終了前、講座の受講終了後等に対象者に対し職業相談等の適切な支援を行う。訓練受講中の支援についても(イ)と同様に取り組むこと。

なお、生業扶助等の対象となる講座、給付範囲及び支給限度額は別添10―1及び別添10―2のとおりであり、支給は福祉事務所等が行う。

ウ その他の支援
① 生開コースの活用
支援対象者（支援を3か月を超えて受けている者に限る。）が生活保護受給者、住居確保給付金受給者又は生活困窮者であることを明らかにした上で求人への紹介を希望する場合には、生開コースを活用することができる。生開コースを用いることで雇入れ可能性が高まる場合があること、事業主等からの雇用管理上の配慮が得られやすいこと、その後の定着支援も手厚く行うことが可能であることから、本人の希望を確認すること。

② その他
安定所は、担当する支援対象者の就労を実現するための支援を積極的に行うとともに、上記ア、イ及びウ①に掲げる支援以外にも助成金等の利用、事業所見学、管理選考の実施、ミニ面接会の実施、就職面接会への参加など、利用可能な就労支援方法がある場合には、これらについても積極的に活用する。

(8) 求職活動状況等の情報共有

支援対象者に対する支援を開始した後は、事業担当責任者・ナビゲーターとコーディネーターは、当該支援対象者に係る求職活動や支援の状況等について、個人票B（就労支援用）（別添7）や支援プランを活用するなどにより、適宜の情報の共有化を図る。

また、当該支援対象者に係る事業を終了する場合又は当該支援対象者の支援内容に問題が生じた場合は、事業担当責任者又はナビゲーターはコーディネーターに連絡し、終了の報告又は問題を協議及び解決する。

特に、安定所の予約日に来所しない、紹介した事業所への面接に行かない、求職条件の緩和指導を理由なく拒否する等の問題が生じた場合は、速やかにその状況を記載した個人票B（就労支援用）（別添7）を送付するなどによりコーディネーターに連絡の上、ケースワーカー等からの就労・自立に向けた助言等を依頼することとする。

なお、助言等の対象となる具体的なケースについては、事前に福祉事務所等と調整する。

支援対象者の求人への応募が不調に終わった場合には、その原因を分析し、問題解決を図った上で応募又は面接支援を行うなど適切なフォローアップを行う。なお、不調が続く場合には、就労支援チームにおいて協議するなどして、支援内容を見直す。

(9) 他部門、関係機関等との連携

Ⅱ　生活保護法関係通知　第10章　自立支援プログラム

　　　各支援の実施に当たっては、支援対象者が、障害者等の就職困難者の場合には専門援助部門との連携を、ひとり親家庭の母等の場合には就職支援ナビゲーター（ひとり親支援分）や職業相談員（一般）との連携を図る。
　　　また、子育てをしながら早期の就労を希望する者の場合は、マザーズハローワーク事業の支援内容を支援対象者に周知するなど、マザーズハローワーク事業実施安定所との連携を図る。
　⑽　個別求人開拓、求人条件緩和、業務の切出し指導等
　　　ナビゲーターの実施する支援のうち、個々の支援対象者の状況を踏まえた求人を確保し、適切なマッチングを行うことが最も重要であるので、自ら求人を検索し、適切な求人を探すとともに、必要に応じて求人者支援員等と連携して個別求人開拓、求人条件緩和、業務の切出し指導等を行う。生開コースの対象となる者であることの告知に同意する支援対象者に係る個別求人開拓にあたっては、事業主に対し、生開コース活用のメリットもあわせて説明すること。
　　　また、本事業の支援対象者は、就労経験が乏しいことや、ひとり親家庭であることなどの家庭環境により、求職条件の制約が比較的大きい傾向がある一方、個々の求職者の希望に応じて柔軟に労働条件の設定が可能な求人は必ずしも多くないことから、適格な職業紹介を実施するためには、求職者の条件に適合する可能性のある求人を幅広く選定し、個々の支援対象者の希望、能力、経験等を十分に踏まえた求人条件緩和、業務の切出し指導等を的確に実施することが必要である。特に、支援対象者の中には、就業時間や残業、休日等の労働時間面での一定の配慮を求める者が多いことから、求人開拓や職業紹介前の求人者との連絡の際には、必要に応じて当該支援対象者の了解を得たうえで、この点を十分に踏まえた求人条件緩和、業務の切出し指導等を行う。
　　　また、事業主に対し、必要に応じて、就職後の事業所訪問による職場定着指導等のフォローアップを行うことについても説明する。
9　支援対象とならなかった支援候補者等のうち、福祉事務所等が行う就労意欲喚起のための支援が終了した者に対する支援
　　就労実現に向けた課題等があり、支援対象者に選定されなかった支援候補者、又は支援対象者になったが途中で支援を中止した者等であって、福祉事務所等が行う就労準備支援事業等の就労意欲喚起のための支援により就労意欲が一定程度醸成される等により、支援対象者としての要件を満たすこととなった者については、次の手順により必要な支援を行う。
　⑴　支援の要請
　　　改めて支援要請書を提出する必要はなく、コーディネーターから事業責任者への連絡により行われ、当該連絡を受けた日から6か月経過後の応当日までが支援要請期間となる。
　⑵　支援の実施
　　　要請に係る支援候補者については、支援対象者名簿に記入し、8⑷に準じた方法で「支援プラン」を策定し、必要に応じて支援メニューを実施するとともに、事業担当

責任者の管理の下に、求人情報の提供、職業相談・職業紹介を行うことにより就労に結びつける。
10 認定就労訓練事業を利用している者の本事業への積極的な誘導
　ナビゲーターは、福祉事務所等による支援決定を受け認定就労訓練事業を利用している者のうち、一般就労に向けた準備が整ったとみられる者について、本事業の就労支援の対象とすべく福祉事務所等と調整を行い積極的な誘導を図る。
(1) 対象者の就労準備状況の見極め
　ナビゲーターは、認定就労訓練事業所への訪問、認定就労訓練事業の利用者に係る支援調整会議等への出席や就労支援員からの聞きとり等により、一般就労に向けた支援の段階に移行可能な者か否か対象者の就労準備状況を見極めること。その際、福祉事務所等と事前に情報共有を図り、必要に応じ、認定就労訓練事業所への訪問を福祉事務所等の担当者とともに行う等により、円滑に支援対象者として誘導できるよう調整を行うこと。
　一般就労に向けた支援の段階に移行可能とみられる者については、ナビゲーターが本事業への誘導について福祉事務所等、認定就労訓練事業を行う事業者と調整の上、個人票B（誘導支援用）（別添11）を作成し、事業担当責任者に送付し、当該者について情報共有を図ること。
　またナビゲーターは、まだ就労準備が十分に整っていない者も含め、今後一般就労に向けた支援の段階に移行が見込まれる者については、当該者の住所や氏名等を掲載した名簿（「誘導支援対象者名簿」といい、参考様式を別途示す。）を作製しておくこと。
(2) 対象者の誘導
　事業担当責任者は、個人票B（誘導支援用）（別添11）の情報をもとに、当該者を就労支援の対象とするか否か判断の上、地方公共団体に対し支援要請を行うよう調整を行い、本事業の支援対象者とすること。
11 支援の終了
　本事業による支援は支援期間の終期の到来又は支援対象者の雇入れの完了により終了する。
　支援対象者の雇入れ等により支援を終了する場合は、個人票B（就労支援用）（別添7）に記載した当該支援対象者の支援結果等を福祉事務所等に送付するなどにより、福祉事務所等と支援結果等の共有を図る。
　支援期間の終期が到来してもなお就労先の決まらない場合は、一般の職業相談・職業紹介による就職支援に切り替え、引き続き、安定所において支援を行う。
　また、安定所は、支援対象者が就労を希望しなくなった場合又は安定所が実施を求める事項を繰り返し実施しない等、引き続き支援を行っても効果が見込まれないと判断される場合は、福祉事務所等と協議の上、当該支援対象者に対する支援を終了することができる。
12 就労後一定期間を経た者に対するフォローアップの実施
　支援対象者の雇入れにより支援を終了した者（以下「就労者」という。）の職場定着等を図るため、安定所は、次により就労後のフォローアップとして、在籍確認及び職場

定着指導等を実施する。
　なお、フォローアップの実施に伴い、就労者が離職している場合や増収に向けて転職を希望する場合等、安定所が再度支援候補者とすることが適当であると判断した場合は、別添3により選定するものとする。
　フォローアップの実施にあたっては、就労者の就労に至るまでの経緯等を就労支援チームで密に情報共有を図る等により、効果的支援を実施すること。
(1)　在籍確認
　　安定所は、就労後1か月後において就労者全員を対象に、また、就労後6か月後及び12か月後において、(2)ウの事業所訪問による定着指導の対象者を対象にハローワークシステムの雇用保険データにより、就労状況等の確認を行うこととする。なお、短時間や短期の就労のため被保険者資格を取得していないなどハローワークシステムで確認ができない場合は、本人へ電話等により連絡する又は福祉事務所等へ確認することにより、可能な範囲で就労状況等の確認を行う。
(2)　職場定着指導等
　ア　定着指導等の対象者
　　　次の①から④のいずれかに該当する者に対しては、確実に職場定着指導等のフォローアップを実施することとする。
　　①　職業相談や職業紹介時に、職場定着指導等のフォローアップを行う旨を事前に伝え、これを拒否しない者
　　　なお、特に就労の継続に不安を抱える者等に対して、フォローアップを積極的に勧奨する。
　　②　上記(1)の在籍確認時点で離職している者
　　③　生開コースの対象となっている者等
　　④　就職後に、フォローアップを希望する者
　　　なお、就職後にフォローアップを希望する者も考えられることから、安定所の支援にて就労した者全員に就職後のフォローアップ支援の連絡先を記したカードを渡す等により周知を行うこと。
　イ　定着指導等の実施
　　①　ア①の対象者
　　　就労1週間後、2週間後、1か月後、3か月後、6か月後及び12か月後など、あらかじめ連絡時期を対象者と相談の上、電話や手紙等による声かけ、本人の状況に応じた相談等のフォローアップを実施する。また、必要に応じ、ウの事業所訪問を行い、職場定着状況の把握に努めること。
　　　特に職場定着に課題があると判断される者には就労開始直後からフォローアップを行うなど、就労開始1か月以内に重点的な支援を実施する。
　　　例えば、電話や手紙等については1週間以内、職場訪問については、1か月以内に1回は実施するという方法が考えられること。
　　②　ア②の対象者
　　　電話や手紙等による声かけを行い、本人の意向を踏まえつつ、再就職に向けて安定所への来所を促す（原則として、当該者の居住地を管轄する安定所が行

う。)。
③　ア③の対象者など、生活保護受給者等であることを明らかにして求職活動を行い雇い入れられた者
　　電話や手紙等による声かけ、本人等の状況に応じた相談等のフォローアップを実施する他、ウの事業所訪問による定着指導を実施する。(1)の在籍確認の時点で対象者が離職している場合であっても、電話連絡等の手段も用い、事業主から、対象者の就労時の状況等を聴取し、対象者の就労にあたっての阻害要因等の分析を行うこと。分析した内容については、ハローワークシステムの求職管理情報(「必要な支援と実施状況」)に入力し、再来所時の支援方針の策定に役立てること。
　　特に職場定着に課題があると判断される者には就労開始直後からフォローアップを行うなど、就労開始1か月以内に重点的な支援を実施する。
　　例えば、電話や手紙等については1週間以内、職場訪問については1か月以内に1回は実施するという方法が考えられること。
④　ア④の対象者
　　就職後にフォローアップを希望する者については、就労にあたり不安や課題を抱えていることが想定されることから、本人の希望に応じて、電話、来所等による相談等のフォローアップを重点的に実施する。
ウ　事業所訪問による定着指導の実施
　　生開コース対象者など生活保護受給者等であることを明らかにして求職活動を行い雇い入れられた者や事業所訪問による定着指導を希望する者については、雇入れ後1か月後、3か月後、6か月後、12か月後など、本人と事業所の希望等を踏まえた時期を設定し、計4回を目安として事業所訪問を行う。事業主から対象者の職場適応状況等を聞き取り、必要に応じて、定着に向けた課題への対応方法について助言等を行う。事業所訪問等で把握した情報は「事業所訪問記録票」(別添12)に記載するとともに、就労支援チームで情報共有を図る。特に福祉事務所等との共有を図るときは、当該者の了解を得ること。
　　特に、生開コースの対象者については、事業主からの支給申請時に「雇用状況等申立書」の1③6②に「雇用管理に関する事項の報告」が記載されることから、内容を確認するとともに、職場適応に関する課題を抱えている可能性が認められた場合は、直ちに重点的な支援を実施する。

13　地方公共団体とのワンストップ型の就労支援体制の整備
　全ての福祉事務所との間で、次により地方公共団体とのワンストップ型の就労支援体制を整備することにより、早期支援の開始など地方公共団体との一層の連携強化を図る。
(1) 常設窓口の設置及び運営
　　一体的実施事業実施要領による国と地方公共団体の一体的実施のスキームを活用し、地方公共団体から提案を受け、次により福祉事務所等地方公共団体の施設内に安定所の常設窓口を設置・運営する。
　　なお、常設窓口の設置・運営は、本事業の実施要領に加え、一体的実施事業実施要

領が適用されることに留意する。
- ア　設置対象地域

　　稼働能力を有する層を多く含んでいると見込まれる生活保護被保護世帯の「その他の世帯」数が多い政令指定都市、東京都特別区及び中核市等の福祉事務所を対象に、地方公共団体の要望等を踏まえ、予算の範囲内で設置を行う。

　　なお、設置に当たっては、本事業による支援対象者数が、常設窓口の利用者全体の半数以上を占める見込みがあることを要件とするものであること。
- イ　事業内容

　　本事業の実施体制、支援対象者の範囲、支援の方法及び内容等は、上記4から12の内容に準じて地方公共団体との調整により決定するほか、以下に留意する。
  - ①　効果的・効率的な事業運営

　　コーディネーターが生活保護、児童扶養手当、生活困窮者自立支援の相談窓口等から支援候補者を即時に誘導できるとともに、コーディネーターとナビゲーターの間で随時情報共有できるメリットを活かし、支援要請者及び支援対象者の選定をはじめとして、地方公共団体と常設窓口を管轄する安定所間で協議の上、効果的・効率的な事業運営を図る。
  - ②　生活保護の申請段階にある者への支援

　　生活保護の相談窓口等から支援候補者として即時に誘導できるメリットを活かし、生活保護の申請中で受給前の段階にある者について積極的に支援対象とする方向で地方公共団体と事前に調整する。
- ウ　その他の留意事項
  - ①　常設窓口の設置場所

　　常設窓口の設置場所は、できる限り福祉事務所内とすることが望ましいが、少なくとも福祉事務所がある同一の施設内に設置することを基本として地方公共団体と調整を行う。
  - ②　事業運営計画の策定

　　一体的実施事業実施要領に基づき、事業運営計画を地方公共団体と安定所（労働局）が調整のうえ策定することとなるが、当該計画の具体的な内容については、本事業の実施要領に定める内容を基本とし、地方公共団体と調整のうえ策定することとする。また、事業に係る目標の設定等については、一体的実施事業実施要領等及び協議会設置要領等によることとする。

(2) 巡回相談の実施

常設窓口の設置を行わない全ての福祉事務所等を対象に、地方公共団体の要望を踏まえながら、次により福祉事務所等への定期的な巡回相談等を実施する。
- ア　住居確保給付金受給者及び生活困窮者を除く生活保護受給者等
  - ①　実施方法及び内容

　　福祉事務所等への巡回相談は、予約制を原則とし、支援対象者に対する職業相談・職業紹介を中心に行うほか、支援候補者に対する事前相談やケース会議としての活用も図る。また、予約相談の合間等の時間を活用し、生活保護の相談窓口に来所した者を誘導する等により、生活保護の申請段階にある者についても可能

な範囲で支援対象として選定するように努める。
　　② 実施回数
　　　各福祉事務所の「その他の世帯」数に応じ、巡回相談の実施回数の目安を別途示すので、これに基づき「その他の世帯」数が多い福祉事務所については週1～2回程度の定期的な巡回相談を、「その他の世帯」数が少ない福祉事務所については不定期の予約制による巡回相談を積極的に実施する方向で地方公共団体と事前に調整する。
　イ　住居確保給付金受給者及び生活困窮者
　　① 実施方法及び内容
　　　地方公共団体の自立相談窓口又は自立相談支援機関への巡回相談は、予約制を原則とし、支援対象者に対する職業相談・職業紹介を行うほか、支援候補者に対する事前相談や支援対象者の今後の支援方針等の検討・情報共有等を行う。
　　② 実施回数
　　　地域の住居確保給付金受給者数や支援プラン作成件数等に応じ、定期的又は不定期の予約制による巡回相談を積極的に実施する方向で地方公共団体又は自立相談支援機関と事前に調整する。
14　住居・生活等に関する相談等支援
　住居・生活に関する支援については、生活困窮者自立支援法（平成25年法律第105号）及び生活保護法（昭和25年法律第144号）等に基づき、福祉事務所設置地方公共団体等により実施されている。そこで、離職により住居を失うおそれのある者や日常生活の維持が困難になっている者等（以下「住居・生活等困窮者」という。）が安定所に来所した場合に、次により、地方公共団体の住居・生活支援担当部署と連携し、早期かつ円滑に適切な支援につなぐとともに、早期再就職に向けて安定所内の支援窓口に誘導する。
(1)　住居・生活等困窮者に対する支援施策に係る相談等
　ア　住居・生活等困窮者の状況把握
　　　住居・生活等困窮者の状況について、本人が記載した別添13「住居・生活支援相談票」の内容について確認しつつ、特に次の点に留意して聴取を行う。
　　① 住居の状況（住居喪失の場合は喪失からの期間と現在の寝泊まりの場所、住居喪失のおそれがある場合はその理由）
　　② 就業・離職の状況（離職理由と離職からの経過期間、これまでの就職活動の状況、離職後にアルバイト等の就労をしている場合はその仕事の内容や収入等）
　　③ 生活の現状と緊急性（今後、日常生活の維持が困難となってしまう時期等）
　　④ 雇用保険の失業等給付受給の有無（有の場合は受給開始時期等）
　　⑤ 本人の就労の意欲、能力、適性、就業経験
　イ　支援施策の制度説明
　　① 上記アにより把握した住居・生活等困窮者の状況を踏まえた上で、適合すると思われる支援施策について、丁寧な制度説明を行う。説明に当たっては別途示す生活困窮者自立相談支援、住居確保給付金、生活福祉資金貸付制度のリーフレッ

トのほか、地方公共団体等が配布しているパンフレット等を活用しつつ行うことが望ましいことから、あらかじめ、当該地方公共団体等へパンフレット等の提供を依頼し入手しておくこと。
② 制度説明の際、申請から資金交付までの平均的な所要期間に関する情報、申請方法（来所又は郵送等）など、実際の運用状況に関する情報の提供も行う。
ウ 利用可能な住居・生活支援施策の確認
① 住居・生活支援に係る要件確認
(ア) 本人の希望を踏まえつつ、住居・生活支援施策のうちいずれが利用できる可能性があるかについて、本人から口頭で要件確認を行い、該当する可能性のある支援施策を紹介する。
(イ) この要件確認は、あくまでも担当窓口における要件確認に先立つ事前確認の位置づけであるので、実際の申請時には確認書類等が必要になり、支援施策の対象となるかどうかは担当窓口が最終判断することになる旨を本人に十分理解を求めることとし、利用の可否に関する断定的判断と受け取られないよう十分留意する。
　　特に、安定所の実施する支援施策以外のものについては、客観的な当否の判断が可能な要件に限って確認を行うことになるので、本人に支援施策の対象となるかどうかについて予断を与えないよう留意する。助言に当たっては、必要に応じ、支援施策担当者と電話等により相談を行う。
　　上記についての対応例として、「他の機関が実施する制度も含め、求職中の方が利用できる生活支援制度のご案内を行っています。ただし、各制度のご利用に当たっては、各制度担当機関による審査等が必要になります」等の掲示を行うことが考えられる。
(2) 安定所から地方公共団体等への住居・生活等困窮者の誘導
　地方公共団体等における住居・生活支援担当部署への誘導に当たっては、当該担当部署と電話等で直接連絡を行い、本人の状況や持参させる書類に関して補足すべき事情等を説明する、本人の訪問日時の設定を行う等により、相談者を円滑に実施機関へ誘導する。
　なお、当該担当部署が非常に混雑し連絡が困難な場合等も考えられることから、あらかじめ、連絡が必要な場合又は不要な場合等については、当該担当部署と協議しておくこと。
ア 住居確保給付金・生活福祉資金貸付の利用希望者の誘導
① 住居確保給付金・生活福祉資金貸付の利用申込にかかる基本的な対応
　　各地方公共団体や市町村社会福祉協議会で対応状況（郵送による申込みなど）が異なるため、各地方公共団体や社会福祉協議会へ対応を確認しておくこと。
② 住居確保給付金・生活福祉資金貸付の利用希望者への対応
　　住居確保給付金・生活福祉資金貸付の利用を希望する者に対しては、制度の案内や申込書等が掲載されているホームページや、相談先の電話番号・対応時間等を紹介する。

　　　　なお、インターネットの利用環境がない者に対しては、まず電話による相談を
　　　促すこと。
　　イ　生活保護制度の利用希望者の誘導
　　　　生活保護制度の利用を希望する者に対しては、別添14「生活保護の相談に係る連
　　　絡票」を交付し、それを現居住地（住居を喪失している者は現在地）を管轄する地
　　　方公共団体の相談窓口に持参して相談を受けるよう教示し、相談窓口へ的確に誘導
　　　する。
　　ウ　雇用施策による支援が終了する者の誘導
　　　　雇用保険の失業等給付や職業訓練受講給付金などの雇用施策による支援を受けて
　　　いる者から、当該支援が終了する直前に、住居確保給付金又は生活福祉資金貸付の
　　　利用を希望する旨の相談があった場合には、上記(1)ウ①によって利用の可能性を確
　　　認した上で、上記アによって担当地方公共団体又は担当社会福祉協議会における相
　　　談に誘導する。
　(3)　適切な就職支援窓口への誘導
　　　就職を希望する者については、住居・生活支援に関する相談だけではなく、求職者
　　支援制度や早期再就職支援事業、本事業等の安定所の支援メニューを説明し、当該支
　　援を希望する場合は支援を提供している窓口へ誘導する。
15　事業の実施状況の共有化と報告
　　本事業による就労等の実績に関する情報については、福祉事務所等と労働局・安定所
　との間で共有することにより、一体的に取り組む。このため、次により情報の共有化を
　図る。
　(1)　安定所は、前月の事業の実施状況等を取りまとめ、労働局への報告前までに別途定
　　める様式により支援対象者に係る福祉事務所等に、労働局が指定する日までに別途定
　　める様式により労働局に報告する。
　(2)　労働局は、別途指定する日までに前月の事業の実施状況等を取りまとめ、別途定め
　　る様式により本省及び都道府県民生主管部局まで報告する。
16　その他留意事項
　(1)　支援の記録と管理
　　　支援対象者の求職申込みの受理時に、ハローワークシステムの求職者管理情報
　　（「必要な支援と実施状況」）に事業の対象者であること及び支援要請期間（住居確保
　　給付金受給者及び生活困窮者の場合、あわせて自立支援計画に記載されたプラン期
　　間）を明記し、職業相談又は職業紹介を行った場合には、相談記録はできる限り詳細
　　に入力する。
　　　また、上記14の住居・生活支援等に関する相談を行った場合は、取り扱ったすべて
　　の対象者に係る次の事項について入力して管理する。特に、情報提供・誘導した支援
　　施策や利用中の支援施策については、次回以降の相談において参考とすることができ
　　るよう必ず入力すること。
　　ア　把握された本人の住居・生活の状況（利用中の支援施策を含む）
　　イ　住居・生活に関する支援内容（利用可能な支援施策の確認・選定、誘導した支援

施策・窓口等)
(2) 支援候補者の選定基準等

本事業の効果的な推進を図る観点から、福祉事務所等における支援候補者選定を円滑に実施できるよう、5の支援対象者の考え方等について十分な説明及び認識の共有を行うとともに、状況に応じて、福祉事務所等において選定の判断に迷うような場合は、受け入れ可能かどうか事前に安定所に相談してもらうよう働きかけること。また、本事業についてコーディネーター等の理解を一層深める機会として、福祉事務所等と調整の上、事業内容等に係る研修を適宜実施すること。さらに、地方公共団体との連携を強化するため、ケース会議や巡回相談等の機会を捉えて、事業担当責任者、ナビゲーター、ケースワーカー、就労支援員、自立相談支援機関に配置される主任相談支援員、相談支援員、就労支援員等の担当者が、定期的に本事業の実施状況に関する意見交換を行うなど、担当者レベルでの信頼関係の構築に努めるほか、生活保護、ひとり親家庭支援施策、生活困窮者自立支援制度の担当課長等幹部レベルへも事業の活用促進について積極的に働きかけること。

(3) 就労・体験の場の開拓支援

労働局・安定所が、地方公共団体による生活保護受給者、生活困窮者等の就労や体験の場の開拓の取組みを支援することは、生活保護受給者、生活困窮者等に対する就労支援の更なる拡がりにつながり、ひいては安定所が本事業の支援対象者を十分に確保し、効率的に支援を実施することに資するものである。

このため、労働局・安定所の幹部職員においては、平成30年9月28日付け職発0928第3号・能発0928第128号「生活困窮者等の就労支援に当たっての地方公共団体と公共職業安定所等との連携強化について」を踏まえ、職業安定行政で培った障害者雇用等のノウハウや地域の経済団体等との人脈等を生かし、カウンターパートとなる地方公共団体での取組みがより効果的に実施されるよう、必要な助言等を積極的に行うものとする。

(4) プライバシーへの配慮

本事業の実施に当たっては、支援対象者のプライバシーの保護に特に配慮すること。また、属性を明らかにしてトライアル雇用を活用する場合や生開コースを活用する場合には、紹介の都度、属性及び当該属性を明らかにする事についての本人の意向の変更がないか等の確認を行うよう留意すること。

(添付資料)
別添1　生活保護受給者等就労支援チーム設置要領
別添2－1　就職支援ナビゲーター（就労支援分）設置要領
別添2－2　就職支援ナビゲーター（一体支援分）設置要領
別添3　公共職業安定所が支援候補者を選定する場合の手順
別添4－1　生活保護受給者等就労自立促進事業の支援要請について
別添4－2　個人票A
別添5　就労支援要請証明書
別添6　生活困窮者の就労準備状況チェックリスト
別添7　個人票B（就労支援用）

別添8　生活保護受給者等就労自立促進事業　就労支援プラン（様式例）
別添9―1　職場体験講習実施要領
別添9―2　グループワーク運営要領
別添10―1　生業扶助（技能修得費）として認められる講座、給付範囲及び限度額
別添10―2　自立支援教育訓練給付金の対象者、対象講座、支給額等について
別添11　個人票B（誘導支援用）
別添12　事業所訪問記録票
別添13　住居・生活支援相談票
別添14　生活保護の相談に係る連絡票
別添15―1　生活保護受給者等（※）の流れ
別添15―2　住居確保給付金受給者及び生活困窮者の流れ

（別添1）
　　　　生活保護受給者等就労支援チーム設置要領
1　目的
　生活保護受給者等就労自立促進事業（以下「本事業」という。）を実施するため、公共職業安定所長に対し就労支援の要請があった者（以下「支援候補者」という。）について、公共職業安定所（以下「安定所」という。）の職員及び本事業を担当する就職支援ナビゲーター（就労支援分）又は就職支援ナビゲーター（一体支援分）（以下「ナビゲーター」という。）並びに福祉部門担当コーディネーター（以下「コーディネーター」という。）が連携を図りつつ、支援候補者に対する適切な支援を実施するために、生活保護受給者等就労支援チーム（以下「就労支援チーム」という。）を設置する。
2　構成員
　就労支援チームの構成員は、安定所の職員である本事業の担当責任者（以下「事業担当責任者」という。）、ナビゲーター及びコーディネーターとする。
　なお、就労支援チームは、必要に応じ、事業担当責任者以外の安定所の職員、福祉事務所の担当ケースワーカー、担当就労支援員、母子・父子自立支援プログラム策定員又は母子・父子自立支援員、自立相談支援窓口に配置される主任相談支援員、相談支援員又は就労支援員その他適当と認められる者に参加を求めることとする。
3　職務
　就労支援チームは、「生活保護受給者等就労自立促進事業実施要領」4に規定する事項のうち就労支援チームが行うこととしている業務を実施する。
4　秘密保持義務
　就労支援チームの構成員は、職務上知り得た秘密を当該就労支援チーム外に漏らしてはならない。
5　庶務
　就労支援チームの庶務は、コーディネーターの協力を得て、ナビゲーターが行う。

（別添2—1）
就職支援ナビゲーター（就労支援分）設置要領

生活保護受給者等就労自立促進事業を担当する就職支援ナビゲーター（就労支援分）（以下「就労支援ナビ」という。）の設置については、職業相談員規程（平成13年1月6日厚生労働省訓第57号）及び令和3年1月22日付け職発0122第4号「職業安定行政関係相談員管理要領について」によるほか、この要領に定めるところによる。

1 職務

就労支援ナビは、常勤の職員の指揮命令の下、「生活保護受給者等就労自立促進事業実施要領」4の(3)に規定する事項のうち以下の事務を、福祉事務所、自立相談支援機関等との密接な連携を図りながら実施するとともに、必要に応じ、安定所に設置する生活保護受給者等就労自立促進事業担当責任者（以下「事業担当責任者」という。）に状況を報告する。

(1) 自治体との協定に基づき支援候補とした生活保護受給者、児童扶養手当受給者、住居確保給付金受給者及び生活困窮者等と面接を行い、支援対象となった者の支援プランの策定、担当者制による職業相談・職業紹介などの就労支援
(2) 児童扶養手当受給者等の支援対象者を対象としたセミナーの講師としてセミナーを実施
(3) 福祉事務所、自立相談支援機関等との連絡調整、巡回相談
(4) 住居や生活資金の確保に困難を抱え、生活困窮状態に陥るおそれのある求職者に対する住居・生活支援に関する相談、住居・生活支援施策に係る制度説明、住居・生活支援施策担当窓口への誘導
(5) 事業所訪問等を含む就職後の職場適応・定着に向けたフォローアップ
(6) 個別求人開拓及び事業主に対する求人条件緩和指導等
(7) 認定就労訓練事業の訪問や支援調整会議への参加による、就労準備が整った者の生活保護受給者等就労自立促進事業への誘導
(8) その他、生活保護受給者等の就労支援に資すると公共職業安定所長が認める事務

また、上記事務のうち(5)、(6)、(7)、(8)の事務を重点的に実施する就労支援ナビの名称を「就職支援ナビゲーター（就労支援分（定着支援分））」（以下、「定着支援担当」という。）とする。

定着支援担当はこれらの事務を就労支援ナビ又は別添2—2「就職支援ナビゲーター（一体支援分）」と連携して行う。

2 採用等

就労支援ナビは、次のアからウの要件を具備する者のうちから、都道府県労働局長が採用する。なお、一安定所において複数名の就労支援ナビを配置する場合は、キャリアコンサルティングの効果的な実施の観点から、少なくとも1名はアの資格保持者を採用することが望ましい。また、定着支援担当については、企業の人事労務管理に関する知識・経験を有する者であることが望ましい。

ア キャリアコンサルタント、産業カウンセラー、臨床心理士等の資格保持者、企業の

人事労務管理に関する知識・経験を有する者又は職業相談・職業紹介に関する知識・経験のある者
　イ　社会的信望がある者
　ウ　1の職務を行うに当たって、必要な熱意と見識のある者
3　研修の実施
　都道府県労働局長は、採用した就労支援ナビに対して、採用後の早い時期に、就労支援ナビの職務の目的、具体的内容及び心構え、職業相談及び職業指導の各種技法並びに職業安定法、雇用保険法及び当該地域の労働市場状況など職務を遂行するのに必要な知識等についての研修を行うものとする。
　また、生活保護制度や生活困窮者自立支援制度に関する地方自治体からの研修講師派遣など都道府県民生主管部局等の協力を得て、生活保護受給者、児童扶養手当受給者、住居確保給付金受給者及び生活困窮者自立支援法（平成25年法律第105号）に基づく自立相談支援事業による支援を受けている生活困窮者等に係る必要な知識等についての研修を行うものとする。
4　担当区域
　就労支援ナビは一つ又は複数の安定所の管轄区域を担当するものとし、その範囲は、都道府県生活保護受給者等就労自立促進事業協議会で調整し、都道府県労働局が定めるものとする。
5　配置可能場所
　就労支援ナビは、安定所（専門援助部門、職業相談部門、事業所部門、生活保護受給者等就労自立促進事業の常設窓口）に配置することができる。
6　その他
　この要領に定めるもののほか、就労支援ナビに関し必要な事項は、別途定めるものとする。

（別添2－2）
　　　　　就職支援ナビゲーター（一体支援分）設置要領
　生活保護受給者等就労自立促進事業を担当する就職支援ナビゲーター（一体支援分）（以下「一体支援ナビ」という。）の設置については、職業相談員規程（平成13年厚生労働省訓第57号）及び令和3年1月22日付け職発0122第4号「職業安定行政関係相談員管理要領について」によるほか、この要領に定めるところによる。
1　職務
　一体支援ナビは、常勤の職員の指揮命令の下、「生活保護受給者等就労自立促進事業実施要領」4の(3)に規定する事項のうち以下の事務を、福祉事務所等との密接な連携を図りながら実施するものとする。
　なお、一体支援ナビは、必要に応じ、安定所に設置する生活保護受給者等就労自立促進事業担当責任者（以下「事業担当責任者」という。）に状況を報告する。
⑴　自治体との協定に基づき支援候補とした生活保護受給者等と面接を行い、支援対象

となった者の支援プランの策定、担当者制による職業相談・職業紹介などの就労支援
 (2) 児童扶養手当受給者等の支援対象者を対象としたセミナーの講師としてセミナーを実施
 (3) 福祉事務所等との連絡調整（質疑対応含む）、巡回相談
 (4) 事業所訪問等を含む就職後の職場適応・定着に向けたフォローアップ
 (5) 個別求人開拓及び事業主に対する求人条件緩和指導等
 (6) その他、生活保護受給者等の就労支援に資すると公共職業安定所長が認める事務
2 採用等
 一体支援ナビは、次のアからウの要件を具備する者のうちから、都道府県労働局長が採用する。なお、一安定所において複数名の一体支援ナビを配置する場合は、キャリアコンサルティングの効果的な実施の観点から、少なくとも1名はアの資格保持者を採用することが望ましい。
 ア キャリアコンサルタント、産業カウンセラー、臨床心理士等の資格保持者、企業の人事労務管理に関する知識・経験を有する者又は職業相談・職業紹介に関する知識・経験のある者
 イ 社会的信望がある者
 ウ 1の職務を行うに当たって、必要な熱意と見識のある者
3 研修の実施
 都道府県労働局長は、採用した一体支援ナビに対して、採用後の早い時期に、職業相談及び職業指導の各種技法並びに職業安定法、雇用保険法及び当該地域の労働市場状況など職務を遂行するのに必要な知識等についての研修を行うものとする。また、生活保護に関する地方自治体からの研修講師派遣（平成25年3月19日付け地発0319第1号地方課長通知参照。）など都道府県民生主管部局等の協力を得て、生活保護受給者、児童扶養手当受給者、住居確保給付金受給者及び生活困窮者自立支援法（平成25年法律第105号）に基づく自立相談支援事業による支援を受けている生活困窮者等に係る必要な知識等についての研修を行うものとする。
4 担当区域
 一体支援ナビは一つ又は複数の安定所の管轄区域を担当するものとし、その範囲は、都道府県生活保護受給者等就労自立促進事業協議会で調整し、都道府県労働局が定めるものとする。
5 配置可能場所
 一体支援ナビは、一体的実施施設等（生活保護受給者等就労自立促進事業の常設窓口ほか、管轄安定所の就労支援担当部門）に配置することができる。
6 その他
 この要領に定めるもののほか、一体支援ナビに関し必要な事項は、別途定めるものとする。

(別添3)
　　　公共職業安定所が支援候補者を選定する場合の手順
　公共職業安定所(以下「安定所」という。)が、福祉事務所等からの支援要請とは別に、自ら支援候補者を選定する場合の手順等は次のとおりとする。
1　想定される主な対象者
　生活保護受給者及び児童扶養手当受給者等(住居確保給付金受給者及び生活困窮者自立支援法(平成25年法律第105号)に基づく自立相談支援事業による支援を受けている生活困窮者を除く。)(以下「生活保護受給者等」という。)が生活保護受給者等就労自立促進事業(以下「本事業」という。)による支援要請によらず、直接安定所の一般職業相談窓口及び訓練窓口等に来所した場合であって、職業相談等の過程で生活保護受給者等であることが判明した者のうち、就労に向けて本事業の就職支援ナビゲーター(以下「ナビゲーター」という。)によるきめ細かな担当者制支援が必要と判断される者
2　手順
① 　事業担当責任者又はナビゲーターは、対象者本人に対し、本事業の目的、趣旨及び事業の概要等の説明を行い、本事業への参加、及び下記の個人票Aに記載の個人情報を含め福祉事務所等と安定所の担当者による就労支援チーム内で就労・自立支援に必要な情報の共有を行うことについて本人の同意を得る。
② 　別紙1の連絡書及び別紙2の「個人票A(安定所用)」を作成し、福祉事務所等のコーディネーターへ送付等することにより、安定所が選定した支援候補者を支援対象とすることについて情報共有を図る。このとき、別紙1の連絡書の差出者は所長名とするが、生活保護受給者及びその申請・相談段階の者以外の支援対象者の場合は、担当官名でも差し支えない。
③ 　支援対象者とした後は、福祉事務所等からの支援要請による場合と同様に、本事業のチーム支援による担当者制の就労支援を中心に実施する。

(別紙1)

　　　　　　　　　　　　　　　　　　　　　　　　　　　令和　　年　　月　　日
○○○○　長　殿

　　　　　　　　　　　　　　　　　　　　　　　　　　　　　　　公共職業安定所長

　　　　　　　　　　　　　支援候補者の選定に係る連絡書

　当所において生活保護受給者等就労自立促進事業の支援候補者として、添付の個人票A(安定所用)の者○○○○様を選定しましたので、就労支援チームへの登録方(支援対象期間:本連絡書の発行日から6か月後の応当日まで)ご承知おき願います。
　なお、同票の各項目に係る個人情報の地方公共団体への提供及び今後の求職活動状況など就労・自立支援の実施に必要な範囲内で個人情報を地方公共団体と公共職業安定所の間で相互に提供することにつきまして、同票裏面のとおり本人の同意を得ていること、並びに、特定求職者雇用開発助成金の手続の必要性に応じ、本連絡書の写しを本人に手交することを申し添えます。

Ⅱ 生活保護法関係通知 第10章 自立支援プログラム

(別紙2)

個 人 票 A（安定所用）　　　　　　　　(表面)

公共職業安定所名	所在地
選定職員名	電話番号

フリガナ 氏　名		生年月日　昭・平・令 　　　　年　月　日	求職番号
現住所			電話番号

就労経験	□なし □あり	就労時期	令和　年　月ごろまで累計で約　年間
		仕事の内容	
		仕事を辞めた理由	□解雇等　□病気　□結婚・育児　□介護 □その他（　　　　　　　　　　　　）

就労意欲	□すぐに就職（転職）したい □良い条件のものがあれば就職（転職）したい □就職（転職）について考えてみたい □今は就職（転職）する気持ちがないが、いずれ考えたい □その他（　　　　　　　　　　　　　　　　　　　）
希望する仕事の内容 （職種・労働条件など）	
配慮すべき事項	□育児　□介護　□自立意欲　□労働能力（　　　　　） □その他（　　　　　　　　　　　　　　　　　　　）

就労支援に当たっての留意事項

公共職業安定所における支援・取組みの内容、コメント

※裏面は事業参加申込書

(裏面)

事業参加申込書

公共職業安定所長　殿
　　　　　　長　殿

私は、以下の点について同意の上、生活保護受給者等就労自立促進事業に参加します。

1　表面個人票Aの各項目に係る私の個人情報を〇〇公共職業安定所から地方公共団体（〇〇福祉事務所）へ提供すること。
2　今後の求職活動状況など就労・自立支援の実施に必要な範囲内で私の個人情報を地方公共団体（〇〇福祉事務所）と〇〇公共職業安定所の間で相互に提供すること。

　　　　　　　　　　　　　　　　　　　　　　　令和　　年　　月　　日
　　　　　　　　　　　　　　　　　　　　　　　（自署）
　　　　　　　　　　　　　　　　　　　　　　　氏名

（別紙3）

　　　　　　　　　　　　　　　　　　　　　　　令和　　年　　月　　日
〇〇〇〇　長　殿
　　　　　　　　　　　　　　　　　　　　　　　公共職業安定所長

支援期間の延長に係る連絡書

　当所において生活保護受給者等就労自立促進事業の支援候補者の選定を連絡した〇〇〇〇様について、支援期間を延長することといたしましたので（延長後の支援対象期間：令和〇年〇月〇日から令和〇年〇月〇日まで）、ご承知おき願います。
　なお、特定求職者雇用開発助成金の手続の必要性に応じ、本連絡書の写しを本人に手交することを申し添えます。

(別添4-1)

令和　年　月　日

公共職業安定所長　殿

　　　　　　　　　　　　　　　　　　　　　　　　　　　　　　　　　　　　長

生活保護受給者等就労自立促進事業の支援要請について

　　　と　　　との間で締結した協定に基づき、当所において生活保護受給者等就労自立促進事業の支援候補者として、添付の個人票Aの○名を選定しましたので、就労支援チームへの登録方（支援要請期間：本要請書に基づき要請を行った日から6か月後の応当日まで）よろしく取りはからい願います。

　なお、同票の各項目に係る個人情報の公共職業安定所への提供及び支援対象とされた後の求職活動状況など就労・自立支援の実施に必要な範囲内で個人情報を地方公共団体（○○福祉事務所／○○市（区）自立相談支援機関）と公共職業安定所の間で相互に提供することにつきましては、同票裏面のとおり、各人の同意を得ていることを申し添えます。

(別添4-2)

個 人 票 A　　　　　　　　　　（表面）

福祉部門（福祉事務所等）の名称	所在地
福祉部門担当コーディネーター名	電話番号

フリガナ 氏　名			生年月日　昭・平・令 　　　年　　月　　日	電話番号
現住所				
就労経験	□なし □あり	就労時期	令和　　年　　月ごろまで累計で約　　年間	
		仕事の内容		
		仕事を辞めた理由	□解雇等　□病気　□結婚・育児　□介護 □その他（　　　　　　　　　　　　　　　）	
就労意欲		□すぐに就職（転職）したい □良い条件のものがあれば就職（転職）したい □就職（転職）について考えてみたい □今は就職（転職）する気持ちがないが、いずれ考えたい □その他（　　　　　　　　　　　　　　　　　　）		
希望する仕事の内容 （職種・労働条件など）				
配慮すべき事項		□育児　□介護　□自立意欲　□労働能力（　　　　　　　） □その他（　　　　　　　　　　　　　　　　　）		

就労支援に当たっての留意事項

福祉部門における就労意欲喚起などの支援・取組みの内容、コメント
・福祉部門の支援事業（生活保護受給者・生活困窮者については、必ず記載のこと）
・支援期間及び支援予定期間（生活保護受給者・生活困窮者については、必ず記載のこと）

※裏面は事業参加申込書

(裏面)

事業参加申込書

　　　　　長　殿
公共職業安定所長　殿

私は、以下の点について同意の上、生活保護受給者等就労自立促進事業に参加します。

1　表面個人票Aの各項目に係る私の個人情報を地方公共団体（○○福祉事務所／○○市（区）自立相談支援機関）から○○公共職業安定所へ提供すること。
2　支援対象とされた後の求職活動状況など就労・自立支援の実施に必要な範囲内で私の個人情報を地方公共団体（○○福祉事務所／○○市（区）自立相談支援機関）と○○公共職業安定所の間で相互に提供すること。

　　　　　　　　　　　　　　　　　　　　　令和　年　月　日
　　　　　　　　　　　　　　　　　　　　（自署）
　　　　　　　　　　　　　　　　　　　　氏名

(別添5)

就労支援要請証明書

　以下の者は、地方自治体から当所に対し、就労支援の要請がなされた者であることを証明する。

氏　名	
支援要請期間	自　令和　　年　　月　　日 至　令和　　年　　月　　日
対象者種別	生活保護受給者　・　生活困窮者
(「対象者種別」が「生活困窮者」の場合) 自立支援計画に記載されたプラン期間	自　令和　　年　　月　　日 至　令和　　年　　月　　日

【お問い合わせ先】
　　　　　ハローワーク〇〇　〇〇部門
　　　　　電話　000—000—0000

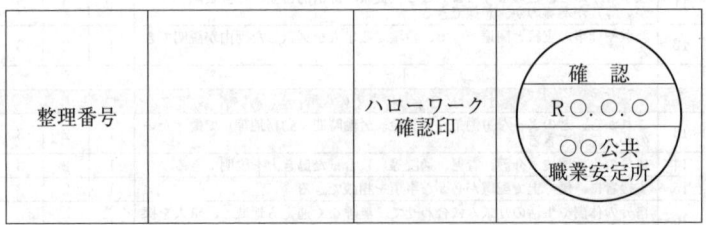

整理番号		ハローワーク 確認印	確　認 R〇.〇.〇 〇〇公共 職業安定所

※ハローワーク確認印のないものは無効です

Ⅱ　生活保護法関係通知　第10章　自立支援プログラム

(別添6①)

(記入日：　　年　　月　　日)

ハローワークでの円滑な支援のための
生活困窮者の就労準備状況チェックリスト

名前	
年齢	歳

- 以下の1から20の各項目について、支援対象者がどのくらいできるかを判断し、「1　あてはまらない」から「5　あてはまる」の最も近い番号に○をつけてください。
- 現状では該当する状況が生じていない項目、把握できていない項目であっても、もし項目に該当する状況になった場合、支援対象者はどの程度のことができるかを判断し、全ての項目について○をつけてください。
- なお、項目で用いられている「支援者」とは、福祉事務所等の就労支援員等やハローワークの就職支援ナビゲーターを指します。

No.	項目	あてはまらない	あまりあてはまらない	どちらともいえない	ややあてはまる	あてはまる
	【就労準備の基礎】					
1	支援者と約束した面談の日時を守ることができる	1	2	3	4	5
2	支援者と約束した面談に遅刻したり、欠席する場合、事前に連絡できる	1	2	3	4	5
3	これまでに、どのような仕事をしてきたのか、説明できる	1	2	3	4	5
4	携帯電話を持つなど、求人事業所から連絡を受けるための準備ができる	1	2	3	4	5
	小計					／20点
	【就労支援を受ける際の姿勢】					
5	ハローワークのナビゲーターによる個別支援を受ける必要性を理解できる	1	2	3	4	5
6	支援者との面談で、適切な言葉づかいができる	1	2	3	4	5
7	支援者の助言に、素直に耳を傾けることができる	1	2	3	4	5
8	支援者から紹介された求人を、前向きに検討できる	1	2	3	4	5
	小計					／20点
	【自分自身の理解と今後の展望】					
9	退職や失業の経緯をふり返り、その原因について考えてみることができる	1	2	3	4	5
10	求人の情報から、その求人事業所がどのような職場(仕事内容や職場環境)なのか、想像できる	1	2	3	4	5
11	仕事をすると、どのようなよいこと(健康、経済的自立、社会貢献、生きがい等)があるのか、想像できる	1	2	3	4	5
12	経験や仕事の実績と関連づけて、希望する求人を選択した理由が説明できる	1	2	3	4	5
	小計					／20点
	【自分に合った働き方の理解】					
13	これから、どのような労働条件(賃金、労働時間、勤務地等)で働きたいのか、説明できる	1	2	3	4	5
14	自分の生活環境(介護、育児、通院等)に合った働き方を説明できる	1	2	3	4	5
15	支援者に、働く上で配慮が必要な事項を相談できる	1	2	3	4	5
16	自分の体調や生活のリズムに合わせて、無理なく通える地域で、求人を探すことができる	1	2	3	4	5
	小計					／20点
	【就労への積極的な姿勢や柔軟性】					
17	思い通りにならないことがあっても、前向きに考えることができる	1	2	3	4	5
18	新聞や雑誌の求人広告など、身の回りにある求人情報に注意を向けることができる	1	2	3	4	5
19	目的意識を持って、仕事探しができる	1	2	3	4	5
20	これまでの仕事の経験をふり返り、何ができて何ができないのか、検討できる	1	2	3	4	5
	小計					／20点
	総計					／100点

(別添6②)

　以下のレーダーチャートを用いて、支援対象者の「強み・弱み」を分析してみましょう。

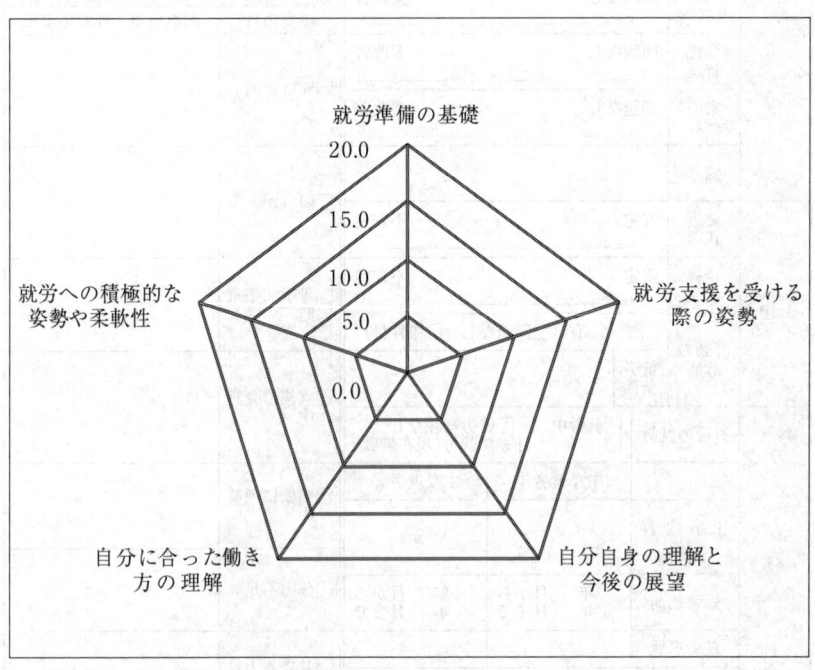

(メモ)

Ⅱ 生活保護法関係通知 第10章 自立支援プログラム

(別添6③)

別紙1：対象者の基本情報

以下の項目について、適宜、分かる範囲で記入してください（必ずしも、全ての項目について支援対象者から直接確認をするものではありません）。

生活の状況			就労にあたっての配慮事項	
			確認項目	配慮事項・要対応事項
生活の状況	生活リズム	問題なし ─────── 要改善	□病気がある	
	金銭管理	問題なし ─────── 要改善		
	家の片づけ	問題なし ─────── 要改善		
	備考		□障害がある	
心身の状況	健康状態	安定 ─────── 不安定		
	精神状態	安定 ─────── 不安定	□母子父子家庭	
	医師の診断	□無 □有（□問題なし □条件付）		
		就労条件	□家族の介護中	
職歴	直近の就労	□就労中 □就労経験なし □ 年 月まで就労(現在無職)		
		主な就労①	主な就労②	□頻繁に通院中	
	仕事内容職種				
	勤務期間	年 月から 年 月まで	年 月から 年 月まで	□体力不足	
	就労形態				
	現在未就労の理由		□基礎能力に不安あり	(例)言語・四則演算等
資格スキル			□就労活動のための準備不足あり	(例)住所不定、連絡手段がない
現在の収入	給与	月（　　　）円		
	生活保護	月（　　　）円	□その他	
	家族の収入	□就労 □生活保護 □年金		
	その他(手当等)			

生活保護受給者等就労自立促進事業の実施について

別紙2：求職活動に関する基本情報

以下の項目について、適宜、分かる範囲で記入してください（必ずしも、全ての項目について支援対象者から直接確認をするものではありません）。

求職活動の理由	☐ 現在、未就労だから ☐ 増収 ☐ 条件等があわない 　　☐ 勤務地　☐ 勤務日数　☐ 勤務時間　☐ 職種・業種　☐ 人間関係 　　☐ その他（　　　　　　　　　　　　　　　　　　　　　　　　　　　）			
就労先の希望・条件	項目	希望・条件の内容	希望・条件の理由	希望なし
	職種・業種	第1希望		☐
		第2希望		☐
		第3希望		☐
	就労形態	☐正社員　☐パート　☐アルバイト ☐その他（　　　　　　　　　）		☐
	給与	☐月額（時給）　　　　円以上		☐
	勤務日数	週　　　日　以上・以内		☐
	勤務時間	時間／日、　　時〜　　時		☐
	勤務地 通勤時間/手段			☐
	その他	(例)希望休日、残業の可否等		☐
現在の求職活動状況	☐求職活動中	活動期間	か月程度	
		応募状況	応募数　月　　　社程度	
			うち面接数　月　　　社程度	
		求職方法	☐ハローワーク　☐求人誌、広告　☐インターネット ☐その他（　　　　　　　　　　　　　　　　　　）	
	☐活動していない	その理由		
これまでの支援内容	訓練事業等への参加経験	☐あり　☐なし →具体的に（　　　　　　　　　　　　）		
	就労支援に関する特記事項			

(別添7)

個人票B(就労支援用)

フリガナ 氏　名		生年月日　昭・平・令　　年　　月　　日	
		求職番号	
就労支援チームによる初回面接日　年　月　日		求職申込日　　　年　　月　　日	
福祉部門担当コーディネーター名		安定所ナビゲーター名	
就労支援プランの作成　有・無　作成日　年　月　日			
職業準備プログラム (上段：開始日、下段：終了日)		就労支援プログラム (上段：開始日、下段：終了日)	
①職場体験講習	年　月　日 年　月　日	①トライアル雇用	年　月　日 年　月　日
②職業準備セミナー	年　月　日 年　月　日	②公共職業訓練	年　月　日 年　月　日
③個別カウンセリング	年　月　日 年　月　日	③求職者支援訓練	年　月　日 年　月　日
④グループワーク	年　月　日 年　月　日	④民間教育訓練講座 　(生業扶助等)	年　月　日 年　月　日
⑤就労準備支援事業等	年　月　日 年　月　日	⑤その他 (　　　　　　)	年　月　日 年　月　日
⑥その他 (　　　　　)	年　月　日 年　月　日		
選定理由			
職場体験講習事業所名、セミナー名、トライアル雇用事業所名、訓練科目又は講座名等			
就労支援メニュー以外で実施した事業名等			

生活保護受給者等就労自立促進事業の実施について

生開コースの活用の意向 （いずれかに○）	有 ・ 無
支援実施状況（実施日別に支援の具体的内容、福祉事務所等との情報交換状況等を記入）	
月　　日	

支援結果□（チェックを入れる。その他の場合は具体的に記入。就職の場合は「就職先事業所名」以下の欄を記入すること。）

安定所紹介による就職		安定所紹介以外の就職		期間満了		延長		打ち切り	
その他				支援終了日		年　月　日			

就職先事業所名　　　　　　　（住所）

生開コースの活用（いずれかに○）	有 ・ 無
就労に至らなかった場合その理由	職場定着指導等フォローアップ希望の有無	有（時期等：　　　　） 無

職場定着指導等のフォローアップ実施状況□
（実施日別にフォローアップの具体的内容、福祉事務所等との情報交換状況等を記入）

月　　日	

II 生活保護法関係通知 第10章 自立支援プログラム

(別添8)

生活保護受給者等就労自立促進事業 就労支援プラン（様式例）

作成年月日 令和 年 月 日

※ 3か月での就職を目標とする。支援は集中的に行う。

支援対象者名		求職申込日	令和 年 月 日	求職番号	
種別	生保・児扶・住居・（ ）	支援対象期間	令和 年 月 日～令和 年 月 日（延長）		
生活保護開始日	令和 年 月 日	ひとり親となった日	令和 年 月 日（理由）死別・離別		
担当福祉事務所名		子供の年齢	歳・ 歳		
担当福祉事務所名		福祉部門担当コーディネーター名		就労支援員名	
担当公共職業安定所名		安定所ナビゲーター名			
就労までの目標期間	年 月 日 ～ 年 月 日				

就労までに解決することが必要と思われる課題 ＊課題が解決されている項目に○を付す。課題のある項目には、適宜コメントを記載する。

■生活能力の程度
（規則正しい生活ができているか）

■就労意欲の程度
（自ら進んで働こうとする気持ちがあるか）

■職業能力の程度
（希望職種に就くのに必要な職業能力はあるか）

■阻害要因（傷病、家庭環境
就業に当たって考慮すべき事項があるか）

■就労時期
（すぐに就業が可能か）

■就職希望条件①職種　②雇用形態
（希望する職種や雇用形態が固まっているか）

■自己の振り返り
（自らが置かれた状況が把握できているか）

■求人に応募するための具体的な準備

■その他必要な事項
（支援方針）

・求人検索方法 □　・応募書類の書き方 □　・面接の受け方 □

1722

生活保護受給者等就労自立促進事業の実施について

支援開始の確認事項

- [ ] 就労支援プランの説明
- [ ] 求人状況・雇用情勢の説明
- [ ] 就職希望条件等の詳細把握
- [ ] 求職活動の心構え

個別支援メニュー

- [ ] これまでのキャリアの棚卸
- [ ] 履歴書・職務経歴書の作成指導
- [ ] 求人選択の支援
- [ ] 応募先企業に関する情報収集・教示
- [ ] 面接対策（面接の心構え・模擬面接）
- [ ] 不調理由の検討と対策（　　　　　　）
- [ ] 特開金の活用

実施する準備メニュー

- [ ] 職場体験講習
- [ ] 職業準備セミナー（　　　　　）
- [ ] 個別カウンセリング
- [ ] グループワーク
- [ ] 就労準備支援事業等（　　　　　　）
- [ ] その他（　　　　　　）

実施する支援メニュー

- [ ] トライアル雇用
- [ ] 公共職業訓練（　　　　　）
- [ ] 求職者支援訓練（　　　　　）
- [ ] 生業扶助等（　　　　　）
- [ ] その他（　　　　　）

就労までの実施計画

期間	ハローワークの支援計画	本人の目標	実施状況
前期			月　　日（未実施・実施済） [評価]
中期			月　　日（未実施・実施済） [評価]
後期			月　　日（未実施・実施済） [評価]

（別添9-1）
　　　　職場体験講習実施要領
　「生活保護受給者等就労自立促進事業実施要領」8(7)イ①に定める職場体験講習については、この要領により実施するものとする。
1　趣旨
　　自治体と締結した協定に基づく支援対象者に対して、実際の職場環境や業務を体験させることにより、就業に対する理解と関心を深め、就業への自信を付与するとともに、事業所での就業に対する適応を図ることを目的として、職場体験講習（以下「講習」という。）を実施する。
2　職場体験講習の内容
　(1)　対象者
　　　支援対象者のうち、講習への参加を希望し、かつ、次のア又はイのいずれかに該当し、講習を受講することが適切であると事業担当責任者が判断した者とする。
　　ア　就業経験がない又は失業期間が長い等の理由により、就業に対する不安や職場の対人関係面への不安を持つ者又は生活習慣や就業態度が就業するに当たって十分身に付いていない等、一般的な就業や職場環境への不適応が懸念される者
　　イ　ある程度の就業経験がある者であっても、職種転換や長期間にわたって就業していなかったため、再就職に際して不安等を抱いている等一般的な就業や職場環境への不適応が懸念される者
　(2)　講習実施事業主
　　　次のいずれにも該当する事業主、ＮＰＯ法人の代表者等とする。
　　ア　労働者災害補償保険、雇用保険、健康保険、厚生年金保険等の社会保険に加入していること。
　　イ　労働基準法（昭和22年法律第49号）及び労働安全衛生法（昭和47年法律第57号）に規定する安全、衛生その他の作業条件が整備されていること。
　(3)　実施期間
　　　講習の期間は、2か月間以内とし、講習実施事業主及び対象者の状況に応じて決定すること。
　(4)　講習の内容
　　　講習の内容は、当該事業所に就職した場合に実際に従事することとなる業務を見学・体験できるものとする。
3　講習の実施手続等
　(1)　講習実施事業主の開拓
　　　事業担当責任者又は生活保護受給者等就労自立促進事業を担当する就職支援ナビゲーター（以下「ナビゲーター等」という。）は、当該安定所管内の求人開拓等を行う際に、講習について周知・開拓を行う。
　　　開拓に当たっては、講習の内容及び手続き、講習実施中のフォローアップ体制等について説明するものとする。

　　　　なお、講習終了後、受講者を雇用する義務はないことについて留意すること。
　(2)　講習実施先の調整
　　　　ナビゲーター等は、生活保護受給者等就労支援チームにより講習の実施が決定された支援対象者について、その希望職種、能力、適性等を踏まえ、講習実施事業所を選定する。
　　　　また、講習実施事業主に対して、当該支援対象者についての説明を行った上で、面接を設定する等、講習実施に向けた必要な調整を行い、当該事業主が当該支援対象者に係る講習の受入を受諾した場合には、当該事業主と講習の内容、開始日等の調整を行うものとする。
　(3)　受講者への事前説明
　　　　ナビゲーター等は、講習の受講が決定した支援対象者（以下「受講者」という。）に対して、講習に先立ち、講習に臨む心構え及び講習実施上の諸注意事項を説明するとともに、講習の実施が採用と直接結びつくものではないこと及び講習の実施に要する交通費は自己負担であることを説明するものとする。
　(4)　講習受講のフォローアップ
　　　　ナビゲーター等は、講習実施期間中、講習実施事業所を訪問する等により、職場の理解促進、不安の除去について配慮し、必要に応じて、受講者又は講習実施事業主にアドバイスを実施するものとする。
　(5)　講習中の安全確保
　　　ア　講習実施事業主に対し、受講者への作業指示や安全確保に細心の注意を払うよう理解を求めること。
　　　イ　受講者の講習受講中等の事故に備えて、保険に加入するものとする。
４　講習実施事業主に対する講習実施謝金の支給等
　　講習実施事業主に対し、講習の実施に係る謝金を支払うことができるものとする。
　　なお、講習実施事業主による受講者への手当の支給や、受講者からの経費の徴収等講習実施事業主と受講者との間の金銭の授受が行われないよう留意すること。
５　その他
　　その他、講習実施に必要な手続き等は別途定めるものとする。

（別添９－２）
　　　　グループワーク運営要領
１　目的
　　グループワークは、グループ参加者相互の話し合いやグループ活動などを通じて、参加者全員の持つ経験や背景を共有することにより、参加者相互の影響力を活用し、各自の問題解決にヒントを与えたり、同様の立場にある参加者からの共感や承認等を得ることによって学習、動機付け、必要な態度の形成等を行うことを目的とする。
２　対象者
　　生活保護受給者等就労自立促進事業（以下「本事業」という。）の支援対象者であっ

て、社会的スキルの習得状況、就労意欲の程度、就職に対する不安や恐れ、求職活動の方法など就職にあたって解決すべきさまざまな課題を有するもの。
3 実施方法
(1) 実施計画の策定
　原則として、公共職業安定所単位で実施するものとし、本事業の管理・指導等を行う公共職業安定所職員（以下「事業担当職員」という。）が、就職支援ナビゲーター等と連携の上、次の項目を含むグループワーク実施計画（以下「実施計画」という。）を策定する。
　① 目標の設定
　② 開催時間・期間
　③ 開催場所
　④ 定員
　⑤ 活動内容
　⑥ 評価方法
　⑦ その他
(2) 参加者の勧奨・決定
　実施計画において設定したグループワークの目標に沿った課題を有する支援対象者に対して、グループワークの目的と活動内容の概要を説明し、参加勧奨を行う。
　また、事業担当職員が参加希望者の中から参加者を決定する。
(3) 活動内容
　各セッションの内容は、概ね次のような流れとする。グループワークが、複数のセッションから構成される場合は、2回目以降は③から開始することとなる。
　① グループワークの趣旨等の説明
　② 自己紹介
　③ アイスブレーキング
　④ ディスカッション・グループ活動
　⑤ 振り返り
　⑥ セッションに対する評価
4 実施記録・評価
　グループワークの実施にあたっては、その内容の改善・向上のために、各セッションごとに実施記録を作成するものとする。
　また、実施記録等を活用して、事業担当職員や就職支援ナビゲーターが中心となって、グループワークの実施状況を評価する会議を行う。
5 体制・担当者
　事業担当職員は、本事業におけるグループワーク全体の管理・運営を担当するものとする。
　また、グループワークのファシリテーター（進行役）は、原則として事業担当職員又は就職支援ナビゲーターとする。

(別添10―1)
　　　　生業扶助(技能修得費)として認められる講座等、給付範囲及び限度額
　生業扶助(技能修得費)については、生活保護の基準(昭和38年厚生省告示第158号)別表第7生業扶助基準及び「生活保護法による保護の実施要領について」(昭和38年4月1日社発第246号各都道府県知事・指定都市市長あて厚生省社会局長通知)第7―8(2)に定めているとおりであるが、その主な内容と対象講座の例については次のとおりである。
1　講座等
　　稼働能力を有する生活保護受給者の収入を増加させ、又はその自立を助長するために必要な技能を修得することができる講座等を選定する。
　　就労に必ず結びつく技能を修得するためだけでなく、段階的であっても就労を目指して行う取組として、①コンピュータの基本的機能の操作等就職に有利な一般的技能、②コミュニケーション能力等就労に必要な基礎的能力の修得のための訓練も対象とする。
　　具体的に生業扶助の支給対象とする講座等は、次のものが考えられる。
(1)　雇用保険法第60条の2に規定する教育訓練給付金の対象となる厚生労働大臣の指定する教育訓練講座
(2)　その他就労支援チームがその受講により就職に必要な技能を修得できる可能性が高いと認める講座等
2　給付範囲
　　生業扶助(技能修得費)として認められるものは、技能修得のために直接必要な授業料(月謝)、教科書・教材費、当該技能修得を受ける者全員が義務的に課せられる費用及び資格検定等に要する費用(ただし、同一の資格検定等につき一度限りとする。)等の経費並びに技能修得のため交通費を必要とする場合はその実費とする(ただし3の限度額等の制約有り。)。
3　限度額
　　一の技能修得について8万2000円の範囲内(これによりがたい場合であってやむを得ない事情があると認めるときは13万7000円の範囲内)、1年以内に複数の技能修得を必要とする場合について年間21万9000円の範囲内とする。
　　また、この限度額を超えて費用を必要とする場合であって、次のいずれかに該当するときは、38万円の範囲内において特別基準の設定があったものとして取り扱って差し支えない。
(1)　生計の維持に役立つ生業に就くために専修学校又は各種学校において技能を修得する場合であって、当該世帯の自立助長に資することが確実に見込まれる場合
(2)　自動車運転免許を取得する場合(免許の取得が雇用の条件となっている等確実に就労するために必要な場合に限る。)
(3)　雇用保険法第60条の2に規定する教育訓練給付金の対象となる厚生労働大臣の指定する教育訓練講座(原則として当該講座終了によって当該世帯の自立助長に効果的と認められる公的資格が得られるものに限る。)を受講する場合であって、当該世帯の自立助長に効果的と認められる場合

さらに、技能修得のため交通費を必要とする場合は、上記の額に実費を加算する。

(別添10-2)
　　　　自立支援教育訓練給付金の対象者、対象講座、支給額等について
　自立支援教育訓練給付金については、「母子家庭自立支援給付金及び父子家庭自立支援給付金事業の実施について」（平成26年9月30日付け雇児発0930第3号厚生労働省雇用均等・児童家庭局長通知）に定められているとおりであるが、その対象者及び対象講座等については次のとおりである。
1　内容
　　母子家庭の母又は父子家庭の父が主体的に行う職業能力開発の取組を支援するため、実施主体である都道府県、市（特別区を含む）及び福祉事務所設置町村（以下「都道府県等」という。）の長が指定した講座を受講し、職業能力の開発を行う者に対して、教育訓練終了後、自立支援教育訓練給付金を支給する。
2　対象者
　　母子家庭の母又は父子家庭の父であって、次の要件を全て満たす者
　①　児童扶養手当の支給を受けている又は同等の所得水準にあること。
　②　雇用保険法による教育訓練給付の受給資格を有していないこと。
　③　就業経験、技能、資格の取得状況や労働市場の状況などから判断して、当該教育訓練を受けることが適職に就くために必要であると認められること。
3　対象講座
　①　雇用保険制度の教育訓練給付の指定教育訓練講座
　②　別に定める就業に結びつく可能性の高い講座
　③　都道府県等の長が地域の実情に応じて対象とする講座
4　支給額
　　対象講座の受講料の6割相当額（6割相当額は20万円以内。ただし、6割相当額が1万2000円を超えない場合は支給しない。）

(別添11)

個人票B（誘導支援用）

担当者				
支援対象者	氏名		自治体担当者	機関名
	生年月日			担当者
	連絡先			連絡先

認定就労訓練事業所	名称	
	所在地	
	担当者	TEL
	備考	

就労訓練の内容	業務の内容		勤務形態	勤務日数、勤務時間等
	備考（阻害要因、配慮が必要な事項、その他の自治体の支援の有無、内容、その他特記事項）			

支援実施結果	☐ 誘導 （決定日）	▶事業責任者への申し送り事項
	☐ 見送り （決定日）	▶理由

実施状況（支援対象者の状況等）	
年月日	内容

Ⅱ 生活保護法関係通知 第10章 自立支援プログラム

(別添12)

事業所訪問記録票

名簿NO.						担当者	
支援対象者	氏名			対象者類型	生活保護受給者	担当HW	
					生活困窮者	担当ナビ	
					その他		
	求職番号			就職年月日			
就業先事業所	名称			TEL			
	所在地				担当者		
	配属先						
	備考(事業所内で対象者が生保受給者等であることを了知している人物等、事業所訪問にあたって配慮すべき事項、その他特記事項)						
就職時の状況	業務の内容			勤務形態	勤務日数、勤務時間等		
	備考(就職にあたって配慮が必要だった事項、就職後の自治体の支援の有無、内容、その他特記事項)						

実施状況(事業所訪問時の対象者の状況、事業主への助言内容等、支援の過程を記入)

年月日	内容
連絡記録□ 訪問記録□	
連絡記録□ 訪問記録□	
連絡記録□ 訪問記録□	

生活保護受給者等就労自立促進事業の実施について

事業所訪問記録票（続紙）

名簿NO.	
実施状況（事業所訪問時の対象者の状況、事業主への助言内容等、支援の過程を記入）	
年月日	内容
連絡記録□ 訪問記録□	
連絡記録□ 訪問記録□	
連絡記録□ 訪問記録□	
連絡記録□ 訪問記録□	
連絡記録□ 訪問記録□	
連絡記録□ 訪問記録□	

Ⅱ　生活保護法関係通知　第10章　自立支援プログラム

(別添13)
　No._____

住居・生活支援相談票

□には、あてはまるものに☑をつけてください。

令和　年　月　日	
（フリガナ） 氏　名	
世帯構成	□単身　□複数世帯（本人が主たる生計維持者）　□複数世帯（その他）
生年月日	昭和・平成　　年　　月　　日　（満　　歳）
現在の住所 又は居所(※)	□　自宅・家族の家　　□　賃貸住宅　　□　社宅・会社の寮など □　友人・知人の家　　□　住居がない
電話番号	

※「居所」とは、住居のない方の場合の、ふだん寝泊まりしている場所をいいます。

◆現在の仕事の状況
　□　現在仕事をしている　　（□　近日中に離職予定：離職予定時期_____）
　□　離職　離職時期：平成・令和　　年　　月
　　　　　　離職理由：□　事業主都合　□　期間満了　□　自己都合
　　　　　（具体的な理由：_____）

◆雇用保険の受給状況
　□　受給中（___年___月まで　/　給付額日額_____円）
　□　これから受給予定（___年___月から）
　□　受給終了
　□　受給資格がない

◆その他の支援施策などの受給状況
　□　職業訓練受講給付金　　　□　年金　　　□　住居確保給付金
　□　生活福祉資金貸付（□　緊急小口資金　□　その他）　□　生活保護

◆本日相談したいこと　　　　　　　　　　　（具体的にご記入ください）
　□　仕事・就職活動に関すること
　□　職業訓練に関すること
　□　住居に関すること
　□　生活費に関すること
　□　その他

ご記入いただき、ありがとうございました。

(別添14)

生活保護の相談に係る連絡票

(福祉事務所名)　　　　　福祉事務所　御中

　当公共職業安定所に求職申込みをしている次の求職者より、生活保護の相談の御希望がありましたので、生活・住居支援施策の利用状況とあわせて、次の通り連絡いたします。

|公共職業安定所担当者記入欄|

①相談者	氏名	（　　才）	生年月日	年　月　日
	世帯構成(同居人)			
	住居の有無	持ち家・借家（家賃：　　円）・その他（　　）・無		
	住居又は居所			
	電話番号			
②求職状況	初回求職登録	平成　・　令和　　年　月　日		
	これまでの安定所での求職活動状況			
③各種支援施策の利用状況	雇用保険の受給資格	有（月額　　　円）・無		
	生活困窮者自立支援制度等の利用状況			
	その他の支援施策の利用状況			
④生活保護制度の説明				
⑤相談内容・生活状況の確認	相談の概要			
	(1) 預貯金・現金等の保有状況			
	(2) 収入の状況・生計維持手段			

公共職業安定所　　　　　　　　　　　　令和　　年　月　日

　　　　　　　　　　　　　　　名　称　_____
　　　　　　　　　　　　　　　電話番号　_____
　　　　　　　　　　　　　　　担当者名　_____

Ⅱ 生活保護法関係通知 第10章 自立支援プログラム

求 職 者 記 入 欄

　上記の私の個人情報が、生活保護の相談に必要となる範囲で、自治体及び公共職業安定所との間で相互利用されることについて了承します。

　　　　　　　　　　　　　　　求職者　フリガナ
　　　　　　　　　　　　　　　　　　　氏　　　名
　　　　　　　　　　　　　　　　　　　生年月日
　　　　　　　　　　　　　　　　　　　住　　　所
　　　　　　　　　　　　　　　　　　　電話番号

（注）　住所欄は、現在の居住地を記載すること。ただし、住居がない場合は、現在寝泊まりしている場所を記載すること。

(別添15—1)

生活保護受給者等(※)の流れ

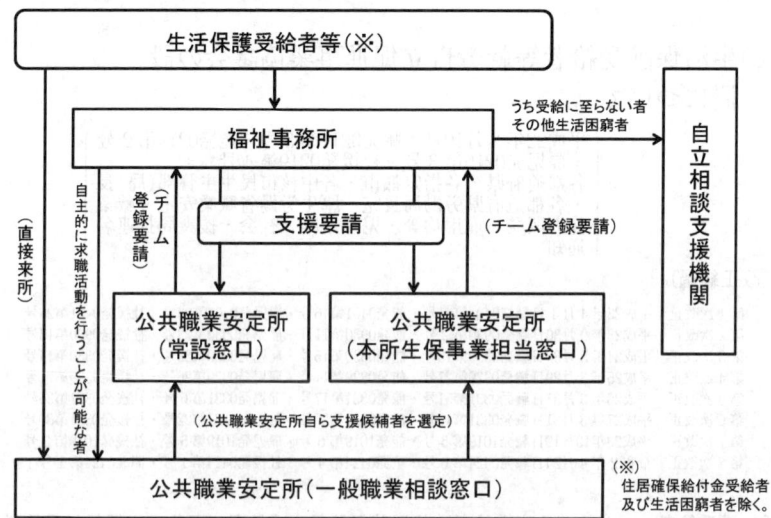

(別添15—2)

住居確保給付金受給者及び生活困窮者の流れ

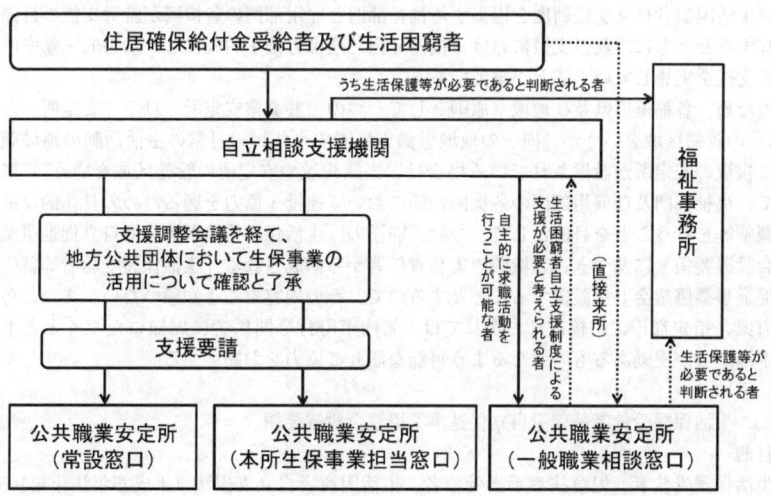

○生活保護受給者等就労自立促進事業協議会の設置について

> 平成22年2月19日　職発0219第3号・能発0219第2号
> ・雇児発0219第3号・社援発0219第4号
> 各都道府県・各指定都市・各中核市民生主管部（局）長
> ・各都道府県労働局長宛　厚生労働省職業安定・職業
> 能力開発・雇用均等・児童家庭・社会・援護局長連名
> 通知

〔改正経過〕
第1次改正　平成23年4月1日職発0401第31号・能発0401第46号・雇児発0401第23号・社援発0401第28号
第2次改正　平成23年9月30日職発0930第2号・能発0930第11号・雇児発0930第23号・社援発0930第13号
第3次改正　平成24年3月30日職発0330第13号・能発0330第15号・雇児発0330第32号・社援発0330第14号
第4次改正　平成25年3月29日職発0329第27号・能発0329第11号・雇児発0329第26号・社援発0329第71号
第5次改正　平成26年3月31日職発0331第51号・能発0331第17号・雇児発0331第6号・社援発0331第36号
第6次改正　平成27年3月31日職発0331第16号・能発0331第29号・雇児発0331第22号・社援発0331第30号
第7次改正　平成28年10月19日職発1019第5号・能発1019第6号・雇児発1019第5号・社援発1019第2号
第8次改正　令和2年4月24日職発0424第6号・子発0424第4号・社援発0424第1号・開発0424第1号

　生活保護受給者、児童扶養手当受給者、住居確保給付金受給者（旧住宅支援給付受給者を含む。）及び生活困窮者自立支援法（平成25年法律第105号）に基づく自立相談支援事業による支援を受けている生活困窮者（住居確保給付金受給者を除く。）等に対する就労支援を行う生活保護受給者等就労自立促進事業の実施に当たっては、生活保護、児童扶養手当及び生活困窮者自立支援制度を担当する福祉部門と雇用部門の各機関が就労支援の目標を共有するとともに、就労支援における役割分担と連携方法を明確にし、効果的・効率的な就労支援を実施していくことが重要である。
　このため、各都道府県及び地域（原則として一つの公共職業安定所（以下「安定所」という。）の管轄区域をいうが、同一の地域労働市場圏内や住民の日常の生活活動の地域範囲内に複数の安定所が設置されている場合は、当該複数の安定所の管轄区域をいう。）において、福祉部門及び雇用部門の各機関の間において連携・協力を図るための具体的な協議や調整等を行うことを目的として、今般、別添の「生活保護受給者等就労自立促進事業協議会設置要領」に基づき、各機関の実務責任者から構成される「生活保護受給者等就労自立促進事業協議会」を設置することとするので、その内容をご了知願いたい。また、各都道府県、指定都市、中核市におかれては、管内市町村等関係者に周知いただくとともに、本協議会が実効あるものとなるよう可能な限りご協力をお願いする。
（別添）
　　　　生活保護受給者等就労自立促進事業協議会設置要領
1　目的
　　生活保護受給者、児童扶養手当受給者、生活困窮者自立支援法（平成25年法律第105

生活保護受給者等就労自立促進事業協議会の設置について

号）に基づく住居確保給付金受給者及び同法に基づく自立相談支援事業（以下「自立相談支援事業」という。）による支援を受けている生活困窮者（住居確保給付金受給者を除く。以下「生活困窮者」という。）等（以下「生活保護受給者等」という。）に対する就労支援を行う生活保護受給者等就労自立促進事業（以下「本事業」という。）の実施に当たっては、生活保護、児童扶養手当及び生活困窮者自立支援制度を担当する福祉部門と雇用部門の各機関が就労支援の目標を共有するとともに、就労支援における役割分担と連携方法を明確にし、効果的・効率的な就労支援を実施していくことが重要である。

　このため、各都道府県及び地域（原則として一つの公共職業安定所（以下「安定所」という。）の管轄区域をいうが、同一の地域労働市場圏内や住民の日常の生活活動の地域範囲内に複数の安定所が設置されている場合は、当該複数の安定所の管轄区域をいう。以下同じ。）において、福祉部門及び雇用部門の各機関の間において連携・協力を図るための具体的な協議や調整等を行うことを目的として、各機関の実務責任者から構成される「生活保護受給者等就労自立促進事業協議会」（以下「協議会」という。）を設置する。

2　協議会の設置単位と名称

　協議会は、都道府県及び地域を単位として設置する。

　原則として、都道府県単位の協議会（以下「都道府県協議会」という。）の名称は「○○県生活保護受給者等就労自立促進事業協議会」、地域単位の協議会（以下「地域協議会」という。）の名称は「○○地域生活保護受給者等就労自立促進事業協議会」とする。

　なお、協議事項が広範囲にわたり、技術的事項について実務的な検討が必要である場合等であって、協議会の会合の中では取り扱いきれない場合においては、協議会の下に、適宜分科会や専門委員会を置いてこれに検討・協議を委ねることとして差し支えない。

3　構成員等

　都道府県協議会及び地域協議会は、それぞれ次の(1)(2)に掲げる者によって構成されるものとする。

　ただし、(1)の都道府県協議会の構成員の一部（※を付したア②③、イ②、ウ①②③）については、同時に(2)の地域協議会の構成員（それぞれ(2)のア①、イ①、ウ、ア③、イ②③）ともなっているところであり、各都道府県の実情に応じて地域協議会のみの構成員とすることとしても差し支えない。

　また、準構成員、オブザーバーについては、協議会の会合において関係のある議案が検討される場合にのみ出席を求めることができる。

(1)　都道府県協議会

　　ア　福祉部門

　　　①　都道府県の担当課長（生活保護、母子・父子福祉施策（児童扶養手当関係業務を含む。以下同じ。）及び生活困窮者自立支援制度の各担当）

　　※②　政令指定都市及び中核市の担当課長（生活保護、母子・父子福祉施策及び生活

困窮者自立支援制度の各担当）
　　　　※③　本事業の福祉部門担当コーディネーターの所属する地方公共団体の担当課長
　　　　　　（生活保護、母子・父子福祉施策及び生活困窮者自立支援制度の各担当）
　　　イ　雇用部門
　　　　①　都道府県労働局職業安定部の担当課室長（本事業、求職者支援制度の各担当
　　　　　　等）
　　　　※②　本事業を実施する安定所の所長
　　　　③　都道府県の雇用政策担当課長
　　　ウ　準構成員
　　　　※①　都道府県、政令指定都市、中核市の母子家庭等就業・自立支援センター長、自
　　　　　　立相談支援事業を実施する機関（以下「自立相談支援機関」という。）の長
　　　　※②　福祉部門担当コーディネーターの代表
　　　　※③　本事業の担当者、就職支援ナビゲーター（以下「ナビゲーター」という。）の
　　　　　　代表
　　　エ　オブザーバー
　　　　都道府県協議会が必要と認める者
　（2）地域協議会
　　　ア　福祉部門
　　　　①　地方公共団体の担当課長（生活保護、母子・父子福祉施策及び生活困窮者自立
　　　　　　支援制度の各担当）
　　　　②　福祉事務所の所長
　　　　③　福祉部門担当コーディネーター
　　　イ　雇用部門
　　　　①　安定所の所長
　　　　②　安定所の本事業全体の管理・指導等を行う職員（以下「事業担当責任者」とい
　　　　　　う。）、求職者支援制度の担当等
　　　　③　ナビゲーター
　　　ウ　準構成員
　　　　母子家庭等就業・自立支援センター長、一般市等就業・自立支援事業を実施する
　　　機関の長、自立相談支援機関の長
　　　エ　オブザーバー
　　　　地域協議会が必要と認める者
4　協議事項
　（1）協議事項の分担
　　　協議会において協議する事項は下記(2)の各項目であるが、各項目を都道府県協議会
　　又は地域協議会のいずれで協議するかについては、あらかじめ都道府県協議会におい
　　て役割分担を定めておく。
　（2）協議事項
　　　ア　都道府県・地域内の福祉と雇用の動向に関する確認

① 生活保護受給者等の動向
② 雇用情勢、求職者・失業者の動向
イ　本事業の実施状況及び成果の確認と検証
① 本事業の実施状況（福祉部門から安定所に対する支援要請状況、雇用部門による就職支援状況等）
② 本事業を通じた成果の確認と検証（本事業を通じてどのくらいの支援対象者の就労自立を実現できたか。）
ウ　本事業及びこれと連携する各支援施策（生活保護、児童扶養手当、住居確保給付金及び自立相談支援事業）の運用上の問題点・課題の検討
　　本事業を実施するために各支援施策を実施する関係機関の間で行う連携（周知・誘導・連絡・通報・調整・要請等）において発生している運用上の問題点・課題を整理し、その解決策を検討する。
（注）なお、協議会では解決できない制度上の問題点・課題については、担当部局を通じて本省の担当部局に報告する。
エ　本事業の実施手続上の調整と確認
① 担当者の研修方法等の調整
　　必要に応じて、本事業の福祉部門担当コーディネーターの所属する地方公共団体の担当者又は福祉部門担当コーディネーターに対する職業安定行政に関する研修、また、事業担当責任者又はナビゲーターに対する福祉行政に関する研修を行うための具体的な方法と時期について調整する。
② 本事業及びこれと連携する各支援施策の運用上の取扱いの調整と確認
　(ｱ) 本事業及びこれと連携する各支援施策の申請時期や申請確認書類等に関して、各地域の実情に応じた運用上の規定や申請上の留意事項等がある場合、これを確認する。
　(ｲ) 本事業及びこれと連携する各支援施策の制度改正や取扱いの変更がある場合、これを確認する。
オ　本事業の実施に係る協定の策定・締結
　　協議会において、本事業に係る就労支援の目標等について協議する。
① 就労支援の目標等の設定
　　本事業の実施に係る目標の設定に当たっては、別途通知する目安だけでなく、雇用保険二事業目標における本事業全般に係る目標及び一体的実施施設に係る目標を踏まえつつ、下記に留意し、地方公共団体と十分な協議を行うこと。
　(ｱ) 本事業全般に係る目標については、当該年度の就労支援の支援対象者数、就職率等の数値目標を策定し、関係者間で共有する。目標については、地方公共団体・地方公共団体の設置する福祉事務所その他の行政機関又は自立相談支援機関（以下「福祉事務所等」という。）と安定所のチーム支援としての目標とする。
　　　目標の水準については、地方公共団体・福祉事務所等及び安定所の実施体制や地域における生活保護受給者等の状況を踏まえ、支援対象者の属性ごとに、可能な限り詳細な検討を行い、適切な目標水準となるように調整する（属性ご

との数値目標の設定は必須としない。)。
(イ)　一体的実施事業(生保型常設窓口)に係る目標については、平成24年3月30日付け職発0330第18号「一体的実施事業の実施について」(令和2年2月19日最終改正)等によること。
　なお、これらの目標については、年度ごとに設定すること。また、支援実績等を踏まえ、必要な場合には、年度途中においても見直しを行っても差し支えないこと。
② 就労支援における関係機関の役割分担と連携方法等の明確化
　就労支援における地方公共団体・福祉事務所等と労働局・安定所の役割分担と具体的な連携方法について検討し、明確化する。具体的には、支援対象者の情報管理、支援対象者の選定方法、本事業就労支援チーム(以下「就労支援チーム」という。)の設置、福祉部門担当コーディネーター、事業担当責任者及びナビゲーターの担当範囲と連携方法、就労支援の実績の共有方法等を明確にする。
　また、就労支援が計画的に行われるよう、当該年度の支援スケジュールについても調整する。
③　効果的な支援方法の検討
　就労自立の成果を左右する就労意欲の喚起、職業能力の開発、雇用機会の確保等について、地域の実情に合った効果的な支援方法を検討する。
(ア)　就労意欲の喚起
　福祉事務所等が実施している就労意欲喚起のための被保護者就労準備支援事業等の他、就労に対する不安や悩みの解消を図るためのカウンセリング、就労による収入の増加のモデルケースの提供、将来の生活設計についてのアドバイス、就職により自立したケースの紹介等、支援対象者の抱える課題等に応じた就労意欲の喚起のための方策を検討する。
(イ)　職業能力の開発及び向上
　ジョブ・カード等の活用によるキャリアコンサルティングや公共職業訓練、求職者支援訓練等への受講あっせん等、就労自立に向けた効果的な職業能力の開発及び向上のための方策を検討する。
(ウ)　雇用機会の確保
　生開コースの活用の他、職場体験講習実施事業所、トライアル雇用実施事業所等の求人等の確保等、雇用機会の確保のための方策を検討する。
④　巡回相談の実施方法・回数の検討
　福祉事務所等への巡回相談は、福祉事務所等の庁舎内に安定所の窓口を臨時に開設するものとして、支援対象者等が福祉事務所等に来所した機会を捉えたワンストップ型の支援が可能であることや、事前相談による本事業への円滑な誘導、支援対象者の範囲に関する福祉事務所等との認識の共有化等の効果が見込まれるものであることを踏まえ、常設窓口の設置を行わない全ての福祉事務所を対象に積極的に実施する方向で、地域の実情にあった効果的な実施方法及び実施回数について検討する。
　なお、自立相談支援機関が福祉事務所の所在する地方公共団体の庁舎内に設置

される場合は、福祉事務所と併せて巡回相談を実施する方向で、庁舎外に設置される場合は、福祉事務所への巡回相談とは別に、自立相談支援機関への巡回相談を実施する方向で、地域の実情にあった効果的な実施方法及び実施回数について検討する。
カ 支援対象者の態様に応じた支援
就労支援の目標等の決定、関係機関の役割分担と連携方法の決定に際しては、支援対象者の態様に応じた効果的な支援が行われるよう、次の点に留意して検討する。
① 稼働能力、就労意欲等の面からみて就労に向けた準備が一定程度整っている者
稼働能力を有し、就労意欲が一定程度ある等就労に向けた準備が一定程度整っている者については、確実に就労に結びつくよう、ナビゲーターが、カウンセリングからキャリアの棚卸し、職務経歴書の作成、面接の指導、個別求人開拓によるマッチング、職業紹介、フォローアップまで、担当者制による一貫した就労支援を実施する。
また、就労支援チームが就労支援プランを策定した上で、当該就労支援プランに基づき、①ナビゲーターによる担当者制の支援、②就労意欲を高めるための職業準備プログラム及び③職業能力の開発及び向上等のための就労支援プログラムを実施する。
支援に当たっては、支援対象者の状況に応じて、ナビゲーターによる支援期間を短縮する等、弾力的な支援を実施し、非効率な支援にならないよう留意する。
② 就労意欲が低い等の課題があり、特別の支援が必要な者
就労から長期間遠ざかっていた等により、就労意欲が著しく低い等、特別な支援が必要な者に対しては、本格的な就労支援に先立ち、福祉事務所等が実施する就労意欲喚起のための被保護者就労準備支援事業や生活困窮者自立支援法に基づく就労準備支援事業等により、カウンセリング、生活能力向上のための訓練、就労体験等の中間的就労、コミュニティ・ビジネスでの就労、ボランティア体験等の社会貢献活動等、就労意欲の喚起に向けた支援を活用する。
就労意欲が一定程度醸成される等により、就労に向けた準備が一定程度整った場合は、就労支援チームが就労支援プランを策定した上で、必要に応じて各種準備メニュー・支援メニューを実施するとともに、事業担当責任者の管理の下、ナビゲーターの担当者制の支援による職業紹介の実施等により、就労の実現を図る。
キ 地方公共団体と労働局・安定所との協定の締結
地方公共団体と労働局・安定所は、上記オの①から④の協議を踏まえ、書面（協定の締結例は別添のとおり）により締結する。
① 協定の内容
協定には、㋐協定の目的、㋑就労支援の目標、㋒地方公共団体、労働局・安定所、関係機関等の役割分担と連携の方法、㋓就労意欲の喚起、職業能力開発、雇用機会の確保等に関する支援方法等を盛り込む。
具体的な協定の内容については、別添を参考にして、協議会の構成員である地

Ⅱ　生活保護法関係通知　第10章　自立支援プログラム

　　　　方公共団体と労働局・安定所との間で調整すること。
　　　② 協定の締結方法
　　　　協定の締結方法については、次の方法を参考にして、協議会の構成員である地方公共団体と労働局・安定所との間で調整すること。
　　　　(ｱ) 各地域の地域協議会の検討を踏まえ、労働局と都道府県でまとめて協定を締結する。
　　　　(ｲ) 各地域の地域協議会の検討を踏まえ、労働局・各安定所と都道府県・各市区・福祉事務所を設置する町村が、連名で協定を締結する。
　　　　(ｳ) 各地域の地域協議会の検討を踏まえ、各安定所と各市区・福祉事務所を設置する町村が個別に協定を締結する。
　　ク　その他必要な事項
　　　その他、支援施策・事業の効果的な実施に当たって必要となる関係機関の間の連携に関する必要な事項について協議等を行う。
 5　協議会の活動
 (1) 協議会の会合の開催
　　ア　協議会の会合の開催時期
　　　本事業の実施に係る協定の策定、締結の時期を考慮した上で、年に数回開催する。会合は、地域協議会よりも都道府県協議会を先に開催しなければならないものではないことに留意する。
　　イ　協議会の会合の開催に当たっての留意事項
　　　協議会の会合の開催に当たっては、形式的・儀式的なものとならず、できるだけ実務に即した協議となるよう留意する。特に、地域協議会は、担当者相互で十分に意思疎通を図り、密接な連携体制を構築することが主目的になることから、ミーティング形式で行うなどにより実務的な調整・検討が行える場となるよう留意する。
 (2) 日常的な連携
　　協議会の構成員は、関係機関の間の連携を図るために、各種検討・協議・調整等を協議会の会合において行うだけでなく、これを日常的にも密接に行うよう努めるものとする。
 6　秘密保持義務
　　協議会の構成員（準構成員を含む）及びオブザーバーは、職務上知り得た秘密を漏らしてはならない。
 7　庶務
 (1) 都道府県協議会の庶務は、都道府県福祉部局の協力を得て、都道府県労働局が担当する。ただし、各地域の実情に応じて、都道府県労働局と都道府県民生部局の持ち回り又は都道府県民生部局が担当することとしても差し支えない。
 (2) 地域協議会の庶務は、地域内の地方公共団体の協力を得て、安定所が行う。ただし、各地域の実情に応じて、安定所と地方公共団体の持ち回り又は地方公共団体が担当することとしても差し支えない。
別添　略

第11章　交付要綱

○生活保護法による保護施設事務費及び委託事務費の支弁基準について

平成20年３月31日　厚生労働省発社援第0331011号
各都道府県知事・各指定都市市長・各中核市市長宛
厚生労働事務次官通知

〔改正経過〕

第１次改正	平成20年７月８日厚生労働省発社援第0708018号	第２次改正	平成21年８月21日厚生労働省発社援0821第２号
第３次改正	平成22年１月28日厚生労働省発社援0128第５号	第４次改正	平成22年４月19日厚生労働省発社援0419第５号
第５次改正	平成23年４月１日厚生労働省発社援0401第２号	第６次改正	平成24年４月６日厚生労働省発社援0406第１号
第７次改正	平成25年５月15日厚生労働省発社援0515第10号	第８次改正	平成26年３月20日厚生労働省発社援0320第７号
第９次改正	平成27年２月３日厚生労働省発社援0203第６号	第10次改正	平成27年５月25日厚生労働省発社援0525第５号
第11次改正	平成28年１月21日厚生労働省発社援0121第６号	第12次改正	平成28年３月29日厚生労働省発社援0329第21号
第13次改正	平成29年２月１日厚生労働省発社援0201第２号	第14次改正	平成29年３月30日厚生労働省発社援0330第13号
第15次改正	平成30年２月１日厚生労働省発社援0201第８号	第16次改正	平成30年３月30日厚生労働省発社援0330第14号
第17次改正	平成31年２月１日厚生労働省発社援0201第８号	第18次改正	平成31年３月29日厚生労働省発社援0329第７号
第19次改正	令和元年９月19日厚生労働省発社援0919第４号	第20次改正	令和２年２月25日厚生労働省発社援0225第６号
第21次改正	令和２年４月２日厚生労働省発社援0402第１号	第22次改正	令和３年２月８日厚生労働省発社援0208第１号
第23次改正	令和３年４月27日厚生労働省発社援0427第３号	第24次改正	令和４年３月30日厚生労働省発社援0330第５号
第25次改正	令和４年12月16日厚生労働省発社援1216第８号	第26次改正	令和５年３月28日厚生労働省発社援0328第19号
第27次改正	令和５年12月25日厚生労働省発社援1225第８号	第28次改正	令和６年６月24日厚生労働省発社援0624第３号

　生活保護法（昭和25年法律第144号）第70条又は第71条及び中国残留邦人等の円滑な帰国の促進及び永住帰国後の自立の支援に関する法律（平成６年法律第30号）第14条第４項（中国残留邦人等の円滑な帰国の促進及び永住帰国後の自立の支援に関する法律の一部を改正する法律（平成19年法律第127号）附則第４条第２項において準用する場合を含む。以下同じ。）においてその例によるものとされた生活保護法第70条又は第71条の規定により、市町村又は都道府県（指定都市及び中核市を含む。以下同じ。）が支弁する生活保護法第19条第１項の規定により行う保護（同条第５項の規定により委託を受けて行う保護を含む。）及び中国残留邦人等の円滑な帰国の促進及び永住帰国後の自立の支援に関する法

律第14条第4項においてその例によるものとされた生活保護法第19条第1項の規定により行う支援給付に関する費用のうち、保護施設事務費及び委託事務費の支弁基準については、別紙によることとされ平成20年4月1日から適用されることとなったので通知する。

なお、昭和48年5月26日厚生省社第497号本職通知「生活保護法による保護施設事務費及び委託事務費の支弁基準について」は廃止する。

おって、昭和19年度以前の生活保護法による保護施設事務費及び委託事務費の取り扱いについては、なお従前の例によるものとする。

(別　紙)

　　　　　生活保護法による保護施設事務費及び委託事務費の支弁基準

1　通則

　この基準は、生活保護法施行令（昭和25年政令第148号）第10条第1項及び中国残留邦人等の円滑な帰国の促進並びに永住帰国した中国残留邦人等及び特定配偶者の自立の支援に関する法律第14条第4項においてその例によるものとされた生活保護法施行令第10条第1項の規定により、生活保護法（以下「法」という。）第75条及び中国残留邦人等の円滑な帰国の促進並びに永住帰国した中国残留邦人等及び特定配偶者の自立の支援に関する法律第14条第4項においてその例によるものとされた生活保護法第75条に規定する国庫負担金の交付の対象となる保護施設事務費（社会福祉法（昭和26年法律第45号）による授産施設に対して交付する施設事務費を含む。以下同じ。）及び委託事務費の支弁の基準（以下「支弁基準」という。）を定めたものであること。

2　用語の定義

　この支弁基準において、次に掲げる用語の定義は、それぞれ当該各号に定める。

(1)　「保護施設事務費」及び「委託事務費」とは、法第70条又は第71条及び中国残留邦人等の円滑な帰国の促進並びに永住帰国した中国残留邦人等及び特定配偶者の自立の支援に関する法律第14条第4項においてその例によるものとされた生活保護法第70条又は第71条の規定により、市町村又は都道府県が支弁すべき保護施設事務費及び委託事務費（(2)に規定するものを除く。以下同じ。）であって、施設事務費支弁基準額（委託事務費支弁基準額）に各月初日の入所（委託、利用）実人員を乗じて得た額をいい、保護施設又はこれに準ずる施設の運営に必要な人件費及びその他事務の執行に伴う諸経費をいう。

(2)　「日常生活支援委託事務費」とは、法第70条又は第71条の規定により、市町村又は都道府県が支弁すべき委託事務費のうち、日常生活支援住居施設に入所させ又は入所を委託した場合の委託事務費であって、日常生活支援委託事務費支弁基準額に委託入所延べ人数を乗じて得た額をいい、日常生活支援住居施設において提供する日常生活支援の実施に必要な人件費及びその他の諸経費をいう。

(3)　「施設事務費支弁基準額」及び「委託事務費支弁基準額」とは、保護施設への入所（委託、利用）及びこれに準ずる施設への委託を行う場合における入所（委託、利用）者1人当たりの事務費月額単価であって、3の(1)及び4の定めるところにより、

(4) 「日常生活支援委託事務費支弁基準額」とは、日常生活支援住居施設への入所（委託）を行う場合における入所（委託）者1人当たりの事務費日額単価であって、5の(1)の定めるところにより、都道府県知事がその施設について設定した額をいう。
(5) 「取扱定員」とは、地方公共団体立の施設にあっては、条例等で定めた入所（利用）人員をいい、法人立のものにあっては、法第41条第2項の規定により、都道府県知事が認可した入所（利用）人員（社会福祉法による授産施設にあっては、同法第62条第1項の規定により届出した利用人員）をいう。ただし、前年度中に新たに事業を開始した施設を除き施設事務費支弁基準額を設定しようとする年度の前年度の各月初日の入所（利用）人員の合計を12で除して得た月平均入所（利用）人員（小数点以下は切り捨て）が、取扱定員に1.1を乗じて得た数を超えるとき（取扱定員が101人以上の施設にあっては取扱定員に10を加えて得た数を超えるとき）はその月平均入所（利用）人員をもって取扱定員とすること。
(6) 「入所定員」とは、日常生活支援住居施設において、地方公共団体立のものにあっては条例等で定めた入所人員をいい、法人立の施設にあっては、法第30条ただし書きの規定に基づき都道府県知事が認定した入所人員をいう。

3 保護施設事務費
(1) 施設事務費支弁基準額の設定方法
　都道府県知事は、毎年度当初その管轄に属する保護施設の個々についてその所在する地域区分、取扱定員により、別表(1)に示す一般事務費単価に、その施設が次の表の第2欄に掲げる要件に該当するとき（第1欄の20を除く）は、それぞれ同表第3欄に掲げる単価を加算した額をもって、その年度における施設事務費支弁基準額として設定すること（円未満切捨て）。第1欄の20については、第2欄に掲げる要件に該当して実施する月において、加算して施設事務費支弁基準額として設定すること。なお、保護施設通所事業事務費については、一般事務費単価とは別に計上し、民間施設給与等改善費を加算した額をもって、その年度における施設事務費支弁基準額として設定する。
　ただし、これにより難い場合は、厚生労働大臣に協議して承認を得た特別基準の額をもって施設事務費支弁基準額として設定すること。
　なお、都道府県知事は、施設事務費支弁基準額を設定したときは、法第19条に規定する保護の実施機関及び施設の長に対し、その旨通知すること。

費目の名称 （第1欄）	設　定　の　要　件 （第2欄）	適用される単価 （第3欄）
1 寒冷地加算額	国家公務員の寒冷地手当に関する法律（昭和24年法律第200号）及び寒冷地手当支給規則（昭和39年総理府令第33号）に定める地域に所在する場合	別表(2)　事務費加算額表の1から6に示す加算額の合計額を当該施設の取扱定員に12を

2	事務用冬期採暖費	北海道に所在する場合	乗じて得た数により、除して得た額（10円未満四捨五入）を加算単価とする。
3	ボイラー技士雇上費	「ボイラー及び圧力容器安全規則（昭和47年労働省令第33号）」第1条第1号に規定するボイラーを設置しておりボイラー技士の免許を有する者を雇上げる場合	
4	機能回復訓練業務委託費	救護施設のうち「理学療法士及び作業療法士法（昭和40年法律第137号）」で定める理学療法士又は作業療法士が、機能回復訓練を原則として週1回以上行う場合	
5	降灰除去費	活動火山対策特別措置法（昭和48年7月24日法律第61号）第23条第1項の規定に基づく降灰防除地域に所在する施設の場合	
6	精神科医雇上費	救護施設及び更生施設の入所者に対する精神医学面の処遇の強化を図るため、別途定めるところにより精神科医の雇上げを必要とする施設の場合	
7	指導員加算費	1 救護施設のうち、精神障害者、知的障害者及び重度の身体障害者の現に入所している入所者に対して占める割合の高い施設であって、別途定めるところにより指導員の増員を必要とするものと認定される施設の場合 2 宿所提供施設のうち、生活指導等を積極的に行い施設利用者の自立促進に努力している施設であって別途定めるところにより指導員の増員を必要とするものと認定される施設の場合 3 授産施設のうち、身体障害者、知的障害者及び精神障害者の利用率が高い施設であって、別途定めるところにより指導員の増員を必要とするものと認定される施設の場合	別表(2) 事務費加算額表の7 指導員加算単価 ※指導員加算費については加算単価に加算配置職員数を乗じた額とする。
8	看護師加算費	救護施設のうち、精神障害者、知的障害者及び重度の身体障害者の現に入所している入所者に対して占める割合の高い施設であっ	別表(2) 事務費加算額表の8 看護師加算単価

		て、別途定めるところにより看護師の増員を必要とするものと認定される施設の場合	
9	介護職員加算費	1 救護施設のうち、食事、入浴、排泄及び衣類の着脱のどれかの行為について、全部又は一部の介助を必要とする者の現に入所している入所者に対して占める割合の高い施設であって、別途定めるところにより介護職員の増員を必要とするものと認定される施設の場合 2 1の要件を満たさない施設のうち、「精神障害」、「知的障害」及び「身体障害」の障害を有する者の現に入所している入所者の占める割合の高い施設であって、別途定めるところにより介護職員の増員を必要とするものと認定される施設の場合 3 平成16年12月14日社援発第1214002号厚生労働省社会・援護局長通知「救護施設におけるサテライト型施設の設置運営について」に基づくサテライト型施設を設置する救護施設であって、別途定めるところにより介護職員の増員を必要とするものと認定される施設の場合	別表(2) 事務費加算額表の9 介護職員加算単価 ※介護職員加算費については加算単価に加算配置職員数を乗じた額とする。
10	精神保健福祉士加算費	救護施設のうち、精神障害者及び知的障害者の現に入所している入所者に対して占める割合の高い施設であって、別途定めるところにより精神保健福祉士の増員を必要とするものと認定される施設の場合	別表(2) 事務費加算額表の10 精神保健福祉士加算単価 ※精神保健福祉士加算費については加算単価に加算配置職員数を乗じた額とする。
11	保護施設通所事業事務費	保護施設通所事業を実施している救護施設又は更生施設であって、別途定めるところにより、事務費を必要とするものと認定された場合	別表(2) 事務費加算額表の11 保護施設通所事業事務費に示す単価
12	寝具乾燥消毒費	救護施設の毎年4月1日現在における被措置者につき加算	寝具乾燥消毒費加算単価入所者1人当たり2,560円

13　施設機能強化推進費	施設機能の充実強化を推進している施設であって別途定めるところにより施設機能強化推進費を必要とするものと認定された場合	当該施設にかかわる認定額を当該施設の取扱定員に12を乗じて得た数により除して得た額（10円未満四捨五入）を加算単価とする。
14　入所者処遇特別加算費	高齢者等を非常勤職員として雇用している施設であって、別途定めるところにより、入所者処遇特別加算が必要とするものと認定された場合で毎年3月1日現在における被措置者につき加算	当該施設にかかわる認定額を当該施設の取扱定員で除して得た額（10円未満四捨五入）
15　単身赴任手当加算	職員のうち単身赴任者が存する施設であって、別途定めるところにより、単身赴任手当加算が必要とするものと認定された場合	当該施設にかかわる認定額を当該施設の取扱定員で除して得た額（10円未満四捨五入）
16　感染症対策等体制整備費	感染症対策等に取り組む施設であって、別途定めるところにより、業務継続計画（ＢＣＰ）の策定・改定、マニュアル等の策定・改定又は施設職員に対する研修の実施のために必要と認定された場合	次の額を上限とする所要額について当該施設の取扱定員に12を乗じて得た数により除して得た額（10円未満四捨五入） ・救護施設、更生施設及び宿所提供施設にあっては150,000円 ・授産施設にあっては100,000円
17　新型コロナウイルス感染症等感染拡大防止のための見守り支援費	救護施設又は更生施設であって、新型コロナウイルス感染症等の施設内感染を防止するために、別途定めるところにより、施設外での一時滞在場所の確保及び見守り支援を実施するために必要と認定された場合	次の額を上限として認定された経費を当該施設の取扱定員に感染防止見守り支援を実施した暦月を乗じて得た数により除して得た額（10円未満四捨五入） ・施設外での一時滞在場所の確保に要する経費（日額）対象者

			1人当たり 7,000円 ・見守り支援に要する人件費等の経費（日額）9,600円
18	就労支援加算費	入所者の地域移行に取り組む救護施設又は更生施設であって、別途定めるところにより、就労支援加算費を必要とするものと認定された場合	次の額を上限とする所要額について当該施設の取扱定員に12を乗じて得た数により除して得た額（10円未満四捨五入） ・救護施設にあっては762,000円 ・更生施設にあっては463,000円
19	民間施設給与等改善費	地方公共団体の経営する施設以外の施設（ただし、昭和46年7月16日社庶第121号厚生省社会局長、児童家庭局長通知にいう社会福祉事業団等の経営施設を除く。）であって、別途定めるところによる施設の場合	一般事務費単価（本表の1～10、12～15に示す単価が加算される場合においては、これらの単価を加算した額）×別途定めるところにより決定された加算率（10円未満四捨五入） 　ただし、加算率については別に定めるところにより全部又は一部を減ずることができる。 　また、11　保護施設通所事業事務費については、一般事務費単価とは別に加算率を乗じるものとする。
20	除雪費	豪雪地帯対策特別措置法（昭和37年法律第73号）第2条第2項の規定に基づく地域に所在する民間社会福祉施設（地方公共団体の経営する施設以外の施設をいう。）の場合で毎	除雪費加算単価入所者1人当たり　6,270円

Ⅱ　生活保護法関係通知　第11章　交付要綱

　　　　　　　　　年２月１日現在における被措置者につき加算
(2) 施設事務費支弁基準額の改正方法
　　当該施設の取扱定員に変更があった場合等における施設事務費支弁基準額の改定は、その事実が生じた日の属する月の翌月（その事実の生じた日が月の初日であるときはその月）から(1)の方法に準じて行うこと。
(3) 保護施設事務費の支弁方法
　ア　一般入所者に関する保護施設事務費
　　　市町村又は都道府県による保護施設事務費の支弁は次の(ｱ)及び(ｲ)の算式により算定した合算額をもって、原則として毎月行うものとすること。
　　(ｱ) 本人支払額のない場合
　　　　(1)により設定した施設事務費支弁基準額×その月初日の入所（委託、利用）実人員
　　(ｲ) 本人支払額のある場合
　　　　(1)により設定した施設事務費支弁基準額×その月初日の入所（委託、利用）実人員－本人支払額
　　　ただし、新たに事業を開始した施設の場合には、事業開始後３か月を経過する日の属する月まで、月の中途における入退所者にかかる保護施設事務費は、次の算式により算定した額とする。

$$(1)により設定した施設事務費支弁基準額 \times \frac{当該月の実入所（委託、利用）日数}{30日又は当該月の日数} - 本人支払額$$

　イ　一時入所者に関する保護施設事務費
　　　別に定めるところにより、１月を超えない期間を定めて入所する場合の市町村又は都道府県による保護施設事務費の支弁は次の(ｱ)及び(ｲ)の算式により算定した合算額をもって、原則として退所月の翌々月までに行うものとすること。
　　　なお、この場合、当該者については、「ア　一般入所者に関する保護施設事務費」の算定からは除くものとする。
　　(ｱ) 本人支払額のない場合
　　　　(1)により設定した施設事務費支弁基準額／30日（100円未満の端数は切り捨て）×実入所（委託、利用）日数
　　(ｲ) 本人支払額のある場合
　　　　(1)により設定した施設事務費支弁基準額／30日（100円未満の端数は切り捨て）×実入所（委託、利用）日数－本人支払額
４　委託事務費の支弁方法
　委託事務費の支弁は、３の(3)の施設事務費の支弁方法の例に準じて行うものとすること。
５　日常生活支援委託事務費
(1) 日常生活支援委託事務費支弁基準額の設定方法

生活保護法による保護施設事務費及び委託事務費の支弁基準について

都道府県知事は、毎年度当初その管轄に属する日常生活支援住居施設の個々について、その所在する地域区分、入所定員により、別表(3)に示す一般事務費単価に、その施設が次の表の第2欄に掲げる要件に該当するときは、それぞれ同表第3欄に掲げる単価を加算した額をもって、その年度における日常生活支援委託事務費支弁基準額として設定すること（円未満切捨て）。

日常生活支援委託事務費支弁基準額を設定する際は、入所者から受領する基本サービス費（「無料低額宿泊所の設備及び運営に関する基準」（令和元年厚生労働省令第34号）第16条第1項第6号に規定する基本サービス費をいう。）の金額が入所者1人当たり月額7000円以内であることを要件とする。

なお、都道府県知事は、日常生活支援委託事務費支弁基準額を設定したときは、法第19条に規定する保護の実施機関及び施設の長に対し、その旨通知すること。

(別添)

費目の名称 （第1欄）	設定の要件 （第2欄）	適用される単価 （第3欄）
支援体制加算Ⅰ （10：1）	次のいずれの要件も満たすものとして、都道府県知事が認定していること。 1　当該施設に配置される生活支援員の員数が、常勤換算方法で入所定員を10で除して得た数以上であること。 2　別に定める重点の要支援者に該当する入所者について、全入所者に占める割合が25％以上であること。	別表(4)　事務費加算表の1 支援体制加算Ⅰの単価
支援体制加算Ⅱ （7.5：1）	次のいずれの要件も満たすものとして都道府県知事が認定していること。 1　当該施設に配置される生活支援員の員数が、常勤換算方法で、入所定員を7.5で除して得た数以上であること。 2　別に定める重点の要支援者に該当する入所者数について、全入所者数に占める割合が50％以上であること。	別表(4)　事務費加算表の2 支援体制加算Ⅱの単価
支援体制加算Ⅲ （5：1）	次のいずれの要件も満たすものとして、都道府県知事が認定していること。 1　当該施設に配置される生活支援員の員数が、常勤換算方法で、入所定員を5で除して得た数以上であること。 2　別に定める重点の要支援者に該当する入所者数について、全入所者数に占める割合	別表(4)　事務費加算表の3 支援員体制加算Ⅲの単価

	が50％以上であること。	
宿直体制加算	次のいずれの要件を満たすものとして、都道府県知事が認定していること。 1　夜間及び深夜の時間帯において、宿直等により入所者への対応ができる体制を整えていること。 2　別に定める重点的要支援者に該当する入所者数について、全入所者数に占める割合が50％以上であること。	別表(4)　事務費加算表の4 宿直体制加算の単価

(2) 日常生活支援委託事務費支弁基準額の改定及び減算の方法
　ア　当該施設の入所定員に変更があった場合等における日常生活支援委託事務費支弁基準額の改定は、その事実が生じた日の属する月の翌月（その事実の生じた日が月の初日であるときはその月）から(1)の方法に準じて行うこと。
　イ　当該施設の職員配置について人員欠如が生じた場合における日常生活支援委託事務費の減算は、その事実が生じた月の翌月から人員欠如が解消されるに至った月まで、当該施設の入所者全員について、別に定める方法によって行うこと。
　ウ　当該施設において、個別支援計画の作成が適切に行われていない場合における日常生活支援委託事務費の減算は、その事実が生じた月から解消されるに至った月の前月まで、該当する入所者について、別に定める方法によって行うこと。
(3) 日常生活支援委託事務費の支弁方法
　　市町村又は都道府県による日常生活支援委託事務費の支弁は、次のア及びイの算式により算定した合算額をもって、原則として毎月行うものとすること。
　ア　本人支払額のない場合
　　　(1)により設定した日常生活支援委託事務費支弁基準額×当該月の委託入所延べ人数
　イ　本人支払額のある場合
　　　(1)により設定した日常生活支援委託事務費支弁基準額×当該月の委託入所延べ人数－本人支払額

別表(1)

一般事務費単価表（月額）

令和6年4月1日から適用

第1 救護施設

(単位：円)

取扱定員	20/100	16/100	15/100	12/100	10/100	6/100	3/100	左記以外の地域
30人以下	282,100	274,100	272,000	266,000	262,000	253,900	247,900	241,900
31—40	243,400	236,400	234,600	229,400	225,900	218,900	213,700	208,400
41—50	203,900	198,100	196,600	192,200	189,200	183,300	178,900	174,500
51—60	192,300	186,700	185,300	181,100	178,400	172,800	168,600	164,400
61—70	183,200	177,800	176,500	172,500	169,900	164,500	160,500	156,600
71—80	174,300	169,200	167,900	164,100	161,500	156,400	152,600	148,800
81—90	169,100	164,100	162,900	159,200	156,700	151,800	148,100	144,400
91—100	165,100	160,300	159,100	155,400	153,000	148,200	144,600	141,000
101—110	158,000	153,400	152,300	148,900	146,600	142,000	138,600	135,100
111—120	158,000	153,300	152,200	148,700	146,400	141,800	138,300	134,800
121—130	155,750	151,200	150,000	146,600	144,300	139,700	136,300	132,900
131—140	153,500	149,000	147,900	144,500	142,300	137,700	134,400	131,000
141—150	154,900	150,300	149,200	145,800	143,500	138,900	135,500	132,100
151—160	157,000	152,400	151,200	147,800	145,500	140,800	137,400	133,900
161—170	151,600	147,100	146,000	142,700	140,400	136,000	132,600	129,300
171—180	150,400	145,900	144,800	141,500	139,300	134,900	131,500	128,200
181—190	152,400	147,900	146,800	143,400	141,200	136,700	133,300	130,000
191—200	148,000	143,700	142,600	139,300	137,100	132,800	129,500	126,200
201—210	149,300	145,000	143,900	140,600	138,400	134,100	130,800	127,500
211—220	150,600	146,200	145,100	141,800	139,600	135,100	131,800	128,500
221—230	148,100	143,700	142,700	139,400	137,200	132,900	129,600	126,300
231—240	147,300	143,000	141,900	138,700	136,500	132,200	128,900	125,700
241—250	146,600	142,300	141,200	138,000	135,800	131,500	128,200	125,000
251—260	145,300	141,100	140,000	136,700	134,600	130,300	127,100	123,900
261—270	144,700	140,400	139,300	136,100	134,000	129,800	126,600	123,400
271人以上	144,100	139,900	138,800	135,600	133,500	129,300	126,100	122,900

1 地域区分は、次によること。
   (1) 「20/100」とは、一般職の職員の給与に関する法律（昭和25年法律第95号）第11条の3の規定に基づく人事院規則9―49（以下「人事院規則」という。）別表第1（第2条、第3条関係）（以下、「別表第1」という。）の支給割合が1級地とされている地域とする。
   (2) 「16/100」とは、人事院規則別表第1の支給割合が2級地とされている地域とする。
   (3) 「15/100」とは、人事院規則別表第1の支給割合が3級地とされている地域及び習志野市、八千代市とする。
   (4) 「12/100」とは、人事院規則別表第1の支給割合が4級地とされている地域及び綾瀬市、海老名市、座間市、高石市とする。
   (5) 「10/100」とは、人事院規則別表第1の支給割合が5級地とされている地域及び鶴ヶ島市、新座市、富士見市、ふじみ野市、埼玉県三芳町、四街道市、小金井市、東久留米市、寒川町、逗子市、摂津市、松原市、川西市、広島県府中町とする。
   (6) 「6/100」とは、人事院規則別表第1の支給割合が6級地とされている地域（東久留米市を除く。）及び狭山市、蕨市、白井市、伊勢原市、秦野市、大府市、長岡京市、大阪狭山市、大阪府忠岡町、貝塚市とする。
   (7) 「3/100」とは、人事院規則別表第1の支給割合が7級地とされている地域及び稲沢市、東海市、知立市、愛西市、四篠畷市、生駒郡斑鳩町とする。
2 定員111人以上の施設にあっては、次の表の適用区分による医師人件費単価を加える。
3 サテライト型施設を設置している場合には、本体施設とサテライト型施設のそれぞれの定員の合計を取扱定員とする。

Ⅱ 生活保護法関係通知 第11章 交付要綱

医師人件費単価

(単位：円)

級地区分 地域区分 取扱定員 (人)	1級地とされる地域 20/100 常勤医師での場合	1級地とされる地域 20/100 常勤医師でない場合	2級地とされる地域 16/100 常勤医師での場合	2級地とされる地域 16/100 常勤医師でない場合	3級地とされる地域 15/100 常勤医師での場合	3級地とされる地域 15/100 常勤医師でない場合	4級地とされる地域 12/100 常勤医師での場合	4級地とされる地域 12/100 常勤医師でない場合	5級地とされる地域 10/100 常勤医師での場合	5級地とされる地域 10/100 常勤医師でない場合	6級地とされる地域 6/100 常勤医師での場合	6級地とされる地域 6/100 常勤医師でない場合	7級地とされる地域 3/100 常勤医師での場合	7級地とされる地域 3/100 常勤医師でない場合	左記以外の地域 常勤医師での場合	左記以外の地域 常勤医師でない場合
111-120	8,600	2,900	8,400	2,800	8,300	2,800	8,800	3,000	9,300	3,100	9,100	3,100	8,900	3,000	8,700	2,900
121-130	7,900	2,700	7,700	2,600	7,700	2,600	8,100	2,700	8,600	2,900	8,400	2,800	8,200	2,800	8,100	2,700
131-140	7,400	2,500	7,200	2,400	7,100	2,400	7,600	2,600	8,000	2,700	7,800	2,600	7,600	2,600	7,500	2,500
141-150	6,900	2,300	6,700	2,300	6,700	2,300	7,100	2,400	7,400	2,500	7,300	2,500	7,100	2,400	7,000	2,400
151-160	6,500	2,200	6,300	2,100	6,200	2,100	6,600	2,200	7,000	2,400	6,800	2,300	6,700	2,300	6,600	2,200
161-170	6,100	2,100	5,900	2,000	5,900	2,000	6,200	2,100	6,600	2,200	6,400	2,200	6,300	2,100	6,200	2,100
171-180	5,700	1,900	5,600	1,900	5,600	1,900	5,900	2,000	6,200	2,100	6,100	2,100	6,000	2,000	5,800	2,000
181-190	5,400	1,800	5,300	1,800	5,300	1,800	5,600	1,900	5,900	2,000	5,700	1,900	5,600	1,900	5,500	1,900
191-200	5,200	1,800	5,000	1,700	5,000	1,700	5,300	1,800	5,600	1,900	5,500	1,900	5,400	1,800	5,300	1,800
201-210	4,900	1,700	4,800	1,600	4,800	1,600	5,100	1,700	5,300	1,800	5,200	1,800	5,100	1,700	5,000	1,700
211-220	4,700	1,600	4,600	1,600	4,600	1,600	4,800	1,600	5,100	1,700	5,000	1,700	4,900	1,700	4,800	1,600
221-230	4,500	1,500	4,400	1,500	4,400	1,500	4,600	1,600	4,900	1,700	4,800	1,600	4,700	1,600	4,600	1,600
231-240	4,300	1,500	4,200	1,400	4,200	1,400	4,400	1,500	4,700	1,600	4,600	1,600	4,500	1,500	4,400	1,500
241-250	4,100	1,400	4,000	1,400	4,000	1,400	4,300	1,500	4,500	1,500	4,400	1,500	4,300	1,500	4,200	1,400
251-260	4,000	1,400	3,900	1,300	3,900	1,300	4,100	1,400	4,300	1,500	4,200	1,400	4,100	1,400	4,100	1,400
261-270	3,800	1,300	3,700	1,300	3,700	1,300	3,900	1,300	4,200	1,400	4,100	1,400	4,000	1,400	3,900	1,300
271人以上	3,700	1,300	3,600	1,200	3,600	1,200	3,800	1,300	4,000	1,400	3,900	1,300	3,800	1,300	3,800	1,300

(注)
1 級地区分は、人事院規則9－49別表第1によるものとする。
ただし、人事院規則9－49別表第1に支給地域が規定されていない地域は以下の級地とみなす。
・習志野市、八千代市は3級地とみなす。
・綾瀬市、海老名市、座間市、高石市は4級地とみなす。
・鶴ヶ島市、新座市、富士見市、ふじみ野市、埼玉県三芳町、四街道市、小金井市、東久留米市、大阪狭山市、大阪府忠岡町、寝屋川市、摂津市、広島県府中町は5級地とみなす。
・狭山市、蕨市、白井市、伊勢原市、秦野市、大府市、長岡京市、四條畷市、生駒郡斑鳩町は7級地とみなす。
・稲沢市、東海市、知立市、愛西市は6級地とみなす。
2 地域区分は、前表の区分と同じ。
3 常勤医師の場合、常勤医師でない場合の単価の適用区分については、別に定める場合による。

生活保護法による保護施設事務費及び委託事務費の支弁基準について

第2 更生施設

一般事務費単価表（月額）
令和6年4月1日から適用

（単位：円）

取扱定員	20/100	16/100	15/100	12/100	10/100	6/100	3/100	左記以外の地域
30人以下	199,700	194,200	192,800	188,700	186,000	180,500	176,400	172,300
31-40	164,500	160,000	158,900	155,400	153,200	148,600	145,200	141,800
41-50	140,900	137,000	136,000	133,000	131,000	127,100	124,100	121,200
51-60	118,700	115,400	114,600	112,100	110,400	107,100	104,600	102,100
61-70	102,000	99,100	98,400	96,300	94,800	92,000	89,900	87,700
71-80	89,400	86,900	86,300	84,400	83,100	80,700	78,800	76,900
81-90	79,600	77,400	76,800	75,200	74,000	71,800	70,200	68,500
91-100	76,400	74,200	73,700	72,100	71,000	68,900	67,300	65,700
101-110	69,800	67,900	67,400	65,900	64,900	63,000	61,500	60,000
111-120	64,100	62,300	61,900	60,500	59,600	57,800	56,500	55,100
121-130	59,300	57,600	57,200	56,000	55,100	53,500	52,200	51,000
131-140	55,100	53,600	53,200	52,100	51,300	49,700	48,600	47,400
141-150	55,600	54,100	53,700	52,600	51,800	50,300	49,100	47,900
151-160	56,800	55,200	54,800	53,600	52,900	51,300	50,100	48,900
161-170	53,600	52,100	51,700	50,600	49,800	48,300	47,200	46,100
171-180	52,300	50,800	50,400	49,300	48,600	47,100	46,000	44,800
181-190	49,600	48,200	47,800	46,800	46,100	44,700	43,600	42,500
191-200	50,000	48,600	48,200	47,100	46,400	45,000	43,900	42,900
201-210	48,400	47,000	46,700	45,700	45,000	43,600	42,600	41,600
211-220	48,900	47,500	47,200	46,100	45,400	44,100	43,000	42,000
221-230	48,800	47,400	47,100	46,100	45,400	44,000	42,900	41,900
231-240	48,100	46,700	46,300	45,300	44,600	43,200	42,200	41,200
241-250	46,200	44,900	44,500	43,500	42,900	41,500	40,600	39,600
251-260	46,600	45,300	44,900	43,900	43,300	41,900	40,900	39,900
261-270	47,100	45,700	45,400	44,400	43,700	42,300	41,300	40,300
271人以上	45,500	44,100	43,800	42,800	42,200	40,900	39,900	38,900

（注） 地域区分は、第1救護施設に準ずる。

Ⅱ 生活保護法関係通知 第11章 交付要綱

第3 宿所提供施設

一般事務費単価表（月額）
令和6年4月1日から適用

（単位：円）

取扱定員	20／100	16／100	15／100	12／100	10／100	6／100	3／100	左記以外の地域
30人以下	57,500	55,900	55,500	54,300	53,500	51,900	50,700	49,600
31―40	43,200	42,000	41,700	40,800	40,200	39,000	38,200	37,300
41―50	34,600	33,700	33,500	32,700	32,300	31,300	30,600	29,900
51―60	28,900	28,100	27,900	27,300	26,900	26,200	25,600	25,000
61―70	24,900	24,200	24,000	23,500	23,200	22,500	22,000	21,500
71―80	21,800	21,200	21,000	20,600	20,300	19,700	19,300	18,800
81―90	19,400	18,900	18,800	18,400	18,100	17,600	17,200	16,800
91―100	17,500	17,000	16,900	16,600	16,300	15,800	15,500	15,100
101―110	16,000	15,500	15,400	15,100	14,900	14,400	14,100	13,800
111―120	14,700	14,300	14,200	13,900	13,700	13,300	13,000	12,700
121―130	13,600	13,200	13,100	12,800	12,600	12,300	12,000	11,700
131―140	12,600	12,300	12,200	11,900	11,800	11,400	11,200	10,900
141―150	11,800	11,500	11,400	11,200	11,000	10,700	10,500	10,200
151―160	11,100	10,800	10,700	10,500	10,300	10,000	9,800	9,600
161―170	10,500	10,200	10,100	9,900	9,800	9,500	9,300	9,100
171―180	9,900	9,600	9,600	9,400	9,200	9,000	8,800	8,600
181―190	9,400	9,100	9,100	8,900	8,800	8,500	8,300	8,100
191―200	8,900	8,700	8,600	8,500	8,300	8,100	7,900	7,800
201―210	10,600	10,300	10,200	10,000	9,900	9,600	9,400	9,100
211人以上	10,100	9,900	9,800	9,600	9,400	9,200	9,000	8,700

（注） 地域区分は、第1救護施設に準ずる。

生活保護法による保護施設事務費及び委託事務費の支弁基準について

第4 授産施設

一般事務費単価表（月額）
令和6年4月1日から適用

(単位：円)

取扱定員	20／100	16／100	15／100	12／100	10／100	6／100	3／100	左記以外の地域
20人以下	95,300	92,500	91,900	89,800	88,400	85,700	83,600	81,600
21―30	88,100	85,400	84,700	82,600	81,200	78,400	76,300	74,200
31―40	66,300	64,200	63,600	62,100	61,000	58,900	57,400	55,800
41―50	64,700	62,700	62,200	60,700	59,700	57,600	56,100	54,600
51―60	64,600	62,600	62,100	60,600	59,600	57,600	56,000	54,500
61―70	61,300	59,400	58,900	57,400	56,500	54,600	53,100	51,700
71―80	58,800	56,900	56,500	55,100	54,200	52,300	50,900	49,500
81―90	58,600	56,800	56,300	54,900	54,000	52,200	50,800	49,400
91人以上	52,800	51,100	50,700	49,500	48,700	47,000	45,800	44,500
家庭授産	6,500	6,300	6,200	6,100	6,000	5,800	5,600	5,500

(注) 地域区分は、第1救護施設に準ずる。

別表(2)
事務費加算表
1 寒冷地加算額
　当該施設の取扱定員に支給地域の区分ごとに次の額を乗じて得た額

施設種別	1級地	2級地	3級地	4級地
救　護	円 22,680	円 20,400	円 20,040	円 15,960
更　生	12,240	10,920	10,800	8,520
宿　提	3,240	3,000	2,880	2,280
授　産	12,000	10,800	10,680	8,400

　注：表中の1級地から4級地は、国家公務員の寒冷地手当に関する法律（昭和24年法律第200号）第1条第1号及び第2号に定める地域とする。

2 事務用冬期採暖費加算額
　　1施設当たり年額　　　　　　　取扱定員×2,310円
3 ボイラー技士雇上費加算額
　　1施設当たり年額　　　　　　　2,655,180円
4 機能回復訓練業務委託費加算額
　　1施設当たり年額　　　　　　　338,620円
5 降灰除去費
　　1施設当たり年額　　　　　　　164,890円
6 精神科医雇上費加算額
　(1) 救護施設

加算回数	月1回	月3回	月4回	月5回	月6回	月7回
1施設当たり 加算年額	円 179,120	円 537,360	円 716,480	円 895,600	円 1,074,720	円 1,253,840

　(2) 更生施設
　　　1施設当たり年額　　　　　　　358,240円

生活保護法による保護施設事務費及び委託事務費の支弁基準について

7 指導員加算（入所者（利用者）1人当たり月額）
　ア　救護施設

令和6年4月1日から適用

（単位：円）

取扱定員	20/100	16/100	15/100	12/100	10/100	6/100	3/100	左記以外の地域
50人以下	11,900	11,600	11,500	11,200	11,000	10,600	10,400	10,100
51―60	10,000	9,600	9,600	9,300	9,200	8,900	8,600	8,400
61―70	8,500	8,300	8,200	8,000	7,900	7,600	7,400	7,200
71―80	7,500	7,300	7,200	7,000	6,900	6,700	6,500	6,300
81―90	6,700	6,500	6,500	6,300	6,200	6,000	5,800	5,700
91―100	6,000	5,900	5,800	5,700	5,600	5,400	5,300	5,100
101―110	5,500	5,300	5,300	5,200	5,100	4,900	4,800	4,700
111―120	5,000	4,800	4,800	4,700	4,600	4,500	4,300	4,200
121―130	4,700	4,500	4,500	4,400	4,300	4,200	4,100	3,900
131―140	4,300	4,200	4,200	4,100	4,000	3,900	3,800	3,700
141―150	4,000	3,900	3,900	3,800	3,700	3,600	3,500	3,400
151―160	3,800	3,700	3,700	3,600	3,500	3,400	3,300	3,200
161―170	3,600	3,500	3,400	3,400	3,300	3,200	3,100	3,000
171―180	3,400	3,300	3,200	3,200	3,100	3,000	2,900	2,900
181―190	3,200	3,100	3,100	3,000	3,000	2,900	2,800	2,700
191―200	3,000	3,000	2,900	2,900	2,800	2,700	2,700	2,600
201―210	2,900	2,800	2,800	2,700	2,700	2,600	2,500	2,500
211―220	2,800	2,700	2,700	2,600	2,600	2,500	2,400	2,400
221―230	2,700	2,600	2,600	2,500	2,500	2,400	2,300	2,300
231―240	2,500	2,500	2,400	2,400	2,400	2,300	2,200	2,200
241―250	2,400	2,400	2,400	2,300	2,300	2,200	2,100	2,100
251―260	2,400	2,300	2,300	2,200	2,200	2,100	2,100	2,000
261―270	2,300	2,200	2,200	2,100	2,100	2,000	2,000	1,900
271人以上	2,200	2,100	2,100	2,100	2,000	2,000	1,900	1,900

（注）　地域区分は、別表(1)の第1救護施設の区分に準ずる。

イ 宿所提供施設

```
令和6年4月1日から適用
```

(単位:円)

取扱定員	20/100	16/100	15/100	12/100	10/100	6/100	3/100	左記以外の地域
50人以下	11,700	11,400	11,300	11,000	10,800	10,500	10,200	9,900
51—60	9,800	9,500	9,400	9,200	9,000	8,700	8,500	8,300
61—70	8,400	8,100	8,100	7,900	7,700	7,500	7,300	7,100
71—80	7,300	7,100	7,100	6,900	6,800	6,600	6,400	6,200
81—90	6,500	6,300	6,300	6,100	6,000	5,800	5,700	5,500
91—100	5,900	5,700	5,700	5,500	5,400	5,300	5,100	5,000
101—110	5,400	5,200	5,200	5,000	4,900	4,800	4,700	4,500
111—120	4,900	4,800	4,700	4,600	4,500	4,400	4,300	4,200
121—130	4,500	4,400	4,400	4,300	4,200	4,100	4,000	3,900
131—140	4,200	4,100	4,100	4,000	3,900	3,800	3,700	3,600
141—150	3,900	3,800	3,800	3,700	3,600	3,500	3,400	3,300
151—160	3,700	3,600	3,600	3,500	3,400	3,300	3,200	3,100
161—170	3,500	3,400	3,300	3,300	3,200	3,100	3,000	3,000
171—180	3,300	3,200	3,200	3,100	3,000	2,900	2,900	2,800
181—190	3,100	3,000	3,000	2,900	2,900	2,800	2,700	2,700
191—200	3,000	2,900	2,900	2,800	2,700	2,700	2,600	2,500
201—210	2,800	2,700	2,700	2,700	2,600	2,500	2,500	2,400
211人以上	2,700	2,600	2,600	2,500	2,500	2,400	2,400	2,300

(注) 地域区分は、別表(1)の第1救護施設の区分に準ずる。

生活保護法による保護施設事務費及び委託事務費の支弁基準について

ウ 授産施設（その1　常勤職員を配置した場合）

令和6年4月1日から適用

（単位：円）

取扱定員	20／100	16／100	15／100	12／100	10／100	6／100	3／100	左記以外の地域
20人以下	29,100	28,200	28,000	27,300	26,900	26,000	25,300	24,600
21―30	19,400	18,800	18,700	18,200	17,900	17,300	16,900	16,400
31―40	14,600	14,100	14,000	13,700	13,500	13,000	12,700	12,300
41―50	11,700	11,300	11,200	10,900	10,800	10,400	10,100	9,900
51―60	9,700	9,400	9,400	9,100	9,000	8,700	8,500	8,200
61―70	8,300	8,100	8,000	7,800	7,700	7,500	7,300	7,100
71―80	7,300	7,100	7,000	6,900	6,800	6,500	6,400	6,200
81―90	6,500	6,300	6,300	6,100	6,000	5,800	5,700	5,500
91人以上	5,900	5,700	5,600	5,500	5,400	5,200	5,100	5,000

（注）　地域区分は、別表(1)の第1救護施設の区分に準ずる。

授産施設（その2　常勤職員と非常勤職員を配置した場合）

令和6年4月1日から適用

（単位：円）

取扱定員	20／100	16／100	15／100	12／100	10／100	6／100	3／100	左記以外の地域
20人以下	38,100	37,200	37,000	36,300	35,900	35,000	34,300	33,600
21―30	25,400	24,800	24,700	24,200	23,900	23,300	22,900	22,400
31―40	19,100	18,600	18,500	18,200	18,000	17,500	17,200	16,800
41―50	15,300	14,900	14,800	14,500	14,400	14,000	13,700	13,500
51―60	12,700	12,400	12,400	12,100	12,000	11,700	11,500	11,200
61―70	10,800	10,600	10,500	10,300	10,200	10,000	9,800	9,600
71―80	9,500	9,300	9,200	9,100	9,000	8,700	8,600	8,400
81―90	8,500	8,300	8,300	8,100	8,000	7,800	7,700	7,500
91人以上	7,700	7,500	7,400	7,300	7,200	7,000	6,900	6,800

（注）　地域区分は、別表(1)の第1救護施設の区分に準ずる。

8 看護師加算(入所者(利用者)1人当たり月額)
　救護施設

| 令和6年4月1日から適用 |

(単位:円)

取扱定員	20/100	16/100	15/100	12/100	10/100	6/100	3/100	左記以外の地域
50人以下	12,000	11,600	11,500	11,200	11,100	10,700	10,400	10,100
51—60	10,000	9,700	9,600	9,400	9,200	8,900	8,700	8,500
61—70	8,600	8,300	8,200	8,000	7,900	7,700	7,500	7,300
71—80	7,500	7,300	7,200	7,100	6,900	6,700	6,500	6,400
81—90	6,700	6,500	6,400	6,300	6,200	6,000	5,800	5,700
91—100	6,000	5,800	5,800	5,700	5,600	5,400	5,200	5,100
101—110	5,500	5,300	5,300	5,100	5,100	4,900	4,800	4,600
111—120	5,000	4,900	4,800	4,700	4,600	4,500	4,400	4,300
121—130	4,600	4,500	4,500	4,400	4,300	4,100	4,000	3,900
131—140	4,300	4,200	4,200	4,100	4,000	3,900	3,800	3,700
141—150	4,000	3,900	3,900	3,800	3,700	3,600	3,500	3,400
151—160	3,800	3,700	3,600	3,600	3,500	3,400	3,300	3,200
161—170	3,600	3,500	3,400	3,300	3,300	3,200	3,100	3,000
171—180	3,400	3,300	3,200	3,200	3,100	3,000	2,900	2,900

(注)　地域区分は、別表(1)の第1救護施設の区分に準ずる。

9 介護職員加算（入所者（利用者）1人当たり月額）
  救護施設

令和6年4月1日から適用

(単位：円)

取扱定員	20/100	16/100	15/100	12/100	10/100	6/100	3/100	左記以外の地域
50人以下	12,200	11,800	11,700	11,400	11,300	10,900	10,600	10,300
51—60	10,200	9,900	9,800	9,500	9,400	9,100	8,800	8,600
61—70	8,700	8,500	8,400	8,200	8,100	7,800	7,600	7,400
71—80	7,700	7,400	7,400	7,200	7,100	6,800	6,600	6,500
81—90	6,900	6,600	6,600	6,400	6,300	6,100	6,000	5,800
91—100	6,200	6,000	5,900	5,800	5,700	5,500	5,400	5,200
101—110	5,600	5,400	5,400	5,300	5,200	5,000	4,900	4,800
111—120	5,200	5,000	5,000	4,800	4,800	4,600	4,500	4,400
121—130	4,800	4,600	4,600	4,500	4,400	4,300	4,100	4,000
131—140	4,400	4,300	4,300	4,200	4,100	4,000	3,900	3,700
141—150	4,100	4,000	4,000	3,900	3,800	3,700	3,600	3,500
151—160	3,900	3,800	3,700	3,600	3,600	3,500	3,400	3,300
161—170	3,700	3,500	3,500	3,400	3,400	3,300	3,200	3,100
171—180	3,500	3,300	3,300	3,200	3,200	3,100	3,000	2,900
181—190	3,300	3,200	3,200	3,100	3,100	3,000	2,900	2,800
191—200	3,100	3,000	3,000	2,900	2,900	2,800	2,700	2,600
201—210	3,000	2,900	2,900	2,800	2,700	2,700	2,600	2,500
211—220	2,800	2,700	2,700	2,700	2,600	2,500	2,500	2,400
221—230	2,700	2,600	2,600	2,500	2,500	2,400	2,400	2,300
231—240	2,600	2,500	2,500	2,400	2,400	2,300	2,300	2,200
241—250	2,500	2,400	2,400	2,300	2,300	2,200	2,200	2,100
251—260	2,400	2,300	2,300	2,300	2,200	2,200	2,100	2,000
261—270	2,300	2,200	2,200	2,200	2,100	2,100	2,000	2,000
271人以上	2,200	2,200	2,200	2,100	2,100	2,000	1,900	1,900

（注） 地域区分は、別表(1)の第1救護施設の区分に準ずる。

Ⅱ 生活保護法関係通知 第11章 交付要綱

10 精神保健福祉士加算（入所者（利用者）１人当たり月額）
救護施設

令和６年４月１日から適用

（単位：円）

取扱定員	20／100	16／100	15／100	12／100	10／100	6／100	3／100	左記以外の地域
50人以下	12,100	11,800	11,700	11,400	11,200	10,800	10,500	10,300
51―60	10,100	9,800	9,700	9,500	9,300	9,000	8,800	8,600
61―70	8,700	8,400	8,300	8,100	8,000	7,700	7,500	7,300
71―80	7,600	7,400	7,300	7,100	7,000	6,800	6,600	6,400
81―90	6,800	6,600	6,600	6,400	6,300	6,100	5,900	5,800
91―100	6,100	6,000	5,900	5,800	5,700	5,500	5,300	5,200
101―110	5,600	5,400	5,400	5,200	5,200	5,000	4,900	4,700
111―120	5,100	4,900	4,900	4,800	4,700	4,500	4,400	4,300
121―130	4,700	4,600	4,600	4,400	4,400	4,200	4,100	4,000
131―140	4,400	4,300	4,200	4,100	4,100	3,900	3,800	3,700
141―150	4,100	4,000	4,000	3,900	3,800	3,700	3,600	3,500
151―160	3,900	3,700	3,700	3,600	3,600	3,400	3,400	3,300
161―170	3,600	3,500	3,500	3,400	3,400	3,200	3,200	3,100
171―180	3,400	3,300	3,300	3,200	3,200	3,100	3,000	2,900
181―190	3,300	3,200	3,100	3,100	3,000	2,900	2,800	2,800
191―200	3,100	3,000	3,000	2,900	2,900	2,800	2,700	2,600
201―210	3,000	2,900	2,800	2,800	2,700	2,600	2,600	2,500
211―220	2,800	2,700	2,700	2,600	2,600	2,500	2,500	2,400
221―230	2,700	2,600	2,600	2,500	2,500	2,400	2,400	2,300
231―240	2,600	2,500	2,500	2,400	2,400	2,300	2,300	2,200
241―250	2,500	2,400	2,400	2,300	2,300	2,200	2,200	2,100
251―260	2,400	2,300	2,300	2,200	2,200	2,100	2,100	2,000
261―270	2,300	2,200	2,200	2,200	2,100	2,100	2,000	2,000
271人以上	2,200	2,200	2,100	2,100	2,100	2,000	1,900	1,900

（注） 地域区分は、別表(1)の第１救護施設の区分に準ずる。

11 保護施設通所事業単価(入所者(利用者)1人当たり月額)

ア 通所訓練

令和6年4月1日から適用

(単位:円)

取扱定員	20/100	16/100	15/100	12/100	10/100	6/100	3/100	左記以外の地域
救護施設	129,200	125,500	124,500	121,700	119,900	116,100	113,300	110,500
更生施設	124,700	121,100	120,300	117,600	115,800	112,200	109,500	106,900

(注) 地域区分は、別表(1)の第1救護施設の区分に準ずる。

イ 訪問指導

令和6年4月1日から適用

(単位:円)

利用者1人当たり月額
23,400

別表(3)

日常生活支援住居施設 一般事務費単価表（日額）

(単位：円)

入所定員	20／100	16／100	15／100	12／100	10／100	6／100	3／100	左記以外の地域
15人以下	960	920	910	880	860	830	800	770
16―20	860	830	820	790	770	740	710	690
21―30	710	680	670	650	630	610	580	560
31―40	820	790	780	750	740	700	680	650
41―50	720	690	680	660	640	610	590	570
51―60	650	620	620	600	580	550	530	510
61―70	720	690	680	660	640	610	590	570
71―80	670	640	630	610	600	570	550	530
81人以上	630	610	600	580	570	540	520	490

(注)

1　地域区分は、別表(1)の第１救護施設の区分に準ずる。
2　次のいずれかに該当する場合に、一般事務費単価表の額にそれぞれに掲げる割合を乗じて得た額とする。
(1) 日常生活支援住居施設において置くべき生活支援員の員数を満たしていない場合　100分の70（生活支援員の員数を満たしていない状態が３月以上継続している場合は、100分の50）
(2) 個別支援計画の策定が行われていない場合　100分の70（個別支援計画が策定されていない状態が３月以上継続している場合は、100分の50）
3　日常生活支援委託事務費の算定については、当該施設において利用者から受領する基本サービス費の金額が１人あたり月額7,000円以内であることを要件とする。

生活保護法による保護施設事務費及び委託事務費の支弁基準について

別表(4)

1 支援体制加算Ⅰ　入所者1人あたり日額

(単位：円)

	20／100	16／100	15／100	12／100	10／100	6／100	3／100	左記以外の地域
10：1	290	280	270	270	260	250	240	240

2 支援体制加算Ⅱ　入所者1人あたり日額

(単位：円)

	20／100	16／100	15／100	12／100	10／100	6／100	3／100	左記以外の地域
7.5：1	570	560	550	540	530	510	490	480

3 支援体制加算Ⅲ　入所者1人あたり日額

(単位：円)

	20／100	16／100	15／100	12／100	10／100	6／100	3／100	左記以外の地域
5：1	1,140	1,110	1,100	1,070	1,050	1,010	980	950

4 宿直体制加算　入所者1人あたり日額

(単位：円)

入所定員	20／100	16／100	15／100	12／100	10／100	6／100	3／100	左記以外の地域
10人以下	510	490	490	480	470	450	440	420
11～15	340	330	330	320	310	300	290	280
16～20	260	250	250	240	240	230	220	220
21～25	200	200	200	190	190	180	170	170
26～30	170	160	160	160	160	150	150	140

(注) 地域区分は、別表(1)の第1救護施設の区分に準ずる。

Ⅱ 生活保護法関係通知 第11章 交付要綱

1 一般事務費単価表
 (1) 救護施設

一般事務費単

令和6年4月

取扱定員	20／100			16／100			15／100			12／100		
	人件費	管理費	計	人件費	管理費	計	人件費	管理費	計	人件費	管理費	計
	円	円	円	円	円	円	円	円	円	円	円	円
30人以下	262,200	19,900	282,100	254,200		274,100	252,100		272,000	246,100		266,000
31―40	226,600	16,800	243,400	219,600		236,400	217,800		234,600	212,600		229,400
41―50	190,200	13,700	203,900	184,400		198,100	182,900		196,600	178,500		192,200
51―60	179,700	12,600	192,300	174,100	20/100	186,700	172,700	20/100	185,300	168,500	20/100	181,100
61―70	171,400	11,800	183,200	166,000		177,800	164,700		176,500	160,700		172,500
71―80	163,400	10,900	174,300	158,300		169,200	157,000		167,900	153,200		164,100
81―90	158,500	10,600	169,100	153,500		164,100	152,300		162,900	148,600		159,200
91―100	154,800	10,300	165,100	150,000	地	160,300	148,800	地	159,100	145,100	地	155,400
101―110	148,200	9,800	158,000	143,600		153,400	142,500		152,300	139,100		148,900
111―120	148,100	9,900	158,000	143,400		153,300	142,300		152,200	138,800		148,700
121―130	146,000	9,700	155,700	141,500		151,200	140,300		150,000	136,900		146,600
131―140	143,900	9,600	153,500	139,400	域	149,000	138,300	域	147,900	134,900	域	144,500
141―150	145,200	9,700	154,900	140,600		150,300	139,500		149,200	136,100		145,800
151―160	147,200	9,800	157,000	142,600		152,400	141,400		151,200	138,000		147,800
161―170	142,100	9,500	151,600	137,600		147,100	136,500		146,000	133,200		142,700
171―180	141,000	9,400	150,400	136,500	に	145,900	135,400	に	144,800	132,100	に	141,500
181―190	142,800	9,600	152,400	138,300		147,900	137,200		146,800	133,800		143,400
191―200	138,700	9,300	148,000	134,400		143,700	133,300		142,600	130,000		139,300
201―210	140,000	9,300	149,300	135,700		145,000	134,600		143,900	131,300		140,600
211―220	141,300	9,300	150,600	136,900	同	146,200	135,800	同	145,100	132,500	同	141,800
221―230	138,900	9,200	148,100	134,500		143,700	133,500		142,700	130,200		139,400
231―240	138,200	9,100	147,300	133,900		143,000	132,800		141,900	129,600		138,700
241―250	137,500	9,100	146,600	133,200		142,300	132,100		141,200	128,900		138,000
251―260	136,300	9,000	145,300	132,000	じ	141,000	131,000	じ	140,000	127,700	じ	136,700
261―270	135,800	8,900	144,700	131,500		140,400	130,400		139,300	127,200		136,100
271人以上	135,200	8,900	144,100	131,000		139,900	129,900		138,800	126,700		135,600

(注)
1 地域区分は、次によること。
 (1) 「20／100」とは、一般職の職員の給与に関する法律（昭和25年法律第95号）第11条の3の規定に基づく人事院規則9―49（以下「人事
 (2) 「16／100」とは、人事院規則別表第1の支給割合が2級地とされている地域とする。
 (3) 「15／100」とは、人事院規則別表第1の支給割合が3級地とされている地域及び習志野市、八千代市、東久留米市とする。
 (4) 「12／100」とは、人事院規則別表第1の支給割合が4級地とされている地域及び綾瀬市、海老名市、座間市、高石市とする。
 (5) 「10／100」とは、人事院規則別表第1の支給割合が5級地とされている地域及び鶴ヶ島市、新座市、富士見市、ふじみ野市、埼玉県三
 (6) 「6／100」とは、人事院規則別表第1の支給割合が6級地とされている地域（東久留米市を除く。）及び狭山市、蕨市、白井市、伊勢原
 (7) 「3／100」とは、人事院規則別表第1の支給割合が7級地とされている地域及び稲沢市、東海市、知立市、愛西市、四篠畷市、生駒郡
2 定員111人以上の施設にあっては、次の表の適用区分による医師人件費単価を加える。
3 サテライト型施設を設置している場合には、本体施設とサテライト型施設のそれぞれの定員の合計を取扱定員とする。

生活保護法による保護施設事務費及び委託事務費の支弁基準について

価表（月額）
1日から適用

(単位：円)

10/100			6/100			3/100			左記以外の地域		
人件費	管理費	計	人件費	管理費	計	人件費	管理費	計	人件費	管理費	計
円 242,100		円 262,000	円 234,000		円 253,900	円 228,000		円 247,900	円 222,000		円 241,900
209,100		225,900	202,100		218,900	196,900		213,700	191,600		208,400
175,500		189,200	169,600		183,300	165,200		178,900	160,800		174,500
165,800	20/100	178,400	160,200	20/100	172,800	156,000	20/100	168,600	151,800	20/100	164,400
158,100		169,900	152,700		164,500	148,700		160,500	144,800		156,600
150,600		161,500	145,500		156,400	141,700		152,600	137,900		148,800
146,100		156,700	141,200		151,800	137,500		148,100	133,800		144,400
142,700	地	153,000	137,900	地	148,200	134,300	地	144,600	130,700	地	141,000
136,800		146,600	132,200		142,000	128,800		138,600	125,300		135,100
136,500		146,400	131,900		141,800	128,400		138,300	124,900		134,800
134,600		144,300	130,000		139,700	126,600		136,300	123,200		132,900
132,700	域	142,300	128,100	域	137,700	124,800	域	134,400	121,400	域	131,000
133,800		143,500	129,200		138,900	125,800		135,500	122,400		132,100
135,700		145,500	131,000		140,800	127,600		137,400	124,100		133,900
130,900		140,400	126,500		136,000	123,100		132,600	119,800		129,300
129,900	に	139,300	125,500	に	134,900	122,100	に	131,500	118,800	に	128,200
131,600		141,200	127,100		136,700	123,700		133,300	120,400		130,000
127,800		137,100	123,500		132,800	120,200		129,500	116,900		126,200
129,100		138,400	124,800		134,100	121,500		130,800	118,200		127,500
130,300	同	139,600	125,800	同	135,100	122,500	同	131,800	119,200	同	128,500
128,000		137,200	123,700		132,900	120,400		129,600	117,100		126,300
127,400		136,500	123,100		132,200	119,800		128,900	116,600		125,700
126,700		135,800	122,400		131,500	119,200		128,300	115,900		125,000
125,600	じ	134,600	121,300	じ	130,300	118,100	じ	127,100	114,900	じ	123,900
125,100		134,000	120,900		129,800	117,700		126,600	114,500		123,400
124,600		133,500	120,400		129,300	117,200		126,100	114,000		122,900

院規則」という。）別表第1（第2条、第3条関係）（以下、「別表第1」という。）の支給割合が1級地とされている地域とする。

芳町、四街道市、小金井市、寒川町、逗子市、摂津市、松原市、川西市、広島県府中町とする。
市、秦野市、大府市、長岡京市、大阪狭山市、大阪府忠岡町、貝塚市とする。
斑鳩町とする。

Ⅱ 生活保護法関係通知 第11章 交付要綱

(2) 更生施設

一般事務費単

令和6年4月

取扱定員	20/100			16/100			15/100			12/100		
	人件費	管理費	計	人件費	管理費	計	人件費	管理費	計	人件費	管理費	計
30人以下	円 180,100	円 19,600	円 199,700	円 174,600		円 194,200	円 173,200		円 192,800	円 169,100		円 188,700
31－40	148,800	15,700	164,500	144,300		160,000	143,200		158,900	139,700		155,400
41－50	128,100	12,800	140,900	124,200	20/100	137,000	123,200	20/100	136,000	120,200	20/100	133,000
51－60	107,900	10,800	118,700	104,600		115,400	103,800		114,600	101,300		112,100
61－70	92,600	9,400	102,000	89,700		99,100	89,000		98,400	86,900		96,300
71－80	81,000	8,400	89,400	78,500		86,900	77,900		86,300	76,000		84,400
81－90	72,000	7,600	79,600	69,800	地	77,400	69,200	地	76,800	67,600	地	75,200
91－100	69,500	6,900	76,400	67,300		74,200	66,800		73,700	65,200		72,100
101－110	63,400	6,400	69,800	61,500		67,900	61,000		67,400	59,500		65,900
111－120	58,200	5,900	64,100	56,400		62,300	56,000		61,900	54,600		60,500
121－130	53,700	5,600	59,300	52,000	域	57,600	51,600	域	57,200	50,400	域	56,000
131－140	49,900	5,200	55,100	48,400		53,600	48,000		53,200	46,900		52,100
141－150	50,500	5,100	55,600	49,000		54,100	48,600		53,700	47,500		52,600
151－160	51,800	5,000	56,800	50,200		55,200	49,800		54,800	48,600		53,600
161－170	48,800	4,800	53,600	47,300	に	52,100	46,900	に	51,700	45,800	に	50,600
171－180	47,700	4,600	52,300	46,200		50,800	45,800		50,400	44,700		49,300
181－190	45,200	4,400	49,600	43,800		48,200	43,400		47,800	42,400		46,800
191－200	45,600	4,400	50,000	44,200		48,600	43,800		48,200	42,700		47,100
201－210	44,100	4,300	48,100	42,700	同	47,000	42,400	同	46,700	41,400	同	45,700
211－220	44,600	4,300	48,900	43,200		47,500	42,900		47,200	41,800		46,100
221－230	44,600	4,200	48,800	43,200		47,400	42,900		47,100	41,900		46,100
231－240	44,000	4,100	48,100	42,600		46,700	42,200		46,300	41,200		45,300
241－250	42,200	4,000	46,200	40,900	じ	44,900	40,500	じ	44,500	39,500	じ	43,500
251－260	42,600	4,000	46,600	41,300		45,300	40,900		44,900	39,900		43,900
261－270	43,100	4,000	47,100	41,700		45,700	41,400		45,400	40,400		44,400
271人以上	41,600	3,900	45,500	40,200		44,100	39,900		43,800	38,900		42,800

(注) 地域区分は、(1)救護施設に準ずる。

生活保護法による保護施設事務費及び委託事務費の支弁基準について

価表（月額）

1日から適用

(単位：円)

	10/100			6/100			3/100			左記以外の地域		
人件費	管理費	計	人件費	管理費	計	人件費	管理費	計	人件費	管理費	計
円 166,400	円	円 186,000	円 160,900		円 180,500	円 156,800		円 176,400	円 152,700		円 172,300
137,500		153,200	132,900		148,600	129,500		145,200	126,100		141,800
118,200	20/100	131,000	114,300	20/100	127,100	111,300	20/100	124,100	108,400	20/100	121,200
99,600		110,400	96,300		107,100	93,800		104,600	91,300		102,100
85,400		94,800	82,600		92,000	80,500		89,900	78,300		87,700
74,700		83,100	72,300		80,700	70,400		78,800	68,500		76,900
66,400	地	74,000	64,200	地	71,800	62,600	地	70,200	60,900	地	68,500
64,100		71,000	62,000		68,900	60,400		67,300	58,800		65,700
58,500		64,900	56,600		63,000	55,100		61,500	53,600		60,000
53,700		59,600	51,900		57,800	50,600		56,500	49,200		55,100
49,500	域	55,100	47,900	域	53,500	46,600	域	52,200	45,400	域	51,000
46,100		51,300	44,500		49,700	43,400		48,600	42,200		47,400
46,700		51,800	45,200		50,300	44,000		49,100	42,800		47,900
47,900		52,900	46,300		51,300	45,100		50,100	43,900		48,900
45,000	に	49,800	43,500	に	48,300	42,400	に	47,200	41,300	に	46,100
44,000		48,600	42,500		47,100	41,400		46,000	40,200		44,800
41,700		46,100	40,300		44,700	39,200		43,600	38,100		42,500
42,000		46,400	40,600		45,000	39,500		43,900	38,500		42,900
40,700	同	45,000	39,300	同	43,600	38,300	同	42,600	37,300	同	41,600
41,100		45,400	39,800		44,100	38,700		43,000	37,700		42,000
41,200		45,400	39,800		44,000	38,700		42,900	37,700		41,900
40,500		44,600	39,100		43,200	38,100		42,200	37,100		41,200
38,900	じ	42,900	37,500	じ	41,500	36,600	じ	40,600	35,600	じ	39,600
39,300		43,300	37,900		41,900	36,900		40,900	35,900		39,900
39,700		43,700	38,300		42,300	37,300		41,300	36,300		40,300
38,300		42,200	37,000		40,900	36,000		39,900	35,000		38,900

Ⅱ 生活保護法関係通知 第11章 交付要綱

(3) 宿所提供施設

一般事務費単

令和6年4月

取扱定員	20/100			16/100			15/100			12/100		
	人件費	管理費	計	人件費	管理費	計	人件費	管理費	計	人件費	管理費	計
30人以下	円 47,800	円 9,700	円 57,500	円 46,200		円 55,900	円 45,800		円 55,500	円 44,600		円 54,300
31―40	35,900	7,300	43,200	34,700	20/100	42,000	34,400	20/100	41,700	33,500	20/100	40,800
41―50	28,700	5,900	34,600	27,800		33,700	27,600		33,500	26,800		32,700
51―60	23,900	5,000	28,900	23,100		28,100	22,900		27,900	22,300		27,300
61―70	20,600	4,300	24,900	19,900	地	24,200	19,700	地	24,000	19,200	地	23,500
71―80	18,000	3,800	21,800	17,400		21,200	17,200		21,000	16,800		20,600
81―90	16,000	3,400	19,400	15,500		18,900	15,400		18,800	15,000		18,400
91―100	14,400	3,100	17,500	13,900	域	17,000	13,800	域	16,900	13,500	域	16,600
101―110	13,200	2,800	16,000	12,700		15,500	12,600		15,400	12,300		15,100
111―120	12,100	2,600	14,700	11,700		14,300	11,600		14,200	11,300		13,900
121―130	11,200	2,400	13,600	10,800	に	13,200	10,700	に	13,100	10,400	に	12,800
131―140	10,300	2,300	12,600	10,000		12,300	9,900		12,200	9,600		11,900
141―150	9,600	2,200	11,800	9,300		11,500	9,200		11,400	9,000		11,200
151―160	9,100	2,000	11,100	8,800	同	10,800	8,700	同	10,700	8,500	同	10,500
161―170	8,600	1,900	10,500	8,300		10,200	8,200		10,100	8,000		9,900
171―180	8,100	1,800	9,900	7,800		9,600	7,800		9,600	7,600		9,400
181―190	7,600	1,800	9,400	7,300	じ	9,100	7,300	じ	9,100	7,100	じ	8,900
191―200	7,200	1,700	8,900	7,000		8,700	6,900		8,600	6,800		8,500
201―210	9,000	1,600	10,600	8,700		10,300	8,600		10,200	8,400		10,000
211人以上	8,500	1,600	10,100	8,300		9,900	8,200		9,800	8,000		9,600

(注) 地域区分は、(1)救護施設に準ずる。

生活保護法による保護施設事務費及び委託事務費の支弁基準について

価表（月額）
1日から適用

(単位：円)

10/100			6/100			3/100			左記以外の地域		
人件費	管理費	計	人件費	管理費	計	人件費	管理費	計	人件費	管理費	計
円 43,800		円 53,500	円 42,200		円 51,900	円 41,000		円 50,700	円 39,900		円 49,600
32,900	20/100	40,200	31,700	20/100	39,000	30,900	20/100	38,200	30,000	20/100	37,300
26,400		32,300	25,400		31,300	24,700		30,600	24,000		29,900
21,900		26,900	21,200		26,200	20,600		25,600	20,000		25,000
18,900	地	23,200	18,200	地	22,500	17,700	地	22,000	17,200	地	21,500
16,500		20,300	15,900		19,700	15,500		19,300	15,000		18,800
14,700		18,100	14,200		17,600	13,800		17,200	13,400		16,800
13,200	域	16,300	12,700	域	15,800	12,400	域	15,500	12,000	域	15,100
12,100		14,900	11,600		14,400	11,300		14,100	11,000		13,800
11,100		13,700	10,700		13,300	10,400		13,000	10,100		12,700
10,200	に	12,600	9,900	に	12,300	9,600	に	12,000	9,300	に	11,700
9,500		11,800	9,100		11,400	8,900		11,200	8,600		10,900
8,800		11,000	8,500		10,700	8,300		10,500	8,000		10,200
8,300	同	10,300	8,000	同	10,000	7,800	同	9,800	7,600	同	9,600
7,900		9,800	7,600		9,500	7,400		9,300	7,200		9,100
7,400		9,200	7,200		9,000	7,000		8,800	6,800		8,600
7,000	じ	8,800	6,700	じ	8,500	6,500	じ	8,300	6,300	じ	8,100
6,600		8,300	6,400		8,100	6,200		7,900	6,100		7,800
8,300		9,900	8,000		9,600	7,800		9,400	7,500		9,100
7,800		9,400	7,600		9,200	7,400		9,000	7,100		8,700

Ⅱ 生活保護法関係通知 第11章 交付要綱

(4) 授産施設

一般事務費単

令和6年4月

取扱定員	20/100			16/100			15/100			12/100		
	人件費	管理費	計	人件費	管理費	計	人件費	管理費	計	人件費	管理費	計
20人以下	円 82,200	円 13,100	円 95,300	円 79,400		円 92,500	円 78,800		円 91,900	円 76,700		円 89,800
21-30	83,700	4,400	88,100	81,000		85,400	80,300		84,700	78,200		82,600
31-40	62,900	3,400	66,300	60,800	20/100	64,200	60,200	20/100	63,600	58,700	20/100	62,100
41-50	61,000	3,700	64,700	59,000	地	62,700	58,500	地	62,200	57,000	地	60,700
51-60	60,700	3,900	64,600	58,700	域	62,600	58,200	域	62,100	56,700	域	60,600
61-70	57,900	3,400	61,300	56,000	に	59,400	55,500	に	58,900	54,000	に	57,400
71-80	55,800	3,000	58,800	53,900	同	56,900	53,500	同	56,500	52,100	同	55,100
81-90	55,500	3,100	58,600	53,700	じ	56,800	53,200	じ	56,300	51,800	じ	54,900
91人以上	50,000	2,800	52,800	48,300		51,100	47,900		50,700	46,700		49,500
家庭授産	6,000	500	6,500	5,800		6,300	5,700		6,200	5,600		6,100

(注) 地域区分は、(1)救護施設に準ずる。

生活保護法による保護施設事務費及び委託事務費の支弁基準について

価表（月額）
1日から適用

(単位：円)

10/100			6/100			3/100			左記以外の地域		
人件費	管理費	計	人件費	管理費	計	人件費	管理費	計	人件費	管理費	計
円 75,300		円 88,400	円 72,600		円 85,700	円 70,500		円 83,600	円 68,500		円 81,600
76,800		81,200	74,000		78,400	71,900		76,300	69,800		74,200
57,600	20/100	61,000	55,500	20/100	58,900	54,000	20/100	57,400	52,400	20/100	55,800
56,000	地	59,700	53,900	地	57,600	52,400	地	56,100	50,900	地	54,600
55,700	域	59,600	53,700	域	57,600	52,100	域	56,000	50,600	域	54,500
53,100	に	56,500	51,200	に	54,600	49,700	に	53,100	48,300	に	51,700
51,200	同	54,200	49,300	同	52,300	47,900	同	50,900	46,500	同	49,500
50,900	じ	54,000	49,100	じ	52,200	47,700	じ	50,800	46,300	じ	49,400
45,900		48,700	44,200		47,000	43,000		45,800	41,700		44,500
5,500		6,000	5,300		5,800	5,100		5,600	5,000		5,500

Ⅱ　生活保護法関係通知　第11章　交付要綱

2　事務費加算額表
(1)　指導員加算（入所者（利用者）1人当たり月額）
　　ア　救護施設

一般事務費単

令和6年4月

取扱定員	20/100			16/100			15/100			12/100		
	人件費	管理費	計	人件費	管理費	計	人件費	管理費	計	人件費	管理費	計
	円	円	円	円		円	円		円	円		円
50人以下	11,200	700	11,900	10,900		11,600	10,800		11,500	10,500		11,200
51―60	9,400	600	10,000	9,000		9,600	9,000		9,600	8,700		9,300
61―70	8,000	500	8,500	7,800		8,300	7,700		8,200	7,500		8,000
71―80	7,100	400	7,500	6,900	20/100	7,300	6,800	20/100	7,200	6,600	20/100	7,000
81―90	6,300	400	6,700	6,100		6,500	6,100		6,500	5,900		6,300
91―100	5,600	400	6,000	5,500		5,900	5,400		5,800	5,300		5,700
101―110	5,200	300	5,500	5,000	地	5,300	5,000	地	5,300	4,900	地	5,200
111―120	4,700	300	5,000	4,500		4,800	4,500		4,800	4,400		4,700
121―130	4,400	300	4,700	4,200		4,500	4,200		4,500	4,100		4,400
131―140	4,000	300	4,300	3,900	域	4,200	3,900	域	4,200	3,800	域	4,100
141―150	3,800	200	4,000	3,700		3,900	3,700		3,900	3,600		3,800
151―160	3,600	200	3,800	3,500		3,700	3,500		3,700	3,400		3,600
161―170	3,400	200	3,600	3,300	に	3,500	3,200	に	3,400	3,200	に	3,400
171―180	3,200	200	3,400	3,100		3,300	3,000		3,200	3,000		3,200
181―190	3,000	200	3,200	2,900		3,100	2,900		3,100	2,800		3,000
191―200	2,800	200	3,000	2,800	同	3,000	2,700	同	2,900	2,700	同	2,900
201―210	2,700	200	2,900	2,600		2,800	2,600		2,800	2,500		2,700
211―220	2,700	100	2,800	2,600		2,700	2,600		2,700	2,500		2,600
221―230	2,600	100	2,700	2,500	じ	2,600	2,500	じ	2,600	2,400	じ	2,500
231―240	2,400	100	2,500	2,400		2,500	2,300		2,400	2,300		2,400
241―250	2,300	100	2,400	2,300		2,400	2,300		2,400	2,200		2,300
251―260	2,300	100	2,400	2,200		2,300	2,200		2,300	2,100		2,200
261―270	2,200	100	2,300	2,100		2,200	2,100		2,200	2,000		2,100
271人以上	2,100	100	2,200	2,000		2,100	2,000		2,100	2,000		2,100

(注)　地域区分は、1の(1)救護施設の区分に準ずる。

生活保護法による保護施設事務費及び委託事務費の支弁基準について

価表（月額）

1日から適用

(単位：円)

10／100			6／100			3／100			左記以外の地域		
人件費	管理費	計	人件費	管理費	計	人件費	管理費	計	人件費	管理費	計
円 10,300		円 11,000	円 9,900		円 10,600	円 9,700		円 10,400	円 9,400		円 10,100
8,600		9,200	8,300		8,900	8,000		8,600	7,800		8,400
7,400		7,900	7,100		7,600	6,900		7,400	6,700		7,200
6,500	20／100	6,900	6,300	20／100	6,700	6,100	20／100	6,500	5,900	20／100	6,300
5,800		6,200	5,600		6,000	5,400		5,800	5,300		5,700
5,200		5,600	5,000		5,400	4,900		5,300	4,700		5,100
4,800	地	5,100	4,600	地	4,900	4,500	地	4,800	4,400	地	4,700
4,300		4,600	4,200		4,500	4,000		4,300	3,900		4,200
4,000		4,300	3,900		4,200	3,800		4,100	3,600		3,900
3,700	域	4,000	3,600	域	3,900	3,500	域	3,800	3,400	域	3,700
3,500		3,700	3,400		3,600	3,300		3,500	3,200		3,400
3,300		3,500	3,200		3,400	3,100		3,300	3,000		3,200
3,100	に	3,300	3,000	に	3,200	2,900	に	3,100	2,800	に	3,000
2,900		3,100	2,800		3,000	2,700		2,900	2,700		2,900
2,800		3,000	2,700		2,900	2,600		2,800	2,500		2,700
2,600	同	2,800	2,500	同	2,700	2,500	同	2,700	2,400	同	2,600
2,500		2,700	2,400		2,600	2,300		2,500	2,300		2,500
2,500		2,600	2,400		2,500	2,300		2,400	2,300		2,400
2,400	じ	2,500	2,300	じ	2,400	2,200	じ	2,300	2,200	じ	2,300
2,300		2,400	2,200		2,300	2,100		2,200	2,100		2,200
2,200		2,300	2,100		2,200	2,000		2,100	2,000		2,100
2,100		2,200	2,000		2,100	2,000		2,100	1,900		2,000
2,000		2,100	1,900		2,000	1,900		2,000	1,800		1,900
1,900		2,000	1,900		2,000	1,800		1,900	1,800		1,900

II 生活保護法関係通知 第11章 交付要綱

指導員加算
　イ　宿所提供施設

一般事務費単
令和6年4月

取扱定員	20/100 人件費	20/100 管理費	20/100 計	16/100 人件費	16/100 管理費	16/100 計	15/100 人件費	15/100 管理費	15/100 計	12/100 人件費	12/100 管理費	12/100 計
50人以下	円 10,900	円 800	円 11,700	円 10,600		円 11,400	円 10,500		円 11,300	円 10,200		円 11,000
51―60	9,100	700	9,800	8,800	20/100	9,500	8,700	20/100	9,400	8,500	20/100	9,200
61―70	7,800	600	8,400	7,500		8,100	7,500		8,100	7,300		7,900
71―80	6,800	500	7,300	6,600		7,100	6,600		7,100	6,400		6,900
81―90	6,100	400	6,500	5,900	地	6,300	5,900	地	6,300	5,700	地	6,100
91―100	5,500	400	5,900	5,300		5,700	5,300		5,700	5,100		5,500
101―110	5,100	300	5,400	4,900		5,200	4,900		5,200	4,700		5,000
111―120	4,600	300	4,900	4,500	域	4,800	4,400		4,700	4,300	域	4,600
121―130	4,200	300	4,500	4,100		4,400	4,100		4,400	4,000		4,300
131―140	3,900	300	4,200	3,800		4,100	3,800		4,100	3,700		4,000
141―150	3,700	200	3,900	3,600	に	3,800	3,600	に	3,800	3,500	に	3,700
151―160	3,500	200	3,700	3,400		3,600	3,400		3,600	3,300		3,500
161―170	3,300	200	3,500	3,200		3,400	3,100		3,300	3,100		3,300
171―180	3,100	200	3,300	3,000	同	3,200	3,000	同	3,200	2,900	同	3,100
181―190	2,900	200	3,100	2,800		3,000	2,800		3,000	2,700		2,900
191―200	2,800	200	3,000	2,700		2,900	2,700		2,900	2,600		2,800
201―210	2,600	200	2,800	2,500	じ	2,700	2,500	じ	2,700	2,500	じ	2,700
211人以上	2,600	100	2,700	2,500		2,600	2,500		2,600	2,400		2,500

(注)　地域区分は、1の(1)救護施設の区分に準ずる。

生活保護法による保護施設事務費及び委託事務費の支弁基準について

価表（月額）
1日から適用

（単位：円）

10/100			6/100			3/100			左記以外の地域		
人件費	管理費	計	人件費	管理費	計	人件費	管理費	計	人件費	管理費	計
円 10,000	円	円 10,800	円 9,700	円	円 10,500	円 9,400	円	円 10,200	円 9,100	円	円 9,900
8,300	20/100	9,000	8,000	20/100	8,700	7,800	20/100	8,500	7,600	20/100	8,300
7,100		7,700	6,900		7,500	6,700		7,300	6,500		7,100
6,300		6,800	6,100		6,600	5,900		6,400	5,700		6,200
5,600	地	6,000	5,400	地	5,800	5,300	地	5,700	5,100	地	5,500
5,000		5,400	4,900		5,300	4,700		5,100	4,600		5,000
4,600		4,900	4,500		4,800	4,400		4,700	4,200		4,500
4,200	域	4,500	4,100	域	4,400	4,000	域	4,300	3,900	域	4,200
3,900		4,200	3,800		4,100	3,700		4,000	3,600		3,900
3,600		3,900	3,500		3,800	3,400		3,700	3,300		3,600
3,400	に	3,600	3,300	に	3,500	3,200	に	3,400	3,100	に	3,300
3,200		3,400	3,100		3,300	3,000		3,200	2,900		3,100
3,000		3,200	2,900		3,100	2,800		3,000	2,800		3,000
2,800	同	3,000	2,700	同	2,900	2,700	同	2,900	2,600	同	2,800
2,700		2,900	2,600		2,800	2,500		2,700			2,700
2,500		2,700	2,500		2,700	2,400		2,600	2,300		2,500
2,400	じ	2,600	2,300	じ	2,500	2,300	じ	2,500	2,200	じ	2,400
2,400		2,500	2,300		2,400	2,300		2,400	2,200		2,300

Ⅱ 生活保護法関係通知 第11章 交付要綱

指導員加算
　ウ　授産施設（その１　常勤職員の場合）

令和6年4月

取扱定員	20/100			16/100			15/100			12/100		
	人件費	管理費	計	人件費	管理費	計	人件費	管理費	計	人件費	管理費	計
	円	円	円	円		円	円		円	円		円
20人以下	27,000	2,100	29,100	26,100		28,200	25,900		28,000	25,200		27,300
21－30	18,000	1,400	19,400	17,400	20/100	18,800	17,300	20/100	18,700	16,800	20/100	18,200
31－40	13,600	1,000	14,600	13,100	地	14,100	13,000	地	14,000	12,700	地	13,700
41－50	10,900	800	11,700	10,500	域	11,300	10,400	域	11,200	10,100	域	10,900
51－60	9,000	700	9,700	8,700	に	9,400	8,700	に	9,400	8,400	に	9,100
61－70	7,700	600	8,300	7,500	同	8,100	7,400	同	8,000	7,200	同	7,800
71－80	6,800	500	7,300	6,600	じ	7,100	6,500	じ	7,000	6,400	じ	6,900
81－90	6,100	400	6,500	5,900		6,300	5,900		6,300	5,700		6,100
91人以上	5,500	400	5,900	5,300		5,700	5,200		5,600	5,100		5,500

（注）地域区分は、1の(1)救護施設の区分に準ずる。

授産施設（その２　常勤職員及び非常勤職員の場合）

令和6年4月

取扱定員	20/100			16/100			15/100			12/100		
	人件費	管理費	計	人件費	管理費	計	人件費	管理費	計	人件費	管理費	計
	円	円	円	円		円	円		円	円		円
20人以下	27,000	11,100	38,100	26,100		37,200	25,900		37,000	25,200		36,300
21－30	18,000	7,400	25,400	17,400	20/100	24,800	17,300	20/100	24,700	16,800	20/100	24,200
31－40	13,600	5,500	19,100	13,100	地	18,600	13,000	地	18,500	12,700	地	18,200
41－50	10,900	4,400	15,300	10,500	域	14,900	10,400	域	14,800	10,100	域	14,500
51－60	9,000	3,700	12,700	8,700	に	12,400	8,700	に	12,400	8,400	に	12,100
61－70	7,700	3,100	10,800	7,500	同	10,600	7,400	同	10,500	7,200	同	10,300
71－80	6,800	2,700	9,500	6,600	じ	9,300	6,500	じ	9,200	6,400	じ	9,100
81－90	6,100	2,400	8,500	5,900		8,300	5,900		8,300	5,700		8,100
91人以上	5,500	2,200	7,700	5,300		7,500	5,200		7,400	5,100		7,300

（注）地域区分は、1の(1)救護施設の区分に準ずる。

生活保護法による保護施設事務費及び委託事務費の支弁基準について

1日から適用

(単位:円)

10/100			6/100			3/100			左記以外の地域		
人件費	管理費	計	人件費	管理費	計	人件費	管理費	計	人件費	管理費	計
円 24,800		円 26,900	円 23,900		円 26,000	円 23,200		円 25,300	円 22,500		円 24,600
16,500	20/100	17,900	15,900	20/100	17,300	15,500	20/100	16,900	15,000	20/100	16,400
12,500	地	13,500	12,000	地	13,000	11,700	地	12,700	11,300	地	12,300
10,000	域	10,800	9,600	域	10,400	9,300	域	10,100	9,100	域	9,900
8,300	に	9,000	8,000	に	8,700	7,800	に	8,500	7,500	に	8,200
7,100	同	7,700	6,900	同	7,500	6,700	同	7,300	6,500	同	7,100
6,300	じ	6,800	6,000	じ	6,500	5,900	じ	6,400	5,700	じ	6,200
5,600		6,000	5,400		5,800	5,300		5,700	5,100		5,500
5,000		5,400	4,800		5,200	4,700		5,100	4,600		5,000

1日から適用

(単位:円)

10/100			6/100			3/100			左記以外の地域		
人件費	管理費	計	人件費	管理費	計	人件費	管理費	計	人件費	管理費	計
円 24,800		円 35,900	円 23,900		円 35,000	円 23,200		円 34,300	円 22,500		円 33,600
16,500	20/100	23,900	15,900	20/100	23,300	15,500	20/100	22,900	15,000	20/100	22,400
12,500	地	18,000	12,000	地	17,500	11,700	地	17,200	11,300	地	16,800
10,000	域	14,400	9,600	域	14,000	9,300	域	13,700	9,100	域	13,500
8,300	に	12,000	8,000	に	11,700	7,800	に	11,500	7,500	に	11,200
7,100	同	10,200	6,900	同	10,000	6,700	同	9,800	6,500	同	9,600
6,300	じ	9,000	6,000	じ	8,700	5,900	じ	8,600	5,700	じ	8,400
5,600		8,000	5,400		7,800	5,300		7,700	5,100		7,500
5,000		7,200	4,800		7,000	4,700		6,900	4,600		6,800

Ⅱ 生活保護法関係通知 第11章 交付要綱

(2) 看護師加算（入所者（利用者）1人当たり月額）
　　救護施設

一般事務費単
令和6年4月

取扱定員	20/100			16/100			15/100			12/100		
	人件費	管理費	計	人件費	管理費	計	人件費	管理費	計	人件費	管理費	計
50人以下	円 11,300	円 700	円 12,000	円 10,900		円 11,600	円 10,800		円 11,500	円 10,500		円 11,200
51―60	9,400	600	10,000	9,100	20/100	9,700	9,000	20/100	9,600	8,800	20/100	9,400
61―70	8,100	500	8,600	7,800		8,300	7,700		8,200	7,500		8,000
71―80	7,100	400	7,500	6,900	地	7,300	6,800	地	7,200	6,700	地	7,100
81―90	6,300	400	6,700	6,100		6,500	6,000		6,400	5,900		6,300
91―100	5,700	300	6,000	5,500	域	5,800	5,500	域	5,800	5,400	域	5,700
101―110	5,200	300	5,500	5,000		5,300	5,000		5,300	4,800		5,100
111―120	4,700	300	5,000	4,600	に	4,900	4,500	に	4,800	4,400	に	4,700
121―130	4,300	300	4,600	4,200		4,500	4,200		4,500	4,100		4,400
131―140	4,100	200	4,300	4,000	同	4,200	4,000	同	4,200	3,900	同	4,100
141―150	3,800	200	4,000	3,700		3,900	3,700		3,900	3,600		3,800
151―160	3,600	200	3,800	3,500	じ	3,700	3,400	じ	3,600	3,400	じ	3,600
161―170	3,400	200	3,600	3,300		3,500	3,200		3,400	3,100		3,300
171―180	3,200	200	3,400	3,100		3,300	3,000		3,200	3,000		3,200

（注）地域区分は、1の(1)救護施設の区分に準ずる。

生活保護法による保護施設事務費及び委託事務費の支弁基準について

価表（月額）
1日から適用

(単位：円)

10/100			6/100			3/100			左記以外の地域		
人件費	管理費	計	人件費	管理費	計	人件費	管理費	計	人件費	管理費	計
円 10,400	円	円 11,100	円 10,000	円	円 10,700	円 9,700	円	円 10,400	円 9,400	円	円 10,100
8,600	20/100	9,200	8,300	20/100	8,900	8,100	20/100	8,700	7,900	20/100	8,500
7,400		7,900	7,200		7,700	7,000		7,500	6,800		7,300
6,500	地	6,900	6,300	地	6,700	6,100	地	6,500	6,000	地	6,400
5,800		6,200	5,600		6,000	5,400		5,800	5,300		5,700
5,300	域	5,600	5,100	域	5,400	4,900	域	5,200	4,800	域	5,100
4,800		5,100	4,600		4,900	4,500		4,800	4,300		4,600
4,300	に	4,600	4,200	に	4,500	4,100	に	4,400	4,000	に	4,300
4,000		4,300	3,800		4,100	3,700		4,000	3,600		3,900
3,800	同	4,000	3,700	同	3,900	3,600	同	3,800	3,500	同	3,700
3,500		3,700	3,400		3,600	3,300		3,500	3,200		3,400
3,300	じ	3,500	3,200	じ	3,400	3,100	じ	3,300	3,000	じ	3,200
3,100		3,300	3,000		3,200	2,900		3,100	2,800		3,000
2,900		3,100	2,800		3,000	2,700		2,900	2,700		2,900

Ⅱ 生活保護法関係通知 第11章 交付要綱

(3) 介護職員加算（入所者（利用者）1人当たり月額）
　ア　救護施設

一般事務費単
令和6年4月

取扱定員	20/100			16/100			15/100			12/100		
	人件費	管理費	計	人件費	管理費	計	人件費	管理費	計	人件費	管理費	計
	円	円	円	円		円	円		円	円		円
50人以下	11,500	700	12,200	11,100		11,800	11,000		11,700	10,700		11,400
51—60	9,600	600	10,200	9,300	20/100	9,900	9,200	20/100	9,800	8,900	20/100	9,500
61—70	8,200	500	8,700	8,000		8,500	7,900		8,400	7,700		8,200
71—80	7,300	400	7,700	7,000		7,400	7,000		7,400	6,800		7,200
81—90	6,500	400	6,900	6,200		6,600	6,200		6,600	6,000		6,400
91—100	5,800	400	6,200	5,600	地	6,000	5,500	地	5,900	5,400	地	5,800
101—110	5,300	300	5,600	5,100		5,400	5,100		5,400	5,000		5,300
111—120	4,900	300	5,200	4,700		5,000	4,700		5,000	4,500		4,800
121—130	4,500	300	4,800	4,300		4,600	4,300		4,600	4,200		4,500
131—140	4,100	300	4,400	4,000	域	4,300	4,000	域	4,300	3,900	域	4,200
141—150	3,900	200	4,100	3,800		4,000	3,800		4,000	3,700		3,900
151—160	3,700	200	3,900	3,600		3,800	3,500		3,700	3,400		3,600
161—170	3,500	200	3,700	3,300		3,500	3,300		3,500	3,200		3,400
171—180	3,300	200	3,500	3,100	に	3,300	3,100	に	3,300	3,000	に	3,200
181—190	3,100	200	3,300	3,000		3,200	2,900		3,100	2,900		3,100
191—200	2,900	200	3,100	2,800		3,000	2,800		3,000	2,700		2,900
201—210	2,800	200	3,000	2,700		2,900	2,700		2,900	2,600		2,800
211—220	2,700	100	2,800	2,600	同	2,700	2,600	同	2,700	2,600	同	2,700
221—230	2,600	100	2,700	2,500		2,600	2,500		2,600	2,400		2,500
231—240	2,500	100	2,600	2,400		2,500	2,400		2,500	2,300		2,400
241—250	2,400	100	2,500	2,300		2,400	2,300		2,400	2,200		2,300
251—260	2,300	100	2,400	2,200	じ	2,300	2,200	じ	2,300	2,200	じ	2,300
261—270	2,200	100	2,300	2,100		2,200	2,100		2,200	2,100		2,200
271人以上	2,100	100	2,200	2,100		2,200	2,100		2,200	2,000		2,100

（注）地域区分は、1の(1)救護施設の区分に準ずる。

生活保護法による保護施設事務費及び委託事務費の支弁基準について

価表（月額）
1日から適用

(単位：円)

10/100			6/100			3/100			左記以外の地域		
人件費	管理費	計	人件費	管理費	計	人件費	管理費	計	人件費	管理費	計
円 10,600	円	円 11,300	円 10,200	円	円 10,900	円 9,900	円	円 10,600	円 9,600	円	円 10,300
8,800	20/100	9,400	8,500	20/100	9,100	8,200	20/100	8,800	8,000	20/100	8,600
7,600		8,100	7,300		7,800	7,100		7,600	6,900		7,400
6,700		7,100	6,400		6,800	6,200		6,600	6,100		6,500
5,900		6,300	5,700		6,100	5,600		6,000	5,400		5,800
5,300	地	5,700	5,100	地	5,500	5,000	地	5,400	4,800	地	5,200
4,900		5,200	4,700		5,000	4,600		4,900	4,500		4,800
4,500		4,800	4,300		4,600	4,200		4,500	4,100		4,400
4,100		4,400	4,000		4,300	3,800		4,100	3,700		4,000
3,800	域	4,100	3,700	域	4,000	3,600	域	3,900	3,400	域	3,700
3,600		3,800	3,500		3,700	3,400		3,600	3,300		3,500
3,400		3,600	3,300		3,500	3,200		3,400	3,100		3,300
3,200		3,400	3,100		3,300	3,000		3,200	2,900		3,100
3,000	に	3,200	2,900	に	3,100	2,800	に	3,000	2,700	に	2,900
2,800		3,000	2,700		2,900	2,600		2,800	2,600		2,800
2,700		2,900	2,600		2,800	2,500		2,700	2,400		2,600
2,500		2,700	2,500		2,700	2,400		2,600	2,300		2,500
2,500	同	2,600	2,400	同	2,500	2,400	同	2,500	2,300	同	2,400
2,400		2,500	2,300		2,400	2,300		2,400	2,200		2,300
2,300		2,400	2,200		2,300	2,200		2,300	2,100		2,200
2,200		2,300	2,100		2,200	2,100		2,200	2,000		2,100
2,100	じ	2,200	2,100	じ	2,200	2,000	じ	2,100	1,900	じ	2,000
2,000		2,100	2,000		2,100	1,900		2,000	1,900		2,000
2,000		2,100	1,900		2,000	1,800		1,900	1,800		1,900

Ⅱ 生活保護法関係通知 第11章 交付要綱

(4) 精神保健福祉士加算(入所者(利用者)1人当たり月額)
  ア 救護施設

一般事務費単

令和6年4月

取扱定員	20/100 人件費	管理費	計	16/100 人件費	管理費	計	15/100 人件費	管理費	計	12/100 人件費	管理費	計
	円	円	円	円		円	円		円	円		円
50人以下	11,400	700	12,100	11,100		11,800	11,000		11,700	10,700		11,400
51—60	9,500	600	10,100	9,200		9,800	9,100		9,700	8,900		9,500
61—70	8,200	500	8,700	7,900		8,400	7,800		8,300	7,600		8,100
71—80	7,200	400	7,600	7,000	20/100	7,400	6,900	20/100	7,300	6,700	20/100	7,100
81—90	6,400	400	6,800	6,200		6,600	6,200		6,600	6,000		6,400
91—100	5,700	400	6,100	5,600		6,000	5,500		5,900	5,400		5,800
101—110	5,300	300	5,600	5,100	地	5,400	5,100	地	5,400	4,900	地	5,200
111—120	4,800	300	5,100	4,600		4,900	4,600		4,900	4,500		4,800
121—130	4,400	300	4,700	4,300		4,600	4,300		4,600	4,100		4,400
131—140	4,100	300	4,400	4,000	域	4,300	3,900	域	4,200	3,800	域	4,100
141—150	3,900	200	4,100	3,800		4,000	3,800		4,000	3,700		3,900
151—160	3,700	200	3,900	3,500		3,700	3,500		3,700	3,400		3,600
161—170	3,400	200	3,600	3,300	に	3,500	3,300	に	3,500	3,200	に	3,400
171—180	3,200	200	3,400	3,100		3,300	3,100		3,300	3,000		3,200
181—190	3,100	200	3,300	3,000		3,200	2,900		3,100	2,900		3,100
191—200	2,900	200	3,100	2,800	同	3,000	2,800	同	3,000	2,700	同	2,900
201—210	2,800	200	3,000	2,700		2,900	2,600		2,800	2,600		2,800
211—220	2,700	100	2,800	2,600		2,700	2,600		2,700	2,500		2,600
221—230	2,600	100	2,700	2,500	じ	2,600	2,500	じ	2,600	2,400	じ	2,500
231—240	2,500	100	2,600	2,400		2,500	2,400		2,500	2,300		2,400
241—250	2,400	100	2,500	2,300		2,400	2,300		2,400	2,200		2,300
251—260	2,300	100	2,400	2,200		2,300	2,200		2,300	2,100		2,200
261—270	2,200	100	2,300	2,100		2,200	2,100		2,200	2,100		2,200
271人以上	2,100	100	2,200	2,100		2,200	2,000		2,100	2,000		2,100

(注) 地域区分は、1の(1)救護施設の区分に準ずる。

生活保護法による保護施設事務費及び委託事務費の支弁基準について

価表（月額）
1日から適用

(単位：円)

10/100			6/100			3/100			左記以外の地域		
人件費	管理費	計	人件費	管理費	計	人件費	管理費	計	人件費	管理費	計
円 10,500		円 11,200	円 10,100		円 10,800	円 9,800		円 10,500	円 9,600		円 10,300
8,700		9,300	8,400		9,000	8,200		8,800	8,000		8,600
7,500		8,000	7,200		7,700	7,000		7,500	6,800		7,300
6,600	20/100	7,000	6,400	20/100	6,800	6,200	20/100	6,600	6,000	20/100	6,400
5,900		6,300	5,700		6,100	5,500		5,900	5,400		5,800
5,300		5,700	5,100		5,500	4,900		5,300	4,800		5,200
4,900	地	5,200	4,700	地	5,000	4,600	地	4,900	4,400	地	4,700
4,400		4,700	4,200		4,500	4,100		4,400	4,000		4,300
4,100		4,400	3,900		4,200	3,800		4,100	3,700		4,000
3,800	域	4,100	3,600	域	3,900	3,500	域	3,800	3,400	域	3,700
3,600		3,800	3,500		3,700	3,400		3,600	3,300		3,500
3,400		3,600	3,200		3,400	3,200		3,400	3,100		3,300
3,200	に	3,400	3,000	に	3,200	3,000	に	3,200	2,900	に	3,100
3,000		3,200	2,900		3,100	2,800		3,000	2,700		2,900
2,800		3,000	2,700		2,900	2,600		2,800	2,600		2,800
2,700	同	2,900	2,600	同	2,800	2,500	同	2,700	2,400	同	2,600
2,500		2,700	2,400		2,600	2,400		2,600	2,300		2,500
2,500		2,600	2,400		2,500	2,400		2,500	2,300		2,400
2,400	じ	2,500	2,300	じ	2,400	2,300	じ	2,400	2,200	じ	2,300
2,300		2,400	2,200		2,300	2,200		2,300	2,100		2,200
2,200		2,300	2,100		2,200	2,100		2,200	2,000		2,100
2,100		2,200	2,000		2,100	2,000		2,100	1,900		2,000
2,000		2,100	2,000		2,100	1,900		2,000	1,900		2,000
2,000		2,100	1,900		2,000	1,800		1,900	1,800		1,900

Ⅱ 生活保護法関係通知 第11章 交付要綱

(5) 保護施設通所事業単価（入所者（利用者）1人当たり月額）
　ア 通所訓練

令和6年4月

	20/100			16/100			15/100			12/100		
	人件費	管理費	計	人件費	管理費	計	人件費	管理費	計	人件費	管理費	計
救護施設	円 114,500	円 14,700	円 129,200	円 110,800	20/100 地域に同じ	円 125,500	円 109,800	20/100 地域に同じ	円 124,500	円 107,000	20/100 地域に同じ	円 121,700
更生施設	110,000	14,700	124,700	106,400	同じ	121,100	105,600	同じ	120,300	102,900	同じ	117,600

（注）地域区分は、1の(1)救護施設の区分に準ずる。

　イ 訪問指導

令和6年4月1日から適用

	人件費	管理費	計
利用者1人当たり単価	円 18,000	円 5,400	円 23,400

生活保護法による保護施設事務費及び委託事務費の支弁基準について

1日から適用

(単位：円)

10/100			6/100			3/100			左記以外の地域		
人件費	管理費	計	人件費	管理費	計	人件費	管理費	計	人件費	管理費	計
円 105,200	20/100 地域に同じ	円 119,900	円 101,400	20/100 地域に同じ	円 116,100	円 98,600	20/100 地域に同じ	円 113,300	円 95,800	20/100 地域に同じ	円 110,500
101,100		115,800	97,500		112,200	94,800		109,500	92,200		106,900

◯生活保護法による保護施設事務費及び委託事務費の取扱いについて

> 昭和63年5月27日　社施第85号
> 各都道府県知事・各指定都市市長宛　厚生省社会局長通知

〔改正経過〕

第1次改正	平成4年8月31日社援保第35号	第2次改正	平成6年6月24日社援保第135号
第3次改正	平成7年11月30日社援保第250号	第4次改正	平成8年5月10日社援保第112号
第5次改正	平成9年4月16日社援保第94号	第6次改正	平成10年7月15日社援第1,811号
第7次改正	平成11年3月30日社援第830号	第8次改正	平成11年8月2日社援第1,861号
第9次改正	平成12年9月29日社援第2,217号	第10次改正	平成13年1月17日社援発第41号
第11次改正	平成14年9月4日社援発第0904002号	第12次改正	平成16年10月21日社援発第1021005号
第13次改正	平成17年7月25日社援発第0725033号	第14次改正	平成18年12月28日社援発第1228003号
第15次改正	平成20年1月29日社援発第0129004号	第16次改正	平成20年7月8日社援発第0708038号
第17次改正	平成21年8月21日社援発第0821第3号	第18次改正	平成22年4月19日社援発第0419第58号
第19次改正	平成23年4月1日社援発第0401第3号	第20次改正	平成27年5月25日社援発第0525第7号
第21次改正	平成28年1月21日社援発第0121第11号	第22次改正	平成28年3月29日社援発第0329第11号
第23次改正	令和元年5月27日社援発第0527第1号	第24次改正	令和2年12月28日社援発第1228第1号
第25次改正	令和3年4月27日社援発第0427第3号	第26次改正	令和6年6月24日社援発第0624第4号

標記については、従来から各年度その取扱いを示してきたところであるが、今般これを改め昭和63年度以降次によることとしたので了知されたい。
1　施設事務費の単価の決定について
　(1)　施設事務費支弁基準額の設定
　　　都道府県知事（指定都市及び中核市の市長を含む。以下同じ。）は、個々の施設に対する施設事務費支弁基準額を設定する場合には、別紙様式(1)による「施設事務費支弁基準額設定状況表」を作成するとともに、各関係機関に対し、施設名、地域区分、取扱定員、施設事務費支弁基準額等必要事項を通知し、周知徹底を図ること。また、年度中途において、単価の変更があった場合も同様とする。
　(2)　保護施設事務費の人件費、管理費の区分について
　　　保護施設事務費のうち、一般事務費、指導員加算費、看護師加算費、介護職員加算費及び保護施設通所事業事務費は、人件費、管理費に区分されるものであること。
　　　これが運用にあたっては、「社会福祉法人が経営する社会福祉施設における運営費の運用及び指導について（平成16年3月12日雇児発第0312001号、社援発第0312001号、老発第0312001号）」、「社会福祉法人が経営する社会福祉施設における運営費の運用及び指導について（平成16年3月12日雇児福発第0312002号、社援基発第0312002号、障発第0312002号、老計発第0312002号）」に留意すること。
2　職員の適正配置について
　　別表に示す「保護施設職員職種別配置基準表」は、施設事務費単価の積算基礎となる職員数であり、また、施設入所者の処遇確保の見地からも最低限必要と考えられる職員数であるからこれを完全に充足するよう指導されたいこと。また、直接処遇職員の職種別配置数の弾力的配置等については、「救護施設、更生施設、授産施設及び宿所提供施設の設備及び運営に関する最低基準（昭和41年7月1日厚生省令第18号）」、「救護施

設、更生施設、授産施設及び宿所提供施設の設備及び運営に関する最低基準の一部を改正する省令について（昭和62年３月９日社施第36号）」及び「救護施設、更生施設、授産施設及び宿所提供施設の設備及び運営に関する最低基準の施行について（昭和41年12月15日社施第335号）」に示すところにより、円滑かつ適正な実施が行われるよう指導すること。
3　職員待遇の充実について
　　特に民間施設については、給与規程、格付基準等の整備を通じ、職員の待遇の公正化を図るとともに、地域の地場賃金等を勘案のうえ、施設職員の職務の特殊性、困難性に応じた公正妥当な給与水準を確保するよう指導すること。
　　なお、この指導にあたっては、別紙様式(2)による施設職員の給与支給状況表を少なくとも年２回（４月分及び10月分）徴すること等により、その実態を把握すること。
4　機能回復訓練業務委託費の取扱いについて
　　機能回復訓練業務委託費は、救護施設の入所者に対し専門的な機能回復訓練を行うことにより、その自立の助長を図ることを目的とするものであり、「理学療法士及び作業療法士法（昭和40年法律第137号）」による理学療法士又は作業療法士によって原則として週１回以上機能回復訓練業務を実施している場合に加算するものとし、別紙様式(3)を参考とした機能回復訓練業務委託費加算申請書に基づき貴職において設定すること。
5　指導員加算費の取扱いについて
　(1)　加算の方法
　　　ア　救護施設
　　　　　入所者中、精神障害者、知的障害者及び重度の身体障害者の占める割合が著しく高く、生活指導等入所者処遇に困難をきたしている救護施設であって、次に掲げる要件のすべてを満たす施設のうち都道府県知事が認定する施設に対し、(2)に規定する指導員数を加算する。
　　　　(ｱ)　各年度において最初に加算を算定する月の初日における入所者総数中、次に掲げる者の占める割合（以下「障害者入所率」という。）が(2)に規定する率以上であること。なお、年度中途において、再算定は行わないこと。
　　　　　①　身体障害者福祉法施行規則（昭和25年４月６日厚生省令第15号）別表第５号に掲げる身体障害者障害程度等級表の１級若しくは２級に該当する障害のある者又はこれと同等程度の障害を有すると認められる者。
　　　　　②　「療育手帳制度について（昭和48年９月27日厚生省発児第156号厚生事務次官通知）」に規定する療育手帳の交付を受けている者又はこれと同等程度の障害を有すると認められる者。
　　　　　③　精神保健及び精神障害者福祉に関する法律（昭和25年５月１日法律第123号）第45条に規定する精神障害者保健福祉手帳の交付を受けている者又はこれと同等程度の障害を有すると認められる者。
　　　　(ｲ)　各年度において最初に加算を算定する月の初日における入所者数が、50人以上であり、かつ、定員に対し入所者数が、90％以上であること。なお、年度中途において、再算定は行わないこと。

(ｳ) 職員配置基準による職員が充足され、かつ、各月初日時点において加算配置数として規定する職員が加配されていること、及び「救護施設、更生施設、授産施設及び宿所提供施設の設備及び運営に関する最低基準（昭和41年7月1日厚生省令第18号）」を遵守する等、適正な管理運営が行われていること。
イ 宿所提供施設
　指導員を配置することにより、利用者に対する生活相談、就労指導等の業務を積極的に行うなど、利用者処遇の充実を図ることのできる宿所提供施設であって、次に掲げる要件のすべてを満たす施設のうち、都道府県知事が認定する施設に対し(2)に規定する指導員数を加算する。
(ｱ) 施設の定員に対し、各年度において最初に加算を算定する月の初日における利用者数の占める割合が50％以上（50％に満たないが、生活指導等の指導が適正であって、これと同様と認められる場合を含む。）であること。なお、年度中途において、再算定は行わないこと。
(ｲ) 5の(1)のアの(ｳ)に同じ。
ウ 授産施設
　身体障害者、知的障害者及び精神障害者の利用率が高く、その適性を生かした指導を積極的に行っている授産施設であって、次に掲げる要件のすべてを満たす施設（家庭授産を除く。）のうち、都道府県知事が認定する施設に対し、(2)に規定する指導員数を加算する。
(ｱ) 各年度において最初に加算を算定する月の初日における利用者総数中、次に掲げる者の占める割合（以下「障害者利用率」という。）が(2)に規定する率以上であること。なお、年度中途において、再算定は行わないこと。
　① 身体障害者福祉法施行規則（昭和25年4月6日厚生省令第15号）別表第5号に掲げる身体障害者障害程度等級表に該当する障害のある者又はこれと同等程度の障害を有すると認められる者。
　② 「療育手帳制度について（昭和48年9月27日厚生省発児第156号厚生事務次官通知）」に規定する療育手帳の交付を受けている者又はこれと同等程度の障害を有すると認められる者。
　③ 精神保健及び精神障害者福祉に関する法律（昭和25年5月1日法律第123号）第45条に規定する精神障害者保健福祉手帳の交付を受けている者又はこれと同等程度の障害を有すると認められる者。
(ｲ) 5の(1)のアの(ｳ)に同じ。
(2) 指導員の加算配置数
　ア 救護施設

定員＼障害者入所率	70〜79％	80〜89％	90〜94％	95％〜
100人以下の施設		1人	1人	1人
101人以上150人以下の施設	1人	1人	1人	1人

生活保護法による保護施設事務費及び委託事務費の取扱いについて

151人以上 200人以下の施設	1人	2人	2人	2人
201人以上の施設	2人	2人	2人	2人

 イ　宿所提供施設　　　　　1施設　　　　1人
 ウ　授産施設

障害者利用率	
20％～39％	40％～
1人	2（1）人

 （注）　（　）書きは、非常勤職員の再掲である。
(3)　認定手続
 ア　都道府県知事の認定を受けようとするときは、あらかじめ指導員加算対象施設認定申請書（別紙様式(4)）及び必要書類を添付して都道府県知事に申請するものとする。
 イ　アによる申請書を受理した都道府県知事は、その内容を審査し、認定する場合は、「指導員加算対象施設認定書」（別紙様式(7)）により申請者に通知すること。
 ウ　宿所提供施設において指導員を配置することとした施設については、昭和51年5月27日社施第118号厚生省社会局長通知「宿所提供施設にかかる保護施設事務費の支弁基準の取扱いについて」による特別指導費（利用者1人当たり月額500円）の適用は行わないこと。
 エ　加算対象施設は、職員の退職等により年度途中で加算要件を満たさなくなった場合は、速やかに都道府県知事に届出を行うものとする。
6　救護施設看護師加算の取扱いについて
(1)　加算の方法
 次に掲げる要件のすべてを満たす施設のうち都道府県知事が認定する施設に対し(2)に規定する看護師数を加算する。
 ア　各年度において最初に加算を算定する月の初日における障害者入所率が50％以上であること。なお、年度中途において、再算定は行わないこと。
 イ　5の(1)のアの(イ)に同じ。
 ウ　5の(1)のアの(ウ)に同じ。
(2)　看護師の加算配置数

定員180人以下の施設	1人

(3)　認定手続
 ア　都道府県知事の認定を受けようとするときは、あらかじめ看護師加算対象施設認

定申請書（別紙様式⑷）及び必要書類を添付して都道府県知事に申請するものとする。
　　　イ　アによる申請書を受理した都道府県知事は、その内容を審査し、認定する場合は、「看護師加算対象施設認定書」（別紙様式⑺）により申請者に通知すること。
　　　ウ　加算対象施設は、職員の退職等により年度途中で加算要件を満たさなくなった場合は、速やかに都道府県知事に届出を行うものとする。
　7　介護職員加算費の取扱いについて
　⑴　救護施設介護職員加算費
　　　ア　加算の方法
　　　　　次に掲げる要件の㈠もしくは㈡を満たし、かつ㈢、㈣を満たす施設のうち都道府県知事が認定する施設に対し、イに規定する介護職員数を加算する。
　　　㈠　各年度において最初に加算を算定する月の初日における入所者総数中、食事、排泄、入浴及び衣類の着脱のどれかの行為について介助が必要な者の占める割合がイの㈠から㈢の規定を満たすこと。なお、年度中途において、再算定は行わないこと。
　　　㈡　上記㈠の要件を満たさない施設であって、各年度において最初に加算を算定する月の初日における入所総数中、重複障害を含む「各種障害」（精神障害、知的障害、身体障害）の障害を有する者の入所割合がイの㈣又は㈤の規定を満たすこと。なお、年度中途において、再算定は行わないこと。
　　　㈢　5の⑴のアの㈡に同じ。
　　　㈣　5の⑴のアの㈢に同じ。
　　　イ　介護職員の加算配置数
　　　㈠　全部介助を必要とする者を1人、一部介助を必要とする者を0.3人と換算した人数（以下「加算対象人数」という。）が定員の1／4を超える場合に、介護職員を1人加算する。
　　　㈡　加算対象人数が、定員の1／4を超える場合にその超える人数を15で除した数（端数切り捨て）分の介護職員を㈠に加えて加算する。
　　　㈢　自立、一部介助及び全部介助についての判断は次によること。
　　　　　a　自立とは、その行為の全ての過程において、周囲の者が手助けをせず、あるいは監視せずに一般的な時間と大きく変わらずにできる場合。
　　　　　b　一部介助とは、その行為が、一般的な時間ではできないため、その一部を周囲の者に介助して貰う場合。
　　　　　　なお、安全のための監視や、そばでの声かけを必要とする場合も含む。
　　　　　c　全部介助とは、その行為の全ての過程で多くの介助が必要である場合。
　　　　　　なお、一般的な時間とは、障害のない者が行う場合の3倍程度（食事60分、衣類の着脱30分）の時間とする。
　　　㈣　重複を含む「各種障害」（精神障害、知的障害、身体障害）の障害を有する者の入所割合が、それぞれ30％以上である場合に、介護職員を1人加算する。
　　　㈤　重複を含む「各種障害」（精神障害、知的障害、身体障害）のなかで2以上の

障害の入所割合がそれぞれ50％以上である場合に、介護職員を1名加算する。
　　ウ　認定手続
　　　(ｱ)　都道府県知事の認定を受けようとするときは、あらかじめ介護職員加算対象施設認定申請書（別紙様式(4)）及び必要書類を添付して都道府県知事に申請するものとする。
　　　(ｲ)　(ｱ)による申請書を受理した都道府県知事は、その内容を審査し、認定する場合は、「介護職員加算対象施設認定書」（別紙様式(7)）により申請者に通知すること。
　　　(ｳ)　加算対象施設は、職員の退職等により年度途中で加算要件を満たさなくなった場合は、速やかに都道府県知事に届出を行うものとする。
　(2)　サテライト型施設介護職員加算費
　　ア　加算の方法
　　　次に掲げる(ｱ)の人数が(ｲ)の人数に満たない場合、その不足する人数分の介護職員を加算する。
　　　(ｱ)　サテライト型施設設置後の取扱定員による別表に基づく直接処遇職員（主任指導員、指導員、介護職員、看護師）数と、サテライト型施設設置前の定員数による直接処遇職員数を比較し、増加した人数。
　　　(ｲ)　サテライト型施設設置数×2人
　　イ　算定方法
　　　算定の方法は、サテライト型施設を設置した日の属する月の翌月（サテライト型施設を設置した日が月の初日であるときはその日）から、アの方法により加算すること。
　　ウ　認定手続
　　　(ｱ)　都道府県知事の認定を受けようとするときは、あらかじめ「介護職員加算対象施設認定申請書」(別紙様式(4))を都道府県知事に申請するものとする。
　　　(ｲ)　(ｱ)による申請書を受理した都道府県知事は、その内容を審査し、認定する場合は「介護職員加算対象施設認定書」(別紙様式(7))により申請者に通知すること。
　　　(ｳ)　加算対象施設は、職員の退職等により年度途中で加算要件を満たさなくなった場合は、速やかに都道府県知事に届出を行うものとする。
8　救護施設精神保健福祉士加算費の取扱いについて
　(1)　加算の方法
　　　入所者中、精神障害者及び知的障害者の占める割合が高く、精神障害者等の地域移行に向けた取組を推進する施設であって、次に掲げる要件のすべてを満たす施設のうち都道府県知事が認定する施設に対し、(2)に規定する精神保健福祉士数を加算する。
　　ア　各年度において最初に加算を算定する月の初日における入所者総数中、5の(1)のアの(ｱ)②～③に掲げる者の占める割合が(2)に規定する率以上であること。なお、年度途中において、再算定は行わないこと。
　　イ　5の(1)のアの(ｲ)に同じ。
　　ウ　5の(1)のアの(ｳ)に同じ。
　(2)　精神保健福祉士の加算配置数

Ⅱ　生活保護法関係通知　第11章　交付要綱

定　員＼障害者入所率	70〜79%	80〜89%	90〜94%	95%〜
100人以下の施設	1人	1人	1人	1人
101人以上150人以下の施設	1人	1人	1人	1人
151人以上200人以下の施設	1人	2人	2人	2人
201人以上の施設	2人	2人	2人	2人

　(3)　認定手続
　　ア　都道府県知事の認定を受けようとするときは、あらかじめ精神保健福祉士加算対象施設認定申請書（別紙様式(4)）及び必要書類を添付して都道府県知事に申請するものとする。
　　イ　アによる申請書を受理した都道府県知事は、その内容を審査し、認定する場合は、「精神保健福祉士加算対象施設認定書」（別紙様式(7)）により申請者に通知すること。
　　ウ　加算対象施設は、職員の退職等により年度途中で加算要件を満たさなくなった場合は、速やかに都道府県知事に届出を行うものとする。
9　精神科医雇上費の取り扱いについて
　救護施設及び更生施設の精神科医雇上費の算定にあたっては、次により行うものとすること。
　(1)　加算方法
　　ア　救護施設
　　　(ｱ)　すべての救護施設に対して月1回分を一般事務費に加算すること。
　　　(ｲ)　さらに前記(ｱ)のうち、入院治療の必要はないが精神に障害のある者（精神科通院により投薬治療を受けている者及び施設内において専門医の処方を受けている者。以下「対象者」という。）が入所している施設にあっては、各年度において最初に加算を算定する月の初日の対象者の数に応じて、次表に定める加算回数をそれぞれ加えること。

対　象　者　数	加　算　回　数
21〜40人	2回
41〜60人	3回
61〜80人	4回
81〜100人	5回
101人以上	6回

　　イ　更生施設
　　　各年度において最初に加算を算定する月の初日の定員に占める対象者の割合が70%以上の施設に対して加算すること。
　(2)　認定手続

ア　都道府県知事の認定を受けようとする場合は、別紙様式(8)による「精神科医雇上費（実施回数）加算認定申請書」を都道府県知事に提出するものとする。
　　イ　アによる申請書を受理した都道府県知事は、その内容を審査し認定する場合は、別紙様式(9)の「精神科医雇上費（実施回数）加算認定書」により申請者に通知すること。
　　ウ　加算対象施設は、職員の退職等により年度途中で加算要件を満たさなくなった場合は、速やかに都道府県知事に届出を行うものとする。
10　感染症対策等体制整備費の取扱いについて
　(1)　加算の方法
　　　感染症等の施設内感染の防止に取り組む施設であって、次に掲げる要件の全てを満たす施設のうち、都道府県知事が必要と認める場合に、(2)に規定する経費を対象として加算を設定する。
　　ア　感染症対策に関する施設職員の研修を実施すること。感染症発生時における業務継続計画（ＢＣＰ）及び感染症防止マニュアル等については、予め計画された時期において策定・改定を行うこと。
　　イ　設定額に相当する規模及び頻度で、年度を通じて計画的、積極的に実施することにより効果が期待できるものであること。
　(2)　対象経費
　　　以下に掲げる経費を対象とする。なお、感染症以外に災害等に対応する場合には、その費用も含めて加算の対象経費として差し支えない。
　　・需用費（消耗品費、燃料費、印刷製本費、食糧費（茶菓）、光熱水費）
　　・役務費（通信運搬料）　　・旅費　　　・謝金　　　・原材料費
　　・使用料及び賃借料　　　　・委託費
　(3)　手続
　　ア　加算を受けようとするときは、あらかじめ別紙様式(10)を参考とした感染症対策等体制整備費（所要額）加算申請書により申請し、都道府県知事はその内容を審査の上、加算を設定すること。
　　イ　加算対象施設は、年度途中で加算要件を満たさなくなった場合は、すみやかに都道府県知事に報告するものとする。
　　ウ　加算対象施設は、体制整備の実施後、速やかに別紙様式(11)を参考とした感染症対策等体制整備費加算実施報告書を都道府県知事に提出すること。
11　新型コロナウイルス感染症等感染拡大防止のための見守り支援費の取扱いについて
　(1)　加算の方法
　　　次に掲げる要件の全てを満たす施設のうち都道府県知事が認定する施設に対し、(2)に規定する経費を認定する。
　　ア　感染防止見守り支援を想定した業務継続計画が策定されているなど、施設の近隣に入所者が一時的に宿泊する場所が確保でき、その規模に相当する見守り支援を安全に実施できる体制を整えられること。

イ　施設外での一時滞在場所における設備は、居室が個室であるほか感染拡大防止の観点から対象者が入浴、洗面、食事、排泄等を専用で使用できるものであること。
　　ウ　対象となる感染症等とは、緊急的な感染拡大防止措置を取る必要がある新型コロナウイルス感染症に加え、新型コロナウイルス感染症対策に準じた対応が求められる状況であって、施設や当該地域における感染状況から都道府県知事が必要と認めるものであること。
　(2)　対象経費
　　以下に掲げる経費であって、当該加算以外の施設事務費では賄うことができない費用を対象とする。なお、一時滞在場所で使用する光熱水費等については、施設内での処遇と比較して需用増となる部分については次のアの対象経費として差し支えない。
　　ア　施設外での一時滞在場所の確保に要する経費
　　　・使用料及び賃借料　　　・委託費
　　　・需用費（消耗品費、修繕料、食糧費、光熱水費）
　　　・役務費（通信運搬料）　・備品購入費　　・原材料費
　　イ　見守り支援に要する人件費等の経費
　　　・賃金　　　・旅費　　　・使用料及び賃借料　　　・委託費
　　　・需用費（消耗品費、燃料費、印刷製本費）
　　　・役務費（通信運搬料）　　・備品購入費
　(3)　認定手続
　　ア　都道府県知事の認定を受けようとする場合において、必要が生じたときは、速やかに別紙様式(12)を参考とした新型コロナウイルス感染症等感染拡大防止のための見守り支援費（期間・経費）加算認定申請書により都道府県知事に申請するものとする。
　　イ　アによる申請書を受理した都道府県知事は、その内容を精査し、対象施設として認定する場合は、申請者には、別紙様式(13)を参考とした新型コロナウイルス感染症等感染拡大防止のための見守り支援費（期間・経費）加算認定書により通知し、関係機関には感染拡大防止のための見守り支援の認定を受けた施設であることを情報提供すること。
　　　また、都道府県知事は、エの施設事務費支弁基準額設定の際に発生する実施機関と対象施設とで行う事務費の調整が円滑に行えるよう、その時期と手順について予め取り決めておくこと。
　　ウ　加算対象施設は、年度が終了する場合又は年度途中で感染防止見守り支援を終了する場合は、すみやかに都道府県知事に対して、別紙様式(14)を参考とした新型コロナウイルス感染症等感染拡大防止のための見守り支援費加算実施報告書により、実績や要した経費について報告すること。
　　エ　ウによる報告書を受理した都道府県知事は、その内容を精査し、対象月について新型コロナウイルス感染症等感染拡大防止のための見守り支援費を加算した施設事務費支弁基準額を設定すること。

12 救護施設等における就労支援加算費の取扱いについて
 (1) 加算の方法
　　入所者の地域移行に取り組む救護施設又は更生施設であって、次に掲げる要件の全てを満たす施設のうち、都道府県知事が認める施設に対し、(2)に規定する経費を対象として認定する。
　ア　入所者が救護施設又は更生施設を退所した後に就労や作業などに就くことができる場の開拓をすること。
　イ　入所者が退所した後に速やかに就労等に就くことができ、定着が図られるよう、外部機関との連携を行うこと。
 (2) 対象経費
　　就労支援に要する人件費等以下に掲げる経費を対象とする。
　・賃金　・旅費　・使用料及び賃借料　・委託費　・需用費（消耗品費、燃料費、印刷製本費）　・役務費（通信運搬料）　・備品購入費
 (3) 認定手続き
　ア　都道府県知事の認定を受けようとする場合は、あらかじめ別紙様式(15)を参考とした「就労支援加算費申請書」を都道府県知事に提出するものとする。
　イ　アによる申請書を受理した都道府県知事は、その内容を審査し、認定する場合は、申請者には、別紙様式(16)を参考とした「就労支援加算対象施設認定書」により申請者に通知すること。
　ウ　加算対象施設は、年度途中で加算要件を満たさなくなった場合は、速やかに都道府県知事に届出を行うものとする。
　エ　加算対象施設は、年度が終了する場合又は年度途中で本事業を終了する場合は、速やかに都道府県知事に対して、別紙様式(17)を参考とした「就労支援加算対象施設報告書」により、実績や要した経費について報告すること。
　オ　エによる報告書を受理した都道府県知事は、その内容を精査し、救護施設等における就労支援加算費を加算した施設事務費支弁基準額を設定すること。
13 一時入所の取扱いについて
 (1) 対象者
　　一時入所の対象者は次のアからウのいずれかに該当する者とする。
　ア　居宅で生活する精神障害者等であって、一時的に精神状態が不安定になる等の理由により、居宅生活が困難になる者
　イ　精神科病院入院患者又は退院患者であって、退院に向けた体験利用や訓練のため一時的に保護施設に入所することが適当な者
　ウ　その他、保護の実施機関が特に一時入所の必要があると認める者
 (2) 利用期間
　　一時入所の期間は、原則7日間を限度とする。ただし、保護の実施機関が必要と認めるときは、合計の利用期間が1か月を超えない範囲で延長することができる。
 (3) 利用決定等

一時入所の決定等は以下のとおり行うものとする。ただし、緊急的に一時入所する場合であって、事前に手続きを行うことが困難な場合については、この限りではない。
- ア 保護の実施機関は、一時入所を必要とする可能性がある者（対象者）について、予め本人、施設、医療機関その他関係機関との間で、一時入所を必要とする場合等の対応について協議・調整を図っておくものとする。
- イ 対象者は一時入所を希望する場合、保護の実施機関に連絡するものとし、保護の実施機関は施設等との調整の上、利用の可否を決定するものとする。また、利用決定を行った場合は、速やかに利用者及び施設等に連絡を行うものとする。
  なお、保護の実施機関への連絡が困難な場合など、対象者から直接実施施設へ連絡があった場合については、実施施設は保護の実施機関に対し、速やかに連絡を行うものとする。
- ウ 利用を終了する場合には、実施施設は保護の実施機関に対し、利用の終了及び利用の状況等について報告を行い、保護の実施機関は報告結果を援助方針に反映させること。
(4) 利用料
一時入所時の食費等実費相当額については、実施施設が定めた額を利用者が実施施設に支払うものとする。
14 特別基準の承認申請について
次官通知の（別紙）支弁基準の３の(1)のただし書により特別基準の承認申請をする場合には、別紙様式(18)による申請書を厚生労働大臣あて提出すること。

生活保護法による保護施設事務費及び委託事務費の取扱いについて

別表
(1) 救護施設

保護施設職員職種別配置基準表

職種＼取扱定員	総数	施設長	事務員	主任指導員	指導員	介護職員	看護師	栄養士	調理員等	医師	介助員
30人以下	15	1	1		1	6	1		4(1)	(1)	1
31～40	17	1	1		1	8	1		4(1)	(1)	1
41～50	18	1	1		1	8	1	1	4(1)	(1)	1
51～60	20	1	1	1		10	1	1	4(1)	(1)	1
61～70	22	1	1	1		12	1	1	4(1)	(1)	1
71～80	24	1	2	1		13	1	1	4(1)	(1)	1
81～90	26	1	2	1		15	1	1	4(1)	(1)	1
91～100	28	1	2	1		17	1	1	4(1)	(1)	1
101～110	29	1	2	1		18	1	1	4(1)	(1)	1
111～120	32	1	2	1		20	2	1	4	1	1
121～130	34	1	2	1		22	2	1	4	1	1
131～140	36	1	2	1		23	2	1	4	1	1
141～150	39	1	2	1		25	2	1	5	1	1
151～160	42	1	2	1		27	2	1	5	1	1
161～170	43	1	2	1	1	28	2	1	5	1	1
171～180	45	1	2	1	1	30	2	1	5	1	1
181～190	48	1	2	1	1	32	3	1	5	1	1
191～200	49	1	2	1	1	33	3	1	5	1	1
201～210	52	1	2	1	1	35	3	1	6(1)	1	1
211～220	55	1	3	1	1	37	3	1	6(1)	1	1
221～230	56	1	3	1	1	38	3	1	6	1	1
231～240	58	1	3	1	1	40	3	1	6	1	1
241～250	60	1	3	1	1	42	3	1	6	1	1
251～260	62	1	4	1	1	43	3	1	6	1	1
261～270	64	1	4	1	1	45	3	1	6	1	1
271～280	66	1	4	1	1	47	3	1	6	1	1

(注) 1 調理員等欄の ( ) は、非常勤職員の再揭、医師欄の ( ) は嘱託医を示す。
　　 2 サテライト型施設を設置している場合には、本体施設とサテライト型施設のそれぞれの定員の合計を取扱定員とする。

Ⅱ 生活保護法関係通知 第11章 交付要綱

(2) 更生施設

職種\\取扱定員	総数	施設長	事務員	主任指導員	指導員	看護師	栄養士	調理員等	医師
30人以下	11人	1人	1人	人	4人	1人	人	4(1)人	(1)人
31～40	12	1	1		5	1		4(1)	(1)
41～50	13	1	1		5	1	1	4(1)	(1)
51～60	13	1	1	1	4	1	1	4(1)	(1)
61～70	13	1	1	1	4	1	1	4(1)	(1)
71～80	13	1	1	1	4	1	1	4(1)	(1)
81～90	13	1	1	1	4	1	1	4(1)	(1)
91～100	14	1	2	1	4	1	1	4(1)	(1)
101～110	14	1	2	1	4	1	1	4(1)	(1)
111～120	14	1	2	1	4	1	1	4(1)	(1)
121～130	14	1	2	1	4	1	1	4(1)	(1)
131～140	14	1	2	1	4	1	1	4(1)	(1)
141～150	16	1	3	1	4	1	1	5(2)	(1)
151～160	17	1	3	1	5	1	1	5(2)	(1)
161～170	17	1	3	1	5	1	1	5(2)	(1)
171～180	17	1	3	1	5	1	1	5(1)	(1)
181～190	17	1	3	1	5	1	1	5(1)	(1)
191～200	18	1	3	1	5	2	1	5(1)	(1)
201～210	19	1	3	1	5	2	1	6(2)	(1)
211～220	20	1	3	1	6	2	1	6(2)	(1)
221～230	21	1	4	1	6	2	1	6(2)	(1)
231～240	21	1	4	1	6	2	1	6(1)	(1)
241～250	21	1	4	1	6	2	1	6(1)	(1)
251～260	22	1	4	1	6	3	1	6(1)	(1)
261～270	23	1	4	1	7	3	1	6(1)	(1)

(注) 調理員等欄の（ ）は、非常勤職員の再掲、医師欄の（ ）は嘱託医を示す。

(3) 宿所提供施設

取扱定員＼職種	総数	施設長	事務員	調理員等
	人	人	人	人
50人以下	3	1	1	1
51〜60	3	1	1	1
61〜70	3	1	1	1
71〜80	3	1	1	1
81〜90	3	1	1	1
91〜100	3	1	1	1
101〜110	3	1	1	1
111〜120	3	1	1	1
121〜130	3	1	1	1
131〜140	3	1	1	1
141〜150	3	1	1	1
151〜160	3	1	1	1
161〜170	3	1	1	1
171〜180	3	1	1	1
181〜190	3	1	1	1
191〜200	3	1	1	1
201〜210	4	1	1	2
211〜220	4	1	1	2

(4) 授産施設

取扱定員＼職種	総数	施設長	事務員	指導員	雇用人	家庭授産（指導員）
	人	人	人	人	人	人
20人以下	4 (1)	1	(1)	2	―	1
21〜30	5	1	1	2	1	1
31〜40	5	1	1	2	1	1
41〜50	6	1	1	3	1	1
51〜60	7	1	1	4	1	1
61〜70	8	1	1	4	2	1
71〜80	9	1	1	4	3	1
81〜90	10	1	1	5	3	1
91人以上	10	1	1	5	3	1

別紙様式(1)

　　　　　　　　　　令和　　年度施設事務費支弁基準額設定状況表
　　　　　　　　　　　　　　　　　　　　　　　　（令和　　年　　月　　日設定）
　　　　　　　　　　　　　　　　　　　　　　設定責任者
　　　　　　　　　　　　　　　　　　　　　　職　氏　名

(ｱ)　施設事務費支弁基準額設定表
　　施　設　種　別
　　施　設　名
　　地　域　区　分（20／100、16／100、15／100、12／100、10／100、6／100、3／100、
　　　　　　　　　左記以外の地域）
　　寒冷地域区分（1級地、2級地、3級地、4級地）
　　取　扱　定　員　　　　　　人
　　適　用　期　間　　　　　年　　月　～　　　年　　月

区　　　　　　分	金　額	備　　　　考
一　般　事　務　費	円	
加算分　寒冷地加算額		
事務用冬期採暖費		
ボイラー技師雇上費		
機能回復訓練業務委託費		
降灰除去費		
精神科医雇上費		
指導員加算費		
看護師加算費		
救護施設介護職員加算費		
サテライト型施設介護職員加算費		
精神保健福祉士加算		
寝具乾燥消毒費		
施設機能強化推進費		
入所者処遇特別加算		
単身赴任手当加算		
感染症対策等体制整備費		
新型コロナウイルス感染症等感染拡大防止のための見守り支援費		
就労支援加算費		
民間施設給与等改善費		（階級区分ＡＢＣＤＥＦＧＨ）
除雪費		
計		

（注）　1　定員改定等により、施設事務費支弁基準額の改定が行われる場合には、改めて作成すること。
　　　　2　区分欄中当該施設に該当しない経費については抹消すること。

区　　分		金　額	備　考
保護施設通所事業事務費		円	
加算分	民間施設給与等改善費		
計			

(注) 1　定員改定等により、施設事務費支弁基準額の改定が行われる場合には、改めて作成すること。
　　 2　区分欄中当該施設に該当しない経費については抹消すること。

(イ)　職種別職員配置基準及び現員数

職　種　別	定　数	現　員	備　考
計	人	人	

(注) 1　「定数」欄には、別表(1)に定める職種別定数を記載すること。
　　 2　「現員」欄には、その施設に勤務するすべての職員について記載することとし、非常勤職員については備考欄にその旨記入すること。

別紙様式(2)

職員の給与支給状況表（　月分）

専任兼任の別	氏名	職種	性別	年齢	経験年数	学歴	職員給与			諸手当			合計(ア〜)	備考	施設の種類	施設の名称
							本俸(ア)	本俸の調整額(イ)	扶養手当(ウ)	超過勤務手当(エ)	通勤手当(オ)	計				
				歳	年月		円	円	円	円	円	円	円			
計（　人）																

(記載要領)

1 「専任、兼任の別」欄は、勤務場所がもっぱら当該施設にあるものを専任とし、同一施設内において、二つの職種を兼務を兼任とし、当該施設以外にも勤務場所を有しているものを兼任とすること。

2 「職種」欄は、保護施設職種別職員配置基準告示に掲げた職種により記入すること。

3 「年齢」欄は、給与の支給月を基準として歳で記入すること。

4 「経験年数」欄は、現に勤務する施設における勤続年数及びその他の社会福祉施設（現に勤務する施設以外の施設であって、社会福祉法第2条に定める施設（児童自立支援法附則により、なお従前の例により福祉施設とみなされる施設を含む。）における勤続年数、老人福祉施設、老人福祉センターを除く。）、障害者支援施設、障害福祉サービス事業（施設を必要とするもの限る。児童福祉施設（児童家庭支援センターを除く。）、障害者支援施設、障害福祉サービス事業（施設を必要とする障害者支援施設、視聴覚障害者情報提供施設並びに福祉ホーム）における通算勤続年数、児童福祉法第12条の4に定める施設における通算勤続年数及び就学前の子どもに関する教育、保育等の総合的な提供の推進に関する法律に定める認定こども園における勤続年数等を合算した年数とし、年、月まで記入すること。

5 「学歴」欄は、大学卒、短大卒、高校卒、中学卒のように記入すること。なお、保母、看護師、社会福祉主事等、資格免許等を有しているものについては、資格、免許等の名称、取得年月日を備考欄に記入すること。

6 「本俸の調整額」欄は、本俸の調整額として、特殊業務手当等職員俸給として支給されているものを記入すること。

7 給与の「合計」欄は、当該月の給与支給総額に一致するものであること。

別紙様式(3)

機能回復訓練業務委託費加算申請書

1　施設の名称及び所在地
2　設置主体及び経営主体
3　申請時における入所者の状況

定員	現員		
	被保護者	その他	計
人	人	人	人

4　OT、PTの業務委託状況
　(1)　OT又はPTの氏名
　(2)　OT又はPTの勤務先
　(3)　経験年数　　　　　年
　(4)　訓練対象人員の状況

身体障害者		知的障害者		精神障害者		二種以上の重複障害者		その他	合計
障害等級	人員	IQ	人員	病名	人員	障害の状況	人員	人員	
1級	人	測定不能	人	統合失調症	人	身障4級以上＋IQ41〜70	人	人	人
2級		30以下		てんかん		身障4級以上＋精神障害者			
3級		40以下		アルコール中毒		IQ41〜70＋精神障害者			
				その他		その他			

　(5)　訓練開始（予定）年月　　　　令和　　年　　月から
　(6)　OT、PTの訓練業務回数　　　週　　回（各　　　時間）
　(7)　機能回復訓練に係る経費（賃金）　　1回当り　　　円（又は月額　　　円）
5　加算を必要とする理由
6　添付書類
　(1)　機能回復訓練業務委託契約書　（写）
　(2)　OT、PTの資格証明書　　　　（写）
　(3)　その他、参考となる資料

Ⅱ 生活保護法関係通知 第11章 交付要綱

別紙様式(4)

番　　　号
日　　　付

○　○　知事
　　　　　　殿
△　△　市長

申　請　者　名

指　導　員　加　算
看　護　師　加　算　　対象施設の認定について
介　護　職　員　加　算
精神保健福祉士加算

標記について、次の書類を添えて申請するので、よろしくお取り計らい願いたい。

(指導員加算、看護師加算、精神保健福祉士加算の場合)
1　障害者入所（利用）率算定調書（救護施設、授産施設）　　　　様式(1)
2　入所（利用）者一覧表（救護施設、授産施設）　　　　　　　　様式(2)
3　生活指導等の状況（宿所提供施設）　　　　　　　　　　　　　様式(3)
4　利用者一覧表（宿所提供施設）　　　　　　　　　　　　　　　様式(4)
5　職員の給与支給状況表　　　　　　　　　　　　　　　　　　　様式(5)
6　前年度決算書（又は見込書）写及び予算書写

(救護施設介護職員加算の場合)
1　救護施設介護職員加算算定調書　　　　　　　　　　　　　　　様式(6)
2　入所者一覧表　　　　　　　　　　　　　　　　　　　　　　　様式(7)
3　職員の給与支給状況表　　　　　　　　　　　　　　　　　　　様式(5)
4　前年度決算書（又は見込書）写及び予算書写

(サテライト型施設介護職員加算の場合)
1　サテライト型施設介護職員加算算定調書　　　　　　　　　　　様式(8)
2　職員の給与支給状況表　　　　　　　　　　　　　　　　　　　様式(5)
3　前年度決算書（又は見込書）写及び予算書写

様式(1)

障害者入所（利用）率算定調書

施　設　名		施設種別	
設置主体名		経営主体名	
施設所在地			
算定年月日			
定　　員	A	実　人　員　B	障害者人員　C
障害者入所（利用）率　$\dfrac{C}{B} \times 100$			

障害者人員内訳

障　害　者　の　区　分	入所（利用）人員
①身体障害者（５の(1)のアの(ｱ)の①（授産施設については５の(1)のウの(ｱ)の①）に該当する者）	人
②知的障害者（５の(1)のアの(ｱ)の②に該当する者）	人
③精神障害者（５の(1)のアの(ｱ)の③に該当する者）	人
計　　（①＋②＋③）	人

様式(2)

入所（利用）者一覧表

施設名

氏　　名	性別	生年月日	様式(1)の①②③の区分	身体障害者手帳等所持の有無及び等級	手帳等の発行年月日・番号	備　　考

様式(3)

宿 所 提 供 施 設

施設名

指導の種類	指導内容	過去1か年の間相談を行った対象人員（　）内には1月当たり平均人数	指導員氏名	備　考
生活指導 　　生計相談 　　医療相談 　　教育相談				
就労指導 　　職業訓練 　　職場あっせん				

（注）　指導のねらい、指導内容を内容とする指導計画を添付すること。

様式(4)

利 用 者 一 覧 表

定員A	現員B	利用率B／A
人	人	％

施設名

氏　　　名	性別	生　年　月　日	就労の有無	世帯の種類	備　考

（注）　世帯の種類欄には、高齢者世帯、精神障害者世帯、知的障害者世帯、傷病世帯、母子世帯、父子世帯等を記入すること。

生活保護法による保護施設事務費及び委託事務費の取扱いについて

様式(5)

職員の給与支給状況表

施設の種類：
施設の名称：

氏名	職種	専任兼任の別	性別	年齢	経験年数	学歴	給与						備考
							本俸(ア)	本俸の調整額(イ)	扶養手当(ウ)	超過勤務手当(エ)	通勤手当(オ)	合計(ア〜)	
				歳	年月		円	円	円	円	円	円	

計（人）

（記載要領）

1　「専任、兼任の別」欄は、勤務場所がもっぱら当該施設にあるものを専任とし、当該施設以外にも勤務場所を有しているものを兼任とすること。同一施設内において、二つの職種を兼務しているものについては、職務内容等によりどちらかを専任とすること。
2　「職種」欄は、保護施設職員配置基準等に掲げた職種により記入すること。
3　「年齢」欄は、給与の支給年月を基準として歳で記入すること。
4　「経験年数」欄は、現に勤務する施設における勤続年数及びその他の社会福祉施設（現に勤務する施設以外の社会福祉施設であって、社会福祉法第2条に定める施設のうち、保護施設、老人福祉施設（軽費老人ホーム、養護老人ホーム及び特別養護老人ホームに限る。）、婦人保護施設、児童福祉施設（児童自立支援施設及び児童家庭支援センターを除く。）、障害者支援施設（施設を必要とする障害福祉サービス事業のに限る。）を行う事業所、盲人ホーム、視聴覚障害者情報提供施設並びに福祉ホーム）における通算勤続年数、児童福祉法第12条の4に定める施設における勤続年数及び就学前の子どもに関する教育、保育等の総合的な提供の推進に関する法律に定める認定こども園における勤続年数を合算した年数とし、年、月まで記入すること。
5　「学歴」欄は、大学卒、短大卒、高校卒、中学卒のように備考欄に記入すること。なお、保母、看護師、社会福祉主事等、資格免許等を有しているものについては、資格、免許等の名称、取得年月日を備考欄に記入すること。
6　「本俸の調整額」欄は、本俸の調整額、特殊業務手当等職員本俸給として支給されているものであること。
7　給与の「合計」欄は、当該月の給与支給総額に一致するものであること。
8　本表は各年度4月分の状況について記入すること。

様式(6)

救護施設介護職員加算算定調書　（単位：人）			
施　設　名			
定　員　①		現　員　②	

(1) 入所者の介護状況に応じて加算する場合

入所者の介助状態	全部介助を必要とする者	③	
	一部介助を必要とする者	④	
	自立が出来ている者	⑤	
加　算　対　象　者　(③+④×0.3)		⑥	
介護職員加算人員	$\begin{cases} 1\,人\,目\,[⑥-①/4] \\ 2\,人目以降\,[⑥-①/4]/15 \end{cases}$		

(2) 入所者の障害状況に応じて加算する場合

入所者の障害状態	精神障害者数 (入所者割合（⑦／②）　　％)	⑦		人 （　　　％)
	知的障害者数 (入所者割合（⑧／②）　　％)	⑧		人 （　　　％)
	身体障害者数 (入所者割合（⑨／②）　　％)	⑨		人 （　　　％)
介護職員加算（1名）の可否 （どちらかに「〇」印を付けること）		可		否

・ 精神障害者、知的障害者及び身体障害者のそれぞれの人数は、単一障害者のみではなく、重複障害者も含めて計上すること。
・ 障害状況により介護職員を加算する場合については、設定要件を満たさないために介護状況に応じて介護職員を加算することができない施設に限るものとする。

様式(7)

入所者一覧表

施設名

氏　名	性別	年齢	介助の状態			障害の状況			備考
			全部介助	一部介助	自　立	精神障害	知的障害	身体障害	
合　計　人　数									

　　　　　　　　　　　介助の状態について、上記のとおりであることを証明する。
　　　　　　　　　　　医師又は看護師　　氏　　名

（記載要領）
　＊　「介助の状態」の欄は、該当する欄に「○」印を付けること。
　＊　「障害の状況」の欄は、該当する障害については全て「○」印を付けること。

様式(8)

サテライト型施設介護職員加算算定調書

施　設　名		設置主体名		経営主体名		
施設所在地						
サテライト型施設所在地（注）	1					
	2					
	3					
本体施設定員 A	人	サテライト型施設定員（注）	1　　　　人	定員 C＝A＋B		人
			2　　　　人			
			3　　　　人			
			計B　　　人			
定員Aにおける直接処遇職員数 ①	人	定員Cにおける直接処遇職員数 ②	人	直接処遇職員数の増 ③＝②－①		人
サテライト型施設数（Ⅰ）		（サテライト型施設数（Ⅰ）×2人）－③＝介護職員加算数			介護職員加算数	
	施設					人

（注）サテライト型施設を4施設以上設置している場合、適宜欄を追加して作成すること。

別紙様式(5) 削除

別紙様式(6) 削除

別紙様式(7)

番　　号
日　　付

○○知事
△△市長　㊞

殿

指　導　員　加　算
看　護　師　加　算　　対象施設認定書
介　護　職　員　加　算
精神保健福祉士加算

　令和　　年　　月　　日第　　号で申請のあった標記について、申請のとおり認定したので通知する。

別紙様式(8)

番　号
日　付

〇〇知事　殿
△△市長

申請者名

精神科医雇上費（実施回数）加算の認定について

標記について、次のとおり申請するのでよろしくお取り計らい願いたい。

定　員	現　　　　員			割　合
A	加算対象者 B	その他	計	B／A
人	人	人	人	％

（令和　年　月　日現在）

申　請　回　数　加　算	（2　3　4　5　6）回

（注）救護施設については、申請加算回数の該当する数字を〇印で囲むこと。
　　　更生施設については、2回に〇印を囲むこと。

（内　訳）

加算対象者内訳　　　施設名

氏　名	性別	生年月日	通院等		病院名	病　名	備　考
			通院	施設内処方			

（注）「病名」欄には例えば統合失調症、てんかん、アルコール中毒等を記入すること。
　　　通院等欄は、いずれか一方に〇印を記入すること。

別紙様式(9)

番　号
日　付

殿

〇〇知事　㊞
△△市長

精神科医雇上費（実施回数）加算認定書

令和　年　月　日　第　号で申請のあった標記について、下記のとおり認定したので通知する。

記

加　算　回　数	（2　3　4　5　6）回

Ⅱ 生活保護法関係通知 第11章 交付要綱

別紙様式(10)

感染症対策等体制整備費（所要額）加算申請書

1 施設の名称及び所在地
2 設置主体及び経営主体
3 申請所要額
4 内容等

計　　画		支　出　予　定　額				
実施時期	内　容	総経費	科　目	金　額		積算内容
○年○月	職員の研修	円 ○○○○	謝金 ・ ・	円 ○○○ ○○○		
○年○月	業務継続計画の改定 ・ ・	○○○○	委託費 印刷製本費 旅費 ・ ・	○○○ ○○○		

5 加算を必要とする理由
6 添付書類
 (1) 現行の業務継続計画
 (2) 現行のマニュアル
 (3) 職員研修計画
 (4) その他、参考となる資料

別紙様式(11)

感染症対策等体制整備費加算実施報告書

1 施設の名称及び所在地
2 設置主体及び経営主体
4 支出済額
5 内容等

実　　績		支　出　済　額				
内　容	総経費	内　容	総経費	内　容		総経費
○年○月	職員の研修	円 ○○○○	謝金 ・	円 ○○○ ○○○		
○年○月	業務継続計画の改定 ・ ・	○○○○	委託費 印刷製本費 旅費 ・ ・	○○○ ○○○		

6 添付書類
 (1) 策定又は改定した業務継続計画
 (2) 策定又は改定したマニュアル
 (3) 研修報告等実績が分かるもの
 (4) その他、実績が分かる資料

生活保護法による保護施設事務費及び委託事務費の取扱いについて

別紙様式(12)

番　号
日　付

○○知事
△△市長　殿

申請者名

新型コロナウイルス感染症等感染拡大防止のための見守り支援費（期間・経費）
　加算の認定について

標記について、次のとおり申請するのでよろしくお取り計らい願いたい。

申請経費	内訳	円		
	・一時滞在場所の確保（上限1人当たり7,000円／日）	延べ	日・	円
	・人件費等（上限9,600円／日）	延べ	日・	円

計　画		支　出　予　定　額			
実施時期	内　容	総経費	科　目	金　額	積算内容
○年○月〜○月	施設外での一時滞在場所の確保〇〇〇〇〇〇〇〇〇〇〇〇〇〇〇〇〇〇〇〇〇〇〇〇〇〇〇	円〇〇〇	賃借料・・	円〇〇〇〇〇〇〇〇〇	
○年○月〜○月	見守り支援に要する人件費等〇〇〇〇〇〇〇〇〇〇〇〇〇〇〇〇〇〇〇〇〇〇〇〇〇〇	〇〇〇	賃金旅費・	〇〇〇〇〇〇〇〇〇	

添付書類
(1)　一時滞在場所の内容が分かる資料
(2)　対象職員の雇用契約が分かる資料
(3)　その他、必要な資料

別紙様式(13)

番　号
日　付

殿

○○知事
△△市長

新型コロナウイルス感染症等感染拡大防止のための見守り支援費（期間・経費）加算認定書

令和　年　月　日第　　号で　　のあった標記について次のとおり認定したので通知する。

期　間	令和　年　月〜令和　年　月
経　費	円

Ⅱ 生活保護法関係通知 第11章 交付要綱

別紙様式(14)

番　　号
日　　付

○○知事
△△市長　殿

申請者名

新型コロナウイルス感染症等感染拡大防止のための見守り支援費
加算実施報告書

標記について、次のとおり報告する。

支出済額	円		
	利用内訳		
	・一時滞在場所の確保	延べ	日
	・人件費等	延べ	日

計画		支出済額			
実施時期	内容	総経費	科目	金額	積算内容
○年○月～○月	施設外での一時滞在場所の確保 ○○○○○○○○○○○ ○○○○○○○○○○○ ○○○○○○○○○○○ ○○○○○○○○	円 ○○○	賃借料 ・ ・	円 ○○○ ○○○ ○○○	
○年○月～○月	見守り支援に要する人件費等 ○○○○○○○○○○○ ○○○○○○○○○○○ ○○○○○○○○○○○ ○○○○○○○○	○○○	賃金 旅費 ・	○○○ ○○○ ○○○	

添付書類
(1)　一時滞在場所の利用実績が分かる資料
(2)　対象職員の給与支給状況が分かる資料
(3)　その他、必要な資料

生活保護法による保護施設事務費及び委託事務費の取扱いについて

別紙様式(15)

番　号
日　付

○○知事
△△市長　殿

申請者名

救護施設等における就労支援加算費申請書

標記について、次のとおり申請するのでよろしくお取り計らい願いたい。

申請経費	円

計　画		支　出　予　定　額			
実施時期	内　容	総経費	科　目	金　額	積算内容
○年○月 ～○月	○○○○○○○○○○○○ ○○○○○○○○○○○○ ○○○○○○○○○	円 ○○○	賃借料 ・ ・	円 ○○○ ○○○ ○○○	

添付書類
(1)ア　入所者が救護施設又は更生施設を退所した後に就労や作業などに就くことができる場の開拓をすること。
　イ　入所者が退所した後に速やかに就労等に就くことができ、定着が図られるよう、外部機関との連携を行うこと。
　　上記ア及びイを証する資料
(2)　対象職員の雇用契約が分かる資料
(3)　前年度における本事業の実施状況がわかる資料
(4)　その他、必要な資料

別紙様式(16)

番　号
日　付

殿

○○知事
△△市長

救護施設等における就労支援加算費認定書

　令和　年　月　日第　　号で　　のあった標記について次のとおり認定したので通知する。

期　間	令和　年　月～令和　年　月
経　費	円

Ⅱ 生活保護法関係通知 第11章 交付要綱

別紙様式(17)

　　　　　　　　　　　　　　　　　　　　　　　　　番　　号
　　　　　　　　　　　　　　　　　　　　　　　　　日　　付
○○知事
△△市長　殿

　　　　　　　　　　　　　　　　　　申請者名
　　　　　　　救護施設等における就労支援加算費報告書
標記について、次のとおり報告するのでよろしくお取り計らい願いたい。

支出済額	円

実　　　績		支　出　済　額			
実施時期	内　　容	総経費	科　目	金　額	積算内容
○年○月 〜○月	○○○○○○○○○○○○ ○○○○○○○○○○○○ ○○○○○○○○○	円 ○○○	賃借料 ・ ・	円 ○○○ ○○○ ○○○	

添付書類
(1)ア　入所者が救護施設又は更生施設を退所した後に就労や作業などに就くことができる場の開拓をすること。
　イ　入所者が退所した後に速やかに就労等に就くことができ、定着が図られるよう、外部機関との連携を行うこと。
　　上記ア及びイを証する資料
(2)　対象職員の雇用契約が分かる資料
(3)　前年度における本事業の実施状況がわかる資料
(4)　その他、必要な資料

生活保護法による保護施設事務費及び委託事務費の取扱いについて

別紙様式(18)

番　　号
年　月　日

厚生労働大臣　　　殿

都道府県知事　　　　　㊞
(指定都市市長)
(中核市市長)

　　　　生活保護法による保護施設事務費特別基準承認申請について

　標記について平成20年３月31日厚生労働省発社援第0331011号厚生労働事務次官通知別紙３の(1)ただし書に基づき、次のとおり申請する。

1　施設の名称及び所在地
2　施設の種類
3　設置主体及び経営主体
4　特別基準の設定を必要とする理由及び期間
5　特別基準申請（被保護者１人当り月額）
　　（内　訳）
　　一 般 事 務 費　　　　　円（一般基準の場合　　　円）
　　事 務 費 加 算 額　　　　円（　　〃　　　　　　　円）
　　………………
6　特別基準申請額算出調書及び職員の給与
7　入所（利用）者の状況１（様式　別紙１のとおり）
8　入所（利用）者の状況２（様式　別紙２のとおり）
9　作業指導等の状況（様式　別紙３のとおり）
10　その他参考となる資料
　（添付書類）
　(1)　前年度決算書（又は見込書）写及び当該年度の予算書（案）の写
　(2)　給与規程及び就業規則
　(3)　別紙様式(1)の令和　　年度施設事務費支弁基準額設定状況表

別紙1　入所（利用）者の状況1

(1) 救護施設、更生施設の場合

（令和　年　月～　年　月）

年月	定員	新規入所者数	理由別退所者数							月末現在数
			就職	帰宅	他施設へ移替え	入院（精神科）	入院（その他）	死亡	その他	計	
年　月	人	人	人	人	人	人	人	人	人	人	人
〃											
〃											
計											

(注) 申請前12か月の状況を記入すること。必要により年度別入退所状況とすること。

(2) 授産施設の場合（保護授産、社会事業授産別）

年月	定員	利用者総数	利用者		利用率	充足率	当該月における利用状況	
			被保護者	その他			入所者数	退所者数
年　月	人	人	人	人	％	％	人	人
〃								
〃								
計								

(注) 申請前1年間の月末状況を記入すること。

生活保護法による保護施設事務費及び委託事務費の取扱いについて

別紙2 入所(利用)者の状況2

(1) 救護施設、更生施設の場合

(令和 年 月 日現在)

氏名	年齢	性別	被保護者	入所年月日	在所期間	入所前の状況（該当欄に○印）		入所者の障害状況					退所見込（該当欄に○印）			作業指導の内容
						病院等に入院	居宅 その他	身体障害	病弱	精神障害	知的障害	その他	1年未満	1年以上3年未満	その他	
	65歳未満 男 女		被保護者 その他			人	人	人	人	人	人	人	人	人	人	人
	65歳以上		人 人													
計			人 人													

(注) 1 「入所者の障害状況」欄は、障害程度等級、病名(歴)等を記入すること。
2 「身体障害」欄には、肢体不自由1、2級、視覚1、2級、聴覚1、2級、内部障害1、2級のように記入すること。
3 「知的障害」欄には、IQ指数を記入する。なお、測定不能な者については、「測定不能」と記入すること。
4 複合障害のある者については、その内容を該当欄毎に記入すること。

(2) 授産施設の場合（保護授産、社会事業授産別）

定員	生活保護法による被保護者 A	被保護者以外の者					小計 B	小計のうち施設事務費の特例の対象者	計 A＋B
		母子世帯	身体障害者	知的障害者	老人	その他			
	人	人	人	人	人	人	人	人	人
計									

(注) 1 母子世帯は、20歳未満の子をもつ配偶者のいない女子を記入すること。
2 身体障害者は、身体障害者福祉法により身体障害者手帳を所有する者を記入すること。
3 知的障害者は、知的障害者福祉法の規定に基づき知的障害者と認定された者を記入すること。
4 老人は65歳以上の者を記入すること。

別紙3　作業指導の状況
(1) 救護施設、更生施設の場合

作業種目	作業内容	作業参加人員	作業時間		指導員氏名	備考	
			1日当たり	1週間当たり			
(実施中のもの)							
(予定)							

(注) 1　施設内雑役（屋内、屋外清掃、炊事手伝い等）等は除外すること。
　　 2　指導のねらい、作業内容等を内容とする作業指導計画を添付すること。

(2) 授産施設の場合（保護授産・社会事業授産別）

1 決算状況

収　　入 (千円)		支　　出 (千円)			
事務費補助金		事務費	人件費		
利用者自己負担金（負担金）			その他		
設置者繰入金			小　計		
事業収入		事業費	工賃		
その他の寄付金等			原材料等の必要経費		
			その他		
			小　計		
計		計			

（注）前年度決算書写を添付すること。

2 工賃の支払状況

作業種目								
区分	人員	支払額	人員	支払額	人員	支払額	人員	支払額
	人	円	人	円	人	円	人	円
作業日数 10日未満								
10〜14日								
15〜19日								
20日以上								
計								
1人当り 最高								
最低								
平均								

○社会福祉施設における施設機能強化推進費の取扱いについて

(昭和62年7月16日　社施第90号)
(各都道府県知事・各指定都市市長宛　厚生省社会局長通知)

〔改正経過〕

第1次改正	昭和63年5月27日社　施　第　83　号	第2次改正	平成8年3月22日児発第243号・社援企第41号・老企第32号
第3次改正	平成8年10月4日社 援 発 第 156 号	第4次改正	平成12年3月31日障第284号・社援第866号・児発第356号
第5次改正	平成15年3月31日雇児発第0331022号・社援発0331016号・老発第0331012号	第6次改正	平成16年9月30日社 援 発 第 0930007 号
第7次改正	平成17年6月29日社 援 発 第 0629026 号	第8次改正	平成18年1月24日雇児発第0124001号・社援発0124003号・老発第0124002号
第9次改正	平成18年3月31日社 援 発 第 0331004 号	第10次改正	平成22年3月29日社 援 発 0329 第 116 号
第11次改正	平成25年5月15日社 援 発 0515 第 4 号	第12次改正	令和元年5月27日社 援 発 0527 第 1 号
第13次改正	令和3年3月30日社 援 発 0330 第 5 号		

　標記については、別途厚生事務次官から「生活保護法による保護施設事務費及び委託事務費の支弁基準について」(昭和48年5月26日厚生省社第497号)、「身体障害者保護費の国庫負担(補助)について」(昭和62年7月16日厚生省社第529号)及び「婦人保護費の国庫負担及び国庫補助について」(昭和44年6月25日厚生省社第146号)をもって通知され、本年4月1日から実施することとされたが、この経費の適切な運用を図るため、今般、別紙のとおり実施要綱を定めたので、管下社会福祉施設に対し周知徹底のうえ格段の御指導を願いたい。

別　紙
　　　施設機能強化推進費実施要綱
第1　目的
　　施設が持つ専門的な知識や技術等を活かし、地域の人々を対象とした介護相談、指導等を実施するとともに、施設と地域等との交流を促進することにより、入所者の生きがい高揚や家庭復帰、社会復帰に向けての自立意欲の助長を図り、また、施設における火災・地震等の災害時に備え、職員等の防災教育及び災害発生時の安全かつ迅速な避難・誘導体制を充実する等総合的な防災対策を図り、適正な施設運営と施設機能の充実強化を推進する。

第2
1　事業の種類及び内容
　(1)　種類
　　　①　社会復帰等自立促進事業
　　　　ア　施設入所者社会復帰促進事業
　　　　イ　心身機能低下防止事業
　　　　ウ　処遇困難事例研究事業
　　　②　専門機能強化事業
　　　　ア　介護機能強化事業
　　　　イ　機能回復訓練機能強化事業
　　　　ウ　技術訓練機能強化事業
　　　③　総合防災対策強化事業
　(2)　内容
　　　別表のとおり
2　事業の選択
　　事業は各施設の運営状況等から可能な範囲で実施するものとすること。
3　加算の方法等
　　事業を実施しようとする施設から、別紙様式1を参考とした申請書を都道府県知事（指定都市及び中核市の市長を含む。以下同じ）に提出させ、当該施設の年間事業計画及び当該申請事業の内容、必要性及び経費等について必要な審査を行い、必要と認めた場合は次の方法により加算すること。
　　なお、個々の事業の加算の認定に当たっては、相当の規模及び頻度で計画的、積極的に実施することにより、入所者処遇の向上等施設運営の充実強化に効果が期待できるものについて対象とすること。
　(1)　個々の事業毎の加算額は、別表にあるそれぞれの単価を限度とすること。
　(2)　1施設当たりの加算総額は、入所施設にあっては年額75万円以内（ただし、第2の1の(1)の①及び②の事業のみを行う場合は年額50万円以内とし、婦人保護施設の一時保護所については第2の1の(1)の③の事業のみを対象とし年額45万円以内とする。）、通所・利用施設にあっては年額45万円以内とする。
　　　ただし、実所要額がこれを下回る場合は実所要額とし、1施設当たりの加算総額が10万円未満の場合は国庫補助の対象としないこと。
　(3)　この加算額は、毎月支弁する事務費の加算分として支弁するものとし、その加算分の措置費単価は次の算式により算定すること。（ただし、10円未満は四捨五入）
　　　　単価＝認定額／（定員×12月）
　(4)　デイ・サービス事業及びショート・ステイ事業等別途国庫補助金が交付される事業及び都道府県等の単独補助事業を実施している施設については、同種の事業は対象から除外すること。
4　支出対象経費

Ⅱ 生活保護法関係通知 第11章 交付要綱

・需用費（消耗品費、燃料費、印刷製本費、修繕料、食糧費（茶菓）、光熱水費、医療材料費）
・役務費（通信運搬料）　　　　・旅費　　　　　　　・謝金
・備品購入費　　　　　　　　　・原材料費　　　　　・使用料及び賃借料
・賃金（総合防災対策強化事業に限る。）
・委託費（総合防災対策強化事業に限る。）

5 対象施設

	入　所　施　設	通　所　・　利　用　施　設
保　護　施　設	・救護施設 ・更生施設 ・宿所提供施設	・授産施設
視聴覚障害者情報提供施設		・点字図書館 ・聴覚障害者情報提供施設
婦　人　保　護　施　設	・婦人保護施設 ・一時保護所	

第3　特別事業
1　救護施設居宅生活訓練事業（以下「居宅生活訓練事業」という。）
⑴　目的
　救護施設に入所している被保護者が円滑に居宅生活に移行できるようにするため、施設において居宅生活に向けた生活訓練を行うとともに、訓練用住居（アパート、借家等）を確保し、より居宅生活に近い環境で実体験的に生活訓練を行うことにより、居宅生活への移行を支援する。
⑵　対象者
　本事業の対象者は、生活保護法第38条に規定する救護施設に入所している者であって、1年間の個別訓練を行うことにより、居宅において生活を送ることが可能となると認められる者のうちから、当該施設の施設長により選定された者とすること。
　なお、選定に当たっては、対象者に対し、事前に本事業の目的及び内容を十分説明し、その実施について了解を得ること。
　また、本事業の対象として訓練を実施した結果、退所することができなかった者は、一定期間本事業の対象者としないこと。
⑶　実施施設の指定
　本事業を実施しようとする施設は、毎年度、事業に係る申請書を都道府県知事に提出し、その指定を受けること。
⑷　実施機関との連携
　事業終了後、居宅生活を送ることが可能となった者については、その居住地を所

管する保護の実施機関が保護の実施責任を負うこととなるので、十分な連絡調整を図ること。
(5) 対象者の居住場所及び設備
　ア　訓練用住居は、本事業を実施する救護施設（以下「実施施設」という。）の近隣に確保し、通常の生活に必要な設備を有すること。
　イ　居室は個室とすること。
　ウ　緊急時等の対応のため、電話設備を設けること。なお、電話設備については、携帯電話での対応でも差し支えないこととする。
(6) 訓練期間・対象人員
　訓練期間は、原則１年間とし、この期間の対象人員は２名から10名程度とすること。
　ただし、訓練期間の延長により退所が見込まれる者については、さらに１年以内の延長を認める。
(7) 職員の実施体制
　本事業の実施に当たっては、原則として、次の数の職員を配置することとし、本事業についての実務上の責任者（居宅生活訓練事業担当責任者）を専任職員として１名配置すること。

対象人員	職員数
10名以上	4名
6～9名	3名
2～5名	2名

　なお、施設入所の状態から訓練を経て地域へ移行する支援の連続性を考慮し、事業対象者となることが見込まれる者との関わり合いを継続的に持ちながら訓練に移行するなど対象者が円滑に訓練に移行できるよう配慮した支援となるよう努めること。
　また、本事業は、施設入所者の処遇の一環として実施するものなので、実施施設と十分連携協力体制をとり実施すること。
(8) 事業の実施及び訓練内容
　本事業の実施に当たっては、居宅生活訓練事業担当責任者を中心に、事業対象者の状況に応じ、継続して居宅において生活できるよう、次の指導項目について、あらかじめ訓練計画を定め、効果的に行うこと。
　　・日常生活訓練（食事、洗濯、金銭管理等）
　　・社会生活訓練（公共交通機関の利用、通院、買い物、対人関係の構築等）
　　・その他、自立生活に必要な訓練
(9) 他事業との連携について
　本事業の実施に当たっては、居住不安定者等居宅生活移行支援事業及び保護施設

通所事業を有効に活用するなどにより、救護施設に入所している利用者の地域移行や地域生活移行後の居宅生活継続に向けた支援を積極的に行うこと。

⑽ その他留意事項

本事業の実施期間中は、衛生管理、健康管理について十分配慮すること。

本事業の実施に当たっては、訓練中の事故の防止について十分留意すること。

特に夜間においては、火災等に備えて最善の注意を払うこと。

2 加算の方法等

都道府県知事は、事業を実施しようとする施設から、別紙様式1を参考とした申請書を提出させ、当該施設の年間事業計画及び当該申請事業内容及び経費等について必要な審査を行い、必要と認めた場合は次により加算すること。

⑴ 事業の限度額

本事業の実施に要する経費は、利用者数に応じて次に定める額を限度とする。

利用者数	限度額（月額）
10名以上	114万6170円
9名	106万8670円
8名	99万1170円
7名	91万3670円
6名	83万6170円
5名	75万8670円
4名	68万1170円
3名	60万3670円
2名	52万6170円

ただし、訓練期間内における各月初日における本事業の対象者数が原則として2名を下回る場合は、支弁の対象としない。

なお、事業対象者の地域移行の結果や、やむを得ない事情により、一時的（原則3か月程度）に利用者が2名を下回る場合（1名を下限とする）は、支弁の対象とすることができるものとする。その際の本事業の実施に要する経費は、1施設あたり月額44万8670円を限度とする。

⑵ この加算額は、各月に支弁する事務費に加えて認定額を支弁するものとすること。

認定額＝居宅生活訓練事業加算分保護単価×その施設の各月初日の入所実人員

※居宅生活訓練事業加算分保護単価＝ $\dfrac{1 \text{施設当たりの月額}}{\text{その施設の訓練期間各月初日の定員}}$
（10円未満については四捨五入）

3 事業対象者の効果測定

事業者は、事業期間終了時までに事業対象者に係る事業の効果測定（達成度、目標との比較等）を行い、保護の実施機関に報告するものとする。また、保護の実施機関

は当該報告についてケース診断会議等において検討を行い、支援方針に反映し、併せて決定内容について事業者に対し通知を行うものとする。

第4　報告等
1　本事業の経理は、「社会福祉法人会計基準」（平成28年3月厚生労働省令第79号）及び社会福祉法人会計基準関連通知により行うものであるが、本事業の収支の内訳について、補助簿を設けるなど明確に区分し、その実態を明らかにしておくこと。
2　本事業を実施した施設は、毎年4月末日までに別紙様式1を参考とした事業実績報告書を都道府県知事に提出すること。
　　また、特別事業を実施した施設については、別紙様式2の居宅生活訓練事業実施報告書も併せて提出すること。
3　都道府県知事は、本事業を実施した施設については、監査時等随時事業の検証を行うこと。
4　都道府県知事は、居宅生活訓練事業実施報告書の写しを毎年5月末日までに本職あて提出すること。

第5　その他
　本制度の新設により、従来の「地域参加・交流促進費加算制度」は、昭和62年3月31日をもって廃止するものである。

Ⅱ　生活保護法関係通知　第11章　交付要綱

(別表)

	施設機能強化推進費の事業内容						
	社会復帰促進	自立助長等	処遇困難事例研究事業	介護機能強化事業	機能回復訓練機能強化事業	技術訓練機能強化事業	総合防災対策強化事業
	施設入所者社会復帰促進事業	心身機能低下防止事業					
1 事業内容・目的	就労し社会で活躍している施設経験者やグループホーム等から自立し、社会復帰を目指している入所者や、中途等からの身体障害者等を招き、体験談や講話などを通じて自立生活を営むための必要な情報交換を行うとともに、入所者の労働意欲の喚起により、入所者の社会復帰を促進する。	地域の児童、学生等グループ等を定期的に施設に招き入所者との交流、レクリエーション、会食、及び身寄りのない入所者と母親子等対話の機会を設けることにより老人ホーム等入所者の孤独感の解消、認知症等の高齢者心身機能低下の進行防止、身体機能回復を図る。	在宅の寝たきり老人等の介護経験者や老人等の介護に近隣施設の指導員、養護困難事例等について職員対応一人の間交流を図り研究会を行うとか、新たな処遇技術等を習得させる。	家庭において寝たきり老人、認知症高齢者及び重度障害者(児)を抱える家族等を対象として、介護に必要な寝具、自助具等の援助や介護方法についての相談に応じての指導を行うと共に、入所者との多様な接触を通じて行っている様々な処遇に応じて家族等に対応している寝たきり老人、認知症高齢者及び重度障害者(児)の方に本人等との接触の場を提供し、知識を深める。	家庭において寝たきり老人、障害者(児)等に当たっている介護者等を対象として、機能回復訓練の指導を行うとともに、自助具・補装具等の装着や操作方法について、一人一人の相談に応じての指導を行う。また、家族の多様な態様に対応して多数な対応の充実を図るとともに、これにより家族のあり方や実態を把握し、家族との接触を深める。	在宅の老人、障害者等を対象として技術研修に必要な実技指導を行うこととし、多種多様な技術研修を通じて把握された技術訓練内容の充実、改善に資する。また、入所者にあっては共同作業所との交流会を行うとともに、入所者、在宅老人、障害者等相互に情報交換、励まし合い、自立意欲の向上等を図る。	施設における火災・地震等の災害発生時の職員の安全かつ迅速な避難誘導体制を充実する等総合的な防災対策の充実を図る。
2 実施方法(例)	① 施設経験者等部外者を招いて講話、座談会を実施する。② 工場等入所者以外の一般見学等を集団的に実施する。	部外者招へいによる入所者との交流、レクリエーション、会食等を実施する。	① 近隣施設の職員及び事例処遇困難な事例例について共同会を開催する。② 職員を具内外の他の施設に派遣して実地研修させる。	パンフレット、スライド、ビデオ等により機能訓練の操作方法等を助言、指導する。	パンフレット、スライド、ビデオ等により機能回復訓練方法等を助言、指導する。	パンフレット、スライド、ビデオ等により入所者の共同作業等に参加させる。また、入所者との共同作業等に参加させる。	入所施設① 現体制では夜勤体制及び宿直体制の確保が困難なため夜間専門職員を雇用する等職員体制の強化を図る。② 地域住民等への防災支援のための協力体制の整備を図る。③ 災害教育及び避難訓練の実施及び避難器具の整備を促進する。通所・利用施設① 地域住民等への防災支援のための協力体制の整備及び職員等を雇用する。② 災害教育及び避難訓練の実施及び避難器具の整備を促進する。
3 加算単価	30万円以内	30万円以内	30万円以内	15万円以内	15万円以内	15万円以内	45万円以内 15万円以内

(別紙様式1)

施設機能強化推進費加算（申請・報告）書

1 施設の名称及び所在地：
2 設置主体及び経営主体：
3 入所者の定員及び現員：
4 申請（支出済）額　　：
5 事業内容等　　　　　：
 (1)事業実施計画（実績）及び支出予定（済）額

事業の種類	事業名	事業実施時期	事業内容	総事業費	支出予定（済）額		積算内容
					支出科目	金額	
社会復帰等自立促進事業	○○○○事業			○○○○円	印刷製本費 旅費	○○○円 ○○○	
専門機能強化事業	○○○○事業			○○○○	光熱水費 消耗品費	○○○ ○○○	
総合防災対策強化事業	総合防災対策強化事業			○○○○	賃金 備品購入費	○○○ ○○○	
居宅生活訓練事業	居宅生活訓練事業			○○○○	賃金 家賃	○○○ ○○○	
合　　計	4事業	－	－	○○○○	－	－	－

(別紙様式2)

居宅生活訓練事業実施報告書

令和　年　月　日

1　施　設　名：
2　施設所在地：
3　設置経営主体：
4　経営主体：
5　実施状況：

訓練を受けた者	年齢	訓練期間	退所年月日	生活訓練等の実施状況	障等等の状況	退所後の通所先等	備考
A		月～　月					
B		月～　月					
C		月～　月					
D		月～　月					
E		月～　月					

6　「やむを得ない理由」

(記載上の注意)
1　この表は、居宅生活訓練事業を行った対象者すべてについて記入すること。記入枠が不足する場合は適宜、行を追加して記入すること。
2　居宅生活訓練事業を行った対象者のうち、「やむを得ない理由」により退所ができなかった場合には、その理由を個々に記入すること。

III 関連法令等

III

革命と面目

第1章　行旅病人及び行旅死亡人関係

●行旅病人及行旅死亡人取扱法

$$\begin{pmatrix} 明治32年3月28日 \\ 法　律　第　93　号 \end{pmatrix}$$

〔一部改正経過〕
- 第1次　昭和22年12月22日法律第223号（民法の改正に伴う関係法律の整理に関する件）第4条による改正
- 第2次　昭和28年8月15日法律第213号「地方自治法の一部を改正する法律の施行に伴う関係法令の整理に関する法律」第10条による改正
- 第3次　昭和34年4月20日法律第148号「国税徴収法の施行に伴う関係法律の整理等に関する法律」第31条による改正
- 第4次　昭和42年8月1日法律第120号「許可、認可等の整理に関する法律」第21条による改正
- 第5次　昭和61年12月26日法律第109号「地方公共団体の執行機関が国の機関として行う事務の整理及び合理化に関する法律」第14条による改正
- 第6次　令和5年6月16日法律第63号「デジタル社会の形成を図るための規制改革を推進するためのデジタル社会形成基本法等の一部を改正する法律」第3条による改正

行旅病人及行旅死亡人取扱法
〔用語の定義〕
第1条　此ノ法律ニ於テ行旅病人ト称スルハ歩行ニ堪ヘサル行旅中ノ病人ニシテ療養ノ途ヲ有セス且救護者ナキ者ヲ謂ヒ行旅死亡人ト称スルハ行旅中死亡シ引取者ナキ者ヲ謂フ
②住所、居所若ハ氏名知レス且引取者ナキ死亡人ハ行旅死亡人ト看做ス
③前2項ノ外行旅病人及行旅死亡人ニ準スヘキ者ハ政令ヲ以テ之ヲ定ム
〔市町村の救護義務〕
第2条　行旅病人ハ其ノ所在地市町村之ヲ救護スヘシ
②必要ノ場合ニ於テハ市町村ハ行旅病人ノ同伴者ニ対シテ亦相当ノ救護ヲ為スヘシ
〔関係者への通知及び引取手続〕
第3条　行旅病人又ハ其ノ同伴者ヲ救護シタルトキハ市町村ハ速ニ扶養義務者又ハ第5条ニ掲ケタル公共団体ニ通知シ之ヲ引取ラシムルノ手続ヲ為スヘシ
〔救護費用の負担〕
第4条　救護ニ要シタル費用ハ被救護者ノ負担トシ被救護者ヨリ弁償ヲ得サルトキハ其ノ扶養義務者ノ負担トス
〔公共団体の引取及び費用負担〕
第5条　行旅病人若ハ其ノ同伴者ノ引取ヲ為ス者ナキトキ又ハ救護費用ノ弁償ヲ得サル場合ニ於テ其ノ引取並費用ノ弁償ヲ為スヘキ公共団体ニ関シテハ勅令ノ定ムル所ニ依ル

〔扶養義務者に対する関係〕
第6条　扶養義務者ニ対スル被救護者引取ノ請求及救護費用弁償ノ請求ハ扶養義務者中ノ何人ニ対シテモ之ヲ請求スルコトヲ得但シ費用ノ弁償ヲ為シタル者ハ民法〔明治31年法律第9号〕第878条ニ依リ扶養ノ義務ヲ履行スヘキ者ニ対シ求償ヲ為スヲ妨ケス
〔行旅死亡人の仮土葬〕
第7条　行旅死亡人アルトキハ其ノ所在地市町村ハ其ノ状況相貌遺留物件其ノ他本人ノ認識ニ必要ナル事項ヲ記録シタル後其ノ死体ヲ埋葬又ハ火葬ヲ為スベシ
②墓地若ハ火葬場ノ管理者ハ本条ノ埋葬又ハ火葬ヲ拒ムコトヲ得ス
〔行旅死亡人同伴者の救護〕
第8条　必要ノ場合ニ於テハ市町村ハ行旅死亡人ノ同伴者ニ対シテ亦相当ノ救護ヲ為スヘシ
②行旅病人ニ関スル規定ハ前項ノ場合ニ準用ス
〔公告〕
第9条　行旅死亡人ノ住所、居所又ハ氏名知レザルトキハ市町村ハ其ノ状況相貌遺留物件其ノ他本人ノ認識ニ必要ナル事項ニ付テ公署ノ掲示場ニ告示シ官報ニ公告シ且厚生労働省令ノ定ムル所ニ依リ電気通信回線ニ接続シテ行フ自動公衆送信（公衆ニ依リ直接受信セラルルコトヲ目的トシ公衆ノ請求ニ依リ自動的ニ送信ヲ行フコトヲ謂ヒ放送又ハ有線放送ニ該当スルモノヲ除ク）ニ依リ公衆ノ閲覧ニ供スベシ
〔行旅死亡人の関係者への通知〕
第10条　行旅死亡人ノ住所若ハ居所及氏名知レタルトキハ市町村ハ速ニ相続人ニ通知シ相続人分明ナラサルトキハ扶養義務者若ハ同居ノ親族ニ通知シ又ハ第13条ニ掲ケタル公共団体ニ通知スヘシ
〔行旅死亡人取扱費用の負担〕
第11条　行旅死亡人取扱ノ費用ハ先ツ其ノ遺留ノ金銭若ハ有価証券ヲ以テ之ニ充テ仍足ラサルトキハ相続人ノ負担トシ相続人ヨリ弁償ヲ得サルトキハ死亡人ノ扶養義務者ノ負担トス
〔遺留物件の処分〕
第12条　行旅死亡人ノ遺留物件ハ市町村之ヲ保管スヘシ但シ其ノ保管ノ物件滅失若ハ毀損ノ虞アルトキ又ハ其ノ保管ニ不相当ノ費用若ハ手数ヲ要スルトキハ之ヲ売却シ又ハ棄却スルコトヲ得
〔行旅死亡人取扱費用の弁償なき場合の措置〕
第13条　市町村ハ第9条ノ公告後60日ヲ経過スルモ仍行旅死亡人取扱費用ノ弁償ヲ得サルトキハ行旅死亡人ノ遺留物品ヲ売却シテ其ノ費用ニ充ツルコトヲ得其ノ仍足ラサル場合ニ於テ費用ノ弁償ヲ為スヘキ公共団体ニ関シテハ勅令ノ定ムル所ニ依ル
②市町村ハ行旅死亡人取扱費用ニ付遺留物件ノ上ニ他ノ債権者ノ先取特権ニ対シ優先権ヲ有ス
〔遺留物件の引渡〕

第14条　市町村ハ行旅死亡人取扱費用ノ弁償ヲ得タルトキハ相続人ニ其ノ保管スル遺留物件ヲ引渡スヘシ相続人ナキトキハ正当ナル請求者ト認ムル者ニ之ヲ引渡スコトヲ得
　　〔繰替支弁〕
第15条　行旅病人行旅死亡人及其ノ同伴者ノ救護若ハ取扱ニ関スル費用ハ所在地市町村費ヲ以テ一時之ヲ繰替フヘシ
②前項費用ノ弁償金徴収ニ付テハ市町村税滞納処分ノ例ニ依ル
③前項ノ徴収金ノ先取特権ハ国税及地方税ニ次グモノトス
第16条　削除
　　〔外国人の取扱〕
第17条　外国人タル行旅病人行旅死亡人及其ノ同伴者並其ノ所持物件若ハ遺留物件ノ取扱ニ関シ別段ノ規定ヲ要スルモノハ政令ヲ以テ之ヲ定ム
　　〔船車内における特例〕
第18条　船車内ニ於ケル行旅病人行旅死亡人及其ノ同伴者並其ノ所持物件若ハ遺留物件ノ取扱ニ関シ別段ノ規定ヲ要スルモノハ政令ヲ以テ之ヲ定ム
第19条及第20条　削除
　　〔施行期日〕
第21条　此ノ法律ハ明治32年7月1日ヨリ施行ス
　　〔行旅死亡人取扱規則の廃止〕
第22条　明治15年第49号布告行旅死亡人取扱規則ハ此ノ法律施行ノ日ヨリ廃止ス
　　　附　則（第6次改正）抄
　（施行期日）
第1条　この法律は、公布の日から起算して1年を超えない範囲内において政令で定める日〔令和6年4月1日〕から施行する。ただし、次の各号に掲げる規定は、当該各号に定める日から施行する。
　一　〔前略〕附則第7条〔中略〕の規定　公布の日〔令和5年6月16日〕
　（政令への委任）
第7条　この附則に定めるもののほか、この法律の施行に関し必要な経過措置（罰則に関する経過措置を含む。）は、政令で定める。

Ⅲ　関連法令等　第1章　行旅病人及び行旅死亡人関係

○行旅病人の救護等の事務の団体事務化について

> 昭和62年2月12日　社保第14号
> 各都道府県知事・各指定都市市長宛　厚生省社会局長
> 通知

　行旅病人の救護等の事務の団体事務化に伴う行旅病人及び行旅死亡人取扱法（明治32年法律第93号）の改正については、昭和61年12月26日社庶第225号厚生省社会局長、児童家庭局長通知「地方公共団体の執行機関が国の機関として行う事務の整理及び合理化に関する法律（社会福祉関係部分）の施行について」により通知したところであるが、昭和62年1月13日政令第3号をもって「地方公共団体の執行機関が国の機関として行う事務の整理及び合理化に関する法律の一部の施行期日を定める政令」が公布されたことにより本年4月1日から「地方公共団体の執行機関が国の機関として行う事務の整理及び合理化に関する法律（昭和61年法律第109号。以下「整理合理化法」という。）」が施行されることとなったので、下記の事項に留意の上、行旅病人の救護等の事務の適正な実施が行われるよう、よろしくお取り計らい願いたい。併せて貴管下市町村への周知について、御配慮願いたい。

記

第1　改正の内容
　　整理合理化法により、行旅病人及び行旅死亡人取扱法（以下「法」という。）の一部が改正され、以下の事務が団体事務化されたこと。
　1　行旅病人、その同伴者及び行旅死亡人の同伴者の救護（第2条、第8条関係）
　2　行旅病人、その同伴者及び行旅死亡人の同伴者の引取の通知（第3条、第10条関係）
　3　行旅死亡人の認識に必要な事項の記録（第7条関係）
　4　行旅死亡人の埋葬又は火葬（第7条関係）
　5　行旅死亡人の認識に必要な事項の公署の掲示場での告示及び官報又は新聞紙への公告（第9条関係）
　6　行旅死亡人の遺留金品の保管及び引き渡し（第12条、第14条関係）
　　なお、費用関係部分については変更がないこと。
第2　留意事項
　1　法第1条に規定する行旅病人には、以下の者が含まれること。
　　⑴　飢えにより歩行できなくなった行旅者
　　⑵　行旅中の妊産婦であって手当を要するが、その途を有しないもの
　　⑶　行旅者又は住所及び居所のない者若しくは明らかでない者であって、引取者がな

く、かつ、警察官が救護の必要があると認めて引き渡したもの
2 法第1条に規定する行旅死亡人には、引取者のない死胎が含まれること。
3 今回、団体事務化された事務については、各都道府県及び市町村において執行することとなるが、その執行に当たり規則等を定める際の参考となるよう別紙のとおり指針を作成したのでこれを参考とし、円滑な事務の執行が確保されるよう取り計らわれたい。

第3 その他
1 今回の団体事務化に伴い、次の内令（省令）は、本年3月31日をもって廃止する予定であること。
○行旅病人、行旅死亡人及同伴者ノ救護並ニ取扱ニ関スル件（明治32年内令第23号）
○外国人タル行旅病人、行旅死亡人及同伴者ノ救護並取扱ニ関スル特例ノ件（明治32年内令第24号）
なお、前記内令の廃止については、別途通知する。
2 法第1条第3項、第17条及び第18条に規定する政令については、当分の間、定める予定はないこと。

別　紙
　　　　行旅病人及び行旅死亡人の取扱いに関する指針
I 市町村が処理しなければならない事務について
　第1 扶養義務者等への引取通知
　　1 市町村は、行旅病人若しくはその同伴者又は行旅死亡人の同伴者（以下「被救護者」という。）を救護したときは、遅滞なく、被救護者の扶養義務者又は同居の親族に対し、引取期間を指定し、かつ、被救護者の状況を付して通知するものとする。
　　2 市町村は、1により引取りを行うべき旨を通知した被救護者の扶養義務者又は同居の親族が被救護者を引き取る必要がなくなったときは、直ちにその旨を通知するものとする。
　第2 領事への通知
　　市町村は、外国人である行旅病人、行旅死亡人又はそれらの同伴者に対し救護等を行った場合には、その所属国領事に通知を行い、引取等についての協力を求めるものとする。
　第3 留置救護
　　市町村は、被救護者が重症であるなど特別の事情により被救護者の扶養義務者又は同居の親族が第1の1の通知により指定した期間内に被救護者を引き取ることができない場合には、被救護者又はその引取りを行うべき者からの請求により、相当の期間を指定して被救護者の留置救護を行うことができるものとする。
　　なお、被救護者又はその引取りを行うべき者の請求がない場合であっても、市町村が必要と認めたときは同様とする。
　第4 送還

市町村は、次に該当するときは、被救護者の引取りを行うべき旨を通知した扶養義務者又は同居の親族に被救護者を送還することができるものとする。
1　被救護者の引取りを行うべき旨を通知した扶養義務者又は同居の親族が指定期間内に被救護者を引き取らない場合。
2　被救護者又は引取りを行うべき者から留置救護の請求があった場合において、相当の事情があると認められない場合。
3　市町村が留置救護を行う必要がないと認めた場合。
第5　都道府県に対する通知
　　市町村は、被救護者について、扶養義務者又は同居の親族がいないとき又は明らかでないときその他被救護者の引取者がいないときは、被救護者の状況を付して、都道府県に対し被救護者の引取りを行うべき旨を通知するものとする。
第6　施設等への委託
　　市町村は、被救護者の救護を適当な施設又は私人に委託することができるものとする。
第7　費用弁償請求手続
　　市町村は、救護に要した費用の弁償を被救護者若しくは扶養義務者に請求するとき、又は行旅死亡人の取扱いに要した費用の弁償を相続人若しくは行旅死亡人の扶養義務者に請求するときは、市町村が支弁した費用の計算書を添付するとともに、納入期限を指定するものとする。
第8　都道府県への請求
　　市町村は、被救護者から救護費用の弁償がなされない場合であって、扶養義務者がいないとき又は明らかでないとき、その他扶養義務者から救護費用の弁償を得ることができないときは、市町村が支弁した費用の計算書を付して、都道府県に対して費用の弁償を請求するものとする。
第9　公告期間
　　市町村は、行旅病人及び行旅死亡人取扱法第9条の規定により公署の掲示場に告示するときは、30日以上これを掲示するものとする。
第10　通知事項
　　市町村は、行旅死亡人に関して相続人又は扶養義務者若しくは同居の親族に通知するときは、行旅死亡人の状況、相貌その他本人の認識に必要な事項を通知するものとする。
第11　遺留物件の処分
1　市町村は、行旅死亡人の取扱いに要した費用については、まず、その遺留の金銭又は有価証券をもって充て、これをもってしても足りない場合であって、相続人及び扶養義務者がいないとき又は明らかでないときは、最初に公告を行った日から起算して60日以上経過した後、行旅死亡人の遺留物品を売却してその費用に充てるものとする。
2　市町村は、行旅病人及び行旅死亡人取扱法第9条の規定による公告を行わなかった

者及び公告後相続人又は扶養義務者が明らかになった者については、その取扱いに要した費用の弁償を得ることができなかった場合に、直ちにその遺留物品を売却することができるものとする。
3　市町村が、行旅死亡人の遺留物品を売却することができる限度は、費用の弁償額に達するまでとする。
4　市町村は、有価証券及び見積価格が一定額以下の物件については、競売に付することなく処分できるものとする。
5　市町村は、行旅死亡人の遺留物品を売却してもなお費用の弁償額に足りないときは、都道府県に対して計算書を付してその不足額を請求するものとする。

第12　繰替支弁費目
　　市町村が、被救護者の救護又は行旅死亡人の取扱いを行った場合に、市町村費をもって一時繰替支弁を行う費用の範囲は、都道府県が定めるところによるものとする。

II　都道府県が処理しなければならない事務について
　　市町村が被救護者の救護に要した費用及び行旅死亡人の取扱いに要した費用のうち、行旅病人及行旅死亡人取扱法第5条及び第13条並びに行旅病人死亡人等ノ引取及費用弁償ニ関スル件（明治32年勅令第277号）の規定に基づき、都道府県が弁償しなければならない費用の範囲は、次のとおりとするものとする。
1　医師診察料、手術料、入院料、往診料及び診断書料
2　薬価及び療養に関する必要品費
3　食料
4　看護料及び番人費
5　被服及び寝具料
6　行旅病人又は行旅死亡人のために特に要する薪炭油費
7　借家料及び小屋掛料
8　護送及び運搬に関する諸費
9　死体検案料及び検案書料
10　仮土葬及び火葬に関する諸費並びに墓標費
11　公告料
（注）　前記以外の費用の種目、限度額その他費用弁償に必要な事項は、各都道府県において独自に定めること。

●行旅病人死亡人等ノ引取及費用弁償ニ関スル件

（明治32年6月17日　勅令第277号）

〔一部改正経過〕

第1次　明治32年8月4日勅令第367号による改正
第2次　明治39年6月2日勅令第132号による改正
第3次　明治40年10月1日勅令第319号による改正
第4次　昭和22年5月1日勅令第187号（医師会及び歯科医師会令等の一部を改正する件）第7条による改正
第5次　昭和31年8月21日政令第265号「地方自治法の一部を改正する法律及び地方自治法の一部を改正する法律の施行に伴う関係法律の整理に関する法律の施行に伴う関係政令等の整理に関する政令」第1条による改正
第6次　平成6年12月21日政令第398号「地方自治法の一部を改正する法律及び地方自治法の一部を改正する法律の施行に伴う関係法律の整備に関する法律の施行に伴う関係政令の整備等に関する政令」第1条による改正

第1条　行旅病人及行旅死亡人取扱法〔明治32年法律第93号〕第5条及第13条ノ公共団体ハ行旅病人行旅死亡人若ハ其ノ同伴者ノ救護又ハ取扱ヲ為シタル地ノ道府県トス

② 前項ノ規定ニ拘ラズ行旅病人行旅死亡人若ハ其ノ同伴者ノ救護又ハ取扱ヲ為シタル地方自治法（昭和22年法律第67号）第252条の19第1項ノ指定都市ハ地方自治法施行令（昭和22年政令第16号）第174条の30ノ定ムル所ニ依リ行旅病人及行旅死亡人取扱法第5条及第13条ノ公共団体トス

③ 第1項ノ規定ニ拘ラズ行旅病人行旅死亡人若ハ其ノ同伴者ノ救護又ハ取扱ヲ為シタル地方自治法第252条の22第1項ノ中核市ハ地方自治法施行令第174条の49の6ノ定ムル所ニ依リ行旅病人及行旅死亡人取扱法第5条及第13条ノ公共団体トス

　　附　則

第2条　削除

第3条　本令ハ明治32年7月1日ヨリ施行ス

　　附　則（第6次改正）

　この政令は、地方自治法の一部を改正する法律中第2編第12章の改正規定並びに地方自治法の一部を改正する法律の施行に伴う関係法律の整備に関する法律第1章の規定及び附則第2項の規定の施行の日（平成7年4月1日）から施行する。

○行旅病人行旅死亡人等救護及取扱費用弁償ノ件

（明治36年9月
　各地方長官宛　内務省地方局長通知）

　行旅病人行旅死亡人救護及取扱費用負担方ニ関シテハ従来関係府県知事ノ伺出ニ対シ通牒相成タル例モ有之候処今回生活ノ本拠ト為ス本人ノ意思明瞭ニシテ現ニ生活ノ本拠ト為シ居ル事実存在スルモノノ外ハ住所ナキモノ若ハ住所分明ナラザルモノトシテ救護若ハ取扱ヲ為シタル府県ニ於テ其ノ救護及取扱ノ費用ヲ負担スベキコトニ決定相成候条為念此段及通牒候也

●墓地、埋葬等に関する法律(抄)

(昭和23年5月31日 法律第48号)

注 令和5年5月17日法律第28号「刑事訴訟法等の一部を改正する法律」附則第36条による改正現在

第1章 総則

〔法律の目的〕

第1条 この法律は、墓地、納骨堂又は火葬場の管理及び埋葬等が、国民の宗教的感情に適合し、且つ公衆衛生その他公共の福祉の見地から、支障なく行われることを目的とする。

〔定義〕

第2条 この法律で「埋葬」とは、死体(妊娠4箇月以上の死胎を含む。以下同じ。)を土中に葬ることをいう。

2 この法律で「火葬」とは、死体を葬るために、これを焼くことをいう。

3 この法律で「改葬」とは、埋葬した死体を他の墳墓に移し、又は埋蔵し、若しくは収蔵した焼骨を、他の墳墓又は納骨堂に移すことをいう。

4 この法律で「墳墓」とは、死体を埋葬し、又は焼骨を埋蔵する施設をいう。

5 この法律で「墓地」とは、墳墓を設けるために、墓地として都道府県知事(市又は特別区にあつては、市長又は区長。以下同じ。)の許可を受けた区域をいう。

6 この法律で「納骨堂」とは、他人の委託をうけて焼骨を収蔵するために、納骨堂として都道府県知事の許可を受けた施設をいう。

7 この法律で「火葬場」とは、火葬を行うために、火葬場として都道府県知事の許可をうけた施設をいう。

第2章 埋葬、火葬及び改葬

〔24時間内埋葬又は火葬の禁止〕

第3条 埋葬又は火葬は、他の法令に別段の定があるものを除く外、死亡又は死産後24時間を経過した後でなければ、これを行つてはならない。但し、妊娠7箇月に満たない死産のときは、この限りでない。

〔埋葬又は火葬の場所の制限〕

第4条 埋葬又は焼骨の埋蔵は、墓地以外の区域に、これを行つてはならない。

2 火葬は、火葬場以外の施設でこれを行つてはならない。

〔市町村長の埋葬又は火葬の義務〕

第9条 死体の埋葬又は火葬を行う者がないとき又は判明しないときは、死亡地の市町村長が、これを行わなければならない。

2 前項の規定により埋葬又は火葬を行つたときは、その費用に関しては、行旅病人及び行旅死亡人取扱法(明治32年法律第93号)の規定を準用する。

○墓地、埋葬等に関する法律の疑義について

〔昭和27年6月7日　27環第1789号
　厚生省公衆衛生局長宛　北海道知事照会〕

　墓地、埋葬等に関する法律について、実施上下記のような疑義があるので至急何分の御指示願います。
　なお本件については管下町村長から照会もありますので、よろしくお願いいたします。
記
1　墓地、埋葬等に関する法律第9条に規定する「死体の埋葬又は火葬を行う者がないとき又は判明しないときは、死亡地の市町村長がこれを行わなければならない」とあるのは、生活保護法第18条第2項に規定する「左に掲げる場合において、その葬祭を行う者があるときは、その者に対して、前項各号の葬祭扶助を行うことができる」とあることと関連性があるかどうか、即ち生活保護法に「葬祭を行う者があるとき」の反対の場合のことを墓地、埋葬等に関する法律第9条で「行う者がないとき」と規定したものであるかどうか、若し、そのとおりであるとするならば生活保護法第12条及び第15条に規定する保護を受けている孤独の被保護者が死亡して他に葬祭を行う者がないときも、又、墓地、埋葬等に関する法律第9条に規定する「死体の埋葬又は火葬を行う者がない」ことになるかどうか（生活保護法は「人」を保護する法律であって（即ち人権を有する人）、死体の処置には関係はない。従って、生活保護法第18条第2項の規定は、生活保護法の実施機関である市町村長には適用はなく、若し、市町村長がその葬祭を行っても、それは、墓地、埋葬等に関する法律第9条に規定する市町村長として実施するものであるから、生活保護法第18条に規定する葬祭扶助を適用することができない旨の解釈もある）。
2　墓地、埋葬等に関する法律第9条第2項で「前項の規定により埋葬又は火葬を行つたときは、その費用に関しては、行旅病人及び行旅死亡人取扱法の規定を準用する」との規定はその規定に基く同法施行規則（省令）には、何等の取扱規定がないので、その規定に基き、行旅病人及び行旅死亡人取扱法第11条以下の各条の規定は全部準用され従って、「行旅病人及び行旅死亡人取扱法ニ依ル行旅病人、行旅死亡人及同伴者ノ救護並ニ取扱ニ関スル件」（省令）の規定及び「行旅病人、死亡人等ノ引取及費用弁償ニ関スル件」（勅令）の規定並びに「行旅病人及行旅死亡人取扱法第17条ニ依ル外国人タル行旅病人、行旅死亡人及同伴者ノ救護並ニ取扱ニ関スル特例ノ件」（省令）の規定は、当然準用されるものと思われ、従って、これ等の費用に関して規定した、都道府県が制定した条例、規則、訓令等もその儘準用しても差し支えないものと思われるが、どうか。

3　墓地、埋葬等に関する法律第9条第1項の規定による「火葬」を行う場合にも「行旅病人及び行旅死亡人取扱法第7条」の規定及び「行旅死亡人ヲ火葬ニスルノ件」(勅令)の規定に従って行わなければならないか。
4　略
5　墓地、埋葬等に関する法律第9条の規定によれば「死体を埋葬又は火葬をする者がないときは、死亡地の市町村長が、埋葬又は火葬しなければならない」旨の規定があるが、従来からの慣例で、死亡地、及び身元不明の死体があるときは、検察官又は警察官が検視した後、その地の市町村長に引き渡して、埋葬又は火葬をさせているが、死亡地及び身元不明の死体を或る市町村長が、その引き渡しを受けなければならない法的根拠はどうか。

（昭和27年6月30日　　　衛環第66号
　北海道衛生部長宛　厚生省公衆衛生局環境衛生部環境
　衛生課長回答）

昭和27年6月7日27環第1789号で照会のあった標記のことにつき下のとおり回答する。
1について
　　他に全然埋葬又は火葬を行うものがなく、市町村長が行った場合は墓地、埋葬等に関する法律第9条にいう葬祭であって生活保護法第18条第2項によるものではない。
　　但し、知人又は近隣の者が生活保護法をうけている孤独の被保護者の死亡した場合に行う葬祭は生活保護法が適用されるのであって、墓地、埋葬等に関する法律第9条の「行うものがない」場合ではない。
2について
　　墓地、埋葬等に関する法律第9条の費用に関してのみ、行旅病人及び行旅死亡人取扱法及び法律の委託事項として制定された勅令、省令、条例等を準用して差し支えない。
3について
　　行旅病人及び行旅死亡人取扱法の規定を準用するのは、法第9条による費用に関してのみである。
4について　略
5について
　　法第9条を厳密に解釈すれば、埋葬又は火葬する者がないことになる。然しながら、法第1条の趣旨よりしても死体を放置することはできないから、死体発見地の市町村長が法第9条を準用して措置すべきである。

第2章　ホームレスの自立支援等関係

●ホームレスの自立の支援等に関する特別措置法

[平成14年8月7日　法律　第105号]

〔一部改正経過〕
第1次　平成24年6月27日法律第46号「ホームレスの自立の支援等に関する特別措置法の一部を改正する法律」による改正
第2次　平成29年6月21日法律第68号「ホームレスの自立の支援等に関する特別措置法の一部を改正する法律」による改正

ホームレスの自立の支援等に関する特別措置法
目次　　　　　　　　　　　　　　　　　　　　　　　　　　　　　　　頁
第1章　総則（第1条—第7条）……………………………………………1865
第2章　基本方針及び実施計画（第8条・第9条）……………………………1866
第3章　財政上の措置等（第10条・第11条）…………………………………1867
第4章　民間団体の能力の活用等（第12条—第14条）………………………1867
附則

第1章　総則
（目的）
第1条　この法律は、自立の意思がありながらホームレスとなることを余儀なくされた者が多数存在し、健康で文化的な生活を送ることができないでいるとともに、地域社会とのあつれきが生じつつある現状にかんがみ、ホームレスの自立の支援、ホームレスとなることを防止するための生活上の支援等に関し、国等の果たすべき責務を明らかにするとともに、ホームレスの人権に配慮し、かつ、地域社会の理解と協力を得つつ、必要な施策を講ずることにより、ホームレスに関する問題の解決に資することを目的とする。
（定義）
第2条　この法律において「ホームレス」とは、都市公園、河川、道路、駅舎その他の施設を故なく起居の場所とし、日常生活を営んでいる者をいう。
（ホームレスの自立の支援等に関する施策の目標等）
第3条　ホームレスの自立の支援等に関する施策の目標は、次に掲げる事項とする。
一　自立の意思があるホームレスに対し、安定した雇用の場の確保、職業能力の開発等による就業の機会の確保、住宅への入居の支援等による安定した居住の場所の確保並びに健康診断、医療の提供等による保健及び医療の確保に関する施策並びに生活に関する相談及び指導を実施することにより、これらの者を自立させること。

二　ホームレスとなることを余儀なくされるおそれのある者が多数存在する地域を中心として行われる、これらの者に対する就業の機会の確保、生活に関する相談及び指導の実施その他の生活上の支援により、これらの者がホームレスとなることを防止すること。

三　前２号に掲げるもののほか、宿泊場所の一時的な提供、日常生活の需要を満たすために必要な物品の支給その他の緊急に行うべき援助、生活保護法（昭和25年法律第144号）による保護の実施、国民への啓発活動等によるホームレスの人権の擁護、地域における生活環境の改善及び安全の確保等により、ホームレスに関する問題の解決を図ること。

２　ホームレスの自立の支援等に関する施策については、ホームレスの自立のためには就業の機会が確保されることが最も重要であることに留意しつつ、前項の目標に従って総合的に推進されなければならない。

（ホームレスの自立への努力）

第４条　ホームレスは、その自立を支援するための国及び地方公共団体の施策を活用すること等により、自らの自立に努めるものとする。

（国の責務）

第５条　国は、第３条第１項各号に掲げる事項につき、総合的な施策を策定し、及びこれを実施するものとする。

（地方公共団体の責務）

第６条　地方公共団体は、第３条第１項各号に掲げる事項につき、当該地方公共団体におけるホームレスに関する問題の実情に応じた施策を策定し、及びこれを実施するものとする。

（国民の協力）

第７条　国民は、ホームレスに関する問題について理解を深めるとともに、地域社会において、国及び地方公共団体が実施する施策に協力すること等により、ホームレスの自立の支援等に努めるものとする。

　　　第２章　基本方針及び実施計画

（基本方針）

第８条　厚生労働大臣及び国土交通大臣は、第14条の規定による全国調査を踏まえ、ホームレスの自立の支援等に関する基本方針（以下「基本方針」という。）を策定しなければならない。

２　基本方針は、次に掲げる事項について策定するものとする。

一　ホームレスの就業の機会の確保、安定した居住の場所の確保、保健及び医療の確保並びに生活に関する相談及び指導に関する事項

二　ホームレス自立支援事業（ホームレスに対し、一定期間宿泊場所を提供した上、健康診断、身元の確認並びに生活に関する相談及び指導を行うとともに、就業の相談及びあっせん等を行うことにより、その自立を支援する事業をいう。）その他のホームレスの個々の事情に対応したその自立を総合的に支援する事業の実施に関する事項

三　ホームレスとなることを余儀なくされるおそれのある者が多数存在する地域を中心として行われるこれらの者に対する生活上の支援に関する事項
四　ホームレスに対し緊急に行うべき援助に関する事項、生活保護法による保護の実施に関する事項、ホームレスの人権の擁護に関する事項並びに地域における生活環境の改善及び安全の確保に関する事項
五　ホームレスの自立の支援等を行う民間団体との連携に関する事項
六　前各号に掲げるもののほか、ホームレスの自立の支援等に関する基本的な事項
3　厚生労働大臣及び国土交通大臣は、基本方針を策定しようとするときは、総務大臣その他関係行政機関の長と協議しなければならない。
〔委任〕
第1項　「基本方針」＝令和5年7月厚労・国交告第1号「ホームレスの自立の支援等に関する基本方針」
（実施計画）
第9条　都道府県は、ホームレスに関する問題の実情に応じた施策を実施するため必要があると認められるときは、基本方針に即し、当該施策を実施するための計画を策定しなければならない。
2　前項の計画を策定した都道府県の区域内の市町村（特別区を含む。以下同じ。）は、ホームレスに関する問題の実情に応じた施策を実施するため必要があると認めるときは、基本方針及び同項の計画に即し、当該施策を実施するための計画を策定しなければならない。
3　都道府県又は市町村は、第1項又は前項の計画を策定するに当たっては、地域住民及びホームレスの自立の支援等を行う民間団体の意見を聴くように努めるものとする。
　　第3章　財政上の措置等
（財政上の措置等）
第10条　国は、ホームレスの自立の支援等に関する施策を推進するため、その区域内にホームレスが多数存在する地方公共団体及びホームレスの自立の支援等を行う民間団体を支援するための財政上の措置その他必要な措置を講ずるように努めなければならない。
（公共の用に供する施設の適正な利用の確保）
第11条　都市公園その他の公共の用に供する施設を管理する者は、当該施設をホームレスが起居の場所とすることによりその適正な利用が妨げられているときは、ホームレスの自立の支援等に関する施策との連携を図りつつ、法令の規定に基づき、当該施設の適正な利用を確保するために必要な措置をとるものとする。
　　第4章　民間団体の能力の活用等
（民間団体の能力の活用等）
第12条　国及び地方公共団体は、ホームレスの自立の支援等に関する施策を実施するに当たっては、ホームレスの自立の支援等について民間団体が果たしている役割の重要性に留意し、これらの団体との緊密な連携の確保に努めるとともに、その能力の積極的な活用を図るものとする。

（国及び地方公共団体の連携）
第13条　国及び地方公共団体は、ホームレスの自立の支援等に関する施策を実施するに当たっては、相互の緊密な連携の確保に努めるものとする。
（ホームレスの実態に関する全国調査）
第14条　国は、ホームレスの自立の支援等に関する施策の策定及び実施に資するため、地方公共団体の協力を得て、ホームレスの実態に関する全国調査を行わなければならない。

　　　附　則
（施行期日）
第1条　この法律は、公布の日〔平成14年8月7日〕から施行する。
（この法律の失効）
第2条　この法律は、この法律の施行の日から起算して25年を経過した日に、その効力を失う。
（検討）
第3条　この法律の規定については、この法律の施行後5年を目途として、その施行の状況等を勘案して検討が加えられ、その結果に基づいて必要な措置が講ぜられるものとする。

　　　附　則（第2次改正）
この法律は、公布の日〔平成29年6月21日〕から施行する。

〔参考〕

○ホームレスの自立の支援等に関する特別措置法の運用に関する件

（平成14年7月17日 衆議院厚生労働委員会）

本委員会において「ホームレスの自立の支援等に関する特別措置法の運用に関する件」について、別紙のとおり決議した。
右参考送付する。

（別　紙）

　　　　　ホームレスの自立の支援等に関する特別措置法の運用に関する件

　政府及び地方公共団体は、我が国においてホームレスの急増が、看過できない極めて大きな問題となっている現状を踏まえ、ホームレスを含め社会的に排除された人々の市民権を回復し再び社会に参入することができるようにすることは、憲法第11条及び第25条の精神を体現するために必要不可欠な施策であることに深く留意し、本法の施行に当たっては、次の事項について適切な措置を講ずるべきである。

1　ホームレスの自立の支援に際しては、自立に至る経路や自立のあり方について、可能な限り個々のホームレスに配慮した多様な形が認められるよう努めること。
2　ホームレスに対する職業能力開発に当たっては、ホームレスの実情に応じた内容となることに深く留意するとともに、ホームレスの自立につながる安定就労の場の確保に努めること。
3　ホームレスに対する住宅支援策の実施に当たっては、その実効性を高めるため、地域の実情を踏まえつつ、公営住宅・民間住宅を通じた可能な限り多様な施策の展開を図ること。
4　ホームレスが入居する施設においては、入居者本人の人権尊重と尊厳の確保に万全を尽くすこと。
5　第11条規定の通り、法令の規定に基づき、公共の用に供する施設の管理者が当該施設の適正な利用を確保するために必要な措置をとる場合においては、人権に関する国際約束の趣旨に充分に配慮すること。
6　本法による自立支援策と生活保護法の運用との密接な連携に配慮し、不当に生活保護が不適用とされることのないよう、適正な運用に努めること。
7　第14条に規定する全国調査を早期に完了し、遅滞無く事業を実施すること。
8　本法を施行する中で実情との不整合等が生じたとき等においては、速やかに見直すこと。
9　「実施計画」を策定しない都道府県及び市町村の区域においても、ホームレスの自立支援及び余儀なくホームレスとなることの防止の諸施策の実施に可能な限り努めること。
右決議する。

●ホームレスの自立の支援等に関する基本方針

〔令和5年7月31日 厚生労働・国土交通省告示第1号〕

　ホームレスの自立の支援等に関する特別措置法（平成14年法律第105号）第8条第1項の規定に基づき、ホームレスの自立の支援等に関する基本方針を次のように定め、ホームレスの自立の支援等に関する基本方針（平成30年厚生労働省・国土交通省告示第2号）は廃止する。

　　　ホームレスの自立の支援等に関する基本方針
目次　　　　　　　　　　　　　　　　　　　　　　　　　　　　　　　　　　　頁
　第1　はじめに………………………………………………………………………1870
　第2　ホームレスに関する現状
　　1　ホームレスの現状……………………………………………………………1871
　　2　ホームレス自立支援施策の現状……………………………………………1875
　第3　ホームレス自立支援施策の推進
　　1　基本的な考え方………………………………………………………………1875
　　2　各課題に対する取組方針……………………………………………………1876
　　3　ホームレス数が少ない地方公共団体の各課題に対する取組方針………1886
　　4　総合的かつ効果的な推進体制等……………………………………………1887
　　5　本基本方針のフォローアップ及び見直し…………………………………1887
　第4　都道府県等が策定する実施計画の作成指針………………………………1888
　　1　手続についての指針…………………………………………………………1888
　　2　実施計画に盛り込むべき施策についての指針……………………………1889
　　3　その他…………………………………………………………………………1889
第1　はじめに
　　ホームレスの自立の支援等に関する総合的な施策の推進は、平成14年8月に成立し、平成29年6月に期限が10年間延長されたホームレスの自立の支援等に関する特別措置法（平成14年法律第105号。以下「法」という。）に基づき実施している。法においては、ホームレスの自立の支援等に関する施策の目標を明示するとともに、国の責務として当該目標に関する総合的な施策の策定及び実施を、地方公共団体の責務として当該目標に関する当該地方公共団体の実情に応じた施策の策定及び実施を位置付けている。国においては、ホームレスの実態に関する全国調査（生活実態調査）を踏まえ、平成15年7月、20年7月、25年7月及び30年7月にホームレスの自立の支援等に関する基本方針を策定してきた。地方公共団体においては、この基本方針等に即して、必要に応じ、ホームレスに関する問題の実情に応じた施策を実施するための計画（以下「実施計画」とい

う。）を策定しホームレスの自立の支援等を行ってきたところである。

こうした中、路上等におけるホームレスの数については、これまでのホームレスの自立の支援等に関する総合的な施策の推進等により、大幅に減少してきている。一方で、令和3年11月に実施したホームレスの実態に関する全国調査（生活実態調査）によれば、ホームレスの高齢化や路上（野宿）生活期間の長期化が一層進んでいる傾向にあることが認められるとともに、定まった住居を喪失し簡易宿泊所や終夜営業の店舗等で寝泊まりする等の不安定な居住環境にあり、路上と屋根のある場所とを行き来している層の存在も見受けられる。

また、平成27年4月に、生活保護に至る前の自立支援策の強化を図るため、生活困窮者に対する包括的かつ早期の支援を実施することを目的とする生活困窮者自立支援法（平成25年法律第105号。以下「困窮者支援法」という。）が施行された。

ホームレスの自立に必要な就業の機会の確保等の総合的な支援については、引き続き法に基づき実施することとした上で、ホームレス自立支援施策のうち福祉の観点から、困窮者支援法第3条第2項に規定する生活困窮者自立相談支援事業（以下「自立相談支援事業」という。）、同条第3項に規定する生活困窮者住居確保給付金（以下「住居確保給付金」という。）の支給、同条第6項に規定する生活困窮者一時生活支援事業（以下「一時生活支援事業」という。）等を実施している。

困窮者支援法は、生活保護法（昭和25年法律第144号）に基づく生活保護の受給者以外に対して包括的かつ早期の支援を提供するものであることから、ホームレスやホームレスとなることを余儀なくされるおそれのある者（以下「ホームレス等」という。）も含めて広くその対象となるものである。生活保護が必要な者には、確実に生活保護を適用しつつ、生活保護の受給により居住場所等の確保に至るまでの間、又は就労等による自立や地域において日常生活が継続可能となるまでの間は、一時生活支援事業をはじめとした就労や心身の状況、地域社会からの孤立の状況などに応じた包括的かつ早期の支援が必要である。

本基本方針は、法第8条第1項の規定に基づき、高齢化や路上（野宿）生活期間の長期化等のホームレスの状況の変化、ホームレス自立支援施策の実施状況等を踏まえつつ、困窮者支援法等に基づく支援が、今後もよりその効果を発揮するために、ホームレスの自立の支援等に関する国としての基本的な方針を国民、地方公共団体及び関係団体に対し明示するものである。また、地方公共団体において実施計画を策定する際の指針を示すこと等により、ホームレスの自立の支援等に関する施策が総合的かつ計画的に実施され、もってホームレス等の自立を積極的に促すとともに、ホームレスとなることを防止するための生活上の支援を推進し、地域社会におけるホームレス等に関する問題の解決が図られることを目指すものである。

第2 ホームレスに関する現状
1 ホームレスの現状
国は全国のホームレスの数及び生活実態を把握するため、地方公共団体の協力を得て、ホームレスの数については、平成15年より年1回、全ての市町村（特別区を含

む。以下同じ。）を対象にした概数調査（以下単に「概数調査」という。）を、生活実態については、平成15年、19年、24年、28年及び令和3年の概ね5年ごとに、抽出による全国調査（以下「生活実態調査」という。）を、それぞれ実施している。

(1) ホームレスの数

ホームレスの数については、令和5年1月時点で3,065人（令和5年概数調査）となっており、平成15年1月時点の25,296人（平成15年概数調査）と比べて、22,231人（87.9％）減少している。ホームレスの数を都道府県別にみると、大阪府で888人（平成15年概数調査においては7,757人）、次いで東京都で661人（同6,361人）となっており、この両都府で全国の約半数を占めている。さらに、市区町村別では、全1,741市区町村のうち234市区町村でホームレスが確認され、このうち、ホームレスの数が500人以上であったのは1自治体（平成30年概数調査においては1自治体）、100人以上であったのは4自治体（同7自治体）であるのに対し、10人未満であったのは189自治体（同228自治体）と、全体の約5分の4を占めている。

(2) ホームレスの生活実態

ホームレスの生活実態については、令和3年生活実態調査として、東京都特別区、政令指定都市及び令和3年概数調査において20人以上のホームレスが確認された市において、全体で約1,300人を対象に個別面接調査を行った。

① 年齢

ホームレスの平均年齢は63.6歳（平成28年生活実態調査では、調査客体数が異なるものの、61.5歳）であり、年齢分布については65歳以上が54.4％（同42.8％）となっており、ホームレスの高齢化がより一層進んでいる。

② 路上（野宿）生活の状況

(ア) 寝場所については、定まっている者が79.5％であり、このうち、「公園」が最も多く27.4％、次いで「河川」が24.8％となっている。これを路上（野宿）生活期間別にみると、路上（野宿）生活期間が長いほど一定の場所に定まっている割合が高くなる傾向にある。また、具体的な寝場所としては、公園が全般的に多いが、1年以上の者では河川の割合が高くなる傾向にある。

(イ) 路上（野宿）生活期間については、3年未満が31.7％であるのに対し、5年以上は59.1％（10年以上は40.0％）となっている。これを年齢階層別にみると、年齢が上がるに伴い路上（野宿）生活期間が長くなる傾向にあり、65歳以上では10年以上の者が49.4％となっている。

今回の調査における路上（野宿）生活の継続状況については、ずっと路上（野宿）生活をしていた者の割合が64.4％となっている一方で、路上と屋根のある場所との行き来を繰り返している層も一定数存在していることが見受けられる。

(ウ) 仕事の状況については、全体の48.9％が仕事をしており、その内容は「廃品回収」が66.4％を占めている。仕事による平均的な収入月額については、5万円以上10万円未満が30.7％と最も多く、次いで3万円以上5万円未満が27.5％

となっており、平均収入月額は約5.8万円となっている。これを年齢階層別にみると、65歳以上の者であっても49.9%が収入のある仕事をしている。年齢が上がるに伴い路上（野宿）生活期間が長くなる傾向の背景には、このように、路上等で仕事をし、一定の収入を得ながら生活ができていること、一定の場所に決まって起居していることで生活が一定程度安定していること等もあるものと考えられる。

③ 路上（野宿）生活までのいきさつ

路上（野宿）生活の直前の職業については、建設業関係の仕事が36.3%、製造業関係の仕事が12.9%を占めており、雇用形態は、「常勤職員・従業員（正社員）」が45.8%と大きな割合を占め、「臨時・パート・アルバイト」が23.2%、「日雇」が20.7%となっている。

また、路上（野宿）生活となった理由としては、「仕事が減った」が24.5%、「倒産・失業」が22.9%、「人間関係がうまくいかなくて、仕事を辞めた」が18.9%となっている。これを年齢階層別にみると、若年層（45歳未満の者をいう。以下同じ。）においては、仕事関係以外の理由として「家庭関係の悪化」が16.2%（全年齢階層では7.9%）、「家族との離別・死別」が9.8%（全年齢階層では8.5%）とやや高くなっており、家庭内の人間関係等の多様な問題が重なり合っていることが特徴としてあげられる。

④ 健康状態

現在の健康状態については、「あまりよくない・よくない」と答えた者が34.9%であり、このうち治療等を受けていない者が63.5%となっている。具体的な自覚症状については、「歯が悪い」が25.7%、「腰痛」が24.8%となっている。また、「よく眠れない日が続いた」が16.2%、「2週間以上毎日のように落ち込んでいた時期があった」が6.6%となっており、うつ病等の精神疾患を有すると考えられる者も一定程度みられた。

⑤ 福祉制度等の利用状況

(ア) 福祉制度の利用状況については、巡回相談員に会ったことがあり相談をしたことがある者は29.5%、会ったことはあるが相談したことはない者は49.4%となっている。

また、緊急的な一時宿泊場所である生活困窮者一時宿泊施設（以下「シェルター」という。）や一時生活支援を知っており利用したことがある者は21.9%であり、知っているが利用したことがない者は47.3%となっている。また、生活困窮者・ホームレス自立支援センター（以下「自立支援センター」という。）を知っており利用したことがある者は13.3%であり、知っているが利用したことがない者は55.5%となっている。なお、路上生活期間が短いほど、また、30歳以上では年齢階層が低いほど、これらの福祉制度を利用したことがある者の割合は高くなる傾向がある。

また、過去に、自立支援センターの利用経験がある者の退所理由をみると、

就労退所が19.0%(「会社の寮、住み込み等による就労退所」及び「アパートを確保しての就労退所」がそれぞれ9.5%)、生活保護の適用による入院、居宅の確保による退所が14.9%となっている。

さらに、就労退所した後に再び路上(野宿)生活に戻った理由については、「仕事の契約期間が満了した」、「周囲とのトラブルや仕事になじめない」など、多面的な要因により路上に戻っている。

(イ) 民間支援団体による支援の利用経験については、「炊きだし」が最も多く49.1%を占め、次いで「巡回・見守り」が37.3%となっており、その情報入手経路は、「口コミ」が最も多く41.0%となっている。

⑥ 今後希望する生活について

今後希望する生活としては、「今のままでいい(路上(野宿)生活)」が最も多く40.9%となっており、次いで「アパートに住み、就職して自活したい」が17.5%、「アパートで福祉の支援を受けながら、軽い仕事をみつけたい」が12.0%となっている。

年齢層が低いほど「アパートに住み、就職して自活したい」の割合が高くなる傾向があるが、年齢層が高いほど「今のままでいい(路上(野宿)生活)」の割合が高くなる傾向にあり、65歳以上の者ではその割合は50.5%となっている。また、路上(野宿)生活期間別でみると、路上生活が長くなるほど「今のままでいい(路上(野宿)生活)」と回答する者の割合が高くなる傾向にあり、3年以上の者ではその割合は52.5%となっている。

「今のままでいい(路上(野宿)生活)」とする理由については、「今の場所になじんでいる」が29.0%、「アルミ缶、雑誌集め等の仕事があるので暮らしていける」が24.5%となっている。

また、自立支援センターやシェルターの利用経験がある者は、住居と仕事を確保し自立を希望する割合が高い傾向にあるのに対し、利用経験がない者は、現在の路上(野宿)生活を維持することを希望する傾向が高い。

⑦ 生活歴

家族との連絡状況については、家族・親族がいる者は67.4%を占めているものの、このうち、令和2年11月から令和3年10月までの1年間に家族・親族との連絡が途絶えている者は78.9%となっている。

また、公的年金の保険料を納付していたことがある者は62.2%であり、金融機関等に借金がある者は13.2%であった。

⑧ 行政や民間団体への要望及び意見

行政や民間団体への要望及び意見としては、住居関連が30.8%と最も多く、次いでその他の生活関連が22.5%となっている。

⑨ 新型コロナウイルス感染症の影響

新型コロナウイルス感染症の感染拡大の影響により路上(野宿)生活を行うようになった割合は調査対象(令和3年生活実態調査において路上(野宿)生活期

間が3年未満の者に限る。）の6.3%であった。このうち、43.2%は仕事が減ったことが、21.6%は倒産や失業が原因となっていた。
2 ホームレス自立支援施策の現状
ホームレス自立支援施策については、公共職業安定所による職業相談や求人開拓、自立相談支援機関（自立相談支援事業を実施する者をいう。以下同じ。）や一時生活支援事業を実施する事業者による就労支援や健康相談、保健所等の関係機関と連携した医療の確保、生活保護法による保護等の一般施策を実施している。このほか、特にホームレス等を対象とした施策として、就労の観点からは、一定期間試行的に民間企業において雇用するトライアル雇用事業、地方公共団体や民間団体等から構成される協議会を活用して就業の機会の確保を図るホームレス就業支援事業及び技能の習得や資格の取得等を目的とした日雇労働者等技能講習事業を実施している。

第3 ホームレス自立支援施策の推進
1 基本的な考え方
(1) 最近のホームレスに関する傾向・動向
　　ホームレスになった要因としては、倒産・失業等の仕事に起因するものや、病気やけが、人間関係、家庭内の問題等様々なものが複合的に重なり合っており、また、年齢層によってもその傾向は異なっている。この点、令和3年生活実態調査においては、平成28年生活実態調査と同様に、ホームレスの高齢化や路上（野宿）生活期間の長期化の傾向がより一層顕著となるとともに、路上（野宿）生活を脱却した後、再び路上（野宿）生活に戻ってしまうホームレスの存在や、若年層については、路上と終夜営業の店舗等の屋根のある場所との行き来の中で、路上（野宿）生活の期間が短期間になりやすいといった傾向が確認されたところである。
(2) 総合的なホームレス自立支援施策の推進
　　このようなホームレスの実態を十分に踏まえるとともに、今日の産業構造や雇用環境等の社会情勢の変化を捉えながら、総合的かつきめ細かなホームレス自立支援施策を講ずる必要がある。
　　特に、ホームレス自立支援施策は、ホームレスの就労の状況、心身の状況、地域社会からの孤立の状況等に応じ、自らの意思で安定した生活を営めるように支援することが基本であり、このためには、就業の機会や生活の基盤となる安定した居住の場所が確保され、地域で自立した日常生活が継続可能となる環境づくりが重要である。
　　そのほか、保健医療の確保、生活に関する相談及び指導等の総合的な自立支援施策を講ずる必要がある。
　　また、ホームレスに加え、路上と終夜営業の店舗や知人宅等の屋根のある場所とを行き来する不安定な居住の状況にある者についても、困窮者支援法に基づく施策等により確実に支援する必要がある。
(3) 地方公共団体におけるホームレス自立支援施策の推進
　　地域ごとのホームレスの数の違い等、ホームレス問題は地方公共団体ごとにその

状況が大きく異なっており、このような地域の状況を踏まえた施策の推進が必要である。具体的には、ホームレスが多い地方公共団体においては、2の取組方針に掲げる施策のうち地域の実情に応じて必要なものを積極的かつ総合的に実施し、また、ホームレスが少ない地方公共団体においては、2の取組方針を参考としつつ、3の取組方針を踏まえ、広域的な施策の実施や既存施策の活用等により対応する。国は、2の取組方針に掲げる施策に積極的に取り組むとともに、地域の実情を踏まえつつ、ホームレスが少ない地方公共団体も積極的にホームレス自立支援施策に取り組めるよう、その事業の推進に努める。

(4) 困窮者支援法等によるホームレス自立支援施策の更なる推進

困窮者支援法は、ホームレス等も含む生活困窮者を対象に、全ての福祉事務所設置自治体が必ず実施することとされている自立相談支援事業を中心として、生活保護法、住宅確保要配慮者に対する賃貸住宅の供給の促進に関する法律（平成19年法律第112号。以下「住宅セーフティネット法」という。）等の関連制度と連携し包括的な支援を恒久的に提供するものである。

平成29年6月に法が延長された趣旨に鑑み、今後もホームレス自立支援施策に着実に取り組む観点から、各地域のホームレス等の実情を踏まえ、一時生活支援事業にも積極的に取り組むとともに、住宅セーフティネット法第51条に規定する住宅確保要配慮者居住支援協議会（以下「居住支援協議会」という。）を活用した関係者間の連携を図ることによって、これまで以上に効果を発揮することが求められる。

(5) 各事業を提供する施設の概要

① 自立支援センター

自立支援センターは、法の趣旨に基づき、自立に向けた意欲を喚起させるとともに、職業相談等を行うことにより、就労による自立を支援することを目的とした施設である。困窮者支援法に基づき、ホームレスを含め生活困窮者を広く対象とした上で、生活困窮者の相談に応じ、助言等を行うとともに、個々人の状態にあった計画を作成し、自立相談支援事業と一時生活支援事業とを一体的に提供することを目的として運営されるものである。

② シェルター

シェルターは、法の趣旨に基づき、緊急一時的な宿泊場所を提供する施設である。困窮者支援法に基づき、一定の住居を持たない生活困窮者に対し、緊急一時的な宿泊場所として、施設を設置又は旅館やアパート等の一室を借り上げて供与する形で、一時生活支援事業を提供することを目的として運営されるものである。

2 各課題に対する取組方針

(1) ホームレスの就業の機会の確保（法第8条第2項第1号関係）

ホームレスの就業による自立を図るためには、ホームレス自らの意思による自立を基本として、ホームレスの個々の就労の状況、心身の状況、地域社会からの孤立の状況等に応じた就業ニーズや職業能力を踏まえ、就業の機会の確保を図ることや、安定した雇用の場の確保に努めることなどが重要である。

このため、就業による自立の意思があるホームレスに対して、国及び地方公共団体は、以下のとおり、ホームレスの自立の支援等を行っている民間団体と連携しつつ、求人の確保や職業相談の実施、職業能力開発の支援等を行うとともに、地域の実情に応じた施策を講じていくことが必要である。

① ホームレスの雇用の促進を図るためには、ホームレスに関する問題について事業主等の理解を深める必要があり、事業主等に対する啓発活動を行う。

② ホームレスの就業の機会を確保するためには、ホームレスの個々の就業ニーズや職業能力に応じた求人開拓や求人情報の収集等が重要であることから、ホームレスの就職に結びつく可能性の高い職種の求人開拓や求人情報等を収集するとともに、民間団体とも連携を図り、それらの情報についてホームレスへの提供に努める。

③ ホームレスの就業ニーズを的確に捉えることができるように、自立支援センター等において、年齢や路上(野宿)生活期間等の特性を踏まえ、キャリアコンサルティングやきめ細かな職業相談等を実施する。

また、ホームレスの就職後の職場への定着を図るため、民間団体との連携を進め、必要に応じて、職場定着指導等の援助を行う。

④ ホームレスの早期就職の実現や雇用機会の創出を図るため、事業所での一定期間のトライアル雇用事業の実施により、ホームレスの新たな職場への円滑な適応を促進する。

⑤ ホームレスの就業の機会を確保するためには、地方公共団体や地域の民間団体等が相互に密接な連携を図りつつ対策を講じていくことが重要であることから、これらの団体等で構成される協議会において、ホームレス就業支援事業として、就業支援、就業機会確保支援、職場体験講習、就職支援セミナー等を総合的に実施する。

⑥ ホームレスの就業の可能性を高めるためには、求人側のニーズやホームレスの就業ニーズ等に応じた職業能力の開発及び向上を図ることが重要であることから、技能の習得や資格の取得等により就業機会を増大させ、安定雇用に資することを目的とした技能講習や職業訓練の実施により、ホームレスの職業能力の開発及び向上を図る。

⑦ 直ちに常用雇用による自立が困難なホームレスに対しては、国及び地方公共団体とNPO、社会福祉法人、消費生活協同組合、労働者協同組合等の民間団体が連携しながら、段階的に就労支援を行うことが重要である。例えば、困窮者支援法第3条第4項に規定する生活困窮者就労準備支援事業(以下「就労準備支援事業」という。)を通じて、社会生活に必要な生活習慣を身につけるための支援を含め、一般就労のための準備としての基礎能力の形成に向けた支援を計画的かつ一貫して行うとともに、困窮者支援法第16条第1項に規定する生活困窮者就労訓練事業(以下「就労訓練事業」という。)の利用を促し、一般就労をする前にまずは柔軟な働き方をする必要がある者に対して、就労の機会を提供し、就労に必

1877

要な知識及び能力の向上のために必要な訓練等を行う。
(2) 安定した居住の場所の確保（法第8条第2項第1号関係）
　ホームレス自立支援施策は、ホームレスの就労の状況、心身の状況、地域社会からの孤立の状況等に応じ、自らの意思で自立して生活できるように支援することが基本であり、(5)①に掲げるホームレス自立支援事業を通じた就労機会の確保等に努めるとともに、安定した居住の場所を確保するための入居の支援等が必要である。
　このため、国、地方公共団体及び住宅セーフティネット法第40条に規定する住宅確保要配慮者居住支援法人（以下「居住支援法人」という。）等の民間団体等が連携した上で、以下のとおり、地域の実情を踏まえつつ、公営住宅及び民間賃貸住宅を通じた施策を講ずることが重要である。
① 高齢層の単身者が多いホームレスの実態に鑑み、ホームレス自立支援事業等を通じて就労機会を確保するとともに、地域の住宅事情等を踏まえつつ、公営住宅の事業主体である地方公共団体において、優先入居の制度の活用等に配慮する。
　入居に当たっては、保証人や緊急時の連絡先が確保されないことにより、公営住宅への入居に支障が生じることがないよう配慮する。また、地方公共団体において、居住支援協議会の枠組みも活用しつつ、福祉部局と住宅部局との連携を強化する。
② ホームレス等が、地域における低廉な家賃の民間賃貸住宅に関する情報や、民間賃貸住宅への入居に際して必要となる保証人が確保されない場合において民間の保証会社等に関する情報等を得られるよう、居住支援協議会の設立の促進等を通じ、民間賃貸住宅に関わる団体や事業者と自立支援センター、その他福祉部局との連携を推進する。
③ ホームレス等のうち、生活困窮者自立支援法施行規則（平成27年厚生労働省令第16号）に定める住居確保給付金の対象者要件に該当する者に対しては、必要に応じて一時生活支援事業による支援を提供しつつ、誠実かつ熱心に求職活動等を行うことを条件に、速やかに住居確保給付金の支給を行う。また、路上（野宿）生活になることを防止する観点から、離職等により住居を失うおそれのある生活困窮者に対しても、同様に速やかな支給を行うよう努める。
④ シェルター等を利用していた者や、居住に困難を抱える者であって、地域社会から孤立した状態にある者が日常生活を営むためには、一定期間、訪問による見守りや生活支援等が必要である。このため、困窮者支援法第3条第6項第2号に規定する事業（以下「地域居住支援事業」という。）や居住支援法人等による入居相談・援助や生活支援等、住居の確保と地域生活の継続に必要な支援を実施する。
　あわせて、地域居住支援事業については、一時生活支援事業のうちシェルター事業の実施を前提としていたが、令和5年10月より単独での実施を可能とする運用見直しを行い、居住支援の強化を図る。
(3) 保健及び医療の確保（法第8条第2項第1号関係）

ホームレスに対する保健医療の確保については、個々のホームレスのニーズに応じた健康相談や保健指導等による健康対策、結核検診等の医療対策を推進していくとともに、ホームレスの衛生状況を改善していく必要がある。このため、都道府県と市町村が連携し、ホームレスの健康状態の把握や清潔な衛生状態の保持に努めるとともに、疾病の予防、検査、治療等を包括的に行うことができる保健医療及び福祉の連携・協力体制を強化することが重要である。

　また、ホームレスの高齢化や路上（野宿）生活期間の長期化に伴い、一定程度存在する健康状態の良くない者が、必要な医療サービスを受けることができるよう、路上やシェルター等において、保健師、看護師、精神保健福祉士等の保健医療職による医療的視点に基づいたきめ細かな相談や支援を実施する。

　さらに、ホームレスについては、野宿という過酷な生活により結核を発症する者も少なくない。結核のり患率の高い地域等、特に対策を必要とする地域において、保健所や医療機関、福祉事務所、自立相談支援機関、一時生活支援事業を実施する事業者等が密接な連携を図り、以下のような効果的な対策を行うことが必要である。

① 自立相談支援機関は、ホームレスの健康対策の推進を図るため、窓口や巡回による相談を通じて、保健所等と連携を図りながら医療機関への受診につなげる。
② 一時生活支援事業を実施する事業者は、健康相談等を行うとともに、必要に応じ、保健所等の関係機関と連携し、ホームレスに対し、健康相談等の医療的な支援を行う。
③ 保健所等は、結核にり患しているホームレスに対し、服薬や医療の中断等の不完全な治療による結核再発や薬剤耐性化を防ぐため、訪問による対面服薬指導等を実施する。
④ ホームレスに対する医療の確保を図るため、医師法（昭和23年法律第201号）第19条第1項及び歯科医師法（昭和23年法律第202号）第19条第1項に規定する医師及び歯科医師の診療に応ずる義務について改めて周知に努め、また、無料低額診療事業（社会福祉法（昭和26年法律第45号）第2条第3項第9号に規定する事業をいう。以下同じ。）を行う施設の積極的な活用を図るとともに、病気等により急迫した状態にある者及び要保護者が医療機関に緊急搬送された場合については、生活保護の適用を行う。

(4) 生活に関する相談及び指導（法第8条第2項第1号関係）
　ホームレスに対する生活相談や生活指導を効果的に進めるためには、個々のホームレスのニーズに応じた対応が必要であり、このようなニーズに的確に応えられるよう、以下のような関係機関の相互連携を強化した総合的な相談体制の確立が必要である。

① 福祉事務所及び自立相談支援機関を中心として、各種相談支援機関、救護施設（生活保護法第38条第2項に規定する救護施設をいう。）等の社会福祉施設が相互に連携して総合的な相談及び指導体制を確立する。

その際、それぞれの相談機能に応じて必要な人材を確保するとともに、研修等により職員の資質向上を図る。
② ホームレスは、路上（野宿）生活により健康状態が良くないケースが多く、身体面はもちろん、精神面においても対応が必要な場合がある。このため、健康相談として身体面のケアだけでなく、特にホームレスに対する心のケアについても精神保健福祉センターや保健所等と連携して行う。また、巡回相談の実施に当たっては、必要に応じて精神科医や保健師等の専門職の活用を検討する。
③ 各地方公共団体は、ＮＰＯ、ボランティア団体等の民間団体をはじめ、民生委員、社会福祉協議会、社会福祉士会及び地域住民との連携による積極的な相談事業を実施し、具体的な相談内容や当該ホームレスの状況に応じて福祉事務所、自立相談支援機関及び公共職業安定所等の関係機関への相談につなげる。
　また、洪水等の災害時においては、特にホームレスに被害が及ぶおそれがあることから、平時から、公共の用に供する施設を管理する者との連携を図る。
④ 自立相談支援機関等の相談を受けた機関は、生活相談だけでなく、相談結果に応じて、シェルターの利用案内、自立支援センターへの入所指導、その他福祉及び保健医療施策の活用に関する助言、多重債務問題等の専門的な知識が必要な事例に関して相談対応等を実施する日本司法支援センター（総合法律支援法（平成16年法律第74号）第13条の日本司法支援センターをいう。以下「法テラス」という。）、困窮者支援法第3条第5項に規定する生活困窮者家計改善支援事業を実施する機関等の紹介等、具体的な指導を行うとともに、関係機関に対し連絡を行う。
(5) ホームレス自立支援事業その他のホームレスの個々の事情に対応した自立を総合的に支援する事業（法第8条第2項第2号関係）
① ホームレス自立支援事業
　ホームレス自立支援事業は、自立相談支援事業、一時生活支援事業等を一体的に実施し、ホームレスに対し、宿所及び食事の提供、健康診断、生活に関する相談及び指導等を行い、自立に向けた意欲を喚起させるとともに、職業相談等を行うことにより、ホームレスの就労による自立を支援することを目的としており、以下のような支援を行う必要がある。
(ア) 自立支援センターの入所者に対し、宿所及び食事の提供など、日常生活に必要なサービスを提供するとともに、定期的な健康診断を行う等必要な保健医療の確保を行う。
(イ) 個々のホームレスの状況に応じた自立支援計画の策定等を行い、また、公共職業安定所との密接な連携の下で職業相談を行う等、積極的な就労支援を行う。
(ウ) 必要に応じて、社会生活に必要な生活習慣を身につけ、一般就労に向けた準備を整えることができるよう、就労準備支援事業を行う。このほか、住民登録、職業あっせん、求人開拓等の就労支援、住居に係る保証人の確保、住宅情

報の提供その他自立阻害要因を取り除くための指導援助を行う。
㈒　自立支援センターの退所者、特にアパート確保による就労退所者に対しては、再度路上生活になることを防ぐため、個々の状況に応じた多面的なアフターケアに十分配慮するとともに、就労による退所後においても、必要に応じて自立支援センターで実施している研修等を利用できるよう配慮する。
　　また、自立支援センターの利用期間中に就労できなかった者に対する必要な支援の実施にも努めるとともに、シェルター等を利用していた者や、居住に困難を抱える者であって、地域社会から孤立した状態にあるものが日常生活を営むためには、一定期間、訪問による見守り、生活支援等が必要である。このため、地域居住支援事業や居住支援法人等による入居相談・援助や生活支援等、住居の確保と地域生活の継続に必要な支援を実施する。
㈣　ホームレス自立支援事業については、市町村だけでなく、都道府県も実施主体としていることから、広域的な事業の展開を図る。また、事業運営については、社会福祉法人への委託を行うなど、民間団体の活用を図る。
㈤　国は、ホームレスの自立支援としての効果や利用者への処遇の確保に十分配慮しつつ、地方公共団体が取り組みやすいような事業の推進に努める。
㈥　自立支援センター等の設置に当たっては、地域住民の理解を得ることが必要であり、地域住民との調整に十分配慮するとともに、既存の公共施設や民間賃貸住宅等の社会資源を有効に活用することを検討する。
②　個々の事情に対応した自立を総合的に支援する事業
　　ホームレスになった要因としては、倒産・失業等の仕事に起因するものや、病気やけが、人間関係、家庭内の問題等様々なものが複合的に重なり合っており、また、社会生活への不適応、借金による生活破たん、アルコール依存症等の個人的要因も付加されて複雑な問題を抱えているケースも多い。このため、ホームレスの個人的要因を十分に把握しながら、ホームレス等の状況や年齢に応じ、以下のような効果的な支援を実施する必要がある。その際、その特性により、社会的な偏見や差別を受け、弱い立場に置かれやすい者に対しては、特に配慮を行うものとする。
㈠　就労する意欲はあるが仕事が無く失業状態にある者については、就業の機会の確保が必要であり、職業相談、求人開拓等の既存施策を進めるなど、各種の就業対策を実施する。また、直ちに常用雇用による自立が困難なホームレス等に対しては、地方公共団体においてNPO等と連携しながら、就労準備支援事業や就労訓練事業の利用機会の提供や、多種多様な職種の開拓等に関する情報収集及び情報提供等を行う。
　　さらに、自立支援センターの入所者に対しては、職業相談等により就労による自立を図りながら、それ以外の者に対しては、自立相談支援機関による相談支援により雇用関連施策と福祉関連施策の有機的な連携を図りながら、きめ細かな自立支援を実施する。

(イ)　医療や介護、福祉等の援助が必要な者については、福祉事務所における各種相談事業等の積極的な活用や、必要に応じた介護保険サービス等の提供を行うとともに、無料低額診療事業を行う施設の積極的な活用等の対応の強化を図る。このうち、疾病や高齢により自立能力に乏しい者に対しては、医療機関や高齢者施設等の社会福祉施設への入所等の施策を活用することによる対応を図る。

　(ウ)　路上（野宿）生活期間が長期間に及んでいる者に対しては、粘り強い相談活動を通じ信頼関係の構築を図り、必要な支援が利用できるよう努める。

　　なお、一度ホームレスになり、その期間が長期化した場合、脱却が難しくなるという実態があることを考慮して、できる限り路上（野宿）生活の初期の段階で、巡回相談により自立支援につながるように努めることが必要である。また、ホームレスの高齢化や路上（野宿）生活期間の長期化に伴い、一定程度存在する健康状態の良くない者が、必要な医療サービスを受けることができるよう、路上やシェルター等において、保健師、看護師、精神保健福祉士等の保健医療職による医療的視点に基づいたきめ細かな相談や支援を積極的に実施する。

　(エ)　若年層のホームレスに対する支援については、近年の雇用環境の変化を受けて、直ちに一般就労が難しい者に対しては、就労訓練事業の利用を促すとともに、ＮＰＯ等と連携しながら、就労訓練事業の場の推進・充実を図る。

　(オ)　女性のホームレス等に対しては、性別に配慮したきめ細かな自立支援を行う。また、必要に応じて、婦人相談所（令和6年4月より「女性相談支援センター」）や婦人保護施設（令和6年4月より「女性自立支援施設」）等の関係施設とも十分連携する。

　(カ)　性的マイノリティのホームレス等に対しては、相談支援を行う中で、個々の事情について配慮を行うものとする。

　(キ)　配偶者等からの暴力により、ホームレスとなることを余儀なくされた者については、配偶者暴力相談支援センター等の関係機関と連携し、当面の一時的な居住の場所の確保や相談支援等の必要な支援を行う。

　(ク)　債務や滞納等を抱えているホームレス等については、家計の視点からの専門的な情報提供や助言、債務整理等に関する支援（法テラスへの同行支援等）等を行う。

　(ケ)　上記以外にも、ホームレス等は様々な個人的要因が複合的に絡み合った問題を抱えているため、個々のケースごとに関係機関との密接な連携の下、柔軟に対応する。

(6)　ホームレスとなることを余儀なくされるおそれのある者が多数存在する地域を中心として行われるこれらの者に対する生活上の支援（法第8条第2項第3号関係）

　ホームレスとなることを余儀なくされるおそれのある者としては、一般的には、現に失業状態にある者や日雇労働等の不安定な就労関係にある者であって、定まっ

た住居を失い、簡易宿泊所や終夜営業店舗に寝泊まりする等の不安定な居住環境にある者が想定される。

　これらの者に対しては、ホームレスに対する支援と同様に、生活歴・人物像を把握し、性格・特性の理解に努め、それに応じた丁寧な相談の上、就業の機会の確保や雇用の安定化を図ることが必要であり、また、一時生活支援事業による当面の一時的な居住の場所の確保や安定した住居の確保のための相談支援など、路上（野宿）生活にならないような施策を実施することが必要である。

① ホームレスとなることを余儀なくされるおそれのある者が多数存在する地域において、それらの者がホームレスとならないよう、国及び地方公共団体は相互の連携を図り、年齢や路上（野宿）生活期間等の特性を踏まえ、キャリアコンサルティングやきめ細かな職業相談等の充実強化によって、就業機会の確保や雇用の安定化を図る。

② ホームレスとなることを余儀なくされるおそれのある者の就業の可能性を高めるため、技能講習により、技術革新に対応した新たな技能や複合的な技能を付与する。

　また、再就職の実現や雇用機会の創出を図るため、事業所での一定期間のトライアル雇用事業を実施するほか、就業機会の確保を図るため、ホームレス就業支援事業を実施する。

③ 雇用機会の減少に伴う収入の減少により、簡易宿泊所等での生活が困難な者が路上（野宿）生活になることもあるため、一時生活支援事業等による当面の一時的な居住の場所の確保を図る。

④ ホームレスとなることを余儀なくされるおそれのある者に対しても、自立相談支援機関等と関係団体が連携しながら、丁寧な巡回相談支援等を実施するとともに、ホームレス就業支援事業等による相談支援を実施することにより、具体的な相談内容に応じて福祉事務所や公共職業安定所等の関係機関への相談につなげ、路上（野宿）生活に至ることのないように配慮する。

⑤ ホームレスとなることを余儀なくされるおそれのある者に対して、路上（野宿）生活になることのないよう、地域居住支援事業や居住支援法人等による入居相談・援助や生活支援等、住居の確保と地域生活の継続に必要な支援を実施する。

(7) ホームレスに対し緊急に行うべき援助及び生活保護法による保護の実施（法第8条第2項第4号関係）

① ホームレスに対し緊急に行うべき援助

　ホームレスの中には、長期の路上（野宿）生活により、栄養状態や健康状態が良くない者が存在し、このような者に対しては、医療機関への入院等の対応を緊急に講ずることが必要となってくる。

(ｱ) 病気等により急迫した状態にある者及び要保護者が医療機関に緊急搬送された場合について、生活保護による適切な保護に努める。

福祉事務所は、治療後再び路上（野宿）生活に戻ることのないよう、関係機関と連携して、自立を総合的に支援する。
　(イ)　居所が緊急に必要なホームレスに対しては、一時生活支援事業による支援を行うとともに、日常生活支援住居施設（生活保護法第30条第1項ただし書に規定するものをいう。以下同じ。）、無料低額宿泊事業（社会福祉法第2条第3項第8号に規定する事業をいう。以下同じ。）を行う施設等を活用して適切な支援を行う。
　(ウ)　福祉事務所、自立相談支援機関及び各種機関における各種相談事業を通じて、緊急的な援助を必要としているホームレスの早期発見に努めるとともに、発見した場合には、関係機関等に速やかに連絡する等、早急かつ適切な対応を講ずる。
② 生活保護法による保護の実施
　ホームレスに対する生活保護の適用については、一般の者と同様であり、単にホームレスであることをもって当然に保護の対象となるものではなく、また、居住の場所がないことや稼働能力があることのみをもって保護の要件に欠けるということはない。このような点を踏まえ、資産、稼働能力や他の諸施策等あらゆるものを活用してもなお最低限度の生活が維持できない者について、最低限度の生活を保障するとともに、自立に向けて必要な保護を実施する。
　この際、福祉事務所においては、以下の点に留意し、ホームレスの状況に応じた保護を実施する。
　(ア)　ホームレスの抱える問題（精神的・身体的状況、日常生活管理能力、金銭管理能力、稼働能力等）を十分に把握した上で、自立に向けての指導援助の必要性を考慮し、適切な保護を実施する。
　(イ)　ホームレスの状況（日常生活管理能力、金銭管理能力等）からみて、直ちに居宅生活を送ることが困難な者については、保護施設や、日常生活支援住居施設、無料低額宿泊事業を行う施設等において保護を行う。この場合、関係機関と連携を図り、居宅生活へ円滑に移行するための支援体制を十分に確保し、就業の機会の確保、療養指導、家計管理等の必要な支援を行う。
　(ウ)　居宅生活を送ることが可能であると認められる者については、当該者の状況に応じ必要な保護を行う。この場合、関係機関と連携して、再びホームレスとなることを防止し居宅生活を継続するための支援や、居宅における自立した日常生活の実現に向けた就業の機会の確保等の必要な支援を行う。
(8) ホームレスの人権の擁護（法第8条第2項第4号関係）
　基本的人権の尊重は、日本国憲法の柱であり、民主主義国家の基本でもある。ホームレスの人権の擁護については、ホームレス及び近隣住民の双方の人権に配慮しつつ、以下の取組により推進することが必要である。
　① ホームレスに対する偏見や差別的意識を解消し、人権尊重思想の普及高揚を図るための啓発広報活動を実施する。

② 人権相談等を通じて、ホームレスに関し、通行人からの暴力、近隣住民からの嫌がらせ等の事案を認知した場合には、関係機関と連携・協力して当該事案に即した適切な解決を図る。
③ 一時生活支援事業等の実施により、ホームレスが利用する施設において、利用者の人権の尊重と尊厳の確保に十分配慮するよう努める。
(9) 地域における生活環境の改善（法第8条第2項第4号関係）
都市公園その他の公共の用に供する施設を管理する者は、当該施設をホームレスが起居の場所とすることによりその適正な利用が妨げられているときは、ホームレスの人権にも配慮しながら、当該施設の適正な利用を確保するため、福祉部局等と連絡調整し、ホームレスの自立の支援等に関する施策との連携を図りつつ、以下の措置を講ずることにより、地域における生活環境の改善を図ることが重要である。
① 当該施設内の巡視、物件の撤去指導等を適宜行う。
② ①のほか、必要と認める場合には、法令の規定に基づき、監督処分等の措置をとる。
また、洪水等の災害時においては、特にホームレスに被害が及ぶおそれがあることから、福祉部局等と連絡調整し、配慮して対応する。
(10) 地域における安全の確保（法第8条第2項第4号関係）
地域における安全の確保及びホームレスの被害防止を図るためには、警察が国、地方公共団体等の関係機関との緊密な連携の下に、ホームレスの人権に配慮し、かつ、地域社会の理解と協力を得つつ、以下のとおり地域安全活動、指導・取締り等を実施していくことが重要である。
① パトロール活動の強化により、地域住民等の不安感の除去とホームレス自身に対する襲撃等の事件・事故の防止活動を推進する。
② 地域住民等に不安や危害を与える事案、ホームレス同士による暴行事件等については、速やかに指導・取締り等の措置を講ずるとともに警戒活動を強化して再発防止に努める。
③ 緊急に保護を必要と認められる者については、警察官職務執行法（昭和23年法律第136号）等に基づき、一時的に保護し、その都度、関係機関に引き継ぐなど、適切な保護活動を推進する。
(11) ホームレスの自立の支援等を行う民間団体との連携（法第8条第2項第5号関係）
ホームレスの自立を支援する上では、ホームレスの生活実態を把握しており、ホームレスに最も身近な地域のNPO、ボランティア団体、民生委員、社会福祉協議会、社会福祉士会、社会福祉法人、居住支援法人等との以下のような連携が不可欠である。特にNPO及びボランティア団体は、ホームレスに対する生活支援活動等を通じ、ホームレスとの面識もあり、個々の事情に対応したきめ細かな支援活動において重要な役割を果たすことが期待される。
① 地方公共団体は、ホームレスと身近に接することの多い、民間団体等との定期的な情報交換や意見交換を行う。

　　　　また、行政、民間団体、地域住民等で構成する協議会を設け、ホームレスに関する各種の問題点について議論し、具体的な対策を講じる。
　② 地方公共団体は、民間団体等に対して実施計画や施策についての情報提供を行うほか、団体間の調整、団体からの要望に対して行政担当者や専門家による協議を行うなど、各種の支援を行う。
　③ また、ホームレスに対し、地方公共団体が行う施策について、これらの民間団体に運営委託を行うなど、その能力の積極的な活用を図る。
(12) (1)から(11)までのほか、ホームレスの自立の支援等に関する基本的な事項（法第8条第2項第6号関係）
　① 近年、単身世帯の増加や家族形態の変化を含めた社会変容に伴い、失業や病気など、生活に何らかの影響を与える出来事をきっかけに困窮状態に至る危険性をはらんでいる状態にある者の存在が指摘されている。
　　ホームレス問題についても、失業等に直面した場合に、こうした社会変容に伴う社会的孤立や自尊感情の低下、健康意識の希薄さ等の要因から路上（野宿）生活に至る点は、共通する課題として捉える必要がある。
　　このようなホームレス問題の解決を図るためには、ホームレスの自立を直接支援する施策を実施するとともに、路上（野宿）生活を脱却したホームレスが再度路上（野宿）生活になることを防止し、新たなホームレスを生まない地域社会づくりを推進する必要がある。このため、社会福祉法第106条の4第2項に規定する重層的支援体制整備事業の実施等を通じて、住宅部局とも連携しながら、属性を問わない相談支援、参加支援及び地域づくりに向けた包括的な支援を一体的に行うことにより、居住に関する課題にも対応する。
　② 若年層の中には、不安定な就労を繰り返し、路上（野宿）生活になる者も少なからずいる。これらの者は、勤労の意義を十分に理解していないこと、キャリア形成に対する意識が低いことなど、様々な要因により、そのような状況に至っていると考えられる。学校教育の段階では、多様なキャリア形成に共通して必要な能力や態度の育成を通じ、とりわけ勤労観や職業観を自ら形成・確立できるよう、各学校段階を通じた体系的なキャリア教育を推進する。
3　ホームレス数が少ない地方公共団体の各課題に対する取組方針
　　ホームレス数が少ない地方公共団体においても、失業、離職、減収、疾病で働けなくなったこと、家族関係の悪化等によりホームレスとなることを余儀なくされるおそれのある者への支援のニーズは存在するため、ホームレスに対するきめ細かな施策を実施することにより、ホームレスの増加を防止することが重要である。具体的には、地域に根ざしたきめ細かな施策を必要とするホームレス施策は、本来、市町村が中心となって実施すべきであるが、市町村単位でホームレスがほとんどいない場合には、広域市町村圏や都道府県が中心となって、施策を展開することも必要であり、特に、施設の活用については、広域的な視野に立った活用や、既存の公共施設や民間賃貸住宅等の社会資源の活用を検討することが必要である。

4　総合的かつ効果的な推進体制等
(1) 国の役割と連携

　　国は、ホームレスの自立支援施策に関する制度や施策の企画立案を行う。また、効果的な施策の展開のための調査研究、ホームレス問題やそれに対する各種の施策についての地域住民に対する普及啓発、関係者に対する研修等を行う。

　　さらに、地方公共団体や関係団体におけるホームレスの自立支援に関する取組を支援するため、各種の情報提供を積極的に行うとともに、財政上の措置その他必要な措置を講ずるよう努める。

(2) 地方公共団体の役割と連携

　　都道府県は、本基本方針に即して、市町村におけるホームレス自立支援施策が効果的かつ効率的に実施されるための課題について検討した上で、必要に応じてホームレス自立支援施策に関する実施計画を策定し、それに基づき、地域の実情に応じて計画的に施策を実施する。

　　その際、広域的な観点から、市町村が実施する各種施策が円滑に進むよう、市町村間の調整への支援、市町村における実施計画の策定や各種施策の取組に資する情報提供を行う等の支援を行うとともに、必要に応じて、自らが中心となって施策を実施する。

　　市町村は、本基本方針や都道府県の策定した実施計画に即して、必要に応じてホームレスの自立支援施策に関する実施計画を策定し、それに基づき、地域の実情に応じて計画的に施策を実施する。

　　その際、ホームレスに対する各種相談や自立支援事業等の福祉施策を自ら実施するだけでなく、就労施策や住宅施策等も含めた、ホームレスの状況に応じた個別的かつ総合的な施策を実施するとともに、このような施策の取組状況等について積極的に情報提供を行う。

　　なお、実施計画を策定しない又は策定過程にある地方公共団体においても、積極的にホームレスの自立支援に向けた施策を実施する。

　　また、地方公共団体においてホームレスの自立支援に関する事業を実施する際には、関係団体と十分連携しつつ、その能力の積極的な活用を図る。

(3) 関係団体の役割と連携

　　ホームレス等の生活実態を把握し、ホームレス等にとって最も身近な存在であるNPO、ボランティア団体、社会福祉協議会、社会福祉法人、居住支援法人等の民間団体は、ホームレス等に対する支援活動において重要な役割を担うとともに、地方公共団体が行うホームレス等に対する施策に関し、事業の全部又は一部の委託を受けるなど、行政の施策においても重要な役割を担っている。

　　その際、民間団体は、自らが有する既存の施設や知識、人材等を積極的に活用して事業を行うよう努めるとともに、地方公共団体が自ら実施する事業についても積極的に協力を行うよう努めるものとする。

5　本基本方針のフォローアップ及び見直し

本基本方針については、以下のとおり見直しをすることとする。
(1) 本基本方針の適用期間は、この告示の告示の日から起算して5年間とする。ただし、当該期間中に法が失効した場合には、法の失効する日までとし、このほか特別の事情がある場合には、この限りではない。
(2) 本基本方針の見直しに当たっては、適用期間の満了前に本基本方針に定めた施策についての政策評価等を行うとともに公表することとする。

なお、この政策評価等を行う場合には、ホームレスの数、路上（野宿）生活の期間、仕事や収入の状況、健康状態、福祉制度の利用状況等について、再度実態調査を行い、この調査結果に基づき行うとともに、地方公共団体や民間団体が実施した調査等の結果も参考とするものとする。ただし、特別の事情がある場合には、この限りではない。
(3) 本基本方針の見直しに当たっては、必要に応じて地方公共団体の意見を聴取するとともに、行政手続法（平成5年法律第88号）による意見公募手続（パブリックコメント）を通じて、有識者や民間団体を含め、広く国民の意見を聴取するものとする。

第4 都道府県等が策定する実施計画の作成指針

　法第9条第1項又は第2項の規定に基づき、地方公共団体が実施計画を策定する場合には、福祉や雇用、住宅、保健医療等の関係部局が連携し、次に掲げる指針を踏まえ策定するものとする。また、実施計画を策定した都道府県の区域内の市町村が実施計画を策定する場合には、この指針のほかに、都道府県の実施計画も踏まえ策定するものとする。

1 手続についての指針
　(1) 実施計画の期間
　　実施計画の計画期間は、都道府県が策定し、公表した日から起算して5年間とする。ただし、当該期間中に法が失効した場合には法の失効する日までとし、このほか特別の事情がある場合には、この限りではない。
　(2) 実施計画策定前の手続
　　① 現状や問題点の把握
　　　実施計画の策定に当たっては、ホームレスの実態に関する全国調査における当該地域のデータ等によりホームレスの数や生活実態の把握を行うとともに、関係機関や関係団体と連携しながら、ホームレスの自立支援に関する施策の実施状況について把握し、これに基づきホームレスに関する問題点を把握する。
　　② 基本目標
　　　①の現状や問題点の把握に基づいて、実施計画の基本的な目標を明確にする。
　　③ 関係者等からの意見聴取
　　　実施計画の策定に当たっては、当該地域のホームレスの自立の支援等を行う民間団体など、ホームレス自立支援施策関係者からの意見を幅広く聴取するとともに、当該地域の住民の意見も聴取する。

(3) 実施計画の評価と次期計画の策定
　① 評価
　　　実施計画の計画期間の満了前に、当該地域のホームレスの状況等を客観的に把握するとともに、関係者の意見を聴取すること等により、実施計画に定めた施策の評価を行う。
　② 施策評価結果の公表
　　　①の評価により得られた結果は公表する。
　③ 次の実施計画の策定
　　　①の評価により得られた結果は、次の実施計画を策定するに当たって参考にする。
2　実施計画に盛り込むべき施策についての指針
　　実施計画には、第3の2及び3に掲げるホームレス自立支援施策の推進に関する各課題に対する取組方針を参考にしつつ、当該取組方針のうち地方公共団体において実施する必要がある施策や、地方公共団体が独自で実施する施策を記載する。
3　その他
　　実施計画の策定や実施計画に定めた施策の評価等に当たっては、1(2)③及び1(3)①により、関係者の意見の聴取を行うほか、公共職業安定所、公共職業能力開発施設、都道府県警察等の関係機関とも十分に連携する。
　　また、都道府県においては、この実施計画の作成指針のほか、区域内の市町村が実施計画を策定するに当たって留意すべき点がある場合には、その内容について、都道府県が策定する実施計画に記載する。

○ホームレスに対する生活保護の適用について

> 平成15年7月31日　社援保発第0731001号
> 各都道府県・各指定都市・各中核市民生主管部(局)長宛　厚生労働省社会・援護局保護課長通知

〔改正経過〕
　　第1次改正　平成21年3月27日社援保発第0327001号

　本日、ホームレスの自立の支援等に関する特別措置法（平成14年法律第105号。以下「法」という。）第8条の規定に基づき、別添のとおり、厚生労働省・国土交通省告示第1号をもって「ホームレスの自立の支援等に関する基本方針」（以下「基本方針」という。）が定められた。
　基本方針では、ホームレスに対する生活保護法による保護の実施に関する事項についても定められているところであるが、今般、下記のとおり、ホームレスに対する生活保護の適用に関する具体的な取扱いを定めたので、了知の上、生活保護の適正な実施に遺漏なきを期されたい。
　なお、本通知の1については、地方自治法（昭和22年法律第67号）第245条の9第1項及び第3項の規定による処理基準である。
　また、「ホームレスに対する生活保護の適用について」（平成14年8月7日社援保発第0807001号本職通知）は廃止する。

記

1　ホームレスに対する生活保護の適用に関する基本的な考え方
　生活保護は、資産、能力等を活用しても、最低限度の生活を維持できない者、すなわち、真に生活に困窮する者に対して最低限度の生活を保障するとともに、自立を助長することを目的とした制度であり、ホームレスに対する生活保護の適用に当たっては、居住地がないことや稼働能力があることのみをもって保護の要件に欠けるものでないことに留意し、生活保護を適正に実施する。

2　基本方針の留意点
(1)　ホームレスの抱える問題・状況の把握に当たっては、面接相談時の細かなヒアリングによって得られる要保護者の生活歴、職歴、病歴、居住歴及び現在の生活状況等の総合的な情報の収集や居宅生活を営むうえで必要となる基本的な項目（生活費の金銭管理、服薬等の健康管理、炊事・洗濯、人とのコミュニケーション等）の確認により、居宅生活を営むことができるか否かの点について、特に留意すること。
　　また、自立に向けての指導援助の必要性の程度を分析するに当たっては、利用できる社会資源の状況を総合的に勘案して、ケース診断会議等において処遇の方針を樹立

し、保護の適用の方法を決定すること。
(2) 直ちに居宅生活を送ることが困難な者については、保護施設や社会福祉法（昭和26年法律第45号）第2条第3項第8号に規定する無料低額宿泊事業を行う施設（以下「無料低額宿泊所」という。）等において保護を行うが、ホームレスの状況によっては、養護老人ホームや各種障害者福祉施設等への入所を検討すること。
(3) 施設入所中においては、ホームレスの状況に応じて訪問調査活動を行い、必要な指導援助が行われるよう、生活実態を的確に把握する。

 また、居宅生活への円滑な移行に向けて、施設職員や民生委員等関係機関と連携を図り、日常生活訓練、就業の機会の確保等の必要な支援に努めること。

 無料低額宿泊所に起居する被保護者については、適切な訪問格付を設定し定期的な訪問を行い、生活実態や処遇状況を把握するとともに、自立に向けた必要な指導援助を行うこと。
(4) (1)により、保護開始時において居宅生活が可能と認められた者並びに居宅生活を送ることが可能であるとして、保護施設等を退所した者及び必要な治療を終え医療機関から退院した者については、公営住宅等を活用することにより居宅において保護を行うこと。

 なお、保護開始時において居宅生活が可能と認められた者であって、公営住宅への入居ができず、住宅を確保するため敷金等を必要とする場合は、「生活保護法による保護の実施要領について」（昭和38年4月1日社発第246号厚生省社会局長通知）第7の4の(1)のキにより取り扱うこと。
(5) 居宅生活に移行した者については、関係機関と連携して再びホームレスとなることを防止し、居宅生活を継続するため、及び居宅において日常生活を営むことの実現のため、基本方針に掲げられている就業の機会の確保等の施策を有効に活用する等、必要な支援を行うこと。
(6) 病気等により、急迫した状況にある者については、申請が無くとも保護すべきものであり、その後、要保護者の意思確認が可能となった場合には、保護受給の意思確認を行い、保護の申請（保護の変更申請）が行われたときには、保護の要件を確認した上で、必要な保護を行うこと。

 なお、要保護者が医療機関に緊急搬送された場合については、連絡体制を整えるなど医療機関との連携を図り、早急に実態を把握した上で、急迫保護の適用の要否を確認すること。

3 留意事項
(1) 実施機関における取組
 ア 法第9条において、都道府県及び市町村は必要に応じ、基本方針に則し、ホームレスに関する問題の実情に応じた施策を実施するための計画（以下「実施計画」という。）を策定しなければならないこととされているが、実施計画を策定しない場合であっても、福祉事務所等保護の実施機関（以下「実施機関」という。）におけるホームレスに対する生活保護の適用の考え方は、基本方針及び本通知によるもの

であるので留意すること。
　イ　そのため、実施機関においてホームレスが保護の相談等に来訪した際や急迫保護を適用する場合には、当該実施機関において必要な保護を行うものであって、施策が十分でないこと等により基本方針に沿わない取扱いを行うことがないようにすること。
(2) 自立支援センターにおける生活保護の適用について
　ア　自立支援センターの入所者については、入所中の生活は自立支援センターで保障されており、医療扶助を除き基本的には生活保護の適用は必要のないものであること。
　イ　自立支援センターに入所し就労努力は行ったが、結果的に就労による自立に結びつかず退所した者から保護の申請が行われたときには、保護の要件を確認した上で、必要な保護を行うこと。
別添　略

○ホームレスの自立の支援等に関する特別措置法の一部を改正する法律の施行について

> 平成29年6月21日　職発0621第1号・能発0621第8号
> ・社援発0621第1号
> 各都道府県知事宛　厚生労働省職業安定・職業能力開発・社会・援護局長連名通知

　ホームレスの自立の支援等に関する特別措置法の一部を改正する法律（平成29年法律第68号）については、平成29年6月14日に可決成立し、本日、公布及び施行されたところである。
　改正の趣旨及び内容等を以下のとおり通知するので、十分御了知の上、貴管内市町村（特別区を含む。）に対して周知徹底を図るとともに、生活困窮者自立支援法に基づく事業の実施等を通じ、引き続き、ホームレス施策が適切に推進されるようにお願いする。その際、特に民間の支援団体との連携に留意されたい。
　なお、本通知については、国土交通省と協議済みであることを申し添える。

記

第1　改正の趣旨
　　ホームレスの自立の支援等に関する施策を引き続き計画的かつ着実に推進するため、ホームレスの自立の支援等に関する特別措置法（平成14年法律第105号）の有効期限を10年延長する必要があるため。
第2　改正の内容
　　附則第2条中「15年」を「25年」に改めること。
　　これにより、ホームレスの自立の支援等に関する特別措置法は、平成14年8月7日から起算して25年を経過した日（平成39年8月6日）に、その効力を失うこととされたこと。
第3　施行期日
　　公布の日から施行するものとすること。

第3章　生活困窮者自立支援関係

●生活困窮者自立支援法

（平成25年12月13日　法律第105号）

〔一部改正経過〕

- 第1次　平成26年5月30日法律第50号「難病の患者に対する医療等に関する法律」附則第11条による改正
- 第2次　平成26年6月25日法律第83号「地域における医療及び介護の総合的な確保を推進するための関係法律の整備等に関する法律」附則第68条（平成27年5月法律第67号により一部改正）による改正
- 第3次　平成28年5月20日法律第47号「地域の自主性及び自立性を高めるための改革の推進を図るための関係法律の整備に関する法律」附則第13条による改正
- 第4次　平成30年6月8日法律第44号「生活困窮者等の自立を促進するための生活困窮者自立支援法等の一部を改正する法律」第1・2条による改正
- 第5次　令和6年4月24日法律第21号「生活困窮者自立支援法等の一部を改正する法律」第1条による改正
  - 注　未施行分については〔参考1〕として1904頁以降に収載（令和7年4月1日施行分）
- 注　令和4年6月17日法律第68号「刑法等の一部を改正する法律の施行に伴う関係法律の整理等に関する法律」第221条（令和5年5月法律第28号により一部改正）による改正は未施行につき〔参考2〕として1906頁以降に収載（令和7年6月1日施行）

生活困窮者自立支援法

目次

	頁
第1章　総則（第1条—第4条）	1894
第2章　都道府県等による支援の実施（第5条—第15条）	1897
第3章　生活困窮者就労訓練事業の認定（第16条）	1900
第4章　雑則（第17条—第26条）	1901
第5章　罰則（第27条—第30条）	1903

附則

第1章　総則

（目的）

第1条　この法律は、生活困窮者自立相談支援事業の実施、生活困窮者住居確保給付金の支給その他の生活困窮者に対する自立の支援に関する措置を講ずることにより、生活困窮者の自立の促進を図ることを目的とする。

（基本理念）

第2条　生活困窮者に対する自立の支援は、生活困窮者の尊厳の保持を図りつつ、生活困窮者の就労の状況、心身の状況、地域社会からの孤立の状況その他の状況に応じて、包括的かつ早期に行われなければならない。

2　生活困窮者に対する自立の支援は、地域における福祉、就労、教育、住宅その他の生活困窮者に対する支援に関する業務を行う関係機関（以下単に「関係機関」という。）及び民間団体との緊密な連携その他必要な支援体制の整備に配慮して行われなければな

らない。
（定義）
第3条　この法律において「生活困窮者」とは、就労の状況、心身の状況、地域社会との関係性その他の事情により、現に経済的に困窮し、最低限度の生活を維持することができなくなるおそれのある者をいう。
2　この法律において「生活困窮者自立相談支援事業」とは、次に掲げる事業をいう。
　一　就労の支援その他の自立に関する問題につき、生活困窮者及び生活困窮者の家族その他の関係者からの相談に応じ、必要な情報の提供及び助言をし、並びに関係機関との連絡調整を行う事業
　二　生活困窮者に対し、認定生活困窮者就労訓練事業（第16条第3項に規定する認定生活困窮者就労訓練事業をいう。）の利用についてのあっせんを行う事業
　三　生活困窮者に対し、生活困窮者に対する支援の種類及び内容その他の厚生労働省令で定める事項を記載した計画の作成その他の生活困窮者の自立の促進を図るための支援が包括的かつ計画的に行われるための援助として厚生労働省令で定めるものを行う事業
3　この法律において「生活困窮者住居確保給付金」とは、生活困窮者のうち離職又はこれに準ずるものとして厚生労働省令で定める事由により経済的に困窮し、居住する住宅の所有権若しくは使用及び収益を目的とする権利を失い、又は現に賃借して居住する住宅の家賃を支払うことが困難となったものであって、就職を容易にするため住居を確保する必要があると認められるものに対し支給する給付金をいう。
4　この法律において「生活困窮者就労準備支援事業」とは、雇用による就業が著しく困難な生活困窮者（当該生活困窮者及び当該生活困窮者と同一の世帯に属する者の資産及び収入の状況その他の事情を勘案して厚生労働省令で定めるものに限る。）に対し、厚生労働省令で定める期間にわたり、就労に必要な知識及び能力の向上のために必要な訓練を行う事業をいう。
5　この法律において「生活困窮者家計改善支援事業」とは、生活困窮者に対し、収入、支出その他家計の状況を適切に把握すること及び家計の改善の意欲を高めることを支援するとともに、生活に必要な資金の貸付けのあっせんを行う事業をいう。
6　この法律において「生活困窮者一時生活支援事業」とは、次に掲げる事業をいう。
　一　一定の住居を持たない生活困窮者（当該生活困窮者及び当該生活困窮者と同一の世帯に属する者の資産及び収入の状況その他の事情を勘案して厚生労働省令で定めるものに限る。）に対し、厚生労働省令で定める期間にわたり、宿泊場所の供与、食事の提供その他当該宿泊場所において日常生活を営むのに必要な便宜として厚生労働省令で定める便宜を供与する事業
　二　次に掲げる生活困窮者に対し、厚生労働省令で定める期間にわたり、訪問による必要な情報の提供及び助言その他の現在の住居において日常生活を営むのに必要な便宜として厚生労働省令で定める便宜を供与する事業（生活困窮者自立相談支援事業に該当するものを除く。）

イ　前号に掲げる事業を利用していた生活困窮者であって、現に一定の住居を有するもの
　　ロ　現在の住居を失うおそれのある生活困窮者であって、地域社会から孤立しているもの
7　この法律において「子どもの学習・生活支援事業」とは、次に掲げる事業をいう。
　一　生活困窮者である子どもに対し、学習の援助を行う事業
　二　生活困窮者である子ども及び当該子どもの保護者に対し、当該子どもの生活習慣及び育成環境の改善に関する助言を行う事業（生活困窮者自立相談支援事業に該当するものを除く。）
　三　生活困窮者である子どもの進路選択その他の教育及び就労に関する問題につき、当該子ども及び当該子どもの保護者からの相談に応じ、必要な情報の提供及び助言をし、並びに関係機関との連絡調整を行う事業（生活困窮者自立相談支援事業に該当するものを除く。）

〔委任〕
　　　第2項　第3号の「厚生労働省令で定める事項」＝規則1　「厚生労働省令で定めるもの」＝規則2
　　　第3項　「厚生労働省令」＝規則3
　　　第4項　「厚生労働省令で定めるもの」＝規則4　「厚生労働省令で定める期間」＝規則5
　　　第6項　第1号の「厚生労働省令で定めるもの」＝規則6　「厚生労働省令で定める期間」＝規則7　「厚生労働省令で定める便宜」＝規則8　第2号の「厚生労働省令で定める期間」＝規則8の2　「厚生労働省令で定める便宜」＝規則8の3

（市及び福祉事務所を設置する町村等の責務）
第4条　市（特別区を含む。）及び福祉事務所（社会福祉法（昭和26年法律第45号）に規定する福祉に関する事務所をいう。以下同じ。）を設置する町村（以下「市等」という。）は、この法律の実施に関し、関係機関との緊密な連携を図りつつ、適切に生活困窮者自立相談支援事業及び生活困窮者住居確保給付金の支給を行う責務を有する。
2　都道府県は、この法律の実施に関し、次に掲げる責務を有する。
　一　市等が行う生活困窮者自立相談支援事業及び生活困窮者住居確保給付金の支給、生活困窮者就労準備支援事業及び生活困窮者家計改善支援事業並びに生活困窮者一時生活支援事業、子どもの学習・生活支援事業及びその他の生活困窮者の自立の促進を図るために必要な事業が適正かつ円滑に行われるよう、市等に対する必要な助言、情報の提供その他の援助を行うこと。
　二　関係機関との緊密な連携を図りつつ、適切に生活困窮者自立相談支援事業及び生活困窮者住居確保給付金の支給を行うこと。
3　国は、都道府県及び市等（以下「都道府県等」という。）が行う生活困窮者自立相談支援事業及び生活困窮者住居確保給付金の支給、生活困窮者就労準備支援事業及び生活困窮者家計改善支援事業並びに生活困窮者一時生活支援事業、子どもの学習・生活支援事業及びその他の生活困窮者の自立の促進を図るために必要な事業が適正かつ円滑に行われるよう、都道府県等に対する必要な助言、情報の提供その他の援助を行わなければならない。

4　国及び都道府県等は、この法律の実施に関し、生活困窮者が生活困窮者に対する自立の支援を早期に受けることができるよう、広報その他必要な措置を講ずるように努めるものとする。
5　都道府県等は、この法律の実施に関し、生活困窮者に対する自立の支援を適切に行うために必要な人員を配置するように努めるものとする。
　　　第2章　都道府県等による支援の実施
（生活困窮者自立相談支援事業）
第5条　都道府県等は、生活困窮者自立相談支援事業を行うものとする。
2　都道府県等は、生活困窮者自立相談支援事業の事務の全部又は一部を当該都道府県等以外の厚生労働省令で定める者に委託することができる。
3　前項の規定による委託を受けた者若しくはその役員若しくは職員又はこれらの者であった者は、その委託を受けた事務に関して知り得た秘密を漏らしてはならない。
〔委任〕
　　　第2項　「厚生労働省令」＝規則9
（生活困窮者住居確保給付金の支給）
第6条　都道府県等は、その設置する福祉事務所の所管区域内に居住地を有する生活困窮者のうち第3条第3項に規定するもの（当該生活困窮者及び当該生活困窮者と同一の世帯に属する者の資産及び収入の状況その他の事情を勘案して厚生労働省令で定めるものに限る。）に対し、生活困窮者住居確保給付金を支給するものとする。
2　前項に規定するもののほか、生活困窮者住居確保給付金の額及び支給期間その他生活困窮者住居確保給付金の支給に関し必要な事項は、厚生労働省令で定める。
〔委任〕
　　　第1項　「厚生労働省令」＝規則10
　　　第2項　「厚生労働省令」＝規則11～18
（生活困窮者就労準備支援事業等）
第7条　都道府県等は、生活困窮者自立相談支援事業及び生活困窮者住居確保給付金の支給のほか、生活困窮者就労準備支援事業及び生活困窮者家計改善支援事業を行うように努めるものとする。
2　都道府県等は、前項に規定するもののほか、次に掲げる事業を行うことができる。
　一　生活困窮者一時生活支援事業
　二　子どもの学習・生活支援事業
　三　その他の生活困窮者の自立の促進を図るために必要な事業
3　第5条第2項及び第3項の規定は、前2項の規定により都道府県等が行う事業について準用する。
4　都道府県等は、第1項に規定する事業及び給付金の支給並びに第2項各号に掲げる事業を行うに当たっては、母子及び父子並びに寡婦福祉法（昭和39年法律第129号）第31条の5第1項第2号に掲げる業務及び同法第31条の11第1項第2号に掲げる業務、児童福祉法（昭和22年法律第164号）第6条の3第20項に規定する児童育成支援拠点事業並

びに社会教育法（昭和24年法律第207号）第5条第1項第13号（同法第6条第1項において引用する場合を含む。）に規定する学習の機会を提供する事業その他関連する施策との連携を図るように努めるものとする。
5　厚生労働大臣は、生活困窮者就労準備支援事業及び生活困窮者家計改善支援事業の適切な実施を図るために必要な指針を公表するものとする。
〔委任〕
<small>第5項　「指針」＝平成30年9月厚労告第343号「生活困窮者就労準備支援事業及び生活困窮者家計改善支援事業の適切な実施等に関する指針」</small>

（生活困窮者の状況の把握等）
第8条　都道府県等は、関係機関及び民間団体との緊密な連携を図りつつ、次条第1項に規定する支援会議の開催、地域住民相互の交流を行う拠点との連携及び訪問その他の地域の実情に応じた方法により、生活困窮者の状況を把握するように努めるものとする。
2　都道府県等は、福祉、就労、教育、税務、住宅その他のその所掌事務に関する業務の遂行に当たって、生活困窮者を把握したときは、当該生活困窮者に対し、この法律に基づく事業の利用及び給付金の受給の勧奨その他適切な措置を講ずるように努めるものとする。

（支援会議）
第9条　都道府県等は、関係機関、第5条第2項（第7条第3項において準用する場合を含む。）の規定による委託を受けた者、生活困窮者に対する支援に関係する団体、当該支援に関係する職務に従事する者その他の関係者（第3項及び第4項において「関係機関等」という。）により構成される会議（以下この条において「支援会議」という。）を組織することができる。
2　支援会議は、生活困窮者に対する自立の支援を図るために必要な情報の交換を行うとともに、生活困窮者が地域において日常生活及び社会生活を営むのに必要な支援体制に関する検討を行うものとする。
3　支援会議は、前項の規定による情報の交換及び検討を行うために必要があると認めるときは、関係機関等に対し、生活困窮者に関する資料又は情報の提供、意見の開陳その他必要な協力を求めることができる。
4　関係機関等は、前項の規定による求めがあった場合には、これに協力するように努めるものとする。
5　支援会議の事務に従事する者又は従事していた者は、正当な理由がなく、支援会議の事務に関して知り得た秘密を漏らしてはならない。
6　前各項に定めるもののほか、支援会議の組織及び運営に関し必要な事項は、支援会議が定める。

（都道府県の市等の職員に対する研修等事業）
第10条　都道府県は、次に掲げる事業を行うように努めるものとする。
一　この法律の実施に関する事務に従事する市等の職員の資質を向上させるための研修の事業

二　この法律に基づく事業又は給付金の支給を効果的かつ効率的に行うための体制の整備、支援手法に関する市等に対する情報提供、助言その他の事業
2　第5条第2項の規定は、都道府県が前項の規定により事業を行う場合について準用する。
（福祉事務所を設置していない町村による相談等）
第11条　福祉事務所を設置していない町村（次項、第14条及び第15条第3項において「福祉事務所未設置町村」という。）は、生活困窮者に対する自立の支援につき、生活困窮者及び生活困窮者の家族その他の関係者からの相談に応じ、必要な情報の提供及び助言、都道府県との連絡調整、生活困窮者自立相談支援事業の利用の勧奨その他必要な援助を行う事業を行うことができる。
2　第5条第2項及び第3項の規定は、福祉事務所未設置町村が前項の規定により事業を行う場合について準用する。
（市等の支弁）
第12条　次に掲げる費用は、市等の支弁とする。
一　第5条第1項の規定により市等が行う生活困窮者自立相談支援事業の実施に要する費用
二　第6条第1項の規定により市等が行う生活困窮者住居確保給付金の支給に要する費用
三　第7条第1項及び第2項の規定により市等が行う生活困窮者就労準備支援事業及び生活困窮者一時生活支援事業の実施に要する費用
四　第7条第1項及び第2項の規定により市等が行う生活困窮者家計改善支援事業並びに子どもの学習・生活支援事業及び同項第3号に掲げる事業の実施に要する費用
（都道府県の支弁）
第13条　次に掲げる費用は、都道府県の支弁とする。
一　第5条第1項の規定により都道府県が行う生活困窮者自立相談支援事業の実施に要する費用
二　第6条第1項の規定により都道府県が行う生活困窮者住居確保給付金の支給に要する費用
三　第7条第1項及び第2項の規定により都道府県が行う生活困窮者就労準備支援事業及び生活困窮者一時生活支援事業の実施に要する費用
四　第7条第1項及び第2項の規定により都道府県が行う生活困窮者家計改善支援事業並びに子どもの学習・生活支援事業及び同項第3号に掲げる事業の実施に要する費用
五　第10条第1項の規定により都道府県が行う事業の実施に要する費用
（福祉事務所未設置町村の支弁）
第14条　第11条第1項の規定により福祉事務所未設置町村が行う事業の実施に要する費用は、福祉事務所未設置町村の支弁とする。
（国の負担及び補助）
第15条　国は、政令で定めるところにより、次に掲げるものの4分の3を負担する。

一　第12条の規定により市等が支弁する同条第1号に掲げる費用のうち当該市等における人口、被保護者（生活保護法（昭和25年法律第144号）第6条第1項に規定する被保護者をいう。第3号において同じ。）の数その他の事情を勘案して政令で定めるところにより算定した額
二　第12条の規定により市等が支弁する費用のうち、同条第2号に掲げる費用
三　第13条の規定により都道府県が支弁する同条第1号に掲げる費用のうち当該都道府県の設置する福祉事務所の所管区域内の町村における人口、被保護者の数その他の事情を勘案して政令で定めるところにより算定した額
四　第13条の規定により都道府県が支弁する費用のうち、同条第2号に掲げる費用
2　国は、予算の範囲内において、政令で定めるところにより、次に掲げるものを補助することができる。
一　第12条及び第13条の規定により市等及び都道府県が支弁する費用のうち、第12条第3号及び第13条第3号に掲げる費用の3分の2以内
二　第12条及び第13条の規定により市等及び都道府県が支弁する費用のうち、第12条第4号並びに第13条第4号及び第5号に掲げる費用の2分の1以内
3　前項に規定するもののほか、国は、予算の範囲内において、政令で定めるところにより、前条の規定により福祉事務所未設置町村が支弁する費用の4分の3以内を補助することができる。
4　生活困窮者就労準備支援事業及び生活困窮者家計改善支援事業が効果的かつ効率的に行われている場合として政令で定める場合に該当するときは、第2項の規定の適用については、同項第1号中「掲げる費用」とあるのは「掲げる費用並びに第7条第1項の規定により市等及び都道府県が行う生活困窮者家計改善支援事業の実施に要する費用」と、同項第2号中「並びに第13条第4号及び第5号」とあるのは「及び第13条第4号（いずれも第7条第1項の規定により市等及び都道府県が行う生活困窮者家計改善支援事業の実施に要する費用を除く。）並びに第13条第5号」とする。
〔委任〕
　　第1項　本文の「政令」＝令1　第1・3号の「政令」＝令1Ⅰ
　　第2項　本文の「政令」＝令2ⅠⅡ
　　第3項　「政令」＝令2Ⅲ
　　第4項　「政令」＝令2Ⅳ
　　　　第3章　生活困窮者就労訓練事業の認定
第16条　雇用による就業を継続して行うことが困難な生活困窮者に対し、就労の機会を提供するとともに、就労に必要な知識及び能力の向上のために必要な訓練その他の厚生労働省令で定める便宜を供与する事業（以下この条において「生活困窮者就労訓練事業」という。）を行う者は、厚生労働省令で定めるところにより、当該生活困窮者就労訓練事業が生活困窮者の就労に必要な知識及び能力の向上のための基準として厚生労働省令で定める基準に適合していることにつき、都道府県知事の認定を受けることができる。
2　都道府県知事は、生活困窮者就労訓練事業が前項の基準に適合していると認めるときは、同項の認定をするものとする。

3 都道府県知事は、第1項の認定に係る生活困窮者就労訓練事業（次項及び第21条第2項において「認定生活困窮者就労訓練事業」という。）が第1項の基準に適合しないものとなったと認めるときは、同項の認定を取り消すことができる。

4 国及び地方公共団体は、認定生活困窮者就労訓練事業を行う者の受注の機会の増大を図るように努めるものとする。

〔委任〕
　第1項　「厚生労働省令で定める便宜」＝規則19　「厚生労働省令で定めるところ」＝規則20　「厚生労働省令で定める基準」＝規則21

第4章　雑則

（雇用の機会の確保）

第17条　国及び地方公共団体は、生活困窮者の雇用の機会の確保を図るため、職業訓練の実施、就職のあっせんその他の必要な措置を講ずるように努めるものとする。

2　国及び地方公共団体は、生活困窮者の雇用の機会の確保を図るため、国の講ずる措置と地方公共団体の講ずる措置が密接な連携の下に円滑かつ効果的に実施されるように相互に連絡し、及び協力するものとする。

3　公共職業安定所は、生活困窮者の雇用の機会の確保を図るため、求人に関する情報の収集及び提供、生活困窮者を雇用する事業主に対する援助その他必要な措置を講ずるように努めるものとする。

4　公共職業安定所は、生活困窮者の雇用の機会の確保を図るため、職業安定法（昭和22年法律第141号）第29条第1項の規定により無料の職業紹介事業を行う都道府県等が求人に関する情報の提供を希望するときは、当該都道府県等に対して、当該求人に関する情報を電磁的方法（電子情報処理組織を使用する方法その他の情報通信の技術を利用する方法をいう。）その他厚生労働省令で定める方法により提供するものとする。

〔委任〕
　第4項　「厚生労働省令」＝規則24

（不正利得の徴収）

第18条　偽りその他不正の手段により生活困窮者住居確保給付金の支給を受けた者があるときは、都道府県等は、その者から、その支給を受けた生活困窮者住居確保給付金の額に相当する金額の全部又は一部を徴収することができる。

2　前項の規定による徴収金は、地方自治法（昭和22年法律第67号）第231条の3第3項に規定する法律で定める歳入とする。

（受給権の保護）

第19条　生活困窮者住居確保給付金の支給を受けることとなった者の当該支給を受ける権利は、譲り渡し、担保に供し、又は差し押さえることができない。

（公課の禁止）

第20条　租税その他の公課は、生活困窮者住居確保給付金として支給を受けた金銭を標準として課することができない。

（報告等）

第21条　都道府県等は、生活困窮者住居確保給付金の支給に関して必要があると認めると

きは、この法律の施行に必要な限度において、当該生活困窮者住居確保給付金の支給を受けた生活困窮者又は生活困窮者であった者に対し、報告若しくは文書その他の物件の提出若しくは提示を命じ、又は当該職員に質問させることができる。
2　都道府県知事は、この法律の施行に必要な限度において、認定生活困窮者就労訓練事業を行う者又は認定生活困窮者就労訓練事業を行っていた者に対し、報告を求めることができる。
3　第1項の規定による質問を行う場合においては、当該職員は、その身分を示す証明書を携帯し、かつ、関係者の請求があるときは、これを提示しなければならない。
4　第1項の規定による権限は、犯罪捜査のために認められたものと解釈してはならない。
　（資料の提供等）
第22条　都道府県等は、生活困窮者住居確保給付金の支給又は生活困窮者就労準備支援事業若しくは生活困窮者一時生活支援事業（第3条第6項第1号に掲げる事業に限る。）の実施に関して必要があると認めるときは、生活困窮者、生活困窮者の配偶者若しくは生活困窮者の属する世帯の世帯主その他その世帯に属する者又はこれらの者であった者の資産又は収入の状況につき、官公署に対し必要な文書の閲覧若しくは資料の提供を求め、又は銀行、信託会社その他の機関若しくは生活困窮者の雇用主その他の関係者に報告を求めることができる。
2　都道府県等は、生活困窮者住居確保給付金の支給に関して必要があると認めるときは、当該生活困窮者住居確保給付金の支給を受ける生活困窮者若しくは当該生活困窮者に対し当該生活困窮者が居住する住宅を賃貸する者若しくはその役員若しくは職員又はこれらの者であった者に、当該住宅の状況につき、報告を求めることができる。
　（情報提供等）
第23条　都道府県等は、第7条第1項に規定する事業及び給付金の支給並びに同条第2項各号に掲げる事業を行うに当たって、生活保護法第6条第2項に規定する要保護者となるおそれが高い者を把握したときは、当該者に対し、同法に基づく保護又は給付金若しくは事業についての情報の提供、助言その他適切な措置を講ずるものとする。
　（町村の一部事務組合等）
第24条　町村が一部事務組合又は広域連合を設けて福祉事務所を設置した場合には、この法律の適用については、その一部事務組合又は広域連合を福祉事務所を設置する町村とみなす。
　（大都市等の特例）
第25条　この法律中都道府県が処理することとされている事務で政令で定めるものは、地方自治法第252条の19第1項の指定都市（以下この条において「指定都市」という。）及び同法第252条の22第1項の中核市（以下この条において「中核市」という。）においては、政令の定めるところにより、指定都市又は中核市が処理するものとする。この場合においては、この法律中都道府県に関する規定は、指定都市又は中核市に関する規定として指定都市又は中核市に適用があるものとする。

〔委任〕

「政令で定めるもの」＝令3Ⅰ　「政令の定めるところ」＝令3Ⅱ

（実施規定）

第26条　この法律に特別の規定があるものを除くほか、この法律の実施のための手続その他その執行について必要な細則は、厚生労働省令で定める。

〔委任〕

「厚生労働省令」＝平成27年2月厚労令第16号「生活困窮者自立支援法施行規則」

第5章　罰則

第27条　偽りその他不正の手段により生活困窮者住居確保給付金の支給を受け、又は他人をして受けさせた者は、3年以下の懲役又は100万円以下の罰金に処する。ただし、刑法（明治40年法律第45号）に正条があるときは、刑法による。

第28条　第5条第3項（第7条第3項及び第11条第2項において準用する場合を含む。）又は第9条第5項の規定に違反して秘密を漏らした者は、1年以下の懲役又は100万円以下の罰金に処する。

第29条　次の各号のいずれかに該当する者は、30万円以下の罰金に処する。

一　第21条第1項の規定による命令に違反して、報告若しくは物件の提出若しくは提示をせず、若しくは虚偽の報告若しくは虚偽の物件の提出若しくは提示をし、又は同項の規定による当該職員の質問に対して、答弁せず、若しくは虚偽の答弁をした者

二　第21条第2項の規定による報告をせず、又は虚偽の報告をした者

第30条　法人の代表者又は法人若しくは人の代理人、使用人その他の従業者が、その法人又は人の業務に関して第27条又は前条第2号の違反行為をしたときは、行為者を罰するほか、その法人又は人に対して各本条の罰金刑を科する。

　　　附　則

（施行期日）

第1条　この法律は、平成27年4月1日から施行する。ただし、附則第3条及び第11条の規定は、公布の日〔平成25年12月13日〕から施行する。

（検討）

第2条　政府は、この法律の施行後3年を目途として、この法律の施行の状況を勘案し、生活困窮者に対する自立の支援に関する措置の在り方について総合的に検討を加え、必要があると認めるときは、その結果に基づいて所要の措置を講ずるものとする。

　　　附　則（第5次改正）抄

（施行期日）

第1条　この法律は、令和7年4月1日から施行する。ただし、次の各号に掲げる規定は、当該各号に定める日から施行する。

一　第1条中生活困窮者自立支援法第8条の改正規定〔中略〕並びに附則第5条から第9条までの規定　公布の日〔令和6年4月24日〕

二　第1条中生活困窮者自立支援法第7条第4項の改正規定（「業務並びに」を「業務、児童福祉法（昭和22年法律第164号）第6条の3第20項に規定する児童育成支援

拠点事業並びに」に改める部分に限る。) 公布の日又は令和6年4月1日のいずれか遅い日
（政令への委任）
第9条　この附則に規定するもののほか、この法律の施行に伴い必要な経過措置は、政令で定める。

〔参考1〕
●生活困窮者自立支援法等の一部を改正する法律（抄）
$$\begin{pmatrix} 令和6年4月24日 \\ 法 律 第 21 号 \end{pmatrix}$$

（生活困窮者自立支援法の一部改正）
第1条　生活困窮者自立支援法（平成25年法律第105号）の一部を次のように改正する。
　　第3条第2項第1号中「就労」の下に「及び居住」を加え、同条第3項を次のように改める。
　3　この法律において「生活困窮者住居確保給付金」とは、生活困窮者のうち次に掲げるものに対し支給する給付金をいう。
　一　離職又はこれに準ずるものとして厚生労働省令で定める事由により経済的に困窮し、居住する住宅の所有権若しくは使用及び収益を目的とする権利を失い、又は現に賃借して居住する住宅の家賃を支払うことが困難となった者であって、就職を容易にするため住居を確保する必要があると認められるもの
　二　収入が著しく減少したと認められるものとして厚生労働省令で定める事由により経済的に困窮し、居住する住宅の所有権若しくは使用及び収益を目的とする権利を失い、又は現に賃借して居住する住宅の家賃を支払うことが困難となった者であって、家計を改善するため新たな住居を確保する必要があると認められるもの（前号に掲げる者を除く。）
　　第3条第4項中「限る。）」の下に「及び特定被保護者（生活保護法（昭和25年法律第144号）第55条の11第1項に規定する特定被保護者をいう。以下この条及び第22条第3項において同じ。）」を加え、同条第5項中「に対し」を「及び特定被保護者に対し」に改め、同条第6項中「生活困窮者一時生活支援事業」を「生活困窮者居住支援事業」に改め、同項第2号中「に対し」を「及び特定被保護者に対し」に改め、同号ロ中「生活困窮者」の下に「又は特定被保護者」を加える。
　　第4条第2項第1号及び第3項中「及び生活困窮者家計改善支援事業並びに生活困窮者一時生活支援事業、」を「、生活困窮者家計改善支援事業及び生活困窮者居住支援事業並びに」に改める。
　　第6条第1項中「第3条第3項に規定する」を「第3条第3項各号に掲げる」に改める。
　　第7条第1項中「を行う」を「並びに生活困窮者居住支援事業のうち必要があると認

めるものを行う」に改め、同条第２項中「次に掲げる」を「子どもの学習・生活支援事業及びその他の生活困窮者の自立の促進を図るために必要な」に改め、同項各号を削り、同条第５項中「及び生活困窮者家計改善支援事業の適切な実施を図るために必要な」を「、生活困窮者家計改善支援事業及び生活困窮者居住支援事業の全国的な実施及び支援の質の向上を図る観点から、これらの事業の実施に必要な体制の整備に関する」に改め、同項を同条第６項とし、同条第４項中「第２項各号に掲げる」を「第２項に規定する」に改め、「当たっては」の下に「、住宅確保要配慮者に対する賃貸住宅の供給の促進に関する法律（平成19年法律第112号）第42条各号に掲げる業務」を加え、同項を同条第５項とし、同条第３項の次に次の１項を加える。

4　都道府県等は、生活困窮者就労準備支援事業又は生活困窮者家計改善支援事業を行うに当たっては、政令で定める方法により、これらの事業及び生活困窮者自立相談支援事業を一体的に行う体制を確保し、効果的かつ効率的に行うものとする。

第９条第１項中「ことができる」を「ように努めるものとする」に改め、同条中第６項を第７項とし、第５項を第６項とし、第４項の次に次の１項を加える。

5　支援会議は、当該支援会議を組織している都道府県等に生活保護法第27条の３第１項に規定する調整会議又は社会福祉法第106条の６第１項に規定する支援会議が組織されているときは、生活困窮者に対する支援の円滑な実施のため、これらの会議と相互に連携を図るように努めるものとする。

第12条第３号中「及び第２項」を削り、「及び生活困窮者一時生活支援事業」を「、生活困窮者家計改善支援事業及び生活困窮者居住支援事業」に改め、同条第４号中「第７条第１項及び第２項」を「第７条第２項」に、「生活困窮者家計改善支援事業並びに子どもの学習・生活支援事業及び同項第３号に掲げる」を「同項に規定する」に改める。

第13条第３号中「及び第２項」を削り、「及び生活困窮者一時生活支援事業」を「、生活困窮者家計改善支援事業及び生活困窮者居住支援事業」に改め、同条第４号中「第７条第１項及び第２項」を「第７条第２項」に、「生活困窮者家計改善支援事業並びに子どもの学習・生活支援事業及び同項第３号に掲げる」を「同項に規定する」に改める。

第15条第１項第１号中「（昭和25年法律第144号）」を削り、同条第４項を削る。

第22条第１項中「生活困窮者一時生活支援事業」を「生活困窮者居住支援事業」に改め、同条第２項中「居住する住宅を賃貸する者」を「居住し、若しくは居住しようとする住宅を賃貸する者その他の関係者」に、「その」を「これらの」に改め、「状況」の下に「又は当該住宅の確保に関する事項」を加え、同条に次の１項を加える。

3　都道府県等は、特定被保護者に対する生活困窮者就労準備支援事業、生活困窮者家計改善支援事業又は生活困窮者居住支援事業（第３条第６項第２号に掲げる事業に限る。）の実施に関して必要があると認めるときは、生活保護法第55条の11第１項の規定による通知をした保護の実施機関（同法第19条第４項に規定する保護の実施機関をいう。）に、当該通知に係る特定被保護者に関する事項につき、報告を求めることが

できる。
　　第23条中「同条第2項各号に掲げる」を「同条第2項に規定する」に改める。
　　第28条中「第9条第5項」を「第9条第6項」に改める。
　　　　附　　則　　抄
　（施行期日）
第1条　この法律は、令和7年4月1日から施行する。〔以下略〕
　（検討）
第2条　政府は、この法律の施行後5年を目途として、この法律による改正後のそれぞれの法律の施行の状況を勘案し、必要があると認めるときは、生活困窮者自立支援法第3条第1項に規定する生活困窮者に対する支援等が公正で分かりやすいものであることを確保する観点も含めてこの法律による改正後のそれぞれの法律の規定について検討を加え、その結果に基づいて必要な措置を講ずるものとする。

〔参考2〕
　　◉刑法等の一部を改正する法律の施行に伴う関係法律の整理等に関する法
　　　律（抄）

$$\begin{pmatrix}令和4年6月17日\\法　律　第　68　号\end{pmatrix}$$

　　注　令和5年5月17日法律第28号「刑事訴訟法等の一部を改正する法律」附則第36条により一部改正
　第1編　関係法律の一部改正
　　第11章　厚生労働省関係
　（船員保険法等の一部改正）
第221条　次に掲げる法律の規定中「懲役」を「拘禁刑」に改める。
　　八十五　生活困窮者自立支援法（平成25年法律第105号）第27条及び第28条
　第2編　経過措置
　　第1章　通則
　（罰則の適用等に関する経過措置）
第441条　刑法等の一部を改正する法律（令和4年法律第67号。以下「刑法等一部改正法」という。）及びこの法律（以下「刑法等一部改正法等」という。）の施行前にした行為の処罰については、次章に別段の定めがあるもののほか、なお従前の例による。
2　刑法等一部改正法等の施行後にした行為に対して、他の法律の規定によりなお従前の例によることとされ、なお効力を有することとされ又は改正前若しくは廃止前の法律の規定の例によることとされる罰則を適用する場合において、当該罰則に定める刑（刑法施行法第19条第1項の規定又は第82条の規定による改正後の沖縄の復帰に伴う特別措置に関する法律第25条第4項の規定の適用後のものを含む。）に刑法等一部改正法第2条の規定による改正前の刑法（明治40年法律第45号。以下この項において「旧刑法」という。）第12条に規定する懲役（以下「懲役」という。）、旧刑法第13条に規定する禁錮

（以下「禁錮」という。）又は旧刑法第16条に規定する拘留（以下「旧拘留」という。）が含まれるときは、当該刑のうち無期の懲役又は禁錮はそれぞれ無期拘禁刑と、有期の懲役又は禁錮はそれぞれその刑と長期及び短期（刑法施行法第20条の規定の適用後のものを含む。）を同じくする有期拘禁刑と、旧拘留は長期及び短期（刑法施行法第20条の規定の適用後のものを含む。）を同じくする拘留とする。

（裁判の効力とその執行に関する経過措置）

第442条　懲役、禁錮及び旧拘留の確定裁判の効力並びにその執行については、次章に別段の定めがあるもののほか、なお従前の例による。

第4章　その他

（経過措置の政令への委任）

第509条　この編に定めるもののほか、刑法等一部改正法等の施行に伴い必要な経過措置は、政令で定める。

附　則　抄

（施行期日）

1　この法律は、刑法等一部改正法施行日〔令和7年6月1日〕から施行する。ただし、次の各号に掲げる規定は、当該各号に定める日から施行する。

　一　第509条の規定　公布の日

⦿生活困窮者自立支援法施行令

$\begin{pmatrix}平成27年2月4日\\政令第40号\end{pmatrix}$

〔一部改正経過〕
  第1次 平成30年9月28日政令第284号「生活困窮者等の自立を促進するための生活困窮者自立支援法等の一部を改正する法律の施行に伴う関係政令の整備に関する政令」第1条による改正
  第2次 平成31年2月8日政令第21号「生活困窮者自立支援法施行令及び国民年金法施行令等の一部を改正する政令の一部を改正する政令」第1条による改正

生活困窮者自立支援法施行令

 内閣は、生活困窮者自立支援法(平成25年法律第105号)第9条及び第18条の規定に基づき、この政令を制定する。

  (生活困窮者自立相談支援事業及び生活困窮者住居確保給付金に係る国の負担)
第1条 生活困窮者自立支援法(以下「法」という。)第15条第1項の規定により、毎年度国が市等(法第4条第1項に規定する市等をいう。以下この条及び次条において同じ。)又は都道府県に対して負担する法第15条第1項第1号又は第3号の額は、次に掲げる額のうちいずれか低い額とする。
 一 生活困窮者自立相談支援事業(法第3条第2項に規定する生活困窮者自立相談支援事業をいう。以下この項及び次条第4項において同じ。)の実施に要する費用について市等又は都道府県の設置する福祉事務所(社会福祉法(昭和26年法律第45号)に規定する福祉に関する事務所をいう。)の所管区域内の町村における人口、被保護者(生活保護法(昭和25年法律第144号)第6条第1項に規定する被保護者をいう。)の数その他の事情を勘案して厚生労働大臣が定める基準に基づき算定した額
 二 市等又は都道府県が行う生活困窮者自立相談支援事業の実施に要する費用の額(その費用のための寄附金その他の収入があるときは、当該収入の額を控除した額)
2 法第15条第1項の規定により、毎年度国が市等又は都道府県に対して負担する同項第2号又は第4号の額は、市等又は都道府県が行う法第3条第3項に規定する生活困窮者住居確保給付金の支給に要する費用の額(その費用のための寄附金その他の収入があるときは、当該収入の額を控除した額)につき、厚生労働大臣が定める基準によって算定した額とする。
 〔委任〕
  第1項 第1号の「厚生労働大臣が定める基準」=平成27年3月厚労告第43号「生活困窮者自立支援法施行令第1条第1項第1号の規定に基づき厚生労働大臣が定める基準」
  (生活困窮者就労準備支援事業等に係る国の補助)

第2条　法第15条第2項の規定により、毎年度国が市等又は都道府県に対して補助する同項第1号の額は、市等又は都道府県が行う生活困窮者就労準備支援事業（法第3条第4項に規定する生活困窮者就労準備支援事業をいう。第4項において同じ。）、生活困窮者家計改善支援事業（法第3条第5項に規定する生活困窮者家計改善支援事業をいう。以下この条において同じ。）（第4項に規定する場合に該当する場合に限る。）及び法第3条第6項に規定する生活困窮者一時生活支援事業の実施に要する費用の額（その費用のための寄附金その他の収入があるときは、当該収入の額を控除した額）につき、厚生労働大臣が定める基準によって算定した額とする。

2　法第15条第2項の規定により、毎年度国が市等又は都道府県に対して補助する同項第2号の額は、市等又は都道府県が行う生活困窮者家計改善支援事業（第4項に規定する場合に該当する場合を除く。）、法第3条第7項に規定する子どもの学習・生活支援事業、法第7条第2項第3号に掲げる事業及び法第10条第1項各号に掲げる事業の実施に要する費用の額（その費用のための寄附金その他の収入があるときは、当該収入の額を控除した額）につき、厚生労働大臣が定める基準によって算定した額とする。

3　法第15条第3項の規定により、毎年度国が福祉事務所未設置町村（法第11条第1項に規定する福祉事務所未設置町村をいう。以下この項において同じ。）に対して補助する法第15条第3項の額は、福祉事務所未設置町村が行う法第11条第1項に規定する事業の実施に要する費用の額（その費用のための寄付金その他の収入があるときは、当該収入の額を控除した額）につき、厚生労働大臣が定める基準によって算定した額とする。

4　法第15条第4項に規定する政令で定める場合は、市等又は都道府県が法第3条第2項第3号に規定する計画を作成するに当たって、生活困窮者就労準備支援事業及び生活困窮者家計改善支援事業との緊密な連携を図る体制が確保されている場合その他生活困窮者自立相談支援事業、生活困窮者就労準備支援事業及び生活困窮者家計改善支援事業が一体的に行われている場合とする。

　　（大都市等の特例）
第3条　地方自治法（昭和22年法律第67号）第252条の19第1項の指定都市（以下この項において「指定都市」という。）において、法第25条の規定により、指定都市が処理する事務については、地方自治法施行令（昭和22年政令第16号）第174条の33に定めるところによる。

2　地方自治法第252条の22第1項の中核市（以下この項において「中核市」という。）において、法第25条の規定により、中核市が処理する事務については、地方自治法施行令第174条の49の13に定めるところによる。

　　　附　則　抄
　　（施行期日）
第1条　この政令は、平成27年4月1日から施行する。
　　　附　則（第2次改正）
　この政令は、平成31年4月1日から施行する。

III　関連法令等　第3章　生活困窮者自立支援関係

●生活困窮者自立支援法施行規則

（平成27年2月4日
厚生労働省令第16号）

〔一部改正経過〕

第1次	平成30年9月28日厚生労働省令第117号「生活困窮者等の自立を促進するための生活困窮者自立支援法等の一部を改正する法律の施行に伴う厚生労働省関係省令の整備等に関する省令」第1条による改正
第2次	平成31年3月29日厚生労働省令第43号「生活困窮者自立支援法施行規則の一部を改正する省令」による改正
第3次	令和元年5月7日厚生労働省令第1号「元号の表記の整理のための厚生労働省関係省令の一部を改正する省令」第90条による改正
第4次	令和2年3月5日厚生労働省令第22号「生活困窮者自立支援法施行規則の一部を改正する省令」による改正
第5次	令和2年4月20日厚生労働省令第86号「生活困窮者自立支援法施行規則の一部を改正する省令」による改正
第6次	令和2年4月30日厚生労働省令第94号「生活困窮者自立支援法施行規則の一部を改正する省令」による改正
第7次	令和2年5月29日厚生労働省令第110号「生活困窮者自立支援法施行規則の一部を改正する省令」による改正
第8次	令和2年7月3日厚生労働省令第136号「生活困窮者自立支援法施行規則の一部を改正する省令」による改正
第9次	令和2年12月25日厚生労働省令第208号「押印を求める手続の見直し等のための厚生労働省関係省令の一部を改正する省令」第126条による改正
第10次	令和2年12月25日厚生労働省令第209号「生活困窮者自立支援法施行規則の一部を改正する省令」による改正
第11次	令和3年2月1日厚生労働省令第22号「生活困窮者自立支援法施行規則の一部を改正する省令」による改正
第12次	令和3年3月29日厚生労働省令第62号「生活困窮者自立支援法施行規則の一部を改正する省令」による改正
第13次	令和3年6月11日厚生労働省令第102号「生活困窮者自立支援法施行規則の一部を改正する省令」による改正
第14次	令和3年9月30日厚生労働省令第164号「生活困窮者自立支援法施行規則の一部を改正する省令」による改正
第15次	令和3年11月30日厚生労働省令第186号「生活困窮者自立支援法施行規則の一部を改正する省令」による改正
第16次	令和4年3月31日厚生労働省令第67号「生活困窮者自立支援法施行規則の一部を改正する省令」による改正
第17次	令和4年6月30日厚生労働省令第103号「生活困窮者自立支援法施行規則の一部を改正する省令」による改正
第18次	令和4年8月31日厚生労働省令第122号「生活困窮者自立支援法施行規則の一部を改正する省令」による改正
第19次	令和4年9月30日厚生労働省令第141号「生活困窮者自立支援法施行規則の一部を改正する省令」による改正
第20次	令和4年6月10日厚生労働省令第93号「雇用保険法等の一部を改正する法律の一部の施行に伴う厚生労働省関係省令の整備に関する省令」第8条による改正
第21次	令和4年12月21日厚生労働省令第169号「生活困窮者自立支援法施行規則の一部を改正する省令」による改正
第22次	令和5年3月31日厚生労働省令第57号「生活困窮者自立支援法施行規則の一部を改正する省令」による改正

　生活困窮者自立支援法（平成25年法律第105号）の規定に基づき、及び同法を実施するため、生活困窮者自立支援法施行規則を次のように定める。

生活困窮者自立支援法施行規則
（法第3条第2項第3号に規定する厚生労働省令で定める事項）
第1条　生活困窮者自立支援法（以下「法」という。）第3条第2項第3号に規定する厚生労働省令で定める事項は、生活困窮者の生活に対する意向、当該生活困窮者の生活全般の解決すべき課題、提供される生活困窮者に対する支援の目標及びその達成時期、生活困窮者に対する支援の種類及び内容並びに支援を提供する上での留意事項とする。
（法第3条第2項第3号に規定する厚生労働省令で定める援助）
第2条　法第3条第2項第3号に規定する厚生労働省令で定める援助は、訪問等の方法による生活困窮者に係る状況把握、同号に規定する計画（以下「自立支援計画」という。）の作成、自立支援計画に基づき支援を行う者との連絡調整、支援の実施状況及び当該生活困窮者の状態を定期的に確認し、当該状態を踏まえ、当該生活困窮者に係る自立支援計画の見直しを行うことその他の生活困窮者の自立の促進を図るための支援が包括的かつ計画的に行われるために必要な援助とする。
（法第3条第3項に規定する厚生労働省令で定める事由）
第3条　法第3条第3項に規定する厚生労働省令で定める事由は、次に掲げる事由とする。
一　事業を行う個人が当該事業を廃止した場合
二　就業している個人の給与その他の業務上の収入を得る機会が当該個人の責めに帰すべき理由又は当該個人の都合によらないで減少し、当該個人の就労の状況が離職又は前号の場合と同等程度の状況にある場合
（法第3条第4項に規定する厚生労働省令で定める生活困窮者）
第4条　法第3条第4項に規定する厚生労働省令で定める生活困窮者は、次の各号のいずれかに該当する者とする。
一　次のいずれにも該当する者であること。
　イ　生活困窮者就労準備支援事業の利用を申請した日（以下この号において「申請日」という。）の属する月における当該生活困窮者及び当該生活困窮者と同一の世帯に属する者の収入の額を合算した額が、申請日の属する年度（申請日の属する月が4月から6月までの場合にあっては、前年度）分の地方税法（昭和25年法律第226号）の規定による市町村民税（同法の規定による特別区民税を含むものとし、同法第328条の規定によって課する所得割を除く。）が課されていない者の収入の額を12で除して得た額（以下「基準額」という。）及び昭和38年4月1日厚生省告示第158号（生活保護法による保護の基準を定める等の件）による住宅扶助基準に基づく額（以下「住宅扶助基準に基づく額」という。）を合算した額以下であること。
　ロ　申請日における当該生活困窮者及び当該生活困窮者と同一の世帯に属する者の所有する金融資産の合計額が、基準額に6を乗じて得た額以下であること。
二　前号に該当する者に準ずる者として次のいずれかに該当する者であること。
　イ　前号イ又はロに規定する額のうち把握することが困難なものがあること。
　ロ　前号に該当しない者であって、前号イ又はロに該当するものとなるおそれがある

こと。
　　ハ　都道府県等（法第4条第3項に規定する都道府県等をいう。以下同じ。）が当該事業による支援が必要と認める者であること。
（法第3条第4項に規定する厚生労働省令で定める期間）
第5条　法第3条第4項に規定する厚生労働省令で定める期間は、1年を超えない期間とする。ただし、心身の状況、生活の状況その他の生活困窮者就労準備支援事業を利用しようとする者の状況を勘案して都道府県等が必要と認める場合にあっては、当該状況を勘案して都道府県等が定める期間とすることができる。
（法第3条第6項第1号に規定する厚生労働省令で定める生活困窮者）
第6条　法第3条第6項第1号に規定する厚生労働省令で定める生活困窮者は、次の各号のいずれかに該当する者とする。
一　次のいずれにも該当する者であること。
　　イ　生活困窮者一時生活支援事業の利用を申請した日（以下この号において「申請日」という。）の属する月における当該生活困窮者及び当該生活困窮者と同一の世帯に属する者の収入の額を合算した額が、基準額及び住宅扶助基準に基づく額を合算した額以下であること。
　　ロ　申請日における当該生活困窮者及び当該生活困窮者と同一の世帯に属する者の所有する金融資産の合計額が、基準額に6を乗じて得た額（当該額が100万円を超える場合は100万円とする。）以下であること。
二　生活困窮者の状態の緊急性等を勘案し、都道府県等が当該事業による支援が必要と認める者であること。
（法第3条第6項第1号に規定する厚生労働省令で定める期間）
第7条　法第3条第6項第1号に規定する厚生労働省令で定める期間は、3月を超えない期間とする。ただし、都道府県等が必要と認める場合にあっては、6月を超えない範囲内で都道府県等が定める期間とすることができる。
（法第3条第6項第1号に規定する厚生労働省令で定める便宜）
第8条　法第3条第6項第1号に規定する厚生労働省令で定める便宜は、衣類その他の日常生活を営むのに必要となる物資の貸与又は提供とする。
（法第3条第6項第2号に規定する厚生労働省令で定める期間）
第8条の2　法第3条第6項第2号に規定する厚生労働省令で定める期間は、1年を超えない期間とする。
（法第3条第6項第2号に規定する厚生労働省令で定める便宜）
第8条の3　法第3条第6項第2号に規定する厚生労働省令で定める便宜は、訪問による必要な情報の提供及び助言、地域社会との交流の促進、住居の確保に関する援助、生活困窮者自立相談支援事業を行う者その他の関係者との連絡調整その他の日常生活を営むのに必要な支援とする。
（法第5条第2項に規定する厚生労働省令で定める者）
第9条　法第5条第2項に規定する厚生労働省令で定める者は、生活困窮者自立相談支援

事業を適切、公正、中立かつ効率的に実施することができる者であって、社会福祉法人、一般社団法人若しくは一般財団法人、消費生活協同組合法（昭和23年法律第200号）第2条第1項に規定する消費生活協同組合（同法第10条第3項に規定する消費生活協同組合にあっては、同項ただし書の行政庁の承認を受けたものに限る。）、特定非営利活動促進法（平成10年法律第7号）第2条第2項に規定する特定非営利活動法人又は労働者協同組合法（令和2年法律第78号）第2条第1項に規定する労働者協同組合その他都道府県等が適当と認めるものとする。

（法第6条第1項に規定する厚生労働省令で定める生活困窮者）

第10条　法第6条第1項に規定する厚生労働省令で定める生活困窮者は、次の各号のいずれにも該当する者とする。

一　次のイ又はロに掲げる場合の区分に応じ、当該イ又はロに定める者であること。
　　イ　離職の場合又は第3条第1号に規定する場合　生活困窮者住居確保給付金の支給を申請した日（以下この条、次条、第12条第1項及び附則第5条において「申請日」という。）において、離職した日又は事業を廃止した日（以下「離職等の日」という。）から起算して2年（当該期間に、疾病、負傷、育児その他都道府県等がやむを得ないと認める事情により引き続き30日以上求職活動を行うことができなかった者については、当該事情により求職活動を行うことができなかった日数を2年に加算した期間（その期間が4年を超えるときは、4年））を経過していない者
　　ロ　第3条第2号に規定する場合　申請日の属する月において、第3条第2号に規定する状況にある者

二　次のイ又はロに掲げる場合の区分に応じ、当該イ又はロに定める者であること。
　　イ　離職の場合又は第3条第1号に規定する場合　離職等の日においてその属する世帯の生計を主として維持していた者
　　ロ　第3条第2号に規定する場合　申請日の属する月においてその属する世帯の生計を主として維持している者

三　申請日の属する月における当該生活困窮者及び当該生活困窮者と同一の世帯に属する者の収入の額を合算した額が、基準額及び当該生活困窮者が賃借する住宅の1月当たりの家賃の額（当該家賃の額が住宅扶助基準に基づく額を超える場合は、当該額）を合算した額以下であること。

四　申請日における当該生活困窮者及び当該生活困窮者と同一の世帯に属する者の所有する金融資産の合計額が、基準額に6を乗じて得た額（当該額が100万円を超える場合は100万円とする。）以下であること。

五　公共職業安定所又は職業安定法（昭和22年法律第141号）第4条第9項に規定する特定地方公共団体若しくは同条第10項に規定する職業紹介事業者であって地方公共団体の委託を受けて無料の職業紹介を行う者に求職の申込みをし、誠実かつ熱心に期間の定めのない労働契約又は期間の定めが6月以上の労働契約による就職を目指した求職活動を行うこと。ただし、第3条第2号に掲げる事由に該当する者について、当該者が給与以外の業務上の収入を得る機会の増加を図る取組を行うことが当該者の自立

の促進に資すると都道府県等が認めるときは、申請日の属する月から起算して3月間(第12条第1項の規定により支給期間を延長する場合であって、引き続き当該取組を行うことが当該者の自立の促進に資すると都道府県等が認めるときは、6月間)に限り、当該取組を行うことをもって、当該求職活動に代えることができる。
　(生活困窮者住居確保給付金の額等)
第11条　生活困窮者住居確保給付金は1月ごとに支給し、その月額は、次の各号に掲げる場合の区分に応じ、それぞれ当該各号に定める額(当該額が住宅扶助基準に基づく額を超える場合は、当該住宅扶助基準に基づく額)とする。
　一　申請日の属する月における生活困窮者及び当該生活困窮者と同一の世帯に属する者の収入の額を合算した額(次号において「世帯収入額」という。)が基準額以下の場合　生活困窮者が賃借する住宅の1月当たりの家賃の額
　二　申請日の属する月における世帯収入額が基準額を超える場合　基準額と生活困窮者が賃借する住宅の1月当たりの家賃の額を合算した額から世帯収入額を減じて得た額
2　前項第2号の規定により算定した額に100円未満の端数が生じたときはこれを100円に切り上げるものとする。
　(生活困窮者住居確保給付金の支給期間等)
第12条　都道府県等は、生活困窮者住居確保給付金の支給を受けようとする者が、申請日において第10条各号のいずれにも該当する場合は、3月間生活困窮者住居確保給付金を支給する。ただし、支給期間中において生活困窮者住居確保給付金の支給を受ける者が第10条各号(第1号を除く。)のいずれにも該当する場合であって、引き続き生活困窮者住居確保給付金を支給することが当該者の就職の促進に必要であると認められるときは、3月ごとに9月までの範囲内で都道府県等が定める期間とすることができる。
2　都道府県等は、前項の規定により生活困窮者住居確保給付金の支給を受ける者が、疾病又は負傷により第10条第5号の要件に該当しなくなった後、2年以内に第10条各号(第1号を除く。)の要件に該当するに至り、引き続き生活困窮者住居確保給付金を支給することが当該者の就職の促進に必要であると認められるときは、生活困窮者住居確保給付金を支給する。この場合において、支給期間は合算して9月を超えない範囲内で都道府県等が定める期間とする。
　(生活困窮者住居確保給付金の支給手続)
第13条　生活困窮者住居確保給付金の支給を受けようとする者は、生活困窮者住居確保給付金支給申請書(様式第1号)に厚生労働省社会・援護局長が定める書類を添えて、都道府県等に提出しなければならない。
　(生活困窮者住居確保給付金の支給を受ける者に対する就労支援)
第14条　都道府県等は生活困窮者住居確保給付金の支給を受ける者に対し、当該生活困窮者の就職を促進するために必要な支援(以下この条及び次条第1項において「就労支援」という。)を行うものとする。
2　都道府県等は、生活困窮者自立相談支援事業において就労支援を受けることその他当該生活困窮者の就職を促進するために必要な事項を指示することができる。

（生活困窮者住居確保給付金の不支給）
第15条　生活困窮者住居確保給付金は、当該生活困窮者が正当な理由がなく、就労支援に関する都道府県等の指示に従わない場合には、支給しない。
2　生活困窮者住居確保給付金は、当該生活困窮者が、期間の定めのない労働契約又は期間の定めが6月以上の労働契約により就職した場合であって、当該就職に伴い当該者の収入額が基準額及び当該者が賃借する住宅の1月当たりの家賃の額（当該家賃の額が住宅扶助基準に基づく額を超える場合は、当該額）を合算した額を超えたときには、支給しない。

（再支給の制限）
第16条　生活困窮者住居確保給付金の支給を受けた者には、その支給が終了した後に、解雇（自己の責めに帰すべき理由によるものを除く。）その他事業主の都合による離職、第3条第1号に掲げる事由（当該個人の責めに帰すべき理由又は当該個人の都合によるものを除く。）若しくは同条第2号に掲げる事由により経済的に困窮した場合（生活困窮者住居確保給付金の支給が終了した月の翌月から起算して1年を経過している場合に限る。）又は第12条第2項に規定する場合を除き、生活困窮者住居確保給付金を支給しない。

（代理受領等）
第17条　生活困窮者住居確保給付金の支給を受ける者（以下この条において「受給者」という。）が居住する住宅の賃貸人は、当該受給者に代わって生活困窮者住居確保給付金を受領し、その有する当該受給者の賃料に係る債権の弁済に充てるものとする。ただし、受給者が次の各号に定める方法により当該受給者が居住する住宅の賃料を支払うこととなっている場合であって、都道府県等が特に必要と認める場合は、この限りでない。
一　クレジットカードを使用する方法
二　賃貸住宅の賃借人の委託を受けて当該賃借人の家賃の支払に係る債務を保証することを業として行う者が当該受給者に代わって当該債務の弁済をする方法
三　納付書により納付する方法

（調整）
第18条　この省令の規定により生活困窮者住居確保給付金の支給を受けることができる者が、同一の事由により、法令又は条例の規定による生活困窮者住居確保給付金に相当する給付の支給を受けている場合には、当該支給事由によっては、生活困窮者住居確保給付金は支給しない。

（法第16条第1項に規定する厚生労働省令で定める便宜）
第19条　法第16条第1項に規定する厚生労働省令で定める便宜は、就労に必要な知識及び能力の向上のために必要な訓練、生活支援並びに健康管理の指導等（以下「就労等の支援」という。）とする。

（生活困窮者就労訓練事業の認定の手続）
第20条　法第16条第1項の規定による認定を受けようとする者は、生活困窮者就労訓練事

業認定申請書（様式第2号）に厚生労働省社会・援護局長が定める書類を添えて、当該生活困窮者就労訓練事業の経営地の都道府県知事（地方自治法（昭和22年法律第67号）第252条の19第1項の指定都市（以下「指定都市」という。）及び同法第252条の22第1項の中核市（以下「中核市」という。）においては、当該指定都市又は中核市の長。以下「管轄都道府県知事等」という。）に提出しなければならない。
2　前項に規定する生活困窮者就労訓練事業認定申請書（様式第2号）及び厚生労働省社会・援護局長が定める書類の提出は、当該生活困窮者就労訓練事業の経営地の法第4条第1項に規定する市等（法第25条に規定する指定都市及び中核市を除く。次項において同じ。）の長を経由してすることもできる。
3　前項の場合において、市等の長は、速やかに受け取った生活困窮者就労訓練事業認定申請書（様式第2号）及び厚生労働省社会・援護局長が定める書類を当該生活困窮者就労訓練事業の経営地の都道府県知事に送付しなければならない。
　（法第16条第1項に規定する厚生労働省令で定める基準）
第21条　法第16条第1項の厚生労働省令で定める基準は、次の各号に掲げる事項について、当該各号に定めるとおりとする。
　一　生活困窮者就労訓練事業を行う者　次のいずれにも該当する者であること。
　　イ　法人格を有すること。
　　ロ　生活困窮者就労訓練事業を健全に遂行するに足りる施設、人員及び財政的基礎を有すること。
　　ハ　生活困窮者自立相談支援事業を行う者のあっせんに応じ生活困窮者を受け入れること。
　　ニ　生活困窮者就労訓練事業の実施状況に関する情報の公開について必要な措置を講じること。
　　ホ　次のいずれにも該当しない者であること。
　　　(1)　法その他の社会福祉に関する法律又は労働基準に関する法律の規定により、罰金以上の刑に処せられ、その執行を終わり、又は執行を受けることがなくなった日から起算して5年を経過しない者
　　　(2)　法第16条第3項の規定により同条第1項の認定の取消しを受け、当該取消しの日から起算して5年を経過しない者
　　　(3)　暴力団員による不当な行為の防止等に関する法律（平成3年法律第77号）第2条第6号に規定する暴力団員若しくは暴力団員でなくなった日から5年を経過しない者（以下この号において「暴力団員等」という。）がその事業活動を支配する者又は暴力団員等をその業務に従事させ、若しくは当該業務の補助者として使用するおそれのある者
　　　(4)　破壊活動防止法（昭和27年法律第240号）第4条第1項に規定する暴力主義的破壊活動を行った者
　　　(5)　風俗営業等の規制及び業務の適正化等に関する法律（昭和23年法律第122号）第2条第1項に規定する風俗営業又は同条第5項に規定する性風俗関連特殊営業

に該当する事業を行う者
- (6) 会社更生法（平成14年法律第154号）第17条の規定に基づく更生手続開始の申立てが行われている者又は民事再生法（平成11年法律第225号）第21条第1項の規定に基づく再生手続開始の申立てが行われている者
- (7) 破産者で復権を得ない者
- (8) 役員のうちに(1)から(7)までのいずれかに該当する者がある者
- (9) (1)から(8)までに掲げる者のほか、その行った生活困窮者就労訓練事業（過去5年以内に行ったものに限る。）に関して不適切な行為をしたことがある又は関係法令の規定に反した等の理由により生活困窮者就労訓練事業を行わせることが不適切であると認められる者

二　就労等の支援　生活困窮者就労訓練事業を利用する生活困窮者に対し、就労の機会を提供するとともに、就労等の支援のため、次に掲げる措置を講じること。

イ　ロに掲げる生活困窮者就労訓練事業を利用する生活困窮者に対する就労等の支援に関する措置に係る責任者を配置すること。

ロ　生活困窮者就労訓練事業を利用する生活困窮者に対する就労等の支援に関する措置として、次に掲げるものを行うこと。
- (1) 生活困窮者就労訓練事業を利用する生活困窮者に対する就労等の支援に関する計画を策定すること。
- (2) 生活困窮者就労訓練事業を利用する生活困窮者の就労等の状況を把握し、必要な相談、指導及び助言を行うこと。
- (3) 生活困窮者自立相談支援事業を行う者その他の関係者と連絡調整を行うこと。
- (4) (1)から(3)までに掲げるもののほか、生活困窮者就労訓練事業を利用する生活困窮者に対する就労等の支援について必要な措置を講じること。

三　安全衛生　生活困窮者就労訓練事業を利用する生活困窮者（労働基準法（昭和22年法律第49号）第9条に規定する労働者を除く。）の安全衛生その他の作業条件について、労働基準法及び労働安全衛生法（昭和47年法律第57号）の規定に準ずる取扱いをすること。

四　災害補償　生活困窮者就労訓練事業の利用に係る災害（労働基準法第9条に規定する労働者に係るものを除く。）が発生した場合の補償のために、必要な措置を講じること。

（認定生活困窮者就労訓練事業に関する事項の変更の届出）

第22条　法第16条第3項の認定生活困窮者就労訓練事業を行う者は、認定生活困窮者就労訓練事業に関し、第1号又は第3号から第5号までに掲げる事項について変更があった場合には速やかに変更のあった事項及び年月日を、第2号に掲げる事項について変更をしようとする場合にはあらかじめその旨を管轄都道府県知事等に届け出なければならない。

一　認定生活困窮者就労訓練事業を行う者の名称、主たる事務所の所在地、連絡先及び代表者の氏名

二　認定生活困窮者就労訓練事業が行われる事業所の名称、所在地、連絡先及び責任者の氏名
三　認定生活困窮者就労訓練事業の利用定員の数
四　認定生活困窮者就労訓練事業の内容
五　前条第2号イの責任者の氏名
（認定生活困窮者就労訓練事業の廃止届）
第23条　認定生活困窮者就労訓練事業を行う者は、認定生活困窮者就労訓練事業を行わなくなったときは、その旨を管轄都道府県知事等に届け出なければならない。
（法第17条第4項に規定する厚生労働省令で定める方法）
第24条　法第17条第4項に規定する厚生労働省令で定める方法は、書面の提出による提供とする。
（身分を示す証明書の様式）
第25条　法第21条第3項の規定により当該職員が携帯すべき証明書の様式は、様式第3号のとおりとする。

　　　附　則　抄
（施行期日）
第1条　この省令は、平成27年4月1日から施行する。ただし、第20条並びに附則第2条及び第3条の規定は、公布の日〔平成27年2月4日〕から施行する。
（施行前の準備等）
第2条　都道府県知事又は指定都市若しくは中核市の長は、この省令の施行日（以下「施行日」という。）前においても、生活困窮者就労訓練事業を行おうとする者の申請に基づき、法第10条第1項の基準（以下「認定基準」という。）に相当する基準に適合していることにつき、同項の認定に相当する認定（以下「相当認定」という。）をすることができる。
第3条　都道府県知事又は指定都市若しくは中核市の長が相当認定をしたときは、当該相当認定は、法の施行日までの間に当該相当認定を受けた生活困窮者就労訓練事業が認定基準に相当する基準に該当しなくなったときを除き、施行日以後は、当該都道府県知事又は指定都市若しくは中核市の長が行った法第10条第1項の認定とみなす。
第4条　削除
（生活困窮者住居確保給付金に関する暫定措置）
第5条　新型コロナウイルス感染症（病原体がベータコロナウイルス属のコロナウイルス（令和2年1月に、中華人民共和国から世界保健機関に対して、人に伝染する能力を有することが新たに報告されたものに限る。次条において同じ。）に伴う経済情勢の変化に鑑み、都道府県等は、生活困窮者住居確保給付金の支給について、申請日の属する月が令和2年4月から令和3年3月までの場合にあっては、当該申請に係る第12条第1項に規定する支給期間を、3月ごとに12月までの範囲内（同条第2項の規定により支給するときは、当該支給期間を合算して12月を超えない範囲内）で延長することができる。
2　前項の規定により申請日の属する月から起算して第10月目の月から当該申請日の属す

る月から起算して第12月目までに当たる月分の生活困窮者住居確保給付金を受けようとする者の第10条第4号の規定の適用については、同号中「基準額に6を乗じて得た額（当該額が100万円を超える場合は100万円とする。）」とあるのは、「基準額に3を乗じて得た額（当該額が50万円を超える場合は50万円とする。）」とする。
第6条　新型コロナウイルス感染症に伴う経済情勢の変化に鑑み、都道府県等は、第16条の規定にかかわらず、生活困窮者住居確保給付金の支給を受けた者であって、その支給が終了した後に、令和3年2月1日から令和5年3月31日までの間に生活困窮者住居確保給付金の支給を申請したもの（生活困窮者住居確保給付金の支給が終了した後に、解雇（自己の責めに帰すべき理由によるものを除く。）その他事業主の都合による離職により経済的に困窮した場合若しくは第12条第2項に規定する場合に該当する者又はこの条の規定により生活困窮者住居確保給付金の支給を受けた者を除く。）が、第10条各号のいずれにも該当する者であるときは、3月間生活困窮者住居確保給付金を支給することができる。

　　　附　　則（第22次改正）
（施行期日）
第1条　この省令は、令和5年4月1日から施行する。
（経過措置）
第2条　最後に生活困窮者住居確保給付金の支給を申請した日が令和6年3月31日以前である者であって、当該申請に係る支給が終了した後に解雇（自己の責めに帰すべき理由によるものを除く。）その他事業主の都合による離職により経済的に困窮した者については、当該申請に係る支給が終了した月の翌月から起算して1年を経過するまでの間は、この省令による改正後の生活困窮者自立支援法施行規則第16条中「困窮した場合（生活困窮者住居確保給付金の支給が終了した月の翌月から起算して1年を経過している場合に限る。）」とあるのは「困窮した場合」と読み替えて、同条の規定を適用する。
第3条　この省令の施行の際現にあるこの省令による改正前の様式第1号及び様式第2号（次項において「旧様式」という。）により使用されている書類は、この省令による改正後の様式第1号及び様式第2号によるものとみなす。
2　この省令の施行の際現にある旧様式による用紙については、当分の間、これを取り繕って使用することができる。

Ⅲ 関連法令等 第3章 生活困窮者自立支援関係

様式第一号（第十三条関係）（表面） （様式1－1）（表面）

生活困窮者住居確保給付金支給申請書

申立事項

フリガナ	
①氏　名	
②生年月日	昭和・平成・令和　　年　　月　　日　満（　　）歳
③電話番号	

④次の1．又は2．の場合であること　(いずれか該当する数字を○で囲んだうえ、該当する方に記載)
1．離職又は第3条第1号に規定する場合

離職等の時期	
離職等した事業所	

2．第3条第2号に規定する場合

給与その他の業務上の収入を得る機会の減少の状況	

⑤離職等前に世帯の生計を主として維持していたこと又は申請月において維持していること

離職等前の雇用状況等、世帯の生計の維持にかかる状況	

⑥次の1．又は2．のいずれかに該当していること　(いずれか該当する数字を○で囲んだうえ、該当する方に記載)
1．住居を喪失していること

住居を喪失した時期	
喪失した住居の住所	
現在の状況	

2．住居を喪失するおそれがあること

現在の住所	
住居の家主等	
喪失するおそれのある住居の家賃額	
現在の収入状況等、住居喪失のおそれがある理由、状況等	

⑦申請者及び申請者と同一の世帯に属する者の収入及び預貯金が次のとおりであること

フリガナ 氏名					合計
続柄	本　人				
生年月日					
収入（月額）	円	円	円	円	円
預貯金等	円	円	円	円	円

※申請日の属する月の収入（月額）が確実に推計できる場合はその額を、変動あるときは収入の確定している直近3か月間の平均収入を記載する。雇用保険の失業等給付、各種年金等も合算する。

上記の申立事項に相違なく、生活困窮者自立支援法施行規則（以下「則」という。）第13条の規定により、必要書類を添えて生活困窮者住居確保給付金（以下「住居確保給付金」という。）の支給を申請します。
　私の個人情報が、住居確保給付金の支給並びに臨時特例つなぎ資金及び総合支援資金の融資を行うために必要となる範囲で、則第4条第1項第2号に規定する都道府県等、公共職業安定所、職業安定法（昭和22年法律第141号）第4条第9項に規定する特定地方公共団体、同条第10項に規定する職業紹介事業者であって地方公共団体の委託を受けて無料の職業紹介を行う者、社会福祉協議会及び自立相談支援機関の間で相互利用されることについて了承します。
　また、裏面の注意事項について、同意します。

　　　　令和　　年　　月　　日
　　　都道府県等の長殿　　　　　　　　　　　申請者氏名

様式第一号（裏面）　　　　　　　　　　　　　　　　　　　　　（様式1－1）（裏面）
（注　意　事　項）

1　申請内容は正しく記載してください。偽りその他不正の行為によって住居確保給付金を受けたり、又は受けようとしたときは、以後住居確保給付金を受けることができなくなるばかりでなく、不正受給した金額の全部又は一部を徴収されることとなります。

2　受給中は、公共職業安定所、職業安定法（昭和22年法律第141号）第4条第9項に規定する特定地方公共団体又は同条第10項に規定する職業紹介事業者であって地方公共団体の委託を受けて無料の職業紹介を行う者に求職の申し込みを行うとともに、誠実かつ熱心に求職活動を行う必要があります。

　　ただし、則第3条第2号に規定する、給与その他の業務上の収入を得る機会が個人の責めに帰すべき理由又は個人の都合によらないで減少し、就労の状況が離職又は廃業の場合と同等程度の状況にある者であって、都道府県等が認める場合には、申請日の属する月から3月間に限り、業務上の収入を得る機会の増加を図る取組を行うことをもって、求職活動に代えることができます。

3　支給に関して必要な範囲で、法第21条に基づき、報告等を求めることがあります。

4　支給決定に必要な範囲で、法第22条に基づき、都道府県等から資産又は収入の状況につき、官公署に対し必要な文書の閲覧若しくは資料の提供を求め、又は銀行、信託会社その他の機関若しくは離職した事業主その他関係者に対し報告を求めることがあります。

5　支給決定に必要な範囲で、法第22条に基づき、申請者の居住する賃貸住宅の家主等に対し入居状況について報告を求めることがあります。

6　則第14条に基づく就労支援に関する都道府県等の長の指示に従わない場合は、支給を中止します。

7　則第17条に基づき、都道府県等が特に必要と認める場合を除き、本給付金は賃貸住宅の家主等に直接振込等をされることにより申請者に対する支給となります。

様式第二号（第二十条関係）

生活困窮者就労訓練事業認定申請書

令和　年　月　日

都道府県知事（指定都市・中核市の長）　殿

申請者　主たる事業所の所在地
名　　称
代表者の職・氏名

　生活困窮者自立支援法（平成25年法律第105号）第16条第１項の規定により生活困窮者就労訓練事業の認定を受けたいので、関係書類を添えて申請します。

生活困窮者就労訓練事業を行う者	名　称	（フリガナ）
	法人番号（注）	
	主たる事務所の所在地及び連絡先	郵便番号（　　　　）
		電話番号　　　　　　　　　　FAX番号
	法人の種別	法人所轄庁
	代表者の氏名	（フリガナ）
生活困窮者就労訓練事業が行われる事業所	名　称	（フリガナ）
	所在地及び連絡先	郵便番号（　　　　）
		電話番号　　　　　　　　　　FAX番号
	責任者の氏名	（フリガナ）
生活困窮者就労訓練事業	利用定員の数	
	内　容	
	就労等の支援に関する措置に係る責任者の氏名	（フリガナ）

（注）　行政手続における特定の個人を識別するための番号の利用等に関する法律（平成25年法律第27号）第39条の規定により国税庁長官が指定した法人番号

様式第三号（第二十五条関係）

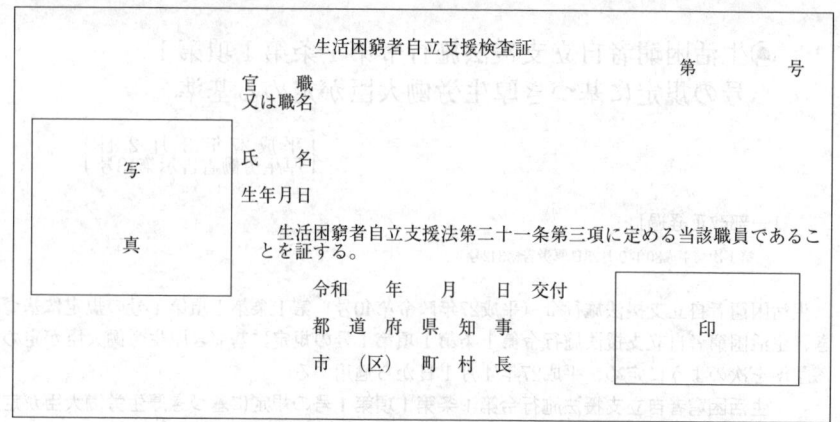

（裏面）

生活困窮者自立支援法（抄）

（報告等）
第二十一条　都道府県等は、生活困窮者住居確保給付金の支給に関して必要があると認めるときは、この法律の施行に必要な限度において、当該生活困窮者住居確保給付金の支給を受けた生活困窮者又は生活困窮者であった者に対し、報告若しくは文書その他の物件の提出若しくは提示を命じ、又は当該職員に質問させることができる。
2　都道府県知事は、この法律の施行に必要な限度において、認定生活困窮者就労訓練事業を行う者又は認定生活困窮者就労訓練事業を行っていた者に対し、報告を求めることができる。
3　第一項の規定による質問を行う場合においては、当該職員は、その身分を示す証明書を携帯し、かつ、関係者の請求があるときは、これを提示しなければならない。
4　第一項の規定による権限は、犯罪捜査のために認められたものと解釈してはならない。

注意
1　この検査証は、他人に貸与し、又は譲渡してはならない。
2　この検査証は、職名の異動が生じ、又は不用となったときは、速やかに、返還しなければならない。

1．厚紙その他の材料を用い、使用に十分耐えうるものとする。
2．大きさは、縦54ミリメートル、横86ミリメートルとする。

●生活困窮者自立支援法施行令第1条第1項第1号の規定に基づき厚生労働大臣が定める基準

（平成27年3月2日）
（厚生労働省告示第43号）

〔一部改正経過〕

第1次　平成30年9月28日厚労告第342号

　生活困窮者自立支援法施行令（平成27年政令第40号）第1条第1項第1号の規定に基づき、生活困窮者自立支援法施行令第1条第1項第1号の規定に基づき厚生労働大臣が定める基準を次のように定め、平成27年4月1日から適用する。

　　　生活困窮者自立支援法施行令第1条第1項第1号の規定に基づき厚生労働大臣が定める基準

　生活困窮者自立支援法施行令第1条第1項第1号の規定により毎年度国が市等（生活困窮者自立支援法（平成25年法律第105号。以下「法」という。）第4条第1項に規定する市等をいう。）又は都道府県に対して負担する額は、当該市等又は都道府県における人口、被保護者（生活保護法（昭和25年法律第144号）第6条第1項に規定する被保護者をいう。）の数その他の事情を勘案して生活困窮者自立相談支援事業（法第3条第2項に規定する生活困窮者自立相談支援事業をいう。）の実施に必要と認められる額とする。

　　　前　文（第1次改正）抄
　〔前略〕平成30年10月1日から適用する。

◉生活困窮者就労準備支援事業及び生活困窮者家計改善支援事業の適切な実施等に関する指針

〔平成30年9月28日〕
〔厚生労働省告示第343号〕

　生活困窮者自立支援法（平成25年法律第105号）第7条第5項の規定に基づき、生活困窮者就労準備支援事業及び生活困窮者家計改善支援事業の適切な実施等に関する指針を次のように定め、平成30年10月1日から適用することとしたので、同項の規定により、公表する。

　　生活困窮者就労準備支援事業及び生活困窮者家計改善支援事業の適切な実施等に関する指針
　生活困窮者に対する自立の支援は、生活困窮者の就労の状況、心身の状況、地域社会からの孤立の状況などの多様な状況に応じた支援を行うことが必要であり、生活困窮者等の自立を促進するための生活困窮者自立支援法等の一部を改正する法律（平成30年法律第44号。以下「改正法」という。）により、生活困窮者自立支援法（平成25年法律第105号。以下「法」という。）の一部が改正され、都道府県等（法第4条第3項に規定する「都道府県等」をいう。以下同じ。）は、生活困窮者自立相談支援事業（法第3条第2項に規定する「生活困窮者自立相談支援事業」をいう。以下同じ。）及び生活困窮者住居確保給付金（法第3条第3項に規定する「生活困窮者住居確保給付金」をいう。以下同じ。）の支給のほか、生活困窮者就労準備支援事業（法第3条第4項に規定する「生活困窮者就労準備支援事業」をいう。以下同じ。）及び生活困窮者家計改善支援事業（法第3条第5項に規定する「生活困窮者家計改善支援事業」をいう。以下同じ。）を行うように努めるものとされた。

　生活困窮者自立相談支援事業並びに生活困窮者就労準備支援事業及び生活困窮者家計改善支援事業（以下「両事業」という。）については、これらを都道府県等において一体的に実施することにより、事業間の相互補完的かつ連続的な支援が可能となり、生活困窮者に対する自立の支援をより効果的かつ効率的に行うことができる。このため、平成34年度には全ての都道府県等が両事業を行うことを目指して、平成31年度から平成33年度までの間を都道府県等における両事業の実施を集中的に促進する期間とし、国及び都道府県等は両事業が計画的かつ効果的に実施されるよう必要な措置を講ずることとしている。

　本指針は、法第7条第1項に規定された努力義務を受けて両事業の適切な実施を図るとともに、生活困窮者自立相談支援事業と両事業を一体的に実施するための方策、留意点等を示すものである。なお、本指針において示す事業実施の方策については、参考事例とし

て示すものであり、都道府県等においては各々の実情に合わせた方策の個別の検討が必要であることについて留意されたい。

第1 両事業の実施

各都道府県等においては、法第2条に規定する基本理念にのっとり、生活困窮者に対する自立の支援を行うに当たって、生活困窮者が置かれている就労の状況、心身の状況、地域社会からの孤立の状況などの多様な状況に応じた支援を可能とするため、法に基づく事業の実施を充実させていくことが求められる。特に、各都道府県等内において生活困窮者自立相談支援事業と両事業が、専門性を維持しながら実施されていることが、生活困窮者の自立の促進に当たって効果的である。その一方で、都道府県等によっては、支援ニーズの多少や地域資源の偏在といった個別の事情により、単独の都道府県等では両事業を実施することが困難になっている実態も見受けられることから、各都道府県等において両事業の実施体制の整備を行う際の考え方について以下のとおり示す。

一 生活困窮者就労準備支援事業の実施に当たっての取組方策

生活困窮者就労準備支援事業の対象者は、ひきこもり状態にある者や長期間就労することができていない者など、雇用による就業が著しく困難な生活困窮者であり、都道府県等の人口の多少を問わず該当する者は存在する。また、一般就労を希望する生活困窮者の中には複雑かつ複合的な課題を抱え、直ちには一般就労に至らない者も多く存在する。このような生活困窮者に対しては、生活困窮者就労準備支援事業において、就労に向けて生活習慣の獲得などの基礎的な能力の向上を図る支援を実施することが求められる。したがって、生活困窮者就労準備支援事業による自立の支援は全国的に提供されることが望ましい。以下、各都道府県等がそれぞれの実情に応じて生活困窮者就労準備支援事業を実施する際の取組方策について示す。

1 都道府県等によっては、支援ニーズの多少やマンパワーの不足など、個別に実情が異なるが、それらの実情に応じて柔軟に事業を実施するに当たって、次に掲げる方策が考えられる。

(一) 就労体験の中で、日常生活自立、社会生活自立及び就労自立に向けた取組を一括して実施すること。

(二) 複数の都道府県等で連携し、広域的な事業の実施体制を整備すること。

2 都道府県等によっては、地域資源の偏在や支援手法の蓄積不足など、個別に実情が異なるが、他制度や関係機関等と連携し、既存の地域資源を活用した実施体制を整備するに当たって、次に掲げる方策が考えられる。

(一) 地域資源である障害福祉サービスと連携した事業の実施など多様な地域資源の活用を行うこと。

(二) 被保護者に対して就労準備支援を行う事業と一体的に実施し、切れ目のない支援を行うこと。

二 生活困窮者家計改善支援事業の実施に当たっての取組方策

生活困窮者家計改善支援事業の対象者は、収入、支出その他家計の状況を適切に把握することが難しい生活困窮者や家計の改善の意欲が低い生活困窮者であり、都道府

県等の人口の多少を問わず該当する者は存在する。また、当該事業は家計の課題に対する踏み込んだ相談に応じ、生活困窮者とともに家計の状況を明らかにして家計の改善に向けた意欲を引き出した上で、生活困窮者自身による家計の管理に向けた支援を行う専門性を要するものである。したがって、生活困窮者家計改善支援事業による自立の支援は全国的に提供されることが望ましい。以下、各都道府県等がそれぞれの実情に応じて生活困窮者家計改善支援事業を実施する際の取組方策について示す。

1 都道府県等によっては、支援ニーズの多少や地域資源の偏在など、個別に実情が異なるが、それらの実情に応じて柔軟に事業を実施するに当たっては、生活困窮者家計改善支援事業の専門性を維持しつつ、複数の都道府県等で連携することにより広域的な事業の実施体制を整備し、特定曜日のみの実施や巡回による実施などの工夫を行うこと。

2 都道府県等によっては、地域資源の偏在や支援手法の蓄積不足など、個別に実情が異なるが、他制度や関係機関等と連携し、既存の地域資源を活用した実施体制を整備するに当たって、次に掲げる方策が考えられる。

㈠ 消費生活相談における家計に関する相談と連携した事業の実施など多様な地域資源の活用を行うこと。

㈡ 被保護者に対して家計改善支援を行う事業と一体的に実施し、切れ目のない支援を行うこと。

三 留意点

両事業について、複数の都道府県等で連携し、広域的な事業実施体制を整備した場合であっても、事業の実施主体はあくまで個々の都道府県等であって、事業実施の判断は個別に行われるべきであることに留意されたい。

四 生活困窮者を両事業の利用につなげる取組

都道府県等においては、両事業の実施体制を整備するとともに、両事業の対象者となる潜在的な生活困窮者の支援のニーズを把握し、事業の利用につなげる取組も進める必要があることから、アウトリーチの観点からの取組を促進していくことが求められる。また、各生活困窮者の課題に合わせた支援が実施できるよう、多様な地域資源の開拓とそれら地域資源との連携を進め、支援内容の充実を図っていくことも期待される。特に、生活困窮者就労準備支援事業については、生活困窮者自立支援法施行規則（平成27年厚生労働省令第16号）の改正により、65歳未満としていた年齢要件を撤廃したことを踏まえて就労意欲のある高齢者に対して積極的な働きかけを行うことや、資産及び収入要件の明確化を踏まえて生活困窮者個人の状況に一層焦点を当てた支援の要否の判断を行うことが可能となった。これらの取組を進め、支援を必要としている者にそれぞれの状況に合わせたオーダーメイドの支援を確実に届けていくことが重要である。

第2 生活困窮者自立相談支援事業及び両事業を一体的に実施する方策

生活困窮者自立相談支援事業及び両事業については、これらを都道府県等において一体的に実施することにより、事業間の相互補完的かつ連続的な支援が可能となり、生活

困窮者に対する自立の支援をより効果的かつ効率的に行うことができる。それぞれの事業間の相互補完的かつ連続的な関係性としては、生活困窮者自立相談支援事業及び生活困窮者就労準備支援事業間では、雇用による就業が著しく困難な生活困窮者に対し、生活困窮者就労準備支援事業による就労体験や生活習慣の獲得などの基礎的な能力の向上を図る支援を行い、就労に向けた準備が整った段階で生活困窮者自立相談支援事業による公共職業安定所（職業安定法（昭和22年法律第141号）第8条に規定する公共職業安定所をいう。）への同行支援等を実施するといった事例が考えられる。生活困窮者自立相談支援事業及び生活困窮者家計改善支援事業間では、生活困窮者自立相談支援事業により生活困窮者の家計面も含めた全般的な相談支援を行う一方、自らの家計の状況を把握することについて特に困難がある生活困窮者を生活困窮者家計改善支援事業の利用につなげ、生活困窮者の家計の改善に向けた意欲を引き出す支援を連携して実施するといった事例が考えられる。両事業間では、生活困窮者家計改善支援事業により生活困窮者の家計面の状況を明らかにした上で、必要となる収入を得るための就労に向けた準備を行う生活困窮者就労準備支援事業の利用につなげるといった事例が考えられる。

　これら事業間の連携の効果も踏まえ、以下、都道府県等において生活困窮者自立相談支援事業及び両事業を一体的に実施するための取組方策について示す。

一　法第3条第2項第3号に規定する計画（以下「自立支援計画」という。）の協議又は自立支援計画に基づく支援の提供状況の確認の際に両事業に従事する者が参画することや、両事業に従事する者に対して支援の実施状況や支援対象となっている生活困窮者の状態に関する情報を共有することなどにより、両事業との緊密な連携を図る体制を確保すること。

二　両事業を実施する中で把握した生活困窮者を生活困窮者自立相談支援事業につなぐ体制を確保すること。

三　留意点

　　生活困窮者自立相談支援事業と両事業の一体的な実施を行う際には、事業間の緊密な連携を図るとともに、両事業の専門性を維持し、生活困窮者自立相談支援事業と両事業との間で適切な役割分担の上、支援が実施される必要があることについて留意されたい。

第3　都道府県による市等に対する法に基づく事業の実施に向けた支援策

　都道府県は、法第4条第2項第1号の規定により市等（法第4条第1項に規定する「市等」をいう。以下同じ。）が行う生活困窮者自立相談支援事業及び生活困窮者住居確保給付金の支給、両事業並びに生活困窮者一時生活支援事業（法第3条第6項に規定する「生活困窮者一時生活支援事業」をいう。以下同じ。）、生活困窮者である子どもに対し学習の援助を行う事業及びその他の生活困窮者の自立の促進を図るために必要な事業が適正かつ円滑に行われるよう、市等に対する必要な助言、情報の提供その他の援助を行う責務を有しており、更に当該責務を効果的かつ効率的に果たしていくために、改正法第1条の規定により都道府県の市等の職員に対する研修等事業（法第10条第1項に規定する事業をいう。以下「都道府県事業」という。）が創設された。都道府県におい

ては、当該責務及び都道府県事業に基づき、広域的な見地に基づく市等に対する支援が一層促進されることが期待される。以下、都道府県による支援の具体的な取組方策を示す。
一　法に基づく事業及び給付金の支給を効果的かつ効率的に行うための体制の整備のための支援
　　地域資源の偏在や人材不足といった実情から、単独での事業実施が困難になっている市等も存在することから、広域自治体である都道府県において、複数の都道府県等の連携による事業実施体制の整備や地域資源の開拓などの取組を行うことで、市等の両事業を始めとした法に基づく事業の実施を促進することなどが考えられる。
二　法に基づく事業に従事する職員の資質の向上や支援手法に関する助言等の人材確保に向けた支援
　　複雑かつ複合的な課題を抱える生活困窮者に対する支援を実施するためには、事業に従事する職員が実施する支援の質の向上や支援手法に関し、情報共有を進める必要があり、広域自治体である都道府県において、支援に従事する職員に対する研修の事業の実施や、支援困難事例に関する支援手法の共有など事業に従事する職員間の市等の圏域を越えた関係性作りを行うほか、情報共有の推進、個別のヒアリングの実施による助言を行うことなどが考えられる。

第4　国による都道府県等に対する法に基づく事業の実施に向けた支援策
　国は、法第4条第3項の規定により都道府県等が行う生活困窮者自立相談支援事業及び生活困窮者住居確保給付金の支給、両事業並びに生活困窮者一時生活支援事業、生活困窮者である子どもの学習の援助を行う事業及びその他の生活困窮者の自立の促進を図るために必要な事業が適正かつ円滑に行われるよう、都道府県等に対し、必要な助言、情報の提供その他の援助を行う責務を有している。各都道府県等においてその実情に合わせ法に基づく事業の実施を充実させていくためには、国が都道府県等の状況に応じ、様々な支援を行っていくことが必要である。以下、国による支援の具体的な取組方策を示す。
一　両事業の実施が低調な都道府県等に対する個別のヒアリングの実施その他の援助を継続的に行うことにより、都道府県等における両事業を実施するための体制の整備を支援すること。
二　各都道府県等における法に基づく事業を実施するための体制の整備の状況に関し、情報の提供を行うこと。
三　生活困窮者自立支援制度の認知度を高めるため、広報媒体等について各年齢層や広報先ごとに作成し、積極的な展開を図ること。
四　利用勧奨等の努力義務に関し、福祉、就労、教育、税務、住宅その他の関係部局への周知を行うこと。

○生活困窮者自立相談支援事業等の実施について(抄)

> 平成27年7月27日　社援発0727第2号
> 各都道府県知事・各指定都市市長・各中核市市長宛
> 厚生労働省社会・援護局長通知

〔改正経過〕

第1次改正	平成28年3月4日社援発0304第9号	第2次改正	平成28年4月27日社援発0427第6号
第3次改正	平成28年11月11日社援発1111第13号	第4次改正	平成29年5月17日社援発0517第1号
第5次改正	平成30年2月1日社援発0201第4号	第6次改正	平成30年6月19日社援発0619第6号
第7次改正	平成30年11月29日社援発1129第5号	第8次改正	平成31年2月7日社援発0207第5号
第9次改正	令和元年7月4日社援発0704第1号	第10次改正	令和2年3月6日社援発0306第30号
第11次改正	令和2年3月13日社援発0313第8号	第12次改正	令和2年6月3日社援発0603第1号
第13次改正	令和2年9月7日社援発0907第2号	第14次改正	令和2年11月6日社援発1106第5号
第15次改正	令和3年7月26日社援発0726第6号	第16次改正	令和3年12月24日社援発1224第5号
第17次改正	令和4年5月12日社援発0512第5号	第18次改正	令和4年12月13日社援発1213第1号
第19次改正	令和5年5月22日社援発0522第1号	第20次改正	令和6年3月1日社援発0301第79号

　標記については、地方自治体が地域の実情に応じ、生活困窮者や生活保護受給者などの地域の要援護者に対して自立・就労に向けた様々な支援サービスを総合的、一体的に提供することにより、その自立を促進するとともに、生活保護制度の適正実施を推進することができるよう、別紙のとおり「生活困窮者自立相談支援事業等実施要綱」を定め、平成27年4月1日から適用することとしたので通知する。
　なお、本通知の施行に伴い、「セーフティネット支援対策等事業の実施について」(平成17年3月31日社援発第0331021号本職通知)は廃止するものとし、同通知に基づき、平成26年度以前に実施された事業の取扱いについては、なお従前の例によるものとする。

(別　紙)
　　　生活困窮者自立相談支援事業等実施要綱
1　目的
　　地方自治体等が地域の実情に応じて、生活困窮者や生活保護受給者などの地域の要援護者に対して自立・就労に向けた様々な支援サービスを総合的、一体的に提供することによりその自立を促進するとともに、生活保護制度の適正実施を推進することを目的とする。
2　実施主体
　　本事業の実施主体は、都道府県、指定都市、中核市、市区町村等、各事業の実施要領による。
3　事業の種類
　　実施主体は、地域の実情に応じて、次に掲げる事業を実施するものとする。
(1)　生活困窮者自立相談支援事業

生活困窮者が抱える多様で複合的な問題について、生活困窮者及び生活困窮者の家族その他の関係者からの相談に応じ、必要な情報提供及び助言をし、並びに関係機関との連絡調整を行うとともに、さまざまな支援を包括的かつ計画的に行うことにより、生活困窮者の自立の促進を図る事業。
(2) 被保護者就労支援事業
　生活保護法第55条の7の規定に基づき、被保護者の就労の支援に関する問題について、被保護者からの相談に応じ、必要な情報の提供及び助言を行うことにより、被保護者の自立の促進を図る事業。
(3) 被保護者健康管理支援事業
　生活保護法第55条の8の規定に基づき、被保護者に対する必要な情報の提供、保健指導、医療の受診の勧奨その他の被保護者の健康の保持及び増進を図る事業。
(4) 生活困窮者就労準備支援等事業
　ア　就労準備支援事業
　　就労に向けた準備が整っていない生活困窮者に対して、一般就労に向けた準備としての基礎能力の形成からの支援を、計画的かつ一貫して実施する事業。
　イ　被保護者就労準備支援等事業
　　就労意欲が低い者や基本的な生活習慣に課題を有する者など就労に向けた課題をより多く抱える被保護者に対し、就労支援にあわせて、就労意欲の喚起や一般就労に従事する準備としての日常生活習慣の改善を計画的かつ一貫して行う事業、居住不安定者や無料低額宿泊所等の入居者について居宅生活移行を支援する事業、被保護者に対する家計改善支援を実施する事業、所内研修の実施や国が認める各種研修会への参加等により生活保護関係職員の資質向上を図る事業及び個別支援プログラムを整備し実施する事業、多様で複雑な課題を抱える被保護世帯に対して、関係機関と円滑に連携し、支援に取り組み、自立の推進を図ることができるよう関係機関と連携した支援体制の構築を図るための試行事業（被保護者就労支援事業、被保護者就労準備支援事業（一般事業、生活困窮者等の就農訓練事業及び福祉専門職との連携支援事業、被保護者就労準備支援推進員の配置、地域におけるアウトリーチ支援等推進事業）、被保護者家計改善支援事業及び社会的な居場所づくり支援事業を除く）。
　ウ　一時生活支援事業
　　(ア)　一時生活支援事業
　　　一定の住居を持たない生活困窮者に対し、一定の期間内に限り、宿泊場所の供与、食事の提供及び衣類その他日常生活を営むのに必要となる物資の貸与又は提供により、安定した生活を営めるよう支援を行う事業。
　　(イ)　一時生活支援事業のうち地域居住支援事業
　　　シェルター等を利用していた者及び地域社会から孤立した状態にある者等に対し、一定期間内に限り、訪問による必要な情報の提供及び助言その他の現在の住居において日常生活を営むのに必要な便宜を供与する事業。

なお、本事業は、令和5年9月30日までの間、実施できるものとする。
　エ　地域居住支援事業
　　現在の住居を失うおそれのある者であって、地域社会から孤立している者等に対し、一定の期間内に限り、入居支援や訪問による必要な情報の提供及び助言、地域社会との交流の促進、住居の確保に関する援助、生活困窮者自立相談支援事業を行う者やその他の関係者との連絡調整など日常生活を営むのに必要な支援を行う事業。
　　なお、本事業は、令和5年10月1日以降実施できるものとする。
　オ　家計改善支援事業
　　家計収支の均衡がとれていないなど、家計に課題を抱える生活困窮者からの相談に応じ、相談者とともに家計の状況を明らかにして家計の改善に向けた意欲を引き出した上で、家計の視点から必要な情報提供や専門的な助言・指導等を行う事業。
　カ　生活困窮世帯の子どもに対する学習・生活支援事業
　　貧困の連鎖を防止するため、生活保護受給世帯を含む生活困窮世帯の子ども及び保護者を対象として、学習支援、生活習慣・育成環境の改善、進路選択等に関する支援等を行う事業。
　キ　都道府県による市町村支援事業
　　都道府県が市町村に必要な助言、情報提供その他の援助を行い、生活困窮者自立支援制度の円滑な実施を推進する事業。
　ク　福祉事務所未設置町村による相談事業
　　福祉事務所を設置していない町村において、一次的な相談支援として、生活困窮者及び生活困窮者の家族その他の関係者からの相談に応じ、必要な情報の提供及び助言、都道府県との連絡調整等を行う事業。
　ケ　アウトリーチ等の充実による自立相談支援機能強化事業
　　生活困窮者自立支援制度の自立相談支援機関におけるアウトリーチ等の充実を行い、社会参加に向けたより丁寧な支援を必要とする方への支援を強化する事業。
　コ　就労準備支援事業等実施体制整備モデル事業
　　市同士の連携や都道府県の関与による就労準備支援事業等の広域実施について、実施自治体の取組例を参考とし、こうした取組をモデル的に実施することで、任意事業の実施を推進する事業。
　サ　就労体験・就労訓練先の開拓・マッチング事業
　　就労に向け支援が必要な生活困窮者に対し、就労体験・就労訓練先を開拓し、対象者の状態像に応じた業務の切り出しの提案やマッチングから就労体験・就労訓練中の支援対象者及び受入企業双方に対するフォローアップ支援までを一貫して行う取組みをモデル的に実施する事業。
　シ　一時生活支援事業の共同実施支援事業
　　一時生活支援事業を共同で実施するために必要な調整その他共同実施の立ち上げに必要な支援を行い、一時生活支援事業の円滑な共同実施を推進する事業。

ス その他生活困窮者の自立の促進を図るために必要な事業
　(ア) 生活困窮者自立支援法第7条第2項第3号に基づく事業
　(イ) 生活福祉資金貸付事業貸付事務運営費補助事業
　　「生活福祉資金の貸付けについて」（平成21年7月28日厚生労働省発社援0728第9号厚生労働事務次官通知）に基づき、都道府県社会福祉協議会が実施する生活福祉資金貸付事業の貸付事務の運営費に対し都道府県が補助する事業。
　(ウ) ひきこもり支援を推進するための体制を整備し、ひきこもり状態にある本人や家族等を支援することにより、ひきこもり状態にある本人の社会参加を促進し、本人及び家族等の福祉の増進を図る事業。
　(エ) 日常生活自立支援事業
　　認知症高齢者、知的障害者、精神障害者等のうち判断能力が不十分な者が地域において自立した生活が送れるようにするため、福祉サービスの利用援助事業、当該事業に従事する者の資質の向上を図るための事業並びに当該事業に関する普及及び啓発を行う事業。
　(オ) 生活困窮者支援等のための地域づくり事業
　　地域におけるつながりの中で、住民が持つ多様なニーズや生活課題に柔軟に対応できるよう、地域住民のニーズ・生活課題の把握、住民主体の活動支援・情報発信、地域コミュニティを形成する居場所づくり、多様な担い手が連携する仕組みづくりを行うことを通じて、身近な地域における共助の取組を活性化させ、地域福祉の推進を図る事業。
　(カ) 民生委員・児童委員研修事業
　　民生委員・児童委員に対し、生活困窮者を始め、地域の要援護者への訪問や見守り、相談、専門機関との連携等の活動を推進する上で必要不可欠な知識及び技能を修得させる事業。
　(キ) 被災者見守り・相談支援等事業
　　災害救助法に基づく応急仮設住宅に入居した被災者は、被災前とは大きく異なった環境に置かれることとなる。このような被災者が、それぞれの環境の中で安心した日常生活を営むことができるよう、応急仮設住宅の供与期間中、孤立防止等のための見守り支援や、日常生活上の相談を行うとともに、被災者を関係支援機関へつなぐ等の支援を行う事業。
セ 居住生活支援加速化事業
　　現在の住居を失うおそれのある者であって、地域社会から孤立している者等に対し、一定の期間内に限り、入居支援や訪問による必要な情報の提供及び助言、地域社会との交流の促進、住居の確保に関する援助、生活困窮者自立相談支援事業を行う者やその他の関係者との連絡調整など日常生活を営むのに必要な支援を行う事業。
ソ 生活困窮者自立支援の機能強化事業
　　物価高騰等の影響により生活に困窮される方々への対応、緊急小口資金等の特例

貸付の借受人へのフォローアップ支援等を強化するため、自治体と民間団体との連携の推進や、柔軟な相談支援を行うための体制強化等を行い、生活困窮者自立支援制度の機能強化を図る事業。
タ 生活困窮者自立支援都道府県研修実施体制等整備加速化事業
生活困窮者自立相談支援事業等に従事する支援員のメンタルケアや支援スキルの向上のため、都道府県による、各地域における効果的な支援手法の共有や研修会の実施を担う研修企画チーム及び中間支援組織の立上げ支援を加速化する事業。
チ 住まい支援システム構築に関するモデル事業
住まいに課題を抱える生活困窮者等に対し、総合的な相談支援から、見守り支援・地域とのつながり促進などの居住支援までを一貫して行う住まい支援システムの構築に向けて、課題等を整理するモデル事業。
(5) 地域共生社会の実現に向けた包括的支援体制構築支援事業
ア 重層的支援体制整備事業への移行準備事業
市町村が対象者の属性を問わない相談支援、多様な参加支援、地域づくりに向けた支援を一体的に実施することにより、地域住民の複雑化・複合化した支援ニーズに対応する包括的な支援体制を整備する重層的支援体制整備事業(社会福祉法第106条の4第2項に定める事業)の実施に向けた準備を行う事業。
イ 重層的支援体制構築に向けた都道府県後方支援事業
都道府県が、市町村において重層的支援体制整備事業や地域生活課題の解決に資する支援が包括的に提供される体制の整備が適正かつ円滑に行われることを支援する事業。
(6) 生活保護適正化等事業
ア 生活保護適正実施推進事業
生活保護制度の適正な運営を確保するため、以下の事業を実施することで、適正化の取組を推進する。
(ア) 生活保護法施行事務監査等事業等
a 生活保護法施行事務監査等事業
都道府県又は指定都市が実施する生活保護法施行事務監査並びに都道府県、指定都市又は中核市が実施する保護施設に対する指導監査、指定医療機関・指定介護機関に対する指導・検査及び精神科嘱託医等を設置する事業。
b 生活保護特別指導監査事業
都道府県又は指定都市が実施する一般指導監査、特別指導及び確認監査の実施を通じて保護の適正実施と実施水準の一層の向上を図る。
(イ) 医療扶助適正化等事業
医療扶助及び介護扶助の適正な運営を確保するため、医療扶助相談・指導員を配置すること等により、以下に掲げる取組を総合的に実施し、医療扶助費等の適正化及び生活保護受給者の自立支援の取組を推進する。
a レセプトを活用した医療扶助適正化事業

b　子どもとその養育者への健康生活支援モデル事業
　　　c　お薬手帳を活用した重複処方の適正化モデル事業
　　　d　医療扶助の適正実施の更なる推進
　　(a)　後発医薬品の使用促進
　　(b)　適正受診指導等の強化
　　(c)　多剤投与の適正化に向けた支援等の強化
　　(d)　医療費情報・服薬情報の通知
　　(e)　精神障害者等の退院促進
　　　e　居宅介護支援計画点検等の充実
　　　f　その他の医療扶助適正化等の推進
　(ウ)　認定等適正実施事業
　　　a　収入資産状況把握等充実事業
　　　　収入申告書徴取の徹底や関係先調査の実施等によって収入資産状況を的確に把握することにより、不正受給の防止を図る。
　　　b　扶養義務調査充実事業
　　　　扶養義務者に対し扶養能力調査を定期又は随時に実施すること等により、扶養義務の履行の促進を図る。
　　　c　体制整備強化事業
　　　　面接相談業務の一部について、専門的知識を有する者を専任で雇用すること等により、要保護者に対するきめ細やかな対応及び生活保護の適正実施を推進するなど実施体制の整備強化を図る。
　　　d　都道府県等による生活保護業務支援事業
　　　　都道府県等が管内福祉事務所に対して、広域的な立場から、生活保護関係職員に対する巡回指導や、人材育成等の取組を実施することにより、福祉事務所の実施水準及び質の向上を図る。
　　　e　警察との連携協力体制強化事業
　　　　暴力団員等に対する生活保護の取扱いをさらに徹底するとともに、その実行を期すため、警察との連携体制の構築等により、行政対象暴力による不正受給の防止を図る。
　　　f　業務効率化事業
　　　　ＩＴの活用等、業務の効率化に特に必要と認められるものについて、その費用の一部を支援する。
　(エ)　生活保護業務デジタル化による効率化手法開発・検証事業
　　「生活保護業務デジタル化による効率化手法開発・検証事業の実施について」（令和３年３月10日社援発0310第４号厚生労働省社会・援護局長通知）に基づき、生活保護業務のデジタル化を進めることにより、業務負担の軽減を図る方策を検討し、業務効率化の取組の推進を図る。
　(オ)　被保護者に対する金銭管理支援の試行事業

金銭管理能力に課題がある被保護者に対して、日常生活費の管理支援や金銭管理教育支援等を行うことで金銭管理への意識を促し、自立に向けた意欲や能力の向上を図る。
　(カ)　その他適正化事業
　　　上記(ア)から(オ)までの事業以外で生活保護行政の適正実施に資する事業（生活保護の自立支援にかかる業務を除く）。
　イ　自立支援プログラム策定実施推進事業
　　地方自治体における自立支援プログラムの策定・実施を推進するため、生活保護受給者等の自立を支援するための社会的な居場所づくりを支援する事業。
　ウ　地域福祉増進事業　略
　エ　中国残留邦人等地域生活支援事業
　　中国残留邦人等の自立を支援するため、地域における支援ネットワークの構築、日本語学習者への支援、通訳の派遣等を行うことにより、地域の一員として普通の暮らしを送れるよう支援する事業。
　　(ア)　地域における中国残留邦人等支援ネットワーク事業　略
　　(イ)　身近な地域での日本語教育支援事業　略
　　(ウ)　自立支援通訳等派遣事業　略
　　(エ)　中国残留邦人等への地域生活支援プログラム事業
　　　中国残留邦人等の個々のニーズを踏まえつつ、支援・相談員、自立指導員及び市区町村等プログラム担当者が連携して、「地域生活支援プログラム」を策定し、日本語学習、就労・生活等の支援を行う事業。
　　(オ)　支援給付及び配偶者支援金適正実施推進事業　略
　オ　小規模法人のネットワーク化による協働推進事業　略
　カ　社会福祉法人の生産性向上に対する支援事業　略
4　事業の実施
　各事業の実施は次によること。ただし、「生活福祉資金貸付事業」、「臨時特例つなぎ資金貸付事業」、「介護福祉士修学資金等貸付事業」、「社会福祉推進事業」、「寄り添い型相談支援事業」、「小規模法人のネットワーク化による協働推進事業」を除く。
(1)　自立相談支援事業実施要領（別添1）
(2)　被保護者就労支援事業実施要領（別添2）
(3)　被保護者健康管理支援事業実施要領（別添3）
(4)　生活困窮者就労準備支援等事業
　ア　就労準備支援事業実施要領（別添4）
　イ　被保護者就労準備支援等事業実施要領（別添5）
　ウ　一時生活支援事業実施要領（別添6）
　エ　地域居住支援事業実施要領（別添7）
　オ　家計改善支援事業実施要領（別添8）
　カ　生活困窮世帯の子どもに対する学習・生活支援事業実施要領（別添9）

生活困窮者自立相談支援事業等の実施について（抄）

　　キ　都道府県による市町村支援事業実施要領（別添10）
　　ク　福祉事務所未設置町村による相談事業実施要領（別添11）
　　ケ　アウトリーチ等の充実による自立相談支援機能強化事業実施要領（別添12）
　　コ　就労準備支援事業実施体制整備モデル事業実施要領（別添13）
　　サ　就労体験・就労訓練先の開拓・マッチング事業実施要領（別添14）
　　シ　一時生活支援事業の共同実施支援事業実施要領（別添15）
　　ス　その他生活困窮者の自立の促進を図るために必要な事業
　　　(ｱ)　生活困窮者自立支援法第7条第2項第3号に基づく事業実施要領（別添16）
　　　(ｲ)　ひきこもり支援推進事業実施要領（別添17）
　　　(ｳ)　日常生活自立支援事業実施要領（別添18）
　　　(ｴ)　生活困窮者支援等のための地域づくり事業実施要領（別添19）
　　　(ｵ)　民生委員・児童委員研修事業実施要領（別添20）
　　　(ｶ)　被災者見守り・相談支援等事業実施要領（別添21）
　　セ　居住生活支援加速化事業実施要領（別添22—1）
　　ソ　生活困窮者自立支援の機能強化事業実施要領（別添22—2）
　　タ　生活困窮者自立支援都道府県研修実施体制等整備加速化事業実施要領（別添22—3）
　　チ　住まい支援システム構築に関するモデル事業実施要領（別添22—4）
　(5)　地域共生社会の実現に向けた包括的支援体制構築支援事業実施要領
　　ア　重層的支援体制整備事業への移行準備事業（別添23）
　　イ　重層的支援体制構築に向けた都道府県後方支援事業（別添24）
　(6)　生活保護適正化等事業
　　ア　生活保護適正実施推進事業実施要領（別添25）
　　イ　自立支援プログラム策定実施推進事業実施要領（別添26）
　　ウ　地域福祉増進事業
　　　(ｱ)　福祉人材確保推進事業実施要領（別添27）　略
　　　(ｲ)　社会福祉法人指導監督事業実施要領（別添28）　略
　　　(ｳ)　障害者施設等の外国人介護福祉士候補者受入施設学習支援事業実施要領（別添29—1）　略
　　　(ｳ—2)　外国人介護人材受入促進事業実施要領（別添29—2）　略
　　　(ｳ—3)　介護の入門的研修から入職までの一体的支援モデル事業実施要領（別添29—3）　略
　　　(ｴ)　災害福祉支援ネットワーク構築推進等事業実施要領（別添30）　略
　　　(ｵ)　災害ボランティアセンター等機能強化事業実施要領（別添31）　略
　　　(ｶ)　運営適正化委員会設置運営事業実施要領（別添32）　略
　　　(ｷ)　地域生活定着促進事業実施要領（別添33）　略
　　　(ｸ)　地域生活定着支援センターＩＣＴ化支援事業実施要領（別添34）　略
　　　(ｹ)　成年後見制度利用促進体制整備推進事業実施要領（別添35）　略

　　　　㈡　互助・福祉・司法における権利擁護支援の機能強化事業（別添36）　略
　　　　㈢　持続可能な権利擁護支援モデル事業（別添37）　略
　　エ　中国残留邦人等地域生活支援事業
　　　　㈎　地域における中国残留邦人等支援ネットワーク事業実施要領（別添38）　略
　　　　㈏　身近な地域での日本語教育支援事業実施要領（別添39）　略
　　　　㈐　自立支援通訳等派遣事業実施要領（別添40）　略
　　　　㈑　中国残留邦人等への地域生活支援プログラム事業実施要領（別添41）
　　　　㈒　支援給付及び配偶者支援金適正実施推進事業実施要領（別添42）　略
　(7)　社会福祉法人の生産性向上に対する支援事業実施要領（別添43）　略
5　国の補助
　　国は、本事業に要する経費について、別に定める交付基準に従い、予算の範囲内で補助するものとする。
6　事業の遂行状況の報告
　　国は、本事業の遂行状況について、別に定めるところにより、必要に応じて報告を求めることとする。

（別添1）
　　　　　自立相談支援事業実施要領
1　目的
　　本事業は、生活困窮者が抱える多様で複合的な問題につき、生活困窮者及び生活困窮者の家族その他の関係者からの相談に応じ、必要な情報提供及び助言をし、並びに関係機関との連絡調整を行うとともに、生活困窮者に対する支援の種類及び内容等を記載した計画の作成、生活困窮者に対する認定生活困窮者就労訓練事業の利用のあっせん等さまざまな支援を包括的かつ計画的に行うことにより、生活困窮者の自立の促進を図ることを目的とする。
2　実施主体
　　実施主体は、都道府県、市（特別区を含む。）及び福祉事務所を設置する町村（以下「都道府県等」という。）とする。ただし、事業を適切、公正、中立かつ効率的に実施することができる者であって、社会福祉法人、一般社団法人、一般財団法人又は特定非営利活動法人その他の都道府県等が適当と認める民間団体に、都道府県等が直接行うこととされている事務を除き、事業の全部又は一部を委託することができる。
3　事業内容
　　本事業における目標は、生活困窮者の自立と尊厳の確保及び、生活困窮者支援を通じた地域づくりであり、以下の取組を実施することとする。
　(1)　取組内容
　　ア　包括的かつ継続的な相談支援
　　　　生活困窮者に対して広く相談を行うとともに、生活困窮者が抱える多様で複合的な課題を包括的に受け止め、その者の置かれている状況や本人の意思を十分に確認

（以下「アセスメント」という。）した上で、支援の種類及び内容等を記載した自立支援計画（以下「プラン」という。）を策定する。

また、プランに基づくさまざまな支援が始まった後も、それらの効果を適切に評価・確認しながら、本人の状況に応じた適切な就労支援も含め、本人の自立までを包括的・継続的に支えていく。

イ　生活困窮者支援を通じた地域づくり

生活困窮者の早期把握や見守りを行うため、関係機関・関係者のネットワークを構築し、包括的な支援策を用意するとともに、生活困窮者の社会参加や就労の場を広げていく。さらに、生活困窮者の支援にあたっては、既存の社会資源を積極的に活用するとともに、社会資源が不足している場合は、新たに開発することに努める。

(2)　配置職員

都道府県等が直営又は委託により自立相談支援事業を実施する機関（以下「自立相談支援機関」という。）には、主任相談支援員、相談支援員及び就労支援員（以下「主任相談支援員等」という。）を配置することを基本とする。また、主任相談支援員等は、原則として、当分の間、厚生労働省が実施する養成研修を受講し、修了証を受けた者とする。（ただし、当分の間は、この限りでない。）

それぞれの職種における主な役割は以下のとおりであるが、都道府県等の人口規模、人員等の状況により、相談支援員が就労支援員を兼務するなど、地域の実情に応じた柔軟な対応を行うことも可能とする。

なお、自立相談支援事業と一時生活支援事業を一体的に実施する場合においては、一時生活支援事業の利用者に対する相談支援を行う相談支援員等を配置することができる。

ア　主任相談支援員

自立相談支援機関における相談業務全般のマネジメント、他の支援員の指導・育成、支援困難ケースへの対応など高度な相談支援を行うとともに、社会資源の開拓・連携等を行う。

イ　相談支援員

生活困窮者へのアセスメント、プランの作成を行い、様々な社会資源を活用しながらプランに基づく包括的な相談支援を実施するとともに、相談記録の管理や訪問支援などのアウトリーチ等を行う。

ウ　就労支援員

生活困窮者へのアセスメント結果を踏まえ、公共職業安定所や協力企業を始め、就労支援に関する様々な社会資源と連携を図りつつ、その状況に応じた能力開発、職業訓練、就職支援等の就労支援を行う。

4　包括的かつ継続的な相談支援

生活困窮者に対する包括的かつ継続的な相談支援は、以下の手順で実施する。

なお、福祉事務所設置自治体において、自立相談支援事業と就労準備支援事業及び家

計改善支援事業（以下この別添１において「両事業」という。）を一体的に実施する場合には、プランの協議又はプランに基づく支援の進捗状況の確認の際に両事業に従事する者が参画することや、両事業に従事する者に対して支援の実施状況や支援対象となっている生活困窮者の状態に関する情報を共有することなどにより、両事業との緊密な連携を図る体制を確保するものとする。

(1) 生活困窮者の把握・相談受付

　ア　生活困窮者の複合的な課題に包括的・一元的に対応する窓口を設置し、来所による相談を受け付ける。

　　また、生活困窮者の中には自ら相談に訪れることが困難な者もいることから、自立相談支援機関は待ちの姿勢ではなく、訪問支援などアウトリーチを含めた対応に努める。この場合、地域における関係機関とのネットワークの強化を図り生活困窮者の早期把握に努め、必要に応じて訪問や声かけなどを行う。

　イ　相談受付時に、相談者の主訴を丁寧に聞き取った上で、他制度や他機関へつなぐことが適当かを判断（振り分け）する。

　ウ　相談者への他制度等の紹介のみで対応が可能な場合や、明らかに他制度や他機関での対応が適当であると判断される場合は、情報提供や他機関へつなぐことにより対応する。その際、相談者が要保護となるおそれが高いと判断される場合には、生活保護制度に関する情報提供、助言等の措置を講ずる。

　エ　相談内容から、自立相談支援機関による支援が必要であると判断される場合は、本人から、本事業による支援プロセスに関する利用申込を受けて、その同意を得るとともに、丁寧なアセスメントを行う。アセスメントにより、本人に関する様々な情報を把握・分析した後、自立相談支援機関が継続してプランの策定等の支援を行うか、又は、他制度や他機関へつなぐことが適当かを改めて判断（スクリーニング）する。

　　なお、生活保護制度へつなぐことが適切と判断される場合は、確実に福祉事務所につなげるものとする。その際、継続的な支援が行われるよう、福祉事務所との円滑な引き継ぎが行われるよう留意する。

　　また、他制度や他機関へのつなぎが適当と判断された者には、本人の状況に応じて適切に他の相談窓口等へとつなぐとともに、必要に応じてつなぎ先の機関へ本人の状況について確認するなど、適宜フォローアップに努めるものとする。

　　なお、本人に関する個人情報を関係機関と共有するためには、本人の同意が必要であることに留意すること。また、いわゆる相談のたらい回しとならないよう関係機関と連携することが重要である。

(2) アセスメント・プラン策定

　ア　スクリーニングの結果、自立相談支援機関による継続的な支援が妥当と判断された者については、本人へのアセスメント結果を踏まえ、本人の自立を促進するための支援方針、支援内容、本人の達成目標等を盛り込んだプランを策定する。

　　なお、プランは本人と自立相談支援機関とが協働しながら策定するものであるこ

とから、プランの策定に当たっては、本人の意思を十分に尊重するものとする。
　イ　プラン策定前においても、必要に応じて、緊急的な支援（住居確保給付金の支給、一時生活支援事業の利用等）や、自立相談支援機関の就労支援員による就労支援その他の地域における様々な社会資源を活用した各種支援が受けられるよう、必要な調整を行うものとする。
　ウ　プランの内容は、自立相談支援機関が自ら実施する支援に加えて、次の(ア)から(キ)までに掲げる法に基づく支援、(ク)から(コ)までに掲げる他の公的事業又はインフォーマルな支援など、本人の自立を促進するために必要と考えられる支援を盛り込むものとする。
　　(ア)　住居確保給付金の支給
　　(イ)　就労準備支援事業
　　(ウ)　一時生活支援事業
　　(エ)　家計改善支援事業
　　(オ)　認定就労訓練事業
　　(カ)　子どもの学習・生活支援事業
　　(キ)　(ア)から(カ)までのほか、生活困窮者の自立の促進を図るために必要な事業
　　(ク)　公共職業安定所が実施する生活保護受給者等就労自立促進事業
　　(ケ)　生活福祉資金貸付事業
　　(コ)　上記のほか、様々な公的事業による支援及び民生委員による見守り活動等のインフォーマルによる支援
　エ　支援調整会議を開催し、プランの内容が適切なものであるか確認を行うとともに、プランに基づく支援に当たって、関係機関との役割分担等について調整を行う。
　オ　実施主体は、支援調整会議（「5　支援調整会議」参照）において、(2)のウの(イ)、(エ)及び(オ)の事業（以下、「就労準備支援事業等」という。）が盛り込まれたプランが了承された場合には、就労準備支援事業等については支援決定（「6　支援決定」参照）を、(2)のウの(ア)、(ウ)、(カ)、(ケ)又は(コ)の事業等については支援内容の確認を行う（(ア)及び(ウ)については、「住居確保給付金申請書」及び「一時生活支援事業利用申込書」において、別途支援（支給）決定を行う）。なお、行政以外の自立相談支援機関にあっては、就労準備支援事業等を含まないプランが支援調整会議において了承された場合、当該プランを行政に報告する。
　カ　(2)のウの(ク)の事業につなぐ場合については、実施主体がプランの内容を確認し了承した後、自立相談支援機関は、支援決定等がなされたプランの写しとともに、必要書類を公共職業安定所に送付することにより、支援要請を行う。
　キ　自立相談支援機関は、実施主体の支援決定又は確認を受けたプランに基づき、具体的な支援の提供等を行う。
(3)　支援の提供・モニタリング・評価・再プラン策定・終結
　ア　プランに基づき、自立相談支援機関自ら支援を実施するほか、各支援機関から適

切な支援を受けられるよう本人との関係形成や動機付けの促しをサポートする。
　　イ　各支援機関による支援が始まった後も、各支援機関との連携・調整はもとより、必要に応じて本人の状況等を把握（モニタリング）する。
　　ウ　定期的なプランの評価は、以下の状況を整理し、概ね3か月、6か月、1年など本人の状況に応じ、支援調整会議において行う。
　　　(ｱ)　目標の達成状況
　　　(ｲ)　現在の状況と残された課題
　　　(ｳ)　プランの終結・継続に関する、本人の希望・支援員の意見等
　　エ　評価の結果、支援の終結と判断された場合は、他機関へのつなぎや地域の見守りなどの必要性を検討し、必要に応じてフォローアップを行う。例えば、就職後から一定期間については、本人の状況を適宜把握し、必要に応じ本人からの相談に応ずることができる体制を整えておくことが望ましい。
　　オ　評価の結果、プランを見直して、支援を継続する必要があると判断された場合は、改めてアセスメントの上、再度プランを策定する。
5　支援調整会議
　(1)　目的
　　　支援調整会議は、プランの策定等にあたり、以下の4点を主な目的として開催するものである。
　　ア　プランの適切性の協議
　　　　自立相談支援機関が策定したプランについて、自治体及び関係機関が参加して合議のもとで適切性を判断する。プランの内容が、本人の課題解決及び目標の実現に向けて適切であるかを、自立相談支援機関以外の関係者も参画する合議体形式で協議し、判断する。
　　イ　各支援機関によるプランの共有
　　　　各支援機関が、プランの支援方針、支援内容、役割分担等について共通認識を醸成し、これを了承する。本人が抱える課題と設定した目標を共有し、各支援機関の役割を明確化する。
　　ウ　プラン終結時等の評価
　　　　プラン終結時等においては、支援の経過と成果を評価し、自立相談支援機関としての支援を終結するかどうかを検討する。
　　エ　社会資源の充足状況の把握と開発に向けた検討
　　　　個々のニーズに対応する社会資源が不足していることを把握した場合には、それらを地域の課題として位置付け、社会資源の開発に向けた取組を検討する。
　(2)　開催方法
　　　具体的な開催方法については、相談者数や社会資源の状況など地域の実情に応じ会議開催のルールを定めるものとする。
　　　プランに就労準備支援事業等が含まれている場合には、自治体が支援決定を行う役割を担うことから、行政担当者が支援調整会議に出席することが基本となる。

(3)　留意点

　　　支援調整会議を効率的に開催するため、自立相談支援機関は支援調整会議を開催する前に、プランに盛り込む支援サービスの利用について、必要に応じて行政やその他の関係機関・関係者との間で調整を行う。
6　支援決定
　(1)　自治体は、プランに盛り込まれた就労準備支援事業等の利用について、その可否を決定するために支援決定を行う。また、併せて、当該プランの内容が適切であるか否かを確認する。
　(2)　自治体による支援決定は、以下の手順により行うものとする。
　　ア　自立相談支援機関は支援調整会議で了承されたプランを自治体に提出する。
　　イ　自治体はプランに盛り込まれた就労準備支援事業等の支援方針、支援内容等について確認するとともに、それらの事業の利用要件に該当しているかを確認する。
　　ウ　プランに盛り込まれた就労準備支援事業等について、利用要件に該当していることが確認できた場合は、自治体内部において決裁し、決裁後、速やかに利用者へ支援決定の通知を行う。
　(3)　上記(2)のイにおいて、事業の利用要件に該当しないなど、支援決定ができない理由がある場合は、自治体はその理由を速やかに自立相談支援機関に報告する。報告を受けた自立相談支援機関は、本人と関係機関・関係者と再度プラン内容について確認・調整を行い、見直したプランを改めて自治体に提出する。
7　生活困窮者支援を通じた地域づくり

　　生活困窮者の自立に向け、包括的かつ継続的な支援が提供されるよう、自立相談支援機関が中心となって、支援調整会議その他の既存の合議体も活用して検討の場を設ける。また、効率的かつ効果的に生活困窮者を早期把握し、チーム支援を行うためには、関係機関との連携が重要であり、支援会議等も活用しながら、このためのネットワークづくりを一層進め、その活用を図る必要がある。

　　また、自立相談支援機関が自ら又は当該協議の場、関係機関とのネットワークを通じて把握した社会資源の不足については、支援調整会議その他の協議の場において地域の課題として認識した上で検討を行うとともに、生活困窮者の支援に関する新たな社会資源の開発に努める。
8　住居確保給付金の手続き

　　住居確保給付金の相談・受付業務、受給中の面接業務等（自治体が行う支給決定に関する事務を除く。）は、自立相談支援機関において行う。
9　留意事項
　(1)　事業の実施に当たっては、「生活困窮者自立支援制度に関する手引きの策定について」（平成27年3月6日社援地発0306第1号厚生労働省社会・援護局地域福祉課長通知の別添1「自立相談支援事業の手引き」）及び「生活困窮者自立支援制度に係る自治体事務マニュアルの策定について（通知）」（平成27年3月27日社援発0327第2号厚生労働省社会・援護局長通知）などの関連通知を参照すること。

(2) 相談支援に当たっては、「自立相談支援事業の手引き」に定める「自立相談支援機関使用標準様式（帳票類）」を使用すること。また、利用者ごとに支援台帳を作成し、管理すること。
(3) 関係機関と個人情報を共有する場合は本人から同意を得ておくことなど、個人情報の取扱いについて適切な手続きを踏まえること。

（別添2）
　　　　被保護者就労支援事業実施要領
1　目的
　　生活保護法第55条の7の規定に基づき、被保護者の就労の支援に関する問題について、被保護者からの相談に応じ、必要な情報の提供及び助言を行う事業（被保護者就労支援事業）を実施し、被保護者の自立の促進を図ることを目的とする。
2　実施主体
　　実施主体は、都道府県、市（特別区を含む。）及び福祉事務所を設置する町村（以下「都道府県等」という。）とする。ただし、本事業を適切、公正、中立かつ効果的に実施することができる者であって、社会福祉法人、一般社団法人、一般財団法人又は特定非営利活動法人その他の都道府県等が適当と認める民間団体に、都道府県等が行うべき事務を除き、本事業の事務の全部又は一部を委託することができる。
3　対象者
　　保護の実施機関が就労可能と判断する被保護者（高校在学、傷病、障害等のため、就労が困難な者を除き、現に就労している被保護者を含む。）であって、就労による自立に向け個別支援を行うことが効果的と思われる者のうち、本事業への参加を希望する者（以下「対象者」という。）
4　事業内容
　　実施主体は、本事業として次に掲げる支援を実施する。
(1) 就労支援
　　ア　相談、助言
　　　　対象者の就労支援に必要な相談に応じ、助言を行う。
　　イ　求職活動の支援
　　　　履歴書・職務経歴書の作成、面接の受け方等について対象者に助言を行う。
　　ウ　求職活動への同行
　　　　対象者がハローワーク等で求職活動を行う際や、企業面接を受ける際などに同行し、必要な支援を行う。
　　エ　連絡調整
　　　　対象者の就労支援について、ハローワークや生活困窮者自立支援法に基づく認定就労訓練事業（いわゆる「中間的就労」）実施事業所等の関係機関と必要な連絡調整を行う。
　　オ　個別求人開拓

対象者の希望、能力、経験等を踏まえ、適切な求人を探すとともに、就労に結びつきやすい業種等に特化した個別の求人開拓を行う。
　　カ　定着支援
　　　　就労した対象者への職場定着等を図るため、本人の状況に応じた相談等のフォローアップを実施する。
　　キ　その他
　　　　その他対象者の就労支援のために必要な業務を行う。
　(2)　稼働能力判定会議等の開催
　　　稼働能力や適正職種の検討、就労支援プログラムの選定等に当たり、複数の専門的な知見を有する者で構成する稼働能力判定会議等を開催する。
　(3)　就労支援連携体制の構築
　　　地域における被保護者の就労支援体制に関する課題の共有や関係機関との連携の強化、個別求人開拓等を円滑に進めるため、ハローワーク等の行政機関、社会福祉法人、特定非営利活動法人、関係団体、企業等が参画し協議する場を設定するなど就労支援の連携体制を構築し、以下について協議等を行う。
　　　なお、連携体制については、複数の自治体による共同設置等の広域的な実施、民間団体への委託や既存の枠組みの活用など、地域の実情に応じて効果的な方法により実施するものとする。
　　ア　地域の雇用情勢、生活保護動向、社会資源等についての情報の共有
　　イ　地域の被保護者に対する就労支援の方向性を共有
　　ウ　中間的就労等、新たな就労の場の開拓を検討
　　エ　就労の場の掘り起こしについての協力要請等
５　配置職員
　　本事業の実施に当たっては、実施主体における被保護者の数その他地域の実情に応じて、就労支援を専任で行う職員（以下「就労支援員」という。）を配置するものとする。なお、被保護者の数その他の状況により、他の職種と兼務するなど、地域の実情に応じた対応を行うことも可能とする。
６　事業実施に当たっての留意事項
　(1)　基本的事項
　　ア　本事業の実施に当たっては、自立支援プログラムに位置づけて実施すること。
　　イ　本事業を委託する場合には、委託先との連携を図ること。ただし、本事業のうち、4(2)については委託することができないこと。
　　ウ　4(1)の支援を実施するに当たっては、支援を効果的・効率的に実施するため対象者ごとに目標や支援内容を設定すること。また、対象者の状況や取組の実施状況を定期的に把握するとともに、必要に応じて支援内容や目標の見直し、新しい課題に対する支援の再検討をすること。
　　エ　評価を踏まえて、「生活保護受給者等就労自立促進事業の実施について」（平成25年３月29日雇児発0329第30号・社援発0329第77号厚生労働省雇用均等・児童家庭局

長・社会・援護局長連名通知）に基づく生活保護受給者等就労自立促進事業や就労意欲の喚起のための機会の提供等、他の自立支援プログラムへの参加が、より本人に適した支援であると判断した場合は、本人の同意を得て、当該プログラムへの参加を促すこと。
(2) 就労支援の評価及び検証
　就労支援を効果的に実施するため、年度ごとに就労支援プログラムの実施状況や目標の達成状況を評価、検証し、的確に見直すこと。
(3) 個別求人開拓
　個別求人開拓等の実施に当たって、地方自治体が職業安定法（昭和22年法律第141号。以下「法」という。）第4条第1項に規定する職業紹介（求人及び求職の申込みを受け、求人者と求職者との間における雇用関係の成立をあっせんすること）を行う場合は、法第33条の4に規定する無料職業紹介の届出を行う必要があるほか、職業紹介の業務を外部委託する場合は、当該委託先が法に規定する職業紹介の許可等を受けた者であることが必要であるので留意すること。
(4) 定着支援
　就労した対象者へのフォローアップについては、例えば、就労後に本人の状況に応じて定期的に就労に関する相談に応じるほか、就労した対象者が職場の悩み等を話せる対象者同士の交流の場などを提供する等の支援を検討すること。
　なお、対象者が就労により被保護者でなくなった場合については、生活困窮者自立支援制度と十分な連携を図ること。
(5) 本事業の実施に当たっては、「被保護者就労支援事業の実施について」（平成27年3月31日社援保発0331第20号厚生労働省社会・援護局保護課長通知）を参照すること。

（別添3）
　　　　被保護者健康管理支援事業実施要領
1 目的
　生活保護法第55条の8の規定に基づき、被保護者に対する必要な情報の提供、保健指導、医療の受診の勧奨その他の被保護者の健康の保持及び増進を図るための事業（被保護者健康管理支援事業）を実施し、被保護者の自立の促進を図ることを目的とする。
2 実施主体
　実施主体は、都道府県、市（特別区を含む。）及び福祉事務所を設置する町村（以下「都道府県等」という。）とする。ただし、本事業を適切、公正、中立かつ効果的に実施することができる者であって、社会福祉法人、一般社団法人、一般財団法人又は特定非営利活動法人、その他都道府県等が適当と認める民間団体に、都道府県等が行うべき事務を除き、本事業の事務の全部又は一部を委託することができる。
3 事業内容
　本事業は、次の(1)による分析により、管轄地域内の健康課題を抽出し、把握した地域の健康課題や社会資源の状況を踏まえ、(2)の事業方針を決定することとする。

生活困窮者自立相談支援事業等の実施について(抄)

(1) 現状・健康課題の把握
　　ア　既存の取り組みの調査分析
　　　　これまでに実施した健康管理支援に関する事業に関してその目的、対象、実施方法、内容、実施体制及び評価等について整理し、課題となっている事項を分析する。
　　イ　健康・医療情報の調査・分析
　　　　保護台帳や帳票、医療扶助レセプト、市町村保健部局や保険者のデータから、地域の被保護者の健康状態に係る全体像を把握する。
　　ウ　社会資源の調査・分析
　　　　地域における社会資源について、被保護者が活用可能か否か活用可能な場合の対象年齢等について整理し、把握する。
(2) 事業方針
　　(1)により把握した現状・健康課題を踏まえ、以下の取組方策のア〜オの内、オの頻回受診指導については必須事業とし、その他ア〜エから少なくとも1つを選択して実施すること。
　　ア　健診受診勧奨
　　　　健診未受診で健康状態が把握できていない者等に受診券の個別送付や家庭訪問による生活状況や健診未受診理由の聞き取り実施等
　　イ　医療機関受診勧奨
　　　　健診結果で要医療と判断されたにもかかわらず、医療機関を未受診の者等に同行支援事業を活用した受診同行の実施等
　　ウ　保健指導・生活支援
　　　　栄養・口腔・運動等で改善が必要な者や過剰飲酒、依存症が疑われる者等に対する、保健所や精神保健福祉センターなどの社会資源に繋げる支援の実施等
　　エ　主治医と連携した保健指導・生活支援（重症化予防）
　　　　医療機関を受診中だが経過不良の者等に関して、福祉事務所と主治医とが相談・連携体制を構築し、生活習慣や服薬に問題がないか等の課題を確認する支援の実施等
　　オ　頻回受診指導
　　　　同一診療科で月15回以上の受診者に対して面談を行い、頻回となる要因の分析する支援の実施等
(3) 事業評価
　　本事業の実施にあたっては、あらかじめ中長期的な目標、毎年度の事業により達成を目指す目標を設定し、評価指標についてもそれぞれに設定すること。
　　評価指標は、支援するための仕組みや体制が整っていたか等を評価する「ストラクチャー（構造）」、目標の達成に向けた過程が適切であった等を評価する「プロセス（過程）」、あらかじめ計画した事業が実施できているか等を評価する「アウトプット（事業実施量）」、目的とした成果が出たかを評価する「アウトカム（結果）」の観点

から設定すること。事業実施後に設定した評価指標に沿って事業評価を実施すること。
(4) 事業報告
毎年度、事業終了後に各福祉事務所は、事業の実施結果を厚生労働省に報告する。別途示される様式を用いて事業全体についての内容、個々の取組方針についての内容に関して、報告書を作成し、報告すること。
4 留意事項
(1) 事業の実施に当たっては、「被保護者健康管理支援事業の手引き（令和2年8月改定）」（令和2年8月21日。以下、「手引き」という。）を参照すること。
(2) 事業の実施に当たり、対象者の抽出には、手引きに掲載している図表5のフェイスシートの項目例を参考とするほか、事業報告には同じく手引きに別添として掲載している事業報告様式を活用すること。
(3) 本事業の実施に携わる職員は、利用者のプライバシーの保護に十分配慮するとともに、業務上知り得た秘密を漏らしてはならないこと。
(4) 関係機関と個人情報を共有する場合は本人から同意を得ておくなど、個人情報の取り扱いに適切な手続きを踏まえること。

（別添4）
　　　　就労準備支援事業実施要領
1 目的
本事業は、就労に必要な実践的な知識・技能等が不足しているだけではなく、複合的な課題があり、生活リズムが崩れている、社会との関わりに不安を抱えている、就労意欲が低下している等の理由で就労に向けた準備が整っていない生活困窮者に対して、一般就労に向けた準備としての基礎能力の形成からの支援を、計画的かつ一貫して実施することを目的とする。
2 実施主体
実施主体は、都道府県、市（特別区を含む）及び福祉事務所を設置する町村（以下「都道府県等」という。）とする。
ただし、事業を適切、公正、中立かつ効率的に実施することができる者であって、社会福祉法人、一般社団法人、一般財団法人、特定非営利活動法人その他の都道府県等が適当と認める民間団体に、事業の全部又は一部を委託することができる。
3 事業の対象者
本事業の対象者については、以下のいずれかの要件に該当する者とする。
(1) 次のいずれにも該当する者であること。
　ア 申請日の属する月における生活困窮者及び生活困窮者と同一の世帯に属する者の収入の額を合算した額が、申請日の属する年度（申請日の属する月が4月から6月までの場合にあっては、前年度）分の地方税法第295条第3項の条例で定める金額を12で除して得た額（以下「基準額」という。）及び昭和38年4月1日厚生省告示

第158号（生活保護法による保護の基準を定める等の件）による住宅扶助基準に基づく額を合算した額以下であること。
　　イ　申請日における生活困窮者及び生活困窮者と同一の世帯に属する者の所有する金融資産の合計額が、基準額に6を乗じて得た額以下であること。
　(2)　前号に該当する者に準ずる者として、次のいずれかに該当する者であること。
　　ア　(1)のア又はイに該当する額のうち把握することが困難なものがあること。
　　イ　(2)のアに該当しない者であって、(1)のア又はイに該当するものとなるおそれがあること。
　　ウ　都道府県等が就労準備支援事業による支援が必要と認める者であること。
4　事業内容
　(1)　支援内容
　　本事業は、就労準備支援プログラムに基づき、日常生活自立に関する支援、社会自立に関する支援、就労自立に関する支援を利用者の状況に応じて行う。
　　なお、事業を実施する中で把握した生活困窮者を自立相談支援機関につなぐ体制を確保するとともに、支援に当たっては、自立相談支援機関によるアセスメントやそれに基づく支援方針を十分に踏まえ、支援の実施状況等、適宜、自立相談支援機関と情報共有し、連携して支援を行うこと。
　　ア　就労準備支援プログラムの作成・見直し
　　　支援を効果的・効率的に実施するため、利用者が抱える課題や支援の目標・具体的内容を記載した就労準備支援プログラムを作成する。就労準備支援プログラムは、支援の実施状況を踏まえ、適宜見直しを行う。
　　イ　日常生活自立に関する支援
　　　適正な生活習慣の形成を促すため、うがい・手洗いや規則正しい起床・就寝、バランスのとれた食事の摂取、適切な身だしなみに関する助言・指導等を行う。
　　ウ　社会自立に関する支援
　　　社会的能力の形成を促すため、挨拶の励行等、基本的なコミュニケーション能力の形成に向けた支援や地域の事業所での職場見学、ボランティア活動等を行う。
　　エ　就労自立に関する支援
　　　一般就労に向けた技法や知識の習得等を促すため、実際の職場での就労体験の機会の提供やビジネスマナー講習、キャリア・コンサルティング、模擬面接、履歴書の作成指導等を行う。
　　さらに、上記アからエに定める支援を踏まえ、
　・農業に関する基本的な知識を身につけるための基礎的研修と農業を含めた就労支援等を行う就農訓練事業
　・就労意欲が極端に低い者や社会との関わりに極度の不安を抱える者などを対象として、障害者等の支援により蓄積された専門的なノウハウを活用した就労支援を行う福祉専門職との連携支援事業
　・ひきこもりや中高年齢者等のうち、直ちに一般就労を目指すことが難しく、家族

や友人、地域住民等との関係が希薄な者を支援するために、訪問支援（アウトリーチ等）による早期からの継続的な個別支援を重点的に実施するとともに、地域において対象者が馴染みやすい就労体験先を開拓・マッチングする取組を行う、地域におけるアウトリーチ支援等推進事業を実施することが可能である。
(2) 支援の実施期間

1年を超えない期間とする。

なお、就労準備支援事業の利用終了後も一般就労につながらなかったケース等で、自立相談支援事業のアセスメントにおいて改めて就労準備支援事業を利用することが適当と判断されたときは、事業の再利用（就労準備支援事業の支援プログラムの再作成）が可能である。
(3) 配置職員

就労準備支援を行う担当者（就労準備支援担当者）は、キャリアコンサルタント、産業カウンセラー等の資格を有する者や就労支援事業に従事している者（従事していた者も含む。）など、生活困窮者への就労支援を適切に行うことができる人材であって、厚生労働省が実施する養成研修を受講している者であることが望ましい。

福祉専門職との連携支援事業を実施する場合は、福祉専門職を直接雇い上げる方法、社会福祉法人等（具体的には、福祉専門職が配置されている事業所等）へ委託して事業を実施する方法等により、社会福祉士、精神保健福祉士、介護福祉士、臨床心理士等の福祉専門職を配置すること。

地域におけるアウトリーチ支援等推進事業を実施する場合は、ひきこもり支援や障害者に対する就労支援を担う実施団体等への委託（既に就労準備支援事業を実施している場合は再委託も可）が実施方法として考えられる。

5 留意事項
(1) 事業の実施に当たっては、「生活困窮者自立支援制度に関する手引きの策定について」（平成27年3月6日社援地発0306第1号厚生労働省社会・援護局地域福祉課長通知の別添2「就労準備支援事業の手引き」）を参照すること。
(2) 生活保護の受給に至った者に対しては、必要に応じて被保護者就労準備支援事業の利用につなぐなど、本人への継続的な支援の観点から生活困窮者自立支援制度と一体的・連続的な支援が行えるよう配慮すること。
(3) 就労準備支援に当たっては、「就労準備支援事業の手引き」に掲載している様式を参考に、地域の実情に応じて適宜、様式を使用することが望ましい。
(4) 就労体験の利用者は、労働者性がないと認められる限りにおいて労働基準関係法令の適用対象外となるが、安全衛生面、災害補償面については、一般労働者の取扱いも踏まえた適切な配慮が必要であること。特に、災害補償面については、利用者が就労体験中に被災した場合に備え、適切な保険に加入すること。
(5) 工賃や交通費など個人に対する手当は、事業費から支出しないこと。
(6) 関係機関と個人情報を共有する場合は本人から同意を得ておくなど、個人情報の取扱について適切な手続きを踏まえること。

(7) 就農訓練事業の実施に当たっては、別途通知する「被保護者就労準備支援事業及び就労準備支援事業における生活困窮者等の就農訓練事業の実施について」(平成28年3月31日付社援保発0331第18号、社援地発0331第1号厚生労働省社会・援護局保護課長通知、地域福祉課長通知)を参照すること。
(8) 福祉専門職との連携支援事業の実施に当たっては、別途通知する「被保護者就労準備支援事業及び就労準備支援事業における福祉専門職との連携支援事業の実施について」(平成29年3月27日付社援保発0327第1号、社援地発0327第2号厚生労働省社会・援護局保護課長通知、地域福祉課長通知)を参照すること。
(9) 地域におけるアウトリーチ支援等推進事業の実施に当たっては、別途通知する「地域におけるアウトリーチ支援等推進事業の実施について」(平成30年3月29日付社援保発0329第3号、社援地発0329第1号厚生労働省社会・援護局保護課長通知、地域福祉課長通知)を参照すること。
(10) 自立相談支援事業と併せて就労準備支援事業と家計改善支援事業の両方を一体的に実施した場合には、基本基準額に一定額を加算することとする。加算内容については、「就労準備支援事業におけるインセンティブ加算について」(平成30年10月1日付社援地発1001第16号厚生労働省社会・援護局地域福祉課長通知)を参照すること。

(別添5)
　　　被保護者就労準備支援等事業実施要領
1　目的
　被保護者就労準備支援事業(以下「本事業」という。)は、就労意欲が低い者や基本的な生活習慣に課題を有する者など就労に向けた課題をより多く抱える被保護者に対し、就労支援にあわせて、就労意欲の喚起や一般就労に従事する準備としての日常生活習慣の改善を計画的かつ一貫して行う事業や農業体験や研修を通して就農(農業法人への就職や農産物の販売等を含む。)を含めた就労支援や社会参加促進を支援する事業、障害者等への就労支援のノウハウを持った支援者(以下「福祉専門職」という。)の知識や技術を活用し、より効果的な支援体制を構築する事業、被保護者就労準備支援推進員による広域実施の推進、地域住民等との関係が希薄なひきこもりや中高年齢者等に対して、訪問支援(アウトリーチ等)による個別支援や就労体験先を開拓・マッチングする取組を行う事業を実施し、就労への可能性を高めることなどを目的とする。
　また、居住不安定者や無料低額宿泊所等の入居者に対して、転居先となる居宅の確保に関する支援、各種契約手続等に関する助言など居宅生活に移行するための支援、居宅生活移行後に安定した生活が営めるよう定着支援等の支援を実施することにより、利用者の居宅移行を促進することを目的とする。
　さらに、家計に関する課題を抱える世帯や大学等への進学を検討している高校生等のいる被保護世帯に対する家計改善支援、生活保護関係職員の資質向上のための研修、個別支援プログラムを整備し実施する事業、多様で複雑な課題を抱える被保護世帯に対して、関係機関と円滑に連携し、支援に取り組み、自立の推進を図ることができるよう関

係機関と連携した支援体制の構築を図るための試行事業(被保護者就労支援事業、被保護者就労準備支援事業(一般事業、生活困窮者等の就農訓練事業及び福祉専門職との連携支援事業)、被保護者家計改善支援事業及び社会的な居場所づくり支援事業を除く。)を実施し、生活保護受給者の自立を支援するとともに、生活保護制度の適正な運営を確保することを目的とする。
2 事業の種類
　本事業は、以下の事業を実施する。
⑴ 被保護者就労準備支援事業(一般事業、生活困窮者等の就農訓練事業及び福祉専門職との連携支援事業、被保護者就労準備支援推進員の配置、地域におけるアウトリーチ支援等推進事業)
　ア 実施主体
　　実施主体は、都道府県、市(特別区を含む。)及び福祉事務所を設置する町村(以下「都道府県等」という。)とする。ただし、本事業を適切、公正、中立かつ効果的に実施することができる者であって、社会福祉法人、一般社団法人、一般財団法人又は特定非営利活動法人その他の都道府県等が適当と認める民間団体に本事業の事務の全部又は一部を委託することができる。
　イ 対象者
　　就労意欲や生活能力・稼働能力が低いなど、就労に向けた課題をより多く抱える被保護者であって、日常生活習慣、基礎技能等を習得することにより就労が見込まれる者のうち、本事業への参加を希望する者(以下「対象者」という。)
　ウ 実施内容
　　都道府県等が実施する場合も委託による場合も以下により実施することとする。なお、生活困窮者自立支援制度による就労準備支援事業が行われている場合は、地域の実情に応じて当該事業との一体的実施に努めること。
　㋐ 一般事業
　　a 日常生活自立に関する支援
　　　適正な生活習慣の形成を促すため、うがい・手洗いや規則正しい起床・就寝、バランスのとれた食事の摂取、適切な身だしなみに関する助言、指導等を行う。
　　b 社会生活自立に関する支援
　　　社会的能力の形成を促すため、挨拶の励行等、基本的なコミュニケーション能力の形成に向けた支援や地域の事業所での職場見学、ボランティア活動等を行う。
　　c 就労自立に関する支援
　　　就労に向けた技法や知識の習得等を促すため、実際の職場での就労体験の機会の提供やビジネスマナー講習、キャリア・コンサルティング、模擬面接、履歴書の作成訓練等を行う。
　　d 上記a～cに関する支援は、eに基づき、利用者の状況に応じて行うこと。

e　支援を実施するに当たっては、支援を効果的・効率的に実施するため、対象者ごとに抱える課題や目標、支援の具体的内容を設定すること。
　　　　また、対象者の状況や支援の実施状況について定期的に評価を行い、必要に応じて目標や支援内容の見直しを行うこと。
　(ｲ)　生活困窮者等の就農訓練事業
　　　「(ｱ)　一般事業」に定める支援を踏まえ、農業に関する基本的な知識を身につけるための基礎的研修と農業を含めた就労支援等を実施する就農訓練を実施すること。
　(ｳ)　福祉専門職との連携支援事業
　　　「(ｱ)　一般事業」に定める支援を、福祉専門職が被保護者就労準備支援担当者と連携して実施すること。支援の実施にあたっては、特に次の事業内容について配慮すること。
　　　a　対象者に対する適切なアセスメント
　　　　対象者が解決すべき課題の把握・分析、課題解決に向けた支援計画（被保護者就労準備支援シート）の作成、支援内容の評価、評価を踏まえた支援計画の変更　等
　　　b　支援におけるバックアップ
　　　　被保護者就労準備支援担当者に対する専門的な知見に基づく技術的な指導・助言、対象者が継続して就労準備支援を受けられるように心身の健康状態の把握や信頼関係の構築　等
　(ｴ)　被保護者就労準備支援推進員の配置
　　　広域実施による効率的・効果的な取組を推進することを目的として、被保護者就労準備支援推進員を広域による事業実施を行う自治体に配置し、被保護者就労準備支援事業における都道府県内等の地域資源や支援効果等の分析、支援方法の調査・研究を行い、広域実施による効率的・効果的な取組を推進する。
　(ｵ)　地域におけるアウトリーチ支援等推進事業
　　　ひきこもりや中高年齢者等のうち、直ちに一般就労を目指すことが難しく、家族や友人、地域住民等との関係が希薄な者を支援するために、訪問支援（アウトリーチ等）による早期からの継続的な個別支援を重点的に実施するとともに、地域において対象者が馴染みやすい就労体験先を開拓・マッチングする取組を行う。
　エ　実施期間
　　対象者に対する支援は、原則として１年を超えない期間で行うものとする。ただし、保護の実施機関の判断により、改めて本事業を利用することが適当と判断されたときは、１年の利用期間を終えてからの事業の再利用が可能である。
　　また、支援の結果、就職をした場合には、原則として、本事業の利用は終了することとなるが、保護の実施機関が当該事業への継続した参加が適当と判断した場合には引き続き支援を継続して差し支えない。

オ 留意事項
(ア) 本事業の実施に当たっては、自立支援プログラムに位置づけた上で、就労支援プログラムを策定すること。
(イ) 就労体験の利用者は、労働者性がないと認められる限りにおいて労働基準関係法令の適用対象外となるが、安全衛生面、災害補償面については、一般労働者の取扱いも踏まえた適切な配慮が必要であること。特に、災害補償面については、利用者が就労体験中に被災した場合に備え、適切な保険に加入すること。
(ウ) 工賃や交通費など本人に対する手当は事業費から支出しないこと。
(エ) 本事業の実施に当たっては、別途通知する「被保護者就労準備支援事業（一般事業分）の実施について」（平成27年4月9日付社援保発0409第1号厚生労働省社会・援護局保護課長通知）、「被保護者就労準備支援事業及び就労準備支援事業における生活困窮者等の就農訓練事業の実施について」（平成28年3月31日付社援保発0331第18号、社援地発0331第1号厚生労働省社会・援護局保護課長通知、地域福祉課長通知）及び「被保護者就労準備支援事業及び就労準備支援事業における福祉専門職との連携支援事業の実施について」（平成29年3月27日付社援保発0327第1号、社援地発0327第2号厚生労働省社会・援護局保護課長通知、地域福祉課長通知）、「地域におけるアウトリーチ支援等推進事業の実施について」（平成30年3月29日付社援保発0329第3号、社援地発0329第1号厚生労働省社会・援護局保護課長通知、地域福祉課長通知）を参照すること。
(2) 居住不安定者等居宅生活移行支援事業
ア 実施主体
本事業の実施主体は、次のいずれかによるものとする。
(ア) 直接補助として行う場合
この場合の実施主体は、都道府県、市（特別区を含む。）及び福祉事務所を設置する町村（以下「都道府県等」という。）とする。
また、本事業の全部又は一部を適切な運営が確保できると認める社会福祉協議会、社会福祉法人、特定非営利活動法人等の民間団体に、事業の全部又は一部を委託することができる。
(イ) 間接補助として行う場合
この場合の実施主体は、都道府県等が本事業の適切な運営が確保できるものとして認める社会福祉協議会、社会福祉法人、特定非営利活動法人等の団体とする。
イ 実施内容
本事業の内容は以下のとおりとする。なお、連携・協力して実施する事業者との関係において、以下の事業内容のうち一部のみ選択的に実施することも差し支えないものであること。
(ア) 居宅移行に向けた相談支援
生活困窮者及び生活保護受給者に対して、居宅生活に移行すること及び移行後

の転居先となる住宅に関して、希望や意向を聴取するとともに、転居先候補の紹介や不動産業者への同行、契約手続き等に関する助言等の居宅生活の移行に向けた相談支援を行う。
　(イ) 居宅生活移行後に安定した生活を継続するための定着支援
　　　居宅生活に移行した者に対して、居宅生活を送る上での困りごと等に関する相談や緊急時の連絡への対応を行うほか、定期的な巡回や電話により、食事や洗濯、掃除、ゴミ出し等の生活状況及び公共料金等の支払い状況の確認並びに必要に応じた助言等を実施する。
　(ウ) 入居しやすい住宅の確保等に向けた取組
　　① 居住支援法人を活用した不動産業者との調整による転居先の開拓、セーフティネット住宅を含む連帯保証人を設けることを入居条件としないなどの生活困窮者等が入居しやすい住宅のリスト化等の転居先候補となる住宅の確保に向けた取組
　　② 居住支援協議会、地方公共団体の住宅部局、宅地建物取引業者、介護サービス事業者等の関係機関との連絡調整体制の構築及び支援を行う専門職員を育成するための研修やアドバイザー派遣の実施等
　ウ 支援対象期間
　　個々の支援対象者への支援対象期間については、概ね下記の期間を目途とすること。
　(ア) 居宅移行に向けた相談支援：支援開始から概ね6か月間
　(イ) 居宅生活移行後の定着支援：転居後1年間
　エ 留意事項
　(ア) 本事業の実施に当たっては「居住不安定者等居宅生活移行支援事業の実施について」（令和3年3月30日付社援保発0330第4号厚生労働省社会・援護局保護課長通知）を参照すること。
　(イ) 居宅生活への移行支援又は居宅生活後の定着支援を行うにあたっては、対象者毎に居宅生活移行又は居宅生活の継続に向けた課題等を把握するとともに、本人の希望、意向等を踏まえた支援計画を作成するなどにより、計画的に支援を実施すること。
　　　なお、居宅生活への移行支援にあたっては、居住の安定確保の観点から、住宅扶助の代理納付や生活困窮者自立支援法における生活困窮者住居確保給付金等の仕組みを有効的に活用すること。
　(ウ) 支援の実施にあたっては、適宜、相談支援員及び担当ケースワーカーとのケース会議や生活困窮者自立支援法に基づく支援会議等の活用により包括的支援を行うほか、支援の状況についてこれらの者に対して報告を行うなどにより、連携を密にして支援を行うこと。
　(エ) 事業者に事業実施を委託又は補助する場合、委託又は補助先の選定に際しては、当該事業者の支援実績等を踏まえて、適切に事業を実施できると認められる

事業者を選定することとする。

(オ) 無料低額宿泊所を運営する事業者や生活困窮者自立支援法に基づく一時生活支援事業等を受託する事業者に事業を委託する場合、当該委託業務については、無料低額宿泊所の運営に係る管理業務や入居者の状況把握、食事の提供等の業務とは区分して実施される必要があること。

無料低額宿泊所の職員が、無料低額宿泊所及び一時生活支援事業等に係る業務の提供時間外において居宅生活移行等に向けた支援を実施することを妨げるものではないが、その場合、本事業の委託費相当分については、利用者から受領する利用料や一時生活支援事業等の算定根拠から除くなど、費用の重複が生じないようにすること。

(3) 被保護者家計改善支援事業
ア 実施主体

実施主体は、都道府県、市（特別区を含む。）及び福祉事務所を設置する町村（以下「都道府県等」という。）とする。ただし、本事業を適切、公正、中立かつ効果的に実施することができる者であって、社会福祉法人、一般社団法人、一般財団法人又は特定非営利活動法人その他の都道府県等が適当と認める民間団体に本事業の事務の全部又は一部を委託することができる。

イ 事業内容
(ア) 家計に関する課題を抱える世帯への家計改善支援

原則、「生活困窮者自立支援制度に関する手引きの策定について」（平成27年3月6日付け社援地発0306第1号厚生労働省社会・援護局地域福祉課長通知）の別紙「4 家計改善支援事業の手引き（別添4）」等で示されている、生活困窮者自立支援法に基づく家計改善支援事業と同等の内容とするが、被保護者家計改善支援については以下の点に留意すること。

なお、生活困窮者自立支援法に基づく家計改善支援事業と一体的に実施すること。ただし、一体的に実施することが難しい場合は、単独での実施も可能とするが、相談支援に従事する者は、以下の事業内容を適切に実施できる者であって、厚生労働省が実施する家計改善支援事業従事者養成研修を修了した者が望ましい。

a キャッシュフロー表、家計計画表、家計再生プラン等の作成

家計表やキャッシュフロー表等を活用することにより、相談者の家計を「見える化」し、家計に関する問題を分かりやすくしたり、生活の再生の目標を具体的に捉えやすくする支援を行うこと。

またこれらの帳票を活用しながら、家計の現状や見通しを具体的に示しながら、相談者自身の家計に対する理解を深め、本人が自ら家計管理をしていく能力を身に付けられるようにすること。

必要に応じて医療費の自己負担や社会保険料の発生など保護廃止後の生活を見据えたものを作成すること。

b 預貯金

　　生活保護費のやりくりによって生じた預貯金については、使用目的が生活保護の趣旨目的に反しないと認められる場合、活用すべき資産には当たらないものとして保有を容認するとしているので、使用目的等を予め調整すること。

c 各種給付制度等の利用に向けた支援

　　支援を実施する中で活用可能な給付金制度があることが明らかになった場合には、福祉事務所に報告すること。また、就労による収入増が望まれる場合等については、本人の同意を得た上で、被保護者就労支援事業と連携した支援を行うなど、効果的な支援の実施に努めること。

d 貸付資金

　　貸付金のうち、当該被保護世帯の自立更生のために当てられる額の償還金については、その他の必要経費として収入認定の対象外となるので、貸付利用のあっせんの際は福祉事務所に相談すること。

(イ) 大学等への進学を検討している高校生等のいる世帯への家計改善支援

　大学等への進学費用等に関する相談や助言として、以下に掲げるような支援を実施する。

（支援例）
- 希望する進路の把握、生活保護制度における進学資金等の準備についての説明
- 希望進路への進学に要する費用に関する相談・助言
- 利用可能な奨学金や貸付の紹介
- 奨学金等の申請に向けた支援
- 子どもの大学等への進学に伴って変更される出身世帯の保護費に関する説明
- 家計改善支援機関による支援
- その他大学等への進学に当たって必要な支援や相談への対応

　なお、家計改善支援機関による支援を実施する場合、(ア)の方法により実施すること。

ウ 留意事項

(ア) 本事業の実施に当たっては、自立支援プログラムに位置づけること。

(イ) 本事業の実施に当たっては、「被保護者家計改善支援事業の実施について」（平成30年3月30日付社援保発0330第12号厚生労働省社会・援護局保護課長通知）を参照すること。

(4) 関係職員等研修・啓発事業

ア 実施主体

　実施主体は、都道府県、市（特別区を含む。）及び福祉事務所を設置する町村とする。

イ 事業内容

所内研修の実施や国が認める各種研修会への参加等により、生活保護関係職員の資質向上を図る。
(5) 個別支援プログラム実施事業
　ア　実施主体
　　実施主体は、都道府県、市（特別区を含む。）及び福祉事務所を設置する町村（以下「都道府県等」という。）とする。ただし、本事業を適切、公正、中立かつ効果的に実施することができる者であって、社会福祉法人、一般社団法人、一般財団法人又は特定非営利活動法人その他の都道府県等が適当と認める民間団体に本事業の事務の全部又は一部を委託することができる。
　イ　事業内容
　　自立支援プログラムにおいて個別支援プログラムを整備し実施する（(1)・(3)の事業、被保護者就労支援事業及び社会的な居場所づくり支援事業を除く。）。
(6) 福祉事務所連携支援体制構築モデル事業
　ア　実施主体
　　実施主体は、都道府県、市（特別区を含む。）及び福祉事務所を設置する町村（以下「都道府県等」という。）とする。
　イ　実施内容
　　多様で複雑な課題を抱える被保護世帯への援助・支援方針について、関係機関と情報共有及び援助・支援の役割分担等の調整を行う会議体を設置、運営を行う。
　　会議体の設置、運営にあたり、次の点に留意すること。
　　(ｱ)　会議体で取り扱う事例
　　　多様で複雑な課題を抱える被保護世帯に対して、専門的な支援を外部から取り入れることにより支援の質が高まり、自立の助長が見込まれるケースであり、福祉事務所において会議体で取り扱うか否か判断する。
　　(ｲ)　会議体の参加者（構成員）
　　　被保護世帯が抱える課題に対する支援の内容により関係機関の参加者（構成員）は異なる。
　　(ｳ)　会議体の開催頻度等
　　　取り扱うケースなどにより開催頻度は異なるものと想定されるが、ケース診断会議等と合わせて行う方法や他制度の会議体を活用することも想定される。

（別添6）
　　一時生活支援事業実施要領
Ⅰ　一時生活支援事業
　1　目的
　　本事業は、一定の住居を持たない生活困窮者に対し、一定の期間内に限り、宿泊場所の供与、食事の提供及び衣類その他日常生活を営むのに必要となる物資の貸与又は

提供により、安定した生活を営めるよう支援することを目的とする。
2 実施主体
　実施主体は、都道府県、市（特別区を含む。）及び福祉事務所を設置する町村（以下「都道府県等」という。）とする。
　ただし、事業を適切、公正、中立かつ効率的に実施することができる者であって、社会福祉法人、一般社団法人、一般財団法人、特定非営利活動法人その他の都道府県等が適当と認める民間団体に、事業の全部又は一部を委託することができる。
3 事業の対象者
　一定の住居を持たない生活困窮者で、次の(1)又は(2)のいずれかに該当する者を対象とする。
(1) 次のア及びイのいずれにも該当する者
　ア　本事業の利用を申請した日の属する月における収入の額（同一の世帯に属する者の収入の額を含む。）が、申請日の属する年度（申請日の属する月が4月から6月までの場合にあっては、前年度）分の地方税法第295条第3項の条例で定める金額を12で除して得た額（以下「基準額」という。）及び住宅扶助基準に基づく額を合算した額以下であること。
　イ　申請日における金融資産の額（同一の世帯に属する者の所有する金融資産を含む。）が、基準額に6を乗じて得た額（当該額が100万円を超える場合は100万円とする。）以下であること。
(2) 都道府県等が、緊急性等を勘案し支援が必要と認められる者
4 事業内容
(1) 支援内容
　本事業の支援内容は、次に掲げるものとする。
　ア　利用者に対し宿泊場所や食事の提供を行うとともに、衣類等の日用品を支給又は貸与、及び定期的な入浴等の日常生活上必要なサービスを提供する。
　イ　利用開始時及び利用期間中において定期的に健康診断及び健康医療相談を行うとともに、医療等が必要な場合は、福祉事務所又は保健所等と十分な連携の下で必要な医療等を確保する。
　ウ　実施主体の判断により、保健師、看護師、精神保健福祉士その他これらと同等に業務を行うことができる者（以下「医療職等」という。）が路上等又は宿泊場所において、巡回相談や必要な支援を実施する。
(2) 利用手続
　本事業の実施に当たり、実施主体は、施設の利用、管理等に関し、必要な規則を定めることとする。
　本事業を実施するに際し、自立相談支援機関と十分連携を図りながら実施することが必要であることから、本事業の利用については、自立相談支援機関が作成するプランに盛り込むこととする。
(3) 利用期間

　　　　本事業の利用期間は原則として3か月以内とする。
　　　　ただし、本人に対するアセスメントの状況を踏まえ、都道府県等が必要と認める場合は、6月を超えない範囲内で都道府県等が定める期間とすることができる。
　　(4) 宿泊場所の供与を行う施設
　　　　施設は、日照、採光、換気等利用者の保健衛生及び防災について十分配慮されたものであり、以下の要件を満たすものとする。
　　　ア　施設の構造
　　　　施設は、建築基準法に定める基準等を満たしたものであること。
　　　イ　施設の設備
　　　　施設には、次の設備を設けなければならない。
　　　(ア) 事務室
　　　(イ) 宿泊室
　　　(ウ) 浴室又はシャワー室
　　　(エ) 便所・洗面所
　　　　なお、同一施設において、自立相談支援事業を合わせて実施する場合には、上記のほか相談室等を設けるものとする。また、宿泊施設やアパート等の一室を借り上げる方法により実施する場合や他の社会福祉施設等と設備の一部を共用すること等により当該施設の運営上支障が生じない場合には上記の限りでない。
　　　ウ　職員の配置
　　　　施設には、施設長及び夜間の警備に必要な職員を配置する。ただし、夜間の警備に必要な職員については、非常勤とすることも差し支えない。
　　　　なお、宿泊施設やアパート等の一室を借り上げる方法により実施する場合は、この限りではない。
　　　　医療職等による相談や支援を行う際は、必要な職員を配置する。なお、相談や支援の頻度等に応じて非常勤とすることも差し支えない。
Ⅱ　一時生活支援事業のうち地域居住支援事業
1　目的
　　本事業は、生活困窮者・ホームレス自立支援センターや、生活困窮者一時宿泊施設を利用していた生活困窮者であって、現に一定の住居を有する者や、現在の住居を失うおそれのある者であって、地域社会から孤立している者に対し、一定の期間にわたり、訪問による必要な情報の提供及び助言、地域社会との交流の促進、住居の確保に関する援助、生活困窮者自立支援事業を行う者そのほかの関係者との連絡調整そのほかの日常生活を営むのに必要な支援を行うことを目的とする。
2　実施主体
　Ⅰ　一時生活支援事業に同じ。
3　事業の対象者
　　次の(1)または(2)のいずれかに該当する者
　(1) 生活困窮者・ホームレス自立支援センター等の退所者

(2) NPO、ボランティア団体等の民間団体をはじめ、民生委員、社会福祉協議会、社会福祉士及び地域住民等からの情報提供により把握した、現在の住居を失うおそれのある生活困窮者であって、地域社会から孤立した状態にある者のうち、都道府県等が必要と認める者
4 事業内容
(1) 支援内容
 本事業の支援内容は、次に掲げるものとする。
 ア 入居にあたっての支援
  地域における居住支援・生活支援に係るサービスの内容等を予め把握した上で、不動産業者等に同行し、物件や家賃債務保証業者の斡旋を依頼し、家主等との入居契約等の手続きに係る支援を行う。
  また、病院の医療ソーシャルワーカー（MSW）等と連携し、退院・退所後に居住支援を必要とする者を把握した上で、宅地建物取引業者、家主、居住支援法人、居住支援協議会等と連携し、自立相談支援事業等における継続的な支援を実施する。
 イ 居住を安定して継続するための支援
  支援員の個別訪問による見守りや生活支援を行う。
  その際、具体的な相談内容に応じて、福祉事務所や公共職業安定所等の関係機関への相談につなげる。
 ウ 互助の関係作り
  サロンやリビング等といった支援を必要とする者同士が集まることができる地域社会との交流の場を造り、支援を必要とする者同士が相互に支え合う関係や、地域住民とのつながりの構築支援を行う。
 エ 地域づくり関連業務（地域への働きかけ）
  生活困窮者が地域の中で支え合いながら生活することができる「場」をつくり、その中で本人が持つ様々な可能性を十分に発揮できるよう地域への働きかけを行っていく。
  そのため、地域に様々な社会資源がある場合は、それらをいつでも活用できるようにしておくことや、必要な社会資源が不足する場合は、自治体や関係機関と検討し、開発すること。
  また、日頃から地域の中でこれらの関係機関・関係者とのネットワークを築いておくこと。
(2) 利用手続
 本事業を実施するに際し、自立相談支援機関と十分連携を図りながら実施することが必要であることから、本事業の利用については、自立相談支援機関が作成するプランに盛り込むこととする。
(3) 利用期間
 １年を超えない範囲とする。なお、利用期間終了後も円滑な日常生活が営めるよ

う、自立相談支援機関との連携により、関係機関による見守りや生活支援など日常生活を営むのに必要な支援体制の構築を図る。
Ⅲ 留意事項
(1) 事業の実施に当たっては、「一時生活支援事業の運営の手引き」(平成27年3月6日社援地発0306第1号厚生労働省社会・援護局地域福祉課長通知)を参照すること。
(2) 本事業の実施に携わる職員は、利用者のプライバシーの保護に十分配慮するとともに、業務上知り得た秘密を漏らしてはならないこと。また、利用者に対しては、性別に配慮したきめ細かな自立支援を行うとともに、必要に応じて、婦人相談所や婦人保護施設等の関係施設とも十分連携すること。このほか、利用者の特性により、社会的な偏見や差別を受け弱い立場に置かれやすい者に対しては、配慮を行うこと。
(3) 関係機関と個人情報を共有する場合は本人から同意を得ておくなど、個人情報の取扱について適切な手続きを踏まえること。
(4) 本事業の実施に当たっては、本人の状況に応じて、適切に就労準備支援事業等につなげることができるよう、自立相談支援機関との連携を図ること。また、本人の状況に応じて、適切に生活保護につなげることができるよう、自立相談支援機関とともに福祉事務所とも連携を図ること。
なお、本事業と自立相談支援事業を一体的に実施する場合には、利用者の就労促進のため、公共職業安定所による職業相談の実施等に当たって連携を図ること。
(5) 本事業の実施に当たって、地域社会の理解が得られるよう、例えば、生活困窮者・ホームレス自立支援センターの利用者が地域の清掃活動を行う等地域住民との交流を深めるとともに、地元自治会等を含めた協議会を設けるなど、地域に密着した事業の運営が行えるよう配慮すること。
(6) Ⅰの4(1)ウの事業を実施する場合は、特に路上等における生活が長期化し、高齢化した者に配慮し、きめ細かな相談や必要な支援を行うとともに、必要に応じて医療機関と連携を図るよう配慮すること。
(7) Ⅱの一時生活支援事業のうち地域居住支援事業の実施にあたっては、地域における様々な社会資源を活用することが重要であり、例えば、住宅セーフティネット法に基づく居住支援協議会等を通じ、生活困窮者自立支援制度における支援について理解の促進を図る機会の創出、生活困窮者支援に積極的な大家や不動産業者のストックの充実、本人が自身の役割を発揮できる場として既存のサロンの活用等も含めた居場所作りなどが考えられる。
(8) Ⅱの一時生活支援事業のうち地域居住支援事業の適用期間は、令和5年9月末までとし、以降は同年10月から適用予定の別添7の「地域居住支援事業実施要領」に基づき実施するものとする。

(別添7)
地域居住支援事業実施要領
1 目的

本事業は、現在の住居を失うおそれのある者であって、地域社会から孤立している者等に対し、一定の期間にわたり、訪問による必要な情報の提供及び助言、地域社会との交流の促進、住居の確保に関する援助、生活困窮者自立相談支援事業を行う者やその他の関係者との連絡調整など日常生活を営むのに必要な支援を行うことを目的とする。

2 実施主体

実施主体は、都道府県、市（特別区を含む。）及び福祉事務所を設置する町村（以下「都道府県等」という。）とする。

ただし、事業を適切、公正、中立かつ効率的に実施することができる者であって、社会福祉法人、一般社団法人、一般財団法人、特定非営利活動法人、居住支援法人、その他の都道府県等が適当と認める民間団体に、事業の全部又は一部を委託することができる。

3 事業の対象者

次の(1)又は(2)のいずれかに該当する者とする。

(1) 生活困窮者一時生活支援事業の退所者

(2) 自立相談支援機関、ＮＰＯ、ボランティア団体等の民間団体をはじめ、民生委員、社会福祉協議会、社会福祉士又は地域住民等からの情報提供により把握した、現在の住居を失うおそれのある又は失った生活困窮者（終夜営業店舗や知人宅等に滞在する者も含む。）であって、地域社会から孤立した状態にある者のうち、都道府県等が必要と認める者

4 事業内容

(1) 支援内容

本事業の支援内容は、以下ア～オの取組（以下「居住支援」と総称する。）とし、このうち、本事業の実施にあたっては、ア及びイの取組の実施を必須とする。また、事業の実施にあたっては、必ず自立相談支援機関と連携することとする。

ア 入居にあたっての支援

地域における居住支援・生活支援に係るサービスの内容等をあらかじめ把握した上で、住まいに関する相談支援、不動産媒介業者等への同行、物件や家賃債務保証業者のあっせん依頼、家主等との入居契約等の手続に係る支援を行う。

また、病院の医療ソーシャルワーカー（ＭＳＷ）等と連携し、退院・退所後に居住支援を必要とする者を把握した上で、不動産媒介業者、家主、居住支援法人、居住支援協議会等と連携し、自立相談支援事業等における継続的な支援を実施する。

イ 居住を安定して継続するための支援

居住支援を行う職員（以下「居住支援員」という。）等の戸別訪問による見守りや生活支援を行う。

その際、具体的な相談内容に応じて、福祉事務所や公共職業安定所等の関係機関やインフォーマルサービス等への相談につなげる。

ウ 互助の関係づくり

サロンやリビング、空き家を活用し、支援を必要とする者同士が集まることがで

きる地域社会との交流の場をつくり、支援を必要とする者同士が相互に支え合う関係や、地域住民とのつながりの構築支援を行う。
　エ　地域づくり関連業務（地域への働きかけ）
　　生活困窮者が地域の中で支え合いながら生活することができる「場」をつくり、その中で本人が持つ様々な可能性を十分に発揮できるよう、地域への働きかけを行う。
　　そのため、地域に様々な社会資源（公営住宅、空き家、他施設等）がある場合は、それらをいつでも活用できるようにし、支援の担い手や必要な社会資源が不足する場合は、自治体や関係機関と連携し、開拓に努めること。
　　また、日頃から地域の中でこれらの関係機関・関係者（生活困窮者支援に積極的な大家や不動産事業者等）とのネットワークを築いておくこと。
　オ　その他
　　地域における居住支援ニーズの把握や、住宅部局・福祉部局等の関係機関における共通アセスメントシートの作成、関係機関・関係者に対する本事業の広報など、ア〜エの取組に資する業務を行う。
(2) 利用期間
　　入居後一年を超えない範囲とする。なお、利用期間終了後も日常生活を円滑に営めるよう、自立相談支援機関との連携により、関係機関による見守りや生活支援など日常生活を営むのに必要な支援体制の構築を図る。
5　配置職員
　本事業の実施に当たっては、居住支援員を事業実施場所に配置するものとする。なお、生活困窮者の数その他の状況により、他の職種と兼務するなど、地域の実情に応じた対応を行うことも可能とする。
6　留意事項
(1) 本事業の実施に当たって参照する手引きについては、今後作成する予定であるため、追って連絡する。
(2) 本事業の実施に携わる職員は、利用者のプライバシーの保護に十分配慮するとともに、業務上知り得た秘密を漏らしてはならないこと。また、利用者に対しては、性別に配慮したきめ細かな自立支援を行うとともに、必要に応じて、婦人相談所や婦人保護施設等の関係施設とも十分連携すること。このほか、利用者の特性により、社会的な偏見や差別を受け弱い立場に置かれやすい者に対しては、配慮を行うこと。
(3) 関係機関と個人情報を共有する場合は本人から同意を得ておくなど、個人情報の取扱いについて適切な手続を踏まえること。
(4) 本事業の実施に当たっては、本人の状況に応じて、適切に就労準備支援事業等につなげることができるよう、自立相談支援機関との連携を図ること。また、本人の状況に応じて、適切に生活保護につなげることができるよう、自立相談支援機関とともに福祉事務所とも連携を図ること。
　　なお、本事業と自立相談支援事業を一体的に実施する場合には、利用者の就労促進

のため、公共職業安定所による職業相談の実施等に当たって連携を図ること。
(5) 住宅セーフティネット法に基づく居住支援協議会が設置されている場合は、可能な限り当該協議会に参画し、住宅部局・福祉部局等の関係機関、関係団体が連携した居住支援を行うよう連携を図ること。
(6) 被保護者に対する居住安定確保支援事業を実施している自治体は、一体的に行うことが望ましい。
　　　附　則
本実施要領の適用期間は、令和5年10月1日からとする。

(別添8)
　　　家計改善支援事業実施要領
1　目的
　本事業は、家計収支の均衡がとれていないなど、家計に課題を抱える生活困窮者からの相談に応じ、相談者とともに家計の状況を明らかにして家計の改善の意欲を引き出した上で、家計の視点から必要な情報提供や専門的な助言・指導等を行うことにより、相談者自身の家計を管理する力を高め、早期に生活が再生されることを目的とする。
2　実施主体
　実施主体は、都道府県、市（特別区を含む）及び福祉事務所を設置する町村（以下「都道府県等」という。）とする。
　ただし、事業を適切、公正、中立かつ効率的に実施することができる者であって、社会福祉法人、一般社団法人、一般財団法人、特定非営利活動法人その他の都道府県等が適当と認める民間団体に、事業の全部又は一部を委託することができる。
3　事業内容
　本事業の実施に当たっては、家計表やキャッシュフロー表等を活用して相談者とともに生活困窮者の抱える家計に関する課題を「見える化」し、家計に関する問題の背景にある根源的な課題を整理して家計管理の力を高め、家計に関するプラン（家計再生プラン）を作成し、早期の生活再生を目指していくため、以下の取組を実施することとする。
(1) 支援内容
　ア　家計管理に関する支援
　　　相談者とともに、家計表やキャッシュフロー表を活用して、家計の見える化を図るとともに、家計収支の均衡を図るなどの出納管理の支援を行い、家計を相談者自らが管理できるよう支援を行う。
　イ　滞納（家賃、税金、公共料金など）の解消や各種給付制度等の利用に向けた支援
　　　アセスメント段階で聞き取った相談者の状況や家計の状況、滞納状況などを勘案して徴収免除や徴収猶予、分割納付等の可能性を検討し、自治体の担当部署や事業所などとの調整や申請等の支援を行う。
　ウ　債務整理に関する支援（多重債務者相談窓口との連携等）

多重・過剰債務等により債務整理が必要な者などに対しては、多重債務者相談窓口等と連携し、必要に応じて法律専門家へ同行して債務整理に向けた支援を行う。
　　エ　貸付のあっせん
　　　相談者の家計の状況を把握し、一時的な資金貸付が必要な場合、貸付金の額や使途、家計再生の見通しなどを記載した「貸付あっせん書」を作成し、本人の家計の状況や家計再生プランなどを貸付機関と共有し、貸付の円滑・迅速な審査につなげる。
(2)　支援の流れ
　　家計改善支援事業と自立相談支援事業は、アセスメントの結果や相談者の状況変化等の必要な情報を常に共有し、適切に連携を図りながら支援を行う。また、事業を実施する中で把握した生活困窮者を自立相談支援事業につなぐ体制を確保するものとする。
　　ア　生活困窮者の把握、アウトリーチ
　　　自立相談支援機関との連携体制を構築するとともに、多重・過剰債務の相談窓口や貸付機関、自治体の関係部署等との連携を図り、早期発見のためのネットワークを構築する。
　　　また、必要に応じ積極的に家計管理に関する講習会や出張相談等を実施するなど、対象者の早期把握に向けた取組を行う。
　　イ　アセスメント
　　　相談者の生活の状況と家計を見える形で示すため、家計改善支援員は、家計表の作成を通じて家計収支の状況を具体的に把握した上で、支援の方向性を検討する。あわせて、就労状況、家族の課題等の必要な情報を把握する。
　　ウ　家計再生プラン策定
　　　アセスメントの結果を踏まえて、相談者の意向と真に解決すべき課題を整理し、生活を早期に再生させるための家計再生プランを作成する。この際には、生活再生の目標を具体的に捉えるため、家計表やキャッシュフロー表を活用する。
　　　なお、家計再生プランによる支援期間は原則1年とするが、相談者の状況により柔軟に対応するものとする。
　　エ　支援調整会議への参加
　　　家計改善支援事業の実施にあたっては、自立相談支援機関がプランを作成することとされており、その際には、家計改善支援員も原則として自立相談支援機関が開催する支援調整会議に参加し、家計の視点から協議することが望ましい。
　　オ　支援サービスの提供
　　　相談者の状況に応じて、3(1)による支援サービスを提供する。
　　カ　モニタリング
　　　定期的な面談により家計の改善状況や家計管理に対する認識や意欲の向上などを確認し、自立相談支援機関との情報共有を図る。
　　キ　家計再生プランの評価

家計再生プラン策定時に定めた期間が終了した場合、もしくはそれ以前に本人の状況に大きな変化があった場合に、設定した目標の達成度や、支援の実施状況、支援の成果、新たな生活課題はないかなどの確認を行う。これにより、支援を終結させるか、または新たに家計再生プランを作成して支援を継続するかを判断する。
(3) 貸付機関との連携
　貸付機関については、生活福祉資金貸付事業を行う都道府県社会福祉協議会のほか、母子父子寡婦福祉資金等の公的貸付制度と連携することが考えられる。なお、これらの公的貸付制度は市町村民税非課税世帯を対象とするなど対象者が限定されていることから、本事業の利用者にはこれらの対象にはならない者も含まれることが考えられる。その場合、これらの公的貸付制度のほか、消費生活協同組合等の貸付事業を行う機関との連携も図りながら、利用者の一時的な資金ニーズを充足できるように支援を進めていくことも重要である。
(4) 配置職員
　家計改善支援員は、原則として厚生労働省が実施する養成研修を受講し、修了証を受けていること（ただし、当分の間は、この限りでない。）、かつ、次のいずれかに該当する者など、生活困窮者への家計に関する相談支援を適切に行うことができる人材であること。
　ア　消費生活専門相談員、消費生活アドバイザー又は消費生活コンサルタントの資格を有する者
　イ　社会福祉士の資格を有する者
　ウ　社会保険労務士の資格を有する者
　エ　ファイナンシャルプランナーの資格を有する者
　オ　その他アからエに掲げる者と同等の能力または実務経験を有する者
4　留意事項
(1) 事業の実施に当たっては、「生活困窮者自立支援制度に関する手引きの策定について」（平成27年3月6日社援地発0306第1号厚生労働省社会・援護局地域福祉課長通知の別添4「家計改善支援事業の手引き」）を参照すること。
(2) 被保護者家計改善支援事業と一体的に実施する場合は、「被保護者家計改善支援事業の実施について」（平成30年3月30日付社援保発0330第12号厚生労働省社会・援護局保護課長通知）を参照すること。
(3) 相談支援に当たっては、「家計改善支援事業の手引き」別冊に掲載している様式を参考に、地域の実情に応じて適宜使用することが望ましい。
(4) 関係機関と個人情報を共有する場合は本人から同意を得ておくなど、個人情報の取扱いについて適切な手続きを踏まえること。

（別添9）
　　　　生活困窮世帯の子どもに対する学習・生活支援事業実施要領
1　目的

本事業は、貧困の連鎖を防止するため、生活困窮世帯の子どもに対する学習支援及び保護者も含めた生活習慣・育成環境の改善に関する支援を推進することを目的とする。
2 実施主体
　実施主体は、都道府県、市（特別区を含む。）及び福祉事務所を設置する町村（以下「都道府県等」という。）とする。
　ただし、事業を適切、公正、中立かつ効率的に実施することができる者であって、社会福祉法人、一般社団法人、一般財団法人、特定非営利活動法人その他の都道府県等が適当と認める民間団体に、事業の全部又は一部を委託することができる。
3 事業内容
　本事業は、生活保護受給世帯を含む生活困窮世帯の子どもを対象として、次の(1)～(4)に掲げる取組等を実施するものである。その目的の範囲内において、地域の実情に応じ柔軟に実施することが可能であり、創意工夫により効率的・効果的に実施することが求められる。
(1) 学習支援
　　高校等受験のための進学支援、学校の勉強の復習、学習の習慣づけ、学び直し
(2) 生活習慣・育成環境の改善
　ア　子どもに対する支援
　　㈡　居場所での相談支援
　　　学習・生活支援事業の実施スペース等を活用した支援員による相談支援、子ども同士の交流場所の提供
　　㈣　日常生活習慣の形成
　　　居場所づくりの場や家庭訪問時における後片付けや手洗い、うがい等の健康管理の習慣づけ、日用品の使い方に関する助言等
　　㈥　社会性の育成
　　　日常生活における挨拶や言葉遣いに関する助言等
　　㈧　体験活動等
　　　調理実習、農業体験、年中行事の体験や企業訪問、大学見学等
　　㈩　高校生世代への支援
　　　高等学校進学者や高校等中退者等に対する居場所の提供や個別相談、職場体験、自立した社会生活を行うための助言等
　イ　保護者に対する支援
　　㈡　子どもの養育に必要な知識の情報提供等
　　　子どもへの教育の必要性、食生活や衛生環境の改善、子どもとの接し方に関する助言、講座や相談会の開催等
　　㈣　巡回支援等を通じた世帯全体への支援
　　　家庭訪問や保護者面談等による相談支援、必要に応じた自立相談支援事業の利用勧奨、各種支援策の情報提供や利用勧奨等
(3) 進路選択等に関する支援等

ア 進路相談等
　　子ども及び保護者に対する進路選択に関する相談、進学に必要な奨学金などの公的支援の情報提供、子どもの将来の就職に向けた相談支援等
イ 関係機関との連絡調整
　　ほかの学習支援事業の事業実施者との連絡調整、教育機関をはじめとした各種支援者との情報交換や会議の開催、必要に応じた生活困窮者自立支援制度の各事業の実施主体との連絡調整等
(4) その他貧困の連鎖の防止に資すると認められる支援
※ (2)以外の実施方法としては、拠点形式に限らず家庭訪問等による実施も可能。
4 留意事項
(1) 母子及び父子並びに寡婦福祉法（昭和39年法律第129号）に基づくひとり親家庭の子どもに対する生活・学習支援事業や社会教育法（昭和24年法律第207号）に規定する学習の機会を提供する事業（地域未来塾）その他関連する施策との連携を図るよう努めること。
(2) 関係機関との連携、特に、教育委員会、学校との連携・調整を行うこと。連携にあたっては、「生活困窮者自立支援制度と教育施策との連携について」（平成27年３月27日社援地発0327第７号厚生労働省社会・援護局地域福祉課長通知）を活用しつつ、事業趣旨の共有や学校等が把握している子どもの情報が共有されやすい関係を構築するほか、事業の対象となる子どもの掘り起こしや、支援者となる地域の教員ＯＢ等の紹介につながるという視点も持って、積極的にこれを行うこと。
(3) 必要に応じ、子どもと保護者の双方に必要な支援を行うことを検討すること。
(4) 子どもの貧困の解消には世帯全体の課題解決も不可欠であり、本事業を通じ、複合的な課題を抱える保護者などを自立相談支援事業等につなげることが必要となる場合には確実にこれを行うこと。
(5) 関係機関と個人情報を共有する場合は本人（保護者）から同意を得ておくことなど、個人情報の取扱いについて適切な手続きを踏まえること。
(6) 支援の充実のためにも、生活支援の観点から取り組まれている、地域や民間の実践（料理体験や職業体験、ワークショップ等）と連携し、子どもの将来の自立に向けた様々な経験・体験の提供を検討すること。

（別添10）
　　　　都道府県による市町村支援事業実施要領
1 目的
　本事業は、都道府県が市（特別区を含む）及び福祉事務所設置町村（以下、「市等」という。）に対して必要な助言、情報提供その他の援助を行い、事業の円滑な実施を推進することを目的とする。
2 実施主体
　実施主体は、都道府県とする。

ただし、事業を適切、公正、中立かつ効率的に実施することができる者であって、社会福祉法人、一般社団法人、一般財団法人又は特定非営利活動法人その他の都道府県が適当と認める民間団体に、事業の全部又は一部を委託することができる。
3　事業内容
　実施主体は、地域の実情に応じて、次に掲げる事業を実施することができるものとする。
(1)　生活困窮者自立支援制度の従事者等に対する研修
　　ア　目的
　　　　市等において自立相談支援事業、就労準備支援事業及び家計改善支援事業に従事する者等に対する人材養成研修の実施や、市等の生活困窮者自立支援制度に関するシンポジウム・勉強会の実施等により、自立相談支援事業等に従事する者等の知識や支援技術の向上を図るとともに、生活困窮者支援に対する関係機関・関係者等の理解を深めることを目的とする。
　　イ　事業内容
　　　(ｱ)　人材養成研修の実施
　　　　　自立相談支援事業、就労準備支援事業及び家計改善支援事業に従事する者等の支援の専門性を十分に高めるために、自立相談支援事業等に従事する者等に対し、研修を行う。なお、研修内容については、「生活困窮者自立支援制度人材養成研修実施要綱」(平成30年4月19日付社援発0419第4号厚生労働省社会・援護局長通知別紙) を参考に、地域における支援ニーズ等を加味して検討されたい。
　　　(ｲ)　その他人材養成に必要な取組
　　　　　人材養成研修のほか、生活困窮者支援に対する関係機関・関係者等の理解を深めるために、生活困窮者自立支援制度に関するシンポジウムや勉強会等を行う。
(2)　生活困窮者自立支援法に基づく各事業の実施体制の整備の支援
　　ア　目的
　　　　市等において生活困窮者自立支援法に基づく各事業の実施体制を整備するための取組を実施し、任意事業の実施促進による市等における支援メニューの充実を図ることを目的とする。
　　イ　事業内容
　　　(ｱ)　広域調整の実施
　　　　　単独で任意事業を実施することが困難な市等に対し、都道府県の主導により、都道府県と管内市町村とで共同して事業を実施する際の調整を行う。
　　　(ｲ)　その他実施体制整備への支援
　　　　　任意事業の実施に困難を抱える市等に対して、事業実施に向けた環境調整や訪問支援等を行う。
(3)　社会資源の広域的な開拓・市域を越えたネットワークづくり
　　ア　目的
　　　　生活困窮者支援に関連する他職種も含めた社会資源の広域的な開拓を図るととも

に、市域を越えて支援体制充実のためのネットワークづくりの取組を実施し、地域の関係機関の連携強化による効果的な支援を促進することを目的とする。
　イ　事業内容
　　(ア)　社会資源の広域的な開拓
　　　　生活困窮者への支援を行う事業者等の関係機関及び関係者に対して、地域の社会資源の現状や課題等に関する認識を共有するための説明会等を実施するとともに、社会資源の活用促進及び開発に向けた具体的な取組を行う。また、生活困窮者への包括的な支援を実現するために、地域の社会資源の現状及び課題を把握するとともに、当該地域の社会資源の活用促進・開発するための調査研究を実施する等、その他社会資源の開拓に必要な取組を実施する。
　　(イ)　市域を越えたネットワークづくり
　　　　支援が困難な事例等に対し、市域を越えて経験豊富な相談員へ支援手法の相談を行ったり、生活困窮者支援に従事する支援機関と、その他の行政、教育、福祉（児童、高齢、障害）、医療などの関係機関や学識者等が一堂に会し、それぞれの立場から取組について提案する場を設ける等、他職種も含めた協議の場を構築する等の取組により、市域を越えた支援ネットワークづくりを行う。
　　　　具体的には、生活困窮者の支援経験が豊富な者へ相談できるよう、都道府県に「支援者専用電話相談ライン」やメール相談受付の体制を構築することや、他職種も含めたネットワーク会議の実施により、支援内容の提案・助言を受けることが考えられる。
(4)　その他、都道府県が市町村を支援するために実施する事業
　　上記(1)～(3)までの事業のほか、地域の実情に応じ、都道府県が市等を支援するための事業を行うことができる。

(別添11)
　　　　　　福祉事務所未設置町村による相談事業実施要領
1　目的
　　福祉事務所を設置していない町村（以下「福祉事務所未設置町村」という。）において、一次的な相談支援として、生活困窮者及び生活困窮者の家族その他の関係者（以下この別添10において「生活困窮者等」という。）からの相談に応じ、必要な情報の提供及び助言、都道府県との連絡調整、自立相談支援事業の利用勧奨その他の必要な援助等を行うことにより、生活困窮者に身近な行政機関における支援体制の構築を図ることを目的とする。
2　実施主体
　　実施主体は、福祉事務所未設置町村とする。
　　ただし、事業を適切、公正、中立かつ効率的に実施することができる者であって、社会福祉法人、一般社団法人、一般財団法人又は特定非営利活動法人その他の実施主体が適当と認める民間団体に、事業の全部又は一部を委託することができる。

3 事業内容
   実施主体は、都道府県と緊密に連携の上、次に掲げる事業を実施するものとする。
 (1) 一次的な相談支援等
   ア 生活困窮者の複合的な課題に包括的・一元的に対応する窓口を設置し、生活困窮者等から来所等による相談を受け付ける。
     また、生活困窮者の中には自ら相談に訪れることが困難な者もいることから、都道府県が設置する自立相談支援機関とも連携しながら、待ちの姿勢ではなく、訪問支援などアウトリーチを含めた対応に努める。この場合、地域における関係機関とのネットワークの強化を図り生活困窮者の早期把握に努め、必要に応じて訪問や声かけなどを行う。
   イ 相談受付時に、相談者の主訴を丁寧に聞き取った上で、他制度や他機関へつなぐことが適当かを判断（振り分け）する。
   ウ 相談者へ他制度等の紹介のみで対応が可能な場合や、明らかに他制度や他機関での対応が適当であると判断される場合は、情報提供や他機関へつなぐことにより対応する。なお、相談者が要保護となるおそれが高いと判断される場合には、生活保護制度に関する情報提供、助言等の措置を講ずる。
   エ 相談内容から、自立相談支援機関による支援が必要であると判断される場合は、相談者本人に対して、都道府県が実施する自立相談支援事業等の利用の勧奨を行うとともに、相談者本人の同意を得た上で、相談内容や相談者の個人情報等を業務上必要な範囲において、都道府県に提供する。
 (2) 都道府県との連絡調整・支援のサポート等
   ア 都道府県が実施する自立相談支援事業につないだときは、必要に応じて、当該生活困窮者に関する都道府県が開催する支援調整会議に参画するほか、プランに基づく各支援機関による支援が始まった後もその実施状況や支援対象となっている生活困窮者の状態に関する情報を確認するなど適宜、都道府県の支援をサポートするとともに、当該生活困窮者のフォローアップに努めるものとする。
   イ 支援の終結に当たっては、都道府県とともに地域における見守りなどの必要性を検討し、必要に応じてフォローアップを行うほか、本人の状況を適宜把握し、必要に応じ本人からの相談に応ずることができる体制を整えておくことが望ましい。
4 留意事項
 (1) 本事業を実施した場合であっても、自立相談支援事業の実施主体は引き続き都道府県であることから、都道府県には相談対応を行う福祉事務所未設置町村に対しても適切な事業実施を行うことが求められること。
 (2) 本事業は、都道府県が町村に対し相談対応の実施を依頼し、実質的に権限移譲のようになることを想定しているものではなく、都道府県の果たすべき役割を減じるものではないことから、福祉事務所未設置町村は、当該事業を実施するに当たって、予め管轄する都道府県とそれぞれの役割分担や連携方法等を調整すること。

(別添12)
アウトリーチ等の充実による自立相談支援機能強化事業実施要領
1 目的
　生活困窮者自立支援制度の自立相談支援機関におけるアウトリーチ等の充実を行い、社会参加に向けたより丁寧な支援を必要とする方への支援を強化する。
2 実施主体
　実施主体は、都道府県、市（特別区を含む。）及び福祉事務所を設置する町村（以下「都道府県等」という。）とする。ただし、事業を適切、公正、中立かつ効率的に実施することができる者であって、社会福祉法人、一般社団法人、一般財団法人又は特定非営利活動法人その他の都道府県等が適当と認める民間団体に、都道府県等が直接行うこととされている事務を除き、事業の全部又は一部を委託することができる。
3 事業実施要件
　当該実施主体である都道府県等が就労準備支援事業及び家計改善支援事業を実施していること。ただし、事業開始前年度の1月1日時点で人口が2万人未満の都道府県等にあっては、次年度以降、就労準備支援事業あるいは家計改善支援事業（既に就労準備支援事業もしくは家計改善支援事業のいずれかを実施している場合は、一方の未実施である事業）の実施（必要な財政措置を含む。）予定であることをもって実施要件を満たすこととする。
4 事業内容
　自立相談支援機関にアウトリーチ支援員を配置し、社会参加に向けてより丁寧な支援を必要とする方に対して、アウトリーチ等による積極的な情報把握により早期に支援につなぐことや、支援につながった後の集中的な支援を行うことで、自立支援を強化する。
　ア　アウトリーチの充実
　　・　自立相談支援機関に、アウトリーチ支援員を配置する。
　　・　アウトリーチ支援員は、ひきこもり地域支援センターやサポステ等の自立相談支援機関と関係する他の機関とのネットワークを形成するとともに、同行相談や、信頼関係の構築といった対本人型のアウトリーチを主体に、ひきこもり状態にある方など、支援に時間のかかる方に対して、より丁寧な支援を実施するために実施する。
　　・　具体的には、アウトリーチの充実として次の支援等を行う。
　　　①　家族などから相談があったケースについて、自宅に伺い、本人に接触するなど、初期のつながりを確保
　　　②　つながりが出来た後の信頼関係の構築、本人に同行した、関係機関への相談、就労支援といった、自立までの一貫した支援を実施
　イ　相談へのアクセスの向上
　　・　アウトリーチ支援員による土日祝日や時間外の相談の実施等、相談へのアクセスを向上する。

5 留意事項
(1) 事業内容に定めるア及びイのいずれも実施することとするが、イについては、必ずしも常時又は定期的に土日祝日や時間外の相談窓口を設置している必要はなく、個別の相談ニーズに応じて土日祝日や時間外の相談対応に応じることでも差し支えない。
(2) 本事業の開始以前に自立相談支援事業において配置されている職員を振り替えることでアウトリーチ支援員とする場合は、自立相談支援事業に新たな職員を配置し、全体として体制強化を図る必要があること。
(3) アウトリーチ支援員は、以下に掲げる者とする。ただし、当分の間は経過措置とし、支援業務に従事する中で生活困窮者自立支援制度人材養成研修を受講し修了することが望ましい。また、その他、都道府県等が実施するひきこもりやアウトリーチ支援等をテーマとした研修等に積極的に参加し、支援の質の向上を図ること。
・ 令和元年度は、これまで国が実施した主任相談支援員養成研修、相談支援員養成研修、就労支援員養成研修のいずれかの修了者。
・ 令和2年度以降は、国及び都道府県で実施する主任相談支援員養成研修、相談支援員養成研修、就労支援員養成研修のいずれか及び国が実施する生活困窮者自立支援制度人材養成研修におけるテーマ別研修(ひきこもり支援について)の修了者。
(4) ひきこもりの状態にある方やその家族から相談が寄せられた場合には、以下の点に留意の上、丁寧な対応を徹底すること。
・ 経済的困窮の状態が明らかでない場合であっても、自立相談支援機関において相談を確実に受け止めること
・ ひきこもりの状態の背景となる多様な事情やそれぞれの心情に寄り添い、本人やそのご家族を中心とした支援を継続すること

(別添13)
就労準備支援事業等実施体制整備モデル事業
1 目的
　市同士の連携や都道府県の関与による広域実施について、実施自治体の取組例を参考とし、こうした取組をモデル的に実施することで、任意事業の実施を推進することを目的とする。
2 実施主体
　実施主体は、都道府県、市(特別区を含む。)及び福祉事務所を設置する町村(以下「都道府県等」という。)とする。
　ただし、事業を適切、公正、中立かつ効率的に実施することができる者であって、社会福祉法人、一般社団法人、一般財団法人又は特定非営利活動法人その他の都道府県等が適当と認める民間団体に、事業の全部又は一部を委託することができる。
3 事業内容
　任意事業が未実施である都道府県等が市同士の連携や都道府県の関与による就労準備支援事業等の広域実施のため、次に掲げる内容から必要なものを実施する。
(1) 広域実施の際の事業運営や自治体間の費用按分に係るルール作りや調整等。

(2) 委託先となる法人等の広域地域における社会資源の開拓。
  (3) 広域実施の中心となる都道府県等による、広域実施のモデル参加自治体の住民を対象とした支援（試行的実施による利用ニーズの把握等）
4 留意事項
  (1) 任意事業が未実施である都道府県等は、本事業に参加した年度の翌年度は、原則として、モデル実施した任意事業を実施することとする。
  (2) 「3　事業内容」の(1)〜(3)については、任意事業が未実施である都道府県等1自治体につき、それぞれ1年限りの対象とする。

（別添14）
　　　　就労体験・就労訓練先の開拓・マッチング事業
1　目的
　就労に向け一定の準備が必要な長期間就労していない者（ひきこもり状態にある者等）や不安定就労を繰り返している者（以下、「就労支援対象者」と言う。）に対する就労体験・就労訓練先の開拓及びマッチングから就労体験・就労訓練中の就労支援対象者及び就労体験・就労訓練事業所（以下「受入事業所」という。）の双方の支援を一貫して行う取組みをモデル的に実施し、多様な生活困窮者の働く場の確保を推進することを目的とする。
2　実施主体
　実施主体は、都道府県、市（特別区を含む。）及び福祉事務所を設置する町村（以下「都道府県等」という。）とする。
　ただし、事業を適切、公正、中立かつ効率的に実施することができる者であって、社会福祉法人、一般社団法人、一般財団法人又は特定非営利活動法人その他の都道府県が適当と認める民間団体に、事業の全部又は一部を委託することができる。
3　事業内容
　都道府県等が就労支援対象者に対する就労体験・就労訓練先の開拓やマッチングから就労支援対象者及び受入事業所双方の支援を一貫して行うため、管内の自立相談支援機関等と連携し、(1)の実施方法に応じて、(2)に掲げるア〜ケの取組内容から実施するもの。
(1) 実施方法
　本事業の実施方法は以下のア、イのいずれかとする。
　　ア　単独実施
　　　① 市（特別区を含む。）及び福祉事務所を設置する町村が当該自治体の範囲内で事業を実施する場合。
　　　② 都道府県が所管する郡部の範囲内で事業を実施する場合。
　　イ　広域実施
　　　① 都道府県等が複数の自治体の範囲で事業を実施する場合（ただし、都道府県が所管する郡部の範囲内で事業を実施する場合を除く。）。

(2) 取組内容
　3の(1)実施方法に応じて、以下のア～ケの取組を実施する。
【単独実施の場合（3の(1)のア）】
　企業開拓から就労体験・訓練の効果的な実施、定着支援までを着実に行うため、都道府県等で、支援対象者と受入事業所への支援を同時に行うマッチング支援担当者を配置するなどにより、可能な限り以下のア～カの取組を一貫して実施すること。なお、<u>オ及びカの取組は必ず行うものとする。</u>
ア　就労体験・就労訓練先の開拓
　　地域の社会福祉法人や社会貢献に尽力している企業等を中心に訪問し、就労支援対象者が利用可能な就労体験・就労訓練先を開拓する。
イ　業務切り出しの提案
　　就労体験・就労訓練先となる企業等に対し、就労支援対象者の状態像に合わせた業務の切り出しを提案する。
ウ　マッチングの実施
　　開拓した就労体験・就労訓練先の情報を、管内の自立相談支援機関へ共有し、窓口担当者向けに見学会を実施する等、積極的な利用を提案する。
エ　初回利用時の同行
　　円滑な利用が図られるよう、就労体験・就労訓練先への初回利用の際に同行し、企業側との調整を実施する。
オ　就労体験・訓練先事業所支援
　　就労体験・訓練中の事業主への支援・負担軽減のため、支援プログラムの策定支援や雇用管理支援を行う。
カ　就職・定着支援
　　就職支援や就職後の定着支援及び雇用関係助成金等の周知や申請等活用支援を行う。
【広域実施の場合（3の(1)のイ）】
　都道府県域での実施や複数の自治体による共同実施等の広域実施においても、就労支援対象者に対する就労体験・就労訓練先の開拓・マッチングから就労体験・就労訓練中の就労支援対象者及び受入事業所の双方の支援を一貫して行う取組みをモデル的に実施するため、以下のキ～ケの取組を実施すること。なお、<u>上記3の(2)のア～カのうち、いずれか1つ以上を必ず実施するとともに、キの取組も必ず行うものとする。</u>
キ　広域でのマッチング支援
　　農業分野等、広域での情報集約・マッチング等が有効と考えられる場合には、都道府県域等にマッチングを支援する機関を設置（担当者の配置等）し、広域での企業開拓を行い、得られた企業情報を管下の自治体に提供し、自治体等におけるマッチングにつなげる。
ク　業界団体との連携
　　地域の経済団体・産業団体、農業分野等の関係団体等との連携（情報収集、協議会

の開催等)により、制度の周知や活用を促進する。
　ケ　体制整備
　　　複数の自治体が連携し、事業運営や地域資源の自治体間の相互利用に係るルール作りや調整等を実施する。
4　留意事項
(1)　事業の実施に当たっては、本事業による都道府県等による広域的な取組と、管内自治体による地域に密着した取組の両面による連携した推進が必要であり、活動の前提として、自立相談支援機関などから、相談者の具体的な就労ニーズを聞き取るなど積極的に取り組むこと。
(2)　都道府県等労働部局との連携を密にし、就労体験先等の情報共有等により効率的・効果的な事業実施に努めること。
(3)　生活困窮者自立支援法第7条第2項第3号に基づく事業により実施している「就労訓練推進事業」(補助率1／2)の「都道府県に配置する就労訓練アドバイザー」及び「都道府県等に配置する就労訓練事業所育成員」については、就職氷河期世代支援プラン実施期間の令和2年度から令和4年度までは原則、就労訓練先以外に就労体験先の開拓も実施可能な本事業での申請を検討されたい。

(別添15)
　　　　一時生活支援事業の共同実施支援事業実施要領
1　目的
　　本事業は、一時生活支援事業を共同で実施するために必要な調整その他共同実施の立ち上げに必要な支援を行い、一時生活支援事業の円滑な共同実施を推進することを目的とする。
2　実施主体
　　実施主体は、都道府県、市(特別区を含む。)及び福祉事務所を設置する町村(以下「都道府県等」という。)とする。
　　ただし、事業を適切、公正、中立かつ効率的に実施することができる者であって、社会福祉法人、一般社団法人、一般財団法人、特定非営利活動法人その他の都道府県等が適当と認める民間団体に、事業の全部又は一部を委託することができる。
3　事業内容
　　実施主体は、地域の実情に応じて、次に掲げる事業を実施することができるものとする。
(1)　一時生活支援事業の共同実施の立ち上げに必要な調査・総合調整
　ア　目的
　　　管内の一定の住居を持たない生活困窮者の潜在的な利用ニーズの把握や共同実施を行う実施主体間での利用にかかるルール作り等により、地域を問わず一時生活支援事業の実施が可能となることを目的とする。
　イ　事業内容

　　　　　管内の一定の住居を持たない生活困窮者（別添６のＩ３で掲げる一時生活支援事業の対象者）の潜在的な利用ニーズの把握、利用ニーズに対応した宿泊場所等の検討、共同実施を行う実施主体間での利用にかかるルール作り、共同実施立ち上げ後の後方支援等を行う。
　(2)　一時生活支援事業の共同実施に必要な宿泊場所等の整備等
　　ア　目的
　　　　一時生活支援事業の共同実施に必要な宿泊場所の供与を行う施設を確保することにより、地域を問わず一時生活支援事業の実施が可能となることを目的とする。
　　イ　事業内容
　　　　一時生活支援事業の共同実施に必要な宿泊場所の供与を行う施設（別添６のＩ４(4)で掲げる一時生活支援事業の宿泊場所の供与を行う施設）を確保する。
　(3)　その他、一時生活支援事業の共同実施を立ち上げるために実施する事業
　　　上記(1)～(2)までの事業のほか、地域の実情に応じ、一時生活支援事業の共同実施を立ち上げるための事業を行うことができる。

（別添16）
　　　　　　生活困窮者自立支援法第７条第２項第３号に基づく事業実施要領
１　目的
　　生活困窮者自立支援法第７条第２項第３号に基づき、地域の実情に応じた生活困窮者の自立の促進に資する取組等を推進することを目的とする。
２　実施主体
　　実施主体は、都道府県、市（特別区を含む）及び福祉事務所を設置する町村（以下、「都道府県等」という。）とする。
　　ただし、事業を適切、公正、中立かつ効率的に実施することができる者であって、社会福祉法人、一般社団法人、一般財団法人又は特定非営利活動法人その他の都道府県等が適当と認める民間団体に、事業の全部又は一部を委託することができる。
３　事業内容
　　実施主体は、地域の実情に応じて、次に掲げる事業を実施することができるものとする。
　(1)　就労訓練推進事業
　　ア　目的
　　　　就労訓練事業者を開拓するための説明会の開催や就労訓練事業者に対する研修の実施、就労訓練事業立ち上げ時の初度経費に対する助成等を行い、就労訓練事業の推進を図ることを目的とする。
　　イ　事業内容
　　　(ｱ)　就労訓練事業者を開拓するための説明会の開催
　　　　　就労訓練事業の実施を検討する事業者等に対して、就労訓練事業の意義・内容や認定手続の詳細等を説明する。

(ｲ) 協議会の開催
　　地域において、就労訓練事業の担い手となることが期待される事業者の団体や学識経験者などの有識者等で構成される協議会を開催する。
(ｳ) 調査研究の実施
　　地域における就労訓練事業の在り方等に関する調査研究を実施する。
(ｴ) 就労訓練事業者に対する研修の実施
　　就労訓練事業者に対して、好事例の共有や支援に関するノウハウの提供等を行うための研修を実施する。
(ｵ) 就労訓練事業立ち上げ時の初度経費に対する助成
　　事業者が就労訓練事業を新たに立ち上げる際に要する初度経費について、助成を行う。
(ｶ) 就労訓練事業者に対する就労支援に要する費用の助成
　　利用者を受け入れる就労訓練事業者にたいし、「非雇用型」利用者向け傷害保険加入料などの就労支援に要する費用について、助成を行う。
(ｷ) その他就労訓練事業の推進を行うための事業
　　上記(ｱ)から(ｶ)までのほか、就労訓練事業の推進を図るための事業を実施する。
　　さらに、上記取組の推進を図るため、都道府県に就労訓練アドバイザーを、都道府県等に就労訓練事業所育成員を配置することが可能である。
ウ　留意事項
(ｱ) 就労訓練アドバイザーと就労訓練事業所育成員については、以下の通りとする。なお、就労訓練アドバイザーと就労訓練育成員は兼務できるものとするが、それ以外の業務との兼務はできないものとする。
　① 都道府県に配置する就労訓練アドバイザー
　　　経営コンサルタント、中小企業診断士等の資格を有する者など。事業を適切に行うことができる人材であることとし、以下に掲げるような支援を実施する。
　　（支援例）
　　　・就労訓練事業所育成員や企業開拓、企業支援をしている者等を含めたスキルアップ研修や情報交換会等の開催
　　　・企業開拓の好事例を集めた事例集やチラシの作成等による周知・広報活動
　② 都道府県等に配置する就労訓練事業所育成員
　　　就労訓練事業所育成員は、キャリアコンサルタント、産業カウンセラー等の資格を有する者など、事業を適切に行うことができる人材であることとし、以下に掲げるような支援を実施する。
　　（支援例）
　　　・企業支援（事業説明会や面接会の開催、業務切出しの提案、相談支援、定着支援等）
　　　・企業等に対する就労支援についての実施意向調査

Ⅲ　関連法令等　第3章　生活困窮者自立支援関係

　　　　　・訪問による企業開拓
(2) 居住支援の取組強化事業
　ア　目的
　　　賃貸住宅の入居・居住に関して困難（家賃負担、連帯保証、緊急連絡先の確保等が課題となり賃貸住宅を借りられない）を抱えている生活困窮者や、住居を失うおそれがある生活困窮者が、地域で自立した日常生活を継続していけるような環境づくりを推進することを目的として、居住支援の取組を強化する。
　イ　事業内容
　　　以下に掲げる取組を実施する。
　　(ｱ) 相談者の課題を踏まえ、必要な物件像や居住支援サービスを見極め、不動産事業者等へ同行し、物件探しや契約を支援
　　(ｲ) 不動産関係者、福祉関係者、居住支援協議会（※）の有する物件や、居住支援サービスの情報を収集し、不足しているものについては担い手の開拓
　　　【取組例】
　　　　・　地元の不動産事業者から、保証人や緊急連絡先がなくても入居可能な物件、低廉な家賃の物件情報を収集
　　　　・　民間の家賃保証サービスや協力を得やすい不動産事業者のリストなどについて、居住支援協議会から情報収集
　　　　・　緊急連絡先の代わりになり得る見守りサービス等について、市町村の福祉担当や社会福祉協議会などから情報収集
　　　　・　家賃債務保証や緊急連絡先の引き受けについて、社会福祉法人等に打診、スキームづくり
　　　　・　物件サブリース等により緊急連絡先不要で安価な住宅を自ら提供する社会福祉法人を開拓
　　　※　住宅確保要配慮者に対する賃貸住宅の供給の促進に関する法律第10条第2項に基づく協議会。地方公共団体（住宅部局、福祉部局）、不動産関係団体、居住支援関係団体等が参画するネットワーク組織。
　　(ｳ) 病院の医療ソーシャルワーカー（MSW）等と連携し、入院・入所中に借家を引き払っている等で退院・退所後の居住支援を要する者を把握し、自立相談で継続的な支援
(3) 社会資源の活用促進・開発事業
　ア　目的
　　　生活困窮者の早期発見及び包括的な支援を行うために必要な社会資源の活用促進及び開発を行うことを目的とする。
　イ　事業内容
　　(ｱ) 調査研究の実施
　　　　生活困窮者への包括的な支援を実現するために、地域の社会資源の現状及び課題を把握するとともに、当該地域の社会資源の活用促進・開発するための調査研

究を実施する。
            (イ) 社会資源の活用促進及び開発
                生活困窮者への支援を行う事業者等の関係機関及び関係者に対して、地域の社会資源の現状や課題等に関する認識を共有するための説明会等を実施するとともに、社会資源の活用促進及び開発に向けた具体的な取組を行う。
            (ウ) その他社会資源の開発等を行うための事業
                上記(ア)及び(イ)のほか、社会資源の開発等を行うための事業を実施する。
        ウ 留意事項
            本事業内容について、都道府県が実施する場合は、「都道府県による市町村支援事業」による実施とすること。
    (4) 人材養成推進事業
        ア 目的
            自立相談支援事業、就労準備支援事業及び家計改善支援事業に従事する者等に対し、国が行う生活困窮者自立支援制度人材養成研修の内容を基に、地域における支援ニーズ等を加味した研修実施や、生活困窮者自立支援制度に関するシンポジウム・勉強会の実施等により、自立相談支援事業等に従事する者等の知識や支援技術の向上を図るとともに、生活困窮者支援に対する関係機関・関係者等の理解を深めることを目的とする。
        イ 事業内容
            (ア) 人材養成研修の実施
                自立相談支援事業、就労準備支援事業及び家計改善支援事業に従事する者等の支援の専門性を十分に高めるために、自立相談支援事業等に従事する者等に対し、国が行う生活困窮者自立支援制度人材養成研修の内容を基に、地域における支援ニーズ等を加味して研修を行う。
            (イ) その他人材養成に必要な取組
                人材養成研修のほか、生活困窮者支援に対する関係機関・関係者等の理解を深めるために、生活困窮者自立支援制度に関するシンポジウムや勉強会等を行う。
        ウ 留意事項
            本事業内容について、都道府県が実施する場合は、「都道府県による市町村支援事業」による実施とすること。
    (5) 自立相談支援機関の機能強化事業
        ア 目的
            専門的な相談支援が求められる障害が窺われる者に対して、支援対象者に応じたきめ細やかな支援が可能となるよう、自立相談支援機関に対し、障害者就業・生活支援センターのノウハウを活用した就労面と生活面の一体的な支援を実施し、自立相談支援機関の機能を強化することを目的とする。
        イ 事業内容
            以下の取組を実施するために、障害者就業・生活支援センターに職員を配置する

ための費用を助成する。
- (ア) 自立相談支援機関や福祉事務所への出張相談
  自立相談支援機関からの要請に応じ、障害が窺われる者への対応等に関する相談・助言を行うほか、就労体験や中間就労の受入企業の開拓に関する助言を行う。
- (イ) 障害が窺われる者と面談や支援プラン策定の場への同席
  自立相談支援機関からの要請に応じ、自立相談支援事業において実施する障害が窺われる者との面談に同席し、必要な助言等を行うほか、支援対象者に応じたプラン策定の場に同席する。
- (ウ) 就労体験や中間的就労の受入企業への助言、就労体験や中間的就労の受入企業への助言や支援対象者への助言、就労現場への同行を行う。
- (エ) 合同移動相談会の実施
  関係機関と合同で、障害が窺われる者に関する移動相談会を開催する。
- (オ) ノウハウの伝達
  地域の就労支援水準の向上を目指し、障害者就業・生活支援センターがこれまで蓄積してきたノウハウを他の就労支援機関等へ伝達するため、研修会やセミナー等を開催する。

ウ 留意事項
- (ア) 対象者の支援内容に直接関係する助言等を行う際には、要請した自立相談支援機関から支援対象者本人に事前に同意を得ることが前提となる。
- (イ) 本事業の実施主体（都道府県等）と障害者就業・就労支援センターの支援範囲が異なることから、本事業により配置された職員の支援範囲については、障害者就業・生活支援センターを運営する法人との協議の上で決定すること。

(6) その他生活困窮者の自立の促進に資する事業
  上記(1)〜(5)までの事業のほか、地域の実情に応じて実施する生活困窮者の自立の促進に資する事業を行うことができる。

（別添17）
ひきこもり支援推進事業実施要領

1 目的
  本事業は、ひきこもり支援を推進するための体制を構築し、ひきこもり状態にある本人や家族等を支援することにより、ひきこもり状態にある本人の社会参加を促進し、本人及び家族等の福祉の増進を図ることを目的とする。

2 ひきこもり地域支援センター等設置運営事業
(1) 目的
  本事業は、都道府県及び市区町村において、以下の(ア)〜(ス)に掲げる取組の全部又は一部を実施することにより、ひきこもり状態にある本人や家族（以下「対象者」という。）からの電話、来所等による相談に応じて適切な助言を行うとともに、居場所づくりや地域における関係機関とのネットワークの構築等の役割を担うことを通じて、

ひきこもり状態にある本人の社会参加を促進し、福祉の増進を図ることを目的とする。
(ア) 相談支援事業
(イ) 居場所づくり事業
(ウ) 連絡協議会・ネットワークづくり事業
(エ) 当事者会・家族会開催事業
(オ) 住民向け講演会・研修会開催事業
(カ) サポーター派遣・養成事業
(キ) 民間団体との連携事業
(ク) 実態把握調査事業
(ケ) 専門職の配置
(コ) 多職種専門チームの設置
(サ) 関係機関の職員養成研修事業
(シ) 管内市区町村・行政区への後方支援事業
　　（都道府県・指定都市のみ）
(ス) ひきこもり地域支援センターのサテライト設置事業
　　（都道府県のみ）

(2) 事業区分

　事業を実施する自治体は、(ア)～(ス)の取組のうち、実施する取組に応じて、「A　ひきこもり地域支援センター事業」、「B　ひきこもり支援ステーション事業」、「C　ひきこもりサポート事業」の中から、適した事業区分を選択するものとする。（＜実施主体／事業別の取組一覧表＞を参照。）

　なお、都道府県及び指定都市においては、「A　ひきこもり地域支援センター事業」を必ず実施するものとする。

　事業区分ごとの実施主体・対象事業・人員配置基準は以下のとおり。

＜A　ひきこもり地域支援センター事業＞
　【実施主体】都道府県・指定都市・市区町村とする。ただし、事業の全部又は一部を民間団体へ委託することもできる。
　【対象事業】
　　＜都道府県・指定都市が実施する場合＞
　　　(ア)から(オ)まで、(サ)及び(シ)の取組を必須とし、(カ)から(コ)までの取組を任意で実施することができる。なお、都道府県においては、(ス)の取組も任意で実施することができる。
　　＜市区町村（指定都市を除く。）が実施する場合＞
　　　(ア)から(オ)までの取組を必須とし、(カ)から(サ)までの取組を任意で実施することができる。
　【人員配置基準】
　　　原則、ひきこもり支援コーディネーター（以下「コーディネーター」という。）を2人以上配置することとし、このうち専門職を1人以上配置するものと

Ⅲ 関連法令等 第3章 生活困窮者自立支援関係

する。専門職は、社会福祉士、精神保健福祉士、保健師、公認心理師、臨床心理士等の資格を有する者、又は、これらの有資格者と同等の相談業務等を行うことができる者とする。

＜B　ひきこもり支援ステーション事業＞
【実施主体】市区町村（指定都市を除く。）とする。ただし、事業の全部又は一部を民間団体へ委託できるものとする。
【対象事業】㋐から㋒までの取組を必須とし、㋓から㋘までの取組を任意で実施することができる。
【人員配置基準】原則、コーディネーターを1人以上配置することとする。

＜C　ひきこもりサポート事業＞
【実施主体】市区町村（指定都市を除く。）とする。ただし、事業の全部又は一部を民間団体へ委託できるものとする。
【対象事業】㋐から㋗までの取組を1つ以上実施することとする。
【人員配置基準】なし。

＜実施主体／事業別の取組一覧表＞

実施主体	事業名	(ア)相談支援	(イ)居場所づくり	(ウ)連絡協議会・ネットワークづくり	(エ)当事者・家族会の開催	(オ)住民向け講演会・研修の開催	(カ)サポーター派遣・養成	(キ)民間団体との連携	(ク)実態把握調査	(ケ)専門職の配置	(コ)多職種専門チームの設置	(サ)関係機関職員養成研修	(シ)管内市町村・行政区への後方支援	(ス)ひきこもり地域支援センターのサテライト設置
都道府県・指定都市	ひきこもり地域支援センター事業	◎	◎	◎	◎	◎	○	○	○	○	○	◎	◎	○（都道府県のみ）
一般市区町村（指定都市を除く。）	ひきこもり地域支援センター事業	◎	◎	◎	◎	◎	○	○	○	○	○	○	―	―
	ひきこもり支援ステーション事業	◎	◎	◎	○	○	○	○	○	―	―	―	―	―
	ひきこもりサポート事業	○	○	○	○	○	○	○	―	―	―	―	―	―

　□…必須
　◎…必須、○…任意

(3) 事業内容
　(ア) 相談支援事業

実施主体は、対象者からの電話や来所等による相談に応じ、適切な助言を行うとともに、必要に応じて訪問支援を行う。

また、対象者の相談内容等に応じて、適切な支援方法について検討を行い、医療、保健、福祉、教育、就労等の適切な関係機関へつなぐとともに、その後も当該機関と情報交換を行うことにより、対象者への支援状況を把握し、継続的な支援を行うものとする。

(イ) 居場所づくり事業

実施主体は、ひきこもり状態にある本人が、社会参加をするための第一歩となる居場所づくりを行う。居場所とは、同様の状態にある者等が集まり、各々の状態を他者との関係の中で把握し、自己肯定感を高めること、居住する家から外出するきっかけとなることなど、多様な役割がある。形態については、空き家等を借り上げた常設の居場所や公共施設の一室を一時的に借り上げて実施する居場所など、地域の実情に応じたものとすること。

なお、ひきこもり状態にある者が抱える背景や事情は多様であるため、年齢層ごとの集まり、性別ごとの集まり、趣味ごとの集まりなど、各人が参加しやすいものとなるよう、多様な居場所づくりに配慮すること。

(ウ) 連絡協議会・ネットワークづくり事業

実施主体は、対象者の抱える様々な背景や事情に応じて、多様な支援の選択肢を用意できるよう、地域の多様な関係機関で構成される連絡協議会を設置する等、ネットワークづくりに努める。

ネットワークづくりにおいては、地域の実情等に応じて、自立相談支援機関、ハローワーク、地域若者サポートステーション、子ども・若者総合相談センター、消費者生活センター、医療機関、教育関係機関、経済団体、農業や企業の事業主等の民間事業者、NPO法人、当事者団体等の多様な社会資源の参画を促し、定期的に情報交換を行う等により恒常的な連携を確保することで、様々な意見を踏まえてひきこもり支援を実施できる環境を整えるものとする。また、行政圏域や生活圏域に設置されている他の自治体のひきこもり地域支援センター(以下「センター」という。)やひきこもり支援ステーション(以下「ステーション」という。)等とも連携を図ること。

なお、必ずしも会議体を設置する必要は無いが、会議体を設置する場合は、既存の会議体(市区町村においては、市町村プラットフォームを含む。)を活用して差し支えない。

(エ) 当事者会・家族会開催事業

実施主体は、当事者同士、家族同士が集まって経験や悩みを共有し合い、不安な気持ちを解消できる場を設ける。また、ひきこもり状態の経験があるピアサポーターも活用しながら、対象者に向けた講演会や講習会等を開催し、対象者への支援や情報発信を行う。

(オ) 住民向け講演会・研修会開催事業

実施主体は、地域において、ひきこもりに関する理解が深まるよう、ひきこもり状態の経験があるピアサポーターも活用しながら、住民向けの講演会・研修会を開催する。また、リーフレットやホームページの作成等により、ひきこもりに関する支援情報や地域の社会資源などの周知・広報を実施する。

(カ) サポーター派遣・養成事業

実施主体は、ひきこもり支援に関心のある者が、ひきこもりに関する基本的な知識を習得の上、ひきこもりサポーター（以下「サポーター」という。）として活動することができるよう、サポーターを派遣し、また新規にサポーターを養成する。

＜サポーターの派遣＞

実施主体は、「(ア) 相談支援事業」「(イ) 居場所づくり事業」「(エ) 当事者会・家族会開催事業」を実施する場合等、サポーターによる支援が効果的であると判断する場合に、サポーターを選定して派遣する。（例：サポーターの訪問による相談や外出への同行、居場所の運営、家族会の中で実施する講演会・講習会の講師など。）

ただし、「(ア) 相談支援事業」におけるサポーターの派遣は、対象者がサポーターによる訪問支援等を希望する場合に実施すること。また、サポーター派遣を開始した後は、サポーターからの報告を継続的に受け、サポーターに対して対象者への関わり方の助言や指導を継続的に行う等、適切に運用されるよう配慮すること。

サポーター派遣に当たっては、サポーターに対して個人情報の取扱いについて十分に留意させるとともに、派遣時の事故等につき、発生時の対応及び報告体制を整えること。

なお、必要に応じて民間団体等による依頼を受けて、サポーターを派遣しても差し支えない。

＜サポーターの養成＞

実施主体は、サポーターとしての活動を希望する者に対して、「ひきこもりサポーター養成研修」を実施し、ひきこもりに関する基本的な知識（ひきこもりの概要、支援の在り方、支援上の注意点等）を修得させる。

サポーターの養成研修修了後、サポーターとして活動することに同意した者を名簿に登録し、管理する。名簿に登録する際には、登録する者の活動希望地域（都道府県内全域や特定の市区町村など）を把握し、希望する地域によっては、登録する者の個人情報が、養成を実施した自治体のほか、サポーター派遣を実施する自治体（実施予定を含む。）に提供される旨を十分に説明する。名簿の管理については、都道府県や市区町村間で連携し、サポーターの派遣が円滑に行われるよう留意する。

(キ) 民間団体との連携事業

実施主体は、地域の社会資源を活用したひきこもり支援の取組を推進するため、地域において有意なひきこもり支援に取り組む民間団体に対し補助を行うための補

助要綱を策定のうえ、当該補助要綱に基づいて、民間団体に対して補助を行う。ただし、補助の対象は、ひきこもり支援の活動に要する費用に限ることとし（例えば、居場所の運営に係る賃借料や光熱費、活動に携わるスタッフの旅費など。）、民間団体の職員の人件費や利用者に対する交通費等の現金給付・現物給付は含まない。

(ク) 実態把握調査事業

実施主体は、ひきこもり支援施策の企画立案の前提となる、対象者の実態やニーズを明らかにするための調査研究を行う。

(ケ) 専門職の配置（「Ａ　ひきこもり地域支援センター事業」及び「Ｂ　ひきこもり支援ステーション事業」のみ）

実施主体は、対象者が抱える様々な事情に対して、専門的な観点から対応できるよう、専門職を配置する。

専門職は、社会福祉士、精神保健福祉士、保健師、公認心理師、臨床心理士等の資格を有する者、又は、これらの有資格者と同等の相談業務等を行うことができる者とする。

なお、専門職の配置は、人員配置基準を超えて配置する場合に適用となる。

(コ) 多職種専門チームの設置（「Ａ　ひきこもり地域支援センター事業」のみ）

実施主体は、多様かつ専門的な観点から支援を実施できる体制を整備するため、既に配置されている職員に加え、医療、法律、心理、福祉、就労、教育関係等のうち３職種以上の多職種から構成されるチームを設置して、事例の検討や、必要に応じて対象者への直接支援等を実施する。

加えて、都道府県においては、ひきこもり支援を実施する管内市区町村等に対して、専門的な観点から助言を行う。

(サ) 関係機関の職員養成研修事業（「Ａ　ひきこもり地域支援センター事業」のみ）

実施主体は、管内でひきこもり支援を行う機関（都道府県にあっては、管内市区町村や生活困窮者自立支援制度の自立相談支援機関等を含む。）のひきこもり支援を担当する職員を広く対象として、支援に必要な知識及び技術等を修得させる「ひきこもり支援従事者養成研修」を行う。

養成研修の実施に当たっては、講義やグループワークの形式等を活用し、ひきこもり支援を効果的に学べるよう配慮すること。

加えて、研修プログラムには、ひきこもりの経験者や家族などによる講演等を盛り込む等、当事者・家族の思いやニーズに沿った支援を学べるよう配慮すること。また、必要に応じて継続研修を実施する等、段階的なスキルアップにも配慮すること。

養成研修の実施にあたっては、ハローワークや地域若者サポートステーション、子ども・若者総合相談センター、消費者生活センター、教育機関、医療機関、農業関係機関、商工関係機関等、幅広い関係機関から参加を募るよう努めること。

(シ) 管内市区町村・行政区への後方支援事業（都道府県・指定都市が実施する「Ａ

ひきこもり地域支援センター事業」のみ）

　都道府県・指定都市においては、管内の市区町村や行政区（ひきこもり支援関係機関を含む。）において、ひきこもり支援が効果的に実施できるよう、助言や相談対応をするとともに、地域における関係機関のネットワーク構築の促進等を行い、住民が身近なところで支援を受けることができるよう、市区町村や行政区でのひきこもり支援の充実・強化を図る。
(ｽ)　ひきこもり地域支援センターのサテライト設置事業（都道府県が実施する「Ａ　ひきこもり地域支援センター事業」のみ）

　都道府県は、住民が身近なところで支援を受けることができるよう、ひきこもり支援推進事業の未実施市区町村等、ひきこもり支援が進んでいない管内の地域に、ひきこもり地域支援センターのサテライトを設置することができる。サテライトで実施する取組は、ひきこもり地域支援センターで実施する取組に準ずるものとする。また、コーディネーターを１人以上配置する。

　なお、サテライト設置事業の適用は、原則２年を上限とし、２年経過後は、サテライトを設置した市区町村（周辺の市区町村を含めた広域実施も可）において、「Ａ　ひきこもり地域支援センター事業」又は「Ｂ　ひきこもり支援ステーション事業」を実施するものとする。

(4)　留意事項
　(ｱ)　秘密の保持（個人情報の取扱い）

　　本事業の実施に携わる職員（「(ｶ)　サポーター派遣・養成事業」におけるサポーターを含む）は、利用者のプライバシーの保持に十分配慮するとともに、業務上知り得た個人情報は、業務目的以外で他に漏らしてはならない。特に利用者の個人情報を入手する場合には、支援のために関係機関へ個人情報の提供がありうる旨を説明した上で、利用者の了承を得ておくものとする。

　　また、利用者の同意が得られない場合等は、利用者と十分相談の上、情報を取り扱うこと。
　(ｲ)　「Ａ　ひきこもり地域支援センター事業」及び「Ｂ　ひきこもり支援ステーション事業」における「(ｱ)　相談支援事業」の実施体制

　　原則、週５日以上、１日８時間を目安として相談に対応できる体制を整えること。また、閉所日や夜間においても、相談の受付ができるよう、メールやＳＮＳの活用を検討すること。
　(ｳ)　複数市区町村での連携実施

　　相談支援事業等、自身が居住するのとは異なる近隣市区町村の支援の方が利用しやすい事例もあることを鑑み、ひきこもり地域支援センター事業等を複数の市区町村で連携して実施することも可能とする。その際、支出経費については市区町村間で按分するなど、適切な費用負担に努めること。

3　都道府県による市町村の立ち上げ支援事業
　都道府県において、市区町村（指定都市を除く。）における事業の立ち上げを支援す

生活困窮者自立相談支援事業等の実施について（抄）

るため、「２　ひきこもり地域支援センター等設置運営事業」を新たに実施する管内市区町村（指定都市を除く。）に対して、当該市区町村が事業に要する費用について補助を行う。
(1) 実施主体
都道府県
(2) 事業内容
実施主体は、「２　ひきこもり地域支援センター等設置運営事業」を新たに実施する管内市区町村（指定都市を除く。）に対して、当該市区町村が事業に要する費用について補助を行う。
(3) 留意事項
㋐　同一市区町村に対する補助は、原則２年を上限とし、２年経過後は、当該市区町村において、「２　ひきこもり地域支援センター等設置運営事業」の「Ａ　ひきこもり地域支援センター事業」又は「Ｂ　ひきこもり支援ステーション事業」を実施すること。
㋑　都道府県は、管内市区町村におけるひきこもり支援の推進に向けて、管内市区町村の希望をよく踏まえて、本事業の実施を検討すること。
㋒　都道府県は、本事業を実施するに当たっては、市区町村が実施する「２　ひきこもり地域支援センター等設置運営事業」に対して補助を行う補助要綱を、別途、定めること。
㋓　本事業の適用を希望する市区町村は、都道府県担当部局とよく協議を行うこと。
㋔　都道府県の補助の対象となる、「２　ひきこもり地域支援センター等設置運営事業」を新たに実施する市区町村には、令和４年度に「Ｃ　ひきこもりサポート事業」を実施し、令和５年度に「Ａ　ひきこもり地域支援センター事業」又は「Ｂ　ひきこもり支援ステーション事業」を実施する市区町村を含むものとする。なお、本事業によらず令和４年度に「Ｂ　ひきこもり支援ステーション事業」を実施した市区町村は補助の対象外とする。

（別添18）
日常生活自立支援事業実施要領
1　目的
本事業は分野横断的な相談支援や権利擁護の推進等の住民生活に関わる福祉関連事業をあわせて総合的に実施する。また、認知症高齢者、知的障害者、精神障害者等のうち判断能力が不十分な者が地域において自立した生活が送れるようにするために、福祉サービスの利用援助事業、当該事業に従事する者の資質の向上のための事業並びに福祉サービス利用援助事業に関する普及及び啓発を行う事業を実施する。
2　実施主体
実施主体は、都道府県社会福祉協議会（以下「都道府県社協」という。）又は指定都市社会福祉協議会（以下「指定都市社協」という。）とする。ただし、実施主体は、本

事業の一部を次に掲げる者に委託できるものとする。
(1) 都道府県社協にあっては社会福祉法第109条第1項及び第2項に規定する社会福祉協議会、指定都市社協にあっては同条第2項に規定する社会福祉協議会
(2) 社会福祉法人
(3) 公益社団法人又は公益財団法人
(4) 実施主体が、適切な事業運営が確保できると認める一般社団法人又は一般財団法人
(5) 特定非営利活動法人
(6) (1)から(5)までのほか、福祉サービス利用援助事業の対象者の当事者団体、家族会等で法人格を有するもの
3 事業の種類
 実施主体は、次に掲げる事業(これらの事業を総称して「日常生活自立支援事業」という。)を行う。
(1) 社会福祉法第81条の規定に基づき都道府県社協が行うこととされている福祉サービス利用援助事業(都道府県の区域内においてあまねく福祉サービス利用援助事業が実施されるために必要な事業を含む。以下同じ。)
(2) 指定都市社協が行う福祉サービス利用援助事業(指定都市の区域内においてあまねく福祉サービス利用援助事業が実施されるために必要な事業を含む。以下同じ。)
(3) 社会福祉法第81条の規定に基づき都道府県社協が行うこととされている(1)の事業に従事する者の資質の向上のための事業
(4) 指定都市社協が行う(2)の事業に従事する者の資質の向上のための事業
(5) 社会福祉法第81条の規定に基づき都道府県社協が行うこととされている(1)の事業に関する普及及び啓発
(6) 指定都市社協が行う(2)の事業に関する普及及び啓発
4 事業の内容
(1) 福祉サービス利用援助事業
 本事業は、利用者との契約に基づき、認知症や精神障害等により日常生活を営むのに支障がある者に対し、福祉サービスの利用に関する相談に応じ、及び助言を行い、並びに福祉サービスの提供を受けるために必要な手続又は福祉サービスの利用に要する費用の支払いに関する便宜を供与することその他の福祉サービスの適切な利用のための一連の援助を一体的に行うものである。
 ア 事業の対象者
  本事業の対象者は、次のいずれにも該当する者とする。
  (ｱ) 判断能力が不十分な者(認知症高齢者、知的障害者、精神障害者等であって、日常生活を営むのに必要なサービスを利用するための情報の入手、理解、判断、意思表示を本人のみでは適切に行うことが困難な者をいう。)であること。
  (ｲ) 本事業の契約の内容について判断し得る能力を有していると認められる者であること。
 イ 援助の内容

(ア) 本事業に基づく援助の内容は、次に掲げるものを基準とすること。
　・福祉サービスの利用に関する援助
　・福祉サービスの利用に関する苦情解決制度の利用援助
　・住宅改造、居住家屋の賃借、日常生活上の消費契約及び住民票の届出等の行政手続に関する援助その他の福祉サービスの適切な利用のために必要な一連の援助
(イ) (ア)に伴う援助の内容は、次に掲げるものを基準とすること。
　・預金の払い戻し、預金の解約、預金の預け入れの手続等利用者の日常生活費の管理（日常的金銭管理）
　・定期的な訪問による生活変化の察知
(ウ) (ア)及び(イ)に掲げる事項についての具体的な援助の方法は、原則として情報提供、助言、契約手続、利用手続等の同行又は代行によること。
　法律行為にかかわる事務に関し、本事業の目的を達成するために、本人から代理権を授与された上で代理による援助を行う場合には、契約締結審査会に諮り、その意見を踏まえて慎重に対応すること。
ウ　契約の手続
　本事業による援助は、要援護者本人等からの申請に基づき、次の手続を経た上で行うものとする。
　なお、本事業は、初期相談の段階での対応が極めて重要であることから、要援護者本人はもとより、家族、介護支援専門員、民生委員、保健師、行政機関等からの連絡によるものも含め、多様な相談に対応できるよう必要な体制を確保すること。
　また、実施主体が行う相談の過程で、本事業による援助が困難であると認められ、契約に至らない者、成年後見制度の対象と考えられる者等については、市町村及び関係機関への連絡、成年後見制度の利用の支援等適切な対応を行うよう努めること。
(ア) 申請の受付と判断能力等の評価・判定
　・申請は実施主体に対して行うものとする。
　・申請を受け付けた実施主体は、本人の意向を十分に尊重しつつ、かつ、家族、本人に関わりを持つ民生委員、介護支援専門員、ホームヘルパー等の協力を得て、希望する援助の内容、認知症又は障害の程度及び内容並びに判断能力の程度を把握するほか、必要に応じて本人の生活状況、経済状況等を把握するとともに、別に定める「契約締結判定ガイドライン」に基づき、本人が本事業の契約の内容について判断し得る能力の判定を行うこと。
　・上記の判定に当たり疑義が生じた場合には、契約締結審査会に諮り、その意見を踏まえて対応するものとする。
　・実施主体は、本事業の対象者の要件に該当しないと判断した場合には、本人にその旨を通知するものとする。
(イ) 支援計画の作成

- 実施主体は、本人が本事業の対象者の要件に該当すると判断した場合には、本人の意向を確認しつつ、4の(1)のイに掲げる援助の内容のうち必要な事項、実施頻度等を記入した支援計画を作成すること。
- 支援計画は、本人の状況（必要となる援助の範囲及び判断能力の変化等を含む。）の確認を踏まえ、定期的に見直しを行うこと。

(ウ) 契約の締結
- 実施主体は、作成した支援計画が契約内容の一部となる旨を明らかにした上で、本人にその内容を十分説明し、その了解を得た上で契約を締結すること。
　なお、4の(1)のウの(イ)により、支援計画の見直しを行ったときは、契約内容の一部変更となるので留意すること。
- 支援計画により行う援助の内容として、本人から代理権を授与された上で実施するものについては、本人にその旨を十分説明し、了解を得た上で、契約書に代理権の授与及びその範囲について具体的に明記すること。
- 契約しようとする内容と本人の判断能力との関係から見て、本人の契約締結能力につき疑義が生じた場合には、契約締結審査会に諮るものとする。
　その結果、契約しようとする内容につき、見直しを求められた場合には、本人の了解を得てその内容を見直すものとする。
- 契約の締結に当たっては、本人の死亡等の事由により、契約を終了する際に預かり金等の引き渡し先が不明であること等により、混乱が生じないよう十分調整を行うよう努めること。
　また、実施した援助内容については、本人の意向を踏まえてあらかじめ定めた家族等に対し、定期的に報告を行うこと。

エ　利用料
(ア)　本事業におけるサービスの利用料は、原則として利用者が負担するものとする。
(イ)　実施主体は、あらかじめ標準的利用料を定めるものとするが、個別の利用料は、利用者の事情を勘案して決定しても差し支えないものとする。なお、決定した利用料は、契約書に具体的に明記すること。

オ　運営適正化委員会への定期的な報告等
　実施主体は、社会福祉法第83条に基づき設置される運営適正化委員会に対し、4の(1)に規定する事業の実施状況（契約締結審査会による審査を含む。）について定期的に報告するほか、当該実施状況に関して運営適正化委員会が行う調査に協力するとともに、運営適正化委員会から勧告を受けたときは、これを尊重すること。

カ　利用者のプライバシーへの配慮
　本事業の実施に携わる職員及び契約締結審査会の委員は、利用者のプライバシーの保護に十分配慮するとともに、業務上知り得た秘密を漏らしてはならないこと。その職を退いた後も同様とする。

(2)　福祉サービス利用援助事業に従事する者の資質向上のための事業

実施主体は、5の(1)に掲げる専門員、生活支援員等本事業の実施のために配置する職員のほか、広く福祉サービス利用援助事業に従事する者の資質の向上を図るため、研修等必要な事業を実施すること。
　(3) 福祉サービス利用援助事業の普及及び啓発
　　　実施主体は、福祉サービス利用援助事業が周知され、福祉サービス利用援助事業の対象者を支援するNPO法人、団体等多様な団体が参画し、本事業が実施されるよう、普及及び啓発に努めること。
5　事業の実施体制
　(1) 職員
　　ア　実施主体は、本事業の適切な運営を確保するため、次に掲げる職員を配置するものとする。
　　　(ア)　責任者
　　　(イ)　事業の企画及び運営に携わる職員
　　　(ウ)　専門員
　　　(エ)　生活支援員
　　イ　事業の企画及び運営に携わる職員は、次の業務を行う。
　　　(ア)　相談業務
　　　(イ)　契約締結審査会及び関係機関連絡会議の開催並びにこれらの組織及び運営適正化委員会に係る連絡調整に関する業務
　　　(ウ)　専門員の指導及び支援の業務
　　　(エ)　研修、調査研究及び広報啓発の業務
　　ウ　専門員は、次の業務を行う。
　　　(ア)　申請者の実態把握及び本事業の対象者であることの確認業務
　　　(イ)　支援計画の作成及び契約の締結に関する業務
　　　(ウ)　生活支援員の指導及び監督の業務
　　エ　生活支援員は、次の業務を行う。
　　　(ア)　専門員の指示を受けて、具体的援助を提供する業務
　　　(イ)　専門員が行う実態把握等についての補助的業務
　　オ　実施主体は、事業の実施に携わる職員の採用に当たっては、本事業の利用者である認知症高齢者、知的障害者、精神障害者等に対する十分な理解のみならず、本人の意思を尊重し、その利益を代弁するという権利擁護に関する高い意識並びに本事業の実施に必要な知識及び技術を有している者の確保に努めること。
　　　なお、専門員は、原則として高齢者や障害者等への援助経験のある社会福祉士、精神保健福祉士等であって一定の研修を受けた者であること。
　(2) 契約締結審査会
　　ア　実施主体は、福祉サービス利用援助事業の契約の締結又は見直しの際に利用希望者の判断能力に疑義がある場合、その契約締結能力について、専門的な見地から審査し、確認することを目的として、契約締結審査会を設置するものとする。

イ　契約締結審査会は、実施主体から審査又は助言を求められた場合、専門的見地から審査等を行い、意見を述べるものとする。
　　ウ　契約締結審査会は、医療・法律・福祉の各分野の契約締結能力に係る専門的知見を有する者をもって構成するものとし、委員は実施主体の長が委嘱するものとする。
　(3)　関係機関連絡会議
　　実施主体は、本事業に関する理解の促進及び円滑な実施を目的として、関係機関で構成する関係機関連絡会議を定期的に開催するものとする。
　(4)　その他
　　本事業の実施内容は、利用開始後に、本人の判断能力が低下又は回復したり、相続や不動産の処分等の重大な法律行為が必要になった場合など成年後見制度や生活困窮者自立支援制度その他の関連諸制度への移行が必要になることも想定されることから、中核機関や生活困窮者自立相談支援機関等の関係機関との連携などに十分配慮すること。

（別添19）
　　　　生活困窮者支援等のための地域づくり事業実施要領
1　目的
　　本事業は、地域におけるつながりの中で、住民が持つ多様なニーズや生活課題に柔軟に対応できるよう、地域住民のニーズ・生活課題の把握、住民主体の活動支援・情報発信、地域コミュニティを形成する居場所づくり、多様な担い手が連携する仕組みづくりを行うことを通じて、身近な地域における共助の取組を活性化させ、地域福祉の推進を図ることを目的とする。
2　実施主体
　　本事業の実施主体は、市区町村を原則とする。ただし、他の市区町村と連携して、当該市区町村における取組を総合的に調整する場合は、都道府県も実施主体となることができるものとする。
　　また、本事業を適切、公正、中立かつ効果的に実施することができる者であって、都道府県又は市区町村が適当と認める民間団体等に、事業の全部又は一部を委託することができる。
3　事業内容
　　本事業は、次の(1)から(4)に掲げる取組の中から、地域の実情に応じ、全部又は一部を選択して実施すること。
　　なお、本事業の内容は、市区町村にあっては当該市区町村が策定した市町村地域福祉計画（社会福祉法（昭和26年法律第45号）第107条に規定する「市町村地域福祉計画」をいう。）を、都道府県にあっては当該都道府県が策定した都道府県地域福祉支援計画（同法第108条に規定する「都道府県地域福祉支援計画」をいう。）を踏まえたものでなければならないものとする。

また、市町村地域福祉計画及び都道府県地域福祉支援計画（以下「地域福祉計画」という。）について、未策定又は改定を検討しているなどの理由により、これにより難い場合については、地域福祉計画の策定又は改定の見通しなどについて、厚生労働大臣に協議を行い、厚生労働大臣が認めた場合に限り、本事業を実施できるものとする。
(1) 地域住民のニーズ・生活課題の把握
　住民のニーズや生活課題、それらに対応する社会資源の状況などについて、実態把握を行う。
　（事業例）
　　・地域住民に対するニーズ・課題把握のためのアンケート調査
　　・相談窓口や支援機関に対する地域の福祉ニーズなどの調査
　　・地域住民との座談会の開催　等
(2) 地域住民の活動支援・情報発信等
　(1)により把握したニーズなど、地域における住民のニーズ・生活課題に柔軟に対応し、地域の住民主体の活動を活性化させるよう、地域住民の活動支援や情報発信等を行う。
　（事業例）
　　・地域住民に対して地域活動への参加を促す説明会の実施
　　・課題を抱える住民と地域活動をマッチングするための情報提供
　　・地域活動の担い手やそれをコーディネートする人材に対する研修
　　　（民生委員・児童委員に対して、その活動に必要となる知識及び技能を修得するための研修を除く。）
　　・企業による社会貢献活動や、企業等の従事者に対する定年退職後の地域活動を促す説明会の実施　等
(3) 地域コミュニティを形成する「居場所づくり」
　地域住民が、属性や世代の垣根を超えて地域の様々な人と気軽に関わり、安心して過ごすことのできる場を設置・運営する。
　（事業例）
　　・多様な住民同士が交流できる祭りやスポーツなどのイベントの開催
　　・属性や世代によらず利用できるカフェや食堂、教室などの拠点の運営
　　　（拠点の運営に要する経費にはWi-Fi等通信環境の整備に係る費用・通信費を含む。）
　　・新たな交流拠点の開設（原状復帰のための小修繕費を含む。）　等
(4) 行政や地域住民、ＮＰＯ等の地域づくりの担い手がつながるプラットフォームの展開
　地域における多様な担い手が集まり、地域の課題や社会資源などを共有して意見を出し合うことで、新たな気付きを得て地域に還元できるよう、地域の担い手の新たな関係性の構築に資する取組を行う。
　（事業例）

・地域住民のニーズや生活課題に応じた地域活動の創出に向けた検討会の開催
・地域の社会福祉法人やNPO法人、電気・ガス事業者など、地域のニーズに関して、多様な関係機関との情報共有を図るとともに、これらの協働体制を構築するためのネットワーク会議の開催　等

4　事業評価

本事業の実施主体は、本事業の実施に当たって、地域福祉計画を踏まえつつ、支援が必要な者の人数や支援の実施回数などに関する成果目標を立てるとともに、本事業による国庫補助を受けた年度の概ね3月に、学識有識者や現場有識者等第三者が参画した検証の場を設置するなどにより、当該年度における本事業の実施状況について評価を行い、補助金の実績報告の際にその内容について厚生労働省に報告すること。

5　留意事項

(1)　個人情報の取扱い

本事業において、地域ニーズの実態把握等を実施する場合は、個人情報の適切な管理に十分配慮し、事業の実施に携わる職員等が業務上知り得た秘密を漏らさないよう、職員等に対して周知徹底を図る等の対策を行うこと。

(2)　関係事業との連携

本事業の実施に当たっては、生活困窮者自立支援制度を始め、介護、障害、子ども等の関連施策とも連携を図りつつ、効果的・効率的な事業の実施体制の確保に努めること。特に、本事業は「重層的支援体制整備事業」の生活困窮分野における「地域づくり事業」に位置付けていることから、分野横断的な地域づくりの推進に努め、「重層的支援体制整備事業」の実施に向けた検討を行うこと。

(別添20)

民生委員・児童委員研修事業実施要領

1　目的

本事業は、民生委員・児童委員が、生活困窮者を含め地域住民に対する相談援助を始めとした民生委員・児童委員活動を行う上で必要不可欠な知識及び技術を修得させることを目的とする。

2　実施主体

実施主体は、都道府県、指定都市又は中核市とする。ただし、本事業を適切、公正、中立かつ効果的に実施することができる者であって、都道府県社会福祉協議会、指定都市社会福祉協議会、社会福祉法人又は特定非営利活動法人その他の都道府県等が適当と認める民間団体に、事業の全部又は一部を委託することができる。

3　事業内容

実施主体は、次に掲げる方法等により民生委員・児童委員の研修を行う。

(1)　単位民生委員・児童委員協議会会長を対象にした、単位民生委員・児童委員協議会会長として必要な指導力を修得させるための研修

(2)　中堅（2期目以上）の民生委員・児童委員を対象にした、相談援助活動等を行う上

で必要な活動力を修得させるための研修
  (3) 新任の民生委員・児童委員を対象にした、相談援助活動等を行う上で必要な基礎的知識及び技術を修得させるための研修
4 事業の実施
  (1) 研修を計画するに当たっては、民生委員・児童委員協議会等と連携するよう留意すること。
  (2) すべての民生委員・児童委員が、3年の任期中に少なくとも1回は研修を受講できるよう配慮すること。
  (3) 市町村、社会福祉協議会、各種相談所等において民生委員・児童委員に関係のある業務を行う者であって必要と認めた者に研修を受講させることは差し支えないこと。
5 その他
  研修への参加に要する旅費は、受講者の自己負担とする。

(別添21)
　　　　　被災者見守り・相談支援等事業実施要領
1 目的
  災害救助法（昭和22年法律第118号）に基づく応急仮設住宅に入居した被災者は、被災前とは大きく異なった環境に置かれることとなる。このような被災者が、それぞれの環境の中で安心した日常生活を営むことができるよう、応急仮設住宅の供与期間中、孤立防止等のための見守り支援や、日常生活上の相談を行うとともに、被災者を関係支援機関へつなぐ等の支援を行うことを目的とする。
2 実施主体
  本事業の実施主体は、次のいずれかによるものとする。
  (1) 直接補助として行う場合
    この場合の実施主体は、都道府県、指定都市、中核市又は市区町村とする。
    また、本事業の全部又は一部を適切な運営が確保できると認める社会福祉協議会、社会福祉法人、特定非営利活動法人等の民間団体に、事業の全部又は一部を委託することができる。
  (2) 間接補助として行う場合
    この場合の実施主体は、市区町村とする。
    また、本事業の全部又は一部を適切な運営が確保できると認める社会福祉協議会、社会福祉法人、特定非営利活動法人等の民間団体に、事業の全部又は一部を委託することができる。
3 事業実施要件
  本事業は、災害救助法に基づく応急仮設住宅が供与されていること又は供与される見込みであることを実施の要件とする。
4 事業内容
  本事業は、次の(1)から(3)までに掲げる事業の中から、地域の実情に応じ、全部又は一

部を実施すること。
(1) 被災者の見守り・相談支援等を行う事業
　　被災者のニーズを適切に把握した上で、その安定的な日常生活が確保されるよう、以下のような支援を実施する。
　　なお、これらの支援の実施に当たっては、地域コミュニティ活動を適切に取り入れ、可能な限り効率的な支援体制の構築に努めること。
　ア　応急仮設住宅への巡回訪問等を通じた見守り、声かけ
　イ　応急仮設住宅入居者の日常生活に関する相談支援、生活支援を行った上で、必要に応じた関係支援機関へのつなぎ
　ウ　応急仮設住宅入居者の日常生活の安定確保に資する情報提供
(2) 被災者支援従事者の資質向上等を図るための事業
　　被災者のニーズに応じて、被災者支援従事者が的確な支援を行うことができるよう、以下のような事業を実施する。
　ア　被災者支援従事者の資質向上のための研修会の実施
　イ　被災者支援従事者のメンタルヘルスに関する講習会の実施
(3) その他被災者の孤立防止を図るため、見守り・相談支援と一体的に行うことが効果的な取組として実施主体が必要と認めた事業

5　留意事項
(1) 個人情報の取扱い
　　被災者に対する支援を効果的に行う観点から、被災者の見守り・相談支援に係る他の事業の実施者を含む関係者間での個人情報の共有にできる限り努めると同時に、個人情報の適切な管理に十分配慮し、事業の実施に携わる職員が業務上知り得た秘密を漏らさないよう、関係者への周知徹底を図るなどの対策を適切に行うこと。
(2) 実施状況に関するデータの整理
　　本事業による政策効果を検証するため、見守り等の被災者支援の実施状況に関するデータを整理しておくこと。
(3) 本事業に係る補助金の使途
　　本事業は、被災者の安定的な日常生活を支援することを目的として実施する事業であることから、被災者以外を対象とする一般施策とは経理を厳格に区分し、本事業に係る補助金を当該一般施策に流用することのないようにすること。
(4) 次に掲げる事業は、本事業の対象とはしない。
　ア　災害発生以前から実施している事業
　イ　他の国庫負担（補助）制度により、現に当該事業の経費の一部を負担、又は補助している事業
　ウ　都道府県又は市町村が独自に個人に金銭給付を行い、又は利用者負担を直接的に軽減する事業
　エ　土地の買収又は整地等個人の資産を形成する事業
(5) 関係支援機関の明示

支援にあたっては、本事業で受け付けた相談を円滑に関係機関につなぐことができるよう、担当部署及び関係機関を本事業に係る被災者支援従事者に明確に示すとともに、必要に応じて関係者間の調整を図ること。
(6) 事業の実施期間
　本事業は、災害救助法に基づく応急仮設住宅の供与期間中、実施するものとし、供与期間の終了年度をもって、本事業の実施期間を終了するものとする。
(7) 支援対象者
　支援対象者については、災害救助法に基づく応急仮設住宅への入居者とする。なお、応急仮設住宅の供与期間中は、必要に応じて、災害の発生により公営住宅に避難する者、応急仮設住宅から退去し在宅に戻った者、在宅であっても災害を要因として孤立するおそれのある者を支援対象者に含めて差し支えない。
(8) 一般施策への移行の検討
　事業実施期間中は、可能な限り一般施策による支援での対応を検討するとともに、本事業終了後の支援体制構築のため、民生委員・児童委員による見守りや生活困窮者自立支援制度等による支援など、一般施策による支援へ移行していくことを十分に検討すること。

(別添22-1)
　　居住生活支援加速化事業実施要領
1　目的
　本事業は、現在の住居を失うおそれのある者であって、地域社会から孤立している者等に対し、一定の期間にわたり、訪問による必要な情報の提供及び助言、地域社会との交流の促進、住居の確保に関する援助、生活困窮者自立相談支援事業を行う者やその他の関係者との連絡調整など日常生活を営むのに必要な支援を行うことを目的とする。
2　実施主体
　実施主体は、都道府県、市（特別区を含む。）及び福祉事務所を設置する町村（以下「都道府県等」という。）とする。
　ただし、事業を適切、公正、中立かつ効率的に実施することができる者であって、社会福祉法人、一般社団法人、一般財団法人、特定非営利活動法人、居住支援法人、その他の都道府県等が適当と認める民間団体に、事業の全部又は一部を委託することができる。
3　事業の対象者
　次の(1)又は(2)のいずれかに該当する者とする。
(1) 生活困窮者一時生活支援事業の退所者
(2) 自立相談支援機関、ＮＰＯ、ボランティア団体等の民間団体をはじめ、民生委員、社会福祉協議会、社会福祉士又は地域住民等からの情報提供により把握した、現在の住居を失うおそれのある生活困窮者であって、地域社会から孤立した状態にある者のうち、都道府県等が必要と認める者

4 事業内容
(1) 支援内容
　本事業の支援内容は、以下ア〜オの取組（以下「居住支援」と総称する。）とし、このうち、本事業の実施にあたっては、ア及びイの取組の実施を必須とする。また、事業の実施にあたっては、必ず自立相談支援機関と連携することとする。
　ア　入居にあたっての支援
　　地域における居住支援・生活支援に係るサービスの内容等をあらかじめ把握した上で、住まいに関する相談支援、不動産業者等への同行、物件や家賃債務保証業者のあっせん依頼、家主等との入居契約等の手続に係る支援を行う。
　　また、病院の医療ソーシャルワーカー（ＭＳＷ）等と連携し、退院・退所後に居住支援を必要とする者を把握した上で、宅地建物取引業者、家主、居住支援法人、居住支援協議会等と連携し、自立相談支援事業等における継続的な支援を実施する。
　イ　居住を安定して継続するための支援
　　居住支援を行う職員（以下「居住支援員」という。）等の戸別訪問による見守りや生活支援を行う。
　　その際、具体的な相談内容に応じて、福祉事務所や公共職業安定所等の関係機関やインフォーマルサービス等への相談につなげる。
　ウ　互助の関係づくり
　　サロンやリビング、空き家を活用し、支援を必要とする者同士が集まることができる地域社会との交流の場をつくり、支援を必要とする者同士が相互に支え合う関係や、地域住民とのつながりの構築支援を行う。
　エ　地域づくり関連業務（地域への働きかけ）
　　生活困窮者が地域の中で支え合いながら生活することができる「場」をつくり、その中で本人が持つ様々な可能性を十分に発揮できるよう、地域への働きかけを行う。
　　そのため、地域に様々な社会資源（公営住宅、空き家、他施設等）がある場合は、それらをいつでも活用できるようにし、支援の担い手や必要な社会資源が不足する場合は、自治体や関係機関と連携し、開拓に努めること。
　　また、日頃から地域の中でこれらの関係機関・関係者（生活困窮者支援に積極的な大家や不動産事業者等）とのネットワークを築いておくこと。
　オ　その他
　　地域における居住支援ニーズの把握や、住宅部局・福祉部局等の関係機関における共通アセスメントシートの作成、関係機関・関係者に対する本事業の広報など、ア〜エの取組に資する業務を行う。
(2) 利用手続
　本事業の実施に際し、自立相談支援機関と十分な連携を図ることが必要であることから、本事業の利用については、自立相談支援機関が作成するプランに盛り込むこと

とする。
(3) 利用期間
　令和6年3月末を超えない範囲とする。なお、利用期間終了後も日常生活を円滑に営めるよう、自立相談支援機関との連携により、関係機関による見守りや生活支援など日常生活を営むのに必要な支援体制の構築を図る。
5　配置職員
　本事業の実施に当たっては、居住支援員を事業実施場所に配置するものとする。なお、生活困窮者の数その他の状況により、他の職種と兼務するなど、地域の実情に応じた対応を行うことも可能とする。
6　留意事項
(1)　本事業の実施に携わる職員は、利用者のプライバシーの保護に十分配慮するとともに、業務上知り得た秘密を漏らしてはならないこと。また、利用者に対しては、性別に配慮したきめ細かな自立支援を行うとともに、必要に応じて、婦人相談所や婦人保護施設等の関係施設とも十分連携すること。このほか、利用者の特性により、社会的な偏見や差別を受け弱い立場に置かれやすい者に対しては、配慮を行うこと。
(2)　関係機関と個人情報を共有する場合は本人から同意を得ておくなど、個人情報の取扱いについて適切な手続を踏まえること。
(3)　本事業の実施に当たっては、本人の状況に応じて、適切に就労準備支援事業等につなげることができるよう、自立相談支援機関との連携を図ること。また、本人の状況に応じて、適切に生活保護につなげることができるよう、自立相談支援機関とともに福祉事務所とも連携を図ること。
　なお、本事業と自立相談支援事業を一体的に実施する場合には、利用者の就労促進のため、公共職業安定所による職業相談の実施等に当たって連携を図ること。
(4)　住宅セーフティネット法に基づく居住支援協議会が設置されている場合は、可能な限り当該協議会に参画し、住宅部局・福祉部局等の関係機関、関係団体が連携した居住支援を行うよう連携を図ること。
(5)　被保護者に対する居住安定確保支援事業を実施している自治体は、一体的に行うことが望ましい。
(6)　本事業終了後は、原則、別添7の地域居住支援事業へ移行すること。

（別添22—2）
　　生活困窮者自立支援の機能強化事業実施要領
1　目的
　本事業は、物価高騰等の影響により生活に困窮している方への対応、緊急小口資金等の特例貸付の借受人へのフォローアップ支援等を強化するため、自治体と民間団体との連携の推進や、柔軟な相談支援を行うための体制強化等を行い、生活困窮者自立支援制度の機能強化を図ることを目的とする。
2　実施主体

実施主体は、都道府県、市（特別区を含む。）及び福祉事務所を設置する町村（以下「都道府県等」という。）。

ただし、事業を適切、公正、中立かつ効率的に実施することができる者であって、社会福祉法人、一般社団法人、一般財団法人又は特定非営利活動法人その他の都道府県等が適当と認める民間団体に事業の全部又は一部を委託することができる。

なお、(3)の「その他自治体の創意工夫による自立相談支援等の強化に資する取組の実施」に限り、福祉事務所を設置しない町村においても実施することができる。

3 事業内容
(1) 特定非営利活動法人等と連携した緊急対応の強化
　ア 支援策の多様化を目的とした特定非営利活動法人や社会福祉法人等との連携強化
　　自立相談支援機関が、独自の支援に取り組む特定非営利活動法人や社会福祉法人等と連携するために必要な以下の経費を補助することにより、多様な支援ニーズに対応するための体制強化を図る。
　　(ｱ) 自立相談支援機関が連携する特定非営利活動法人や社会福祉法人等の取組を広報するための経費
　　(ｲ) フードバンク等から提供された食料等を保管するための経費
　　(ｳ) 特定非営利活動法人や社会福祉法人等から提供された現物を相談者へ送付するための経費
　　(ｴ) その他自立相談支援機関が特定非営利活動法人や社会福祉法人等と連携するために必要な経費（ただし、特定非営利活動法人や社会福祉法人等が独自に支援に取り組むための経費は除く。）
　イ 支援ニーズの増大に対応した地域の特定非営利活動法人等に対する活動支援
　　地域の生活困窮者支援に取り組む特定非営利活動法人や社会福祉法人等の民間団体について、物価高騰等の影響により、支援ニーズの増大による事業量や活動経費の増加が認められる場合であって、以下の要件を満たすときは、1団体あたり50万円の範囲内で活動経費を支援する。ただし、複数の市町村において広域的な支援を実施している団体の場合は、100万円の範囲内で活動経費を支援する。
　　（イの支援対象となる民間団体の要件）
　　　○ 地域の自立相談支援機関と連携が図られていること。または、複数の市町村において広域的な支援に取り組んでおり、かつ、都道府県と連携が図られていること（いずれも、今後連携する予定の場合を含む。）。
　　　○ 地域の生活困窮者を支援する上で、当該民間団体による支援を行うことが必要と認められること。または、複数の市町村において広域的な支援に取り組んでおり、かつ、当該団体又は当該団体が所属するネットワーク等が都道府県と連携することで、地域の生活困窮者への支援に資すると認められること。
　　　○ 食料や日常生活用品等の物資支援を行う団体だけでなく、相談支援をはじめ、就労や住まい、居場所づくりなどの支援に独自に取り組む民間団体も対象となること。

例）就職活動を行う者への携帯電話の貸出し支援、Wi－Fi環境を整備した居場所づくり等
　○ 自立相談支援事業の委託を受けている民間団体についても支援対象となるが、委託を受けている事業に係る経費（相談員の加配など）は助成対象とならず、委託を受けている事業とは別に、民間団体独自の取組に係る経費が助成対象となることに留意されたい。
（イの事業実施に係る要件）
　○ 自治体において、生活困窮者の状況把握や課題整理、支援方法の検討等を行うプラットフォームを設置すること。その上で、活動経費支援の対象となる民間団体は当該プラットフォームにおいて活動しているものであること。ただし、複数の市町村において広域的な支援に取り組む民間団体への補助についてはこの限りでない。
　○ 本プラットフォームは、それぞれの地域で、物価高騰等の影響により生活に困窮している方への対応や特例貸付の借受人等に対する生活再建に向けた支援のために、どのような支援体制を構築する必要があるのかについて、行政や関係機関、社会福祉協議会、民生委員・児童委員、その他民間団体と連携して生活困窮者支援の実情や課題の整理を行い、その結果を踏まえ、地域の生活困窮者支援に関する連携体制や支援の方法、就労先の開拓などを検討するものであること。
　○ 本プラットフォームの設置主体は福祉事務所設置自治体を基本とするが、広域的に実施する観点から都道府県が設置することも差し支えない。
　○ 本プラットフォームは、当該地域における官民連携による困窮者支援の仕組みを検討する場を作ることを目的として、生活困窮者自立支援法に基づく支援調整会議や支援会議等の既存の会議体等により代替するほか、会議体の設置要綱等を要さない簡易な協議の場としても差し支えない。
　○ 社会全体の関心・気運の情勢や地域住民の意識を高め、支援の取組そのものが広がりを持ったものとしていくために、本プラットフォームには、行政機関だけでなく、地域の民間団体が参画することが望ましい。ただし、地域の実情によって民間団体の参画が難しい場合には、本プラットフォームにおいて、民間団体との連携による支援ネットワークづくりを検討するなど、民間団体も含めた連携支援の方策を検討すること。
　○ なお、本プラットフォームに関する会議体の設置に係る経費については、既存予算で対応することとし、本事業の対象経費とはならないことに留意されたい。
（イの対象経費）
　○ 地域の生活困窮者自立支援に取り組む上で、必要と認められる支援を実施するために必要な経費（食料や日用生活用品等の物資支援に必要な物品購入費、相談者に物品を届ける送料・運搬経費、居場所づくりに必要な借上料、Wi－

Ｆｉ等の通信環境整備に係る経費、その他人件費、印刷製本費、燃料費、光熱水費、雑役務費等）
(2) 特例貸付の借受人等への生活再建に向けた相談支援体制の強化
　ア　特例貸付の借受人や生活困窮者自立支援金の受給終了者等への生活再建に向けた支援を行うため、自立相談支援事業や家計改善支援事業等の相談支援員等とは別途、相談支援員等を加配するほか、訪問支援から関係機関への連絡調整や同行支援、定期的な見守り支援等までを行うアウトリーチ型の支援員を配置する等、個々の状況に応じたフォローアップ支援等を行うための体制強化を図る。
　イ　自立相談支援員等が支援に注力できる環境整備や住居確保給付金の申請処理をはじめとした事務を行うための職員の雇用など、事務処理体制を強化することにより、相談支援員等の事務負担の軽減や支給事務の迅速化を図る。
　ウ　多重債務を抱えている者等について安定的な生活への再建を図るため、関係機関との連携や無料法律相談会の開催、弁護士等への委託による法律相談等の支援を行う。
　（留意事項）
　　○　ア及びイの支援員等については、自立相談支援機関のほか、自立相談支援機関と連携して業務を行う場合には、市区町村社会福祉協議会等の自立相談支援機関以外の支援機関への配置も可能である。
(3) その他自治体の創意工夫による自立相談支援等の創意工夫による自立相談支援等の強化に資する取組の実施
　上記事業のほか、自立相談支援等の機能強化を目的とし、各自治体による、それぞれの課題を踏まえた創意工夫に基づく事業。

（別添22―3）
　　　　生活困窮者自立支援都道府県研修実施体制等整備加速化事業実施要領
1　目的
　本事業は、生活困窮者自立相談支援事業等に従事する支援員の支援活動の増加・高度化により、支援員のメンタルケアや支援スキルを向上する必要性が高まっていることを踏まえ、各地域における効果的な支援手法の共有や研修会の実施を担う研修企画チームや中間支援組織の立上げを加速化することを目的とする。
2　実施主体
　実施主体は、都道府県とする。
　ただし、事業を適切、公正、中立かつ効率的に実施することができる者であって、社会福祉法人、一般社団法人、一般財団法人又は特定非営利活動法人その他の都道府県が適当と認める民間団体に、事業の全部又は一部を委託することができる。
3　事業内容
　実施主体は、次に掲げる事業を実施することができるものとする。
(1) 研修企画チーム立上げ及び運営

ア　目的

　本事業は、別添10の都道府県による市町村支援事業実施要領3の(1)のイの(ｱ)人材養成研修の実施に係る研修（以下「都道府県研修」という。）を実施していない都道府県において、都道府県職員だけでなく、相談支援現場のニーズを把握している主任相談支援員や国研修受講者、その他関係事業の相談員等が参画し、都道府県研修の意義や目的を共有のうえで都道府県研修のカリキュラム検討や研修の運営をするチーム（以下「研修企画チーム」という。）を立上げることを目的とする。

イ　事業内容

　本事業は、研修企画チームの立上げ及び研修に係る環境整備、都道府県研修の初回実施等の以下の取組を対象とする。

　なお、既に研修企画チームが設置され、都道府県研修を実施している都道府県においては、都道府県による市町村支援事業（補助率1／2）により実施すること。

(ｱ)　都道府県内の各事業の取組状況や地域が抱える課題等の整理

　都道府県研修に対する都道府県内のニーズを把握するため、都道府県内の自治体や自立相談支援機関等に対する個別訪問やアンケート、ワークショップなどを実施することにより、都道府県内の各事業の取組状況や地域が抱える課題等の整理を行う。

(ｲ)　研修企画チームの設置に向けた検討・構築

　研修企画チームの設置に向けた検討にあたっては、以下のような取組が考えられる。

・　研修企画チームの設置に向けた事務局を編成すること
・　個別訪問やアンケートの結果、事業に熱心に取り組んでいると思われる支援員を研修企画チームに招聘すること
・　研修企画チームの設置要綱の作成等により活動環境の整備をすること
・　研修企画チーム設置に向けた計画を作成すること
・　研修企画チームの役割や活動に対する協力依頼を都道府県内の自立相談支援機関等へ周知すること

(ｳ)　都道府県研修の実施計画の策定

　自立相談支援事業、就労準備支援事業及び家計改善支援事業等に従事する者等の支援の専門性を十分に高めるために、これらの者に対する研修を円滑に実施するための実施計画を策定する。

(ｴ)　都道府県研修の初回実施

　(ｱ)～(ｳ)の取組により設置された研修企画チームを中心に、初回の都道府県研修を開催する。

(2)　中間支援組織の立上げ及び運営支援

ア　目的

　地域の自立相談支援機関同士等によるネットワークを構築し、当該ネットワークを通じて、支援員のメンタルケアや支援スキルの向上といった自立相談支援機関や

個々の支援員が抱える悩みの解決を図るなどの支援者支援を行う組織（以下「中間支援組織」という。）を立ち上げ、当該組織が中心となって、自立相談支援事業等に従事する支援員向けに都道府県研修以外での交流や情報交換の場、小規模な勉強会等を開催するとともに、当該組織が継続的に活動を実施できるような支援を行うことを目的とする。

イ 事業内容

(ｱ) 中間支援組織の立上げ支援

中間支援組織の立上げに向けた働きかけとして、例えば、以下のような取組が考えられる。

- 研修企画チームを中心として、中間支援組織の準備運営委員会の発足すること
- 他県の中間支援組織を招いた研修会やオンラインを活用した意見交換会の開催
- 都道府県内における中間支援組織の設立ニーズについて、ヒアリング等の調査
- 自立相談支援機関や支援員向けの交流会や勉強会のモデル的開催
- 中間支援組織の立上げに向けた機運の醸成
- 定期的な会議や意見交換会の開催

(ｲ) 地域密着型の勉強会等の実施

例えば、中間支援組織が中心となって、以下のような取組を行うことが考えられる。

- 支援員向けに、地域の特性に合わせた勉強会を実施し、支援のノウハウや課題の共有
- 社会資源が少ない地方等において、それぞれが把握する社会資源の情報交換やその活用に向けた意見交換の実施
- 主任相談支援員、相談支援員、就労支援員の兼務などにより、支援の方向性や支援手法について話し合う機会が乏しい事業所において、近隣の自立相談支援機関等と相互に意見交換等ができるような関係を構築するための自立相談支援機関のマッチングや小規模な相談会の開催
- 企業や社会資源が集中している都市部において、隣接する自治体合同で企業開拓のための説明会や研修会の開催

(ｳ) その他

本事業については、小規模な研修会や情報交換の場づくりを繰り返すことで、効果的な実施方法を構築していくことが有効であることから、都道府県全体で本格的に事業を実施する前に、都道府県内の一部地域において、情報交換や勉強会のプロセスをモデル的に試行することを推奨する。

（別添22－4）
　　　住まい支援システム構築に関するモデル事業実施要領
1　目的
　本事業は、住まいに課題を抱える生活困窮者等に対し、総合的な相談支援から、見守り支援・地域とのつながり促進などの居住支援までを一貫して行う住まい支援システムの構築に向けて、課題等を整理することを目的とする。
2　実施主体
　実施主体は、都道府県、市（特別区を含む。）及び福祉事務所を設置する町村（以下「都道府県等」という。）とする。ただし、事業を適切、公正、中立かつ効率的に実施することができる者であって、社会福祉法人、一般社団法人、一般財団法人、特定非営利活動法人、居住支援法人又は居住支援協議会その他の都道府県等が適当と認める民間団体に、事業の全部又は一部を委託することができる。
3　事業の対象者
　住まいに課題を抱える生活困窮者や独居高齢者等を対象とする。
　（対象者例）
- 支出の増加や収入減少等により転居が必要となったが、転居費用が捻出できない者
- 身寄りがなく、保証人、緊急連絡先を確保できない者
- 住まいを失っており、地域とのつながりもない者
- 家賃滞納による強制退去など住居を失う危険性が高い者
- 関係悪化により家族や知人から同居を拒否されている者

4　事業内容
　生活困窮者自立支援部局をはじめとする福祉部門と住宅部門が連携し、住まいに課題がある者の相談を包括的に受け止め、相談内容や相談者の状況に応じて適切な支援関係機関につなぐとともに、地域における住まいに関する支援体制の強化を図るため、以下(1)～(5)に取り組む。
(1)　住まいを中心とした相談支援
　住まいに課題がある者の相談を包括的に受け止め、相談者のみならず世帯全体が抱える課題を把握する。
(2)　アセスメント、プランの策定及びフォローアップ
　ア　(1)により把握した課題の解決を図るため、相談者の置かれている状況や本人の希望を十分に確認（アセスメント）した上で、支援関係機関間の円滑な連携体制のもと、入居前から入居中、退居時に至るまで、各種制度や地域の取組、資源を活用した切れ目のない支援を提供するため、支援関係機関の役割分担や、支援の目標、方向性、支援の内容等を記載した計画（以下「プラン」という。）を策定する。
　イ　プランの内容には、次の(ア)から(カ)までに掲げる生活困窮者自立支援法（以下「法」という。）に基づく支援や、(キ)及び(ク)に掲げる他の公的事業又はインフォーマルな支援など、本人の自立を促進するために必要と考えられる支援を盛り込むものとする。

㋐　住居確保給付金の支給
　　　㋑　就労準備支援事業
　　　㋒　一時生活支援事業（法第3条第6項第1号に規定する事業）
　　　㋓　地域居住支援事業（法第3条第6項第2号に規定する事業）
　　　㋔　家計改善支援事業
　　　㋕　㋐から㋔までのほか、生活困窮者の自立の促進を図るために必要な事業
　　　㋖　生活福祉資金貸付事業
　　　㋗　上記のほか、様々な公的事業による支援及び民生委員による見守り活動等のインフォーマルな支援
　　　　なお、相談内容から、生活困窮者自立支援制度以外の他制度や他の支援機関での対応が適当であると判断される場合は、当該他の支援機関等への情報提供やつなぎを確実に行うものとする。
　　ウ　各支援機関による支援が始まった後も、各支援機関との連携・調整はもとより、必要に応じて本人の状況等を把握すること。
　(3)　身寄りのない者への伴走支援（必要な支援機関へのつなぎ）
　　　身寄りのない者に対しては、必要に応じて身元保証や死後事務等に関する支援も併せて提供できるよう、プランに盛り込むとともに、支援機関に確実につなげるものとする。
　(4)　地域の居住支援ニーズの把握、必要な地域資源の開拓
　　　地域における居住支援ニーズを把握するとともに、個々のニーズに対応する地域資源が不足していることを把握した場合には、地域課題として位置付け、居住支援協議会等と連携しながら、地域資源の開発（公営住宅、空き家、他施設等の有効活用を含む。）に向けた取組を検討する。
　　　（取組例）
　　　・　生活困窮者等の入居に積極的な大家や不動産事業者の開拓及びネットワークの構築
　　　・　セーフティネット住宅や連帯保証人が不要である住宅など、入居しやすい住宅のリスト化
　(5)　地域の関係者に対する支援
　　　住まいに関する支援が地域において円滑に行われるよう、必要に応じて、地域の関係者に対し、個別事例等に関する助言、事例検討会、研修会の企画、各種制度、施策の情報提供等を行うものとする。
5　配置職員
　本事業の実施に当たっては、住まいに関する相談業務のマネジメントや関係機関とのコーディネート機能を担う居住支援員を1名以上配置するものとする。なお、他の職種と兼務するなど、地域の実情に応じた対応を行うことも可能とする。
　また、居住支援員の配置場所については、自立相談支援機関など地域における相談支援機関や、居住支援法人等の住宅関係機関など、相談者の利便性にも配慮しつつ、業務

を遂行し得る機関として差し支えない。
6 留意事項
(1) 本事業の実施に携わる職員は、利用者のプライバシーの保護に十分配慮するとともに、業務上知り得た秘密を漏らしてはならないこと。
(2) 関係機関と個人情報を共有する場合は本人から同意を得ておくなど、個人情報の取扱いについて適切な手続を踏まえること。
(3) 本事業の実績については、生活困窮者就労準備支援事業費等補助金の事業計画及び実績報告とは別に、課題、取組の内容、効果等を整理して、厚生労働省へ提出していただくことがあり得るため、御承知おき願いたい。なお、その場合、様式や提出期限については、別途定める。

(別添23)
　　重層的支援体制整備事業への移行準備事業実施要領
1 目的
　重層的支援体制整備事業への移行準備事業（以下「移行準備事業」という。）は、社会福祉法（昭和26年法律第45号。以下「法」という。）第106条の4第2項に基づき、市町村（特別区を含む。以下同じ。）において、対象者の属性を問わない相談支援、多様な参加支援、地域づくりに向けた支援を一体的に実施することにより、地域住民の複雑化・複合化した支援ニーズに対応する包括的な支援体制を整備する重層的支援体制整備事業（以下「重層事業」という。）の実施に向けた準備を行うことを目的とする。
2 実施主体
　実施主体は市町村とする。ただし、移行準備事業において実施する各取組の一体的な実施が確保されるよう必要な措置を講じた上で、事務の全部又は一部を、地域における福祉に資する事業について実績を有する社会福祉法人、一般社団法人若しくは一般財団法人又は特定非営利活動法人その他の当該市町村内において事業を適切に実施することができると当該市町村が認めるものに、市町村が直接行うこととされている事務を除き、委託することができるものとする。
3 事業内容
　実施市町村において、次の(1)及び(2)に取り組むことを必須とする。また、(3)及び(4)の取組は重層事業への移行準備状況に応じて実施できるものとする。
　なお、(2)から(4)までの取組を行う市町村又は事業受託者をそれぞれ「多機関協働の事業者」、「アウトリーチ等支援の事業者」、「参加支援の事業者」という。
(1) 庁内連携体制の構築等の取組
　ア 庁内連携体制の構築及び移行計画の作成
　　　重層事業は、既存の介護、障害、子ども・子育て、生活困窮の相談支援や地域づくり等の取組を活かしつつ、地域の幅広い支援関係機関の連携のもと、属性を問わない相談支援、多様な社会参加に向けた支援、地域づくり支援を一体的に実施することが求められる。重層事業への移行に向けて、市町村庁内の関係部局とこれまで

以上に連携するとともに、支援関係機関をはじめとする庁外の関係者とも議論を積み重ねることが極めて重要である。

このため、市町村において、関係部局を横断した職員による会議（庁内連携会議）又は庁内の職員のほか庁外の関係者も参画する会議（庁内庁外連携会議）を開催し、移行に向けた具体的な取組について検討する。

また、これら連携会議における検討を踏まえ、重層事業への移行予定年度、移行に向けた課題とその解決策、移行に向けた具体的な取組内容等を含む移行計画を作成すること。特に、今後、重層事業に含まれる各事業を一体的に実施するための方策について具体的な検討を行うこと。

連携会議の構成員は、移行準備事業の担当部署、介護、障害、子ども・子育て、生活困窮分野の担当部署を基本とし、労働、教育、住まい、地域再生等の担当部署、分野横断の政策のとりまとめ担当部署、庁外の関係団体など多様な関係者が考えられる。各市町村においては、包括的な支援体制を構築する上で必要な関係部署を幅広く構成員とすることを検討すること。

イ　その他重層事業への移行に必要な取組
(2) 多機関協働の取組
　ア　基本的な役割

本取組は、複雑化・複合化した事例に対応する支援関係機関の抱える課題の把握や、各支援関係機関の役割分担、支援の方向性の整理といった、事例全体の調整機能の役割を果たすものであり、多機関協働の取組は主に支援者を支援する役割を担う。ただし、必要に応じて、支援関係機関と連携しながら相談者本人に直接会って独自のアセスメントを行うなどといった直接的な支援も行うこととする。

　イ　相談受付

複雑化・複合化した支援ニーズを有する等の支援関係機関等による役割分担を行うことが望ましい事例について、相談を受け付けた上で必要な支援を行う。

また、支援関係機関の通常の連携体制で解決が可能な相談など多機関協働の取組において調整を行う必要性が低いと判断される事例が多機関協働の事業者につながれた場合には、事例の紹介元の支援関係機関等と協議した上で、紹介元に事例を戻すこともあり得るが、この場合においても、多機関協働の事業者と紹介元の支援関係機関等は連携した支援体制を整えておくこととする。

多機関協働の取組による相談受付を行うことが決まった場合、多機関協働の事業者は原則、本人に相談受付・申込票を記入してもらい、利用申込（本人同意）を受けるものとする。基本的には、紹介元の支援関係機関等が利用申込の補助を行うものとするが、本人が多機関協働による支援を受けることに不安があるなど円滑な利用申込につながらない場合には、多機関協働の事業者が直接本人に支援内容の説明をするなど丁寧な対応をすること。

　ウ　アセスメント

多機関協働の事業者が本人やその世帯の状態を把握し、支援方針等の検討を行う

ために必要な情報は、介護、障害、子ども・子育て、生活困窮分野等の相談支援事業者などの紹介元や日ごろ本人やその世帯に関わっている支援関係機関に依頼するものとする。ただし、多機関協働の事業者が直接、本人やその世帯から情報収集をした方が良いと判断した場合は、独自のアセスメントを行うこととする。

収集した情報は、多機関協働の事業者が、インテーク・アセスメントシートにまとめるほか、エに基づくプラン作成のため、重層的支援会議（キを参照）に提示すること。

なお、(3)のアウトリーチ等を通じた継続的支援や(4)の参加支援に取り組む場合、本人やその世帯の状況によっては、早期にそれらの支援につないだ方が良いと判断される事例もあると考えられることから、インテーク・アセスメントの段階からアウトリーチ等支援の事業者や参加支援の事業者と必要な連携体制を確保しておくものとする。

エ　プラン作成

アセスメントの結果を踏まえ、支援関係機関間の円滑な連携体制のもと、複雑化・複合化した支援ニーズを有する者やその世帯へ必要な支援を提供するため、支援関係機関の役割分担や支援の目標・方向性を整理したプランを作成する。

当該プランの作成に当たっては、重層的支援会議において、各分野の相談支援事業者、アウトリーチ等支援の事業者及び参加支援の事業者を始めとする支援関係機関と役割分担や支援の目標・方向性について十分議論を行う。

また、アウトリーチ等を通じた継続的支援及び参加支援を利用する場合も、多機関協働の事業者がプランにこれらの事業を利用することを明記し、支援決定を受けた後でこれらの事業につなぐことを基本とする。ただし、アウトリーチ等を通じた継続的支援や参加支援による早期支援が必要な場合は、プラン作成前からこれらの事業を利用することを妨げるものではない。

オ　支援の実施

支援関係機関等の役割分担や支援の目的・方向性を定め、支援関係者がチーム一体となりプランに基づく支援が円滑に進むよう必要な支援を行うものとする。また、プランに基づく支援の実施状況は、重層的支援会議等において支援関係機関から情報収集して随時把握することとし、必要があれば収集した情報をもとに再度、支援関係機関の役割分担や支援の方向性を整理・変更するとともに、再プランについても適切に検討及び実施するものとする。

カ　終結

本人やその世帯の課題が整理され、支援の見通しがつき、プランによって、支援関係機関の役割分担について合意形成を図ることができた時点で、主たる支援者としての多機関協働の関わりは一旦終了するものとする。なお、多機関協働の取組による支援終結後は、プランに基づき支援関係機関の中から支援の主担当となる機関（支援担当者）を設定し、その後も本人やその世帯を伴走支援する体制を確保するものとする。

なお、支援終結後に本人の状態やその取り巻く環境に変化が生じた場合や、再度課題の解きほぐしや支援関係機関の整理が必要となった場合は、速やかに多機関協働の取組による支援を再開する。このため、支援の終結後も支援関係機関と情報共有等ができる体制を確保しておくものとする。

キ 重層的支援会議
　(ア) 会議の開催

重層的支援会議は多機関協働の事業者が主催する。また、多機関協働の取組を民間団体に委託して実施している場合、市町村は必要と考えられる支援関係機関の招集を円滑に行うために必要な協力を行うこと。

また、市町村は全ての重層的支援会議に参加するものとし、参加支援又はアウトリーチ等支援を利用する場合には、多機関協働の取組のプランに基づき市町村がその決定を行うものとする。

　(イ) 会議の役割

重層的支援会議は、今後、重層事業が適切かつ円滑に実施されるために開催するものであり、次のAからCまでの3つの役割を果たすことが求められる。なお、事例の内容によって、会議の果たす役割は異なるものであり、毎回の会議でこれら全ての役割を担う必要はないが、他方で、状況に応じてここに明記されていない他の役割を果たすなど柔軟に対応することもできる。

A プランの適切性の協議

市町村や支援関係機関が参加して合議のもとで、多機関協働の事業者が作成したプラン（アウトリーチ等支援の事業者、参加支援の事業者が作成したプランがある場合はこれらのプランを含む）について、適切性を判断する。

B プラン終結時等の評価

多機関協働の事業者のプラン終結時（アウトリーチ等支援の事業者、参加支援の事業者が作成したプランがある場合はこれらのプラン終結時を含む）等においては、支援の経過と成果を評価し、支援関係機関の支援を終結するかどうかを検討する。

C 社会資源の充足状況の把握と開発にむけた検討

個々のニーズに対応する社会資源が不足していることを把握した場合には、地域の課題として位置付け、社会資源の開発に向けた取り組みを検討する。ただし、重層的支援会議の中でこれらを十分に検討する時間を確保することは困難な場合も考えられるため、重層的支援会議においては、例えば、課題の整理と認識の共有にとどめ、地域の諸課題と社会資源の開発については別途協議の場を設ける等の対応をすることも有用である。この場合、新たに協議会を設けるほか、既存の協議の場を活用することも考えられる。

　(ウ) 会議の開催方法

重層的支援会議の開催方法は、会議の役割（(イ)のAからCまで）、検討件数や事例の内容によって、定期開催や随時開催、又はそれらの併用が考えられる。

定期開催の場合は、関係者が予定を立てやすく日程調整などの必要がないなどの利点がある。随時開催の場合は、本人の状況に応じて迅速に対応できるという利点がある。いずれの方法においても、それぞれに利点が存在するため、例えば、定期の会議を基本としつつ、早急に対応する必要がある事例などは随時の会議で検討するなど、両者の方法を併用することも考えられる。

また、対面による会議開催が困難な場合（地理的要因などにより支援関係機関が一堂に会することが困難、感染症予防の観点から密閉や密集を避ける必要がある場合等）、また、関係者の負担軽減の観点からより効率的に会議を運営する必要がある場合は、ＩＣＴ等を活用してオンラインにより開催することも考えられるため、環境の整備を進めていただきたい。

なお、生活困窮者自立支援法に基づく支援調整会議、介護保険法に基づく地域ケア会議、障害者総合支援法に基づく（自立支援）協議会など様々な既存の会議体が存在している。特に、小規模の自治体において、既存の会議と参加者が大きく変わらない場合は、既存の会議体の内容を精査し、既存の会議と時間を切り分ける等した上で、重層的支援会議として活用することも効果的・効率的であると考えられる。その場合には、それぞれの会議体の目的及び役割の相違を十分に理解した上で適切な運営がなされるよう配慮する必要がある。

(エ) 会議の参加者

会議の参加者については、原則、多機関協働の事業者と市町村は必須とする。重層的支援会議で検討する中で、各相談支援事業、アウトリーチ等支援や参加支援の必要性が表面化する場合も考えられることから、原則としてこれらの事業者も参加すること。また、事例の内容に応じて、支援関係機関のみならず、本人やその世帯を取り巻く地域の関係者が参加することが望ましい場合は、必要に応じて関係者を招待することができるものとする。ただし、会議の参加者を増やしたことによる会議の機動性の低下、事務負担の増大など、円滑な会議運営に支障が生じないよう配慮した会議運営を行うこと。

参加者の検討にあたっては、福祉分野以外の必要な関係者の参加を図ることにより、重層的支援会議を通じて新たなつながりや分野を超えた関わりをつくることも期待される。

いずれにしても、アセスメントが適切であるかを客観的に検討できる者が参画することが望ましい。

また、本人の参加は必須ではないが、参加することが本人にとって有益であると判断される場合は本人に参加してもらうことも考えられる。ただし、本人に参加を求める場合は、本人が多くの人前で話をすることに不慣れな場合があること、精神状態が不安定な状態にあること等も考えられることから、本人の状態を十分に考慮することが必要である。

なお、重層的支援会議の参加者は毎回同じである必要はなく、事例に応じて参加者を変えるなど柔軟な対応が可能である。

(オ) 会議開催のタイミング

重層的支援会議の開催は、多機関協働、アウトリーチ等支援、参加支援における次の4つのタイミングで必ず開催すること。

なお、支援の進捗状況の把握やモニタリングのタイミングなど、支援を円滑に進めるために必要と考えられる場合には適宜開催することが求められる。そのような場合には、重層的支援会議としてではなく、例えば、ケース会議や事例検討といった形態で開催することも考えられる。

A　プラン策定時
：アセスメント結果に基づく本人の目標、支援方針、プラン内容・各支援関係機関の役割分担、モニタリングの時期等の検討を行う。

B　再プラン策定時
：本人の状況変化の確認、現プラン評価、再プラン内容の確認（プラン策定時の同内容）等を行う。

C　支援終結の判断時
：本人の目標達成状況・本人に関わる支援者の状況の確認、支援終結の評価、フォローアップの必要性やその方法の確認等を行う。

D　支援中断の決定時
：本人との連絡が完全に取れなくなった場合等の支援中断の決定（支援の中断は本人と完全に連絡が取れなくなったときに判断をするものであるが、その判断に当たっては本人やその世帯を取り巻く関係者からの情報収集や本人の自宅訪問等を行うなど、できる限り本人と接触をとるよう働きかけることが重要である。）

(3) アウトリーチ等を通じた継続的支援の取組

ア　目的

本取組は、支援関係機関等との連携や地域住民とのつながりを構築し、複雑化・複合化した課題を抱えながらも支援が届いていない人を把握する。また、潜在的なニーズを抱える人に関する情報を得たのち、当該本人と信頼関係に基づくつながりを形成するために、本人に対して時間をかけた丁寧な働きかけを行い、関係性をつくることを目指す。

イ　事業内容

(ア) 基本的考え方

本取組は、長期にわたりひきこもりの状態にあるなど、複雑化・複合化した支援ニーズを抱えながらも必要な支援が届いていない者に支援を届けるための取組である。したがって、本取組にて支援する事例の多くは、本人とのつながりを形成すること自体が困難であり、時間がかかることが想定される。

このような対象者像を踏まえ、本取組の主たる内容は、本人と関わるための信頼関係の構築や、本人とのつながりの形成に向けた支援である。

なお、アウトリーチ等を通じた継続的支援の従事者については保健医療福祉等

の専門職など、適切に業務を行うことができる人材を配置することが望ましい。
　(イ)　支援の実施
　　　本取組の支援内容は、主に本人と直接関わるための信頼関係の構築やつながりの形成に力点を置くものであるが、それら以外の支援も含め、次のとおり整理する。
　　　A　支援関係機関や地域住民等の地域の関係者と連携した情報収集
　　　B　事前調整
　　　C　関係性構築に向けた支援
　　　D　家庭訪問及び同行支援
(4)　参加支援の取組
　ア　目的
　　　本取組は、既存の社会参加に向けた事業では対応できない本人のため、本人やその世帯のニーズや抱える課題などを丁寧に把握し、地域の社会資源や支援メニューとのコーディネートをし、マッチングを行う。また、既存の社会資源に働きかけたり、既存の社会資源の拡充を図り、本人やその世帯の支援ニーズや状態に合った支援メニューをつくることを目的とする。さらに、マッチングした後に本人の状態や希望に沿った支援が実施できているかフォローアップ等を行い、本人やその世帯と社会とのつながりづくりに向けた支援を行う。
　イ　事業内容
　　(ア)　基本的考え方
　　　　本取組は、既存の社会参加に向けた事業では対応できない狭間の個別ニーズに対応するため、本人やその世帯の支援ニーズと地域の社会資源との間の調整を行うことで、多様な社会参加の実現を目指すものである。
　　　　また、本取組の支援対象者は、既存の各制度における社会参加支援に向けた支援では対応できない個別性の高いニーズを有している人などが想定される。
　　(イ)　支援の実施
　　　A　相談受付
　　　　本取組は重層的支援会議で事業の利用が必要と判断され、(イ)のプランが決定された場合に利用開始となる。ただし、参加支援の事業者が早期に関わる必要がある場合には、重層的支援会議における市町村による支援決定前から本人への支援を開始すること。
　　　B　プラン作成
　　　　参加支援の事業者は本人の相談受付・アセスメントを行い、社会参加に向けた支援の方向性や支援の内容が決まった段階でプランを作成し、重層的支援会議に諮ることとする。
　　　　プランは人や地域とのつながりの希薄化といった本人やその世帯の抱える課題に対して、社会や他者とのつながりを創出し、自己肯定感や自己有用感を取り戻すために、個別支援を目的として作成する。

また、本人やその世帯が望む社会とのつながりや参加を支えるために、その状況に合った目標を設定し、目標に向けて参加支援の事業者や支援関係機関その他の関係者が取り組むことを記載する。

C 支援の実施

本人やその世帯の支援ニーズを踏まえた丁寧なマッチングと社会参加に向けた支援のためのメニュー作りを行う。この取組は、相談者の有無にかかわらず必要に応じて地域へ働きかけを行い、支援メニューを増やしていくことが重要である。また、本人に対する継続支援と受け入れ先（地域の福祉サービス、企業など）への支援を行う。なお、本人への必要な支援を行うために協力する受け入れ企業等に対し、支援に必要な実費相当分を謝礼として支出できるものとする。

D 終結

社会参加に向けて、地域の社会資源とのつながりができ、本人とつながった先との関係性が安定したと判断した段階で、プランに基づいた支援は終結となる。

ただし、参加支援を利用する者の多くが、他者や社会とのつながりを継続することに困難を抱える場合が多いことを意識し、プランの終結をもって関係性を終了させるのではなく、定期的な連絡を試みる等のつながりの維持に向けた働きかけを行うこと。

(ウ) 具体的な支援内容と留意点

A 資源開拓・マッチング

参加支援の事業者は、本人に対して丁寧なアセスメントを行い、本人のニーズに沿って支援メニューのマッチングを行う。なお、相談者自身が自らのニーズを認識できていないことも多いことに留意し、本人に寄り添うとともに、段階的に参加の場の提案を行うなど丁寧な関わりが必要である。

また、支援メニューについては、参加支援の事業者が社会資源に働きかけたり、社会資源を新たに組み合わせたりしながら、既存の社会資源の活用方法の拡充などを図り、社会参加に向けた多様な支援メニューをつくること。

例えば、参加の場や働く場とのマッチングを行う場合には、受け入れ先の状況も把握した上でマッチングを行う。その際、本人の状況に応じて、受け入れ先に業務の切り出しなどを提案するなど、多様な支援メニューが作られるよう働きかけに努めること。

また、日頃から地域の産業や業界団体などの地域のプラットフォームに参画することなどを通じて、地域の社会資源や支援関係機関とつながりを作り、支援が必要な時に迅速に対応できるよう情報収集をし、関係づくりを行うこと。

※想定される取組の一例

・生活困窮者の就労体験に経済的な困窮状態にない世帯のひきこもりの状態にある者を受け入れる

　　　　　・経済的な困窮状態になく一時的な住まいの確保が困難な者を、一時生活支援事業が受け入れる
　　　　　・地域の空き家を使って、地域のボランティアが勉強を教える場所を作り、学校とも連携しつつ、不登校の生徒に参加を働きかけ支援を行う
　　　Ｂ　継続支援・フォローアップ
　　　　　直ちに本人が新たな環境で居場所を見出し、関係者と良好な関係を形成できるとは限らないことから、定期的に訪問するなど一定期間フォローアップを行うこと。
　　　　　また、居住の確保にかかる支援の場合は、生活の立て直しに向けた緊急一時的なシェルターや安定的な住まいの確保の支援、新たな環境に適応できているか等を見守るといった継続支援を行うこと。
　　　　　このほか、受け入れ先の企業やシェルター等の住まいにおいて、本人との関わり方に悩んでいる場合もあることから、当該団体等の意向も確認しつつ、本人と受け入れ先の間の環境調整を行うこと。
　　(エ)　地域における福祉サービスとの連携について
　　　　社会参加に向けた支援は、就労支援、居住支援などの形態が考えられるが、地域において多様な形態を確保するために、狭間の社会参加のニーズを有する者に特化した事業を新設することのみならず、地域の既存の福祉サービスを実施する事業所に対する働きかけや受け入れに向けた支援を行い、狭間のニーズを有する者の受け皿として機能を拡充していくことが重要である。
　　　　地域の既存の福祉サービスの活用を進めやすくするための整理や「本来業務に支障のない範囲」の具体的な基準等については、改めて「多様な社会参加への支援に向けた地域資源の活用について」（令和３年３月31日厚生労働省子ども家庭局長、社会・援護局長、障害保健福祉部長、老健局長連名通知）において示し、発出しているため、参加支援の取組に当たっては十分参照されたい。
　　　　なお、社会参加に向けた支援を展開する際には、社会福祉法人の地域における公益的な取組との連携を意識し、地域生活課題に対する社会福祉法人の積極的な取組を働きかけるとともに、地域の社会福祉法人のネットワークとのつながりを作っておくことも重要である。
４　留意事項
(1)　移行準備事業の実施において活用できる帳票類（相談受付・申込票、インテーク・アセスメントシート、プランシート等）については、国において定めているものを積極的に活用すること。
(2)　移行準備事業の実績報告については、国において別に定める方法により行うこと。なお、実績報告の対象となるデータは、(1)の帳票類の各項目から収集することが可能である。

（別添24）
　　　　　重層的支援体制構築に向けた都道府県後方支援事業実施要領
1　目的
　　都道府県において、管内市町村における庁内連携促進のための支援、市町村間の交流・ネットワーク構築支援、重層的支援体制整備事業（以下「重層事業」という。）への移行促進等を目的とした研修等の実施、重層的支援体制構築のための実態調査等の取組を行うことにより、市町村において重層事業や地域生活課題の解決に資する支援が包括的に提供される体制の整備が適正かつ円滑に行われることを目的とする。
2　実施主体
　　本事業の実施主体は都道府県とする。
　　ただし、本事業の全部又は一部を社会福祉法人、一般社団法人若しくは一般財団法人又は特定非営利活動促進法（平成10年法律第7号）第2条第2項に規定する特定非営利活動法人等、事業を適切に実施することができると実施主体が認めるものに委託することができるものとする。
3　事業内容
　　次の(1)から(7)に掲げる取組のうち、地域の実情に応じて必要な取組を実施するものとする。
(1)　管内市町村の庁内庁外連携促進のための支援や都道府県庁内庁外連携会議の開催
(2)　市町村間の情報共有の場づくり・ネットワーク構築
(3)　市町村圏域を超える広域支援体制の構築、都道府県内における法律等の専門家派遣、市町村の重層的支援体制構築のためのアドバイザー派遣等の市町村への技術的助言及び支援
(4)　市町村の重層事業への移行促進に向けた取組を支援するための人材養成研修（市町村職員や専門職等の実践者を対象としたもの）の実施や、地域共生社会の実現に向けた気運醸成のためのセミナー、シンポジウム、住民説明会等の開催
(5)　重層的支援体制構築のための検討に必要な実態調査やヒアリング等の実施（介護、障害、子ども・子育て、生活困窮分野の相談支援機関間の連携実態、地域づくり支援に資する社会資源の実態等、重層事業の実施に向けて活用する調査に限る。ただし、地域福祉（支援）計画や重層的支援体制整備事業実施計画の策定にかかる経費は補助対象外とする。）
(6)　重層事業推進のための周知・広報
(7)　その他市町村が包括的な支援体制を構築する上で必要な取組
4　実施上の留意点
(1)　本事業を実施するにあたっては、社会福祉法第6条第2項及び第3項（※）の規定を踏まえ、市町村への必要な後方支援を行うこと。
　　※社会福祉法第6条第2項及び第3項（抜粋）
　　　第6条　　（略）
　　　　2　国及び地方公共団体は、地域生活課題の解決に資する支援が包括的に提供され

る体制の整備その他地域福祉の推進のために必要な各般の措置を講ずるよう努めるとともに、当該措置の推進に当たっては、保健医療、労働、教育、住まい及び地域再生に関する施策その他の関連施策との連携に配慮するよう努めなければならない。

　　3　国及び都道府県は、市町村（特別区を含む。以下同じ。）において第106条の4第2項に規定する重層的支援体制整備事業その他地域生活課題の解決に資する支援が包括的に提供される体制の整備が適正かつ円滑に行われるよう、必要な助言、情報の提供その他の援助を行わなければならない。

(2)　市町村が重層事業を実施する場合、介護、障害、子ども・子育て、生活困窮分野の連携が必須となることから、3の(1)において市町村における庁内庁外連携促進のための支援を行う場合、都道府県においてもこれらの分野の担当部局と連携しつつ市町村を支援することが重要である。また、都道府県において庁内庁外連携会議を開催する際は、少なくともこれらの分野の担当部局を構成員とするなど多様な分野との連携体制を推進できるよう努めること。

(3)　都道府県において人材養成研修を実施する場合は、研修の対象者や当該地域が特に抱える課題等を考慮し、研修参加者が包括的な支援体制の構築や自らの実践に活かすことができる内容にするよう努めること。また、研修では一方的に情報伝達を行う場とするのではなく、演習やワークショップ等を併せて開催するなどの工夫をすること。

　　なお、研修実施後は参加者から収集した意見等を参考にして事後評価を行い、改善点は次の研修企画に反映できるようにしておくこと。

(4)　本事業は、他の補助事業や自治体単独事業として既に行われている既存事業をそのまま振り替えることは認めない。

5　本事業の実施状況の報告

　国は本事業の実施状況について、必要に応じて報告を求めることがあるため適宜対応すること。

（別添25）
　　　　　　　生活保護適正実施推進事業実施要領
1　目的

　本事業は、生活保護の適正な運営を確保するため、各種適正化の取組を推進することを目的とする。

2　実施主体

　実施主体は、都道府県、指定都市、中核市又は市区町村（町村については福祉事務所を設置している町村に限る。）とする。ただし、生活保護法施行事務監査等事業は都道府県、指定都市又は中核市とし、生活保護特別指導監査事業及び都道府県等による生活保護業務支援事業については、都道府県又は指定都市とする。また、被保護者に対する金銭管理支援の試行事業については、本事業を適切、公正、中立かつ効果的に実施する

ことができる者であって、社会福祉法人、一般社団法人、一般財団法人又は特定非営利活動法人その他の都道府県等が適当と認める民間団体に本事業の事務の全部又は一部を委託することができる。
3 事業内容
(1) 生活保護法施行事務監査等事業等
　ア 生活保護法施行事務監査等事業
　　都道府県又は指定都市が生活保護法（以下「法」という。）第23条第１項に基づき実施する法施行事務監査並びに都道府県、指定都市又は中核市が法第44条第１項に基づき実施する保護施設に対する指導監査、法第54条第１項に基づき実施する指定医療機関に対する指導・検査、法第54条の２に基づき実施する指定介護機関に対する指導・検査及び精神科嘱託医等を設置する事業。
　イ 生活保護特別指導監査事業
　　一般指導監査、特別指導及び確認監査の実施を通じて福祉事務所の抱える問題点の分析と適切な対応策の検討を行い、併せて新たな指導監査手法を確立することにより、保護の適正実施と実施水準の一層の向上を図る。
(2) 医療扶助適正化等事業
　医療扶助及び介護扶助の適正な運営を確保するため、医療扶助相談・指導員を配置すること等により、以下に掲げる取組を総合的に実施し、医療扶助費等の適正化及び生活保護受給者の自立支援の取組を推進する。
　ア レセプトを活用した医療扶助適正化事業
　　外部委託又は診療報酬明細書の点検に精通している者を雇用すること等により、診療報酬明細書の資格審査、内容点検を実施することや、治療中断者や頻回受診者、後発医薬品の使用割合が低い者等のリストを作成した上で支援すること等により、医療扶助の適正化を図る。ただし、平成28年度より医療券における受給者番号を固定していることから社会保険診療報酬支払基金（以下「支払基金」という。）において、縦覧点検が可能になっているという状況の変化があるとともに、支払基金においては、コンピュータを活用し、事務点検を行っている。
　　こういった状況及びこれまでの内容点検の効果の実績等を勘案し、レセプトの内容点検については、重点的に実施する項目を精査の上、実施されたい。
　イ 子どもとその養育者への健康生活支援モデル事業
　　福祉事務所が主体となって、生活保護受給者世帯の子どもとその養育者に対する健康生活の支援を行うモデル事業を実施することにより、生活保護受給世帯の子どもの自立を助長し、不健康な生活習慣・食生活の連鎖を断ち切る。
　ウ お薬手帳を活用した重複処方の適正化モデル事業
　　被保護者が医療機関の受診及び調剤薬局の利用の際に、特定されたお薬手帳を持参することで、併用禁忌薬の処方防止や重複処方の確認を行うモデル事業を実施することで、重複処方・重複調剤等の適正化を図る。
　エ 医療扶助の適正実施の更なる推進

医療扶助適正化の更なる推進の観点からより効果的な事業実施のため、以下の3事業につきPDCAサイクルを導入した上で実施する。
　(ア)　後発医薬品の使用促進
　　　後発医薬品の使用促進のため、薬剤師、保健師、看護師等、生活保護受給者への助言指導や医療機関・薬局等への制度の周知・協力依頼を行う者を福祉事務所に配置すること等により、医療扶助の適正化を図る。
　(イ)　適正受診指導等の強化
　　　不適切な頻回受診や重複処方等の適正化を推進するため、地域の薬局や訪問看護ステーションと連携した適正受診指導や服薬指導等を推進する。
　(ウ)　多剤投与の適正化に向けた支援等の強化
　　　不適切な複数種類の医薬品の投与の適正化を推進するため、薬剤師等医療関係者の雇用又は業務委託により、多剤投薬となっている者及びその主治医等への訪問指導等を推進する。
　　　なお、取組に当たっては、一定種類以上の医薬品の投与をもって一律に適正受診指導等を行うのではなく、薬剤師等医療関係者によりその適否を確認した上で指導等の必要性を判断すること。
　(エ)　医療費情報・服薬情報の通知
　　　適正な医療の受診、服薬、健康管理に係る個人の気づきによる受診行動の改善を促すため、年に数回、医療費情報及び服薬情報を記載した通知を被保護者に対して送付する。
　(オ)　精神障害者等の退院促進
　　　保健師、精神保健福祉士、社会福祉士等を雇用し、自立支援プログラムに基づき、退院までの課題分析、患者・家族との相談、退院先の確保・調整等を行い、精神障害者等社会的入院患者の退院、地域移行を円滑に推進する。
　オ　居宅介護支援計画点検等の充実
　　　外部委託又は介護支援専門員等を雇用し、生活保護受給者の自立支援、ケアプランの点検、当該者に対する介護サービスの利用にかかる指導・援助及び指定介護機関との連絡調整等を行うことにより、介護扶助の適正な給付を図る。
　カ　その他の医療扶助適正化等の推進
　　　ア～オ以外の取組により、医療扶助等の給付の適正化等を図る。
(3)　認定等適正実施事業
　ア　収入資産状況把握等充実事業
　　　収入申告書徴取の徹底や関係先調査の実施等によって収入資産状況を的確に把握することにより、不正受給の防止を図る。
　イ　扶養義務調査充実事業
　　　扶養義務者に対し扶養能力調査を定期又は随時に実施すること等により、扶養義務の履行の促進を図る。
　ウ　体制整備強化事業

面接相談業務の一部について、専門的知識を有する者を専任で雇用すること等により、要保護者に対するきめ細やかな対応及び生活保護の適正実施を推進するなど実施体制の整備強化を図る。
　エ　都道府県等による生活保護業務支援事業
　　都道府県等が管内福祉事務所に対して、広域的な立場から、生活保護関係職員に対する巡回指導や、人材育成等の取組を実施することにより、福祉事務所の実施水準及び質の向上を図る。
　オ　警察との連携協力体制強化事業
　　暴力団員等に対する生活保護の取扱いをさらに徹底するとともに、その実行を期すため、警察との連携体制の構築や暴力団情勢等に関する情報交換、行政対象暴力に関する研修等を開催すること等により、行政対象暴力による不正受給の防止を図る。
　カ　業務効率化事業
　　ＩＴの活用等、業務の効率化に特に必要と認められるものについてその費用の一部を支援する事業。
(4)　生活保護業務デジタル化による効率化手法開発・検証事業
　　「生活保護業務デジタル化による効率化手法開発・検証事業の実施について」（令和３年３月10日社援発0310第４号厚生労働省社会・援護局長通知）に基づき、生活保護業務のデジタル化を進めることにより、業務負担の軽減を図る方策を検討し、業務効率化の取組の推進を図る。
(5)　被保護者に対する金銭管理支援の試行事業
　ア　実施内容
　　金銭管理能力に課題がある被保護者に対して、日常生活費の管理支援や金銭管理教育支援等を行うことで金銭管理への意識を促し、自立に向けた意欲や能力の向上を図る。なお、以下の(ｱ)から(ｴ)は支援の例であるが、(ｴ)に係る支援を実施することを必須とする。
　　なお、本事業は試行事業であることから、本事業による支援の実施状況について、適宜、報告を求める予定としている。
　　(ｱ)　日常生活費の管理支援
　　　（例：本人同意の下による預金通帳等の貴重品預かり、公共料金や家賃等の支払い支援（援助）、生活費の払出や預入の助言）
　　(ｲ)　日常生活を安定させるための支援
　　　（例：依存症支援機関の情報提供及び利用支援、突然の支出に備えるための貯蓄支援）
　　(ｳ)　自分で管理を行っていくための手続き支援
　　　（例：銀行口座開設のための身分証明証の取得、銀行振替などの手続き支援）
　　(ｴ)　金銭管理教育支援
　　　（例：金品の使い方や、物やサービスの値段に関心を持ってもらうための金銭管

　　　　理教育）
　　イ　対象者
　　　　金銭管理能力に課題がある被保護者で、日常生活費の管理支援や金銭管理教育支援等を行うことで金銭管理への意識を促し、自立に向けた意欲や能力の向上が見込まれる者。ただし、現に、成年後見制度、日常生活自立支援事業等他の金銭管理に係る制度を利用している者（予定者を含む。）は除く。
　　　（対象者例）
　　　　・　アルコールやギャンブル依存などにより、生活費を管理できずに生活に支障が生じる（おそれのある）者
　　　　・　公共料金や家賃などの滞納（を招くおそれ）がある者　等
　　ウ　留意事項
　　　㈰　金銭管理支援の開始に当たっては、本人の同意を得るものとし、内容についても本人の意思に即したものであるよう十分配慮すること。
　　　㈪　金銭管理の対象については、あくまでも日常生活を営むために月々の生活費として必要な金額に限られるものであり、資産や多額の現金等の管理を行うことは認められない。
　　　㈫　本人の金品を扱う際は、複数人で確認を行うなど適切に行うこと。
　　　㈬　金銭管理支援を委託により実施する場合には、支援の具体的な内容や方法等について、本人、保護の実施機関、受託事業者の三者で十分に協議するとともに、書面において確認を行うこと。また、支援の実施に当たり保護の実施機関と受託事業者は適宜連携を図ること。
　　　㈭　「現業員等による生活保護費の搾取等の不正防止等について」（平成21年３月９日付け社援保発第0309001号厚生労働省社会・援護局保護課長通知）において、生活保護費の窓口払いや現業員の出納業務への関与の縮減等を検討し、生活保護費の支給等事務の適正な実施を徹底することとしており、特に金銭管理支援を福祉事務所において直接実施する場合には、当該通知の主旨に留意し実施すること。
　　　㈮　本事業による支援が完了した後は、被保護者の自立の助長のため、被保護者家計改善支援事業による支援を実施できる体制を検討すること。
　(6)　その他適正化事業
　　　上記(1)から(5)までの事業以外で生活保護行政の適正実施に資する事業（生活保護の自立支援にかかる業務を除く）。
4　その他
　(1)　上記3(2)アからカに定める事業を実施するために雇用する専門知識を有する者等については、同事業の実施に支障のない範囲において兼務させることができる。
　(2)　兼務させる場合は、事前に実施体制について協議するとともに、業務内容を当該事業の実施要領等に記載すること。なお、本庁等が雇用・委託し、管内の福祉事務所を巡回する等の勤務形態にする場合は、その旨を明記すること。

また、効果額を算出する際には各事業に実際に従事した日数、時間で按分する等、個々の事業の費用対効果が明確になるようにすること。
(3) 本事業で雇用・委託する者が、訪問調査活動等ケースワーカーが行うべき業務を担当することのないよう、業務内容や範囲について実施要領等に記載するとともに、被保護者の情報について守秘義務を課す等、個人情報の保護についても定めること。
(4) 上記3(1)イの「生活保護特別指導監査事業」の実施に当たっては、次の事項に留意すること。
　ア　事前準備
　　(ｱ)　当該事業の対象となる福祉事務所の選定に当たっては、前年度の監査において、実施水準が低いなど、特に重点的に指導が必要な福祉事務所を選定すること。
　　(ｲ)　当該福祉事務所の現状及び課題について事前検討を行い、重点的着眼点を策定すること。
　　(ｳ)　監査体制については、重点的着眼点に応じ、関係部局職員が参画するなど、監査が効果的に行える体制とするよう努めること。
　イ　一般指導監査
　　(ｱ)　検討対象ケースを選定する上では、あらかじめ策定した重点的着眼点を踏まえること。
　　(ｲ)　(ｱ)によるケース検討の結果、是正改善を要するケースについては、改善事項及び今後の援助方針を「ケース指導台帳」に記入し保管しておくこと。この場合、特に是正改善が求められるケースについての今後の援助方針は、現業員及び査察指導員と十分協議の上、具体的に明確にしておくこと。
　　(ｳ)　一般指導監査終了後、当該福祉事務所の抱えている問題点の分析及びその改善方策について、組織的に検討するとともに、特別指導、確認監査の方針を決定すること。
　　(ｴ)　上記(ｱ)から(ｳ)以外の事項については、「生活保護法施行事務監査の実施について」（平成12年10月25日社援第2393号厚生労働省社会・援護局長通知）の別添「生活保護法施行事務監査実施要綱」（以下「監査実施要綱」という。）の例により行うこと。
　ウ　特別指導
　　　一般指導監査終了後、当該福祉事務所の問題事項にかかる対応状況の把握及び指導のため、ヒアリング、巡回指導等の特別指導を実施すること。
　エ　確認監査
　　　確認監査は、ケース指導台帳に登載したケース及びその他の問題点の是正状況等の確認を行うため、一般指導監査終了後6か月以上経過した後に実施すること。
　　　この場合、是正状況等は一般指導監査の是正結果報告を確認監査実施前に徴し、これに基づき実施すること。
　　　なお、確認監査後においても必要があれば、再度特別指導を行うこと。

オ　実施後の措置
　　　　上記アからエの一連の取組の後、指導監査手法の検討を行い、より適切な指導監査手法を確立すること。
　　　カ　その他
　　　　㋐　本事業の実施計画及び実施結果報告については、別途通知に基づく様式により報告すること。
　　　　㋑　この監査を行う福祉事務所については、監査実施要綱に定める一般監査は実施しないこととして差し支えないこと。
　　　　㋒　本事業は、当該年度中に完了するよう計画し、実施すること。
　(5)　上記3⑵ア　レセプトを活用した医療扶助適正化事業における資格審査、内容点険（単月・縦覧）は、その対象となる全ての診療報酬明細書について実施すること。

（別添26）
　　　　自立支援プログラム策定実施推進事業実施要領
1　目的
　　本事業は、地方自治体における自立支援プログラムの策定・実施を推進するため、生活保護受給者等の自立を支援するための社会的な居場所づくりを支援することを目的とする。
2　実施主体
　　実施主体は、都道府県、市（特別区を含む。）及び福祉事務所を設置する町村（以下「都道府県等」という。）とする。ただし、本事業を適切、公正、中立かつ効果的に実施することができる者であって、社会福祉法人、一般社団法人、一般財団法人又は特定非営利活動法人その他の都道府県等が適当と認める民間団体に本事業の事務の全部又は一部を委託することができる。
3　事業内容
　　「社会的な居場所づくり支援事業の実施について」（平成23年3月31日社援保発0331第1号厚生労働省社会・援護局保護課長通知）に基づき、特定非営利活動法人、企業、市民等と行政とが協働する「新しい公共」により、社会から孤立しがちな生活保護受給者への様々な社会経験の機会の提供を行うなど、生活保護受給者の社会的自立を支援する取組の推進を図る。

（別添41）
　　　　中国残留邦人等への地域生活支援プログラム事業実施要領
1　目的
　　本事業は、中国残留邦人等に対して個々の実状とニーズを踏まえつつ、日本語学習等の支援や生活支援等を行うことにより、社会的・経済的自立の助長を図ることを目的とする。
2　実施主体

実施主体は、指定都市、中核市又は市区町村とする（以下「市区町村」という。）。
　なお、特定の市区町村を構成メンバーとする支援連絡会を都道府県に設置した場合は、都道府県を実施主体とすることができる。また、本事業を適切、公正、中立かつ効果的に実施することができる者であって、社会福祉法人、一般社団法人、一般財団法人又は特定非営利活動法人その他の都道府県及び市区町村が適当と認める民間団体に、事業の全部又は一部を委託することができる。
3　個別支援メニューの例
　(1)　拠点施設を活用した支援
　　ア　日本語教室等通所（学）活動推進
　　　　中国帰国者支援・交流センター等が行う日本語等各種学習、交流事業及び生活相談の紹介とあっせんを行い、通所（学）に必要な交通費及び教材費の支給を行う。
　　イ　自学自習者に対する相談等
　　　　自学自習者のための適切な情報の提供を希望する者に対し、個々の自学自習に適した教材の相談や適時のアドバイスを行い、学習に必要な教材費の支給を行う。
　(2)　地域のネットワークを活用した支援
　　ア　地域で実施する交流事業
　　　　地域において開催されている様々な交流活動や催し物を紹介する。
　　イ　地域での日本語教室等
　　　(ｱ)　民間日本語学校の紹介
　　　　　地域で開講している民間の日本語学校を紹介する。
　　　(ｲ)　ボランティア日本語教室の紹介
　　　　　地域において、ボランティア団体等が開催している日本語教室を紹介する。
　　ウ　就労に役立つ資格取得支援
　　　　就労に役立つ資格取得を希望する者に対し、個々人の希望に添った資格取得のための各種学校法人等を紹介し、入学金、学費及び資格試験受験料を援助する。
　(3)　親族訪問（訪中支援）
　　　親族訪問及び墓参等のため一定の期間、中国等に渡航する場合にその渡航中は生活扶助費を継続支給するとともに、渡航費用は、収入認定しない。
　(4)　その他
　　ア　生活保護受給者等の就労による自立促進
　　　　生活保護受給者であって就労による自立を目指す者に対し、公共職業安定所と福祉事務所等とが連携し、個々の対象者の態様、ニーズ等に応じた就労支援を行う。
　　イ　その他、実施主体が中国残留邦人等のニーズに応じ、独自に実施する支援事業を援助する。
4　秘密の保持
　　本事業の支援活動及び相談活動等を行う者は、対象者等の人格を尊重するとともに、支援活動等により知り得た対象者の身上及び生活状況等の秘密を漏らしてはならない。
※　本事業は、「生活保護受給中の中国帰国者等への地域生活支援プログラムについて」

生活困窮者自立相談支援事業等の実施について(抄)

（平成19年3月30日社援発第0330007号厚生労働省社会・援護局長通知）に基づき実施するものである。

○生活困窮者自立支援法第9条第1項に規定する
　支援会議の設置及び運営に関するガイドライン
　について

> 平成30年10月1日　社援地発1001第15号
> 各都道府県・各指定都市・各中核市生活困窮者自立支援制度主管部(局)長宛　厚生労働省社会・援護局地域福祉課長通知

　平成30年6月8日に公布された「生活困窮者等の自立を促進するための生活困窮者自立支援法等の一部を改正する法律」（平成30年法律第44号。以下「改正法」という。）による改正後の生活困窮者自立支援法（平成25年法律第105号。以下「法」という。）第9条第1項の規定により、福祉事務所を設置する自治体は、関係機関等により構成される会議（以下「支援会議」という。）を組織することができ、同条第2項の規定により、支援会議は、生活困窮者に対する自立の支援を図るために必要な情報の交換等を行うものとされた。
　本ガイドラインは、福祉事務所設置自治体が、支援会議の目的や情報共有に関するルール等を理解した上で、地域の実情に応じた効果的な会議を運営することができるよう、その設置及び運営に当たっての留意点等を、自立相談支援事業を実施する機関（以下「自立相談支援機関」という。）において相談支援に従事する相談員や生活困窮者の支援に関する有識者の方々の意見も参考にしながら、厚生労働省社会・援護局地域福祉課生活困窮者自立支援室にて、別添のとおりまとめたものである。
　平成27年4月の法の施行により生活困窮者に対する新たな支援制度が創設され、全国的に生活困窮者に対する支援が実施される中で、法の施行後の状況をみると、新たに相談につながった人のうち多くの人に支援の効果が現れてきている。一方で、地域や社会から孤立し自ら情報にアクセスすることが困難な人、日々の生活に追われ気力や自尊感情が低下している人、過去の経験等から行政機関へ相談することに心理的な抵抗感がある人など、未だ支援につながっていない生活困窮者の存在が指摘されている。
　そうした未だ支援につながっていない生活困窮者を確実に支援につなげ、その自立の促進を図れるよう、支援会議の設置主体である福祉事務所設置自治体の職員はもとより、法に基づく事業に関わる支援員、また、支援会議に参加する構成員の方々が支援会議の事務に従事するに当たっての手引きとして、本ガイドラインを活用いただくようお願いする。
　なお、本通知は、地方自治法（昭和22年法律第67号）第245条の4第1項に規定する技術的な助言であることを申し添える。

支援会議の設置及び運営に関するガイドラインについて

別　添
　　　　生活困窮者自立支援法第9条第1項に規定する支援会議の設置及び運営に
　　　関するガイドライン

目次　　　　　　　　　　　　　　　　　　　　　　　　　　　　　　　　　　　頁
第1　支援会議について
　(1)　支援会議の設置の背景……………………………………………………………2029
　(2)　支援会議とは………………………………………………………………………2030
　(3)　支援会議の意義……………………………………………………………………2033
第2　支援会議の運営方法について
　(1)　支援会議で取り扱う事例…………………………………………………………2035
　(2)　支援会議の構成員…………………………………………………………………2035
　(3)　構成員の役割………………………………………………………………………2038
　(4)　支援会議の開催頻度………………………………………………………………2039
　(5)　支援会議の開催方法………………………………………………………………2039
第3　守秘義務について
　(1)　守秘義務の趣旨……………………………………………………………………2041
　(2)　守秘義務の適用範囲………………………………………………………………2041
　(3)　守秘義務違反となる場合…………………………………………………………2042
　(4)　関係機関等に対する協力依頼……………………………………………………2042
　(5)　情報の安全管理……………………………………………………………………2044
第4　その他支援会議を円滑に進めるための工夫等
　(1)　支援会議の設置の準備……………………………………………………………2044
　(2)　支援会議の設置要綱の作成………………………………………………………2044
　(3)　その他………………………………………………………………………………2045

第1　支援会議について
(1)　支援会議の設置の背景
　　法に基づく自立相談支援事業において、個々の生活困窮者の個人情報等を関係機関
　等と共有する際には、その都度、本人の同意を得ながら行うことが基本である。
　　しかしながら、生活困窮者の支援の現場では、
　・　本人の同意が得られずに、支援に当たって連携すべき関係機関等と情報が共有で
　　きない事案や
　・　同一世帯の様々な人がそれぞれ異なる課題を抱え、別々の相談窓口や関係機関等
　　に相談に来ているもののそれらが世帯全体の課題として把握・共有されていない事
　　案
　など、本人の同意がない場合であっても関係機関等の間で情報の共有が必要と考えら
　れる事案が少なくない。
　　その事案の中には、世帯全体としての状況を把握してはじめて深刻な困窮状態にあ

ることや困窮状態に陥る可能性の極めて高い状態にあることが明らかになるものもある。これらの事案は、関係機関等の間で情報共有を行うことによって、その緊急度を踏まえた的確な支援が可能になることが、これまでの支援の実践により明らかになってきている。

とりわけ、平成26年9月に千葉県銚子市の県営住宅で発生した痛ましい事件は、約半年後に施行を控えた法のあり方について再確認するきっかけとなったものであり、生活困窮者の支援に関わる関係機関の間での情報共有や緊密な連携を行う体制づくりの重要性を改めて強く認識した事案であったと考えている。

こうした実態も踏まえつつ、平成29年12月15日に取りまとめられた「社会保障審議会生活困窮者自立支援及び生活保護部会報告書」では、「例えば、「支援調整会議」の仕組みを活用し、構成員の守秘義務を設けることで、関係機関間で把握している生活困窮者に関する情報の共有を、必ずしも本人の同意がない場合も含めて円滑にし、生活困窮者への早期、適切な対応を可能にするための情報共有の仕組みを設けるべき」と指摘されている。

これを受け、改正法による改正後の法においては、

・ 福祉事務所設置自治体は、関係機関や法定事業の委託を受けた者等を構成員とする、生活困窮者に対する自立の支援を図るために必要な情報の交換や生活困窮者が地域において日常生活及び社会生活を営むのに必要な支援体制に関する検討を行うための会議を組織することができること（改正法による改正後の法第9条第1項及び第2項）

・ 生活困窮者に関する関係者間の情報共有を円滑に行うため、会議の構成員に対する守秘義務を設けること（改正法による改正後の法第9条第5項）

・ 上記守秘義務の規定に違反して秘密を漏らした者については、1年以下の懲役又は100万円以下の罰金に処すること（改正法による改正後の法第28条）

等が新たに規定された。

こうした新たな会議体である支援会議が各地域で効果的に機能することにより、関係機関の狭間で適切な支援が行われないといった事例の発生を防止するとともに、深刻な困窮状態にある世帯など支援を必要とする人を早期に把握し、確実に相談支援につなげる重要な一手法となることが期待される。

(2) 支援会議とは

支援会議は、会議の構成員に対する守秘義務を設け、構成員同士が安心して生活困窮者に関する情報の共有等を行うことを可能とすることにより、地域において関係機関等がそれぞれ把握している困窮が疑われるような個々の事案の情報の共有や地域における必要な支援体制の検討を円滑にするものである。

一方、これまで自立相談支援事業の実施主体が「生活困窮者自立支援制度に関する手引きの策定について」（平成27年3月6日社援地発0306第1号厚生労働省社会・援護局地域福祉課長通知）の別紙「1　自立相談支援事業の手引き（別添1）」に基づき実施している支援調整会議は、自立相談支援事業において、個々の生活困窮者の支

支援会議の設置及び運営に関するガイドラインについて

図表1 相談につなぐ生活困窮者を

切迫した生活困窮者を
相談につなぐ連携体制の構築が必要であったと考えられる事案の例

○ 2014年9月、家賃の滞納を理由に県営住宅から退去を迫られた母親が、強く追い詰められ娘を窒息死させてしまう事件が発生。
○ これを制度の問題として受け付けなかった場合、庁内及び庁外関係機関との密接な連携体制の構築が課題として指摘されてきた。
○ 支援や体制整備の遅れは、ときに生命に大きな影響を及ぼす可能性があるため、留意が必要である。

A市で発生した事件の概要 （報道より、以下同じ。）
○ Bさん(女性40代)は、娘(中学生)との二人暮らし。
○ なくなる。
○ 県は、Bさんに対して複数回にわたり支払いの督促を行った。しかしながらBさんは、パート収入が減り2年前から家賃が支払えず、ついに県から立ち退き命令が下る。
○ 県営住宅から退去する当日、Bさんは「県営住宅を退去すれば生きていけなくなる」と強く追い詰められ、娘を窒息死させてしまう。

経緯（公的機関との関わり）
○ 県が発出した支払いの督促状には、「事情がある場合は相談に応じる」と記されていたが、Bさんが県に家賃の相談をすることとはなかった。
○ Bさんは、過去に国民健康保険の担当課で短期間被保険者証の手続きをし、促されて生活保護の相談窓口にも行っていたことも推察。

【事例から見える課題】
○ Bさんは複数の課題を有しており、さまざまな制度をひとつで積極的に調整することは容易でなかった。
○ Bさんは既に複数の相談窓口に行っていたが、問題の解決には至らなかった。
○ 各相談窓口で得られた情報が、他の関係部署と共有されることはなかった。
○ 利用できる制度やサービスは存在していたが、Bさんには必要な情報が届いていなかった。

必要な取組
① **庁内体制、関係機関との連携体制の構築**
※本件では、県と市との連携も重要であったことに留意
② **相談窓口における適切な支援の提供**
・主管部局又は自立相談支援機関においては、相談者の話を丁寧にアセスメントするとともに、気になる相談者については引き続きフォローを行うなど、本人主体による相談支援を実施することが求められる。

当該事案は新聞紙上で、
『生活困窮 なぜ救えなかった』と大きく取り上げられた。
このような事案はどの地域でも起こりうるものと考えるべき。

本事案を受けて、国土交通省は公営住宅の滞納家賃の徴収における緊急事態時における留意事項について（平成26年11月5日付け国住備第135号国土交通省住宅局住宅総合整備課長通知）を発出し、家賃滞納の周知等に努めるとともに、特に困窮度の高い世帯について、関係機関及び公営住宅のある市区町村の有する支援制度などの案内を要請。

2031

図表２　支援会議に関する規定（改正後の生活困窮者自立支援法抜粋）

改正法による改正後の生活困窮者自立支援法

※ 関係部分抜粋

（支援会議）

第九条　都道府県等は、関係機関、第五条第二項（第七条第三項において準用する場合を含む。）の規定による委託を受けた者、生活困窮者に対する支援に関係する団体、当該支援に関係する職務に従事する者その他の関係者（第三項及び第四項において「関係機関等」という。）により構成される会議（以下この条において「支援会議」という。）を組織することができる。

２　支援会議は、生活困窮者に対する自立の支援を図るために必要な情報の交換を行うとともに、生活困窮者が地域において日常生活及び社会生活を営むのに必要な支援体制に関する検討を行うものとする。

３　支援会議は、前項の規定による情報の交換及び検討を行うために必要があると認めるときは、関係機関等に対し、生活困窮者に関する資料又は情報の提供、意見の開陳その他必要な協力を求めることができる。

４　関係機関等は、前項の規定による求めがあった場合には、これに協力するように努めるものとする。

５　支援会議の事務に従事する者又は従事していた者は、正当な理由がなく、支援会議の事務に関して知り得た秘密を漏らしてはならない。

６　前各項に定めるもののほか、支援会議の組織及び運営に関し必要な事項は、支援会議が定める。

第二十八条　第五条第三項（第七条第三項及び第十一条第二項において準用する場合を含む。）又は第九条第五項の規定に違反して秘密を漏らした者は、一年以下の懲役又は百万円以下の罰金に処する。

援プランの決定等を行い、その後の支援につなげることを目的に行うものであり、関係機関間の情報共有を目的とした支援会議とは、その目的や対象となる範囲等が異なるものである。

　また、支援会議は、行政内部の関係部署も含めて、多くの関係機関・関係者から構成される。生活困窮者に関する情報共有の仕組みやその後の支援を効果的かつ円滑に行うことや、生活困窮者に関する個人情報の適切な管理が求められることも踏まえれば、支援会議を組織する福祉事務所設置自治体がその事務を行うことが望ましい。仮に、その事務の一部を民間団体に委託する場合であっても福祉事務所設置自治体が、構成員の選定はもとより関係機関・関係者間の調整・連携や生活困窮者に関する個人情報の管理を行うなど、支援調整会議の運営に係る事務と比較して、より主導的に、会議の運営及び開催の中核として関わることが必要になる。

　なお、「支援会議」という名称については、その目的や機能を踏まえた会議の運営がなされている場合には、地域の実情に応じて、関係者が理解しやすい名称に変更することは差し支えない。その場合でも、支援会議の設置要綱（第４の(2)参照）において、法に基づく会議体であることを示し、位置づけを明確にすることが必要となることに留意されたい。

(3)　支援会議の意義

　支援会議においては、地域の関係機関や法に基づく事業の委託を受けた者等が、生活困窮者等に関する情報を共有し、自立相談支援機関など関係機関の適切な連携の下で対応していくものであり、以下の効果が期待される。

① 　支援につながっていない生活困窮者等を早期に発見することができる。
② 　生活困窮者等に対して、迅速に支援を開始することができる。
③ 　各関係機関等が連携を取り合うことで情報の共有化が図られる。
④ 　情報の共有化を通じて、それぞれの関係機関等の間で、それぞれの役割分担について共通の理解を得ることができる。
⑤ 　関係機関等の役割分担を通じて、それぞれの機関が責任をもって関わることのできる体制づくりができ、支援を受ける生活困窮者やその世帯にとってよりよい支援が受けやすくなる。
⑥ 　関係機関等が分担をしあって個別の事例に関わることで、それぞれの機関の限界や大変さを分かちあうことができる。

　一方、支援会議は、支援する側の事務を円滑に行うために開催するものではない。あくまで生活困窮者のため、とりわけ、自ら支援を求めることが困難な人たちの自立を支援するために開催するものであることを、関係者が共通に理解した上で運営・開催されることが必要である。

Ⅲ 関連法令等 第3章 生活困窮者自立支援関係

図表3 支援会議の仕組み

支援会議の仕組み

○ これまでの生活困窮者に対する支援については、関係者間での会議体が法定されていないことから情報共有が進まず、深刻な困窮の状態を見過ごしてしまったり、予防的な措置を取ることが困難であったりすることが同題視されてきた。このため、改正法では支援会議を法定し、会議体の構成員に対して守秘義務をかけることによって、支援関係者間の積極的な情報交換や連携が可能となる仕組みを新設した。

※ 支援会議の機能や役割が適切に果たせるものであれば、各自治体の判断で「支援調整会議」はもとより、「地域ケア会議」や「障害者総合支援法に基づく「協議会」、児童福祉法に基づく「要保護児童対策地域協議会」など既存の会議体を「支援会議」として活用することに差し支えない。

現行制度における課題

○ 支援会議における情報共有は本人同意が原則
・本人の同意が得られないために他部局、機関と情報共有できないケース
・同一世帯の様々な人が別々の相談窓口や関係機関に来ているがそれらか世帯全体の課題として把握・共有されていないケース
等の中には、世帯として状況を把握して初めて困窮の程度が把握できるケースがある。

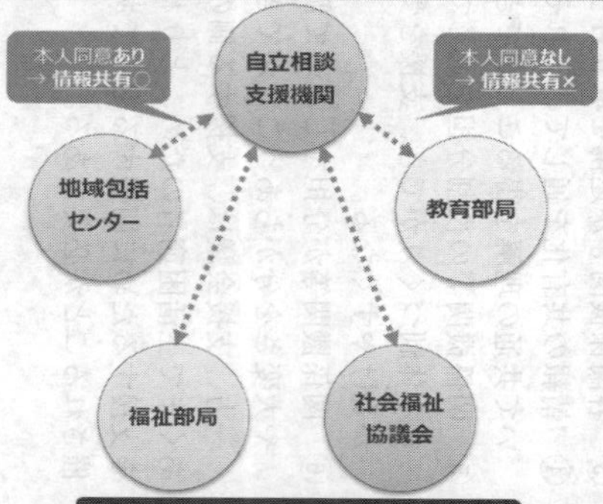

支援会議を設置した場合

○ 関係機関がそれぞれ把握している困窮が疑われるようなケースの情報共有や支援に係る地域資源のあり方等の検討を行う
○ 守秘義務の設定
→ 本人同意なしで、関係機関で気になっているような個々の困窮が疑われるようなケースの情報共有が可能となる。

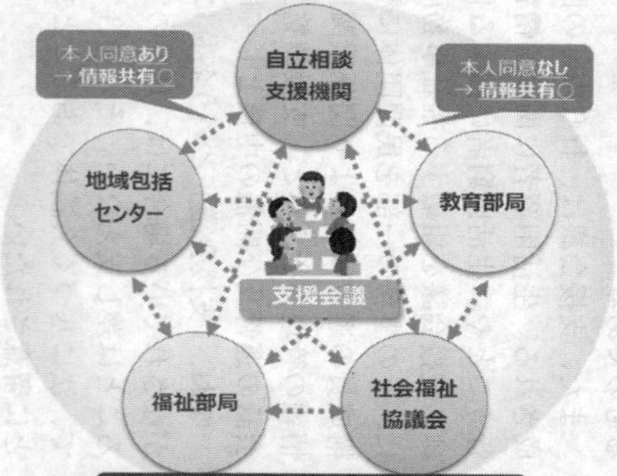

各法における守秘義務

支援会議における守秘義務

第2 支援会議の運営方法について
(1) 支援会議で取り扱う事例
支援会議で取り扱う事例は、主に以下のような事案が考えられる。
・ 本人の同意が得られないために支援調整会議で共有を図ることができず、支援に当たって連携すべき庁内の関係部局・関係機関との間で情報の共有や連携を図ることができない事案
・ 同一世帯の様々な人がそれぞれ異なる課題を抱え、それぞれ専門の相談窓口や関係機関等で相談対応が行われているが、それが世帯全体の課題として、支援に当たって連携すべき関係機関・関係者の間で把握・共有されていない事案
・ より適切な支援を行うために、他の関係機関・関係者と情報を共有しておく必要があると考えられる事案

また、支援会議における情報共有の対象となる者は、基本的には、改正法による改正後の法第3条第1項に規定する「生活困窮者」又は生活困窮の端緒が伺われる者を想定しているが、これに制限されるものではなく、生活保護受給世帯の世帯員であっても、上述の事案に該当するものであれば、支援会議において情報共有をすることは可能である。とりわけ、生活保護廃止の見込まれる世帯等のうち、地域から孤立している等の事案については、保護脱却後に再び生活保護の受給に至ることを防止する観点から、支援会議を活用して地域の関係機関等の間で情報を共有しておくことが望ましいと考えられる。

なお、生活困窮状態に至る背景や要因は、例えば、心身の不調、知識や技能の不足、家族の問題、健康の問題、家計の破綻、将来展望の喪失といったものがあり、またこれらが複合している場合もあるなど多種多様であることから、具体的な対象者や対象世帯のイメージ、また、その優先順位等については、各福祉事務所設置自治体において、支援会議の実践を積み重ねていくことにより、整理・標準化していくプロセスが重要となるので、留意されたい。

(2) 支援会議の構成員
支援会議の構成員については、自治体職員、自立相談支援事業の相談支援員、サービス提供事業者、地域において生活困窮者に関する業務を行っている福祉、就労、教育、住宅その他の関係機関の職員、社会福祉協議会職員、民生・児童委員、地域住民などが想定される。

また、支援を必要としている生活困窮者を確実に支援につなげ、しっかりと支援していくためには、生活になんらかの課題を抱えた人が相談に訪れる各自治体の福祉、就労、税務、住宅などの関係部局の職員はもとより、学校や家庭教育支援等の取組を通して子どもやその保護者の状況を把握している教育関係者、行政では把握が難しい地域住民の些細な変化に気づくことができると考えられる公的サービスの提供機関、ガス・電気等の供給事業者、介護保険法に基づく訪問介護・訪問看護等を行う民間のサービス提供事業者、新聞配達所、郵便局など個別訪問により市民の日常生活に関わる事業所など地域の関係機関のほか、地域に根ざした活動を行っている民生・児童委

図表4 支援会議で取り扱う事例のイメージ

支援会議で取り扱う事例

○ 支援会議で取り扱う事例は、主に以下のような事案が考えられる。

- 本人の同意が得られないために支援調整を図ることができない事案
- 共有や連携を図ることができない事案
- 同一世帯の様々な人がそれぞれ異なる課題を抱え、別々の相談窓口や関係機関等に相談に来ているが、それが世帯全体の課題として関係者間で把握・共有されていない事案
- より適切な支援を行うために、他の関係機関等と情報を共有しておく必要があると考えられる事案

※ 生活困窮に陥る背景や要因は多種多様であることから、具体的な対象者やイメージ、またその優先順位型等は、各自治体において実践を積み重ねていくこと等により整理・標準化していくプロセスが重要

(参考) 支援会議で取り扱う事例のイメージ

事例の概要

◇ 高齢の80代の母親と、50代の長男の2人世帯。長男は長期のひきこもりの状態にあり仕事はしておらず、夜中に奇声を発するなど精神疾患が疑われる。

◇ 現在は母親の年金収入で生活しているが公営住宅の家賃は滞納が続いている。母親は認知症が疑われ、地区担当の保健師の働きかけで、近く、専門医を受診予定。

問題点

50代の息子が精神科の治療を受けつつ、就労準備支援事業等を利用して就労自立するための能力を身につけておらず、母親が亡くなったら、介護サービスや医療サービスを利用しての支出が増えると急速に経済的な困窮に陥る蓋然性が高い。

そのような状況にあるにもかかわらず、保健師、地域住民、住宅担当部局職員の問題意識が分断されているため、世帯全体としての支援の必要性が認識されていない。

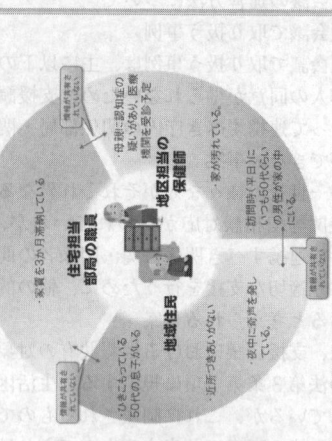

支援会議において、関係者間の情報共有を図ることにより、世帯全体の課題や経済状況等を把握した上で、相互に早期的・相互補完的な支援を行うことが可能になる。

支援会議の設置及び運営に関するガイドラインについて

図表5　支援会議の構成員のイメージ

支援会議の構成員

○ 支援会議の構成員については、主に以下の者や機関を想定している。都道府県が支援会議を設置する場合は、管轄地域が広範囲に及んでいることから、これに加えて、管轄する市町村の職員を構成員に委嘱することも等も考えられる。

- 自治体職員 ◆ 自立相談支援事業の相談支援員 ◆ サービス提供事業者 ◆ 地域において生活困窮者に関する業務を行っている福祉、就労、住宅その他の関係職員 ◆ 教育委員会、学校関係者 ◆ 社会福祉協議会職員 ◆ 民生・児童委員 ◆ 地域住民 など

※ メンバーそれぞれに守秘義務が課せられることを前提に支援会議のメンバーとして異なるものとして取扱うものとする

構成員への謝金など「支援会議の設置・運営に要する費用」については、自立相談支援事業の国庫負担対象経費として取扱うものとする

(参考) 支援会議の構成員のイメージ

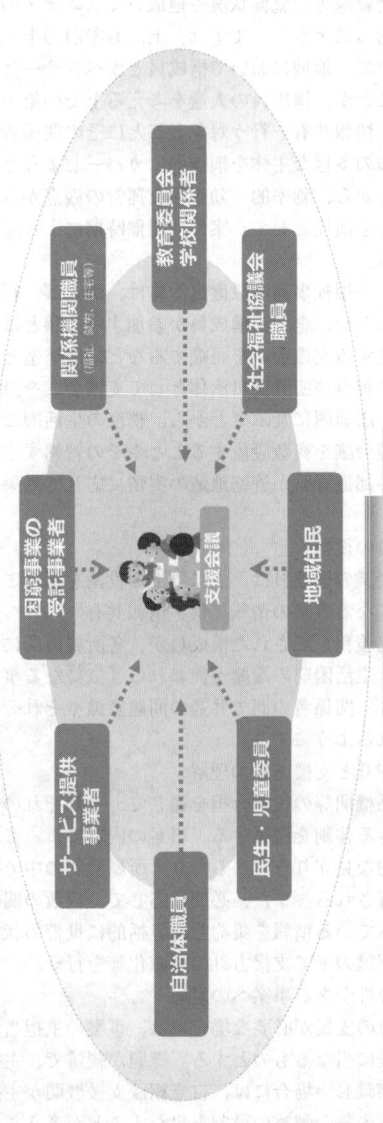

関係機関等の役割分担を通じて、それぞれの機関が責任をもって関わることでの体制づくりが各地域において推進される。

員、地域住民の方々などを構成員とすることも重要である。

　ただし、こうした生活に課題を抱えた人たちの存在を把握する経路については、地域の社会資源等の整備状況や地域コミュニティの状況、諸機関との関係性等に応じて多様であることから、まずは、上記も参照の上、設置主体である福祉事務所設置自治体において、地域において構成員とすべきサービスや事業、各種の取組を洗い出し整理することが、構成員の人選を考える上での第一歩になるものと考えられる。

　また、情報共有を行う対象者ごとにその関係者の範囲も異なることが考えられること、地域の多様な主体を網羅的にカバーしようとすると会議体の規模が大きくなりすぎることから、効率的・効果的な運営の観点から、構成員それぞれに守秘義務が課されることを前提として、案件や開催時期によって支援会議の構成員を変えることも可能である。

　なお、各福祉事務所設置自治体は、例えば、行政区ごとなどで複数の支援会議を組織することや、全ての構成員が参加する会議とは別に、特定の事例ごとに実務者レベルで開催する支援会議を組織するなど二層構造とすることも可能である。特に、都道府県が福祉事務所設置自治体として支援会議を設置する場合には、市町村と比べて管轄地域が広範囲に及ぶことから、郡部の生活圏ごと、あるいは福祉事務所設置単位ごとに支援会議を複数設置することやその管轄する町村の職員を構成員とするなど、それぞれの都道府県が管轄地域の実情に応じて効果的な方法を検討することが必要となる。

(3)　構成員の役割

　支援会議の構成員は、主に以下の役割を担うことを想定している。

ア　気になる事案の情報提供・情報共有

　守秘義務を課された構成員が、各所属機関において日常的な業務を行う中で把握した、生活困窮の端緒が伺われる「気になる事案」に関する情報の共有を図ることにより、関係者の間で共通の問題意識やそれぞれの役割分担について共通の理解を得られるようにする。

イ　見守りと支援方針の理解

　関係機関等の役割分担を通じて、それぞれの関係機関が責任をもって関わることのできる体制を構築する。事案の内容によっては、構成員が各々の権限の範囲内で継続的な見守りを実施したり、所属機関の中で支援体制を構築する役割を担うことが期待される。また、必要に応じて、複数の関係機関等から情報収集を行い、各々が持っている情報を集約し、包括的に世帯の状況を把握した上で、関係機関等が共通の認識の下で支援方針の明確化等を行う。

ウ　緊急性がある事案への対応

　緊急の支援が必要な場合には、事案の主担当となる者や機関が関係機関と連携して支援に当たるものとする。課題が複雑で、主担当となる者や機関を明確に定めることが難しい場合には、自立相談支援機関が主担当として支援に当たりつつ、関係機関との総合調整の役割を果たすことが考えられる。

なお、緊急の支援が必要な場合とは、栄養状態が悪く衰弱している場合や、重篤な疾患等により、急迫した状態にあり、緊急に医療機関につなぐことが必要な場合等があげられる。また、虐待やDVを受けていると疑われる場合にも、緊急の対応が必要になることがあり、とりわけ、事件性が疑われる場合には、警察に協力を依頼することも検討する必要がある。
(4)　支援会議の開催頻度
　支援会議の開催は、開催月や開催曜日等を予め設定する定例開催と非定例で行う随時開催の方法がある。
　定例開催の利点としては、支援会議が、(2)のとおり、多様な関係者により構成されることが想定されることから、構成員が予定を立てやすく日程調整の手間が比較的少ないことや、定期的に開催されているため、相談事例を持ち込みやすい環境となること、1度の開催で効率的に個別の事案の共有が図られること等が考えられる。
　一方、随時開催の利点としては、柔軟な開催を行うことができることや、緊急度の高い事案に対し迅速な対応ができること等が考えられる。
　各福祉事務所設置自治体においては、それぞれの開催方法の利点等を踏まえつつ、地域の実情に応じて構成員の合意を得ながら、支援会議の開催方法や頻度を決定することが適当である。
　地域の実情に応じて開催方法等を決定することを前提として、例えば、特定の曜日等を設定するなど多くの構成員の参加による積極的な情報交換や連携、また、多様な視点からの支援方法の検討が期待できる定例開催を基本としつつ、緊急度の高い事案が発生した場合には、随時開催による柔軟な開催を可能としておくなどの方法も考えられる。
　また、開催の頻度についても、例えば、児童福祉法（昭和22年法律第164号）に基づく要保護児童対策地域協議会や介護保険法（平成9年法律第123号）に基づく地域ケア会議、消費者安全法（平成21年法律第150号）に基づく消費者安全確保地域協議会など他の法律に基づく類似の会議の開催頻度も参考にしつつ、適切な開催頻度を設定することが考えられる。また、支援会議を開催する中で、支援会議において情報共有を行う事案の件数等も踏まえ、構成員の合意を得ながら、頻度の標準化を図っていくことも望まれる。しかしながら、長期にわたり開催されないこととならないよう、留意されたい。
(5)　支援会議の開催方法
①　参加者（構成員）への出席依頼
　支援会議の参加者は、毎回同じ構成員とする場合と、会議に諮る事案や開催時期等によって構成員を異なるものとする場合が考えられる。関係機関等との関係性など地域の実情に応じて効率的・効果的な方法により実施することが望ましいが、いずれの方法であっても、構成員の積極的な参加と適切な情報共有、見守り等も含め、支援のネットワークを作るために適切な構成員が参加できるように配慮する必要がある。

また、事案によって構成員を変更する場合には、新たに会議に参加する構成員に対して、会議の運営主体から事前に会議の趣旨や参加の意義を明確に伝えることが求められる。参加者が事前に求められる役割を理解しておくことで、心構えができ、より円滑かつ効果的な会議の運営が可能になることを期待する。
② 取り上げる事例の選定
　取り上げる事例は、構成員が生活困窮の端緒の伺われる「気になる事案」を事前に集約して会議の中で取り上げる方法に加え、事案が少ない場合や特定の分野に偏る傾向が見られる場合には、新たな問題意識を醸成するために、テーマを設定して取り上げる事案の内容を拡げる等の方法が考えられる。
　どのような事案を選定するかについては、それぞれの構成員の属する機関の問題意識や地域性等も反映されることから、取り上げる事案に漏れがないか、見落としている事案がないかなど定期的に確認・協議することが必要となる。
③ 資料の準備等
　必要な資料は、事案の内容や対象者によって異なるが、②で選定した事例に関する資料やこれまで支援会議で取り上げた事例の支援経過に関する資料のほか、構成員が現に支援している困難事案に関する資料等を準備しておくことが考えられる。
　なお、支援会議で取り上げた事例等に関する会議内容の振り返りや関係機関の役割と支援の方向性、次回会議の日程など決定事項を明確にする観点から、毎回、会議録を作成し、その内容を構成員の間で共有することが望ましい。
④ 会議の実施後
　共有された情報を活用して、相談員や構成員が対象となる世帯にアウトリーチを行うことは、自ら相談に訪れることができない、あるいは、過去の経験から生ずる行政に対する拒否感から訪れることを望まない課題を抱えた方々を早期に発見し、支援につなげるための積極的な支援手段の一つである。
　ただし、生活困窮者は、生活上さまざまな不安や悩みを抱えており、個人情報が自分の知らないところで広がっていくことに不安を感じる場合も少なくない。このため、本人の同意がない中で「家庭」や「居場所」といった個人のプライベートな領域への介入を行ったり、支援機関等との信頼関係が構築されていない段階でやみに干渉することで、かえって心理的に追い込んでしまう結果となる可能性も否定できない。どのような方法で支援につなげるかについては、支援会議で得られた情報が本人の同意を得ていないことを十分に認識した上で、個人情報が支援会議で共有されていることを本人に伝えないように留意することはもとより、多様な関係者や有識者も交えて、当事者の負担感や抵抗感にも配慮したアプローチや支援手法を慎重に検討し、一定の時間をかけて信頼関係を構築していくプロセスが必要となる。
　また、支援につなげた場合であっても短期間で成果を上げることが難しいケースもあるため、支援会議の中でモニタリングの時期を予め設定し、会議の実施後においても、事案の情報提供者から経過や変化を報告してもらうこと等により、関係者

と定期的に情報を共有したり、見守りの方法等について軌道修正することが重要である。

　このようなモニタリングによって、新たな課題が発見され会議への理解を深めたり、参加者の意欲を高めるだけでなく、自分たちでより良い地域を創っていこうといった意識を醸成することにもつながることが期待される。

第3　守秘義務について
(1)　守秘義務の趣旨

　これまでの生活困窮者に対する支援については、関係者を構成員とする会議体が法定されていないことから情報共有が進まず、深刻な困窮の状態を見過ごしてしまったり、予防的な対応を取ることが困難であり、課題とされてきた。

　このため、改正法による改正後の法では、生活困窮者に対する支援に携わる関係者間の情報の共有及び支援体制の検討を行う支援会議を法定し、会議体の構成員に対して守秘義務をかけることによって、支援関係者の積極的な参加と、積極的な情報交換や連携が可能となる仕組みを設けたものである。

　支援会議がこうした法律の企図した機能を発揮し、生活困窮者への早期かつ適切な対応を可能にするためには、すべての構成員がこうした守秘義務を課される趣旨やそのルールに関する基本的な考え方をきちんと理解した上で会議に参加することが基本となる。

　また、会議を設置・運営する福祉事務所設置自治体は、会議の構成員から地域の課題を抱えた方の情報を可能な限り早期にかつ幅広く集約できるようにするため、構成員が安心して情報を提供できるような実効性の高い仕組み・体制を構築することが必要である。

(2)　守秘義務の適用範囲

　自立相談支援事業の受託事業者や民生・児童委員等については、他の法令によりそれぞれの事務や職務で知り得た秘密に関する守秘義務が課せられており、これが各々の制度の地域で課題を抱えた生活困窮者等を早期に把握する上で大きな壁になっていた。

　こうした中、改正法による改正後の法では、支援会議の事務に従事する者又は従事していた者に守秘義務をかけることで、本人の同意がとれない事案であっても、必要に応じて地域における個々の生活困窮者等に関する情報を支援会議の場で共有できるように見直し、それぞれに課された法律上の守秘義務に関する規定にも抵触しないこととした。

　ただし、地方税の賦課徴収に従事する職員（以下「税務職員」という。）については、地方税法（昭和25年法律第226号）第22条により、地方公務員が業務上取り扱う一般的な個人情報よりも厳しい守秘義務が課せられていることから、税務職員が有する納税者等の情報まで本人の同意なく共有することまでは想定していないことに留意が必要である。

　なお、支援会議の求めに応じて情報を提供するかどうかについては、構成員はこれ

に協力するよう努めるものとされている。構成員は、支援会議から情報提供の求めがあったときは、生活困窮者に対する自立の支援を図るために必要な情報の交換を行うという支援会議の趣旨に照らし、適切な判断がなされることを期待する。

(3) 守秘義務違反となる場合

支援会議で取り扱われる情報は、生活困窮者の個人情報等の機密性の高い情報が多く含まれているため、支援会議で共有した生活困窮者等の秘密が外部に漏れることは、生活困窮者当事者に対する重大な不利益になり得るとともに、生活困窮者自立支援制度そのものへの信頼性を損なう事態を招くおそれがある。

このため、改正法による改正後の法第9条第5項では、個人情報の漏洩を防止するための措置として、「支援会議の事務に従事する者又は従事していた者は、正当な理由がなく、支援会議の事務に関して知り得た秘密を漏らしてはならない。」と規定され、支援会議の構成員が正当な理由なく、支援会議の中で共有された生活困窮者に関する個人情報等を支援会議の外へ漏洩させるなど守秘義務に違反した場合には、1年以下の懲役又は100万円以下の罰金に処される（改正法による改正後の法第28条）といった罰則を伴う秘密保持義務が規定されている。

ここでいう「正当な理由」については、支援会議の適正な運営という観点から支援会議を組織する福祉事務所設置自治体においてその判断がなされるものと考えているが、一般的には構成員による情報提供が、例えば、公営住宅法（昭和26年法律第193号）第34条など他の法令に基づき実施されている場合や生活困窮者の生命、身体、財産の保護のために必要がある場合が考えられる。

(4) 関係機関等に対する協力依頼

支援会議の設置により、福祉事務所設置自治体は、構成員同士で情報を共有することができるようになるだけでなく、生活困窮者に関する情報の交換等を行うために必要がある場合は、関係機関等に対して「生活困窮者に関する資料又は情報の提供、意見の開陳その他必要な協力を求めることができる」こととされている（改正法による改正後の法第9条第3項）。

支援会議から協力を求められた関係機関等は、その依頼に基づいた情報提供等の範囲において、その関係機関の職務等に関する守秘義務に反することにはならないことになる。

また、個人情報の保護に関する法律（平成15年法律第57号。以下「個人情報保護法」という。）では、本人の同意を得ない限り、あらかじめ特定された利用目的の達成に必要な範囲を超えて個人情報を取り扱ってはならないとともに、第三者に個人データを提供してはならないこととされているが、「法令に基づく場合」は、これらの規定は適用されないこととされており、改正法による改正後の法第9条第3項の規定に基づく協力要請に応じる場合は、この「法令に基づく場合」に該当するものであり、個人情報保護法に違反することにもならないものと解される。

ただし、この協力要請に基づき、当該関係機関等から支援会議の構成員等に対して一方的に情報の提供等が行われる場合はともかく、今後の支援の内容に関する協議など、当該関係機関等と支援会議の構成員との間で双方向の情報の交換等を行うことが見込まれる場合には、協力要請時に、守秘義務が課される支援会議の構成員となるこ

支援会議における守秘義務の適用範囲

図表6 支援会議における守秘義務の適用範囲

① 改正法では、生活困窮者に対する支援に携わる関係者間の情報の共有及び支援体制の検討を行う会議を法定し、会議体の構成員に対しても守秘義務を課けることで本人の同意がとれないケースであっても、必要に応じて地域における個々の生活困窮者等に関する情報共有を行えるようにした。

② また、生活困窮者に関する情報の交換等を行うために必要がある場合は、関係機関等に対して「生活困窮者に関する資料又は情報の提供、意見の開陳その他必要な協力を求めることができる」ことが可能になる。

③ なお、支援会議の構成員は正当な理由なく、支援会議の中で共有された生活困窮者に関する個人情報を支援会議の外へ漏えいさせるなど守秘義務に違反した場合には、一年以下の懲役又は百万円以下の罰金に処されることになる。

※ なお、支援会議においても、地方公務法第22条により、地方公務員が業務上知り得た一般的な個人情報を上回る厳しい守秘義務が課せられている税務職員が有する納税者等の情報を本人の同意なく共有することまでは想定していないことに留意が必要。

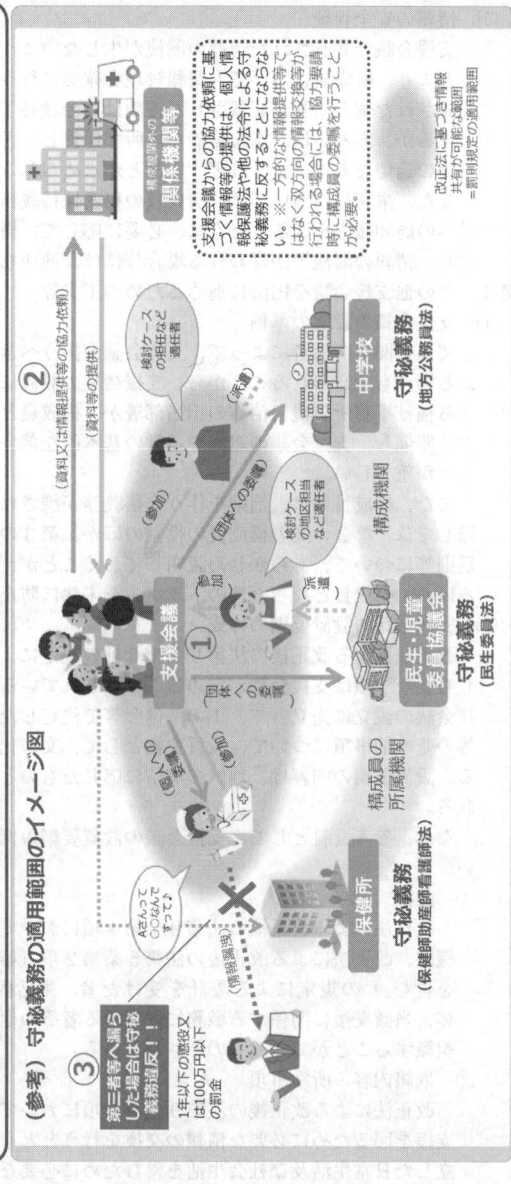

とについても要請することが必要になるので、留意されたい。
(5) 情報の安全管理
　支援会議で共有された情報の漏洩が生じないよう、支援会議の庶務を担う事務局はもとより、構成員においても情報管理を確実に行う必要があり、例えば、支援会議で配布された個人情報が記載された書類は、会議終了後、その場で廃棄することを原則とするか、あるいは、施錠可能な場所で保管し、必要な場合に限り取り出して利用する等の適切な方法により管理することが求められる。
　また、事務局においては、構成員の秘密保持義務と情報管理方法を書面化し、構成員への周知徹底を図るとともに、必要に応じて、構成員における情報の管理状況を確認し、情報の漏洩等が疑われる場合等には、適切な措置を講ずるべきである。

第4　その他支援会議を円滑に進めるための工夫等
(1) 支援会議の設置の準備
　関係機関や関係者によって、支援会議が担うべき役割等に関するイメージに相違がある場合も考えられることから、支援会議の設置に先立ち、支援会議を組織し、主導する福祉事務所設置自治体の担当部署が、構成員となり得る関係者を対象として準備会を開催し、支援会議の組織や運営の基本的な部分について、十分に協議・調整することが望ましい。
　また、構成員には、罰則を伴う守秘義務が課されることから、支援会議への参加に際しては、第2の(3)の構成員の役割のほか、第3の守秘義務の内容や違反した場合の罰則等について、あらかじめ説明しておくことが、効果的・効率的な会議運営に資するほか、構成員となった後のトラブルを未然に防止する上でも適当である。
(2) 支援会議の設置要綱の作成
　改正法による改正後の法第9条第6項の規定により、支援会議の組織及び運営に関し必要な事項は支援会議が定めることとされているため、福祉事務所設置自治体は支援会議の設立に先立って、(1)の準備会等で決定した支援会議の設置の目的や所掌事項等の基本的事項について、設置要綱として、文書化、制度化しておくことが適当である。設置要綱の内容は、地域の実情に応じたものとなるが、次のような内容が考えられる。
　なお、参考資料として、支援会議の設置要綱の例を掲載しているので参考にされたい。
① 設置
　改正法による改正後の法第9条第1項において、福祉事務所設置自治体は、関係機関、改正法による改正後の法第5条第2項（第7条第3項において準用する場合を含む。）の規定による委託を受けた者、生活困窮者に対する支援に関係する団体、当該支援に関係する職務に従事する者その他の関係者により構成される会議を組織することができるものとされている。
② 取組内容・所掌事項
　改正法による改正後の法第9条第2項において、支援会議は生活困窮者に対する支援を図るために必要な情報の交換を行うとともに、生活困窮者が地域において自立した日常生活及び社会生活を営むために必要な支援体制に関する検討を行うもの

とされている。これに加えて、支援会議が協議し、決定した具体的内容を記載することが考えられる。
③　組織
構成員については、第2の(2)を参照。支援会議を代表し、支援会議の会務を総理するものとして、会長を定めることも考えられる。また、支援会議を複層的な構造とする場合には、その旨を定めることも考えられる。
④　運営
例えば、以下のような事項を記載することが考えられる。
・　支援会議の招集方法や開催頻度（定例開催の場合）
・　必要に応じて、担当者レベルでの会議を開催すること
・　必要に応じて、関係機関等に対し、資料又は情報の提供、意見の開陳その他必要な協力を求めることができること
⑤　守秘義務
支援会議の事務に従事する者又は従事していた者は、正当な理由がなく、支援会議の事務に関して知り得た秘密を漏らしてはならない義務があり（改正法による改正後の法第9条第5項）、これに違反した場合には、1年以下の懲役又は100万円以下の罰金に処されることがある旨を記載する（改正法による改正後の法第28条）。支援会議の構成員となる関係者が罰則を伴う守秘義務の存在及びその内容を十分認識した上で支援会議に参加するよう、設置要綱においても明記すべきである。
⑥　事務局
支援会議の庶務を処理する自治体の担当部署名等を記載する。
⑦　その他
この要綱に定めるもののほか、支援会議の組織及び運営について必要な事項は、別に定める旨を記載することが考えられる。
(3)　その他
①　他の会議の活用
地域には支援調整会議のほか、児童福祉法に基づく要保護児童対策地域協議会や介護保険法に基づく地域ケア会議など様々な会議体が存在している。とりわけ、小規模な自治体においては、会議の参加者はどの分野でもそれほど変わらないことが多いことも考えられることから、既存の会議体の内容を精査し、それらの会議と時間を切り分ける等した上で、支援会議として活用することも効果的・効率的であると考えられる。その場合には、それぞれの会議体の目的及び役割の相違を十分に理解した上で適切な運営がなされるよう、配慮する必要がある。
②　個別の事案から見えてきた地域課題
個別の事案を通じて、地域の課題や不足する社会資源が明らかになることもある。このような地域課題の存在を、関係者が理解し共有することが重要である。また、必要に応じて対応方法を検討したり、各々が参加している別の会議体で共有・協議するなど、地域づくりにつながる視点を取り入れることが望まれる。

（参考資料）
　　　　　○○○支援会議設置要綱（例）
（設置）
第○条　生活困窮者に対する適切な支援を図るため、生活困窮者自立支援法（平成25年法律第105号。以下「法」という。）第9条第1項の規定に基づき、○○○支援会議（以下「支援会議」という。）を設置する。
（所掌事務）
第○条　支援会議は、次に掲げる事項を所掌する。
(1)　生活困窮者に対する支援を図るために必要な情報の交換
(2)　生活困窮者が地域において日常生活及び社会生活を営むのに必要な支援体制に関する検討
(3)　その他支援会議の設置目的を達成するために必要と認められる事項
（組織）
第○条　支援会議は、別表に掲げる関係機関に属する者その他市長が必要と認める者（以下「構成員」という。）をもって構成する。
（会長及び副会長）
第○条　支援会議に会長及び副会長を置く。
2　会長及び副会長は、構成員の互選により定める。
3　会長は、支援会議を代表し、会務を総理する。
4　副会長は、会長を補佐し、会長に事故があるとき又は会長が欠けたときは、その職務を代理する。
（支援会議の開催）
第○条　支援会議は、会長が構成員を選定して招集する。
2　支援会議の開催及び支援会議の資料は非公開とする。
（意見の聴取等）
第○条　会長は、第○条に掲げる事項を行うために必要があると認めるときは、関係機関等に対し、生活困窮者に関する資料又は情報の提供、意見の開陳その他必要な協力を求めることができる。
（守秘義務）
第○条　支援会議の事務に従事する者又は従事していた者は、正当な理由がなく、支援会議の事務に関して知り得た秘密を漏らしてはならない。
2　前項に違反して秘密を漏らした者は、法第28条の規定により、1年以下の懲役又は100万円以下の罰金に処する。
（庶務）
第○条　支援会議の庶務は、○○が処理する。
（雑則）
第○条　この要綱に定めるもののほか、支援会議の組織及び運営に関し必要な事項は、会長が支援会議に諮って定める。
　　　　　附　則
　この要綱は、平成○年○月○日から施行する。
別表（第○条関係）

○生活困窮者自立支援制度と生活保護制度の連携について

平成27年3月27日　社援保発0327第1号・社援地発0327第1号
各都道府県・各指定都市・各中核市生活困窮者自立支援制度・生活保護制度主管部(局)長宛　厚生労働省社会・援護局保護・地域福祉課長連名通知

〔改正経過〕

　　第1次改正　平成30年10月1日社援保発1001第1号・社援地発1001第1号

　生活困窮者等の一層の自立の促進を図るため、今般、生活困窮者等の自立を促進するための生活困窮者自立支援法等の一部を改正する法律（平成30年法律第44号。以下「改正法」という。）が平成30年6月8日に公布され、改正法による改正後の生活困窮者自立支援法（平成25年法律第105号。以下「法」という。）が、同年10月1日より順次施行される。

　平成27年4月より施行された生活困窮者自立支援制度は、生活困窮者に対し、その就労の状況、心身の状況、地域社会からの孤立の状況など様々な状況、またはそれらが複合的となっている状況に応じて、自立相談支援事業を中核に、住居確保給付金の支給、就労準備支援事業や家計改善支援事業の実施等により包括的かつ早期的な支援を提供するものである。

　生活保護法（昭和25年法律第144号）は、被保護者（現に保護を受けている者（生活保護法第6条第1項）をいう。）及び被保護者ではない要保護者（現に保護を受けているといないとにかかわらず、保護を必要とする状態にある者（生活保護法第6条第2項）をいう。）が対象であり、法は、改正法による改正後の法第3条第1項に規定する生活困窮者（就労の状況、心身の状況、地域社会との関係性その他の事情により、現に経済的に困窮し、最低限度の生活を維持することができなくなるおそれのある者）を対象としている（要保護者以外の生活困窮者。ただし、子どもの学習支援事業については、生活保護受給家庭の子どもも対象である。）。

　法の運用に当たっては、必要な者には確実に保護を実施するという生活保護制度の基本的な考え方に基づき、生活保護が必要であると判断される場合には、福祉事務所と連携を図りながら適切に生活保護につなぐことが必要である。

　一方、生活保護から脱却した者等が必要に応じて法に基づく事業を利用することも考えられるため、本人への切れ目のない、一体的な支援という観点も踏まえ、生活困窮者自立支援制度と生活保護制度とを連続的に機能させていくことが重要である。

　こうした法と生活保護法の連携の考え方をより実効的なものとしていくために、改正法による改正後の法第23条の規定において、生活困窮者の相談窓口において、要保護となるおそれが高い者を把握した時は、生活保護制度に関する情報提供、助言等の措置を講ずることとするとともに、改正法による改正後の生活保護法第81条第3項の規定において、被

保護者が生活保護から脱却する際、生活困窮者に該当する場合は、保護の実施機関は、生活困窮者自立支援制度についての情報提供、助言等の措置を講ずる努力義務を設け、これまでの運用上の取扱について、法律上明確化を図ったところである。

また、この制度間の連携を強化する観点から、改正法による改正後の法第8条の規定において、福祉事務所設置自治体の生活保護制度の担当部局を含む福祉、就労、教育、税務、住宅その他の関係部局において、生活困窮者を把握したときは、生活困窮者本人に対して生活困窮者自立支援制度の利用の勧奨を行う努力義務を設けたところである。

については、上記を踏まえ、両制度における連携について下記のとおり通知するので、各自治体の関係部局におかれては、改正法による改正後の法及び生活保護法の内容も含め、法の趣旨や内容を理解いただき、更なる連携を推進していただくとともに、各都道府県におかれては、管内市町村（特別区を含む。）及び関係機関等に周知いただくよう、よろしくお願いしたい。

なお、本通知は、地方自治法（昭和22年法律第67号）第245条の4第1項の規定による技術的な助言であることを申し添える。

記

1　連携の基本的な考え方

これまでも、自立相談支援事業を行う者（以下「自立相談支援機関」という。）は、福祉事務所と日常的に必要な情報交換等を行うなど緊密に連携し、

① 生活保護が必要であると判断される者は確実に福祉事務所につなぎ、

② 法の対象となり得る者については福祉事務所から自立相談支援機関に適切につなぐことを基本として、運用上両制度の連携の推進を図ってきた。

今般、この両制度における連携の推進を実効的なものとするため、改正法により、改正後の法及び生活保護法において、上記①及び②の取扱いについて、法律上の明確化が図られた。

具体的には、上記①の取扱いについては、改正法による改正後の法第23条の規定により、要保護者となるおそれが高いと判断する段階で、生活保護制度に関する情報提供等を行うことを規定し、適時に本人が保護の開始の申請を行えるようにしたものである。

また、上記②の取扱いについては、改正法による改正後の生活保護法第81条第3項の規定により、保護の実施機関において、被保護者が保護から脱却する際、生活困窮者に該当する場合には、生活困窮者自立支援制度についての情報提供等を講ずる措置を努力義務とし、生活困窮者自立支援制度との連続的な支援を機能させていくこととしたものである。

加えて、上記②の取扱いについては、改正法により、関係機関との連携強化の観点等から、改正後の法第8条の規定において、福祉事務所設置自治体が、生活困窮の端緒を把握した場合には、自立相談支援事業等の利用勧奨等を行うことを努力義務としたところであり、これにより、福祉事務所の窓口において、保護から脱却する際にかかわらず、生活困窮の端緒を把握した場合には、自立相談支援事業等の利用勧奨を行うこととしたものである。

2　自立相談支援事業等の利用勧奨

生活困窮者自立支援制度においては、平成27年4月の施行後、着実に支援の効果が現

れてきている一方で、適切な支援を受けることができていない生活困窮者が依然として数多く存在するとの指摘がある。生活困窮者の中には、日々の生活に追われ、また、自尊感情の低下等により、自ら自立相談支援事業の相談窓口に相談をすることが困難な者も少なくない。

このため、支援を必要とする生活困窮者が相談に訪れるのを待つのではなく、その者に対し相談支援が届くようにするアウトリーチの観点が重要である。また、自ら支援を求めることが困難な者に対して支援を行うためには、自立相談支援機関の主導による把握のみならず、様々な関係機関が生活困窮の端緒となる事象を把握した場合には、自立相談支援機関の相談窓口に確実につなげていくことが必要である。実際に、自立相談支援機関の相談窓口に生活困窮者をつなげた庁内関係機関が多い自治体ほど、自立相談支援事業における新規相談件数が多いとの調査結果もある。

これらを踏まえ、改正法による改正後の法第8条の規定により、福祉事務所設置自治体の福祉、就労、教育、税務、住宅その他の関係部局において、生活困窮者を把握したときは、生活困窮者本人に対して自立相談支援事業等の利用の勧奨等を行うことが努力義務とされたところである。

当該規定に基づき、福祉事務所が相談等の業務の遂行に当たって生活困窮者を把握したときは、生活困窮者本人に対して自立相談支援事業等の利用の勧奨を行うよう努めていただきたい。その際、以下の5から7までに定める連携の対象者や情報共有の方法等も参考にしながら、本人にとって切れ目のない、一体的な支援が行えるよう、両制度の連携の強化を図られたい。

3　連携の窓口

法と生活保護法に基づく事業の連携に当たっては、直営・委託いずれの場合においても、自立相談支援機関の相談支援員等の各支援員及び福祉事務所のケースワーカーが窓口となることが基本である。

なお、自立相談支援機関と福祉事務所との連携に先立ち、両者の間で、連携方法などについて事前に調整を行うことが重要である。

4　事業の実施方法

法と生活保護法に基づく事業について、同一の事業者が受託する場合、自立相談支援機関における支援の途中で生活保護受給に至った場合であっても、同一の支援員が引き続き対応することができ、一貫したより効果的な支援を行うことができると考えられる。

この場合、法に基づく事業に係る相談支援員等と生活保護法に基づく事業に係る就労支援員等とが兼務することも考えられるが、その費用については、自治体内の他の事業も参考に、勤務時間などに応じて按分する必要があることに留意する必要がある。

なお、異なる事業者が受託する場合においても、事業者間で相談支援に係るノウハウの共有や向上を図るなど、連携することが重要である。

5　連携の対象者

自立相談支援機関又は福祉事務所は相談者からの相談等を聞き取り、必要に応じて、相互に連携すること。

(1) 自立相談支援機関から福祉事務所につなぐ者は以下のような者が考えられる。

① 要保護者となるおそれが高い者
② 支援途中で要保護状態となった者
　（例）
　・会社の倒産、リストラなどにより要保護状態となった場合
　・預貯金が残りわずかであるところ、さらに疾病で失業したことにより要保護状態となった者
　・住居確保給付金の支給期間中に就労できず支給期間の終了により要保護状態となった場合
(2) 福祉事務所から自立相談支援機関につなぐ者は以下のような者が考えられる。
① 現に経済的に困窮し、要保護状態になるおそれのある者
　（例）
　・一定の収入・資産はあるものの、経済的に困窮しており、就労など様々な課題を抱えている場合
② 保護の申請をしたが、要件を満たさずに却下となった者
③ 保護を脱却し引き続き自立相談支援機関の支援を希望する者又は支援が必要と考えられる者
　（例）
　・対人関係になお不安を有する場合、精神状態が不安定である場合
　・過去に安定的な就労をしたにもかかわらず短期間で離職をしているような場合
　なお、(1)(2)いずれの場合にも、両制度の仕組みについて十分な説明を行い、本人の希望や意思を確認した上で、適切な支援につなぐことが必要である。
6　情報共有する内容・方法等
(1) 共有する内容等
　・相談段階での引き継ぎの場合は、相談段階で聞き取った内容を伝える。
　・支援途中の引き継ぎ等の場合は、世帯の基本情報に加え、必要に応じて支援経過がわかる資料を添付する。
　・本人に関する情報や関係資料等を共有する場合においては、本人の同意を得ることが必要である。
　・自立相談支援機関における支援が必要な状況や生活保護の受給が必要であると見込まれる事情等について伝達する。また、支援に当たり必要な本人に関する特段の留意事項等があれば、併せて伝えることとする。
(2) 具体的な共有の方法
① 自立相談支援機関から福祉事務所につなぐ場合
　(イ) 相談者が要保護者となるおそれが高い場合
　　「自立相談支援事業の手引き」（平成27年3月6日厚生労働省社会・援護局地域福祉課長通知）の別紙「自立相談支援機関使用標準様式」（帳票類）の相談受付・申込票やアセスメントシートが作成されている場合には、当該様式等を送付する。
　(ロ) 支援対象者が支援途中で要保護状態となった場合
　　アセスメントシートとともに、プラン兼事業等利用申込書など経過に応じた関

係資料を送付する。
② 福祉事務所から自立相談支援機関につなぐ場合
 (イ) 現に経済的に困窮し、要保護状態になるおそれのある者又は
 (ロ) 保護の申請をしたが、要件を満たさずに却下となった者
　　「生活保護法施行細則準則について」（平成12年3月31日社援第871号厚生省社会・援護局長通知）に定める面接記録票を送付する。
 (ハ) 保護を脱却した者が自立相談支援機関の支援を希望する場合
　・保護台帳（世帯の基礎情報）
　・決定調書（最低生活費と収入充当額等）※直近3か月分を目安
　・ケース記録表（世帯状況や支援状況）※直近1年分を目安
　・その他必要に応じ関係資料
　を送付する。
　　※　被保護者が他の福祉事務所区域に転居する場合に、旧居住地の福祉事務所長から新居住地の福祉事務所長あてに送付される書類一式と同様の取扱い
 ※　各自治体において定める個人情報保護条例に則った対応をすることとする。また、本人の意向を十分踏まえた対応を行うこととする。
(3) フォローアップ
　法に基づく就労支援等を受けてきた者が、生活保護を受給するに至った場合であっても、例えば下記ア及びイのように、個々の状況や自治体における事業実施体制によっては、引き続き、一定期間、自立相談支援機関においてフォローアップを行うことが適切である場合もある。そのため、本人の意向を確認し、窓口となる自立相談支援機関の相談員等と福祉事務所のケースワーカーが世帯情報等を共有した上で、適切なフォローアップが可能となるよう、円滑な引き継ぎを行うことが重要である。
 ア　法に基づく就労支援と生活保護法に基づく就労支援の委託先が異なる場合等で、同じ担当者が引き続き一定期間フォローアップを行うことが本人の状況等から判断して適切と考えられる場合
 イ　支援の提供場所が遠隔地にあることなどから、引き続き一定期間フォローアップを行うことが必要な場合
　また、生活保護法に基づく就労支援等を受けていた者が、就労により保護を脱却した場合も同様である。
7　同行支援等
　自立相談支援機関から福祉事務所につなぐ場合において、必要に応じて、事前にケースワーカーが自立相談支援機関での相談に同席するとともに、特に、他者とのコミュニケーションが苦手な場合や特段の事情を抱えている場合などには、自立相談支援機関の相談支援員等が福祉事務所へ同行するなど、支援が円滑に継続されるよう、フォローを行うことが望ましい。
　福祉事務所から自立相談支援機関につなぐ場合も、同様である。
8　両制度に基づく事業の実施
　支援を必要とする生活困窮者、被保護者に対し、連続的な支援が可能となるよう、両制度に基づく事業等を併せて実施することが重要である。

五十音索引

[い]

- ○石綿による健康被害の救済に関する法律による各種手当等に係る生活保護法上の取扱いについて（平成18年・社援保発第0331009号）……753
- ○医療扶助運営体制の強化について（昭和42年・社保第117号）……983
- ○医療扶助における移送の給付決定に関する審査等について（平成20年・社援保発第0404001号）……1094
- ○医療扶助における業務委託医の活用について（平成2年・社保第59号）……1000
- ○医療扶助における向精神薬の重複処方の適正化に係る取組の徹底について（依頼）（令和4年・社援保発1209第1号）……1067
- ○医療扶助における長期外来患者の実態把握について（昭和46年・社保第59号）……992
- ○医療扶助における長期入院患者の実態把握について（昭和45年・社保第72号）……985
- ○「医療扶助における長期入院患者の実態把握について」の一部改正について（平成19年・社援保発第0329002号）……991
- ○医療扶助における長期入院患者への対応について（令和4年・社援保発0216第1号）……997
- ○医療扶助における治療材料（眼鏡）の給付に係る取組の徹底について（依頼）（令和5年・社援保発0531第1号）……1078
- ○医療扶助における転院を行う場合の対応及び頻回転院患者の実態把握について（平成26年・社援保発0820第1号）……1048
- ○医療扶助の適正実施に関する指導監査等について（令和6年・社援保発0329第2号）……1568

[か]

- ○外国人からの生活保護の申請に関する取扱いについて（平成23年・社援保発0817第1号）……1586
- ○外国人保護の取扱いについて（昭和41年・社保第3号）……1574
- ○介護扶助と障害者の日常生活及び社会生活を総合的に支援するための法律に基づく自立支援給付との適用関係等について（平成19年・社援保発第0329004号）……1325
- ○介護扶助の適正化について（平成23年・社援保発0331第14号）……1328
- ○介護保険の適用除外者に係る情報提供について（平成12年・障障第10号・社援保発第12号）……1301
- ○介護保険の被保険者以外の者に係る要介護状態等の審査判定の委託について（平成12年・社援保発20号）……1265

- ●介護保険法及び介護保険法施行法の施行に伴う関係政令の整備等に関する政令第12条第2項の規定に基づき厚生労働大臣が定める額（平成12年・厚生省告示第221号）……………………………………………………………194
- ○介護保険法施行法による生活保護法の一部改正等について（平成11年・社援第2702号）………………………………………………………………1202
- ○介護保険料加算の認定及び代理納付の実施等について（平成12年・社援保第54号）……………………………………………………………………526
- ○介護保険料に係る生活保護受給者の取扱いについて（平成12年・老介第11号）…………………………………………………………………………529
- ○外来慢性維持透析患者に係る食事加算の廃止について（平成14年・事務連絡）……………………………………………………………………1112
- ○学習支援費の実費支給に関する留意事項について（令和4年・事務連絡）………1668
- ○各種制度による介護手当等に係る収入の認定等について（昭和57年・社保第23号）……………………………………………………………………552
- ○課税調査の徹底及び早期実施について（平成20年・社援保発第1006001号）………877

[き]

- ●救護施設、更生施設、授産施設及び宿所提供施設の設備及び運営に関する基準（昭和41年・厚生省令第18号）……………………………………………159
- ●救護施設、更生施設、授産施設及び宿所提供施設の設備及び運営に関する基準第16条の2の規定に基づき厚生労働大臣が定める給付金（平成23年・厚生労働省告示第375号）……………………………………………………170
- ○救護施設、更生施設、授産施設及び宿所提供施設の設備及び運営に関する最低基準の施行について（昭和41年・社第190号）…………………………1337
- ○同（昭和41年・社施第335号）…………………………………………………1338
- ○救護施設におけるサテライト型施設の設置運営について（平成16年・社援発第1214002号）………………………………………………………………1351
- ○救護施設入所者に対する保護費の適正な支給について（平成27年・社援保発0331第3号）……………………………………………………………524
- ○境界層該当者の取扱いについて（平成17年・社援保発第0921001号）………1308
- ○居住不安定者等居宅生活移行支援事業の実施について（令和3年・社援保発0330第4号）…………………………………………………………………1665
- ○「緊急雇用対策」における貧困・困窮者支援のための生活保護制度の運用改善について（平成21年・社援保発1030第4号）…………………………579
- ○金融機関本店等に対する一括照会の実施について（平成24年・社援保発0914第1号）………………………………………………………………843

[け]

- ○警察官署等において拘束後釈放された者に対する生活保護法による医療扶助の適用について（昭和38年・社保第73号）…………………………………1155

五十音索引

○現業員等による生活保護費の詐取等の不正防止等について（平成21年・社援保発第0309001号） ……………………………………………………1541
○健康保険法等の一部を改正する法律等の施行に伴う医療扶助運営上の留意事項について（昭和59年・社保第106号） ………………………………1162
○原子爆弾被爆者に対する特別措置に関する各種給付に係る収入の認定等について（昭和43年・社保第232号） ……………………………………539

[こ]
○公営住宅に入居している被保護世帯に対する家賃及び敷金の減免措置について（昭和44年・社保第277号） ………………………………………500
○公営住宅に入居する被保護者の保証人及び家賃の取扱いについて（平成14年・社援保発第0329001号） ………………………………………516
○公営住宅家賃等の減免措置について（昭和60年） ……………………………515
○公害健康被害の補償等に関する法律による各種補償給付の取扱いについて（昭和49年・社保第213号） …………………………………………548
○高額療養費等の生活保護法における取扱いについて（平成29年・社援保発1005第1号） ……………………………………………………1193
○更生訓練費の生活保護法上の取扱いについて（昭和43年・社更第253号） …………517
○厚生労働省による都道府県・指定都市に対する生活保護法施行事務監査にかかる資料の提出について（平成12年・社援監第18号） ……………………1432
●厚生労働省の所管する法律又は政令の規定に基づく立入検査等の際に携帯する職員の身分を示す証明書の様式の特例に関する省令（抄）（令和3年・厚生労働省令第175号） ………………………………………120
●厚生労働大臣の定める評価療養、患者申出療養及び選定療養（平成18年・厚生労働省告示第495号） …………………………………………1178
○公費負担医療等に関する費用に関して国民健康保険団体連合会が行う審査支払に係る委託契約について（平成12年・老介第3号） ……………………1274
●行旅病人及行旅死亡人取扱法（明治32年・法律第93号） ……………………1853
○行旅病人行旅死亡人等救護及取扱費用弁償ノ件（明治36年・内務省地方局長通知） ………………………………………………………1861
●行旅病人死亡人等ノ引取及費用弁償ニ関スル件（明治32年・勅令第277号）……1860
○行旅病人の救護等の事務の団体事務化について（昭和62年・社保第14号） ……1856
○国立病院等の文書料の取扱い等について（抄）（昭和47年・社保第71号） ………1105
○国立療養所における診療費の取扱いについて（昭和47年・社保第92号） ………1106

[さ]

- ○災害のため診療報酬請求明細書関係書類等を喪失した場合の取扱について（昭和34年・社発第554号） …………………………………………1080
- ○在宅患者加算の認定について（昭和55年・社保第48号） ………………494
- ○酒に酔って公衆に迷惑をかける行為の防止等に関する法律と生活保護法による医療扶助との関係について（昭和36年・社発第515号） …………1154
- ○里親登録に関する疑義について（昭和24年・児発第465号） ……………659

[し]

- ○失業等により生活に困窮する方々への支援の留意事項について（平成21年・社援保発1225第1号） ………………………………………………580
- ◉指定医療機関医療担当規程（昭和25年・厚生省告示第222号） ……………179
- ○指定医療機関に対する指導及び検査について（平成12年・社援第2394号） …………1528
- ○指定医療機関等に対する指導及び検査の実施結果報告について（平成26年・社援保発0331第4号） ………………………………………………1530
- ○指定医療機関に対する指導等について（平成23年・社援保発0308第1号） …………1044
- ◉指定介護機関介護担当規程（平成12年・厚生省告示第191号） ……………195
- ○指定介護機関に対する指導及び検査について（平成13年・社援発第588号）…………1537
- ○指定居宅介護支援事業者等への情報提供及び居宅介護支援計画等の写しの交付を求める際の手続きについて（平成12年・社援保第10号） ………1260
- ○自動車事故対策センターが行う生活資金の貸付けの生活保護法上の取扱いについて（昭和48年・社保第223号） ………………………………547
- ○自動車事故被害者援護財団給付事業及び貸付事業の取扱いについて（昭和59年） …………………………………………………………556
- ○児童福祉法施行規則第1条の23の2の規定に基づき厚生労働大臣が定める給付金の一部を改正する件等の公布について（平成24年・雇児発0331第8号・社援発0331第2号） ………………………………………………1379
- ○児童福祉法施行規則等の一部を改正する省令等の施行について（平成23年・雇児発0930第7号・社援発0930第4号） ……………………………1375
- ○児童福祉法第21条の16に基づく療育の給付と生活保護法の医療扶助との調整について（昭和35年・厚生省発児第869号） ……………………1150
- ○児童福祉法の一部を改正する法律〔第16次改正〕等の施行について（抄）（昭和33年・厚生省発児第84号） ……………………………………1149
- ○社会的な居場所づくり支援事業の実施について（平成23年・社援保発0331第1号） ……………………………………………………………1674
- ○社会福祉施設における施設機能強化推進費の取扱いについて（昭和62年・社施第90号） ……………………………………………………1826

五十音索引

○社会保障各制度における利用者等への必要な情報の伝達の徹底について（平成30年・健発0730第１号・子発0730第１号・社援発0730第２号・障発0730第１号・老発0730第１号・保発0730第１号・年管発0730第１号） …………818
○住宅扶助の認定にかかる留意事項について（平成27年・社援保発0513第１号） …………503
○柔道整復師の施術に係る医療扶助の適正な支給について（平成23年・社援保発0331第７号） …………1046
○就労可能な被保護者の就労及び求職状況の把握について（平成14年・社援発第0329024号） …………831
○「就労可能な被保護者の就労及び求職状況の把握について」の一部改正に伴う留意事項等について（平成17年・事務連絡） …………838
○就労可能な被保護者の就労・自立支援の基本方針について（平成25年・社援発0516第18号） …………821
○就労支援促進計画の策定について（平成27年・社援保発0331第22号） …………1629
○授産事業の振興対策について（昭和36年・厚生省発社第124号） …………1361
○障害者の日常生活及び社会生活を総合的に支援するための法律施行規則第27条等の規定が適用される要保護者（境界層該当者）に対する保護の実施機関における取扱いについて（平成18年・社援保発第0331007号） …………741
○小児がん患者に対する療養援助金の生活保護法上の取扱いについて（昭和48年） …………545
○小児慢性特定疾病医療費と生活保護の医療扶助の取扱いについて（平成28年・事務連絡） …………1152
○職や住まいを失った方々への支援の徹底について（平成21年・社援保発第0318001号） …………575
○診療報酬請求事務の簡素化に伴う留意事項について（昭和51年・社保第135号） …………1088
○診療報酬の知事決定に伴う審査について（昭和44年・社保第166号） …………1122

［す］
○スモン訴訟の和解に伴う収入の認定等について（昭和57年・社保第24号） …………553

［せ］
●生活困窮者就労準備支援事業及び生活困窮者家計改善支援事業の適切な実施等に関する指針（平成30年・厚生労働省告示第343号） …………1925
○生活困窮者自立支援制度と生活保護制度の連携について（平成27年・社援保発0327第１号・社援地発0327第１号） …………2047
●生活困窮者自立支援法（平成25年・法律第105号） …………1894
●生活困窮者自立支援法施行規則（平成27年・厚生労働省令第16号） …………1910
●生活困窮者自立支援法施行令（平成27年・政令第40号） …………1908

- 生活困窮者自立支援法施行令第１条第１項第１号の規定に基づき厚生労働大臣が定める基準（平成27年・厚生労働省告示第43号）……………1924
○ 生活困窮者自立支援法第９条第１項に規定する支援会議の設置及び運営に関するガイドラインについて（平成30年・社援地発1001第15号）……………2028
○ 生活困窮者自立相談支援事業等の実施について（抄）（平成27年・社援発0727第２号）………………………………………………………………1930
  * 別添１　自立相談支援事業実施要領 …………………………………………1938
  * 別添２　被保護者就労支援事業実施要領 ……………………………………1944
  * 別添３　被保護者健康管理支援事業実施要領 ………………………………1946
  * 別添４　就労準備支援事業実施要領 …………………………………………1948
  * 別添５　被保護者就労準備支援事業等実施要領 ……………………………1951
  * 別添６　一時生活支援事業実施要領 …………………………………………1958
  * 別添７　地域居住支援事業実施要領 …………………………………………1962
  * 別添８　家計改善支援事業実施要領 …………………………………………1965
  * 別添９　生活困窮世帯の子どもに対する学習・生活支援事業実施要領……1967
  * 別添10　都道府県による市町村支援事業実施要領 …………………………1969
  * 別添11　福祉事務所未設置町村による相談事業実施要領 …………………1971
  * 別添12　アウトリーチ等の充実による自立相談支援機能強化事業実施要領……1973
  * 別添13　就労準備支援事業等実施体制整備モデル事業 ……………………1974
  * 別添14　就労体験・就労訓練先の開拓・マッチング事業 …………………1975
  * 別添15　一時生活支援事業の共同実施支援事業実施要領 …………………1977
  * 別添16　生活困窮者自立支援法第７条第２項第３号に基づく事業実施要領……1978
  * 別添17　ひきこもり支援推進事業実施要領 …………………………………1982
  * 別添18　日常生活自立支援事業実施要領 ……………………………………1989
  * 別添19　生活困窮者支援等のための地域づくり事業実施要領 ……………1994
  * 別添20　民生委員・児童委員研修事業実施要領 ……………………………1996
  * 別添21　被災者見守り・相談支援等事業実施要領 …………………………1997
  * 別添22—１　居住生活支援加速化事業実施要領 ……………………………1999
  * 別添22—２　生活困窮者自立支援の機能強化事業実施要領 ………………2001
  * 別添22—３　生活困窮者自立支援都道府県研修実施体制等整備加速化事業実施要領……2004
  * 別添22—４　住まい支援システム構築に関するモデル事業実施要領 ……2007
  * 別添23　重層的支援体制整備事業への移行準備事業実施要領 ……………2009
  * 別添24　重層的支援体制構築に向けた都道府県後方支援事業実施要領……2018
  * 別添25　生活保護適正実施推進事業実施要領 ………………………………2019
  * 別添26　自立支援プログラム策定実施推進事業実施要領 …………………2025
  * 別添41　中国残留邦人等への地域生活支援プログラム事業実施要領 ……2025

五十音索引

○生活困窮者等の自立を促進するための生活困窮者自立支援法等の一部を改正する法律の一部施行について（公布日施行分（進学準備給付金関係））（平成30年・社援発0608第7号） …………1644

○生活に困窮された方の把握のための関係部局・機関等との連絡・連携体制の強化の徹底について（平成24年・社援発0223第3号） …………336

○生活に困窮する外国人に対する生活保護の措置における地方公共団体から領事館等への確認の手続について（平成31年・事務連絡） …………1587

○生活に困窮する外国人に対する生活保護の措置について（昭和29年・社発第382号） …………1570

○「生活に困窮する外国人に対する生活保護の措置について」の一部改正等について（平成24年・社援発0704第4号） …………1573

○生活福祉資金（要保護世帯向け不動産担保型生活資金）貸付制度の運営について（平成21年・社援発0728第15号） …………671

○生活福祉資金の貸付けについて（抄）（平成21年・厚生労働省発社援0728第9号） …………661

○生活保護基準の見直しに伴う他制度における経過措置等の円滑な実施に係る留意事項について（平成30年・社援保発0904第2号） …………535

○生活保護行政を適正に運営するための手引について（平成18年・社援保発第0330001号） …………781

○生活保護指定医療機関たる精神病院に対する指導の徹底等について（平成12年・社援第765号） …………1002

○生活保護指導職員制度の運営について（平成10年・厚生省発社援第233号） …………1381

○生活保護事務におけるマイナンバー導入に関する留意事項について（平成27年・社援保発0916第1号） …………341

○生活保護受給者が居住する社会福祉各法に法的位置付けのない施設及び社会福祉法第2条第3項に規定する生活困難者のために無料又は低額な料金で宿泊所を利用させる事業を行う施設に関する留意事項について（平成21年・社援保発1020第1号） …………732

○生活保護受給者等就労自立促進事業協議会の設置について（平成22年・職発0219第3号・能発0219第2号・雇児発0219第3号・社援発0219第4号） …………1736

○生活保護受給者等就労自立促進事業の実施について（平成25年・雇児発0329第30号・社援発0329第77号） …………1676

○生活保護受給者の介護保険料徴収に係る保護の実施機関との連携等について（平成19年・老介発第1005001号） …………534

○生活保護受給者の住まいの確保のための福祉部局と住宅部局等の連携について（平成27年・社援保発0611第1号・国住賃第13号・国住心第57号） …………512

○生活保護制度における介護保険施設の個室等の利用等に係る取扱いについて（平成17年・社援保発第0930002号） …………1320

○生活保護制度における第三者行為求償事務に係る疑義について（平成26年
　・事務連絡）……………………………………………………………………623
○生活保護制度における第三者行為求償事務について（平成26年・社援発
　0418第354号）…………………………………………………………………596
○生活保護制度における第三者行為求償事務の手引について（平成26年・社
　援保発0418第3号）……………………………………………………………600
○生活保護制度における代理納付等の適切な活用等について（平成19年・社
　援保発第1005002号・社援指発第1005001号）………………………………531
○生活保護制度における他法他施策の適正な活用について（平成18年・社援
　保発第0929003号・社援指発第0929001号）…………………………………632
○同（平成22年・社援保発0324第1号）…………………………………………637
○生活保護制度における福祉事務所と民生委員等の関係機関との連携の在り
　方について（平成15年・社援保発第0331004号）……………………………328
○生活保護制度の適正な運営の推進について（昭和58年・社監第111号）……768
○生活保護特別指導監査事業について（平成17年・事務連絡）………………1566
○生活保護に係る外国人からの不服申立ての取扱いについて（平成13年・社
　援保発第51号）…………………………………………………………………1581
○生活保護に係る外国籍の方からの不服申立ての取扱いについて（平成22
　年・社援保発1022第1号）……………………………………………………1583
○生活保護に係る保護金品の定例支給日が地方公共団体等の休日に当たる場
　合の取扱いについて（平成4年・社援保第55号）……………………………762
○生活保護に関する不正事案への対応について（平成26年・社援保発0401第
　1号）……………………………………………………………………………815
○生活保護の医療扶助における医薬品の適正使用の推進について（令和5年
　・社援保発0314第1号）………………………………………………………1069
○生活保護の医療扶助における後発医薬品の使用促進について（平成30年・
　社援保発0928第6号）…………………………………………………………1062
○生活保護の適正実施の推進について（昭和56年・社保第123号）……………765
○生活保護費の費用返還及び費用徴収決定の取扱いについて（平成24年・社
　援保発0723第1号）……………………………………………………………583
●生活保護法（昭和25年・法律第144号）…………………………………………3
○生活保護法関係文書の保存期間について（昭和36年・社発第726号）………323
●生活保護法施行規則（昭和25年・厚生省令第21号）……………………………84
●生活保護法施行規則第18条の5の規定に基づき厚生労働大臣が定める算定
　方法（平成26年・厚生労働省告示第224号）…………………………………198
●生活保護法施行規則第18条の10の規定に基づき厚生労働大臣が定める額
　（平成30年・厚生労働省告示第244号）………………………………………202

五十音索引

○生活保護法施行細則準則について（平成12年・社援第871号） ……………… 272

○生活保護法施行事務監査の実施結果報告について（平成12年・社援監第19号） ……………………………………………………………………………… 1417

○生活保護法施行事務監査の実施について（平成12年・社援第2393号） ……… 1385

●生活保護法施行令（昭和25年・政令第148号） ………………………………… 73

○生活保護法第29条に基づく公共職業安定所長に対する調査の嘱託について（昭和58年・社保第95号） …………………………………………………… 840

○生活保護法第29条に基づく税務署長に対する資料の提供等の求めについて（平成26年・社援保発0630第2号） ………………………………………… 866

○生活保護法第29条に基づく年金の支給状況等に関する調査嘱託に関する協力依頼について（平成18年・社援保発第0331011号） ……………………… 841

○生活保護法第29条に基づく労災給付に係る調査について（平成31年・社援保発0329第6号） ………………………………………………………………… 874

○生活保護法第37条の2に規定する保護の方法の特例（住宅扶助の代理納付）に係る留意事項について（平成18年・社援保発第0331006号） ………… 509

●生活保護法第52条第2項の規定による診療方針及び診療報酬（昭和34年・厚生省告示第125号） ……………………………………………………………… 182

●生活保護法第54条の2第5項において準用する同法第52条第2項の規定による介護の方針及び介護の報酬（平成12年・厚生省告示第214号） ……… 196

○生活保護法第54条の2第4項において準用する同法第52条第2項の規定による介護の方針及び介護の報酬を定める件の施行について（平成12年・社援第1299号） …………………………………………………………………… 1273

○生活保護法第77条第2項に基づく家庭裁判所に対する審判を求める申立てについて（昭和62年・社保第75号） …………………………………………… 482

○生活保護法における特別基準の設定にかかる情報提供について（平成12年・社援保第43号） …………………………………………………………… 519

○生活保護法に基づく介護扶助に係る審査請求の取扱いについて（平成14年・社援保発第0829002号） ………………………………………………… 1335

○生活保護法に基づく保護の決定、実施に係る事務に関する訴訟の取扱いについて（平成7年・社援保第78号） …………………………………………… 770

○生活保護法による委託入院患者の適切な処遇の確保について（平成13年・社援保発第9号） …………………………………………………………………… 1003

○同（令和5年・社援保発0508第1号） ……………………………………………… 1077

○生活保護法による医療券等の記載要領について（平成11年・社援保第41号） ……………………………………………………………………………… 1084

五十音索引

- ○生活保護法による医療扶助運営要領に関する疑義について（昭和48年・社保第87号） …………972
- ○生活保護法による医療扶助運営要領について（昭和36年・社発第727号） …………887
- ○生活保護法による医療扶助と母体保護法との関係について（平成8年・社援保第186号・児発第830号） …………1170
- ○生活保護法による医療扶助における医療券等様式（診療報酬等請求様式）の変更に伴う留意事項等について（平成11年・社援保第42号） …………1086
- ○生活保護法による医療扶助における診療報酬請求方式の一部改正について（平成13年・社援保発第14号） …………1091
- ○生活保護法による医療扶助における施術の給付について（平成13年・社援保発第58号） …………1110
- ○生活保護法による医療扶助の診療報酬のうち血漿交換療法に関する取り扱いについて（昭和61年・社保第13号） …………1111
- ○生活保護法による医療扶助の診療報酬明細書の点検について（平成12年・社援保第72号） …………1126
- ○生活保護法による医療扶助の適正な運営について（昭和60年・社保第99号） …………1004
- ○同（平成12年・社援第2700号） …………1006
- ○生活保護法による医療扶助の特別基準の取扱いについて（平成22年・社援保発0330第1号） …………1101
- ○生活保護法による医療扶助のはり・きゅうの給付について（昭和48年・社保第63号） …………1107
- ○生活保護法による介護券の記載要領及び留意点について（平成12年・社援保第11号） …………1269
- ○生活保護法による介護扶助の運営要領に関する疑義について（平成13年・社援保発第22号） …………1253
- ○生活保護法による介護扶助の運営要領について（平成12年・社援第825号） …………1212
- ○生活保護法による住宅扶助の取扱いについて（昭和47年・社保第136号） …………501
- ○生活保護法による住宅扶助の認定等について（昭和60年・社保第37号） …………502
- ○生活保護法による就労自立給付金の支給について（平成26年・社援発0425第3号） …………1589
- ○生活保護法による就労自立給付金の取扱いについて（平成26年・社援保発0425第7号） …………1596
- ○生活保護法による進学・就職準備給付金の支給について（平成30年・社援発0608第6号） …………1634

五十音索引

○生活保護法による進学・就職準備給付金の取扱いについて（平成30年・社援保発0608第2号） …………………………………………………1648

○生活保護法による保護施設指導監査の実施について（平成13年・社援監発第8号） ……………………………………………………………1557

○生活保護法による保護施設事務費及び委託事務費の支弁基準について（平成20年・厚生労働省発社援第0331011号） ………………………1743

○生活保護法による保護施設事務費及び委託事務費の取扱いについて（昭和63年・社施第85号） ………………………………………………1790

○生活保護法による保護施設に対する指導監査事項について（平成24年・社援発0326第4号） …………………………………………………1550

○生活保護法による保護施設に対する指導監査について（平成12年・社援第2395号） ……………………………………………………………1547

○生活保護法による保護施設の管理規程について（昭和32年・社発第254号）…1353

○生活保護法による保護施設の許可等に関する報告について（昭和44年・社施第73号） ……………………………………………………………1364

○生活保護法による保護における障害者加算等の認定について（昭和40年・社保第284号） ……………………………………………………………490

●生活保護法による保護の基準（昭和38年・厚生省告示第158号） …………122

○生活保護法による保護の基準の級地区分の取扱い等について（昭和41年・社保第160号） ……………………………………………………………268

○生活保護法による保護の実施要領に関する疑義について（抄）（昭和38年・社保第85号） …………………………………………………………487

○同（抄）（昭和39年・社保第61号） ……………………………………………480

○生活保護法による保護の実施要領について（昭和36年・厚生省発社第123号） ………………………………………………………………………344

○同（昭和38年・社発第246号） …………………………………………………355

○生活保護法による保護の実施要領の取扱いについて（昭和38年・社保第34号） ………………………………………………………………………419

○生活保護法の一部改正に伴う指定医療機関の指定事務に係る留意事項等について（平成26年・社援保発0425第11号） ……………………………1130

○生活保護法の一部改正に伴う指定介護機関の指定事務に係る留意事項等について（平成26年・社援保発0425第15号） ……………………………1329

○生活保護法の一部改正に伴う指定助産機関及び指定施術機関の指定事務に係る留意事項等について（平成26年・社援保発0425第9号） …………1140

○生活保護法の一部改正による生活保護法第29条第2項の創設に伴う同条第1項に規定する関係先への調査実施に関する留意事項について（平成26年・社援保発0630第1号） …………………………………………………848

○生活保護法の一部を改正する法律等の施行について（昭和28年・社乙発第49号） …………………………………………………………………1113

○生活保護法の一部を改正する法律の施行について（依命通知）（昭和26年・厚生省発社第80号） ……………………………………………………………261

○生活保護法の医療扶助における向精神薬の重複処方の適正化等について（平成28年・社援保発0331第12号） ……………………………………………1060

○生活保護法の医療扶助におけるCSV情報によるレセプトの保存について（平成22年・社援保発0331第2号） ……………………………………………1092

○生活保護法の医療扶助の適正な運営について（平成23年・社援保発0331第5号） ……………………………………………………………………………1045

○生活保護法の規定により国保連に対し介護報酬の支払等について委託する場合における被保護者異動連絡票及び被保護者異動訂正連絡票に係る記載要領について（平成12年・社援保第27号） ……………………………1295

○生活保護法の施行に関する件（依命通知）（昭和25年・厚生省発社第46号） …………253

●生活保護法別表第1に規定する厚生労働省令で定める情報を定める省令（平成26年・厚生労働省令第72号） ……………………………………………111

○精神衛生法等の一部を改正する法律等の施行に伴う生活保護運営上の留意事項について（昭和63年・社保第77号） …………………………………1147

○精神科病院に対する指導監督等の徹底について（抄）（平成10年・障第113号・健政発第232号・医薬発第176号・社援第491号） …………………1001

○精神障害者保健福祉手帳による障害加算の障害の程度の判定について（平成7年・社援保第218号） ……………………………………………………492

○生命保険会社に対する調査の実施について（平成27年・社援保発0213第2号） ……………………………………………………………………………868

[た]

○第三者加害行為による補償金、保険金等を受領した場合における生活保護法第63条の適用について（昭和47年・社保第196号） ……………………582

[ち]

○地域におけるアウトリーチ支援等推進事業の実施について（平成30年・社援保発0329第3号・社援地発0329第1号） …………………………………1626

○地域の自主性及び自立性を高めるための改革の推進を図るための関係法律の整備に関する法律による生活保護法の一部改正等について（令和2年・社援発第0914第7号） …………………………………………………………269

○地方公共団体が実施する福祉的給付金制度の生活保護法上の取扱いについて（昭和44年） ……………………………………………………………………541

○中国からの一時帰国者に対する生活保護法上の取扱いについて（昭和49年・社保第75号） ……………………………………………………………1576

五十音索引

○中国帰国者等に対する生活保護制度上の取扱いに関する疑義照会への回答の送付について（平成19年・事務連絡） ………………………………… 756
○中国帰国者等に対する生活保護制度上の取扱いについて（平成19年・社援保発第0330002号） ………………………………… 754

[と]

○東北地方太平洋沖地震による被災者の生活保護の取扱いについて（平成23年・社援保発0317第1号） ………………………………… 878
○同（その２）（平成23年・社援保発0329第１号） ………………………………… 880
○特定疾患治療研究事業と生活保護法との適用の調整について（昭和48年・社保第111号） ………………………………… 1165
○特定者に対する旅客鉄道株式会社の通勤定期乗車券の特別割引制度について（昭和62年・社保第37号） ………………………………… 763
○特定老人保健施設に入所し施設療養に相当するサービスを受ける者に対する生活保護法による医療扶助の実施について（平成12年・社援保第1084号） ………… 1171
○同（平成12年・社援保第30号） ………………………………… 1173

[な]

○難病の患者に対する医療等に関する法律施行令第１条等の規定が適用される要保護者（境界層該当者）に対する保護の実施機関における取扱いについて（平成26年・社援保発1212第２号） ………………………………… 1166
○難民等に対する生活保護の措置について（昭和57年・社保第２号） ………………………………… 1580

[に]

●日常生活支援住居施設に関する厚生労働省令で定める要件等を定める省令（令和２年・厚生労働省令第44号） ………………………………… 171
○日常生活支援住居施設に関する厚生労働省令で定める要件等について（令和２年・社援発0324第14号） ………………………………… 1366
○日常生活支援住居施設の認定要件に関する指導検査要綱及び指導検査事項について（令和２年・社援発1105第８号） ………………………………… 1558
○入院患者、介護施設入所者及び社会福祉施設入所者の加算等の取扱いについて（昭和58年・社保第51号） ………………………………… 522

[ね]

○年金制度及び不動産等の資産の活用の徹底等について（平成23年・社援保発0331第３号） ………………………………… 648

［は］

○「配偶者からの暴力の防止及び被害者の保護に関する法律の一部を改正する法律」の施行等に伴う生活保護制度における留意事項について（平成20年・社援保発第0401007号）……………………………………………………739

○犯罪被害者等給付金の支給等による犯罪被害者等の支援に関する法律に基づく犯罪被害者等給付金の生活保護制度上の取扱いについて（令和5年・社援保発0630第1号）……………………………………………………557

○ハンセン病問題の解決の促進に関する法律等の施行について（抄）（平成21年・厚生労働省発健第0401032号）………………………………1158

○同（抄）（平成21年・健発第0401007号）……………………………1160

○ハンセン病療養所入所者関係世帯に対する生活保護法の適用について（平成8年・社援保第218号・健医発第1279号）……………………………1157

［ひ］

○東日本大震災により生活に困窮された方への支援の徹底について（平成24年・社援保発0106第2号）……………………………………………885

○東日本大震災による被災者の生活保護の取扱いについて（その3）（平成23年・社援保発0502第2号）……………………………………………881

○被保護者が海外に渡航した場合の取扱いについて（平成20年・社援保発第0401006号）……………………………………………………………566

○被保護者家計改善支援事業の実施について（平成30年・社援保発0330第12号）……………………………………………………………………1658

○被保護者就労支援事業の実施について（平成27年・社援保発0331第20号）…1601

○被保護者就労準備支援事業（一般事業分）の実施について（平成27年・社援保発0409第1号）……………………………………………………1608

○被保護者就労準備支援事業及び就労準備支援事業における生活困窮者等の就農訓練事業の実施について（平成28年・社援保発0331第18号・社援地発0331第1号）…………………………………………………………1619

○被保護者就労準備支援事業及び就労準備支援事業における福祉専門職との連携支援事業の実施について（平成29年・社援保発0327第1号・社援地発0327第2号）…………………………………………………………1623

○180日を超えて入院している患者の取扱いについて（平成14年・社援発第0327028号）……………………………………………………………1034

○頻回受診者に対する適正受診指導について（平成14年・社援保発第0322001号）……………………………………………………………1010

五十音索引

[ふ]

○福祉部局との連携等に係る協力について（平成14年） ……………………327
○福祉部局との連絡・連携体制の強化について（平成12年・事務連絡） ………325
○不正受給事案や現業員等による不正等が発生した際における速やかな報告等について（平成24年・社援自発1023第1号） ……………………771
○扶養義務履行が期待できない者の判断基準の留意点等について（令和3年・事務連絡） ……………………484

[へ]

○併給入院外患者に係る医療要否意見書の徴取期間の延長の取扱いについて（昭和49年・社保第60号） ……………………1083
○平成17年度における自立支援プログラムの基本方針について（平成17年・社援発第0331003号） ……………………1671

[ほ]

○暴力団員に対する生活保護の適用について（平成18年・社援保発第0330002号） ……………………773
○ホームレスに対する生活保護の適用について（平成15年・社援保発第0731001号） ……………………1890
●ホームレスの自立の支援等に関する基本方針（令和5年・厚生労働・国土交通省告示第1号） ……………………1870
●ホームレスの自立の支援等に関する特別措置法（平成14年・法律第105号） ………1865
○ホームレスの自立の支援等に関する特別措置法の一部を改正する法律の施行について（平成29年・職発0621第1号・能発0621第8号・社援発0621第1号） ……………………1893
○ホームレスの自立の支援等に関する特別措置法の運用に関する件（平成14年・衆議院厚生労働委員会） ……………………1869
●保険外併用療養費に係る厚生労働大臣が定める医薬品等（平成18年・厚生労働省告示第498号） ……………………1183
○保険者番号等の設定について（抄）（昭和51年・保発第45号・庁保発第34号） ……………………1087
○保護施設以外の授産施設に係る施設事務費の取扱いについて（昭和38年・社発第361号） ……………………1363
○保護施設通所事業の実施について（平成14年・社援発第0329030号） ………1356

五十音索引

- ○保護の実施機関における生活保護業務の自主的内部点検の実施について（昭和47年・社監第23号） ……………1539
- ○保護の実施機関における生活保護業務の実施方針の策定について（平成17年・社援保発第0329001号） ……………321
- ○保護の実施機関における訪問基準の作成について（平成27年・社援保発0331第4号） ……………339
- ○保護変更申請書（傷病届）による医療扶助の取扱いについて（昭和47年・社保第194号） ……………1081
- ●墓地、埋葬等に関する法律（抄）（昭和23年・法律第48号） ……………1862
- ○墓地、埋葬等に関する法律の疑義について（昭和27年・衛環第66号） ……………1863

[ま]

- ○麻薬取締法による措置入院者にかかる措置費の取扱いについて（昭和39年・薬発第534号） ……………1164

[み]

- ○未承認薬・適応外薬に関する医療扶助特別基準の取扱いについて（平成23年・社援保発0331第13号） ……………1102
- ○水俣病総合対策による各種給付の生活保護法上の取扱いについて（平成4年・社保第180号） ……………554
- ○身元不明者の身元確認を行うための生活保護担当部局における対応について（平成26年・社援保発0926第1号） ……………337

[む]

- ○無料低額宿泊所及び日常生活支援住居施設における生活保護の適用について（令和2年・社援保発0327第1号） ……………568
- ○無料低額宿泊所等における住宅扶助の認定について（令和2年・社援発0824第1号） ……………506
- ●無料低額宿泊所の設備及び運営に関する基準（令和元年・厚生労働省令第34号） ……………695
- ○無料低額宿泊所の設備及び運営に関する基準について（令和元年・社援発0910第3号） ……………707
- ○無料低額宿泊所の設備及び運営に関する基準のサテライト型住居への適用に係る留意事項について（令和3年・社援保発0827第1号） ……………734
- ○無料低額宿泊所の設備及び運営に関する指導指針について（令和2年・社援発0325第14号） ……………722

五十音索引

[よ]

- ○要保護者の把握のための関係部局・機関等との連絡・連携体制の強化について（平成13年・社援保発第27号） ……326
- ○要保護者の把握のための関係部局・機関等との連絡・連携体制の強化の徹底について（平成22年・社援保発1001第1号） ……334
- ○同（平成23年・社援保発0708第1号） ……335
- ○要保護世帯向け長期生活支援資金の運用に関する疑義照会への回答の送付について（平成19年・事務連絡） ……693
- ○要保護世帯向け不動産担保型生活資金の生活保護制度上の取扱い及び保護の実施機関における事務手続について（平成19年・社援保発第0330001号） ……680

[り]

- ●療養の給付及び公費負担医療に関する費用の請求に関する命令（昭和51年・厚生省令第36号） ……184

[れ]

- ○レセプト点検の適切な実施等について（平成27年・社援保発0331第16号） ……1057

[ろ]

- ○労災特別援護措置の生活保護法上の取扱いについて（昭和48年・社保第204号） ……546
- ○老人福祉法施行事務に係る質疑応答について（昭和39年・社施第1号） ……477
- ○老人福祉法施行事務に伴なう疑義照会について（抄）（昭和39年・社施第5号） ……518
- ○老人福祉法の施行に伴う留意事項等について（昭和38年・社発第525号） ……495
- ○老人ホームの移送に要する費用の取扱いについて（昭和46年・社老第111号） ……499
- ○老人ホームへの入所措置等に関する留意事項について（昭和62年・社老第9号） ……474
- ○老人ホームへの入所措置等の指針について（抄）（平成18年・老発第0331028号） ……660
- ○労働争議中の労働者等に対する生活保護法の適用について（昭和43年・社保第111号） ……559

年別索引

[明治32年]
3月28日　法律第93号
　●行旅病人及行旅死亡人取扱法……………………………………………1853
6月17日　勅令第277号
　●行旅病人死亡人等ノ引取及費用弁償ニ関スル件……………………1860

[明治36年]
9月　内務省地方局長通知
　○行旅病人行旅死亡人等救護及取扱費用弁償ノ件……………………1861

[昭和23年]
5月31日　法律第48号
　●墓地、埋葬等に関する法律（抄）……………………………………1862

[昭和24年]
6月17日　児発第465号
　○里親登録に関する疑義について………………………………………659

[昭和25年]
5月4日　法律第144号
　●生活保護法………………………………………………………………3
5月20日　政令第148号
　●生活保護法施行令………………………………………………………73
5月20日　厚生省令第21号
　●生活保護法施行規則……………………………………………………84
5月20日　厚生省発社第46号
　○生活保護法の施行に関する件（依命通知）…………………………253
8月23日　厚生省告示第222号
　●指定医療機関医療担当規程……………………………………………179

[昭和26年]
9月13日　厚生省発社第80号
　○生活保護法の一部を改正する法律の施行について（依命通知）……261

年別索引

[昭和27年]
6月30日　衛環第66号
　○墓地、埋葬等に関する法律の疑義について……………………………………1863

[昭和28年]
3月31日　社乙発第49号
　○生活保護法の一部を改正する法律等の施行について………………………1113

[昭和29年]
5月8日　社発第382号
　○生活に困窮する外国人に対する生活保護の措置について…………………1570

[昭和32年]
3月30日　社発第254号
　○生活保護法による保護施設の管理規程について……………………………1353

[昭和33年]
7月9日　厚生省発児第84号
　○児童福祉法の一部を改正する法律〔第16次改正〕等の施行について(抄)…………1149

[昭和34年]
5月6日　厚生省告示第125号
　●生活保護法第52条第2項の規定による診療方針及び診療報酬……………182
10月16日　社発第554号
　○災害のため診療報酬請求明細書関係書類等を喪失した場合の取扱について……………………………………………………………………………………1080

[昭和35年]
8月13日　厚生省発児第869号
　○児童福祉法第21条の16に基づく療育の給付と生活保護法の医療扶助との調整について……………………………………………………………………1150

[昭和36年]
4月1日　厚生省発社第123号
　○生活保護法による保護の実施要領について ………………………………344
4月4日　厚生省発社第124号
　○授産事業の振興対策について………………………………………………1361

7月1日　社発第515号
○酒に酔って公衆に迷惑をかける行為の防止等に関する法律と生活保護法
による医療扶助との関係について………………………………………………1154
9月29日　社発第726号
○生活保護法関係文書の保存期間について ……………………………………323
9月30日　社発第727号
○生活保護法による医療扶助運営要領について ………………………………887

[昭和38年]
4月1日　厚生省告示第158号
●生活保護法による保護の基準 …………………………………………………122
4月1日　社発第246号
○生活保護法による保護の実施要領について …………………………………355
4月1日　社保第34号
○生活保護法による保護の実施要領の取扱いについて ………………………419
4月23日　社発第361号
○保護施設以外の授産施設に係る施設事務費の取扱いについて……………1363
8月1日　社発第525号
○老人福祉法の施行に伴う留意事項等について ………………………………495
10月7日　社保第73号
○警察官署等において拘束後釈放された者に対する生活保護法による医療
扶助の適用について…………………………………………………………1155
11月29日　社保第85号
○生活保護法による保護の実施要領に関する疑義について（抄）……………487

[昭和39年]
1月7日　社施第1号
○老人福祉法施行事務に係る質疑応答について ………………………………477
2月11日　社施第5号
○老人福祉法施行事務に伴なう疑義照会について（抄）………………………518
7月10日　社保第61号
○生活保護法による保護の実施要領に関する疑義について（抄）……………480
7月30日　薬発第534号
○麻薬取締法による措置入院者にかかる措置費の取扱いについて…………1164

[昭和40年]
5月14日　社保第284号
○生活保護法による保護における障害者加算等の認定について ……………490

[昭和41年]

1月6日　社保第3号
○外国人保護の取扱いについて……………………………………………1574

5月18日　社保第160号
○生活保護法による保護の基準の級地区分の取扱い等について ……………268

7月1日　厚生省令第18号
●救護施設、更生施設、授産施設及び宿所提供施設の設備及び運営に関する基準 ……………………………………………………………………159

8月29日　社第190号
○救護施設、更生施設、授産施設及び宿所提供施設の設備及び運営に関する最低基準の施行について……………………………………………1337

12月15日　社施第335号
○救護施設、更生施設、授産施設及び宿所提供施設の設備及び運営に関する最低基準の施行について……………………………………………1338

[昭和42年]

6月1日　社保第117号
○医療扶助運営体制の強化について ……………………………………983

[昭和43年]

4月26日　社保第111号
○労働争議中の労働者等に対する生活保護法の適用について ………………559

10月1日　社保第232号
○原子爆弾被爆者に対する特別措置に関する各種給付に係る収入の認定等について ……………………………………………………………………539

10月26日　社更第253号
○更生訓練費の生活保護法上の取扱いについて ……………………………517

[昭和44年]

4月26日
○地方公共団体が実施する福祉的給付金制度の生活保護法上の取扱いについて ……………………………………………………………………541

5月6日　社施第73号
○生活保護法による保護施設の許可等に関する報告について…………………1364

7月9日　社保第166号
○診療報酬の知事決定に伴う審査について……………………………………1122

12月8日　社保第277号
○公営住宅に入居している被保護世帯に対する家賃及び敷金の減免措置について ……………………………………………………………………500

［昭和45年］

4月1日　社保第72号
○医療扶助における長期入院患者の実態把握について ……………………985

［昭和46年］

4月1日　社保第59号
○医療扶助における長期外来患者の実態把握について ……………………992
9月22日　社老第111号
○老人ホームの移送に要する費用の取扱いについて ………………………499

［昭和47年］

3月25日　社監第23号
○保護の実施機関における生活保護業務の自主的内部点検の実施について…………1539
4月18日　社保第71号
○国立病院等の文書料の取扱い等について（抄）……………………………1105
5月22日　社保第92号
○国立療養所における診療費の取扱いについて ……………………………1106
8月14日　社保第136号
○生活保護法による住宅扶助の取扱いについて ……………………………501
12月1日　社保第194号
○保護変更申請書（傷病届）による医療扶助の取扱いについて ……………1081
12月5日　社保第196号
○第三者加害行為による補償金、保険金等を受領した場合における生活保護法第63条の適用について ……………………………………………………582

［昭和48年］

1月23日
○小児がん患者に対する療養援助金の生活保護法上の取扱いについて ………545
4月1日　社保第63号
○生活保護法による医療扶助のはり・きゅうの給付について………………1107
5月1日　社保第87号
○生活保護法による医療扶助運営要領に関する疑義について ………………972
6月19日　社保第111号
○特定疾患治療研究事業と生活保護法との適用の調整について ……………1165
11月21日　社保第204号
○労災特別援護措置の生活保護法上の取扱いについて ………………………546

12月21日　社保第223号
○自動車事故対策センターが行う生活資金の貸付けの生活保護法上の取扱いについて……547

[昭和49年]

4月1日　社保第60号
○併給入院外患者に係る医療要否意見書の徴取期間の延長の取扱いについて……1083

4月16日　社保第75号
○中国からの一時帰国者に対する生活保護法上の取扱いについて……1576

11月27日　社保第213号
○公害健康被害の補償等に関する法律による各種補償給付の取扱いについて……548

[昭和51年]

8月2日　厚生省令第36号
●療養の給付及び公費負担医療に関する費用の請求に関する命令……184

8月7日　社保第135号
○診療報酬請求事務の簡素化に伴う留意事項について……1088

8月7日　保発第45号・庁保発第34号
○保険者番号等の設定について（抄）……1087

[昭和55年]

4月1日　社保第48号
○在宅患者加算の認定について……494

[昭和56年]

11月17日　社保第123号
○生活保護の適正実施の推進について……765

[昭和57年]

1月4日　社保第2号
○難民等に対する生活保護の措置について……1580

3月10日　社保第23号
○各種制度による介護手当等に係る収入の認定等について……552

3月10日　社保第24号
○スモン訴訟の和解に伴う収入の認定等について……553

[昭和58年]

3月31日　社保第51号
○入院患者、介護施設入所者及び社会福祉施設入所者の加算等の取扱いについて ……………………………………………………………………522

9月12日　社保第95号
○生活保護法第29条に基づく公共職業安定所長に対する調査の嘱託について ……………………………………………………………………840

12月1日　社監第111号
○生活保護制度の適正な運営の推進について ………………………………768

[昭和59年]

9月19日
○自動車事故被害者援護財団給付事業及び貸付事業の取扱いについて ………556

9月28日　社保第106号
○健康保険法等の一部を改正する法律等の施行に伴う医療扶助運営上の留意事項について ……………………………………………………………1162

[昭和60年]

3月30日　社保第37号
○生活保護法による住宅扶助の認定等について ……………………………502

5月17日
○公営住宅家賃等の減免措置について …………………………………………515

9月30日　社保第99号
○生活保護法による医療扶助の適正な運営について ………………………1004

[昭和61年]

1月25日　社保第13号
○生活保護法による医療扶助の診療報酬のうち血漿交換療法に関する取り扱いについて ……………………………………………………………1111

[昭和62年]

1月31日　社老第9号
○老人ホームへの入所措置等に関する留意事項について …………………474

2月12日　社保第14号
○行旅病人の救護等の事務の団体事務化について …………………………1856

4月1日　社保第37号
○特定者に対する旅客鉄道株式会社の通勤定期乗車券の特別割引制度について ……………………………………………………………………763

7月16日　社施第90号
○社会福祉施設における施設機能強化推進費の取扱いについて……………………1826
7月27日　社保第75号
○生活保護法第77条第2項に基づく家庭裁判所に対する審判を求める申立てについて ………………………………………………………………………………482

[昭和63年]
5月27日　社施第85号
○生活保護法による保護施設事務費及び委託事務費の取扱いについて……………1790
8月3日　社保第77号
○精神衛生法等の一部を改正する法律等の施行に伴う生活保護運営上の留意事項について…………………………………………………………………………1147

[平成2年]
3月31日　社保第59号
○医療扶助における業務委託医の活用について…………………………………………1000

[平成4年]
5月25日　社保第180号
○水俣病総合対策による各種給付の生活保護法上の取扱いについて ………………554
10月12日　社援保第55号
○生活保護に係る保護金品の定例支給日が地方公共団体等の休日に当たる場合の取扱いについて…………………………………………………………………762

[平成7年]
3月29日　社援保第78号
○生活保護法に基づく保護の決定、実施に係る事務に関する訴訟の取扱いについて …………………………………………………………………………………770
9月27日　社援保第218号
○精神障害者保健福祉手帳による障害者加算の障害の程度の判定について…………492

[平成8年]
9月25日　社援保第186号・児発第830号
○生活保護法による医療扶助と母体保護法との関係について…………………………1170
11月11日　社援保第218号・健医発第1279号
○ハンセン病療養所入所者関係世帯に対する生活保護法の適用について……………1157

[平成10年]

3月3日　障第113号・健政発第232号・医薬発第176号・社援第491号
○精神科病院に対する指導監督等の徹底について（抄）……………………1001

9月3日　厚生省発社援第233号
○生活保護指導職員制度の運営について……………………………………1381

[平成11年]

8月27日　社援保第41号
○生活保護法による医療券等の記載要領について……………………………1084

8月27日　社援保第42号
○生活保護法による医療扶助における医療券等様式（診療報酬等請求様式）の変更に伴う留意事項等について……………………………………1086

11月16日　社援第2702号
○介護保険法施行法による生活保護法の一部改正等について………………1202

[平成12年]

3月13日　社援保第10号
○指定居宅介護支援事業者等への情報提供及び居宅介護支援計画等の写しの交付を求める際の手続きについて……………………………………1260

3月13日　社援保第11号
○生活保護法による介護券の記載要領及び留意点について…………………1269

3月28日　障障第10号・社援保第12号
○介護保険の適用除外者に係る情報提供について……………………………1301

3月29日　社援第765号
○生活保護指定医療機関たる精神病院に対する指導の徹底等について………1002

3月31日　厚生省告示第191号
●指定介護機関介護担当規程……………………………………………………195

3月31日　社援第825号
○生活保護法による介護扶助の運営要領について……………………………1212

3月31日　社援第871号
○生活保護法施行細則準則について……………………………………………272

3月31日　社援保第20号
○介護保険の被保険者以外の者に係る要介護状態等の審査判定の委託について……………………………………………………………………………1265

4月13日　事務連絡
○福祉部局との連絡・連携体制の強化について………………………………325

4月19日　厚生省告示第214号
- ●生活保護法第54条の2第5項において準用する同法第52条第2項の規定による介護の方針及び介護の報酬 …………………………196

4月20日　厚生省告示第221号
- ●介護保険法及び介護保険法施行法の施行に伴う関係政令の整備等に関する政令第12条第2項の規定に基づき厚生労働大臣が定める額 …………194

4月20日　老介第3号
- ○公費負担医療等に関する費用に関して国民健康保険団体連合会が行う審査支払に係る委託契約について…………………………………1274

4月28日　社援保第27号
- ○生活保護法の規定により国保連に対し介護報酬の支払等について委託する場合における被保護者異動連絡票及び被保護者異動訂正連絡票に係る記載要領について…………………………………………………1295

5月15日　社援第1084号
- ○特定老人保健施設に入所し施設療養に相当するサービスを受ける者に対する生活保護法による医療扶助の実施について…………………………1171

5月15日　社援保第30号
- ○特定老人保健施設に入所し施設療養に相当するサービスを受ける者に対する生活保護法による医療扶助の実施について…………………………1173

5月30日　社援第1299号
- ○生活保護法第54条の2第4項において準用する同法第52条第2項の規定による介護の方針及び介護の報酬を定める件の施行について……………1273

7月7日　社援保第43号
- ○生活保護法における特別基準の設定にかかる情報提供について………519

9月1日　社援保第54号
- ○介護保険料加算の認定及び代理納付の実施等について…………………526

9月1日　老介第11号
- ○介護保険料に係る生活保護受給者の取扱いについて……………………529

10月25日　社援第2393号
- ○生活保護法施行事務監査の実施について…………………………………1385

10月25日　社援第2394号
- ○指定医療機関に対する指導及び検査について……………………………1528

10月25日　社援第2395号
- ○生活保護法による保護施設に対する指導監査について…………………1547

10月25日　社援監第18号
- ○厚生労働省による都道府県・指定都市に対する生活保護法施行事務監査にかかる資料の提出について……………………………………………1432

10月25日　社援監第19号
- ○生活保護法施行事務監査の実施結果報告について………………………1417

12月14日　社援第2700号
　○生活保護法による医療扶助の適正な運営について……………………………1006
12月14日　社援保第72号
　○生活保護法による医療扶助の診療報酬明細書の点検について………………1126

[平成13年]

3月7日　社援保発第9号
　○生活保護法による委託入院患者の適切な処遇の確保について………………1003
3月22日　社援保発第14号
　○生活保護法による医療扶助における診療報酬請求方式の一部改正について…………………………………………………………………………………1091
3月29日　社援保発第22号
　○生活保護法による介護扶助の運営要領に関する疑義について………………1253
3月30日　社援発第588号
　○指定介護機関に対する指導及び検査について…………………………………1537
3月30日　社援保発第27号
　○要保護者の把握のための関係部局・機関等との連絡・連携体制の強化について　……………………………………………………………………………326
3月30日　社援監発第8号
　○生活保護法による保護施設指導監査の実施について…………………………1557
10月15日　社援保発第51号
　○生活保護に係る外国人からの不服申立ての取扱いについて…………………1581
12月13日　社援保発第58号
　○生活保護法による医療扶助における施術の給付について……………………1110

[平成14年]

3月22日　社援保発第0322001号
　○頻回受診者に対する適正受診指導について……………………………………1010
3月27日　社援発第0327028号
　○180日を超えて入院している患者の取扱いについて …………………………1034
3月29日　社援発第0329024号
　○就労可能な被保護者の就労及び求職状況の把握について ……………………831
3月29日　社援発第0329030号
　○保護施設通所事業の実施について………………………………………………1356
3月29日　社援保発第0329001号
　○公営住宅に入居する被保護者の保証人及び家賃の取扱いについて …………516

3月29日　事務連絡
　○外来慢性維持透析患者に係る食事加算の廃止について……………………1112
4月23日
　○福祉部局との連携等に係る協力について ……………………………………327
7月17日　衆議院厚生労働委員会
　○ホームレスの自立の支援等に関する特別措置法の運用に関する件…………1869
8月7日　法律第105号
　●ホームレスの自立の支援等に関する特別措置法………………………………1865
8月29日　社援保発第0829002号
　○生活保護法に基づく介護扶助に係る審査請求の取扱いについて……………1335

[平成15年]
3月31日　社援保発第0331004号
　○生活保護制度における福祉事務所と民生委員等の関係機関との連携の在
　　り方について …………………………………………………………………328
7月31日　社援保発第0731001号
　○ホームレスに対する生活保護の適用について…………………………………1890

[平成16年]
12月14日　社援発第1214002号
　○救護施設におけるサテライト型施設の設置運営について……………………1351

[平成17年]
3月29日　社援保発第0329001号
　○保護の実施機関における生活保護業務の実施方針の策定について …………321
3月31日　社援発第0331003号
　○平成17年度における自立支援プログラムの基本方針について………………1671
3月31日　事務連絡
　○「就労可能な被保護者の就労及び求職状況の把握について」の一部改正
　　に伴う留意事項等について ……………………………………………………838
3月31日　事務連絡
　○生活保護特別指導監査事業について……………………………………………1566
9月21日　社援保発第0921001号
　○境界層該当者の取扱いについて…………………………………………………1308
9月30日　社援保発第0930002号
　○生活保護制度における介護保険施設の個室等の利用等に係る取扱いにつ
　　いて…………………………………………………………………………………1320

[平成18年]

3月30日　社援保発第0330001号
〇生活保護行政を適正に運営するための手引について …………………………781

3月30日　社援保発第0330002号
〇暴力団員に対する生活保護の適用について ……………………………………773

3月31日　社援保発第0331006号
〇生活保護法第37条の2に規定する保護の方法の特例（住宅扶助の代理納付）に係る留意事項について ………………………………………………509

3月31日　社援保発第0331007号
〇障害者の日常生活及び社会生活を総合的に支援するための法律施行規則第27条等の規定が適用される要保護者（境界層該当者）に対する保護の実施機関における取扱いについて ……………………………………………741

3月31日　社援保発第0331009号
〇石綿による健康被害の救済に関する法律による各種手当等に係る生活保護法上の取扱いについて ……………………………………………………753

3月31日　社援保発第0331011号
〇生活保護法第29条に基づく年金の支給状況等に関する調査嘱託に関する協力依頼について ……………………………………………………………841

3月31日　老発第0331028号
〇老人ホームへの入所措置等の指針について（抄） ……………………………660

9月12日　厚生労働省告示第495号
◉厚生労働大臣の定める評価療養、患者申出療養及び選定療養 ………………1178

9月12日　厚生労働省告示第498号
◉保険外併用療養費に係る厚生労働大臣が定める医薬品等 ……………………1183

9月29日　社援保発第0929003号・社援指発第0929001号
〇生活保護制度における他法他施策の適正な活用について ……………………632

[平成19年]

3月29日　社援保発第0329002号
〇「医療扶助における長期入院患者の実態把握について」の一部改正について ……………………………………………………………………………991

3月29日　社援保発第0329004号
〇介護扶助と障害者の日常生活及び社会生活を総合的に支援するための法律に基づく自立支援給付との適用関係等について ……………………1325

3月30日　社援保発第0330001号
〇要保護世帯向け不動産担保型生活資金の生活保護制度上の取扱い及び保護の実施機関における事務手続について ………………………………680

3月30日　社援保発第0330002号
　○中国帰国者等に対する生活保護制度上の取扱いについて ……………………………754
3月30日　事務連絡
　○要保護世帯向け長期生活支援資金の運用に関する疑義照会への回答の送
　　付について …………………………………………………………………………………693
3月30日　事務連絡
　○中国帰国者等に対する生活保護制度上の取扱いに関する疑義照会への回
　　答の送付について …………………………………………………………………………756
10月5日　社援保発第1005002号・社援指発第1005001号
　○生活保護制度における代理納付等の適切な活用等について ……………………531
10月5日　老介発第1005001号
　○生活保護受給者の介護保険料徴収に係る保護の実施機関との連携等につ
　　いて …………………………………………………………………………………………534

[平成20年]

3月31日　厚生労働省発社援第0331011号
　○生活保護法による保護施設事務費及び委託事務費の支弁基準について……………1743
4月1日　社援保発第0401006号
　○被保護者が海外に渡航した場合の取扱いについて ……………………………………566
4月1日　社援保発第0401007号
　○「配偶者からの暴力の防止及び被害者の保護に関する法律の一部を改正
　　する法律」の施行等に伴う生活保護制度における留意事項について ………………739
4月4日　社援保発第0404001号
　○医療扶助における移送の給付決定に関する審査等について …………………………1094
10月6日　社援保発第1006001号
　○課税調査の徹底及び早期実施について ……………………………………………………877

[平成21年]

3月9日　社援保発第0309001号
　○現業員等による生活保護費の詐取等の不正防止等について …………………………1541
3月18日　社援保発第0318001号
　○職や住まいを失った方々への支援の徹底について ……………………………………575
4月1日　厚生労働省発健第0401032号
　○ハンセン病問題の解決の促進に関する法律等の施行について（抄）………………1158
4月1日　健発第0401007号
　○ハンセン病問題の解決の促進に関する法律等の施行について（抄）………………1160

7月28日　厚生労働省発社援0728第9号
　○生活福祉資金の貸付けについて（抄） ……………………………………661

7月28日　社援発0728第15号
　○生活福祉資金（要保護世帯向け不動産担保型生活資金）貸付制度の運営
　　について ………………………………………………………………………671

10月20日　社援保発1020第1号
　○生活保護受給者が居住する社会福祉各法に法的位置付けのない施設及び
　　社会福祉法第2条第3項に規定する生活困難者のために無料又は低額な
　　料金で宿泊所を利用させる事業を行う施設に関する留意事項について ……732

10月30日　社援保発1030第4号
　○「緊急雇用対策」における貧困・困窮者支援のための生活保護制度の運
　　用改善について ………………………………………………………………579

12月25日　社援保発1225第1号
　○失業等により生活に困窮する方々への支援の留意事項について ……………580

[平成22年]

2月19日　職発0219第3号・能発0219第2号・雇児発0219第3号・社援発
　　0219第4号
　○生活保護受給者等就労自立促進事業協議会の設置について……………………1736

3月24日　社援保発0324第1号
　○生活保護制度における他法他施策の適正な活用について ……………………637

3月30日　社援保発0330第1号
　○生活保護法による医療扶助の特別基準の取扱いについて……………………1101

3月31日　社援保発0331第2号
　○生活保護法の医療扶助におけるCSV情報によるレセプトの保存について ………1092

10月1日　社援保発1001第1号
　○要保護者の把握のための関係部局・機関等との連絡・連携体制の強化の
　　徹底について …………………………………………………………………334

10月22日　社援保発1022第1号
　○生活保護に係る外国籍の方からの不服申立ての取扱いについて………………1583

[平成23年]

3月8日　社援保発0308第1号
　○指定医療機関に対する指導等について…………………………………………1044

3月17日　社援保発0317第1号
　○東北地方太平洋沖地震による被災者の生活保護の取扱いについて ……………878

3月29日　社援保発0329第1号
○東北地方太平洋沖地震による被災者の生活保護の取扱いについて（その2）……880

3月31日　社援保発0331第1号
○社会的な居場所づくり支援事業の実施について……1674

3月31日　社援保発0331第3号
○年金制度及び不動産等の資産の活用の徹底等について……648

3月31日　社援保発0331第5号
○生活保護法の医療扶助の適正な運営について……1045

3月31日　社援保発0331第7号
○柔道整復師の施術に係る医療扶助の適正な支給について……1046

3月31日　社援保発0331第13号
○未承認薬・適応外薬に関する医療扶助特別基準の取扱いについて……1102

3月31日　社援保発0331第14号
○介護扶助の適正化について……1328

5月2日　社援保発0502第2号
○東日本大震災による被災者の生活保護の取扱いについて（その3）……881

7月8日　社援保発0708第1号
○要保護者の把握のための関係部局・機関等との連絡・連携体制の強化の徹底について……335

8月17日　社援保発0817第1号
○外国人からの生活保護の申請に関する取扱いについて……1586

9月30日　厚生労働省告示第375号
●救護施設、更生施設、授産施設及び宿所提供施設の設備及び運営に関する基準第16条の2の規定に基づき厚生労働大臣が定める給付金……170

9月30日　雇児発0930第7号・社援発0930第4号
○児童福祉法施行規則等の一部を改正する省令等の施行について……1375

[平成24年]

1月6日　社援保発0106第2号
○東日本大震災により生活に困窮された方への支援の徹底について……885

2月23日　社援発0223第3号
○生活に困窮された方の把握のための関係部局・機関等との連絡・連携体制の強化の徹底について……336

3月26日　社援発0326第4号
○生活保護法による保護施設に対する指導監査事項について……1550

3月31日　雇児発0331第8号・社援発0331第2号
○児童福祉法施行規則第1条の23の2の規定に基づき厚生労働大臣が定める給付金の一部を改正する件等の公布について……………………………1379

7月4日　社援発0704第4号
○「生活に困窮する外国人に対する生活保護の措置について」の一部改正等について……………………………………………………………………1573

7月23日　社援保発0723第1号
○生活保護費の費用返還及び費用徴収決定の取扱いについて ……………583

9月14日　社援保発0914第1号
○金融機関本店等に対する一括照会の実施について …………………………843

10月23日　社援自発1023第1号
○不正受給事案や現業員等による不正等が発生した際における速やかな報告等について …………………………………………………………………771

[平成25年]

3月29日　雇児発0329第30号・社援発0329第77号
○生活保護受給者等就労自立促進事業の実施について……………………1676

5月16日　社援発0516第18号
○就労可能な被保護者の就労・自立支援の基本方針について ………………821

12月13日　法律第105号
●生活困窮者自立支援法……………………………………………………………1894

[平成26年]

3月31日　社援保発0331第4号
○指定医療機関等に対する指導及び検査の実施結果報告について………1530

4月1日　社援保発0401第1号
○生活保護に関する不正事案への対応について …………………………………815

4月18日　厚生労働省告示第224号
●生活保護法施行規則第18条の5の規定に基づき厚生労働大臣が定める算定方法 ………………………………………………………………………………198

4月18日　社援発0418第354号
○生活保護制度における第三者行為求償事務について ………………………596

4月18日　社援保発0418第3号
○生活保護制度における第三者行為求償事務の手引について ………………600

4月25日　社援保発0425第11号
　○生活保護法の一部改正に伴う指定医療機関の指定事務に係る留意事項等について……………………………………………………………………………1130

4月25日　社援保発0425第9号
　○生活保護法の一部改正に伴う指定助産機関及び指定施術機関の指定事務に係る留意事項等について……………………………………………………1140

4月25日　社援保発0425第15号
　○生活保護法の一部改正に伴う指定介護機関の指定事務に係る留意事項等について……………………………………………………………………………1329

4月25日　社援発0425第3号
　○生活保護法による就労自立給付金の支給について………………………………1589

4月25日　社援保発0425第7号
　○生活保護法による就労自立給付金の取扱いについて……………………………1596

6月30日　厚生労働省令第72号
　◉生活保護法別表第1に規定する厚生労働省令で定める情報を定める省令……111

6月30日　社援保発0630第1号
　○生活保護法の一部改正による生活保護法第29条第2項の創設に伴う同条第1項に規定する関係先への調査実施に関する留意事項について………………848

6月30日　社援保発0630第2号
　○生活保護法第29条に基づく税務署長に対する資料の提供等の求めについて……………………………………………………………………………………866

6月30日　事務連絡
　○生活保護制度における第三者行為求償事務に係る疑義について………………623

8月20日　社援保発0820第1号
　○医療扶助における転院を行う場合の対応及び頻回転院患者の実態把握について……………………………………………………………………………………1048

9月26日　社援保発0926第1号
　○身元不明者の身元確認を行うための生活保護担当部局における対応について……………………………………………………………………………………337

12月12日　社援保発1212第2号
　○難病の患者に対する医療等に関する法律施行令第1条等の規定が適用される要保護者（境界層該当者）に対する保護の実施機関における取扱いについて……………………………………………………………………………………1166

［平成27年］

2月4日　政令第40号
　◉生活困窮者自立支援法施行令………………………………………………………1908

2月4日　厚生労働省令第16号
●生活困窮者自立支援法施行規則……………………………1910

2月13日　社援保発0213第2号
○生命保険会社に対する調査の実施について　………………868

3月2日　厚生労働省告示第43号
●生活困窮者自立支援法施行令第1条第1項第1号の規定に基づき厚生労働大臣が定める基準……………………1924

3月27日　社援保発0327第1号・社援地発0327第1号
○生活困窮者自立支援制度と生活保護制度の連携について……………2047

3月31日　社援保発0331第3号
○救護施設入所者に対する保護費の適正な支給について………………524

3月31日　社援保発0331第4号
○保護の実施機関における訪問基準の作成について　…………339

3月31日　社援保発0331第16号
○レセプト点検の適切な実施等について……………………1057

3月31日　社援保発0331第20号
○被保護者就労支援事業の実施について………………………1601

3月31日　社援保発0331第22号
○就労支援促進計画の策定について……………………………1629

4月9日　社援保発0409第1号
○被保護者就労準備支援事業（一般事業分）の実施について……………1608

5月13日　社援保発0513第1号
○住宅扶助の認定にかかる留意事項について　………………503

6月11日　社援保発0611第1号・国住賃第13号・国住心第57号
○生活保護受給者の住まいの確保のための福祉部局と住宅部局等の連携について………………512

7月27日　社援発0727第2号
○生活困窮者自立相談支援事業等の実施について（抄）……………1930
　＊別添1　自立相談支援事業実施要領　………………………1938
　＊別添2　被保護者就労支援事業実施要領　…………………1944
　＊別添3　被保護者健康管理支援事業実施要領………………1946
　＊別添4　就労準備支援事業実施要領…………………………1948
　＊別添5　被保護者就労準備支援等事業実施要領……………1951
　＊別添6　一時生活支援事業実施要領…………………………1958
　＊別添7　地域居住支援事業実施要領…………………………1962
　＊別添8　家計改善支援事業実施要領…………………………1965
　＊別添9　生活困窮世帯の子どもに対する学習・生活支援事業実施要領……………1967
　＊別添10　都道府県による市町村支援事業実施要領…………1969

年別索引

＊別添11　福祉事務所未設置町村による相談事業実施要領 ……………………1971
＊別添12　アウトリーチ等の充実による自立相談支援機能強化事業実施要領 ………1973
＊別添13　就労準備支援事業等実施体制整備モデル事業 ……………………………1974
＊別添14　就労体験・就労訓練先の開拓・マッチング事業 …………………………1975
＊別添15　一時生活支援事業の共同実施支援事業実施要領 …………………………1977
＊別添16　生活困窮者自立支援法第7条第2項第3号に基づく事業実施要領 ………1978
＊別添17　ひきこもり支援推進事業実施要領 …………………………………………1982
＊別添18　日常生活自立支援事業実施要領 ……………………………………………1989
＊別添19　生活困窮者支援等のための地域づくり事業実施要領 ……………………1994
＊別添20　民生委員・児童委員研修事業実施要領 ……………………………………1996
＊別添21　被災者見守り・相談支援等事業実施要領 …………………………………1997
＊別添22—1　居住生活支援加速化事業実施要領 ……………………………………1999
＊別添22—2　生活困窮者自立支援の機能強化事業実施要領 ………………………2001
＊別添22—3　生活困窮者自立支援都道府県研修実施体制等整備加速化事業実施要領……2004
＊別添22—4　住まい支援システム構築に関するモデル事業実施要領 ……………2007
＊別添23　重層的支援体制整備事業への移行準備事業実施要領 ……………………2009
＊別添24　重層的支援体制構築に向けた都道府県後方支援事業実施要領 …………2018
＊別添25　生活保護適正実施推進事業実施要領 ………………………………………2019
＊別添26　自立支援プログラム策定実施推進事業実施要領 …………………………2025
＊別添41　中国残留邦人等への地域生活支援プログラム事業実施要領 ……………2025

9月16日　社援保発0916第1号
　○生活保護事務におけるマイナンバー導入に関する留意事項について ………341

[平成28年]

3月31日　社援保発0331第12号
　○生活保護法の医療扶助における向精神薬の重複処方の適正化等について…………1060

3月31日　社援保発0331第18号・社援地発0331第1号
　○被保護者就労準備支援事業及び就労準備支援事業における生活困窮者等の就農訓練事業の実施について……………………………………………………1619

3月31日　事務連絡
　○小児慢性特定疾病医療費と生活保護の医療扶助の取扱いについて…………………1152

[平成29年]

3月27日　社援保発0327第1号・社援地発0327第2号
　○被保護者就労準備支援事業及び就労準備支援事業における福祉専門職との連携支援事業の実施について ……………………………………………………1623

6月21日　職発0621第1号・能発0621第8号・社援発0621第1号
　○ホームレスの自立の支援等に関する特別措置法の一部を改正する法律の施行について ……………………………………………………………………………1893

10月5日　社援保発1005第1号
　○高額療養費等の生活保護法における取扱いについて……………………………………1193

[平成30年]

3月29日　社援保発0329第3号・社援地発0329第1号
　○地域におけるアウトリーチ支援等推進事業の実施について………………………1626

3月30日　社援保発0330第12号
　○被保護者家計改善支援事業の実施について……………………………………………1658

6月8日　厚生労働省告示第244号
　●生活保護法施行規則第18条の10の規定に基づき厚生労働大臣が定める額 …………202

6月8日　社援発0608第6号
　○生活保護法による進学・就職準備給付金の支給について……………………………1634

6月8日　社援発0608第7号
　○生活困窮者等の自立を促進するための生活困窮者自立支援法等の一部を
　　改正する法律の一部施行について（公布日施行分（進学準備給付金関
　　係））……………………………………………………………………………………1644

6月8日　社援発0608第2号
　○生活保護法による進学・就職準備給付金の取扱いについて…………………………1648

7月30日　健発0730第1号・子発0730第1号・社援発0730第2号・障発0730
　　　　第1号・老発0730第1号・保発0730第1号・年管発0730第1号
　○社会保障各制度における利用者等への必要な情報の伝達の徹底について …………818

9月4日　社援保発0904第2号
　○生活保護基準の見直しに伴う他制度における経過措置等の円滑な実施に
　　係る留意事項について…………………………………………………………………535

9月28日　厚生労働省告示第343号
　●生活困窮者就労準備支援事業及び生活困窮者家計改善支援事業の適切な
　　実施等に関する指針……………………………………………………………………1925

9月28日　社援保発0928第6号
　○生活保護の医療扶助における後発医薬品の使用促進について………………………1062

10月1日　社援地発1001第15号
　○生活困窮者自立支援法第9条第1項に規定する支援会議の設置及び運営
　　に関するガイドラインについて………………………………………………………2028

[平成31年]

3月29日　事務連絡
　○生活に困窮する外国人に対する生活保護の措置における地方公共団体か
　　ら領事館等への確認の手続について…………………………………………………1587

3月29日　社援保発0329第6号
　○生活保護法第29条に基づく労災給付に係る調査について ……………………………874

年別索引

[令和元年]

8月19日　厚生労働省令第34号
- ●無料低額宿泊所の設備及び運営に関する基準 …………………………695

9月10日　社援発0910第3号
- ○無料低額宿泊所の設備及び運営に関する基準について ………………707

[令和2年]

3月27日　厚生労働省令第44号
- ●日常生活支援住居施設に関する厚生労働省令で定める要件等を定める省令 ……………………………………………………………………………171

3月27日　社援発0324第14号
- ○日常生活支援住居施設に関する厚生労働省令で定める要件等について……1366

3月27日　社援保発0327第1号
- ○無料低額宿泊所及び日常生活支援住居施設における生活保護の適用について ……………………………………………………………………………568

3月27日　社援保発0325第14号
- ○無料低額宿泊所の設備及び運営に関する指導指針について …………722

8月24日　社援保発0824第1号
- ○無料低額宿泊所等における住宅扶助の認定について …………………506

9月14日　社援発第0914第7号
- ○地域の自主性及び自立性を高めるための改革の推進を図るための関係法律の整備に関する法律による生活保護法の一部改正等について ……269

11月5日　社援発1105第8号
- ○日常生活支援住居施設の認定要件に関する指導検査要綱及び指導検査事項について……………………………………………………………………1558

[令和3年]

2月26日　事務連絡
- ○扶養義務履行が期待できない者の判断基準の留意点等について ……484

3月30日　社援保発0330第4号
- ○居住不安定者等居宅生活移行支援事業の実施について ………………1665

8月27日　社援保発0827第1号
- ○無料低額宿泊所の設備及び運営に関する基準のサテライト型住居への適用に係る留意事項について ………………………………………………734

10月22日　厚生労働省令第175号
　●厚生労働省の所管する法律又は政令の規定に基づく立入検査等の際に携帯する職員の身分を示す証明書の様式の特例に関する省令（抄） ……………120

［令和4年］
2月16日　社援保発0216第1号
　○医療扶助における長期入院患者への対応について ……………………997
12月9日　社援保発1209第1号
　○医療扶助における向精神薬の重複処方の適正化に係る取組の徹底について（依頼） ……………………………………………………………………1067
12月27日　事務連絡
　○学習支援費の実費支給に関する留意事項について……………………1668

［令和5年］
3月14日　社援保発0314第1号
　○生活保護の医療扶助における医薬品の適正使用の推進について……1069
5月8日　社援保発0508第1号
　○生活保護法による委託入院患者の適切な処遇の確保について………1077
5月31日　社援保発0531第1号
　○医療扶助における治療材料（眼鏡）の給付に係る取組の徹底について（依頼） ……………………………………………………………………1078
6月30日　社援保発0630第1号
　○犯罪被害者等給付金の支給等による犯罪被害者等の支援に関する法律に基づく犯罪被害者等給付金の生活保護制度上の取扱いについて ……557
7月31日　厚生労働・国土交通省告示第1号
　●ホームレスの自立の支援等に関する基本方針……………………………1870

［令和6年］
3月29日　社援保発0329第2号
　○医療扶助の適正実施に関する指導監査等について……………………1568

2091

生活保護関係法令通知集　令和6年度版

令和6年8月20日　発行

編　集——中央法規出版編集部

発行者——荘　村　明　彦

発行所——中央法規出版株式会社
　〒110-0016　東京都台東区台東3-29-1　中央法規ビル
　TEL 03-6387-3196
　https://www.chuohoki.co.jp/

印刷・製本——株式会社アルキャスト

定価はカバーに表示してあります。
ISBN978-4-8243-0099-7

本書のコピー、スキャン、デジタル化等の無断複製は、著作権法上での例外を除き禁じられています。また、本書を代行業者等の第三者に依頼してコピー、スキャン、デジタル化することは、たとえ個人や家庭内での利用であっても著作権法違反です。

落丁本・乱丁本はお取替えいたします。
本書の内容に関するご質問については、下記URLから「お問い合わせフォーム」にご入力いただきますようお願いいたします。
https://www.chuohoki.co.jp/contact/
A099